教育部人文社会科学百所重点研究基地
内蒙古大学蒙古学研究中心学术著作系列
TOMUS 23

国家社科基金成果文库

SELECTED WORKS OF THE CHINA
NATIONAL FUND FOR SOCIAL SCIENCES

内蒙古通史 第三卷

蒙元时期的内蒙古地区（一）

总 主 编　郝维民　齐木德道尔吉

本卷主编　宝音德力根

人民出版社

策划编辑:陈寒节
编辑统筹:侯俊智
责任编辑:陆丽云
特约编辑:湖 催
装帧设计:肖 辉
责任校对:张 红 史 伟

图书在版编目(CIP)数据

内蒙古通史.第三卷/宝音德力根 主编.
　-北京:人民出版社,2011.12
ISBN 978－7－01－009412－0

Ⅰ.①内… Ⅱ.①宝… Ⅲ.①内蒙古-地方史-元代 Ⅳ.①K292.6

中国版本图书馆 CIP 数据核字(2010)第 214148 号

内蒙古通史(第三卷)
NEIMENGGU TONGSHI DISANJUAN
蒙元时期的内蒙古地区
主编 宝音德力根

人民出版社 出版发行
(100706 北京市东城区隆福寺街 99 号)

北京中科印刷有限公司印刷 新华书店经销

2011 年 12 月第 1 版 2012 年 10 月北京第 2 次印刷
开本:710 毫米×1000 毫米 1/16 插页:4
印张:58.25 字数:921 千字

ISBN 978－7－01－009412－0 定价:170.00 元(共二册)

邮购地址 100706 北京市东城区隆福寺街 99 号
人民东方图书销售中心 电话 (010)65250042 65289539

《国家社科基金成果文库》
出版说明

国家社科基金研究项目优秀成果代表国家社科研究的最高水平。为集中展示这些优秀成果，全国哲学社会科学规划领导小组决定编辑出版《国家社科基金成果文库》。《文库》将按照"高质量的成果、高水平的编辑、高标准的印刷"和"统一标识、统一版式、统一封面设计"的总体要求陆续出版。

全国哲学社会科学规划领导小组办公室
2005 年 6 月

成吉思汗

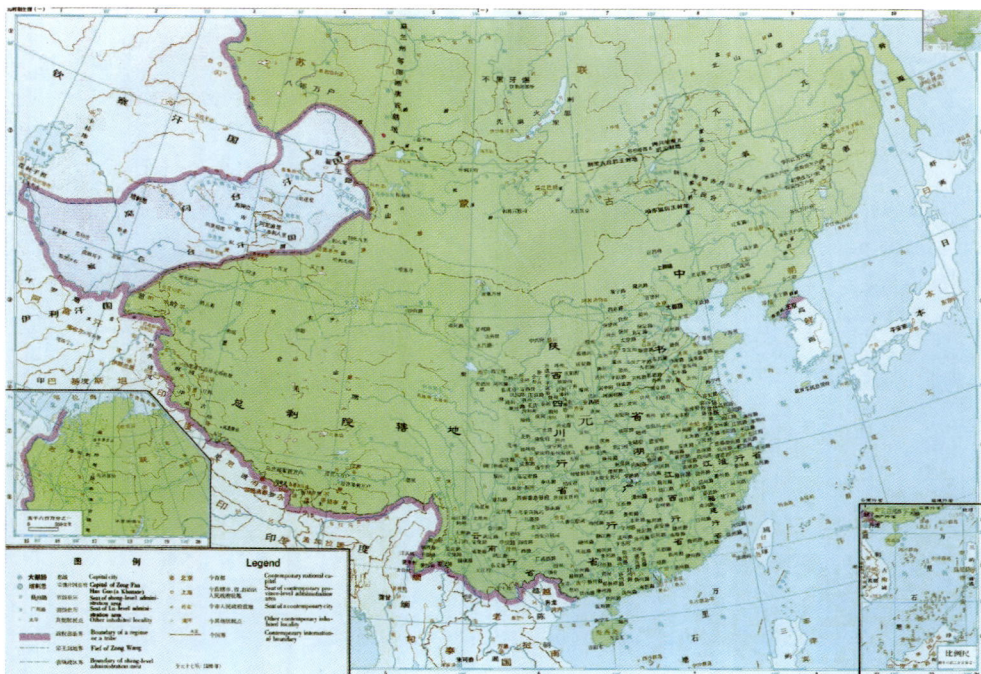

元朝时期全图二（至顺元年　1330 年）

"监国公主行宣差河北都总管之印"（铜印）

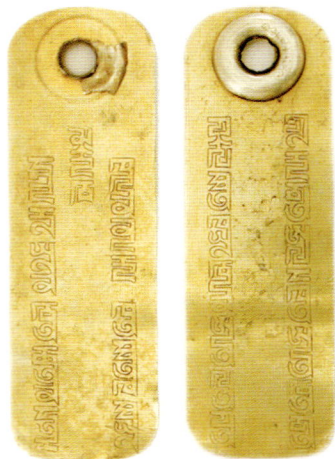

八思巴文令牌

元上都遗址航片（选自中国历史博物馆遥感与航空摄影考古中心、内蒙古自治区文物考古研究所编著：《内蒙古东南部航空摄影考古报告》，科学出版社 2002 年版）

应昌路遗址航片（选自中国历史博物馆遥感与航空摄影考古中心、内蒙古自治区文物考古研究所编著：《内蒙古东南部航空摄影考古报告》，科学出版社 2002 年版）

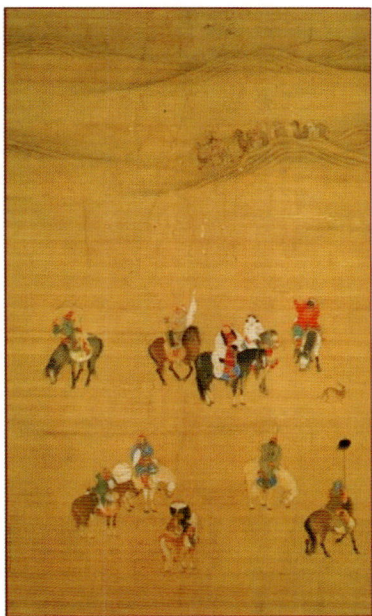

刘贯道《元世祖出猎图》（现藏于台北故宫博物院）

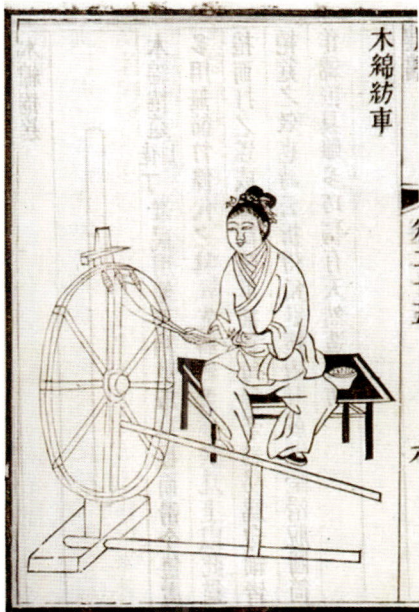

木棉纺车图（选自王祯《农书》）

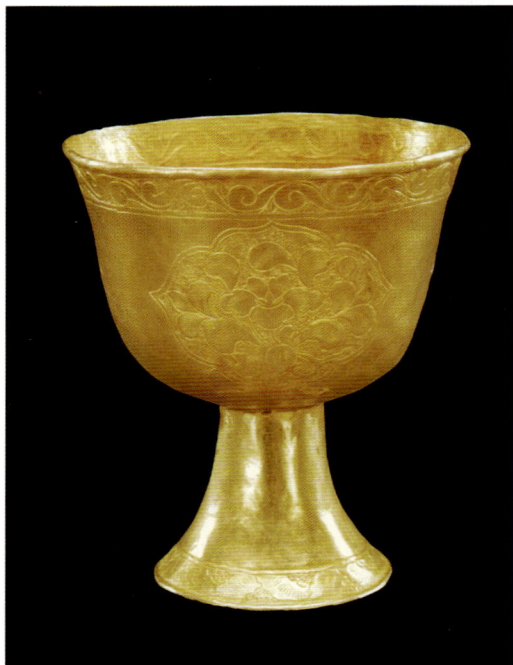

荷花纹高足金杯（内蒙古乌兰察布盟达茂旗明水元墓出土）

迦陵频迦金帽顶（乌兰察布盟博物馆藏）

元景德镇窑青花飞凤纹玉壶春瓶（通辽市博物馆藏）

古畏兀儿文木活字（1908年，甘肃省敦煌县莫高窟内发现，中国国家博物馆藏）

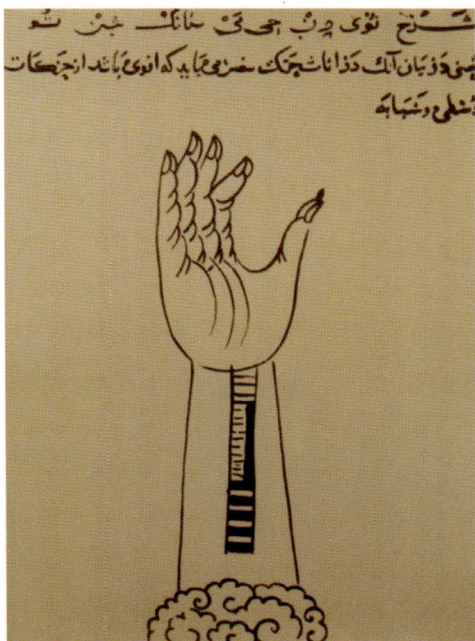

波斯文中医脉学插图（选自波斯拉施特丁（Rashid al-Din Fazl Allāh Ibn Abū al-Khayr Ibn 'Ālī Hamadānī）著作《伊利汗的中国科学宝藏》（《中国医药学大全》））

管军万户府印（1967年山东枣庄市出土，中国国家博物馆藏）

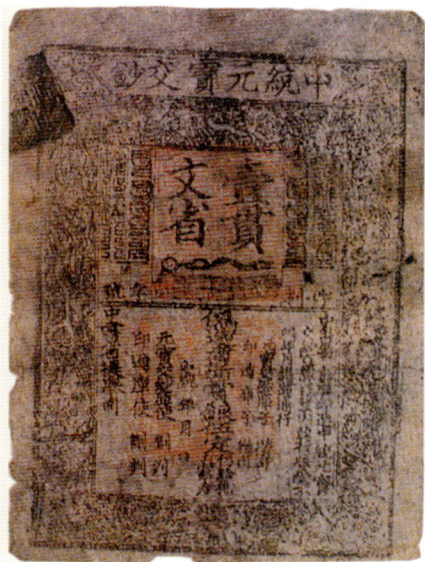

中统元宝交钞（中国国家博物馆藏）

阿拉伯数码字铁方盘（1956年陕西西安
元代安西王府遗址出土，中国国家博物馆藏）

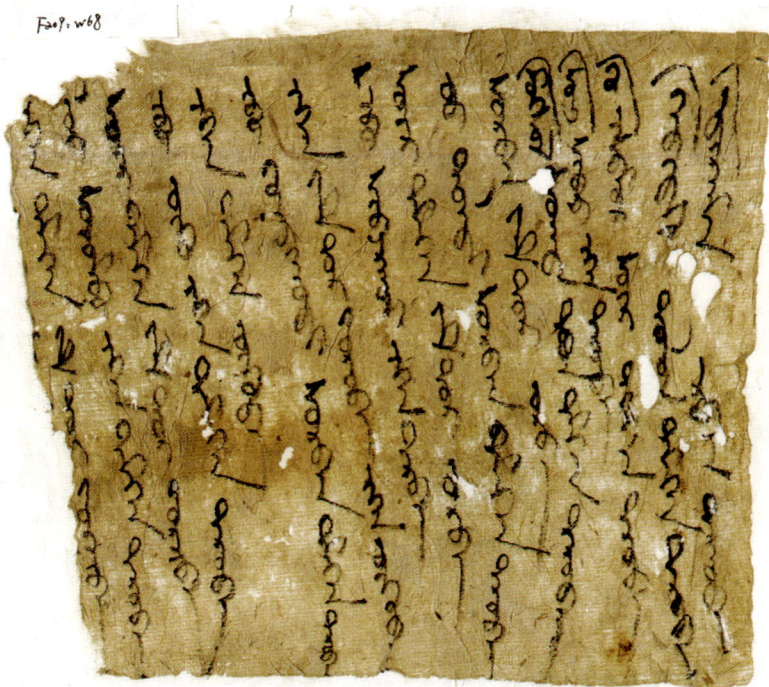

黑城文书（蒙古文）

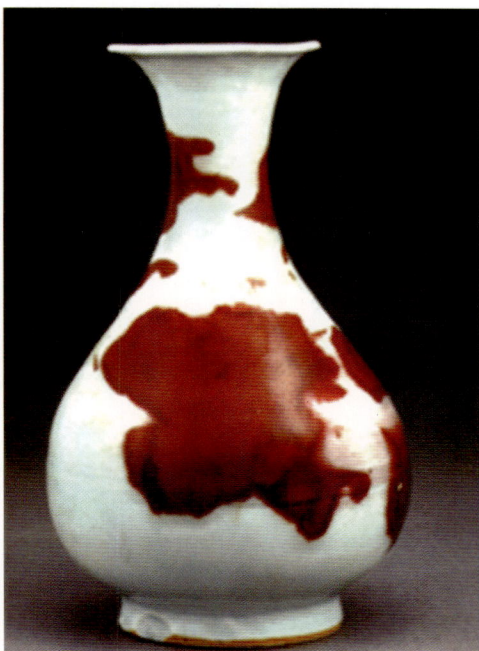

左上：釉里红玉壶春瓶
右上：青花云凤纹高足碗
左下：月白釉香炉
右下：青白釉瓷狮

元朝集宁路古城遗址出土的瓷器（选自陈永志主编：《内蒙古集宁路古城遗址出土瓷器》，文物出版社2004年版）

四合花纳石失辫线袍（内蒙古乌兰察布盟达茂旗大苏吉乡明水元墓出土，内蒙古博物院藏）

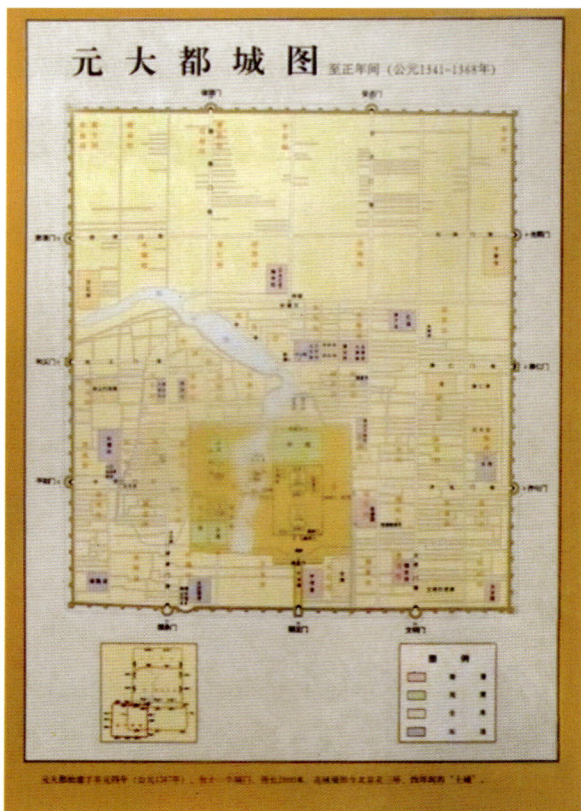

元大都城图

题　记

一、本卷主旨

内蒙古是蒙古民族的摇篮。蒙古部发源于今呼伦贝尔额尔古纳河流域及大兴安岭东西地区，后迁至今蒙古国三河之源肯特山一带，在那里生息繁衍，逐步壮大。原蒙古人各部中有塔塔尔、弘吉剌以及所属部亦乞列思、山只昆（撒勒只兀惕）、合底斤（合答斤）等长期驻牧今呼伦贝尔、锡林郭勒以及大兴安岭东西地区。今呼和浩特市大青山南北则是原蒙古人部落之一的汪古人牧地。成吉思汗统一蒙古后，作为蒙古高原的一部分，内蒙古地区在大蒙古国的政治、军事、经济、文化等方面的地位越来越重要。特别是在大蒙古国发生分裂，忽必烈建立大元——大蒙古国，定都上都后，内蒙古地区成为其政治中心。成吉思汗对子弟勋臣进行分封时，在很大程度上打破了内蒙古地区原来各部落的分布格局，将内蒙古大部分地区划分给他的四个弟弟以及五投下贵族作为牧地，有大量的不同部族出身的蒙古人聚集在今内蒙古地区。此外，今内蒙古地区的其他部分分属元朝中书省直辖，以及辽阳行省、岭北行省、陕西行省、甘肃行省管辖。

由于上述原因，我们在编写元代的内蒙古地区历史时就不能局限于今天的内蒙古行政区划，而是根据元代蒙古人的聚居情况，大致南以今长城为界，东则包括今东三省西部，西至今鄂尔多斯、阿拉善，北边虽然试图以大漠为限，但考虑到蒙古民族历史的整体性，有时涉及漠北特别是蒙古大汗祖宗之地。

　　蒙元前期，民族迁徙频繁，各民族、部族杂居情况较为普遍，特别是在内蒙古地区，除蒙古族外还有大量的汉族、契丹、女真、党项（唐兀人）以及自西域迁来的阿速、钦察、回回等部族。他们与蒙古民族共同创造了内蒙古的历史。

　　鉴此，在编写元代内蒙古地区历史时突出了元代内蒙古地区的民族特点和地区特点，力求体现本地区多民族的政治、经济、文化内容。

二、本卷编著者介绍

　　宝音德力根（**Boyandelger**）　蒙古族，内蒙古赤峰市巴林左旗人，1963年生。内蒙古大学蒙古史研究所所长、研究员、博士生导师。1985年内蒙古大学历史系毕业，先后获内蒙古大学蒙古学学院民族史专业硕士、博士学位。兼任中国史学会理事、中国蒙古史学会理事兼秘书长，内蒙古史学会副会长。主要从事蒙古古代史、元史以及北方民族史和民族史文献学研究。合著《内蒙古通史纲要》《蒙古史纲要》；编辑整理出版《清内阁蒙古堂档》（主编），主编《明清档案与蒙古史研究》丛书。主持完成教育部专项资金项目《15—17世纪蒙古史研究》、国家社科基金项目《清内阁蒙古堂档与喀尔喀汗国史研究》，主持教育部人文社会科学重点研究基地项目《1634—1721年清朝蒙古西藏关系研究》、国家985工程子项目《17世纪初蒙古古文孤本文书研究》。发表学术论文30余篇。博士学位论文《十五世纪前后蒙古政局、部落诸问题研究》，1999年被评为全国首届优秀博士学位论文。获内蒙古自治区哲学社会科学优秀成果政府奖二等奖1项。

　　本卷主编；撰写：

　　第一编　史料与研究概况　第一章　史料概况　第二章　研究概况

　　第二编　概述　第三章　大蒙古国的建立　第七章　元代内蒙古地区的政局

　　第三编　专题　第九章　祖宗故地与亲王出镇　第十章　元代的东道诸王及其兀鲁思　第一节　元代的东道诸王及其兀鲁思

　　第四编　人物撰写成吉思汗等34篇人物传略

张岱玉　女，湖南省平江县人，1968 年生。内蒙古大学蒙古学学院蒙古史研究所副研究员，历史学博士。曾在湖南省平江县高级中学、内蒙古社会科学院历史研究所工作。主要从事元史、蒙古史研究。合著《内蒙古通史纲要》《内蒙古民族志》《文化内蒙古》等专著，发表《〈元史〉高丽驸马王封王史料考辨》等学术论文数篇，承担国家社会科学基金西部项目《〈元史·诸王表〉补证及部分诸王研究》，主持完成内蒙古社会科学院《元代弘吉剌氏、亦乞列思两驸马家族诸问题研究》《元代蒙古地区的行中书省研究》等研究项目。获内蒙古自治区哲学社会科学优秀成果政府奖二等奖1 项。

本卷副主编；撰写：

第二编　概述　第四章　大蒙古国对内蒙古地区的经略　第五章　元代内蒙古地区的行政建置与诸王投下的领地　第一节　元代内蒙古地区的行省设立过程　第二节　中书省直属的上都路与兴和路　第四节　中书省所辖弘吉剌部领地应昌路和全宁路　第五节　辽阳行省所辖各路与诸王投下领　第八节　元代的投下分封制度及其封地的管理　第六章　元代内蒙古地区的经济　第一节　元代的马政与内蒙古地区的畜牧业　第二节　元代内蒙古地区的农业　第三节元代内蒙古地区的手工业　第四节　元代内蒙古地区的商业和高利贷　第七节　元代内蒙古地区的民族与人口

第三编　专题　第十章　元代的东道诸王及其兀鲁思　第二节　东道诸王家族中的主要宗王　第十一章安西王家族　第十二章　元代漠南弘吉剌部　第十三章　元代的亦乞列思部首领家族　第十四章　元代的汪古部统治家族

第四编　人物撰写真金太子等 8 篇人物传略

张文平　介绍见第一卷题记

本卷撰写：

第二编　概述　第五章　元代内蒙古地区的行政建置与诸王投下的领地　第三节　中书省河东山西道宣慰司所辖诸路及汪古部领地　第六节　陕西甘肃行省所辖诸路　第七节岭北行省的建立及其辖境　第六章　元代内蒙古地区的经济　第五节　元代内蒙古地区的城镇　第六节　元代内蒙古地区的交通运输

　　谢咏梅　女，蒙古族。内蒙古师范大学蒙古学学院蒙古史研究所副教授、历史学博士。主要研究古代蒙古史。主持内蒙古自治区社科规划项目《蒙古时期札剌亦儿部研究》，参加国家社科基金委托项目《草原文化区域分布研究》和国家社科基金项目《藏传佛教在蒙古地区发展研究》、《18 至20 世纪喀喇沁地区社会与生态环境变迁研究》。发表学术论文 10 余篇。

　　本卷撰写：

　　第三编　专题　第十五章　蒙元时期的札剌亦儿部

　　白秀梅　女，蒙古族。呼和浩特职业学院历史文化研究所讲师，历史学硕士。发表学术论文 2 篇。

　　本卷撰写：

　　第二编　概述　第六章　元代内蒙古地区的文化教育与宗教

　　第三编　专题　第八章　元代蒙古人的风俗习惯

　　参加本卷编写者 5 人，其中有高级职称的 4 位，博士 3 位。

郝维民

2009 年 12 月

目　　录

一　册

二　册

第三编　专　题

第四编　人　物

A General History of Inner Mongolia

Volume Ⅲ
The Inner Mongolian Region During the
Mongol Empire and the Yuan Dynasty

CONTENTS

PART Ⅰ

PART II

Division III   Subject Studies

Division IV　Historical Figures

(English Translation by Tergel, Nasan Bayar and Baohua, Revision by Irene Bain)

第一编

史料与研究概况

第　一　章

史　料　概　况

第一节　基本史料

一、汉文史料

《元史》①210卷，明宋濂等撰。《元史》正文由《本纪》、《志》、《表》和《列传》等部分组成。除元惠宗一朝外，《元史》47卷本纪主要是依据元朝十三位大汗的实录编撰而成的。②十三朝实录早已不存，故本纪具有很高的史料价值；《元史》的58卷志和8卷表的史料来源，除元惠宗朝外，主要是根据元文宗时所修的《皇朝经世大典》编撰而成，此书大部分已散失，因此，《元史》的志具有很高的史料价值；表的编撰比较粗疏，史料价值不如志。《元史》的97卷列传大体根据墓志、神道碑、家传、行状之类编写而成；部分列传的史料来源则为《元朝名臣事略》和今已不存的官修后妃功臣列传，也有一定的史料价值，但在总体上不及本纪、志和表。

《元史》虽因其成书仓促等原因，存在不少缺点和弊病，但它以无法

---

① 《元史》词条摘编自白寿彝主编：《中国通史》第8卷《中古时代·元时期》上册《甲编序说·汉文资料·基本史料·元史》，上海人民出版社1999年版。

② 《元史》卷200《李善长〈进元史表〉》，中华书局1976年版，第4673页。

替代的史料价值成为研究元朝历史及蒙元时代蒙古地区历史最重要的史料。《元史》的版本很多，1976 年 4 月，中华书局出版点校本《元史》，以百衲本为底本，用其他各种版本进行校勘，还吸收了前人对《元史》校勘的成果，并利用了大量的原始资料，校正了有关史文，这是目前最好的版本。

《圣武亲征录》　本书是有关成吉思汗、窝阔台时期蒙古历史的重要史籍。① 又名《圣武亲征记》。书成于至元年间，作者佚名。书中记载成吉思汗一生主要征战的事迹，兼及窝阔台汗一朝历史。与《蒙古秘史》相比，有同有异，对同一事件的记载也常有详略之差。研究这一时期的蒙古历史与蒙古地区的历史，需对照这两部书。

现存版本中，《说郛》本是最早的，近人王国维校注本质量较好。国外有日本人那珂通世增注本。法国伯希和的法文译注本学术水平很高，但只完成了全书的三分之一，他去世后由其学生韩百诗整理出版。

《元朝名臣事略》　元朝人物传记资料选编，本书 15 卷，苏天爵编。书前有天历二年（1329 年）序，故成书不得晚于此时。此书特点如《四库全书总目提要》所云："记元代名臣事实，始木华黎，终刘因，凡四十七人。大抵据诸家文集所载墓碑、墓志、行状、家传为多，其杂书可征信者亦采纳焉，一一注其所出，以示有征。"此书共引文 130 余篇，其中有不少碑传早已散佚，全靠此书保存下来，成为研究蒙元史的珍贵资料。此书 47 篇事略，都是元朝前期的名臣，前 4 卷都是蒙古人、色目人，其余是汉人（其中无南人），元代前期蒙古地区的一些重要人物或与蒙古地区有重大关系的重要人物，在此书中多有记载。

此书元刊本极少见。1962 年，中华书局根据元统乙亥（1335 年）建安余氏勤有堂刊本重新影印，是目前最好而又容易找到的版本。②

① 本词条摘编自《中国大百科全书·中国历史·元史》，中国大百科全书出版社 1985 年版，第 92 页《圣武亲征录》。

② "元朝名臣事略"词条摘编自白寿彝主编：《中国通史》第 8 卷《中古时代·元时期》上册《甲编序说》第 1 章《汉文资料》第 1 节《基本史料·元朝名臣事略》与《中国大百科全书·中国历史·元史·元朝名臣事略》。

二、蒙古文史料

《元朝秘史》①是十三世纪初蒙古国官修史书。《元朝秘史》是明朝洪武年间的译者根据原文的书首题记"忙豁伦纽察脱察安"（Monggol-un Niḥuča Tobčiyan，蒙古的秘史）转译的书题。许多学者认为其真正书名应是原文首行的"成吉思合罕纳忽札兀儿"（Činggis qaqan-u Huǰaγur，成吉思汗的根源）。此书原文系畏兀字蒙古文，明人用汉字音译全文，逐词旁注词义，并分段（共 282 段）加上汉文节译。现在原本已佚，仅存明初的汉字音译本。此书从成吉思汗的 22 代祖先写起，记载了许多蒙古氏族和部落的起源。书中突出描述了成吉思汗早年的艰难经历和他在战乱中壮大自己的势力，建立大蒙古国的过程，记载了蒙古国南征金、夏，收服畏兀儿，进兵中亚，远征欧洲的情况。这部书反映了蒙古草原 12、13 世纪的社会状况，涉及社会生活的各个方面，是一部重要的蒙古史典籍。元代的《圣武亲征录》和波斯的蒙古汗廷官修史书《史集》，很多材料与《蒙古秘史》相同，可资印证。但书中对某些年代和史实的记载有的不确切，有的错乱。

20 世纪 30 年代以来，德国学者海涅士、苏联学者柯津、日本学者白鸟库吉、法国学者伯希和、匈牙利学者李盖提、澳大利亚学者罗依果先后发表了原文（根据汉字音译）的拉丁字音译本。1987 年，我国学者亦邻真在充分研究汉字音译本和《黄金史》所抄录的原文以及中古蒙古语诸文献的基础上，完成了《元朝秘史》的畏兀字蒙古文复原工作（内蒙古大学出版社刊行），这是本书第一部完善的复原本。

《元朝秘史》通行的版本有《四部丛刊》三编本，额尔登泰、乌云达赉校勘本《蒙古秘史》，余大钧译注《蒙古秘史》，亦邻真《元朝秘史》（畏兀体蒙古文）复原本。

三、穆斯林史料

《世界征服者史》（**Tārīkh-i-Jahāngushā**）　　作者志费尼（Ala-al-Dīn

---

① 本词条参考了《中国大百科全书·中国历史·元史》，第 135 页《元朝秘史》；白寿彝主编：《中国通史》第 8 卷《中古时代·元时期》上册《甲编序说》第 2 章《蒙、藏、回鹘文资料》第 1 节《蒙古文资料·元朝秘史》。

'Ata-Malik Juwainī)，呼罗珊志费因（今伊朗霍腊散省内沙布尔西北）人。其先世仕于花剌子模王朝。花剌子模亡，其父归降蒙古。志费尼以大臣子出任阿姆河行省长官阿儿浑的书记，1252 年入朝蒙古大汗，抵达蒙古首都哈剌和林，次年秋返回。在蒙古逗留期间，他开始撰写《世界征服者史》。其书始于蒙古兴起，只写到 1257 年灭木剌夷国，还有若干拟定的章节没有写，是未完成的著作。书分三部分，第一部述蒙古建国及其征服畏兀儿、西辽和花剌子模，窝阔台至贵由时期的蒙古政事和拔都西征；第二部述花剌子模兴亡史和统治波斯的历任蒙古长官（成帖木儿、阔里吉思、阿儿浑）事迹；第三部述蒙哥登基和旭烈兀西征，木剌夷兴亡史。作者亲睹蒙哥登基后对政敌窝阔台、察合台两系诸王大臣的无情镇压，这段史实在《元史》中多被删略或隐瞒，所以他的详尽记载更显珍贵。此书一直以抄本流传，20 世纪初，伊朗学者卡兹维尼以巴黎国家图书馆所藏最古的 1290 年抄本为底本，用其他多种抄本进行校勘，于 1912、1916 和 1935 年先后出版了一、二、三卷波斯原文集校本（《吉伯丛书·旧编》第十六号，伦敦）。英国波斯学家波义耳据此译为英文，并加详细注释（曼彻斯特大学出版社，1958 年）。何高济据英译本重译为汉文（上、下册，内蒙古人民出版社，1981 年）。[1]

《史集》（Jāmi ' al-Tawārīkh） 伊利汗国的宰相拉施特（Rashīd al-Dīn Fadl Allāh）（1247—1318 年）奉合赞汗（Qazan Qan）旨主编，1307 年编成进呈，复依完者都（Ölǰeitü Qan）汗之命增编世界各民族历史和舆地图志，1311 年完成。全书定名为《史集》，按原书总目录，分作三部。第一部为蒙古史。第二部为世界史。第三部为诸域志。留传至今的只有前两部和一个残缺的附录。

本书第一部《蒙古史》包括第 1 至 3 卷，分别叙述了乌古思及起源于乌古思亲属、后裔的各部落、民族，现今称为内蒙古的突厥诸部札剌亦儿、塔塔儿等部落，各有君长的突厥诸部克列、乃蛮、汪古、唐兀、畏兀儿、吉利吉思等 9 个大部族，自古以来就称为蒙古的诸部落，成吉思汗先世纪，成吉思汗纪，窝阔台合罕、朮赤、察合台、拖雷、贵由汗、蒙哥合罕、忽必烈

---

[1] 本词条摘编自白寿彝主编：《中国通史》第 8 卷《中古时代·元时期》上册《甲编序说》第 3 章《国外资料》第 1 节《波斯文资料·世界征服者史》。

合罕、铁穆耳合罕纪传，旭烈兀、阿八哈、帖古迭儿、阿鲁浑、海合都、合赞六代伊利汗传，以及同时代的亚洲和北非各国君主传。《史集》第一部是研究 14 世纪以前蒙古族史的最重要史料之一，也是研究古代游牧部落社会制度、族源、民族学的重要史料。其中对 13 世纪以前蒙古地区各游牧部落及其重要人物的记载，对窝阔台、贵由、蒙哥、忽必烈等各代大汗的记载等，包含了《蒙古秘史》等史籍上所无的重要资料或不同记载，故第一部的史料价值极高。与元代蒙古地区相关的主要是第一部。《史集》是伊利汗国的官修国史，拉施特及其助手们利用了伊利汗宫廷档案如《金册》（Altan debter，可能就是元朝颁发给各汗国的《实录》）等，以及波斯、阿拉伯历史著作如《世界征服者史》、伊本·阿昔儿的《全史》等，还征询于任职伊利汗国的蒙、汉及其他民族官员，收集了大量书面和口头资料，尤其是熟悉蒙古情况的朵儿边氏孛罗丞相的口述，保留了大量珍贵的资料。

保存到现在的本书波斯文抄本有十多种，分散在苏、英、法、德、奥、伊朗、土耳其等国，其中最古老的、最好的是伊斯坦布尔 1317 年抄本。1946、1952、1960 年，苏联科学院先后出版了本书第一部的第 3 卷、第 1 卷、第 2 卷俄译本。俄译本系据塔什干本、伊斯坦布尔本等 7 种抄本的波斯文集校稿译出，并加了大量注释。1957、1965 和 1980 年，苏联又先后刊布了本书第 3 卷波斯文集校本和俄译本的合刊本、第 1 卷上册和第 2 卷前一部分的波斯文集校本。

1983、1985 年，我国分别出版了余大钧、周建奇翻译的第 1 卷、第 2 卷。1986 年出版了余大钧翻译的第 3 卷。汉译本是据俄译本各卷转译的。①

第二节　行记、诗文集及其他史料

一、行记

《北使记》　金乌古孙仲端述，刘祁记。乌古孙仲端，《金史·乌古孙仲

---

① 本词条主要参考了《中国大百科全书·中国历史·元史》，第 94 页《史集》；另参见余大钧、周建奇译：《史集》第 1 卷《汉译者序》。

端传》云："乌古孙仲端，本名卜吉，字子正。承安二年（1197 年）策论进士。宣宗时，累官礼部侍郎。与翰林待制安延珍[①]奉使乞和于大元，谒见太师国王木华黎，于是安延珍留止，仲端独往。并大夏，涉流沙，逾葱岭，至西域，进见太祖皇帝，致其使事乃还。自兴定四年（1220 年）七月启行，明年十二月还至。"本书记作者出使北朝（蒙古）、西域期间沿途的所见所闻，对山川地理、风俗人情、物产状况等均有记载，可供了解 13 世纪 20 年代的蒙古和西域情况。

王国维《古行记校录》4 种曾收有此书，对书中磨里奚等几个部族名作了注解，见《王国维遗书》第 13 册。此外，商务印书馆《万有文库》及 1983 年中华书局出版的刘祁《归潜志》点校本，亦收有本书。[②]

《西游录》 耶律楚材著。耶律楚材（1190—1244 年），字晋卿，辽太祖阿保机长子东丹王突欲的八世孙，金末任同知开州。《元史》有传。蒙古攻陷中都后，在燕京报恩寺参禅 3 年。1218 年，耶律楚材应成吉思汗之召至蒙古怯绿连河畔的大斡耳朵。次年春，随成吉思汗大军西征，往返西域凡 7 年之久。据《西游录》书末"戊子清明日"题记一行，可知书成于 1228 年。《自序》写于己丑（1229 年），为书成后翌年刊印时所作。原刊本末有"燕京中书侍郎宅刊行"一行，表明系家刻自印之本。全书分上、下两部分。第一部分专记自北京出发以及西域各城的情形；第二部分是专门抨击长春真人丘处机的。《西游录》、《长春真人西游记》二书，都是 13 世纪记述天山以北和楚河、锡尔河、阿姆河之间历史地理最早最重要的书，也是研究 13 世纪楚河、锡尔河以及阿姆河地区历史的重要资料。第二部分反映了当时释、道两教的矛盾由来已久，斗争激烈。《西游录》首先只是耶律楚材的"燕京中书侍郎宅刊行"家刻本，刊行以后，最早收录它的是元代盛如梓的笔记《庶斋老学丛谈》，但仅节录其西游地理的一部分凡 800 余字。1926

---

① "安延珍"系"安廷珍"之误。《北使记》里作"安庭珍"。《金史》卷 16，《宣宗本纪》，兴定五年十二月"丁巳，礼部侍郎乌古孙仲端、翰林待制安庭珍使北还，各迁一阶。"参见《金史》卷 124《乌古孙仲端传》校勘记。

② 本词条摘编自白寿彝主编：《中国通史》第 8 卷《中古时代·元时期》上册《甲编序说》第 1 章《汉文资料》第 2 节《行记·西游录》；《金史》卷 124《乌古孙仲端传》，中华书局点校本 1975 年版，第 2701 页。

年，日本神田信畅在日本宫内省图书寮发现一旧钞本足本，1927 年神田据以排印出版，后《六经堪丛书》曾据之重印，是为过去通常使用的足本。1981 年中华书局出版向达校注本，虽注释偶有疏忽之处，但仍不失为目前最佳而又易得的版本。①

《西使记》 1 卷，刘郁撰。元宪宗蒙哥即位后，命其弟旭烈兀西征，征服木剌夷、黑衣大食及西亚大片土地。蒙哥九年（1259 年）正月，旭烈兀分地彰德府（今河南安阳）课税使常德（字仁卿）奉命驰驿西觐旭烈兀。他从和林出发，途经昏木辇（今蒙古国与新疆交界处布尔根河）、龙骨河（今新疆乌沦古河）、阿力麻里（今新疆霍城西北）、忽章河（今锡尔河）、撒麻耳干、阿姆河等地，到达旭烈兀驻营地，往返共 14 个月。归国后口述其经过见闻，由刘郁加以记录而成此书。书后有"中统四年（1263 年）三月，浑源刘郁记"。常德的西使比起耶律楚材和丘处机来，要晚 40 年左右，在此期间，经过蒙古的几次西征等重大历史事件之后，中亚的面貌有了相当大的变化。本书的有关叙述，为人们了解 13 世纪中期中亚的情况提供了宝贵的史料。本书对旭烈兀西征的经过以及西亚等地的风土人情也有比较详细的记载，正可补其他汉文史籍之所缺。本书原载《秋涧先生大全集》卷九四《玉堂嘉话》卷之二。后被收入《古今说海》等多种丛书之中。王国维为本书作过校录，见《海宁王静安先生遗书·古行记校录》。②

《长春真人西游记》 本书共 2 卷，金元之际李志常撰。李志常（1193—1256 年），全真道领袖丘处机的弟子，后为全真道掌门。1219 年冬，成吉思汗遣侍臣刘仲禄持诏至莱州，敦请丘处机赴西域"问道"。次年（庚辰年）正月，丘处机率门徒尹志平、李志常等 18 人启程，在燕京（今北京）、宣德（今河北宣化）等地盘桓多时。辛巳年（1221 年）二月，离宣德，取道漠北西行，经野狐岭（今河北万全膳房堡北）、抚州（治今河北张北）、盖里泊（今内蒙古太仆寺旗南）、鱼儿泺（今内蒙古达来诺尔）一路

---

① 本词条摘编自白寿彝主编：《中国通史》第 8 卷《中古时代·元时期》上册《甲编序说》，第 1 章《汉文资料》第 2 节《行记·西使记》。

② 本词条摘编自白寿彝主编：《中国通史》第 8 卷《中古时代·元时期》上册《甲编序说》，第 1 章《汉文资料》第 2 节《行记·西使记》。

向东北行进，至斡赤斤营帐（今内蒙古新巴尔虎旗东）；再转西北行至陆局河（今克鲁伦河）入阔连海子（今呼伦湖），沿河南岸西行，又经窝里朵（当在杭爱山北麓）、阿不罕山（今蒙古国科布多省东部之宗海尔罕山）北、金山（今阿尔泰山）、鳖思马（即别失八里）、昌八剌（即彰八里，今新疆昌吉）、阿里马（即阿力麻里）、大石林牙（即虎思斡耳朵，今吉尔吉斯斯坦托克马克西南布拉纳古城）等，复经霍阐没辇（今锡尔河）及其以西诸地，于同年十一月十八日至邪米思干（即撒马耳干，今乌兹别克斯坦撒马尔罕）。壬午年（1222年）三月，复经碣石（今撒马尔罕以南之沙里夏勃兹地方），过铁门，渡阿母没辇（今阿姆河）东南行，于同年四月至大雪山（今阿富汗兴都库什山）晋见成吉思汗。十月，离邪米思干东还。癸未年（1223年）六月初渡碛，宿渔阳关（可能是内蒙古呼和浩特西北之吴公坝），复经丰州（今内蒙古呼和浩特东白塔镇）、下水（今内蒙古岱海）等地，于同年秋八月回到宣德，并于甲申年（1224年）回到燕京。李志常以西游之经历，写成《长春真人西游记》一书，记述所经山川道里和沿途风俗人情等见闻，并兼及丘处机生平，是研究13世纪漠北、西域史地的重要资料。此书过去鲜为人知，乾隆年间钱大昕从苏州玄妙观《道藏》中抄出，并为之作跋加以表彰，才得到学术界的重视。近人王国维为之作校注，是目前较好而又易得的本子，见《王国维遗书》。[1]

《蒙鞑备录》 南宋赵珙撰。宋宁宗嘉定十四年（1221年），赵珙奉其上司贾涉之命，往河北蒙古军前议事，至燕京，见到总领蒙古大军攻金的木华黎国王，他将出使期间的见闻著录成书。全书分立国、鞑主始起、国号年号、太子诸王、诸将功臣、任相、军政、马政、粮食、征伐、官制、风俗、军装器械、奉使、祭祀、妇女、燕聚舞乐共17目，为研究当时蒙古国和幽燕一带的历史提供了许多有价值的史料。

本书现存最早版本是《说郛》本，1926年刊行的王国维《蒙鞑备录笺证》是通行诸本中较佳而又易得的本子，见《王国维遗书》。[2]

---

[1] 本词条摘编自白寿彝主编：《中国通史》第8卷《中古时代·元时期》上册《甲编序说》，第1章《汉文资料》第2节《行记·长春真人西游记》。

[2] 本词条摘自《中国大百科全书·中国历史·元史》第65页《蒙鞑备录》。

　　《黑鞑事略》　南宋彭大雅撰，徐霆疏。据王国维《黑鞑事略跋》研究，彭、徐二人分别于 1232 年和 1235—1236 年间作为南宋使节的随员，出使到蒙古大汗居留的草原。彭大雅是书状官，将自己的使蒙见闻写成书稿。徐霆亦将其见闻记录编撰成稿。后二人相遇，各出所撰以相互参考，遂以彭著为定本，把徐霆的不同记载作为"疏"写在各有关事项之下，合成本书，全书共分 48 条。本书从多方面介绍了蒙古国的主要人物、地理气候、游牧围猎、衣食住行、风俗习惯、语言文字、历法和占筮、差发赋税、贸易贩贾、官制和习惯法、军事装备、行军扎营、布阵破敌、作战方法、军马将帅以及所属各投下状况等等。所记内容为作者身历其境、耳闻目睹的记录，故有很高的史料价值，是研究 13 世纪上半叶蒙古国历史的重要资料。本书通行诸本中以 1925 年王国维笺证本为佳，见《王国维遗书》。①

　　《岭北纪行》　本书 1 卷，张德辉撰。张德辉，冀宁交城人（今山西交城县）。1247 年，忽必烈在漠北潜邸召张德辉北上询问当世之事。张德辉从镇阳（真定府，即今河北正定县）出发，过燕京、出居庸关、鸡鸣山、宣德（今宣化）、扼胡岭（即野狐岭）、抚州（今河北张北县）、昌州（今内蒙古太仆寺旗西南的九连城），入沙陀至鱼儿泊（今内蒙古克什克腾旗的达里泊），再途经驴驹河（今克鲁伦河）、浑独剌河（今土剌河）、和林城及塌米河（鄂尔浑河的支流塔米尔河）等地而达于忽必烈驻地。本书记录他这次北上的经历及沿途所见所闻，对于当时蒙古族居住的大漠南北风土人情、生产和生活状况以及地理情况记述颇详，对研究蒙古国时期的历史和地理状况有重要的史料价值。

　　本书原载王恽《秋涧先生大全集》卷一〇〇《玉堂嘉话》卷之八，常见的有《四部丛刊》初编本。又见贾敬颜《张德辉〈岭北纪行〉疏证稿》。

　　《开平纪行》　王恽撰。王恽字仲谋，卫州汲县（今河南卫辉市）人，《元史》有传。庚申年（1260 年），由中书左丞姚枢辟为东平详议官。七月，忽必烈在燕京立行中书省，王恽被选至京师，提拔为中书省详定官。辛酉年（1261 年）春，转翰林修撰、同知制诰，兼国史院编修官，寻兼中书省左右司都事。二月，行省官员奉旨北上开平，王恽撰《中堂事记》详细

---

　　①　本词条摘自《中国大百科全书·中国历史·元史》第 42 页《黑鞑事略》。

地记述忽必烈朝开始的元朝朝官朝见大汗，奏议国家政务的制度。其中有经行开平的笔录数则，是为《开平纪行》。《开平纪行》记述沿途经行之处以及开平周围的地理状况：从燕京出发，经居庸、北口、八达岭、榆林驿、怀来、统墓、雷氏驿亭，从奉圣州（今保安旧城）东入宣德州（今宣化），过青龙、定边城、榷场峪、察罕脑儿，渡滦河北上，经鞍子山、桓州故城、新桓州，到达开平。并记述了当时开平周围的自然环境是"龙岗蟠其阴，滦江经其阳，四山拱卫，佳气葱郁"。①《中堂事记》及其《开平纪行》成为研究元朝大都与上都之间的交通、元上都的舆地、元朝的御前闻奏及诏敕等制度的重要依据。

《开平纪行》见于《中堂事记》（见《秋涧先生大全文集》卷八十至八十一），常见的有《四部丛刊》初编本。中华书局 2004 年出版了贾敬颜《五代宋金元人边疆行记十三种疏证稿》中有《张德辉〈岭北纪行〉疏证稿》。这是目前最方便的版本。②

《扈从诗前后序》　周伯琦撰。周伯琦字伯温，饶州人（今江西鄱阳湖人）。元至正十二年（1352 年），元惠宗下旨，南方汉人可以任中书省、御史台之职，周伯琦任为兵部侍郎，又与贡师泰同升监察御史。是年四月，周伯琦作为监察御史扈从顺帝巡幸上都，从东路赴上都，即从大都经通州、顺州（今北京顺义县）、檀州（今北京密云县）、古北口、宜兴州（今河北滦平县北兴州村小城子古城），沿滦河西北上行，经东凉亭（今多伦县白城子古城）至上都，是"东道御使按行"之路。七月从上都南下，经西路，即从上都东南过桓州、察罕脑儿行宫、盖里泊（今太仆寺旗南巴彦查干诺尔）、宝昌州、抚州、野狐岭（今河北张家口市西北）、宣德府（今河北宣化）、榆林驿、居庸关回大都。③ 周伯琦在东出西还及其在上都的三四个月中，写有 24 首纪行诗，并有序，世人称为《扈从诗前后序》与《纪行诗》。《纪行诗》及《扈从诗前后序》是元代关于上都与大都之间最完备的舆地记

① 王恽：《中堂事记》，《秋涧先生大全集》卷 80 至 81，《四部丛刊本》；贾敬颜：《五代宋金元人边疆行记十三种疏证稿》第 312—332 页；王恽：《开平纪行》，中华书局 2004 年版。

② 参见贾敬颜：《张德辉〈岭北纪行〉疏证稿》，见《五代宋金元人边疆行记十三种疏证稿》，第 334—348 页。

③ 周伯琦：《近光集》卷 2、3，内蒙古大学馆藏抄本。

述，其对于上都的吟咏之作也是后世了解元上都的原始资料。

《扈从诗前后序》及其《纪行诗》的版本较多：北京图书馆藏《周翰林近光集》三卷扈从诗一卷，有清初抄本、清抄本两种善本各一册；北京大学图书馆专藏李盛铎旧藏书清抄本（善本）《周翰林近光集》一册；南京图书馆藏明祁氏谈生堂抄本《周翰林近光集》一册；四库全书集部《近光集》三卷扈从诗一卷；元诗初选集庚集《近光集》一卷扈从诗一卷；① 现在《扈从诗前后序》有贾敬颜《五代宋金元人边疆行记十三种疏证稿》本。

《蒙古史》 普兰诺·卡尔平尼（Giovannideplano Carpini，1180—1252年），著有《蒙古史》（Historia Mongalorum）。普兰诺·卡尔平尼是意大利人，天主教方济各会创始人圣方济的弟子，是最早来到蒙古高原的罗马教皇使节。1241 年，蒙古军攻入孛烈儿（波兰）、马札尔（匈牙利），欧洲震惊。1245 年，罗马教皇英诺森四世在法国里昂召集宗教大会，商讨对策，并先派遣教士出使蒙古，劝说他们停止杀掠和侵犯基督教国家，并了解蒙古人的政治、军事、经济、宗教等情况。是年 4 月，普兰诺·卡尔平尼携教皇致蒙古大汗的书信，从里昂出发，取道孛烈儿、斡罗思，于 1246 年 4 月，抵达也的里河（今俄国伏尔加河）畔，谒见拔都汗。拔都命他前往蒙古觐见大汗。7 月，到达和林附近的昔剌斡耳朵。8 月，参加了蒙古诸王大将推举贵由为蒙古大汗的盛典。11 月，他带着贵由汗答教皇的诏书仍由陆路西归。1247 年秋，回到里昂，向教皇复命，并呈上贵由的诏书，以及他用拉丁文写的出使报告——《蒙古史》。本书分 9 章，前 8 章分别记述蒙古的地理、人民、宗教、习俗、国家、战争、被征服国家、对付蒙古人的方法，第9 章叙述其往返路程和在蒙古宫廷的情况。这是欧洲人根据亲身见闻所写的关于蒙古的第一部详细报告。原书抄本传世者有 5 种。16 世纪以来出版多种刊本和译本，重要者有 1839 年达维扎克（D'Avezac）的拉丁原文校订与法文译注合刊本（巴黎地理学会《旅行记与回忆录丛刊》）；1903 年必兹里（C. R. Beazley）的原文校订与英译合刊本；1929 年温加尔（P. A. Wyngaert）的原文校订本（《中国方济各会》（Sinica Franciscana）第 1 卷，佛罗伦萨，最好的原文刊本）；1930 年里希（F. Risch）的德文译注本；1955 年道森

---

① 参见周清澍编：《元人文集版本目录》，南京大学学报丛刊本（内部印行），第 66 页。

（C. Dawson）编《出使蒙古记》所收英译本；1957 年沙斯契娜（Н. Л. Щастина）的俄文译注本（对 1911 年马列英（Мадеин）俄文译注的订正和补注）；1965 年贝凯（D. J. Becqet）与韩百诗（L. Hambis）的法文译注本。①

1965 年，时为内蒙古大学历史系蒙古史研究室教授的余大钧先生据 1957 年苏联沙斯契娜的俄译本译出此书，内部发表，大大方便了中国学者。1955 年道森（C. Dawson）编《出使蒙古记》所收英译本《蒙古史》有吕浦、周良霄的汉语译注本（中国社会科学出版社，1983 年）。1985 年中华书局出版了耿昇的译本，该译本是据 1965 年贝凯（D. J. Becqet）与韩百诗（L. Hambis）的法文译注本转译，书名为《柏朗嘉宾蒙古行纪》，与何高济译的《鲁布鲁克东行纪》合刊出版。②

《蒙古史》是研究早期蒙古史和中西交通史的重要原始资料。

《东方行记》 卢勃鲁克（Guillaumede Rubruquis）著。作者出生于法国佛兰德斯，生卒年不详。他是法国国王圣路易身边的许多方济各会教士之一，1248 年从圣路易东征（第 7 次十字军东征，1248—1254 年）。1253 年奉命以传教士身份前往蒙古探明虚实。1255 年回到塞浦路斯，圣路易已回法国，大主教命他留在阿克尔（Acre，今以色列海法）讲授神学，将蒙古之行写成书面报告，派人送呈国王。这篇很长的报告书（即《东方行记》）详细记述了其往返行程和所历各地山川湖泊、城郭以及蒙古、钦察、阿兰、不里阿耳、畏兀儿、吐蕃、唐兀、契丹等各民族情况，他最早指出"大契丹"即中国的居民，就是古代所称之塞尔（Seres）人，对蒙古人的衣食住行、风俗、信仰、政治、军事等各方面情况记载得尤为详细，特别是着重报告了拔都斡耳朵、蒙哥汗廷及蒙古国都哈剌和林的情况，记载了所见所闻的许多重要事件和人物。原书抄本现存者有 5 种，相互差别不大，应是同源。自 1599 年哈克鲁特（R. Hakluyt）首次刊布其部分内容（拉丁原文与英译）

---

① 参见余大钧：《最早来到蒙古高原的罗马教皇使节普兰·迦儿宾和他所写的〈蒙古史〉》，《内蒙古大学学报》1981 年第 1 期。

② 本词条摘编自余大钧：《最早来到蒙古高原的罗马教皇使节普兰·迦儿宾和他所写的〈蒙古史〉》，《内蒙古大学学报》1981 年第 1 期；参见耿昇译：《柏朗嘉宾蒙古行纪·导论》，中华书局 1985 年版。

以来，出版了多种原文刊本和译本，重要者有 1839 年巴黎地理学会《旅行记与回忆录丛刊》原文校本（最早的全文刊本）；1900 年柔克义（W. W. Rockhill）的英文译注本（含普兰诺·卡尔平尼行记的译注）；前述 1929 年《中国方济各会》第 1 卷所刊原文校本；1934 年里希的德译本；前述《出使蒙古记》中的英译本和沙斯契娜俄文译注本。1985 年出版的克劳德与卡普勒（Claudeet Rene Kappler）法文译注本吸收了前人（主要是伯希和的《中亚与远东基督教徒研究》）的成果，是最新、最好的译本。

道森编的英译本《出使蒙古记》有吕浦、周良霄的汉文译注本，中国社会科学出版社 1983 年出版。1985 年中华书局出版了何高济的译本，该译本以柔克义英译本为基础，参照道森本翻译的，书名为《鲁布鲁克东行纪》，与耿昇的《柏朗嘉宾蒙古行纪》合刊出版。①

《马可·波罗行记》　马可·波罗（Marco Polo，1254—1324 年），《马可·波罗行记》（Le di-visament dou monde）是其东游的沿途见闻的记录。马可·波罗于 1271 年夏，随其父亲、叔叔来元朝。他们携教皇格雷戈里十世致忽必烈的书信和出使特使状，经阿克拉，取道伊利汗国，经桃里寺、波斯湾港口忽里模子，准备走海道，后仍走陆路，沿古丝绸之路，过巴达哈伤高原和帕米尔高原，进入元朝辖境可失哈尔。然后由南道继续东行，经斡端、罗布泊等地，至沙洲，又经甘肃、凉州、宁夏、天德军等地，于 1275 年到达上都。从此，他们旅居中国达 17 年，游历了很多地方，对元朝许多重大的政治事件、典章制度以及各地自然和社会面貌的描述，基本符合实际情况，如所述大都等城市，海都、乃颜叛乱，阿合马被杀，元朝的两都巡幸制度都可以在汉文资料中得到印证。

1291 年，马可·波罗及其父亲、叔叔从泉州启程回国，1295 年返抵故里。次年，他参加威尼斯与热那亚的海战，被俘，在热那亚狱中讲述其东方见闻，同狱比萨人鲁思梯切诺（小说家）笔录成书。其书原稿使用法、意混合语写成（已佚），传抄中又出现拉丁语、意大利语及其他欧洲语译本，

① 本词条摘编自白寿彝主编：《中国通史》第 8 卷《中古时代·元时期》上册《甲编序说》第 3 章《国外资料》第 3 节《欧洲文字资料·东方行记》；何高济译：《鲁布鲁克东行纪·前言》，中华书局 1985 年版，第 185 页。

现存各种文字抄本达数十种，相互歧异甚多，其中最接近原稿文字者为巴黎国立图书馆藏 B. N. fr. 1119 抄本，最古老、最完整者为西班牙托莱多图书馆藏哲拉达（Zelada）拉丁文抄本。15 世纪以来出版的各种文字本子也数以百计；最重要者有玉尔的英文译注本（伦敦，1871 年初版，1903 年戈迪埃改订本）；伯内德托（L. F. Benedetto）校订本（佛罗伦萨，1928 年）；穆勒、伯希和合作完成的诸本集成、英译本（伦敦，1938 年）。汉语译本有四种，以冯承钧译本《马可波罗行纪》（据沙海昂法文译注本译出，1936 年）最通行。①

《南村辍耕录》 有关元朝史事的札记，30 卷，元末明初人陶宗仪著。陶宗仪，字九成，号南村，浙江黄岩人。元末兵起，避乱松江华亭，耕作之余，随手札记。元至正末，由其门生加以整理，得其中精粹 580 余条，分类汇编成书。作者对元代掌故、典章制度十分熟悉，书为当代人记当代事，记载较为真实。对蒙古的宗室世系，元代的蒙古与色目氏族、制度、礼仪，蒙古的风俗、文化及重大历史事件、重要历史人物多有记载。《南村辍耕录》有元末刻本和明刻本多种。1958 年中华书局据影刻元本断句后重印。

二、诗文集

《滦京杂咏》 杨允孚撰。《四库总目提要》称"允孚字和吉，吉水人。其始末未详"。"其诗凡一百八首，题曰《百咏》，盖举成数。其曰'滦京'者，以滦河径上都城南，故元时亦有此称。诗中所记元一代避暑行幸之典，多史所未详。其诗下自注，亦皆赅悉。"

《滦京杂咏》有两种：一为二卷本，有知不足斋丛书本（清嘉庆十年鲍廷博刻道光元年重修本、影印本）第二十三集；丛书集成初编·史地类。第二种为一卷本，有四库全书集部别集类；元诗选初集庚集；北京大学图书馆专藏李盛铎旧藏书清抄本（善本）。②

《扈从诗》 一卷，元周伯琦撰。至正十二年（1352 年），周伯琦以监

---

① 本词条摘自《中国大百科全书·中国历史·元史》第 62 页《马可波罗》。
② 参见周清澍编：《元人文集版本目录》，南京大学学报丛刊本（内部印行），第 94 页。

察御史之职，扈驾上京，作有 24 首纪行诗，即《扈从诗》。诗中记述漠南闻见，可资考察元代蒙古地区的风土人情。《扈从诗》收入《近光集》。

《**上京纪行诗**》　柳贯撰。柳贯（1270—1342 年），字道傅，号乌蜀山人，浦江（今浙江浦江）人。大德年间曾为江山县教谕，至大初迁昌国州学正，延祐时除国子助教，升博士，泰定年间迁太常博士，任江西儒学提举。至正元年为翰林待制，寻卒，年 73。著作甚丰，今存《柳待制文集》二十卷和《上京纪行诗》一卷。据《柳待制文集》卷十六《上京纪行诗序》，柳贯于延祐七年"□以国子助教分教北都生。始出居庸，逾长城，临滦水之阳而次止焉。自夏涉秋更二时，乃复计其关途览□之□，宫卫物仪之盛，凡接之于前者，皆足以使人心洞神竦，而吾情之□触□亦肆，口成咏弟而录之总三十二首"。柳贯的《上京纪行诗》记述了上都至大都及上都的地理、风物。

《上京纪行诗》有明洪武刊本，一函十册，故宫天禄琳琅现存书目；1930 年（民国十九年）北平故宫博物院图书馆影印本。①

《**全元文**》　由凤凰出版传媒集团、凤凰出版社（原江苏古籍出版社）出版发行，共 1880 卷，分为 61 册（包括"索引"一册），收集元代用汉语撰写的文章，包括除诗、词、曲、谣谚、小说以外的几乎全部散文、骈文、辞赋等，从文体上来说，有辞赋、诏令、奏议、公牍、书启、赠序、序跋、论说、杂记、箴铭、颂赞、传状、碑志、哀祭、祈谢等等。所收作家的时间范围，前承金和南宋，后与明代相接，由金、宋入元的文学家和由元入明的文学家，其主要活动在元代者，亦作为元人收录。粗略统计，《全元文》所收作者达 3 200 余人，文章有 35 000 多篇，总字数约 2 800 万字。

1990 年，《全元文》经全国高等院校古籍整理研究工作委员会批准列为重点项目。1992 年，与北京师范大学古籍所达成合作意向，并签订了图书出版合同，开始了长达十几年的合作。《全元文》先后被列为国家"十五"重点图书出版规划项目、国家古籍整理出版"十五"重点规划项目、国家教委人文科学研究"九五"规划项目、全国高等院校古籍整理研究工作委员会"十五"规划重点项目和江苏省"十五"重点图书出版规划项目。

---

①　本词条参考了《元史》卷 181《柳贯传》；《柳待制文集》卷 16《上京纪行诗序》，《四部丛刊本》；周清澍编：《元人文集版本目录》（内部刊行），《南京大学学报丛刊》，1983 年，第 54 页。

1997 年，由凤凰出版社（原江苏古籍出版社）出版《全元文》1—5 册，至 2004 年底、2005 年初，《全元文》已全部出版完成。

《全元文》由北京师范大学古籍所负责编纂，著名学者、教授、原古籍所所长李修生先生担任主编。

《全元文》的全部出版，大大有利于元代历史的研究。但《全元文》还存在一些问题：漏收作者；作者小传考证欠精详；有些版本选用不当；文献搜集不全；失校与标点错误。①

三、其他史料

《满洲金石志》 6 卷附别录 2 卷，补遗 1 卷，外编 1 卷，罗福颐辑。其中收有元代东北及蒙古地区的碑刻资料。《满洲金石志》有 1937 年的石印本。现有《石刻史料新编》本，台湾新文丰出版公司，1982 年第 2 版。又有《辽金元石刻文献全编》本，北京图书馆出版社 2003 年版；《历代石刻史料汇编》本，北京图书馆出版社 2000 年版。

《和林金石录》 不分卷，清李文田辑，罗振玉校定；《石刻史料新编》第 2 辑第 15 册，台湾新文丰出版公司 1979 年 6 月初版；《历代石刻史料汇编》第 4 编，北京图书馆出版社 2000 年版。

黑城出土文书 内蒙古阿拉善盟额济纳境内的黑城，是西夏黑水城和元代亦集乃路的遗址。从 20 世纪初开始，斯坦因和俄国的科兹洛夫探险队，以及 20 世纪 80 年代内蒙古考古所在黑城陆续发掘出土的西夏和元代亦集乃路的纸文书档案，数量很大，内容丰富，对研究西北史地和环境变迁有重要价值。其中 1983、1984 年，内蒙古文物考古所与阿拉善盟文物工作站就共同出土了包括蒙古文、八思巴文、藏文、古叙利亚文、波斯文、梵文、西夏文等各文种共 3 000 件文书。有关元代的文书有 760 余件，包括公文、契约、民间书信、账册等，内蒙古文物考古所的李逸友先生编成《黑城出土文书》（汉语卷），由科学出版社于 1991 年出版。西北第二民族学院研究人员对英藏黑水城文献经过了 3 年多的整理研究，经英国国家图书馆授权出版，由上海古籍出版社 2005 年出版了《英藏黑水城文献》。俄罗斯科学院

---

① 参见刘晓：《〈全元文〉整理质疑》，《文献》2002 年第 1 期。

东方所中国民族所合作整理了《俄藏黑水城文献》，上海古籍出版社于20世纪90年代巨资影印。此书由汉语部分、西夏文世俗部分、西夏文佛教部分组成。汉语部分共6卷，主要是西夏时期的佛教经典和世俗文献，亦有一部分元代官私文书，收在汉语部分第4卷内。自2001年至2006年，内蒙古大学与日本早稻田大学合作开展《元代黑城蒙古文文书研究目》项目，对内蒙古阿拉善盟额济纳旗黑城出土蒙古文文书的研究工作，共释读了300件文书。这类文书多为元代亦集乃路总管府文书、皇帝谕旨抄件、民间契约文书、占卜文书、经文残页等。此项研究的开展，对蒙古学研究领域的国际合作，对元代蒙古文文献的书写特征、语法结构，以及对当时的社会、经济、文化、政治等情况的进一步理解，都具有重要的学术意义和现实意义。《元代黑城蒙古文文书研究目》一书即将出版。

四、明清两代有关元代内蒙古的著述

明初许多官私著述都涉及了元末蒙古地区的政局、人物，这里择要介绍几种。

《北巡私记》 刘佶撰。作者元末供职于朝廷，跟随元惠宗一行仓皇北逃，并将此事美化为"北巡"，故名其书为《北巡私记》。全书记载自至正二十八年（1368年）闰七月至三十年正月之事，所记多为元惠宗仓促北逃以及最后死去的经过，其中对逃亡的路线、途中的狼狈情状、统治阶级间的倾轧及腐朽劣迹等，均有生动的记载。关于这段史实，本书是现存的唯一汉文记载，且为作者亲自经历，故有较珍贵的史料价值。本书有《云窗丛刻》本。现在有薄音湖、王雄点校本《明代蒙古汉籍史料汇编》第一辑，内蒙古大学出版社2006年版。[①]

《明太祖实录》 全名《大明太祖高皇帝实录》，二五七卷。包括明太祖和建文帝两个皇帝在位期间的史事。太祖朝记事起自元至正辛卯年（1351年）朱元璋投奔郭子兴起兵，迄洪武三十一年（1398年）朱元璋去世。《明太祖实录》记载元末明初蒙古情况的资料最为丰富，对故元退出中原的

---

① 本词条摘编自白寿彝主编：《中国通史》第8卷《中古时代·元时期》上册《甲编序说》第1章《汉文资料》第2节《行记·西使记》。

经过、明军对故元势力的打击、故元皇室志图恢复的斗争、明蒙双方在漠南地区的反复争夺以及元明之际蒙古各阶层人士的动向与归宿多有记载。《明实录》现在较为完整的版本是原国立北平图书馆藏的红格抄本，经原民国中央研究院历史语言研究所的整理、校勘，于 1961 年以后陆续在台湾出版了经过整理校勘的影印本，并附有《明太祖实录校勘记》。①

《国初群雄事略》　明末清初钱谦益编撰。本书共收集元末农民起义及地方割据势力首领事迹，计有韩林儿、郭子兴、徐寿辉、陈友谅、明玉珍、张士诚、方国珍、李思齐、扩廓帖木儿、纳哈出、陈友定、何真等人的起兵或割据的史料，广征博引，使一些今已散失的资料得以保存下来，为研究元末明初历史的一部重要史籍。

本书有抄本多种，各种抄本的分卷也不尽相同，有 15 卷、14 卷、不分卷等。1982 年 9 月，中华书局出版了张德信、韩志远点校本（14 卷），该本以沈韵斋抄本为底本，参照清抄本和《适园丛书》本加以标点校勘，这是该书最好而又易得的版本。②

《北平录》　一卷，作者佚名。记明初明军北伐蒙古史事，始于元惠宗至正二十八年（洪武元年，1368 年）七月惠宗放弃大都北奔上都，迄于洪武三年（1370 年）十月明军北伐，对洪武三年徐达、李文忠出塞攻击扩廓帖木儿及袭破应昌、俘获元惠宗孙买的里八刺之事记载较详。有《金声玉振集》、《纪录汇编》、《今献汇言》、《丛书集成》初编、《影印元明善本丛书》十种、《胜朝遗事》初编等丛书本。③

《蒙古游牧记》　清代张穆（1808—1849 年）著，16 卷，按蒙古各盟旗分述其山川、史迹，其中涉及元代蒙古历史地理者甚多，每有精辟的参证。书未及完稿而病卒，由何秋涛整理、补充而成，1859 年刊行。是书有同治六年（1867 年）刻本（《续修四库全书》影印），1991 年山西人民出版社出

---

①　参见王雄：《古代蒙古及北方民族史史料概述》《明实录》条，内蒙古大学出版社 2008 年版，第 164 页。

②　本词条摘编自白寿彝主编：《中国通史》第 8 卷《中古时代·元时期》上册《甲编序说》第 1 章《汉文资料》第 1 节《基本史料·国初群雄事略》。

③　本词条摘编自王雄：《古代蒙古及北方民族史史料概述》《北平录》条，第 217 页。

版标点本，标点有欠精之处。①

《**朔方备乘**》 何秋涛著。初仅 6 卷，名《北徼汇编》，后复广泛搜罗有关俄罗斯和新疆、蒙古、东北三边区历史地理以及中俄交涉史料和中外著述，扩编为 80 卷，1858 年进呈，咸丰帝赐名。其中与元史有关者有历代北徼诸国、诸王、将帅传的元代部分和《元代北方疆域考》等多篇。《朔方备乘》现存的版本，除咸丰初刊本外，还有光绪七年（1881 年）铅印本，台湾出版的《中国边疆丛书》本。清人李文田曾据此书撰《朔方备乘札记》一卷，对此书的地名、人名、山川之名作了批注和补正，也纠正了此书的某些错误，可供参考。② 《朔方备乘札记》，收入《烟画东堂小品》及《灵鹣阁丛书》。

---

① 本词条摘编自王雄：《古代蒙古及北方民族史史料概述》《蒙古游牧记》条，第 217 页。

② 陈元煦：《何秋涛与〈朔方备乘〉》，《北方文物》1987 年第 3 期。

第　二　章

研　究　概　况

第一节　20 世纪 20 年代以后国内涉及
元代蒙古地区历史的研究成就

一、王国维、陈垣、陈寅恪等有关元代蒙古地区史的卓越成就

民国初年以来，在西方汉学的影响下，研究蒙元史的学者采用新方法进行专题性深入研究，突破了数百年来补缀或重修《元史》的老路，开始另辟蹊径来研究蒙古史、元史，取得了重大成就，首开先河的是史学大师王国维（1877—1927 年）、陈垣（1880—1971 年）和陈寅恪（1890—1969 年）。其中，王国维与陈寅恪的研究与元代蒙古地区有较大关系。①

国学大师王国维在文学史、古文字、经史、蒙元史等多方面都有卓越成就。其蒙元史研究主要有以下几方面：一、整理、出版元代文献。他将徐松、文廷式从《永乐大典》中抄出的元《经世大典》遗文《大元马政记》等六种（各 1 卷）以及出自元刊本的元《秘书监志》（11 卷）抄本编刊入《广仓学窘丛书》（1916 年）。二、蒙古史研究成就。1925 年王国维受聘为清华研究院导师后，专注于蒙元史研究，短短两年多，写出了一系列学术造

---

① 本节摘编自白寿彝主编：《中国通史》第 8 卷《中古时代·元时期》上册《甲编序说》第 5 章《二十年代以后元史研究的进步》，本节不再一一注出。

诣极高的论文：《鞑靼考》、《萌古考》、《南宋人所传蒙古史料考》、《黑车子室韦考》、《元朝秘史之主因亦儿坚考》、《金界壕考》、《蒙古札记》等，还撰有《耶律文正公年谱》以及多种元代史籍的序跋。而这些论文无一不与元代蒙古地区人事相关联。《鞑靼考》依据对宋辽金和蒙古史籍记载的对比分析与地理考证，精辟地论证了辽金史所载之"阻卜"即是鞑靼。《萌古考》一文广泛搜集汉、蒙文和域外史料，对唐代至成吉思汗建国前蒙古部落晦暗不明的历史活动作了考述，指出蒙古部（唐蒙兀室韦）早先所居之地望建河即额尔古纳河，《金史》于用兵蒙古事多所忌讳，而所征之广吉剌、合底忻、山只昆实皆蒙古部落。《黑车子室韦考》论证此为室韦一部之名，即唐之和解室韦，并考述了此部于唐末南迁的史实。金朝为防御北方诸游牧属部而修筑的界壕边堡曾在蒙金关系和蒙古兴起历史中占有重要地位，是蒙古地区的重要历史遗迹。《金界壕考》最早全面研究了其修筑过程、各段走向以及沿线边堡军镇和部族的地理方位，为后来的考古和历史地理研究者提供了极有价值的参考文献。《元朝秘史之主因亦儿坚考》考证此名应即金朝的乣军，列举大量资料对金元之际乣军的情况和"乣"字的读音作了缜密的分析，把对这一问题的研究大大推进了一步。三、搜集整理蒙元史史料，校勘、注释了《蒙鞑备录笺证》、《黑鞑事略笺证》、《圣武亲征录校注》、《长春真人西游记校注》、《刘祁北使记注》、《刘郁西使记校注》等多种，不仅为后学者提供了这些重要史料的完善校本，而且对诸书所载人物、地理、史事、年代、制度、风俗等都有精辟的考释。如考订《蒙鞑备录》作者应为赵珙而非原题之孟珙，《亲征录》载西征事系年皆晚一年，辨明屠寄以《西游记》所载宣差阿里鲜即札八儿火者之误，考证鱼儿泺即达里泊，浑独剌河（土拉河）西之契丹故城（在喀鲁哈河东）应即辽代之镇州可敦城，以及关于窝鲁朵城（古回鹘城，即哈剌八剌哈孙）、鳖思马城（别失八里）及其东之三小城、西辽都城虎思斡耳朵（即《西游记》之大石林牙）的考证等等，精彩之处不一而足。这些史籍校注有很高的学术价值，与上述论文同对蒙元史研究有重大贡献。

陈寅恪通晓梵文、中亚古文字和多种东西方语文，在隋唐史、宗教史、西北民族史、敦煌学、古代语言与文学等许多领域都有重大贡献。其研究《蒙古源流》的4篇论文作于1930年至1931年，载《历史语言研究所集刊》，收入《金明馆丛稿二编》，以蒙、满、汉文诸本对校，旁征博引大量汉、藏、蒙文资料相考证，纯熟运用审音勘同方法考释，甚多发明。其中《灵州宁夏榆林三城译名考》考订蒙文名 Turmegei 即灵州，Temegetu 为榆林，Irghai 为宁夏（今银川），订正了前人误说。《彰所知论与蒙古源流》考察了蒙古先世历史传说的演变及其来源，揭示出其"逐层向上增建之历史"的实质。此外，《元代汉人译名考》（1929 年）一文，根据《至元译语》所载，并取波斯文《史集》、蒙文《秘史》和其他汉文资料为证，充分证明元代蒙古人称汉人为"札忽歹"。陈寅恪蒙元史著述虽少，但已足以作为我国蒙元史研究开始进入以直接利用多种文字史料和运用新方法为特征的新时期的标志。

张星烺（1888—1951 年）是研究中西交通史的专家。他最重要的著作是《中西交通史料汇编》，分载历代中国与欧洲、非洲、阿拉伯、亚美尼亚、犹太、伊朗、中亚、印度之交往，其中元代部分占有较大比例。

冯承钧（1887—1946 年）从 20 世纪 20 年代起致力于法国汉学家著作的翻译和中西交通史、蒙元史研究。20 多年中所译名家专著、论文近百种（其中尤以伯希和的著述为多），多是学术价值很高、专业性极强的研究文献。蒙元史方面的译著有《多桑蒙古史》（1936 年）、沙海昂译释本《马可波罗行记》（1936 年）、伯希和的多篇文章以及格鲁赛《极东史》中的蒙古部分（译本名《蒙古史略》）、布哇的《帖木儿帝国》等。此外还翻译了伯希和的名著《蒙古与教廷》。编著的蒙元史书有《元代白话碑》和《成吉思汗传》，并发表《辽金北边部族考》、《元代的几个南家台》、《评元秘史译字用音考》等论文。其翻译的论文后汇编为《西域南海史地考证译丛》，1957 年出版了他的论文集《西域南海史地考证论著汇辑》。

二、姚从吾、韩儒林、翁独健、邵循正等有关元代蒙古地区史的研究

20 世纪 30 年代，一批以蒙元史为主要研究领域的杰出学者，把我国的蒙元史学科推进到新的高度。其中最著名、对以后蒙元史学界影响最大者有姚从吾（1894—1970 年）、韩儒林（1903—1983 年）、翁独健（1906—1986 年）和邵循正（1909—1972 年）等。

姚从吾于 1922 年至 1934 年留学德国，归国后任北京大学、西南联大历

史系教授，1949 年后执教于台湾大学，并创办辽金元史研究室，开创了台湾地区的蒙元史研究。姚从吾关于元代蒙古地区的研究成果主要有：《成吉思汗时代的沙曼教》、《成吉思汗窝阔台汗时代蒙古人的军事组织与游猎文化》、《说元朝秘史中的篾儿干》、《旧元史中达鲁花赤初期本义为"宣差"说》、《说蒙古秘史中的推选可汗与选立太子》等多篇论文；在史料方面的成就有与札奇斯钦合作完成的《蒙古秘史新译并注释》，这是第一部我国学者据汉字音写蒙文译成汉语的全译本，在《秘史》研究中占有重要地位，此外还出版了《耶律楚材西游录足本校注》和《张德辉岭北纪行足本校注》（并收入《全集》）。①

　　韩儒林于 1933 年赴欧留学，先后就读于比利时鲁文大学、巴黎大学和柏林大学，从伯希和、海尼士等进修蒙古史、中亚史，并学习拉丁、波斯、蒙、藏、突厥等各种语言文字。1936 年回国，先后任教于辅仁大学、燕京大学、华西大学、中央大学（1949 年改为南京大学）。从 40 年代到 80 年代，韩儒林发表了一系列关于蒙元史的文章：《成吉思汗十三翼考》、《蒙古答剌罕考》、《蒙古答剌罕考增补》、《蒙古氏族札记二则》、《元代阔端赤考》、《元代漠北酒局与大都酒海》、《论成吉思汗》、《耶律楚材在大蒙古国的地位和所起的作用》、《从今天内蒙古自治区畜牧业大丰收回看元代蒙古地区的畜牧经济》、《元代诈马宴新探》、《元代的吉利吉思及其邻近诸部》，这些文章后来都收入了《穹庐集》。新中国成立后他主持了《中国历史地图集》蒙古地区图幅的编绘和两卷本《元朝史》的编纂。

　　翁独健 1935 年赴哈佛大学留学，1938 年获博士学位。此后他转到巴黎大学，就教于伯希和。1939 年回国，先后任教于云南大学、燕京大学。期间发表的与元代蒙古地区有关的重要论文有：《新元史、蒙兀儿史记爱薛传订误》，订正柯劭忞、屠寄二书谬误达十余处；《斡脱杂考》，对元代史料中所见"斡脱"一词的用法作了全面研究，指出除少数情况下用于译写 Ordu（斡耳朵）和 Otok（又译月脱，意为进酒，元代汉译"喝盏"）外，斡脱系

　　① 参见萧启庆：《姚从吾教授对辽金元史研究的贡献》，《元代史新探》，台北新文丰出版公司，1983 年版。参见白寿彝主编：《中国通史》第 8 卷《中古时代·元时期》上册《甲编序说》第 5 章《二十年代以后元史研究的进步》。

指元代的官商，此词源于突厥语 Ortaq（意为合伙），所谓"斡脱钱"即斡脱们营运的官本钱债，从而纠正了洪钧以来诸家以斡脱为犹太的误解；《元典章译语集释》，列举职官制度译名 33 个，考释了达鲁花赤、札鲁忽赤、怯里马赤、必阇赤、怯薛等名称。翁独健主持并亲自参与的重要研究成果有多种，其中影响最大者当推《元史》的点校、《蒙古族简史》的编写和波斯史料的汉译。

邵循正 1934 年赴欧留学，先在巴黎法兰西学院、东方语言学院从伯希和专攻蒙古史，并学习波斯文及其他东方语文，继转入柏林大学继续研究。1936 年回国，任教于清华大学历史系（抗战期间在西南联大），1952 年转入北京大学。其著述中与元代蒙古地区有关的有：《元史、拉施特集史蒙古帝室世系所记世祖后妃考》，直接用《史集》（Blochet 刊本）、《贵显世系》（写本）原文与《元史》比勘，互证互补，这是继陈寅恪之后我国学者直接利用波斯文史料进行元史研究的第一篇重要论文。1947 年在《清华学报》发表了《剌失德集史忽必烈汗纪译释》（上）。而《蒙哥汗纪》、《忽必烈汗纪》（下）和《铁木耳合罕本纪》的译释生前未曾刊布，后由其门人整理这部分残稿收入《邵循正历史论文集》。

三、其他学者的相关研究成果

吴晗 1936 年连续发表了《元代之社会》《元帝国之崩溃与明之建国》二文，1939 年发表了《投下考》，1946 年又发表了《元史·食货志·钞法补》。以上诸文皆收入《吴晗史学论著选集》第二卷（1986 年）。

唐长孺著有《巴而尤阿而的惕斤传译证》《篯儿乞破灭年次考证》、《蒙古前期汉文人进用之途径及其中枢组织》等，后文对前四汗时期中书省和燕京行尚书省的职掌、官称作了考证，正确地指出太宗时的所谓中书省、尚书省"实为汉人习惯上之称谓。中书为治汉回文书之机构，其省官正称应是必阇赤；尚书省为治汉地财赋及刑政之机构，其省官正称应是札鲁火赤"。

历史地理学家谭其骧著述与元代蒙古地区有关的是《元代的水达达路和开元路》，订正了《元史》所载"合兰府水达达路"之误，考述了两路的设置年代的辖境。

杨志玖的元史研究主要集中在元代回回人、马可·波罗、探马赤军三方面。探马赤军是元代军制史的一大难点，其名称、组成、地位与作用都存在疑难问题。1965 年杨志玖发表《元代的探马赤军》（《中华文史论丛》第 2辑）。80 年代又相继发表了系列论文《探马赤军问题再探》（《民族研究》，1981 年第 1 期），《探马赤军问题三探》（《南开大学学报》，1982 年第 2期），《辽金的挞马与元代的探马赤》（《辽金史论集》，上海古籍出版社1987 年版）。在吸收国内外学者讨论意见的基础上，指出元代的探马赤军是蒙古国时期从各千户、百户和部落中挑选士兵混编组成的精锐军队，其职司是战时充当先锋，战争结束后镇戍于被征服地区。另外，对回回人及马可·波罗的研究，有多篇精彩论文。①

第二节　蒙元史研究的新时期——内蒙古地区史研究的起步与发展概述

中华人民共和国建立以后，史学工作者积极学习历史唯物主义基本原理，努力运用科学的历史观来研究历史，蒙元史研究进入了一个新时期，一些专家学者的专题研究不断深入，内蒙古的地方史、蒙古民族史都开始成为独立的研究领域，一些针对元代蒙古地区、元代蒙古族的研究成果逐渐问世。

一、起步阶段

1956 年，根据中共中央指示，在全国人大民委领导下，组成 8 个省（自治区）的社会历史调查组，到少数民族地区进行社会历史调查，并提出了在调查基础上编写 55 个少数民族简史和简志的任务。在统一部署下，当时组成了内蒙古少数民族社会历史调查组，进行了大规模地蒙古族社会历史调查，及时抢救了大量有价值的材料。在此基础上，中国科学院内蒙古少数民族社会历史调查组写出《蒙古族简史》初稿。1977 年，内蒙古自治区蒙

---

① 本节摘编自白寿彝主编：《中国通史》第 8 卷《中古时代·元时期》上册《甲编序说》第 5 章《二十年代以后元史研究的进步》，本节文中未一一注出。

古语文历史研究所据此正式出版了《蒙古族简史》，并且出版了蒙文版。①

与此同时，党和政府十分重视培养蒙古史研究的专门人才。北京、南京、内蒙古等地的社会科学研究机构和高等院校，陆续建立起蒙古史研究的专门机构，研究条件比过去大为改善。韩儒林、翁独健、邵循正等老一辈专家积极发挥作用，为培养新一代蒙古史研究工作者付出了很大心血。在这一新的发展时期，蒙古族本民族的研究专家开始显露头角，后来在蒙古史研究领域取得了不凡的成就。②

1958 年，余元盦著《内蒙古历史概要》出版，这是一部简明扼要的内蒙古通史，长时间内是治蒙古史学的入门读物。余元盦还著有《成吉思汗传》一书，于 1955 年出版。这是新中国成立后我国学者撰写的第一部成吉思汗传记，对成吉思汗的历史地位和作用，提出不少新观点。对蒙古历史文献的研究和出版也有了一个良好的开端。1951 年，谢再善译《蒙古秘史》出版，该书系根据叶德辉所刻《元朝秘史》汉文音译本还原成蒙古文，再由蒙古文译为汉文。1956 年，又出版了谢再善翻译的蒙古国学者达木丁苏隆编译的《蒙古秘史》汉文版。1954 年，内蒙古语文历史研究所墨尔根巴图尔从鄂尔多斯鄂托克旗获得一部削竹写本，书名为《诸汗根源之珍宝史纲》（即《蒙古源流》）。1962 年内蒙古人民出版社出版了此书。

1962 年，内蒙古大学举行成吉思汗诞生 800 周年学术讨论会，事实上这是首届全国性的蒙古史研讨会，翁独健、邵循正、马长寿、杨志玖等著名专家皆赴会参与讨论。这一年集中发表了一批有关论文，如：邵循正的《成吉思汗的生年问题》、周清澍的《成吉思汗生年考》、亦邻真的《成吉思汗与蒙古民族共同体的形成》、周良霄的《关于成吉思汗》、杨志玖的《关于成吉思汗的历史地位》、刘孝瑜的《成吉思汗与蒙古各部的统一》、刘浩然的《对“一代天骄”的意见》、杨国宜的《一代天骄——纪念成吉思汗诞生八百周年》等，对成吉思汗进行了全方位的考论和评价。在此前后，一些学者开始关注其他一些著名的蒙元时期的人物，如扬州师院历史系古代史

---

① 参见罗贤佑：《20 世纪中国蒙古史研究述略》，《民族研究》2000 年第 3 期。

② 本节主要参考了白寿彝主编：《中国通史》第 8 卷《中古时代·元时期》上册《甲编序说》第 6 章《建国以来的蒙元史研究的进步》，本节不再一一注出。

组撰《论忽必烈——为纪念成吉思汗诞生八百周年而作》，苏忠撰《试论忽必烈》，饶良伦撰《试论忽必烈的历史功勋》，韩儒林撰《耶律楚材在大蒙古国的地位和所起的作用》等。

在这一时期，我国学者与国外同行之间也开展了一些学术交流活动。但由于五六十年代特定的国内外政治形势的制约，中国蒙古史学者的对外学术交流活动极其有限。

至60年代前期，在老一辈学者的带领下，蒙古史学界已初步形成一支堪称精干的研究队伍，涌现一批具有较高学术素养的中青年学者，产生了一定数量的有价值的学术成果，蒙古史研究的良好基础已然奠定。可惜的是，这个局面被"文革"破坏殆尽。除了"文革"后期在周恩来总理直接关怀下完成了校点包括《元史》在内的二十四史外，整个学术研究活动基本停滞下来。

校点二十四史，是70年代初我国史学界的浩大工程。1971年，在翁独健教授主持下，邵循正、周清澍、亦邻真等蒙元史专家通力合作，开始了点校《元史》的工作。他们以百衲本为底本，校对北京图书馆藏原书，北京大学图书馆藏144卷残洪武本及其他版本，一方面进行本书互校，一方面参考有关史料进行校勘，同时多方汲取前人的考订成果。5年之间，他们发隐抉微，做了大量补苴罅漏的工作，终于完成了近270万字《元史》的校点工作，校勘讹错千余处，使此标点校勘本成为现有各种版本中一个最完善的版本。

除《元史》外，《辽史》、《金史》、《宋史》、《明史》及《清史稿》中也载有相当多的蒙古史史料，这次都得到系统的校点整理，各自有了最完善的点校本。《元史》等史书最佳版本的出版，确可称为"嘉惠学林，泽被后世"的一大贡献，为日后蒙古史研究的再度繁荣和发展，提供了必要的条件。

二、蒙古史之内蒙古地区史研究的新阶段

"文革"结束后，蒙古史及其内蒙古地区史的研究，逐渐复苏，开始走上正轨。尤其是党的十一届三中全会以后，蒙古史及其内蒙古地区史的研究更是取得了突飞猛进的大发展。

具体说来，蒙古史及其内蒙古地区史的新成就体现在以下方面。

（一）中国蒙古史学会及《蒙古史研究》等的创设

1979 年 8 月，在呼和浩特市成立了全国性学术团体——中国蒙古史学会，翁独健担任第一任会长。中国蒙古史学会的成立，是我国蒙古史研究事业由沉寂趋于繁荣的一大标志。中国蒙古史学会自成立以来组织召开过一系列全国性学术讨论会，探讨了多方面问题，包括：蒙古族起源；蒙古各部落游牧社会结构和氏族制解体后，蒙古社会是否经历了奴隶制的发展阶段；蒙古帝国多次进行征服战争的性质、目的和作用；蒙古帝国时期封邑、投下制度和探马赤军；蒙古帝国和元朝统治时期各地区社会经济发展变化状况和文化、宗教等方面的演变情况；蒙古族同其他民族之间的对立与融合关系；近代蒙古社会变迁和民族运动的发展；蒙古族各个时期的历史人物评价等。根据研讨会论文，编辑出版了一系列《中国蒙古史学会论文选集》。此外，蒙古史学会还编印了《蒙古史研究参考资料》（外国研究蒙古史情况）、《内蒙古历史文物散记》、《巴布扎布史料选编》等。经过长期酝酿和认真筹备，1985 年 9 月，中国蒙古史学会会刊——《蒙古史研究》正式出刊。这是我国蒙古史研究的第一个专门性学术刊物，它的问世引起国内外学术界的普遍关注。许多颇具功力的学术论文都发表在《蒙古史研究》上。

1993 年内蒙古自治区蒙古族经济史研究会成立。

（二）蒙古史资料的整理取得了新成效

20 世纪 80 年代以来，我国蒙古史研究工作在资料整理方面取得了长足进展，为搞好蒙古学研究打下了基础。

首先是《蒙古秘史》的整理与研究。1979 年，戈瓦《新译简注〈蒙古秘史〉》出版；1980 年，额尔登泰等《蒙古秘史》校勘本、《〈蒙古秘史〉词汇选释》出版；1987 年亦邻真《元朝秘史》（畏吾体蒙古文复原）出版。这几部研究秘史学的力作问世后，博得海内外学人的高度赞誉。

这一时期整理出版的蒙古史古籍除上述四种外还有：朱风、贾敬颜《汉译蒙古黄金史纲》；乌力吉图校释《大黄册》（蒙文）；乔吉校释《金鬘》（蒙文）；乔吉校注《恒河之流》（蒙文）；珠荣嘎译《阿勒坦汗传》；陈庆英、乌力吉译注《蒙古佛教史》（原名《霍尔却穹》）；苏鲁格译注《蒙古政教史》（原名《宝鬘》）；留金锁校注《水晶鉴》（蒙文）；巴根校注

《阿萨拉克齐史》（蒙文）；胡和温都尔校勘《水晶念珠》（蒙文）等。

薄音湖、王雄点校编辑的《明代蒙古汉籍史料汇编》，已出四册，其中多篇内容涉及元代蒙古地区的人事。贾敬颜《五代宋金元人边疆行记十三种疏证稿》，内收周伯琦《扈从诗前序》、《扈从诗后序》，张德辉《岭北纪行》，王恽《开平纪行》4 篇疏证稿。

与此同时，还加强了对国外相关史书与研究成果的介绍和翻译，大批译著刊行。史书类如：《世界征服者史》（何高济译）、《史集》（余大钧、周建奇译）、《出使蒙古记》（吕浦译）、《海屯行记》（何高济译）、《中亚蒙兀儿史》（新疆社科院民族研究所翻译，王治来校注）等。研究成果类如：《蒙古与教廷》（伯希和著，冯承钧译）、《蒙古帝国史》（格鲁塞著，龚钺译）、《金帐汗国兴衰史》（格列科夫、雅库博夫斯基著，余大钧译）、《蒙古社会制度史》（符拉基米尔佐夫著，刘荣焌译）、《卡尔梅克史评注》（伯希和著，耿昇译）、《布里雅特蒙古史》（库德里亚夫采夫等著，高文德译）、《蒙古及蒙古人》（波兹德涅耶夫著，刘汉明等译）、《蒙古史学史》（沙·比拉著，陈弘法译）等。

总之，这20多年当中，蒙古史研究资料的基本建设工作成就显著。

（三）与元代蒙古地区历史相关的丰硕研究成果

资料是史学研究的基础，在这一丰厚的基础上，广大蒙古史学工作者在研究中，坚持实事求是和民族平等的原则，以唯物史观为理论指导，发表了大量新的学术研究成果，取得了空前的成就。这里仅就与内蒙古地区关系密切的研究情况作一些概括。①

1. 综合性、整体性的蒙古民族史、内蒙古通史专著。1980 年，在翁独健教授主持下，中国社会科学院民族研究所和内蒙古大学部分学者在以往基础上重新编写《蒙古族简史》，1985 年出版。1986 年，《蒙古族通史》被列为内蒙古自治区哲学社会科学"七五"重点科研项目，成立课题组，开始编写工作。1991 年，内蒙古社会科学院历史研究所留金锁等撰著的《蒙古族通史》正式出版。内蒙古伊克昭盟组织编写的《蒙古民族通史》，是国家"八五"重点出版项目，至 2004 年该书第三、四、一、二、五各卷业已先

---

① 参见罗贤佑：《20 世纪中国蒙古史研究述略》，《民族研究》2000 年第 3 期。

后问世。这几部通史性专著根据丰富翔实的史料，全面论述蒙古族政治、经济、文化的发展历史，对各个历史时期的蒙古民族进行了全方位的探讨。

第一部《内蒙古通史》问世。1991 年，内蒙古师范大学历史系曹永年教授组织队伍，筹划撰写《内蒙古通史》。1998 年，在时任副校长陈中永教授支持下，经过论证成为"内蒙古民族教育研究中心"的重大项目。2002 年，第一卷脱稿。2003 年，启动第二、三、四卷的撰写工作。2007 年，四卷本（约150 万字）《内蒙古通史》由内蒙古大学出版社出版。《内蒙古通史》勾画了自五六十万年前大窑文化以来，特别是自秦统一和匈奴在今内蒙古建立单于国以来，内蒙古历史发展的轮廓。阐明了两千多年以来，生息于今内蒙古大地上的各民族之间，内蒙古与中原地区、与中原王朝之间，虽然有过隔阂、矛盾甚至流血冲突，但是在历史长河中都是暂时的、局部的支流；民族之间、地区之间和平友好、相互交往、相互渗透融合、共同发展才是主流这样一个基本线索。阐明了今天内蒙古地区作为祖国不可分割的组成部分，民族团结、社会繁荣，是长期历史发展的必然结果这样一个基本思想。四卷本《内蒙古通史》第一次构建了内蒙古地方史框架，具有填补空白的学术意义，必将促进内蒙古地方史的研究工作。

蔡美彪、周良霄、周清澍撰写的《中国通史》第七册和由陈高华执笔的《中国史稿》第五册元史部分，都是建立在坚实的专门研究基础上的综合贯通著作，两书都有不少独到见解。韩儒林主编，陈得芝、邱树森、丁国范、施一揆等著的《元朝史》（上、下册）是一部较大型的断代史专著，对元代史作了全面论述，其特点：一是能广泛吸收国内外重要研究成果，并注明相关论著所在，便于读者作进一步研究时查阅，这是综合性著作应该做到的；二是在若干方面有较深入的研究，引证中外史料较为丰富，并对许多名物制度和史实作了必要的考证，能就一些问题提出自己的见解。本书被认为"大体上反映了当前中国的元史研究水平"。白寿彝主编的《中国通史》第八卷《中古时代·元时期》是最能反映蒙元史研究新成就的著作，其体例最为完善。这些通史许多内容都与蒙古地区密切相关。

2. 专题史研究著作。在蒙古史研究中，专题史研究是个十分广阔的领域，存在许多可供填补的空白。在新的历史时期，与内蒙古地区有涉的蒙古史、元史研究的专题性著作大量问世，主要有：周清澍主编《内蒙古历史地理》，陈高华、史卫民著《元上都》，内蒙古公路交通史志编委会编《内蒙古古代道路交通史》，德山著《元代交通史》，陈永志主编《内蒙古集宁路古城遗址出土瓷器》。此外，高文德著《蒙古奴隶制度研究》，刘迎胜著《西北民族史与察合台汗国史研究》，李治安著《元代分封制度研究》及《行省制度研究》，陈高华、史卫民著《中国经济通史·元代经济卷》，胡小鹏著《元代西北历史与民族研究》，苏日巴达拉哈著《蒙古族源新考》，罗旺扎布等著《蒙古族古代战争史》，达林太等著《蒙古民族军事思想史》，梁冰著《鄂尔多斯历史管窥》，蔡志纯等著《蒙古族文化》，乔吉著《蒙古佛教史》，阿岩、乌恩著《蒙古族经济发展史》，奇格著《古代蒙古法制史》，满都夫著《蒙古族美学史》，内蒙古自治区蒙古族经济史研究组编《蒙古族经济发展史研究》第一、第二集，政协内蒙古文史资料委员会编《蒙古族古代军事思想研究论文集》第一、二、三集，以上诸书也对元代蒙古地区多有涉及。

3. 专题史论文。在专题史研究方面，除了专著之外，还有许多针对元代蒙古地区历史进行研究的专题论文，韩儒林、杨志玖的专题论文已在上一节中交代了。一些蒙元史大家的文章都已结集出版。亦邻真的《中国北方民族与蒙古族族源》、《关于十至十二世纪的孛斡勒》、《额济纳·阿拉善·杭锦》、《内蒙古古代史中的若干问题》、《起辇谷与古连古勒》等文章，都收入了《亦邻真蒙古学文集》。

周清澍的《汪古部事辑》（5 篇系列论文）、《从察罕脑儿看元代的伊克昭盟地区》、《元桓州耶律家族史事汇证与契丹人的南迁》、《忽必烈潜藩新政的成效及其历史意义》等，这些论文后来汇编入周清澍论文集《元蒙史札》。

陈得芝的《岭北行省建置考》（上、中、下）3 篇、《元察罕脑儿行宫今地考》、《元岭北行省诸驿道考》、《忽必烈与蒙哥的一场斗争》、《元称海城考》、《蒙古哈答斤部撒勒只兀惕部史地札记》、《十三世纪前的克烈王国》等文章，收入其论文集《蒙元史研究丛稿》。

另外，蒙古史、元史、北方民族史的刊物相当集中地刊载了相关的专业论文。

《元史论丛》是元史学界的专门性学术刊物，自 1982 年创刊以来已经出版 10 辑，其中有多篇论文涉及元代蒙古地区的人事。陆峻岭、何高济《从窝阔台到蒙哥的蒙古宫廷斗争》，黄时鉴《木华黎国王麾下诸军考》，余大钧《蒙古朵儿边氏孛罗事辑》，丁国范《释"兀剌赤"》，以上诸文见《元史论丛》第 1 辑。贾敬颜《探马赤军考》，周良霄《元代投下分封制度初探》，叶新民《关于元代的"四怯薛"》，孟繁清《试论忽必烈与阿里不哥之争》，李逸友《元丰州甸城道路碑笺证》，以上诸文见《元史论丛》第 2 辑。周良霄《蒙古选汗仪制与元朝皇位继承问题》，白拉都格其《贵由汗即位的前前后后》，史卫民《元岁赐考实》，黄时鉴《真金与元初政治》，以上诸文见《元史论丛》第 3 辑。李治安《元代的宗王出镇》，叶新民《两都巡幸制与上都的宫廷生活》，韩志远《爱猷识理达腊与元末政治》，以上诸文见《元史论丛》第 4 辑。李治安《元代晋王封藩问题探讨》，见《元史论丛》第 5 辑。高荣盛《元代畜牧业概观》，王颋《大蒙古国兀鲁思封授问题管见》，修晓波《元代色目商人的分布》，以上诸文见《元史论丛》第 6 辑。吴海涛《从元代贺氏家族的兴盛看两种文化之间的中介角色》，王梅堂《元代内迁畏吾儿族世家——廉氏家族考述》，叶新民《从内蒙古地区的石雕像和壁画看元代社会生活》，以上诸文见《元史论丛》第 7 辑。周清澍《马可波罗书中的阿儿浑人和纳失失》，李治安《马可波罗所记乃颜之乱考释》，松田孝一《关于小薛大王分地的来源》，谢咏梅《札剌亦儿族源管见》，张沛之《元代土土哈家族探研》，瞿大风《"火失勒"军与探马赤军异同刍议》，以上诸文见《元史论丛》第 8 辑。谢咏梅《札剌亦儿部勋臣世胄的仕进情况及其与蒙元政治的关系》，马娟《元代钦察人燕铁木儿事迹考论》，薛磊《元代开元路建置新考》，以上诸文见《元史论丛》第 10 辑。

　　《蒙古史研究》自 1985 年创刊至 2007 年，已出版了 9 辑。所载论文中不乏与元代蒙古地区密切相关的论文。留金锁《试论成吉思汗建国前的蒙古社会制度》（蒙文），见《蒙古史研究》第 1 辑。宝音德力根《关于王汗与札木合》，蔡美彪《脱列哥那后史实考辨》，叶新民《元上都的驿站》，达力扎布《北元初期的疆域和汗斡耳朵地望》，以上诸文见《蒙古史研究》第 3 辑。修晓波《关于木华黎家族世系的几个问题》，曹永年《关于喀喇沁的变迁》，以上两文见《蒙古史研究》第 4 辑。叶新民《亦集乃路元代契约文书研究》，桂栖鹏《元代蒙古状元拜住事迹考略》，以上两文见《蒙古史研究》第 5 辑。于宝东《故建威都尉夫人墓志及其相关问题》，见《蒙古史研究》第 8 辑。谢咏梅《蒙古札剌亦儿部与黄金家族的关系》，见《蒙古史研究》第 9 辑。

《元史及北方民族史研究集刊》中也有一些文章与元代蒙古地区史相关。第 4 辑有周良霄《李璮之乱与元初政治》，萧功秦《英宗新政与"南坡之变"》。第 5 辑有施一揆《论失吉·忽秃忽》，萧功秦《论大蒙古国的汗位继承危机》。第 7 辑有萧功秦《论元代皇位继承问题——对一种旧传统在新的历史条件下的蜕变考察》，姚大力《乃颜之乱杂考》。第 8 辑有姚大力《元辽阳行省各族的分布》，沈卫荣《关于木华黎家族世系》。第 9 辑有史卫民、晓克、王湘云《〈元朝秘史〉"九十五千户"考》。第 11 辑有姚大力《蒙古高原游牧国家分封制札记（上）》诸文。

元代实行两都制度，上都与大都并为政治中心。近年来，元上都研究得到了空前重视，取得了许多重要成果。叶新民与齐木德道尔吉编著的《元上都研究丛书——元上都研究文集》收录了大量有关元上都的论文与考古报告：（日本）石田干之助《关于元上都》，（台湾）茧庐《元上都略考》，张郁《元上都故城》，贾洲杰《元上都调查报告》《元上都的经济与居民生活》，李逸友《元上都遗址》《内蒙古元代城址概说》，肖瑞玲《元上都的历史地位》，温岭《元上都的粮食来源》，魏坚《元上都及周围地区考古发现与研究》等。

20 世纪 90 年代末，内蒙古自治区已启动元上都申报世界文化遗产的工作，以此为契机推动了元代内蒙古地区的地区史研究、都城研究、蒙古族文化研究以及考古工作的发展。

《内蒙古大学学报丛刊》之《蒙古史论文集》共 5 册，其收入有关元代蒙古地区研究的论文有：叶新民《弘吉剌部封建领地制度》《成吉思汗和窝阔台时期的驿传制度》《元上都的官署》，李逸友《呼和浩特市万部华严经塔的金元明各代题记》，贾洲杰《辽金元时代内蒙古地区的城市和城市经济》等等。

散见于其他刊物的关于元代蒙古地区的论文非常多，不能一一胪陈，下面仅就笔者管见罗列一二：陈高华《"亦集乃路河渠司"文书和元代蒙古族的阶级分化》（《文物》1975 年第 9 期）、《黑城元代站赤登记簿初探》（《中国社会科学院研究生院学报》2002 年第 2 期）、李逸友《黑城出土的元代婚书》（《文物天地》1990 年第 2 期）、《内蒙古元代城址所见城市制度》（《中国考古学会第五次年会论文集》1985 年），宝音德力根《兀纳水考》（《内蒙古大学学报》1993 年第 2 期）、《往流、阿巴嘎、阿鲁蒙古》（《内蒙古大学学报》1998 年第 4 期）、《金莲川畔元上都》（《人与生物圈》2003 年第 5 期），叶新民、宝音德力根、赵琦、白晓霞《元代的兴和路与中都》（《文物春秋》1998 年第 3 期），张广达《蒙元时期大汗的斡耳朵》（《素馨集》1993 年），史卫民《蒙古汗国时期蒙古左右翼千户沿袭归属考》（《西北民族研究》1986 年第 1 期），王龙耿、沈斌华《蒙古族历史人口初探》（11 世纪—17 世纪中叶）（《内蒙古大学学报》1996 年第 5 期），白拉都格其《元代东道诸王勋臣封地概述》（《东北地方史研究》1989 年第 2 期）、《成吉思汗时期斡赤斤受封领地的时间和范围》（《中国蒙古史学会论文选集》1983 年），米文平《斡赤斤故城的发现与研究》（《历史地理》第 10 辑，1992 年），叶新民《斡赤斤家族与蒙元朝廷的关系》（《内蒙古大学学报》1988 年第 2 期）、《头辇哥事迹考略》（《内蒙古大学学报》1992 年第 4 期），罗贤佑《试论元朝蒙古皇室的联姻关系》（《中国民族史研究》1987 年），董向英《元中都概述》（《文物春秋》1998 年第 3 期），王颋《大蒙古国的行尚书省和札鲁花赤》（《历史地理》第 17 辑，2001 年），李俊义《元代大长公主祥哥剌吉及其书画收藏》（《北方文物》2000 年第 4 期），王风雷《元上都教育考》（《内蒙古师范大学学报》2000 年第 4 期），金峰《合撒儿及其后裔所属部落变迁考》（《内蒙古师范大学学报》1989 年第 4 期），姚大力《关于元朝"东诸侯"的几个考释》（《中国史论集》1994 年），赵相璧《蒙古地区货币流通史考》（《经济·社会》1993 年第 6 期），孟古托力《蒙古族早期人口的若干问题探索》（《黑龙江民族丛刊》1994 年第 4 期），谢咏梅《札剌亦儿部显贵"国王"爵位封授与承袭》（《内蒙古师范大学学报》2003 年第 4 期）、《札剌亦儿部驻地变迁及留驻食邑和分成中原》（《内蒙古师范大学学报》2004 年第 3 期）、《蒙古札剌亦儿部与东平路沿革》（《内蒙古师范大学学报》2005 年第 4 期）、《札剌亦儿万户、千户编组与变迁》（《内蒙古师范大学学报》2006 年第 4 期）、《五投下军及五投下探马赤军统领权的演变》（《内蒙古师范大学学报》2008 年第 1 期），张岱玉《亦乞列思部封建领地制度探讨》(《内蒙古社会科学》2008 年第 2 期)、《漠南弘吉剌首领家族考论——特薛禅、按陈、纳陈及其诸子》(《内蒙古社会科学》2006 年第 6 期)。

从以上所列专题论著来看,中国大陆地区(台湾地区的研究情况见下文)有关元代蒙古地区的历史研究已经开展得相当广泛而深入,广大蒙古史、元史工作者做了诸多有价值的工作。其中,有些问题的研究尤为集中和深入。在蒙古族族源问题上,亦邻真《中国北方民族与蒙古族族源》通过文献资料的考订和语言的比较研究,论证出构成蒙古族的核心部族是"原蒙古人",即室韦—鞑靼人,他们属于古东胡诸后裔的一支。作者还分析了10 至 12 世纪"尼鲁温蒙古"各氏族的分衍,认为这些"氏族"实质上是草原贵族通过掳掠别部人口编成的比邻公社,原始的氏族制度已经瓦解了。在蒙古早期的社会性质问题上,60 年代曾对蒙古建国前后的社会性质问题进行热烈讨论,多数研究者主张建国前处于父权制氏族公社阶段,建国后直接过渡到封建制。后来,高文德在专著《蒙古奴隶制研究》中提出蒙古从 10世纪开始形成奴隶制,成吉思汗建立了统一的奴隶制国家。但有研究者对此持有不同意见。在怯薛制度问题上,叶新民《关于元代的四怯薛》主要是考订四怯薛长的承袭世系和轮值日期。在蒙元初期军事组织问题上,史卫民撰有《元秘史九十五千户考》和《蒙古国时期左右翼千户沿袭归属考》,前文认为成吉思汗初组千户当如《元史·尤赤台传》所载只有 65 个,后文主要考证木华黎所统攻金军队的组成。他的另两篇论文对元代侍卫亲军的组织、职能、建制沿革作了系统研究。在探马赤军问题上,学界对其意义、组成、职能等问题曾有各种不同阐释,杨志玖撰《元代的探马赤军》和《再探》、《三探》诸文进行深入探讨,贾敬颜、黄时鉴亦著文讨论,这是元代军制研究进展最大的一个课题。关于蒙古高原各部族的研究,周清澍《汪古部事辑》5 篇系列论文,分别考察了其族源、统治家族世系、首领事迹、联姻关系等。陈得芝《十三世纪前的克烈王国》探讨了蒙古建国前漠北最强大的克烈部的族源、地域和历史活动,认为此部与唐中叶迁入漠北的"九姓鞑靼"有渊源关系。谢咏梅发表了一系列关于元代札剌亦儿部的文章,对札剌亦儿部展开了较深入的研究。苏北海对乃蛮部分别作了较多研究。在交通问题上,陈得芝《元岭北行省诸驿道考》主要考述联结中原与漠北的帖里干、木邻两条驿道，并论及和林通往吉利吉思和西域的驿道。叶新民、白拉都格其等人对弘吉剌部作了研究。

4. 历史人物传记。在历史人物方面，有关成吉思汗、忽必烈、耶律楚材的研究成果非常多，尤其是关于成吉思汗的研究，国内的成果已是洋洋大观。主要有：韩儒林著《成吉思汗》，周良霄著《忽必烈》，朱清泽著《成吉思汗评估：一代天骄》，杨讷著《世界征服者：成吉思汗及其子孙》，萨兆沩著《萨都剌考》，卢明辉等编《蒙古族历史人物论集》等。评论历史人物的活动是再现历史内容的一种形式，通过对著名人物活动的全面评述，来折射时代的风云变幻，收"以一斑窥全貌"之效。对蒙古族历史人物的研究论著，正体现出这一特点。

5. 工具书与方志。《中国大百科全书·中国历史》卷《元史》分册（韩儒林主编，1985 年）和《中国历史大辞典·辽夏金元卷》（蔡美彪主编，1986 年）是目前最佳的元史工具书。两书都是我国蒙元史专业研究者的集体工作成果。前者有 180 多条，包括人物、制度、经济、文化、中外关系、史籍各方面。后者条目 3 000 条，包罗甚全，释文简明准确，知识量相当大。此外，陆峻岭编《元人文集篇目分类索引》，周清澍编《元人文集版本目录》，方龄贵编《元朝秘史通检》，都是很有价值的工具书。《中国民族史人物辞典》等工具书中均含有蒙古史的专门辞条。高文德、蔡志纯整理编撰出《蒙古世系》一书，包括世系表、注释、人名索引、盟旗索引等内容，为蒙古史研究工作提供了一个有力工具。

地方志是我国具有独特功能的文献典籍，其史料价值很大。与内蒙古地区史相关的著作已有很多，其撰写体例基本属于两类：方志、民族志。这类著作产生于清代，民国时期续有撰述，以《绥远通志稿》所取得的成就最大。20 世纪 80 年代以来，内蒙古各级政府和各地学术界都很重视修志工作，内蒙古自治区已编纂出版了盟旗市县地方志 20 多部，如《伊克昭盟盟志》、《库伦旗志》、《科尔沁左翼后旗志》、《准格尔旗志》、《鄂托克旗志》、《土默特旗志》、《鄂伦春自治旗志》、《扎兰屯市志》、《科右前旗志》、《突泉县志》、《巴林右旗志》、《武川县志》、《乌拉特后旗志》等。此外，还编纂出版了数十部专业性地方志，如内蒙古《气象志》、《铁路志》、《土特产志》等。以上这些地方志，都是具有鲜明民族特点和地区特点的珍贵历史文化资料。

6. 考古学成果。新中国成立以来，以内蒙古自治区考古工作者为主的区内外考古工作者在内蒙古进行卓有成效的工作，调查发掘了许多元代遗址，写出大量考古报告，如：内蒙古文物工作队编写组《元代集宁路遗址清理记》（《文物》1961 年第 9 期），郑隆《元代净州路古城的调查》（《考古通讯》1957 年第 1 期），马德志《西安元代王府勘查记》（《考古》1960 年第 3 期）、《西安元代安西王府勘查记》（《考古》1960 年第 5 期），张郁等《元代集宁路遗址清理记》（《文物》1961 年第 9 期），李逸友《元应昌路古城调查记》（《考古》1961 年第 10 期）、《内蒙古历史考古学的发现与综述》（《内蒙古社会科学》1992 年第 2 期）、《元丰州僧塔铭》（《内蒙古文物考古》1996 年第 14、15 期），张驭寰《元集宁路古城与建筑遗迹》（《考古》1962 年第 11 期），丁学芸《监国公主铜印与汪古部遗存》（《内蒙古文物考古》1984 年第 3 期），敖汉旗博物馆《敖汉旗发现的元代金银器窖藏》（《内蒙古文物考古》1991 年第 5 期），郑绍宗《考古学所见之元察罕脑儿行宫》（《历史地理》第 3 辑，1983 年）、《考古学上所见之元中都——旺儿察都行宫》（《文物春秋》1998 年第 3 期），陆思贤《关于元上都皇宫城北墙中段的阙式建筑台基》（《内蒙古文物考古》1999 年第 21 期），张景明《元上都与大都城址的平面布局》《内蒙古地区蒙元时期金银器》（《内蒙古文物考古》1999 年第 21 期），内蒙古文物考古研究所、阿拉善盟文物工作站撰写组《内蒙古黑城考古发掘纪要》（《文物》1987 年第 7 期），刘志一《元应昌路遗址》（《内蒙古文物考古》1984 年第 3 期），塔拉、张海斌、张红星《内蒙古包头燕家梁元代遗址考古取得重要收获》（《中国文物报》2006 年 10 月 18 日），王德恒《2003 年全国十大考古新发现之五——集宁路的元代瓷器大发现》（《知识就是力量》2004 年第 11 期），内蒙古文物考古研究所撰写组《和林格尔县土城子古城考古发掘主要收获》（《内蒙古文物考古》2006 年第 1 期），陈永志《内蒙古察右前旗集宁路遗址发现大量文物》（《内蒙古大学学报》2003 年第 1 期）。

三、台湾蒙元史学界关于元代蒙古地区的相关研究

台湾是我国领土不可分割的组成部分。台湾学术界在蒙古史研究方面也做出了很有价值的贡献。

自 50 年代以来，台湾蒙元史学界一直以姚从吾教授为首，他长期主持台湾大学辽金元史研究室工作，专门从事蒙元史的研究和教学。在中国学术界，姚从吾是较早对《蒙古秘史》进行全面研究的学者，他与札奇斯钦合作的《蒙古秘史译注》，发表于《台湾大学文史哲学报》9—11 期。姚从吾去世后，台湾出版《姚从吾先生全集》，其中蒙元史方面论文有：《说〈蒙古秘史〉中的推选可汗与立太子》、《忽必烈与蒙哥汗治理汉地的歧见》、《蒙古灭金战役之分析》、《说〈元朝秘史〉中的箴儿乞》、《十三世纪蒙古人的军事组织、游牧生活、伦常观念和宗教信仰》、《〈黑鞑事略〉中所说窝阔台汗胡丞相事迹考》等。

蒙古族学者札奇斯钦的学术成就也足资称述。札氏先后完成了《〈蒙古秘史〉新译并注释》与《〈蒙古黄金史〉译注》。札奇斯钦在 70 年代寓居美国之前任教于台湾大学。他着重研究蒙元前期蒙古制度文化及其与中原文化间的相互影响，著有《蒙古的社会与文化》，并与姚从吾合作完成《汉字音译蒙文蒙古秘史译释》。《蒙古史论丛》一书是其蒙古史论文的合集，主要有：《〈元史〉中几个蒙古语名词的解释》、《从〈蒙古秘史〉和〈黄金史〉看蒙古人的价值标准和道德观念》、《说〈元史〉中的"达鲁花赤"》、《说〈元史〉中的"必阇赤"并兼论元初的中书令》、《说〈元史〉中的"札鲁忽赤"并兼论元初的尚书省》、《说元代的宣政院》等。

袁国藩的著述涉及蒙元前期制度、习俗、政治、人物等多方面。萧启庆的蒙元史著作颇丰，在台湾先后不重复地结集收入三本著作中，即《元代史新探》、《蒙元史新研》、《元朝史新论》。2007 年汇为《内北国而外中国：蒙元史研究》，由中华书局出版。其中《蒙古帝国的崛兴与分裂》、《说"大朝"：元朝建国号前蒙古的汉文国号》、《忽必烈"潜邸旧侣"考》、《元代四大蒙古家族》、《元代宿卫制度》等文章与元代蒙古地区关系密切。劳延煊 1962 年哈佛大学博士学位论文为《王恽〈中堂事记〉的译注》，其后又发表《元朝诸帝的季节性狩猎生活》、《金元诸帝游猎生活行帐》（载台湾《大陆杂志》26：3，27：9，1963 年）。此外，袁冀《元两京间驿路考释》《元代宫廷大宴考》都是值得一读的论文。

台湾学界也十分重视史籍与工具书的出版。1976 年，台湾"故宫博物院”将所藏元刊本《元典章》影印出版，这是目前《元典章》的最佳版本。1979 年至 1983 年，台湾新文丰出版公司陆续出版了《元人传记资料索引》5 册，这是目前篇幅最大的一部元人文献索引，全书所收人物达 1 700 人以上，著录各类典籍达 800 余种，实用价值颇高，是对蒙元史研究领域的一大贡献。①

第三节　国外相关的蒙元史研究

一、19 世纪末以前相关蒙元史的研究

国外的蒙元史研究，可以上溯到 17 世纪欧洲东方学初兴阶段。其时，法、英、意、德、荷等国都已拥有相当数量的东方文献，一些著名大学先后开设了阿拉伯语、波斯语、汉语、土耳其语等东方语课程，创立了科学研究的条件，并出现了第一批东方学家。法国的东方学居于领先地位，收藏的穆斯林文献写本和汉文文献最为丰富。17 世纪法国产生了第一部蒙元史专门著作，即克鲁瓦（Petisdela Croix，1622—1695 年）所著《古代蒙古和鞑靼人的第一个皇帝伟大成吉思汗史》，是根据波斯、阿拉伯文史料和欧洲旅行家行记译编而成，分 4 册，内容包括成吉思汗及其继承者（迄于 17 世纪）的略传，古代蒙古人的风俗、习惯和法规，蒙古、突厥、钦察、畏兀儿及东西方鞑靼人的地理。此书 1710 年在巴黎出版，1722 年伦敦出版英译本。②

18 世纪法国汉学家德基涅（de Guignes，1721—1800 年）撰有 5 卷本巨著《匈奴、突厥、蒙古及其他西方鞑靼人通史》，1756 年至 1824 年先后在巴黎出版。其第 3 卷为蒙元朝史（1757 年），第 4 卷为帖木儿朝史（1758 年）。此书是西方学术文献中第一部系统地研究中亚游牧民族历史的名著，

---

① 本节主要参考了白寿彝主编：《中国通史》第 8 卷《中古时代·元时期》上册《甲编序说》第 6 章《建国以来的蒙元史研究的进步》，本节行文中不再一一注出。

② 本节摘编自白寿彝主编：《中国通史》第 8 卷《中古时代·元时期》上册《甲编序说》第 7 章《国外的蒙元史研究》，本节行文中不再一一注出。

在蒙元史研究中仍占有重要地位。

19 世纪是东方学重大发展时期，一方面是由于科学的进步，语言学、历史学、人类学都形成了新的研究方法和科学体系，尤其是比较语言学对东方学的推动最大。另一方面，欧洲列强的殖民扩张政策，不仅促进了西方人对东方历史文化的研究，也使他们易于获得更丰富的东方文献和实物资料。蒙元史研究，因此也有了显著进展。

（一）法国

雷慕沙（Abel Rémusat，1788—1832 年）是 19 世纪前期杰出的东方学家，是新研究方法的代表者。雷慕沙 1820 年出版专著《鞑靼诸语言研究》第 1 卷，涉及满、蒙、维、藏诸语。蒙元史研究方面，他发表了一系列专题论文：《基督教君王特别是法国国王与蒙古皇帝的政治关系》（见《皇家研究院论文集》1822、1824 年）、《哈剌和林城及中世纪鞑靼诸不明地理考》（见《皇家研究院论文集》1824 年）、《蒙古诸王撒里答》、《蒙古将军速不台》、《畏兀儿大臣塔塔统阿》、《鞑靼大臣耶律楚材》、《海山》，以上诸文皆载于 1829 年出版的论文集《亚洲杂文新编》第 2 卷。

克拉普罗特（M. J. Klaproth）是与雷慕沙同时代的学者，其有关蒙元史的论著都发表于法文的《亚洲杂志》：《关于马可波罗行记中的天德州》（1826 年）、《马可波罗所记中国西部诸省地理考释》（1828 年）、《关于纸币之起源》（1822 年）、《拉施都丁史集有关元代中国的记述译注》（1833 年）、《亚美尼亚王海屯行记译注》（1833 年）。

19 世纪前期另一位杰出的蒙元史学者是多桑（A. C. M. d'Ohsson，1779—1851 年）。多桑是君士坦丁堡出生的亚美尼亚人，其父任驻法外交官，多桑从小在巴黎接受教育，他精通欧洲诸国语及土耳其、波斯、阿拉伯、亚美尼亚语，又得以利用巴黎所藏东方文献，具备了研究蒙元史的优越条件。在西方学者中，他第一个最全面地检查了有关蒙古史的穆斯林文献，充分利用了波斯、阿拉伯以及拉丁、亚美尼亚等各种文字史料，并利用了宋君荣、冯秉正翻译的汉文史料，用法文著成 4 卷本《蒙古史》，于 1834 年至 1835 年在海牙—阿姆斯特丹出版。第 1 卷述蒙古起源、诸部族及成吉思汗一代史，第 2 卷述窝阔台合罕至元惠宗之元朝全史，这两卷与元代蒙古地区关联较密切，现在，一些最重要的穆斯林史料如《世界征服者史》、《史集》等，已有了经过校勘的刊本和译本，研究者们不再取材于多桑书。

1824 年，菲鲁萨（M. Ferussac）继德国学者梅纳特（J. G. Meinert）刊布罗马教皇派往元朝使臣马黎诺里的旅行记（1820 年）之后，发表了研究论文《马黎诺里行记释》（《地理学会会刊》）。1839 年出版了达维扎克（D'Avezac）用莱顿、巴黎和伦敦所藏写本合校的卡尔平尼行记《蒙古史》，随同刊布了其从行者本笃（Benedict）关于卡尔平尼出使的简短报告，并译为法文，加上很有价值的注释，为后来的研究者所重视。东方学家都劳里埃（Ed. Dulaurier）和布洛塞（M. J. Brosset）先后研究了有关蒙元史的亚美尼亚文史料，前者著《亚美尼亚史家所记载的蒙古人》（《亚洲杂志》1858 年），后者著《两位亚美尼亚史家——乞剌可思·刚札克和乌黑塔内·乌尔哈》（圣彼得堡，1870 年），两书都含有《海屯行记》的法译。

（二）俄国

19 世纪俄国蒙元史研究的杰出代表是巴托尔德（B. Bartold，1869—1930 年）。他精通波斯、阿拉伯、突厥文，蒙元时代的中亚史是他的重点研究课题。为此他广泛搜集波斯、阿拉伯和突厥文史料——大多数是抄本，编成《原文资料选辑》，作为其预定著作《蒙古入侵时代的突厥斯坦》的第 1 编，于 1898 年出版。1900 年，第 2 编完成出版。1928 年出版第 2 编英译本时，书名改为《迄至蒙古入侵的突厥斯坦》。本书绪论部分详细介绍史料（分"前蒙古时期""蒙古入侵""欧文著作与文献" 3 部），其中第 4 章为"成吉思汗与蒙古人"（从蒙古建国至成吉思汗之死，主要述其西征），最后附有大事年表与参考书目。1963 年，莫斯科开始刊行巴托尔德著作全集，《突厥斯坦》作为第 1 卷首先出版，并增补了作者生前未定稿的第 5 章（从1227 年成吉思汗之死至 1269 年的中亚史）。1968 年出版的英译本第 3 版也据此增加了第 5 章。此书在利用穆斯林史料方面可说十分完美，堪称是蒙元史和中亚史的划时代巨著。

（三）其他西方诸国的有关蒙古史成果

英国学者亨利·玉尔（Henry Yule，1820—1889 年）和霍渥士（H. H. Howorth，1842—1926 年）的研究成果较多涉及元代的蒙古地区。玉尔的名著《契丹及通往契丹之路》（2卷，1866年），始于鄂多立克行记的研究，后扩大到其他有关中国的中世纪旅行记和地理资料。在长达253页的"绪论"中，叙述了从上古直到17世纪初的中西交通史（含蒙古西征和元代的中西交往），并附录有古希腊、罗马及中世纪西方作者有关中国记述的摘译。正文部分分别译出意大利旅行家鄂多立克的《东游录》，来元天主教教士（孟特戈维诺等人）的信件，《史集·忽必烈纪》有关中国的记载（主要据多桑书转译），14世纪前期佛罗伦萨商社代理商帕哥罗提（Pegolotti）《诸国志》所载从塔纳到中国之路及中国诸地贸易和货物情况，教皇使者马黎诺里的《东行回忆录》，摩洛哥旅行家伊本·拔图塔旅行记的中国和印度部分，以及17世纪初鄂本笃的中国行记。每篇前面都有详细的作者、版本和研究情况的说明，译文注释亦较详赡。此书后经法国学者戈狄埃修订，增补改为4卷，于1913年—1916年出版，至今仍是研究中西交通史（特别是元代）的重要参考书。玉尔的另一名著《马可波罗书》（1871年初版，1874年修订本）是当时最权威的马可·波罗行记英文译注本。其书注释详明，考证颇多精当。霍渥士前后用数十年之功，终于写出了4大卷（分5部）巨著《九至十九世纪蒙古史》，第1卷为中国的蒙古史（1876年），第2卷为俄国的蒙古史（1880年），第3卷为波斯的蒙古史（1888年），第4卷为附录与索引（1928年）。相关的成果还有奥尔良（P. J. Orleans）《中国两个鞑靼征服者史》（1854年），布舍尔（S. W. Bushell）《古蒙古都城上都》（《皇家亚洲学会杂志》1875年）。

美国著名东方学家柔克义（W. W. Rockhill，1854—1914年）在1900年完成的《卢勃鲁克东行记》英文译注本（含卡尔平尼行记，伦敦哈克鲁特学会出版）注释详明，利用了大量欧洲中世纪历史文献和前人研究成果，有很多精辟的考证，迄今仍是研究这两种行记中最好的著作。

二、20世纪国外相关的蒙元史研究

20世纪初期，随着学术研究的日益深入，东方学各学科析分愈细，研究领域更加专门化。但由于蒙元史涉及的民族众多，地域广阔，因而又具有多学科的特点。一方面，汉学、蒙古学、藏学、伊朗学以及欧洲中世纪史的专家都有不少与蒙古史有关的著述。另一方面，优秀的蒙元史专家也多兼通数门语言和若干学科的知识。①

（一）法国

法国东方学大师伯希和（P. Pelliot，1878—1945 年）是 20 世纪蒙元史研究领域无可争辩的最有成就的权威学者，这是由于他不仅汉学造诣极高，而且兼精蒙古、突厥、西藏、印度、伊朗、印支等学。伯希和于 1906 年至 1908 年在我国新疆、甘肃考察古迹，从敦煌千佛洞等处带走大量珍贵古文书、写本、木简及绘画等文物。其与元代蒙古历史有关的论著主要有：《元朝秘史的蒙文标题》（《通报》1913 年），《今已不发音的 13、14 世纪蒙文中的 h 字首词》（《亚洲杂志》1925 年），《阔阔·迭卜帖儿与户口青册》（《通报》1930 年），《释"站"》（《通报》1930 年），《忽卜赤儿》（《通报》1944 年）；《蒙古人与罗马教廷》（《东方基督教评论》1923、1924、1928 年）；有关卡尔平尼、卢勃鲁克、雅八剌哈与列班扫马、汪古部基督教的研究札记《中亚和远东基督教徒研究》（1973 年）；1938 年，伯希和与英国东方学家穆勒（A. C. Moule）合作完成了《马可波罗行记》（Description of the World），此书主要以哲拉达（Zelada）抄本的拉丁文合校本、巴黎国家图书馆藏法—意混合语原文抄本为底本，同时兼用多种版本进行校订、增补，最后形成一个英文译本（书名从哲拉达本作）在伦敦出版，这是公认的研究者必用的最完善本子。伯希和的马可·波罗行记注释虽未全部完成预定条目，但已成为一部皇皇巨著，在他去世后由韩百诗负责整理，按字母顺序排列，分两卷出版于巴黎（Noteson Marco Polo，第 1 卷，1959 年；第 2 卷，1964 年），1973 年出版了第 3 卷索引。全书共 386 条，每条均首列各种版本的异写并考其正误，有很多条文长达数十页甚至百余页。《马可波罗行记》中有不少内容都涉及元代内蒙古地区。伯希和的《圣武亲征录》的译注，只完成一部分。注释中包含蒙古诸部落、人名、地理以及成吉思汗建国前漠北历史的详细精辟的考证。

东方学家格鲁塞（R. Grousset）的《蒙古帝国》（第一阶段：成吉思汗建国前的蒙古、蒙古国的形成和后来的变迁，1941 年）含有元代蒙古地区

---

① 本节主要参照白寿彝主编：《中国通史》第 8 卷《中古时代·元时期》上册《甲编序说》第 7 章第 2 节《二十世纪的蒙元史研究》写成，特此说明，本节行文中不再一一注出。

史的内容。

韩百诗（L. Hambis，1906—1978 年）是伯希和的学生，其蒙元史研究成果主要有：《〈元史卷一〇七宗室世系表〉译注》（1945 年）和《〈元史卷一〇八诸王表〉译注》（1954 年），两书对检索蒙元史重要人物家世、履历十分有用。所著《成吉思汗》（1973 年）是一部学术水平高、文笔佳的传记作品。其重要论文有《篾儿乞部伯颜传初释》（《亚洲杂志》1953 年）、《谦河札记》（《亚洲杂志》1956 年）、《关于叶尼塞河上游的三个部落：乌思、合卜合纳思和帖良兀》（《亚洲杂志》1957 年）等。

（二）苏联

原苏联地区在 13 世纪几乎全部都曾处在蒙元帝国的统治之下，与蒙古的关系特殊，因而蒙元时期史研究受到重视。成就显著者除巴托尔德外，当首推杰出蒙古学家符拉基米尔佐夫（B. Y. Vladimirtsov，1884—1931 年）。1922 年，符氏出版了第一部蒙元史著作《成吉思汗传》。书中充分利用了《元朝秘史》以及其他多种东西方史籍，资料丰富；1927 年发表《库伦城、库伦地区及肯特山区的民族语言调查》；1934 年出版遗著《蒙古社会制度史》，此书标志着古代蒙古史研究跨入了从经济视点深入考察社会结构和形态的新阶段，是蒙元史研究的必备参考书。

19 世纪以来，在沙俄政府推行扩张政策的背景下，俄国学者不断地深入蒙古和中亚各地进行多方面调查，出现了大量对研究该地区古代历史很有参考价值的调查报告。十月革命后，这种调查还在继续，因此苏俄学者对蒙古、中亚地区古代遗迹和文献的发现，远远超过其他国家学者。1907 年至 1909 年柯兹洛夫（Л. К. Ко-лов，1863—1935 年）考察队在额济纳沙漠中发现了黑水城废墟，找到了大量珍贵的西夏及元代文书和其他遗物（著有《蒙古、安多和哈剌和托废城》1923 年）。1948 年至 1949 年，考古学家吉谢列夫（С. В. Киселев，1905—1962 年）领导苏蒙联合考古队对回纥古城哈剌·巴剌哈孙和古蒙古国都和林城进行考古发掘，弄清了和林城的街区、建筑物布局，特别是万安宫遗址情况。1957 年至 1961 年，他又率队考察、发掘了额尔古纳河西支流乌鲁伦圭河北岸、希尔希拉河口附近的一座元代古城，和古城西北、昆兑河旁的元代宫殿遗址。希尔希拉古城位于"移相哥刻石"所在地以南数里，可以肯定它就是移相哥或其后王（齐王）所建的王府城，昆兑宫殿也应属于他家（吉谢列夫主编《古代蒙古城市》1965年）。

（三）德国

德国蒙古学家有关元代蒙古地区的研究成果主要有拉契涅夫斯基先后发表的《蒙古大汗与佛教》（《亚洲研究》1954年）、《元代中国立法中的蒙古处罚法制》（《中国—阿尔泰研究》1961年）、《失吉忽秃忽》（《中亚杂志》1965年）、《关于蒙元时的"投下"一词》（《蒙古研究论集》1966年）、《室韦是蒙古人吗?》（《汉学论集》1966年）、《中国大汗宫廷的蒙古祭礼》（《蒙古研究》1970年），他对《元史·祭祀志》摘译并详细注释，以及《忽必烈》（《世界史名人传》1973年）、《成吉思汗札撒及其疑难问题》（国际阿尔泰研究学会论文，1974年）等多篇论文。80高龄时，他完成了最后一部力作——《成吉思汗：其生平与事业》，于1983年出版，此书被学界推崇为迄今最优秀的一部成吉思汗传记。

（四）英国

波义耳（J. A. Boyle，1627—1691年）在蒙元史研究方面成就巨大，发表了30多篇研究论文，其中与元代蒙古地区相关的有：《克烈部的夏、冬营地》、《窝阔台合罕的四季行宫》、《海屯行记译注》等，1977年汇编为论文集《蒙古世界帝国》。波氏还是《剑桥伊朗史》第5卷《塞尔柱朗和蒙古伊利汗史》的主编。

蒙古学家鲍登（C. R. Bawden），著有《元代马政札记》（与札奇斯钦合作，1965年）及有关蒙古狩猎、礼俗等方面的文章。宗教史家道森（Ch. Dawson）编译的《出使蒙古记》，收录卡尔平尼、卢勃鲁克及其他欧洲使者的蒙古行记，以及来元天主教士的信件（编译，1955年），译文明了通畅，收集全面，便于利用。

波义耳的学生杰克逊（P. Jackson），是晚近英国的主要蒙元史研究者。70年代以来，发表了多篇高水平的专题论文，如《忽必烈登基之再探讨》（《英蒙学会杂志》第2卷第1期，1975年）、《蒙古帝国的瓦解》（《中亚杂志》）等。《蒙古帝国的瓦解》一文全面探讨了成吉思汗家族各宗支、各汗国之间错综复杂的内讧和矛盾，通过将《史集》和《元史》的记载与埃及、亚美尼亚及其他史料进行比较研究，对许多重要史实作出新的考释，是极见功力的佳作。1990 年，他与莫尔根（D. O. Morgan）合作完成了《卢勃鲁克东游记》新的注释译本。

（五）美国

20 世纪中叶以来，美国的蒙元史研究有了很大发展。成就卓著的代表性学者之一是哈佛大学的柯立夫（F. W. Cleaves）。从 1948 年起，他连续在《哈佛亚洲研究杂志》上发表研究元代蒙汉文碑铭、伊利汗给教皇和法国国王的蒙文信件以及其他蒙古文献的论文。其翻译和注释的《元史八邻部人伯颜传》（《哈佛亚洲研究杂志》1956 年）是一篇很有分量的元史研究论文。马丁（H. D. Martin），20 世纪 30 年代曾在绥北考察，发现了元代汪古部多处墓葬，著有《关于归化城北聂思脱里遗迹的初步报告》（《华裔学志》3，1939 年）。其后相继在《皇家亚洲学会杂志》上发表《蒙古与西夏的战争》（1942 年）、《成吉思汗的第一次侵金战争》（1943 年）、《蒙古的军队》（1943 年）等文。1950 年，专著《成吉思汗的兴起及其征服华北》由约翰霍普金斯大学出版社出版。

20 世纪 40 年代末，老资格的比利时蒙古学家田清波神甫（A. Mostaert，1881—1971 年）和苏联蒙古学家鲍培（N. Poppe，1897—1992 年）先后移居美国，进一步推动了美国的蒙元史研究。田清波从 1906 年到鄂尔多斯传教，居住 20 多年，精通蒙语及蒙古事务。后在北京天主教会工作，1948 年定居华盛顿附近。数十年中，他撰写了大量研究蒙古语言、部族和文献的著作与论文，尤其是对鄂尔多斯的研究更是独步天下。

陈学霖与罗依果、萧启庆合编《元代人物传》，撰写了王鹗、杨桓、姚枢、杨维中等传记，并先后刊登于《远东史集刊》。

近二三十年来，美国涌现了一批有成就的蒙元史研究者。罗沙比（M. Rossabi）在蒙元史研究方面，发表了《忽必烈与其家族的妇女》等论文，1988 年完成《忽必烈传》。陆宽田发表《元朝皇族的藏语名字》（《蒙古学会学报》10 卷第 1 期，1971 年）、《木华黎评传》（《宋元研究报告》14，1978 年）等论文。1979 年出版一部大型专著《游牧帝国：500——1500 年的中亚史》，这是自格鲁塞《草原帝国》出版 40 年以来第一部由西方学者写的同类著作，蒙元时期史是该书的重点部分，作者广泛利用 40 年中各国学者的研究成果，其内容较前人著作显得更为新颖。但由于涉及面广，对其中许多专门问题难免研究不足，因而失误之处颇多。

爱尔森（T. T. Allsen）着重蒙元前期（前四汗时期）史的研究。1987年加利福尼亚大学出版社出版其《蒙古帝国制度：大汗蒙哥在中国、斡罗思和伊斯兰国家的政策》，该书分别论述了蒙哥汗的中央集权政策和手段、户口编籍、税收以及兵力的征集，各部分的研究均有相当深度。

（六）日本

日本的蒙元史研究始于19世纪末。19世纪末日本开始学习西方，出现了一批早期的新派"东洋史"学者，他们利用西方先进的科学方法，加上传统的汉学优势，使日本的东方史研究获得划时代的进步。同时，日俄战争后，日本取代帝俄在中国东北地区的特权，加紧推行侵华政策，成立了"南满铁道株式会社学术调查部"，招罗许多学者为之服务，对东北和蒙古的历史和现状进行调查研究。特别是30年代大规模侵华战争爆发后，适应占领和统治中国的需要，进一步加强了满蒙史和辽金元史研究（吸取所谓"异民族统治中国"的经验）。日本对东北、华北（包括内蒙古）广大地区的占领又使其学者有条件深入各地进行调查，获得了更多资料。在这一历史背景下，日本的蒙元史研究后来居上，迅速跃居世界前列。

白鸟库吉（1865—1942年）毕业于东京大学史学科，后一直在该校任教授，其研究领域是东北亚、蒙古和西域诸族历史、语言和文化，著述上百种，与蒙元史有关的著述主要有：《蒙古民族的起源》（文中改变原来主张的匈奴为突厥说而提出匈奴为蒙古说，1907年）、《室韦考》（1916年）。

箭内亘，1908年加入白鸟库吉领导的"满铁历史研究部"，到中国东北进行实地考察和搜集资料。1914年起在东京大学任讲师、教授。重点研究蒙元制度及历史地理，主要论文有《满洲之元代疆域》（1913年）、《元朝怯薛考》、《蒙古国会"忽里台"考》、《鞑靼考》（1918年）、《元朝斡耳朵考》、《元代之东蒙古》（1920年）、《元朝之官制与兵制》（1921年）、《元朝牌符考》（1922年）等，考证精审，多有创见。其蒙元史著述均收入论文集《蒙古史研究》（1930年），至今仍为元史研究者的重要参考书。

羽田亨，曾任教于京都大学大学院，做过京大总长、东方文化研究所所长。其蒙元史论文有《蒙古驿传考》（1909年）、《关于元朝的海青牌》（1929年）、《元朝驿传杂考》（1930年）、《关于蒙古的斡脱钱》（1936年）

等。后人编刊有《羽田博士史学论文集》（1957 年）。

和田清（1890—1963 年）是杰出的明代蒙古史专家，其著名论文如《内蒙古诸部落的起源》（1921 年）、《明初之经略蒙古》（1930 年）、《兀良合三卫研究》（1930、1932 年）、《北元世系考》、《扩廓帖木儿之死》（1933 年）等，均涉及元代蒙古部落及地理。另撰有《元代开元路考》（1928、1933 年）、《元征东都元帅府考》（1936 年）等文。1959 年出版论文集《东亚史研究·蒙古篇》。

三四十年代，日本蒙元史学界涌现了一批学者，把日本的蒙元史研究推进到新阶段。

岩村忍（1905 年生）前期的著述有《拔都卒年考》（1940 年）、《〈元史·速不台传〉之西征纪事》（1941 年）、《元朝奥鲁考》（1942 年）等论文，着重于蒙元与西方关系的研究。1950 年以后主要研究元代法制与经济史，1968 年京大人文科学研究所出版其专著《蒙古社会经济研究》。

吉川幸次郎的长篇论文《元诸帝之文学》（《东洋史研究》1—5，1943—1944 年）最早注意到蒙古皇帝乐于学习汉文化并具有一定汉文水平的事实（后来德国傅海波对此作了更完备的研究）。

田村实造的研究领域为辽金元清北族诸朝史，特别是辽史。30 年代他曾参加内蒙古辽代遗址考古调查（后著有《辽庆陵》），找到乌丹城附近的汉、蒙文元碑（竹温台碑和张应瑞碑），撰文作了介绍（《蒙古学》1937 年）。其蒙元史论文有《元札鲁忽赤考》（1930 年）、《阿里不哥之乱——从蒙古帝国到元朝》（1955 年）、《蒙古族开国传说与移居问题》（1964 年）、《〈元朝秘史〉中所见之蒙古族谱系——朵奔篾儿干与海都》（1965 年）等多篇。

村上正二于三四十年代间在《史学杂志》、《东方学报》等著名刊物发表研究元代斡脱钱、元世祖朝财政政策、元代兵制、“投下”之意义、奥鲁制度、达鲁花赤、泉府司与斡脱、地税等问题的论文十余篇。战后数十年来著述不辍，出有许多新成果，重要论文有《成吉思汗帝国建立之过程》（1951 年）、《蒙古朝治下封邑制的起源》（特别研究“莎余儿合勒”、“忽必”相关问题，1962 年）、《蒙古部族社会之珊蛮氏族》（1963 年）、《蒙古部族的族祖传承》（特别研究部族制社会的构造，1964 年）、《蒙古帝国建立前之游牧诸部族》（以《史集·部族志》为中心进行研究，1965 年）等多篇，并为几部大型世界史、亚洲史著作撰写蒙元史部分。

30 年代开始从事蒙元史研究的学者还有驹井义明，撰有《蒙古乞颜氏考》（1937 年）、《成吉思汗称号考》（1940 年）、《起辇谷考》（1941 年）、《论元宪宗》（1942 年）等多篇论文，著作有《蒙古史序说》（1961 年）。

樱井益雄，撰有《汪古部族考》、《怯烈考》（1936 年）。30 年代，一批日本考古学者在"东亚考古学会"的组织下，深入内蒙古各地进行多次调查，主要成果有水野清二、江上波夫编《内蒙古长城地带》（1935 年）和原田淑人编《上都——蒙古多伦诺尔的元代遗址》（1941 年）。原田淑人和驹井和爱都撰有元上都城遗迹的发掘调查报告（1938、1940 年）。江上波夫撰有《百灵庙鄂伦苏木元代汪古部王府址之发掘调查》（1942 年）、《汪古部之景教及其墓石》（1951 年）等文。研究东方基督教史专家佐伯好郎撰有《内蒙古百灵庙附近之景教遗迹考》及续考（《东方学报》1939、1940 年）。

护雅夫的研究领域为古代北亚史，特别是突厥史和蒙元史。后一方面的重要论文有《探马赤部族考序说》、《元初之探马赤部族》（1944 年）、《那可儿考》、《那可儿序说》（1952 年）、《〈元秘史〉之"斡孛黑"语义考》（1955 年）等，著有《游牧骑马民族国家——"苍狼"的子孙》（1967 年）。

二战之后继踵而起的蒙元史学者中，本田实信的成就十分引人注目。论文《成吉思汗十三翼考》（1952 年）、《成吉思汗的千户》（1953 年）取得突破性进展。另有论文《成吉思汗之军制与部族制度》（1961 年）、《蒙古人之誓词》、《蒙古之游牧官制》（主要依据伊利汗国末期文献《有关官职任命之书记规范》研究营帐官玉典赤（egüdečin）与掌管遗失物宝拉儿忽赤（bularquči），1982 年）、《札剌亦儿朝之蒙古异密》（1983 年）、《孙丹尼牙建都考》（1987 年）等多篇。

海老泽哲雄的研究课题与元代蒙古地区相关的主要是封邑制度（1962、1966 年）、探马赤军、蒙古军人与汉人奴隶（1966 年）、投下制度（1967 年）、怯怜口（1969 年）、东道三王家（1973 年）以及僧道免税问题（1986 年）等方面。

萩原淳平的主要研究领域为明代蒙古史，蒙元史方面的重要论文《木华黎王国的成立过程》（1978 年）、《木华黎国王麾下探马赤军考》（1977

年）和关于这一问题的《再论》（与杨志玖讨论，1982 年）、《成吉思汗陵墓与鄂尔多斯——以忽必烈的蒙古政策为中心》（1987 年）。

近二三十年，日本又连续出现了许多有成绩的蒙元史研究者。池内功的系列论文《蒙古经略金国与汉人世侯的形成》1—4（1980—1981 年）搜集了河北、山东和山西地区 40 多家大小"世侯"资料，修订了爱宕松男所列"世侯分布表"，并一一分析了他们归降蒙古的方式和在蒙古攻金中的作用。相关论文还有《阿里不哥战争与汪氏一族》（1986 年）、《忽必烈政权的成立与其麾下汉军》（研究忽必烈建立以汉军为主的直属军的原因以及汉军在战胜阿里不哥中的作用，1984 年）等。

松田孝一对分封制度作了多项深入的个案研究，利用波斯文史料与汉文史料相比勘，取得了突出成绩。其《蒙古的汉地统治制度——以分地分民为中心》（1978 年）、《元朝的分封制——以安西王事例为中心》（1979 年）、《旭烈兀的东方领地》、《云南行省的成立》（1980 年）诸文研究了蒙古贵族的汉地食邑分封和宗王封藩出镇制度。《海山之出镇西北蒙古》（1982 年）和《明里帖木儿及其势力》（1988 年）研究了漠北地区镇边宗王的权力和阿里不哥家族受封的蒙古军民。

杉山正明着眼于大蒙古国的构成——成吉思汗子弟分封和东西道诸兀鲁思的研究，论文有《蒙古帝国之原像——以成吉思汗家族分封为中心》（1978 年）、《忽必烈政权与东道三王家》、《豳王出伯及其谱系——元明史料与波斯文〈贵显世系〉的比较研究》（1982 年）、《两支察合台家族》（1983 年）、《1314 年前后之元西境兀鲁思札记》（1987 年）等多篇。他在波斯文史料的搜集方面下了很大工夫，以波斯、汉文史料对勘方法研究蒙古史，故能多有创获。

研究元代蒙古地区和西域诸兀鲁思史的还有一些学者。如：堀江雅明，有论文《蒙元时代的东道三兀鲁思研究序说》（1982 年）、《帖木格斡赤斤及其子孙》（1985 年）、《霍格欣德尔碑与宣威军城址》（1988 年）；福岛伸介，论文《关于 12—13 世纪蒙古社会中的"兀鲁黑"——作为亲族构造论之外婚集团分析》（1985 年）；宇野伸浩，论文《槐因·亦儿坚考——蒙元朝之森林诸部族》（1985 年）、《蒙古帝国之斡耳朵》（1988 年）。

（七）其他国家

澳大利亚国立大学远东系教授罗意果（Igor de Rachwiltz）是目前国外蒙元史研究成果最丰硕、贡献最突出的专家之一。他兼精蒙、汉文和历史，善用语言比较方法。1961 年，以《13 世纪蒙汉文化的接触——耶律楚材研究》获澳国立大学博士学位，此后一直以蒙元前期史为主要研究方向，研究重点之一是汉蒙文化接触的相互影响与演变。对耶律楚材的研究，尤其是长篇论文《蒙元早期华北人物述略》（《东方经济史社会史杂志》1966 年）可视为这方面的优秀代表作。另一个研究重点是《元朝秘史》和早期蒙古国家。这方面的重要论文有《论成吉思汗帝国的思想基础》（《远东史集刊》1973 年）、《罕、合罕和贵由印玺》以及近年发表的《成吉思汗/合罕称号再探》（《庆祝鲍培教授九十寿辰论文集》1989 年）等。《再探》一文回顾了前人关于成吉思汗称号的各种解释，最后根据新获得的语言学证据，即 9 至 10 世纪的一件叶尼塞古突厥文墓铭中的 Cingis 一词（法国学者巴津于 1985 年才确定了此词的正确读法），证明"成吉思"之号来自该突厥词，意为"凶猛的"、"强硕的"、"坚固的"；在讨论"合罕"一词时，罗氏详细引述了伯希和未刊手稿《14 世纪的一部阿拉伯—蒙古词汇和一部汉蒙词汇》中有关该词的注释及其他论著中的论述，将伯希和的见解概括为 6 点，并作了评介。此外，他主编的《金元人文集传记资料索引》（3 卷，1970—1979 年），除文集外还收罗了元代政典、别史、游记、方志、金石、释道史著等类书，较前人同类索引书更为齐备。他与萧启庆、陈学霖共同编撰（并邀约其他学者参加撰稿）的《元人传记》（*Yuan Personalities*），陆续在《远东史集刊》刊出，第一部分（成吉思汗至忽必烈时期）已完成出版。

韩国金浩东是专长内陆亚洲史研究的中年学者，在汉城大学东洋史学研究室编的多卷本《讲座中国史》第 3 卷（1989 年）中撰写了《蒙古帝国的形成与发展》一章，并撰有《前期蒙古汗国的继承斗争与部族政治的特征》（《东洋史学研究》1990 年）等文。①

---

①　本节摘编自白寿彝主编：《中国通史》第 8 卷《中古时代·元时期》上册《甲编序说》第 7 章《国外的蒙元史研究》，本节文中未再一一注出。

第二编

概　　述

第 三 章

大蒙古国的建立

第一节　内蒙古地区与蒙古民族族源

蒙古地区是与蒙古民族兴起及其形成密切相关的一个概念。13 世纪，蒙古民族兴起后，主要居住在以东亚内陆高原为中心的广大地区，因此，这里被称为蒙古地区，大致与现在的蒙古高原范围相当，即东界大兴安岭，西界阿尔泰山脉，北界萨彦岭、肯特山、雅布洛诺夫山脉，南界阴山山脉，包括今天蒙古国全部、俄罗斯南部和中国北部部分地区。蒙元时期，因为疆域极为辽阔，以及蒙古诸王领地在帝国北境星布棋列，中央政府管辖下的蒙古地区的范围还要大些，其东界延伸到了大兴安岭以东至海（内属国高丽除外）的整个今黑龙江、乌苏里江流域，北界伸展到贝加尔湖北岸，西至阿尔泰山、额尔齐斯河，南界大约在今天所见的明长城一线。现我们谈到的蒙元时期内蒙古地区的历史即是这一地理范围内的历史。

蒙古民族是蒙古高原东部土著东胡人的后裔，东胡人就是乌桓人和鲜卑人。其居地以今内蒙古东部为主，从老哈河、西拉木伦河流域一直北延至额尔古纳河流域。北魏时"室韦"之名首先见于记载，"室韦"就是"鲜卑"的汉语异译。唐朝中叶，世代居住在望建河即今额尔古纳河流域的一支室韦人被称为"蒙兀室韦"。"蒙兀"即蒙古，是后来兴起的蒙古民族的直系祖先。成吉思汗打破了蒙古高原千余年来不同种族、不同部族部落林立的局面，将蒙古高原两大语族之一的蒙古语族和部分突厥语族部落统一、融合为一个强大的民族共同体——蒙古民族。13 至 14 世纪，蒙古民族凭借新兴民族、新兴游牧政权的勃勃生机和上进精神震撼了中原大地、震撼了欧亚大陆和整个文明世界。

　　战国、秦汉时期内蒙古地区主要的古代民族　蒙古地区最早见于史乘的民族是匈奴。公元前 3 世纪，匈奴兴起于漠南阴山及河套一带。见于记载的匈奴第一个单于驻头曼城，在汉五原郡稒阳县，其地相当于今内蒙古包头市境。

　　公元前209—前174 年，冒顿在位，控弦之士 30 余万，南并楼烦、白羊王，东灭东胡，西走月氏，北服浑庾、屈射、丁零、鬲昆、薪犁各族，统一各部，占据了大漠南北广大地区，第一次在北方草原建立了强大的游牧国家，树起游牧民族政权的旗帜，其开创的军政合一的政治制度为后来的游牧民族政权所继承。冒顿死后，老上单于继立，从伊犁河流域逐走月氏，又役属西域城郭诸国，匈奴进入全盛时期，其疆域达到东至辽河，西至葱岭，北抵贝加尔湖，南达长城。汉初，匈奴不断南下侵掠。公元前 200 年，围汉高祖刘邦于白登山（今山西大同东北），迫使汉朝实行和亲，岁奉贡献，开关市与之交易。但匈奴仍然不断南侵，成为汉朝一大边患。汉武帝时国力强盛，曾于公元前 127、前 121、前 119 年三次大举出兵反击匈奴，匈奴势力逐渐衰弱。由于自然灾害、内乱及汉军的打击，匈奴发生两次大的分裂。一次是公元前 57 年左右出现的五单于并立局面，导致了公元前 53 年呼韩邪单于归汉，引众南徙阴山附近。另一次是东汉光武帝建武二十四年（48 年），匈奴日逐王比被南边八部拥立为南单于，袭用其祖父呼韩邪单于称号，请求内附，得到东汉允许。匈奴又一次分裂，成为南北二部。南匈奴屯居朔方、五原、云中（今内蒙古自治区境内）等郡，东汉末分为五部。北匈奴屯居离汉边较远的漠北。公元 91 年，汉军出居延塞（今内蒙古西部额济纳旗一带），围北匈奴单于于金微山（今阿尔泰山），北匈奴战败。盛极一时的匈奴人被打败后，一部分进入中原，一部分融入鲜卑，一部分西迁到了中亚、欧洲。多数学者认为，西迁的北匈奴就是欧洲史上的匈人。

　　匈奴在大漠南北活动了约 300 年后，到了公元 1 世纪末期，鲜卑人取代了匈奴对内蒙古地区的统治。

　　大约与匈奴同时见于史书的是东胡。东胡是华夏人对内蒙古东部地区族属相同或相近各部落的总称。东胡"在匈奴东，故曰东胡①"。战国时期，东胡人常与燕国争战，燕国修长城以拒东胡，这条长城从造阳（今河北宣化）到襄平（今辽宁辽阳），城塞之外的很大一部分就在今内蒙古自治区赤峰市。公元前3世纪末，匈奴人征服了东胡，由匈奴左贤王统治东胡地区。从赤峰市松漠到额尔古纳河流域，是以东胡人和他们的后裔——鲜卑人、后来的契丹人、室韦—达怛人为主体的语言相同或相近、地域相连、风俗习惯相似的各个部落的居住地，学者称之为东胡及其后裔历史民族区，② 从地域上讲就是今内蒙古东部地区。

鲜卑人和乌桓人就是东胡人。《史记》载"东胡，乌丸之先，后为鲜卑"。③ 《后汉书》谓："鲜卑者，亦东胡之支也，别依鲜卑山，故因号焉。"④《三国志·魏书》也载"乌丸、鲜卑，即古所谓东胡也"⑤。史书关于东胡与鲜卑、乌桓的历史渊源的记载是连贯而明确的，考古资料表明鲜卑人和乌桓人的体形和相貌都属于蒙古人种，他们都有"髡头"习俗，即把头的周沿剃光，头顶留下髻或辫⑥。

东胡人经过下面的历史过程后发展成了乌桓人、鲜卑人。公元前206年，匈奴破东胡，东胡余部分两支分别逃到乌桓山和鲜卑山，并因山名族，自此，乌桓族和鲜卑族出现于历史舞台。乌桓人最初在老哈河流域，后来分散到东起大凌河、西至鄂尔多斯的狭长地带。不久，大部分乌桓人并入鲜卑，少部分迁入内地。鲜卑人"语言习俗与乌桓同"⑦。鲜卑族驻牧于鲜卑山（今内蒙古通辽市科尔沁左翼中旗西）。鲜卑族以游牧的畜牧业为主，兼事狩猎业，社会基层组织是邑落。西汉时，鲜卑族迁到饶乐水（今西拉木伦河）一带。公元2世纪中期，北匈奴被东汉击败，从蒙古草原撤走，鲜卑乘势进入匈奴故地，占据蒙古高原，以今乌兰察布盟丘陵为中心，纠合各式

---

① 《史记》卷110《匈奴·索引》，中华书局1982年版，第2885页。
② 参见亦邻真：《中国北方民族与蒙古族族源》，《内蒙古大学学报》1979年第3、4期。
③ 《史记》卷110《匈奴·索引》，第2886页。
④ 《后汉书》卷90《乌桓鲜卑传》，中华书局1965年版，第2985页。
⑤ 《三国志》卷30《乌丸鲜卑东夷传》，中华书局1982年版，第832页。
⑥ 吴荣曾：《和林格尔汉墓壁画中反映的东汉社会生活》，《文物》1974年第1期。
⑦ 《后汉书》卷90《乌桓鲜卑传》，第2985页。

各样的民族部落，建立了"南钞汉边，北拒丁零，东却夫余，西击乌孙"，"东西万二千余里，南北七千余里"的大联盟。①

鲜卑人是复杂的民族团体，分为慕容、段、宇文、拓跋等几大支，其中慕容鲜卑和段氏鲜卑是地道的东胡后裔。西晋时，从慕容鲜卑中分出了吐谷浑部，远走甘肃，转徙青海。宇文鲜卑是原阴山地区的匈奴，"其语言与鲜卑颇异"，② 迁到上辽河以东，发展为契丹。拓跋鲜卑起源于呼伦贝尔高原，经过长期的辗转迁徙，并与匈奴、高车等其他民族混合，来到内蒙古土默川平原，4 世纪末，建立了强大的北魏王朝，统一了中国北方。

北朝至唐末五代室韦部落及其迁入蒙古高原 鲜卑人迁入内蒙古西部地区以后，北魏时期在东胡故地居住的主要有契丹人和室韦人。室韦"盖契丹之类，其南者为契丹，在北者号室韦"。③ 契丹居住在今西拉木伦河和老哈河流域。1992 年，在内蒙古阿鲁科尔沁旗罕苏木境内的朝格图山南麓，发现了辽东丹国左相耶律羽之墓，出土了《大契丹国东京太傅相公墓志铭并序》志石。墓志记载："公讳羽之，姓耶律氏。其先宗兮倍首、沠出石槐。"石槐，即檀石槐，东汉时鲜卑部落联盟首领，建庭于高柳（山西阳高西北）弹汗山（河北尚义大青山）啜仇水（今二道河）上，仿照匈奴建置统御各部。由此碑文可知辽代皇族是东胡系鲜卑中的一支——檀石槐的后裔，这就确定了东胡—鲜卑—契丹之间的族系承袭关系。④ 室韦人居住在呼伦贝尔草原，大兴安岭北段的东西两侧，额尔古纳河与黑龙江两岸。

据学者们研究，"室韦"和"鲜卑"两个译名所本的原文是相同的，似应为鲜卑语šerbi、širbi 或 širvi 的对音。使用不同的汉语异译，可能是鲜卑贵族汉化后不准呼伦贝尔一带的原始部落与自己使用同一个族名⑤。北朝室韦各部落中首见于史籍的是乌洛侯部落。公元443 年，乌洛侯遣使者向北魏贡

① 《三国志》卷30《魏书·鲜卑传》，第 837 页。
② 《北史》卷98《匈奴宇文莫槐传》，中华书局 1974 年版，第 3267 页。
③ 《北史》卷94《室韦传》，第 3129 页。
④ 参见梁万龙：《〈大契丹国东京太傅相公墓志铭并序〉考释》，《内蒙古大学学报》2002 年第 3 期。
⑤ 伯希和：《吐火罗语与库车语》，冯承钧译：《吐火罗语考》，中华书局 1957 年版，第 79 页。亦邻真：《中国北方民族与蒙古族族源》，《内蒙古大学学报》1979 年第 3、4 期。

方物。同年，北魏遣人到乌洛侯部居地西北，祭祀其祖先"石室"，"刊祝文于石室之壁而还"①。20 多年前，我国考古工作者在内蒙古鄂伦春旗西北发现了北魏当年祭祀的"石室"，这更能说明拓跋鲜卑与室韦居地的一致，也就从地望上证实了拓跋鲜卑与蒙古人祖先之间的密切关系。另外，从史籍记载来看，《隋书》所记室韦地域包括了乌洛侯。

学者们认为，北朝的乌洛侯和室韦大体是指同一部分人，乌洛侯先见于史，名为专称，所占地域比室韦小，包括的部落少于室韦。室韦后载史册，名为泛称，其中已包括乌洛侯。

入居汉地的拓跋鲜卑曾编辑过一些鲜卑语图书，用汉字记录鲜卑语，但今已失传。不过有一些释义明确的鲜卑语音译词汇，凭借其他书籍保存下来。唐代的《元和郡县志》记载，在云中县（今山西大同）城东 30 里有"纥真山"，并说鲜卑语里"纥真"的汉语意思就是 30 里。而"纥真"明显地与蒙古语基数词γučin（30）相似。《南齐书·魏虏传》中记录了 13 个拓跋官号，全部带有蒙古语表示身份、职业的后缀"真"（-čin）。如掌管翻译的"乞万真"，相当于 13 世纪蒙古语中的"怯里马赤"（kelemečin-kelemeči，"译臣"）；文书吏为"比德真"，与蒙古语文书"必阇赤（bičigečin-bičigeči）"相当。这些语言资料表明拓跋人使用的是蒙古语的一种方言，也即是说鲜卑人应是蒙古族的直系或旁系祖先之一。入居汉地的鲜卑人中有一个"叱奴"部，后改汉姓为"狼"氏。"叱奴"就是蒙古语čino，"狼"的音译，可见"叱奴"部也是一个操蒙古语的部落。②

隋朝时，室韦分为五大部。有南室韦、北室韦、钵室韦、深末怛室韦和大室韦，不相统一。南室韦"分为二十五部"，北室韦"分为九部落"，钵室韦"人众多于北室韦，不知为几部"③。室韦五部在地理环境、气候、经济生活、社会组织、风俗习惯诸方面大致相同，五部的主体部分与拓跋鲜卑同源。突厥强大后，室韦受其统治，突厥设三吐屯总领之。

---

① 《魏书》卷 102《乌洛侯传》，中华书局 1982 年版，第 2224 页。

② 《魏书》113《官氏志》，第 3013 页；参见刘迎胜：《察合台汗国史研究》，上海古籍出版社2006 年版，第 3 页。

③ 《隋书》卷 84《室韦传》，中华书局 1973 年版，第 1883 页。

　　唐朝的文献对室韦的记载更为详细，有确切名称的室韦部落有 20 个，其中，明确记载了乌洛侯是南部室韦的一部，与其他室韦部落毗邻而居。唐朝的 20 个室韦部落是从隋朝的五部室韦演变来的①。

　　《旧唐书》记载，室韦人的分布地域西面达到俱轮泊（今呼伦湖），俱轮泊四周都是室韦人的居地。"大山"（当即今大兴安岭北部）之北的大室韦诸部落，傍望建河（今额尔古纳河）而居。"其河源出突厥东北界俱轮泊，屈曲东流，经西室韦界，又东经大室韦界，又东经蒙兀室韦之北，落俎室韦之南……"② 由此可知，西室韦居今呼伦湖周围和额尔古纳河上游。大室韦居额尔古纳河中下游地区，蒙兀室韦是大室韦的一个部落。蒙兀室韦居地应在额尔古纳河下游之东、大兴安岭北端。蒙古人的历史传说也可以印证《旧唐书》对蒙古室韦的记载。《史集》记载，蒙古人最初居住在额尔古涅昆的陡峭山岭中，后嫌拥挤，便鼓风烧山，镕出一条铁水铸成的道路，人们纷纷奔向草原③。额尔古涅昆即额尔古纳河流域的山地。可能唐代的婆莴室韦即隋代钵室韦。蒙兀室韦地域与钵室韦相近，可能是隋代钵室韦的一支，唐朝时，蒙兀部从中分出，是"蒙兀"一名见诸载籍之始，是后来蒙古④民族的核心部分⑤。

　　7 世纪上半叶蒙古高原的政治形势发生了极有利于室韦人的变化。强大的突厥政权衰落，漠北建立了以薛延陀部首领为盟主包括铁勒各部在内的政权，而漠南地区的奚、契丹、室韦也脱离突厥，统一于唐。漠北薛延陀政权只存在了 18 年（629—646 年）就被唐朝与回纥联合灭亡，于是铁勒各部也一并归附唐朝。唐朝各因其地设置了六都督府、七州，以各部首领为都督、

　　① 张久和：《北朝至唐末五代室韦部落的构成与演替》，《内蒙古社会科学》1997 年第 5 期。

　　② 《旧唐书》卷 199《北狄·室韦》下，中华书局 1975 年版，第 5358 页。关于额尔古纳河的源头及流向，亦邻真在《中国北方民族与蒙古族族源》第 341 页的注释中指出：海拉尔河在新巴尔虎左旗阿巴该图附近折向东北后称额尔古纳河，额尔古纳河不是源出呼伦湖，其流向是北流。

　　③ 拉施特丁主编，余大钧、周建奇译：《史集》第 1 卷第 1 分册，商务印书馆 1997 年版，第 251—252 页。

　　④ "蒙兀"是"蒙古"的异译，"蒙古"的译名最早见于徐梦莘《三朝北盟会编》卷 243 引《炀王江上录》，韩儒林从清代满语称蒙古为"monggo"，推测"蒙古"的译名当是从金代女真人对蒙古的称呼中译来的。韩儒林：《蒙古的名称》，见《穹庐集》，上海人民出版社 1982 年版，第 146、151 页。

　　⑤ 张久和：《北朝至唐末五代室韦部落的构成与演替》，见《内蒙古社会科学》1997 年第 5 期。

刺史，置燕然都护府统辖。其中回纥部的势力最大，据有仙娥河（今色楞格河）和嗢昆河（今鄂尔浑河）流域。仆骨、同罗、多览葛、拔野古、契苾、浑、阿跌等部，分布在独乐河（今土拉河）以北以南，以及鄂嫩河、克鲁伦河上游一带，各部基本上恪守唐朝的规定，漠北数十年中没有吞并邻部的强大政权。在7—8世纪时，室韦部落逐渐发展起来。当"蒙兀室韦"尚居住于今大兴安岭山地时，有一些操蒙古语的部落已逐步西迁到了蒙古草原，与当地的突厥语部落杂处，突厥人称他们为"鞑靼"。鞑靼原指居住在俱轮泊（今呼伦湖）一带的"塔塔儿"部，由于鞑靼曾经十分强大，征服了许多迁入蒙古高原的蒙古语族部落，这些臣服于塔塔儿的诸部都自称为鞑靼。后来，鞑靼这一名字被大漠南北许多游牧部落采纳。到7世纪末，"三十姓鞑靼"已成为复兴的突厥势力的敌人，说明鞑靼人已日渐强盛。

室韦—达怛人何时开始西迁，史无明载。他们最早出现在漠北腹地的记载是8世纪初。据突厥文《毗伽可汗碑》记载，唐开元三年（715年），毗伽可汗破乌护（铁勒）汗庭，九姓达怛参与了对突厥的战争，战役地点当在铁勒部的中心独乐河附近[1]。九姓达怛可能是最早西迁且人数较多的室韦部落。744年，回纥首领骨力裴罗推翻后突厥汗国，建立了强大的回鹘汗国。九姓达怛曾几次与八姓乌护联合对抗回鹘汗国，回鹘汗国最终不能全部征服九姓达怛，说明九姓达怛在回鹘汗国时已是漠北的一支强大的力量。"九姓达怛"应是后来的克烈人的先民。8世纪后期，另一部分室韦逐步向西南迁徙，大约到了今内蒙古锡林郭勒盟境内，与奚人（居今西拉木伦河、老哈河和滦河上游一带）杂处。788年，一队奚人与室韦人的联合军大掠唐振武境（今内蒙古和林格尔县）[2]。这支室韦人可能就是日后活动在幽州塞外的黑车子室韦。9世纪时，室韦人已南移到了阴山地区[3]，他们与后来占据阴山的汪古人有亲缘关系。

9世纪中期，回鹘汗国被黠戛斯所灭。回纥"种族离散"，或西迁或南

---

① 韩儒林主编：《元朝史》上册，人民出版社1986年版，第10—11页。

② 《资治通鉴》卷2312，中华书局1956年版。

③ 参见李吉甫撰：《元和郡县志》卷4，台北商务印书馆1983年版；王溥：《唐会要》卷73，上海古籍出版社1991年版。

奔。9世纪下半期蒙古高原没有霸主，而且回鹘人迁走后，蒙古高原部落稀疏，是室韦—达怛人扩展地盘的大好时机。《史集》记载成吉思汗的氏族出自朵奔伯颜（《蒙古秘史》作朵奔篾儿干，《元史》作脱奔咩哩犍）与阿阑·豁阿（《蒙古秘史》作阿兰果火），这一支"大约经历了四百年，因为根据收藏在［汗的］金匮中的史册各篇中的内容及阅历丰富的老年人谈话，可得知如下事实：他们在阿拔思朝哈里发国初期及萨曼朝统治时代直到现在，一直都是统治者"。① 阿拔思朝是公元750—1258年间的哈里发王朝，萨曼朝是公元819—999年统治中亚的大食王朝。《史集》蒙古史部分编成于14世纪初（1303—1307年），由此上溯400年，为10世纪初或公元900年前后，这就是朵奔伯颜与阿阑·豁阿生活的时代。朵奔伯颜是成吉思汗的十一世祖，下距成吉思汗出世（1162年）大约是二百五六十年，往上推算也正好是公元900年前后。《蒙古秘史》中记述蒙古部以不儿罕山为活动舞台，实际是从朵奔伯颜开始的。其时，豁里秃马惕部的阿阑·豁阿一族来投奔不儿罕山的开创者②兀良哈部的晒赤·伯颜，说明其时不儿罕山的主人是兀良哈人，而蒙古人可能是新迁来的部落。《蒙古秘史》第39节记载阿阑·豁阿的儿子孛端察儿（Bodunčar）兄弟征服兀良哈人的一个氏族，这可能曲折地反映了蒙古人征服不儿罕山早先的居民兀良哈人的事实。因此，蒙兀室韦迁出额尔古纳河流域，并最终占据斡难、克鲁伦、土剌三河源头地带，应当在9世纪后期或9、10世纪之交③。

五代时期的文献中还记载了活动于今呼伦贝尔周围的乌古、敌烈部，他们的活动地区与辽金时代的弘吉剌氏、塔塔儿部相当，应该就是这两部。

此后200余年中，迁入蒙古高原的蒙古语族诸部向残留在蒙古高原的突厥语族部落学习语言和生产技术，经历了程度不一的突厥化过程。蒙古人从以游猎为主、兼营原始农业和养畜业的经济发展为以游牧业为主的经济，还

---

① 《史集》（汉译本）第1卷第2分册，第15页。

② 参见余大钧译注：《蒙古秘史》第9节，第11页注①"开辟者——《秘史》原文为'孛思合黑三'，旁译作人名，其实并非专名，而为普通语词，意为'建立、创立、开辟者'"。河北人民出版社2001年版。

③ 参见陈得芝：《蒙古部何时迁到斡难河源头》，《蒙元史研究丛稿》，人民出版社2005年版，第62—68页。

从突厥语中借用了不少语汇。到 10 世纪前期，从克鲁伦河到杭爱山地区已经到处是室韦—达怛人的部落了。《辽史·萧韩家奴传》记载："阻卜诸部自来有之，曩时北至胪朐河（今克鲁伦河），南至边境，人多散居，无所统一，惟往来抄掠"。

第二节　辽金时代蒙古高原的主要部落

辽金时代蒙古高原的主要部落　契丹人将迁入蒙古高原的室韦和蒙古高原诸部泛称阻卜。《辽史》记作阻卜，也写作术不姑，阻卜是术不姑的急读。女真人沿袭这一称呼，《金史》作阻㙇。10—12 世纪，蒙古高原各部先后受辽、金王朝的统治。

辽太祖阿保机天赞三年（924 年）西征，降服了漠北自克鲁伦河到杭爱山地区的阻卜各部。辽景宗保宁三年（971 年）派耶律速撒任"西北路管押阻卜九部都详稳"，这样，辽朝开始设西北路招讨使管辖克鲁伦河以西阻卜等部，管理阻卜的机构通称西北路招讨司。辽圣宗时，西北路招讨使萧挞凛镇压了阻卜等部的叛乱，在阻卜之地建镇州、防州、维州三城，以镇州（亦称可敦城，即今蒙古国布拉干省喀鲁哈河下游南之青托罗盖古城）为西北路招讨司驻地。统和二十九年（1011 年），又置阻卜各部节度使，分而治之。这些节度使多贪婪残暴，开泰元年（1012 年）阻卜诸部发动大叛乱。此后大概未再设节度使，而改用各部酋长管理本部。[①] 辽代，居今呼伦贝尔地区的主要是乌古部（或作于骨里、于厥、于厥里等）和敌烈部（或作迪烈、迪烈得、迭烈德等）。辽朝先后于此设节度使或详稳以治之，继于其上置乌古敌烈都详稳。辽道宗时，置乌古敌烈统军司以辖二部。

辽亡前后，今蒙古高原各部相继归附金朝。金置东北（治泰州）、西北（治燕子城）、西南（治丰州）三路招讨司管辖北方属部和防卫边境。各属部首领接受金朝册封，每年向金朝纳贡。金朝在北境修筑"边墙"，防止边部入侵。"边墙"从东北路的达里带石堡子（今内蒙古莫力达瓦旗北）延伸

---

　　① 参见陈得芝：《辽代的西北路招讨司》，《蒙元史研究丛稿》，第 29—30 页；《元朝史》上册，第 13 页。

到西南路的天山①，沿墙部族为金朝守边②。

辽朝亡国之际，还有部分蒙古部落西迁。其时，辽太祖八世孙耶律大石在辽镇州（可敦城）建立政权，金天会八年（1130 年），自立为王。募集诸部落军兵万余人，离开镇州，经回鹘到中亚。部分阻卜人随之迁往中亚，钦察草原的钦察人玉里别里伯牙吾氏就是随耶律大石西迁的蒙古语族伯牙吾氏的一支。

辽金统治下的蒙古高原上的蒙古、突厥语族部落的血缘氏族关系已经被地缘关系和阶级关系所取代，那颜和哈剌两大阶级基本形成。部落之间不断兼并，在蒙古高原形成了被称作亦儿坚或兀鲁思的几大部落集团：蒙古、弘吉剌、塔塔儿、篾儿乞、斡亦剌、八剌忽诸部、克烈、乃蛮、汪古。这些大部落集团之间的更大规模的兼并战争预示着蒙古语族前资本主义民族共同体的诞生。

蒙古部牧地以斡难、克鲁伦、土剌三河源头地带为中心，分为札只剌（札答阑）、乞颜、泰亦赤乌、兀鲁、忙兀等很多氏族。他们的祖先大约是在公元 900 年前后，迁到三河源头地带并征服了这一带的部分兀良哈人。据《史集》记载，成吉思汗十世祖朵奔篾儿干（Dobun Mergen）③ 死后，其妻阿阑·豁阿感光生下三个儿子，幼为孛端察儿。三人的后代形成的氏族被称为尼伦（Niruγun，意为"腰"）蒙古，而与阿阑·豁阿感光而生三子有着亲缘关系的各氏族和较早被征服的外氏族则被称为迭列列斤蒙古（Derelekin），其中包括与蒙古部世代通婚的弘吉剌部。

《史集》将尼伦蒙古诸部分为三类：成吉思汗曾祖合不勒汗（Qabul Qan）的兄弟及其以前凡出自阿阑·豁阿（Alan Qoha）的氏族称为尼伦

---

① 今呼和浩特北面的大青山，阴山山脉的东段。匈奴曾称阴山为祈连山，祈连是突厥语天山之义。匈奴诗歌云"失我焉支山，令我妇女无颜色；失我祈连山，使我六畜不蕃息"，其所指祈连山即为阴山。后来，突厥语系的汪古部进入阴山地带后，继续将阴山称为祈连山，或直译作天山。参见李逸友：《元丰州甸城道路碑笺证》，《元史论丛》第 2 辑，中华书局 1983 年版。

② 参阅王国维：《金界壕考》，《观堂集林》卷 15，第 15 页，《王国维遗书》本；贾洲杰：《金代长城初议》，《内蒙古大学学报》1979 年第 3、4 期。

③ 本节蒙古高原部落名、人名、地名的拉丁转写主要参考了 Igor de Rachewiltz, *The Secret History of the Mongols：A Mongolian Epic Chronicle of the Thirteenth Century*，Koninklijke Brill NV, Leiden, 2006（罗依果，《蒙古秘史译注：蒙古十三世纪的叙事史》，来顿，2006）。

（Niruγun，意为"腰"）；合不勒汗后裔形成的氏族称乞牙惕（Kiyat）；合不勒汗之孙成吉思汗之父也速该的后裔称乞牙惕·孛儿只（Kiyat Borʝigin）部落。

一、尼伦蒙古

合答斤（Qadakin）、撒勒只兀惕（Salʝi γud）、乞颜（kiyan）诸部
这些氏族都起源于阿阑·豁阿（Alan Qoḫa）。阿阑·豁阿在丈夫朵奔·篾儿干（Dobun Mergen）死后感受天光所生三子，长为不忽·合答吉（Buqu Qadagi），次子不合秃·撒勒只兀惕（Buqatu Salʝiḫut），幼子孛端察儿（Bodunčar）。长子不忽·合答吉的后裔为合答斤氏（Qatagin），《金史》作合底忻，居住在今伊敏河以东。次子不合秃·撒勒只兀惕的后裔成为撒勒只兀惕（Salʝiḫut）氏，《金史》记作山只昆，《元史》记作散只兀、珊竹等。幼子孛端察儿是孛儿只斤氏（Borʝigin）的始祖，这一氏族名中途一度没有氏族使用，成吉思汗父亲也速该（Yesügei）恢复使用该氏族名，成为孛儿只斤氏的第二始祖①，孛儿只斤氏遂成为成吉思汗黄金家族的姓氏。孛端察儿生子合必赤（Qabiči），合必赤生篾年·土敦（Menen Tudun），篾年·土敦生七子，其中合赤·曲鲁克（Qači Külük）生海都（Qaidu）。海都有三子，长子伯升豁儿（Bai Sinγur）生屯必乃汗（Tumbinay Qan），屯必乃汗生合不勒汗（Qabul Qan）。合不勒汗有七个儿子，次子把儿坛（Bartan）是成吉思汗的祖父。把儿坛有四个儿子，也速该（Yisügei）是其中之一，也速该的长子铁木真（Temüjin）即成吉思汗。按照《元朝秘史》与《史集》记载，尼伦蒙古的先世禹儿惕在发源于不儿罕山的斡难、克鲁伦、土剌三河源头，后来孛端察儿一支的各子孙部落也都在斡难河上游一带活动，但孛端察儿的两位亲兄长的后裔部落约在12世纪后期，与本部在地域上已经分开了。合答斤、撒勒只兀惕两部已移居呼伦湖以东的今辉河、伊敏河及海拉尔河一带，成为夹在塔塔儿（Tatar）、弘吉剌（Qonggirat）两部间的势力不很大的散部了②。金章宗时，合答斤氏与山只昆等部连年对金作战。孛儿只斤氏仍游牧

---

① 余大钧译注：《蒙古秘史》，第42节注③。
② 参阅陈得芝：《蒙古哈答斤部撒勒只兀惕部史地札记》，《蒙元史研究丛稿》，第271—274页。

在斡难、克鲁伦、土剌三河源头。

有学者推测合答斤、撒勒只兀惕迁出三河源头的原因，可能在某一时代，这两部受到孛端察儿后裔部落的排挤，离开斡难河上游东迁回呼伦贝尔地区；也可能是直到朵奔·篾儿干时代，其部落还居住在呼伦贝尔，其后，孛端察儿一支才西迁到三河之源（时间大约在 10 世纪中叶），而其兄长的两支则仍留居原地。合答斤、撒勒只兀惕两部与成吉思汗虽然同族，但在后来成吉思汗统一蒙古高原的过程中，却一直与成吉思汗处于敌对状态。直到成吉思汗击溃乃蛮太阳汗，这两部也最后失去了强大可依的力量，成吉思汗才彻底征服了他们。因为他们长期对抗蒙古本部，成吉思汗把这两部人当作一般战俘分配给了其他亲属与功臣，所以《蒙古秘史》记载的九十五个千户那颜中没有一个是出自合答斤（Qadakin）、或撒勒只兀惕（Salǰiγud）的。①

禹儿乞（Yürki）氏　《蒙古秘史》又作主儿乞（ǰürki）、主儿勤（ǰürkin）。屯必乃汗的长子为斡勤·巴儿合黑（Okin Barqaq），巴儿合黑生子忽秃黑秃·禹儿乞（Qutuqtu ǰürki）。禹儿乞有儿子薛扯·别乞（Seče Beki）与泰出（Taiču），他们的后裔成为禹儿乞氏。

泰亦赤兀惕（Taičiγüt）、斡罗纳（Oronar）、晃坛豁（Qongqutan）、阿鲁剌惕（Arulat）、雪你惕（Sünit）诸部　泰亦赤乌起源于海都的第二子察剌合·领昆（Čaraqai Lingqu），察剌合·领昆的儿子为想昆·必勒格（Senggün Bilige），想昆·必勒格之子为俺巴孩（Ambaqai），他们成为泰亦赤兀惕（Taiči γüd）部落。察剌合曾受辽朝封号"领昆"，即部族首领。俺巴孩生子哈丹（Qadan），哈丹生子秃答（Tudai）②。从察剌合·领昆到哈丹时代，泰亦赤乌诸部都有自己的杰出首领，是一强大部落，其牧地在斡难河沿岸。察剌合·领昆收娶其嫂，生子别速台（Besüdei），其后裔成为别速惕氏（Besüt）。海都第三子为抄真·斡儿帖该（Čaoǰin Oretegei），他的儿子们成为斡罗纳氏（Oronar）、晃坛豁氏（Qongqotan）、阿鲁剌惕氏（Arulat）、雪你惕氏（Sünit）等氏族。

那牙勤（Noyakin）、兀鲁惕（Uruγut）和忙忽惕（Mangqut）、巴鲁

---

① 参阅陈得芝：《蒙古哈答斤部撒勒只兀惕部史地札记》，《蒙元史研究丛稿》，第 274 页。
② 《史集》（汉译本）第 1 卷第 2 册，第 31 页；同书第 1 卷第 1 册，297 页。

剌思（Barulas）氏诸部落 这些氏族都起源于篾年·土敦（Menen Tudun）。他的儿子合臣（Qačin）生子那牙吉歹（Noyagidai），那牙吉歹是那牙勤氏（Noyakin）的始祖。篾年·土敦的另一个儿子叫纳臣·把阿秃儿（Način Baḥatur），纳臣·把阿秃儿有两子，名为兀鲁兀歹（Uruɣudai）、忙忽台（Mangqutai），他们的后裔成为兀鲁惕氏（Uruɣut）和忙忽惕氏（Mangqut）。合赤兀（Qačiɣu）和合出剌（Qačula）也是篾年·土敦的儿子，他们的后人成为巴鲁剌思氏（Barulas）。

　　朵儿边部（Dörben）、八邻部（Ba γarin）、速合讷惕部（Sükend） 《蒙古秘史》第11节记载朵奔·篾儿干（Dobun Mergen）的兄长都蛙·锁豁儿（Du-a Soqor）死后，都蛙·锁豁儿的四个儿子与叔父朵奔·篾儿干分离，迁到贝尔湖附近，形成朵儿边部（Dörben）（意为四子部落）。孛端察儿（Bodunčar）与掳来的兀良哈（Uriyangqan）部札儿赤兀惕氏（ǰarčiɣut）妻子生子巴阿里歹（Baɣaridai），巴阿里歹的后裔形成八邻部（Ba γarin）。巴阿里歹的儿子赤都忽勒·孛阔（Čiduqul Bökö）有许多儿子，八邻部有较多分支氏族。八邻部在亦马儿河（Yimar）与也儿的石河（Ertiš）两河的上游。

　　札答阑（ǰadaran）氏 孛端察儿掳来的已怀孕的兀良哈部札儿赤兀惕氏妻子生了一个儿子，取名札只剌歹（ǰaǰiradai）（意为外姓人），他成了蒙古部札答阑氏（ǰadaran）的祖先①。

　　沼兀列亦惕（ǰeɣüret） 《元史》记作照烈部。孛端察儿的妾生子名沼兀列歹（ǰeɣüredei），他是沼兀列亦惕氏（ǰeɣüret）的始祖。

二、迭列列斤蒙古

　　兀良哈（Uriyangqan） 《史集》记载，属于蒙古部的兀良哈部是捏古思族（Nökös）的分支，住在额尔古涅昆（Ergunequn）山地中，后来一起熔铁打开通道迁出来。《蒙古秘史》记载，兀良哈部的一个氏族是不儿罕山（Burqan Qaldun）的"主人"。后来成吉思汗十世祖孛端察儿及其兄弟征服的阿当罕·兀良哈（Adangqan Uriyangqai）部可能就是这支兀良哈人，他们应是早于蒙兀部迁到不儿罕山的。阿当罕·兀良哈部成了成吉思汗家的世袭

---

① 余大钧译注：《蒙古秘史》，第43节。

奴隶。兀良哈人者勒篾（ǰelme）自幼就被其父送到成吉思汗处做奴仆①。兀良哈可能就是《辽史》中的斡朗改。

弘吉剌（Qonggirad）部 由弘吉剌氏、亦乞列思氏（Ikires）、斡勒忽讷惕（Olqunud）、豁罗剌思氏（Qorolas）、燕只斤（Elǰikin）（《史集》记作额勒只斤）等分族组成。隋朝的钵室韦、唐朝的婆莴室韦、金朝的婆速火部、元代的弘吉剌别部孛思忽儿应是同一部落的。因此，弘吉剌部应是从隋朝钵室韦繁衍而来的。《辽史》中"王纪剌"和《金史》中的"广吉剌"就是弘吉剌的异译。根据弘吉剌部自己的传说，弘吉剌和上述各分支的祖先是出自"金瓮"的三兄弟。"金瓮"比喻生性聪颖，品格完美，仪态端正。传说中蒙古部出自阿阑·豁阿圣洁的腰脊，与弘吉剌部出自"金瓮"不同。又据蒙古人的传说，迁出额尔古涅昆时，弘吉剌祖先抢在前头，踩坏了别部的灶，因此，得了脚病。弘吉剌部与蒙古人的祖先一同迁出额尔古纳河，且与蒙古部世代通婚。因此，弘吉剌与蒙古可能分别起源于在远古时代实行外婚制的两个氏族。辽金时期，弘吉剌部牧地北起海拉尔河、额尔古纳河上游，南至喀尔喀河、乌拉盖河一带，其地域与辽代的乌古部相当。弘吉剌、亦乞列思等部可能就是辽代的乌古部。

伯岳吾氏（Baya γud） 伯岳吾氏又译巴牙兀惕，在突厥语、蒙古语中都是富裕的意思（突厥语谓富为 bai、蒙古语谓富为 bayan）。见于记载的有三种伯岳吾氏。一种是蒙古地区的伯岳吾氏。拉施特记载，这一种伯岳吾氏部落有若干分支，其中主要有者台（ǰedei），又有巴牙兀惕（Bayaγud），另一支称客赫邻·巴牙兀惕（Keḥerin Bayaγud）。"者台是蒙古斯坦的一个河谷"，者台的营地曾在那里，便因地名族。据考证，者台是今色楞格河左岸的支流吉达河。传说成吉思汗十世祖朵奔·篾儿干用鹿肉换了个巴牙兀惕部落马阿里黑氏（Maḥaliq）族的小男孩做仆人②。由此看来，者台的营地在今色楞格河支流吉达河靠近不儿罕山的山地中，朵奔·篾儿干才易遇到。客赫邻·巴牙兀惕住在草原上③，他们的营地应在色楞格河（Selengge）中下游

---

① 余大钧译注：《蒙古秘史》，第9、38、97节。

② 《史集》（汉译本）第1卷第1分册，第287页；乌兰：《关于〈元朝秘史〉中的马阿里黑·伯牙兀歹》，《蒙古史研究》第8辑，2005年。

③ 《史集》（汉译本）第1卷第1分册，第287页。

两岸。

第二种是钦察草原的玉里伯里伯岳吾氏，是钦察国的统治家族。他们自称"其先本武平北折连川按答罕山部族"，自曲年迁至"去中国三万余里"的钦察草原上的玉里伯里（Ilberi）山居住①。武平即元代大宁（今赤峰市宁城县境），折连川即元代的折连怯呆儿（ǰegeren Keger-e），地在辽河上游的今通辽市一带。至蒙哥西征时，该族自曲年已传五世至班都察（Balduč-ar）。玉里伯里山在押亦河（Yaiq，今乌拉尔河）与也的里河（今伏尔加河）之间，"夏夜极短，日暂没辄出。川原平衍，草木盛茂"。② 他们可能是随耶律大石西迁中亚后，继续西走至高加索北端的。玉里伯里伯岳吾氏可能起源于蒙古语族契丹人，他们西迁到钦察草原后，逐步融入到钦察部落，但依然保留着对祖籍的记忆。

第三种是康里部的伯岳吾氏。13 世纪奈撒微撰写的《札兰丁传》记载，花剌子模诸后妃中唯 Qothbed-Din 之母出于 Yemek 分族伯岳吾氏（Beyawout），而 Qothbed-Din 之母与花剌子模沙摩诃末母后 Turkan 同为康里部人，因此咸海北部康里部也有分族称伯岳吾氏。③

据学者们的研究，这三种伯岳吾氏的源头可能都同在东方的额尔古纳河，钦察草原上的玉里伯里伯岳吾氏与康里人的伯岳吾氏是从东方西迁而去，并融入到突厥人中的。④

许兀慎（Hüshin）、速勒都思（Suldus）及其分族亦勒都儿斤（Ildurkin），轻吉惕（Kinkit） 这些部族都属于迭列列斤蒙古。但关于他们的起源知之甚少。速勒都思的一部分人是成吉思汗祖先的属民。成吉思汗年少时被亲族泰亦赤乌人捉去，泰亦赤乌贵族脱朵格（Tödöge）的属民速勒都思人锁儿罕·失剌（Sorqan Šira）帮助成吉思汗逃脱⑤。建国后，成吉思

---

① 《元史》卷 128《土土哈传》，中华书局 1976 年版，第 3131 页。

② 阎复：《句容武毅王纪绩碑》，《群书校补》卷 19 至 22 之陆心源《名臣事略校补》，转引自韩儒林：《西北地理札记》之二《玉理伯里山之方位》，《穹庐集》，第 74—79 页。

③ 参见韩儒林：《西北地理札记》之三《钦察、康里、蒙古之三种伯岳吾氏》，见《穹庐集》，第 80—84 页；《察合台汗国史研究》，第 10 页。

④ 参见韩儒林：《西北地理札记》之三《钦察、康里、蒙古之三种伯岳吾氏》，见《穹庐集》，第 80—84 页；《察合台汗国史研究》，第 10 页。

⑤ 余大钧译注：《蒙古秘史》，第 82、146 节。

汗封锁儿罕·失剌为千户长，管理色楞格河中下游的一处牧地，此地原为巴牙兀惕人牧地，于是速勒都思人与巴牙兀惕人交错居住。锁儿罕·失剌千户长的职位由其子赤老温（Čilaɣun）世袭，赤老温传子宿敦（Sunduu）那颜①。

别勒古讷惕（Belgünet）、不古讷惕（Bükünet）氏族 这是阿阑·豁阿与朵奔·篾儿干生的两个儿子别勒古讷台（Belgünetei）与不古讷台（Bükünütei）的后裔。按《史集》的分类，他们应属于迭列列斤蒙古。

三、其他蒙古语族部落

除了以上亲缘关系很近且记载比较清楚的诸部外，当时蒙古高原的蒙古语族部落还有以下几支。

克烈（Kereyid）部 又译怯烈、克烈亦惕、凯烈。克烈的族属与族源至今尚无定论，多数学者倾向于认为克烈人是突厥语族部落，其论据主要有两点：一，克烈人的名字除了突厥化的叙利亚教名外，见于史书的克烈人名几乎都是突厥语；二，《史集·部族志》把克烈同乃蛮（Naiman）、汪古（Önggüd）、唐古（Tangut）、畏吾儿（Uyiɣur）、乞儿吉思（Qirqiz/Kirgiz）放在一起，作为第三篇，把他们与蒙古各部分开，而归入了多数是突厥族的一类中。② 也有学者认为克烈是蒙古人的一种。《史集·部族志》第三篇"克烈"条中记载："他们是蒙古人的一族；他们住在斡难、怯绿连［两河沿岸］蒙古人的土地上。那个地区邻近契丹国境。"③ 另外，元代普遍将克烈人视为蒙古人。陶宗仪的《南村辍耕录》将克烈列入蒙古氏族名单中。元代不少涉及克烈人的文书也将克烈归入蒙古。如程钜夫《炮手总管克烈君碑铭》、黄溍《河西陇右道肃政廉访使凯烈公神道碑》等等，以及《元史》中的《槊直腯鲁华传》、《速哥传》、《也先不花传》都将碑主或传主称为蒙古克烈氏。因此，可以说克烈人是蒙古人的一种。

---

① 参阅《史集》（汉译本）第1卷第1分册，第285、287页。
② 参见亦邻真：《中国北方民族与蒙古族族源》。陈得芝：《十三世纪以前的克烈王国》，《蒙元史研究丛稿》，第202页。
③ 《史集》（汉译本）第1卷第1分册，第207页。

克烈人的族源是达怛（Tatar）与阻卜（jubug）。达怛可能是最早西迁的室韦—达怛人。唐开元二十年（732 年）所立的《阙特勤碑》突厥文碑铭表明，突厥人将突厥之东、契丹之北的大兴安岭东西的蒙古语族诸部落统称为三十姓达怛（Otuz Tatar）。大约当时室韦诸部中以 Tatar 最强大，故突厥人用其名概称室韦诸部，而唐人则沿用北魏以来的室韦旧名。三十姓达怛别部九姓达怛（Toquz Tatar）就是后来的克烈人的先民。陈得芝先生考查室韦—达怛部落西迁的历史过程，指出十世纪以后蒙古高原上的达怛—阻卜各部落就是来自东面的蒙古语族部落。① 另有学者指出，8 世纪初期，九姓达怛已在漠北地区站稳了脚跟，有了一席之地。"大体而言，后突厥时期，九姓达怛的活动范围当在土拉河以北、贝加尔湖以南、色楞格河以东、鄂嫩河以西这一区域。"② 九姓达怛在与突厥、回纥等发生多次战争以后，相继被征服，成为突厥、回纥的属部，从而进一步受到突厥、回纥等在文化、习俗方面的影响。唐开成五年（840 年），黠戛斯（Kirgiz／Qlrğlz）攻破回鹘汗国，占领了鄂尔浑河地区，成为漠北地区的霸主，并一时占据了安西、北庭，收附了达怛五部落。这五部达怛，应当就是 747 年被回纥征服而降附的那部分九姓达怛。五部达怛的居地在合罗川（即鄂尔浑河上游谷地）一带，这也与归属回纥以后九姓达怛的居地相符。由此可知，8 世纪中期直至 9 世纪中期，九姓达怛一直居住在鄂尔浑河流域。黠戛斯人占领鄂尔浑河地区的时间不长，他们撤走后，九姓达怛成为这里的主人，迅速发展起来。五代时期，九姓达怛与辽、后唐均有往来。《辽史·太祖纪》载，"神册三年（918年）二月，达旦国来聘。""综观辽代契丹人对室韦人的称呼，除新用一些具体专名外，对室韦一称仍旧使用；对蒙古高原腹地的室韦部落则泛称'阻卜'，偶尔也称'达旦'。"③ 因此，室韦、达怛（旦）、阻卜实指同一部落群。辽朝于统和二十九年（1011 年）征服了漠北地区的阻卜（达怛）诸部以后，设置阻卜—达怛诸部节度使加以控御。但阻卜—达怛诸部不断进行反辽斗争。辽大安八年（1092 年），阻卜诸部长磨古斯助辽攻边部耶睹刮，

① 陈得芝：《十三世纪以前的克烈王国》，《蒙元史研究丛稿》，第 215 页。

② 张久和：《九姓达怛考索》，《内蒙古大学学报》1998 年第 4 期。

③ 张久和：《九姓达怛考索》，《内蒙古大学学报》1998 年第 4 期。

因功受左仆射之职。辽将复讨耶睹刮时，误击磨古斯，北阻卜由此反辽①。阻卜其他部落也起而响应北阻卜。辽道宗以挞不也为西北路招讨使讨伐磨古斯。当初是挞不也推荐磨古斯当了酋长，故挞不也派人劝诱磨古斯。磨古斯绐降，在镇州西南沙碛间杀挞不也。辽道宗寿昌六年（1100 年），磨古斯（Marcusr）被辽西北路招讨使斡特剌擒获，被磔于市。从此，诸阻卜部重附于辽。冯承钧先生已考证磨古斯即克烈部王罕祖父马儿忽思·不亦鲁黑汗（Marqus Buyiruq Qan，磨古斯与马儿忽思都是基督教教名 Marcusr 的对音）。磨古斯的部落居住在镇州（今土拉河支流喀鲁喀河南之青托洛盖古城）附近，其基督教名、地域与宗教信仰都和克烈部一致，因此，克烈人属辽朝阻卜—达怛部落。② 克烈人的族源无疑是达怛与阻卜。

九姓达怛因最先进入漠北中部地区，当回鹘汗国败亡后，他们占领了杭爱山（Qangqai）与鄂尔浑河（Orqon）上游一带最优良的牧场，这里是历代游牧政权的腹心之地。九姓达怛很早就与突厥人关系密切，并与他们居住在一起，吸收了大量突厥族人口。因此，它是突厥化程度最高的蒙古人。到克烈人时代，其社会发展水平已远远超过了蒙古部。克烈人在辽时就形成强大部落联盟，其首领称汗号，但服属于辽，封为"大王"（夷离堇）。辽金时代，克烈部游牧地东至怯绿河（Kelüren，今克鲁河）上游之南，西达杭海岭（Qangqai，今杭爱山），北抵土兀拉河（Tuḥula，今土拉河）和斡耳寒河（Orqon，今鄂尔浑河）下游，南临大漠。据《史集》记载，克烈分为克烈、只儿近（jirgin）、董合亦惕（Olon Dongqayit，《圣武亲征录》作董哀）、撒合亦惕（Saqayit）、土别兀惕（Tümen Tübegen，《蒙古秘史》作土别干，《元史》作土别燕 Tubeyit）、阿勒巴惕六部（Albat），成为蒙古高原最强大的蒙古语族部落。辽大安年间磨古斯率领蒙古高原诸部反辽被杀后，磨古斯子忽儿札胡思（Qurjaqus）继位，其营帐设在窝鲁朵城（Ordo，回鹘汗国故都，即哈剌八剌哈孙（Qara Balaqasun），在今蒙古鄂尔浑河上游，哈剌和林之北），分封子弟于辖境东西部。他死后，诸子争位，长子脱里（Toḥoril，即

---

① 北阻卜磨古斯反辽事，参见《辽史》的《道宗本纪》、卷 94《耶律何鲁扫古传》、《耶律那也传》、卷 96《挞不也传》、卷 97《耶律斡特剌传》等均有记载，可互证。中华书局 1974 年版。参见陈得芝：《十三世纪以前的克烈王国》，《蒙古史研究丛稿》，第 220 页；参见张久和：《九姓达怛考索》。

② 冯承钧：《辽金北边部族考》，载《辅仁学志》卷 8 第 1 期。

王罕）阴谋杀害了继承父位的弟弟台帖木儿（Tayi Temür）太师和不花帖木儿（Buqa Temür），夺取了汗位。①

克烈部人经常与东面的塔塔儿部（Tatar），西面的乃蛮部（Naiman）和北面的篾里乞（Merkit）发生战争，篾儿乞人和塔塔儿人曾将幼年的脱里捉去当了奴隶。后来乃蛮部可汗想离间克烈部，削弱克烈部的势力，又支持脱里之叔古儿罕（Gür Qan）、弟也力可·哈剌（Erek Qara，《蒙古秘史》作额儿客·哈剌）与脱里争夺汗位，占领克烈部许多地方，脱里遂与蒙古部贵族成吉思汗父也速该（Yisügei）结成联盟，打败敌人，恢复汗位，势力日渐壮大。1196 年，他协助金朝镇压塔塔儿部叛乱，被封为王，遂称王罕（Ong Qan），成为蒙古高原的新霸主。

札剌亦儿（ǰalayir）部 札剌亦儿部就是《辽史》中的"阻卜札剌部"。据《史集》和《元史》记载，其营地在斡难河（Oran，今鄂嫩河）以南到怯绿连河（今克鲁伦河）中上游一带②。札剌亦儿部应是较早西迁的一支室韦—达怛人，曾臣服于回鹘可汗。《史集》记载札剌亦儿部有札惕③（ǰayat）、脱忽剌温（Toqraγun）、弘合撒兀惕（Qunkqsut）、古篾兀惕（Kümüsüt）、兀牙惕（Uyat）、你勒罕（Nilqan）、古儿勤（Kürkin）、朵郎吉惕（Dolonggirdai）、秃里（Buri）、尚忽惕（Sankqut）十个分支。蒙古初期著名的木华黎国王就是札剌亦儿部察哈氏（即札惕，ǰayat），他们居于斡难、怯绿连河流域。《史集》称札剌亦儿为迭列斤蒙古，可能就是指他们。④ 札剌亦儿部的各个分支都有很多人民⑤。据《史集·土敦篾年纪》记载，居于怯绿连之边的札剌亦儿部能组成 70 "古列延"（küriyen），1 000 帐幕组成

① 参见《史集》（汉译本）第 1 卷第 1 分册，第 214 页；余大钧译注：《蒙古秘史》第 151、152 节。

② 《史集》（汉译本）第 1 卷第 1 分册，第 93 页；第 1 卷第 2 分册，第 18 页。《元史》卷 119《木华黎传》，第 2929 页。

③ 札剌亦儿部分支名的读写勘同及札惕札剌亦儿人成为成吉思汗家族的世袭奴隶的论述，请参阅皮路思（即刘迎胜）：《〈史集·部族志·札剌亦儿传〉研究》，见《蒙古史研究》第 4 辑，1993 年内蒙古大学出版社版，第 2—5 页；韩儒林：《韩儒林先生遗稿：读〈史集·部族志〉札记（部分）》，《元史论丛》第 3 辑，中华书局 1986 年版，第 245—247 页。

④ 《元史》卷 124《忙哥撒儿传》记载木华黎族孙忙哥撒儿是察哈札剌儿氏；参见刘迎胜：《〈史集·部族志·札剌亦儿传〉研究》，见《蒙古史研究》第 4 辑，第 2—5 页。

⑤ 《史集》（汉译本）第 1 卷第 1 分册，第 149 页。

一个古列延，则该部落共有 70 000 帐幕。约在 10 世纪末，辽朝大军攻杀此札剌亦儿部，该部落几近灭绝，只剩下 70 帐。这些余部游牧到成吉思汗七世祖母那莫伦（Nomolun）① 的营地，与那莫伦发生冲突，杀死一家。后来那莫伦幸免于难的幼孙海都（Qaidu）复仇，杀尽了札剌亦儿男人，将其妻儿收为奴隶。成为成吉思汗家族世袭奴隶的应当就是居于斡难、怯绿连河流域的这支札剌亦儿人，即札惕札剌亦儿人。

塔塔儿（Tatar）部　塔塔儿（Tatar）之名首先见于唐开元二十年（732 年）所立的《阙特勤碑》。汉文史料中则是唐会昌二年（842 年）李德裕撰写的《赐回鹘嗢没斯特勤书》始见著录，作"达怛"。② 广义的塔塔（鞑靼）泛指漠北、漠南的许多游牧部落，狭义的塔塔儿指蒙古高原东部的塔塔儿部。后突厥汗国和回鹘汗国统治蒙古高原腹地时，蒙古高原东部的塔塔儿部就已经十分强大，征服了许多部落，这些被征服的部落也自称塔塔儿。突厥人便以蒙古高原东部塔塔儿部的名称来统称东面的室韦诸部为"三十姓鞑靼"。这里介绍的是蒙古高原东部的塔塔儿部。

《史集》记载塔塔儿部有许多分支，该部共有 70 000 户。"声誉昭著、各有军队和君长的塔塔儿部落有下列六部"：秃秃黑里兀惕·塔塔儿（Tutuqliḥut Tatar，秃秃黑里兀惕意为"都督的"）、阿勒赤·塔塔儿（Alči Tatar）、察罕·塔塔儿（Čaγan Tatar）、奎因·塔塔儿（Hoi-yin Tatar）、不鲁恢（Buyiruḥui Tatar，意为"梅录的"）·塔塔儿、帖烈惕（Teret Tatar，即敌烈）·塔塔儿。秃秃黑里兀惕是所有塔塔儿中最受尊敬的③，大概是唐朝时曾授此部首领都督官号，故其后裔所统部落称"都督之部"。仅从该部首领曾经拥有"都督"、"梅录"等汉语、突厥语高级官称便可窥见塔塔儿部从前在蒙古语族各部中的显赫地位。肥沃的呼伦贝尔草原是塔塔儿部的牧地，塔塔儿的游牧区与禹儿惕是按氏族和分支明确规定的，其根本禹儿惕在捕鱼儿海子（今贝尔湖）。《蒙古秘史》记载的塔塔儿六部，名称与《史

---

① 《蒙古秘史》中那莫伦 Nomolun；《史集》与《元史·太祖本纪》、《圣武亲征录》都作莫拏伦（Monolun）。

② 参见韩儒林：《读〈史集·部族志〉札记》，见《元史论丛》，第 3 辑，中华书局 1986 年版。

③ 《史集》（汉译本）第 1 卷第 1 分册，第 164—168 页。

集》稍异，分别是：阿亦里兀惕·塔塔儿（Ayiriḫut Tatar）、不鲁恢·塔塔
儿（Buyiruḫut Tatar，意为"梅录的"）、都塔兀惕·［塔塔儿］（Dutaḫut
Tatar）、阿鲁孩·塔塔儿（Aruqai Tatar）、阿勒赤·塔塔儿（Alči Tatar）、察
合安·塔塔儿（Čaɣaḫan Tatar），① 而居地完全一致。据《蒙古秘史》，阿勒
赤·塔塔儿与不鲁兀惕·塔塔儿两部居住在捕鱼儿海子（Buyur Naɣur）与
阔连海子（Kölen Naɣur，今呼伦湖）之间的兀儿失温河（Uršiḫun，今乌尔
逊河）一带。蒙古部的俺巴孩合罕（Ambqai Qaɣan）就是被他们捕送金朝
而被处死的，这是蒙古部与塔塔儿部结为世仇的原因之一。察合安·塔塔
儿、阿勒赤·塔塔儿、都塔兀惕·［塔塔儿］、阿鲁孩·塔塔儿四部居答
阑·捏木儿格思（Dalan Nemürges，今哈拉哈河上源努木尔根河）地方②。
塔塔儿应就是辽朝时的敌烈八部，在金朝时分为 6 个部落③。塔塔儿不仅与
蒙古部有世仇，而且与克烈部也多次发生冲突。

塔塔儿部也有西迁到也儿的石河的氏族。从波斯地理学家葛尔迪齐
《报导的装饰》记载来看，约在回鹘西迁前后，塔塔儿部的一个贵族"设"
率部西行，西迁到也儿的石河流域。后来又有 7 个部落或氏族也迁移到也儿
的石河流域，这其中可能包括钦察和塔塔儿的两个氏族，他们在也儿的石河
建立了新部落集团 Kimek。起初，这些西迁的塔塔儿人还与本部保持着联
系，后来因战争及时空阻隔，联系中断，于是在 Kimek 人中只保留了他们起
源于塔塔儿的传说。据记载，Kimek 的牧地东邻黠戛斯、南为也儿的石河、
西为钦察，其王称为可汗。④

篾儿乞（Merkit）部　又译篾里乞或灭里吉。篾儿乞人游牧于鄂尔浑
河、色楞格河下游一带⑤。《史集》记载篾儿乞分为兀洼思（Uḫas Merkit）、
麦古丹（Merkit）、脱脱怜（Toqtoḫari Merkit）、察浑（Čaɣun Merkit）四大
部。《蒙古秘史》却记载篾儿乞有三个分支部落：兀都亦惕·篾儿乞
（Uduyit Merkit）、兀洼思·篾儿乞（Uḫas Merkit）、合阿惕·篾儿乞（Qaḫat

---

① 参见余大钧译注：《蒙古秘史》第 53、153 节。
② 参见余大钧译注：《蒙古秘史》第 53、153 节。
③ 余大钧译注：《蒙古秘史》第 53 节注释⑨。
④ 参见《察合台汗国史研究》，第 9 页。
⑤ 参见余大钧译注：《蒙古秘史》第 105、110、219 节。

Merkit），称"三姓篾儿乞"。篾儿乞也是蒙古语族部落，是达怛—室韦人的一支。《史集》将篾儿乞归为元代以来称为蒙古的突厥诸部，明确称他们为蒙古。"篾儿乞"在《辽史》中被译作"梅里急"、"密儿纪"，是蒙古高原强悍、好斗的部族。

斡亦剌（Oyirat）及诸林木中百姓的部落   斡亦剌是篾儿乞的西邻，居住在叶尼塞河源头"八河"上源地区。《突厥世系》记载斡亦剌的居地被八条河所环绕①。《蒙古秘史》第 144 节记载斡亦剌居地名为失思吉思（Šisgis），第 239 节作失黑失惕（Šiqšit），"失思吉思"当为"失黑失思（即失黑失惕）"的误写或误读。其地当是今叶尼塞河上游小叶尼塞河上源锡什锡德河流域②。《史集》记载，斡亦剌人的语言是蒙古语，与其他蒙古部落的语言只有方言的差异，可见他们也是蒙古语族部落之一。可能由四大氏族组成，故称"四斡亦剌"，但四部名称不详。17 世纪成书的《突厥世系》追述蒙古部与其他突厥种族部落的历史时说，秃儿阿兀特（Turqaḥut）、忽豁里（Quqori）、秃剌思（Tulas）以及居住在巴儿忽真·脱窟木（Barqujin Töküm）的秃马惕人（Tumat）也是斡亦剌部的分支③。13 世纪初，斡亦剌部首领之一的忽都合别乞（Quduqa Beki）"森林民"（居住在平坦草原上的各部对居住在山地森林中各部的称呼）各部投降成吉思汗，成吉思汗将斡亦剌四部组成四千户，由忽都合别乞统领。斡亦剌人多数居住在森林地区，社会发展水平要比其他部落低。斡亦剌部首领号"别乞"（Beki），为萨满（巫师）头目的称号，说明萨满教在部民中占有很高地位。

自贝加尔湖直到叶尼塞河的森林地带还分布着许多森林部落，蒙古人称之为"林木中百姓"（槐因亦儿坚，Hoi-yin irgen）。他们是八剌忽（Barɣut）、豁里（Qori）、秃马惕（Tumat）、不里牙惕（Buriyat）、合卜合纳思（Qabqanas）、兀儿速惕（Ursut）、康合思（Qangqas）、秃巴思（Tubas）、乞儿吉思（Kirgiz）、失必儿（Šibir）、客思的音（Kesdim）、巴亦惕

---

①　阿布尔·哈齐·把阿秃儿汗著，罗贤佑译：《突厥世系》，记载这八条河是：阔阔·沐涟，温沐涟，合剌·兀孙，散必·敦，兀黑里·沐涟，阿合儿·沐涟，察罕·沐涟及主儿扯·沐涟，中华书局 2005 年版，第 43 页。

②　余大钧译注：《蒙古秘史》，第 144 节注释④、239 节注释②。

③　《突厥世系》（汉译本），第 43 页。

（Bayit）、秃合思（Tuqas）、田列克（Tenlek）、脱额列思（Töḥeles）、塔思部（Tas）、巴只吉惕（Baǰigit）等部。

不里牙惕（Buriyat）在今贝加尔湖的东南面，其后裔即今布里雅特人，但蒙元时期的不里牙惕人的居住范围比现在的布里雅特人居住范围要小。①

八剌忽（Barγut）、脱额列思（Töḥeles）、豁里（Qori）、秃麻（Tumat）诸部是蒙古语族部落。他们居住在巴儿忽津（Barquǰin Töküm）地区，其中八剌忽部分布在贝加尔湖东南巴尔古津河流域。八剌忽与脱额列思、豁里互相毗邻，是近族。② 豁里可能居住在贝加尔湖西岸，他们的后裔中有一支称为豁林，17世纪时住在贝加尔湖西岸和奥尔杭岛上。秃麻部的住地在安加拉河上源。③

八剌忽即唐代的"拔野古"（Bayirqu），豁里即唐代的"骨利干"（Quriqan）。根据汉文史集记载，拔野古与骨利干都是铁勒人——突厥语族部落。考古学家在贝尔湖地区发现了多处文化类型相同的古代遗迹，时间在公元6—10世纪，可以确认这些遗迹是骨利干人的文化，考古发现物证明了他们属于突厥语族。但是，考古学家在色楞格河下游和列纳河上游都找到了大约11世纪中叶典型的蒙古游牧部落的古墓葬，证明至迟到这一时期蒙古人就已经是该地区居民的一部分。可能是后迁来的蒙古人与当地的突厥人杂居，逐步融合而形成新的部落，并且使用了原来突厥部落的名称——八剌忽（拔野古）和豁里（骨利干）④。因此，蒙元时代的八剌忽、豁里与唐代的拔野古、骨利干可能不是同一族源的部落，或许这就是为什么《突厥世系》将忽豁里（即豁里）、秃麻（秃马特）记作斡亦剌分支的原因。

秃巴思（Tubas）就是唐代都波，居地在今贝加尔湖以西、叶尼塞河以东。秃巴思人是今图瓦人的祖先。⑤ 有学者认为秃合思就是秃巴思，⑥ 有学者认为秃巴思与秃合思是两个不同的部落，居地不详。⑦

---

① 参见周清澍：《元朝对唐努乌梁海及其周围地区的统治》，《元蒙史札》，内蒙古大学出版社2001年版。

② 韩儒林：《元代的吉利吉思及其邻近诸部》，见《穹庐集》，第341、347页。

③ 参见周清澍：《元朝对唐努乌梁海及其周围地区的统治》，见《元蒙史札》，第298页。

④ 参阅韩儒林主编：《元朝史》上册，第25页。

⑤ 韩儒林：《唐代都波新探》，《穹庐集》，第384页。

⑥ 参见余大钧译注：《蒙古秘史》第239节。

⑦ 韩儒林：《元代的吉利吉思及其邻近诸部》，《穹庐集》，第341—348页。

客思的音（Kesdim）部（《圣武亲征录》作客失的迷（Kešidmi）），唐朝时客思的音部就生活在唐努乌梁海克木池克河流域，蒙元时期仍在此处。兀儿速惕（Ursut），《元史·英宗本纪》作兀儿速（Ursu），《地理志》作乌斯。兀儿速惕人居住在萨彦岭北面的山中，道路崎岖，元朝时在这里设立了两个驿站。合卜合纳思部（Qabqanas）未见于《史集》，而见于《蒙古秘史》第 239 节和《元史·地理志》（《地理志》作撼合纳（Qabqanas）），合卜合纳思部居住在谦河（Kem）北源的贝克木河谷地。乞儿吉思部（Kirgiz）在叶尼塞河上游的唐努乌梁海盆地或米奴辛斯克平原。田列克（Tenlek）就是帖良兀（Telenggüt），居地在原苏联戈尔诺—阿尔泰自治州。巴只吉惕（Baǰigit）居地近乌拉尔山。塔思部居住在今鄂毕河上游的支流塔兹河流域。巴只吉惕部的居地，一说在今蒙古国乌布苏湖以东，一说在叶尼塞河中游以北的冻土地带，夏季游牧于冻土，冬季住在森林中。[①]

失必儿（Šibir），与失必儿相邻的还有亦必儿（Ibir），这两部是从隋代铁勒诸部中的苏拔、也末部发展而来的。隋及唐初，苏拔、也末役属于西突厥。失必儿、亦必儿既是地名也是部族名。作为地名，这是两个位于今鄂毕河流域的地区，其中，亦必儿当指今鄂毕河流域上游一带，失必儿为今鄂毕河中下游一带。失必儿、亦必儿就是居住在鄂毕河流域的极为偏僻的两个部族。[②]

在 10—12 世纪的蒙古高原上，从杭爱山以东到哈剌温山（今大兴安岭），都成了蒙古语族部落的地盘。西迁的蒙古语族部落吸收了部分留居在当地的突厥语族人口，在语言、习俗、经济生活诸方面受到他们的强烈影响。

四、主要的非蒙古语族部落

除蒙古语族诸部外，当时的蒙古高原还有突厥语族乃蛮部和突厥—蒙古混血的汪古部。

乃蛮（Naiman）部　乃蛮就是《辽史》中的粘八葛、《金史》中的粘

---

① 参见余大钧译注：《蒙古秘史》第 239 节。

② 参见刘迎胜：《失必儿与亦必儿》，《历史地理》第 4 辑，上海人民出版社 1986 年版。

拔恩。乃蛮人应是突厥语部落。《元史·地理志》说，相传乃蛮部最初居住在谦河（今叶尼塞河上游）之地，据此推测，他们可能是由唐代后期南下的一支黠戛斯部落发展而成。多数学者认为乃蛮人是操突厥语的部落。10世纪时，乃蛮部被辽朝征服。辽朝大安年间，乃蛮可能参与了克烈部长磨古斯领导的反辽活动，后来向辽朝西北招讨司归降。金朝初年，乃蛮受西辽统治，大定初年（1161—1189年）归附金朝。其牧地以阿尔泰山为中心，西至也儿的石河（Ertiš，今额尔齐斯河）和阿雷、撒剌思河（今鄂毕河上游支流），北与吉利吉思接界，东与克烈部相邻，南隔沙漠与畏兀儿相望。乃蛮人的分支应当很多，但缺少详细情况，《蒙古秘史》提到过一个古儿兀惕·乃蛮部（Güčüḫüt Naiman），是太阳汗之弟不亦鲁黑汗（Buyiruq Qan）统领的部属。① 12世纪初，乃蛮的君主是纳儿黑石汗（NarqišQan）和阿尼阿惕汗（Aniyat Qan），他们击败了吉利吉思。纳儿黑石汗兄弟之后，乃蛮仍分为两大支，分别由阿尼阿惕二子太阳汗（Tayang Qan）和不亦鲁黑汗统治。由太阳汗统治的一支，居于克烈部之西的草原。另一支由不亦鲁黑统治，居住在阿尔泰山区。在漠北各部中，乃蛮比其他部落先进。他们吸收了回鹘文化，采用畏兀儿文书写，懂得使用印章出纳钱谷，较早就具备了国家机构的雏形。② 乃蛮人信仰基督教聂思脱里派。

汪古（Önggüd）部 汪古部其族源复杂，学界有沙陀突厥说、回鹘说、鞑靼说、党项说。一般认为汪古是由蒙古高原东部迁居阴山山脉的蒙古语族"黑车子室韦"或"黑车子鞑靼"与当地沙陀、回鹘等突厥语族部落长期混合而形成的较为独特的部族。其统治家族的沙陀人种明显，但其部众以室韦人为主。

黑车子室韦或是唐朝的和解室韦一部，原居地在大兴安岭左右，在回鹘汗国时向西南迁入蒙古高原。黑车子室韦见于《辽史》。《辽史·太祖纪上》记载，唐天复年间（901—904年），辽太祖耶律阿保机讨伐黑车子室韦，先与唐卢龙节度使刘仁恭交兵，继与河东节度使李克用会盟。辽太祖二年

---

① 参见余大钧译注：《蒙古秘史》第141、142、158节。
② 《史集》（汉译本）第1卷第1分册，第223页。

（908 年）十月"遣轻兵取吐浑叛入室韦者"①。王国维根据这些记载，考证契丹兴起时，黑车子室韦已南移"幽并近塞"。② 可以说，9 世纪时，黑车子室韦已迁到阴山地区。《辽史·百官志·属国》记有"黑车子室韦国王府"。《契丹国志》作"七姓室韦"。宋人曾公亮、丁度撰《武经总要》云："驴驹儿泊河，源出塞外，在契丹国西北，契丹命齐王妃挞览捍鞑靼即此也。狗泊西、鸳鸯泊北，鞑靼国界，东南炭山。"③ 说明辽庆州（今内蒙古巴林右旗白塔子古城）之西，奉圣州狗泊（今内蒙古太仆寺旗南）之北，一直到驴驹河（今克鲁伦河）都分布着鞑靼部落。这些鞑靼部落中当有黑车子室韦人。

在阴山地区，还有沙陀突厥。④ 沙陀是今新疆东部金娑山之南、蒲类海（巴里坤湖）以东的大沙碛。唐初，西突厥的小部处月氏住在这里，因此称沙陀突厥。唐代文献将沙陀原来的名称处月，译写成"朱邪"，作为沙陀统治者氏族的姓氏。沙陀首领拔野从唐太宗讨高丽、薛延陀。唐平薛延陀诸部后，设置沙陀都督府，拔野在永徽年间（650—655 年）任都督，其后子孙袭职。唐德宗贞元年间（785—804 年），吐蕃攻陷沙陀都督府，沙陀首领尽忠率其族 7 000 帐徙于甘州，吐蕃追兵掩至，尽忠战死⑤。元和三年（808 年），尽忠之子执宜及尽忠之弟葛勒阿波率余众，分别奔至灵州（今宁夏灵武）、振武（今内蒙古呼和浩特市和林格尔县）附唐。唐德宗命其部处盐州（治今陕西定边县），设阴山府，葛勒阿波兼阴山府都督⑥。次年，朔方盐灵节度使范希朝调太原，范希朝挑选该部沙陀骁勇骑士 1 200 名，组成"沙陀军"，驻守神武川（今山西省山阴县东北一带）的黄花堆（今山西省山阴县东北黄花梁）。其余的沙陀部众被安排在定襄川居住。定襄川是今山西右玉

①　《辽史》卷 1《太祖本纪》上，第 1、2 页。

②　王国维：《黑车子室韦考》，见《观堂集林》卷 14，《王国维遗书》本，上海古籍出版社 1983 年版，第 1—32 页。

③　曾公亮、丁度：《武经总要》前集卷 22《北蕃地里·蕃界有名山川》，《中国兵书集成》本，解放军出版社、辽沈书社 1988 年版，第 1125、1126 页。

④　樊文礼：《沙陀的族源及其早期历史》，《民族研究》1999 年第 6 期，第 68—77 页。

⑤　《旧五代史》卷 25《武皇纪》上，中华书局 1976 年版，第 331 页。

⑥　《新唐书》卷 218《沙陀传》，中华书局 1974 年版，第 331、332 页。

县以北至呼和浩特平原一带①。沙陀部改称阴山北沙陀。元和年间，唐朝命朱邪执宜屯守天德军（治今内蒙古乌拉特中旗西南"西受降城"），以防回鹘南下。大（太）和年间（827—835 年），唐朝委付执宜为代北行营招抚使兼阴山府都督，治理云州（治今山西省大同市）、朔州（治今山西省朔县东北马邑）等塞下 11 处废府。乾符五年（878 年），沙陀副兵马使李克用（李昌国之子。朱邪执宜之子朱邪赤心，有功于唐室，被赐姓名李昌国）在大同起兵反唐，失败后率宗族逃入阴山达靼地区（即黑车子室韦）。两年后，李昌国"自达靼部率其族归代州"②。从李克用开始，沙陀贵族在中原相继建立了后唐、后晋、后汉、北汉政权，沙陀部众的大部分应随李克用家族进入长城以内的北中国，但仍有少量部众居留塞外。③

9 世纪时，今内蒙古大青山地区还有少量回鹘人。唐开成（836—840 年）初年，"黠戛斯领十万骑破回鹘城……又有近可汗牙十三部，以特勤乌介为可汗，南来附汉。"回鹘的乌介可汗南渡大碛，至天德界上。会昌三年（843 年），刘沔率兵击乌介营，当时乌介营在幽州界外 80 里。乌介惊走，至东北约 400 里处，依和解室韦下营。大中元年（847 年），乌介 3 000 部众至幽州降唐。大中二年（848 年）春，回鹘部众为室韦所掠。接着，黠戛斯又败室韦，"回鹘在室韦者，阿播皆收归碛北。在外犹数帐，散藏诸山深林，盗劫诸蕃，皆西向倾心望安西庞勒之到"④。可见回鹘留居幽州界外阴山一带的人不会很多。

至金元之际，阴山一带的居住者已称白鞑靼，即汪古部。据说"汪古"一词意为界壕或长城，因为他们为金朝守护界壕，所以才有了这一名称。汪古部应该是突厥语族的沙陀人、回鹘人与蒙古语族的黑车子室韦长期融合形成的。无论是文化习俗还是形貌，汪古部人都保留了中亚突厥语族的特点，尤其是统治家族阿剌兀思剔吉忽里家族，突厥语族的特征更明显⑤。

---

① 藏励龢等：《中国古今地名大辞典》，商务印书馆香港分馆 1982 年版，第 454 页。
② 《新唐书》卷 218《沙陀传》，第 6158 页。
③ 参见樊文礼：《沙陀的族源及其早期历史》，《民族研究》1999 年第 6 期。
④ 《旧唐书》卷 195《回纥传》，中华书局 1975 年版，第 5215 页。
⑤ 参阅周清澍：《汪古部的族源》，《元蒙史札》，第 90、119 页。

第三节 元代以前蒙古语族各部的经济与社会状况

元代以前蒙古语族各部的经济与社会状况大致可以分为两个阶段。北朝至唐代前期，蒙古语族各部的前身——室韦—达怛人主要从事原始的渔猎业、牲畜饲养、农业和手工业生产。与经济发展相适应，其社会还处在父系氏族社会发展阶段。唐末五代以后，由于地域变迁和邻族影响及生产力的发展，一些蒙古部的经济生产与生活开始发生变化，社会向前发展，由父系氏族社会跨入了文明的门槛。[①]

一、经济生活

（一）北魏至唐代前期的经济生活

北魏到唐代前期，室韦—达怛人基本上是森林狩猎部落，主要从事原始的渔猎业、牲畜饲养、农业和手工业生产。

渔猎业 室韦—达怛人居住的额尔古纳河流域及大兴安岭北端，河湖交错，森林茂密，处于原始生活状态的室韦—达怛人便以渔猎为主业。《魏书》之《失韦传》记载失韦"国土下湿""唯食猪鱼""亦多貂皮""用角弓，其箭尤长""男女悉衣白鹿皮"，虽然文献记载简略，但仍能表明渔猎活动在室韦—达怛人的经济生活中占有重要地位。到隋代，史书记载了五部室韦的情况，室韦人猎物种类有獐、鹿、狐、貉、貂、青鼠和鱼鳖等，渔猎工具则有网、渔叉、角弓、长箭等[②]。唐代史书也称室韦人"尤善射，时聚弋猎，事毕而散"。[③] 到唐代后期，游牧业成为迁居到草原的大部分室韦—达怛人的主要经济部门，狩猎业成为辅助的经济活动。而留居森林地区的其他室韦—达怛人仍以渔猎业为主要生活来源。

牲畜饲养业、农业、手工业 北魏至唐代前期，牲畜饲养业在室韦—达怛部落中有了一定的发展。《魏书·失韦传》记载失韦国"唯食猪鱼，养牛

---

① 本节参考张久和：《室韦的经济和社会状况》，《内蒙古社会科学》1998 年第 1 期。
② 《隋书》卷 84《室韦传》，第 1882 页。
③ 《旧唐书》卷 199《室韦传》（下），第 5357 页。

马，俗又无羊”，“夏则城居，冬逐水草”。“杀人者责马三百匹。”① 可见，猪肉是主要食物，马的数量也不少，猪、牛、马不是圈养，而是逐水草，随地放养。《隋书·室韦传》记载北室韦“雪深没马”“牛畜多冻死”，南室韦“无羊，少马，多猪牛”，婚姻以“牛马为聘”。《旧唐书·室韦传》记载室韦养狗和猪。室韦—达怛人在北魏至唐代前期的牲畜饲养业只是渔猎经济的一种补充，不是真正的游牧业，因为“羊”始终没有在室韦人的牲畜中出现。9 世纪中期后，室韦—达怛人的一些部落的牲畜饲养业有了重大发展，逐步转变为草原游牧业。

在大兴安岭丘陵地区的南部，室韦—达怛人有了粗放的农业。《魏书·失韦传》记载失韦人有粟、麦及穄，穄即糜子。唐代时，室韦人的农业进一步发展，有了木犁，可能过渡到了犁耕农业，但处于“刳木为犁，不加金刃，人牵以种，不解用牛”② 的阶段。室韦人居地气候寒冷，无霜期短，农作物产量不高，农业生产水平很低。北室韦居地更为酷寒，可能没有农业。

室韦人有简单的手工业。北朝至隋代，其主要手工业品是弓箭、网、车、居室、木筏、皮舟、滑雪板和马具等生产、生活用品。唐代，室韦人“刳木为犁”，“有巨豕食之，韦其皮为服若席”③，能制木犁与熟皮子。

（二）唐末至辽金时代蒙古语族各部的经济生活

唐代中后期，大批室韦—达怛人陆续迁出原居住区，进入蒙古高原，活动在今呼伦贝尔草原、阴山山脉北部地带，一些部落扩散到了蒙古高原的腹地，并与突厥、回纥、契丹和奚等游牧民族相邻。广阔优良的草原、邻族先进的游牧经济为蒙古语族各部经济的转变与发展带来了契机。而且，辽金时代，大漠南北各部与中原地区的联系更加密切。辽代在漠北地区建立城市，开辟屯田，大批汉人、契丹人、女真人迁居漠北，其先进的经济、文化无疑会给蒙古语族各部以深深的影响。因此，唐末五代以来，一些蒙古部落相继

① 《魏书》卷 100《失韦传》，第 2221 页。
② 《旧唐书》卷 199《室韦传》（下），第 5357 页。
③ 《旧唐书》卷 199《室韦传》（下），第 5357 页。

由渔猎、牲畜饲养和粗放的原始农业经济转化为典型的游牧业经济，渔猎经济成为游牧经济的辅助。

这种转变明显表现在蒙古语族各部中新牲畜品种的出现和牲畜产量的增加。唐末五代零星史料的记载反映了这一变化。如唐开成元年（836年），室韦大都督阿韦来朝，进马 50 匹①；后唐清泰元年（934 年），达怛首领没干越等贡羊马②。到辽代，这种变化更加明显，蒙古语族各部的经济显示出兴旺发展的势头。如《契丹国志》称蒙古、于厥（乌古）、达打等蒙古部落"惟以牛羊驼马皮毳之物与契丹为交易"③。辽圣宗在开泰八年（1019 年）下诏，令阻卜每年依旧贡马 1 700 匹，骆驼 440 匹④。辽乾统二年（1102 年），辽朝打败北阻卜，缴获马 15 000 匹，另有不少牛羊⑤。辽保大四年（1124 年），辽天祚帝多次得到阴山室韦谟葛失提供的马、驼、羊。稍后，耶律大石又得到白鞑靼所献的马 400 匹、驼 20 匹、羊若干⑥。到金代，鞑靼人"其为生涯，只是饮马乳以塞饥渴，凡一牝马之乳可饱三人。出入只是饮马乳，或宰羊为粮。故彼国中有一马者必有六七羊，谓如有百马者，必有六七百羊群也"。⑦ 分布在大兴安岭至阿尔泰山草原地带的诸部落，包括弘吉剌、塔塔儿、札剌亦儿、蒙古、克烈、篾儿乞、乃蛮等部落，因此称为"有毛毡帐裙的百姓"，即游牧民。羊、马两项是游牧经济的主要标志，牲畜中羊、驼、牛、马的数量大增，这与隋代以前室韦"无羊少马"的情况是大不相同的，这表明五代以来，蒙古各部的牲畜饲养业已转化为游牧业经济。但渔猎还是蒙古语族各部经济生活中的重要补充。丘处机西行时，见土拉河南岸"人烟颇众，皆以黑车白帐为家，其俗牧且猎，衣以韦毳，食以肉酪"⑧。《蒙古秘史》中也有相当多的关于蒙古人渔猎活动的

---

① 《唐会要》卷 96《室韦》，第 2040 页。
② 《册府元龟》卷 972《外臣部·朝贡五》，中华书局 1960 年明刻本影印本。
③ 叶隆礼撰，贾敬颜、林荣贵点校：《契丹国志》卷 22《四至邻国地里远近》，上海古籍出版社 1985 年版，第 214 页。
④ 《辽史》卷 16《圣宗本纪》七，第 186 页。
⑤ 《辽史》卷 92《萧夺剌传》，第 1368 页。
⑥ 《辽史》卷 29《天祚皇帝》三，第 347 页；卷 30《天祚皇帝》四，第 355 页。
⑦ 赵珙：《蒙鞑备录·粮食》，《王国维遗书》本，上海古籍出版社 1983 年版，第 13 页。
⑧ 李志常：《长春真人西游记》卷上，《王国维遗书》本，上海古籍出版社 1983 年版，第 18 页。

记载。

唐末五代以来，蒙古语族各部的金属冶炼、造车技术和毛纺织技术达到了一定水平。隋代"其（室韦）国无铁，取给于高丽"①，唐代初期，室韦人木犁不能加"金刃"。到唐后期至五代，情况就不同了。10世纪中期，胡峤在契丹居住7年，据他追述，室韦、黄头室韦和兽室韦"地多铜、铁、金、银，其人工巧，铜铁诸器皆精好"。②《辽史·食货志》记载"其（室韦）地产铜、铁、金、银，其人善作铜、铁器"。这些记载表明，蒙古语族各部探寻矿石与冶炼金属的技术都达到了一定的规模和水平。另外，蒙古语族各部转变为游牧业经济后，蒙古各部的造车技术因此得到了很大的发展。所谓"逐水草放牧"，"皆黑车白帐"。③ 丘处机在海剌尔河斡赤斤（Otč-igin）营帐时遇蒙古人娶亲，"五百里内首领皆载马湩助之，皂车毡帐成列数千。"④ 1217年，成吉思汗派速别台（Sübeḥetei）远征篾儿乞余众时，造了许多大车，牢固地钉以铁钉，以铁裹车轮，使车不易损坏。可见，铁器的应用提高了蒙古人的造车技术。

游牧业经济为蒙古人提供了大量的羊毛、驼毛，毛纺织技术在蒙古部落中发展起来。10世纪中期，胡峤就记载了室韦、黄头室韦和兽室韦"善织毛锦"。⑤ 蒙古、于厥（乌古）、鞑靼等与契丹的交易物还有毳、罽。⑥ 这些毳、罽无疑应是羊毛、驼毛织物。这说明在游牧经济的基础上，蒙古人的毛纺织业得到了普遍的发展。

室韦各部迁入蒙古高原，逐步过渡到游牧经济，为室韦人在蒙古高原的崛起奠定了物质基础，对室韦的社会与文化生活产生了深刻的影响。随着游牧经济的确立、金属冶炼制作技术的提高，室韦社会的文明开化程度日益加深，最终以蒙古为名字而成为蒙古高原这一游牧世界的主人。

---

① 《隋书》卷84《室韦传》，第1882页。

② 《新五代史》卷73《四夷附录二》引《胡峤陷虏记》，中华书局1974年版，第907页。

③ 《长春真人西游记》卷上，《王国维遗书》第13册，第16页。

④ 《长春真人西游记》卷上，《王国维遗书》第13册，第16页。

⑤ 《新五代史》卷73《四夷附录二》引《胡峤陷虏记》，第907页。

⑥ 《契丹国志》卷22《四至邻国地里远近》，第214页。

二、蒙古社会

（一）唐代以前的蒙古社会

蒙古族也经历了漫长的原始社会。从蒙古祖先传说看来，他们在很早的时候就进入了父系氏族社会的发展阶段。《史集》记载，"距今两千年前，古代被称为蒙古的那个部落"，[①]在战争中被杀得只剩下捏古思（Nökös）与乞颜（Kiyan）两家，他们躲进额尔古涅·昆（Ergüne Qun，额尔古纳河畔山岭），繁衍的后代就是蒙古人。《史集》与《蒙古秘史》关于成吉思汗女性祖先阿阑·豁阿（Alan Qoḥa）的记载则说明公元7、8世纪时，蒙古人社会中母系时代遗俗尚在。这些传说表明公元前1 000年左右，蒙古的先民就开始进入父系氏族社会阶段了，但在相当长的时间内，保存了母权制的遗俗。

从文献的零星记载来看，北朝时，蒙古社会的财产私有制已经出现，较为明显的证据是形成了保护私有财产的习惯法，如规定偷盗财物要施行"盗一征三"的处罚，侵害他人性命则罚马300匹[②]。保护私有财产的习惯法，应是私有财产已成为普遍现象、私有制已经形成较长时期的产物。

北朝时，蒙古语族各部落分散居住，还没有形成部落之间的联盟。《魏书·乌洛侯传》记载室韦"无大君长，部落莫弗皆世为之"。即各部酋长世袭，不相统属，无部落间的联盟。世袭制是父权制确立后的产物。

隋朝时，文献记载室韦有五大部，仍是"不相总一"，仍未形成部落间的联盟。

从北朝到隋朝，室韦的婚俗基本相同，仍处在父系社会的发展阶段。如在两个相关家庭的允许下，存在抢婚习俗。这一方面说明父权制的确立，另一方面说明单个家庭出现了，个体家庭开始成为社会的基础细胞。

唐朝初期，蒙古部落占地宽广，住地分散，"国无君长"，也还没有形成统一的部落联盟。但史书说室韦"有大首领十七人，并号贺弗，世管摄

[①]　《史集》（汉译本）第1卷第1分册，第251页。
[②]　《魏书》卷100《失韦传》，第2221页。

之"，他们可能是几个部落联盟的首领。其时蒙古部以家庭为单位，聚落而居，所谓"或为小室，以皮覆上，时聚而居，至数十百家"。①

唐代，蒙古社会的贫富分化加剧，"家富者，项着五色杂珠"。婚姻以劳役婚为主，男方为女家劳动三年，女方家分划财物，使私有财产转移到另一家庭中，一夫一妻制趋向成熟，但一夫多妻现象普遍存在。

唐代中后期，蒙古人开始从原居地外迁，通过战争与和平的方式，日益频繁地与较先进的突厥语族各部进行交往，促进了蒙古经济与社会的变化。唐朝及其他北方民族对蒙古部落的军事打击，使部民离散、减少，一定程度上打乱了蒙古的氏族体系，加快了蒙古部落迈向文明社会的步伐。

（二）辽金时代的蒙古社会

辽金时代，蒙古社会虽然还保持着氏族社会的外壳，但在这些部落中，血缘氏族关系已被地缘关系和阶级关系所取代，那颜和哈阑两大阶级基本形成。原来的部落酋长成为统治者——那颜（noyan，老爷，官人），从他族掳来的或投靠来的奴隶、属民及本族的穷人成为被统治阶级——哈阑（haran），由这几部分人组成了地缘意义上的"氏族"。同时，许多原来有名望的"姓氏"衰微、没落了，依附于另一些强大的贵族。

泰亦赤乌氏和乞颜氏的构成，可以看作这一时期蒙古社会组织的典型。泰亦赤乌氏的始祖是察剌孩领忽（Čaraqai Lingqu），"领忽"就是辽朝的部族官名"令稳"。他的儿子想昆必勒格（Senggüm Bilge），"想昆"是更高一级的辽朝部族官名"详稳"。看来，他们父子世袭辽朝任命的部族官，因而势力越来越大，成为蒙古部中一支最显贵的姓氏。《史集》记载：另有一种传说，说泰亦赤乌氏出于纳臣（Način），但据《金册》，他们无疑是察剌孩领忽的后代。拉施特指出："这个问题之所以混淆，是由于纳臣的氏族和后人也称泰亦赤乌。我们无需称泰亦赤乌仅是察剌孩的直系后裔，因为他们是该部的领袖和国王，所以他们的亲族和联合于他们的所有属民，都称泰亦赤乌。恰如现在所有与蒙古人混合的部落都丧失了他们原来的血统而被统称为蒙古人一样②。"

---

① 《旧唐书》卷199《室韦传》（下），第5357页。
② 《史集》（汉译本）第1卷第2分册，第31页。

乞颜氏出于屯必乃（Tumbimai）之子合不勒汗（Qabul Qan）。据《史集》，乞颜本是蒙古始祖的氏族，后来繁衍分支，每一支都有自己的名称，乞颜这一名称反而湮没无闻了。直到合不勒汗时代，乞颜才又成为合不勒汗家族的称号，从此合不勒汗的某些子孙便称为乞颜氏。合不勒汗的长支又形成乞颜·主儿乞氏（Kiyat jürki），次子把儿坛把阿秃儿之子也速该一支则称乞颜·孛儿只斤氏（Kiyat Borjigin）①。《蒙古秘史》记载，合不勒汗在百姓中选拣胆大、有力、刚勇能射的汉子给了长子，因为有气力、有胆量，故名主儿乞②。主儿乞本来只是合不勒汗长孙的称号，因他拥有从祖父那里继承来的一些精悍百姓，故分立出来形成一个单独的姓氏，他的那一"圈子"（古列延，güreyen）也就被冠以主人的姓氏名称。他的百姓其实是由出身各氏族的人组成，例如有世袭奴隶出身的札剌亦儿人木华黎一家，有一般蒙古氏族出身的许兀慎氏人等③。《史集》记载屯必乃汗有九个儿子，每个都成为后来享有盛名的各分支部落的族祖。"其中每部都有三万车，男女总计达到十万人"④，这一数字显然是夸大的，但多少反映了屯必乃家族后裔的兴盛。从屯必乃到成吉思汗不过五代，其子孙不管如何多，每一支也不会多于二三千人，如何能达到那么大的数目呢？这应是加入了战争中掳掠的大量外族人口所致。

当时，古老的血族复仇已转变为贵族们掠夺财富和奴隶的手段。最明显的例子是札剌亦儿人进入蒙古部牧地，杀害了挈莫伦一家，孙子海都侥幸逃过此劫，长大后，海都起兵复仇，灭札剌亦儿部，札剌亦儿人的"妻子和儿童全都成了海都的奴隶"⑤。从此，他们成了这一贵族之家的世袭奴隶。后来，成吉思汗对篾儿乞人、塔塔儿人的战争都是以奴役战败部落而告终，而因此建立的蒙古人社会关系中的主子和奴才的隶属关系一直到元代都没有大的变化。

其他各部的情况可能与蒙古部大致相同。

---

① 参见《史集》（汉译本）第1卷第1分册，第253页；第1卷第2分册，第38—56页。

② 参见额尔登泰、乌云达赉校勘本：《蒙古秘史》，第139节，内蒙古人民出版社1980年版。

③ 参见额尔登泰、乌云达赉校勘本：《蒙古秘史》，第137节。

④ 《史集》（汉译本）第1卷第2分册，第34页。

⑤ 参见《元史》卷1《太祖本纪》，第2—3页；《史集》（汉译本）第1卷第2分册，第19—20页。

　　10—11 世纪末，蒙古高原的部落贵族建立了卫兵——怯薛。不断的掠夺与兼并战争，使贵族们拥有了越来越多的奴隶和属民，为了进行经常性的战争和维护对奴隶和属民的统治，各部落贵族建立了军队——怯薛。蒙古部的统治者泰亦赤乌贵族就曾率怯薛搜捕年幼的成吉思汗。篾儿乞部、克烈部和乃蛮部都有怯薛。王汗与成吉思汗作战时，就派了 1 000 怯薛给豁里·失列门（Qori Šilemün）。怯薛是由贵族收集的投靠于他们的各部人组成，其核心是"那可儿"（nökör，伴当）——效命于某一贵族的侍从。怯薛成为贵族对外战争、对内镇压的得力工具。

　　11 世纪时，蒙古高原的一个重要特征是，部落之间战争频繁，战争的范围不断扩大，从哈剌温山（Qaraɣunǰidun，今大兴安岭）到按台山（Altan，今阿尔泰山），各部落都被卷进来了。按台山的乃蛮人和谦河（Kem）源头的斡亦剌人参加了也里古纳河（Ergüne，今额尔古纳河）地区的札木合联盟，蒙古部和克烈部的军队打到了按台山之外。各个势力集团所控制的疆界、各部落的闭塞状态被打破。部落之间不断吞并、改组，到 11 世纪末 12 世纪初，蒙古高原形成了被称作亦儿坚（irgen）或兀鲁思（ulus）的几个大部落集团：蒙古、弘吉剌、塔塔儿、篾儿乞、斡亦剌、八剌忽诸部、克烈、乃蛮、汪古。这些部落集团已不再是单纯的亲族联盟，而是强有力的贵族们以利害关系为准则结合而成的集团。这些集团的贵族当中，有的统治着辽阔土地和众多百姓，具备了"国家"的规模。如乃蛮部的亦难赤汗（Inalčiq Qan）死后，其子不欲鲁罕（Buyiruq Qan）和台不花（即太阳汗）发生分裂，各据一方为王。他们不但有自己的政治中心——窝鲁朵，而且设官分职，外有守边将领，内有掌管金印、钱谷的官员。再如，克烈部的忽儿扎胡思·杯禄·汗（Qurǰaqus Buyiruq Qan），为了防止子弟们在其死后纷争，将其弟古儿罕和其子脱里汗（即王汗）分封到札格·札不罕之地，将其子台帖木儿（Tai Temür）等分封到哈剌思·博罗思之地①。克烈兀鲁思与乃蛮兀鲁思已具备了"国家"的规模。由于各部的社会发展水平不平衡，汗的地位和权力也不尽相同。蒙古部的合不勒汗在 12 世纪 20 年代前后，

---

① 《史集》（汉译本）第 1 卷第 1 分册，第 213 页、第 222—229 页；余大钧译注：《蒙古秘史》第177 节。

"统治了全体蒙古人"①。但从合不勒汗到铁木真第一次被推举为汗，蒙古部只是贵族联盟的首领，各支贵族虽有服从汗的指挥的义务，但并无严格的隶属关系，其联盟是不稳固的。因此，成吉思汗建国以前的蒙古兀鲁思还只是国家的雏形。

这些蒙古大部落集团之间的更大规模的兼并战争预示着蒙古语族前资本主义民族共同体即将诞生。②

第四节　蒙古民族的兴起与蒙古高原的统一

蒙古部的兴起　12 世纪的蒙古高原是群雄逐鹿的时代。各部各氏族贵族为争夺财富、控制附属人口和牧地进行着无休止的掠夺和兼并战争。蒙古部和成吉思汗正是在这种乱世中逐渐强盛，最终完成了蒙古高原统一大业。

在辽朝统治下蒙古部社会得到了迅速的发展。成吉思汗六世祖海都（Qaidu），联合八剌忽部攻灭札剌亦儿部，"臣属之，形势浸大"③，从此蒙古部开始强大。海都的长子拜姓忽儿（Bai Šingqor）、次子察剌孩领忽（Čarqai Lingqu）各自建立了强大氏族部落——乞颜和泰亦赤乌。察剌孩领忽及其子想昆必勒格（Senggüm Bilge）分别拥有辽朝"令稳"、"详稳"称号，而后者是大部族首领方可得授的高级别官号。《辽史》道宗太康十年（1048年）首见"萌古国遣使来聘"的记载，约和他们的时代相当，可见此时蒙古部已是一支比较大的势力了。辽末金初，成吉思汗五世祖乞颜氏屯必乃（Tumbinay，拜姓忽儿长子）后裔兴盛，形成另一个大集团。屯必乃之子合不勒（Qabul）称汗"统治了全蒙古人"，成为蒙古部各氏族联盟的首领，蒙古部建立起了强盛的兀鲁思。

蒙古部在兴起过程中，长期与金朝及其附庸塔塔儿等部征战。

金朝建国后，逐步招降了蒙古高原的塔塔儿、弘吉剌诸部，势力达到了驴驹河（今克鲁伦河）之北。金朝也遣使招合不勒汗来朝。合不勒汗至，

---

① 余大钧译注：《蒙古秘史》第 52 节，第 45 页。

② 本节参考韩儒林主编：《元朝史》上册第 1 章第 2 节。

③ 《元史》卷 1《太祖本纪》，第 3 页。

饮酒忘形，抓了金朝皇帝的胡须。金朝皇帝因合不勒汗部属众多，压住怒气，赐合不勒汗金玉、衣服以还。但金朝臣僚认为此人不该纵还，于是遣急使捕之，合不勒汗杀金国使者。从此，蒙古对金朝的臣属关系破裂。

塔塔儿是金朝属部，金朝令他们进攻蒙古。塔塔儿与蒙古部本有宿怨，以前，合不勒汗的妻兄弟、弘吉剌氏赛因·的斤（Sayin Tegin）患病，请塔塔儿珊蛮施巫术治疗，结果赛因·的斤却死了，珊蛮也被弘吉剌人杀掉，两部由此结仇。合不勒汗死后，蒙古部联盟的汗位由泰亦赤乌想昆必勒格之子俺巴孩（Ambqai Qan）继承。俺巴孩被塔塔儿人捕送金朝，金朝皇帝将他钉死在木驴上。这两部因此更为敌对，攻战不休。继俺巴孩为蒙古汗的是合不勒汗子忽图剌（Qutula Qan），《史集》说他骁勇无比，统率军队，打败金朝，虏获战利品无数[1]。大约在 12 世纪 60—70 年代忽图剌汗去世，由于乞颜、泰亦赤乌两大氏族间的矛盾与斗争，更因为蒙古部另一氏族札只剌部札木合的强大，蒙古部联盟首领之汗位长期空缺。蒙古部进入铁木真（Temüjin）与札木合（Jamuqa）争雄的时代。

铁木真统一蒙古高原 铁木真出身蒙古乞颜氏贵族。其曾祖合不勒、叔祖忽图剌先后为蒙古联盟之汗。祖父把儿坛（Bartan）、父也速该（Yisügei）都拥有把阿秃儿（Baḥatur，意为勇士）称号，在合不勒汗子孙中很有威望。1162 年铁木真出生时，蒙古部正与塔塔儿人激战，其父也速该俘获塔塔儿人大首领铁木真兀格（Temüjin Üge）凯旋。按蒙古人古老的习惯，遂以自己所克强敌之名为新生儿命名。1170 年，也速该带着 9 岁的铁木真前往母舅家弘吉剌部订亲，路遇弘吉剌别部孛思忽儿贵族特薛禅，特薛禅以女儿孛儿帖（Börte Hüjin）许配铁木真。返回途中，也速该被塔塔儿人毒死，属民纷纷叛逃，铁木真一家陷入困境。

苦难中成长的铁木真"深沉而有大略"。为重振家业、摆脱亲族泰亦赤乌氏贵族的压迫，他决定投靠与其父有"安答"（意为契交）之交的克烈部脱里汗，认脱里为义父，并与同样投靠脱里汗的蒙古札只剌氏贵族札木合联盟。约在 1179 年，铁木真新婚妻子孛儿帖被篾儿乞部掠去，铁木真向脱里汗和札木合求援。最终在二人的帮助下不仅夺回了妻子，还掳掠了大量人

---

[1] 《史集》（汉译本）第 1 卷第 2 分册，第 54 页。

口，其父原来属民也纷纷来归。在此后的一年多，铁木真依附札木合，与札木合一起游牧。这期间，铁木真趁机拉拢札木合的部属，被札木合觉察后，铁木真不辞而别，离开斡难河中游札木合领地，在克鲁伦河上游建立了自己的营盘。

十三翼之战　约在 1183 年，以乞颜氏贵族为主的部分蒙古贵族推举铁木真为乞颜部首领，铁木真第一次称汗。此时包括泰亦赤乌贵族在内的多数蒙古人聚集在札木合麾下，他们不愿意看到蒙古部第二支势力的强大。于是铁木真称汗不久，札木合便纠集泰亦赤乌等部约 3 万人分十三翼来攻，铁木真闻讯，将自己的人马组成十三翼迎敌。两军大战于答兰版朱思之野（今克鲁伦河上游），因力量悬殊，铁木真败退。再度投奔克烈脱里汗，在脱里汗麾下效力。

斡里札河之战　金章宗明昌六年（1195 年），长期附属金朝并在其唆使下多次攻击蒙古、克烈等部的弘吉剌、塔塔儿两大部背叛金朝。金朝出兵呼伦贝尔、哈尔哈河一带与两部作战。明昌七年（1196 年），金丞相完颜宗襄统兵征讨塔塔儿，进兵至克鲁伦河，击溃塔塔儿部，以篾兀真·笑里徒（Megüjin Seḥültü）为首的部分塔塔儿人向斡里扎河（Ulja）败退。克烈脱里汗和铁木真得悉后，共同发兵攻打塔塔儿部，杀篾兀真·笑里徒，俘获了大量的财富和人口。《金史·完颜宗襄传》说斡里札河大捷之后，"遂勒勋九峰石壁"，1986、1987 年在今蒙古国肯特省温都尔汗以南约 60 公里的巴彦呼塔格苏木一座石山的山腰上发现了女真字石刻和汉字石刻，汉字石刻就是明昌七年六月尚书右丞相完颜宗襄为斡里札河之役而留下的纪功摩崖石刻，碑称宗襄"帅师讨北尤亭"。从这里看，金朝所称的"北尤亭"应就是蒙古所称塔塔儿①。为答谢蒙古和克烈助战之功，金朝封脱里汗为王，自此，脱里在蒙古高原以王汗著称，威望大大提高。跟随王汗的铁木真也得到封赏，号为札兀惕忽里（jaḥut Quri，"札兀惕"指金朝的沿边属部，"忽里"为小部落长的称号）。是役，不仅使铁木真在蒙古人中获得了"为父祖复仇"的

---

① 白石典之：《チンギスニカンの考古学》，东京：同成社 2001 年版，第 64 页。转引自刘浦江：《再论阻卜与鞑靼》，《历史研究》2005 年第 2 期。这是"北尤亭"一词在金代石刻中的首次发现，请参阅刘浦江：《再论阻卜与鞑靼》。

美誉，同时又得到强大的金王朝的封赏，在蒙古贵族中声望日增。

消灭乞颜氏内部的异己力量 主儿乞是乞颜氏的长支。主儿乞氏依仗其长支族望和所继承的精悍百姓，看不起把儿坛把阿秃儿的子孙。撒察别乞（Seča Beki）等人并不服从联盟汗铁木真的管辖，仍想暗中争夺乞颜氏联盟的汗位。一次亲族的宴会上，撒察别乞的人责打了铁木真方面的司厨。主儿乞氏掌管马匹的不里·孛阔（Büri Bökö）袒护盗窃铁木真马缰的随从，与铁木真弟别里古台起了争执，并斫伤了别里古台（Belgütei）。后来，攻打塔塔儿，铁木真征主儿乞氏出兵助战，主儿乞氏未出兵，反而乘机劫掠了铁木真的老营。这些事实让铁木真明白，主儿乞氏是他危险的对手，决定灭掉主儿乞氏。于是，从斡里扎河回军后，铁木真乘胜出征主儿乞。主儿乞氏的营盘在曲雕阿兰（Ködeḥü Aral，今克鲁伦河与臣赫尔河合流点之西的巴颜乌兰山南麓），铁木真大军一到，撒察别乞与泰出（Taiču）的部众土崩瓦解，以前合不勒汗挑选给长子的"有胆有勇的百姓"，全部被铁木真收为"梯己百姓"，其中有许兀慎人博尔忽（Boroḥul）、札剌亦儿人古温·兀阿（Gühün Uḥa，《元史·木华黎传》作孔温·窟哇）兄弟及古温·兀阿之子木华黎（Muqali）。不久，撒察别乞和泰出也被铁木真捕杀。

消灭了乞颜内部的异己力量主儿乞氏，铁木真大大提高了汗权，解除了后顾之忧，在成功的道路上迈出了一大步。从此，铁木真不断削弱旧贵族的权力与地位，迫使其下降为从属于他的一般那可儿。

占领蒙古高原东部 金承安三年（1198年）金朝再次用兵呼伦贝尔地区，在移米河（今伊敏河）和呼歇水（今辉河）一带，弘吉剌部14 000骑降金，婆速火氏（Bösqür）九部斩首、溺水死者4 500余人，山只昆（Salji ḥut）部长降金，1 200人斩首，弘吉剌、婆速火、合答斤（Qatagin）、山只昆等部受到重创①。但是，腐败的金朝已经无力控制大兴安岭以北以西地区，其边堡界壕内移至大兴安岭以南以东，重点防御临潢路、东北路界壕边堡。这就给王汗和铁木真控制蒙古高原东部提供了方便。1200年，王汗与铁木真发兵攻打泰亦赤乌部，在斡难河击败泰亦赤乌部和前来援助的篾儿乞部。泰亦赤乌部退到额尔古纳河右岸支流鄂良桂河畔，在那里被彻底击溃，

---

① 参见《金史》卷93《宗浩传》，中华书局1974年版，第2073、2074页。

首领塔儿忽台·乞邻勒秃黑（Tarquai Kiriltuq）被杀①。身为泰亦赤乌部首领的塔儿忽台，在也速该死后夺走其部众，还捕去年少的铁木真，意欲加害。因此，铁木真对泰亦赤乌部深恶痛绝，必斩尽杀绝而后快。

合答斤、山只昆两部虽出身尼伦蒙古，但常与弘吉剌等部联盟，与蒙古本部为敌。铁木真曾派使者去联合他们，他们不仅拒绝，还粗暴地逐回使者。其后这两部又依附泰亦赤乌氏，反对铁木真②。消灭泰亦赤乌部主力后，王汗与铁木真出兵呼伦贝尔，直指这二部牧地。面对王汗与铁木真咄咄逼人的气势，合答斤、山只昆等蒙古高原东部各部组成了更大规模的联盟以自保。1201 年，札只剌、塔塔儿、弘吉剌及其分支豁罗剌思、合答斤、散只兀、泰亦赤乌等十一部相会于阿勒灰泉（Alqui Bulaq，今海拉尔河下游北岸），商议共推札只剌惕人札木合为汗。他们顺额尔古涅河而下，在额尔古纳河、根河、得尔布尔三河汇流处的忽兰也儿吉（意为红岸）会盟，结成一个松散的联盟，拥立札木合为古儿汗（Gür Qan，意为众汗之汗）。随后他们出兵攻打铁木真与王汗③。豁罗剌思氏豁里歹（Qoridai，《亲征录》作火力台）将这一情况密报铁木真，铁木真即与王汗从斡难河附近的古连古勒（Kürelgü，《太祖本纪》作虎图泽）出发，沿克鲁伦河下行，双方会战于阔亦田（Köyiten）地方④，两军相遇，铁木真与王汗凭借有利地形与各部联军激战，恰逢暴风雪，乃蛮军不能作战，札木合诸部见失利，都星散而去。

铁木真随后驻军今哈拉哈河上源努木尔根河一带的答阑·捏木儿格思（Dalan Nemürges）⑤，为了巩固东部的新占领地区，1202 年春，铁木真单独出兵征讨牧地在今喀尔喀河支流讷墨尔根河地面的按赤塔塔儿、察罕塔塔儿、都塔兀惕塔塔儿和阿鲁孩塔塔儿，穷追至今东乌珠穆沁旗境内乌拉盖河

---

　　① 《史集》（汉译本）第 1 卷第 2 分册，第 155 页。

　　② 《史集》（汉译本）第 1 卷第 2 分册，第 157—158 页。

　　③ 余大钧译注：《蒙古秘史》，第 141 节。

　　④ 阔亦田，《元史》、《亲征录》作"阙亦坛"（köyiten）意为寒冷。韩儒林主编的《元朝史》据王国维：《金界壕考》等，认为其地在哈拉哈河上源附近一处寒冷的山上。米文平、冯永谦《岭北长城考》（载《辽海文物学刊》1990 年第 1 期）根据考古发掘、实地考察，结合文献研究得出结论：其地在今呼伦贝尔盟陈巴尔虎旗海拉尔河北岸支流莫尔根河之北的辉腾山及辉腾村一带，其地寒凉，在根河南岸金北边界壕以南 60 里。

　　⑤ 参见余大钧译注：《蒙古秘史》第 153 节注①。

将其全歼。

出征塔塔儿前，铁木真颁布了一道极重要的札撒（jasaɣ，法度）："若战时不许贪财。既定之后均分。若军马退动至原排阵处。再要翻回力战。若至原排阵处。不翻回者斩"①。这两条法令是针对当时部落战争中各自抢夺财物、各自指挥本支人马随意进退的弊病而颁布的。其实质是规定了战利品应当由汗统一分配，论功行赏，战斗中要服从统一指挥。果然，阿勒坛、忽察儿、答里台等贵族不遵法令，铁木真命那可儿收缴了他们的战利品，分配给众军人，而这三位贵族则叛逃到了王汗帐下。

经这几次战役，铁木真占有蒙古高原东缘的大部分，与克烈王汗、乃蛮太阳汗并为翘楚。

灭克烈部　铁木真势力的壮大，危及到王汗在蒙古高原的霸主地位。自1183 年左右被推举为乞颜氏首领以来，铁木真一直追随王汗，巧妙地利用王汗的势力壮大自己。特别是从 1200 年消灭泰亦赤乌部主力后，铁木真经常单独征战，势力日见强大。当蒙古高原蒙古语族各部先后被征服后，王汗与铁木真的决裂也成为必然。击退乃蛮军后，铁木真南出金长城，驻军于阿卜只阿·阙忒哥儿之山（Abǰiḫa Ködeger，当在今东乌珠穆沁西北或蒙古国苏赫巴托省东南部）。铁木真为长子尤赤求娶桑昆的女儿，桑昆认为铁木真的家势不配娶王汗家的女子。不久，桑昆、札木合以及投奔王汗的阿勒坛（Altan，合不勒汗第四子忽剌图之子）、忽察儿（Qučar，铁木真二伯父捏坤太师之子）、答里台（Daritai，也速该的弟弟）都劝王汗进攻铁木真。于是，1203 年春，王汗父子与诸人商议，假装许婚，邀铁木真来吃布浑察（buɣulǰa，许婚酒），趁机袭杀。阿勒坛之弟也客·扯连（Yeke Čeren）的两个牧马人连夜向铁木真告发此事。王汗谋泄，发兵来袭。铁木真在合兰真沙陀之地（Qalaqalǰit Elet，今东乌珠穆沁旗北境）仓促迎战王汗，因寡不敌众而失利。铁木真率残部沿哈拉哈河撤退，最后转移到班朱尼河（Balǰuna，呼伦湖西南），收点兵马，仅剩 2 600 人。撤至捕鱼儿海子，这是弘吉剌部首领帖儿格·阿蛮（Terge Emel）的营地，派主儿扯歹（ǰürčidei）率领兀鲁

---

① 　额尔登泰、乌云达赉校勘本：《蒙古秘史》之《附录：蒙古秘史》，第 153 节。

兀惕部人收降了帖儿格·阿蛮等弘吉剌惕人①。弘吉剌部的来归使铁木真补充了力量，随后，铁木真转移到了董哥泽（Tüngge Qoroqa，《秘史》作统格豁罗合，今贝尔湖以东），脱离了险境。

合兰真沙陀之战是铁木真创业史上最险恶的一战，他首次独战草原上势力最强大的贵族。虽然失败，但铁木真处变不惊。当时，铁木真一行困顿不堪，射野马为食，取浑水为饮。铁木真与他的追随者宣誓："使我克定大业，当与诸人同甘苦，苟渝此言，有如河水。"② 这个"同饮班朱尼河水"的誓言，及时安抚了部属。同时，铁木真一方面遣使历数王汗背盟弃约诸事，并请求媾和；另一方面，休养士马，收集部众。同年秋天，铁木真的军事力量基本恢复，遂移驻斡难河上游，寻机与王汗决战。

合兰真沙陀之战后，追随王汗的蒙古贵族与王汗分裂。札木合、阿勒坛、忽察儿、答里台等人密谋："我们去突袭王汗，自己当君主；既不与王汗合在一起，也不与铁木真合在一起，不去管［他们］。"③ 王汗得知后，攻打他们。答里台和部分蒙古部众、克烈部的分支撒合夷（Saqayit）以及嫩真（Nunjin）部转而归附铁木真，阿勒坛、忽察儿及塔塔儿部忽秃逃到了乃蛮太阳汗处，王汗的力量遭到削弱。这年夏秋，王汗出兵侵入金朝边境，遭右丞相完颜宗浩和右丞仆散揆所率金朝大军的合击，损失惨重，退回蒙古高原东部。铁木真乘机发兵攻打王汗，在克鲁伦河上游一带的者折额儿·温都儿山（Jejeḥer Ündür，《太祖本纪》作折折运都山）秘密包围王汗的宫帐，发起突然袭击，经过三天三夜的激战，克烈部被击溃，王汗逃入乃蛮境被杀，其子桑昆（Senggüm）辗转逃往曲先（Küsen、今新疆库车），在那里被杀。

乃蛮部的灭亡　王汗与克烈部的灭亡震惊了蒙古高原西部"国土广大、百姓众多"的乃蛮部。被铁木真打败的篾儿乞部长脱脱（Toqtoḥa）、札只剌部首领札木合等人又聚集到乃蛮部。于是，自恃强大的乃蛮部主太阳汗（"太阳"是汉语"大王"的音变形式，是金朝授予乃蛮部主的称号）约汪

---

① 《史集》（汉译本）第 1 卷第 2 分册，第 172—173 页。
② 《元史》卷 120《札八儿火者传》，第 2960 页；《史集》（汉译本）第 1 卷第 2 分册，第 181 页。
③ 《史集》（汉译本）第 1 卷第 2 分册，第 181 页。

古部首领阿剌兀思惕吉忽里（Alaquš-Digit-Quir）夹攻铁木真。阿剌兀思惕吉忽里遣人告变，并投靠铁木真。铁木真及其那可儿们本来就把乃蛮作为下一步的进攻目标。于是，铁木真在帖篾延草原（Temeḥen keger-e，《太祖本纪》、《圣武亲征录》作帖麦该川）召集大会商讨对策。这时各支蒙古氏族贵族已被消灭，无人能与铁木真分庭抗礼，所有部属都是其臣民，不再属于各家贵族了。这使他可以进一步健全军事组织，提高汗权。铁木真在哈拉哈河的客勒帖该合答（《元史》作建忒该山），下令整顿军马：

一，将所有军队按千户、百户、十户统一编组，委派各级那颜；

二，设立扯儿必（Čerbi，近侍官），任命其亲信那可儿六人为扯儿必；

三，成立了怯薛（Kešig，侍卫亲军）。设 80 宿卫（kebtegül，夜间卧宿卫士）、70 散班（turqa γut，白天值班的卫士）；从千户、百户那颜和自身人的子弟中挑拣身体、技能、模样好的充当怯薛；命阿儿孩·合撒儿（Arqai Qasar）选 1 000 名勇士管领着，"作战时站在我的面前厮杀，平时做轮番护卫中的侍卫"。[①] 同时还规定了轮番宿卫的制度。

甲子年（1204 年）四月，乃蛮太阳汗聚众涉鄂尔浑河东来，铁木真率军渡克鲁伦河西进，铁木真布阵于萨里川（Saḥari keger-e），命每人点五堆篝火以疑兵。太阳汗初以为蒙古人马瘦，可轻取，及得报，惊惧，军心大乱，与铁木真在萨里川的纳忽山崖（Naqu Qun）相遇，苦战一日，太阳汗受伤被俘，不久死去。太阳汗之子古出鲁克（Güčülük，《元史》作屈出律、曲书律；《史集》作古失鲁克）率残部逃奔其叔不欲鲁汗。1206 年大蒙古国建立后，铁木真乘势进抵按台山，在今科布多河上游的索果克河畔消灭了乃蛮残余不欲鲁汗，征服了太阳汗所属的乃蛮部众。

札木合逃到了倘鲁山（今唐努山），也被他的几个那可儿捕送铁木真，铁木真按照处置本部贵族的办法，用不流血的方式将札木合处死。二十多年来铁木真最强劲的对手就这样被消灭了。

在各部贵族中，札木合是铁木真最强有力的对手。自两人分裂后，札木合多次纠集各部力量，与铁木真进行了近 20 年的较量。但这些联盟松散，不能团结一致，自然难免失败。铁木真则充分利用了各部贵族与其属民和奴

---

① 余大钧译注：《蒙古秘史》，第 191 节。

隶间的矛盾和人民对部族林立、争战不休局面的厌恶，果断地摒弃贵族联盟时代的准则，极力加强汗权，坚决消灭敢与他分庭抗礼的贵族（包括乞颜氏亲族在内）。铁木真依靠的力量是完全听命于他的那可儿，这支队伍像"用人肉喂养"、"用铁索拴着"的猛狗，"凡教去处，将坚石撞碎，崖子冲破，深水横断"①，铁木真驱动着这支如狼似虎的队伍，扫荡了漠北草原上一个个贵族营盘，完成了统一事业。

1204年冬，铁木真北攻篾儿乞部，尽收三姓部众。

至此，西起阿尔泰山，东到大兴安岭，北抵贝加尔湖，南达金朝边境的广大区域尽归铁木真所有，铁木真统一了蒙古高原。

---

① 额尔登泰、乌云达赉校勘本：《蒙古秘史》之《附录：蒙古秘史》，第195、209节。

第　四　章

大蒙古国对内蒙古地区的经略

第一节　大蒙古国的建立及其基本制度

　　大蒙古国的建立　1206 年春，铁木真在斡难河源的祖茔地附近召开全蒙古贵族参加的大忽里台（大聚会），树九斿白纛，建立也可·蒙古·兀鲁思（Yeke mong γol ulus），标准汉译为"大蒙古国"，也译作"大朝"。铁木真加号"成吉思汗"（"成吉思"意为坚毅）。从此"蒙古"由原来蒙古高原的一个部族名变成了一个新兴的统一的游牧封建大帝国的名称，一个以"蒙古"命名的民族共同体登上了世界历史舞台。

　　为有效地统治新兴的国家，成吉思汗制定了一系列政治、军事制度。

　　千户制　1204 年，出征乃蛮前，成吉思汗就下令按千户、百户、十户统一编组部属，委任了各级那颜。大蒙古国建国后，将全体百姓划分成数十个千户。《蒙古秘史》第 202 节将成吉思汗丙寅年（1206 年）建国时分封的千户数记载为 95 千户，88 人。《史集》记载成吉思汗去世时有千户 129 个①。有研究表明，成吉思汗丙寅年授封时，应是各部部长或各支首领功臣受封。各部支属下则听任部支首长自行封赏，一切都在内部进行，大汗只记其千户数量。丙寅年受封千户可能是 65 个左右，这与《元史》卷一二〇《尤赤台传》"朔方既定，举六十五人为千夫长"的记载相吻合。随着蒙

---

　　① 《史集》（汉译本）第 1 卷第 2 分册，第 362—380 页。

古征服战争的进一步胜利，到成吉思汗去世，千户数量增加了很多，《史集》记载的 129 个千户也只是这些千户中的大部分，而不是全部①。从《史集》记载看，大汗直辖的千户有 95 个左右，这些千户隶属于中军及左右翼，构成大汗的直辖军队②。千户长由开国有功的贵戚、功臣充当，实行世袭统治。人数众多的部落首领还在其内部细分了若干千户。各千户长在其千户下又分别设立百户、十户，委派了百户长和十户长。

千户的组成有两种情况。小部分千户是以同族人口为基础结合而成的。成吉思汗的姻亲，如弘吉剌氏按陈驸马（Alči Güregen）千户、亦乞列思部的孛秃驸马（Butu Güregen）、汪古部的阿剌兀思剔吉忽里（Alaquš-Digit-Quir），都仍旧"统其国族"③。他们按照统一的制度分组为若干千户，自任其亲族为千户那颜，但必须向成吉思汗申报批准。后来归顺成吉思汗的斡亦剌部忽都合别乞（Quduqa Beki）也是如此："全部斡亦剌惕军队都照旧归他统辖，并由他指定千夫长。"④ 成吉思汗的同族、尼伦蒙古的一些氏族首领，率部归顺成吉思汗，实力较弱，处于成吉思汗附庸的地位。如兀鲁部的术赤台、忙兀部的畏答儿（Quyildar）、八邻部的豁儿赤（Qorči）、格尼格思部（Geniges）的忽难（Qunan）诸人，他们一直忠心地为成吉思汗效力，故成吉思汗也准许他们管领本部百姓，或收集本族散亡人众，组成千户⑤。成吉思汗家的世袭奴隶札剌亦儿人木华黎，因为功勋卓异，成吉思汗授予他全部札剌亦儿部族的军队。他将札剌亦儿人按千户划分后，报告了成吉思汗，总共 3 000 户。这类由本部人为主组成的千户，数量不多，在《史集》中都做了说明⑥。这类千户中，除了本部族人口外，还包括了该部贵族原有的以及在战争中新掳的其他部族的属民。

多数千户是以不同的部族人众混合组成的。多年的战争，进一步摧毁了

① 参见史卫民、晓克、王湘云：《〈元朝秘史〉"九十五千户"考》，《元史及北方民族史集刊》第 9 期，南京大学历史系元史研究室 1985 年编辑出版。

② 《史集》（汉译本）第 1 卷第 2 分册，第 362—380 页。

③ 《元史》卷 118《特薛禅传》，第 2915 页。

④ 《史集》（汉译本）第 1 卷第 2 分册，第 368 页。

⑤ 额尔登泰、乌云达赉校勘本：《蒙古秘史》之《附录：蒙古秘史》，第 207、208、210、218 节；《元史》卷 120《术赤台传》，卷 121《畏答儿传》，第 2988 页。

⑥ 《史集》（汉译本）第 1 卷第 2 分册，第 362—375 页。

蒙古各部的氏族组织残余。原来人数众多的大部落，例如，塔塔儿、泰亦赤乌、克烈、乃蛮、篾儿乞等，被成吉思汗征服后，其部众都被"分与了众伴当"。成吉思汗的将领们在战争中也各自"收集"到了不少其他部落的百姓。例如，蒙力克（Mönglik）与脱栾（Tolon）父子、者别（Jebe）、速别台（Sübeḥetei）等，成吉思汗准许他们即以所得百姓组成千户管辖。还有一些忠心耿耿的亲信那可儿，不曾在敌前掳掠到百姓，如牧羊者迭该（Degei）、木匠古出古儿（Güčügür），成吉思汗允许他们收集"无户籍"的百姓组成千户，或者命令从其他那颜所属百姓中征调一部分百姓组成千户，授予他们管辖①。

　　在这些千户组织中，地缘关系完全取代了血缘组织。千户制是大蒙古国的基本军事、行政单位，是国家体制中的最重要环节。通过编组千户，全蒙古百姓被纳入严密的组织，由大汗委任那颜（Noyan）管领。各千户有各自相对明确的牧地，平常要在指定的范围内游牧。牧民被严格地束缚在自己的千户内，严禁牧民擅自离开所属千户、百户、十户而另投他处或藏匿。如违令、擅离者要处以极刑，接受者也要予以严惩②。国家以千户为单位征派各种赋役并签调军队，所有民户都应在本管千户内着籍应役，负担差发。凡年15至70岁的男子都要服兵役，随时服从命令，自备粮草、兵马，随本管那颜出征。千户制度无论对于蒙古民族的形成还是刚建立的大蒙古国都起到了巩固的作用。

　　成吉思汗还任命木华黎（Muqali）为左手万户，管辖东边直到大兴安岭的诸千户；博尔朮（Boḥorču）为右手万户，管辖西边直到阿尔泰山的诸千户；纳牙阿（Nayaḥa）为中军万户；豁儿赤（Qorči）为"森林民"万户，镇守沿也儿的石河（今额尔齐斯河）以东至阿尔泰山的林木中百姓地面。豁儿赤的辖地在也儿的石河上游，其东北至鄂毕河上游，与拖雷之妻唆鲁禾帖尼（Sorqaqtani Beki）分地相接，其西与朮赤（Joči）分地为邻，并基本与也儿的石河为界。窝阔台汗第七子灭里（Melik）家族的分地也在也儿的石河地区。豁儿赤的辖区、朮赤的分地及后来的阳翟王家族的分地犬牙交错。③

---

①　额尔登泰、乌云达赉校勘本：《蒙古秘史》之《附录：蒙古秘史》，第212、221、222、223节。
②　参见志费尼著，何高济译：《世界征服者史》（上册），内蒙古人民出版社1981年版，第34页。
③　韩儒林：《元代的吉利吉思及其邻近诸部》，《穹庐集》，第351页。

　　大蒙古国的最高统治集团是成吉思汗的"黄金家族"，按照《元史·宗室世系表》，元代的"黄金家族"是指把儿坛（Bartan Baḥatur）四子忙格秃·乞颜（Mönggetü Kiyan，《宗室世系表》作蒙哥睹·黑颜）、捏坤太师（Nekün Taiši，《宗室世系表》作聂昆大司）、也速该（Yisügei Baḥatur）、答里台（Daritai Otčigin，《宗室世系表》作答里真 Dariɉin）中的两子也速该、答里台两系，[1] 汗统所在家族是黄金家族的核心家族。全蒙古的百姓与土地都是他们的财产。按照游牧民族分配家财的体例，成吉思汗将百姓分配给了母亲、诸弟、诸子。千户、百户等那颜绝对服从大汗和诸王的统治，他们实际是被委任来管理百姓的地方军政官员。但那颜对于蒙古牧民来说，又是领主，他们只要不犯罪被褫夺职务，就可以世袭职位，在所管领的范围内，掌握着分配牧场、征收赋税、差派徭役和统领军队的权力。各级那颜是成吉思汗"黄金家族"统治蒙古人民的支柱。

　　怯薛（Kešig）制　"怯薛"为轮流值宿护卫之义，怯薛成员称怯薛歹（kešigtei），复数作怯薛丹（kešigten）。怯薛起源于草原部落贵族亲兵，后来发展成为封建制的宫廷军事官僚集团，是元代官僚阶层的核心部分，怯薛兼有宫廷服侍和行政差遣职能。

　　辽金时期，蒙古高原各部首领的斡耳朵都有称为那可儿（Nökör，伴当、伙伴）的亲兵卫队，他们兼作各种服役，这种父权制主仆关系由来已久。1204 年征讨乃蛮部之前，成吉思汗组建了由 70 散班、80 宿卫组成的怯薛军。成吉思汗即蒙古大汗位后，扩建了这支怯薛军，建成了 10 000 人的怯薛，其中火儿赤（qorči，箭筒士）1 000 人，客卜帖兀勒（Kebteγül，宿卫）1 000 人，秃鲁花（turqaq，散班，质子军）8 000 人。怯薛主要由各千户、百户、十户长子弟中有技能、身体健壮者组成。作为一种兵役，各级那颜必须遵旨将自己的儿子送到成吉思汗跟前效力。

　　怯薛分四番入值，每番三昼夜，护卫大汗，还从事大汗斡耳朵的各种服役。服役分工种类繁多，有火儿赤（qorči，箭筒士）、昔宝赤（šibaγuči，鹰人）、必阇赤（bičikeči，文书）、札里赤（ɉarliqči，书写圣旨者）、宝儿赤（baḥurči，厨师）、云都赤（üldüči，带刀者）、玉典赤（egüdečin，门卫）、

---

[1]　参见余大钧译注：《蒙古秘史》第 50 节；《元史》卷 107《宗室世系表》，第 2705—2729 页。

速古儿赤（sügürči，尚供衣服者）、玉烈赤（oyudalčin，裁缝）、烛刺赤（jolači，掌灯火者）、忽儿赤（hügürči，奏乐者）、八刺哈赤（balaqači，守城者）、阿塔赤（aqtači，牧军马者）、帖麦赤（temeẖeči，牧骆驼者）、火你赤（qoniči，牧羊者）等，这些内廷服役的职务是世袭的，后来总称为怯薛执事。蒙古国时代，怯薛作为大汗的内臣，实际上参与军政事务的管理。大汗死后，各斡耳朵都保留一定员数的怯薛。诸王也建立自己的怯薛。除蒙古人外，怯薛中还吸收了一批色目人和汉人。入元以后，大都和皇城的一般军事防务改由五卫亲军担负，但万名以上的怯薛依旧保留，备受优遇，每年有江南户钞作岁赐。

四番怯薛各有怯薛长，初由成吉思汗时称为“四杰”的博尔忽（Borolqu）、博尔尤（Boẖorču）、木华黎、赤老温（Čilaɣun）的亲族世袭担任。后来，第一怯薛博尔忽早死，一度由别速部代之，因其非功臣之后，成吉思汗便以自名领之，称也可怯薛，即大怯薛。入元以后，博尔忽的重孙月赤察儿（Öčičer）及其子孙又开始袭任第一或和第四怯薛长。博尔尤和木华黎分别领第二、第三怯薛。第四怯薛长为赤老温。窝阔台汗将拖雷管辖下的1 000 雪你惕军、2 000 速勒都思军队夺走，分给了次子阔端（Köden）。速勒都思氏赤老温的子孙即在其中，赤老温的子孙成了阔端的怯薛官而不再任元朝大汗的怯薛。由此，第四怯薛长多由其他三家担任或相当于右丞相职务的功臣之后担任①。

成吉思汗时，怯薛称为大中军（ɣool），是蒙古军中最精锐部队，其关键作用是“制轻重之势”。大汗直接掌握这样一支最强悍的军队，就足以制约任何一个在外的诸王或那颜。成吉思汗给怯薛以崇高的地位，宣布在外千户若与大汗怯薛争斗，千户有罪。怯薛对维护大汗权威、巩固新兴政权起了重要作用。它也是以征调子弟入质的方法控制臣下的一种手段。有元一代，怯薛还是高级军政官员的最主要来源。官员以怯薛出身最为显贵。四怯薛长在朝中担任最重要的官职，如元世祖忽必烈时的四怯薛长安童、月赤察儿、忽都答儿、玉昔帖木儿，在朝中任中书右丞相、知枢密院事、中书平章政事、御史大夫。怯薛歹作官，径由怯薛长官推举，皇帝直接任命，不经中书

---

① 叶新民：《关于元代的“四怯薛”》，《元史论丛》第 2 辑，中华书局 1983 年版。

省议奏，称为"别里哥选"（belge）。最显贵的怯薛官可以一开始就授予一品大员，但阀阅低微的怯薛歹也有个别出任九品小官的。各品秩内外官都有怯薛歹出身的人员，蒙古、色目、汉人、南人的不平等待遇在怯薛歹入官时同样存在。汉族怯薛歹多是元朝勋旧的子弟，元成宗铁穆耳以后，元廷明令不得再收汉人、南人入怯薛。做随朝官员的怯薛歹，依旧保持原来的执事身份，按规定日期入宫廷服务。有些元代文牍记载了这种双重身份，如宝儿赤某太师、速古儿赤某丞相。有些怯薛执事发展成专门官衙，如以几百名速古儿赤组成侍正府，由宝儿赤领尚膳院等。

怯薛歹是皇帝近侍，最受宠信，常常为自己、为他人向皇帝求官，请求各种赏赐，而且插手朝政。外臣、大商贾、僧道等在朝廷营私舞弊，多是勾结怯薛歹进行的。从大德六年（1302 年）到至大元年（1308 年），不经中书省而由近侍直接奏准发下的玺书达 6 300 多道，内容涉及田土、户口、金银铁冶、增余课程、进贡奇货、钱谷、选法、词讼、造作等事。怯薛歹的这些行为造成朝政混乱，成为元朝统治日趋腐朽的一个原因①。

设置大断事官 蒙古语称断事官为 jarɣuči。1202 年，成吉思汗灭塔塔儿部后，曾命其异母弟别里古台整治外事、审判斗殴、盗窃、诈伪等案件②。这是蒙古设立断事官的最早记录③。大蒙古国建立之初，司法行政事务简单，成吉思汗以养弟失吉忽秃忽（Šigi-qutuqu）为也可扎鲁忽赤（Yek jarɣuči，大断事官），掌民户分配和刑罚之事。这是大蒙古国最大的司法行政长官。窝阔台派失吉忽秃忽为中州断事官，主持清查汉地户口和征收赋税事宜，汉人称其为"胡丞相"（忽秃忽，又译胡土虎）。到太宗窝阔台时，断事官员数量增多，下面的吏员有"都事"、"从事"、"掾"、"参谋"、"详议官"等，而"郎中"为其"幕长"④。从太祖到忽必烈初年，大断事官一直保持着最高行政司法长官或燕京等处、别失八里（Beš-baliq）等处、阿母

① 参见《中国大百科全书·中国历史·元史》，第 79 页。

② 额尔登泰、乌云达赉校勘本：《蒙古秘史》之《附录：蒙古秘史》，第 154 节。《元史》卷 117《别里古台传》记载他"尝立为相国，又长札鲁忽赤"。

③ 《元史》卷 117《别里古台传》记载他"尝立为相国，又长札鲁忽赤"。

④ 参见王颋：《大蒙古国的行尚书省和札鲁花赤》，《历史地理》第 17 辑，上海人民出版社 2001年版。

河（Amu Darya）等处三个"行尚书省"的长官的地位。额勒只吉歹（Eljigidei）任大断事官时，窝阔台汗下令："众那颜每以额勒只吉歹为长，依着额勒只吉歹的言语里行者。"① 中统二年（1261 年）设立中书省，其长官忽鲁不花（Qutuq Buqa）仍带"中书省都断事官"职衔。随着忽必烈建立中书省、枢密院、御史台一套完整的中央机构，断事官从总揽各种政务的官员变为司法长官。至元二年（1265 年）设大宗正府，以大断事官治蒙古公事并兼理刑名。另外，中书省、枢密院、太禧院等官衙也设有断事官。

《大札撒》的颁布　蒙古民族的先人早就遵循着自己的"约孙"（yosun，有"体例""规矩""道理"之意）和必里格（bilge，先人、长者或那颜的训言），它包括了长期历史过程中形成的社会习惯和行为规范。那颜阶级获得统治权后便根据本阶级的意志颁布札撒即法度，要求部众遵奉。1203 年，成吉思汗灭克烈部后，以蒙古人的习惯法为基础，增订了一些新的内容，制成札撒（jasaq），颁行各部。1219 年，征花剌子模前，成吉思汗重订训言、札撒和古来的体例，并记录成册，名为《大札撒》②。编成后，各支为首的宗王都领一部藏于金匮宝库中。大札撒内容广泛，成为大蒙古国臣民必须遵循的法令和规范。每遇新汗即位、大征伐或诸王朝会共议国是，即先捧出《大札撒》，遵照上面的规定行事③。成吉思汗制定的《大札撒》原文，今已失传。据《蒙古秘史》、《世界征服者史》及《史集》等记载，《大札撒》包括选举、财政、商业、赋税、外交、刑事诉讼、财产继承等内容。入元后，疆域扩大，民族增多，成吉思汗时代的《大札撒》已不能适应新的形势，但大聚会时诵读《大札撒》的仪式尚存。

创制蒙古文字　成吉思汗建国前，蒙古人还没有文字。赵珙《蒙鞑备录》记载蒙古"凡发命令、遣使往来，止是刻指以记之"④。但是，约在 6 世纪，活动于蒙古高原的突厥人就有文字。回纥人、贝加尔湖地区的骨利干

---

① 额尔登泰、乌云达赉校勘本：《蒙古秘史》之《附录：蒙古秘史》，第 279 节。
② 参见《史集》第 1 卷第 2 分册，汉译本第 272 页。
③ 《世界征服者史》（上册），第 28 页。
④ 《蒙鞑备录·国号年号》，《王国维遗书》本，第 4 页。

人和叶尼塞河的黠戛斯人都使用过古突厥文。蒙古人迁入蒙古高原后，在语言、文字方面受到突厥人的影响比较大，其语言文字中出现了很多突厥语借词。同时，蒙古人对畏兀儿语言文字也有一定的了解。赵珙记载："其俗既朴，则有畏兀儿为邻，每于两（"两"当为"西"之误）河博易，贩卖于其国。迄今文书中自用于他国者，皆用回鹘字，如中国笛谱字也。"① 对突厥语言文字与畏兀儿语言文字的了解与接受，正是成吉思汗后来用畏兀儿人创制蒙古文字的基础。

1204 年，成吉思汗灭乃蛮，俘获了专掌乃蛮大印的畏兀儿人塔塔统阿（Tata Tonga）。塔塔统阿精通本国文字，成吉思汗命塔塔统阿"教太子诸王以畏兀字书国言"②，这里的"畏兀字"即畏兀儿文，"国言"即蒙古语。以畏兀儿文字母拼写蒙古语，这样创制的文字后来被称作畏兀儿字蒙古文。元成宗时，蒙古学者搠思吉斡节儿（Chos-kyihod-zer）对这种畏兀儿字蒙古文字体加以改造，归纳整理了蒙古书面语语法，使这种文体更加完整和规范化，并且传播使用到今天。畏兀儿字蒙古文字创制出来后，成吉思汗就用它来发布命令，"凡诏诰典祀，军国期会，皆袭用畏兀儿书③。"登记户口的分配、编集成文法（"大札撒"）、记录所办的案件，也都用畏兀儿蒙古文，新文字成为加强统治的有力工具。约在窝阔台汗和蒙哥汗时期编成的历史—文学巨著《蒙古秘史》，多数学者认为是用畏兀儿蒙古文修成的，可见当时的蒙古人运用这种文字已经相当娴熟。"畏兀儿字蒙古文的创制与推广，使畏兀儿先进的文化在蒙古人中得到广泛传播，一定程度上起到了文化向导作用，其更深一层的意义在于促进了蒙古民族共同体的最后形成，不仅对蒙古民族，而且对整个中华文化的发展都产生了深远的影响。"④

成吉思汗采取的这些措施，使大蒙古国具备了封建游牧国家的性质，使大蒙古国新政权得到了巩固。

---

① 《蒙鞑备录·国号年号》，《王国维遗书》本，第 4 页。

② 《元史》卷 124《塔塔统阿传》，第 3048 页。

③ 程钜夫：《程雪楼文集》卷 7《武都忠简王神道碑》，《元人文集珍本丛刊》本，台湾新文丰出版股份有限公司 1985 年版。

④ 杨富学：《畏兀儿与蒙古历史文化关系研究》，《兰州学刊》2006 年第 1 期。

第二节　大蒙古国征服"林木中百姓"与灭西夏

一、征服"林木中百姓"

成吉思汗建国后，就向蒙古高原及其以北的森林地区扩张。当时，在贝加尔湖以西直到额尔齐斯河地区分布着许多操蒙古语或突厥语的部落，他们的居地森林茂密，山峦起伏连绵，草原上的蒙古牧民就称这些部民为"林木中百姓"（Hoi-yin irgen，槐因亦儿坚）。其中，大致有斡亦剌、乌思（兀儿速惕）、不里牙惕、巴儿浑、合卜合纳思（又译撼合纳）、康合思、秃巴思、吉利吉思等部落。

蒙古最先征服的是斡亦剌。1208年，蒙古出兵征讨逃到也儿的石河的篾儿乞部首领脱脱，其前锋路遇忽都合别乞（Quduqa Beki）所统斡亦剌部，该部无力抵抗，遂不战而降。[1] 蒙古军以忽都合别乞部为向导，进至也儿的石河，灭脱脱。1218年，成吉思汗派长子术赤出征林木中百姓时，忽都合别乞再次为蒙古军充当向导，术赤降服了失黑失惕地方的秃绵·斡亦剌。失黑失惕即今库苏古尔湖以西叶尼塞河上游的锡什锡德河，"秃绵"即"tümen"，汉语"万"的意思，"秃绵·斡亦剌"意即众多互不统属的斡亦剌。因为忽都合别乞不战而降，又为蒙古立了功，成吉思汗将女儿、孙女分别嫁给了忽都合别乞的两个儿子，确立了斡亦剌部主与黄金家族的世婚关系；还按惯例，将全部斡亦剌部众归属于他的家族，使其世袭领有，其所属诸千户那颜由他自己任命。

可能在忽都合别乞归附蒙古后不久，居住在"大泽"（今贝加尔湖）之西的秃麻（又译为秃马惕）部的首领带都剌·莎合儿（Daiduqul Soqor）见蒙古势力强盛，也归附了蒙古。后来，巴邻部的豁儿赤那颜按照成吉思汗的准许，到秃麻部去挑选30个美女为妻，激起了秃麻部人的反抗，豁儿赤被抓起来。秃麻部居住在深山密林中，地形十分复杂，比较熟悉当地情况的斡亦剌部主忽都合别乞被派去救援豁儿赤，也被秃麻部打败，忽都合别乞也被

---

① 参见《圣武亲征录》，见《王国维遗书》本，第58—59页。

俘。1217 年，成吉思汗出征金国回到漠北后，便派四杰之一的博尔忽统军前去镇压，秃麻女首领孛脱灰·塔儿浑（Botoqui Tarqun，带都剌·莎合之妻，带都剌·莎合已死，由孛脱灰·塔儿浑管领部落）截断博尔忽的归路，击杀了博尔忽。成吉思汗再派朵儿伯·朵黑申（Dörbei Doqšin）前去才平息了秃麻部的反抗。成吉思汗将秃麻部女首领孛脱灰·塔儿浑赏给斡亦剌部主忽都合别乞为妻，这样秃麻部所在地就由斡亦剌部主忽都合别乞家族驻守，并成为斡亦剌部主的分地。1218 年，尤赤兵锋所及，不里牙惕、巴儿浑、康合思等贝加尔湖地区的各部落先后都归附了蒙古。①

1207 年，成吉思汗派使者按弹（Altan）、不兀剌（Buyula）招降谦河流域的吉利吉思部落。② 吉利吉思部落比较发达，其人民从事游牧业，畜养马、牛、羊，兼营农业，很早就知道种植禾、粟、大小麦、青稞，冬天则乘木马（雪橇）打猎。吉利吉思盛产名马、貂鼠、青鼠及白、黑海青，人民向统治者缴纳貂皮、青鼠为赋税。9 世纪时，吉利吉思最强盛，占有今唐努山以北诸部之地。13 世纪初，吉利吉思分裂为若干不相统属的小国。当成吉思汗的使者到达后，他们便向蒙古纳款投降。大约是 1217 年，秃麻部叛乱，成吉思汗命吉利吉思首领出兵夹攻秃麻部，吉利吉思拒绝出兵，并发动起义。1218 年，成吉思汗派遣长子尤赤前往征讨，降服了失黑失惕地方的秃绵·斡亦剌。尤赤领兵过谦河，顺水而下，征服了乌思（兀儿速惕）、合卜合纳思、秃巴思等唐努乌梁海和库苏古尔湖以西的部落，以及萨彦岭以北的部分部落③。先锋不花追乞儿吉思部叛军至亦马儿河（Yimar，即鄂毕河）而还。尤赤率领军队继续进兵叶尼塞河流域以西地区，"到达秃绵·乞儿吉思部落"④，招降了失必儿、亦必儿、客思的音、巴亦惕、秃合思、田列克、脱额列思、塔思、巴只吉惕等部。

这样，自贝加尔湖以西直到额尔齐斯河遂为蒙古所有。成吉思汗因为尤赤是长子，且"初出家门，出征顺利，所到之处，人马无恙，不费力地招

① 参见周清澍：《元朝对唐努乌梁海及其周围地区的统治》，《元蒙史札》。

② 参见《圣武亲征录》，《王国维遗书》本，第 58—59 页。

③ 余大钧译注：《蒙古秘史》，第 239 节；参见周清澍：《元朝对唐努乌梁海及其周围地区的统治》，《元蒙史札》。

④ 余大钧译注：《蒙古秘史》，第 239 节；《圣武亲征录》，《王国维遗书》本，第 72、74 页。

降了有福的森林部落。今朕将［这些森林部落］百姓都赐给你"。① 分地的实际情况与《蒙古秘史》的记载有差距，在成吉思汗死后，吉利吉思与谦谦州成为幼子拖雷及拖雷之妻唆鲁禾帖尼的领地，他们再传给了阿里不哥。阿里不哥与忽必烈争夺汗位的基地正是在吉利吉思与谦谦州。元朝至元以后，吉利吉思成为元朝与西北叛王争夺之地。至元三十年（1293年），元朝派大将土土哈收复了吉利吉思五部，屯兵镇守，同时将大批吉利吉思人迁到辽东合思罕②和山东等地，一部分人与乌思、撼合纳人一起迁到肇州地区，设朵因温都儿千户所管理。而尤赤的分地，1225年成吉思汗分封诸子时，将其调整到了也儿的石河以西、花剌子模以北，直到蒙古军马蹄所及之处。

二、成吉思汗进攻西夏

征西夏的背景 成吉思汗统一漠北前的半个世纪中，漠北经历了激烈的战争，社会经济遭到了严重破坏，因此建国后蒙古人的生活是艰难的。解决经济困难和补充军需物资成为大蒙古国的当务之急。北方游牧民族解决经济困难的主要手段历来是南下中原，或和平通贡互市，或战争抢劫。成吉思汗统一漠北后，漠南的金朝、西夏就暴露在其锋镝之下了。"深沉有大略"的成吉思汗深知，金国虽已江河日下，然其立国百年，物产丰富，军力雄厚，当时尚能击败南宋、称雄一方，不可轻视。而西夏一直在辽、北宋及金、南宋两大势力斗争夹缝中求生存，实力相对弱于金朝。从战略上讲，西夏东与金国接壤，北与蒙古相邻，是蒙、金必争的中间地带。更为重要的是，西夏具有控扼东西和南北交通的重要战略意义，是实现其进兵中原的关键地区。而此时，蒙古国建立的千户制、怯薛制，使成吉思汗掌握了一支数量较大、组织严密、战斗力强的武装，为蒙古的扩张准备了条件。鉴此，虽然蒙古建国后即议伐金，但成吉思汗审时度势，将其首要的打击目标锁定为西夏③。

六征西夏 1205年，成吉思汗曾以西夏接纳仇人桑昆为借口，亲征西

---

① 余大钧译注：《蒙古秘史》，第239节。

② "合思罕"，合思罕，即辽金时代的曷苏馆，李锦萍、王金令认为金代曷苏馆路治所宁州，其故址当在今盖州市九寨镇五美房村。参见李锦萍、王金令：《金代曷苏馆路治所的考辨》，《北方文物》2009年第1期，第95—99页。

③ 陈育宁、汤晓芳：《成吉思汗与西夏》，《蒙古史研究》第8辑，内蒙古大学出版社2005年版。

夏。首先攻占了力吉里寨（今中卫县），将寨墙夷为平地。接着占领落思城，洗劫一空，而后撤军。蒙古军将所过之处将"牲畜全部驱走"，蒙古军"带着许多战利品和无数骆驼、牲畜回来"①。西夏主纯祐被迫称臣纳贡。成吉思汗第一次攻打西夏的目的显然是劫掠物资，因此浅尝辄止，得手便撤。西夏修复了损毁的诸城堡，庆幸蒙古军不曾深入，大赦境内，改都城兴庆府为中兴府。对于西夏来说，蒙古军的抄掠并未引起西夏王朝的重视，内部之争再起。1206 年，久专国柄的镇夷郡王李安全与罗太后合谋，废其堂兄桓宗纯祐，夺取西夏王位，是为襄宗。襄宗断绝了与蒙古的贡赐关系，请封于金国，求其援助。于是，成吉思汗于次年秋天率军第二次征讨西夏，攻克兀剌海城（Uraqai），在夏境掳掠数月。西夏集右厢诸路军顽强抵抗，蒙古军不敢深入。

己巳年（1209 年）秋，成吉思汗积极准备进攻金朝，为防止西夏从侧后乘势夹击蒙古，必须先收复西夏。成吉思汗第三次征讨西夏，蒙古军从兀剌海西关口楔入河西。西夏以皇子李承祯为主帅，大督府令公高逸为副，领五万军队相拒。蒙古军一战而胜，俘杀高逸。挺进兀剌海城，守将出降，太傅西璧氏率兵巷战，力屈被掳。蒙古军一路势如破竹，进攻中兴府外卫要塞克夷门，嵬名令公帅五万军死守力战，与蒙古军对峙两月。九月，蒙古军以计擒嵬名令公，下克夷门进围都城中兴府（今银川市）。中兴府城防坚固，蒙古军不善打攻坚战，不能克城，乃引河水灌城，淹死许多居民，漂尸遍野。后外堤决，蒙古军营也被浸，只好撤围。成吉思汗派使者入城谈判，迫使夏襄宗献女请降，每年向蒙古纳贡。

西夏经此一战，大伤元气，向金求援，又遭拒绝，遂转而臣服蒙古，进攻金朝。成吉思汗不仅获得了大量战利品，补充了给养，又可以利用西夏夹攻金朝，达到了战略目的。

蒙古军刚退走，西夏内讧再起。1211 年，襄宗李安全被废，宗室齐王遵顼被立为帝，是为夏神宗。夏神宗时，金夏关系更加恶化。金、夏统治者不能立足于全局、立足于长远的角度来审视发展两国的关系，不能在强敌蒙古来侵时认识到唇亡齿寒的道理，不能相互救援，反而乘人之危。1209 年，

---

① 《史集》（汉译本）第 1 卷第 2 分册，第 207 页。

中兴府告急，求援于金，金卫绍王竟说"敌人相攻，吾国之福"，未救西夏。1211 年蒙古攻金于浍河堡，西夏报复性地侵入金泾、邠二州，围攻平凉府。此后，两国互相趁火打劫。

1217 年，成吉思汗决定西征，传旨西夏出兵相助，西夏大臣阿沙·敢不（Aša Gambu）说："兵力不足，做什么大汗！"[1] 成吉思汗派一支军队突入西夏，再围中兴府，夏神宗逃到西凉，遣使求降。成吉思汗决定暂时放下西夏，先西征，便撤军了。

成吉思汗西征后，由木华黎统领蒙古军专事征金。木华黎继续调遣西夏军从征，夏神宗连年发兵攻金国城寨，屡败。夏、金"构难，十年不解，一胜一负，精锐皆尽，而两国俱敝"[2]。西夏长期对金用兵，又备受蒙古军抄掠，经济日见凋敝，臣民对夏神宗更加不满。1223 年，西夏太子德任建议与金议和，力谏不从，乃避太子位，愿为僧，神宗大怒，囚德任。同年，西夏遣十万骑助木华黎攻金凤翔，不克，夏军士卒厌战，遂不告木华黎而退军。蒙古遣使问罪，神宗惧，逊位。太子德任即位，是为夏献宗。

夏献宗一改其父做法，于 1224 年与金约为兄弟之国。献宗见成吉思汗西征长期不归，以为有机可乘，遣使者到漠北，联结诸部，欲抵御蒙古，但这些措施行之太晚，西夏大势已去。

木华黎死后，其子孛鲁（Boḥol）继续统军经略中原。孛鲁去西域朝见成吉思汗，成吉思汗以西夏阴蓄异志，令孛鲁伺机征夏。1224 年秋，成吉思汗从西域回到也儿的石河（今额尔齐斯河），遂命孛罗率军前去征讨西夏。蒙古军克银川，杀夏军数万，俘其监府塔海，掳获牛羊马驼数十万。西夏被迫求和，宣称以子为质，蒙军撤退。实际上，西夏主李德旺不仅未遣质子，还于西夏献宗二年（1225 年）十月与金结成军事联盟。

西夏灭亡与成吉思汗的病逝　1225 年初，成吉思汗回到土拉河的斡耳朵，秋天，命察合台留守牙帐，自率大军南下。当年冬天，军队在阿尔不合山（Arbuqa）安营扎寨，成吉思汗在围猎野马时，不幸坠马受伤。诸臣建议回师，成吉思汗没有同意。次年，大举入侵西夏，兴兵理由是西夏曾接纳

①　余大钧译注：《蒙古秘史》，第 256 节。
②　《金史》卷 134《外国传》（上）《西夏》，第 2876 页。

仇人桑昆、不送质子、不听调遣。进兵前派一使者去责问西夏未派兵从征且出言不逊之罪，献宗及其主战派驳回了成吉思汗的恐吓，宰相阿沙·敢不说："如今你们蒙古人以为惯战而欲来战，我们贺兰山营地有撒帐房和骆驼的驮包，就请你们到贺兰山来与我们交战吧。如果需要金银、缎匹和财物，就请你们到中兴府（Eriqaya，额里合牙）、西凉府（Erijeḥü 额里折兀）来吧！"① 成吉思汗决定带病再次征讨西夏。

蒙军首先进攻贺兰山地区，攻下黑水等城，俘虏了阿沙·敢不。蒙古驻军于肃州之北，四出抄掠，"把他的有撒帐房、有骆驼驮包的百姓如拂灰般地俘虏了"。"成吉思汗降旨：'把勇猛敢战的男子、有地位的唐兀惕人杀掉！战士们可各取其所擒获的各种唐兀惕人。'"② 继之，蒙古军先后攻占沙、甘、肃等州，各州军民顽强抵抗，肃州城破，遭到屠杀，仅剩 106 户。元太祖二十一年（1226 年）十一月，成吉思汗率军围灵州，西夏新王睍派嵬名令公率十万军来救，在黄河边与蒙古军相遇，西夏大败，死伤无数，尸积如山，蒙古军取得了决定性的胜利。随后，成吉思汗在盐川驻冬，蒙古军肆行杀掠，居民或穴居避乱，十室九空。

成吉思汗认为，西夏经此打击已无力抵抗。于是，第二年春天，除留一部分军队围攻中兴城外，自率大军向金国发动进攻。西夏宝义元年（1227 年）六月，西夏境内发生强烈地震，房屋倒塌，瘟疫流行，被蒙古军队围困达半年之久的中兴府，粮尽援绝，军民多患病，已失去了抵抗能力。西夏国主走投无路，只得派遣使节告谕成吉思汗，请求宽限一个月献城投降。阴历七月十二日，成吉思汗病逝于清水，享年 66 岁。临终前嘱咐：他死后不发丧，不举哀，以免被敌方发现，待西夏国主和属民在指定时间出城投降时，立即全部把他们消灭③。

蒙古军包围中兴府半年，中兴军民坚壁固守，终因粮绝，西夏末主睍被迫投降。蒙古诸将遵成吉思汗之命，杀睍。中兴居民，因察罕力谏，才免遭被屠城厄运。建国 189 年的西夏王朝终被成吉思汗灭亡。

---

① 余大钧译注：《蒙古秘史》，第 265 节。
② 余大钧译注：《蒙古秘史》，第 265 节。
③ 《史集》（汉译本）第 1 卷第 2 分册，第 321 页。

攻灭西夏，成吉思汗得到了西夏许多骆驼、良马、良弓和甲胄，补充了军队许多重要战略物资。投降的西夏骑射之兵，补充了蒙古的兵力。在与西夏作战过程中，蒙古军又得到了攻坚拔城的实战训练，提高了军队素质。占领西夏，还为最终消灭金国、占领中原、称霸黄河流域和最终统一中国开辟了道路。

第三节　蒙金战争与大蒙古国占领今内蒙古地区

蒙金战争的背景　金朝至章宗、卫绍王统治时期，已全面走向衰落。第一，权臣柄政，王室内讧。章宗宠妃李师儿的兄弟喜儿与铁哥"皆擢显近"，他们与宰相胥持国互为表里，"势倾朝廷"，"射利竞进之徒争趋走其门"①。金朝宗室内乱，两个宗王谋反被诛，王室内部的斗争削弱了统治力量。第二，金朝统治的基干组织猛安、谋克腐化，其成员游手好闲，骄纵不法，丧失了往昔剽悍善战的作风。第三，金末财政困难，史称"国用之屈，未有若金季之甚者"②。因对北方诸部的战争、修筑界壕边堡以及水灾，入不敷出，滥发交钞来搜刮百姓，只发不收，以至"万贯唯易一饼"③。这种通货膨胀政策不仅不能解决财政困难，反而使社会更加动荡不安。

另外，金朝统治者对境内其他民族的民族压迫导致社会矛盾更加激化。为防止契丹与蒙古诸部联络，金朝朝廷"下令辽民一户，二女真夹居防之"，致使契丹人非常痛恨。移剌捏儿闻成吉思汗举兵伐金，对亲信说："为国复仇，此其时也"，即率族人降蒙古，献攻金十策④。世居桓州的耶律阿海，通诸国语，金章宗派其出使克烈部王汗，但他一见成吉思汗，就与之相结纳，并向成吉思汗建言："金国不治戒备，俗日侈肆，亡可立待。"耶律阿海与其弟秃花后来成为成吉思汗攻金的先锋⑤。

蒙古与金朝关系的最早记录是合不勒汗应召入朝，这大约是金太宗在位

---

① 《金史》卷64《后妃传》下，第1527页。
② 《金史》卷46《食货志一》，第1030页。
③ 《元史》卷146《耶律楚材传》，第3460页。
④ 《元史》卷149《移剌捏儿传》，第3529页。
⑤ 《元史》卷150《耶律阿海传》，第3549页。

（1123—1135 年）时期的事，合不勒汗杀金国使者，双方关系长期处于敌对状态。蒙古部时常攻击金朝，金朝北边因此多边患。而金朝也多次出兵征讨蒙古诸部，或令属部塔塔儿进攻蒙古，还捕杀了蒙古的首领俺巴孩汗等，后来成吉思汗以此为借口誓师伐金①。

金章宗无嗣，继位的是卫绍王永济。早年，成吉思汗曾到净州（今四子王旗城卜子）向金朝纳贡，金廷命卫绍王永济受贡，永济"柔弱鲜智能"，成吉思汗不向其行蕃臣之礼，并从此断绝了与金朝的蕃属关系。1208年，金章宗死，当成吉思汗得知永济继位时，说："我谓中原皇帝是天上人做，此等庸懦亦为之耶，何以拜为！"②便轻视金朝，决计出兵攻金。

当时，成吉思汗镇压了晃豁坛氏（Qongqotan）蒙力克（Mönglik）的儿子们利用萨满教蛊惑牧民、争夺汗权的严重事件，稳定了统治。在额尔齐斯河追歼了篾儿乞、乃蛮两部及其残余势力，征服了斡亦剌、秃马惕等森林民。西面的哈剌鲁（Qarluq）、畏兀儿（Uyiγur）也被迫向蒙古称臣。这样，蒙古西部、北部的安全有了保障。1205 至 1211 年，经三次征讨，西夏已成为蒙古帝国的附庸，从侧翼解除了征金的隐患。又通过长城外的汪古部人和畏吾儿商人摸清了金国的经济、交通、城堡、关卡等情况。至此，蒙古征伐金朝的条件已经成熟。

南破金界　蒙金战争历时 24 年，双方多次易帅，战争方略也屡有改变，其进程大致分为三个阶段：1211—1216 年成吉思汗亲自指挥攻金；1217—1229 年木华黎及其子孛鲁指挥攻金；1230—1234 年窝阔台与拖雷指挥灭金。与今内蒙古相关的主要是成吉思汗亲自指挥进攻的第一阶段。③

第一阶段　金大安三年（1211 年），成吉思汗自今克鲁伦河挥师南下，越阴山而来。是年秋，蒙古分兵两路以钳形攻势大举攻金。成吉思汗亲统东路，由达里泊（今克什克腾旗达里湖）攻入金境，先锋哲别破金西北路边墙上的乌沙堡，取乌月营（今河北张北西北）。金军统帅独吉思忠（千家

---

① 《史集》（汉译本）第 1 卷第 2 分册，第 52 页。
② 《元史》卷 1《太祖本纪》，第 15 页。
③ 蒙古的灭金战争主要采摘范文澜、蔡美彪主编：《中国通史》（第 6 册）之《蒙古南侵与金朝政变》，人民出版社 1995 年版。本节不再一一注出。

奴）防守失职被撤，由完颜承裕（胡沙）主持军事。完颜承裕为避蒙古兵锋，从抚州（今张北）退往宣平（今张家口西南），致使抚州、昌州（今太仆寺旗西南九连城）、桓州（今正蓝旗北四郎城）尽失。完颜承裕以 40 万大军列阵野狐岭（今张家口市西北膳房堡北），却不敢主动出击蒙古军。契丹军师向招讨九斤献计说："闻彼新破抚州，以所获物分赐军中，马牧于野，出不虞之际，宜速骑以掩之。"① 九斤等却坚持马、步大军一起前进，以保万全。成吉思汗从抚州进至獾儿嘴，大败金军。蒙古军乘胜追至浍河堡（今河北怀安县东），再次大败金军，史称"金人精锐尽没于此"②。九月，蒙军攻陷德兴府。十月，至缙山县，离中都只有 180 里。居庸关守将闻风而逃，哲别军跟着入关，前锋直达中都。蒙古游骑先到城下，金中都守将完颜天骥派兵突袭，杀蒙古兵 3 000 人。大兴府尹乌陵用章命诸将拆毁城外桥梁，往来用船渡，储备的物资全部搬入城内，作死守的准备。十二月，蒙古军攻打南顺门，完颜天骥设计巷战，街上满布拴马桩，金兵埋伏两侧。蒙古骑兵入城，不能驰骋。天黑时，金兵纵火烧街旁民屋，街狭屋倒，蒙古军死伤甚众，被迫退军。而蒙古兵攻内城时，金军自城上射击，并发礌木攻打来犯的蒙军，夜间遣轻兵劫蒙古军寨，蒙古军屡攻中都不下，被迫撤兵。崇庆元年（1212 年）正月，蒙古解围，中都暂时保全。

西路军由尤赤（joči）、察合台（Čaqadai）、窝阔台率领（Öködei），攻入阴山。守金界壕的汪古部贵族献关投降，为蒙古军当向导，蒙古军顺利攻取净州、丰州（今呼和浩特白塔乡）、云内州（今托克托县古城乡东北白塔古城）、东胜州（今托克托县城关镇大皇城）、武州（今山西五寨县北）、朔州（今山西朔县）等阴山南北城池、重镇。金西京（今山西大同）守将纥石烈胡沙虎闻讯弃城逃跑，两路蒙古军掳掠大批人畜财物后撤兵。

同年，蒙古军攻陷宣德州（今河北宣化），进至德兴府（今河北涿鹿），初战失利。随后，拖雷与驸马弘吉剌氏赤古（Čikü）奋勇攻城，拔之，抄掠境内诸城村后退出。成吉思汗则进攻山后诸州县，威宁（今内蒙古兴和北）城防刘伯林投降。是秋，成吉思汗率军围攻西京，同时在西京东北之

① 《圣武亲征录》，《王国维遗书》本，第 63 页。
② 《圣武亲征录》，《王国维遗书》本，第 63 页。

密谷口设伏，歼灭了奥屯襄所率援兵。攻城时，成吉思汗中箭，遂撤围，驻牧阴山。十二月，蒙古军先锋哲别（Jebe）率军攻打金东京（今辽宁辽阳）未克，便佯退 500 里，东京守军以为敌退，疏于戒备，哲别军轻骑驰还，一举袭取，攻入城中，大掠而归。

金至宁元年（1213 年），成吉思汗会集诸军，再越野狐岭，下宣德、德兴诸城。七月，怀来（今属河北）、缙山（今北京延庆）大战中，蒙古军击败金将完颜纲、尤虎高琪所率纥、汉军队，乘胜直抵居庸关北口（今北京八达岭），"将金国的契丹、女真等紧要的军马都胜了。比至居庸关，杀了的人如烂木般堆着。"① 金军加强居庸关防守，冶铁封固关门，布铁蒺藜百余里。成吉思汗避实击虚，留少部兵力在北口牵制，自率主力迂回南下，袭取紫荆关（今河北易县西北），攻克涿州（今河北涿县）；另派哲别率兵走小道袭取南口，南北夹击，夺取了居庸关。此时，金廷发生政变，完颜永济被杀，完颜珣称帝（即宣宗）。成吉思汗得知金内地兵力空虚，命怯台（Kidei）等率一部分军队围中都，余兵分三路深入中原、辽西等地，几乎扫遍黄河以北广大地区。

金贞祐二年（1214 年）春，蒙古军回师，三路会集中都城郊，成吉思汗驻兵中都北郊黄甸，迫金宣宗奉献完颜永济之女歧国公主（因是金国皇帝之女，出身高贵，称"公主合敦"（Gungju Qatun），在成吉思汗诸妻中排第四位）和金帛、马匹求和后，成吉思汗退出居庸关，驻夏于鱼儿泺（今内蒙古克什克腾旗达来诺尔）。五月，金宣宗因畏惧蒙古军再攻中都，下令迁都南京（今开封）。六月，金北方部族组成的纥军在良乡（今属北京）一带哗变，投降蒙古。成吉思汗乘机命部将石抹明安、三摸合拔都（Samqa Baɣatur）率军从古北口（今属北京）南下，会合纥军攻中都。蒙古军采取围城打援和招降之策，击溃了金援军，尽获所运粮饷，使中都陷于粮尽援绝的困境。与此同时，成吉思汗为策应中都之战，命木华黎（Muqali）率军进攻辽东。贞祐三年（1215 年）五月，金中都留守、都元帅完颜承晖服毒自杀，蒙古军进占中都。成吉思汗当时驻军桓州，乃派失吉忽秃忽（Šigi Qutuqu）、翁古儿宝儿赤（Önggür Boɣuči）、阿儿孩·合撒儿（Arqai Qasar）三人到中

---

① 余大钧译注：《蒙古秘史》，第 247 节。

都清点仓库。负责金朝国库和官产的官员哈答向失吉·忽图忽三人献纳织金服装和珍宝等财物，被失吉·忽图忽拒绝，将国库帑藏尽数运走，留回回人札八儿火者（jabar Qoja）、女真人石抹明安镇守中都。在此期间，蒙古军吸收中原先进技术，组建了炮军，配合骑兵攻坚。1216 年年秋，成吉思汗命三摸合拔都率万骑，由西夏绕过潼关（今陕西潼关东北），奔袭南京，兵至京西杏花营，因金援兵赶到，被迫渡黄河北去。同年，成吉思汗从金境撤出主力，准备西征。

这一时期，蒙古军发挥骑兵的快速机动能力，纵横驰骋，歼灭大量金军，掳获无数战利品，终于夺取了中都，削弱了金朝的实力。这一阶段的蒙金战争，蒙古军以抄掠为要旨，攻占之地多不守，只控制了临近蒙古国的今内蒙古中部地区。

第二阶段 木华黎及其子孛鲁（Boḥol）指挥攻金。丁丑年（1217 年）八月，成吉思汗封木华黎为"太师、国王、都行省承制行事……"赐九斿大旗，总领弘吉剌、亦乞烈思、兀鲁、忙兀、汪古等十投下军队，以及归降的契丹、女真、糺、汉诸军，专事征金。[①] 木华黎改变以前肆意杀掠和夺地不守的做法，招降和重用汉族地主武装首领，把招抚政策同军事进攻密切结合。先前投降蒙古的地主武装首领刘伯林，河北清乐军首领史天倪、史天泽兄弟，以及原金朝将领张柔等，在木华黎重用下，率军攻取了辽西、河北、山东、山西各地数十州县。1220 年，南宋益都土豪严实以彰德、大名、磁、洺（今河北永年东南）、恩（今山东武城旧城）、博（今山东聊城）、滑（今河南滑县东）、浚等州 30 余万户降蒙古，木华黎承制授严实山东西路行尚书省事，命总管所部军民。1222 年冬，木华黎率军攻长安（今西安）、凤翔（今属陕西），未克。癸未年（1223 年）三月病死于山西闻喜，其子孛鲁袭职，继续指挥攻金。当年，史天泽击败叛将武仙，夺占河北大片地区。1225 年，史天泽又配合蒙古军消灭了彭义斌领导的抗蒙红袄军。1226 年，蒙古军围攻山东益都。次年，义军首领李全力尽投降蒙古，于是山东全境为蒙古所有，孛鲁以李全为山东淮南楚州行省。至此，金朝在河北、山东的地盘丧失殆尽，蒙、金两军隔黄河对峙。

---

① 《元史》卷 119《木华黎传》，第 2932 页。

　　第三阶段　窝阔台指挥灭金。丁亥年（1227 年）四月，成吉思汗由西夏挥师南下，准备一举攻灭金朝，但不久病逝。他临终遗嘱："金精兵在潼关，南据连山，北限大河，难以遽破。若假道于宋，宋、金世仇，必能许我，则下兵唐、邓（今河南唐河、邓县），直捣大梁（今开封）。金急，必征兵潼关。然以数万之众，千里赴援，人马疲敝，虽至弗能战，破之必矣。"① 成吉思汗正确地分析了蒙金战争的形势，提出了借道于宋、联宋灭金的决策，成为其继承人灭金的总方略。

　　辛卯年（1231 年）夏，窝阔台汗在官山（今内蒙古卓资县北）避暑，大会诸王百官，商议攻金之事。蒙古决定兵分三路出师：左军，由斡赤斤（Otčigin）那颜率领，出山东济南；中军，由窝阔台亲率，渡黄河，进洛阳；右军，由拖雷（Tolui）率领，为三路之主力，从凤翔南下，绕道宋境，由沿汉水达唐、邓，以成包抄态势，期于次年正月会师汴京。② 这年秋天，窝阔台军围河中府（今山西永济西），金兵顽强抵抗，打了两月才破城。乃从白坡（今河南孟津东北）渡黄河，进入郑州。金黄河防线瓦解。拖雷出宝鸡，借道宋境不成，遂破宋大散关，连破汉中、凤州、西和（今甘肃西和）、沔州（今陕西略阳）、阶州（今甘肃武都）、兴元（今陕西汉中）。继而蒙古军由金州（今陕西安康）东下，取房州、均州，渡汉水，入邓州。金哀宗闻讯，急调黄河沿岸守军 20 万，至邓州禹山地区阻击蒙古右军。拖雷避开金军主力，兵分多路北上。金军又匆忙由邓州驰援南京。拖雷置主力于钧州（今河南禹县）三峰山附近，等待时机，另派轻骑扰敌。金军主力且战且行，数日不得休息和饮食，又逢连降大雪，将士精疲力竭。壬辰年（1232 年）正月十六日，蒙古军乘机发起三峰山之战，全歼金军精锐 15 万，俘杀金帅完颜合达、移剌蒲阿。随之，潼关金将李平献关降蒙古，河南十余州被蒙古军占领。

　　不久，窝阔台、拖雷北返，留速不台攻汴。守城军民使用震天雷、飞火枪奋勇抗击，经 16 昼夜激战，双方伤亡惨重，蒙古军暂时退却。八月，蒙古军在中牟击溃金援军 10 余万，汴京粮尽援绝。金哀宗于十二月自带少数

---

① 《元史》卷 1《太祖本纪》，第 25 页。
② 参见《圣武亲征录》，《王国维遗书》本，第 81 页；韩儒林主编：《元朝史》上册，第 120 页。

臣僚和将士辗转逃往归德（今河南商丘）。癸巳年（1233 年）正月，汴京守将崔立向蒙古军献城投降。六月，金哀宗从归德迁至蔡州（今河南汝南），蒙古军都元帅塔察儿率部围之。十一月，南宋应蒙古之约，遣大将孟珙率军 2 万、运米 30 万石，与蒙古军会师蔡州城下。甲午年（1234 年）正月，宋军、蒙古军相继攻入城内，金哀宗自杀，金亡。

争夺辽东、辽西　从战争对手看，蒙古争夺辽东、辽西的战争既有与金朝的争夺也有与地方割据势力的争夺；从时间上讲，蒙古攻取辽东、辽西的战争发生在蒙古对金作战的三个阶段。

1211 年，蒙古围攻金中都时，金上京留守徒单镒选兵 2 万，遣同知乌古孙兀屯统领，入卫中都。完颜允济任命徒单镒为尚书右丞相。徒单镒向朝廷献策：辽东乃国家根本，距中都数千里，可遣大臣行省事镇抚，防御蒙古。允济认为无故置行省，是动摇人心，不予采纳。结果，如徒单镒所预料，在蒙古大军北退后，成吉思汗为彻底切断金之后援，就命哲别攻打金朝的辽东，哲别率领的蒙古大军直捣金东京，金军民坚守，未能攻下，佯退 500 里，金军乃放松戒备，哲别返军突袭，东京失守。蒙古军在东京掳掠大批财物而去。

辽东各地，散居着契丹人。金朝统治者见蒙古势盛，恐辽东的契丹人乘机作乱，更加紧了对契丹的防患，引起了契丹人的愤恨与不安。约在 1211 年，金朝的"北边千户"（可能是东北路乣军军官）耶律留哥占据隆安（今吉林农安）、韩州（今吉林梨树县八面城）反金，聚众 10 万。1212 年，成吉思汗遣弘吉刺部按陈那颜进兵辽东，恰逢留哥率部西投蒙古，按陈与留哥相遇金山（今大兴安岭某处），结盟而返。1213 年春，金朝以完颜承裕为元帅右监军兼咸平（今辽宁开原北老城镇）路兵马都总管，率军 60 万讨伐留哥。留哥求援于成吉思汗，成吉思汗命按陈统兵相助，与金军相遇于迪吉脑儿，大战，金军败绩。留哥获胜后，称辽王，国号辽，建元元统。金朝遣温迪罕青狗招降，青狗反投留哥。1214 年，金辽东宣抚使蒲鲜万奴统兵 40 万讨留哥，在归仁县（今辽宁昌图西北）北大败，万奴辑散兵奔东京。留哥进占咸平，取旁近州县，移都城至咸平，号中京。金朝再遣左副将军移剌都来攻，再为留哥打败。大约在 1215 年春夏之交，留哥破东京（今辽宁辽阳），逐蒲鲜万奴，声势大振，辖户达 60 多万。于是，留哥部下耶厮不等劝其称帝，留哥因先前已降蒙古，又见蒙古势大，不敢称帝，便携其子前去朝见成吉思汗，敬献金币 90 车，金银牌 500 面。成吉思汗派 300 人与留哥随从乞奴等同赴辽东受降。耶厮不、乞奴等不愿投降蒙古，于是尽杀留哥随从及蒙古使臣，仅 3 人逃归蒙古。

1216 年初，耶厮不在澄州（今辽东海城）称帝，国号仍为辽，改元天威，置官属，以乞奴为宰相，青狗为元帅。但不久内乱，青狗叛归金朝，耶厮不被杀。众推乞奴为监国，鸦儿为元帅，分兵屯于开州（今辽宁凤城）、保州（今朝鲜义州）一带。

耶厮不、乞奴等叛乱，使留哥在辽东势力尽失，成吉思汗令留哥暂居广宁府（今辽宁北镇）。留哥领 5 000 蒙古军讨伐开州、保州的乞奴部众，金朝盖州守将完颜众家奴亦率兵来攻。乞奴无法招架蒙、金的夹击，遂率众 9 万余人退入高丽。

留哥虽借蒙古兵力重入辽东，但其部众多随乞奴走高丽，他只夺回妻姚里氏、兄独剌以及 2 千户。此时，蒙古主力已随成吉思汗回漠北，蒲鲜万奴在辽东的势力正盛，金朝在辽东仍拥有上京路、东京路的很大地盘与相当多的兵力，留哥无法在辽东立，乃迁居临潢。

在辽西地区，金贞祐二年（1214 年）五月，蒙古军攻中都时，成吉思汗派三摸合和石抹明安南下古北口，遣木华黎征伐辽西，随同将领有契丹人石抹也先。木华黎所率蒙古军攻取临潢府（今内蒙古巴林左旗）及北京路（今内蒙古宁城县大名乡）诸州县。在花道（今赤峰市东南古山林附近）大败金军后，进占辽西重镇北京。金锦州兵马提控张鲸杀其节度使，自称辽海王，继而投降蒙古。金贞祐三年（1215 年）二月，木华黎进攻北京大定府，金廷元帅寅答虎、乌古论投降。木华黎命令寅答虎留守北京。金兴中府（今辽宁朝阳市）吏民杀其同知兀里卜，共推土豪石天应为帅，降服于木华黎。石天应善造战攻之具，所部黑军从木华黎攻金，屡立战功。义州（今辽宁义县）契丹王恂以"保亲族"为名，招集乡人至十多万，投降蒙古。木华黎命石天应为中兴府尹。

辽东宣抚使蒲鲜万奴在失去东京后，重新集结辽东的猛安、谋克成员，向契丹起义军开战。并于 1215 年冬天，叛金自立，建国号大真，自称天王，改元天泰。万奴攻取契丹人占领的咸平、东京、沈州、澄州等地，又发兵攻金婆速府（今辽宁东南部，治所在今丹东东面）近境及上京路等地①。1216年秋，木华黎灭锦州张致，攻辽东，下苏、复、海、盖四州（分别今辽宁金县、复县、海城、盖县）。冬天，蒲鲜万奴在蒙古军的威势下，投降蒙古，以其子铁哥入侍。既而又叛，割据辽东的曷刺路（今我国吉林东部和朝鲜咸镜南北道、两江地道。治所在今朝鲜咸镜北道吉州），称东夏国。1217年，万奴攻占了金婆速府和上京许多地方，成为辽东霸主。其时，蒙古正全力经营中原，原先所取辽东州县复为金有，只好听任万奴盘踞海东一隅。

1218年冬，蒙古派哈真、札刺、耶律留哥等统军入高丽，围攻退入高丽的原留哥部属所据之江东城（今朝鲜平壤东之江东）。次年，城破，其吏卒、妇女5万多人投降，大部分被带回，归留哥统领，居于临潢；小部分交由高丽处理，安置于闲旷之地。

1229年，窝阔台汗即位后，派撒礼塔、吾也而、王荣祖等领兵入辽东，取盖州、宣城（今辽宁岫岩）等10余城，金辽东行省葛不哥走死，蒙古军穿穴攻破金军死守的石城（今辽宁凤城县东北石城）。辽南之地遂为蒙古所有。1231年，蒙古军入高丽，高丽王降。壬辰年（1232年）二月，窝阔台汗遣皇子贵由（Güyüg）、诸王按赤台（Alčidai）、国王塔思（Taš，突厥语"石头"，木华黎孙；又称为查刺温Čilaɣun，蒙古语"石头"）统军伐万奴。九月，蒙古军攻破其都城南京（今吉林延吉市东城子山），擒万奴，其地尽为蒙古所有。后二年，置南京、开元两万户府镇守和管辖这一地区。

至此，大漠南北及今东北地区都在大蒙古国的统治之下了。

第四节　成吉思汗时代大蒙古国在今内蒙古地区的领地分封

从1205至1214年，蒙古征夏伐金的战争，主要是春去秋来的抄掠，真正占领并驻守的只有金中都、北京路和西京路等少数地区。1214年，成吉思汗在迭篾可儿发布了分封子弟、姻亲功臣的诏令，将新得自金朝的漠南草

---

① 参见韩儒林主编：《元朝史》上册，第125页。

原进行分封，在这片草原地区建立了游牧封建主的统治。同年，金宣宗南迁汴京，黄河以北的山东、河北、山西等地相继为归附蒙古的金朝官吏及大小地方武装所掌握。在这些占领的农业区，蒙古则沿用金朝旧的官制和行政区划，委任降官降将进行管理。

一、裂土封王

（一）**东道诸王兀鲁思**　1206 年，大蒙古建国后，成吉思汗陆续将民户分赐给子弟、功臣、贵戚，并划分了相应的牧地。其中，将蒙古高原东部和新得的漠南地区作为牧地，划分给自己的四个弟弟以及札剌亦儿、弘吉剌等五投下和汪古部等。其中四个弟弟的领地领民形成东道诸王四兀鲁思。

合撒儿的封户封地　成吉思汗长弟掘赤·合撒儿（joči Qasar）最初分得蒙古四千户。合撒儿在建立大蒙古国的过程中建立了不少功勋，成吉思汗曾说"有别里古台之力，合撒儿之射，此朕之所以取天下也"。也正是因为功勋卓著，屡遭成吉思汗猜疑。成吉思汗想除掉合撒儿，被母亲诃额仑（Öhelün）发现，加以斥责，合撒儿才保住了性命。但成吉思汗仍对合撒儿存有戒心，背着母亲诃额仑夺去了合撒儿大部分百姓，只给合撒儿留下了 1 400 户（可能是两个千户），以削弱合撒儿的力量[1]。

1214 年，蒙古攻金国，占领了今内蒙古东部，成吉思汗将新得地分封。成吉思汗曰："是苦烈儿温都儿、斤，以与按陈及合撒儿为农土。"[2] 此按陈是成吉思汗幼弟斡赤斤而非弘吉剌氏的按陈。[3] 苦烈儿温都儿是今呼伦贝尔市所属额尔古纳市的苦烈业尔山，斤是今额尔古纳河的支流根河。看来，今根河和苦烈业尔山一带最初是合撒儿和斡赤斤领地的分界，以东属斡赤斤，以西属合撒儿。合撒儿的封地主要以今呼伦湖、海拉尔河为中心，东达额尔古纳河一带。

合撒儿死，子也古袭封，也古封淄川王。合撒儿孙势都儿与斡赤斤后王

---

① 余大钧译注：《蒙古秘史》，第 243、244 节；《史集》（汉译本）（第 1 卷第 2 分册，第 379 页）记载：合撒儿名下只有 1 000 户百姓。

② 《元史》卷 118《特薛禅传》，第 2919 页。

③ 参见白拉都格其：《元代东道诸王勋臣封地概述》，《东北地方史研究》1989 年第 2 期。

乃颜于至元二十四年（1287 年）叛乱，忽必烈平定叛乱后，废势都儿，以其子八不沙继为藩主。八不沙于元贞、大德间领本部兵从晋王及海山戍守漠北，与海都战有功，大德十一年（1307 年）封齐王，其子孙世袭此爵。考古人员曾在额尔古纳河右岸支流乌龙桂河（今属俄罗斯境）发现一块 1225 年立的维吾儿字蒙古文碑，记录合撒儿次子移相哥善射之事，学术界称它为"成吉思汗石"或"移相哥石"，这是现今所知的最早的维吾儿蒙古文实物资料。在碑旁发现一座元代宫城，可能就是元代齐王府。

合撒儿的封地属元代辽阳行省，封地按千户制进行管理，不设路、州、县。

太宗丙申年（1236 年），合撒儿之子也古在益都、济南二府内分得五户丝食邑，元朝将合撒儿的食邑设为般阳路。

按赤台的封户封地　成吉思汗的二弟合赤温·额勒赤（Qačiyun Elči）早死，其子按赤台（Alčidai）受封。按赤台在成吉思汗子侄中威望较高，历经征林木中百姓、伐金、平辽东，乃马真皇后时还主军中原。《蒙古秘史》记载按赤台受封蒙古二千户。《史集》记载按赤台受封的是三千户，其中一部分是乃蛮人，一部分是其他各部落人，还有兀良哈人[1]。

按赤台的牧地以今东乌珠穆沁旗乌拉盖河为中心，东至金边墙和大兴安岭，南至胡卢忽儿河（今西乌珠穆沁旗巴拉噶尔河），与弘吉剌部领地相邻，西入今蒙古国的东南部部分地区，西北与别里古台领地相接，北与斡赤斤领地毗连，驻牧兀鲁回河（今乌拉盖河），约辖今锡林郭勒盟东、西乌珠穆沁二旗。其领地属于岭北行省与辽阳行省相接部位，按千户制进行管理，不设路、州、县。

按赤台系的五户丝食邑在济南、滨州、棣州。故这一支的嫡长子封为济南王。

按赤台曾孙胜纳哈儿参与斡赤斤后王乃颜的叛乱，至元二十四年（1287 年），属他的济南食邑被收回，原来按赤台家族所用的表示其藩国君主地位的"皇侄贵宗之宝"被收回，而改授二等金印驼钮"济南王印"，因胜纳哈儿已被黜，此印被授予其从兄也只里。元贞二年（1295 年），"诏遣

---

① 《史集》（汉译本）第 1 卷第 1 分册，第 380 页。

诸王亦只里（即也只里）、八不沙（势都儿子）、亦怜真（阔端孙）、也里悭（答里真曾孙）、瓮吉剌带（别里古台孙）并驻夏于晋王怯鲁剌之地"①。这意味着此时东道诸王实际上都处于受晋王统御的从属地位。大德十一年（1307 年），济南王也只里因参与安西王阿难答篡位之谋被杀，另立其族人朵列纳为济南王，后改封吴王②。

　　斡赤斤的封户封地　帖木格·斡赤斤（Temüge Otčigin）是成吉思汗幼弟，按照蒙古人幼子守产的习俗，分封百姓时，他与诃额伦太后一起受封。《蒙古秘史》记载幼弟斡赤斤与母亲共同分得 10 个千户。《史集》记载斡赤斤的 5 个千户是：两千乞里克讷惕部人，一千别速部人，其余为各部落里的人，其中包括一部分札只剌惕人（札答兰）。《史集》还记载成吉思汗分封给母亲诃额伦太后的 3 个千户是豁罗剌思部人与斡勒忽勒人③。《蒙古秘史》还记载成吉思汗把第十七位功臣千户古出、第十八位功臣千户阔阔出、第十九位功臣千户豁儿合孙、第三十三位功臣千户种赛派去辅佐斡赤斤。古出是篾儿乞人，阔阔出是尼伦蒙古别速部人，种赛是尼伦蒙古那牙勤人，豁儿合孙的氏族不明④。这四位功臣所辖千户应在斡赤斤的辖下。所以，《史集》记载的斡赤斤与诃额伦太后所得的总户数也是 1 万户左右，与《蒙古秘史》记载的相差不多。

　　斡赤斤的封地上除上面提到了诸氏族外，在大兴安岭以东的朵颜山一带有一支兀良哈部。《华夷译语》转载了朵颜卫指挥司同知《脱儿豁察儿书》的几句话："吾兀良哈林木百姓，自国主成吉思汗之世以降，至今未离多延温都儿、搠河之地"。⑤《脱儿豁察儿书》中的成吉思汗应是忽必烈；兀良哈等是乃颜之乱后与吉利吉思等部民一起迁到乃颜故地的，元朝为此设立了肇州城（在今黑龙江肇州西南、松花江畔）；搠河可能是今绰儿河。延祐三年

---

① 《元史》卷 19《成宗本纪》，第 403 页。

② 《元史》卷 107《宗室世系表》；参见陈得芝：《元岭北行省建置考》（中），《蒙元史研究丛稿》。

③ 参见余大钧译注：《蒙古秘史》，第 242 节；《史集》（汉译本）第 1 卷第 2 分册，第 379、380 页。

④ 参见余大钧译注：《蒙古秘史》，第 202、242 节。

⑤ 参见《元史》卷 88《百官志四》，第 2242 页，校勘记第十八条，"吾兀良哈……离多延温都儿、搠河之地。"引文原为蒙古文，《元史》校勘者译为现代汉语。参见韩儒林：《元代的吉利吉思及其邻近诸部·吉利吉思诸部的东迁》，《穹庐集》，上海人民出版社 1982 年版，第 361—368 页。

（1316 年），元朝在此设兀良哈千户所，属中政院所辖海西辽东哈思罕等处鹰房诸色人匠怯怜口万户府。后来朵因温都儿兀良哈千户所属民归辽王家族统治，演变为辽王所属兀良哈鄂托克。明代汉籍称其为朵颜卫。朵因温都儿应是今兴安盟扎赉特旗西北大神山。

《史集》记载斡赤斤的"领地位于蒙古遥远的东北角，因此在他们的那一面再也没有蒙古部落了"。[①] 1221 年，丘处机西行去觐见成吉思汗时，曾到过斡赤斤的大帐，其帐在哈拉哈河以北三日行程，呼伦池东南五日行程之地。[②] 据此推测，当时斡赤斤的大营盘大致在今新巴尔虎左旗东辉河畔。[③] 当代的学者们根据《长春真人西游记》所载的斡赤斤大帐的方位，并与《史集》的材料进行比对，认为斡赤斤的初封地西至根河、得尔布尔河下游，并在此与合撒儿的封地相接，南在哈拉哈河流域以南与按赤台的封地相邻，东抵金长城，这个范围内的大兴安岭西麓地区是斡赤斤的主要牧地，其统治中心在今哈拉哈河右岸（但不是地域中心）。作为成吉思汗幼弟，斡赤斤还获准向大兴安岭以东发展势力。随着蒙古灭蒲鲜万奴，斡赤斤家族的势力扩展到了嫩江、松花江流域，辽东、辽西地区的一半归其所有。今额尔古纳市根河下游北岸的黑山头古城，应是斡赤斤系的城堡遗迹，自乃颜之乱后，斡赤斤家族的统治中心可能移到了泰宁路。

欧阳玄《高昌偰氏家传》记载，斡赤斤死后，因其长子只不干已死，庶子争立，必阇赤领王傅事撒吉思、火鲁和孙曾驰奏皇后帖列聂氏（即乃马真皇后），"乃授塔察以皇太弟宝，袭爵为王"[④]。由此看来，斡赤斤曾被成吉思汗授以"皇太弟宝"的印鉴。按蒙古习俗，诸子中以嫡长子与嫡幼子地位最高，斡赤斤作为也速该的嫡幼子、成吉思汗的嫡幼弟，受此封是完全可能的。这枚"皇太弟宝"印鉴由斡赤斤传给其子孙。斡赤斤及其子弟

---

　① 《史集》（汉译本）第 1 卷第 2 分册，第 52—56 页。
　② 《长春真人西游记》卷上，《王国维遗书》第 13 册，第 15—17 页；参见白拉都格其：《元代东道诸王勋臣封地概述》，《东北地方史研究》1989 年第 2 期。本节参考该文之处，不再一一注出。
　③ 参见陈得芝：《李志常和〈长春真人西游记〉》，《蒙元史研究丛稿》，第 483 页。
　④ 欧阳玄：《圭斋集》卷 11《高昌偰氏家传》，《四部丛刊》本。《全元文》卷 110，凤凰出版社（原江苏古籍出版社）1997—2005 年版，第 592 页。

还有"国王"的称号，《高丽传》中多次出现"皇太弟"、"国王"的提法。① 1978 年，黑龙江省宝清县出土了一枚铜质"管民千户之印"，上有"塔察国王发"，"甲寅（1254 年）年六月日造"字样②。塔察就是斡赤斤之孙塔察儿。斡赤斤、塔察儿均有"皇太弟国王"称号。宝清县在今双鸭山市东南、乌苏里江右岸。说明在塔察儿时代，斡赤斤家族封地已经占据整个大兴安岭北段了。

至元二十三年（1286 年），忽必烈在斡赤斤的辽东分地上设立了东京行省，试图削弱斡赤斤系的势力，结果激起了斡赤斤后王乃颜的叛乱。乃颜叛乱被平定后元廷设辽阳行省于辽东，将斡赤斤后王的辽东属民大部分收归中央政府。《史集》记载："诸王之中，完泽丞相的女婿脱脱·可温，代乃颜掌管塔察儿的兀鲁黑。乃颜被杀后，有旨释放一切被夺取来的奴隶和俘虏，他们全都聚集到他（脱脱）的周围。"③ 据元明善的《月赤察儿神道碑》，脱脱是塔察儿的孙子，则脱脱与乃颜是兄弟辈。延祐三年（1316 年），脱脱继位并授封辽王，乃颜所属各类人户被括入国家户籍者又逐步归还与脱脱了。斡赤斤兀鲁思藩主本来有"国王"尊称，印用"皇太弟之宝"④，而脱脱只封辽王，地位低于"国王"。从脱脱时代起，辽王家族可能渐渐放弃大兴安岭以西领地，而专心经营以泰宁路为中心的大兴安岭以东地区。

乃颜之乱后，斡赤斤家族势力受到元廷削弱的另一个事实是，至大元年（1308 年），元武宗先封塔察儿系的另一支乃蛮台（塔察儿子）为寿王，后来乃蛮台子脱里出又袭封寿王，他们与脱脱一样是金印兽纽一字王，脱脱未必有权管理这一支。总之，乃颜之乱后，东道诸王虽然还是兀鲁思封君，但其地位与更接近从属于中央的列王，地位下降了。⑤

————————————

① 《元史》卷 208《外夷传一·高丽传》，第 4608 页。

② 参见白拉都格其：《元代东道诸王勋臣封地概述》，见《东北地方史研究》1989 年第 2 期。

③ 《史集》（汉译本）第 2 卷，第 338—339 页。

④ 欧阳玄：《高昌偰氏家传》，《圭斋集》卷 11。

⑤ 陈得芝先生认为：《元史》之《宗室世系表》列脱里出为斡赤斤子，有误。《元史》卷 35《文宗本纪》：至顺二年三月癸卯，"寿王脱里出……等七部之民居辽阳境者万四千五百余户告饥，命辽阳行省发近侵仓粮赈两月。"知脱里出应为乃蛮台的袭封者，疑即乃蛮台之子。《岭北行省建置考》中，见《蒙元史研究丛稿》，第 164 页。

别里古台的封地　成吉思汗庶弟别里古台（Belgütei）分得蒙古 1 500户①，驻牧斡难河与克鲁伦河中游及其以南地区，牧地在今蒙古国境内。太宗时期，别里古台系分得广宁府路与恩州为食邑，平宋后益封信州路与铅山。故这一支的嫡长子世封广宁王。②

成吉思汗的姻亲、功臣也在今内蒙古地区获得了恩赐的牧地。

（二）姻亲、功臣在今内蒙古地区的封地

弘吉剌部的封地　弘吉剌部原居"苦烈儿温都儿、斤、迭烈木儿、也里古纳河之地"③。苦烈儿温都儿，即今根河和得尔布尔河之间的额尔古纳市苦烈业尔山；斤即今根河；迭烈木儿即今得尔布尔河；也里古纳河即今额尔古纳河④。这就是说弘吉剌部原来居住在北起海拉尔河、额尔古纳河上游，南至喀尔喀河、乌拉盖河一带。蒙古建国后，成吉思汗将这一带分封给合撒儿、斡赤斤，而在漠南重新给弘吉剌氏划分了牧地。1214 年，成吉思汗进攻金朝，驻军迭篾可儿（今锡林郭勒盟阿巴哈纳尔旗以东、达里泊之北的失儿古鲁河一带），发布了对弘吉剌部分封领地的诏令。这道诏令详细地划分了弘吉剌部首领的分地。

根据诏令，按陈分得了"可木温都儿、答儿脑儿、迭篾可儿等地"。可木温都儿，即今内蒙古翁牛特旗虾蟆儿岭，位于达里泊南部、落马河北岸。答儿脑儿，就是今内蒙古克什克腾旗达里泊。迭篾可儿，就是达里泊之北的失儿古鲁河一带。因此，按陈的封地主要在今内蒙古克什克腾旗达里泊周围地区。

成吉思汗诏谕按陈的弟弟册："阿剌忽马乞迤东，蒜吉纳秃山、木儿速拓、哈海斡连直至阿只儿哈温都、哈老哥鲁等地，汝则居之。当以胡卢忽儿河北为邻，按赤台为界。"阿剌忽马乞，在今内蒙古西乌珠穆沁旗内。蒜吉

---

① 参见《史集》（汉译本）第 1 卷第 2 分册，第 67 页；《史集》（第 1 卷第 2 分册，第 379—380 页）记载按赤台受封三千户；斡赤斤分得五千户；母亲分得三千户；《元史》卷 117《别里古台传》记载别里古台分得三千户；《史集》未载别里古台的份子。

② 参见《元史》卷 117《别里古台传》，第 2905 页；卷 59《地理志》广宁府路记载，"元封孛鲁古歹为广宁王……"，孛鲁古歹即别里古台。

③ 《元史》卷 118《特薛禅传》，本节以下的引文，凡未注出处者皆出此传。

④ 叶新民：《弘吉剌部的封建领地制度》，《内蒙古大学纪念校庆二十五周年学术论文集》，1982年 10 月。本节数处引用叶新民文章《弘吉剌部的封建领地制度》，不再一一注出。

纳秃山，即今巴林左旗的葱山。阿只儿哈温都，是今克什克腾旗境内的博约·阿只儿罕山。哈老哥鲁，即葱山以北的哈老哥鲁河，今称霍林河。胡卢忽儿河，即今锡林郭勒盟东部的巴拉嘎尔河。因此，册封地包括今锡林郭勒盟西乌珠穆沁旗东部，克什克腾旗东北部和巴林右旗的部分地区。册封地北接按赤台的封地，南邻按陈的封地。

按陈的另一个弟弟火忽也有单独的封地。成吉思汗"谕火忽曰：哈老温迤东，涂河、潢河之间，火儿赤纳、庆州之地，与亦乞列思为邻，汝则居之。"哈老温，即今大兴安岭南段。涂河，即今老哈河。潢河，即今西拉木伦河。火儿赤纳，即今巴林左旗东火儿赤纳河流域。庆州，约今巴林右旗。从这段记载看，火忽的封地大致在今老哈河和西拉木伦河之间的地区，包括今巴林左、右旗、翁牛特旗的大部分地区，北接按赤台的封地，西与按陈、册封地为邻，东北接亦乞列思部的封地。

按陈的儿子唆鲁火都，成吉思汗因为其"父子能输忠于国，可木儿温都儿迤东，络马河至于赤山，涂河迤南与国民为邻，汝则居之"。可木温都儿，如前所述，是今翁牛特旗虾蟆儿岭。络马河，即今老哈河支流英金河——阴河。赤山，今赤峰市红山。由此可知，唆鲁火都的封地大致包括今翁牛特旗南部和赤峰市部分地区，北接火忽封地，西北接按陈的封地。

综上所述，弘吉剌部的全部牧地包括今锡林郭勒盟西乌珠穆沁旗和赤峰市北部、中部广大地区。后来，弘吉剌部的首领在封地建立了应昌（今赤峰市克什克腾旗达里湖畔巴尔速浩特古城）与全宁（今赤峰市翁牛特旗乌丹镇）两城，全宁、应昌二城是弘吉剌部领地的中心。

亦乞列思部的封地　亦乞列思氏原居额尔古纳河下游和大兴安岭以东的中部，与弘吉剌部为邻。成吉思汗分封时，将亦乞列思的牧地也调整到了漠南，将老哈河和上辽河一带分给亦乞列思作领地。

1214 年，蒙古攻金时，成吉思汗遣木华黎向西经略北京（今内蒙古宁城），遣孛秃向东"规取阿八哈，亦马哈等城"[①]。阿八哈、亦马哈，不知指何处。孛秃攻占了豪、懿两州（今辽宁阜新、彰武一带），成吉思汗以二州

---

① 参见张士观：《驸马昌王世德碑》，《国朝文类》卷 25，上海古籍出版社影印 1993 年版。

之地赐孛秃①。辽朝时，懿州、壕州是投下州，安置的是贵戚部落与俘户②。《辽史·地理志·头下军州》记载，懿州"在显州东北二百里，因建州城。西北至上京八百里"。广顺军，节度。圣宗女燕国长公主以上赐媵臣户置，户四千。"壕州……在显州东北二百二十里，西北至上京七百二十里。"壕州即豪州，懿州与豪州相距只有二三十余里，因此，金朝时，有时并为懿州。金末又置有豪、懿两州③。

此外，金的义州（今辽宁义县）也在孛秃的封地内。金义州即辽宜州，辽辖弘政、闻义两县。金改宜州为义州，辖弘政、开义、同昌三县和饶庆一镇④。元朝大德年间重修义州大奉国寺时，亦乞列思的驸马宁昌郡王不怜吉歹和公主普颜可里美思布施元宝二千锭及其他财物甚多，义州可能在其分地⑤。

孛秃的分地的东南到了金代辽阳府（今辽宁辽阳市）。毕恭修撰的《辽东志》载在辽阳城西南 80 里有"驸马营城"，"俗传元有驸马筑城居于此"；辽阳城西北百里近辽河处有"船城"，"俗传前元养鹰所"。毕恭为明初辽东都指挥司佥事，正统八年（1443 年）开始修《辽东志》，⑥ 此时去元亡未过 80 年，民间传说是可信的。此元代驸马就是亦乞列思驸马，辽阳有部分地区或是亦乞列思驸马家的冬夏营地之一。另外，有学者将金元两代在东北的地方设置与户籍进行对比后指出：金代东京路东京府与元辽阳路辖境大致相当，金东京府内设有十余个州县，而元代辽阳路只设了辽阳（倚郭县）、盖州、懿州等一县二州；1215 年，金东京路有"户十万八千"，到 1252 年，元辽阳路只有"户三千七百八，口三万三千二百三十一"；三十余年间户籍

---

① 参见周清澍主编：《内蒙古历史地理》，内蒙古大学出版社 1994 年版，第 124 页注释④。

② 《辽史》卷 37《地理志》一《头下军州》，第 449 页。

③ 孛蘭肹、岳铉等撰，赵万里辑：《元一统志》记载"豪州本辽时懿州，金皇统三年省入顺安县，后复置。"中华书局 1966 年版，第 186 页。

④ 《辽史》卷 39《地理志》三《中京道·宜州》，第 487 页；《金史》卷 24《地理志》（上）《北京路·义州》，第 559 页。

⑤ 《义州重修大奉国寺碑》，罗福颐：《历代石刻史料汇编》第 4 编第 2 册，北京图书馆出版社 2000 年版，第 802—804 页。

⑥ 毕恭：《辽东志》卷 1《地理》，《辽海丛书》第 1 册，辽沈书社 1984 年版，第 367 页；《辽海丛书》第 1 册，《校印辽东志序》，第 345 页。

数"锐减"，可能是大多数民户已入为该地蒙古贵族的部籍了①。而且，从金到元，大致相同的辖境内，元辽阳路州县数大为减少，也是因为蒙古贵族的分地基本是不设州县，只按千、百户制组织民户的结果。即使元代中期在诸王、投下设有州县，其设置也是很疏阔的。

大宁路的兴中州有可能也是孛秃家的分地。至正二年（1342 年）正月，升懿州为路时，将大宁的兴中、义州割入懿州路②。

概括地讲，孛秃家的分地南接金懿州、豪州、义州、辽阳府，东邻金上京、咸平，北邻金泰州，据有金临潢府东南，即今通辽市南部、赤峰市敖汉旗一带以及辽宁省西部部分地区。但亦乞列思部的统治中心在懿州、豪州、辽阳。

札剌亦儿、兀鲁、忙兀三部的封地　札剌亦儿、兀鲁、忙兀三部及成吉思汗的姻亲弘吉剌、亦乞列思二部归附成吉思汗较早，协赞大业，功名显赫，号称五投下。五投下以功被成吉思汗恩赐牧地与人民。

札剌亦儿、兀鲁、忙兀三部本与蒙古部同居斡难、克鲁伦、土拉三河源头。约在 1214 年左右，成吉思汗将这三部安置在漠南。《元史·地理志》记载"上都路……金平契丹，置桓州。元初为札剌亦儿部、兀鲁郡王营幕地"③。桓州，即今内蒙古锡林郭勒盟正蓝旗一带。蒙元时期，忙兀与兀鲁两部贵族的历史活动常在一起，忙兀部的牧地也当与之毗连。

延祐四年（1317 年），木华黎后人别里哥帖穆尔死于辽阳。《别里哥帖穆尔神道碑》记载："公先茔在兴和，辽阳道远，弗克以昭穆序葬，遂……奉枢葬檀州仁丰乡。"④ 碑文中的"兴和"，即元代的兴和路。兴和路由金抚州升级而来，兴和路既是木华黎家族的"先茔"所在，表明元初的抚州也是其家族的封地。元太宗窝阔台十一年（1239 年），木华黎的孙子速浑察袭位为国王，遂"即上京之西阿儿查秃置营"。据姚大力先生考证，阿儿查秃

---

① 参见白拉都格其：《元代东道诸王勋臣封地概述》，《东北地方史研究》1989 年第 2 期；《元史》卷 59《地理志》二《辽阳路》。

② 《元史》卷 40《顺帝本纪》三，第 863 页。

③ 《元史》卷 58《地理志》一，第 1349 页。

④ 黄溍：《金华黄先生文集》卷 25《别里哥帖穆尔神道碑》，《四部丛刊》本。

地属兴和路境，紧靠张家口边墙之外①。因此，桓州、抚州、昌州至云中一带可能都是札剌亦儿三部在元初的牧地。

从《元史·木华黎传》和元明善《丞相东平忠宪王碑》看，也可以看出札剌亦儿、兀鲁、忙兀三部的始封地并不限于桓州与抚州，而是应包括从桓州至燕山—恒山一线。木华黎 1217 年受封太师国王，"乃建行省于云、燕，以图中原"。云，即云中（今大同），燕，即燕京。木华黎经略中原的主要基地在燕京。《蒙鞑备录·军政》记载，凡有征伐，"至八月咸集于燕都而后启行"。丁丑（1217 年）、戊寅（1218 年）、庚辰（1220 年），木华黎三次自燕京出兵南攻中原。黄溍竟称，木华黎"承制行事，建牙于燕，以经略中原"②。木华黎之孙国王塔思，设帐于云中。塔思弟"速浑察袭爵，即上京之西阿儿查秃置营，总中都行省蒙古、汉军"。速浑察牙帐又移到上京之西。既是要"总中都行省蒙古、汉军"，这个上京应当是元上都，只是速浑察时代还不能称为上京。而且，辽上京（今赤峰市巴林左旗）以西是弘吉剌氏的领地；金上京在黑龙江省阿城，是斡赤斤家的分地。定宗三年（1248 年），张德辉奉诏去漠北，过抚州，又"北入昌州，居民仅百家，中有廨舍，乃国王（速浑察）所建也③"。可见，自木华黎至速浑察，札剌亦儿氏贵族一直设帐于燕山山脉至云中一带。

大约是元世祖初年，札剌亦儿、兀鲁、忙兀三部迁到了辽阳行省。危素在《送札剌儿国王诗序》中说："及建都开平、大兴，则视辽阳行省为之左臂，以异姓王札剌尔氏、兀鲁氏、忙兀氏、亦乞列思氏、翁吉剌氏列镇此方，以为藩屏。"④ 开平，即元上都。大兴，即金大兴府，治中都，亦即元大都即今北京。可见，忽必烈在开平即位后，辽阳行省成为防御东道诸王、屏蔽元朝上都与大都的要地，札剌亦儿与兀鲁、忙兀迁牧辽阳行省是为了加强防御力量。然而，三部的具体牧地何在？有学者据《黄金华集》中木华黎玄孙硕德于"世祖皇帝践位之初，自辽西召入宿卫"的记载，推定札剌亦儿贵族的分地在大宁路。地方志记载广宁左屯卫（今辽宁锦州）东北 20

① 参阅姚大力：《关于元朝"东诸侯"的几个考释》，《中国史论集》，天津古籍出版社 1994 年版。
② 《金华黄先生文集》卷 25《札剌尔公神道碑》。
③ 张德辉：《岭北纪行》，《秋涧集》卷 100，《四部丛刊》初编本。
④ 危素：《危太朴集》续集卷 1，吴兴刘氏嘉业堂刊本，1914 年。

里有木华黎墓，或说是霸突鲁墓，有揭傒斯撰的碑文。今墓已不存，碑址在锦县北许家屯西北约五里①。元后期在开元路设有"开元路五投下总管府"②，木华黎国王后裔，世袭统领辽东蒙汉诸军。1235 年开元路路治黄龙府（在今吉林省农安市），辖境则包括今吉林省西部、黑龙江省西部广大地区。元末木华黎后裔开元王纳哈出与也先不花，以开元路为中心，据守金山、开元路一带，领军兵 20 多万人对抗明朝，这与开元路是札剌亦儿家族的长期牧地有直接的关系。因此，札剌亦儿部应是迁牧于辽阳行省的开元路一带。兀鲁、忙兀则可能被安置在大宁路一带即今赤峰市南部、辽宁省西部的朝阳等地区。

至元二十四年（1287 年），元朝设立辽阳等处行中书省，治辽阳。札剌亦儿等三部领地上的开元路、大宁路隶属于辽阳行省。

汪古部的封地　汪古部部长阿剌兀思剔吉忽里，当乃蛮太阳汗遣使来约他共同攻击成吉思汗时，阿剌兀思剔吉忽里不从，"乃执其使，奉酒六尊，具以其谋来告太祖"。遂与成吉思汗约定："同攻太阳可汗。阿剌兀思剔吉忽里先期而至。既平乃蛮，从下中原，复为向导，南出界垣。"③ 成吉思汗以其有功，封阿剌兀思剔吉忽里为汪古部五千户的首领。在蒙古军侵入金境时，汪古部也随之向南扩展到金朝界墙以南，"尽有天山以北"的土地。元人陈旅指出"天山以北，皋陆衍迤，联亘乎大漠，赵王之封国在焉"④。汪古部驸马封赵王。天山，就是今呼和浩特市北面的大青山，这就是说汪古部的基本封地在天山之北。元朝在其封地上设立沙井总管府、集宁路、净州路、德宁路四处路级机构，元朝文献有关此四处是汪古部封地的记载甚多⑤。

除上述地区外，汪古部还有不少驱户散处在中原。蒙古军南下攻金时，

---

① 《辽东志》卷 1。又见锦县志卷 2、《盛京通志》卷 104；杨同桂：《沈故》卷 2，辽沈书社 1985年版，辽海丛书本。转引自《中国东北史》，吉林文史出版社 2006 年版，第 74 页。

② 《元火鲁忽达等代祀北镇庙碑》，《奉天通志》卷 255，东北文史丛书编辑委员会点校，1983 年版。

③ 《元史》卷 118《阿剌兀思剔吉忽里传》，第 2924 页。

④ 陈旅：《赠沙井徐判官诗序》，《全元文》卷 1169，第 251 页。

⑤ 参见周清澍：《汪古部事辑·汪古部的领地及统治制度》，《元蒙史札》，第 158 页。

尤赤、察合台、窝阔台统领西路军经云内、东胜一带南下，汪古部曾为蒙古军当向导，应有汪古部的军队参加了西路蒙古军的作战。西路军攻下了云内、东胜、丰州等地，汪古部贵族也像当时的蒙古诸王大臣一样，每征服一地，即掳掠大量人口作为驱口，一部分驱口随军迁移到蒙古诸王大臣的领地，一部分则寄留于各地。汪古部在天山以南丰州一带掳获、安置的人口相当多，以致有记载将丰州记为汪古部的封地。马可·波罗经过丰州时，记述当时丰州为汪古部的阔里吉思掌管，并称治此州者是基督教徒，然亦有不少偶像教徒①。《故建威都尉夫人王氏墓志》记载，墓主王氏之夫先后在汪古部"总持民政""累迁全（权）行省事"，死后又葬在"天德城北三十里北山之阳"。② 另外，丰州万部华严经塔中还有古叙利亚文，汪古部墓地的一些墓石上也有同类文字的铭文，这种文字在12、13世纪时随景教聂思脱里派的传播而流行于汪古部。丰州万部华严经塔内的叙利亚文字，虽然很难确定是元代汪古部人还是中亚人所题，但也不能排除就是汪古部人所题③。《元史·赛典赤赡思丁传》记载，不花剌人赛典赤赡思丁在蒙古西征以后东来，"太宗即位，授丰、净、云内三州都达鲁花赤"。他所管辖的范围既有天山以北的净州，又有山南的丰州、云内州，很可能当时这一带多是汪古部的民户，所以才将这几个州作为一个单位交由赛典赤监治。

至元十一年（1274年）五月，元世祖下诏："延安府、沙井、净州等处种田白达达户，选其可充军者，签起出征。"④ 白达达，即汪古部。沙井、净州是汪古部领地，那里必然有白达达居民，然而延安府在丙申年被分赐给斡亦剌部的火雷公主，不是汪古分地。由此可见，延安府也有汪古部领主的属户。太宗丙申年统一括户和分赐五户丝食邑后，朝廷规定封地外的其余州县、人户则归朝廷，但版籍已隶各投下者仍属他们所有。

据上述可知，汪古部的领地主要在今包头市达茂联合旗及其以北地区、

---

① 参见冯承钧译：《马可波罗行纪》卷1第73章，上海世纪出版集团2006年版，第158页。

② 于宝东：《故建威都尉夫人王氏墓志及相关问题》，《蒙古史研究》第8辑，内蒙古大学出版社2005年版。

③ 李逸友：《呼和浩特市万部华严经塔的金元明各代题记》，《内蒙古大学学报丛刊》之《蒙古史论文选集》第2辑，1983年。

④ 《元史》卷98《兵志》一《兵制》，第2515页。

呼和浩特市北境和乌兰察布市大部地区。元代先后在汪古部领地设有德宁、沙井、净州、集宁四路。这里，元代属于河东山西道宣慰司管辖，为了照顾汪古部贵族的利益，元代在这里设有"镇遏德宁、天山"的河东山西道宣慰司分司。[①]

成吉思汗的诸弟诸子所得的份子，和授予姻亲、功臣千户那颜管领的千户及牧地，性质是不同的。黄金家族的成员才是真正的主子，他们的分地分民形成了自己的封国（宗藩之国），是蒙古大兀鲁思内的小兀鲁思，掌管大兀鲁思的大汗是他们的宗主，而他们则是自己兀鲁思上的小宗主（汗、王），他们所得的分地分民可以在其宗族内再分配。各小兀鲁思王位的继承需要得到大汗的承认，有争端时，大汗可以裁决，甚至大汗可以废立其汗。各支宗王对大蒙古国事务也拥有一份权力，包括选立大汗、决定军国大计以及派家臣参与政务（断事官机构）——以便保证本支的应得利益。[②] 而各姻亲、功臣投下所得的恩赐领地，本质上隶属于大汗，各姻亲、功臣只是大汗辖下的高级那颜。

二、草划行政建置

1206 年，大蒙古国建立。次年，成吉思汗命木华黎为左手万户，统领成吉思汗大营以东至哈剌温只敦（今大兴安岭）地区各千户，这种军事组织是大蒙古国管辖今内蒙古地区的开始。随着战争的展开，1214 年金宣宗南迁汴京后，黄河以北的山东、河北、山西等地相继为归附蒙古的金朝官吏及大小地方武装所掌握。最初，在这些占领地区，蒙古沿用或比附金朝旧的官制和行政区划，委任降官降将进行管理。

刘伯林统辖威宁县　太祖六年（1211 年），蒙古围威宁，防城千户刘伯林以城降。成吉思汗问刘伯林，在金国为何官，刘伯林说："都提控。"成吉思汗即以原职授之，管辖威宁。刘伯林受太傅耶律秃花统辖，自领一军一同征讨山后诸州。后来刘伯林及其子的辖区扩大到金西京路。

---

①　《归绥县志·金石志·丰州平治甸城山谷道路碑》，转引自李逸友：《元丰州甸城道路碑笺证》，《元史论丛》第 2 辑，中华书局 1983 年版。

②　参见陈得芝：《岭北行省建置考》，《蒙元史研究丛稿》，第 135 页。

耶律氏兄弟分别统辖德兴府与宣德府　太祖六年、七年、八年，蒙古三次攻占宣德府、德兴府。1214 年桓州契丹人耶律阿海以功拜太师、"行中书省事"，其弟耶律秃花为太傅、濮国公，他们分别驻守德兴府和宣德府。"行中书省事"应是"行尚书省事"之误，当时是采用金朝的行尚书省制度。耶律阿海功拜太师、行尚书省事与他的家世、经历密切相关。耶律阿海之祖撒八是金朝都监察，驻燕子城，燕子城原是辽朝抚州州治①。金明昌三年（1192 年），又于燕子城置刺史州即抚州，抚州是桓州的支郡，后升为节镇，军名镇宁。耶律氏一直居住在桓、抚两州。耶律阿海通多种语言，金朝派其出使到克烈部，耶律阿海见到铁木真，向铁木真献攻金之策，与铁木真私下结盟，并其弟耶律秃花作为质子充铁木真宿卫。② 后来，耶律氏兄弟随铁木真起兵，是同饮班朱尼河水的两位功臣。因为耶律氏兄弟早事太祖，是功臣，所以耶律阿海被授予行省等诸种职务与头衔。不过这种行省头衔只是沿用金朝的官称，蒙古国并无相应的地方行政机构设置。

金代以宰执出镇地方，或主征伐，或临时处理重大事务，称行尚书省事或行省事，简称行省。金朝末年，因战争需要，先后在北京、辽东、平阳、中都、大名、益都、河北、河东、东平、陕西等处设立行省，辖一路或二、三路，以宰执领其军政之事，增强应对时局的能力，行省成为金朝统治中枢——尚书省的派出机构。蒙古沿用行省这一称谓，将其授予地方武装首领或军事主帅，以激励将领们为蒙古国勇猛地攻城略地。虽然行省后来逐渐由官称演变成为行政组织名称③，但蒙古国时期的"行省"实际上只是辖区较大的路府。

1220 年，丘处机经燕京去见成吉思汗时，曾应耶律秃花元帅之请，在宣德州朝元观居住半年。彭大雅《黑鞑事略》记载，耶律阿海"元在德兴府"。

塔本统辖北京行省　1212 年，畏兀儿人塔本从合撒儿征辽西，合撒儿授塔本"镇抚北京行省都元帅，便宜行事。其管内北际沙漠，西南接赵地

---

① 周清澍主编：《内蒙古历史地理》，内蒙古大学出版社 1994 年版，第 101 页。
② 《元史》卷 150《耶律阿海传》，第 3549 页。
③ 张金铣：《元代地方行政制度研究》，安徽大学出版社 2001 年版，第 63 页。

以及畿甸，而东至于高丽县邑，……"① 唐宋时期就有都元帅一职，辽、金两朝设有都元帅府，金代的都元帅府，"掌征讨之事，兵罢则省"②。都元帅府的长官为都元帅，蒙古国沿用都元帅之制，开府置属征讨未降服州县，又兼掌"军民之职"。③ 1212 年时，辽东、辽西大多在金朝统治之下，塔本就任北京行省都元帅，意味着划定了塔本的军事进攻区域。

吾也而统辖北京路　太祖十年（1215 年）二月，珊竹氏吾也而从木华黎攻北京（今内蒙古宁城），金朝元帅寅答虎、乌古伦以城降，木华黎即以寅答虎为留守，吾也而为北京总管都元帅镇守，以石抹也先领北京达鲁花赤，以史秉直为"行尚书六部事，主馈饷"④。这是元代北京设路的开始。后吾也而之子雪礼"授北京等路达鲁花赤"⑤。

蒲察七斤统辖通州　元太祖十年（1215 年）正月，金右副元帅蒲察七斤以通州降蒙古，成吉思汗以七斤为元帅。通州应该就是由蒲察七斤防守。⑥

石天应统辖兴中府　1215 年，木华黎所部攻兴中府，兴中府元帅石天应投降，木华黎即承制授兴中府尹、兵马都提控。⑦

札八儿火者与石抹氏统辖燕京行省　元太祖十年（1215 年）五月，蒙古军克金中都，成吉思汗以回回人札八儿火者为"黄河以北铁门关以南天下都达鲁花赤"⑧，授金降将女真人石抹明安太傅、邵国公，兼管蒙古、汉军兵马都元帅、燕京行省，与留札八儿同守中都。金朝在居庸关冶铁锢关门，此铁门关就是居庸关。石抹明安次年死，长子咸得不袭职为燕京行省，或称燕京路长官、燕京行尚书省。⑨

①　廉惇：《塔本世系状》，《永乐大典》卷 13993 系字韵引《廉文靖公集》，中华书局影印本 1986 年版。

②　《金史》卷 55《百官志》一《都元帅府》，第 1238 页。

③　《元史》卷 147《史天倪传》，第 3478 页。

④　《元史》卷 147《史天倪传》，第 3479 页。

⑤　《元史》卷 120《吾也而传》，第 2969 页。

⑥　《元史》卷 1《太祖本纪》，第 18 页。

⑦　《元史》卷 149《石天应传》，第 3526 页。

⑧　《元史》卷 120《札八儿火者传》，第 2961 页。

⑨　《元史》卷 120《札八儿火者传》，第 2961 页；卷 150《石抹也先传》、《石抹明安传》；宋子贞：《国朝文类》卷 57《中书令耶律公神道碑》，《四部丛刊》本。

札八儿火者作为都达鲁花赤应是蒙古已征服的黄河以北铁门关以南的最高监察长官，后来木华黎受命总管汉地事宜时，札八儿火者的都达鲁花赤官职就不复存在了，因此，只有石抹氏子弟袭职作为燕京一路的行政长官。

夹谷通住与刘伯林统辖西京路　1215 年春夏之间，蒙古攻占西京，山西路行省、兼兵马都元帅夹谷通住，西京留守、兼兵马副元帅刘伯林两人统辖戍守西京①。1221 年，出使蒙古的南宋使臣赵珙称，刘伯林"近退闲于家，其子见西京留守"。继为西京留守的当是刘黑马。刘黑马后又为西京、宣德等路管军万户。

木华黎总管中原的都行省　元太祖十二年（1217 年）八月，成吉思汗率主力西征，诏封木华黎为"太师、国王、都行省承制行事"，木华黎以"权皇帝"的身份，全权负责对中原的经略。当时，蒙古控制的主要是原辽朝的燕云十六州一带。木华黎在今内蒙古南缘的云、燕一带建行营，汉人按金朝旧制称为"燕、云行省"或"都行省"。"都行省"的主要职能是从事征伐，同时又具有号令各地汉人世侯、节制地方州郡的权力，是占领区的最高政府。木华黎对归附之人承制封拜，授予降人"行省""经略使""安抚使"等官职，木华黎的幕府设有办理具体政务的官员。《蒙鞑备录·任相》记载，木华黎启用的不少亡金旧臣有汉式官称，如"杨彪者，为吏部尚书。杨藻者，为彼北京留守。"《东平王世家》记载，木华黎于太祖十四年（1219 年），以萧神特末儿为左司郎中，狼川张瑜为右司郎中②。萧神特末儿是契丹人，张瑜后任东平路课税使。当时，蒙古官制未定，吏部尚书、留守、左、右司应是汉人根据他们负担的职责，比附金朝官制而冠以的称呼③。金制，尚书省设左、右司，左司掌兵、刑、工三部事，右司掌吏、户、礼三部事。木华黎的都行省、吏部尚书、左右司、郎中等设制，说明蒙

---

① 李庭：《寓庵集》卷 6《夹谷公墓志铭》，见缪荃孙编：《藕香零拾》，中华书局 1999 年版；《元史》卷 149《刘伯林传》，第 3516 页；瞿大风：《元朝时期的山西地区》，辽宁民族出版社 2005 年版，第 27 页。

② 《元朝名臣事略》卷 1《太师鲁国忠武王》（第 3 页），载"己卯（1219 年），以萧神特末儿为左司郎中"，中华书局 1996 年版，第 5 页。胡祇遹：《紫山大全集》卷 11《兼善堂记》，载"太师国王以神武不杀而赞成开国之勋。当是时，幕宾郎中石丈谋议为多。"《文渊阁四库全书》本。

③ 参见赵琦：《金元之际的儒士与汉文化》，人民出版社 2004 年版，第 74 页。

古在中原汉地有了初步的统治机构，但相当粗疏。

木华黎经略的主要是今内蒙古以外的河北、河东、山东一带。1223 年，木华黎病卒后，"都行省"之称不见了，但木华黎子孙承袭"国王"，仍"行军国事"。有学者称木华黎之后的"国王"统领机构为"军政府"[1]。

《元史·耶律楚材传》说："太祖之世，岁有事西域，未暇经理中原，官吏多聚敛自私，赀至巨万，而官无储偫。"成吉思汗认可的这些地方设置与官称，都是沿袭金人旧制而已。所任命的官员自行征敛，向蒙古统治者交纳一定的贡赋，大蒙古国还尚未建立对中原的有效统治。蒙古统治者在汉地的上述置守说明大蒙古国对中原汉地的管理刚刚起步，既无明确、稳定的管理范围，亦无上下有序的行政机构，这仅是一种随人就地的权宜之举。

第五节　窝阔台汗至蒙哥汗时期大蒙古国对内蒙古地区的经略

一、十路课税所的建立

蒙古统治者占领中原汉地之初不懂得如何来治理这些农耕地区，为了满足战争与奢侈生活的需要，只是随意随时地向汉地索要财物，并没有建立一套相应的赋税征收制度。己丑年（1229 年）八月，太宗窝阔台即位，当时"仓廪府库无斗粟尺帛"[2]，汗廷和官府没有常规性的收入。窝阔台汗于是着手向蒙古牧民和河北汉民征收常规性赋税，由耶律楚材主治，西域赋税由牙老瓦赤主持。

对于怎样治理中原，当时有两种意见。一种是认为："汉人无补于国，可悉空其人以为牧场。"另一种以耶律楚材为代表，认为只要"定中原地税……足以供给，何谓无补哉？"耶律楚材一派主张采用汉地固有的封建制度，即所谓"汉法"来统治汉地。窝阔台汗迟疑地说："卿试为朕行之。"[3]

---

① 张金铣：《元代地方行政制度研究》，第 7 页。
② 《国朝文类》卷 57《中书令耶律公神道碑》。
③ 《元史》卷 146《耶律楚材传》，第 3458 页。

这样，为经理汉地财赋，在耶律楚材等谋划下，1230 年 11 月，始置十路征收课税使："以陈时可、赵昉使燕京，刘中、刘桓使宣德，周立和、王贞使西京，吕振、刘子振使太原，杨简、高廷英使平阳，王晋、贾从使真定，张瑜、王锐使东平，王德亨、侯显使北京，夹谷永、程泰使平州，田木西、李天翼使济南。"① 总共设立了燕京、宣德、西京、太原、平阳、真定、东平、北京、平州、济南十路征收课税使。

十路课税所的管区对金代政区有所承袭，但其调整比较大。金朝将辖境分为中都、上京、东京、北京、西京、南京、大名、河北东、河北西、临潢府、咸平、河东南、河东北、京兆府、鄜延、庆原、凤翔、临洮、山东东、山东西二十路。② 显然，十路课税所的辖区很大程度上与金代政区不同。与今内蒙古地区有涉的燕京、宣德、西京、北京、平州诸路中，燕京、西京、北京三路基本上是原金朝的中都、西京、北京三路，但从中分出了宣德、平州两路。

燕京路比金朝中都路辖区要小，因为从中分出平州与滦州而另组成了平州路。1215 年，蒙古国占领金中都，设立了管辖黄河以南、铁门关（即居庸关）以南的"天下都达鲁花赤"，授女真人石抹明安为"燕京行省"。据赵珙《蒙鞑备录》记载，当时"天下都达鲁花赤"、"燕京行省"实际管辖的只有中都及其所属州县。

宣德路主要是分割金代西京路的宣德州与德兴府后建立的。③ 据《元史·地理志》，宣德，"金为宣德州。元初为宣宁府。太宗七年改山东路。中统四年改宣德府，隶上都路"。④ 领三县，以宣德为倚郭县。"山东路"系"山西东路"的脱漏，《元史》点校本已校。刘中任山西东路课税所长官⑤。元初升宣德州为宣宁府的时间已难于确考，太宗七年（1235 年），升宣宁府

① 《元史》卷 2《太宗本纪》，第 30 页。
② 《金史》卷 24《地理志》上，第 549—578 页；卷 25《地理志》中，第 587—617 页；卷 26《地理志》下，第 627—655 页。
③ 关于大蒙古国的十路征收课税所，参考了赵琦：《大蒙古国时期十路征收课税所考》，《蒙古史研究》第 6 辑，内蒙古大学出版社 2000 年版。凡参考赵琦此文处本节不再一一注出。
④ 《元史》卷 58《地理一·中书省·上都路》，第 1350 页。
⑤ 《元史》卷 81《选举志》一；许有壬：《至正集》卷 44《上都孔子庙碑》，《元人文集珍本丛刊》，台湾新文丰出版公司 1985 年版。

为山西东路，宣德正式脱离西京路而自成一路。宋子贞《中书令耶律公神道碑》提到"宣德路刘中"、"宣德路"及其"长官太傅秃花"。秃花，就是耶律秃花，秃花"拜太傅、总领、也可那颜，封濮国公"，"统万户札剌儿、刘黑马、史天泽伐金"①。宣德由州升府再升路，应与蒙古大汗奖励耶律阿海与耶律秃花的功勋有关。耶律阿海从成吉思汗西征后，其所辖德兴府很可能已划归宣德路管辖。戊戌年（1238 年）选试儒士时，山西东路设有一个考场②。至于原金朝的桓州、昌州、抚州一线，是札剌亦儿、兀鲁、忙兀三部的分地，不属宣德路课税使管辖。

西京路是在原金朝西京路基础上建立的。蒙金战争初期，蒙古军两路进攻西京路，分别攻取宣德府、西京大同府。战后，耶律秃花任宣德府的长官，汉人刘柏林任西京留守。太宗二年（1230 年），分别设立西京、宣德两路课税所。太宗七年又正式升宣德府为山西东路总管府，这就从金西京路中析出了宣德路。因此，元初西京路的辖境与金朝相比，有所缩小，所辖大同府、丰、净、云内、宁边、东胜等州在今内蒙古地区。

平州路主要是分割金代中都路的平州与滦州后建立的。平州（今河北卢龙）在蒙古侵金不久就归顺了蒙古。王诰在金贞祐初年（1214—1217年）任兴平军节度使幕僚，当合撒儿兵出榆关，循卢龙塞南下时，王诰挈平州、滦州（今河北滦县）"板图"投降合撒儿，合撒儿授其"知兴平府事"。合撒儿征辽西时在 1212 年，③ 可见平州归附蒙古后，设立过兴平府。平州路至迟在 1220 年就已经出现，塔本于 1220 年从北京徙至平州"为行省（部）［都］元帅"④。癸卯年（1243 年）塔本死，其子"阿里乞失帖木儿，嗣父职，为兴平等处行省都元帅"⑤。因此，兴平行省在1220 年至 1243 年间都存在。可能兴平行省比较稳定的辖区是平州、滦州，因为大蒙古国彻底占领辽东西地区是在太宗早期，此前，蒙古统治者与金朝及地方武装力量在辽东西地区进行了 30 年的争夺，尤其是金代的

① 《元史》卷 149《耶律秃花传》，第 3532 页。
② 李庭：《寓庵集》卷 6《郭时中墓碣铭》。
③ 《塔本世系状》，《永乐大典》卷 13993 系字韵引《廉文靖公集》。
④ 《塔本世系状》，《永乐大典》卷 13993 系字韵引《廉文靖公集》。
⑤ 《元史》卷 124《塔本传》，第 3044 页。

咸平、上京路。

北京路，上文已言及1212年，合撒儿征辽西时，划定为塔本的作战区域，设置了北京行省。大致除平州路所辖外，金朝的临潢府路、北京路、东京路等地，即今东北及内蒙古东部的绝大部分在北京路辖区内。

十路课税所是大蒙古国整顿地方机构的开始。课税使的主要职责是经理天下赋税，但各路境内的诸王投下的分地，课税使无权征税。大蒙古国前期，今内蒙古地区是蒙古国从中原获取资赋的主渠道，《经世大典》的记载说明了这一作用："太宗十年六月，圣旨谕札鲁花赤大官人胡都虎、塔鲁虎浔、讹鲁不等节该：目今诸路应有系官诸物及诸投下宣赐丝线、匹段，并由燕京、宣德、西京经过，其三路铺头口难以迭办。"①

课税使在征收赋税时，还兼职纠察官吏、审查刑狱、起用儒士，但各路的军事、民政大权都掌握在当地的汉人世侯手中。

课税所归汗廷中书省直接管辖。蒙古统治者对课税使人选十分重视，课税使由大汗任命，他们或是中原名儒，或是金朝旧官吏，或是地方豪强子弟。燕京使课税使陈时可是燕京人，金朝翰林学士，旁通释老，是耶律楚材的契交。丘处机去世后，应其弟子尹志常之请，撰《长春真人本行碑》。燕京路课税副使赵昉曾任金朝太学学正。② 他们任燕京课税正、副使，被时议称为是"极天下之选"。郭汝梅在燕京路课税所成立时，任燕京都税司职，不久，升为本所副使，佩银符。郭汝梅任此职至中统初年。中统元年（1260年），燕京行中书省成立时，郭汝梅任应办供应官。后任中都路总管兼大兴府尹，以办事干练著称。③ 刘中、樊大临先后出任宣德路正、副课使。刘中，字用之，其任课税使也被称为"天下之选"。太宗九年（1237年），刘中受命主持了蒙元时期第一次对儒生进行的戊戌选试。樊大临是忻州定襄人，父辈仕金，其通儒业，善属文，后为平凉府监运使。平州路课税副使程泰，曾任金平州监军，太祖九年（1214年）降蒙古。北京路课税使张辑，金商州南仓使。太宗四年（1232年），籍其民数千来降，受命监榷北京等路

---

① 《永乐大典》卷19416。

② 赵铸：《重修芦台兴宝圣母庙记》，《古今图书集成·方舆汇编·职方典》卷26。

③ 参见赵琦：《金元之际的儒士与汉文化》第2章《中原各机构中的儒士》，第80页。

赋课，不久改任北京路转运使①。

元太宗十一年（1239 年）十二月，回回大商人奥都剌合蛮买扑中原银课二万二千锭，以四万四千锭为额，比原来增加了一倍。次年正月，窝阔台汗以奥都剌合蛮充提领诸路课税所官。这样，在十路课税所之上设立了一个总的提领各路课税所的新机构。后来奥都剌合蛮行省燕京时，这个提领各课税所的新机构应是并入了燕京行台了。

蒙哥汗即位后，将蒙古本土外的部分划分为燕京、别失八里、阿母河三处行尚书省。中原汉地的各路课税所由燕京行台管理。

十路课税所为蒙古政权在汉地建立稳定的政权起到了十分重要的作用。

二、中书省的建立

太宗窝阔台时期，随着汗廷对汉地管理的加强，为大汗处理文书的怯薛执事必阇赤开始担负起处理中原政务的职责。按中原传统官制，中央政府处理文书与政务的机构称中书省，窝阔台汗的必阇赤机构由此被比附为中书省。史称太宗三年（1231 年）八月，太宗至云中，"始立中书省，改侍从官名。以耶律楚材为中书令，粘合重山为左丞相，镇海为右丞相。""即日受中书省印，俾领其事，事无巨细，一以委之。"②

当时大蒙古国的大断事官是额勒只歹（Eljigidei），耶律楚材等只是额勒只歹的助手、掌管文书的必阇赤。所以，这时的中书省不同于后来元朝总领全国政务的中书省。但此中书省是为征收中原赋税所设的，并由此获得了一些对中原地区的行政权，例如，管理汉地户籍、财赋、选用吏士等。十路课税所最初就是由此中书省掌管。当时中原的军事仍然由木华黎家族统领，汉地的政刑则由地方世侯分别把持。

三、燕京行尚书省的建立及其职责

1234 年金朝灭亡，蒙古占领了整个中原地区。其时，中原历经兵戈，蒙古将领掳掠了大量人口充作奴隶，称作"驱口"。史称"诸王大臣及诸将

---

① 参见赵琦：《金元之际的儒士与汉文化》第 2 章《中原各机构中的儒士》，第 76—81 页。
② 《元史》卷 2《太宗本纪》，第 31 页；《国朝文类》卷 57《中书令耶律公神道碑》。

所得驱口往往寄留诸郡，几居天下之半"。幸免于杀掠的中原遗民则多流寓各地，"无所占籍"。① 为了建立对中原的统治，大蒙古国派汗廷大断事官胡土虎"为中州断事官"，"主治汉民"②，进驻燕京，设立总领汉地行政的燕京大断事官府。大断事官与中原宰相之职相类，因此，汉人以金代行台尚书省比附其机构，称之为"燕京行尚书省"或"行台"等。

燕京行台的主要官员由大断事官、投下断事官和必阇赤组成，它基本是按照汗廷大断事官机构建置的③。燕京等处"行尚书省"在太宗在位中期迄定宗朝的时间里，"大断事官"或"断事官"的员额数量增加。据《庙学典礼》卷1《选试儒人免差》记载，太宗九年八月，燕京行台有断事官忽都虎、幹答剌、幹端三员④。后来协助忽都虎整理汉地户籍的断事官还有野里尤、尤虎乃、耶律买奴、塔鲁虎歹、讹鲁不等人，但仍以忽都虎为断事官之长。⑤ 1237年，太宗又命乃蛮人月里麻思"与断事官忽都那颜同署"。此后，忽都虎不见于汉文文献。除大汗任命的大断事官外，诸王、驸马也派其家臣为断事官，代表其投下利益，参与燕京行省事务。《元史》称，断事官"国初，尝以相臣任之。其名甚重，其员数增损不常，其人则皆御位下及中宫、东宫、诸王各投下怯薛丹等人为之"⑥。《李恒家庙碑》记载，李恒父李惟忠为成吉思汗弟合撒儿家臣，合撒儿分地在淄州，遣李恒为断事官。⑦ 昔里钤部旧从定宗、宪宗西征，定宗即位后，遣往分地大名路担任达鲁花赤，"至燕，则同断事官哈达署行台。后宪宗以布扎儿来莅行台，录其旧劳，又俾同署，别锡虎符，以监大名，至岁己未（1259年），凡为监十四年。"⑧ 拖雷妻唆鲁禾帖尼以家臣布鲁海牙出任其分拨真定路达鲁花赤，并兼任行台

① 《国朝文类》卷57《中书令耶律公神道碑》；虞集：《道园类稿》卷47《赵思恭神道碑》，《元人文集珍本丛刊》本，台湾新文丰出版股份有限公司1985年版。
② 《元史》卷2《太宗本纪》，第34页；《圣武亲征录》，《王国维遗书》本，第85页。
③ 关于燕京行台，主要参考了张金铣：《元代地方行政制度研究》，第1章第2节《燕京行尚书省的建立及其职权》，本节不再一一注出。
④ 王颋点校本《庙学典礼》卷1，《元代史料丛刊》本，浙江古籍出版社1992年版，第9页。
⑤ 参阅张金铣：《元代地方行政制度研究》，第13页。
⑥ 《元史》卷85《百官志》一，第2124页。
⑦ 姚燧：《牧庵集》卷12《李恒家庙碑》，《四部丛刊》初编本。
⑧ 《牧庵集》卷19《忠节李公神道碑》。

断事官。① 投下断事官位在汗廷派驻的断事官之下，与大断事官联名通署，发号施令。

诸断事官之下，具体负责行尚书省事务的官员拥有"行尚书省六部事"等中原官称。《刘汝翼墓碑》载，刘汝翼"岁庚子（1240年），辟尚书省参佐。癸卯（1243年），朝命擢行六部侍郎、廉访使，佩金符"。②《元史》记载，宪宗命月合乃"赞卜只儿断事官事"。卜只儿，即布智儿，宪宗时"为大都行天下诸路也可扎鲁忽赤，印造宝钞"③。在王恽《中堂事记》中，月合乃被称为"前行部尚书""必阇赤"。

在行尚书省之下，设有幕府。幕府也比附金代行台尚书省设左右司，以郎中、员外郎为正、副幕长，设都事、从事等幕职，又有厅事官、详议官等僚属。僚属由行台长官自辟，也有由大汗任命的。断事官耶律买奴征用金行台官李桢入佐幕府，李桢又荐王天铎出任行台从事④。姚枢在太宗后期一度"为燕京行台郎中"⑤。韩仁在1240年被聘为"尚书省都事"，后任"授左右司员外郎"⑥。周天佑"国初为燕京行省详议官"⑦。

燕京大断事官府建立后，汉地州郡基本都是在燕京行尚书省管辖之下。马祖常有文记载："国初制度遄立，凡军国机务悉决于断事官。断事官行治在燕，鸾舆尚驻和林，中原数十百州之命脉系焉"⑧。中原地区的财赋原在中书省管辖之下，现在也改隶燕京行尚书省管辖⑨，中书省不再直接管理中原财赋。燕京行台首先对汉地户籍进行全面整理，上述野里尤、尤虎乃、耶律买奴、塔鲁虎歹、讹鲁不等断事官参加括户事宜。史载，野里尤于1234

---

① 《元史》卷125《布鲁海牙传》，第3070页。

② 元好问：《遗山先生文集》卷22《刘汝翼墓碑》，《四部丛刊》本。另参阅《元代地方行政制度研究》，第1章第2节。

③ 《元史》卷134《月合乃传》，第3245页；卷123《布智儿传》，第3021页。

④ 《秋涧集》卷50《王天铎墓志铭》。

⑤ 《元史》卷153《刘敏传》，第3610页。

⑥ 《秋涧集》卷60《韩仁神道碑》。

⑦ 苏天爵：《滋溪文稿》卷22《周之翰墓志铭》，适园丛书本。

⑧ 马祖常：《石田文集》卷14《故贞节赠容国夫人萨法礼氏碑铭》，《元人文集珍本丛刊》第6册，第672页。

⑨ 关于燕京行尚书省与中书省的关系，请参阅张金铣：《元代地方行政制度研究》，第1章第2节，第13—19页。

年副忽都忽籍汉地户口。燕京行台后来陆续向汉地增派断事官。1235 年，断事官耶律买奴受朝廷之命括诸道户口。括户中，官府欲"印识人臂"，燕京大庆寺住持海云向忽都虎进言，乃止①。中州的括户工作从乙未年（1234年）开始，到丙申年（1236 年）结束，"得续户一百一十余万"②，建立了比较完整的"乙未籍册"。

元太宗丙申年（1236 年）七月，太宗窝阔台以"乙未籍册"为基础，将中原诸地民户在宗室、驸马、功臣中进行分封，封户每年向封君提供五户丝，这些民户称为五户丝封户，封君所得封地称为食邑。分封的同时，忽都虎与耶律楚材主持中原赋税的制定。

太宗末岁，燕京大断事官衙门扩大，职权加重。1241 年春，汉人刘敏被"授行尚书省"，窝阔台下旨"卿之所行，有司不得与闻"。③ 同年冬，西域人牙老瓦赤从西域回来，自请与刘敏同治汉民，太宗允其请。乃马真皇后称制后，奥都剌合蛮以贡献金帛博得乃马真皇后的欢心，取代了牙老瓦赤的中州断事官位置。④ 贵由即汗位后，杀奥都剌合蛮。⑤ 与此同时，作为汗廷必阇赤机构的中书省参与中原户口财赋管理的权力进一步遭到削弱。

燕京行尚书省是蒙古国时期统领汉地的最高行政机构，与漠北的汗廷相表里。它的设置，表明大蒙古国行政中枢的制度体系开始系统化。

四、窝阔台汗"画境"十道

金朝灭亡后，大蒙古国通过括户口、编户籍，将诸王大臣掳掠后寄留各地的"驱口"和诸将强占的"属民"编为齐民。然后据户口的多寡，对蒙金战争期间所升州县进行裁并，并实行"画境之制"，撤并都元帅府和元帅府，强调"沿金旧制画界"⑥。汉地世侯的辖区也得到了调整。经过调整后，

---

① 参阅张金铣：《元代地方行政制度研究》，第 14—15 页。
② 《元史》卷 2《太宗本纪》，第 34 页。但是据《元史》卷 98《兵志》（第 2510 页），所谓"得续户一百一十余万"，应是太宗时期两次籍户的总和。
③ 《元史》卷 153《刘敏传》，第 3610 页。
④ 《史集》第 2 卷，汉译本第 210 页。
⑤ 《史集》第 2 卷，汉译本第 219 页。
⑥ （光绪朝）《畿辅通志》卷 168《张柔神道碑》，商务印书馆影印本 1934 年版。

到太宗末年，路级行政机构有 20 余个，均隶属于燕京行尚书省。

关于窝阔台汗"析天下为十道，沿金旧制画界"① 的文献资料并不多，十道名称亦无明确记载。一般认为，十道是中原分路之制与蒙古达鲁花赤制度相结合的产物，汗廷一般派大达鲁花赤到各道实行监临，监临数道的大达鲁花赤是道存在的标志。"析天下为十道"，实际上是把中原分为十大达鲁花赤的监临区，目的是把大小世侯纳入各道大达鲁花赤监临之下。十道是在蒙金战争中逐步出现的，在中州大断事官忽秃忽括户后基本定形。十道所循"金境"，不是金章宗时的十九路之制，而是金末适应战争需要建立的数路合一的临时性大行政区。当时，道、路并用，道亦称路。一般认为有山西道、北京道、燕京道、河东道、彰德道、河北道、大名道、山东西道、山东东道、陕西道。十道存在的时间不长，到太宗末年，增至 20 余道，大达鲁花赤之称也随之消亡。② 与内蒙古地区有关的是以下几道。

山西道　山西道是在金代西京路基础上建立的，包括山西东路和山西西路。蒙古攻西京路时，分军两路，一路取宣德府、德兴府，一路取西京大同府。战后，耶律秃花担任宣德府长官，秃花之兄耶律阿海任德兴府长官，刘伯林为西京留守，夹谷通住为山西行省兼兵马都元帅。太宗七年（1235年），宣德府升为山西东路，又称宣德路，德兴府也在山西东路辖下。原西京路称山西西路，山西东、西路又称云中东、西路③。太宗年间，夹谷灰邰和其侄子唐兀歹相继出任山西路行省兼兵马都元帅。④ 1235 年，速哥任"山西大达鲁花赤"，主持"西山之境，八达以北"，进驻云中，作为汗廷派驻宣德、西京二路的最高长官⑤。速哥死后，其子忽兰袭山西大达鲁花赤。太宗即位时，赛典赤赡思丁"授丰、净、云内三州都达鲁花赤"。⑥ 元太宗庚子年（1240 年）五月，郝和尚拔都担任宣德、西京、太原、平阳、延安五

---

① （光绪朝）《畿辅通志》卷 168《张柔神道碑》。

② 参阅张金铣：《元代地方行政制度研究》，第 1 章第 3 节。

③ 《元史》卷 150《石抹明安传》，第 3555 页。

④ 李庭：《寓庵集》卷 7《夹谷唐兀歹神道碑》。

⑤ 《永乐大典》卷 13993《廉文靖公集·伊吾卢氏世系状》。

⑥ 《元史》卷 125《赛典赤赡思丁传》，第 3063 页。

路万户①。1247 年，元定宗贵由汗命梁瑛充西京、平阳、太原、京兆、延安五路万户，治太原。即使在检括诸路户口民籍时，汗廷也以道为单位。庚戌年（1250 年），蒙古汗廷以马亨副八春、忙哥抚谕西京、太原、平阳及陕西五路，俾民弗扰②。山西道所辖西京路的大同府、丰、净、云内、宁边、东胜等州及宣德路在今内蒙古地区。

北京道　北京道就是北京路大达鲁花赤的监临区。1225 年，蒙古占领北京后，设北京都元帅府以治之。《元史·地理志》记载："大宁路……元初为北京路总管府，领中兴府及义、瑞、兴、高、锦、利、惠、川、建、和十州。"有的学者认为这大概就是北京路最初的管辖范围③。随后，蒙古继续进军东北，从廉惇《塔本世系状》看，北京道的辖区一度扩展到整个辽东、西地区。1220 年，设立兴平行省，北京路的辖区有所缩小，但北京道作为大的监临区得以保存下来。1224 年，蒙古汉军都元帅史天祥"归北京，授右副北京等七路兵马都元帅"。1232 年，史天祥从河南前线返回北京，"授海滨、和众、利州等处总管，兼令霸州御衣人匠都达鲁花赤，行北京七路都兵马都元帅府事。宪宗即位，俾仍旧职"④。因此，北京路都达鲁花赤的辖区共有七路。太宗十三年（1241 年），吾也而来朝，太宗命其为北京、东京、广宁、盖州、平州、泰州、开元府七路征行兵马都元帅，佩虎符。吾也而之子雪礼"太宗时授北京等路达鲁花赤"⑤。这个都达鲁花赤的辖区与七路兵马都元帅的辖区一致，也就是窝阔台汗时期画境十道的北京道的辖区，只是这时在漠南与辽东西都遍布诸王、驸马、投下的分地，北京路达鲁花赤能实际管辖的地区有限。今内蒙古的东部地区主要在北京道内。

燕京道　亦称中都道。辖区应包括十路课税所中的平州路与燕京路。1215 年，蒙古国占领金中都，成吉思汗授回回人札八儿火者为黄河以北铁门关（即居庸关）以南都达鲁花赤，授金降将女真人石抹明安太傅、邵国

---

① 《元史》卷 150《郝和尚拔都传》，第 3553 页。

② 胡聘之编撰：《山右石刻丛编》卷 31《梁瑛碑》，山西人民出版社 1988 年版；《元史》卷 163《马亨传》，第 3827 页。

③ 张金铣：《元代地方行政制度研究》，第 25 页。

④ 《元史》卷 147《史天祥传》，第 3488 页。

⑤ 《元史》卷 120《吾也而传》，第 2969 页。

公，兼管蒙古、汉军兵马都元帅、燕京行省，与札八儿同守中都。这个"都达鲁花赤"、燕京行省的辖区就是燕京道的雏形。根据赵珙《蒙鞑备录》，当时燕京行省的辖区还仅限于中都及其所属州县。"画境"时，曾将周围州县划入，以恢复金代中都路的辖区。大世侯张柔所辖的保州共有七州，其中保、雄、易、安、遂等州旧属中都路，划入了燕京道。太宗十三年（1241 年），保州从燕京道析出，升为顺天路，领雄、易两州。燕京道的大达鲁花赤，首任是札八儿火者。此外，据《元史·耶律阿海传》，耶律阿海之子绵思哥，称"守中都道也可达鲁花赤"，其子买哥"袭其父中都之职"。看来，绵思哥、买哥都任过燕京道大达鲁花赤①。《元史·石抹明安传》载：石抹明安于丙子年（1216 年）死后，其长子咸得不袭职燕京行省；次子忽笃华在太宗时，亦为燕京等处行尚书省事，兼蒙古汉军兵马都元帅。1228 年，宣抚使王檝又以监国公主之命"领省中都"，作为宣抚使的王檝"领省中都"的时间不会很长。② 1235 年，彭大雅等人出使蒙古时，札八儿火者、咸得不等人仍在职。

陕西道　金朝末年，曾于京兆设立行尚书省，称陕西行省、陕西东路行省。1233 年，蒙古占领陕西诸路，以隰、吉等州都元帅田雄"开府陕西，行总省事"③。据载，田雄统辖区为"北自鄜延，西凤翔，东南及商华"④。田雄死，其子大明"袭京兆府等路兵马都总管"⑤。1237 年，纯只海调任京兆行省达鲁花赤，纯只海至怀孟，恰逢大疫，"士卒困惫，有旨以本部兵就镇怀孟"⑥，故纯只海未赴任京兆行省大达鲁花赤之任。1251 年，山西路行省夹谷唐古歹迁调陕西，授"陕西等路打捕户达鲁花赤兼权京兆、延安、凤翔大达鲁花赤"。⑦ 今内蒙古鄂尔多斯地区应在陕西道辖区。

画境十道，使蒙古在汉地的统治得到了加强，为中统以后，北方大行政

①　张金铣：《元代地方行政制度研究》，第 24—27 页。
②　《元史》卷 15，三《王檝传》，第 3611—3612 页。
③　李庭：《寓庵集》卷 7《李仪墓志铭》。
④　李庭：《寓庵集》卷 7《田雄墓志铭》。
⑤　李庭：《寓庵集》卷 7《来献臣墓志铭》。
⑥　《元史》卷 123《纯只海传》，第 3030 页。
⑦　李庭：《寓庵集》卷 7《夹谷唐兀歹神道碑》。

区的建置奠定了基础。同时，达鲁花赤监临地方的做法，推动了达鲁花赤制度由汗廷到路、州、县的普遍建立。

太宗死后，乃马真皇后称制四年（1242—1245 年），定宗贵由汗在位时间两年多，制度规划没有什么变化，依旧设燕京断事官。程钜夫撰《魏国先世述》："定宗即位，又命公（昔里钤部）与合荅为也可扎鲁火赤，丁未年（1247 年）又命与牙老瓦赤为也可扎鲁火赤，治事燕京"。① 合荅，可能是志费尼与拉施特提到的贵由的师傅合荅（Qadaq），基督徒，在贵由统治时期权力很大，后因反对蒙哥登基被诛②。贵由汗时期，燕京行省的大断事官可能首先是昔里钤部与合荅，1247 年又改为昔里钤部与牙老瓦赤。窝阔台汗死后，乃马真皇后摄政。她与牙老瓦赤有宿怨，派人去燕京逮捕他，牙老瓦赤用计把使者灌醉，速逃奔至阔端的封地。贵由汗即位后，恢复了牙老瓦赤的燕京大断事官的职位。

但是乃马真皇后摄政与贵由汗统治时期，政局非常混乱。史载"自壬寅（1242 年，即乃马真皇后开始摄政之年）以来，法度不一，内外离心，而太宗之政衰矣"。诸王后妃贵族乘机大肆搜刮，"遣使于燕京迤南诸郡，征求货财、弓矢、鞍辔之物，或于西域回鹘索取珠玑，或于海东楼取鹰鹘，驲骑络绎，昼夜不绝，民力益困。"③ 这种情况到宪宗蒙哥即汗位前已经十分严重，后来蒙哥汗采取一些措施来革除弊端。

五、宪宗蒙哥汗时期

1251 年，拖雷长子蒙哥登上大汗之位，是为元宪宗。

蒙哥汗将蒙古以外的大汗直辖地划分为三个行尚书省辖区。史载，宪宗元年（1251 年）六月"……以牙剌瓦赤、不只儿、斡鲁不、睹荅儿等充燕京等处行尚书省事，赛典赤［赡思丁］、匿咎马丁佐之；以讷怀、塔剌海、麻速忽等充别失八里等处行尚书省事，暗都剌兀尊、阿合马、也的沙佐之；

---

① 程钜夫：《雪楼集》卷 25《题安暹州同知黎承事安南志》，景刊洪武本，阳湖陶氏涉园影印，1910 年。

② 何高济、陆峻岭：《元代回教人物牙老瓦赤与赛典赤》，《元史论丛》第 2 辑，中华书局 1983 年版。

③ 《元史》卷 2《定宗本纪》，第 39—40 页。

以阿儿浑充阿母河等处行尚书省事，法合鲁丁、匿只马丁佐之。"① 别失八里等处行尚书省，治畏兀儿至河中（今中亚锡尔河、阿姆河之间）地区。阿姆河等处行尚书省，治阿姆河及其以西的波斯地区。旧燕京等处行尚书省仍治中原汉地。除大汗任命的行尚书省官员外，各支宗王派一家臣"参决尚书省事"。各行尚书省长官称"行也可札鲁忽赤"，与大蒙古国中央政府的也可札鲁忽赤相区别。三个行尚书省对后来蒙元行省制度的创立，产生了重要影响。

燕京行台的官员牙剌瓦赤、不只儿（即布智儿）、斡鲁不、睹答儿等人几乎都是窝阔台汗晚期以来主管财赋的旧臣，多是贪暴之徒。燕京行台治所仍在燕京，主要职责是总领中原财赋，并在燕京"印造宝钞"。金灭亡前，蒙古贵族向中原汉地百姓随时索要财物，真定史天泽汇总一年所索的大致数目，订出定额，向百姓征收，此即"包银"。宪宗即位后，将包银定为制度，牙老瓦赤等人倡议把包银改为正式的税收，每户要收六两银子，由于汉地官员的力争才减为四两。② 其中 2 两输银，2 两折收丝绢、颜色等物。

1251 年，宪宗命同母弟忽必烈总领"漠南汉地军国庶事"。开府漠南，驻桓州、抚州之间，燕京行台即在忽必烈的监控之下。1252 年，断事官牙老瓦赤与不只儿（即布智儿）等"视事一日，杀人二十八。其一人盗马者，杖而释之矣，偶有献环刀者，遂追还所杖者，手试刀斩之"。此事受到忽必烈的责问。③ 行台官员贪赃枉法，中饱私囊，如匿赞马丁竟因任官而"资累巨万"④，这说明蒙古统治者只知一味搜刮汉地，却不懂得如何稳定在汉地的统治。

自窝阔台汗后期，中原汉地百姓差徭繁重，加上军马调发，斡脱钱盘剥，官吏贪残，民不堪命，纷纷逃亡，使乙未年编制的户籍陷于混乱，汗廷的财赋征收受到严重影响。刘秉忠向忽必烈建议："宜比旧减半，或三分去

　　① 《元史》卷 3《宪宗本纪》，第 45 页。

　　② 《元史》卷 152《张晋亨传》，第 3590 页；卷 153《王玉汝传》，第 3617 页。参阅陈得芝、王颋：《忽必烈与蒙哥的一场斗争》，《元史论丛》第 1 辑，中华书局 1982 年版。

　　③ 《元史》卷 14《世祖本纪》一，第 58 页；卷 123《布智儿传》，第 3021 页。

　　④ 《元史》卷 126《廉希宪传》，第 3092 页。

一，就见在之民以定差税，招逃者复业，再行定夺。"① 在此背景下，壬子年（1252 年）蒙哥下令重新登记户口。办法是：一、就各路、州、县现住民户（包括原籍及寄居逃户）登记入籍，原籍民户，已逃者削去；二、查核投下户数，禁诸投下擅招户计；三、按乙未年规定核实驱户，其寄留各地的不在本使户下附籍者收为系官民户；四、包括乙未年未抄数之河南、陕西、辽东西等地区。中原汉地由燕京行台主持括户。抄数结果称壬子户籍，比乙未旧籍增加 20 多万户（其中河南、陕西、辽东西诸路占 17 万多户）。由于主持括户的燕京行尚书省工作马虎，抄数以后，户口争端层出不穷，逃亡、影占现象继续发生。因此，丁巳年（1257 年）又进行了一次户口编籍，称丁巳户籍。括户之后，又相继在宗亲贵族中进行了五户丝分封。拖雷家族受益最多，忽必烈除受京兆分地外复益以怀孟路 11 000 多户，旭烈兀受彰德路 25 000 多户，拖雷庶子末哥受封彰德路 5 000 户，拨绰受封真定貔蠡州 3 300 多户，岁哥都受封济南等处 5 000 户。此外，太祖诸斡耳朵、太宗诸子及一些千户都各得分民，多寡不等。

忽必烈驻藩漠南后，对汉地不治情况有了相当的了解，决定在几个地方进行采用汉法的试验工作。1251 年，忽必烈派脱兀脱、张耕、刘肃、李简等到邢州，奏准设立邢州安抚司，治理邢州。次年，又奏准治理河南地区，以史天泽、杨惟中、赵璧等人为首，成立经略司于汴京，治理河南。1253 年，蒙哥将关中封给忽必烈，后来又将河南怀孟加赐给他。姚燧《谭澄神道碑》称："先是，分封世祖，以京兆户寡，益以怀孟，且诏总天下兵马，遂置经略司于河南，宣抚司、从宜府于关西，行部于秦，漕运司于卫、安抚司于邢，尽遣诸军屯田戍边，首淮尾蜀，以休秋冬士马往来之劳。"② 经略司、从宜府、行部、漕运司专理财赋，部分应归大汗的课税不入大汗府库而输入藩府。忽必烈施行汉法及王府分割财赋的做法引起了宪宗的不满。宪宗七年（1257 年）十一月，宪宗蒙哥汗"遣阿蓝答儿、脱因、囊加台等诣陕西等处理算钱谷"。③ 并任命"阿蓝答儿为陕西省左丞相，刘太平参知政

---

① 《元史》卷 157《刘秉忠传》，第 3689 页。
② 《牧庵集》卷 24《谭澄神道碑》。
③ 《元史》卷 3《宪宗本纪》，第 50 页。

事"。① 阿蓝答儿以和林副留守身份，出任陕西行尚书省长官，看来宪宗为钩考事宜在陕西设立了一个类似于行尚书省性质的行省。只是阿蓝答儿等并无断事官之称，其职司又重在钩考，带有临时性。② 忽必烈交出了河南、陕西、邢州等地的全部权力，撤回派出的藩府人员，撤销安抚、经略、宣抚司、从宜府、行部及所属机构。忽必烈采用姚枢的建议，送家口往和林为质，又亲身入觐，才取得了蒙哥的谅解。忽必烈在蒙哥汗时期的汉法行为，为其即位后全面施行汉法打下基础。

---

① 《元史》卷 159《赵良弼传》，第 3743 页。
② 李治安：《元代行省制起源与演化述论》，《南开大学学报》1997 年第 2 期。

第　五　章

元代内蒙古地区的行政
建置与诸王投下的领地

1260 年，忽必烈于开平即蒙古大汗之位，建元中统，采用汉法，建立与中原经济基础相适应的中央集权制政权。在中央设立中书省以掌庶务，以王文统为平章政事。中统四年（1263 年），设立枢密院统军政。至元五年（1268 年），设立御史台掌纠察。至此，中央行政机构基本完备。

元朝主管地方政务的"总司"，是经过较长时间的探索与调整才最终归为行中书省的。

元代地域辽阔，《元史·地理志》称"其地北逾阴山，西极流沙，东尽辽左，南越海表"。在地方行政管理上，元朝统治者为管理这一疆域广大的国家，将金代的行尚书省制度与蒙古国时期的"大断事官制"结合起来，创立了行省制度。忽必烈即位之初，利用平定李璮之乱后的机会，废黜汉地世侯，实行军民分治，整顿路、府、州、县官僚机构，将金元之际大小军阀世侯所拥有的"行省"等官衔撤销。但在至元前期，又频繁地将中书省宰执派往各地临时处理各种政务，称行省某处。这些行省大都废置不常，行省官员多带有中书省宰执衔，或者本人就是中书省宰执，行省官多数只有一至二员，类似于金朝后期的行尚书省，因元初的行省为中书省所派，故称行中书省，简称行省。在忽必烈后期与成宗初期，固定与半固定化的行省设置越来越普遍，各行省因此都有了确定的辖区和疆界范围；各行省官员的中书省宰执官衔被撤销，使行省与中书省实现了体制上的分离，行省建立了群官制度；行省官兼领军民并且不定期地实行迁调，行省因此最终演变为地方最高行政机构，同时也是一级政区名称。①

元朝大都周围的山东、山西、河北地区，由中书省直接管理，称为"腹里"。至元二十七年（1290年），元朝在全国范围内调整行省建置，除中书省直辖山东、河北、山西腹里以外，全国分置十个行省，即岭北、辽阳、河南、陕西、四川、甘肃、云南、浙江、江西、湖广十个行中书省。吐蕃地区由宣政院管理，实际也相当于行省。行省之下，地方行政机构有路、府、州、县四级。

在离行省治所较远的地区，设宣慰司作为行省的派出机构，以统领地方路府。

元代的蒙古地区分别划归中书省和辽阳、岭北、甘肃、陕西等行省。

第一节　元代内蒙古地区的行省设立过程

1257年春，大蒙古国发动对南宋的战争。蒙古大汗蒙哥亲率右翼军出兵四川，塔察儿（斡赤斤嫡孙）率东道诸王及五投下诸部兵为左翼，出兵荆襄、两淮。1258年，右翼军经吐蕃入四川，一路凯旋。而左翼军因塔察儿治军无方，没有什么进展。直到1259年春，忽必烈奉蒙哥之命接替塔察儿统帅左翼军情况才有好转。但是，己未年（1259年）七月，蒙哥病故于前线——合州（今重庆合川）钓鱼山。很快，大蒙古国就发生了一场争夺汗位的斗争。征宋前，蒙哥命幼弟阿里不哥驻守大蒙古国都城哈剌和林。得知蒙哥死讯，1260年初，阿里不哥抢先在和林召开忽里台大会，即蒙古大汗位。忽必烈闻讯，决定用手中兵权夺取汗位。他一方面急与南宋议和，轻骑北上，另一方面则派人迎蒙哥灵舆、收大汗印玺。庚申年（1260年）三月，忽必烈在开平另行召开忽里台，主要在塔察儿等东道诸王和哈丹（窝阔台庶子）、阿只吉（察合台孙）等少数西道诸王的支持下称汗，并采用汉语年号，建元中统，与蒙古传统十二生肖纪年法并行。经过四年战争，忽必烈战胜阿里不哥，夺取蒙古大汗之位。

---

① 李治安：《元代行省制起源与演化述论》，《南开大学学报》1997年第2期。

忽必烈夺取蒙古大汗之位，大蒙古帝国随之分裂。忽必烈及其后代统治下的大元大蒙古国国土基本以蒙古高原和中原、江南为主，大汗只在名誉上保留着对蒙古四大汗国的宗主权。忽必烈的政治中心随之南移到开平与燕京，对汉地中原的经营成为蒙古政权的主要活动。元代地方行政管理最高机构行中书省就是蒙古政权在本民族大断事官制度的基础上，日益吸收中原汉地政权管理地方的经验而创立起来的。

一、燕京行中书省的置废

庚申年（1260 年）三月二十四日，忽必烈即汗位的当天，根据蒙古旧制，"尽收先朝符节"，[1] 重新颁授制命符节，任命各地主要官员。设燕京路宣慰司，以取代蒙哥汗时代的燕京行尚书省，以祃祃、赵璧、董文柄为宣慰使，原来燕京行台的官员布智儿、月合乃等均离任，由燕京宣慰司主持汉地庶务，其主要职务仍是经理汉地财赋。四月初一日，在开平立中书省，以王文统为平章政事，张文谦为左丞。五月，建元中统，在《中统建元诏》称："惟即位体元之始，必立经陈纪为先。故内立都省，以总宏纲；外设总司，以平庶政。"[2] 都省就是中书省，总司就是燕京路宣慰司。七月，立行中书省于燕京，取代燕京宣慰司。"以燕京路宣慰使祃祃行中书省事，燕京路宣慰使赵璧平章政事，张启元参知政事"，[3] 中书平章政事王文统也留燕京治事。[4]《经世大典序录·官制》称："初以行省为称者，因留都所谓行中书省，不别设官，因都省之留而已。"行省指的就是燕京行中书省，它实际是中书省的分省。当时蒙古帝国已经分裂，漠北被阿里不哥占据，阿尔泰山以西被宗王拔都、阿鲁忽、旭烈兀瓜分，原来直属于汗廷的别失八里与阿姆河二行尚书省就不复存在了，蒙古大汗能实际控制的只限于汉地。燕京行中书省实际上充当了中枢机构的角色，与后来各地设立的行中书省性质有所不同，故后来中书省与燕京行中书省合并。中统二年（1261 年）二月，行中

---

① 《牧庵集》卷 17《颖州万户邸公神道碑》。
② 《元史》卷 4《世祖本纪》一，第 65 页。
③ 《元史》卷 4《世祖本纪》一，第 67 页。
④ 《秋涧集》卷 80《中堂事记》卷上。

书省奉诏率十道宣抚司官员北上开平议事，讨论施政方案，中、行两省合并。五月，中书省机构扩大后，决定再分设行省，宰执及其掾属一分为二：一部分随驾"留中"，驻开平；另一部分南下驻燕京，主持汉地政务。最后确定"史丞相、张左丞、杨参政留中，王平章、廉平章、张右丞行省于燕"①。史丞相是史天泽，张左丞是张文谦，杨参政是杨果，王平章是王文统，廉平章是廉希宪，张右丞是张启元。② 九月前后，行、中两省再度合并，并将中书省首脑机关迁到燕京"忽突花宅"，"忽突花"应就是首任燕京大断事官忽秃忽③，以后便再未设燕京行省。中书省直接管辖大都、上都、山东、山西、河北等地。

二、元朝在今内蒙古地区的行省设置

西京、北京、开元宣慰司与西夏中兴、北京、陕西四川行省的第一次更替　中统元年（1260 年）五月二十八日，忽必烈下令设立燕京、益都济南、河南、北京、平阳太原、真定、东平、大名彰德、西京、京兆十路宣抚司（又称十道宣抚司）。姚燧《中书右三部郎中冯公神道碑》称：中统元年五月，朝廷"分天下为十道，置使以宣抚之。"④ 与今内蒙古地区相关的是燕京、西京、京兆、北京四路宣抚司。十路宣抚司并不是同时设立的，早在中统元年四月初一日，忽必烈在设立中书省的同一天，即着手整饬京兆、西京诸地。下诏以八春、廉希宪、商挺为陕西四川等路宣抚使，赵良弼参议司事，粘合南合、张启元为西京等处宣抚使。因此，京兆、西京两路宣抚司的设立最早，京兆宣抚司又称为陕西四川等路宣抚司。

陕西四川等路宣抚司，据《元史·廉希宪传》："初分汉地为十道，乃并京兆、四川为一道"，这是在窝阔台时代陕西道的基础上，增加四川地区而成的。其辖区，包括原金朝的京兆府、鄜庆、庆原、凤翔四路和蒙古军占据的四川原南宋故地。当时，阿里不哥与忽必烈为争夺汗位已经开战，其党

---

① 《秋涧集》卷 81《中堂事记》卷中。
② 《元史》卷 112《宰相年表》，第 2794—2795 页。
③ 《元史》卷 4《世祖本纪》一，第 74 页；参见《元代地方行政制度研究》，第 3 章《行省制度的建立》，第 107—148 页。
④ 《牧庵集》卷 20《中书右三部郎中冯公神道碑》。

刘太平、霍鲁怀居关中，阿蓝答儿和浑都海集军于六盘，密里火者在成都，乞台不花据青居（今四川南充），纽邻在西川，这些势力相互呼应，忽必烈急需肃清川陕，稳定关中一带，所以将四川、京兆并为一道，并派得力官员廉希宪等去治理。廉希宪果然不辱使命，在京兆以忽必烈所颁符节号令当地世侯汪惟良等人马、粮草，擒杀阿蓝答儿与浑都海，稳定了关陕局势。五月二十八日，忽必烈下令立十路宣抚司时，廉希宪留任京兆等路宣抚使。① 中统二年四月，安天合被授为西京路宣抚大使。②

西京等处宣抚司也是为应对阿里不哥的战事而设，其辖区应就是窝阔台时期的山西道，辖太宗时期的西京和宣德两路课税所管区，治西京。中统元年五月二十八日，正式立十路宣抚使时，以粘合南合为西京路宣抚使，崔巨济副贰。③

燕京路宣抚司与北京路宣抚司是中统元年五月二十八日设立的。以赛典赤、李德辉为燕京路宣抚使，徐世隆副之；杨果为北京等路宣抚使，赵炳为副。④ 中统三年一月前后，柴祯任北京宣抚使。⑤ 燕京路应该就是太宗时期的燕京道，辖燕京周围州县。北京路宣抚司控制辽东的州府，原金朝的临潢府和东京路当在其治内，治北京（今内蒙古赤峰市宁城县）。中统二年（1261 年）八月，忽必烈又任命贾文备为开元路女直水达达等处宣抚使。开元路宣抚司的辖区应包括原金朝的上京、咸平两路。是年九月，"以开元路隶北京宣抚司"⑥，辽东、西地区的五路都在北京路宣抚司的辖下。今内蒙古中部和东部属北京、燕京宣抚司。

设立之初，十路宣抚司属燕京行省下级机构，宣抚司设宣抚使一至二人，副使一人。宣抚使、副使多是世祖钦定的原开平幕府的儒士，中书省和燕京行省无权任免。宣抚使属官有参议、断事官等，但无定制，各司不一。

---

① 《元史》卷 4《世祖本纪》一，第 66 页。
② 《秋涧集》卷 81《中堂事记》卷中。
③ 《元史》卷 4《世祖本纪》一，第 64—66 页。
④ 《元史》卷 4《世祖本纪》一，第 64—66 页。
⑤ 《元史》卷 5《世祖本纪》二，第 81 页。
⑥ 《元史》卷 4《世祖本纪》一，第 73 页；《元史》卷 165《贾文备传》，第 3868 页。

　　忽必烈设立的十路宣抚司与窝阔台汗设立的十路课税所的辖区有所不同，职责也在征赋、民事的基础上有所扩大，体现了一级地方行政机构的职能。中统元年五月，设立十路宣抚司时，即颁发了立司条格，"欲差发办而民不扰，盐课不失常额，交钞无致阻滞"。① 这是对宣抚司职能的最初规定。次年正月，燕京行省奏准颁行"合行事理条例"十一条于各道宣抚司，责令各司督办军马粮草和衣袄器仗、验灾伤、减免差发、限制军马践踏农田、劝课农桑、安抚鳏寡孤独、审理囚犯、缉拿盗贼、治理游手好闲之徒和惩办贪官污吏，对宣抚司的职能作了具体的说明。② 四月，又"诏十路宣抚使量免民间课程。命宣抚司官劝农桑，抑游惰，礼高年，问民疾苦，举文学才识可以从政及茂才异等，列名上闻，以听擢用；其职官污滥及民不孝悌者，量轻重议罚"。该诏令作为"宣抚司所持条画"颁发各道执行。六月又"禁诸王擅遣使招民及征私钱"，"诏谕十路宣抚司并管民官，定盐酒税课等法"③。总的看来，宣抚使是当时的地方总司，总揽地方治民、征赋、理狱、生产、教化诸事，责重权大。

　　由于各宣抚司治下往往不止一路，所以各路还有总管府的建置，设达鲁花赤和总管等管民官。④ 各路和府、州、县的管民官都在宣抚司官员的管辖之下。

　　中统二年十一月，宣抚司官员多已调回朝廷，忽必烈下诏"罢十路宣抚司，止存开元路"，"征诸路宣抚司官赴中都"。⑤ 中统三年六月，"割辽河以东隶开元路"⑥，以开元路宣抚司管辖辽东。十路宣抚司一共只存在了19个月，这主要因宣抚司触犯了诸王投下的权力，遭到蒙古诸王投下的反对，忽必烈对汉人臣僚又有疑心，以及制度初创时的不稳定等因素所致。而且，中统二年末，忽必烈率军北征阿里不哥，此时山东的李璮反迹已明，忽

---

　　① 《元典章》上册，卷3《圣政二·均赋役》，第63页，台湾故宫博物院影印1972年版；中册卷25《户部卷之十一·差发》"验土产差发"条，第1043页。

　　② 《秋涧集》卷80《中堂事记》卷上。

　　③ 《元史》卷4《世祖本纪》一，第70页；王恽：《秋涧集》卷81《中堂事记》卷中、卷82《中堂事记》卷下。

　　④ 《秋涧集》卷81《中堂事记》卷中。

　　⑤ 《元史》卷4《世祖本纪》一，第76页。

　　⑥ 《元史》卷5《世祖本纪》二，第85页。

必烈为了稳定局势，对汉人世侯作暂时的妥协，① 所以，相继撤销了十路宣抚司。

宣抚司无疑是比路更高一级的行政机构的雏形，它使蒙古政权在地方行政管理上向前迈进了一大步。

在设立宣抚司的同时，忽必烈也开始设立行中书省。在忽必烈统治的前期，宣抚司、宣慰司与行中书省相互交替，都是地方总司，直到元世祖末年成宗初年，行中书省才最终成为地方最高行政机构。中统元年八月，由于川陕地区局势恶化，忽必烈在京兆"立秦蜀行中书省，以京兆等路宣抚使廉希宪为中书省右丞，行省事"；以商挺为佥事，为平定叛可便宜行事。② 因总领陕西、四川地区，所以称陕西、四川行省或秦蜀行省。秦蜀行省受燕京行中书省节制。今内蒙古鄂尔多斯市地区属陕西四川行省管辖。秦蜀行省初治京兆，至元二年（1265 年），移治兴元（今陕西汉中）。三年，移治利州（今四川广元）。五年，还治京兆。八年，再移治兴元。

中统二年五月，"粘合中书（南合）授平章政事，行省北京"③，建立北京行省，统领辽东、辽西地区。不久，行省罢。九月，"诏以粘合南合行中兴府中书省事"④，中兴府行省领西夏故地，又称西夏行省、河西行省，这是第一次置西夏行省。西夏中兴行省省治一直都在中兴府（今银川市），其辖地大约是今宁夏至河西走廊东部，河西走廊西部甘、肃、瓜、沙诸路可能也纳入行省范围。⑤ 这里曾是阿蓝答儿、浑都海屯兵之地，经历汗位争夺战之后，"民间相恐动，窜匿山谷"，⑥ 河西所籍站户也因浑都海军兴而逃散。因此，战乱后，元朝的首要任务是安辑河西的流民，重建站赤使政令通畅，确定赋税差发以恢复对河西地区的统治，故设行省镇抚河西。《经世大典》记载，元朝此时在甘肃至中兴一带大规模整顿、重设站赤。今内蒙古

---

① 参见史卫民：《元朝前期的宣抚司与宣慰司》，《元史论丛》第 5 辑，中国社会科学出版社 1993 年版。
② 《元史》卷 4《世祖本纪》一，第 67 页；卷 159《商挺传》，第 2740 页。
③ 《秋涧集》卷 81《中堂事记》卷中。
④ 《元史》卷 4《世祖本纪》一，第 74 页。
⑤ 参见胡小鹏：《元代西北历史与民族研究》，甘肃文化出版社 1999 年版，第 221 页。
⑥ 《元史》卷 148《董文用传》，第 3496 页。

阿拉善盟、巴彦淖尔市地区归其管辖。十月，以右丞张易行中书省于平阳、太原等路。① 西京路可能属平阳、太原行省辖区，因为西京路与太原、平阳曾几次作为一个大的辖区出现。例如：元太宗十二年（1240年）五月，郝和尚拔都担任宣德、西京、太原、平阳、延安五路万户②；1247年，元定宗命梁瑛充西京、平阳、太原、京兆、延安五路万户，治太原；1250年，忽必烈以八春、忙哥抚谕西京、太原、平阳及陕西五路，俾民弗扰③。

陕西四川、北京、西夏中兴、平阳太原行省都是为处置与阿里不哥的战争而设立的临时性行省。

西京、北京、开元宣慰司与西夏中兴、北京、陕西四川行省的第二次更替　中统三年（1262年）二月，益都行省李璮举兵叛乱，七月被平定。李璮叛乱使忽必烈深感汉人世侯权重兵强，决意罢地方诸侯世袭制，收汉人兵权。于是，蒙古政权在地方上实行军民分治，整顿路府州县官僚机构，将金元之际大小军阀世侯所拥有的"行省"等官衔撤销。蒙古攻金过程中，"豪杰之来归者，或因其旧而命官，若行省、领省、大元帅、副元帅之属者也"④。于是金行省名目的官职大量被沿用于蒙古国政权机构中，其辖区相当于金朝一两个路的，即被授予"行省"、"有传世者"、"有终身者"、"有降改者"、"有虚名权假者"、"有特置者"，⑤ 十分混乱。忽必烈裁撤此类"行省"为划一地方行政设置扫清了障碍。

因为宣抚司和燕京行省都已撤消，在中书省与地方各路的行政管理上出现了空隙。中书省作为全国最高政务机关，要直接管理数目众多的基层路级行政单位，实在不便，于是试行设宣慰司，专掌民政。中统三年三月，"遣郑鼎、赡思丁、答里带、三岛行宣慰司事于平阳、太原"。又"以撒吉思吉思、柴桢行宣慰司事于北京"⑥。至十二月，"立十路宣慰司，以真定路达鲁花赤赵瑨等为之"⑦。十路宣慰司是从中统三年二月李璮叛乱后开始陆续设

---

① 《元史》卷4《世祖本纪》一，第75页。
② 《元史》卷150《郝和尚拔都传》，第3553页。
③ 《山右石刻丛编》卷31《梁瑛碑》；《元史》卷163《马亨传》，第3826页。
④ 《国朝文类》卷40《经世大典序录·官制》。
⑤ 吴廷燮：《元行省丞相平章政事年表》，《二十五史补编》本。
⑥ 《元史》卷5《世祖本纪》二，第83页。
⑦ 《元史》卷5《世祖本纪》二，第89页。

立的，到十二月十路宣慰司设置完毕。十路宣慰司分别是燕京、西京、北京、河东（又称山西或平阳太原）、东平、大名、河南、真定顺德、顺天、开元等处。其中燕京、西京、北京与开元等路管辖今内蒙古部分地区，其辖境应与原燕京、北京、西京、开元路宣抚司相同。

宣慰使由朝廷派出，不少是原来的宣抚使。宣慰司可以自辟州县官和僚属。虽然，十路宣慰司的半数官员来源于十路宣抚司，但是有研究表明，原来宣抚司的官员只有赛典赤、布鲁海牙、廉希宪、撒吉思四位色目人，约占宣抚使总数（19 人）的 19%。而十路宣慰司中蒙古人和色目人有：布鲁海牙、八剌、宝合丁等 9 人，占宣慰司官员总数（16 人）的 56.3%，蒙古人、色目人的比重大大增加了。因此，宣慰司的设置是忽必烈对臣僚怀有疑虑、削弱汉人权力的措施。①

至元前期，宣慰司与行省例不并设，立宣慰司处不设行省。因此，在河东、西京宣慰司设立后，废除了中兴府行省，调整了秦蜀行省。中统三年三月，"诏以平章政事祃祃、廉希宪，参政商挺，断事官麦肖行中书省于陕西、四川"，② 说明中统元年八月设立的陕西、四川行省一度罢废。廉希宪、商挺原为秦蜀行省官员。不久，中书省平章政事王文统涉嫌李璮之乱被诛，因廉希宪曾举荐王文统，平章政事赵璧、同知兴元府事费寅趁此攻击廉希宪，忽必烈"因惑之"，召还廉希宪，"命中书右丞南合代希宪行省……"③。《粘合南合传》则称中统三年，粘合南合"迁秦蜀五路四川行中书省"④，因此，秦蜀五路四川行省一直存在。中统四年五月，设枢密院统军事。八月，为加强对宋作战的统一指挥，设四川行枢密院于成都，负责四川前线的军事。秦蜀行省依然镇抚陕西、四川地区。

设立十路宣慰司，是地方实行军民分治、削弱汉人世侯权力的重大举措。中统三年十月，李璮之乱被平定后，忽必烈"分益都军民为二，董文

---

① 参阅李治安：《元代行省制度研究》，下编第 1 章《行省等属下的分治机构——宣慰使司》，南开大学出版社 2000 年版，第 309—367 页。

② 《元史》卷 5《世祖本纪》二，第 83 页。

③ 《元史》卷 126《廉希宪传》，第 3089 页。

④ 《元史》卷 146《粘合重山传附粘合南合传》，第 3466 页。

炳领军，撒吉思治民"。① 据《撒吉思传》，实际上，平李璮之后，撒吉思先任山东行省都督，后迁经略使、统军使，兼益都路达鲁花赤。② 益都路明确规定实行军民分治，也是为了消除叛乱所造成的影响。北方的宣慰司与后来平宋后在南方设置的宣慰司相比，明显的不同之处就是北方的不兼军权。从这个意义上讲，十路宣慰司不是原来的十路宣抚司的重置，但它们的辖区大体相同，宣慰司职掌与原宣抚司职掌中的民政部分基本相同。

中统五年（1264 年）八月，元廷改中统年号为至元，下令罢宣慰司③，颁发了陕西四川、西夏中兴、北京三处行省条格。这样行省又取代了宣慰司，宣慰司与行省完成了一次交替。

陕西、四川行省自中统三年三月设立以来就一直存在。

北京行省则是废北京宣慰司而置的，治大宁。北京行省的设立当与安置漠北各部降民及镇抚东北诸王有关。随着阿里不哥在争夺汗位中的失败，不少漠北部民先后南附。当年正月因"西北诸王率部民来归，敕北京、西京慰司，隆兴总管府和籴以备粮饷"。④ 这些部民可能多达十几万以上，安置在东北州郡，加重了宣慰司的职责。而且，"北京控制辽东，番夷杂处，号称难治"。⑤ 辽东、辽西地区还是"诸王国婿分地所在"，宣慰司官员地位不高，很难对辽东、辽西地区进行有效治理。因此，在北京设立了行省。⑥

至元元年（1264 年），张文谦以中书左丞行省西夏中兴等路，董文用为西夏中兴等路行省郎中，西夏中兴行省又设立了。⑦ 西夏再立行省，还是因为河西地区的安抚战乱的工作并未完成。《元史·董文用传》记载："中兴自浑都海之乱，民间相恐动，窜匿山谷。文用至，镇之以静，乃为书置通衢谕之，民乃安。始开唐来、汉延、秦家等渠，垦中兴、西凉、甘、肃、瓜、沙等州之土为水田若干，于是民之归者户四五万，悉授田种，颁农具。更造

---

① 《元史》卷5《世祖本纪》二，第 87 页。

② 《元史》卷 134《撒吉思传》，第 3244 页。

③ 《元史》卷 163《李德辉传》，第 3816 页。

④ 《元史》卷 5《世祖本纪》二，第 96 页。

⑤ 《元史》卷 163《赵炳传》，第 3836 页。

⑥ 参见《元代地方行政制度研究》，第三章《行省制度的确立》。

⑦ 参见《元史》卷 157《张文谦传》，第 3696 页；卷 148《董文用传》，第 3496 页。

舟置黄河中，受诸部落及溃叛之来降者。"可见"省府颇立事"。

西京、北京、开元宣慰（抚）司与西夏中兴、北京、陕西四川行省的第三次更替　至元二年（1265 年），朝廷罢世侯，官吏行迁转法，增置行省。闰五月，中书宰执赵璧、廉希宪、姚枢出领各行省，其中，中书左丞姚枢行省于西京、平阳、太原等路。① 这些新增的行省主要是临时派出机构，其主要任务是省并郡县、迁转官吏。② 廉希宪在山东行省不到两月，事毕诏还；赵璧在河南等路行省不到三月"事务最多，不三阅月，同他省报办"③；参知政事商挺随同姚枢"分省河东，俄召还"④。十二月，在中书参议宋子贞的建议下，朝廷开始"罢北京行中书省，别立宣慰司以控制东北州郡"。至元三年二月，立东京、广宁、懿州、开元、恤品、合懒、婆娑等路宣抚司。以北京路宣抚司管理金代大宁路地区，以东京等路宣抚司管理东北其余地区，这一管理局面延续了四年。⑤ 在西夏故地，因局势趋于安定，至元三年二月又罢西夏行省，立宣慰司。⑥ 这样，陕西四川、西夏中兴、北京三处行省只保留陕西一处行省。裁撤行省应是朝廷收回地方权力的一种重要举措，当时的蒙古政权及其汉族臣僚对如何分配行省与中央的权力尚无可行方案，担心行省权力过重，容易尾大不掉，因此，地方一旦稳定，中书宰执即召回中央。⑦ 至元四年，仍然只有陕西一处行省。但是，行省作为地方最高行政机构的趋势已出现，在以后几年中，行省逐步取代了宣慰司。

西京、北京、开元宣慰司与西夏中兴、北京、陕西四川行省的第四次更替　至元五年（1268 年）十月，忽必烈调整进攻南宋的战略，设立了河南等路行中书省。⑧ 六年九月，改组秦蜀行省，复以"赛典赤行陕西五路西蜀

---

① 《元史》卷 6《世祖本纪》三，第 107 页。
② 参见《元史》卷 6《世祖本纪》三，第 107 页。
③ 张之翰：《西岩集》卷 19《赵璧神道碑》，《四库全书珍本初集》本，沈阳出版社 1998 年影印版。
④ 《元史》卷 159《商挺传》，第 3740 页。
⑤ 《元史》卷 6《世祖本纪》三，第 110 页。
⑥ 《元史》卷 6《世祖本纪》三，第 107、109、110 页。
⑦ 程钜夫《雪楼集》卷 10《论行省》云："今天下疏远去处亦列置行省……名称太过，威权太重。凡去行省者，皆以宰相自负，骄倨纵横，无敢谁何，所以容易生诸奸弊。"
⑧ 《元史》卷 6《世祖本纪》三，第 121 页。

四川中书省事"。十月，因高丽政变，权臣林衍废蒙古政权所立高丽国王王
禃，立其弟淐，蒙古派 3 000 兵入高丽"赴其国难"，同时命"国王头辇哥
以兵压其境，赵璧行中书省于东京"，东京行省由此设立。七年正月，蒙古
国罢制国用使司，立尚书省，以尚书省取代中书省，总领全国政务。地方的
行省因此更名为行尚书省。三月，"改河南等路，陕西五路西蜀四川、东京
等路行中书省为行尚书省"。八年七月，"以国王头辇哥行尚书省于北京、
辽东等路"。① 因省治迁至北京路，东京行省因此更名北京行省。北京行省
一直存在到至元十五年（1278 年）四月，才又改为宣慰司，并设开元宣慰
司，分掌原行省辖区。

　　至元八年（1271 年），忽必烈将大蒙古国的汉语译名定制为"大元"。
在此前后，各地行省又有变动。这是因为：首先，从至元五年开始，西北诸
王海都等兴兵南侵畏兀儿等地，元朝由此开始了与西北诸王的长期战争。为
加强西北边防，至元八年，忽必烈令皇子北平王那木罕出镇阿力麻里。为方
便转输物资到西北，三月，再"立西夏中兴等路行尚书省，以趁海为参知
行尚省事"，西夏中兴等路行省亦称河西行省或中兴行省。三月，还增设监
察机构河东山西道按察司。五月，"赐河西行省金符、银海青符各一"。其
次，九月，因对宋战争需要及时处理军务，加强对四川前线的直接指挥。于
是将行省移近前线，"罢陕西五路西蜀四川行尚书省，以也速带儿行四川尚
书省于兴元，京兆等路直隶尚书省"。② 这样，原秦蜀行省辖区便划归四川
行省和尚书省两部分。兴元在今陕西汉中，地近宋蒙战争前线。

　　至元九年（1272 年）正月，罢尚书省，恢复中书省职权。嗣后，"改北
京、中兴、四川、河南四路行尚书省为行中书省"。同时，"京兆复立行省，
仍命诸王只必帖木儿设断事官"③。只必帖木儿是窝阔台第二子阔端的第三
子，封地在永昌一带。阿里不哥与忽必烈争夺汗位时，诸王只必帖木儿因支
持忽必烈，损失极大，以致"辎重尽空，就食秦雍"④，可能有属民居留关

　　① 《元史》卷 7《世祖本纪》四，第 123、128、131、136 页。
　　② 《元史》卷 7《世祖本纪》四，第 135、136、137 页。
　　③ 《元史》卷 7《世祖本纪》四，第 140 页。
　　④ 《元史》卷 126《廉希宪传》，第 3088 页。

中，所以允许只必帖木儿在陕西设立投下断事官。但是陕西行省存在的时间不长，是年十月，皇子忙哥剌受封为安西王，以京兆为分地，统辖河西、吐蕃、四川等广大地区。① 安西王驻兵于六盘山，又在京兆与六盘山的开成两处置有王相府，安西王冬居京兆，夏驻开成，开成遗址位于今陕西固原城南20公里的六盘山北段东麓的开成镇。安西王统领川陕地区，陕西行省因此又遭罢废。

至元十年，为准备大规模的灭宋战争，地方行政机构变化很大。除头辇哥主持的北京行省外，其他各省先后罢废。至元十年三月，罢中兴行省后，所辖河西地区划入安西王的镇戍区。四月，罢河南行省与四川行省。

中统年间到至元十年左右，是元朝行省制度创立过程中的一个重要阶段。这一时期，行省往往因事而设，事毕而罢，只有秦蜀行省存在的时间较长。同时，各行省官员均以宰执系行省官衔兼任，中书省的丞相、平章政事、右丞、左丞、参知政事、佥事等相继出任行中书省官职，因此行省官员不固定、不完备，行省基本是中书省的派出机构。至元中期，随着南宋的灭亡，元朝统一了全国，政局、疆域、地方行政机构都趋向稳定，元朝开始将宣慰司置于行省之下，并确立了立行省处不立宣慰司的原则，仅在远离省治的偏远和少数民族地方设立宣慰司。② 元代地方行政最高管理机构也确定为行中书省。

陕西、甘肃、辽阳、岭北行省的最终定制与河东山西道宣慰司的重设 在至元前期征宋战争中，南方设立了很多宣慰司。这些宣慰司初期都有统军权，灭宋后，军权被剥离，其主要职权就变成弭盗、征赋，并被置于行省之下。受南方普遍设置宣慰司的影响，至元十三年到成宗元贞年间（1276—1299年），北方复置了许多宣慰司。总体上看，北方的行省取代宣慰司，行省地方化和制度化的时间要比南方晚一些。

在辽东、辽西地区，至元十一年二月，因国王头辇哥行省辽阳，有人弹劾其"扰民"，于是"以廉希宪为中书右丞、北京等处行中书省事"取代了

---

① 《元史》卷14《世祖本纪》十一，第301页。
② 《元史》卷9《世祖本纪》六，第183页。

头辇哥。① 至元十四年三月，以"郡王合答为平章政事，行中书省于北京"。② 到了至元十五年四月，又"改北京行省为宣慰司"，也称山北辽东道宣慰司。七月，改开元宣抚司为宣慰司。③ 至元二十三年（1286 年）二月，以辽东、辽西地区东道诸王及五投下部众杂处，宣慰司位轻，不能起震慑作用。更主要的是，这时东道诸王乃颜、胜纳合等蓄谋叛乱。元朝于是"罢山北辽东道、开元等路宣慰司，立东京等行中书省，以阔阔你敦为行省左丞相，辽东道宣慰使塔出右丞，同金枢密院事杨仁风、宣慰使亦撒合并参知政事"。三月，"徙东京行中书省于咸平府"。罢宣慰司改设行省的举措，加剧了元廷与东道诸王的矛盾。七月，忽必烈欲缓和矛盾，向东道诸王让步，乃下令"罢辽阳等处行中书省。复立北京、咸平等三道宣慰司"。但是，次年乃颜等人还是发动了叛乱。至元二十四年十月，忽必烈"诏立辽阳等处行尚书省，以薛阇干、阇里帖木儿并行尚书省平章政事，洪茶丘右丞，亦儿撒合左丞，杨仁风、阿老瓦丁并参知政事"。④ 至元二十四年到至元二十九年，元朝又设立尚书省分理财赋，行政权实际也归了尚书省，各行中书省因此改称行尚书省。此后终元一代辽阳行省未再改置。所辖宁昌、大宁、泰定、广宁、开元等路全部或部分属今内蒙古地区。

漠北地区，成吉思汗建国后，漠北地区的大部分地区作为封建领地，分属于大汗及其子弟、功臣投下，这里实行千户制，到忽必烈设和林宣慰司之前，基本上没有地方行政建置。从政治地位上看，漠北是元代汗室的龙兴之处，尤其是在忽必烈定都开平以前，漠北仍是蒙古国的统治中心所在。中统以后虽然统治中心移到中原，但漠北遍布宗亲诸王的封地，是成吉思汗宫帐及历朝大汗的陵寝所在，按照蒙古的传统，漠北才是大蒙古国正统的国家中心，控制漠北是元代统治者维护其统治的重要保证，朝廷因此十分重视对漠北的统治。忽必烈打败阿里不哥之后，开始派亲王领兵驻守漠北。至元三年（1266 年），以北平王那木罕出镇漠北，"将兵镇边徼之地"。⑤ 至元八年，

那木罕帅岭北诸王军队移驻阿里麻里，防遏海都。至元十三年，宗王昔里吉等叛乱，将那木罕劫持到尤赤后王忙哥帖木儿处囚禁起来。至元十四年，忽必烈以中书省左丞相伯颜主持北边军务。至元十八年，令皇太子真金抚军漠北，伯颜副之。至元二十一年（1284年），被扣回朝的那木罕改封北安王，并与其弟阔阔出再度出镇漠北。至元二十九年，那木罕死，无子嗣。甘麻剌改封晋王，从云南"移镇北边，统领太祖四大斡耳朵及军马、达达国土……"①。至元三十年六月，皇孙铁穆尔"受皇太子宝，抚军北边"②。次年，元世祖崩，皇孙铁穆尔继位，甘麻剌继续留镇漠北。大德三年（1299年），成宗铁穆尔汗遣皇侄海山赴漠北，代替阔阔出总兵。七年，西北诸王势蹙，与元朝约和，漠北基本归于安定。③

在行政设置上，至元九年五月，立和林转运司，以小云失别为使，掌征收转运赋税，兼提举交钞使。④ 至元前期还设立了和林宣慰司治理漠北地区。关于和林宣慰司的设置时间，陈得芝教授认为在至元十八、十九年之间。⑤ 至元二十五年（1288年），尚书省奏遣怯伯为和林宣慰使。和林宣慰司掌管漠北屯田、工局、仓库、供饷、驿站祗应诸事。至元二十六年六月，海都、药木忽儿、明里帖木儿等大举进攻漠北，陷和林，宣慰使怯伯等奉北安王那木罕之命率城民南撤，途遇敌军，怯伯投降，宣慰司机构崩溃。⑥ 七月，忽必烈亲征，收复和林，命伯颜镇守。至元二十七年，置和林等处都元帅府镇遏。⑦ 大德二年五月，置和林宣慰司都元帅府，设宣慰使都元帅三名。⑧ 至此恢复了和林宣慰司的建置，且以宣慰司兼都元帅府之职。大德七年五月，"立和林宣慰司都元帅府，以忽剌出遥授中书省左丞，为宣慰使都元帅"⑨。和林宣慰使带中书左丞衔，意味着和林与行省的地位相差无几。

---

① 《元史》卷115《显宗传》，第2894页。
② 《元史》卷18《成宗本纪》一，第381页。
③ 参见陈得芝：《岭北行省建置考》（下），见《蒙元史研究丛稿》，第170页。
④ 参见《元史》卷7《世祖本纪》四，第141页。
⑤ 参见陈得芝：《岭北行省建置考》（中），见《蒙元史研究丛稿》，第156页。
⑥ 参见《元史》卷15《世祖本纪》十二，第323页。
⑦ 参见《元史》卷58《地理志》一，第1382页。
⑧ 参见《元史》卷19《成宗本纪》二，第419页。
⑨ 《元史》卷21《成宗本纪》四，第451页。

同年又设和林兵司，负责捕盗、弭乱，维治社会治安。

大德十一年（1307 年）七月，元武宗罢和林宣慰司，设和林行省。大德末年，漠北地区人口大幅增加，成为在漠北设立行省的一个重要原因。成宗年间西北叛王及其部属约有百余万口陆续投奔了元朝，这些人口多数安置在漠北。设立行省的另一个原因是限制诸王的权力，加强中央集权。元代自忽必烈以来，漠北就是汗室内部争夺帝位的温床。大德十一年正月，成宗驾崩，镇守漠北的怀宁王海山直接以兵力及控制漠北的优势，夺取了汗位，继位为元武宗。武宗非常清楚漠北的重要性，因此登基后，立即"罢和林宣慰司，置行中书省及青海等处宣慰司都元帅府、和林总管府。以太师月赤察儿为和林行省右丞相，中书右丞相哈剌哈孙答剌罕为和林行省左丞相，依前太傅、录军国重事"①。太师月赤察儿还加封淇阳王。岭北行省以其祖宗根本之地的重要性，行省长官既要能保境安民，又要能控御诸王，非勋臣大员不可，自第一任行省长官以后，岭北行省的长官的身份地位尤其高于他省遂成定制。和林设行省的同时还设置了和林总管府即和林路及称海宣慰司都元帅府。和林路管理和林周围，称海宣慰司治理和林行省西境，至治三年（1323 年）二月，罢称海宣慰司及万户府，改立屯田总管府。② 仁宗皇庆元年（1312 年）二月，改和林行省为岭北行省。元代的今内蒙古地区的东北部、中部等部分地区属岭北行省。

河东地区，因其较为偏远，最终设立了河东山西道宣慰司。受江南地区普遍设置宣慰司的影响，北方地区从"改北京行省为宣慰司"开始，也设置了几道宣慰司。至元十三年（1276 年）六月，"设诸路宣慰司，以行省官为之，并带相衔，其立行省者，不立宣慰司"③。河东山西道宣慰司也当在此时设立。到至元十五年十月，北方至少有了包括辽东道宣慰司、河西道宣慰司（甘肃宣慰司）、开元等路宣慰司及河东道宣慰司在内的五道宣慰司。④河东道宣慰司，又称西京宣慰司或河东山西道宣慰司。至元十九年十月，罢

---

① 参见《元史》卷 22《武宗本纪》一，第 483 页。
② 参见《元史》卷 28《英宗本纪》二，第 629 页。
③ 《元史》卷 9《世祖本纪》六，第 183 页。
④ 《元史》卷 10《世祖本纪》七，第 205 页。

西京宣慰司。① 至元二十三年十二月，因原河东山西道宣慰司所管地区偏僻、远离大都，复立河东山西道宣慰司，治冀宁（太原），至元二十六年徙治大同。此后，河东山西道宣慰司一直保留，直到元末。河东山西道宣慰司直隶中书省，所辖大同路大部分地区属今内蒙古地区。

关陕地区，中统元年（1260 年），曾立秦蜀行省（又称陕蜀行省、陕西四川行省），治京兆。至元二年（1265 年），移治兴元（今陕西汉中）；三年，又移治利州（今四川广元）；五年，还治京兆；八年，再移治兴元，同年，罢陕西四川行省，以京兆诸路直隶都省，四川另立行省；九年，复立行省于京兆，同年，以皇子忙哥剌封安西王，分藩京兆，镇抚秦陇川蜀河西之地，立王相府治之，遂罢行省。至元十五年（1278 年）十一月，安西王忙哥剌薨，安西王王相府依然施行对关陇地区的管理。至元十七年六月，元廷罢安西王王相府，"立行省于京兆，以前安西相李德辉为参知政事，兼领钱谷事"②。十月，"诏立陕西四川等处行中书省，以不花为右丞，李德辉、汪惟正并左丞"。这样，六月设立的京兆行省定名为陕西四川等处行中书省，而且行省官员也比较完备了，陕西四川行省再次正式设立，仍治安西（又称安西省。安西即京兆，至元十五年改京兆府为安西府；皇庆元年又改安西路为奉元路）。十八年，因陕西四川等处省省治在京兆，远离四川，元廷命汪惟正另设陕西四川等处行中书省的分省于四川。③ 至元二十年（1283 年）三月，"罢京兆行省，立行工部"。即是将京兆行省罢免，另设中书省工部的行部来治理京兆地区，京兆地区直隶于中书省。至元二十一年十一月，又"罢开成路屯田总管府入开成路，隶京兆宣慰司"④。如此看来，京兆地区可能又重新设立了宣慰司，只是存在的时间不长。二十二年，川陕地区仍合为陕西四川行省，七月，"陕西四川行中书省左丞汪惟正入见"元世祖。据《元史·汪惟正传》记载，汪惟正于至元二十二年"改授陕西行中书省左丞"。⑤ 可见至元二十二年又设立了陕西行省。至元二十三年，陕西

① 《元史》卷 12《世祖本纪》九，第 247 页。
② 《元史》卷 11《世祖本纪》八，第 224 页。
③ 《中国大百科全书·中国历史·元史》，第 121 页；《元史》卷 155《汪惟正传》，第 3657 页。
④ 《元史》卷 12《世祖本纪》九，第 258 页。
⑤ 《元史》卷 13《世祖本纪》十，第 278 页；卷 91《百官志》七，第 2305 页。

四川行省又分立为陕西、四川两省，遂为定制。陕西行省所辖之地只剩陕西四路、五府。另置巩昌等处总帅府分领陇西诸府，辖境包括今陕西省及甘肃、内蒙古部分地区。另外，宣政院辖吐蕃等处宣慰司都元帅府下属河州路、脱思麻路及诸州，《元史·地理志》亦载入本省，为两属地区，盖因藏、汉杂居之地，汉民事务由陕西行省处理。① 陕西行省所辖察罕脑儿宣慰使都元帅府，统领今内蒙古鄂尔多斯市等地。

河西地区，中统二年九月，始立兴中府行省，中统三年罢兴中府行省。至元元年八月再立西夏中兴行省，至元三年二月改立宣慰司。至元八年三月，第三次设立西夏中兴等路行尚书省，至元十年三月罢。这三次设立的西夏中兴行省省治都在中兴府，其辖地大约是今宁夏至河西走廊东部，河西走廊西部甘、肃、瓜、沙诸路也纳入行省范围。至元十三年以后，西道诸王海都等发动叛乱，不断内侵，元朝将大量军队开往西北前线，河西至西域一线驻屯了十数万大军，为保证西北驻军的给养，元朝于至元十五年设立了河西宣慰司总理河西诸地，后又陆续在河西设立了甘州和籴司与河西织毛缎匠提举司。② 但是，随着西北战事吃紧，河西军政事务日益繁重，这些部门不能应对局面，而原西夏行省治所在中兴，离前线太远，不能进行灵活的指挥。于是，至元十八年（1281 年）七月，"京兆四川分置行省于河西"③，治甘州（今甘肃张掖），辖河西诸路④。河西行省即西夏中兴行省或称甘州行省，又从秦蜀行省中分离出来。河西行省设立后，河西宣慰司应是罢废了。至元二十二年三月，"罢甘州行中书省，立宣慰司，隶宁夏行中书省"⑤。二十三年二月，再"立甘州行中书省"，治所仍在甘州。⑥ 二十四年七月，"以中兴府隶甘州行省"⑦。二十五年十月，桑哥奏请忽必烈，派中书省、御史台、枢密院官 12 人理算了江淮、江西、四川、福建、甘肃、安西六省的钱谷。

---

① 《元史》卷91《百官志》七，第 2305 页。
② 《元史》卷10《世祖本纪》七，第 201、205 页；卷11《世祖本纪》八，第 234 页。
③ 《元史》卷11《世祖本纪》八，第 232 页。
④ 《元史》卷11《世祖本纪》八，第 232 页。
⑤ 《元史》卷13《世祖本纪》十，第 275 页。
⑥ 《元史》卷14《世祖本纪》十一，第 287 页；卷91《百官志》七，第 2307 页。
⑦ 《元史》卷14《世祖本纪》十一，第 299 页。

《元史·百官志》记载，至元三十一年，从甘肃行省析出宁夏行省，治中兴路。元贞元年（1295年）八月，并宁夏行省入甘肃行省。至此，甘肃行省归于统一，最终稳定下来。甘肃行省所辖兀剌海路和亦集乃路在今内蒙古地区。

三、元朝的路、府、州、县官府组织与行政机构

元朝的行省之下是路、府、州、县的地方行政结构。

行省原本是中书省派出机构。1260年忽必烈"附会汉法"，立中书省总领全国政务。中书省最高长官为中书右丞相、左丞相（蒙古人尚右，故右丞相位在左丞相上）各一员，总领省事。有时在右丞相上设中书令，由皇太子兼任。另设平章政事四员，为丞相副贰。丞相与平章政事合称宰相。其下设右丞、左丞各一员及参知政事二员，统称执政官。中书宰执官被派到某地行使中书省职权，便被称为行某处中书省事。后来这类机构慢慢演化为地方常设机构。行省官员的名称、品秩与中书省官相同，也设丞相、平章政事、左丞、右丞、参知政事。元朝中期之后，行省一般不设丞相，只设平章政事二员，右丞、左丞各一员，参知政事一至二员。

中书省、行省之下，设路。路设总管府。有达鲁花赤、总管，是为长官；有同知、治中、判官、推官，是为正官；还有经历、知事、照磨等总领六曹、职掌案牍，称首领官。一般由蒙古人充达鲁花赤，汉人充总管，色目人充同知。路的下属机构有儒学教授、蒙古教授、医学教授、司狱司、平准行用府、府仓、惠民药局、税务。

路下有府，府有达鲁花赤、知府或府尹；其下有同知、判官、推官、知事等官。有的府隶属于路，有的直隶于行省，有的统州县，有的不统。

州有达鲁花赤、州尹或知州，其下有同知、判官等。有的州直隶于路或行省，有的不统县。

州下设县。县有达鲁花赤、县尹等官。县直隶于路或府。

元中期以后在诸王投下领地也设立了一些路、府、州、县，这些地方行政体系的管理与元朝中书省、行省直属路、府、州、县不同。关于这些详见后文。

第二节　中书省直属的上都路与兴和路

一、上都路

政治中心的南移与建都金莲川　成吉思汗时代，蒙古国的政治中心在克鲁伦河上游的大斡耳朵。整个蒙古高原统一后，这个政治中心就显得过于偏东了。窝阔台汗即位后，常驻地西移到鄂尔浑河上游，这里也是蒙古以前的北方游牧民族的政治中心。亡夏灭金后，大蒙古国一方面急需强化漠南的统治；另一方面，艳羡中原城郭恢宏，于是，1235 年，窝阔台汗命汉族工匠在鄂尔浑河东岸筑城，名哈剌和林。由于蒙古的强盛，和林一度名重欧亚。

1251 年，蒙哥汗遣皇弟忽必烈主持漠南汉地军政庶务，忽必烈开府于金朝桓州所在的滦水（古名濡水，今名滦河，蒙古名"闪电河"，就是汉语"上都河"的音变形式）之畔的金莲川。"滦水上游地区一直是中国北方民族中的蒙古语族各部族世代繁衍生息的热土，乌桓、拓拔、鲜卑、柔然、库莫奚、契丹等部族都在这里留下了自己的足迹，契丹皇帝和皇后曾在这里建立避暑纳凉的宫殿，称凉殿或凉陉。"[①] 金世宗曾在金莲川建景明宫，清暑消夏。金莲川，原名"曷里浒东川"，这是女真语、汉语复合名称。因其地盛开金莲花，金朝皇帝于 1180 年将其更名为"金莲川"，"还寓以'莲者连也，取金枝玉叶相连之义，既表明了此地植物的分布特点，又以谐音金莲川象征金枝和玉叶紧密相连的吉祥含义。在蒙古语里则称金莲川为'失剌塔拉'（意为金黄草甸）。"[②] 金莲花，"似荷而黄"，即它的花是黄色，而非荷花的红色或白色，花瓣比莲花小，每个花蕊周围有七个花瓣相互围绕。金莲花的叶子像碧绿的小扇子，花茎纤细颀长，亭亭玉立，袅娜多姿。每年农历六月金莲花开，放眼望去，遍地金色，富丽堂皇。从文献记载看，当时的金莲川风景秀丽，生态环境良好。山上树木茂盛、灌丛密布。草原上滦河及其支系兔儿河、香河、簸其河、间河等河流，一年四季，水流涓涓，滋润着金

---

① 参见宝音德力根：《金莲川畔元上都》，《人与生物圈》2003 年第 5 期。
② 参见宝音德力根：《金莲川畔元上都》，《人与生物圈》2003 年第 5 期。

莲川草原。从金莲川向东北行走不到 10 里便是延绵 800 里的沙地、松林。山地、松林、河流和草原是野生动物的天堂，獐、狍、黄羊、对角羊、鹰、天鹅、白翎雀（鸳鸯鸟）、鲤鱼、螂鱼、细鳞鱼等等，动物名目繁多，不胜枚举。

金莲川不仅环境优美，是驻夏和狩猎的好地方，而且地理位置十分重要。这里地处蒙古草原南缘，又东近"松漠"（大兴安岭南端，西拉木伦河源之森林地带），北与游牧诸部落牧地相连，南控燕京地区。金朝于此置桓州为边防重镇，设西北路招讨司于此。金莲川还是中原与北方民族进行物产交易的场所，辽、金均在此置有榷场。

由于金莲川的这些优越条件，因此，1256 年忽必烈选择在此建立开平藩府，后又以此为元朝的两都之一——元上都。

元上都遗址　刘秉忠是元上都的设计者，负责都城建造的是谢仲温、贾居贞、高觿。上都城遗址今天仍然存在，城墙基本完好，城内外建筑遗迹和街道布局尚依稀可见。从 1993 年夏至 1998 年，内蒙古文物考古研究所会同内蒙古测绘局航测遥感大队，先后对元上都进行重点调查和小型试掘，对其三重城垣、城门、瓮城、角楼、马面、建筑基址等做了较为准确的科学测绘，通过这些工作，对元上都有了更清晰的认识。[①]

上都由宫城、皇城、外城组成。"外城为正方形，除东墙长 2 225 米外，其余三墙皆长 2 220 米"。"外城城墙均为夯土构筑，墙底宽 10 米、顶宽 2 米、存高约为 6 米"。"外城南部位于皇城之西，有纵横交错的街道和整齐的院落遗址，这些院落均是房屋临街、院落在后，这里应是当时上都城内的商业区。外城北部则很少有建筑遗迹，只在中央部位，有东西长 317.5 米、南北长 192.5 米的不规则长方形土围墙建筑，这里应是元代皇家饲养珍禽异兽、栽培奇花异草的'御苑'所在地。"[②] 外城的北墙有 2 座城门，西墙正中有 1 座城门，南墙也有 1 座城门，与明德门对应 1 门。

---

①　魏坚：《元上都及周围地区考古发现与研究》，见《元上都研究丛书·元上都研究文集》，中央民族大学出版社 2003 年版，第 388 页。

②　魏坚：《元上都及周围地区考古发现与研究》，见《元上都研究丛书·元上都研究文集》，第 389—390 页。

　　皇城位于外城的东南部，其东、南二墙即是外城东墙南段和南墙东段。皇城近方形，四墙长度不等，东墙长 1 410 米、南墙长 1 400 米、西墙长 1 415 米、北墙长 1 395 米。城墙中间为夯土，内外两侧用自然石块包砌。皇城内有正对城门的主要街道，也有若干条纵横交错的小街。乾元寺、大龙光华严寺、孔庙和道观等宗教性建筑分布在皇城内。皇城共有 6 座城门，东西各 2 门，两两相对，分别为东门、小东门及西门和小西门；南、北各 1门，南门同宫城的御天门直对，应为明德门，北门与外城北墙东侧门直对，应为史籍所载之复仁门。[①]

　　宫城位于皇城正中偏北处，平面略呈长方形，东墙长 605 米，南墙长542.5 米，西墙长 605.5 米，北墙长 542 米。城墙中间以土夯筑，内外均用青砖横竖错缝包砌。在宫城南北中轴线两侧，随形就势，分布着并不对称的大型建筑基址和院落遗址 30 余处。宫城有 3 座城门，分别为东、西、南"丁"字三街相对的东华门、西华门和御天门。

　　皇城和宫城四角都建有角楼，皇城角楼远较宫城角楼高大。外城之外有护城河，护城河距外城城墙约 23 米。

　　元上都的建筑　上都宫城的主体建筑是大安阁，坐落在中心丁字街北。[②] 至元三年（1266 年），忽必烈下令，拆原北宋都城汴京的熙春阁，得木材以万计，经水陆两路运往上都，按原样重建，十二月建成，取名大安阁。元人周伯琦说："大安阁，故宋熙春阁也，迁建上京。"[③] 据学者研究，大安阁与宋熙春阁形制相当。熙春阁"高有二百二十有二尺，广四十六步有奇"。其结构极其工巧，阁有四层，梯道迂回五折；阁顶有五檐覆压，檐长二丈五尺，能蔽亏日月、却风雨。元人都把高入云霄的大安阁视作上都的象征，有不少赞美大安阁的诗文，如周伯琦诗："层甍复阁接青冥，金色浮图七宝楹。当日熙春今避暑，滦河不比汉昆明。"[④] 由此可以想象，元上都的大安阁是非常壮

　　① 魏坚：《元上都及周围地区考古发现与研究》，见《元上都研究丛书·元上都研究文集》。

　　② 元上都的建筑一节，主要是参照叶新民：《元上都研究》三《元上都宫殿楼阁考》写成，此处特作说明，本节不再一一注出。《元上都研究》，内蒙古大学出版社 1998 年版。

　　③ 周伯琦：《近光集》卷 1《扈从上京宫学纪事》，内蒙古大学馆藏抄本。参见叶新民：《元上都研究》三《元上都宫殿楼阁考》，内蒙古大学出版社 1998 年版。

　　④ 《近光集》卷 1《扈从上京宫学纪事》。

美的。元朝许多重大典礼，都在大安阁举行。元朝在上都继位的大汗基本上都在大安阁举行即位仪式。大安阁的上层，设有释迦舍利像。[①]

除大安阁外，著名的宫殿还有水晶殿、洪禧殿、睿思殿、穆清殿、清宁殿，合称上都五殿，是上都宫殿的主要建筑。其中，水晶殿是中国古代建筑史上空前的杰作。它与元大都宫城内的水晶殿极为相似。据萧洵《故宫遗录》记载，大都"有水晶二圆殿，起于水中，通用玻璃饰，日光四彩，宛若水宫"。[②] 上都的水晶殿由大理石和玻璃建成，见过此殿的意大利旅行家马可·波罗称之为"大理石宫"。特殊的材料和特殊的结构使水晶殿八面来风，凉爽宜人，元人称水晶殿为"水晶凉殿"。[③] 元代有不少吟颂水晶殿的佳句。杨允孚诗云："谁道人间三伏节，水晶宫里十分秋"。[④] 周伯琦诗云："冰华雪翼眩西东，玉座生寒八面风"。[⑤] 萨都剌诗云："一派箫韵起半空，水晶行殿玉屏风"。[⑥] 水晶殿是皇帝夏季乘凉的地方，白玉为屏，碧玉为钟，翡翠玛瑙，琳琅满目，珠光宝气，不胜枚举。

除水晶殿外的其他四殿，在元人诗作中也都能找得到踪影。周伯琦有咏洪禧殿、睿思殿、仁寿殿和穆清殿的诗。[⑦]《元史》有至顺二年二月"修上都洪禧、崇寿等殿"的记载。[⑧] 除了上面提到的殿阁之外，见于记载的还有：香殿、鹿顶殿（1321 年建成）、歇山殿、楠木亭、万安阁（1271 年建成）、统天阁、奎章阁、宣文阁、玉德殿、明仁殿、兴圣殿、东便殿、五花殿等。

天历二年（1329 年）二月，文宗在大都建立奎章阁学士院。奎章阁在上都设有分院，《元史》记载，元统二年（1334 年）七月，"帝幸大安阁。是日，宴侍臣于奎章阁"[⑨]。周伯琦《扈从上京宫学纪事绝句二十首》有

① 释念常：《历代佛祖通载》卷 22·11，《大正藏》本。

② 萧洵：《故宫遗录》，《北平考——故宫遗录》本，北京古籍出版社 1980 年版，第 77 页。

③ 袁桷：《清容居士集》卷 16《次韵继学途中竹枝词》，《四部丛刊》初编本。

④ 杨允孚：《滦京杂咏》，《知不足斋丛书》本。

⑤ 周伯琦：《近光集》卷 1《扈从上京宫学纪事绝句二十首》。

⑥ 萨都剌：《上京杂咏五首》，见《雁门集》卷 6，上海古籍出版社 1982 年版。

⑦ 《近光集》卷 1《咏洪禧殿》、《扈从上京宫学纪事》。

⑧ 《元史》卷 35《文宗本纪》四，第 778 页。

⑨ 《元史》卷 38《顺帝本纪》一，第 823 页。

《右咏宣文阁》，诗云："延阁图书取次陈，讲帷日日集儒臣。墨池云合天光绚，东壁由来近北辰。"① 奎章阁学士院设立时，以精通汉文化的翰林学士承旨忽都鲁都儿迷失和赵世延并为奎章阁大学士，侍御史撒迪和翰林直学士虞集并为侍书学士，又设授经郎二员，讲授经学，以勋旧、贵戚子孙及近侍年幼者肄业。首任授经郎是仁宗时李孟擢用的翰林编修揭傒斯。奎章阁设有艺文监，检校书籍。文宗建奎章阁后，天历二年九月，又命翰林国史院与奎章阁学士院采辑故事，仿唐、宋会要体例，编纂皇朝《经世大典》。次年二月，改由奎章阁学士院专领其事。至顺二年（1331 年）五月修成。皇帝巡幸上都时，奎章阁大学士等扈从至上都。顺帝至元六年（1340 年）罢奎章阁。至正元年（1341 年）又立宣文阁。

元上都建有孔庙。中统二年（1261 年）八月，忽必烈颁布了祭祀和保护孔庙的诏令，并"命开平守臣释奠于宣圣庙。成宗即位，诏曲阜林庙，上都、大都诸路府州县邑庙学、书院，赡学土地及贡士庄田，以供春秋二丁、朔望祭祀，修完庙宇"②。这说明元代很早就在上都建立了孔庙。

在上都城的建筑布局中，寺院庙观所占比重颇大，数量最多者为佛教寺院，道教寺观次之，占第三位的是伊斯兰教寺院。

大龙光华严寺始建于 1258 年，是一座禅宗寺院，简称华严寺。华严寺第一代住持僧是上都设计与建设者刘秉忠的挚友至温禅师。该寺位于皇城的东北角，东西宽 400 米，南北长 200 米。

大乾元寺，简称乾元寺，是一座喇嘛教寺庙。至元十一年（1274 年），由当时尼波罗（今尼泊尔）工艺家阿尼哥主持建造。③ 乾元寺位于皇城的西北角，与龙光华严寺遥遥相对，分前后两院，南北长 240 米、东西宽 120 米。乾元寺和上都其他诸寺的塑像都由阿尼哥及其弟子刘元塑造。史称刘元所塑佛像"神思妙合，遂为绝艺"。④ 由于喇嘛教是元朝皇室最宠信的宗教，因此，乾元寺的地位很高。另外，上都的喇嘛教寺院还有开元寺、帝师寺等。

---

① 《近光集》卷 1《扈从上京宫学纪事绝句二十首》。
② 《元史》卷 76《祭祀》五《郡县宣圣庙》，第 1901 页。
③ 程钜夫：《雪楼集》卷 7《凉国敏慧公神道碑》。
④ 《道园类稿》卷 29《刘正奉塑记》。

在上都道观中，最重要的是崇真万寿宫，它是一座正一教道观，约建成于 1277 年。正一教原流行于南方，影响很大。元朝统一南方后，统治者极力拉拢正一教首领，正一教在北方也得到了发展。至元十三年，正一教第三十六代天师张宗演朝见忽必烈，忽必烈让他主持江南道教。每年皇帝巡幸上都，正一教首领都要扈从。大都与上都各建有一座崇真万寿宫。

长春宫创建较早，是一座全真道观。中统二年，忽必烈下令在"上都长春宫作清醮三昼夜为民祈福"①。这说明长春宫在元初就已经存在了。上都的道观还有寿宁宫、太一宫等。

元代的上都地区除盛行佛教和道教外，还存在伊斯兰教。上都的色目官吏和商人不少，故建有清真寺。元英宗时，曾拆毁清真寺，以其地修建帝师殿。泰定帝时，又重建清真寺，并赐钞四万锭，这说明伊斯兰教在上都又得到恢复与发展。这些回回人户都信仰伊斯兰教，其教徒称"答失蛮"②（Dānishmand，波斯语，意为"有知识者"，蒙古语作 dašman）。

元上都经过近百年的持续建造，成为草原上的大都会。

元上都的行政建置　自 1251 年忽必烈开府漠南，总领"漠南汉地军国庶事"后，今内蒙古地区就成为大蒙古国经略中原和征伐南宋、大理的大后方，在整个大蒙古国的地位不断上升。1260 年，忽必烈在开平即汗位。开平成为蒙古国的都城，正式设立开平府。在阿里不哥与忽必烈争夺蒙古大汗之位的几年中，包括都城开平府在内的内蒙古地区是忽必烈政权的政治经济中心。中统四年（1263 年）五月，以都城所在，升开平府为上都路，设路总管府，确定了上都路的建置。上都及其周围地区后来划为上都路，属中书省直辖。

至元三年（1266 年），以上都路总管府兼行上都留守司之职。遇车驾巡幸，总管府行留守司事，大汗返大都后，总管府复旧职。至元十八年（1281 年），正式设上都留守司，兼本路总管府。留守司掌守卫都城、供应汗室需求，修缮宫室。但是，上都留守司既兼总管府职，就兼治民事。上都留守司下设六大类机构：一，民政机构，如上都警巡院，领城内民事及供需；另如

---

① 《秋涧集》卷 81《中堂事记》卷中。

② 元上都的建筑一节，主要是参照叶新民：《元上都研究》三《元上都宫殿楼阁考》写成，此处特作说明，本节未一一注出。

开平县等州县衙门。二，治安机构，如上都兵马指挥司、上都司狱司，分别掌城内盗贼奸伪、拘捕和囚狱之事。三，军事机构，虎贲亲军都指挥司。四，巡幸供给机构，如上都仪鸾局，掌宫门管钥、供帐灯烛；上都饩廪司，掌诸王、驸马、使客饮食。五，营造诸司，掌城内造作与维修。六，仓库与税课提举司，如上都转运司、上都群牧都转使司、上都事产提举司、上都银冶提举司等。总之，上都路内，官府体系十分庞杂，是都城官署与路级官衙相杂的结果。

上都路的辖境　1256 年，开平城初建时，只是作为藩府在漠南的留驻地，因此并没有明确的行政管辖范围。1260 年，忽必烈在开平即汗位。开平成为蒙古国的都城，正式设立开平府后则有了明确的行政辖境。当时的开平府，应当是包括开平城在内的金桓州和抚州故地。中统三年（1262 年），忽必烈将邻近的望云县、兴州和松山县划归开平并升望云县为云州（今河北赤城北），松山县为松州，使开平府辖地扩大了数倍。中统四年，升宣德州为宣德府，隶上都，又升抚州为隆兴府。因此，上都路初设时，辖有开平、隆兴、宣德三府，兴、云、松、昌四州，宣德、宣平、望云、松山、高原、怀安、天成、威宁八县。

至元二年（1265 年），元朝在全国范围内归并州县。在上都路，省开平府，设开平县。罢望云与松山二县，恢复桓州。在兴州管下增设兴安、宜兴两县。将蔚州及其下属的五县划归宣德府。次年，又将德兴府降为奉圣州，划归隆兴府。这样，上都路共辖二府、六州、十六县。

至元四年（1267 年），将隆兴府从上都路析出，自为一路。上都路辖一府、六州，十五县，有居民 41 062 户，118 191 口，这一数字不包括诸王投下所属人口。其中，上都都城及其周围和桓州、松州在今内蒙古境内。

桓州　金属西京路，元初荒废，至元二年又置。州治遗址在今锡林郭勒盟正蓝旗敦达浩特镇北四郎城古城。

松州　金为松山县，属北京大定府。中统三年，改隶开平府。四年，升松州，仍设松山县。至元二年，省县入州。治址在今赤峰市西郊松山区城子乡城子村北古城。[①]

---

①　参见《内蒙古历史地理》第 2 章第 3 节《元代的内蒙古地区》，第 114 页。

察罕脑儿行宫　上都路境内还有察罕脑儿行宫。元代有两处察罕脑儿，一是今鄂尔多斯市乌审旗河南乡古城村西南的三岔河古城，另一是桓州境内滦河上游的曷里浒东川，即今闪电河岸边的平川。曷里浒东川夏季凉爽，草原肥美，是牧养和避暑的好地方。至元十七年（1280 年），元朝在此修建察罕脑儿行宫，行宫仿上都式样，但规模较小。察罕脑儿即今河北沽源县北、闪电河西闪电河乡下匣子西北 5 里的囫囵淖旁边，行宫遗址就是囫囵淖东北的小红城子，因其城垣用赤赭色岩石建成，故称小红城。

考古调查发现，小红城子附近有大小 3 座城址，自西而南而东北分别为大红城子、小红城子和附属于小红城子的东小城。大、小红城相距不足 2 里，西南即为囫囵淖。囫囵淖平面近圆形，直径约 10 里，雨季时范围会扩大，周围可达 40 里左右。因白海水咸，周为白沙，当水位下降，四周泛起盐沙状晶体，如白云浮空，故金、元直至清初，囫囵淖都称白海，察罕脑儿也称白海行宫。元代史籍中说，上都东 50 里有东凉亭，上都西有西凉亭，而西凉亭就是察罕脑儿行宫。白海北面的大红城子，就是金代的凉陉景明宫的遗址，这里地势低洼，夏季易成水患，所以元代选择了离这里稍远、地势较高的地方建了察罕脑儿行宫。20 多年前，考古工作者在行宫遗址内发现了一大型宫殿基址，就是西凉亭故址。东小城子在小红城东北 22 米处，出东小城南门（正门）西拐直到小红城子东门，两城出入很方便，两城之间有围墙联结，可能小红城是前宫，东小城是寝宫，是后妃居住之所。有学者推测，东小城就是享丽殿。如果从建筑物的布局及用材上将小红城及其附属的东小城与上都作一比较的话，就会发现小红城相当于上都外城，东小城相当于上都内城（皇城）。因此，说察罕脑儿行宫是仿上都样式建造的。[①]

云需总管府　察罕脑儿行宫建立后，应设相关机构掌管行宫守护、供应及养鹰等事，现见于记载的是延祐二年（1315 年）设了云需总管府[②]。但据考古发现，在云需总管府设立之前，可能由昔保赤八刺哈孙达鲁花赤管

---

① 参见郑绍宗：《考古学所见之元察罕脑儿行宫》，《历史地理》第 3 辑，1983 年；叶新民：《元上都研究》，第 9 章《上都的凉亭》，内蒙古大学出版社 1998 年版。

② 《元史》卷 90《百官志》六，第 2300 页。

理。1963 年，河北沽源县二区马神庙村土城墙外角壕沟废墟中出土了一枚铜印，印背面阴刻有："昔保失八剌哈孙站印"、"至元十七年六月"、"中书礼部造"；正面为八思巴字三行，译为"昔保失八剌哈孙站之印"。该印铸于至元十七年（1280 年）六月，与察罕脑儿行宫建造时间相同，这反映出昔保失八剌哈孙站与察罕脑儿行宫间的密切关系。"昔保失"，即"昔保赤"，即养鹰人。"八剌哈孙"，即"哈拉哈孙"，蒙古语"城"的意思，连译为"鹰人之城"。据考证，"昔保失八剌哈孙"就是大都、上都之间黑谷道上，自上都往南走的第三站，亦即后来的明安驿，其地即铜印的发现地点——马神庙村。马神庙村，在察罕脑儿行宫遗址小红城东北 5 里。这个"鹰人之城"直接属于忽必烈，马可·波罗提到忽必烈"在此驯养鹰隼"，"此地有鹰五种，一种甚大，第二种全白……，此城附近有山谷，君主建数小屋于其中，畜养鹧鸪无数，命数人掌之"。① 这个"鹰人之城"应该就是察罕脑儿行宫。元代曾于至元十三年，置只哈赤八剌哈孙达鲁花赤掌守护东凉亭行宫，及游猎供需之事，延祐二年，改总管府。"只哈赤八剌哈孙"就是"渔者之城"。据此推测，虽无文字史料说明在察罕脑儿行宫置云需总管府之前设昔保失八剌哈孙达鲁花赤，但因"昔保失八剌哈孙站印"的发现，或许可以补《元史》记载的不足。②

　　云需总管府后隶属上都留守司。总管府设达鲁花赤、总管各一名，秩正三品。下设同知、副总管等官。1980 年，在赤城县东北和沽源县丰元店公社交界处发现一枚"云需总管府经历司印"的铜印，可能是元末蒙古人在战乱中遗弃于此。此印背面，左文二行，阴刻"云需总管府经历司印"，右刻"延祐二年二月　日中书礼部造"；正面为四行八思巴字，四行十字，译文为"云需总管府经历司之印"。③ 此印的铸造年代与《元史·百官志》记载的云需总管府设立年代一致。

　　云需总管府各级官员多由怯薛执事中的昔宝赤——鹰人担任。秋天，大

　　① 冯承钧译：《马可波罗行纪》第 1 卷第 73 章《天德州及其长老约翰之后裔》，上海书店出版社 2006 年版；参见郑绍宗：《考古学所见之元察罕脑儿行宫》，见《历史地理》第 3 辑，1983 年。
　　② 参见郑绍宗：《考古学所见之元察罕脑儿行宫》，见《历史地理》第 3 辑，1983 年。
　　③ 参见郑绍宗：《考古学所见之元察罕脑儿行宫》，《历史地理》第 3 辑，1983 年。

汗驻察罕脑儿，驾鹰行猎。云需总管府多养鹰户，专建土屋养鹰。元末，这里聚集了各色人众达 30 万。

总管府辖区较大的居民点还有：牛群头巡检司，是由上都南来的两条驿路的会合处，设有驿站、邮亭和巡检司，有居民 3 000 余家。牛群头巡检司遗址在今河北沽源县南独石口北石头城子。另一居民点是石顶河儿，即今河北张北县西北的安固里淖，这里多经商户。

云需总管府辖区北接桓州境，东起滦河上游，西至石顶河儿，毗邻兴和路宝昌州界，约为今河北沽源县境。

二、兴和路

元代兴和路在金朝时为抚州，属西京路。1214 年，成吉思汗调整左手诸王封地时，将札剌亦儿等五部迁到漠南地区的桓州、昌州、抚州直到燕山山脉、云中一带。

抚州地区是中原汉地通向漠北的交通要道，经过金元之际的战争，抚州异常荒凉。元太祖十五年（1220 年），全真道首领丘处机去西域参见成吉思汗，道经抚州地区，其弟子李志常在《长春真人西游记》中记述了这里的荒芜景象。元定宗二年（1247 年），山西交城人张德辉北上漠北见忽必烈，也途经抚州地区，他写道："……寻过抚州，惟荒城在焉。北入昌州，居民仅百家……。"[1] 足见当时抚州人烟稀少。

1251 年，蒙哥即蒙古大汗位，命忽必烈总领漠南汉地军国庶事。忽必烈驻帐于桓州（今内蒙古正蓝旗四郎古城）、抚州之间的金莲川，征召汉地文武人士 60 多人，建立了著名的"金莲川幕府"。元宪宗四年（1254 年）八月，忽必烈"复立抚州"，以惠州滦阳人赵炳为抚州长官，"城邑规制，为之一新"[2]。从此，抚州成为金莲川幕府人员的居地。

兴和路由中书省直接管辖，是"腹里"辖路之一。中统三年（1263年）十一月，"升抚州为隆兴府，以昔剌斡脱为总管，割宣德之怀安、天成

---

① 《秋涧集》卷 100《岭北纪行》。

② 《元史》卷 3《世祖本纪》一，第 60 页；卷 163《赵炳传》，第 3835 页。参见叶新民、宝音德力根、赵琦、白晓霞：《元代的兴和路与中都》，《文物春秋》1998 年第 3 期。

及威宁、高原隶焉"。① 十二月，忽必烈在隆兴府建行宫。② 中统四年五月，开平府升为上都路，隆兴府归上都路管辖。至元四年（1267 年）正月，"析上都隆兴府自为一路，行总管府事"。③ 武宗至大元年（1308 年）七月，旺兀察都行宫建成，立中都留守司兼开宁路都总管府。十二月，中都立开宁县，降隆兴路为源州。④ 开宁路取代隆兴路，但开宁路只存在了四年。至大四年三月，仁宗即位。四月，罢中都留守司，复置隆兴路总管府。皇庆元年（1312 年）十月，改隆兴路为兴和路。⑤

兴和路东北与上都路相邻，东南紧靠大都路，西连集宁路，西南界大同路。据《元史·地理志》记载，兴和路人口 8 973 户，39 495 口。⑥ 辖宝昌州（今河北省沽源县九连城）和高原（兴和路治所）、怀安（今河北怀安县南怀安城）、威宁（今内蒙古兴和县西台基庙古城）、天成（今山西天镇县）四县。⑦ 元初，畏兀儿人八丹曾任隆兴府达鲁花赤。八丹"事世祖为宝儿赤，鹰房万户，……改隆兴府达鲁花赤，遥授中书右丞，谕之曰：'是朕旧所居，汝往居之。'八丹又辞，帝不允。居三年"⑧。

在兴和路境内专门为皇室设立了鹰房，有许多专门捕鹰、养鹰的鹰房户，蒙古语称作昔宝赤（šibaɣuči）。忽必烈时，康里人阿沙不花管领兴和路鹰房，"阿沙不花以大同、兴和两郡当车驾所经有帷台岭者，数十里无居民，请诏有司作室岭中，徙邑民百户居之，割境内昔宝赤牧地使耕种以自养，从之。阿沙不花既领昔宝赤，帝复欲尽徙兴和桃山数十村之民，以其地为昔宝赤牧地。阿沙不花固请存三千户以给鹰食，帝皆听纳"。⑨ 兴和路设有打捕鹰房提领所。⑩ 文宗时期，还专门在兴和路为权臣燕铁木儿和御史大夫月鲁不花修建鹰房。至顺二年（1331 年）九月，"发粟五千石赈兴和路鹰

① 《元史》卷 5《世祖本纪》二，第 89 页。
② 《元史》卷 58《地理志》一，第 1352 页。
③ 《元史》卷 6《世祖本纪》三，第 113 页。
④ 《元史》卷 22《武宗本纪》一，第 506 页。
⑤ 《元史》卷 24《仁宗本纪》一，第 553 页。
⑥ 《元史》卷 58《地理志》一，第 1352 页。
⑦ 《元史》卷 58《地理志》一，第 1352 页。
⑧ 《元史》卷 134《八丹传》，第 3262、3263 页。
⑨ 《元史》卷 136《阿沙不花传》，第 3297 页。
⑩ 虞集：《威宁井氏墓志铭》，《口北三厅志》卷 13，满蒙丛书本。

房。"十一月，"兴和路鹰坊及蒙古民万一千一百余户，大雪畜牧冻死，赈米五千石。"①

元代皇帝每年巡幸上都，由东道辇路（又称黑谷道）赴上都，经西路返回大都。兴和路是西路上的重要驿站。中统四年（1263 年）十月，初置隆兴路驿。② 在兴和路附近地区，设有许多纳钵。纳钵，契丹语，意为"行营""行帐"，指皇帝及其扈从人员"行幸宿顿之所"。例如，宝昌州境内的盖里泊纳钵（今内蒙古锡林郭勒盟太仆寺南巴彦查干诺尔）。盖里泊，又称怀秃脑儿，汉语意为后海。又有遮里哈剌纳钵（意为"远望则黑"），又称鸳鸯泊（蒙古语称作"昂兀脑儿"，即今河北张北县西北的安固里淖）。"其地南北皆水泊，势如湖海，水禽集育其中。以其两水（一名平陀儿，一名石顶河儿），故名曰鸳鸯；或云水禽惟鸳鸯最多。"从遮里哈剌南行，至苦水河儿纳钵。再南行，至回回柴纳钵，蒙古语名为"忽鲁秃"，意为"芦苇泊"。在兴和路北 20 里有忽察秃纳钵，意为"有野公羊处"，其地水草丰美，"野兽兔最多，鹰人善捕，岁资为食。"③ 在距兴和路 30 里处的野狐岭，也设有纳钵。扈从顺帝巡幸上都的周伯琦在《兴和郡》一诗中描写兴和路："……连甍结贾区，层楼瞰寥廓。要会称雄丽，势压诸部落。"④ 可以看出，元代的兴和路是北方草原上的一座相对繁华的城镇。

兴和路及辖境的部分地区是元朝木邻驿路必经之地。木邻驿路，是从上都通往岭北行省和林（今蒙古国哈尔和林）的重要交通道路。由上都西行至李陵台（今内蒙古正蓝旗黑城子），再从李陵台出发，"正西三十六站入和林。"⑤ 在兴和路设有脱脱禾孙（蒙古语，意为"查验者"，盘查往来使臣、防止诈伪的官员），管辖苦盐泊至燕只哥斤等四站，以及阿察火都至宽迭怜不剌等五站。⑥ 由此可见，兴和路在北方驿站交通中占有重要地位。

元代的兴和路还是当地的一个文化中心。延祐元年（1314 年）二月，

---

① 《元史》卷 35 《文宗本纪》四，第 793 页。

② 《元史》卷 5 《世祖本纪》二，第 94 页。

③ 《周伯琦〈扈从诗前后序〉疏证稿》，贾敬颜：《五代宋金元人边疆行记十三种疏证稿》，中华书局 2004 年版，第 369 页；《元史》卷 23 《武宗本纪》二，第 526 页，八月甲子"猎于昂兀脑儿"。

④ 《周伯琦〈扈从诗前后序〉疏证稿》，《五代宋金元人边疆行记十三种疏证稿》，第 369 页。

⑤ 熊梦祥：《析津志辑佚》，北京古籍出版社 1983 年版，第 124 页。

⑥ 《永乐大典》卷 19420 《经世大典·站赤》。

元政府公布科举乡试的考试地点，直隶中书省的有真定路、东平路、大都路、上都路、兴和路。① 早在中统初年，翰林侍制王利用曾"奉旨程试上都、隆兴等路儒士"。② 兴和路还建有佛教寺院。延祐七年（1320 年）四月十六日，"于兴和路寺西南角楼内塑马哈哥剌佛及伴绕神、圣画、护神，全期至秋成，……"③。马哈哥剌，来自梵文 Mahā-kāla，一般音译为"摩诃伽罗"，意即"六臂护法尊"或"六臂依怙尊"，是藏传佛教密宗的重要护法神，汉地寺庙译称大黑天，藏语称"玛哈嘎拉""滚波恰朱巴"。元统二年（1334 年）三月，"兴和路起建佛事，一路所费，为钞万三千五百三十余锭"，中书省臣谏请："请依上都、大都例，给膳僧钱，节其冗费"，顺帝"从之"。④

兴和路所辖宝昌州与高原、怀安、威宁、天成四县中，宝昌州和高原、威宁县在今内蒙古境内，大约相当于今锡林郭勒盟南部、乌兰察布市东部广大地区。宝昌州，金代名昌州，属西京路，辖宝山一县。州、县城即今河北沽源县九连城。元初州废，辖境属宣德府。昌州东有狗泺盐池和盐场，昌州城设有盐司，有木华黎孙国王速浑察所建"廨舍"，即官衙。延祐六年（1319 年），于昌州宝山县故址设宝昌州，隶兴和路，有人口 1 241 户。高原县，即兴和路治所，城址在今河北张北县喀喇巴尔哈孙古城。威宁县，治在今兴和县北台基庙乡台基庙古城。

三、中都

修建中都 元武宗即位时，元朝国势还算殷盛。而武宗本人出于政治和军事的因素，大兴土木，建中都、修寺庙、广建王公宅第。元武宗即位前握重兵于漠北，平息诸叛王后，边事遂宁，但仍需抚军朔方。中都又称旺兀察都。旺兀察都，即今河北省今张北县北 30 里的白城子古城，此地北控漠北，南俯大都和中原，军事地理条件十分重要。从附近的自然地理环境看，这里

---

① 《元典章》卷 31《礼部》卷之 4《学校》一《儒学·科举程序条目》，第 1188 页。
② 《元史》卷 170《王利用传》，第 3994 页。
③ 《元代画塑记》，《广仓学窘丛书》本，1916 年上海仓圣明智大学排印。
④ 《元史》卷 38《顺帝本纪》一，第 820、821 页。

盛夏之际，清凉无比，是避暑佳地。而且旺兀察都距安固里淖（即鸳鸯泺）较近，附近草甸广阔，水草丰美，禽兽较多，是放鹰、畋猎的好去处。另外，在今坝上、坝下早有皇帝建行宫的历史传统。辽、金两朝在这里曾建过多座行宫。如，辽朝在归化州（今张家口市宣化县）建有燕子城（今河北省张北县），作为清暑的行宫。今河北沽源县大宏城子是金代凉陉景明宫的所在地。到了元世祖忽必烈时，又在隆兴府内兴建了察罕脑儿行宫。旺兀察都之地，接近辽金旧城燕子城，古为坝上贸易集散之地，交通四达，是大漠南北的交通枢纽。到了元朝，又是两都驿路必经的一站，如从察罕脑儿西行，百余里则是中都城，适于驻跸、休憩。从上都出发，南过野狐岭（今万全坝），取道宣德州返回大都，也非常方便。由于具备了政治、军事、经济、自然等诸方面的条件，故中都选址于兴和路的旺兀察都。①

据周伯琦《扈从诗后序》云："府之西南名新城，武宗筑行宫其地，故又名中都。"② 府，即隆兴路总管府。中统二年（1261 年），升抚州为隆兴路总管府，皇庆元年（1312 年）十月，改隆兴路为兴和路。③ "西南"应是"西北"，中都在兴和路的西北。可见中都在当时也称新城。

从大德十一年（1307 年）六月下令动工营建中都，到行宫建成，仅用了一年时间。④ 至大元年八月，元廷"以中都行宫成"大赏官吏有功劳者，并抚恤"死于木石及病没者"。⑤ 当年（1308 年），武宗就驻跸中都，玄教嗣师吴全节扈从武宗"至中都，中秋赐宴，上顾其貂裘弊，改赐黑貂三百以为衣。"⑥ 中都行宫建成后，元政府又调拨大批军人和民工修建中都城。至大元年十一月，"中书省臣言：'今铨选、钱粮之法尽坏，廪藏空虚。中都建城，大都建寺，及为诸贵人营私第，军民不得休息。迩者用度愈广，每

---

　①　参见郑绍宗：《考古学上所见之元中都——旺儿察都行宫》，《文物春秋》1998 年第 3 期。

　②　《周伯琦〈扈从诗前后序〉疏证稿》，《五代宋金元人边疆行记十三种疏证稿》，第 370 页。

　③　《元史》卷 24《仁宗本纪》一，第 553 页。

　④　《元史》卷 22《武宗本纪》一，第 501 页。旺兀察都中都古城城址，位于河北省张北县馒头营乡白城子村西南约 400 米处，详见刘建华：《河北省张北县白城子古城址调查简报》，《辽海文物学刊》1995 年第 2 期。1993 年，元中都古城遗址由河北省人民政府公布为省级重点文物保护单位。

　⑤　《元史》卷 22《武宗本纪》一，第 501 页。

　⑥　《道园学古录》卷 25《河图仙坛之碑》。

赐一人，辄至万锭，惟陛下矜察。'"① 至大二年四月，武宗不顾"蝗虫豪遍野，百姓艰食"，"诏中都创皇城角楼"。至大三年十月，"敕谕中外：民户托名诸王、妃主、贵近臣僚，规避差徭，已尝禁止。自今违者，俾充军役及筑城中都"。十一月，"敕城中都，以牛车运土，令各部卫士助之，限以来岁四月十五日毕集，失期者罪其部长，自愿以车牛输运者别赏之"。② 武宗在修建中都的同时，还在大都和五台山修建佛寺，这些工程浩大，耗费了大量人力和物力，造成国库空虚，财政枯竭，民不聊生。至大三年，监察御史张养浩在《上时政书》中列举了十大弊政，对兴建中都等劳民伤财的做法提出非议，他说："五曰土木太盛。……今闻创城中都，崇建南寺，外则有五台增修之扰，内则有养老宫展造之劳。……奚暇间国家之财诎，生民之力殚哉？"③ 张养浩因此被罢官④。以上史实表明，元武宗大兴土木致使国库日益空虚，繁重的劳役使广大民众苦不堪言。

中都遗址　考古发现，原中都城有大、中、小三城，即皇城、宫城和外城三部分。今外城已没入地下。皇城，即内城，城墙全部夯土筑城，早年曾于墙皮外的某些地方发现石砌墙基。平面基本为正方形，南北长 610 米，东西宽 555 米。其城墙最厚处为 15 米，城垣上部一般厚 6 米左右，存高 3—5 米不等。在内城四垣的中部都辟有门，东西两垣中间辟掖门，南北垣中部为宫门。门两侧有建筑基址，在东门北侧发现有石条，分析可能原有门楼或阙。城垣内四角设角楼。1957 年调查时，皇城内分布有大小不同的建筑基址、土台 18 座。在皇城中央有高大的建筑台基，应为中央宫殿基址，台子南北长约 98 米，东西宽 48 米。过去曾在台子上面发现有大型石柱础、汉白玉螭首、瓦件、角兽、琉璃瓦等。台子的东北角还露出一方形赭色石柱础。在中央宫殿基址的北面和侧翼，有大型建筑基址 6 座，它们围绕中央宫殿基址前后，层层引申，左右并列对称。

宫城在皇城之外，皇城的南北两垣与宫城南北两垣间隔 120—215 米。宫城的东西两垣间隔 60 米，皇城在宫城中稍偏北。宫城墙垣系夯筑，地面

---

① 《元史》卷 22《武宗本纪》一，第 504 页。
② 《元史》卷 22《武宗本纪》一，第 527、530 页。
③ 《归田类稿》卷 2，乾隆五十五年（1790 年）周氏刻本。
④ 《元史》卷 175《张养浩传》，第 4091 页。

上存有多处清晰可见的残基。宫城南北长 1 045 米，东西宽 675 米。宫苑城基本没入地下，当地群众传说围宫城四周呈"回"字形。是否和元上都一样，外城包在宫城的西、北两面，仍待证实。但从宫城东垣外约 250 米左右处，发现了断续的墙基、土垅，平面有的呈方形（如四合院），发现了琉璃瓦、布纹瓦、灰砖。由此分析，在宫城之外确有一些建筑，或可能是外城垣的残迹。从皇城、宫城的大小推断，外城城垣如果存在，其南北长可在1 300 米、东西宽可在 1 100 米左右（即城周长可在十华里左右）。在中都皇城各组宫殿基址的周围，分布着许多大型础石、石条，出土了汉白玉石雕刻的建筑构件，各种黄绿琉璃瓦片，有龙纹瓦当、滴水、脊吻构件，各种粗、细白瓷片和缸胎瓷片等。早年在元中都及其附近出土的遗物，有汉白玉雕刻螭首 2 件、凹形石构件、白地黑花牡丹纹大罐、琉璃瓦件、各种瓷、铜器等。① 后来陆续出土汉白玉螭首五十多件。

旺兀察都这种三城套叠的规制，以及大量的汉白玉螭首构件体现了一国都城规制的特点。

中都的官署　中都行宫建成以后，元政府便仿照大都、上都的模式建立了管理都城的官署。为了维持行宫的日常生活和中都建城的需要，还建立了其他相应的行政管理机构。如户部属下管理宝钞、玉器、缎匹、丝绵、布帛等各种财物的万亿库，保卫中都安全的虎贲司，掌领宫廷饮食供应的光禄寺等。至大三年（1310 年）六月，"立上都、中都等处银冶提举司，秩正四品"。从元代文献来看，元中都的修建尽管没有完工，但实际上它已成为与大都、上都并列的第三都城。至大三年十月，"以皇太后受尊号，赦天下。大都、上都、中都比之他郡，供给烦扰，与免至大三年秋税"。② 元代官修政书《经世大典》的"宫苑"和"城郭"条目也都把中都与大都、上都并列。③ 建中都宫殿的祭文说："……伏愿万国来朝，共仰京都之壮丽。"④

中都的政治风云　至大四年（1311 年）正月初八日，武宗去世，其弟

---

① 参见郑绍宗：《考古学上所见之元中都——旺儿察都行宫》。
② 《元史》卷 23《武宗本纪》二，第 528 页。
③ 《国朝文类》卷 42《经世大典·宫苑》、《经世大典·城郭》。
④ 程钜夫：《雪楼集》卷 1《黄兀察都建宫殿祭文四首》，"黄兀察都"即"旺兀察都"。

爱育黎拔力八达以武宗册立的储君身份，开始主持朝政。他为了缓和社会矛盾，巩固统治，立即着手整顿吏治。正月初十日，他就下令罢尚书省，"百司庶政，悉归中书"。十四日，以"变乱旧章，流毒百姓"的罪名，将尚书省的主要官员脱虎脱、三宝奴、乐实等人处死。二十日，下令"罢城中都"。二月十二日，"司徒萧珍以城中都徼功毒民，命追夺其符印，令百司禁锢之。还中都所占民田。"① 三月，仁宗即位于大都，"请召文武老臣，咨以朝政"，仁宗亲信大臣野讷，"又请以中都苑囿还诸民"。② 从此，停止修建中都。

中都停建后，中都的都城地位被取消，又恢复了原来隆兴路的建置。皇庆元年（1312 年）十月，改隆兴路为兴和路。③

泰定帝曾两次到过旺兀察都中都之地。至治三年（1323 年）九月，泰定帝在漠北即位后，即启程前往大都。十一月己丑，"车驾次于中都，修佛事于昆刚殿"。泰定三年（1326 年）八月，泰定帝"次中都，畋于汪火察秃之地"。④

泰定帝死后，武宗系与泰定帝系争夺汗位，武宗系内部也进行血腥的汗位争夺。天历二年（1329 年）正月，武宗长子和世㻋在和林之北即皇位，是为元明宗。明宗随后启程南行。八月一日，和世㻋抵达旺兀察都。次日，武宗次子图帖睦尔入见长兄和世㻋，明宗在行宫内设宴招待图帖睦尔及诸王、大臣。八月六日，明宗和世㻋"暴崩"。本来，图帖睦尔在燕铁木儿的扶持下已先于明宗在大都即汗位，因和世㻋从漠北归来，不得不宣布让帝位于和世㻋，但图帖睦尔及燕铁木儿不甘心失去帝位，于是在中都谋害了明宗，重新夺取了汗位。"帝（图帖睦尔）入临哭尽哀。燕铁木儿以明宗后之命，奉皇帝宝授于帝。"⑤ 文宗图帖睦尔和权臣燕铁木儿一行，"疾驱而还，（燕铁木儿——引者加）昼则率宿卫士以扈从，夜则躬擐甲胄绕幄殿巡

① 《元史》卷 24《仁宗本纪》一，第 538 页。
② 《元史》卷 137《阿礼海牙传》，第 3314 页。
③ 《元史》卷 24《仁宗本纪》一，第 553 页。
④ 《元史》卷 30《泰定帝本纪》二，第 672 页。
⑤ 《元史》卷 33《文宗本纪》二，第 737 页。

护"，① 八月初九日，抵达上都。十五日，文宗复即位于上都。明宗暴死的真相，元惠宗妥懽帖睦尔在至元六年（1340 年）的诏书中揭示于天下："文宗稔恶不悛，当躬迓之际，乃与其臣月鲁不花、也里牙、明里董阿等谋为不轨，使我皇考饮恨上宾。……"② 文宗与燕铁木儿、月鲁不花等人在旺兀察都谋杀明宗和世㻋之后，中都城遂成一座荒芜的废城。

至正二十八年（1368 年）八月，元惠宗从大都北走上都，"初九日，车驾至中都，以李仲时为兵部尚书，征兵于高丽。十五日，车驾至上都"。③明代，称中都古城为"沙城"。永乐八年（1410 年），明成祖朱棣出征蒙古，据随从官员金幼孜记载，三月"初七日，早发兴和，行数里，过封王陀，今名凤凰山。山西南有故城，名沙城，西北有海子，驾鹅鸿雁之类满其中。……上又曰：'适所过沙城，即元之中都，此处最宜牧马。'语久始退"。④

清代，旺兀察都地区为察哈尔镶黄旗牧地。据《大清一统志·镶黄等四旗牧厂》载："沙城，……按此地土人名插汉巴尔哈逊城，周七里，门四，故址犹存。"插汉巴尔哈逊，蒙古语Čaɣan Balaqasun，意为白城子。日本蒙古史学者箭内亘在《元代的东蒙古》一文中对元中都遗址进行了考证。他首次指出，元中都就是《大清一统志》所载沙城插汉巴尔哈逊城，今址为古兴和城北馒头营子附近的白城子废城。⑤

第三节　中书省河东山西道宣慰司所辖诸路及汪古部领地

1230 年，大蒙古国大汗窝阔台置十路课税所，将金代西京路分为西京和宣德两路。中统三年（1262 年），元世祖忽必烈设十道宣慰司，西京是其中一道。至元十五年（1278 年），立河东山西道宣慰司，分西京宣慰司辖

---

①　《元史》卷 138《燕铁木儿传》，第 3332 页。

②　《元史》卷 40《顺帝本纪》三，第 856 页。

③　刘佶：《北巡私记》，《云窗丛刻》本。薄音湖、王雄编辑点校本：《明代蒙古汉籍史料汇编》（第一辑），内蒙古大学出版社 1994 年版，第 34 页。

④　金幼孜：《北征录》，《纪录汇编》本。《明代蒙古汉籍史料汇编》（第一辑）。

⑤　箭内亘：《元代的东蒙古》，《蒙古史研究》，东京刀江书院 1930 年版。

地，后罢。至元二十三年（1286 年），以原河东山西道宣慰司所管地区偏僻，恢复河东山西道宣慰司，治冀宁（今太原）。至元二十六年，徙治大同，辖今山西省及其以北内蒙古部分地区，直属中书省。

一、河东山西道宣慰司与大同路的形成

灭金过程中，山西地区的路级建置，起初沿袭金代区划，分为西京路、河东北路与河东南路三个路份。其中，西京路以山西路行省、兼兵马都元帅夹谷通住，西京留守、兼兵马副元帅刘伯林统辖戍守。1230 年春正月，窝阔台汗在中原汉地确立税收制度之时，耶律楚材提出设立十路课税所。当时，山西地区的三路课税所分别设在西京、太原和平阳，全面主持河东山西三个路份的财赋征收。灭金之后，窝阔台汗"析天下为十道，沿金旧制画界"，诸道所统仍袭金制，山西道为金西京路，包括山西东、西路或云中东、西路，即后来的宣德路与西京路。中统三年（1262 年）十一月，忽必烈升抚州为隆兴府，"割宣德之怀安、天成及威宁、高原隶焉"。由此，山西道逐渐析出宣德路，演变成为仅含山西西路或云中西路的西京路建置区划，后与河东道的平阳、太原两路进行合并，统称河东山西道。至元二十五年（1288 年）二月，西京路改为大同路。

元朝时期，元统治者在山西和内蒙古中部一带专门设有河东山西道宣慰使司，作为最高统治政权机构，直属中书省管辖，其下包括大同、冀宁、晋宁三路和汪古部四路。其中在天山（今大青山）以北，河东山西道宣慰使司还设置了镇遏德宁、天山分司，作为管理这一地区的派出机构。

大同路在今内蒙古地区的行政建置 大同路的府州县的行政区划分布情况大致如下：大同路，上路，金为总管府，元初置警巡院。至元二十五年改西京为大同路。统领一录事司，直辖五县，下设八州。录事司，是指各路所在城厢的政权机构，品秩大致相当于县。大同府直辖五县为大同、白登、宣宁、平地、怀仁，下设八州为弘州、浑源州、应州、朔州、武州、丰州、东胜州和云内州。其中宣宁县、平地县和丰州、东胜州、云内州的治所在今内蒙古地区，地约当今呼和浩特、包头市所辖大青山以南地区，以及鄂尔多斯市东北部、乌兰察布市东南部广大地区。

宣宁县 始建于北齐，初称紫阿镇。辽圣宗开泰八年（1019 年），建宣

德县。金世宗大定八年（1168 年），更名为宣宁县，元代沿用。明洪武二十六年（1393 年），改置宣德卫，不久废弃。另，岱海在元代称作下水（或作"夏水"），蒙古灭金之后，曾一度将宣宁县城直接称作"下水"。下水驻有蒙古西征俘掠来的阿剌浑人。元太祖十八年（1223 年）七月，丘处机从中亚归来路过这里，曾在城中小住，受到山西路行省、兼兵马都元帅夹谷通住的盛情款待。

平地县　下县，本号平地袅。至元二年（1265 年），省入丰州。至元三年，置县称作平地。县治即今乌兰察布市察右前旗三岔口乡大土城古城。

丰州　辽、金有丰州天德军节度使，属西京路。元省军额，仍称丰州，但民间习惯上还称丰州为天德军。原领附郭富民县，至元四年省县入州。州治即今呼和浩特市赛罕区巴彦镇白塔古城①。明洪武年间废弃，宣德元年（1426 年）复置，正统中内迁。

东胜州　袭辽、金旧制，领东胜一县。至元二年，撤宁边州，并一半入本州。至元四年，省东胜县入州。州治即今托克托县城关镇西北东沙岗古城中的"大皇城"。

东胜州以东有红城，即今和林格尔县大红城乡的小红城古城。至元二十九年（1292 年），命各万户府拨大同、隆兴、太原、平阳等处军人于红城周围设屯，开垦荒田，由西京宣慰司管领。成宗大德元年（1297 年），迁大同路军储所于红城，后成为枢密院所辖的军屯之一。

云内州　始建于辽代，领柔服、宁人二县。金代沿用，迁徙奚人戍守，领柔服、云川二县和宁仁一镇。元代州治不变，元初取消云川县，设录事司。至元四年，省录事司、柔服县入州。云内州州治即今托克托县古城镇西白塔古城。明洪武五年（1372 年）废弃。宣德年间复置为云内县，属丰州。正统十四年（1449 年），复废。柔服县由辽、金沿袭而来，《金史·地理志》记载"夹山在城北六十里"，当北距今大青山不远，推测其故址为今土默特左旗陶思浩乡什泥板古城。

丰州、云内州和东胜州在元代合称"西三州"。从托克托县古城镇云中

---

①　李逸友：《〈辽史〉丰州天德军条证误》，《内蒙古文物考古》1995 年第 1、2 期。

古城出土的崔氏家谱碑上的"西三州织染局大使"官职来看①，西三州并不是一个单纯的行政地理概念，应当也存在着统一管理的职能。

二、汪古部及其所辖诸路

汪古部是金元之际活动于今内蒙古大青山以北的一个部族。② 当时，中原人称汪古部人为白鞑靼，而元代的汪古部人自称是沙陀人、五代时晋王李克用的后代。实际上，汪古部人属突厥语族，是由黑车子室韦、回鹘败亡漠南时被唐朝驱散后留在阴山一带的余部，以及唐末由雁门北上的沙陀人、金初释放的回鹘俘虏等组成，可能还加入了其他各种民族成分。而以沙陀突厥为统治家族，以黑车子室韦、回鹘遗裔为主要部属，在元代被视为色目人。

汪古部世居天山（今内蒙古大青山）以北地区。金朝为防御蒙古，在净州之北修筑新长城，由汪古部为其戍守。蒙古攻金，汪古部为之向导。因此，成吉思汗与汪古部主约为世代婚姻，其首领仍统旧部，居故地，形成驸马家族相对独立的领地。元代，汪古部主可尚公主、甚至大汗嫡女。汪古部驸马，在元代封高唐王、郐王、赵王。

汪古部投下领地内有德宁路、净州路、沙井总管府和集宁路，虽然列入国家统一行政区划，但内部仍由领主自治。而且，元代诸王投下领地属民不隶国家版籍。因此，德宁路、净州路、沙井总管府和集宁路的户籍，史均无载。

德宁路 汪古部世居之地。德宁路领德宁一县，本为金边堡，在黑水（今达茂旗境内艾不盖河）之北，因汪古部首领阿剌兀思剔吉忽里与成吉思汗交好，互称按达，故名按达堡子。元世祖时，汪古部主在此建城，称黑水新城。1305年，以黑水新城为静安路，领静安县。1318年，改静安路为德宁路，静安县为德宁县。德宁路遗址，即今达茂旗鄂伦苏木古城。

净州路 领天山一县。原为金净州和天山县，最晚在元成宗大德十一年

---

① 石俊贵主编：《托克托文物志》（上），中华书局2006年版，第281—287页。
② 本节内容主要参考周清澍《元蒙史札》中有关汪古部的相关论文。

（1307 年）前已设路。故址即今乌兰察布市四子王旗吉生太乡城卜子古城。

沙井总管府 领沙井一县。沙井在金末是标志边界的城堡。中统初年，沙井是通往漠北的重要驿站和粮食的军储所。至元二十三年（1286 年）的一个文件中提到沙井有"榷场仓官"①。故址为今四子王旗红格尔苏木布拉莫林庙村西南的大庙古城。沙井建总管府、设县，最晚当在仁宗延祐三年（1316 年）之前。

集宁路 领集宁一县。原为金抚州属县，大概在元初被并为汪古部领地，至迟在仁宗皇庆元年（1312 年）前已设路。故址为今乌兰察布市察右前旗巴音塔拉镇土城子古城。

至大元年（1308 年），汪古部驸马尤忽难封郕王，置王傅府。王傅府设有王傅、府尉、司马等主要官员。王傅府下其他官员有断事官，管理王府词讼；典食司，主管王府饮食；人匠都总管府，管领王府属人和工匠；怯怜口都总管府，管理郕王、赵王私属人口；钱粮都总管府，专管赵王各领地钱粮收入；管领诸路也烈可温答总管府，专门管理基督教徒的机构。

此外，《马可波罗行纪》说丰州是汪古部领地的中心。《马儿·牙八剌三世和列班骚马史》说东胜州是汪古部首领君不花和爱不花兄弟的驻营地。《鄂多立克东游录》也说东胜州是汪古部的重要城市。据这些记载，一般认为阴山以南的丰州、东胜州、云内州也有大量汪古部属民。在大青山以北汪古部原居地的周边，包括今达茂旗、四子王旗、武川县、察右中旗和察右后旗的广大地域，发现了数量众多、大小不一的元代城址。除部分屯田城外，其中有一些规模较大的城址，如波罗板升古城②、思腊哈达古城③、广益隆古城④和察汗不浪古城⑤等，面积皆与汪古部的几个路级城址不相上下，城内建筑遗迹繁多，地表散布遗物丰富，这些城址应与汪古部本部内的投下领

---

① 《永乐大典》卷 11598《经世大典·市籴粮草》。
② 盖山林：《阴山汪古》，内蒙古人民出版社 1991 年版，第 118—120 页。
③ 田广金：《四子王旗红格尔地区金代遗址和墓葬》，《内蒙古文物考古》创刊号，1981 年。
④ 张郁：《察右中旗广义隆元代古城》，内蒙古文物工作队编《内蒙古文物资料选辑》，内蒙古人民出版社 1964 年版；崔利民：《察右中旗广益隆元代古城调查》，《内蒙古文物考古》1994 年第 1 期。
⑤ 内蒙古自治区文物考古研究所、察哈尔右翼后旗文化管理中心：《察哈尔右翼后旗边墙路及其周边遗址的调查》，《内蒙古文物考古文集》第 3 辑，科学出版社 2004 年版。

主分封制有关。① 汪古部部长阿剌兀思剔吉忽里及其侄镇国的后裔子孙繁多，他们在汪古部的领地范围内各自建立自己的食邑城址，从而形成了大、小领主并存的局面。

第四节 中书省所辖弘吉剌部领地应昌路和全宁路

元世祖和元成宗时期，先后在弘吉剌部首领的领地内建立了应昌、全宁二城，并升为路。应昌路位于弘吉剌部领地的中心，今克什克腾旗达里诺尔岸边，这里是弘吉剌部的夏营地。全宁路位于今赤峰市翁牛特旗乌丹镇，是弘吉剌部的冬营地。应昌路与全宁路的管辖范围是弘吉剌氏的领地，以游牧畜牧业为主，两路可能没有明显的分界线，只是按自然环境、依山川地理分夏、冬两个牧场。

一、应昌、全宁两路的设置及两城的建筑

兴建应昌城 其遗址在今赤峰市克什克腾旗达里诺尔西南约 2 公里达尔罕苏木境内，今称鲁王城。此处依山面湖，山清水秀，景色宜人。辛巳年（1221 年）三月，丘处机经过达里诺尔时，随行的李志常记载道："出沙陀至鱼儿泺，始有人烟聚落，多以耕钓为业。"② 丁未年（1247 年），张德辉应忽必烈之召，赴漠北时路过这里，他在《岭北纪行》中记载："过鱼儿泊，泊有二焉，中有陆道，达于南北。泊之东涯有公主离宫，宫之外垣高丈余，方广二里许，中建寝殿，夹以二室，背以龟轩，旁列两庑，前峙眺楼，登之颇快目力。宫之东有民匠杂居，稍成聚落。"③ 这些工匠、民户应是弘吉剌氏首领的封户。从上面的史料可以看出，在应昌城建立之前，达里诺尔湖沿岸已经有比较稠密的人群，既有颇成气象的宫殿，也有民匠杂居的聚落，这为应昌城的建立和发展提供了有利的条件。

至元七年（1270 年），按陈之孙斡罗陈万户及其妃囊加真公主（忽必烈

---

① 周良霄：《元代投下分封制度初探》，《元史论丛》第 2 辑，中华书局 1983 年版。
② 《长春真人西游记》卷上，《王国维遗书》第 13 册，第 15 页。
③ 《张德辉〈岭北纪行〉疏证稿》，《五代宋金元人边疆行记十三种疏证稿》，第 342 页。

之女）请于朝廷："本藩所受农土，在上都东北三百里达儿海子，实本藩驻夏之地，可建城邑以居。"① 元世祖允之，"遂名其城为应昌府"。② 次年，开始动工兴建城邑，地址选在达里湖和岗更湖之间，亦即在天都山东北、金山西南的地方。至元八年，应昌城落成。最初的应昌城仅修建了城郭、府署、宫室等建筑，后来，应昌城内逐步建造了佛寺、儒学、文庙等。

应昌城遗址　根据实地调查资料，应昌古城平面呈长方形，东西宽约650 米，南北长约 800 米。城墙全部用黄土夯筑而成，墙高 3 至 5 米，上宽2 米、下宽 10 米。在东、西、南三面墙上开设了城门，城门上加筑有方形瓮城。南城门内有一条宽 10 米的南北大街，向北延伸 260 米，与东西门间直通的宽约 15 米的横街相会；横街南面还有两条经向和一条纬向的街道，将城内的南部分割为 8 个方形街区。在东、西间直通的横街以北的城内北部地区，有几座大的院落遗址。在全城中央有一座最大的院落，平面近似方形，南北长 240 米、东西宽 220 米。大院用黄土夯围墙，并用青砖包砌，再用白灰抹面。大院东、南、西三墙正中开门，其中以南门规模最为宏伟，残存有 7 米高的门楼台基。院内有建筑物三进，以中央正殿规模最大，现存的土台基长宽各约 70 米，高 2 米，左右对称布置东西配殿。另一座院落位于西北隅，基址南北长 200 米、东西宽 150 米，院内也有三进建筑物，在第一、二进建筑物间加筑有回廊，形成大院中的小院，主要建筑在后院正中央。另在城内中央大院落的东北方向还有一座院落，南北长 110 米、东西宽50 米。在东西横街以南地区主要是小型建筑。城内散布着不少砖瓦等碎石，尤其在城内北部还有太湖石，应是从江南运到应昌城内用作观赏的。③

　　在应昌城内还发现了儒学遗址。元代教育制度的特点是庙学合一，庙和学的建筑一般糅合在一起，或以庙为学。④ 在应昌城内东南隅的一处院落，南北长 65 米、东西宽 50 米，院内有残碑一通，碑首篆刻"应昌路新建儒学记"，表明此处是应昌路儒学与文庙的所在地。《应昌路新修儒学碑》碑文

① 《元史》卷 118《特薛禅传》，第 2920 页。
② 《元史》卷 118《特薛禅传》，第 2920 页。
③ 参见李逸友：《内蒙古元代城址概说》，见《元上都研究丛书·元上都研究文集》，第 135 页。
④ 申万里：《元代应昌古城新探》，《内蒙古大学学报》2006 年第 5 期。

已经漫漶，但文中有"泰定"字样，估计文庙与儒学建立于泰定年间。元朝任命儒士做儒学的学官，负责教育生员和管理学校，应昌路儒学学官见于记载的有罗元友、罗源发以及康仁叔。范梈在《赠别罗元友教授之应昌》一诗中写道："翩翩郡博士，骑马涉长道。……应昌信殊僻，宅近今丰镐。"① 程钜夫有《送罗元发教授应昌》②，王旭《送康仁叔序》，文中说济宁路儒士康仁叔接到"驸马应昌公的聘币"，请他到应昌任教，估计他也是应昌路的儒学学官。③ 程钜夫卒于延祐五年，④ 说明应昌路在此之前已经有儒学，而"应昌路新建儒学记"碑所记的泰定年间建儒学之事，可能是重新修缮庙学。

应昌城内外还有佛寺建筑。罔极寺是与应昌城同时营建的著名佛寺。据刘敏中《敕赐应昌府罔极寺碑》记载："寺为正殿，为周庑。庑四维为楼，为碑。楼为垣，为门，为斋、庐、庖、库。"整个寺庙"金碧上下，辉映绚烂，诸佛像设妙极庄严"。⑤ 可见罔极寺有正殿，有厢房，厢房周围有墙，院墙上建门楼，院内尚有斋房、厨房、库房及简单的庐房。考古发掘表明，罔极寺位于应昌外城西北角，为一南北长约 200 米、东西宽约 150 米的院落，南墙开门。院中有两座建筑，北面为一长方形台基，南面为又一院落。考古发掘与刘敏中所记相符。刘敏中在碑文中还指出，应昌寺"聘梵僧有德业者诵持，祝厘祈年"，可见罔极寺是藏传佛教寺院。元皇室奉藏传佛教的萨迦派高僧为帝师，皇室成员大多信奉萨迦派佛教，囊加真公主所建的罔极寺应当是藏传佛教中的萨迦教派寺庙。刘敏中所撰的碑文即刻在寺院南面小院里的碑上。

至大二年（1309 年），祥哥剌吉公主为了报答元朝朝廷对弘吉剌氏驸马家族的宠渥之恩，又在应昌内城的东北角建报恩寺。从考古发掘看，其寺址，南北长约 120 米，东西宽约 50 米，南墙开门。院中有 7 座建筑台基，

---

① 范梈：《范德机诗集》卷 12，《四部丛刊》初编本。
② 程钜夫：《雪楼集》卷 29《寄题郎官湖太白祠亭》。
③ 王旭：《送康叔仁序》，《全元文》卷 606，第 499 页。
④ 参见程世京：《楚国文宪公雪楼程先生年谱》，见程钜夫：《雪楼集》附录。
⑤ 刘敏中：《敕赐应昌府罔极寺碑》，《全元文》卷 396，第 526 页。

北面2座，南面1座，中部4座对称分布。① 文献记载报恩寺的建筑有殿堂、庞门、厄寮、库庾、皮经之室、栖碑之亭等，整个寺庙"金碧馄华，梦撩宏密，缭以周垣，亘以修涂"。公主、驸马还请高僧智心住持报恩寺，"日帅其徒诵演祝赞"，为元朝大汗"告天祝寿"。②

此外，应昌城东南30公里的曼陀山东麓有龙兴寺遗址，发现《应昌路曼陀山新建龙兴寺记》石碑一通，碑首有赵世延篆书"应昌路曼陀山新建龙兴寺"12字。碑文记载，龙兴寺始由祥哥刺吉公主建于泰定二年（1325年）。③

现在还未发现应昌城建造道观的记载，不过，有一些道士受公主、驸马的召请到了弘吉刺氏的府邸，主持道教活动。至元二十七年（1290年），杭州道士殷元燧就"跟随皇姑大长公主前去全宁、应昌两路承应"。④

全宁路　驸马斡罗陈死后，其弟蛮子台继尚囊加真公主，蛮子台封济宁王。成宗元贞元年（1295年），这家驸马、公主向成宗请求在驻冬之地创建城邑，其地"当卢川之上，淮安、甘泉两山之间"。⑤ 全宁城址，即今赤峰市翁牛特旗乌丹镇西门外古城。城址平面略呈方形，每边长约1 000米，土筑城墙，残墙高1至2米，最高处尚有5米，墙基宽10至12米。⑥ 由于临近城镇，城址内已辟为农田，建筑遗址多已损坏。从城墙的周长看，全宁路的建筑规模应当不亚于应昌城。

泰定二年立的《全宁路新建儒学记》碑记载："大德改元城全宁，全宁析庐州封畛而郡，西直上京七百里。"可见，全宁城所在地，元初称为庐州，距上都700里。全宁城从元贞元年（1295年）开始修建，大德元年（1297年），成宗加赐新城名全宁府，亦即升庐州为全宁府。大德七年，升为路，领全宁一县。据记载，全宁路儒学有"五间"房，是"皇

---

① 参见张文平：《内蒙古地区元代城址的初步研究》，2004年内蒙古大学硕士学位论文。

② 《国朝文类》卷22《应昌路报恩寺碑》。

③ 参见李逸友：《内蒙古元代城址概说》，见《元上都研究丛书·元上都研究文集》，第135页。

④ 阮元：《两浙金石志》卷17《元灵应解班麒版》，《辽金元石刻文献全编》，影印光绪十六年浙江书局刻本，北京图书馆出版社2003年版。

⑤ 柳贯：《柳待制文集》卷9《护国寺碑》，《四部丛刊》本。

⑥ 李逸友：《内蒙古元代城址概说》，见《元上都研究丛书·元上都研究文集》，第135页。

姑鲁国大长公主、驸马济宁王"所创。① 皇姑鲁国大长公主是囊加真公主，驸马济宁王是蛮子台，囊加真公主先后适斡罗陈、帖木儿、蛮子台三兄弟。

应昌城、全宁城的建筑布局情况，与元上都一样显现出了蒙古贵族对多种文化兼收并蓄的心态。在规模不大、人口不多的草原城镇应昌，既有蒙古贵族的宫殿、佛教寺庙，又有儒学、孔庙等建筑，还有杭州道士在这里"承应"，充分体现了元代多元文化发展、融合的特点。

二、应昌、全宁两路府机构及鲁王王傅府

刘敏中的《敕赐应昌府冈极寺碑》记载，应昌建城，元世祖赐其名为应昌府，应昌府初隶平滦路。至元七年（1270 年）八月，元政府"赈应昌府饥"，"设应昌府官吏"②。可见，至元七年八月已正式有了应昌府的建置，但当时府衙官员设置不完备，直到至元十六年（1279 年）七月，应昌府才得以"依例设官"，完备了相应的官僚机构。应昌府领应昌一县。应昌府隶中书省，至元二十二年，自成一路，是下路，设路总管府，其官员有达鲁花赤、总管、同知等。③ 至元十三年，设应昌和籴所，收购粮食，供应上都及漠北军政人员。④

据《元史·顺帝本纪》，至正年间元朝曾罢应昌路、全宁路的建置，"以拨属鲁王马某沙王傅府"。后来因为"有司以为不便"，至正十四年（1354 年）复之。⑤

此外，作为诸王领地，应昌路还有一套诸王王傅府机构。弘吉剌驸马从武宗朝开始封鲁王。元武宗至大二年（1309 年），朝廷为弘吉剌氏设立了王傅府。王傅府设立之前，弘吉剌氏首领府中设断事官处理日常事务。设立王傅府后，原王府怯薛张应瑞成为鲁王府的第一任王傅⑥。王傅下面除设立了

① 《满洲金石志》卷 4《全宁路新建儒学记》，《历代石刻史料汇编》第 4 编第 3 册，第 832 页。
② 《元史》卷 7《世祖本纪》四，第 130 页。
③ 《元史》卷 118《特薛禅传》，第 2920 页；《全元文》卷 396，第 526 页。
④ 《元史》卷 118《特薛禅传》，第 2920 页；卷 10《世祖本纪》七，第 214 页；卷 25《世祖本纪》十二，第 311 页。
⑤ 《元史》卷 43《顺帝本纪》六，第 915 页。
⑥ 尚师简、张起岩：《张氏先茔碑》，《历代石刻史料汇编》第 4 编第 3 册，第 814 页。

"怯怜口都总管府、钱强外总管府（应是钱粮都总管府——引者注）"① 等主要统治机构外，还设有不少其他下属机构。《特薛禅传》记载，鲁王王傅府设有王傅，多至 7 员，还有傅尉、司马及王傅下属机构钱粮、人匠、鹰坊、军民、军站、营田、稻田、烟粉千户、总管、提举等衙署 40 余处，官员 700 余人。据称，这些数目还是"可得而稽考者也"。② 如果加上稽考不到的王傅府的官员，鲁王府的官员可能不止 800 余人，足见鲁王府官员众多，鲁王领地上的人口自然也不会少。虽然应昌与全宁是弘吉剌氏的冬、夏营地，但弘吉剌氏既建立了两个固定的城池，则两城都会有一定的常年居住人口来维护城池，王傅府的主要人员随鲁王家属冬、夏转场，但也应有少量王傅官员在弘吉剌部主要部属转场后，随留守人员居于应昌或全宁，因此，在应昌与全宁分别设有王傅府机构。《竹温台碑》记载，全宁人氏竹温台为"管领随路打捕鹰房诸色人匠等户钱粮都总管府副达鲁花赤"，不久又升为达鲁花赤。竹温台的都总管副达鲁花赤、达鲁花赤职务应是就整个弘吉剌氏王傅府而言的。

应昌、全宁的路、府、县的官员，有些人是元政府派去的常选官，如江西人杨拱吾就被任命为应昌府判官。有不少路、府、县及王傅府官员是由鲁王举荐、朝廷批准的鲁王府陪臣担任的。太原名医宋超因给鲁王夫妇治好了病，"（公）主、（鲁）王皆感其更生，奏以为应昌总管。……告归，不许，为留者二年"。③ 王傅府的官员中，有蒙古人也有汉人，蒙古人如竹温台，原为鲁国大长公主腾臣，定居全宁。"鲁王以其才可大用，一府中亦交称其贤。"于是，奏为管领随路打捕鹰房、诸色人匠等户钱粮都总管府副达鲁花赤，"居府中十余年，货无悖人，亦无滥出，岁节财用五十余万缗，公室以富，民生以遂"；④ 汉人中最典型的是张应瑞家族，张氏为全宁路人，世为全宁大家，父张伯祥为纳陈所知，担任宿卫，"事必以问"。张应瑞在王府

---

①　胡祖广：《相哥八剌碑》，《石刻史料新编》第 3 辑，第 324—326 页，台北新文丰出版公司 1986 年影印。

②　《元史》卷 118《特薛禅传》，第 2920 页。

③　程钜夫：《太原宋氏先德之碑》，《全元文》卷 537，第 380 页。

④　《满洲金石志》卷 4《竹温台碑》，《历代石刻史料汇编》第 4 编第 3 册《辽金元石刻文献全编》，北京图书馆出版社 2003 年版，第 867 页。

中长大，成为纳陈的宿卫，深得信任，历侍纳陈、斡罗臣、珊阿不刺三代驸马，长期担任王府王傅。其子住童，初任怯怜口都总管，天历初年，鲁国大长公主祥哥刺吉之女卜答失里被册封为文宗皇后，受皇后引荐，张住童又跻身于朝官，任集贤侍讲学士、中政院使、提调中兴武功库、兼监随路都总管府同知。次子大都间也任应昌路总管。①

全宁路既有县、府、路的建置，应当也有相应的设官，只是目前尚未见诸记载。

三、应昌、全宁两路的经济生活

在弘吉刺氏的领地上，主要生产活动是游牧畜牧业，但是有关应昌、全宁路畜牧业生产状况的具体记载并不多，只能从零散的史料中管窥蠡测。《竹温台碑》记载，鲁国大长公主祥哥刺吉的媵臣竹温台定居于全宁，竹温台"善牧养，畜马牛羊累巨万"。② 依此推测，应昌路、全宁路的蒙古贵族豢养的马牛羊应该不少。

应昌路及其周边地区的农业生产活动在史书中可以钩沉一二。从历史记载看，应昌周边农业得到了一定程度的发展，元朝在应昌设立屯田所，管理应昌附近的农业。应昌的屯田户似须向国家缴租赋。至元二十五年（1288 年）四月，桑哥曾向世祖提出："自至元丙子（十三年，1276 年）置应昌和籴所，其间必多盗诈，宜加钩考，扈从之臣种地极多，宜依军站例，除四顷之外，验亩征租，并从之。"③ 这条史实或能从侧面反映驸马、功臣分地上的属民除了要向本封君缴纳租赋外，还要向国家缴纳赋税的事实。不过，由于自然条件的限制，应昌周边农业发展的水平不会太高，这一点可以从两个方面得到证实。首先，元代史料中有很多赈济应昌的记载，《元史·本纪》的相关记载就说明了这一点。例如，至元七年（1270年）八月、大德元年（1297 年）四月、泰定三年（1326 年）二月，以及

---

①　马祖常：《张公先德碑》，尚师简、张起岩：《张氏先茔碑》，两碑俱见《满洲金石志》卷 4，《历代石刻史料汇编》第 4 编第 3 册《辽金元石刻文献全编》，第 814 页。

②　《满洲金石志》卷 4《竹温台碑》，《历代石刻史料汇编》第 4 编第 3 册《辽金元石刻文献全编》，第 867 页。

③　《元史》卷 15《世祖本纪》十二，第 311 页。

元文宗时期，都有元政府向应昌发赈济粮食的记载，而且拨付的数目相当大。如大德三年四月，一次就赐驸马蛮子台粮 130 000 石。[①] 这既说明元代应昌农业生产的脆弱性，也反映出应昌的人口不少。其次，元朝在应昌严格实行禁酒。元代在灾荒时期为了减少粮食靡费，往往禁止一些州郡酿酒，在北方草原尤其如此。《元史·本纪》记载了不少有关应昌等地的禁酒令。例如，至元二十五年（1288 年）六月，禁上都、桓州、应昌、隆兴酿酒。大德七年（1303 年）闰五月，成宗诏上都路、应昌府、亦乞列思、和林等处，依内郡禁酒。禁酒令反映了北方草原粮食匮乏、农业发展的落后。

应昌路因有达里诺尔湖，有一定的渔业。早在蒙古国时期，应昌路人就"多以耕钓为业"。[②] 后来的史书也记载"达里诺尔产鱼最盛"，"所产滑子鱼，每三四月间自达里诺尔溯流而进，填塞河渠，殆无空隙，人马皆不能渡，则渔儿泊之名盖本于此"。[③] 因水质特异，达里诺尔只产鲫鱼与滑子鱼，外来鱼种很难存活。在游牧民族的生活中，狩猎业、渔业一直是畜牧业的一种必要的补充。

应昌不仅是弘吉剌部的政治、文化中心，也是北方草原上的一座经济重镇。应昌是元朝在北方设立的一个重要的粮食收购地点。自至元十三年在应昌设立和籴所以后，每年都要在这里收购许多粮食。至元二十年、二十一年、二十二年这三年中，政府在应昌籴粮的钱钞每年递增一千锭，从三千锭增加到五千锭，每年籴储粮食近一万石。[④] 应昌成为元朝收购粮食的中心，并不是应昌本地产粮丰富，而是基于以下几方面的原因：首先，这里毗邻辽河平原，商人比较容易从辽河平原收买到粮食；其次，应昌是防御东西道诸王、屏蔽两都的重要防线，元朝朝廷必须在此储备足够的粮食；再次，应昌也是由南方转输到漠北粮食的主要转运站。应昌本地的屯

① 《元史》卷 19《成宗本纪》二，第 427 页。
② 《长春真人西游记》卷上，《王国维遗书》第 13 册，第 15 页。
③ 《长春真人西游记》卷上，《王国维遗书》第 13 册，第 15 页；同页王国维校注"蒙古游牧记达里诺尔产鱼最盛，诸尔之利，盖克什克腾、阿巴噶、阿巴哈纳尔三部蒙古共享之。所产滑子鱼，每三四月间自达里诺尔溯流而进，填塞河渠，殆无空隙，人马皆不能渡，则渔儿泊之名盖本于此"。
④ 《永乐大典》卷 11598《经世大典·市籴粮草》；《元史》卷 13《世祖本纪》十，第279 页。

田所产出的粮食是非常有限的，不可能为应昌和籴所提供粮源，应昌所籴粮食主要是收购商人贩运至此的粮食。应昌储备的粮食也曾调拨给其他诸王，至元二十七年（1290 年）六月，"敕应昌府以米千二百石给诸王亦只里部曲"。① 亦只里是按赤台的曾孙，也译写为也只里。

应昌城内还有娱乐业。元人刘铣在《送应昌府判》一诗中描述了应昌城的风物："昔年金宋通盟处，今日春风花满路。轻裘走马江南人，高髻弹弦河北女。水肥鱼美如截肪，争压葡萄留客住。"② 诗中说应昌城既有游宦或经商的"走马江南人"，也有从事娱乐行业的"弹弦河北女"，反映了应昌城的兴盛景象。

应昌所在地很早就是漠南漠北的交通要道。蒙古初年，成吉思汗攻金即从渔儿泊进军南下，丘处机、张德辉去漠北也都经过渔儿泊。到元代，开通了漠南到漠北的帖里干驿道，应昌成为帖里干驿道的一个重要站点。帖里干驿道从大都出发到上都，然后北行经应昌城，折而西北行至克鲁伦河上游，再转行至鄂尔浑河上游的和林地区。从上都到应昌的这段驿路称作"渔儿泊驿路"。至元二十五年四月，"立弘吉剌站"，按陈裔孙也速达儿授官本藩蒙古军站千户，世袭职位。③ 可见应昌城在帖里干驿道上的重要地位。

应昌路与全宁路是蒙元时代的草原城市，对漠南蒙古的经济、文化、政治都起到了积极作用。

四、北元的临时都城应昌城

在明军的打击下，至正二十八年（1368 年）闰七月丙寅（二十八日）夜半，元惠宗袖里褪着传国玉玺，领着后妃、皇太子、文武官员开健德门北奔。顺帝首先到达上都，次年（明洪武二年）八月，退到达里泊，应昌成为北元的临时都城。元惠宗在应昌组织残余元军，阻击明军，甚至想收回大都。惠宗命令脱列伯、孔兴以重兵攻大同，以便为反攻大都铺平道路。明将

---

① 《元史》卷 16《世祖本纪》十三，第 338 页；参见叶新民：《弘吉剌部的封建领地制度》，《内蒙古大学纪念校庆二十五周年学术论文集》，1982 年 10 月。
② 刘铣：《桂隐诗集》卷 3《送应昌府判》，《文渊阁四库全书》本，台湾商务印书馆 1983 年版。
③ 《元史》卷 118《特薛禅传》，第 2918 页。

李文忠出雁门关，在马邑打败元军前锋，接着，在大同与元军激战，大败元军，俘脱列伯。包围大同城的孔兴得悉这一情况后，撤往绥德。明军乘胜进入东胜州，至莽哥仓而还。洪武三年（1370 年）四月，元惠宗因痢疾死于应昌。洪武四年（1371 年）正月，皇太子爱猷识礼达腊继位，是为昭宗，改元宣光。不久，明朝集结重兵进攻北元临时都城应昌及陕、甘、宁一带的扩廓帖木儿。由李文忠率领的军队从北平（明朝改大都为北平）北上，过野狐岭，直奔应昌。明军夜袭应昌，克之，昭宗爱猷识礼达腊放弃应昌，率数骑逃奔和林。昭宗之子买的里八剌和两宫后妃、宫人以及玉册、金宝等皆被俘获。① 由徐达率领的大军从潼关出西安，进军扩廓帖木儿的驻地定西。明军在沈儿峪大败元军，俘虏将士 8 万多人，扩廓帖木儿与少数军士取道宁夏渡黄河北走和林。至此，北元已无法在漠南立足，败退到漠北。应昌城被明军攻破以后受到严重破坏，但其建筑并没有完全被毁。明永乐年间，明成祖北伐蒙古，曾在应昌城驻军。明成祖以后，明朝再也没有能力组织对蒙古的北伐。不久，应昌又回到蒙古族控制的范围之内，但应昌城却被彻底废弃了。

第五节　辽阳行省所辖各路与诸王投下领地

元代辽阳行省境内遍布诸王、驸马、投下的分地。有些诸王、驸马、投下的领地内设立了路、府、州、县。

一、大宁路

大宁路原为金北京大定府，元初仍称北京路。辖境约为今内蒙古、辽宁、北京、河北等省市自治区相邻的部分地区。元世祖中统元年（1260 年），置北京路宣抚司，以后又先后置北京宣慰司、北京行省等机构，辖今内蒙古东部地区。元初，北京路领兴中府及义、瑞、兴、高、锦、利、惠、川、建、和十州。中统三年，割兴州及松山县属上都路。至元五年（1268 年），并和州入利州为永和乡。至元七年，降兴中府为州，仍属北京路，最终定制为九州七县。

---

① 张廷玉等：《明史》卷 126《李文忠传》，中华书局 1992 年版，第 3744 页。

至元十五年（1278 年）四月，曾在北京路设辽东道宣慰司。大德七年（1303 年）罢。至元二十五年，改北京路为武平路。二十九年（1292 年），改为大宁路。壬子年（1252 年），大宁路有户 46 006，口 448 193 。① 大宁路可能是兀鲁、忙兀两部的牧地，导致后来政府的户口登记册上没有记录。大宁路下辖的大宁、富庶、武平三县和高州在今内蒙古地区。

大宁县，下县。大宁路治所在地，本为金大定县。中统二年（1261 年），并长兴县入大定县。至元二十九年（1292 年），改大宁县。县治与大宁路治同，遗址为今赤峰市宁城县铁匠营子乡大明城。

富庶县，下县。旧址即今赤峰市宁城县甸子乡黑城古城。古城累积有战国燕国右北平郡、秦汉右北平郡、辽金元三朝富县的郡治、县治及明富峪卫驻所的遗址。元代设有富庶站。②

武平县，下县。旧址即今敖汉旗南塔乡白塔子古城。辽代，该城初名杏埚新城，后改为新州、武安州。金、元降为武平县。

高州，始建于辽，金沿用。1214 年，升为兴胜府。1216 年，仍为高州。元朝，高州是下州，今赤峰市元宝山区风水沟镇哈拉木头村城址是辽、金高州与三韩县治址，也是元代高州治所。

其余的州县：

义州（今辽宁省义县），义州可能也是亦乞列思部首领孛秃的分地。义州即金义州，辽宜州，辽辖弘政、闻义两县。③ 金改宜州为义州，辖弘政、开义、同昌三县和饶庆一镇。④ 元大德年间，重修义州大奉国寺时，亦乞列思的驸马宁昌郡王不怜吉歹和公主普颜可里美思布施元宝二千锭及颇多财物，应是义州在其分地内才有此举。元代义州无下属县，似也说明义州在投下领地内未严格地设置地方行政机构。

兴中州，金代为兴中府。至元七年（1270 年），降为兴中州。治今辽宁朝阳。至正二年（1342 年）正月，升懿州为路时，将大宁的兴中、义州割

---

① 《元史》卷 59《地理志》二，第 1397 页。

② 张文平：《内蒙古地区元代城址的初步研究》，2004 年内蒙古大学硕士学位论文，第 65 页。

③ 《辽史》卷 39《地理志》三《中京道·宜州》，第 487 页。

④ 《金史》卷 24《地理志》上《北京路·义州》，第 559 页。

入懿州路①。

瑞州，治今辽宁绥中县。

锦州，治今辽宁锦州。

利州，《塔子沟纪略》载："小城子：塔子沟东北六十五里为小城子，因东去五里有大城子之名，故名……西南去四里有长寿山……"② 近人李文信认为，小城子遗址"可能是利州址，天成观前古碑有利州长寿山云云，至元二十四年建，则城址为元利州无疑……"③。一说元利州治所在今辽宁凌源县塔子沟大城子遗址。

惠州，治今河北承德之东的平泉县五十家子乡会州城。

川州，治今北票市黑城子镇。

建州，治今朝阳县大平房镇。

龙山县，下县，初属大定府。治今喀喇沁左旗白塔子镇。至元四年，省入利州，后复属大定。和众、金源、惠和都是下县。金源县，治今建平县喀喇沁村。惠和县，治今敖汉旗古惠州旧址，一说在建平县建平镇马圈子村。和众县，治今凌源市小城子村十八里堡。惠和县，治今敖汉旗古惠州旧址。

二、泰宁路

泰宁路在成吉思汗幼弟斡赤斤的封地内。泰宁路，原为金泰州，属北京路。元初，州废。《元史·地理志》，将泰宁路与宁昌路都记载在中书省辖区内。然而据《经世大典·站赤》，宁昌驿和泰州驿分属辽阳行省的辽东路和辽东道宣慰司管辖，而这两处驿站的所在地正是日后建置宁昌路和泰宁路时的路治。延祐二年（1315 年）八月，"改辽阳省泰州为泰宁府"；四年二月，又"升泰宁府为泰宁路，仍置泰宁县"。④ 可见，自至元到延祐年间，泰州亦即泰宁府地区一直属辽阳行省。泰宁路治今吉林省洮南市城四家子。

肇州　肇州在斡赤斤家族的分地内。元代沿用金代蒲与路肇州之名，而在别处新置肇州。金代，肇州治所在今吉林松花江北流段下游西岸前郭县塔

① 《元史》卷 40《顺帝本纪》，第 863 页。

② 哈达清格纂：《塔子沟纪略》卷 6《古迹》，《辽海丛书》本，第 6 页。

③ 李文信：《〈塔子沟纪略〉批注》，《辽海丛书》第 3 集第 5，第 926 页。

④ 《元史》卷 25《仁宗本纪》二，第 571 页；卷 26《仁宗本纪》三，第 578 页。

虎城，辽朝时称出河店。金以"太祖兵胜辽，肇基王绩于此，遂建为州"。这就是说，金改辽出河店为肇州。《金史·地理志》记载，上京"西至肇州五百五十里"。[①] 而元代沿用金肇州名，于至元三十年（1293 年），又新置肇州城，迁兀速、憨哈纳思、乞里吉思三部人居于此，同时派哈剌八都鲁为肇州宣慰使。元贞元年，在肇州设立屯田万户府，以辽阳行省左丞阿撒领其事。[②] 元代肇州，遗址在今黑龙江肇东县八里城，周长 4 000 米。[③]

三、辽阳路

辽阳路在金代为东京路辽阳府。至元六年（1269 年），升为东京路。二十五年（1288 年）更名辽阳路，属上路。壬子年（1252 年），统计辽阳的户数为户 3 780，口 332 301。领一县二州。[④]

辽阳县，下县。至元六年，鹤野县、警巡院并入辽阳县。辽阳县是辽阳行省的治所。辽阳路下辖辽阳县与盖州、懿州两州。

盖州，下州。元初为盖州路，至元六年，降为东京路属州，并其属县熊岳、汤池入建安县。八年，并建安县入盖州。

辽阳路可能也有亦乞列思部首领孛秃的封地。明初毕恭《辽东志》载，在辽阳城西南 80 里有"驸马营城"，"俗传元有驸马筑城居于此"，辽阳城西北百里近辽河处有"船城"，"俗传前元养鹰所"[⑤]。毕恭为明初辽东都指挥司金事，正统八年（1443 年）开始修《辽东志》，[⑥] 此时去元亡不到 80 年，民间传说是可信的。此元代驸马就是亦乞列思家族的驸马，辽阳一带或是亦乞列思驸马家的冬夏营地之一。

四、懿州路与宁昌路

懿州路在亦乞列思部的封地内。亦乞列思部的封地，南接金懿州（今

---

① 张英：《出河店与鸭子河北》，《北方文物》1992 年第 1 期。

② 《元史》卷 59《地理志》，第 1396 页。

③ 孙秀仁：《黑龙江肇东八里城为元代肇州古城考》，《北方论丛》1980 年第 3 期。

④ 《元史》卷 59《地理志》二，第 1395 页。

⑤ 《辽东志》卷 1《地理》，《辽海丛书》第 1 册，第 367 页。

⑥ 《辽海丛书》第 1 册《校印辽东志序》，第 345 页。

辽宁阜新、彰武一带），东邻金上京、咸平，北邻金泰州，据有金临潢府东南，即今通辽市大部分、赤峰市敖汉旗一带以及吉林省西部部分地区。其封地所涉及的州县大约有：懿州、豪州、义州、辽阳府、兴中州。

《辽史》记载，懿州，广顺军，"圣宗女燕国公主以上赐媵臣户置，在显州东北二百里，因建州城。西北至上京八百里"。"壕州。国舅宰相南征。俘掠汉民，居辽东之西安平县故地，在显州东北二百二十里，西北去上京七百二十里。"① 壕州，即豪州之误。懿州与壕州都是投下州，安置的是贵戚部落与俘户。国舅宰相，指的是述律后弟北府宰相萧阿古只。豪州初为豪刺军，辽太宗天显八年（933 年），改豪刺军为豪州刺史②。从《辽史·地理志》记载看，懿州与豪州相距只有二三十里，因此，到金朝时，曾将豪州省入顺安县，《元一统志》记载："豪州本辽时懿州，金皇统三年省入顺安县，后复置。"③ 所以，金末又有豪、懿二州。

辽代懿州辖宁昌（州治）、顺安二县。金代，懿州改治顺安。皇统三年（1143 年），省宁昌县入顺安县，后又以宁昌县设置豪州。④ 金代，懿州领灵山县与顺安县。

1214 年，亦乞列思部孛秃驸马率蒙古军左路军，攻占辽西豪、懿二州，成吉思汗即以二州赐孛秃。中统四年（1263 年），忽必烈"命阿海充都元帅，专于北京、东京、平滦、懿州、盖州路管领见管军人，凡民间之事毋得预焉"。⑤ 至元三年（1266 年）二月，立东京、广宁、懿州开元、恤品、合

①　《辽史》卷 37《地理志》一《头下军州》，第 449 页。

②　刘浦江：《辽朝的头下制度与头下军州》，《中国史研究》，2000 年第 3 期："现藏辽宁省博物馆的《陈万墓志》，其中有这样一段文字：'年册，奉大圣皇帝宣命□□从故国舅相公入国。寻授圣旨，除豪刺军使。……年五十五，皇帝知司徒（即陈万）战伐功高，改军为豪州，除司徒为刺史官。'豪州为头下军州，《辽史·地理志》'头下军州'条记载说：'壕州：国舅宰相南征，俘掠汉民，居辽东西安平县故地。'此壕州即豪州之误。据阎万章先生考证，《陈万墓志》所说的'国舅相公'和《辽史·地理志》所说的'国舅宰相'，都是指的述律后弟北府宰相萧阿古只……太宗天显八年（933 年），辽朝改豪刺军为豪州，也就是将头下军改为头下州，仍由陈万任州刺史。"

③　《元一统志》，第 186 页。

④　《金史》卷 24《地理志》上，第 560 页；《辽史》卷 37《地理志》一《头下军州》，第 449 页；参见周清澍主编：《内蒙古历史地理》，第 125 页。

⑤　《元史》卷 98《兵志》，第 2512 页。

懒、婆娑等路宣抚司①。可见，元朝初期懿州曾升为路，而且是当时辽东西地区的主要路份之一。② 懿州路，辖豪州及同昌、灵山二县。至元六年十二月，省并州县时，"以懿州、广宁等府隶东京"。③ 懿州成为东京路（后改辽阳路）的属府，同时省同昌、灵山二县入懿州。懿州城，即今辽宁省阜新县东北 80 里塔营子古城。

金代的懿州，是宁昌军额。至元二十二年（1285 年）正月，亦乞列思驸马唆郎哥被封为郡王时，冠"宁昌"二字于郡王号前，称"宁昌郡王"。④

宁昌路　豪州在金末复置后，元前期仍存在。忽必烈与阿里不哥争位时，"以北京、广宁、豪、懿州军兴劳弊"。中统三年四月，上述诸地"免今岁税赋"。⑤ 至元六年，豪州省入懿州顺安县，其后复置，但不知复置时间。至元二十四年，乃颜之乱发生后，豪州频频见于《元史》，并于是年七月移北京道按察司置豪州。⑥ 至元二十二年，封唆郎哥为宁昌郡王时，可能还没有宁昌府、县的行政建置，只是取辽金时代的军名为爵邑名。延祐五年（1318 年）二月，"置宁昌府"⑦，应是将豪州改升宁昌府。至治二年（1322 年）十二月，升宁昌府为下路，增置一县⑧。增置的县即是宁昌县。辽代懿州就设有宁昌县。但元代宁昌路可能不是辽金时代豪州旧治，其地更偏西。在今赤峰市敖汉旗玛尼罕乡五十家村西侧有一元代古城遗址，遗址内出土的文物以元代居多，如琉璃建筑构件和装饰件，元代银器等。1973 年，出土了"至大元宝"金币，这枚金币是一枚春钱，为贵妇人所佩。最重要的发现是至正二年（1342 年）加封孔子制诏碑，碑阴所刻均为"宁昌路"与"宁昌县"的一些官员，此遗址由此被认为是元代宁昌路治址。1996 年，内

---

① 《元史》卷 6《世祖本纪》三，第 110 页。

② 《元史》卷 59《地理志》二，第 1395 页。

③ 《元史》卷 6《世祖本纪》三，第 124 页。

④ 《元史》卷 13《世祖本纪》十，第 272 页。

⑤ 《元史》卷 5《世祖本纪》二，第 84 页。

⑥ 《元史》卷 14《世祖本纪》十一，第 298、299 页；卷 15《世祖本纪》十二，第 309 页；卷 17《世祖本纪》十四，第 370 页；卷 14《世祖本纪》十一，第 299 页。

⑦ 《元史》卷 26《仁宗本纪》，第 582 页。

⑧ 《元史》卷 28《英宗本纪》，第 626 页。

蒙古自治区公布"敖汉旗玛尼罕乡辽塔及元代宁昌路遗址"为自治区级重点文物保护单位。① 宁昌县是亦乞列思部的驻牧地。

简单地说，元初沿金制置豪州，至元六年省入懿州顺安县。至元中期，复置豪州。延祐五年，升豪州为宁昌府。至治二年，升为宁昌路，置宁昌县属之。《元史·地理志》将宁昌路列在中书省下面，有误。懿州路与宁昌路都在亦乞列思部的分地。

五、开元路

开元路在札剌亦儿部贵族的分地内。关于开元路的由来，《元史·地理志》"开元路"记载："金末，其将蒲鲜万奴据辽东。元初癸巳岁（1233年），出师伐之，生禽万奴，师至开元、恤品，东土悉平。开元之名，始见于此。"这就是说，开元之名在金朝末年就已出现了。其时，开元是蒲鲜万奴东夏国的两个行政区之一。源出《大元一统志》的《大明清类天文分野之书》明确记载了开元路设立的时间及治所："元癸巳年（1233年），师至开元，东土悉平，于建州故城北石墩寨设官行路事，辖女直户。"② 据此可知，1233年，蒙古平蒲鲜万奴，得其地，设立了开元路，路治在建州古城北石墩寨。据考证，石墩寨在今吉林省吉林市附近的原金朝建州古城之北。③

"乙未岁（1235年），立开元、南京二万户府，治黄龙府。至元四年，更辽东路总管府。二十三年，改为开元路，领咸平府，后割咸平为散府，俱隶辽东道宣慰司。至顺钱粮户数四千三百六十七。"④ 明初辽东都指挥司佥事毕恭从正统八年（1443年）开始修的《辽东志》的记载与此基本相同，

---

① 参见李雅丽：《赤峰市内蒙古自治区区级、县市级重点文物保护单位一览表》，见内蒙古文物考古研究所之信息中心网页，2007-09-29，15：32：02 发布。赤峰市敖汉旗博物馆网页产品介绍。

② 《大明清类天文分野之书》卷24《辽东都指挥使司》"开元路"条，吉林省哲学社会科学研究院静电复印本。转引自薛磊：《元代开元路建置新考》，《元史论丛》第10辑，中国广播电视出版社2005年版。

③ 金毓黻：《东北通史》卷六《元代与东北之关系》，国立东北大学东北史地经济研究室，1941年。转引自薛磊：《元代开元路建置新考》，见《元史论丛》第10辑，中国广播电视出版社2005年版。

④ 《元史》卷59《地理志》二，第1400页。

不过指出开元路领有七县："咸平、新兴、庆云、铜山、清安、崇安、归仁。"①

关于开元路的沿革，《元史·地理志》将开元路与辽东路的情况混杂在一起，读来令人费解。志云："金末，其将蒲鲜万奴据辽东。元初癸巳岁，出师伐之，生禽万奴，师至开元、率宾，东土悉平。开元之名，始见于此。乙未岁，立开元、南京二万户府，治黄龙府。至元四年，更辽东路总管府。二十三年，改为开元路，领咸平府，后割咸平为散府，俱隶辽东道宣慰司。"《元史》的这段记载使人有些模糊不清。可能的情况是：1235 年，蒙古政权于辽代旧黄龙府（今吉林省农安县）处另外设立开元、南京两管军万户府，管理军户事务。而开元路作为管理民事的路级机构并未罢设，而是一直存在。太宗十三年（1241 年），吾也而"充北京、东京、广宁、盖州、平州、泰州、开元府七路征行兵马都元帅"。② 开元府是当时辽东西地区七路之一。《李朝实录》记载："元也窟大王兵侵诸郡，（朝鲜）穆祖保头陀山城以避乱。……于是高丽以穆祖之宜州兵马使，镇高原以御元兵。时双城以北属开元路。元散吉大王来屯双城，谋取铁岭以北，再遣人请穆祖降元③。"据《高丽史》，蒙古也窟大王（即也苦大王，合撒儿的长子）、散吉大王入侵高丽的时间分别为高丽高宗四十年（1253 年）八月和四十五年（1258 年）十二月。④《高丽史·高宗世家》，高宗四十五年（1258 年），高丽铁岭以北地入蒙古，蒙古置双城总管府。中统三年六月，蒙古国曾下令"割辽河以东隶开元路"⑤。这说明，从太宗设开元路直到元世祖初期，该路一直存在。至元四年（1267 年），元政府将开元、南京二万户府改置为辽东路总管府，领咸平府。至元二十三年（1286 年），又改辽东路总管府为开元路，实际情况可能是将辽东路与开元路合并，同时将开元路路治由石墩寨移到原辽东路治所，即辽上京黄龙府故地。⑥ 大约在至元晚期至成宗统治初期，曾割咸平为散府。开

---

① 《辽海丛书》第 1 册《校印辽东志序》，第 345 页；毕恭《辽东志》卷 1《地理》，第 354 页。

② 《元史》卷 120《吾也而传》，第 2968 页。

③ 《李朝实录》卷 11《太祖康献大王实录·总书》，日本学习院东洋文化研究所 1954 年刊行。

④ 《高丽史》卷 24《高宗世家》，高宗四十年八月、四十五年十二月。

⑤ 《元史》卷 5《世祖本纪》二，第 85 页。

⑥ 参见薛磊：《元代开元路建置新考》，见《元史论丛》第 10 辑，中国广播电视出版社 2005 年版。

元路与咸平府俱隶辽东道宣慰司。辽东道宣慰司治咸平（今辽宁省开原市老城镇）。大德七年（1303 年），辽东道宣慰司废罢后，咸平府复归开元路管辖。至正二年（1342 年），再移开元路路治至咸平。①

关于开元路的辖境，据学者研究，其前后有所不同。太宗时期至元中期，其界南起高丽、北抵黑龙江口、东濒大海。至元中期，割混同江（今松花江及松花江、黑龙江汇合的黑龙江）南北的桃温（治今汤原西南汤旺河对岸）、胡里改（治今依兰）、斡朵怜（治今依兰西南牡丹江对岸）、脱斡怜（治今桦川东北）、孛苦江（治今富锦）等军民万户府分设水达达路，因此，开元路北界南缩，不再管辖混同江南北至奴儿干之地了。但至迟在文宗至顺年间以前，胡里改与斡朵怜万户府仍属开元路。金恤品路，元代地属开元路。开元路西与宁昌路、泰宁路接壤，西南与咸平府相接，东至今辉发河下游。初时，开元路南抵铁岭（今朝鲜高山淮阳间）。其后，自双城府治以南高（今高原）、文、宜、登诸州相继为高丽收复，至高丽忠烈王二十四年（1298 年），此诸州各归本城。至忠肃王元年（1314 年），高丽将江陵道存抚使移镇登州。故元文宗至顺年间以后开元路南境止于双城总管府。②

开元路是札剌亦儿贵族木华黎家族的分地，木华黎家族世代袭统五投下的军队，故在开元路设有开元路五投下总管府。

《元史·地理志》记载，至顺年间登记的开元路钱粮户数是 4 367 户。开元路的居民多数是札剌亦儿部贵族的属民，不隶于国家版籍，才使登记在册的民户数如此少。

六、水达达路

《元史·地理志》等书记载辽阳行省的最后一路是"合兰府水达达路"。然而，据研究，"合兰府"三字系掺杂于水达达路之上的衍文，水达达路的全称应是女直水达达路。水达达路，应初建于至元二十二年（1285 年）稍前，初时割开元路所辖的混同江南北两岸直至北面奴儿干的桃温、胡里改、斡朵怜、脱斡怜、孛苦江等军民万户府之地，设立水达达路。水达达路，西

---

①　金毓黻：《东北通史》卷 6《元代与东北之关系》，转引自薛磊：《元代开元路建置新考》。
②　谭其骧：《元代的水达达路和开元路》，《历史地理》创刊号，上海人民出版社 1981 年版。

界初时包括嫩江东西两岸，南面在松花江以南，当包括上京（今黑龙江阿城南白城）至今牡丹江一线的东北地区。文宗至顺年间以前，胡里改与斡朵怜二府又还属开元路了。则水达达路与开元路的分界线是自胡里改府治（今黑龙江省依兰县）之东北东南穿越今兴凯湖至海，界南是金代恤品路，其地元代属于开元路。①

水达达路居民都是水达达人、女真人。水达达，又写作水鞑靼，是元朝对于黑龙江下游、乌苏里江流域以至朝鲜东北部沿海居住的以渔猎为生部落、部族的泛称。这些部族中有吾者野人、吉里迷人、女真人等等。意大利人普兰诺·卡尔平尼的《蒙古史》称蒙古人有四种，其一种为 Su Mongyol，即水蒙古。《黑鞑事略》记载，被蒙古"残虐"的诸国之中，西南方有"斛速·益律干"（原注："水鞑靼也"），显然将水达达的所在方位记错了。水达达以捕鱼、捕青鼠和貂鼠或采珠为生，有简单的农业，无市井城郭。养狗驾拖床，又善于造船，并以此服役于元朝的军队与驿站（狗站）。以名鹰海东青为贡品。② 至顺年间有钱粮户数 20 906 户。③

七、广宁府路

据《元史·地理志》记载，广宁府路是下路，其地在金朝为广宁府。《耶律留哥传》记载，1227 年，成吉思汗命耶律留哥子耶律薛阇与别里古台并辖军马，为御前第三千户。1230 年，太宗窝阔台汗命薛阇移镇广宁府，行广宁路元帅府事。可见，1230 年，广宁府已经是路级行政单位。④ 元朝初年，曾立广宁行帅府事，后以广宁地远，迁治临潢，设立总管府。《新元史·别里古台传》记载，太祖末年，收辽王耶律薛阇土地，以别里古台镇广宁，辖辽西。广宁府路可能就在此时成为了别里古台的分地。中统三年正月，别里古台之孙爪都封广宁王。⑤ 至元三年二月，元朝"立东京、广宁、

① 谭其骧：《元代的水达达路和开元路》，《历史地理》创刊号，上海人民出版社 1981 年版。

② 参见《中国历史大百科全书·中国历史·元史》，第 100 页。

③ 《元史》卷 59《地理志》二，第 1400 页。

④ 《元史》卷 149《耶律留哥传》，第 3514 页。

⑤ 《元史》卷 5《世祖本纪》二，第 81 页。

懿州、开元、恤品、合懒、婆娑等路宣抚司"。① 至元六年（1269 年）十二月，省并州县时，"以懿州、广宁等府隶东京"。② 广宁府降为东京路的属府。至元十五年（1278 年），又升为路。至顺年间统计的钱粮户数是 4 595户。广宁领间阳、望平两县。③

间阳，属下县。《元史·地理志》记载："至元十五年，以户口繁伙，复立行千户所。后复为间阳县。"

望平县，至元六年省钟秀县入望平县。至元十五年，罢县，立望平军民千户所。

广宁地近高丽，有人到高丽经商，在高丽犯法被流放到荒岛躭罗。元贞元年（1295 年），元朝公主卜答失里下嫁高丽王王璉，护送公主入高丽的队伍路经广宁，犯人家属趁机诉于随行医官宋超，宋超至高丽后奏于诸王阿木哥，将幸存的流放者救回。④

第六节　陕西、甘肃行省所辖相关诸路

元代的陕西行省和甘肃行省在今内蒙古地区的管辖范围，主要是南流黄河以西、以北地区。陕西行省，在今鄂尔多斯市境内建有察罕脑儿宣慰使司都元帅府，管辖今鄂尔多斯市的大部地区。甘肃行省，大体上相当于原来西夏的国土，在今内蒙古地区的管辖范围包括河套及贺兰山以西、河西走廊以北地区，在今巴彦淖尔市境内建有兀剌海路，在今额济纳旗境内建有亦集乃路。

察罕脑儿宣慰使司都元帅府　察罕脑儿宣慰使司都元帅府是元朝在今鄂尔多斯市中南部地区建立的仅低于行省一级的行政机构，兼具军事管理职能⑤。其治所为今乌审旗苏利德苏木三岔河村西南 500 米处的三岔河古城，

① 《元史》卷 6《世祖本纪》三，第 110 页。
② 《元史》卷 6《世祖本纪》三，第 124 页。
③ 《元史》卷 59《地理志》，第 1396 页。
④ 参见程钜夫：《太原宋氏先德碑》，《全元文》卷 537，第 380 页。
⑤ 周清澍：《从察罕脑儿看元代的伊克昭盟地区》，《元蒙史札》，第 271 页。

是元王朝在鄂尔多斯地区的政治、军事、经济和交通中心①。

至元九年（1272 年），世祖忽必烈封皇子忙哥剌为安西王，驻京兆（今西安），管领"河西、土蕃、四川诸处"。这块地盘正是世祖在中统元年（1260 年）设置的陕西四川行省的辖地，至元八年罢陕西四川行省，归于中书省。成为安西王的封地后，又称安西省。安西王在京兆建安西府，在六盘山建开成府，开成为夏宫所在。此外，忙哥剌还有蒙古 4 000 户驻牧于察罕脑儿，于至元十年（1273 年）发民夫万人建白海（察罕脑儿）行宫，将这里作为驻夏地之一。在史籍中往往把它与奉元（京兆）、开成并提，说明察罕脑儿在安西王领地内也占有很重要的地位。忙哥剌死后，子阿难答嗣安西王位，为了和世祖在上都的西凉亭行宫察罕脑儿区别开来，安西王的察罕脑儿在当时又被称为"阿难答察罕脑儿"。

大德十一年（1307 年），安西王阿难答在宫廷政变中失败被处死，安西王封地被撤销。武宗海山将安西王的"版赋"赐给自己的弟弟。皇太子爱育黎拔力八达所辖的詹事院，置总管府，由签詹事院事察罕领之，察罕脑儿转为皇太子的封地。仁宗爱育黎拔力八达即位后，又将原安西王的封地和人户转赐给他的皇后阿纳纳失里，由掌皇后私产的中政院主管。阿纳纳失里死后，察罕脑儿转至武宗、仁宗的母亲答己名下。

泰定帝即位后，派遣其侄子湘宁王八剌失里出镇察罕脑儿，设王傅府管理这一地区。两都之战中，八剌失里被大都派俘虏，湘宁王王傅府及其对察罕脑儿的领有权也取消了。察罕脑儿在文宗时期的情况不太清楚。文宗死后，其皇后卜答失里立其侄明宗子懿璘质班为帝，宁宗为皇太后卜答失里"立徽政、中政二院"②，察罕脑儿归徽政院管理。（后）至元六年（1340 年），卜答失里被顺帝处死。至正十五年（1355 年），顺帝派豫王阿剌忒纳失里出镇陕西。至正十八年（1358 年），豫王阿剌忒纳失里徙居察罕脑儿，不久迁至六盘山。至正十九年（1359 年），顺帝将察罕脑儿赏给了资正院，资正院是专掌顺帝皇后奇氏财赋的机构，从此以后察罕脑儿成为奇皇后的私产。

---

① 　内蒙古文物考古研究所，鄂尔多斯博物馆：《乌审旗三岔河古城与墓葬》，《内蒙古文物考古文集》第 2 辑，中国大百科全书出版社 1997 年版。

② 　《元史》卷 37《宁宗本纪》，第 812 页。

　　武宗至大三年（1310 年），在察罕脑儿设立宣慰使司都元帅府，是全国八个宣慰使司都元帅府之一。至正二十七年（1367 年），曾在察罕脑儿设立行枢密院，命陕西行省左丞相秃鲁兼知行枢密院事。明洪武三年（1370 年），明朝军队在汤和的率领下与元军残部大战于察罕脑儿，明军俘虏元猛将虎陈，掳获马、牛、羊 10 余万，元军受到沉重打击，再难以组织有力的抵抗。

　　察罕脑儿还是元代一个重要的军事牧场。元朝皇室有十四道官牧地，其中哈剌木连等处御位下牧地，包括今鄂尔多斯市及其周围的各个牧场。其中，察罕脑儿欠昔思千户牧场，是一个规模很大的牧场。此外，察罕脑儿还是元朝设立的从奉元到察罕脑儿的一条驿路上的终点驿站，为该驿路上的重要的关会枢纽之地，驿户是蒙古人，设立有脱脱和孙，"掌辨使臣奸伪"①。

　　兀剌海路　《元史·地理志》无兀剌海路具体建置沿革。《元史·太祖本纪》中有成吉思汗五次征伐西夏、两克兀剌海城的记载②。元代的兀剌海路沿袭自西夏的黑山威福军司治所兀剌海城，城址即今乌拉特中旗新忽热苏木政府驻地北约 1 公里处的新忽热古城。

　　兀剌海，或写作斡罗孩，其含义在《多桑蒙古史》中见有注解，为西夏语"通墙道"③，即"穿过墙体的道路"之意。新忽热古城，南有秦汉长城，北有汉外长城南线、北线，西邻摩楞河。兀剌海"穿过墙体的道路"中的墙体应指长城而言，意即从这里有穿越南北长城的一条通道。摩楞河河谷地带南北贯通色尔腾山，交通便利，这也是成吉思汗五征西夏、两过兀剌海的原因之一。

　　亦集乃路　亦集乃路古城即今额济纳旗达来呼布镇东南 25 公里处的黑城古城。原为西夏黑水城，是黑水镇燕军司驻地，《元史·地理志》误为"威福军"④。1226 年，成吉思汗第五次攻西夏战役中，首先攻占该城⑤。至

---

　　①　《元史》卷 91《百官志》七《各处脱脱禾孙》，第 2318 页。

　　②　《元史》卷 1《太祖本纪》，第 14 页。

　　③　多桑著、冯承钧译：《多桑蒙古史》（上册），中华书局 2004 年版，第 67 页。

　　④　《元史》卷 60《地理志》三，第 1451 页："亦集乃路，下。在甘州北一千五百里，城东北有大泽，西北俱接沙碛，乃汉之西海郡居延故城，夏国尝立威福军。"

　　⑤　《元史》卷 1《太祖本纪》，第 23 页："元太祖二十一年（1226 年）二月，'取黑水等城'"。

元二十三年（1286 年），设路总管府，称亦集乃路。"亦集乃"，为西夏语"黑水"之意。明洪武五年（1372 年）春，朱元璋派三路大军北征北元，征西将军冯胜率西路军攻打甘肃，至亦集乃路，守将卜颜帖木儿投降，该城为明军占领。后来，北元军队一度重新占领亦集乃路。洪武十七年（1384年），明朝凉州卫指挥使宋晟在亦集乃路大败北元军队，擒海道千户也先帖木儿、国公吴把都剌赤等，俘虏 18 000 多人。但明军并没有在亦集乃路坚持多久，随着明朝防线的内移，该城最终被废弃了。

通过考古勘测与发掘，已初步查清了元代亦集乃城的建筑城垣、街道布局等，发现有店铺、官署、寺庙等遗迹。尤其是出土文书，对于了解当时亦集乃路的社会结构，具有重大的史料价值①。

黑城出土的汉文文书中，属于公文方面的有卷宗、人事、民籍、礼仪、军政事务、农牧、钱粮、站赤、词讼、票据、儒学和封签等几大类。其中钱粮类文书数量较大，又可分为钱粮、俸禄、诸王妃子分例、军用钱粮、官用钱粮等五类。属于民间文书的，有契约、书信、账单、习字、包封、柬帖、印本书籍及其抄本等。属于佛教方面的，有佛徒习诵本、经咒的抄本和印本等。黑城出土文书使用了三种文体，分别为硬译体、口语体和书面体。除少量属于西夏时代的佛经外，其余都是元代至北元时期的遗物。根据黑城出土的元代汉文文书的记录，可以归结出以下一些有关亦集乃路的信息。

亦集乃路有蒙古、党项、汉、回回、畏兀儿和藏族居民，是一个多民族杂居的地方。主要户口是屯田户、军户和站户，还有一些为儒学耕种学田的学田户、知书识礼免充差役的儒户以及回回包银户、木棉户等，都分别登记入籍。登记户籍由各渠社长负责，需要填写祖孙三代、人口、事产、孳畜、新增人口等各项。如党项族即兀汝一户比较详细完全，全家祖孙三代，兄弟四人，并有驱口二人，房五间，地土五顷，养有马三匹、牛一头、羊一只等等。居民的数量，农业人口约有 4 000 人，城内和关厢居住的非农业人口在 3 000 人左右，全路居民约 7 000 人，属于下路级别。

亦集乃路总管府内设有吏礼房、户房、钱粮房、刑房、兵工房和司吏房，分别负责管理礼、吏、户、兵、刑、工及文书处理等各项政务，其名称

---

① 李逸友：《黑城出土文书》（汉文文书卷），科学出版社 1991 年版。

和职能与中书省各部不直对。其中，吏礼房，负责管理官吏和差使人员任免升转等人事工作及礼仪方面事宜。户房，负责管理本路户籍地土，审理地土纠纷案件。钱粮房，负责管理财政收支事宜。兵工房，负责管理站赤、凿渠及军役等事宜。刑房，负责审理除土地纠纷以外的所有民事及刑事案件。司吏房，负责文书处理及杂务。总管府内任用的官吏，分别在六房内干事，有收俸收名司吏和收俸不收名司吏两种。收俸收名司吏俸禄较高，为正式任用人员，根据历仕考满可以迁转升格。收俸不收名司吏俸禄较低，为试用人员，须待试用合格后，才能正式任用。亦集乃路的司属机构，有广积仓、税使司、河渠司、巡检司、支持库、两屯百户所、司狱司、儒学、医学、阴阳学、僧人头目和答失蛮等。

亦集乃路在城区设置巷长，村屯设置社长和俵水，作为基层组织的职事人员，并非公职吏目，而是指派的差役。

亦集乃路城垣规模不大，居民住在城内和东门外关厢地方。除总管府及司属机构所占住地带外，居民的居住区域划分为若干坊，文书中所见坊名有永平坊、清平坊、极乐坊、崇教坊和庠序坊等。城内主要街道名称有正街和东街，住地名称还有龙王堂、太黑堂等。城外东关厢地方，通称为东关或东关外。在这些街坊内居住的各色人户的基层组织，文书中未见里正、坊正或主首等沿袭南宋、金朝的名称，而是设置巷长一职，为官司应役当差。在城区设置巷长的数目不详，当是每坊都设有此职。

元代普遍推行村社制度，亦集乃路在村屯设置的社长，是在农村建立的基层组织的头目，其职责是劝农。亦集乃路在农村的基层组织，是按灌溉渠道分别设置的，如本渠设置社长3名，沙立渠设置社长2名。亦集乃路的农业全靠灌溉，每渠都设置有俵水，负责分俵渠水，每渠俵水的数额以渠道长短和水闸多少而定。各渠社长的职责，也不仅是劝课农桑，凡一切赋役差使都由社长负责。社长和巷长由总管府派充，给予付身。

亦集乃路的经济以农业为主，兼营畜牧业。农业生产，主要是依靠额济纳河的河水发展起来的灌溉农业，开凿了很多渠道，有本渠、合即渠、额迷渠、吾即渠、沙立渠、耳卜渠等。从事农业生产的人，以民屯为多，也有部分军屯。种植的农作物，有大麦、小麦、黄米、糜子等。由于地理环境恶劣，干旱不雨、河水微小等情况时有发生，导致农业歉收，需从外地运粮接济。畜牧业，由农业居民兼营，没有专门的畜牧业户。商业具有一定规模，除供给当地居民的日常用品外，利用驿站枢纽的地位，在沟通岭北与内地的经济交往方面，亦集乃路也是一个很重要的贸易据点。官吏经商牟利现象普遍，成为社会的蛀虫。

亦集乃路设有儒学和文庙，二者建在一起，有明经堂和小斋堂等教学设施。儒学内的设备简陋，一份移交清册中所列八项为："万岁牌一面，大小尊牌一十五面，香桌儿六个，大小破损香炉五个，高桌儿三个，长床四个，破单四片，破铁小锅一口。"前几项是供奉祭祀用物，后几项是教学设备和生活用物。路一级的儒学设备如此寒酸，文庙和明经堂、小斋堂等建筑物也强不到哪儿去，这与当地的条件较差有关，只能因地制宜。

亦集乃路居民的宗教信仰，流行佛教和伊斯兰教。佛教徒以信仰藏传佛教为主，少数信仰汉地佛教。信仰伊斯兰教的回回人有很多，黑城外西南角的礼拜寺至今保存完好。其他还有阴阳学、道教和三皇庙等，充分反映了元朝兼容并包的宗教信仰政策。

第七节 岭北行省的建立及其辖境

漠北地区是元王朝的肇基之地。前四汗时期（1206—1259 年），大蒙古国的中央政府设在这里。后来，随着大蒙古国的东征西讨，到忽必烈帝时移居漠南，漠北地区成为大元大蒙古国的一个边区，但许多蒙古宗王和千户仍分布在这一地区，不失为元朝政府的祖宗根基。为了加强对漠北诸王的控制，元武宗大德十一年（1307 年），设立和林等处行中书省及和林总管府，标志着元朝对漠北地区统治体制的重要改变①。

成吉思汗的大斡耳朵 定都和林之前，成吉思汗的大斡耳朵即是大蒙古国的政治中心。成吉思汗有四个大斡耳朵：大皇后孛儿帖所居者称大斡耳朵（第一斡耳朵），忽兰皇后所居为第二斡耳朵，也速皇后所居为第三斡耳朵，也速干皇后所居为第四斡耳朵，此外还有五个斡耳朵。

第一斡耳朵具有特别重要的地位，往往被赋予"大斡耳朵"的专称。

---

① 陈得芝：《元岭北行省建置考》（上），《蒙元史研究丛稿》，第 113 页。

因位于今克鲁伦河河畔，又称作怯绿连河斡耳朵、胪朐河行宫等。1211 年，成吉思汗在这里接见了前来觐见的哈剌鲁部阿昔兰汗和畏兀儿亦都护。1216 年，攻金后北还，复住于此宫。成吉思汗死后，1229 年，蒙古诸王在这里推举窝阔台为大汗。此后 1251 年，推举蒙哥即大汗位的大忽里台也是在这里举行的。著名的《蒙古秘史》是在某一个鼠儿年（主要有 1228 年、1240 年、1252 年三种不同说法）在这个斡耳朵举行大忽里台时写成的。至元二十九年（1292 年），世祖忽必烈派其长孙甘麻剌驻守成吉思汗大斡耳朵，统领蒙古本土军民。1323 年，甘麻剌之子也孙铁木儿在这里即皇帝位，是为泰定帝。

成吉思汗大斡耳朵的位置，据《蒙古秘史》记载，在"客鲁涟河阔迭额阿剌勒地面"。20 世纪 40 年代，蒙古学者达木丁苏荣（Ts. Damdinsüren）开始寻找成吉思汗的大斡耳朵遗址，在他将《蒙古秘史》首次翻译为现代蒙古语的著作中，认为阔迭额阿剌勒即是克鲁伦河北岸的巴彦乌兰山。同时，蒙古国历史上的第一位考古学家普日列（Kh. Perlee），对《蒙古秘史》所提到的地名作以地形学的研究，支持达木丁苏荣关于阔迭额阿剌勒的看法。1961 年，由普日列领导的蒙古—东德联合考古队发掘了位于克鲁伦河北岸阔迭额阿剌勒附近的一处聚落遗址，证实它是成吉思汗建在阔迭额阿剌勒地面的一处宫殿遗址。此后，普日列在 20 世纪六七十年代又对该遗址进行了多次发掘，对整个遗址内建筑基址的布局及其功用作了一些初步推断，并发现了大量的遗迹遗物，包括一座冶铁作坊。全面的研究和保护工作直到 90 年代才展开。1992 年，蒙古—日本联合考古队对这一遗址进行了考古学和地球物理学的调查，调查内容包括建筑废墟和人类生产生活遗存，最后绘制出该遗址的第一张地形图。此外，一位叫那旺（D. Navaan）的蒙古国考古学家带领一些学生数次考察了该遗址，并作了局部的发掘工作，但目前尚未看到他们的任何出版物。

因遗址南部有一条名叫阿布拉嘎高勒（Avraga Gol）的克鲁伦河的小支流，这个得到越来越多认可的成吉思汗大斡耳朵遗址通称为阿布拉嘎遗址。遗址位于蒙古国肯特省德勒格尔汗苏木，处于失勒斤扯克和多罗安孛勒答黑（七个孤山）之间的草原上，经纬度位置为东经 109 度 09 分 41 秒、北纬 47 度 05 分 45 秒。多罗安孛勒答黑（七个孤山），即位于遗址西北方向不远处。

遗址北部高地上建有 1990 年纪念《蒙古秘史》成书 750 周年的纪念碑，其采用了 1240 年成书说。地表可见很多夯土台基，大约有 100 多座，周围有城墙遗迹。散布瓷片较多，有卵白釉钧瓷、定白瓷、黑釉和茶叶末釉瓷等。

　　自 2000 年开始，日本新潟大学考古系与蒙古国科学院历史研究所（今已改为考古研究所）达成协议，开展日蒙联合的"新世纪计划"考古勘察活动。该计划的目的是通过对蒙古高原上大蒙古国早期考古遗存的全面考古勘察，进而探讨蒙古帝国的形成过程。从 2000 年到 2004 年，日蒙"新世纪计划"对阿布拉嘎遗址进行了调查和发掘，清理了一座具有祭祀性质的台基基址，该发掘曾一度被世界媒体纷纷炒作成是在挖掘成吉思汗的陵寝。通过对该台基的揭露，最终自下而上区分出五个不同阶段的遗存。第一阶段为成吉思汗在 13 世纪初修建的宫殿，为一座方形蒙古包；第二阶段为窝阔台合汗于 1229 年在成吉思汗宫殿的基础上重建的宫殿，形制依然为一座方形蒙古包；第三阶段是在 13 世纪中期，于第二阶段的蒙古包内，用土坯垒砌了一个供奉成吉思汗灵位的祭台；第四阶段，大约在 1275 年前后，第二阶段的蒙古包被迁走，台基处变成了一片空地，野草丛生；第五阶段，13 世纪末，一座新的方形蒙古包状的建筑又落成了，推断是用来祭祀成吉思汗以来的历代蒙古皇帝的，一直沿用至 15 世纪中叶。此外，在台基附近还发现了烧饭习俗的遗迹等[①]。

　　和林城与四季行宫　1235 年春，窝阔台合汗从中原汉地征调各色匠人，开始在鄂尔浑河河畔兴建城郭宫阙。主持这项工程的是燕京工匠大总管汉人刘敏。次年，万安宫落成，窝阔台在这里大宴诸王，大蒙古国的第一个都城哈剌和林粗具雏形，汉文史料中或简称为"和林"。哈剌和林，是古突厥语"黑色的岩石"的意思，古城遗址周围分布有大量的火山岩，颜色发灰或发黑，这便是古城得名的由来。

　　现存的哈剌和林古城遗址位于蒙古国南杭爱省哈尔和林苏木额尔德尼召北部，处于鄂尔浑河右岸泛滥平原中的一处岛状微高的地方，从而避免了水患。古城残存形状呈北侧长、南侧短的不规则六角形状，东、西、北三面围

---

①　［日］加藤晋平、白石典之：《阿布拉嘎 1：成吉思汗宫殿遗址发掘的初步报告》（英文版），东京：同成社 2005 年版。

墙，南面开口，长轴方向北偏东 27 度。城墙南北长 1 450 米，东西宽 1 138 米，残存高度 1—3 米。城址内分布有大小不等的建筑基址，其中西南部有一座边长 260 米、用两重砖墙围砌而成的建筑物，即为万安宫殿址，宫殿南侧有一座用巨大岩石雕成的石龟。坐落在古城南侧的额尔德尼召，始建于 1585 年。此召在建造过程中大量使用了古城中的基石、石碑等作为建筑材料，这也是哈剌和林古城被破坏的重要原因之一。但在额尔德尼召的墙基中保存下来的这些元代碑刻又成为今天研究哈剌和林古城历史的极具价值的资料。城内地表散布大量砖瓦以及陶瓷残片等，瓷片可见有白瓷、钧瓷以及龙泉窑的器物等。

《鲁布鲁克东行纪》里有许多关于哈剌和林当时状况的描述，展示了大蒙古国都城的布局及繁盛一时的经济文化①。城墙为土墙，东南西北各有一个门，每个门都是不同的市场经济区。东门卖黍等谷物，西门卖绵羊和山羊，南门卖牛和车，北门卖马。有两个城区，分别为"伊斯兰教徒商业区"和"中国人工匠区"。城内有 12 座佛教寺院，2 座清真寺，还有 1 座基督教堂。万安宫，位于城市的西南角，四周高墙环绕，内部则像基督教教堂一样，南面有三个大门，大汗坐在最北面的最高处。在宫殿门口处，有巴黎金银工匠威廉用银子制作的"喷酒的树"，有 4 种酒（葡萄酒、透明的马奶酒、蜂蜜酒、米酒）似以抽水机的原理喷出来，给喜好宴会的蒙古人带来很多欢乐。此外，从额尔德尼召发现的碑刻记载可知，1256 年，城内曾建成高约 90 米的五层佛塔，还有三皇庙等建筑。

大蒙古国大汗每年春季和夏季两次在万安宫举行大宴，召集诸王，进行赏赐。但他一年住在万安宫里的时间并不长，大部分时间是在周围的四季行宫里度过的。春季行宫叫扫邻城伽坚茶寒殿，在和林城北有一天路程的揭揭察哈之泽旁边，是 1237 年由伊斯兰人建造的。城堡前面的湖中多水禽，大汗每年在此观看纵鹰猎取水禽，饮宴欢乐四十天。夏季行宫叫月儿灭怯土，在哈剌和林南部约 20 公里的山中，位于今南杭爱省呼日勒图苏木敖拉固图，窝阔台合汗在那里建造了能容纳一千人的失剌斡耳朵。秋季行宫在曲先脑儿，大约在夏季行宫与冬季行宫之间的线路上。冬季行宫在汪吉河（今蒙

---

① ［美］柔克义译注，何高济译：《鲁布鲁克东行纪》，中华书局 1985 年版，第 284 页。

古国南杭爱省翁金河）地区，即今南杭爱省巴彦高勒苏木的沙金浩特遗址，南北长 700 米，东西宽 400 米，地表分布有许多大大小小的建筑台基，有街道相通，地表散布大量瓷片。

春季行宫的建造富于特色，位于北杭爱省浩腾特苏木察罕泊旁一座山的顶部平台之上，当地人称之为托歹音城，南距哈剌和林 42 公里。现存遗址以 60 米×50 米、高 1.5 米的方形台基为中心，周围围绕以 20 米×10 米的小型方形台基 15 座，整个范围有 250 米×150 米。这里的建筑材料有花岗岩制成的柱础石，但是没有使用屋顶瓦，而是使用了中亚建筑里常见的正方形薄板，在薄板上还涂有伊斯兰建筑常用的蓝色釉。托歹音城中央的建筑物与万安宫主殿的规模完全一致，边长都是 41 米，即是按照宋尺 130 尺来设计的。

窝阔台、贵由、蒙哥三代蒙古大汗，一年围绕哈剌和林移动的距离大约有 450 公里，移动地区周围适合于游牧的土地面积大约有 15 000 平方公里，这是蒙古大汗的直属领地。蒙古大汗的季节性移动，已经超越了简单的游牧民传统，在这个实际上为大蒙古国的政治、经济、文化中心的移动圈内，建有各种各样的设施和生产据点，和直通汉地的驿道有机地连接起来，形成了一个所谓的"哈剌和林首都圈"①。

岭北行省的建立及其管辖范围　中统五年（1264 年）初，阿里不哥向忽必烈投降，延续长达四年之久的兄弟争位战争以忽必烈的胜利结束了，漠北"祖宗根本之地"归于忽必烈治下，从此他作为大蒙古国大汗的名分得到了全体宗亲的承认。同年，忽必烈正式加号开平府为上都，和林城的国都地位自然就被废除了。

为了有效地控制漠北，至元三年（1266 年），忽必烈封皇子那木罕为北平王出镇漠北，其职权和后来代替他的晋王甘麻剌相同，是"统领太祖四大斡耳朵及军马、达达国土"②，即蒙古本土的中央兀鲁思直属千户都归其管辖。那木罕驻守于和林地区，但并没有住在和林城内，万安宫从此废弃不用了。至元八年（1271 年），那木罕移镇阿力麻里。次年，元朝设置和林都

---

① ［日］白石典之著，魏坚译：《窝阔台的哈剌和林》，《文物天地》2003 年第 10 期。
② 《元史》卷 29《泰定帝本纪》一，第 637 页。

转运使司，来管理和林地区的行政事务。

　　忽必烈以前，已有不少汉族和西域工匠、农民迁入漠北地区，在和林、怯绿连河上游和称海等地区从事手工业和农业生产。忽必烈初期，又陆续迁移汉人、南人到漠北进行屯田。在昔里吉之乱发生以后，为了保证平叛的军需供应，在和林等地实行了大规模的驻军屯田。在和林城附近的鄂尔浑河流域一带，现仍存有数处均称作塔米尔楚鲁朝图阿门的当时屯田者居住遗留下来的房址。这些房址成片地分布，每片有两至三排房屋。房址在地表可见形状基本呈长方形，一般为小石板垒砌成 4 条间距约 20 厘米的火道，一侧可见石块垒砌的圆形灶台及灶坑，另一侧为烟道所在。房址的面积相差不大，长约 4 米，宽 1.5—2 米，灶坑直径在 1.5 米左右。有的居址周围甚至还保留有当时耕地的遗痕。

　　至元十八年（1281 年），历时六年的昔里吉之乱被平定，忽必烈再度恢复了对漠北地区的统治。大约在平定叛乱的前后，元朝重新设置了和林宣慰司，加强对漠北地区的统治与管理。至元二十一年（1284 年），那木罕被改封为北安王，仍然镇守漠北，驻于和林之北的塔米尔河一带。北安王主要负责军务，而和林宣慰司则掌管屯田、工局、仓库、供饷及驿站祗应等事务。至元二十七年（1290 年），置和林等处都元帅府，取代了宣慰司。至元二十九年（1292 年），那木罕死，皇孙甘麻剌受封为晋王代之。至元三十年（1293 年），忽必烈又派皇孙铁穆耳总领北方军事，授以"皇太子宝"以重其权，诸王、将帅皆听节制，位在晋王之上。至元三十一年（1294 年），铁穆耳即皇位，是为成宗，仍命晋王甘麻剌统领漠北诸部，驻于怯绿连河。

　　元成宗大德二年（1298 年），置和林宣慰司都元帅府，重新恢复了宣慰司的建置，进行屯田、建仓等经济建设。元武宗海山即位后两个月——大德十一年（1307 年）七月，罢和林宣慰司都元帅府，设立和林等处行中书省及和林路总管府，并于称海城置称海等处宣慰司都元帅府，以分治漠北西部地区。和林行省的设立，不仅有辖区扩大、人口大幅增加和事务繁剧等原因，更重要的是为限制诸王势力、加强中央集权的需要，是元朝对漠北地区统治体制的重要改变。仁宗皇庆元年（1312 年）二月，省名改为岭北等处行中书省，和林路改名为和宁路。

　　岭北行省的管辖范围极其广泛，包括了元王朝的北境诸地，西迄金山

（阿尔泰山），东含除斡赤斤系之外的其他东道诸王封地。由于岭北行省境内诸王林立，实际上行省长官并不能够如元朝其他行省一样，对其管辖区域充分行使管理职权。行省下设和宁路和称海宣慰司，后者管辖岭北行省西境。至于和宁路的直属范围，大抵北至塔米尔河流域，南至翁金河流域，西至杭爱山和拜达里克河一带，东包括今中戈壁省部分地区，其中还不排除有诸王属下牧地犬牙交错的情况①。

　　蒙古国北杭爱省额尔德尼曼达勒苏木的哈拉呼勒可汗城，是位于和林城和漠北西部之间的一座规模较大的蒙元时期古城遗址，具体建置尚不清。古城位于额尔德尼曼达勒苏木东南约5公里的草原上，哈努伊河东岸约1公里处，经纬度位置为东经101度19分43秒、北纬48度28分09秒。城址平面呈长方形，方向为北偏东62度，南北长约400米，东西宽约300米，四面皆有城门，为石块垒砌而成，城墙四角可见隆起的土包，应为角楼遗迹。城内中心有一大型夯土台基，台基剖面和顶部皆暴露部分遗迹现象，底部以石块打基，往上外部包砖、内部夯土，下端有圆形排水涵洞，顶部可见部分小房间。大型台基两侧有小型的高台基址，上面可见成排的柱础石。城内还有一些隆起的小土包，应为当时房址所在。该城北部分布有大大小小20余座围墙院落基址，中间皆有隆起的夯土台基，部分地表即可见以石板垒砌而成的2—3条的坑道。该古城城外遗迹的范围极为广泛，其具体性质及重要地位有待通过考古发掘来揭示，可能具有连接漠北东、西部地区之间的交通枢纽作用。

第八节　元代的投下分封制度及其封地的管理

　　元代的投下分封制度源于游牧民族的家产分配习俗。大蒙古国的最高统治集团成吉思汗的"黄金家族"，将整个大蒙古国的土地和人民视为家族的共同财产。"太祖皇帝初起北方时节，哥哥、弟弟每商量定，取天下了呵，各分地土，共享富贵。"② 根据这一约定，大蒙古国的人民与土地必须在亲

---

　　① 陈得芝：《元岭北行省建置考》（下），《蒙元史研究丛稿》，第170页。
　　② 《元典章》卷9《吏部卷》之三《投下·改正投下达鲁花赤》，第298页。

族中进行分配。因此，建国后，成吉思汗就给母亲、诸弟、诸子分配了"份子"，即人户（若干千户）和牧地，牧地又称嫩秃黑（蒙古语 nuntuq）。他们所得的千户是从其他千户中抽调出来的，所得牧地则形成为具有相对独立性的封国——兀鲁思。蒙元的这种按照分配家产的体例将百姓分配给诸子、诸弟的做法，称为投下分封制度。投下，亦作头下、头项或投项，意为封地、采邑，语出辽代。但在蒙古早期的历史上，蒙古贵族称分封所得为"忽必"，并不称为投下。蒙元的分封经过几次大的分封后基本定型，蒙元贵族的领地分封主要集中在蒙古地区，忽必烈以后各朝没有大的分封行为，有些小规模的食邑分封主要集中在南宋故地。

一、成吉思汗时代的分封

"忽必"（Qubi），是蒙古语，意为子承父业中应得的份额。[1] 蒙古贵族分配家产的体例是，只有长妻所生的儿子才有继承父亲财产的资格。成吉思汗的母亲诃额伦夫人，也速该的嫡子、成吉思汗同母弟合撒儿、哈赤温（已在分封前去世，由其子按赤台受封）、斡赤斤是第一批受封的贵族。成吉思汗庶弟别里古台因跟随成吉思汗创业有功，也分得了一份子。成吉思汗义弟失吉忽秃忽，因"曾作我（成吉思汗）的六弟，依我诸弟一般分份子"[2]。

成吉思汗诸弟最初的受封情况如下：成吉思汗长弟合撒儿最初分得蒙古四千户。后来，成吉思汗怀疑合撒儿觊觎汗位，夺去了合撒儿大部分百姓，只给合撒儿留下 1 400 户，以削弱合撒儿的力量[3]。合撒儿的牧地主要在以今呼伦湖、海拉尔河为中心的地区，东达额尔古纳河一带。

成吉思汗的二弟合赤温早死，其子按赤台受封。《蒙古秘史》记载，按赤台受封蒙古二千户。《史集》记载按赤台受封 3 个千户[4]。按赤台的牧地约在今锡林郭勒盟东西、乌珠穆沁二旗。

---

[1] 参见周良霄：《元代投下分封制度初探》，《元史论丛》第 2 辑，中华书局 1983 年版。
[2] 余大钧译注：《蒙古秘史》，第 203 节。
[3] 余大钧译注：《蒙古秘史》，第 243，244 节；《史集》（汉译本）第 1 卷第 2 分册，第 379 页，记载合撒儿名下只有一千户百姓。
[4] 《史集》（汉译本）第 1 卷第 1 分册，第 380 页。

　　斡赤斤是成吉思汗幼弟，按照蒙古人幼子守产的习俗，分封百姓时，他与诃额伦太后一起受封。《蒙古秘史》记载，斡赤斤与母亲共同分得 10 个千户。《史集》记载斡赤斤受封 5 个千户，诃额伦太后受封 3 个千户。①

　　斡赤斤的初封地西至根河、得尔布尔河下游，在此与合撒儿的封地相接；南在哈拉哈河流域以南与按赤台的封地相邻，东抵金长城，这个范围内的大兴安岭西麓地区是斡赤斤的主要牧地，其统治中心在今哈拉哈河右岸（但不是地域中心）。

　　成吉思汗的庶弟别里古台分得蒙古 1 500 户②，驻牧斡难河与克鲁伦河中游及其以南地区，牧地在今蒙古国。

　　成吉思汗诸弟的封地位于蒙古高原东部，故其首领称东道诸王。

　　尤赤、察合台、窝阔台、拖雷四子是成吉思汗长妻孛儿帖所生，被称为"成吉思汗王国的四根基柱"，地位最高。阔列坚是成吉思汗二皇后忽兰所生，因成吉思汗十分宠爱，视同长妻所生四子，因此也给他分了份子。成吉思汗诸子受封时间是在 1225 年，晚于成吉思汗诸弟。

　　成吉思汗诸子兀鲁思最初的情况是：长子尤赤分得九千户，牧地被指定在额尔齐斯河以西，蒙古军马蹄所及之处，后来形成钦察汗国。统治了东起额尔齐斯河，西达俄罗斯，南起巴尔喀什湖、里海、黑海，北至北极圈的广阔土地和那里不同种族的民族。次子察合台分得八千户，牧地从畏吾儿一直延续到河中草原，形成了察合台汗国。三子窝阔台分得五千户，牧地以霍博（今新疆和布克塞尔）、叶迷立（今新疆额敏）为中心。在窝阔台孙海都时代形成为窝阔台汗国，统治西起喀什，东到吐鲁番，南及天山南麓，北到额尔齐斯河上游区域。14 世纪初，窝阔台汗国被察合台汗国吞并。幼子拖雷分得五千户。按照蒙古的家产继承法，幼子被称为斡赤斤（Otčigin），意即关系着火和家灶的儿子，是家庭的根基。父亲在世时，大儿子们就被授予了财产，分家另过，而留下的东西则属于幼子。因此，"成吉思汗的禹儿惕、

　　① 《史集》（汉译本）第 1 卷第 1 分册，第 380 页。
　　② 参见《史集》（汉译本）第 1 卷第 2 分册，第 67 页；《史集》（汉译本）第 1 卷第 2 分册，第 379—380 页，记载按赤台受封三千户；斡赤斤分得五千户；母亲分得三千户；《元史》卷 117《别里古台传》，第 2905 页，记载别里古台分得三千户；《史集》未载别里古台的份子。

［财产］、帑藏、［家室］、异密①、那可儿、近卫军和直属军队都在他的统辖之下……”。拖雷的领地在"帝国之中心"，即占据了蒙古本土自西南的阿尔泰山、唐努山、叶尼塞河上游，至东北的贝加尔湖一带的广大地区②。后来，拖雷诸子中，阿里不哥诸子的分地在阿尔泰山至吉儿吉思等处，蒙哥之子玉龙答失的分地在札不罕河，而忽必烈之孙晋王甘麻剌的分地在克鲁伦河上游祖先故地。其余诸王的分地所在多不明确。成吉思汗诸子的兀鲁思位于蒙古高原西部，故称西道诸王。

《史集》记载成吉思汗给第五子阔列坚的军队，共 4 000 人，应是 4 个千户，其中有八鲁剌思部人忽必来那颜的千户和捏古思部的两个千户。阔列坚的领地在漠北，与拖雷家族的分地相邻。至元二十四年（1287 年），阔列坚后王也不干叛乱，土土哈从岭北出兵，"渡秃兀剌河，战于孛怯岭，大败之，也不干仅以身免。"③ 孛怯岭在土剌河北岸，阔列坚家族的分地可能就在土剌河流域。④

成吉思汗在西征前确定窝阔台作为汗位继承人，同时命合撒儿、按赤台、斡赤斤、别里古台四人的子孙也各让一子孙继承掌管⑤。成吉思汗四个兄弟与四个嫡子的家族就成立了八个兀鲁思，各有其最高统治者——汗⑥。

除分封"忽必"外，成吉思汗还通过"莎余儿合勒"（soyurqal）形式分封姻亲、功臣为千户那颜。"莎余儿合勒"，意思是"恩赐"。据《华夷译语》，"赏"作"莎余儿合"，"莎余儿合勒"是取其名词形态。根据臣下功劳的大小，成吉思汗给予恩赐的内容也不尽相同，包括从豁免赋科、减免刑罚等世袭特权，乃至授予千户、万户等官职，赐予牧地、民户等等。以莎余儿合勒形式受封的功臣，主要包括成吉思汗的姻亲弘吉剌、亦乞列思、汪古、斡亦剌部，功臣四骏（木华黎、博尔朮、博尔忽、赤老温）、四狗（忽

---

① "异密"：emiy，突厥语，意为长官，相当于蒙古语"那颜"。
② 参见《世界征服者史》（上册），第 46 页；《史集》（汉译本）第 2 卷，第 196—197 页。
③ 《元史》卷 128《土土哈传》，第 3133 页。
④ 参见陈得芝：《岭北行省建置考》，《蒙元史研究丛稿》，第 150 页。
⑤ 额尔登泰、乌云达赉校勘本：《蒙古秘史》之《附录：蒙古秘史》，第 255 节。
⑥ 《黑鞑事略》："其主初僭皇帝号者，小名忒没真，僭号曰成吉思皇帝。今者小名兀窟觯。其耦僭号者八人。"当时称汗者八人，王国维认为应是合撒儿子也苦、合赤温子按赤台、斡赤斤、别里古台、赤朮之子拔都、察合台、拖雷子蒙哥，加上窝阔台。见《黑鞑事略》，《王国维遗书》本，第 1 页。

必来、者勒篾、哲别、苏不台）、两先锋（尤赤台、畏答儿），他们合称十投下。这些功臣千户中，姻亲的地位最高，他们可以世袭领有本部或本千户，可以自行任命千户长、百户长。他们的牧地，或为原有地盘，如汪古部、斡亦剌部；或由大汗另赐地盘，如弘吉剌氏的牧地南移到达里泊和辽河上游流域，亦乞列思部南移到辽河中游南北。姻亲的分地是一种半独立性的领地。功臣的分封，级别比姻亲低一些，但也能世袭领有本部或本千户，并拥有自己相对稳定的牧地。但总体上，姻亲、功臣的"莎余儿合勒"不能与"忽必"等齐，姻亲、功臣投下们的军队要编入成吉思汗直属军队中，领地在本质上也由大汗直辖。部分功臣的分地在今内蒙古地区，详见前文。

蒙古本土的中央及其地面上的近百个千户是大汗的"份子"和"产业"，称为直属千户军队投下，基本上直隶朝廷。诸王兀鲁思以外的蒙古本土游牧民都被编制于这类千户内，并在指定的牧地居留、牧养。诸如左、右手万户的弘吉剌、亦乞列思、忙兀、兀鲁、札剌亦儿、八邻等所属千户，都属于这类投下集团。

二、太宗窝阔台汗时期与宪宗蒙哥汗时期的分封

太宗以后诸朝的分封，以将中原诸地作为食邑分封给宗王、驸马、功臣投下为主，而像成吉思汗时代裂土分民的情况则不多。

1229 年，窝阔台即汗位，他将自己在叶密立一带的领地赐给了长子贵由，又将拖雷系统辖的逊都思、雪你惕 3 千户夺取过来，拨赐给次子阔端，让阔端驻屯西凉，全权负责川陕甘宁青藏一带的征伐事宜。后来，阔端的基本领地在原唐兀惕的二十四城，[①] 形成了以西凉府为中心的阔端兀鲁思。太宗窝阔台时期，弘吉剌氏按陈之子赤古也被恩赐西宁作为领地。

宪宗蒙哥汗时期，窝阔台孙失烈门、脑忽争夺汗位失败，蒙哥汗在严厉处罚失烈门、脑忽的同时，又分迁窝阔台子孙。窝阔台第六子哈丹居别失八里，第七子篾里居也儿的石河，合失之子海都居海押立，哈剌察儿之子脱脱

---

① 《元史》卷 63《地理志》六《西北地附录》，第 1567 页；《史集》（汉译本）第 2 卷，第 10 页。

居叶密立，阔端之子蒙哥都的禹儿惕也奉命西移。① 这就将原来由贵由继承的窝阔台兀鲁思分割成了几个小的封地，窝阔台系势力大为削弱，窝阔台兀鲁思其余的千户则被大汗剥夺了。② 只有阔端子孙始终与蒙哥汗、忽必烈汗保持友好关系，其所属军队未被夺走。

以上是太宗窝阔台汗与宪宗蒙哥汗时期的兀鲁思分封和功臣莎余儿合勒封授变化的主要情况。

食邑的分封也是在太宗窝阔台汗时期开始的。

太宗六年（1234 年），大蒙古国灭掉了金朝。大蒙古国经过两次户籍清理，籍得 110 多万中原民户，③ 并将其中的 76 万多户作为食邑，分赐给后妃斡耳朵、诸王、贵戚、功臣④。在分封过程中，窝阔台接受耶律楚材的建议，规定封主可以在封地内设达鲁花赤监临统治，但其应得租额则由政府所置地方官吏负责征收，然后由朝廷分别支付，各封君在指定的地点领取。规定封户每五户出丝一斤缴纳封君，称"五户丝"，此外，封主不得擅征其他军赋。但各封君事实上并不听从朝廷的约束，常向封户擅征赋役。因此次分封是在丙申年进行，通称"丙申分封"。封主的封地世袭，封户隶属本主，不得迁徙出离。丙申年的封地，主要集中在原金国境内。宪宗蒙哥汗进行过壬子年、丁巳年两次较大规模的食邑分封，拖雷家族是最大受封者。元朝建立后，中央集权制度得到加强，元世祖忽必烈对窝阔台汗以来的投下旧制作了一些改进，将封户每五户出丝一斤提高为二斤，对于封主在投下内的一些特权和不法的征敛剥削进行了一些限制。灭宋以后，在原南宋境内又进行了分封，规定封户纳钞，每户纳中统钞五钱，成宗时增加至二贯，称为"江南户钞"。户钞也由政府统一征收，再拨付给封主。⑤

食邑内的封户，除了要向本投下缴纳五户丝或户钞这种投下赋外，还要承担国赋。国赋包括二户丝和税粮、包银等，其税目、税额较投下赋为多。

---

① 《元史》卷 98《兵志》一《兵制》，第 2510 页。

② 《史集》（汉译本）第 1 卷第 2 分册，第 378 页；第 2 卷，第 13 页。

③ 《元史》卷 2《太宗本纪》，第 32、34 页。

④ 参见《元史》卷 95《食货志》三《岁赐》，第 2412—2444 页；周良霄：《元代投下分封制度初探》，《元史论丛》第 2 辑，中华书局 1983 年版。

⑤ 参见《中国大百科全书·中国历史·元史》，第 105 页"投下"条。

因此，食邑投下户主要由朝廷设置的官府进行管理。元世祖以后的历代皇帝也都对其亲属、贵族、勋臣在食邑方面有所分封，基本沿袭了元初的制度。因为食邑主要在中原汉地，故本书只简略介绍。

三、诸王、驸马、投下领地的管理

管理诸王、驸马、投下领地的机构　元代诸王、驸马、投下领地的事务有相应的机构进行管理。一般诸王、驸马的领地设有王傅府或王府，功臣投下不置王傅，但设王府。① 王傅府与王府是诸王、驸马、投下的辅弼和办事机构。

成吉思汗分封之初，诸王、驸马、投下的领地虽无王府、王傅府等正式官府，但是给诸子、诸弟委派了辅弼臣僚。这些辅弼臣僚或为千户长那颜，如斡赤斤、尤赤、察合台、窝阔台、拖雷等处分别委派了一至四名"官人"；② 或为宗王位下的怯薛执事官，如察合台的两位辅弼维即儿与哈巴失阿米忒，③ 斡赤斤身边的必阇赤撒吉思。他们虽然身份贵贱有别，但都履行辅佐宗王、参议军政事务的职责，被称为"八何赤"④ （蒙古语 baɣaši，老师、师傅之意）。王府、王傅府即来源于这些辅弼臣僚的办事机构。

据学者研究，元朝正式为宗王设立王傅等官是在至元三年（1266 年）左右，最早的王傅是为燕王真金太子设立的。至成宗朝，王傅设置有九例之多。世祖、成宗两朝，王傅府的设置主要局限在受封王爵的宗王范围内，驸马与十投下只能设断事官治理其部民⑤。

元朝朝廷允许诸王、驸马普遍设立王傅府是在武宗、仁宗以后。元武宗

---

① 《元史》卷 119《木华黎传》记载，硕笃"得建国王旗帜，降五品印一、七品印二，付其家臣，置官属如列侯故事"。邓文原《巴西全集》卷下《淮安忠武王庙田记》，记载朱庆"早岁才谞，事忠武王，尝被玺书为王府长官"，《北京图书馆古籍珍本丛刊》本。参见《元代分封制度研究》，第 222、223 页。

② 余大钧译注：《蒙古秘史》，第 243 节。

③ 《史集》（汉译本）第 2 卷，第 185 页。

④ 《乾隆平阳府志》卷 36《重修襄陵学碑》记载尤赤嗣王有"年耆德茂者八何赤公统其事……八何赤，译言为人师者。"

⑤ 参见《元代分封制度研究》，第 221 页。

滥封王爵，大多数驸马及个别功臣也与宗王享受了同样的爵位待遇。[①] 他们因此纷纷取得了设王傅府的资格。据《元史》记载，元朝能设王傅府的王至少有 45 位。[②] 但诸王王傅府的地位不完全相等，如晋王因守太祖四斡耳朵，则改王傅为内史，以提高其级别。王傅府因此改为内史府，可设内史九员。又如，元仁宗将和世㻋封为周王时，为其置常侍府，地位也较一般王傅府高。有些宗王虽受王爵，却只能设规格较低的王府，如定王药木忽儿、驸马昌王阿失受封后都只设王府。[③] 异姓功臣即使封王，也只准许设王府，不准设王傅府。[④]

王傅官由中央委派。按元朝的规定，王傅府一般设王傅（正三品）、府尉（正四品）、司马（正五品）各三员，实际具体设置的员额，则多寡不一。王傅由朝廷颁发银印、虎符，有自己的印信和衙门。王傅，是王府的主管官员，也是王的辅弼和监督人。府尉，是协助王傅办事的官员。司马，负责军事方面。王傅、府尉、司马都是内任官。从鲁王府与赵王府看，王府的其他机构还有断事官、典食司、钱粮总管府、人匠总管府、怯怜口总管府等。[⑤]

王傅府、王府代表宗王、驸马、投下管理领地、属民。其主要行使以下权力：一、征税。成吉思汗的诸子诸弟兀鲁思内的封户不纳国税，只向本封主缴纳赋税；驸马、功臣投下领地内的封户既要向国家缴纳赋税，也要向本投下缴纳赋税。蒙古牧民负担的赋税主要是牛马、车帐、人夫、羊肉、马奶之类。驸马、功臣投下缴纳的国赋，可能是由王府代征，然后转交给国家，《元史》称为"上供羊"。二、行政管理权。诸王、驸马、投下对领地的行政管理权，主要体现在他们可以自行任命千户、百户那颜，任用他们来管理牧民的生产活动。王傅府、王府代理诸王或协助诸王管理千户、百户那颜。三、听讼理狱。仁宗以前，诸王、驸马领地内的司法大权掌握在王府断事官

---

① 《元史》卷 108《诸王表》，第 2735—2757 页。
② 《元史》卷 89《百官志》五《诸王傅官》，第 2272 页。
③ 《元史》卷 23《武宗本纪》二，第 525 页；《国朝文类》卷 25《驸马昌王世德碑》。
④ 《元史》卷 22《武宗本纪》一，第 501 页，至大元年七月甲申 "太师淇阳王月赤察儿请置王傅，中书省臣谓异姓王无置傅例，不许"。
⑤ 《元史》卷 89《百官志》五《诸王傅官》，第 2272 页。

手中。至元二十七年（1290 年）五月，元世祖敕令"诸王分地之民有讼，王傅与所置监郡同治，无监郡者，王傅听之"。① 这个"分地"只指诸王、驸马的草原领地，而不包括中原的食邑。至大四年（1311 年）十月，元仁宗下诏"罢诸王断事官，其蒙古人犯盗诈者，命所隶千户鞫问"。② 这就是说，朝廷对诸王、驸马在领地内的刑杀权采取了逐渐剥夺的办法。四、军事权力。世袭占有或领有（驸马家族的军队属大汗所有，直属于朝廷；驸马、功臣只是世袭管理军队）原封千户军马，借以征伐戍守，是拥有领地的诸王、驸马、投下的基本军事权力与责任。诸王、驸马、投下领地内的牧民丁壮多充军、站二役。蒙古初年，诸王兀鲁思内的军队一般不入国家正式军籍，诸王视之为"自己人马"③，仅在战时，由诸王、驸马、功臣亲自率领本部军马参战。但窝阔台汗元年（1229 年），开始实行签军办法，诸王、驸马及中央兀鲁思千户那颜所领的军队都在签发之列，④ 签出的军队须另行组建千户、百户、十户。所签发的诸王兀鲁思军队，或者由大汗指定一名宗王统率，或者交由亲信将帅统一指挥。另一方面，在朝廷以签起军士新建的千户百户组织内，某些诸王仍然大体保持着本兀鲁思的分支军团，并派遣若干王子或代表诸王的亲信直接指挥，被签出征的军队仍然继续效忠于本领主。在蒙古国时期，所签兀鲁思军队的所有权仍属诸王，但统率权很大程度上已由朝廷掌握。签出的军队一部分可通过逃亡、诸王索取等手段回归兀鲁思，另一部分则被统一编为蒙古军、探马赤军，成为朝廷的军队。签发诸王兀鲁思的军队充任中央军队，既是诸王为大汗履行的一种义务，又体现了朝廷对诸王兀鲁思国力的局部限制，但是诸王主要的军事权力没有受到本质性的削弱。总体上，诸王、驸马、投下世袭占有或管理领地内的千户军队，统率权与所有权比较完整。⑤ 五、管理站赤。据《蒙古秘史》与《史集》记载，察合台、拔都、拖雷等诸王兀鲁思的站赤是奉窝阔台之命与中央兀鲁思诸千

---

① 《元史》卷16《世祖本纪》十三，第337页。

② 《元史》卷24《仁宗本纪》一，第547页。

③ 《蒙鞑备录》，《王国维遗书》本，第6页。

④ 《元史》卷98《兵志》一，第2509页。

⑤ 参见《元代分封制度研究》，第48页。

户的站赤同时设立的。① 如察合台部下按竺尔镇守位下分地山丹，曾"自敦煌置驿抵玉关，通西域"②。入元以后，仍由诸王、驸马、投下自立自管分地上的驿站。如仁宗初年，河西永昌路一带的驿站"俱是蒙古、河西人户当站"。这些驿站，起初"直隶永昌王傅提调"。后因供需不力，才改由"王傅与永昌路达鲁花赤总管提调"。③ 诸王、驸马、投下的驿站，不仅供官府使臣乘用，有的专供本位下运送租赋。如察合台所立河西领地站赤，至元十八年（1281 年）就被元世祖批准，由朝廷"增与物力，专令递运租赋"，并且规定除皇帝急使外，"不以是何昆弟使臣，此站毋得行"。④

诸王、驸马、投下领地内的等级秩序和人员身份　诸王、驸马、投下领地内的各色人等具有不同的等级身份。每一分地都由嫡长支的嫡长子继承，由他统管整个分地与家族，他是该分地地位最高的宗主。除宗主以外的宗室子弟也能在本家族的分地内分到千户、百户及牧地，成为小封君。对于嫡长宗封君来说，小封君是臣属，但在小封君的小分地内，小封君又是地位最高的统治者。不管怎么分，所有分地的首领家族成员构成了分地内的最高统治集团。

分地内的千户长，是仅次于领主家族成员的统治阶层，他们是领主的陪臣，又是本千户组织的统治者。千户管辖下的部民是哈剌出（平民身份），是畜牧业生产的主要承担者。分地还有私属人口，又称作"怯怜口"（蒙古语 ger-ün köhüd，意为"家中儿郎"），是诸王、驸马、投下通过掳获、分封、招收、影占等手段占有的人户，他们被称为私属投下户，大致包括"匠人、打捕户、鹰房子、金银铜铁冶户"。他们专为领主服役，不承担国家赋役。但因赋役名色及其与领主的亲疏，各种私属投下户的政治经济待遇也表现出多样性。他们属投下户籍而不隶国家版籍，怯怜口总管府或提举司是专门管理私属投下户的机构。

诸王、驸马、投下领地与官府的关系　诸王、驸马、投下领地与官府的关系在以下两个阶段有所不同。一是蒙古国至元朝初年，诸王可以派断事官

---

①　余大钧译注：《蒙古秘史》，第 279 节、280 节；《史集》（汉译本）第 2 卷，第 61 页。
②　《元史》卷 121《按竺尔传》，第 2982 页。
③　《永乐大典》卷 19417《经世大典·站赤》，皇庆元年十一月十八日。
④　《永乐大典》卷 19420《经世大典·站赤》，至元十八年四月二十九日。

作为本支宗族的利益代表，直接参与行尚书省或行中书省事务，干预政务。所谓"在先朝故事，凡诸侯王各以其府一官入参决尚书事"。① 尚书，即宪宗时设立的燕京等处行尚书省。这一时期，宗王以主子的身份出现，视行省大臣为奴仆，甚至欺凌行省官员，这使得行省官员不敢造次。例如，东道诸王遣使传令旨，行省长官须"立听"承受。② 二是元朝建立后，加强了对诸王、驸马、投下的监督，诸王、驸马凌驾行省大臣之上的情况有了较大的改变，行省官与王傅府能分庭抗礼。廉希宪任北京行省平章，忽必烈嘱咐其说："辽霫户不数万，政以诸王国婿分地所在，居者行者，联络旁午。明者见往知来，察微烛着。"廉希宪得此监视诸王、驸马，抑制宗藩的密旨，到任后采取比较强硬措施与宗王抗衡，使宗王们哀叹："朝廷大臣，彼无违礼也。"③ 文宗朝还规定，枢密院、宗正府每年派人与辽阳行省官"巡历诸部，毋听诸王所部扰民"。④ 至元朝末年，裁抑宗藩的政策更为得力，行省官或可以做到"苟有罪，虽勋旧不贷。王邸百司闻风悚惧"。⑤

在加强行省对诸王、驸马、投下的监督、控制的同时，在漠南地区，入元以后，元政府逐渐在他们的领地内，设立了与全国行政系统一致的统治机构。如弘吉剌部领地设应昌、全宁两路，汪古部领地设德宁、净州、沙井、集宁四路，亦乞列思部领地设宁昌路等。路设总管府，其官员有达鲁花赤、总管、同知等。在这些路、府、州、县机构中，为了照顾诸王、驸马、投下的利益，元政府规定："诸王邑、司与所受赐汤沐之地，得自举人，然必以名闻于朝廷而后授职。"邑，就是领地上的路、府、州、县；司，就是王府机构；汤沐之地就是中原的食邑。也就是说，从诸王领地到食邑到王府的官员，诸王都可以举"自己的人"（一般是诸王身边的陪臣）为之，朝廷只是最后裁定、认可。这些官员升迁不入常选，不是流官，但可以终身连任。据上文谈到的诸王分地管理情况看，诸王分地上的这些路、府、州、县各级官府的主要作用可能是实现了朝廷对诸王分地的监控。这种由诸王、驸马、投下的

---

① 《牧庵集》卷12《李恒家庙碑记》。
② 《国朝文类》卷65《平章政事廉文正王神道碑》。
③ 《国朝文类》卷65《平章政事廉文正王神道碑》。
④ 《元史》卷35《文宗本纪》四，第793页。
⑤ 《元史》卷139《朵儿直班传》，第3358页。

陪臣担任官长的地方行政机构有足够的力量与朝廷权力抗衡，因此，这些路、府、州、县机构具有较大的独立性与自主权。当然，诸王、驸马、投下领地上设立起来的行政机构对诸王、驸马、投下的领地还是有一定的管理作用的。延祐六年（1319 年）七月，祥哥剌吉公主办佛事，擅自释放全宁府重囚 27 人。仁宗下诏追究全宁守臣阿从不法罪，将所释囚追捕入狱①。这就显示出诸王、驸马、投下的权力还是受到分地内的地方行政机构的制约。

---

① 《元史》卷 25《仁宗本纪》二，第 573 页；卷 26《仁宗本纪》三，第 590 页。

第 六 章

元代内蒙古地区的经济

第一节　元代的马政与内蒙古地区的畜牧业

大漠南北，沙草万里，自古以来就是游牧民族的家园。畜牧业历来是蒙古地区的主要生产部门。

蒙古高原的统一，大蒙古国的建立，为蒙古高原畜牧业进一步发展创造了条件。首先，蒙元之际大量的战争掳获不仅充实了军队装备，也构成了日后畜牧业的基础。例如，成吉思汗六年（1211 年）十月，一次缴获金朝群牧监的官马就近百万匹。① 其次，蒙古族牧民从被征服的游牧民族那里获得了新的牧畜品种，学到了新的生产技术和经验。12 世纪与 13 世纪初，游牧于和林以东、土拉河、克鲁伦河、鄂嫩河一带的蒙古部，主要牧养马、牛和羊，骆驼很少。征服西夏以后，盛产于西夏东境（今内蒙古西部）的骆驼，大量输入漠北，蒙古牧民也从西夏人那里学会了驯养骆驼的技术。蒙古统治者从被俘虏来的钦察人中，挑出一部分人到皇帝的官牧场上充当牧人，叫作哈剌赤。其中，最能干的还常常被选拔到朝廷中做管理畜牧的官员，如钦察人其俗善刍牧，俾掌尚方马畜。元朝从事牧业的牧人，其民族成分不一定全都是蒙古人，实际上有不少是汉人、契丹人、女真人和回回人（突厥人、波斯人、阿拉伯人）。他们有的是被掳掠来做牧奴，有的是朝廷招聘来分配

---

① 《元史》卷 1《太祖本纪》，第 15 页；卷 122《槊直腯鲁华传》，第 3013 页。

到各牧场，发挥其养畜技术的。

蒙元时期对畜产品的需求十分巨大，刺激了畜牧业的发展。蒙古人日常生活的衣食住行皆仰赖畜群。卢世荣归纳元朝立国以来两项最重大的财务支出，一是"军兴"；二是"赐予"。① 首先，"军兴"需要大量牲畜。元代大规模的对内、对外战争，绵绵不断。据《大元马政记》记载，元代从忽必烈中统元年到泰定帝致和元年（1260—1328 年）期间，出于军事目的、有数可查的"和市"与"刷马"的记载，约有 12 次，数量达 100 万头。其次，关于"岁赐"。元朝的诸王、驸马、勋臣都有"岁赐"与"朝会赏赐"。此外，还有不时之赐。元世祖时期，以实物赐予为主，赐马、牛、羊，分别为 6 万 4 千（约 9 次）、4 千（约 2 次）与 14 万 2 千（约 6 次），另有无数目记载的马牛羊之赐 4 次。② 元朝宫廷奢侈生活需要耗费大量牲畜及畜产品。以武宗登位时举办的忽里台聚会为例，宴乐七日，每日食用马 40，羊4 000，另用马 700、羊 7 000 挏乳洒地，使斡耳朵附近"积乳之广，有如银汉"。③ 一般朝会，也需要相当数量的车马等器具装载马奶，以供饮用。其三，元廷修佛事开支的牲畜数量也很大。皇庆二年（1313 年）二月，"各寺修佛事日用羊九千四百四十……"④ 第四，四通八达的交通、驿站全靠畜力支撑，需要配备大量牲畜。元代驿站约有 1 500 处，陆站用马、牛、驴、狗、车，有些水站用船也要用畜力牵引，必须常年维持的牲畜总数约分别为：马 6 万、牛 1 万、驴 6、7 千。第五，屯田需要大批耕牛。元代，全国屯田总数在 20 万顷以上，政府用各种方式组织、支拨的耕牛当在二三十万头左右。⑤

这种巨大的畜产品需求既推动了元代畜牧业的发展，又反映了当时畜牧业的兴旺程度。

① 《元史》卷 205《卢世荣传》，第 4564 页。

② 分见《元史·世祖本纪》各卷；参见高荣盛：《元代畜牧业概观》，《元史论丛》第 6 辑，中国社会科学出版社 1997 年版。

③ 参见高荣盛：《元代畜牧业概观》，《元史论丛》第 6 辑。

④ 《元史》卷 24《仁宗本纪》一，第 555 页。

⑤ 参见高荣盛：《元代畜牧业概观》，《元史论丛》第 6 辑。

一、元朝管理畜牧业的主要中央机构

官营畜牧业是元代畜牧业的主要形式，诸王、驸马、功臣等大小贵族的私营牧业也占有很大比重。元朝为保障畜产品的供给，采取了多种措施，形成了完整的畜牧业管理机构，有相关的法令对畜产品进行统制性管理。

首先，中央管理畜牧业的机构有中书省和内廷两个系统。中书省系统主要有：一、兵部（正三品），掌天下郡邑、邮驿、屯牧之政令及官私刍牧之地，以及驼马、牛羊、鹰隼、羽毛、皮革之征。二、太仆寺（从二品），典掌"御位下、大斡耳朵马"。中统四年（1263年），设群牧所，隶太府监，后升尚牧监、太仆院，改卫尉院。至元二十四年（1287年），罢卫尉院，立太仆寺，属宣徽院。次年，改属中书省。太仆寺领全国十四道官牧地。三、上都等路群牧都转运使司。至元二十二年（1285年）正月，立"上都等路群牧都转运使司"。该机构所属不明，暂列于中书省系统。上都等路群牧都转运使司，专掌有关刍秣，不久即废除。又设有群牧监，延祐七年（1320年）裁撤。后至元元年（1335年），由徽政院专管群牧。

内廷系统有以下部门：一、度支院（二品），掌宿卫廪给及马驼刍料。二、宣徽院（正三品），掌蒙古万户、千户合纳差发，系官抽分，牧养孳畜，岁支刍草粟菽、羊马价值、收受阑遗等。其下属机构有：尚舍寺（正四品），管领牧养骆驼；阑遗监（正四品），掌领不兰奚人口、头匹诸物；尚牧所（从五品），至大四年（1311年）十二月设立，掌太官羊。三、尚乘寺（正三品），掌上御鞍辔舆辇，阿塔思群牧骟马驴骡，及领随路局院鞍辔造作，起取南北远方马匹等事。四、储政院典牧监（正三品），掌皇太子孳畜之事。五、中政院内正司（正三品），掌中宫地产孳畜之储等事。至大四年（1311年）十月，又设群牧监（正三品），掌中宫位下孳畜。六、经正监（正三品），掌营盘纳钵及标拨投下草地，有词讼则治之。至大四年置。①

---

① 分见《元史》卷85《百官志》一，第2140页；卷100《兵志》三，第2553页；卷13《世祖本纪》十；卷23《武宗本纪》；卷87《百官志》三，第2200页；卷24《仁宗本纪》一；卷90《百官志》六，第2289页；卷88《百官志》四，第2231页；卷89《百官志》五。

上述中央政府管理畜牧业的机构，品级高，机构众，反映了元政府对畜牧业的极端重视，对保证牧业区，主要是蒙古地区的畜牧业生产的正常进行有着积极作用。

二、元朝管理畜牧业的法令与蒙古地区畜产品的赋税制度

元朝还有管理畜牧业的相关法令，这主要是从蒙古古代的习惯法发展而来。从蒙古国时期开始，就颁布了保护牧场的禁令：草生而掘地者，遗火烧毁牧场者，都要"诛其家"。至元十年（1273 年）又重申这一禁令。[1]

元朝规定盗驼马牛驴骡者"一赔九"，主、从犯施以数量不等杖罚；而"盗系官马者，比常盗加一等"[2]。《元史·刑法志》记载："诸宴会，虽达官，杀马为礼者，禁之。其有老病不任鞍勒者，亦必与众验而后杀之。诸私宰牛马者，杖一百，征钞二十五两，付告人充赏。……有见杀不告，因胁取钱物者，杖七十七。若老病不任用，从有司辨验，方许宰杀。已病死者，申验开剥，其筋角即付官，皮肉若不自用，须投税货卖，违者同匿税法。有司禁治不严者，纠之。诸私宰官马牛，为首杖一百七，为从八十七。诸助力私宰马牛者，减正犯人二等论罪。诸牛马驴骡死，而筋角不尽实输官者，一副以上，笞二十七；五副以上，四十七；十副以上，杖六十七，仍征所犯物价，付告人充赏。"[3] 这些条文中，有些可能是针对汉地的，在蒙古地区不一定行得通。但是，这些详尽的法律条文充分说明了元政府对畜牧业的重视。

太宗窝阔台时期制定了蒙古地区畜产品征税制度。规定：蒙古牧民有马、牛、羊各满一百者，则分别向官府交母马、母牛、母羊各一头；有母马、母牛、母羊各满十头的也分别向官府交母马、母牛、母羊各一头[4]。定宗时税额增加为：马、牛、羊群，十取其一。成宗时期税制又有变化。元贞二年（1296 年）六月，"诏民间马、牛、羊，百取其一，羊不满百者亦取

---

① 彭大雅、徐霆：《黑鞑事略》，《王国维遗书》本，上海古籍出版社 1983 年版，第 15 页；《元史》卷 8《世祖本纪》五，第 152 页。
② 《元史》卷 104《刑法志》三，第 2658 页。
③ 《元史》卷 105《刑法志》，第 2683—2684 页。
④ 《元史》卷 2《太宗本纪》，第 29 页；《大元马政记》卷 12、卷 16，《广仓学窘丛书》甲类。

之，惟色目人及数乃取"。大德八年（1304 年）正月，下诏"诸王、妃主及诸路有马者，十取其一"；三月，"诏诸路牧羊及百至三十者，官取其一，不及数者勿取"。① 成宗时期，其税率基本是三十取一。仁宗皇庆元年（1312 年）八月，规定"探马赤军羊、马、牛，依旧制百税一"。② 此外，牧民还要给各级领主出牛马、车帐、人夫、羊肉、马乳，称为差发。蒙古各万户、千户应缴差发、抽分由宣徽院掌管，延祐二年（1315 年）以后，改由千户长主管，向宣徽院报送数目。总体上，元代初期蒙古牧民的税率较低。

三、元朝促进畜牧业发展的措施

元代采取了许多措施促进畜牧业的发展。元初采取措施改良牧场。窝阔台汗曾下令在无水草原打井，解决人畜饮水，开辟新的牧场。元朝建立后，也多次派人前往漠北草原凿井。至元二十五年（1288 年）六月，"发兵千五百人诣漠北浚井"③。延祐七年（1320 年）七月，"车驾将北幸，调左右翊军赴北边浚井"④。有些地区的官牧场还为牲畜搭盖圈棚。《元史·张珪传》记载，"阔端赤牧养马驼，岁有常法，分布郡县，各有常数，而宿卫近侍，委之仆御，役民放牧。……瘠损马驼。大德中，始责州县正官监视，盖暖棚、团槽枥以养之"。大臣们遂议："宜如大德团槽之制，正官监临，阅视肥瘠，拘钤宿卫仆御，着为令。"大都留守司，专门设有苜蓿园，掌种苜蓿，用以饲养马驼牛羊。朝廷还颁布"劝农条画"，令各村社广种苜蓿，喂养牲畜。

四、元朝畜牧业的三种所有制形式及其繁荣

元代畜牧业主要有贵族大畜群所有制、官牧场、蒙古族牧民的小私有制三种形式。在蒙古地区，千户制下的蒙古族牧民是畜牧业生产的主要承担

① 《元史》卷 19《成宗本纪》二，第 404 页；卷 21《成宗本纪》四，第 457、458 页。
② 《元史》卷 24《仁宗本纪》一，第 553 页。
③ 《元史》卷 15《世祖本纪》十二，第 313 页。
④ 《元史》卷 27《英宗本纪》一，第 604 页。

者。牧民们的具体情况，因史料欠缺，我们能够知道的很少。但是他们有一定的私有财产。泰定元年（1324 年），帖里干、木怜诸站由于诸王、驸马频取物力，致站户消乏，中书省遣官区别站户贫富差等，规定"其有马、驼及二十，羊及五十者，是为有力"；反之，则属于贫困，如果这些人充当站户，就应由政府补买牲畜和救济粮。① 在封建社会，这样的贫富分界线不算低，可见当时蒙古普通牧民也是比较富裕的。延祐年间，牧奴佟锁柱自述，他为主人放牧"羊二千余头"，② 他的主人大约是位富裕的牧民。

诸王、妃主及其他贵族、官僚的大畜群所有制得到了发展。通过对外战争与分封制度，他们获得了大量的牲畜与劳动人手，对属民贡赋的征收进一步增加了领地的牲畜数量。忙兀部首领的博罗欢自云"吾家有马成群连郊垌"，③ 弘吉剌部的陪臣竹温台"马、牛、羊累巨万"④。诸王、驸马贵族的领地遍布大漠南北、蒙古高原东部，以及西北的西凉府、西宁州等地，在他们的领地内有更多更大的畜群。

元代畜牧业的重要形式是官营牧场。开辟牧场，扩大牲畜的牧养繁殖，尤其是孳息马群，成为蒙元国家的一贯政策。在皇帝与各大斡耳朵的名义下，在全国设立了 14 个官牧场，所有水草丰美的地方都用来牧放畜群。"自上都、大都以及玉你伯牙、折连怯呆儿，周回万里，无非牧地"。元朝牧场广阔，西抵流沙，北际沙漠，东及辽海，凡属"地气高寒，水甘草美，无非牧养之地"⑤。据《元史·兵志·马政》记载，属于大漠南北及其南沿的牧地有：1、哲连怯呆尔等处（哲连怯呆尔，即哲连川，在今内蒙古通辽市东北），含千户 19 个，百户 1 个和其他 5 处牧地。2、玉你伯牙等处（从上都西北，南至今张家口一带），百户 8 个，另有 7 处牧地。3、漠北中部两处，均位于克鲁伦河畔，自东向西：一是"斡斤川等处"，千户 6 个；另有 4 处牧地。二是"阿察脱不罕"等处，共 11 处牧地。4、哈剌木连等处（在

① 《永乐大典》卷 19421《经世大典·站赤》。

② 张养浩：《归田类稿》卷 11《驿卒佟锁柱传》。

③ 《国朝文类》卷 59《忙兀公神道碑》。

④ 揭傒斯：《竹温台碑》，《历代石刻史料汇编》第 4 编第 3 册《辽金元石刻文献全编》，北京图书馆出版社 2003 年版，第 867 页。

⑤ 《元史》卷 100《兵志》三《马政》，第 2553 页；卷 184《陈思谦传》，第 4238 页。

漠北、漠南和陕西部分地区），共 15 处牧地。5、阿剌忽马乞等处（在漠北今克鲁伦河、鄂嫩河至今内蒙古阿巴哈纳尔旗东北一带），百户 7 个，另有 4 处牧地。6、火里秃麻地（在贝加尔湖东西之地）。7、甘州等处（甘肃境内），共 12 处牧地。①

另据研究，山西境内可能设有官牧场，而大同则是华北边地缴纳验收抽分羊马与领取凭证的主要地点。② 《大元马政记》记载，至元二十六年（1289 年）七月，元廷责令各处官员须将所买马匹，除了陕西行省、平阳太原的和买马匹以外，"径直前赴河东山西道宣慰司缴纳"。至元二十七年四月，湖广行省马 8 000 匹与江西行省马 4 000 匹，经由汴梁怀孟驿路，前往"太原、大同迆北缴纳"；河南行省的 20 000 匹与汴梁等五路及荆湖等处马匹，经山怀孟驿路，前往"太原、大同迆北缴纳"；河东道宣慰司 10 000 匹前往大同迆北缴纳；平滦路 2 000 匹经由驿路，前往太原地面去大同迆北缴纳；大都路 8 000 匹、保定路 4 000 匹、恩州 200 匹、冠州 100 匹、大名路 4 000 匹、河间路 4 000 匹，经山飞狐口前去大同迆北缴纳。③ 这些庞大的马群均需辗转缴纳到太原、大同迆北地区，整个过程非一朝一夕能够完成，由此推断山西地区可能设有官牧场来聚养这些需要转运的马匹。《大元通制条格》记载，至大四年（1311 年），华北边地的抽分羊马必须具有"礼部官人每备着大同路文书为凭证"。④ 这条史料清楚地表明，大同路是华北边地缴纳验收抽分羊马与领取凭证的主要地点。

官牧场拥有非常优越的生产条件，牧场是通过国家权力占有水草丰美之地，生产设备和牲畜饲料由地方官府无偿供应。大德十一年（1307 年），元廷责成大都路饲马 9.4 万匹，供应粮食 15 万石；外路饲马 11.9 万匹。⑤ 至顺二年（1331 年）九月，中书省臣言："今岁当饲马驼十四万八千四百匹，京城饲六万匹，余令外郡分饲，每匹给刍粟价钞四锭。"文宗同意了这一建

---

① 《元史》卷 100《兵志》三《马政》，第 2555—2557 页；参见高荣盛：《元代畜牧业概观》。

② 参见瞿大风：《元代山西的畜禽饲养与捕鱼狩猎》，《内蒙古大学学报》2005 年第 9 期。

③ 《大元马政记》卷 12、卷 16，《广仓学窘丛书》甲类。

④ 郭成伟点校：《大元通制条格》卷 15，法律出版社 1998 年版，第 184 页。

⑤ 《大元马政记》卷 12、卷 16，《广仓学窘丛书》甲类；《元史》卷 35《文宗本纪》四，第 490 页。

议。忽必烈前期，考虑到"京畿根本地，烦扰之事，必不为之"，所以官牧场的马匹饲于漠北和漠南地区，不养于中原和南方，正如元人徐世隆所说："国马牧于北方，往年无饲于南者"。① 大约是在成宗即位时，始有国马牧于南方的做法。《元史·程思廉传》记载："成宗即位，（程思廉）除河东山西廉访使，太原岁饲诸王驼马一万四千余匹，思廉为请，止饲千匹。"

官牧场的牧人被称为哈赤、哈剌赤，设千户、百户进行管理，"父子相承任事"。大批的马群，"或千百，或三五十，左股烙以官印，号大印子马。其印，有兵古、贬古、阔卜川、月思古、斡柔等名"。每年从夏季到冬季，牧人逐水草放牧牲畜，然后返回本牧场。每年九、十月朝廷派太仆寺官前往各处官营牧场，"驰驿阅视，较其多寡，有所产驹，即取印烙勘"。各地造蒙古、回回、汉字文册，登记在场所有牲口数目，上报管理部门，"其总数盖不可知也"。如病死 3 匹马，牧人必须赔偿大牝马 1 匹，死 2 匹偿 2 岁马 1 匹，死 1 匹偿牝羊 1 只，"其无马者以羊、驼、牛折纳"。②

由于官牧场牲畜繁多，牧人的分工更为专业化。记载下来的大致有：骒马倌（苟赤）、骟马倌（阿塔赤）、1 岁马驹倌（兀奴忽赤）、马倌（阿都赤）、羯羊倌（亦儿哥赤）、山羊倌（亦马赤）、羊倌（火你赤）等。牧人分工的专业化，大规模的分群放牧，有利于畜牧业的发展。当时上都畜牧蕃息的情景，在元代诗人的笔端时有表露。如胡助诗"牛羊及骒马，日过千百群"③；周伯琦诗"群牧缘山放，行营散野屯"。④ 呈现一派牛羊云聚、车帐星移的旺盛景象。对岭北地区，元人也有描绘："数十年来，婚嫁耕植，比于土著，牛羊马驼之属，射猎贸易之利，自金山、称海沿边诸塞，蒙被涵照，咸安乐富庶，忘战士转徙之苦。"⑤

除了各大官牧场院的畜群外，元朝朝廷有一批直接管辖的羊、马、驼，来供应日常的生活需要。这些羊、马、驼来源于羊、马、驼抽分，诸王、妃主的贡献，以及和买、拘刷中的提留成分。大都地区的官马驼，主要由四怯

---

① 《元史》卷 160《徐世隆传》，第 3759 页。
② 本目未注明出处的史料均见于《元史》卷 100《兵志》三《马政》，第 2553—2558 页。
③ 胡助：《纯白斋类稿》卷 3《京华杂兴诗》，《金华丛书》本。
④ 周伯琦：《近光集》。
⑤ 《道园学古录》卷 15《苏公墓碑》。

薛与中宫内廷机构的专业饲养人员阿塔赤饲养。《大元马政记》记载，在"百姓田禾"生长季节，怯薛所领官马常"纵出北口"，至抚州、宣德、云州、兴州、松州等农牧交汇区一线放牧。官驼则从九月初牧放至固安州境内一些地区，次年四月终，转向上都，"自冬至春并不立圈喂养，俱于百姓地内牧放"，"致令嚼啮桑枣果木，诸树死损"。元廷曾因此颁布一些禁令，但不一定能收到相应的成效。

五、元朝畜牧业技术的提高

元代蒙古地区畜牧业的发展是同牧业技术的提高、畜牧方式的改善分不开的。蒙元时期的牧民已掌握了一套畜牧技术。

首先，兽医学水平提高。去势是畜牧业史上的重要发明。牲畜去势，易于役使、催肥与选育良种，阉牲之法，并不是元代所创，却在元代得到了充分利用与发展。"其牝马留十分壮好者作移剌马种外，余者多扇矣"[1]。《农桑辑要》记载，马的病状有 29 种，治疗药方有 32 种；牛的病状 16 种，治疗方子 21 个；羊病 9 种，药方 11 个。这些药方中不少是对蒙古高原畜牧业经验的总结。元代，还常用食盐来防治牲畜疾病。据《元史·文宗本纪》记载，"亦乞不薛之地所牧国马，岁给盐，以每月寅日啖之，则马健无病"。

注意马匹的驯养和保护。生长于蒙古高原的马，统称蒙古马，是世界马种的一大种系。蒙古马一般身长不过 5 尺，但身体结实，耐力惊人。一般 2 岁可骑乘，4 岁可劳作，6 岁发育完全，可从事远距离役使。普通公马 3 岁去势，10 岁后开始衰老，可活 20 多岁。蒙古人在马驹 1、2 岁时，即对马苦骑教练。春夏，养肥能出战的好马，不骑乘；秋末，系在帐外，只喂少量水草，经数月，马落膘，结实耐骑，行数百里不出汗。骑马赶路，不能喂得过饱。给马解鞍，定要控缰，使马仰头，让马调平气息，直到四蹄冰冷，才能让马饮水吃草。对马的饲料，《农桑辑要》提出："食有三刍"，即将饲料分为善刍、中刍、恶刍三等，饿时喂恶刍，草多料少。约半饱时，添加些豆谷精料。待到快要吃饱时，又多加些精料，使之吃好吃饱。草须经过细剉，去节、去土，豆、谷要筛簸，去掉沙土灰尘。

---

① 《黑鞑事略》，《王国维遗书》本，第 17 页。

重视羊的选种与放养。羊的选种极为重要。元代的蒙古人已经知道，腊月、正月生的羊属上品，其次是二月、十一月，其他月数生的羊不堪为种。牧羊，应春夏早放，秋冬晚出。赶羊不能过急，否则羊吃不了草，又易呛灰尘。

冬营地与夏营地的相对确定。蒙古人放牧"自夏及冬，随地宜，行逐水草，十月各至本地"，这就是人们通常所说的夏营地和冬营地。在蒙古国建立以前，虽然各部落有了相对确定的游牧范围和冬夏牧场，但是没有统一政权管理的蒙古高原，战乱频繁，冬夏牧场之间的正常转移很受影响。元代诸王投下领地的划分，使冬夏牧场稳定下来。例如，弘吉剌部的驻冬牧场在今翁牛特旗境内，驻夏地在今克什克腾旗境内。牧民按节气迁移，春季居山，冬归平原。这表明牧民对牲畜的属性有了足够的认识，并能根据季节特征，合理利用牧地，有利于保持牧场和饲草。

六、元朝的"和买马"与"刷马"制度

"和买马"，就是按朝廷规定的马价，由官府在民间买马，这是忽必烈时期定下的制度。名为和买，实际是低价强行收购。中统元年（1260 年），忽必烈诏令诸宣抚司，于本路和买乘马 1 万匹，规定有乘马之家，5 匹存 1 匹，有职事官吏也只准存一匹，总计得马 102 000 匹。当时忽必烈与阿里不哥争夺汗位，在漠北、西北地区开战，所以这次和买所得的马匹要送往开平府。至元二十六年（1289 年）七月丁亥，"发至元钞万锭，市马燕南、山东、河南、太原、平阳、保定、河间、平滦。"[1] 大德五年（1301 年）五月，"给月里可里军驻夏山后者市马钞八万八千七百余锭"[2]。延祐七年（1320 年）三月，"市羊五十万、马十万，赡北边贫乏者"[3]。至正十二年（1352 年）三月，"以出征马少，出币帛各一十万匹，于迤北万户，千户所易马"。至正十四年三月，"以皇太子行幸，和买驼马"，以军需急用"和买

---

① 《元史》卷 12《世祖本纪》九，第 324 页。
② 《元史》卷 20《成宗本纪》三，第 435 页。
③ 《元史》卷 27《英宗本纪》一，第 600 页。

马于北边"，"凡有马之家，十匹内和买二匹，每匹给钞一十锭"①。据《元代社会经济史稿》统计，从世祖至元二十三年（1286 年）到泰定致和元年（1328 年）的 42 年间累计括马 70 万匹。

从上述"和买"牲畜的记载看，终元一朝，一直推行和买制度。而且，和买牲畜的数目越来越大。从世祖市马万匹到英宗延祐七年市马十万匹，顺帝时几乎推向顶峰，以致蒙古草原上"凡有马之家，十匹内和买二匹"。同时，忽必烈时期，"和买牲畜"的主要地区是腹里、中原和江南诸路。如燕南、山东、河南、太原、平阳、保定、河间、平滦等地。到了顺帝时期，和买牲畜主要在蒙古草原，因为腹里和中原此时畜养大牲畜的数量已经不多了。加上至正十五年（1355 年）以后，红巾军逐渐占据南方，使元朝的统治范围缩小，不得不依靠漠南、漠北和辽阳的经济力量来支持国家，以对付红巾军的起义。

元朝和买牲畜政策的变化，一方面是元惠宗时期时局动荡，需要战马的数量越来越多而造成的；另一方面，说明元朝官牧场的马，至顺帝时期数量已大为减少。大约在至顺年间，14 个大牧场减少为 10 个大牧场。政府不得不向牧区和买马，以应付时局。这反映了元朝的畜牧业由忽必烈时期的兴盛渐趋于衰退，到顺帝朝，元朝畜牧业的衰败更为严重。

元朝还有"刷马"，亦称"拘刷马"、"括马"，即强制、无代价地征收马匹。该制度在蒙古汗国时期就已实施，并一直延续下来。据《元史》相关《本纪》记载，中统二年（1261 年）十月，"括西京两路官民，有壮马皆从军。……两路奥鲁官并在家军人，凡有马者并付新军刘总管统领。"②至元十一年（1274 年）四月，"括诸路马五万匹"；至元三十年三月，"括天下马十万匹"。大德二年（1298 年）十二月，"括诸路马，除牝携驹者，齿三岁以上并拘之"。延祐七年（1320 年）四月，"括马三万匹，给蒙古流民，遣还其部"。七月，"括马于大同、兴和、冀宁三路，以颁卫士"。至正十二年（1352 年）正月，"拘刷河南、陕西、辽阳三省及上都、大都、腹里

---

①　《元史》卷 42《顺帝本纪》五，第 896 页；卷 43《顺帝本纪》六，第 914 页。
②　《元史》卷 4《世祖本纪》一，第 75 页。

等处汉人马。"①

元朝"和买马"、"拘刷马"两种方法交替使用，原则上是在和买不可能的时候，才使用拘刷法。但实际上拘刷法从未绝使用。

七、元朝后期畜牧业的凋敝

元代特别是前期，蒙古地区的畜牧业在总体上呈现出繁荣景象，但并不能消除贫困。至元二年（1265 年），成吉思汗庶子阔列坚之孙、河间王兀鲁带部贫无孳畜者就有 30 724 户。

元代蒙古地区畜牧业的发展与大漠南北整个经济的繁荣一样，是与元政府特殊的扶持政策密切相关的。元中期以后，政治日益腐败，财政入不敷出，必然导致畜牧业的凋敝。

自然灾害也给元代蒙古地区的畜牧业发展造成了严重的破坏。牧区的自然灾害多种多样，有称为"白灾"的风雪灾害；有称为"黑灾"的干旱灾害，使野草枯死；还有牲畜疫病，造成牲畜头数锐减；以及虫灾，如蝗虫，能噬尽牧草等等。例如，至元二十五年（1288 年）三月，"以往岁北边大风雪，拔突古伦所部牛马多死"。大德五年（1301 年）七月，"称海至北境十二站大雪，马牛多死"。至顺二年（1331 年）十一月，"兴和路鹰坊及蒙古民万一千一百余户，大雪畜牧冻死，赈米五千石"。② 自然灾害与战乱交织，其灾难更为严重。至元二十五年、二十六年，海都两次东犯，称海等处屯田破坏，70 万蒙古部民南逃。延祐三年（1316 年），周王和世瓎的支持者发动叛变，祸及和林，民众逃窜。"会天大雪，深丈余，车庐人畜压没，存者无以自活，走和林，无食，或相食，或枕藉以死，日未昃，道无行人。"当时，和林仓储仅 5 万石，"民间米石至八十万钱"。③

每逢蒙古地区发生自然灾害，元政府都要予以赈济，赈济的物品包括羊马、"羊马钞"、币帛等。这种救济虽然一定程度上能解决牧民的困难，但

---

① 《元史》卷 5《世祖本纪》二，第 154 页；卷 17《世祖本纪》十四，第 371 页；卷 19《成宗本纪》二，第 421 页；卷 27《英宗本纪》，第 601 页；卷 42《顺帝本纪》五，第 895 页。

② 《元史》卷 15《世祖本纪》十二，第 310 页；卷 20《成宗本纪》三，第 436 页；卷 35《文宗本纪》四，第 793 页。

③ 《元史》卷 173《马绍传》；《道园学古录》卷 15《苏公墓碑》。

不能从根本上解决畜牧业对自然灾害抵御力低、畜牧业困乏的问题。以元英宗时期为界进行考察，前此对蒙古部民的赈济以羊马实物为主，此后则几乎全部为"羊马钞"，这在一定程度上反映了元政府手中已缺乏可供直接支配的牲畜，也无力组织到宽裕的羊马实物。随着元朝社会矛盾的发展，元朝的畜牧业由困顿而趋向全面衰敝。①

第二节　元代内蒙古地区的农业

元代，由于我国各族人民有机会直接接触并交流生产经验，特别是蒙古地区还能从中原得到农具、种子，大漠南北的宜农地区都发展了一定的农业生产。

一、农业发展概况

漠南汉人居住的地区，早就有农业。元代，蒙古族徙居漠南后，在他们的居住地，农业也发展起来。许有壬《上京十咏》所记上都地区（即上京）土产有马奶酒、糁面、芦菔、白菜、沙菌、地椒、韭花、黄羊等。胡助《宿牛群头》诗："荞麦花开草木枯，沙头雨过出蘑菇。"② 牛群头在河北沽源县南独石口北石头城子，当时属云需总管府。上都桓州附近也种有小麦。元代应昌路是弘吉剌氏的领地，"扈从之臣，种地极多"。③

上都路　上都周围是广阔的草原，人民以游牧为生，只有少量的农业活动。宋本在《上京杂诗》里写道："卧龙冈外有人家，不识江南早稻花。种出碛中新粟卖，晨炊顿顿饭连沙。"④ 贡师泰描述上都城外种植荞麦的句子："荞麦花开野韭肥。"⑤ 察罕脑儿以南的石顶河儿有南北两个水泊（蒙古语称

---

① 参阅内蒙古社会科学院历史研究所：《蒙古民族通史》第 2 卷第 3 章第 2 节《畜牧业》，民族出版社 1991 年版；高荣盛：《元代畜牧业概观》。
② 胡助：《纯白斋类稿》卷 14《宿牛群头》。
③ 《元史》卷 15《世祖本纪》十二，第 311 页。
④ 《永乐大典》卷 7702。
⑤ 贡师泰：《玩乐集》卷 5《和胡士恭滦阳纳钵即事韵》，《文渊阁四库全书》本；《纯白斋类稿》卷 14《宿牛群头》。

作"昂兀脑儿"，即今河北张北县西北的安固里淖），"两水之间，壤土隆阜，广袤百余里，居者三百余家，瓯脱相比，诸部与汉人杂处，……俗亦饲牛力稼，粟麦不外求而赡。凡一饲五牛，名曰一犋，耕地五六顷，收粟可二百斛。问其农事多少？则曰牛几犋"。① 因为自然条件的原因，上都路境内的南部要比北部的农业生产活动多一些。

兴和路 兴和路有许多民户从事农业生产。"郊圻地坡陀，宭隩便种艺"②，"入谷石田狭，攒崖上屋稠"③，这是对农家生活的真实写照。在兴和路境内专门为皇室设立了鹰房，有许多专门捕鹰、养鹰的鹰房户，在兴和桃山一带专门为鹰种植粮食的百姓就至少有三千户。④ 但兴和路是著名的塞北草原，盛产良马，牧民也不少，他们过着逐水草而居的游牧生活。至顺二年（1331 年）十一月，"兴和路鹰坊及蒙古民万一千一百余户，大雪畜牧冻死，赈米五千石。"⑤ 加上前面提到的种鹰食的人户，总数有 14 000 多户，比《元史·地理志》记载的兴和路人口 8 973 户多了 5 000 多户。⑥ 兴和路的总户数应该还不止 14 000 多户。

为了满足军队用粮和支援漠北地区，兴和路建有粮仓，大量收购粮食。中统元年（1260 年）六月，"诏燕京、西京、北京三路宣抚司运米十万石，输开平府及抚州、沙井、净州、鱼儿泺，以备军储。"⑦ 至元元年（1264年）正月，"敕北京、西京宣慰司、隆兴总管府和籴以备粮饷"。⑧ 至元十九年（1282 年）九月，"发钞三万锭，于隆兴、德兴府、宣德府和籴粮九万石"。⑨ 至元二十三年（1286 年）正月，"发钞五千锭籴粮于沙、净、隆兴"。⑩ 成宗、武宗、仁宗时期，经常将兴和路的储备粮运往漠北。大德元

① 《周伯琦〈扈从诗前后序〉疏证稿》，《五代宋金元人边疆行记十三种疏证稿》，第 367 页。

② 《周伯琦〈扈从诗前后序〉疏证稿》，《五代宋金元人边疆行记十三种疏证稿》，第 370 页。

③ 刘敏中：《中庵集》卷 17《宣德、降兴道中三首》，元刻本。

④ 《元史》卷 136《阿沙不花传》，第 3297 页。

⑤ 《元史》卷 35《文宗本纪》四，第 793 页。

⑥ 《元史》卷 58《地理志》一，第 1352 页。

⑦ 《元史》卷 4《世祖本纪》一，第 66 页。

⑧ 《元史》卷 5《世祖本纪》二，第 96 页。

⑨ 《元史》卷 12《世祖本纪》九，第 246 页，卷 96《食货志》四《市籴》，第 2469 页。

⑩ 《元史》卷 14《世祖本纪》十一、《元史》卷 96《食货志》四《市籴》，第 2469 页。

年（1299 年）六月，"令各部宿卫士输上都、隆兴粮各万五千石于北地"。①
至大元年（1308 年）二月，"和林贫民北来者众，以钞十万锭济之，仍于大
同、隆兴等处籴粮以赈，就令屯田"。② 延祐四年（1317 年）十二月，"遣
官即兴和路及净州发廪赈给北方流民"。延祐六年（1319 年）八月，"增置
兴和路既备仓，秩正八品"。③ 在元中都遗址附近的村子里还出土了"兴和
路广储仓印"，"皇庆一年十月""中书礼部造"。④ 至顺二年（1331 年）三
月，令"兴和仓粟赈宝昌饥民"。⑤

　　前面已提到，周伯琦《扈从诗前后序》记载的上都路石顶河农业活动
的情况是："……凡饲五牛，名曰一犋，耕地五六顷，收粟可二百斛。问其
农事多少？则曰牛几犋。"⑥ 这大约反映出漠南地区农业生产效率的大致情
况，即一牛犋可耕地五或六顷，五、六顷地每年可收粮二百斛。

　　西京路是元代内蒙古地区农业最为发达的地区　西京路因为地理条件优
越，是元代内蒙古地区农业最为发达的地区。据研究，大同盆地、桑干河沿
岸麦浪弥陇，是盛产小麦的地区。大同人李仲璋曾上陈有司，认为当地土地
沃饶，小麦富于他郡，可以向宫廷进贡，因此，请求朝廷脱去本地种麦民户
的军籍，而改充纳面人户，专给元廷供应麦面。⑦ 滹沱河上游一带，"农事
奋兴，坐享丰润，禾麻菽麦，郁郁弥望"。⑧ 大同地区还盛产豆子，所谓
"豆麦遍野"。元好问在《野谷道中怀昭禅师》诗作中提到一种"汤翻豆饼
银丝滑，油点茶心雪芯香"⑨ 的地方特种茶点小吃，这种小吃的主要成分便
是豆类。此外，还有玉米、谷子、莜麦、黍子。此外，太原路也有小麦产
地，太原以南地区多种冬小麦，以北地区则少种一些。这种分布主要是因为
太原以北地区的霜冻天气不利于冬小麦的生长。忻州位于河谷，土壤肥沃，

　　① 《元史》卷 19《成宗本纪》二，第 412 页。
　　② 《元史》卷 22《武宗本纪》一，第 496 页。
　　③ 《元史》卷 26《仁宗本纪》三，第 591 页。
　　④ 李惠生、赵桂香：《元中都遗址及其周围村庄出土的元代文物》，《文物春秋》1998 年第 3 期。
　　⑤ 《元史》卷 35《文宗本纪》四，第 779 页。
　　⑥ 《周伯琦〈扈从诗前后序〉疏证稿》，《五代宋金元人边疆行记十三种疏证稿》，第 367 页。
　　⑦ 《山右石刻丛编》卷 35；有关元代大同地区的农业，请参阅瞿大风：《元代山西地区的农业发
展》，《内蒙古大学学报》2004 年第 1 期。
　　⑧ 元好问：《元好问全集》（上），卷 33《创开滹水渠堰记》，山西人民出版社 1990 年版。
　　⑨ 《元好问全集》（上），卷 9《野谷道中怀昭禅师》。

北面有山，屏障寒流，气温高于周边山区，因而种有冬小麦。太原路也产粟。

西京路还种植了各种经济作物，主要包括桑、麻、果品、蔬菜与药材等物。

西京地区的粮食作物自给有余，还可以供给军队与赈济灾荒之用。西京路是元政府重要的粮食收购与转运中心。中统二年（1261 年）八月，忽必烈"敕西京运粮于沙井、北京运粮于渔儿泊"，作为备战阿里不哥的军粮①。至元元年（1263 年）春正月，西北诸王率部来归。为此，忽必烈敕令北京、西京宣慰司、隆兴总管府和籴以备粮饷。至元二十四年（1287 年）正月，皇子奥鲁赤部曲饥，元廷命大同路给六十日粮。至元二十六年二月，皇孙甘麻剌所部之军乏食，命发大同路榷场食粮赈之。至元二十八年正月，"敕大同路发米赈雍古饥民"，雍古就是汪古部。二月，尚书省奏称"大同仰食于官者七万人，岁用米八十万石……"。至顺二年（1331 年）夏四月，诸王完者也不干所部蒙古民 280 余户告饥，元廷又命河东宣慰司发官粟赈之。② 元末，西京路"总兵官军马供给动以万计，一歉则共失之"。③ 至正十九年（1359 年）之冬，大都饥馑，孛罗帖木儿从西京"馈京师粮数千车"。④ 天历二年（1329 年）五月，"赵王马札罕部干旱，民五万五千四百口不能自存，敕河东宣慰司赈粮两月"。至顺二年三月，赵王不鲁纳食邑沙、净、德宁等处蒙古部民 16 000 余户饥，元廷命河东宣慰司发近仓粮万石赈之。⑤

当然，从大同路发往各处的粮食大多数不是大同本地所产，而是从各地征集来的，大同是漠南一个重要的粮食集散地，是南粮北运的转运站。至元二十五年七月，"运大同、太原诸仓米至新城作为边地之储"。新城即汪古部的王府、德宁路治黑水新城（今内蒙古达茂联合旗艾不盖河北岸的鄂伦

---

① 《元史》卷 4《世祖本纪》一，第 73 页。

② 分别参见《元史》五《世祖本纪》二，第 96 页；卷 14《世祖本纪》十一，第 295 页；卷 16《世祖本纪》十三，第 343、344 页；卷 15《世祖本纪》十二，第 320 页；卷 35《文宗本纪》四，第 783 页。

③ 《山右石刻丛编》卷 40，山西人民出版社 1988 年版。

④ 权衡著，任崇岳笺证：《庚申外史笺证》，第 95 页，中州古籍出版社 1991 年版。

⑤ 《元史》卷 31《明宗本纪》，第 699 页；卷 35《文宗本纪》四，第 779 页。

苏木古城），大德七年（1303 年）十一月，元廷"诏大同、净州、隆兴等路运粮五万石入和林"。① 可见，大同是南粮北运的非常重要的中转站。

汪古部领地上的农业生产　汪古部在集宁、沙井、净州、丰州以至延安府境内的居民多从事农业生产，当时人称为"种田白达达"。净州以北的沙井，"旧业畜牧，少耕种"，后来在地方官的提倡下，农业得到发达，"民生滋厚"②。例如，天山以北的马庆祥家族"业耕稼畜牧，赀累巨万"，③ "自力耕垦畜牧所入遂为富人"④。丰州地区的农业在辽金时代就比较发展，元初丰州地区的农业生产有所恢复。元朝在丰州设丰州知州兼诸军奥鲁劝农事一官职。⑤ "劝农事"，就是督察当地农民从事农业生产劳动。刘秉忠《过丰州》诗云："出边弥弥水流西，夹路离离禾黍稠。……车马喧阗尘不到，吟鞭斜袅过丰州。"⑥ 这首诗生动地反映了丰州地区的乡村景象。《马可波罗行纪》载："天德是向东的一州，境内有环以墙垣的城村不少，主要之城名曰天德。……州人并用驼毛制造毡甚多，各色皆有，并恃畜牧务农为生，亦微作工商。"⑦ 反映了当地百姓农牧并举的生产活动，也正是《丰州甸城道路碑》所记载的丰州地区"垦耕牧养，军民相差居止"的景象。⑧

从汪古部领地的集宁路遗址和周围地区的考古发现中，有许多农业生产工具，如铁耧、铁铧、铁耙齿、铁锄、铁铲等，形制进步、种类繁多，反映了当时该地的农业生产水平是比较高的。出土的实物中，还有磨盘、石杵、臼、碌碡等粮食加工和灌溉工具。还发现规模小、构造简陋的民用粮窖（自地表至底，深约 1.3 米，直径 0.8 米）。此外，在今百灵庙东北的赵王城遗址中发现了石臼、石磨盘等物，可见在大青山以北已有农业。

---

① 《元史》卷 15《世祖本纪》十二，第 314 页；卷 21《成宗本纪》四，第 456 页。
② 陈旅：《安雅堂集》卷 4《赠沙井徐判官诗序》，北京图书馆藏元至正刊本。
③ 黄溍：《马氏世谱》，《全元文》卷 962，第 28 页。
④ 元好问：《恒州刺史马君神道碑》，《全元文》卷 38，第 2604 页。
⑤ 《丰州平治甸城山谷道路碑》，转引自李逸友：《元丰州甸城道路碑笺证》，《元史论丛》第 2 辑，中华书局 1983 年版；参阅《蒙古族通史》上卷，第 2 编第 3 章第 3 节《狩猎业、农业》，第 271—279 页。
⑥ 刘秉忠：《藏春诗集》卷 2，《北京图书馆古籍珍本丛刊》本。
⑦ 《马可波罗行纪》第 72 章，第 158 页。
⑧ 《丰州甸城道路碑》，转引自李逸友：《丰州甸城道路碑笺证》，《元史论丛》第 2 辑，中华书局 1983 年版。

　　汪古部领地上的沙井、净州也是元代的一处粮食收购地，储备的粮食用于供应军粮与赈灾。至元二十三年（1286 年）正月，元政府籴粮于沙州、净州等路①。延祐四年（1317 年）十二月，元政府用净州的储粮赈济北方流民。②

　　汪古部领地还盛产葡萄，其地可能在天山以南，一说在东胜州，即今呼和浩特市托克托县。中统四年（1263 年）十二月，朝廷曾颁发过一项征收农业税的规定："敕驸马爱不花蒲萄户依民例输赋。"③

　　辽阳行省的农业　辽阳行省的不少地区作为份地分封给了诸王或功臣。其中最主要的有四家，即位于宁昌路的亦乞列思部封地、位于泰宁路的斡赤斤后王封地、位于开元路的木华黎家族封地及位于大宁路的兀鲁、忙兀二部封地。他们的封地，因自然条件优于漠北，农业生产相对发展。尤其是辽河流域，农业生产在辽金时代就达到了一定的水平，元朝时期，农业生产得到了恢复和发展。

　　辽东半岛的金州（今辽东半岛南端的金县）、复州（今辽东半岛南端新金西北）、盖州（今辽宁盖县）、哈思罕（今辽宁大连市以北）等地，辽河流域直至鸭绿江以西，尤其是大宁路诸县、懿州、咸平府（今辽宁开原以北老城镇）、瑞州（今辽宁绥中西南）、茶刺罕（今黑龙江绥化、庆安一带）、刺怜（今黑龙江阿城南）等处，耕植垦种原来就有一定的基础，到了元朝，朝廷曾多次调遣吉尔吉思人、蒙古人和汉族军民前往这些地区开垦荒地，进行屯田。至元二十八年十月，"以乃颜、哈丹相继叛，诏给蒙古人内附者及开元、南京、水达达等三万人牛畜田器"④。大宁路的农田是比较多的。泰定三年（1326 年）十二月，"大宁路大水，坏田五千五百顷，漂民舍八百余家。"⑤ 元朝很注意稳定当地的农业生产，遇有灾害，政府便进行赈济。至元二十九年闰六月，"辽阳、沈州、广宁、开元等路雹害稼，免田租七万七千九百八十八石。"至元二十九年十月，"命赵德泽、吴荣领逃奴无

---

① 参见《元史》卷 14《世祖本纪》十一，第 285 页；卷 96《食货志》四《市籴》，第 2469 页。
② 参见《元史》卷 26《仁宗本纪》三，第 591 页。
③ 《元史》卷 5《世祖本纪》一，第 95 页。
④ 《元史》卷 16《世祖本纪》十三，第 352 页。
⑤ 《元史》卷 30《泰定帝本纪》二，第 674、676 页。

主者二百四十户，淘银耕田于广宁、沈州"。① 泰定三年十一月，"广宁路属县霖雨伤稼，赈钞三万锭"②。从《元史》的这些记载看，辽河流域的农业是比较发达的。

考古发现也从另一侧面说明了辽河流域的农业生产情况。从目前的考古发现看，元代的铁制农具遍及东北各地，尤以辽宁较为集中。辽宁考古工作者在沈阳地区的新民县前当铺和辽西走廊南境的绥中县城后村，发现了金元时期的村落遗址。这些遗址中出土了大量的铁农具，有铁铧、铁镢、铁镰、铡刀、铁锹、犁盘、蹚头、垛叉、加磨、马衔等。③ 在鞍山陶官屯、开原老城镇也出土了大批元代铁农具。其中也有铁铧、铁镰、铁叉、蹚头等④。说明辽河地区的农业普遍发展。辽阳地区是元朝一个重要的粮食收购地。元文宗至顺二年（1331 年）十月，因江浙平江、湖州水灾，中书省官员担心次年南方粮食不能满足两都的需要，便在北方籴粮，其中于辽阳路懿州、锦州以钞 30 万锭和籴粟豆 10 万石。至正十二年（1352 年）十月，又在辽阳和籴粟豆 50 万石⑤。西辽河边的懿州城建有大型粮仓——懿州仓。⑥

《元一统志》记载，大宁路诸县产谷、麦、稷、黍、豆、麻。而且各县都有特产，兴中州产芝麻，富庶县出西瓜，富庶县及惠州、兴中州、建州产梨和枣。大宁路出产杏、樱桃、栗、白葡萄、桑、酥油、奶酪、蜜蜡、榆、松、柏、梓、芍药、苍术、桔梗、柴胡、白芷等数十种药材。⑦《元一统志》所记载大宁路的土特产可谓丰富，辽河流域其他路县的出产也应不在少数。

漠北地区的普通蒙古农牧民也有一些农业生产，当地官员还以耕牛、农具、技术等加以支持，并在一些地区兴修水利。哈剌哈孙治理称海屯田，曾选择军士中通晓农事者教蒙古各部落从事耕种。丘处机在称海见到"秋稼

　　① 《元史》卷 17《世祖本纪》十四，第 363、368 页。

　　② 《元史》卷 30《泰定帝本纪》二，第 674、676 页。

　　③ 王增新：《辽宁新民县前当铺金元遗址》与《辽宁绥中县城后村金元遗址》，均见《考古》1960 年第 2 期；参见郑水川：《元代辽河流域农业经济开发述论》，《辽宁大学学报》1991 年第 5 期。

　　④ 以上未注出处引自刘景文：《从考古资料看金代农业的迅速发展》，《农业考古》1983 年第 2 期。转引自李宇峰：《从考古发现略述元代在东北的屯田》，《辽海文物学刊》1995 年第 1 期。

　　⑤ 《元史》卷 35《文宗本纪》，第 792 页；卷 42《顺帝本纪》五，第 903 页。

　　⑥ 《阜新地区元代懿州建筑史料摘抄》，第 3 页，转引自郑水川：《元代辽河流域农业经济开发述论》。

　　⑦ 《元一统志》卷 2，第 204—208 页。

已成","时稷黍在地，八月初霜降，居人促收麦"①。谦谦州"亦收禾麦"，
阿不罕山"至八月，禾麦始熟"②，"地沃衍宜稼，夏种秋成，不烦耕籽"。③
《元史》中还有秃木合地方"地霜杀稼"和塔塔尔部"年谷不熟"的记载。
说明这些蒙古族牧民有的也兼事一点农业。在蒙古地区任职的一些官员，比
较重视农业生产。益兰州等五部断事官刘好礼，见当地蒙古、唐兀等族居民
不知道铸造农具及制陶瓷技术，便奏请朝廷派去汉族工匠，专门生产农器和
传授铸造农器的技术④。据克兹拉索夫《图瓦之中世纪城市》及《苏联考古
学》1959 年第 3 期所载，元代益兰州（今图瓦之 Deh-Tepek）有规模极大的
古灌溉遗迹，延伸达数十公里，足见垦地之多。古城中发现大量磨坊石，证
明居民主要从事农业。大德初年，朝廷给晋王所部（在克鲁伦河上游一带）
屯田农器、牛具，并增其屯田户。

但是总体上，由于漠北地区气候寒冷，农业生产十分有限且很脆弱。

二、兴屯田以济军需民用

元朝建立以后，为了供应驻屯军队的需要，或因军事控扼之计，在全国
范围内进行屯田。史载，当时天下屯田有 120 余所。

漠北的屯田 元朝在杭爱山至阿尔泰山一线驻军很多，为了就近解决戍
军的粮饷，至元前期，元朝开始在漠北屯田。至元十一年（1274 年）七月，
元世祖派士兵 81 人在哈剌和林（今蒙古国后杭爱省额尔德尼召北）屯田。⑤
后又陆续在克鲁伦河、和林、杭爱山麓、五条河、呵札，以及益兰州、谦谦
州（叶尼塞河上游以南）、吉尔吉思等地开辟屯田。漠北规模较大的屯田有
三次。一次是至元十四、十五年，刘国杰等率侍卫军讨伐昔里吉以后，将一
部分汉军留戍称海、和林，开辟屯田。称海，即镇海，指元军统帅镇海在阿
鲁欢的屯田。称海在今蒙古国哈腊乌斯和哈腊湖南，它是岭北行省的一个屯
田中心。五条河是元朝的另一屯田区，当时与称海齐名。成宗大德三年

---

① 《长春真人西游记》卷上，《王国维遗书》第 13 册，第 23—24 页。
② 《长春真人西游记》卷上，《王国维遗书》第 13 册，第 9—10 页。
③ 《元史》卷 63《地理志》六，第 1574 页。
④ 《元史》卷 167《刘好礼传》，第 3925 页。
⑤ 《元史》卷 8《世祖本纪》五，第 156 页。

（1299年），以五条河汉军悉并入称海。英宗时，"复置称海、五条河屯田"①。至元二十五、二十六年海都东袭，称海等处屯田遭到破坏，元朝军队将海都逐出岭北之后，屯田又逐渐恢复。一次是大德三年海山镇守称海，随从他戍守北边的诸卫军经营屯田以助军食。大德五年，成宗派往北边犒军使者还朝，"言和林屯田宜令军官广其垦辟，量给农具；仓官宜任选人，可革侵盗之弊。从之。"② 和林宣慰司副使郭明德也上书陈备边之策，以为北边屯兵需粮甚多，而依赖从中原调动粮食不仅费用大，而且供应不足，他说："今和林之北，地宜麦禾，昔时田器在有之。夫京师六卫，每军抽步士二人屯田，以供兵士八人之食。和林寒苦，汉军不能冬，若于蒙古诸军拣其富庶强壮者戍边，贫弱者教之稼穑，俟其有成，如汉军法以相资养；置田官，起仓廪，严赏罚以课其殿最。"③ 据此可知，当时岭北以二人屯田即可供八人之食。但此建议当时未被采纳。第三次是大德十一年（1307年），武宗设立和林行省之后，武宗又命汉军万人屯田于和林。次年（至大元年，1308年）秋成，收获达9万余石。④ 行省左丞相哈剌哈孙命人经理称海屯田，岁得米20余万石，于是"益购工冶器，择军中晓耕稼者杂教部落，又浚古渠，溉田数千顷，谷以恒贱，边政大治"⑤。这是岭北屯田最显著的一次发展。从主要以汉军屯田，扩展到选人指导各部落民（迤北来的贫民，主要是由海都境内东迁的部落）屯田，"俾自耕食"，使一部分蒙古人学会了耕作。但汉族士兵仍是屯田的主要劳动力。

元朝不断派军队前往岭北地区屯田，和林成为岭北一大屯田中心。

仁宗延祐七年（1320年），发军1 000人于五条河立屯。英宗十分重视农业生产，他说："兵以牛马为重，民以稼穑为本。"以羊马牛驼给朔方民户，仍给旷地屯种。"立屯田万户府于称海、五条河，为户四千六百四十八，为田六千四百余顷。"⑥ 谦谦州和吉尔吉思也有屯田，元朝甚至从淮河

---

① 《元史》卷27《英宗本纪》，第607页。
② 《元史》卷20《成宗本纪》三，第436页。
③ 《滋溪文稿》卷11《故少中大夫金枢密院事郭敬简侯神道碑铭》；《蒙古族通史》（上）第2编第3章第3节《狩猎业、农业》。
④ 《元史》卷23《武宗本纪》二，第510页。
⑤ 《中庵集》卷4《丞相顺德忠献王碑》。
⑥ 《元史》卷1000《兵志》三，第2564—2565页。

以南派汉族农民携农具前往屯种。屯田收入主要供驻军之用，使军储有了保障。遇丰收之年，也可以储备一部分赈济蒙古族牧民。

漠南的屯田　漠南有数处比较集中的屯田。

（一）上都屯田　从至元十七年（1280年）开始，即在上都附近大兴屯田。至元二十五年，那海那的以汉军1万人，至上都虎贲司，营屯田，修筑城隍。到至元二十九年，共立34屯，有屯田军3 000，佃户79，垦田4 202顷79亩。上都屯田由上都虎贲亲军都指挥使司管理，至元二十九年设司，并在松州设有分司。①　上都是元政府在北方的一个重要的粮食收购地，中统二年（1261年）九月，为应付与阿里不哥的战争，"置和籴所于开平，以户部郎中宋绍祖为提举和籴官"②。中统二年、五年，至元二十年、二十二年，都有和籴上都的记载。其实，在上都收购粮食的次数应更多，只是阙载于史书。上都东关和西关外的粮仓很多、规模很大，有广积仓、万盈仓、济源仓、永丰仓、八儿思秃仓、永备仓等仓名见于记载。这些和籴来粮食主要由商人从中原贩运而来，但也有一部分是收购了当地产的粮食。

（二）应昌路的屯田　应昌路在蒙古国时期就有"人烟聚落，多以耕钓为业"。世祖初年的文书中，也有弘吉刺、亦乞列思"种田户"的记载。③元朝在应昌也进行屯田，应昌路的屯田列入全国120余处屯田中的一个。④应昌的屯田户似须向国家缴租赋。至元二十五年（1288年）四月，桑哥上奏元世祖，建议对应昌的扈从种田户"依军站例，除四顷之外，验亩征租"。元世祖"并从之"。⑤

（三）河西地区的屯田　河西，泛指今河西走廊及甘肃、陕西、青海一带。河西在元代分属于甘肃行省的甘州（今甘肃张掖）、永昌（今甘肃武威）、肃州（今甘肃酒泉）、沙州（今甘肃敦煌）、亦集乃（今内蒙古额济纳旗黑城遗址）、兀剌海（今内蒙古乌拉特中旗新忽热苏木城圐圙村北1公里的新忽热古城）、宁夏府路等七路。元朝在河西走廊进行了大规模的

---

① 《国朝文类》卷41《经世大典序录·屯田》；《元史》卷100《兵志》三，第2564页。

② 《元史》卷4《世祖本纪》一，第74页。

③ 《大元马政记》，《广仓学窘丛书》甲类。

④ 《元史》卷22《武宗本纪》一，第505页。

⑤ 《元史》卷15《世祖本纪》十二，第311页。

屯田。

甘肃等处行中书省管辖下有数处屯田地点。

1. 宁夏等处新附军万户府屯田。元世祖至元十九年三月，签发南宋降兵新附军 1 382 户，往宁夏等处屯田。至元二十一年，又调遣塔塔里千户管辖的军人 958 户屯田，屯田 1 498 顷零 33 亩。

2. 管军万户府屯田。元世祖曾派都元帅刘恩往肃州各路，调查宜耕之地。刘恩还奏元世祖，认为肃州各地宜立屯田。于是，至元十八年正月，元世祖命肃州、沙州、瓜州置立屯田。分别于甘州黑山子、满峪、泉水渠、鸭子翅等处立屯，有屯户 2 290 户，辟田 1 166 顷零 64 亩。①

3. 宁夏营田司屯田。至元七年十二月，迁河南怀孟 1 800 户百姓到河西居住、屯田。② 元世祖至元八年正月，签发己未年（1259 年）随州（今湖北省随州）、鄂州（今天武汉市）投降人民 1 107 户，到中兴居住。当时，官府虽然给予这些远道迁移来的民众饭食，但许多人无立业安身之本，颠沛流离者甚多。时任西夏中兴等路新民安抚副使兼本道巡行农副使袁裕，为解决移民生计，奏准朝廷："计丁给地，立三屯，使耕以自养，官民便之。"③ 因此，元朝于至元十一年，将这些南宋降民编为屯田户，有丁 2 400 人。至元二十三年，又从随州、鄂州迁来的南宋降民中签发已长大成丁的男子 300 人为渐丁，共屯田 1 800 顷。④ 袁裕还组织当地免驱从良的 8 000 人屯种，"官给牛种，使力田为农"。⑤ 至元十六年正月，"立河西屯田，给畊具，遣官领之"。十八年六月，"以太原新附军五千屯田甘州"。武宗至大二年（1309 年）八月，中书省奏准："沙、瓜州摘军屯田，岁入粮二万五千石……今仍乞旧遣军屯种，选知屯田地利色目、汉人各一人领之。"⑥ 元代驻军屯田为河西地区的农业开发作出了很大的贡献。

---

① 《元史》卷 100《兵志》三《屯田》，第 2569 页。
② 《元史》卷 7《世祖本纪》四，第 132 页。
③ 《元史》卷 157《袁裕传》，第 3999 页。
④ 《元史》卷 100《兵志》三《屯田》，第 2569 页。
⑤ 《元史》卷 157《袁裕传》，第 3999 页。
⑥ 本段史料分别见《元史》卷 7《世祖本纪》四，第 132 页；卷 10《世祖本纪》七，第 208 页；卷 11《世祖本纪》八，第 231 页；卷 23《武宗本纪》二，第 514 页。

4．宁夏路放良官屯田。世祖至元十一年，招收放良百姓 904 户，组织屯田，共辟田 446 顷零 50 亩。①

5．亦集乃路屯田。亦集乃的弱水（今额济纳旗的额济纳河），从西夏到元代，一直是一块宜农宜牧的绿洲。《元史·兵志》记载："世祖至元十六年，调归附军人于甘州。十八年，以充屯田军。二十二年，迁甘州新附军二百人，往屯亦集乃合即渠开种，为田九十一顷五十亩。"② 二十五年（1288 年）四月，再命甘肃行省发新附军 300 人屯田亦集乃。③ 考古工作者在亦集乃路治旧址黑城发掘出铁制农具镢、铲、犁铧、犁镜多种，形制接近于近代。城内及城郊还散见用于碎土保墒的石碌碡，用于加工粮食的连枷残件。城内发现有磨坊，东郊发现有碓坊。黑城文书中有典地、雇身、租赁、举债等契约，以及钱粮登记账册和收粮字据等。从文书中可以看出，当时亦集乃种有小麦、糜子、粟、豆、红花、麻等。可见，当地的农业是较为发达的。亦集乃路设有钱粮房、广积仓等机构，掌粮食的收购与贮藏。④

河西地区干旱少雨，农业的发展须依赖灌溉。至元二十三年，负责亦集乃屯田的忽都鲁以所部屯田新军 200 人在黑城一带垦区开渠。因屯田军人少，忽都鲁上奏："'所部屯田新军二百人，凿河渠于亦乃之地，役久功大，乞以傍近民、西僧余户助其力'。从之。"⑤ 黑城文书中有亦集乃河渠司，可见有专门的机构管理当地水利。元代在亦集乃共开有合即渠、额迷渠、沙尔渠、耳卜渠 4 条渠道灌溉垦区。⑥ 至元元年，郭守敬从张文谦行省西夏，主持疏浚了宁夏地区的唐来渠、汉延渠及支流 68 条。⑦ 使这一地区的屯田得以灌溉。

（四）西京路的屯田　元代的丰州滩就是今呼和浩特地区，丰州属西京路。至元二十五年，改西京路为大同路。至元二十九年，元世祖诏令各万户

① 《元史》卷 100 《兵志》三《屯田》，第 2569 页。
② 《元史》卷 100 《兵志》三《屯田》，第 2569 页。
③ 《元史》卷 15 《世祖本纪》十二，第 313 页。
④ 参见李并成：《元代河西走廊的农业开发》，《西北师大学报》1990 年第 3 期。
⑤ 《元史》卷 14 《世祖本纪》十一，第 285 页。
⑥ 参见李并成：《元代河西走廊的农业开发》，《西北师大学报》1990 年第 3 期。
⑦ 《元史》卷 164 《郭守敬传》，第 3846 页。

府，摘大同、隆兴、太原、平阳等处 4 000 军人，在燕只哥赤斤地面及红城周围屯田，开荒 2 000 余顷。红城故址在今和林格尔县小红城古城，燕只哥赤斤是木怜道从上都到丰州中的一站，可能在卓资县境内。成宗大德四年（1300 年），发军民 9 000 人在西京黄华岭立屯开耕。大德十一年，将黄华岭屯田汉军放归红城屯田所，只留民夫在屯。到仁宗时，该处"为户军 4 020，民 5 945，为田 5 000 顷"。① 管理丰州的屯田机构，先是西京宣慰司，大德六年设大同等处屯储万户府领此处屯田。成宗大德十一年，改由大同侍卫亲军都指挥使司领屯田。武宗至大四年（1311 年），将黄华岭新附屯田军并入本卫，另立屯署。同年，再将大同侍卫亲军都指挥使司改为中都威卫，将屯田军减少到 2 000 人，分立左右手屯田千户所，黄华岭新附军仍旧屯田。仁宗时，一度停止在红城屯田。英宗至治元年（1321 年），改中都威卫为忠翊侍卫，仍旧屯田丰州滩。②

西京也是元代一个重要的粮食收购地，中统二年、五年，至元二十七年都有政府和籴西京的载录。

（五）辽阳行省的屯田 大宁路等处是辽阳行省屯田比较集中的地区之一。至元二十九年（1292 年）以前，大宁路称北京路。北京路处于辽河流域边缘，元代辽河流域农业发展，北京是元代北方最重要的粮食收集与转运地。《元史·世祖本纪》，中统元年六月、二年八月、四年三月，至元二年正月等条都有从北京运粮的记载。

辽阳行省辖下有数处屯田所。③ 首先是大宁路的屯田，其分属三个系统。第一部分是属于辽阳行省所辖的民屯，由大宁路海阳等处打捕屯田所管辖。至元二十三年，以大宁、辽阳、平滦诸路拘刷之漏籍、放良、孛兰奚人户及僧道之还俗者，屯田于瑞州之西的濒海荒地（今辽宁绥中前卫、西南海阳地方，故又称"大宁路海阳屯"），④ 当时在迁马镇设打捕屯田总管府⑤，以唆

---

① 《元史》卷 100《兵志》三《屯田》，第 2564 页。
② 参阅《元史》卷 100《兵志》三《屯田》，第 2561、2564 页。
③ 参见丛佩远：《元代辽阳行省的农业》，《北方文物》1993 年第 1 期。
④ 《元史》卷 100《兵志》三《屯田》，第 2565 页。
⑤ 《国朝文类》卷 41《经世大典序录·屯田》。

都、哈飾等为屯田官①。大德四年，罢打捕屯田总管府，另立打捕屯田所。屯户除原拘刷户外，又增加了一部分招募户，户数共"一百二十二，为田二百三顷五十亩"。第二部分是枢密院所辖的宗仁卫军屯，至治二年"发五卫汉军二千人，于大宁等处创立屯田"，设置了2个屯田千户，垦田2 000顷。② 第三部分是中书省所辖的虎贲亲军屯田。至元十七年二月，御史大夫玉昔帖木儿建议在高州（今内蒙古赤峰市东北）等处屯田，但直到至元二十八年，始分虎贲亲军2 000人入屯。次年又增拨1 000屯田军人，由上都虎贲亲军都指挥使司管理③。

其次是浦峪路屯田万户管辖下的屯田。元世祖至元二十九年十月，令"蛮军三百户、女直一百九十户，于咸平府屯种。三十年，命本府万户和鲁古飾领其事，仍于茶剌罕、剌怜等处立屯。三十一年，罢万户府屯田。成宗大德二年，拨蛮军三百户属肇州蒙古万户府，止存女直一百九十户，依旧立屯，为田四百顷。"④ 蛮军，是西南少数民族和南人（南方汉族）组成的军队。茶剌罕，在今黑龙江绥化、庆安一带。剌怜，在今黑龙江阿城以南。

金复州（今辽宁金县）万户府屯田。元世祖至元二十一年五月，发新附军1 281户，在忻都察（今普兰店市双山、大沙河一带）置立屯田。至元二十六年，又分京师应役新附军1 000人，屯田哈思罕（今大连市甘井子区大连湾镇附近）关东荒地。至元三十年，又发新附军1 360户，并入金复州，立屯耕作。至此共有屯户3 641户，垦田2 523顷。⑤

肇州蒙古屯田万户府。至元三十年，元廷在今松花江、嫩江流域立肇州城，将吉尔吉思、乌斯、撼合纳等部众迁居于此，并组织当地的各族部民在该地区开垦。成宗元贞元年（1295年）七月，元朝"立肇州屯田万户府，以辽阳行省左丞阿撒领其事"，⑥ "以乃颜不鲁古赤及打鱼水达达、女直等户，于肇州旁近地开耕。为户：不鲁古赤二百二十户，水达达八十户，归附

① 《元史》卷59《地理志》二，第1397页。
② 《元史》卷100《兵志》三《屯田》，第2562页。
③ 《秋涧集》卷35《上世祖皇帝书》；《元史》卷100《兵志》三《屯田》，第2564页。
④ 《元史》卷100《兵志》三《屯田》，第2565页。
⑤ 《元史》卷100《兵志》三《屯田》，第2565页。
⑥ 《元史》卷18《成宗本纪》一，第395页。

军三百户，续增渐丁五十二户"。屯田 1 540 顷①。"不鲁古赤"，系蒙古语"捕貂鼠者"。乃颜之乱平定后，原来隶属于斡赤斤后王而为元军"系房"的蒙古、女真军队及其他人户，都被括入国家版籍，其中一部分还被徙置江南，一部分被安置在当地屯田。仁宗延祐六年（1319 年）七月，"命分简奴儿干流囚罪稍轻者，屯田肇州"②。

此外，东京等地有屯田。至元二十年八月，"敕大名、真定、北京、卫辉四路屯驻新附军，于东京屯田"。③ 元政府还将"豪霸凶顽之徒"及造伪钞者迁往北方或辽阳边地屯种。④

沈阳、懿州等地的屯田主要从考古发现中窥知一二。辽宁省博物馆收藏的历代官印中，内有一方"沈阳等处军民屯田使司分司印"，此印与元代屯田有关。印章发现于阜新县东北 100 余里的塔营子，即金、元两代的"懿州"古城内。印呈正方形，边长 8.2 厘米、厚 2 厘米。背钮为长方板状，高 7.2 厘米，正面印文阳刻八思巴文五行，背面阴刻汉文"沈阳等处军民屯田使司分司印，中书礼部造，至正十七年五月　日"。⑤ 字迹模糊不清，较难辨识。这是元惠宗至正年间颁发的管理"沈阳"等处军民屯田使司的官印。元代关于辽、沈二路屯田的资料记载较少，此印的发现是考察和研究元末东北屯田，特别是辽沈地区军民屯田的重要实物证据。"沈阳"，元初仍沿袭辽代名称"沈州"，元大德元年（1297 年）改为沈阳路，为辽阳行省内七路之一。该印的发现，表明元代沈阳路范围内设有屯田，其管理机构为军民屯田使司，该机构应当就设在懿州，懿州肯定也有屯田。

元代在北方的屯田，耕战结合，有助于北部边疆的巩固。一定程度上有助于蒙古地区综合经济的发展。但是，由于内蒙古地区自然条件和蒙古人的传统，包括上都在内的蒙古广大地区属"非产粮之地"。因此，对元代内蒙古地区的农业生产规模和产量及其作用和影响应予以客观评价，不

---

① 《元史》卷 100《兵志》三《屯田》，第 2566、2580 页。
② 《元史》卷 26《仁宗本纪》二，第 590 页。
③ 《元史》卷 12《世祖本纪》九，第 256 页。
④ 《元典章》卷 57《刑部卷》之十九《诸禁·禁豪霸·豪霸红粉壁迤北屯种》，第 2081 页；卷 20《户部卷》之六《钞法·挑钞·挑钞再犯流远屯种》，第 801 页；参见周继中：《元代屯田的组织与管理》，《元史及北方民族史研究集刊》第 10 期，南京大学历史系元史研究室编，1986 年。
⑤ 参见李宇峰：《从考古发现略述元代在东北的屯田》，《辽海文物学刊》1995 年第 1 期。

宜夸大。

第三节 元代内蒙古地区的手工业

蒙古统治者特别重视工匠，在早期的征服战争中就掳掠了许多中原和西域工匠到蒙古地区，为大汗、诸王、妃主及各级那颜造作。这些手工业人才的入迁，向蒙古地区输入了新技术，推动了蒙古地区手工业的空前繁荣。元代蒙古地区畜牧业与农业的发展，为手工业的兴起奠定了物质基础。政治重心与诸王投下分地所在，又为手工业、商业、城市在内的蒙古地区的兴起提供了动力。

元代的手工业，分为官办手工业和私营手工业。元代的官办手工业规模之大、产量之高，为前朝所不及，这也是元代官办手工业的特点。元代官办手工业作坊，有的属于政府管辖，有的属于皇室、诸王投下、勋臣所有。

元代官办手工业，分属于中央国家机构的工部系统、将作院系统、武备寺系统和地方政府系统。这些系统在蒙古地区都有分支或下属机构，而且蒙古地区手工业的特点是官办手工业突出发展。

一、漠南地区手工业发展

上都及其周围地区是漠南官办手工业最为集中的地区。官办手工业各个系统在上都都有分属司局。如，中央所属的工部诸局人匠总管府所属的上都毡局、将作院所属的上都金银器盒局、武备寺所属的上都甲匠提举司。太子位下的储政院所属的上都诸色民匠提举司、上都葫芦局。皇后位下的中政院所属的管领上都等处诸色人匠提举司。两都留守司系统所辖的上都采山提领所（采伐木材，炼石灰）、祗应司（掌妆銮油染袖褃褙之事）、器物局（掌内府营造铁钉铁线）。见于其他系统的上都官手工业作坊还有上都鞍子局、葫芦局、麦米长官司、尚饮局、尚酝局、泥瓦局等。至元三十年（1293年），上都有工匠 2 999 户，工匠当有万人左右。到元中期，中政院所辖管领上都等处人匠提举司就有工匠 2 500 户。①

① 《元史》卷17《世祖本纪》十四，第373页；卷88《百官志》四，第2233页。

上都及其周围地区的官手工业行业很多，有制毡、制革、织染、制甲、铁器冶造、金银器制造、山林采伐业等。其中，丝织与印染业、武器制造业、矿冶业占有重要地位。总之，元代内蒙古地区的官手工业整体上比较发达。

丝织业与印染业　蒙古地区虽不产丝，但是元代的赋税，税粮为谷粟，科差以丝料代替完纳，另有五户丝输于封君。因此，设在蒙古地区的官府局院及诸王贵族府邸的丝织坊有丰富的原料。丝织业与印染业的局院，见于记载的有：储政院下辖弘州、荨麻林（今河北张家口西）纳失失织锦局和弘州锦衣院，管领上都等处打捕鹰房纳绵等户大使司，管领大同等处打捕鹰房纳绵等户提领所，管领兴和等处打捕鹰房纳绵等户提领所，管领大宁等处打捕鹰房纳绵等户提领所，怯怜口诸色民匠达鲁花赤并管领上都纳绵提举司，管领上都大都诸色人匠纳绵户提举司等等。① 晋王位下的内史府下辖的管领涿州成锦局人匠提举司，从五品，领匠 102 户；管领涿州等处民匠异锦局，秩正五品，掌民匠 150 户②。皇后所属的中政院翊政司下辖有至元三十一年设立的御位下管领随路民匠打捕鹰房纳绵等户总管府，正三品。③ 中央所属的工部局院下属有隆兴毡局。隆兴路，即兴和路，皇庆元年（1312 年）改隆兴路为兴和路。丰州设有毛子局，另有捏只局"掌织造花毯"。纺织业又往往与印染业相连，工部下属机构还有云内州织染局、大同织染局、大宁路织染局、云州织染提举司、宣德府织染提举司。④

织锦中特别值得一提的是元代引进西域技术生产的新织锦：纳失失锦和撒答剌欺。

纳失失，又称为纳石失、纳赤思，波斯语 Nasish 的音译，是一种绣金锦缎，起源于中亚，主要由西域回回工匠织成。⑤ 元太宗时期，有"阿儿浑军，并回回人匠三千户驻于荨麻林"。⑥ 据波斯史学家拉施特记载，荨麻林

---

① 《元史》卷 89《百官志》五，第 2265 页。
② 《元史》卷 89《百官志》五，第 2269 页。
③ 《元史》卷 88《百官志》四，第 2233 页。
④ 《元史》卷 85《百官志》一，第 2150—2151 页。
⑤ 《元史》卷 85《百官志》一，第 2145 页。
⑥ 《元史》卷 122《哈散纳传》，第 3016 页。

城内"大多数居民为撒麻耳干人，他们按撒麻耳干的习俗，建起了很多花园"。① 这些撒麻耳干人，就是来自中亚的阿儿浑人和回回人，他们善于织造绣金锦缎。这种绣金锦缎的"生产方法有两种：一种是在织造时把一些切成长条的金箔夹织在丝线中，这样织成的锦，金光闪熠，光彩夺目；另一种是用金箔捻成的金线和丝线交织而成，这样织成的锦，坚固耐用"②。前者称片金法，后者称圆金法。西域工匠所织的纳失失，品质优良，深得蒙古贵族的喜爱，被视为珍品，用于制造蒙古宫廷宴会质孙服。元朝的内庭大宴，要求从皇帝到勋戚大臣，以及近侍等人均统一穿着上下有别、等级不同的一色服装，名质孙服。按当时内府定制，这种质孙服一律用纳失失为料。纳失失作为蒙古贵族社会生活中的重要用品，其生产、织造为元朝廷所高度重视。在浑善达克沙地的一个瓦缸里曾发现了三件完整的纳失失质孙锦袍，现收藏在锡林郭勒盟博物馆，2010 年夏笔者在"元代漠南城市与社会经济会议"后参观得见。元朝建立后，徽政院于至元十五年（1278 年）在西域工匠居留处设置"弘州、荨麻林纳失失局，秩从七品，二局各设大使一员、副使一员"。并"招收析居放良等户，教习人匠织造纳失失"。次年，政府将两局"并为一局"。到至元三十一年（1294 年），"以两局相去一百余里，管办非便，后为二局"③。《镇海传》记载，蒙古"收天下童男童女及工匠，置局弘州。既而得西域织金绮纹工三百余户，及汴京织毛褐工三百户，皆分隶弘州，命镇海世掌焉"。④ 弘州，是元朝织锦与毛织业的一个中心。除弘州、荨麻林两局外，工部还置有"纳失失毛段二局"，设"院长一员"⑤，专事纳失失织造，但不知设于何处。在荨麻林（今张家口市西洗马林），设有兴和路荨麻林人匠提举司，设提举、同提举、副提举等官员。

撒答剌欺，得名于中亚不花剌以北 14 里一名叫撒答剌的村镇，是西域人织造的又一精美别致的纺织品。《史集》记载，成吉思汗时期有三个不花剌商人带着各种货物，包括咱儿巴甫场（锦缎）、曾答纳赤（撒答剌欺）、

---

① 《史集》（汉译本）第 2 卷，第 324 页。
② 邱树森：《中国回族史》（上册），宁夏人民出版社 1998 年版，第 228 页。
③ 《元史》卷 89《百官志》五，第 2263 页。
④ 《元史》卷 120《镇海传》，第 2963 页。
⑤ 《元史》卷 85《百官志》一，第 2150 页。

客儿巴思（棉织品）等织物及蒙古人需用的其他物品，来到了漠北成吉思汗处。由于索价过高，成吉思汗大怒，并命人将库内所存相同纺织品示以商人。① 看来，撒答剌欺早就由西域商人带到了蒙古地区。至元二十四年七月，弘州匠官新创制出用犬、兔毛织成"如西锦者"献给皇帝，元世祖"授匠官知弘州"。②《元史》又载"至元二十四年，以札马剌丁率人匠成造撒答剌欺"，并"与丝绸同局造作，遂改组练人匠提举司为撒答剌欺提举司"。③ 由此可知，前面的"如西锦者"即撒答剌欺。撒答剌欺是由弘州组练人匠提举司织成的。弘州组练人匠提举司，后改名为撒答剌欺提举司，秩五品。"知弘州"的匠官，应就是监造者札马剌丁。

在辽东、辽西地区，大宁路的龙山县、兴中州、利州、建州"皆土产丝绸"，和众、龙山二县及利州、惠州皆土产布④。这种布是大麻布，金代辽阳府就出产有名的麻布师姑布。⑤

制毡业　蒙古族日常生活中对毡子的需求量很大，铺设、屏障、庐帐、蒙车都要用毡子，蒙古地区制毡业很发达。工部在上都设立的上都毡局为从五品，管理人匠 57 户⑥。至元二十年（1283 年），詹事院在上都设立了毡局。工部下属机构诸司局人匠总管府，至元二十四年以后"掌毡毯等事"，其下辖大都毡局，管 125 户匠人；大都染局，管 6 003 户匠人；上都毡局，管 97 户匠人；隆兴毡局，管 100 户匠人；剪毛花毯蜡布局，管 118 户匠人。工部下属机构茶迭儿局总管府，"管领诸色人匠造作等事"，正三品。"茶迭儿"，是蒙古语 čačari，"庐帐"的意思，显然该机构掌管制造庐帐，而这也是毛织业的重要产品。虽不知其设置地的具体地点，但似应在大都或上都。中统三年（1262 年），燕京从事毛织的局、院一岁"造羊毛毡大小三千二百五十段"⑦。史载毡毯的花式品种也很多，有剪绒花毯、脱罗毡、入药白毡、

① 《史集》（汉译本）第 1 卷第 2 分册，第 258 页。
② 《元史》卷 14《世祖本纪》十一，第 299 页。
③ 《元史》卷 85《百官志》一，第 2149 页。
④ 《元一统志》卷 2，第 205—208 页。
⑤ 《金史》卷 24《地理志》上《东京路·辽阳府》，第 555 页。
⑥ 《元史》卷 85《百官志》一，第 2143 页。
⑦ 《大元毡罽工物记》，《广仓学窘丛书》本，1916 年上海仓圣明智大学排印本。

半入白矾毡、无矾白毡、雀白毡、半青红芽毡、红毡、染青毡、白袜毡、白毡胎、回回剪绒毡等 13 种。

骆驼毛是当时制毡的材料之一，马可·波罗记载额里哈牙（Egrigaia）"城中制造驼毛毡不少，是为世界最丽之毡，亦有白毡，为世界最良之毡，盖以白骆驼毛制之也。所制甚多，商人以之运售契丹及世界各地。"天德（今内蒙古呼和浩特东）"州人并用驼毛制毡甚多，各色皆有。"肃州路（今甘肃酒泉）居民则"以织毛褐为业"①，是当地最主要的手工业。额里哈牙（Egrigaia），即《蒙古源流》之 Irgai，为宁夏（今银川）②。西夏原本盛畜骆驼，故出产大量的驼毛，驼毛织造业发达。

兵器制造业　元代十分重视武器制造。早在成吉思汗时代，就广搜匠工，设立了专门的武器制造部门。成吉思汗攻西夏时，"括诸色人匠，小丑以业弓进，赐名怯延兀阑，命为怯怜口行营弓匠百户，徙居和林。"③"太祖圣武皇帝经略中夏，总揽豪杰，贮除戎具为亟。[孙威]乃挟所业投献，上赏其能应时需，赐名也可兀阑，饰佩金符，充诸路甲匠总管。"④"兀阑"，就是蒙古语 uran，意为"工匠"。到忽必烈时，已有了完整的武器制造体系。至元五年（1268 年），设立军器监，"掌缮治戎器，兼典受给"。至元十年六月，"以各路弓矢甲匠并录军器监"⑤。后来，军器监更名武备寺。武备寺下属机构有制造武器与贮藏武器两类。制造武器的机构，集中在大都、上都及其周围，其次是腹里各地。

制甲业是武器制造中的重要部门。上都有武备寺所属的上都甲匠提举司，从五品，下属兴州千户寨甲局、松州五指崖甲局、松州胜安甲局、兴州白局子甲局。在上都及其周围地区，有上都甲匠提举司下辖的兴州白局子甲局、兴州千户寨甲局、松州五指崖甲局、松州胜安甲局。大同路军器人匠提举司下辖有丰州甲局、应州甲局、平地县甲局、山阴县甲局、白登县甲局、

① 冯承钧译：《马可波罗行纪》，上海世纪出版集团 2006 年版，第 72 章第 156 页。
② 陈寅恪：《灵州宁夏榆林三城译名考》（蒙古源流研究之一），1930 年 5 月《历史语言研究所集刊》第 1 本第 2 分册，第 128 页。
③ 《元史》卷 134《朵罗台传》，第 3264—3265 页。
④ 《秋涧集》卷 58《孙公亮神道碑》。
⑤ 《元史》卷 8《世祖本纪》五，第 150 页。

丰州弓局、赛甫丁弓局。其他的武器制造部门还有：上都杂造局、隆兴路军器人匠局（后改兴和路）、宣德府军器人匠局、奉圣州军器局、蔚州军器人匠提举司、丰州杂造局。① 至元二十三年（1286 年），设立了上都、隆兴等路杂造鞍子局。② 兴和路"居民多以制造君主臣下之武装为业"③。

矿冶业　蒙元时期北方冶铁业因军事需要而发展较早。窝阔台汗八年（1236 年），即在西京（今山西大同）州县设置铁冶，拨冶户 760 从事冶炼。元世祖中统三年（1262 年），令属西京大同路的宁武军（今山西宁武）"岁输所产铁"。④《元一统志》记载，辽阳行省大宁路"兴中州有铁冶，在州西北九十里蓼子峪。利州有铁冶，在州东南二百八十里牛口峪。惠州有铁冶二所，一在州西北二百三十里寺子峪，名滦阳冶。一在州东北六十松棚峪，名宝津冶"。⑤ 经考古发掘，在辽宁鞍山陶官屯、开原老城镇出土了大批元代铁农具。其中有铁铧、铁镰、铁叉、蹄头等⑥。特别是开原县老城镇出土的一组元代窖藏铁器，有一套铁铧范，二副，铸造规整，套合准确。考古工作者发现，过去东北多出土辽、金、元铁铧，但像开原县老城镇所出土的年代明确的元代成套铁铧范，比较少见，它反映了元代当地的铁冶与铁制农业生产工具的工艺技术水平有了新的进步⑦。

中统三年八月，"博都欢等奏请以宣德州、德兴府等处银冶付其匠户，岁取银及石绿、丹粉输官，从之"。⑧ 元世祖至元三年，桓州（今内蒙古正蓝旗）已开采银矿石 16 万斤，每百斤矿石可炼银 3 两，炼锡 25 斤，⑨ 总计

---

　　①　《元史》卷 90《百官志》六，第 2284—2288 页；参见程民生：《试论金元时期的北方经济》，《史学月刊》2003 年第 3 期。

　　②　《永乐大典》第 19781 卷《经世大典·诸局》。

　　③　《马可波罗行纪》，第 73 章，第 158 页，第 165 页注释⑤。

　　④　《元史》卷 94《食货志》二，第 2381 页。

　　⑤　《元一统志》卷 2《辽阳行省·大宁路》，第 190 页。

　　⑥　参见刘景文：《从考古资料看金代农业的迅速发展》，《农业考古》1983 年第 2 期，转引自李宇峰：《从考古发现略述元代在东北的屯田》。

　　⑦　参见刘景文：《从考古资料看金代农业的迅速发展》，转引自李宇峰：《从考古发现略述元代在东北的屯田》。

　　⑧　《元史》卷 5《世祖本纪》二，第 68 页。

　　⑨　《元史》卷 205《奸臣传》，第 4558 页。

可炼银 4 800 两、锡 4 万斤。据马可·波罗载，兴和"中有银矿甚佳，采量不少。"① 此后，在檀州（今北京密云）、云州（今河北赤城北）、聚阳山（今河北赤城东南）、惠州（今河北承德东）等地先后设置冶银机构。② 至元二十八年十一月，元朝升"宣德龙门镇为望云县，割隶云州。置望云银冶"。③ 龙门升县，或许是因为其产银，经济地位上升所致。至大三年（1310 年）六月，开采的云州银矿，当年获银 650 两，遂设银冶提举司。至大二年，上都（今内蒙古多伦北）、中都（今河北张北西北）银冶提举司输银 4 250 两，次年秋又输银 3 500 两，并又开采出新矿，主管官员受到朝廷升官的奖励。至大三年六月，因上都、中都银产量大，立上都、中都等处银冶提举司。④

大宁、开元、和州产金。大宁路的金矿在龙山县胡碧峪，至元十年（1273 年），由私人承包，每年纳课金三两。至元十三年，又在辽东双城及和州等处开始采金。辽阳行省的大宁、锦州、瑞州产铜。锦州、瑞州在原有冶户之外。至元十五年，又拨采木户 1 000 户，规模都不大。⑤ 元代集宁路（今察哈尔右翼前旗土城）有冶铜炼铁业。在集宁古城遗址出土了大块的煤渣、风箱炉上的多孔盘残片、铁勺、铁镞、铜铁渣、坩锅片。可见，这里是一个冶炼与兵器生产的重要基地。

煮盐业 辽阳是元代 11 个产盐区之一，辽阳盐区辖原金朝临潢府大盐泊及东北产盐地。《金史》记载："临潢之北有大盐泺"，⑥ 此即今东乌穆沁旗的额吉淖尔。太宗窝阔台汗丁酉年（1237 年），命北京路征收课税所对大盐泊硬盐立盐法，规定随车随引载盐之法为每盐一石，价银七钱半，带纳匠人米五升。癸卯年（1243 年），合懒路盐课岁办课白布 2 000 匹，恤品路布 1 000 匹。至元四年，又立开元等路盐运司。次年，元廷禁止东京懿州乞石儿硬盐，不许过涂河界。并诏令东北各诸王驸马功臣位下，如例输纳盐课。

---

① 《马可波罗行纪》，第 73 章，第 158 页，第 165 页注释⑤。
② 《元史》卷《食货志》二《岁课》，第 2377 页。
③ 《元史》卷《世祖本纪》十三，第 353 页。
④ 参见《元史》卷《武宗本纪》二，第 525、529 页；程民生：《试论金元时期的北方经济》。
⑤ 《元史》卷《食货志》二《岁课》，第 2379 页。
⑥ 《金史》卷《食货志》四《盐》，第 1093 页。

　　兴和路昌州产盐。张德辉记载昌州盐池"周广可百里，人谓之狗泺，以其形似故也"。① 至元二十年（1283年）五月，元政府"减隆兴府昌州盖里泊管盐官吏九十九人，以其事隶隆兴府"。② 上都也产盐。袁桷《客舍书事诗》云："干酪瓶争挈，生盐斗可提"。《开平纪行》载上都："盐货狼藉，畜牧蕃息，大供居民食用。"③

　　此外，为贵族服务的皮革加工业、金银珠宝加工业在蒙古地区也不少。上都貂鼠软皮等提领所、上都异样毛子局、上都软皮局、上都钊皮局、上都怯怜口毛子局、储政院所属有上都、大都貂鼠软皮等局等都是掌管皮革加工业的。《元史·百官志》记载，将作院下属机构有宣德、隆兴等处玛瑙人匠提举司。周伯琦《扈从诗后序》记载，离宣平县"三十里有山，出玛瑙石，可器"。④ 储政院下属有金丝子局，掌金丝子匠造作之事；还有玛瑙玉局⑤。至元九年，置大都等处玛瑙局，管领玛瑙匠户500多户。十五年，改立提举司，领大都、宏州（应为弘州）两处造作，升从五品。宣德隆兴等处玛瑙人匠提举司，正六品。上都金银器盒局。大同路采砂所，管领106户，每年采磨玉夏水砂二百石，送大都，供玉工磨砻之用。将作院下属有玉局提举司，从五品。中统二年，以和林人匠置局造作⑥。

　　酿酒业　蒙古人善饮酒，元朝政府十分重视酒的酿造。元朝廷设有宣徽院"掌供玉食"，即负责宫廷饮食。宣徽院下辖大都上饮局，"掌酝造上用细酒"、大都尚酝局，"掌酝造诸王百官酒醴"。上都尚饮局、上都尚酝局的职掌也差不多。上都醴源仓，"掌受大都转输米曲，并酝造车驾临幸次舍供给之酒"。⑦

　　元代蒙古地区的酿酒品种，主要包括马奶酒、葡萄酒、粮食酒、阿剌吉酒。马奶酒是蒙古人的传统饮品，是通过搅动马奶，使其发酵而成。⑧ 赵珙

　　① 《秋涧集》卷100《岭北纪行》。
　　② 《元史》卷12《世祖本纪》九，第254页。
　　③ 《王恽〈开平纪行〉疏证稿》，《五代宋金元人边疆行记十三种疏证稿》，第328页。
　　④ 《周伯琦〈扈从诗前后序〉疏证稿》，《五代宋金元人边疆行记十三种疏证稿》，第372页。
　　⑤ 《元史》卷89《百官志》五，第2256页。
　　⑥ 《元史》卷88《百官志》四，第2225—2228页。
　　⑦ 《元史》卷87《百官志》三，第2201—2202页。
　　⑧ 关于马奶酒一段文字，参考了史仲文、胡晓林主编：《中国全史》第14卷《元代》二《中国习俗史·饮食习俗》，人民出版社1994年版，第41页。

《蒙鞑备录·粮食》记载："鞑人地饶水草，宜羊马，其为生涯，只是饮马乳；以寒饥渴。凡一牝马之乳，可饱三人。出入只饮马乳。"普兰诺·加宾尼也在《蒙古史》中说："如果他们有马奶的话，他们就大量喝它。"马奶，分生马奶和熟马奶两种。生马奶，蒙古语称 sün。《蒙古秘史》第 85 节，作"循"，旁译为"生马奶子"。熟马奶子，蒙古语称 esüg，《蒙古秘史》作"额速克"。13 世纪蒙古人从取马乳到制马乳酒的过程，被出使到蒙古的各国使者详细地记录下来。鲁不鲁乞在《东游记》中写道："他们在地上拉一根长绳，绳的两端系在插入土中的两根桩上。在 9 点钟前后，他们把准备挤奶的那些母马的小马捆在这根绳上。然后那些母马站在靠近它们小马的地方，安静地让人挤奶。如果其中有任何母马太不安静，就有一个人把它的小马放到它腹下，让小马吮一些奶，然后他又把小马拿开，而由挤奶的人取代小马的位置。就这样，当他们收集了大量的马奶，就倒入一只大皮囊里。"这些刚挤下来的马奶，即为生马奶。《黑鞑事略》彭大雅云："手捻其乳曰沛。马之初乳，日则听其驹之食，夜则聚之以沛，贮以革器，頫洞数宿，味微酸，始可饮，谓之马奶子。"徐霆补注："霆常见其日中沛马奶矣。亦常问之，初无拘于日与夜沛之之法。先令驹子啜，教乳路来，却赶了驹子，人自用手沛下皮桶中，却又倾入皮袋撞之。寻常人只数宿便饮。"① 这种经过搅拌发酵的马奶就是熟马奶，也就是马奶酒。酿制马奶酒时撞捅的次数越多、时间越长，味道越好。徐霆在《黑鞑事略》中说："初到金帐，鞑主饮以马奶，色清而味甜，与寻常色白而浊、味酸而膻者大不同，名曰黑马奶。盖清则似黑。问之，则云：此实撞之七八日，撞多则愈清，清则气不膻。只此一次得饮，他处更不曾见，玉食之奉如此。"② 蒙古从钦察草原掳掠来的钦察人善于养马和制黑马奶酒，他们在宫中管理畜牧，制作马奶酒，被称为哈剌赤（qarači，意为"酿清马乳者"）。虞集《句容郡王世绩碑》："世祖皇帝西征大理，南取宋，其种人（即钦察人——引者注）以强勇见信，用掌畜牧之事，奉马湩以供。"③ 鲁布鲁克在《东游记》中说蒙古人喜欢饮用

① 彭大雅、徐霆：《黑鞑事略》，《王国维遗书》本，第 19 页 b 面。
② 彭大雅、徐霆：《黑鞑事略》，《王国维遗书》本，第 19 页 b 面。
③ 《道园学古录》卷 23《句容郡王世绩碑》。

马奶作的饮料——忽迷思和哈剌忽迷思。忽迷思，即酸马奶，哈剌忽迷思，即黑忽迷思。对于忽迷思的酿制方法及性味，鲁不鲁乞写道：他们"就把奶倒入一只大皮囊或袋里，然后用一根特制的棒开始搅拌，这种棒的下端像人头那样粗大，并且是空心的。他们用劲地拍打马奶时，马奶开始像新酿酒那样起泡沫，并且变酸和发酵。然后他们继续搅拌到他们取得奶油。这时他们品尝它，当它们微带辣味时，他们便喝它。喝时，它像葡萄酒一样有辣味，喝完后在舌头上有杏乳的味道，使腹内舒畅，也使人有些醉，很利尿。""他们还生产哈剌忽迷思，也就是'黑忽迷思'，供大贵人使用。"①马可·波罗在游记中也说，鞑靼人饮马乳，其色类白葡萄酒，而其味佳，其名曰忽迷思。《元史·兵志·马政》亦云，因马奶质量及加工程度不同，有粗、细之分。皇帝饮用的黑马乳，"谓之细乳"，诸王百官饮用的稍次，"谓之粗乳"。宫廷、诸王、蒙古贵族都有专门的马匹，由专人饲养取奶，以供制马奶酒。一般蒙古百姓的日常生活也离不开马奶酒，但很粗糙。

葡萄酒在元代也相当流行，主要产于山西的平阳、太原，畏兀儿地面的哈剌火州（今吐鲁番），以及大都、上都等地。其中，以哈剌火州的葡萄酒最好。中统二年（1261年）六月，"敕平阳路安邑县蒲萄酒自今毋贡"；②成宗元贞二年（1296年）三月，"罢太原、平阳路酿进蒲萄酒，其蒲萄园民恃为业者，皆还之"③。说明今山西地区的平阳、安邑、太原都生产葡萄酒。据《元典章》记载，大都地区"自戊午年至至元五年，每葡萄酒一十斤数勾抽分一斤"；"乃至元六年、七年，定立课额，葡萄酒浆止是三十分取一"。戊午年，是蒙哥汗八年，即公元1258年。至元五年，是公元1268年。也就是说，至迟从戊午年起，葡萄酒已在大都民间公开发售。大都地区出产葡萄，民间发售的葡萄酒，应当就是本地生产的。丰州万部华严经塔第七层有至元十五年"丰州东北乡北酒户尹和卿"游该塔时的题记。④ 可见，丰州

①　［美］柔义克译注、何高济汉译：《鲁布鲁克东行记》，《中外关系史名著译丛》本，中华书局2002年版，第213—214页。

②　《元史》卷4《世祖本纪》一，第76页。

③　《元史》卷19《成宗本纪》二，第403页。

④　李逸友：《呼和浩特市万部华严经塔的金元明各代题记》，《内蒙古大学学报丛刊》之《蒙古史论文选集》第2辑，1983年。

地区有酿酒业。但丰州产粮不多，酿的是什么酒呢？中统四年十二月，忽必烈"敕驸马爱不花蒲萄户依民例输赋"。汪古部爱不花驸马的分地，分布于天山南北，丰州有可能也酿葡萄酒或粮食酒。

粮食酒一般用粮食（糯米、黍等）加酒曲发酵而成。阿剌吉酒，即蒸馏酒。阿剌吉，是阿拉伯语 araq 的音译。元朝时，蒸馏酒方法从西域传入。"由尚方达贵家，今汗漫天下矣"①。周伯琦《扈从诗前序》记载了察罕脑儿行宫之地有人酿酒，其文曰："置云需总管府秩三品以掌之。沙井水甚甘洁，酿酒以供上用。居人可二百余家。"沙井酿造的酒，应是粮食酒或阿剌吉酒。元朝每遇灾年，即下令禁止酿酒，因为它消耗粮食太多。

二、漠北地区的手工业

漠北地区的手工业集中在和林、称海、谦谦州。

蒙古国都城和林的官营手工业很兴旺。城内的汉人居住区全是汉族工匠②。和林附近的毕里纥都是"弓匠之地积养"。③ 考古工作者曾于和林地区发现 10 座冶炼炉和大量金属制造品，有供军用的破城机，农具铁犁、铁锄，炊具生铁锅，计量器具铜、铁权以及交通工具车毂等。出土的生铁经过化验，可知是在 1 350℃高温下熔铸而成的。在和林城还发现了大量陶瓷制品，其中有些来自中原内地。而一些用灰色陶土烧制的无釉陶罐、施釉而制作粗糙的陶罐，有些不便运输的大的施釉大陶罐是和林本地产的。一般认为这些遗址应是元中后期的遗存④。和林特产一种叫碧甸子的玉石。元朝在和林设玉局提举司，负责开采。⑤

唐麓岭以北的谦谦州，成吉思汗时期就已迁徙许多汉族工匠到这里生产武器、丝织品。《长春真人西游记》记载，谦谦州"出良铁"、"汉匠千百人

---

① 《至正集》卷16《咏酒露次解恕斋韵》。

② 道森编，吕浦译，周良霄注：《出使蒙古记》，中国社会科学出版社1983年版，第203页。

③ 张德辉：《岭北纪行》，见贾敬颜：《五代宋金元人边疆行记十三种疏证稿》，第345页。

④ 叶甫邱霍娃，陈健康译：《哈剌和林出土的中国古代陶瓷》，《苏联考古学》1959年第3期，见《蒙古史研究参考资料》第19辑，1981年。

⑤ 《元史》卷88《百官志》四，第2225页；卷94《食货志》二《岁课》，第2377页。

居之，织绫罗锦绮"①。《元史》记载，谦谦州"有工匠数局，盖国初所徙汉人也"。②"欠州武器局，秩从五品。大使、副使各一员"。③忽必烈初年，"徙谦州甲匠于松山"④。至元六年（1269 年），一次就"赈欠州人匠贫乏者米五千九百九十九石"⑤，足见当地工匠之多。谦谦州产矿盐和海盐，盐有红色和青黑色两种。从欠欠州南归的人，往往把这种"或方而坚、或碎而松、或大块可旋成盘者"的欠州食盐携回，分赠亲友。⑥当地居民原来只会用柳木作杯、碗，刳木为槽以渡河，也不会铸作农具。至元七年，刘好礼任吉利吉思、撼合纳、谦州、益兰州等处断事官后，特向元朝政府请求派陶、木、铁匠，教当地人制陶、铁冶和造船等技术，为当地人民的生产和生活带来很大方便。

称海是漠北另一重镇。因称海在此屯田，建起城池、仓库，就以他的名字作为城名。成吉思汗时期初建称海城时，就有俘虏来的 1 万多名工匠在此设局造作⑦。附近的阿不罕山（今蒙古国科布多省宗海尔罕山），有许多汉民工匠，设有阿不罕工匠总管府⑧。无论是规模还是产量，漠北的手工业都不如漠南的手工业。

第四节　元代内蒙古地区的商业和高利贷

元代内蒙古地区是元朝的政治中心之一——上都以及诸王投下牙帐所在，同时又是连通漠北与中原的交通枢纽。元朝的大一统，加强了中原内地对蒙古高原的经济支持，再加上货币统一、驿路畅通等前代所不具备的优越条件，大大促进了内蒙古地区的商业发展。蒙古皇室、贵族，纷纷经营高利贷，政府中设有管理高利贷的机构；蒙古草原因为集中了大量的人口，粮食

---

① 《长春真人西游记》卷上，《王国维遗书》第 13 册，第 10 页。
② 《元史》卷 63《地理志》六，第 1574 页。
③ 《元史》卷 90《百官志》六，第 2287 页。
④ 《元史》卷 7《世祖本纪》四，第 130 页。
⑤ 《元史》卷 6《世祖本纪》三，第 121 页。
⑥ 杨瑀：《山居新话》卷 1，见《玉堂嘉话·山居新语》，中华书局 2006 年版，第 200 页。
⑦ 许有壬：《右丞相怯烈公神道碑》，《圭塘小稿》卷 10，《三怡堂丛书》本。
⑧ 《秋涧集》卷 51《塔必公碑》。

成为漠南、漠北最重要的贸易物资，这是元代内蒙古地区经济生活的两大特色。

一、上都及大漠南北的粮食供应

上都的商业是随着该城的政治、军事地位的变化而发展起来。上都是元朝的政治中心与驻军重地，也是南北物资转运的集中地。因此，上都集中了相当多的人口，上都路统计的户口数有 41 062 户、118 191 人，其中应有一半左右的人口住在城区内，其他人口分布在上都路属下的州、县。上都五、六万人口一年所要消耗的粮食是很多的。若加上大批随大汗巡幸人马驻留上都的三四个月所费资粮，一年粮食消耗量更大。据魏初《青崖集·奏议》记载："上都每年合用粮不下五十万石。"据中书省至元三十年五月的奏报，当时上都仅工匠每年就要食粮 15 200 余石。① 由此可见上都耗粮之多。

上都及大漠南北产粮非常有限，不可能满足上都及大漠南北的粮食需要。不仅元上都及漠南漠北缺粮，大都也需由南方补运粮食等物资。史称"元都于燕，去江南极远，而百司庶府之繁，卫士编民之众，无不仰给于江南"。② 为此，元政府主要通过两个途径解决北方粮食问题，尤其是上都及漠南、漠北的粮食供应问题。一是政府组织粮食，从内地运到上都及漠南漠北地区；二是允许、鼓励私人贩运粮食到上都和漠南漠北。

不管是政府组织还是私人运粮，都存在一个运输问题。从漠南运粮到大都主要是水运，从大都运粮到漠南漠北则是陆路运输。元朝为了运粮，先后开辟了内河漕运与海运。

从江浙一带通过运河运粮到大都，若沿隋朝运河行船，一则需要绕道洛阳，二则只能到达通州，十分不便。于是，元朝首先在临清和济州之间修建了济州河与会通河，使南方的粮船可以经此取道卫河、白河，到达通州（但会通河水源不稳定，河道时患浅滩，不胜重载，故元代漕粮北运仍以海道为主。元末，会通河废弃不用）。接着，元朝又在大都与通州之间修建了通惠河。通惠河建成后，从南方来的大批漕船可直达城内积水潭，积水潭因

---

① 《元史》卷17《世祖本纪》十四，第372页。
② 《元史》卷93《食货志》一《海运》，第2363页。

此成了繁华的码头。

但内河漕运时遭破坏，运粮量不大。元政府决定开辟海运解决粮食运输问题。至元十九年（1282 年），元廷采用丞相伯颜的建议，命罗璧、朱清和张瑄，载粮 4 万余石由海道北上，尝试开辟了海运，取得了成功。次年，元廷立二万户府管理海运。数年后，运粮数增至 50 余万石，于是粮食运输逐步以海运为主，传统的内河漕运退居次要地位。至元二十四年，元廷立行泉府司专领海运，并增置二万户府，后合并为三万户。大德七年（1303 年），合三万户府为海道都漕运万户府，于平江府（今江苏苏州）开司署事。

元朝的海上航线几经探索，于至元三十年确立为自刘家港（今江苏太仓县浏河镇）开洋至崇明三沙（今上海崇明西北），东行入黑水洋（江苏北边以东一带海面）至成山（今山东荣成县成山角），然后西北航行入直沽。此路线主要取远洋航行，顺风十日即可驶达。有时粮船也从山东半岛或直沽口外分道驶往辽东。此外，福建至浙江、江苏之间也常有粮船往返。漕粮分春夏二运，至元三十年新航道开辟前，一般是正月集粮，二月起航，四月至直沽，五月回帆运夏粮，八月重返本港。新航道开辟后，起运时间一般为三月。①

元朝开发利用运河与海道水运粮食到大都后，补给大都一部分粮食，再转运一部分到上都及漠南漠北，南粮北运是元代国之大计。史载："自世祖用伯颜之言，岁漕东南粟，由海道以给京师，始自至元二十年，至于天历、至顺，由四万石以上增而为三百万以上，其所以为国计者大矣。"然而"历岁既久，弊日以生，水旱相仍，公私俱困"。元惠宗后至元年间以后，"岁运之数，渐不如旧。至正元年，益以河南之粟，通计江南三省所运，止得二百八十万石"。南方发生红巾军起义后，"湖广、江右相继陷没，而方国珍、张士诚窃据浙东、西之地，虽縻以好爵，资为藩屏，而贡赋不供，剥民以自奉，于是海运之舟不至京师者积年矣"。② 至正二十三年（1363 年），南粮北运彻底停止。此时，离元朝灭亡已经不远了。

---

① 参见《中国历史大百科全书·中国历史·元史》，第 138—139 页"元代大运河"条，"元代海运"条。

② 《元史》卷 97《食货志》五《海运》，第 2481 页。

从漠南运粮到漠北就远没有从江南运粮到大都那么便利了，而漠北的驻军与诸王属民人数不少，需要的食粮数量浩大，元朝政府每年都要从中原转运大量官粮来供应。《元史》中官府组织运粮到漠北的记载很多。至元十八年（1281 年）闰八月，朝廷"遣兀良合带运沙城等粮六千石入和林"①。大德元年（1297 年）六月，"令各部宿卫士输上都、隆兴粮各万五千石于北地"。② 延祐三年（1316 年），中籴和林粮 23 万石。五年、六年，又各和中 20 万石。③ 从上都、应昌、西京、沙州、净州等地和籴后，转运漠北的粮食更多。大德六年（1302 年），郭明德任和林宣慰司副使，为保证和林的军粮供应，计划"别立转道，买牛二万头，车二万辆，用军士四千人，人月给米三斗。自大同达和林止四千里，百里置一驿，用军士百人，车五百辆，配牛五百头，可运米二千石。三日一返，一月运二万五千石，十月二十五万石"。④ 但这一计划似乎并未实施。

仅靠政府官运粮食远远不能满足漠北的需求，政府还需要通过和籴的办法来补充漠北的粮食。和籴，也称和中或市籴，是我国古代官府向民间征购粮食或其他实物的一项经济措施。元朝和籴之法，由官府发付盐、茶引（取盐、茶的凭证）或现钞给商人，由商人自己组织运输，将粮食运到缺粮地区。中统二年（1261 年）正月，"命户部发钞或盐引，命有司增其直，于上都、北京、西京等处，募客旅和籴粮，以供军需，以待歉年，岁以为常"。⑤ 自此，元政府不断于上都周围地区和籴，收购粮食。《食货志》记载，中统"五年，谕北京、西京等路市籴军粮。……（至元）十九年，以钞三万锭，市籴于隆兴等处。二十年，以钞五千锭市于北京，六万锭市于上都，二千锭市于应昌。二十一年，以河间、山东、两浙、两淮盐引，募诸人中粮。是年四月，以钞四千锭，于应昌市籴。九月，发盐引七万道、钞三万锭，于上都和籴。二十二年，以钞五万锭，令木八剌沙和籴于上都。……二十三年，发钞五千锭，市籴沙、净、隆兴军粮。……二十七年，和籴西京

---

① 《元史》卷 11《世祖本纪》八，第 233 页。
② 《元史》卷 19《成宗本纪》二，第 412 页。
③ 《元史》卷 96《食货志》四《市籴》，第 2470 页。
④ 《滋溪文稿》卷 11《故少中大夫金枢密院事郭敬简侯神道碑铭》。
⑤ 《永乐大典》卷 11598《经世大典·市籴食草》。

粮，其价每一十两之上增一两。延祐三年，中籴和林"。[①] 从《元史》的这些记载可以看出，粮食是上都市场上的大宗商品。《大元仓库记》记载，上都有醴源仓、广济仓、万盈仓、太仓、云州仓、永丰仓。[②] 其中，广济仓和万盈仓，分别在上都城外的东关、西关。两仓规模都是正廒一座十三间，两仓皆是东廒两座、西廒两座，每座各十间。各间皆柱高一丈六尺，深四丈五，长十二丈。现在的考古发掘所见与记载基本相符。[③] 这两个巨大的粮仓是籴粜粮食的地方，每年两仓"出纳"的粮食，"少者不下三、四十万石"[④]。这两座粮仓的储粮量在全国也是名列前茅的。另据《元史》记载，上都还有广积仓和景运仓[⑤]。上都的储粮要转运一部分到漠北。

内地商人因高额利润诱惑，也大量贩运粮食到漠北。元末柳贯记载："朝廷岁运粟实和林、忙安诸仓至八十万斛，而屯戍将士才免饥色……二三大臣画策更制，悉出户部茶盐引，募有能自挽自输者，入其粟而授其券。""比见行边使还，言困庾之赢，大约足支三四年"。至正初年，铁木儿塔识因"岭北地寒，不任稼事，岁募富民和籴为边饷，民虽稍利，而费官盐为多"，"乃请别输京仓米百万斛，储于和林以为备"。[⑥] 可见，和林仓库储备粮的数目是非常大的。这种厚利和籴的政策在成宗初年开始实行，作为定制，每年和籴粮数大概都有规定，如至正七年定额为15万石[⑦]。由于中原和岭北的驿路通畅，加上朝廷优待商人的政策，使不少从事岭北和籴的人成为大富翁。至元二十九年（1292年）五月，回回商人运粮到和林后，粮价比上都的每石钞55两加倍，达到每石110两。[⑧] 延祐年间，大同宣慰使法忽鲁丁，"扑运岭北粮，岁数万石，肆为欺罔，罪赃巨万"[⑨]。

粮商贩粮到上都及漠北的另一个途径是应募政府的和雇。和雇，就是由

① 《元史》卷96《食货志》四《市籴》，第2470页。

② 《大元仓库记》，《广仓学窘丛书》本。

③ 参见《元上都研究丛书·元上都研究文集》，第96页；贾洲杰：《元上都考古报告》，《元上都研究丛书·元上都研究文集》，第59页。

④ 《永乐大典》卷7517《经世大典·官制·仓库官》。

⑤ 《元史》卷90《百官志》六，第2297页。

⑥ 《元史》卷140《铁木儿塔识传》，第3373页。

⑦ 霍有孚：《岭北省右丞郎中总管收税记》，见李文田：《和林金石录》。

⑧ 《永乐大典》卷11598《经世大典·市籴粮草》。

⑨ 《元史》卷176《曹伯启传》，第4100页。

政府主持，指派或雇佣民户搬运粮食或其他货物到一定的地点。元政府常指定从某地区运粮到上都等地。中统四年（1263年）五月，"诏北京运米五千石赴开平，其车牛之费并从官给"。至元二十八年（1291年）正月，"诏佣民运米十万石至上都，官价石四十两……"①。粮商在上都获利丰厚，至元二十九年，上都每石米价钞55两，而差不多同时在大都则只有15两，两者相差近4倍。② 上都的粮食不仅要供应上都人口的需要，还要转运到和林及西北驻军之地。至元二十五年十二月，"命上都募人运米万石赴和林"③。

二、内蒙古地区的其他商业活动

上都地处草原，马匹是继粮食之外的又一重要的交易物资。大德年间郑介夫记载大都、上都有马市、牛市。④ 《元史·河渠志》记载，泰定三年（1326年）五月，上都留守司及本路总管府巡视"大西关南马市口滦河递北堤"，发现马匹将堤岸"侵啮渐崩……"。于是，"工部移文上都分部施行"修复。⑤ 滦河边上不仅有马市，还是南来北往的商旅经行、歇宿之处，马祖常诗云："李陵台南车簇簇，行人夜向滦河宿"。⑥ 李陵台位于上都西南。除了这些贸易市场外，从元代文人留下的许多吟咏上都酒馆的诗文中，我们可以发现上都的酒类买卖很兴盛，这也反映了当时当地的生活风尚。"复仁门边人寂寂，太平楼上客纷纷。寒垣蔬姑黑谷菜，云桑叶子芍药芽"⑦。太平楼是上都的一个酒馆。"芍药芽"号称"滦水琼芽"，是由上都草原上出产的芍药制成，这种茶十分清香可口。上都南门外的滦水桥边也有酒馆。"滦水桥边御道西，酒旗闲挂幕檐低"⑧。"卖酒人家隔巷深，红桥正在绿杨阴"⑨。

---

① 《元史》卷5《世祖本纪》二，第92页；卷16《世祖本纪》十三，第343页。
② 温岭：《元上都的粮食来源》；《元上都研究丛书·元上都研究文集》，第320页。
③ 《元史》卷15《世祖本纪》十二，第317页。
④ 郑介夫：《太平策》，见黄淮、杨士奇编：《历代名臣奏议》卷67《治道》，上海古籍出版社1989年版。
⑤ 《元史》卷64《河渠志》一《滦河》，第1603页。
⑥ 马祖常：《马石田文集》卷5《车簇簇行》，《元人文集珍本丛刊》第6册，第588页。
⑦ 宋本：《至治集·上京杂诗》，引自《永乐大典》卷7702。
⑧ 张昱：《塞上谣》，《张光弼诗集》卷5，《四部丛刊》续编本。
⑨ 《滦京杂咏》卷下。

上都附近的桓州城也有酒馆，"滦河美酒斗十千，下马饮者不计钱"①。上都的酒课在至元二十二年前，与全国一样"每石取一十两"。二十二年三月，据中书右丞卢世荣等的奏议，上都"酒课亦改榷沽之制，令酒户自具工本，官司拘卖，每石止输钞五两。"② 这样，上都的酒税不到其他地方的一半。

上都的政治、军事地位推动了上都商业非正常繁荣。上都"自谷粟布帛以至纤靡奇异之物，皆自远至。宫府需用万端，而吏得以取具无阙者，则商贾之资也"③。商人在上都的经济生活中具有重要作用。

从忽必烈时期起，元政府就采取减免税收等政策，鼓励外地商人到上都贸易。至元二年（1265 年）五月，元政府下令免除上都商税、酒醋等手工业的加工税，只征收盐课，有自愿迁居上都，永在上都开业者，免除其家庭的赋役。④ 这一减免政策持续了四、五年。到至元七年，元朝确定商税"三十分取一"，成为元代定制。⑤ 但"上都地里遥远，商旅往来不易，特免收税以优之，惟市易庄宅、奴婢、孳畜，例收契本工墨之费"。⑥ 至元二十年，才确定"上都税课六十分取一"。二十二年，再"减上都税课，于一百两之中取七钱半"。这个税率比六十税一还要低。"元贞元年，用平章刺真言，又增上都之税。"⑦ 大德元年（1297 年），"减上都商税岁额为三千锭"。⑧ 从《元史》的记载看，元朝几乎始终在上都施行大幅度的商税减免政策。即便如此，《元史·食货志》记载，元朝设在上都的两个商税机构上都留守司和上都税课提举司，元朝中期每年还能分别征收商税 1 934 锭 5 两和 10 525 锭 5 两，合计 12 450 余锭，约为大都的 1/10。而上都税率远远低于大都，由此推想，上都的商业并不输大都太多。

上都南面云需府境内的牛群头巡检司"阛阓甚盛，居者三千余家"。遮里哈剌纳钵（蒙古语意为"远望则黑"。又称鸳鸯泊，即今河北张北县西北的安

---

① 马祖常：《马石田文集》卷 5《车簇簇行》，《元人文集珍本丛刊》第 6 册，第 588 页。
② 《元史》卷 94《食货志》二《酒醋课》，第 2394 页。
③ 《道园学古录》卷 18《贺丞相墓志铭》。
④ 《元史》卷 6《世祖本纪》三，第 106 页。
⑤ 《元史》卷 94《食货志·商税》，第 2397 页。
⑥ 《元史》卷 7《世祖本纪》四，第 129 页。
⑦ 《元史》卷 94《食货志》二《商税》，第 2397 页。
⑧ 《元史》卷 19《成宗本纪》二，第 413 页。

固里淖），"两水之间，壤土隆阜，广袤百余里，居者三百余家，瓯脱相比，诸部与汉人杂处，颇类市井，因商而致富者甚多，有市酒家，资至巨万而连姻贵戚者。"这些"诸部"人中，除汉人外，还有相当数目的康里人。①

元代兴和路，即金代的抚州，因兴和路为上都"内郡"，中统三年（1262 年），升为隆兴府，建立行宫，是元朝大汗北巡上都、南还大都的必经之地。此处"城郭周完，阛阓丛伙，可三千家"。"西抵太原千余里，郡多太原人"。② 至元十年（1273 年）四月，"免隆兴路榷课三年"。③ 天历元年（1328 年），兴和路的商税额为 770 锭 17 两。④ 这对于一个古代塞外路治来说，也不是一个小数目。

元代亦集乃路治所在今内蒙古额济纳旗黑城遗址。经考古发现，这里有许多商业店铺。亦集乃古城内有东街、正街两条街。两条大街的两侧，都发现有店铺遗址。正街的店铺分布在东半段，与东街的店铺南北相对。店铺有饭馆、酒店、杂货店、作坊等。杂货店经营蜡、纸、布、绢、靴等物品。还有专门经营布匹绸缎的采帛行。柴市设在东街。亦集乃还出土了买卖牲畜的契约，因此亦集乃古城应当还有牲畜交易市场。⑤

在汪古部领地内，丰州的居民兼营手工业与商业。净州路在金朝为天山县，是一处榷场。元代仍是一处贸易集散地，"互市所在，于殖产为易"。⑥汪古部领地内的集宁路，是一个商业十分兴旺的草原城市，早在金代就被辟为榷场。对元代集宁路遗址的考古发掘，反映出这里的商业活动在元朝时期仍然很兴盛。20 世纪 60 年代，就在这里出土了宋、元钱币，钧窑、龙泉窑系统的各类瓷器和各种丝织品。⑦ 1976 年 11 月，内蒙古考古所考古工作者又在元集宁路遗址发现、清理了一个窖藏的元代丝织品，这批丝织品工艺高

---

① 《周伯琦〈扈从诗前后序〉疏证稿》，《五代宋金元人边疆行记十三种疏证稿》，第 367 页。
② 《周伯琦〈扈从诗前后序〉疏证稿》，《五代宋金元人边疆行记十三种疏证稿》，第 369 页。
③ 《元史》卷 8《世祖本纪》五，第 149 页。
④ 《元史》卷 94《食货志》二《商税》，第 2397 页。
⑤ 参见陈高华、史卫民：《中国经济通史·元代经济卷》，经济日报出版社 2000 年版，第 455 页；李逸友：《黑城出土文书》（汉文文书卷），第 21—22 页。
⑥ 《遗山先生文集》卷 27《赠镇南军节度使良佐碑》。
⑦ 内蒙古文物工作队：《元代集宁路遗址清理记》，《文物》1961 年第 9 期。

超、保存完好。① 2002 年至 2003 年，内蒙古自治区文物考古研究所配合呼集老高速公路建设，对察右前旗集宁路遗址进行了大规模的抢救性考古发掘，清理出土了大批的珍贵文物。这些文物主要有瓷器、陶器、铜器、骨器、铜钱等。其中，瓷器的出土占大宗，发现了来自景德镇窑、钧窑、定窑、磁州窑、耀州窑、龙泉窑、建窑、吉州窑和霍窑等当时中国九大知名窑系的 5000 多件完整、可复原瓷器，主要有钧窑的天青碗、龙泉窑的粉青双鱼盘、定窑系的印花白瓷碟、磁州窑的铁锈花盆、耀州窑系的刻花大碗、建窑的油滴和玳瑁盏、吉州窑的天目碗等。而一件样式独特的景德镇产釉里红玉壶春瓶，为海内外首次发现，堪称国家珍宝。元代钧瓷及油滴、玳瑁盏等乳浊瓷器的出土也弥足珍贵。元代钧瓷的出土已有百余件，堪称全国第一。这些瓷器大部分可能由中原输入，但也有当地烧造的可能。在北方草原地区发现如此窑系众多、数量巨大、珍品迭出的瓷器，是中国考古史上前所未见的。此外，还出土了铜器、铁器、陶器和骨器等文物 2 000 多件，以及古钱币 3 万多枚。这些出土文物足以说明元代集宁地区的商业兴旺。

集宁路商业贸易的兴旺与其地理位置有关。集宁路古城处于岱海以北、蒙古草原南缘，是游牧经济与农耕经济交接地带，中原物资汇集于此再转贸漠北。中原及南方各大窑系的瓷器大量发现于此，正说明集宁路是当时大漠南北物资交流中心，甚至可以这样推测：瓷器是集宁路向漠北输出的重点物品，集宁路可能形成了类似于今天的专门性瓷器贸易市场。集宁路毁于元末战火，商民出逃时窖藏了许多瓷器，出土的瓷器较为完整。

在集宁路遗址发现大量文物的同时，还清理出土了成排成组的房屋基址以及街道，这些房址多分布在街道两旁，10 平方米到 20 平方米不等，多开间占多数。② 这种布局应该就是面街经商的店铺格局。这也从一个侧面反映了集宁路当时的商业活跃情况。

元代大宁路遗址大明城，城内有南北向大街，宽约 8 米，大街两旁店肆

---

① 内蒙古博物馆：《罕见的元代丝织品》，《内蒙古社会科学》1985 年第 2 期。

② 陈永志：《内蒙古察右前旗集宁路遗址发现大量文物》，《内蒙古大学学报》2003 年第 1 期；王德恒：《2003 年全国十大考古新发现之五——集宁路的元代瓷器大发现》，《知识就是力量》2004 年第 11 期。

林立，城南沿用前代的坊市区，民宅、作坊、店铺和官署错杂相处。① 在元代宁昌路的地域内发现了一用于经济活动的"记号合同"印。1987 年，敖汉旗敖润苏莫苏木乌兰章梧嘎查北的沙地里出土了一方八思巴文"记号合同"印。印文是用八思巴文拼写的汉文，李逸友先生译出为"记号合同"四字。该印不是有行政官阶的官印，但不纯属私印。"记号合同"的印文表明，该印是经济活动或其他事务的双方鉴定契约的印记。这方铜印之钮有穿孔，可能是"官身人"随身携带的专为验证民间合同，并以此来合法索取民财的印章。这说明，当地民间各项活动中，签订合同已经较为普遍。②

漠北的和林，城内有专门的商业区，聚集着许多回回商人。城的东南西北各有一门，东门出售小米和其他粮食。《元史·食货志·市籴》记载："延祐三年，中籴和林粮二十三万石"。和林是缺粮地区，粮食是市场的重要物资。和林城南门出售车辆和牛，西门出售绵羊、山羊，北门出售马匹。③

三、繁荣的元代草原丝绸之路

内蒙古地区还是元代对外贸易陆上丝绸之路的一段。④

一般认为，欧亚大陆上的古代商贸通道主要有四条，这些商贸通道也称丝绸之路。大致是：1. 草原丝绸之路，指横贯欧亚大陆北方草原地带的交通道路；2. 绿洲丝绸之路（也有人称为沙漠之路），指从河西走廊经过中亚沙漠地带中片片绿洲的道路；3. 西南丝绸之路，指经四川、贵州、云南、西藏、广西而到印度、东南亚以远的通道；4. 经过东南亚、印度，到达波斯湾、红海的南海航线的海上丝绸之路。草原丝绸之路与绿洲丝绸之路都与蒙古地区有关，尤其是草原丝绸之路，内蒙古地区是其重要的路段。草原丝绸之路，又可分为南北两线，其北线东起西伯利亚高原，经蒙古高原向西，再经咸海、里海、黑海，直达东欧；南线，东起辽海，沿燕山北麓、阴山北

---

① 张文平：《内蒙古地区元代城址的初步研究》。
② 《敖汉旗出土的几方辽金元铜印》，《内蒙古文物考古》1999 年第 1 期。
③ 《出使蒙古记》，第 203 页。
④ 有关草原丝绸之路的内容，采用了王大方先生的《论草原丝绸之路》论文内容，谨致谢。王大方：《论草原丝绸之路》，《前沿》2005 年第 9 期。

麓、天山北麓，西去中亚、西亚和东欧。

公元前 10 世纪，北方草原牧民驯养了马匹，他们骑马纵横欧亚草原，将游牧民族的游牧活动范围拓展得非常广阔。因此，亚欧大陆草原地带的游牧民族之间的交往，很早就存在了。在内蒙古林西县锅撑子山、白音厂汗遗址，出土许多长条形细石器。这是 4 000 多年前的细石器文化遗存广泛地分布在欧亚大陆北部的草原地带，形成的一条绵延万里的细石器文化带，反映出古代草原民族在广阔的活动范围内的互相交流与影响。

草原丝绸之路的兴旺，与草原政治中心的形成有密切关系。匈奴全盛时，其政治中心在漠北草原的单于庭龙城（今蒙古国乌兰巴托南部），此地遂成为当时中原文明、西方文明与草原文明的交汇地。在今乌兰巴托附近的诺彦乌拉匈奴墓中，出土了大量的汉朝的锦绣织物和安息、大夏、小亚细亚的毛织品。公元 4 世纪，拓跋鲜卑从大兴安岭山林西迁南下，建立北魏王朝，初都盛乐（今呼和浩特和林格尔），继都平城（今山西大同）。这两个都城都在草原丝绸之路的南道上，据考证，南北朝时期，草原丝绸之路与传统的由长安西行的丝绸之路，在甘肃武威附近相交，联为一体。这条道路，沿内蒙古阴山河套一线到达今呼和浩特和山西省大同市，又继续东行，经燕山、七老图山至内蒙古赤峰南部和东北各地。在这条路上，先后在银川、呼和浩特、大同发现东罗马帝国的金币，在固原、呼和浩特、大同还出土了产自西亚的金银器，等等。这些出土文物表明沿阴山河套东行的草原丝路的南线曾相当繁荣。

唐朝时，东西经济文化往来进入全盛时期。唐太宗被草原各部尊为"天可汗"，北方草原民族的君长来长安朝见皇帝时，多走阴山河套一线的"参天可汗道"。唐朝在北方建五大都护府，直接控制中亚至辽东半岛的通道。其中，位于今内蒙古呼和浩特土默川平原的单于大都护府（故址在今内蒙古和林格尔县土城子古城）的政治地位最高，同时它也成为草原丝路上的商贸中心。考古工作者在土默川平原多次发现了东罗马金币和波斯萨珊王朝银币；在土默特左旗水磨沟，出土了弯月形金冠饰片及东罗马商人的墓葬；在阴山山脉中，还发现了突厥人的石人墓。在内蒙古东部赤峰市敖汉旗，1976 年曾连续出土了两批典型的波斯银器，有波斯银执壶和猞猁纹银盘等。银执壶顶端有一个鎏金胡人头像，高鼻深目，八字胡须，短发后梳，是典型的胡人形象。猞猁纹银盘，则不见于中国传统工艺，也应当是域外工艺品。考古学家认为，上述银器都是公元 7 世纪波斯萨珊王朝在东伊朗高原制作的工艺品。① 唐朝时期，西域文化传入草原，对草原文化产生了深远的影响。唐武宗灭佛后，在长安的景教徒与众多的回鹘人一起，从长安逃至草原，景教因此在草原上传播开来。从唐代直至辽、金、元时期，蒙古高原的汪古部、乃蛮部、克烈部等，都是信仰景教的部族。

在辽代，草原丝绸之路仍然通畅。阿拉伯史籍中留下了一些关于当时草原丝绸北路的记载。公元 10 世纪时，阿拉伯人依宾麦哈黑尔记载了他游历中国西北各部落以后，来到中国的边关，其地处于沙碛之中。入关后，再经过一美丽之山谷，约行数日，即抵达都城。② 有人认为，这个都城即辽上京。11 世纪初的格儿德齐书记载了由哈密到安西的行程。③ 辽上京汉城中设有"回鹘营"，专门接待远道而来的回鹘商人。五代人胡峤所著《陷虏记》一书，还记有辽上京城外有西瓜摊贩，据瓜贩所言，西瓜是辽太祖西征回鹘时从西域引入辽朝种植的。1995 年，考古工作者在赤峰敖汉旗羊山辽墓，发现了绘有西瓜等水果的壁画，这是我国已知的时代最早的西瓜图画。辽朝草原丝绸之路的南线，仍与唐代略同，自漠北南下经过阴山至丰州（今呼和浩特），东行至辽西京（大同），再东行至归化州（河北宣化），又分为两路：一路正东行翻越七老图山至辽中京（今赤峰市宁城县）；另一路东南行至辽南京（今北京市）。草原丝绸之路，基本把辽朝的各个城市连接起来，促进了草原地区经济文化的繁荣。西域诸国的商人和使团，每 3 年来辽上京一次，使团人数都在 400 人以上，进献大批西方珍奇物品。辽朝每次回赠物品的金额不少于 40 万贯。通过交流，西方的马球、金银器、玻璃器以及驯狮、驯象、乐舞、猎豹、瓜果、蔬菜等，均出现在今内蒙古东部草原地区，并在内蒙古东部区的辽代墓葬、壁画以及佛塔雕刻上有所体现。辽朝时，北宋王朝无力经略西域，契丹则通过草原丝绸之路与阿拉伯国家贸易，进行各

---

① 参考夏鼐：《综合中国出土的波斯萨珊朝银币》，《考古学报》1974 年第 1 期。

② 《依宾麦哈黑尔之〈游记〉》，冯承钧译：《中西交通史料汇编》第二册，中华书局 2003 年版，第 780—791 页。

③ 《格尔德齐之记载》，冯承钧译：《中西交通史料汇编》第二册，第 792 页。

种交流。因此，阿拉伯人自公元 10 世纪起，称中国为"契丹"。

蒙元时期，中西文化交流与商贸往来空前活跃，成吉思汗及其继承者，横扫欧亚大陆，建立起窝阔台、察合台、钦察、伊利四大汗国和元朝，把欧亚大陆连成一体，草原丝绸之路的繁荣胜于前代。

蒙元时期，不仅草原丝绸之路的南道和北道联系起来了，而且河西走廊的丝绸之路，以及四川、云贵通向南亚的道路，还有中国东南沿海与波斯湾、地中海及非洲东海岸的海洋丝绸之路都联系起来了。这一时期，仅在欧亚大陆北方，就形成了 4 条交通大道：1. 从蒙古通往中亚、西亚和欧洲的道路；2. 南西伯利亚各部间的东西交通路线；3. 从河西走廊通往中亚、西亚和欧洲的路线；4. 从中原内地通往中亚的道路，包括从大都通往和林的驿道，从大都至上都和上都至辽阳行省的驿道。

当时，在河西走廊通往中亚、西亚和欧洲的线路上，有不少欧洲商人往来。据这些欧洲商人记载，从钦察汗国的塔纳（原苏联罗斯托夫南，顿河河口南岸）启程，有商路通到中国甘州、杭州等地。14 世纪上半叶，许多欧洲商人从塔纳出发，经过金帐汗国境，来到中国进行贸易。据 14 世纪阿拉伯历史学家乌马儿和摩洛哥旅行家伊本·拔图塔的记载，在塔纳居住着大量从各国来的商人，欧洲商人不用亲自到中国来，就能在这里买到中国的丝织品。这说明，当时金帐汗国从中国内地输入了大量商品。考古工作者在金帐汗国的一些故址发现了许多中国产品，在萨拉托夫附近乌维克村找到的中国式丝织对襟衫，别儿哥萨莱发掘出土的有汉字铭文的铜镜等。至元八年（1271 年），意大利旅行家马可·波罗及其父亲、叔父，从威尼斯出发，进入中亚后，经丝绸之路南道进入河西走廊，经亦集乃路，再转道河套进入天德，于 1275 年到上都觐见忽必烈皇帝。马可·波罗在中国居住 17 年后，于至元二十八年（1291 年）奉命护送蒙古族女子阔阔真，从泉州乘船抵波斯湾，与伊利汗国君主完婚。接着，马可·波罗返回威尼斯。内蒙古考古工作者在元上都遗址发掘的大量汉白玉建筑构件，以及在呼和浩特市和阴山以北敖伦苏木元代古城发现的景教碑，证实了马可·波罗对元上都的描述和对阴山南北景教流行情况的记载是可信的。

古代使臣往来一般都带有朝贡贸易的性质。元朝与西亚的伊利汗国曾充分利用陆路与元朝进行交往。蒙古朵儿边氏孛罗曾是成吉思汗孛儿帖皇后帐殿里的属民，在元朝官至枢密副使、中书丞相，至元二十年奉旨与爱薛等人出使伊利汗国，次年抵阿鲁浑汗帐殿。孛罗从此留居波斯，为拉施丁编写《史集》提供了重要资料。① 据袁桷《拜住元帅出使事实》记载，元朝曾于成宗元贞年间与皇庆年间派拜住出使伊利汗国。另据研究，伊利汗国的合儿班答汗曾命阿必失哈出使元朝，商谈与元朝夹击察合台汗国的事情。② 察合台汗也先不花曾经在拔那汗地区将元朝派往波斯的一个有 1 500 匹马的使团扣押起来，该使团是为给伊利汗完者都送一个哈敦而出使的，使团首领是脱帖木儿。③《完者都史》还记载，察合台汗国的大臣"探明并传报，另一支自契丹之地向完者都算端递送虎、鹰、白海青、隼和许多稀世之物的使者已经到达"。察合台汗国的军队按也先不花汗的命令抢劫了他们的财物。④

在蒙古通往中亚、西亚的商道上，回回商人最为活跃。回回商人往来于西域、漠北和中原各地，以粮食、缎匹、武器、奢侈品、宫廷邸宅的建筑材料，以及民用的铜、铁器、药材和某些原材料等，换取游牧民手中的皮毛、牲畜后，转手贩卖。后来，许多回回商人投充蒙古贵族的"斡脱"，当高利贷商人，势力更大。回回商人甚至深入到边远的吉尔吉思、巴尔虎、豁里等部落，贩运那里出产的猎鹰"海东青"到大都⑤。据《明史·别失八里传》记载，明朝洪武初年，蓝玉统兵攻北元，至捕鱼儿海（今贝加尔湖），还俘获撒马尔罕商人数百，可见岭北行省境内回回商人人数之多。

在今内蒙古还发现了许多蒙元时期东西方交流遗留下来的文物。额济纳旗黑城南墙外侧，保存有元代清真寺遗址。乌兰察布明水元墓中，出土了纳失石辫线锦袍及绣有狮身人面像的刺绣图案。赤峰地区发现元代伊斯兰教墓石和景教徒瓷质墓碑。在包头燕家梁、赤峰翁牛特旗等地发现的元青花瓷器，其青花颜料为西方产品等等。草原丝绸之路传输的商品，除了丝绸、瓷

---

① 参见余大钧：《蒙古朵儿边氏孛罗事辑》，《元史论丛》第 1 辑，中华书局 1982 年版。

② 刘迎胜：《察合台汗国史研究》，第 377 页。

③ 哈沙尼：《完者都史》，第 204—205 页，德黑兰 1969 年刊本。转引自《察合台汗国史研究》，第 370 页。

④ 哈沙尼：《完者都史》，第 204—205 页，德黑兰 1969 年刊本。转引自《察合台汗国史研究》，第 370 页。

⑤ 《史集》（汉译本）第 2 卷，第 293 页。

器、珠宝金银外，另一个主要贸易物就是草原上的皮毛等畜产品，这是草原丝绸之路的一个重要特点。① 可以说，草原丝绸之路在元代达到了极盛。

四、内蒙古地区的高利贷活动

蒙古国时期，大汗和诸王、公主、后妃都委托中亚的回回商人，发放高利贷，经营商业，谋取厚利。这些为蒙古贵族经营商业和高利贷的回回商人，当时称斡脱商人（斡脱是蒙古语 Ortoq 的音译，来源于突厥语，原意为合伙）。元代文献记载："斡脱，谓转运官钱，散本求利之名也"，或是"奉圣旨、诸王令随路做买卖之人"。② 元代，一些色目商人以其巨万资财和经营货利的才干，交结权贵，出入宫廷，深得大汗、诸王、贵戚、权臣的信赖，逐渐取得了垄断商业、操纵贸易，甚至掌握国家财政的权力。争逐货利，委托色目商人代放高利贷，是当时蒙古权贵间的一种风气。

据《黑鞑事略》记载："其贾贩：则鞑主以至伪诸王、伪太子、伪公主等，皆付回回以银，或贷之民而衍其息，一锭之本，展转十年后，其息一千二十四锭。"③ 蒙古国时期的记载说："取借回鹘债银，其年则倍之，次年则并息又倍之，谓之羊羔利，积而不已，往往破家散族，以妻子为质，然终不能偿。"④ "羊羔利"，又称羊羔儿息，这种高利贷遭到耶律楚材和一些汉地军阀的反对。蒙古国一度实行"民债官为代偿"，并于庚子年（1240 年）正式颁布了"子本相侔，更不生息"的规定。但这一规定并未真正实行。⑤ 宪宗二年（1252 年），以孛兰合剌孙执掌斡脱。至元四年（1267 年）十二月，立诸位斡脱总管府。⑥ 至元十七年（1280 年）十一月，"置泉府司，掌领御位下及皇太子、皇太后、诸王出纳金银事"⑦，秩从二品。泉府司，实际就是由诸位斡脱总管府升级而成的；出纳金银，就是经营商业和高利贷。

---

　　① 有关草原丝绸之路的内容，采用了王大方先生的《论草原丝绸之路》论文内容，谨致谢。王大方：《论草原丝绸之路》，《前沿》2005 年第 9 期。

　　② 徐元瑞：《习吏幼学指南》，《北京图书馆古籍珍本丛刊 61 · 子部 · 杂家类》，书目文献出版社。

　　③ 《黑鞑事略》，《王国维遗书》本，第 13 页 b 面。

　　④ 《国朝文类》卷 57《中书令耶律公神道碑》。

　　⑤ 《国朝文类》卷 57《中书令耶律公神道碑》；参见《元史》卷 2《太宗本纪》，第 37 页。

　　⑥ 《元史》卷 3《宪宗本纪》，第 46 页；卷 6《世祖本纪》三，第 117 页。

　　⑦ 《元史》卷 11《世祖本纪》八，第 227 页。

大德十一年（1307 年）十二月，升泉府司为泉府院，秩正二品。至大元年（1308 年）闰十一月，中书省臣言："回回商人持玺书，佩虎符，乘驿马，名求珍异，既而以一豹上献，复邀回赐，似此甚众。臣等议，虎符，国之信器，驿马，使臣所需，今以畀诸商人，诚非所宜，乞一概追之。"武宗准奏。① 至大四年五月，仁宗下令罢"泉府司（院）"②。此后，再没有设立与斡脱有关的机构。斡脱总管府与泉府司（院）的一个重要职责是出纳金银，以钱生息，但从现有记载看来，似乎并未推行羊羔儿息。至元三年二月，元政府据忽必烈旨意规定："债负止一本一利"。③ 也就是说，羊羔儿息主要实行于蒙古国时期，忽必烈上台后，基本被禁止了。大德二年（1298 年）二月，察合台后王阿只吉大王要在"蛮子田地里"追讨斡脱钱，江西行省引用至元三年的圣旨加以抵制。④ 此后的高利贷活动，政府规定"依一本一息偿还"。

除了掌管御位下、诸王、后妃高利贷的斡脱总管府、泉府司（院）外，元朝政府不少机构也放钱取息，贴补费用。大德十一年（1307 年）七月，和林省臣"乞如甘肃省例，给钞二千锭，岁收缗钱，以佐供给"，这一奏请得到了元武宗的同意。⑤ 元代民间的高利贷活动十分猖獗。寺院、官吏、军官、地主都经营高利贷。关汉卿杰作《感天动地窦娥冤》写的就是窦娥因父亲借银 20 两，一年后本利 44 两，无法归还，而被债主强娶为妻的内容。⑥ 高利贷虽非始自元代，但因元朝皇室公然经营高利贷、允许高利贷合法存在，因此成为元朝经济生活的一大特色。

第五节　元代内蒙古地区的城镇

游牧民族逐水草，居毡帐，不需宫室。蒙古族威势南渐，立国中原，受

① 《元史》卷 22《武宗本纪》一，第 492、505 页。

② 《元史》卷 24《仁宗本纪》一，第 543 页。

③ 郭成伟点校：《大元通制条格》卷 28《杂令·违例取息》，第 319 页；参见陈高华、史卫民：《中国经济通史·元代经济卷》，第 466—467 页。

④ 《元典章》卷 27《户部卷》之十三《钱债·斡脱钱·斡脱钱为民者倚阁》，第 1077 页。

⑤ 《元史》卷 22《武宗本纪》一，第 485 页。

⑥ 《元曲选》，中华书局 1979 年版，第 53—69 页。

农业定居生活的影响、汉地壮美宫殿的吸引，始营城郭。在整个蒙元时期，由于各地经济交流的频繁，城镇经济一度十分繁荣，内蒙古地区也不例外。

一、元代内蒙古地区的城镇

内蒙古地区在元代由以前的边疆地区变为连接漠北边疆与汉地之间的交通要地，是大元大蒙古国夏都所在地，城镇迅速崛起，为以前历朝历代所罕见，最终出现了一个以上都为中心、以各路级治所和诸王王府为主要依托、辅以府州县治所和交通枢纽的草原城镇网络。

上都　在今正蓝旗敦达浩特镇东北 18 公里处闪电河北岸。

蒙哥汗时，忽必烈因受命负责"漠南汉地军国庶事"，乃常驻今锡林郭勒盟南部。根据《元史·谢仲温传》记载，上都城始建于宪宗六年（1256年），"丙辰，城上都，仲温为工部提领，董其役"。在刘秉忠的筹划下，选择桓州东、滦水北一带修筑城郭宫室，经过三年，兴建起开平城。忽必烈即位并定都大都（今北京）后，开平改为上都，作为每年夏初至秋末常驻的夏都。上都的交通四通八达，南有四条驿道通大都，北通和林，东通辽阳行省，西经丰州、宁夏、河西走廊通向中亚。上都不仅是当时蒙古草原地区最大的城市，同时也是仅次于大都的政治中心。上都还是避暑胜地，金代时称这一地区为金莲川或凉陉，筑有景明宫，是金朝皇帝避暑的地方。到了元朝，上都建筑群的壮观令人惊叹。元人周伯琦的《上京途中纪事》一诗，描述上都道："行宫临白海，金碧出微茫。"胡助《纯白斋类稿》亦称："都城百万户，丧车早喧阗"。外城是市街区，仅就《元史》所载统计，区内有大小官署 60 所，手工艺管理机构和厂局 120 余处，佛寺竟有 160 余座。还有孔庙、道观、城隍庙、三皇庙、清真寺等各种宗教寺院；自然更多的应是那些鳞次栉比的商肆以及达官和平民的住宅。

上都由宫城、皇城、外城组成。宫城在皇城中央偏北，宫城的主体建筑是大安阁，坐落在中心丁字街北。至元三年（1266 年），忽必烈下令，拆原北宋都城汴京的熙春阁，得木材以万计，经水陆两路运往上都，按原样重建，取名大安阁。大安阁是上都的标志性建筑，所谓"大安阁是广寒宫，尺五青天八面风"，描绘了大安阁高耸入云的雄伟气势。这里是大汗登基、临朝、修佛事、举行重大典礼的场所。皇城在全城的东南部，内有许多官署、寺院、作坊。外城在皇城原西、北两面。外城北部是广阔的皇家园林。上都城郊有一草地行宫，叫失剌斡耳朵。上都西南 75 公里处有察罕脑儿行宫，城东 25 公里处，有东凉亭行宫。

惠宗至正十八年（1358 年），关先生、破头潘率领的红巾军攻陷上都，焚毁宫室。至正二十八年（1368 年），明军占领大都，惠宗退守上都。次年，再走应昌。明洪武二年（1369 年），明将李文忠攻占上都，改为开平府。不久，废府置卫。明宣德五年（1430 年），开平卫废，内移独石堡（今河北赤城县独石口）。此后，明边防内缩，开平一带复为蒙古部落的牧地。

上都路桓州、松州等城　上都路治上都。中统四年（1263 年）五月，元世祖下令升开平为上都，确定了上都路的建置。上都路的桓州、松州在今内蒙古境内，现今考古发掘的上都路下辖的城址有：四郎城古城，是桓州城址，在今正蓝旗上都河苏木四郎城嘎查南 100 米。古城外城呈长方形，东西1 100 米，南北 1 165 米，北部中央为州衙所在；城子村古城，是辽、金、元松州、松山县治所，在今赤峰市松山区城子乡城子村北 500 米，平面呈正方形，边长约 510 米。松州下辖古城有：西八家古城，在今赤峰市松山区西南郊，平面呈长方形，东西长 1 200 米，南北宽 800 米；下洼古城，在今赤峰市红山区穆家营子乡下洼村，平面呈长方形，东西长 200 米，南北宽150 米。

兴和路诸城　兴和路的高原县、威宁县、天成县和宝昌州在今内蒙古境内。路治高原县，城址即今河北省张北县喀喇巴尔哈孙古城。考古所得的兴和路下辖古城有：魏家村古城，在今兴和县赛乌素乡魏家村，平面呈长方形，东西长 1 370 米，南北宽 840 米，为威宁县治所；台基庙古城，在今兴和县台基庙乡驻地南约 1 公里，平面呈长方形，东西长约 2 000 米，南北宽约 1 000 米，为天成县治所；大圪达古城，在今兴和县五一乡大圪达村西北500 米，平面呈长方形，东西长约 500 米，南北宽约 300 米；李志营子古城，在今化德县七号乡李志营子村西北约 500 米，平面呈长方形，长约 250 米，宽约 150 米；大恒城古城，在今化德县白土卜子乡大恒城村北 50 米，平面呈正方形，边长约 200 米；土城子古城，在今化德县土城子乡驻地内，平面呈长方形，长 330 米，宽 300 米；大湾古城，在今化德县土城子乡大湾村北500 米，平面呈正方形，边长约 200 米；大文古城，在今商都县八股地乡大文村东北 500 米，平面呈长方形，东西 380 米，南北 347 米；公主城古城，在今商都县四台坊子乡公主城村，平面呈长方形，南北长 680 米，东西宽 500 米；泉子沟古城，在今商都县卯都乡泉子沟村东，平面呈正方形，边长约 550 米；西井子古城，在今商都县西井子乡东南 10 里，平面呈长方形，东西长 700 米，南北宽 450 米；大碾子古城，在今商都县大碾子乡土城子村，平面呈长方形，东西长 700 米，南北宽 400 米。

在兴和路境内的还有元中都，城址在今河北省张北县城西北 15 公里白城子村西南约 400 米处，通称白城子古城。元武宗海山于大德十一年（1307 年）即位后，六月即"建行宫于旺兀察都之地，立宫阙为中都"，到至大元年（1308 年）秋七月，"旺兀察都行宫成"①，仅仅用时一年有余。其后，又断断续续地予以加筑，因为劳民伤财过重，到元惠宗初年只得停罢。现存城址布局为宫城、皇城、外城三城相套的"回"字形布局。宫城平面呈长方形，南北长 610 米，东西宽 555 米，四面辟门，四角有角楼。皇城东、西、北三面距宫城城墙为 100 米，南距宫城城墙为 200 米，城墙南北长 910 米，东西宽 755 米。外城距宫城 850 米，城墙南北长 2 310 米，东西宽 2 555 米。宫城、皇城和外城内都分布有许多建筑台基②。

大同路诸城 至元二十五年（1288 年），改西京路为大同路。大同路所辖的宣宁、平地二县，丰州、东胜州和云内州三州在内蒙古境内。如今可考的城址有：淤泥滩古城，在今凉城县麦胡图乡淤泥滩村内，平面呈长方形，东西长 504 米，南北宽 323 米，为宣宁县治所；小围子古城，在今凉城县麦胡图乡小围子村西约 150 米，平面呈长方形，南北长 460 米，东西宽 240 米，可能是金、元下水镇故址；干草胡洞古城，在今凉城县天成乡干草胡洞村东北约 1 公里，平面呈正方形，边长 900 米；六苏木古城，在今凉城县六苏木乡驻地东约 250 米，平面呈长方形，东西长 450 米，南北宽 300 米；大土城古城，在今察右前旗大土城乡大土城村，平面呈长方形，南北长 841 米，东西宽 720 米，为平地县治所；城卜子古城，在今察右前旗三号地乡土城子村西北约 400 米，平面呈长方形，南北长 270 米，东西宽 160 米；土城

---

① 《元史》卷二二《武宗本纪》一，第 500 页。
② 董向英：《元中都概述》，《文物春秋》1998 年第 3 期。

子古城，在今和林格尔县盛乐镇土城子村北 1.5 公里处，平面呈不规则长方形，南北长 2 290 米，东西宽 1 450 米，面积约 4 平方公里，分为南、中、北城，其中元代遗存主要发现于北城，系元代振武城所在，也是战国赵国云中郡辖下城址、汉定襄郡成乐县、代魏盛乐、北齐紫河镇、隋大利城、唐单于大都护府和振武军、辽振武县、金振武镇的故址①。

丰州古城　位于今呼和浩特市赛罕区太平庄乡白塔村西南约 300 米处。始建于辽代，为丰州天德军，金、元两代沿袭称作丰州，也是元代汪古部赵王领地之一。城墙全用夯土夯筑，大部分淤埋于地下，只有西、南两面墙较为明显，露出地表 1 至 2 米。经钻探得知，全城平面略呈正方形，南北方向，南北长约 1 200 米，东西宽约 1 100 米。城墙外侧加筑马面，四角有角楼。东、南、西三面城墙正中开设城门，并加筑有方形瓮城。自东、南、西三面城门和北墙中部起，各有一条大街直通城中央，将全城划分为 4 个坊区，分别为东北坊、东南坊、西南坊和西北坊，其大小与唐代古城中的坊相同。官署、市肆、作坊、庙宇和民居都分散在各个坊内，闻名于世的万部华严经塔即建在西北坊中。此外，城内还建有不少寺院，如定林禅寺、宣教寺、兴福院、天宫院、荐福寺等。

丰州下辖的古城址有：朱亥古城，在今呼和浩特市赛罕区黄合少乡朱亥村东约 2 公里，平面呈长方形，东西长 200 米，南北宽 100 米；大岱古城，在今土默特左旗大岱乡驻地西北约 1 公里，平面呈正方形，边长 150 米；什泥板申古城，在今土默特左旗陶思浩乡什泥板申村西北约 500 米，平面呈正方形，边长 400 米。

云内州古城　云内州古城是辽、金、元三代的云内州治所，在今托克托县古城乡南园子村东北 700 米。城址平面呈长方形，南北长约 1 440 米，东西宽约 1 240 米，东、南墙中部各设 1 门。城南有辽代残砖塔 1 座，塔上刻有云内州铭文。城内采集有铜佛、印、钱，钧窑瓷罐、磁州窑瓷罐、龙泉窑瓷碗等。该州下辖古城有碱池古城，位于托克托县燕山营子乡碱池村东北约 200 米，平面呈长方形，南北长 190 米，东西宽 175 米，城门不清，城内北

---

① 内蒙古文物考古研究所：《和林格尔县土城子古城考古发掘主要收获》，《内蒙古文物考古》2006 年第 1 期。

部有建筑台基①。

东胜州古城　古城在今托克托县城关镇西北东沙岗，分大城、大皇城、小皇城三座城垣。大城平面呈斜长方形，南北长 2 410 米，东西宽 1 930 米，四墙正中辟门。大城内西北部有东、西毗连两座小城。西城俗称"大皇城"，平面略呈长方形，南北长 620—630 米，东西宽 470—500 米，东墙辟门。东城俗称"小皇城"，平面呈长方形，南北长 320 米，东西宽 300 米。城内有多处建筑基址。大城为明代东胜卫古城，清代称脱脱城或托克托城。大皇城为辽、金、元三代东胜州古城，小皇城为金代东胜州子城。东胜州下辖红城，即今小红城古城，在今和林格尔县大红城乡小红城村北 500 米。平面呈不规则梯形，周长 1 707 米，四墙中段各设一门，四座城门间以十字形街道相连。

汪古部古城　在汪古部领地内，金朝曾在天山县（今四子王旗境内）和集宁县（今察右前旗境内）设有同北边互市的榷场。元朝时分别将天山、集宁两县升为净州路和集宁路。净州路往北通往和林的驿道上有沙井城（今四子王旗红格尔苏木），是沙井总管府的治所。位于达茂旗百灵庙镇东北约 30 公里的鄂伦苏木古城被认为是汪古部赵王府所在。此外，在汪古部的领地内还发现了许多大大小小的城址，其中部分应为当时汪古部贵族内部层层分封的食邑之地。

鄂伦苏木古城城址东依黑山，南临艾不盖河。平面呈长方形，坐北朝南，方向北偏东 40 度。东、西墙与南、北墙的长度各略有差异，南墙为950 米，北墙为 960 米，东墙为 560 米，西墙为 580 米。城墙为黄土板筑，基宽、残高各约 3 米。四墙各开一门，外加筑瓮城，四角有角楼。城址内街道布局整齐、宽阔，目前初步确定的街道有两横三纵，街道两侧可见大量的院落址和建筑台基。城址中部偏东靠近南墙处有一处大院落，院内有一组高约 3 米的建筑基址。著名的《王傅德风堂碑记》石碑即发现于此，应为赵王府所在。城内东北隅的高台建筑，被多数学者认定为罗马教堂遗址。此外，城内还有多处聂思脱里教教堂遗址。有明代的喇嘛教寺庙建在元代的建筑遗迹之上。城外东、南有关厢区，大致推断东关是手工业区，南关为居民

---

① 　张郁：《呼和浩特西白塔古城》，《内蒙古文物考古》1984 年第 3 期。

区。此城也是金代按打堡子和元代黑水新城、静安路、静安县、德宁路、德宁县的治所。

集宁路古城位于察右前旗巴音塔拉乡土城子村，北依环状山地，南临黄旗海。集宁路系元代建置，原系金代集宁县，建于金章宗明昌三年（1192年），元初升为集宁路，下辖集宁一县。城内曾出土元皇庆元年（1312年）所立的"集宁文宣王庙学碑"碑刻和绣有"集宁路达鲁花赤总管府"字样的提花绫等重要文物。古城地表现存东、北城墙，城墙残高2—3米，宽5—6米，西城墙和南城墙湮没于地下。经过考古勘探和发掘得知，古城南北长940米，东西宽640米，东、西墙各设一城门。城内北部正中有一大型的建筑台基，台基南部为市肆遗址。2002—2005年，配合110国道集老（集宁—老爷庙）公路的建设，内蒙古文物考古研究所等单位对集宁路古城遗址进行了抢救性发掘，清理一处完整的市肆遗址，发现房址、道路、灰坑、十字街道等一批重要遗迹，出土完整瓷器200余件、可复原瓷器7 000余件。市肆遗址东西长100米，南北宽60米，由十字交股街道、房址组成。房址分布在十字街道两侧，临街房屋呈格栏式布局，靠近街道的房屋前边有石砌台面，部分房址以方砖铺砌地面，火炕、石臼、石磨盘、大型陶瓮等生活设施均出土于临街房屋。距街道较远的房屋一般开间较大，屋内生活设施较少。据此推测，临街房屋可能为居住、交易场所，里侧的房屋则为作坊或存放物品之地。根据上述房屋的布局及结构特点，应是古城进行商品交易的重要场所。出土瓷器窑系较多，包括了景德镇、钧窑、定窑、磁州窑、耀州窑、龙泉窑和建窑等七大窑系，种类丰富，涉及梅子青、豆青、姜豆青、青花、釉里红、卵白釉、影青釉、黑釉、结晶釉、孔雀蓝、红绿彩等多种，可谓洋洋大观、异彩纷呈，为中国古代陶瓷史研究提供了不可多得的实物资料①。

净州路古城在今四子王旗吉生太乡城卜子村东，平面呈长方形，东西长920米，南北宽670米，城门不清。城内西北角有高台建筑址2处。城的西南部有一凸出的小城，平面呈长方形，南北长200米，东西宽150米。该城址为金代天山榷场、净州、天山县和元代净州路、天山县所在。在古城西南

---

① 陈永志主编：《内蒙古集宁路古城遗址出土瓷器》，文物出版社2004年版。

部曾发现《大元加封宣圣碑记》石刻一方，上刻"净州路总管府"、"大德十一年七月二十一日立"等字样。

沙井总管府古城在今四子王旗红格尔苏木布拉莫林庙村西南 1 公里，平面呈长方形，东西长约 570 米，南北宽约 520 米，四墙中部各设一门，城内有十字形街道，街道两侧均以土墙与城区相隔。该城址是金代沙井、沙城和元代沙井总管府、沙井县治所。

其他汪古部投下古城还有很多。

治今达茂旗的汪古部投下古城有：木胡儿索卜尔嘎古城，在木胡儿索卜尔嘎山南麓，平面大略呈正方形，边长约 500 米；城圐圙古城，在大苏计乡城圐圙村南，平面呈正方形，边长 560 米；小城壕古城，在小文公苏木小城壕村西，平面呈长方形，南北长 207 米，东西宽 90 米；沙贝库伦古城，在乌兰图格苏木召河庙村北 6 公里，平面呈长方形，南北长 156 米，东西宽 96 米；乌兰图格苏木城圐圙古城，在乌兰图格苏木城圐圙村西，平面略呈正方形，边长约 400 米；德里森呼图克古城，在乌兰图格苏木召河庙村东约 7 公里，分东、西两城，形制与规模皆不清。

治今四子王旗的汪古部投下古城有：波罗板升古城，在大黑河乡古城南村北 500 米，分内、外两城，外城平面呈长方形，南北长 750 米，东西宽 600 米，内城位于外城东北部，平面呈长方形，南北长 277 米，东西宽 260 米；思腊哈达古城，在红格尔苏木思腊哈达村西 50 米，平面呈长方形，南北长 750 米，东西宽 740 米；东麻黄洼古城，在巨巾号乡东麻黄洼村北 500 米，平面呈正方形，边长 130 米；乌兰牧场古城，在乌兰牧场东南 1 公里，边长 150 米；罗坝古城，在供济堂乡庙底村东 500 米，平面呈正方形，边长 150 米；三间茅庵古城，在供济堂乡三间茅庵村北 1 公里，平面呈正方形，边长 150 米。

治今武川县的汪古部投下古城有：东土城古城，在东土城乡驻地东北侧，平面呈长方形，东西长约 130 米，南北宽约 120 米，征集有"监国公主"铜印一方；南土城古城，在东土城乡南土城村东北侧，平面呈长方形，东西长 132 米，南北宽 117 米。

治今察右中旗的汪古部投下古城有：广益隆古城，在广益隆乡土城村西 500 米，平面呈长方形，东西长 1 110 米，南北宽 760 米，中间有一道南北向隔墙，并有门道相通，东、南、西墙中部设门；土城子古城，在大土城子乡土城子村东1公里，平面呈长方形，东西长448米，南北宽377米；克力孟古城，在库联苏木克力孟村南500米，平面呈长方形，南北长168米，东西宽117米。

治今察右后旗的汪古部投下古城有：察汉不浪古城，在当郎忽洞苏木察汉不浪村西南1公里，平面呈长方形，南北长666米，东西宽636米；下色拉营古城，在当郎忽洞苏木下色拉营村北约200米，平面呈长方形，东西长190米，南北宽170米；大南沟古城，在哈彦忽洞苏木大南沟村北约500米，平面呈长方形，南北长约900米，东西宽约600米；曹不罕古城，在石门口乡曹不罕村，平面呈长方形，南北长435米，东西宽400米；韩元店古城，在红格尔图乡韩元店村东，平面呈长方形，东西长382米，南北宽250米。

察罕脑儿宣慰使司都元帅府　察罕脑儿宣慰使司都元帅府治三岔河古城，位于今乌审旗河南乡古城村西南500米处。城址平面呈长梯形，南、北墙长643米，东墙长304米，西墙长518米。方向以古城东墙为基线，为北偏西5度。夯筑城墙，基宽约18米，残高5—10米，夯层厚10—15厘米。西墙中部设门，已冲毁。余三面城墙中部各有突出墙体的半圆形大土包，应属城防建筑址。墙外有护城河沟，宽约20米。城内见有多处建筑基址，以西南部分布较为密集，城外东关、南关也有多处建筑遗迹①。

察罕脑儿宣慰使司都元帅府下辖城址有：巴格陶利古城，在今鄂托克前旗敖勒召其镇东约5公里，平面略呈长方形，南北长400米，东西宽385米；康家渠古城，在今达拉特旗耳字壕乡康家渠村东南400米，平面布局不清，仅存东墙和南墙各一段，分别为50米、70米。

兀剌海路　治新忽热古城，治所为今乌拉特中旗新忽热苏木城圐圙村北1公里的新忽热古城。古城平面呈长方形，东西长约850米，南北宽约800米，四墙中部各设一门。该城址还是西夏黑山威福军司治所兀剌孩（或斡罗孩）城。

亦集乃路　黑城遗址位于额济纳旗境内，蒙古语称哈拉浩特，是西夏黑水城和元代亦集乃路遗址。14世纪40年代，由于战争与附近河水改道等原

---

① 内蒙古文物考古研究所、鄂尔多斯博物馆：《乌审旗三岔河古城与墓葬》，《内蒙古文物考古文集》第2辑，中国大百科全书出版社1997年版。

因，遂人迁沙侵，化作荒漠。现在年降雨量 15 毫米以下，而蒸发量却达
3 000 毫米。夏季最高气温 45℃，冬季低至零下 20℃。常年刮西北风，草木
不生，故黑城文献历经 500 年而未尽腐。1908、1909 年，俄国科兹洛夫考察
队在这里盗掘文物，1914 年英籍匈牙利人斯坦因再盗，因而黑城文献今藏
俄、英两国最多。1927 年，瑞典人斯文赫定与北京大学教务长徐炳昶教授
组织中瑞西北科学考察团，也曾在此发现文书，现藏中国科学院。1983、
1984 年，内蒙古文物考古研究所两次在黑城发掘房基 280 余处，总面积
11 000 平方米，获得文献 3 000 余件。其中汉文 2 200 件（包括印刷品 760
件），其他文种依次为西夏文、畏兀儿体蒙古文、八思巴文、藏文、亦思替
非文、古阿拉伯文。汉文资料经李逸友先生整理研究，1991 年由科学出版
社印行，名曰《黑城出土文书》（汉文文书卷），其他文种文书由内蒙古大
学蒙古学学院整理，资料尚未刊布。

黑城遗址分大、小两城，小城位于大城的东北角。小城为西夏黑水镇燕
军司驻地，大城即元亦集乃路古城。大城平面呈长方形，东西长 421 米，南
北宽 374 米，以南北正方向布局。四周城垣皆夯筑而成，保存较好，基宽
12.5 米，顶宽 4 米左右，平均高度达 10 米以上。东、西两侧设错对而开的
城门，城门外拱卫正方形瓮城，瓮城门南向而开。城四角设置向外突出的圆
形角楼，城垣外侧设马面 19 个，计北 6、南 5、东西各 4 个（原有 20 个，
南墙西部被铲掉 1 个）。城址内有东西向主要大街 4 条，南北向经路 6 条，
街道两侧不设排水沟。城址内的建筑主要包括总管府大院、诸王府第、司属
"广积仓" 遗迹和佛教寺庙等。此外，在城内和城墙上还散见许多佛寺遗
迹。商业区集中在东街和正街之间一带。居民区分布在城内和东门外关厢地
方，城内居民区划分为若干坊①。

亦集乃路下辖的古城址有：黑城西北古城，在今额济纳旗达来呼布镇东
南 21 公里，有内、外两城，外城平面呈长方形，东西长 210 米，南北宽 164
米，内城平面呈正方形，边长 80 米；文德布勒格古城，在今额济纳旗达来
呼布镇东南 20 公里，有内、外两城，外城平面呈长方形，南北长 56 米，东

① 内蒙古文物考古研究所、阿拉善盟文物工作站：《内蒙古黑城考古发掘纪要》，《文物》1987 年
第 7 期。

西宽 40 米，内城平面呈正方形，边长 28 米。

应昌路 城址在今克什克腾旗达日罕乌拉苏木巴彦门都嘎查西北 500 米处，是元代应昌路、应昌府、北元前两年的首都及明代应昌、清平镇所在。早在成吉思汗时期，后来应昌路所在的鱼儿泊附近，就已有人烟聚落，后来弘吉剌部又在该处修建起一座面积 2 平方公里的公主离宫，离宫的东、西是农民和工匠屯聚的村落。至元七年（1270 年），弘吉剌领主斡罗陈万户和其妃囊加真公主向朝廷请求在答儿海子（达里泊）建城邑，次年开始动工兴建，名为应昌城，如今当地牧民或称为"鲁王城"。

城址由外城和内城两部分组成，外城南门外有大片的关厢地带。外城平面呈长方形，南北长 800 米，东西宽 650 米，方向北偏东 5 度。城墙为黄土版筑，残存状况基宽约 10 米，顶宽约 2 米，高 3—5 米。无马面、角楼。东、南、西三面城墙设有城门，外筑瓮城。东、西城门位于城墙偏南处，瓮城为马蹄形，城门向南开。南门位于南墙稍偏东处，瓮城为长方形，城门直开。三座城门之间有丁字形街道相通，与丁字形街道平行，南北、东西又各有两条街道，整个外城形成三纵三横共 6 条主要大街。内城位于丁字形大街北侧，基本上处于外城的中央地带，平面近方形，南北长 240 米，东西宽 220 米。城墙夯筑而成，残存状况基宽约 1.8 米，顶宽约 1 米，高约 1 米。东、南、西三墙辟有城门，无瓮城，南门两侧现存高大的土堆，当为门楼遗迹。内城中部有前后相连的 5 座高台建筑基址，左右两侧对称地分布着 10 座建筑基址，形成一个气势宏伟的建筑群落，当为王府所在地。

外城中的建筑，初步推断，西北隅院落和内城东北角外院落分别为佛教寺院罔极寺和报恩寺，东南部有儒学遗址。此外，外城南部形成仿中原式的坊市区，北部正中地势空旷，无建筑遗迹，地表曾发现太湖石，当为一片园林。外城东、西两侧还有一些较大的院落和建筑遗迹，当为官署与贵族官僚的宅第。外城南门外大街两侧，形成一个庞大的关厢地带，建筑物分布密集，应为主要的居民区[①]。

---

① 李逸友：《元应昌路故城调查记》，《考古》1961 年第 10 期；刘志一：《元应昌路遗址》，《内蒙古文物考古》1984 年第 3 期。

全宁路　位于翁牛特旗乌丹镇一中西侧，平面略呈正方形，边长约
1 000 米，北墙正中有门址，其他三墙破坏不清。为辽上京道头下军州、金
代全州、元代全宁府、全宁路、全宁县治。

元贞元年（1295 年），弘吉刺部领主在驻冬之地兴建全宁城，与应昌城
南北相隔约 700 里。大德元年（1297 年）十一月，升府为路。弘吉刺领主
济宁王蛮子台曾在该城修建佛寺。泰定年间，又在这里兴办儒学。仁宗延祐
四年（1317 年），鲁国大长公主用鲁王分地的"汤沐之资"，在原来的大永
庆寺之东修建了三皇庙。第二年，大长公主在城西南又修建了护国寺。可
见，该城当时亦有许多宗教建筑物。元代文人描绘应昌、全宁这两座城池的
繁华盛况时写道："置官署，开巷陌，立社稷、府库、宫殿，大其制度。人
民日众，车马第舍，填偪溢廓（胡祖广：《相哥八刺鲁王元勋世德碑》）。"
城内曾出土一块篆刻"重建全宁路记"的残碑额，还有铜器、瓷器和琉璃
建筑构件等。

大宁路　大宁路治大明城，在今赤峰市宁城县铁匠营子乡铁匠营子村
内。大明城主体为辽代城垣，由外城、皇城和宫城三部分组成。金代由皇城
东南角和西南角修两道直达外城南墙的城垣，与皇城南墙及部分外城南墙构
成新城，元代沿用，东西长约 2 000 米，南北宽约 1 500 米，东墙设长乐
门，南墙沿用辽代的朱夏门，其他二墙城门不清。该城址的建置沿革为辽代
中京大定府，金代中京大定府、北京路、大定县，元代北京路、武平路、大
宁路、大宁县，明代大宁府、大宁卫、大宁都指挥使司、北平行都指挥
使司。

大宁路下辖的古城址有：黑城古城，在今宁城县甸子乡，分花城、外罗
城和内罗城三个部分，内罗城位于外罗城正中偏北，平面呈长方形，东西长
810 米，南北宽 540 米，其建置沿革为花城为战国燕右北平郡治所，外罗城
为秦汉右北平郡郡治及倚郭平刚县所在地，内罗城为辽、金、元富庶县治所
和明富峪卫驻地，元代还曾在此设置富庶站；白塔子古城，在今敖汉旗南塔
乡白塔子村西侧，现存城垣有三重：外城垣仅存北墙一段，周长不详，第二
重城垣略呈长方形，边长约 650 米，其东墙与外城东墙共享，内城略呈正方
形，边长约 270 米，该城址的建置沿革为辽代杏堝新城、新州、武安州，
金、元二代武平县；高州古城，在今赤峰市元宝山区风水沟镇哈拉木头村，

平面呈长方形，南北长 1 030 米，东西宽 755 米，其建置沿革为辽代高州、三韩县，金代三韩县、高州，元代兴胜府、高州①。

宁昌路　在今敖汉旗玛尼罕乡五十家子古城，平面呈长方形，南北长约 260 米，东西宽约 240 米。城内有辽代佛塔残址 1 座。城外西侧约 180 米处有建筑群址，并见围墙遗迹。出土有元宁昌路加封孔子制诏碑一通、"至大元宝"金币 1 枚。该城址为辽代降圣州、元代宁昌路治所。

腰伯吐古城　位于科左中旗敖包苏木西宝日吐嘎查西北 1.5 公里处，分内、外城。外城平面呈正方形，边长约 1 000 米，城门不清。内城位于外城西南部，平面呈正方形，南墙设门城内有建筑址 6 处。出土有铁锈花白瓷碗、铜玉壶春瓶和八思巴文"至元通宝"铜钱等②。是元代十四道官牧地之一的折连怯呆儿千户所所在地。

东道诸王投下古城　斡赤斤系宗王投下古城址有：黑山头古城，在今额尔古纳市黑山头镇古城村，分内、外城。外城平面呈长方形，南北长 589 米，东西宽 527 米。长方形子城居于外城中央，南北长 167 米，东西宽 113 米，东、西墙各设一门，城外有壕。城内有大型建筑基址 1 座，高约 2 米，地表暴露有石柱础、砖瓦等。圆形子城位于外城西门内北侧，直径约 100 米，内有方形土台，边长 27 米。

斡赤斤系宗王投下古城址还有：巴彦乌拉古城，在今鄂温克族自治旗辉苏木巴彦乌拉嘎查西约 1 公里，平面呈长方形，长约 440 米，宽约 410 米，四墙各设一门；大浩特罕古城，在今鄂温克族自治旗辉苏木喜贵图嘎查驻地，分两重城，外城平面呈正方形，边长 360 米，内城位于中轴线偏南，平面呈长方形，长约 140 米，宽约 100 米；甘珠花古城，在今新巴尔虎左旗吉布胡郎图苏木甘珠日村，处于乌尔逊河东岸，平面呈正方形，边长约 240 米；布哈陶拉盖古城，在今新巴尔虎左旗巴音塔拉苏木布哈陶拉盖嘎查南约 300 米，平面呈正方形，边长约 200 米。

按赤台系宗王投下古城址有：团结村古城，在今东乌珠穆沁旗额吉淖尔

---

① 张松柏、任学军：《辽高州调查记》，《内蒙古文物考古》1992 年第 1、2 期。
② 郝维彬：《科左中旗腰伯吐元代古城调查记》，《内蒙古文物考古文集》第 1 辑，中国大百科全书出版社 1994 年版。

苏木团结村西南，处于盐湖西岸。平面呈正方形，边长约 300 米。东墙中部开门。南墙外侧暴露有房址。

二、草原城镇的特点

据考古调查，在今内蒙古地区，元代古城遗址计有 70 余处。元代内蒙古地区的城镇具有鲜明的地理特征、时代特征和民族特点。

其一，多分布在河套平原、呼和浩特平原（当时叫丰州滩）及辽河平原边缘的宜农地带。例如汪古部的投下城主要在河套平原，大同路的城镇主要在丰州滩，大宁路在辽河平原的边缘，而处于草地的弘吉剌部城址发现的就不多。其中，一些城镇集中在大都到上都的交通线上，如兴和路的城镇多在上都到大都驿路必经地商都、化德两县。

其二，投下诸城的主要功用就是诸王投下住所，城中基本没有居民区和商业区，规模都不大。上都初建时也是如此，只是演变为政治中心后，其政治、经济、文化功能才添加上去。因此，众多不兼作路、府、州、县治的投下城有城无市，只能算作城堡，他们不是内蒙古地区经济发展的产物，也不能视为内蒙古地区经济兴旺的表征。部分投下诸城及大量的中小型城址，多为军事屯田驻地和驿站，军事性是这些城址的第一特征。政治性和军事性是中国古代城市的主要特点，这一点在元代的内蒙古地区尤为明显。

其三，部分路、州治所既是一方的政治中心，又是经济、文化中心，城中有官署、庙学、寺院、作坊、店肆和民居等。

其四，内蒙古地区的城市融合了各民族的文化，呈现出多元文化的特点。

中原建都有一定的形制要求。《考工记·匠人》记载了古代都城的设计理念："匠人营国，方九里，旁三门，国中九经九纬，经涂九轨，左祖右社，面朝后市。"汉以来的都城大体遵循这一原则，大都亦如此。但是兴建较早的上都却不同。上都外城边墙各只两门，城址中没有发现太庙和社稷，史书只载城西五里有一家庙（蒙古包）。上都城中没有市，皇城以北却有大片的园囿，以供大汗行猎。而大都只在皇城的北墙与宫城间有小片的绿化区。应昌城也如此，东、西城墙上的城门与大都南、北墙的城门一样，加筑马蹄形瓮城，佛寺占据城北乾、坤之位，儒学偏处城外，外城北部有宽阔的园林区。

旧时中原人文精神的主流是儒、道、佛三家贯通。官僚、士人以儒济世，以佛、道养生。体现在建筑上，城市和乡村居民区里有孔庙、儒学、佛寺、道观，且儒学数量最多，孔庙地位最高，寺、观多在山林。而元代内蒙古地区则不同。上都有佛寺大龙光华严寺、大乾元寺、帝师寺、开元寺、黄梅寺等，有道观长春宫、崇真万寿宫、寿宁宫、太一宫，除正一道外，太一、全真、太真三派道教领袖都居于都城。上都建有回回寺，英宗时拆毁，泰定帝又修复。大都皇城建有孔庙，仁宗皇庆二年（1313 年），在上都孔庙内设立了国子生学堂。鄂伦苏木古城周围的几处汪古部的墓园中，发现大量与聂思脱里教有关的墓石，墓石一面刻十字架，十字架的四个区间各有一个圆点，十字架下有小的仅有莲瓣的莲花，十字架的外围框以火灯窗式的边缘。这些城市中，佛寺地位远远高于儒学。佛教、道教、儒学与伊斯兰教、聂思脱里教并存，充分体现了元代多元文化的特征。

第六节　元代内蒙古地区的交通运输

元代驿道通畅，以大都为中心，东连高丽，东北至奴儿干都司，南接安南、缅甸，西南至乌思藏、大理，西通伊利汗国、钦察汗国，北达吉利吉思。全国设有驿站约 1 500 处，驿道上每隔 60 里左右置一站，大站置驿令，小站置提领，枢纽之处置脱脱禾孙稽查乘驿人员。与驿站相辅而行的有急递铺，每 10 里或 15 里设一急递铺，其任务主要是传送朝廷、郡县的文书。各站设一千户承担站役，为过往使臣提供铺马、饮食等。各地驿站由路或散府、散州长官提调，或将离路较远的驿站委付当地州县长官提调。在中央掌驿站的机构，初为兵部。至元十三年（1276 年），立通政院专领驿站。武宗至大四年（1311 年）到仁宗延祐七年（1320 年），汉站（中原、江南地区的驿站）又归兵部掌管。站、铺的设立，有利于国内交通的发展和国内各民族、各地之间经济、文化的联系。

元代内蒙古地区的驿道分布　元代内蒙古地区是中原与漠北的联结地，从中原通往岭北的帖里干道（车道）57 站、木怜道（马道）38 站，都经过内蒙古地区。帖里干道和木怜道通称为兀鲁思道（国道），都是从腹里通到和林地区，一条是东路，一条是西路，通常被称作"东、西两道站赤"[1]。此外，还有一些以上都、大同路、集宁路、丰州、东胜州、亦集乃路、察罕脑儿宣慰使司都元帅府和大宁路等为中心，与毗邻地区相连的驿道。

大都至上都的驿道　元代从大都到上都有四条驿路。

第一条驿路正道，是两都间的交通干线，也是大都通往岭北的帖里干道的前一段，因其途经望云县（今河北赤城县北云州），又称"望云道"。具体路线是从大都出发，经昌平出居庸关北口，然后西行北折到赤城，直北过独石口、牛群头驿（又名失八儿秃，今河北沽源南），沿滦河而下至察罕脑儿行宫所在的明安驿（今河北沽源县小红城）、李陵台驿（今正蓝旗黑城子）、桓州（今正蓝旗四郎城）至上都，全长1 200里。

第二条西路，又称孛老站道。从大都经居庸关、榆林驿、宣德府（今河北宣化）、野狐岭（今河北张家口市西北）、抚州、宝昌州、盖里泊（今太仆寺旗南巴彦查干诺尔）、察罕脑儿行宫至桓州，东北至上都，全长1 095里。孛老站道是比驿路正道较早的大都至上都的干线驿道，中统以前，凡使臣、官员乘驿均取此道。望云道成为驿路正道后，孛老站道成为搬运缎匹、杂造、皮货等物的运输线路。不过，大汗秋天从上都回銮时仍行此道，并驻跸，沿途设有25处纳钵，因此又称纳钵西路。至治三年（1323年）八月，元英宗就是在这条道上的南坡店纳钵遇害。

第三条黑谷东道，俗称"辇路"，是皇帝车驾所行之路。从大都经昌平至龙门，与西路分岔，经黑谷（今北京延庆县西北）至牛群头驿与驿路正道合辙，再经察罕脑儿行宫、李陵台、桓州至上都，全长1 220里。这是大汗从大都到上都的专用路，沿途设有18处纳钵。

第四条东路，从大都经通州、顺州（今北京顺义县）、檀州（今北京密云县）、古北口、宜兴州（今河北滦平县北兴州村小城子古城），沿滦河西北上行，经东凉亭（今多伦县白城子古城）至上都，全长1 300里，是"东道御使按行"之路[2]。

上都至和林的帖里干道　上都未建成以前，从中原地区到漠北的东路都

---

① 《永乐大典》卷19421，第11页，延祐七年（1320年）文件。

② 周伯琦：《近光集》。

是出野狐岭，经过抚州、昌州，越过昌州北的金界壕，向东北行至鱼儿泊（今克什克腾旗达里诺尔），复折西北行至克鲁伦河上游，西转达和林。这条路被称作"鱼儿泊驿路"。贵由汗时期，北方儒士张德辉应忽必烈的征召赴和林，即行此路。

上都建成以后，帖里干道从上都到和林，仍经鱼儿泊。从上都北上，经伯只剌、憨赤海等 11 站到鱼儿泊，路程约 300 里。过鱼儿泊向西北行，沿今锡林郭勒河而下，到失儿古鲁站（锡林郭勒河边）、阔斡秃（阿巴嘎旗北部）、益图（今蒙古国达里甘嘎南朱勒格特山达），约沿今达里甘嘎到温都儿罕的公路，即可达克鲁伦河，再西行到和林城。

上都至和林的木怜道　木怜站道从上都出发，西南行经李陵台，向西经兴和路宝昌州（今河北沽源县九连城）、威宁县和集宁路、大同路北境，由丰州西北甸城谷出天山（今大青山），经净州路、沙井总管府，过"川"（译言"沙漠"）中，西北至汪吉河（今翁金河）上游，折北行达和林。沿路驿站可考者有，兴和路境内有咸水湖畔的苦盐泊站、扎哈赤站，燕只哥赤斤站（在今卓资县境内）约在集宁路境内，"川"中有察罕憨赤海、察罕忽鲁浑、阿失不剌等驿站，此外丰州、净州和沙井也都是木怜道上的重要驿站。

以大同路为中心的驿道　元代的大同路是一个东、南、西、北的交通枢纽之地。向东通大都，向南可到冀宁（今太原）、平阳，向北达集宁路，与木怜道相接，向西到东胜州。

大同路往北通往集宁路的驿道，在集宁路与木怜道相交，从而使集宁路成为一个重要的北通上都与和林、南连大都以及中原的交通枢纽之地。近年来集宁路考古发掘揭露的市肆遗址以及出土的大量各色瓷器等，证明了这一点。

从大同路向西通往东胜州的驿道，途经白登（今山西阳高南）、常乐（今丰镇市马家圐圙乡三泉村附近）、岱海南岸的下水镇、丰州等驿站，在丰州又与纳怜道相接，然后抵达东胜州。丘处机从中亚归来，曾路过下水镇。在丰州南的大黑河故道、今呼和浩特市东南 17 公里处，发现了一座石桥故址，为石轴柱桥结构，出土了大约 130 多件石构件，年代推测为元代，是当时连接丰州和岱海地区、东胜州之间的必经之途，可称为"丰州桥"。

由东胜州经中兴府至河西走廊的驿道 这条驿道从东胜州出发，经中兴府到达河西走廊，与传统的丝绸之路汇合，西可通中亚，北经亦集乃路可到和林。东胜州到中兴府之间，沿黄河北岸而行，元初设水站10处，属东胜州管辖的有只达温站、白崖子站、九花站、怯竹里站和梧桐站等5站，后全线增设至14处驿站，水陆并用，中兴府附近设哈温站，原西夏的新安县城亦是其中一站。从中兴府向南，在灵州与从奉元（今西安）而来的丝绸之路相交，再经鸣沙、应理到永昌府，进入河西走廊，在甘州（今甘肃张掖市）分为两线，西线仍为通往中亚的丝绸之路，北线折向西北行，顺黑河而下，经亦集乃路，越过戈壁滩可通和林。元世祖时马可·波罗东来，经宁夏到达丰州，走的即是这条道路。马儿可思和列班骚马从大都出发到耶路撒冷朝圣，先到马儿可思的家乡东胜，晋见了汪古部君主君不花和爱不花，然后再到中兴府。意大利人、方济各会教士鄂多立克于1325年回国，也是先到东胜，再经甘肃、吐蕃回到意大利的。由此可见，这条从北面交汇到传统丝绸之路上的驿道，在元代的东西交通上是非常重要的。

位于包头市九原区麻池镇燕家梁村南侧台地上的燕家梁遗址，应是当时东胜至中兴府驿道上的一处重要的水陆驿站。遗址面积东西长650米，南北宽600米。早年曾征集到青花大罐等瓷器多件，后经3次发掘，其中以2006年进行的第三次发掘规模最大，揭露面积达12 000平方米，共发现房址160座、灰坑400个、灰沟35条、窑址4座、地炉17座、道路6条、乱葬坑3个、窖藏25个、砖砌地下室1处，出土了一批重要遗物①。房址多保存较好，平面呈方形或长方形，南向略偏西，规模大小不等，多为单间，少数为套间，成组分布于道路两侧。临街的房屋内多设有地炉或火灶，在一地炉大灶坑旁曾发现一粗瓷缸，并有一大铁锅覆盖其上。地炉的大灶坑内堆积为草木灰，推测可能与造酒有关，炉内燃烧秸秆，炉上放锅蒸酒糟。南北大道东侧还有一处通向大街的成排南房，房屋大小一致，房内布局相同。这一带应是遗址当年的酒馆旅舍区。道路呈东西向或南北向，路面平整坚硬，有的可看到车辙痕。道路两侧设有排水沟。窖藏有的用瓷瓮或罐装盛，有的直接藏

---

① 塔拉、张海斌、张红星：《内蒙古包头燕家梁元代遗址考古取得重要收获》，《中国文物报》2006年10月18日。

于土穴中，藏品种类丰富，有瓷、铜、铁、陶、骨、玉等不同质地器物。遗址出土物中以瓷器为大宗，种类丰富，窑系较多，分属磁州窑系、钧窑系、景德镇窑系、龙泉窑系和定窑系等，精品有磁州窑系白釉黑花罐、钧窑系月白釉大盘、景德镇窑系釉里红洗、青白釉狮舞绣球摆件、龙泉窑系青瓷盘和定窑系白瓷高足杯等。成排馆舍和各类瓷器的发现，表明了燕家梁遗址交通的发达和贸易的繁荣。燕家梁遗址的站名尚不可考，有可能是东胜州所辖五站之一。

中兴府至亦集乃路的纳怜道　由中兴府到亦集乃路，绕道河西走廊路途较远，为了加快军情机密的传递，还开设了从中兴府直达亦集乃路的纳怜道，沿线设驿站 24 处，其中大部分归甘肃行省管辖，因此该驿道又称作"甘肃纳怜道"。这条驿道从中兴府出发，翻越贺兰山后，直通亦集乃路，走的大约是相当于今天宁夏到额济纳旗的穿越阿拉善盟北部的公路。沿途见于记载的驿站有黄兀儿于量、塔失八里、揽出去、哈必儿哈不刺等[1]。纳怜道是"专备军情急务"而设的，[2] 规定只许悬带金银字牌面，通报军情机密重要使臣经行，其余一切人员则只能由兀鲁思两道来往。但也有例外，如至治二年（1322 年），乃蛮台任甘肃行省平章政事，为了缩短从兰州经甘州到亦集乃路的运粮路程，曾下令自宁夏走纳怜道直通亦集乃路[3]。

亦集乃路管领的站赤，见于黑城出土文书的有 8 站，分别为在城站、盐池站、普竹站、狼心站、即的站、马木兀南子站、山口站和落卜赳站。其中，在城站位于亦集乃路城内，盐池站和落卜赳站位于城北，其他 5 站位于城南。位于城南的站赤，有可能是从甘州而来驿道上的站赤，也有可能是纳怜道上的站赤，具体尚不可考。

在城站位于亦集乃路城内总管府路南，紧靠西城墙根，但自有院落与城墙隔开。院落有土筑围墙，东、西墙长约 42 米，南、北墙长约 39 米，东墙开门，宽约 10 米。院内有一组品字形建筑物，房屋用土坯垒砌墙身，尚存有高约 1 米的墙根，有面东背西的正房五间、南厢房四间，北厢房已不太明

---

① 周清澍：《蒙元时期的中西陆路交通》，《元史论丛》第 4 辑，1992 年。
② 《永乐大典》卷 19421《经世大典·站赤》，延祐元年（1314 年）文件。
③ 《元史》卷 139《乃蛮台传》，第 3351—3352 页。

显。正房内有火炕、锅台，出土残铁锅等物，应为饮食起居之所。南厢房内未发现任何遗物，应为存放物品之处。院内见有不少畜粪①。

以察罕脑儿为中心的驿道 从察罕脑儿（今乌审旗三岔河古城）往南，经白塔儿（陕西靖边县）、延安、甘泉、中部（今陕西黄陵县）、同官（今陕西铜川）、耀州（今陕西耀县）等地，到达陕西行省的交通中心奉元（今西安）。从察罕脑儿往北，在东胜州附近渡黄河，西通中兴府，东连丰州。1252年，忽必烈征大理，冬十二月渡黄河。次年春，过夏州、盐州，出萧关，驻六盘山，当时已打通了由东胜至察罕脑儿的道路。

以大宁为中心的驿道 由大宁向北到恩州（喀喇沁旗西桥乡东土城子），经花道（赤峰市东南古山林附近）、狗群部落（赤峰市东北建昌营子附近）、高州站、阿木哥大王府（呼伦贝尔市阿穆古郎）、全宁路到临潢（赤峰巴林左旗）。由上都东行，经狗群部落、花道站、恩州站到北京站（大宁路）。从大宁东行，经岔道等驿、沈州到辽阳。从大宁到大都则有两条路，西路溯老哈河而上，经富峪站（宁城县西南甸子乡），顺瀑河和滦河而下，再经喜峰口、通州至大都；东路从大宁向南经永平（河北卢龙）、丰润、玉田、蓟州、通州到大都。

联结东道诸王的驿道 从通州经顺州、檀州到古北口，出古北口至兴州，东北行经今承德、隆化附近入今赤峰市境，大约在今巴林桥一带渡西拉木伦河，从今林西县北越大兴安岭，经西乌珠穆沁旗、东乌珠穆沁旗到达济南王府（合赤温后王），再北行经斡鲁速城、捕鱼儿海子（贝尔湖）、吾失温（乌尔逊河）、阔连海子（呼伦湖），分别到达齐王府（合撒儿后王）、广宁王府（别里古台后王）。

交通运输状况 剪夏灭金，内蒙古地区是大本营。1211、1212、1213年三度征讨金国，成吉思汗所率大军队主要沿后来的帖里干站道南下。1211年，术赤、察合台、窝阔台率西路从木怜道南下，经沙井、净州，沿白道（今呼和浩特市西北蜈蚣坝）破云内、东胜等州。1260年，忽必烈与阿里不哥争位，忽必烈沿帖里干道和木怜道两道北伐，到和林驻冬后，沿木怜道班师。这些军事活动，开辟、扩大了驿道。

---

① 李逸友：《黑城出土文书》（汉文文书卷），第46页。

元代内蒙古地区集结了庞大的军事、行政人员和诸王投下属民，他们的粮食、日用品都仰给于中原和南方，内蒙古地区又是运送诸王租赋的必经之地。因此，内蒙古地区的物资运输一直很繁忙。

忽必烈与阿里不哥争位时，命各地筹粮，西路囤于沙井、净州，东路积于鱼儿泊。当时，"大同宣慰使法忽鲁丁，扑运岭北粮，岁数万石，肆为欺罔，累赃巨万"。中统元年（1260 年）七月，忽必烈令燕京、北京、西京、真定、平阳、大名、东平、益都等路宣抚司，造羊裘、皮帽、靴、袴均以万计，运至开平。元代，每年要从兰州籴粮 2 万石，经宁夏、甘州运至亦集乃。至治二年（1322 年），甘肃行省平章政事乃蛮台下令，将粮食由宁夏经纳怜道直接运至亦集乃，减少脚程近 2 000 里。

除运粮外，建筑材料的运输量也大得惊人。在今内蒙古地区，元上都的亭台楼阁、诸王投下府第、寺庙、仓储、官署等建筑甚多，尤以大安阁、王府、寺庙建筑规模宏大、形制华美。而这些建筑所需材料多由中原、江南转运而来。大安阁就是拆北宋都城开封熙春阁的材料，经陆路、水路北运上都，略加损益后建成的。

交通驿站的发达，还体现在中外使臣来往方面。以大蒙古国的分封为基础，钦察草原的术赤兀鲁思形成了钦察汗国，在中亚的察合台、窝阔台系诸王分别建成了察合台汗国和窝阔台汗国。中统之际，旭烈兀在波斯、阿拉伯建立了伊利汗国。这些汗国开始时与蒙元政权联系密切，宗王们还在中原有食邑，租赋亦源源不断地输入汗国。后来钦察、伊利、察合台三汗国逐渐独立，但在名誉上仍奉元朝皇帝为宗主，彼此之间使臣来往频繁。而且，使臣、商旅主要经由丝绸之路，从大都或上都西经今内蒙古地区入河西走廊，出玉门关，再分路通往各汗国与西方。至元初年，伊利汗国的旭烈兀派伯颜入元朝奏事，世祖以伯颜相貌伟岸、言辞敏捷，便将他留在身边，后来的平宋战争就赖伯颜与阿术主持。而至元二十年（1283 年），元朝枢密副使孛罗奉旨出使伊利汗国，同行的有爱薛等人。孛罗到波斯后，就被阿鲁浑汗留在身边，他为拉施特的《史集》提供了不少口传资料。爱薛则历经艰险，返回元朝。

蒙古人的崛起震惊了欧洲的僧俗封建主，他们急切地想了解蒙古人，并试图与蒙古人建立友谊，借此解除蒙古人对他们的威胁，进而想利用蒙古的力量对付伊斯兰教徒。为此，他们不断派遣传教士到蒙古。1245 年 4 月，教士普兰诺·卡尔平尼等人奉罗马教廷之命分别携带教皇写给蒙古可汗的两封信，从里昂启程。1246 年 7 月，卡尔平尼到达和林附近的失剌斡耳朵，参加了贵由汗的登基大典，11 月赍贵由回书而返。卡尔平尼回国撰《蒙古史》作为出使报告。1253 年，法王圣路易又遣教士鲁布鲁克出使蒙古。鲁布鲁克先在萨莱城觐见拔都，又于年底在和林之南翁金河畔的冬营地朝见了蒙哥汗。居两月，鲁布鲁克携蒙哥汗写给法王的信归国。鲁布鲁克著《东方行纪》报告了这次奉使过程。而威尼斯商人马可·波罗来华则是妇孺皆知的事。约在 1275 年，聂思脱里派教士、大都人列班骚马和东胜州人马儿可思，决定去耶路撒冷朝圣，忽必烈发与圣旨，他们随商队西行，后留居伊利汗国。

第七节　元代内蒙古地区的民族与人口

一、蒙古地区的民族

蒙元时期，蒙古地区主要有蒙古、汉、女真、契丹等民族，其中蒙古族占人口的绝大多数。除此之外，蒙古地区还有大量从西域东迁来的人口。西域是个很宽泛的概念。陈垣在《元西域人华化考》的开篇就指出：西域的地理范围因时代的地理知识与政治势力而变化，汉武帝以前大抵自阳关、玉门关以西至新疆；汉武帝以后，推至葱岭以西，撒马儿干、土耳其、印度，更远及波斯、大食、小亚细亚；而元人则更将自唐兀、畏兀儿以西，经西北三藩封地，至东欧的广大地区概称西域。① 因此，元人的西域概念基本上包括了自唐兀以西的中亚、西亚、南亚，远致东欧、地中海沿岸、北非的广大地区。在古代，有关西域的地理知识，占据了古人所知晓的境外地理知识的绝大部分，从这个意义上讲，"西域"几乎相当于今天"外国"这一概念，"西域人"也大致相当于"外国人"。所以陈垣说："质言之，西域人者，色目人也。"②

---

① 陈垣：《元西域人华化考》卷 1，上海世纪出版集团 2008 年版，第 1 页。

② 参见陈垣：《元西域人华化考》卷 1，上海古籍出版社 2000 年版，第 1 页。

元代辖下的西域人是个非常庞大的群体。从西域东迁来的人口种类多，族籍复杂，元代版籍上通常称之为"色目人"。"色目"，就是"各色名目"，意即种类繁多。元代色目人究竟有多少种类，自古说法不一。元末陶宗仪在《南村辍耕录》中列色目人为31种，钱大昕的《元史氏族表》列色目人为20多种。《南村辍耕录》所列31种色目人是：哈剌鲁、钦察、唐兀、阿速、秃八、康里、苦里鲁、剌乞歹、赤乞歹、畏吾兀、回回、乃蛮歹、阿儿浑、合鲁歹、火里剌、撒里哥、秃伯歹、雍古歹、蜜赤思、夯力、苦鲁丁、贵赤、匣剌鲁、秃鲁花、哈剌吉答歹、拙儿察歹、秃鲁八歹、火里剌、甘木鲁、彻儿哥、乞失迷儿。① 近代以来的研究者指出陶宗仪、钱大昕所列既有重出，也有错漏。一方面是因为当时西域、欧洲人的民族成分复杂；另一方面是元人对他们的译音用字不划一，很难精确地记载元代色目人。较为清楚的元代色目人有唐兀（Tangut）、乃蛮（Naiman）、汪古（Önggüd）、回回（Sartaqtai 撒儿塔黑台）、畏兀儿（Uyiɣur）、康里（Qangli）、钦察（Qibčaq）、阿速（Asu）、哈剌鲁（Qarluq）②、吐蕃（Tübüt）、斡罗思（Oros）、阿儿浑（Aryun）③、秃八（Tuba）、④ 乞儿吉思（Qirqiz ~ Kirgiz）。

在元代，色目人位列第二等，政治地位仅次于统治民族蒙古族。色目人的上层人物中，有的是军队将领，有的是政府官员，有的是沟通官府的大商人。下层色目人中不少是一般的军士、手工业者与牧民。

蒙古政权三次大规模的西征，导致了大量西域人东迁来华。特别是蒙古第一次西征后，被裹挟东迁的西域诸族军士、工匠、驱口等高达数十万。

---

① 陶宗仪：《南村辍耕录》卷 1《氏族》，第 12 页，《历代笔记史料丛刊》本，中华书局 2006 年版。

② 《突厥语方言词典》载哈剌鲁是非游牧的突厥部落。见：R. Dankoff/J. Kelly trans. Mahmūd al-Kāšrarī Compendium of the Turkic Dialects, part I, p. 353, Harvard University Press, 1982。

③ 关于阿儿浑（Aryun），突厥语词典（R. Dankoff/J. Kelly trans. Mahmūd al-KāšΓarī Compendium of The Turkic Dialects part I, p. 151, Harvard University Press 1982）记载 Aryu 的意义是两山之间既深又狭、坡度很大的山谷。Aryu 国，位于提拉兹"Tirāz"与巴拉沙衮"Balāsāɣūn"之间，所以取名为 Aryu。伯希和（冯承钧译《西域南海史地考证译丛》第 1 卷第 3 编，伯希和：《荨麻林》，商务印书馆 1995 年版，第 54 至 58 页）认为见于元朝文献中的阿儿浑人就是这个 Aryu 部。

④ 即《蒙古秘史》中的秃巴思，即唐代的都波和都播，今图瓦人；元代又以其居地谦谦州（Kem-Kemčihud）作为其族名。参见《中国大百科全书·中国历史·元史》"谦谦州"条，中国大百科全书出版社 1985 年版，第 77 页。

《世界征服者史》对此有较为详细的记载。当察合台、窝阔台的大军攻下讹答剌时，"那些刀下余生的庶民和工匠，蒙古人把他们掳掠而去，或者在军中服役，或者从事他们的手艺"。① 蒙古军攻陷巴纳克忒时，屠其军卒，尽取所有居民中的工匠、青壮，分配给百户、千户。剩下来的年轻人被强制编入"哈沙儿"（Hashar）队，直扑忽毡。同时，他们"还从讹答剌、不花剌、撒麻耳干及别的城市、村落，取得援兵。这样，该地共集中了5万签军"。② 成吉思汗攻克不花剌后，将康里男子3万多人屠戮后，把"他们的幼小子女，贵人和妇孺的子女，娇弱如丝柏，全被夷为奴婢"。另外，又"将城内居民中适于服役的青壮和成年人强征入军"③。在撒麻耳干"蒙古人清点刀下余生者；3万有手艺的人被挑选出来，成吉思汗把他们分给他的诸子和族人；又从青壮中挑出同样的人（即3万人）编为一支签军"。"后来，又接连几次在撒麻耳干征军，获免的寥寥无几"。④ 在花剌子模的国都玉龙杰赤，蒙古军"把百姓赶到城外；把为数超过10万的工匠艺人跟其余的人分开来，孩童和妇孺被夷为奴婢，驱掠而去，然后，把余下的人分给军队"尽数杀绝。⑤ 在这段史料中，10多万工匠应是与孩童、妇孺一起被掳入了中土，因为蒙古人每到一地都例行搜集工匠。1221年，窝阔台征哥疾宁（今阿富汗之加兹尼）时，也将工匠掳走。同年，拖雷在进兵马鲁时，"从沿途归顺之地，如阿必瓦而的、撒剌哈夕等，征发签军，组成一支七千人的队伍"。攻下马鲁城（今土库曼斯坦之马里）后，又"传令：除了从百姓中挑选的四百名工匠，及掠走为奴的部分童男童女外，其余所有居民，包括妇女、儿童，统统杀掉"⑥。

在蒙古政权的第一次西征中，被掳掠东迁的西域人不只限于花剌子模国所辖地区。1220年春，成吉思汗遣速不台、者别穷追摩诃末。这支蒙古军

---

① 《世界征服者史》（上册），第99页；参见马建春：《蒙元时期回回等西域族类东迁过程疏证》，《回族研究》2006年第2期。
② 《世界征服者史》（上册），第107、108页。
③ 《世界征服者史》（上册），第123页。
④ 《世界征服者史》（上册），第140页。
⑤ 《世界征服者史》（上册），第147页。
⑥ 《世界征服者史》（上册），第187、189页。

转战于阿哲儿拜占，经其都城帖必力思，侵入谷儿只部，攻陷阿速境内的拜勒寒，进迫阿速干扎城，继而逾太和岭（今高加索），打败阿速，迫使钦察11 部之众纷纷弃其牧地西逃。1223 年，蒙古军又战败斡罗思诸王，蹂躏斡罗思南部。1223 年末，蒙古军东归时，又败居于乌拉尔河和咸海一带的康里部。速不台、者别一路所破城池的西域诸族居民和被其战败的回回、谷儿只、阿速、钦察、斡罗思、康里军士也以驱口、签军的身份进入中土。蒙古的第二、三次西征，使钦察、阿速各部及罗斯各公国一一臣服，并"掠他们为奴。从那里他们进兵斡罗思国，征服了该邦乃至蔑怯思城（阿速人的都城）"。① 于是，朝廷诏令"遣必阇别儿哥括斡罗思户口"② 东归。

在元朝建立和统一全国的过程中，色目人大量进入汉族地区居住，但居住在蒙古地区的色目人也相当多。回回人在元代分布最广，北起和林，南逾岭南，西至今新疆，东迄东南沿海一带，无处不有回回人的足迹。蒙古地区及其周边的和林、大都、上都荨麻林、弘州、天德军、宣德、西京、京兆府、汉中、亦集乃路、沙州、甘州、西宁州、畏兀儿等地都有回回人。漠北的哈刺和林城内有商业区，聚集了许多回回商人。③

对元代后期政治产生重大影响的阿速人与钦察人，他们主要分布在大都、上都、腹里、岭北、辽阳行省。这与阿速人、钦察人、斡罗思人强悍善战，最终编入元朝的宿卫军系统密切相关。起初，东迁的钦察、阿速、斡罗思、康里人，多编入蒙古诸王投下，或探马赤军中，参加到蒙古政权的对外战争中；或成为诸王、驸马、投下府中手工业者，后因他们屡建奇功，且多勇猛之士，元政府乃将他们按同一族类分别编入"钦察军"、"阿速军"、"康里军"和"斡罗思"军中。元世祖为了加强中央集权，在宿卫怯薛之外，又设五侍卫亲军，以都指挥使领之④。侍卫亲军的职责是内以宿卫扈从，兼及屯田、修缮，外则用于四方征伐。在侍卫亲军中逐步增置了钦察卫、康里卫、阿速卫、斡罗思卫、贵赤卫和西域侍卫亲军都指挥司等，它们

① 《世界征服者史》（上册），第 317 页。
② 《元史》卷 3《宪宗本纪》，第 46 页。
③ 道森编，吕浦译，周良霄注：《出使蒙古记》，中国社会科学出版社 1983 年版，第 203 页。
④ 《元史》卷 99《兵志》二《宿卫》，第 2523 页。

成为元朝侍卫亲军中主要的力量之一。《经世大典·叙录》指出，蒙古以
"诸国人之勇悍者，聚为亲军宿卫，而以其人名曰钦察卫、康里卫、阿速
卫、唐兀卫。"① 按元朝制度，凡为军士者，另有军籍，不可更改，世代充
役，而且"宿卫诸军在内，而镇戍诸军在外……"。因此，宿卫诸军主要分
布于大都、上都、腹里、岭北、辽阳行省等地。

阿速卫军比较多，右阿速卫有 1 万户，职责是"扈从车驾，掌宿卫城
禁，兼营潮河、苏沽两川屯田，并供给军储"。② 还有左阿速卫和威武阿速
卫亲军都指挥使司。元朝在居庸关的南口、北口分别设立了千户所。至大四
年（1311 年），改设隆镇卫万户府（皇庆元年改为隆镇卫亲军都指挥使
司）。分拣钦察、唐兀、贵赤、西域、左右阿速诸卫军 3 000 人，再将南、
北口、太和岭关隘的汉军 693 人合在一起，分为 10 个千户所，分 43 处屯驻
在居庸关的东西。③

钦察人中最先设立的是右钦察卫，设立于至元二十三（1286 年），有行军
千户 19 所。成宗大德年间又设 2 个千户所，至大元年又设 4 个千户所，至此
钦察卫共有 25 个千户所。至治二年（1322 年）时，将右钦察卫分为右左两钦
察卫。④ 钦察人又善酿马奶酒。他们"掌尚方马畜，岁时捅马乳以进，色清而
味美，号黑马乳，因目其属曰哈刺赤"。元代的哈刺赤—哈刺陈牧户，分别隶
太仆寺属下的御位下及成吉思汗大斡耳朵的各牧场。这些牧场主要在折连怯
呆儿（哲连怯呆尔，即哲连川，在今内蒙古通辽市东北）、玉你伯牙等处（从
上都西北，南至今张家口一带）、阿刺忽马乞等处、斡斤川等处、左手永平等
处。⑤ 除了皇家牧场上的哈刺赤，还有一部分钦察人参加屯田。元世祖曾下诏
将霸州文安县 400 项田地给钦察人屯种，后赐给统领钦察人的土土哈家族大都
近郊田地 2000 亩。钦察卫还出镇岭北，屯驻和林、乞里吉思及称海等地。⑥

---

① 《经世大典·序录·军制》，《国朝文类》卷 41。
② 参见《元史》卷 99《兵志》二《宿卫》，第 2527 页。
③ 参见《元史》卷 99《兵志》二《宿卫》，第 2528 页。
④ 参见《元史》卷 99《兵志》二《宿卫》，第 2529、2530 页。
⑤ 参见《元史》卷 100《兵志》三《马政》，第 2555—2557 页。
⑥ 《道园学古录》卷 26《句容武毅王纪绩碑》；参见《元史》卷 206《阿鲁辉帖木儿传》，第 4596
页。

因此，大都、上都周围和岭北等处都有钦察人。

二、蒙古地区的人口

研究蒙元时代蒙古地区的人口问题是一个难题，难在资料匮乏。有一些学者史海钩沉，在这方面作了研究，可供参考。[①] 但有些研究轻信《史集》上的夸张记载，以致过高地估计了蒙古地区的人口。

（一）蒙古建国前后蒙古地区的人口

蒙古部 蒙古部系指蒙古本部。成吉思汗开始在蒙古高原崛起时，是12世纪末期。成吉思汗与札木合的十三翼之战，据说双方各出动了3万骑兵，但这个数字有些夸张，至少当时的成吉思汗绝无3万骑。札木合的骑兵分别来自札剌亦儿、泰亦赤乌、亦乞烈思、兀鲁、那牙勤、巴鲁剌思、豁罗剌思、巴阿邻、弘吉剌、合答斤、撒勒只兀惕、朵儿边和塔塔儿等13个部。其中，除塔塔儿外，均属蒙古本部。铁木真的骑兵除第三翼有小部分是克烈部军队外，其余都来自蒙古本部。[②] 也就是说，此次战争中，参战双方除少数外，均来自蒙古本部。[③] 因此，若以双方合计4万骑计算，不会有太大的偏差。4万骑兵应是能作战的男子，当时的蒙古牧民，除老幼者外，男子几乎全是战士，因此，4万骑不能简单地看作是从4万个牧户中金出的骑兵，但可以以此作为参照，看成2万户左右，也许不会离历史真实太远。但这2万户不是蒙古部全部的户数，当时失主兀惕、别速惕等并没有参战。因此，蒙古部的总户数最多可能在3万户左右，若以平均每户4至5人估计，则札剌亦儿、泰亦赤乌、亦乞烈思、兀鲁、那牙勤、巴鲁剌思、豁罗剌思、巴阿邻、弘吉剌、合答斤、撒勒只兀惕、朵儿边等蒙古部总人口可能在12—15万左右。[④]

克烈部 公元1009年，中亚马鲁城聂斯托里教（景教）主教写信给报

① 参见孟古托力：《蒙古族早期人口的若干问题探索》，《黑龙江民族丛刊》1994年第4期；王龙耿、沈斌华：《蒙古族历史人口初探（11世纪—17世纪中叶）》，《内蒙古大学学报》1996年第5期。

② 据《圣武亲征录》，成吉思汗第四翼中还有克烈部的军队，经韩儒林先生考证，已否定，见《成吉思汗十三翼考》，载于华西大学《中国文化研究所集刊》1940年第1卷第1期。

③ 余大钧译注：《蒙古秘史》，第129节。

④ 参见孟古托力：《蒙古族早期人口的若干问题探索》，《黑龙江民族丛刊》1994年第4期。

答安术教长，信中透露了 1007 年至 1009 年间有 20 万克烈人和他们的汗接受了该教洗礼。① 这个数字在当时也许有点夸张，但可以推知，早在 11 世纪初，克烈部人口就比较多。而在接下来的 200 多年中，克烈部发展得更加壮大，不仅自身繁衍，还兼并了许多小部落，人口众多，称雄于蒙古高原。金章宗明昌二年（1191 年）正月，"诏赐陀括里部羊三万口、重币五百端、绢二千匹，以振其乏"。② "陀括里"，就是克烈部长脱里，即王罕，从赏赐数额看，克烈部的人口是比较多的，可能与蒙古部相当或略多一些。

汪古部　《史集》记载，汪古部有"四千帐幕"。③ 1206 年，成吉思汗把该部编成 5 个千户，大约 2 万人。汪古部在战争中掳获甚多，迅速扩大。据《史集》记载，成吉思汗西征之后，在木华黎手下随同攻金的汪古部军队达"一万"之众。④ 这 1 万军队显然不全部是汪古部人，应是包括了汪古部在攻金战争中归附的汉人军队。

塔塔儿部　《史集》记载，塔塔儿部有 7 万户，⑤ 这一数字可能有些夸张。塔塔儿人口不太可能超过当时强大的克烈部，大约在 10 万人以下。成吉思汗打垮四姓塔塔儿人后，"将塔塔儿男子似车辖大的都杀了"。⑥ 塔塔儿部中男性大部分被杀，妇幼多数被掠为奴，还有一部分塔塔儿逃往他乡，不久又被统一于蒙古共同体。

乃蛮部　《蒙古秘史》记载，乃蛮"国大民众"。⑦ 金世宗大定十五年（1175 年），"七月丙午，粘拔恩与所部康里孛古等内附"，《金史·粘割韩奴传》载，"粘拔恩君长撒里雅、寅特斯率康里部长孛古及户三万余求内附，乞纳前大石所降牌印"。⑧ "粘拔恩"，就是"乃蛮"的不同汉字记音。根据《粘割韩奴传》记载，乃蛮等要求内附的前后情况可知，3 万余户均属

---

① 雷纳·格鲁塞著，蓝琪译：《草原帝国》，商务印书馆 1998 年版，第 245 页。

② 《金史》卷 9《章宗本纪》一，第 217 页。

③ 《史集》（汉译本）第 1 卷第 1 分册，第 229 页。

④ 《史集》（汉译本）第 1 卷第 2 分册，第 246 页。

⑤ 《史集》（汉译本）第 1 卷第 1 分册，第 164 页。

⑥ 《史集》（汉译本）第 1 卷第 1 分册，第 172 页。

⑦ 余大钧译注：《蒙古秘史》，第 190 节。《史集》（汉译本）第 1 卷第 2 分册，第 114 页，说成吉思汗的 13 个古列延歼灭了敌人 3 万骑兵。

⑧ 《金史》卷 7《世宗本纪》中，第 162 页；卷 121《粘割韩奴传》。

乃蛮。3 万余户约有 10 万多人口。恩·德·马丁认为："乃蛮汗统率的士兵约 50 000 至 55 000"①。乃蛮大约有 13 万人。

篾儿乞部　关于篾儿乞部的人口，尚未见到可供利用的文献资料，但《蒙古秘史》记载有三姓篾儿乞，则知其分为三大支，大约有三万口。

斡亦剌部　蒙古建国后，成吉思汗将斡亦剌编成 4 个千户。但《史集》记载，该部"自古以来就人数众多，分为许多分支"。②《蒙古秘史》第 239 节记载："斡亦剌部的忽都合别乞先于秃绵（万）斡亦剌惕部落前来投降，引导拙赤进入秃绵·斡亦剌惕部落的失黑失惕地方"。③ "秃绵斡亦剌"即"万斡亦剌"。整个斡亦剌部的百姓可能有 1 万户、4 万口左右。元朝末年，斡亦剌部已发展到 4 个万户。

八剌忽等部　今贝加尔湖东西部森林中各部落总称八剌忽等部。1206 年前后，成吉思汗分封功臣时，把有拥戴之功的豁儿赤封为万户，管理"林木中的百姓"，即管理八剌忽等部落。但豁儿赤所管辖的"万户"中，还包括原蒙古的八阿邻部的 3 000 户和阿答儿斤部的人口。④ 基于这种情况，生活在森林中的八剌忽诸部至少有 5 000 户。

据以上估计，在成吉思汗建国前，蒙古高原各部总人口在 60 多万左右，在成吉思汗统一蒙古高原后他们均以"蒙古人"相称。经过战争后，人数会有所减少，估计到成吉思汗建国时，约有 40 万人口还是有可能的。

（二）大蒙古国初期蒙古地区的人口

《蒙古秘史》记载，丙寅年（1206 年），成吉思汗建国时分封功臣 88 人，共 95 个千户。在前面的章节中我们已经说过，成吉思汗丙寅年分封时，是各部部长或各支首领功臣受封。各部各支属下则听任部长、家长自行封赏，一切都在内部进行，大汗只记其千户数量。丙寅年受封的千户可能实际是 65 个左右。随着蒙古征服战争的进一步胜利，千户数量增加了很多。《史

---

① 恩·德·马丁：《成吉思汗之崛起及对中国北部之征服》，1950 年英文版，陈弘法译自《鞑靼蒙古人在亚洲和欧洲》，1977 年版。
② 《史集》（汉译本）第 1 卷第 1 分册，第 192 页。
③ 余大钧译注：《蒙古秘史》，第 239 节。
④ 余大钧译注：《蒙古秘史》，第 207 节。

集》记载，成吉思汗去世时直属千户大约是 107 个①。这 107 个千户也只是
这些千户的大部分，而不是全部②。按照平均每 500 户牧民编组成一个千户
的规定，③ 成吉思汗的直属部众约有 20 万人左右。除成吉思汗直属千户外，
还有封给其亲属的百姓 44 500 户，④ 近 20 万人口。这样，到成吉思汗晚期，
大蒙古国的人口总数大约是 40 万。与前面根据各部落情况推测出来的 40 万
人相当，从成吉思汗建国到成吉思汗去世的二十多年中，蒙古对外战争不
断，蒙古本部的人口有较大死伤，但是掳掠来的人口应当远远超过死伤人
口，所以成吉思汗晚期，蒙古国有 40 万人口还是可能的。

（三） 大蒙古国中后期及元朝时期蒙古地区的人口

蒙古各部统一后，新的民族共同体逐渐形成。蒙古地区中止了内部的争
夺，经济、文化迅速发展，从此以后蒙古族人口以较大的自然增长率增长起
来。与此同时，从成吉思汗统一蒙古各部到忽必烈统治期间，蒙古政权对外
扩张的军事活动一直在进行，经过 70 多年（1206—1279 年）的战争，最后
形成了中国历史上疆域空前广阔的元朝。经过几次西征，创立了四大汗国。
这一时期虽然战争的规模越来越大，但征兵是有计划地从千户、百户中抽
调，而且大量利用外族军队，因此战争伤亡对蒙古族本民族的人口发展影响
不是很大。蒙古政权在对外扩张的战争中，不仅获得大量的财富、土地，还
俘获大量人口，其中有相当部分人口被充实到各级领主属下，充当奴隶或属
民，因此在这 70 多年的战争中，被征服地区的人口大量减少，而蒙古地区
人口则迅速增长。入元以后，元政府还派出大量的汉人、女真人、契丹人驻
守大漠南北，这同样增加了蒙古地区的外来人口数量。

但是，元政府没有留下有关蒙古地区人口数量的确切记载，我们只能根
据零散史实作一些估计。整个元代，见于记载的户口最高数是 1 400 万户、
6 000 余万口。忽必烈即位后，中书省每年汇总天下户口数字，中统二年至
至元十二年（1261—1275 年）连续 15 年登记了户口数额。世祖朝之后，很

---

① 《史集》（汉译本）第 1 卷第 2 分册，第 362—380 页。
② 参见史卫民、晓克、王湘云：《〈元朝秘史〉"九十五千户"考》，《元史及北方民族史集刊》第
9 期，南京大学历史系元史研究室 1985 年编辑出版。
③ 额尔登泰、乌云达赉校勘本：《蒙古秘史》，第 224 节。
④ 余大钧译注：《蒙古秘史》，第 224 节。

少见到元政府统计户口的数字，只有元文宗至顺元年（1330 年）有过一次户部钱粮数额的记载。现在所见的《元史·地理志》中各地的户口数字就是这几个年份"籍户"数字的抄录。但元代户部的全国户数并不包括诸王勋贵的直属部众。《元史》中，中书省北部汪古部领地上的德宁路、净州路、集宁路、沙井总管府，弘吉剌部的应昌路、全宁路；辽阳行省斡赤斤系领地上的泰宁路，亦乞列思领地上的宁昌路、木华黎家族的开元路、兀鲁及忙兀部的大宁路；皇室领地察罕脑儿宣慰司及岭北行省的人口统计数字，基本都是空缺。这些地区的人口数字只是偶见于史书。据《元史·地理志》，与蒙古地区有关的几个行省的户口数字是：辽阳行省壬子年（1252 年）有户 49 714 户、481 424 人。中书省至元七年（1270 年）时有 1 355 354 户、3 691 516 人。甘肃、陕西行省至元二十七年分别有户 4 691 户、52 044 人和 87 690 户、75 022 人①。谦谦州"居民数千家，悉蒙古、回纥人。"大约也在 3 万多人。吉利吉思"元朝析其民为九千户"，② 估计也有 4 万左右的人口。上都所在的上都路的户口是 41 062 户、118 191 人。兴和路人口8 973 户，39 495 口。③ 这就是与蒙古地区人口数相关的几个户口数字。

　　但是从《金史》的记载来看，上述人口数显然不足以真实地反映这些地区在蒙元时期的人口状况。据《金史·地理志》的《上京路、咸平路、东京路、北京路、西京路、中都路》统计，上京路有 54 164 户，咸平路有71 816 户，东京路有 124 277 户，北京路有 411 237 户，西京路有 458 146户。合计 1 119 640 户，约平均每户 4 人，则有 4 478 560 口。④ 这个人口数字还不是金朝时这 6 路的全部人口数，因为上京路辖下的蒲与路、合懒路、恤品路、曷苏馆路、胡里改路无户口数，西京路辖下的部族节度使 8 处、详稳 9 处、群牧 12 处也无户口数。金朝这 6 路大约相当于今长城以北的东北地区、内蒙古中东部地区。这 440 多万人口经历了蒙金之交的战争，除去死难、逃亡之外，150 万人口总还是存在的。为什么《元史》中见到的辽阳行

---

① 参见陈高华、史卫民：《中国经济通史·元代经济卷》，第 21—29 页。
② 《元史》卷 63《地理志》六，第 1574 页。
③ 《元史》卷 58《地理志》一，第 1530、1532 页。
④ 《金史》卷 24《地理志》上《上京路、咸平路、东京路、北京路、西京路、中都路》，第 549—578 页。

省、中书省、陕西行省、甘肃行省的户数这么少，可能是因为大多数人户在诸王、驸马、投下的领地内，未入国家版籍。

元代在辽阳行省境内的东道诸王的直属部众有多少，已经无法确切地知道了。当初，斡赤斤被分封了 1 万户百姓，其家族以喀尔喀河为中心，后来扩展到了大兴安岭以东，据有辽东大部分土地，经过 80 年的繁衍生息，不断俘获外族人为奴，其玄孙乃颜叛乱时，号称拥兵"10 万"，① 这当然有夸张的成分。但乃颜有兵六七万是可能的。至元二十四年（1287 年）六月，忽必烈亲征乃颜时，"乃颜党塔不带率所部六万逼行在而阵"②，乃颜的部众当有 17 万人左右。哈丹也曾"领兵万人"与世祖亲征军前锋玉哇失战。③此外，还有合赤温有 2 个千户、合撒儿有 1 400 户，札剌亦儿部木华黎及兀孩和巴儿尤兄弟共有 4 个千户，亦乞列思部在成吉思汗晚期有 9 个千户，兀鲁、忙兀部各有 1 个千户，④ 经过几十年的掳获与繁衍，按平均每户人口 3—4 人估算，到世祖晚期、成宗时期，这些诸王、投下领地内的人口应在 60 万人左右。

中书省境内的属于今天内蒙古地区的蒙古诸王投下有弘吉剌部与汪古部两支。弘吉剌部是一个大部落，在成吉思汗分封时就划分 3 个千户，太宗窝阔台时，扩充为万户。⑤ 到成宗时期，弘吉剌部的属民可能在 15 万左右。大德三年（1299 年）四月，弘吉剌氏驸马蛮子台所部发生饥荒，元政府一次就赈济驸马蛮子台部粮 130 000 石⑥，这也从一侧面反映了弘吉剌部的人口众多，赈粮太少解决不了问题。1206 年，成吉思汗将汪古部编成 5 个千户，大约 2 万人。汪古部在战争中掳获甚多，迅速扩大，在木华黎手下随同攻金的汪古部军队达"一万"之众。⑦ 这 1 万军队显然不全是汪古部人，应是包括了汪古部在攻金战争中归附的汉人军队。汪古部部众散居在阴山以南

① 《元史》卷 132《玉哇失传》，第 3209 页。
② 《元史》卷 14《世祖本纪》十一，第 298 页。
③ 《元史》卷 132《玉哇失传》，第 3209 页。
④ 《史集》（汉译本）第 1 卷第 2 分册，第 371 页。
⑤ 《元史》卷 118《特薛禅传》，第 2915 页。
⑥ 《元史》卷 20《成宗本纪》三，第 427 页。
⑦ 《史集》（汉译本）第 1 卷第 2 分册，第 246 页。

及中原的广大地区，因此，与弘吉剌部相比，居住在草原地区的汪古部众不是很多。《元史·明宗本纪》记载："赵王马扎罕部旱，民五万五千四百口不能自存"①。又"赵王不鲁纳食邑沙、净、德宁等处蒙古部民万六千余户饥"。② 从这两则史料看，阴山以南的汪古部有 6 万多人是可能的。

另外，在弘吉剌部按陈之子赤古驸马还领着 4 个千户驻守在西宁。③ 窝阔台后王永昌王也在青海西凉一带。这两部的人口估计不会少于 6 万人。

关于岭北行省的人口，《元史》有一些记载可供参考。据《元史·马绍传》记载，元世祖忽必烈至元二十六年（1289 年），由于"海都作乱"，其民来归者"70 余万"，散居云、朔（今山西省北部）之间。桑哥欲将此 70 余万人徙至内地就食，马绍则持不同意见，谓"若计口给羊马之资，稗还本土，则未归者孰不欣慕"。最后，元世祖裁定"马秀才所言是也"。由漠北南下云、朔的 70 多万人口，并不是漠北人口的总和，因为还有大量未南迁的。至大元年（1308 年）二月，"和林贫民北来者众，以钞 10 万锭济之，仍于大同、隆兴等处籴粮以赈，就令屯田"。可见，这批流民可能就在大隆兴等处安顿下来了。三月，"北来贫民八十六万八千户，仰食于官……命太师月赤察儿、太傅哈剌哈孙分给之"。④ 太师月赤察儿与太傅哈剌哈孙当时分别任和林行省的右、左丞相，因此，至大元年三月，月赤察儿与哈剌哈孙赈济的这批流民就是从漠北各部集中到和林地区的。但这个 868 000 户，数字似乎不确。每户以 4 口人计，则逃到和林的贫民多达 340 多万人，而这个数字很可能是明初仓促修《元史》时的笔误，很可能是 868 000 "口"而不是"户"。《国朝文类》卷二五《丞相顺德忠献王碑》和《元史·哈剌哈孙传》都记载，和林在罢宣慰司改设行省时"诸部落降者百余万口"，这百余万口是指当时西北叛王主要是窝阔台汗国的属民。大德十年（1306 年），时在金山镇守的海山、月赤察儿率军越金山，攻击察八儿、明里帖木儿，据元明善所撰月赤察儿碑，先降明里帖木儿及其部众，复掩取察八儿妻子及其部

----

① 《元史》卷 31《明宗本纪》，第 699 页。

② 《元史》卷 35《文宗本纪》四，第 779 页。

③ 《史集》（汉译本）第 1 卷第 2 分册，第 373 页；《元史》卷 60《地理志》三《西宁州》，第 1452 页；卷 109《诸公主表》，第 2757 页。

④ 《元史》卷 22《武宗本纪》一，第 496、497 页。

众，共获 2 部，凡 10 余万口。大德十一年到至大元年，窝阔台后王察八儿与秃苦灭进攻察合台汗国失败，部众四散，不少逃往元朝。① 这就是上述至大元年三月的"北来贫民八十六万八千户"的由来。姚燧在《皇帝尊号玉册文》里颂扬武宗海山在大德十年的战功，说叛军"彷徨无归，废不能军，耄倪累累，降口百万"。② 这个"降口百万"是包括了大德十年与至大元年北来部众在内的。这些诸部降民的大部分在岭北行省居留下来，大德十年来归的 10 多万口被元政府安排在金山之南，而元军则戍于金山之北，即称海一带，这样"军食既饶，又戍戍重，就彼有谋，我已捣其腹心矣"。③ 至大三年五月，和林行省省臣上奏："'贫民自迤北来者，四年之间糜粟六十万石、钞四万余锭、鱼网三千、农具二万。'诏尚书、枢密差官与和林省臣核实，给赐农具田种，俾自耕食，其续至者，户以四口为率给之粟。"④ 漠北地方除了海都诸王所割据的金山南北外，还有成吉思汗四大斡耳朵及守护成吉思汗大禁地的人口。别里古台原封户 1 500 户也在斡难河流域，阔列坚的 4 个千户也在漠北。元朝派晋王出镇漠北，晋王所部也当有几万之众。把所有这几部分人户加起来估计也有 30 万左右。斡亦剌惕部在 14 世纪时也发展到 4 个万户，按平均每个万户实际的平均户数为 5 000 户，则斡亦剌约有 8 万人左右。因此，估计岭北行省境内的常住人口与流动人口（包括元朝的驻军，驻军另外计算）加起来约有 60—70 万之众（不包括西道诸王部属）。

除了上述诸王投下部众、国家编民外，在蒙古地区还有大量驻军及皇家牧场的牧人。包括怯薛、宿卫军、镇戍军，但元代军队的数目没有保留下来，只能据零星资料推断。成吉思汗建国时，组建了一支万人怯薛军，"后累增为万四千人"。⑤ 成吉思汗规定怯薛由千户、百户官的子弟与亲信中挑选，"选拣有技能，身材壮的，教我根前行。若是千户的子，每人带弟 1 人，带伴当 10 人。百户的子，每人带弟 1 人，伴当 5 人，牌子（十户官）并白

---

① 参见《察合台汗国史研究》，第 342 页。
② 《国朝文类》卷 10《皇帝尊号玉册文》。
③ 《国朝文类》卷 23《太师淇阳忠武王碑》。
④ 《元史》卷 23《武宗本纪》二，第 525 页。
⑤ 《元史》卷 99《兵志》二《宿卫》，第 2510 页；卷 33《文宗本纪》二，第 734 页。

身人（指自由人）子每，带弟1人，伴当3人"。① 据此，若按95个千户官计算，每千户官共出12人，计得1140人；每千户以10个百户计，共950个百户官，每百户官各出7人，计得6650人；每百户以10个十户计，共有9500个十户官，每十户官出5人，计得4750人。以上由三级官吏子弟与伴当组成的护卫军共60000人左右。所谓的伴当，是指从各级官吏的属民与奴隶中挑选最可靠的、陪伴官吏子弟一起应征的人。② 元朝的各个大汗各有怯薛，史称"四怯薛歹，自太祖以后，累朝所御斡耳朵，其宿卫未尝废。是故一朝有一朝之怯薛，总而计之，其数滋多，每岁所赐钞币，动以亿万计，国家大费每敝于此焉"。③ 因此积累起来，元朝的怯薛人数可能不少于30万。

从元世祖开始，各朝又增置了宿卫军。元世祖的前后左右中五卫，建立于中统三年至至元十六年（1262—1279年）。这些卫军的数目不清楚，但下列蒙汉军队是其主要组成部分：世祖中统元年（1260年），建立了一支2242人京师防城军。中统三年十月，命董文炳收集益都大小管军官及军人等充武卫军近侍，估计人数也不少。"至元二年（1265年）十二月，增侍卫亲军一万人。至元四年七月，在东京等路宣抚司所管户内，签选侍卫亲军一千八百名，赴中都（即燕京）应役"。"至元十五年（1278年）九月，以总管张子良所匿军二千二百三十二人，充侍卫军士"。"至元十六年四月，选扬州省新附军二万人，充侍卫亲军，并其妻子，迁赴京师"。这五卫可能是每卫1万人，至大元年（1308年），武宗曾想以中卫兵1万人为太子爱育黎拔力八达立左卫率府，④ 因此这五卫军人数不下5万。

除此之外，元朝的宿卫军名目还有武卫（10000人）、左都威卫（10000户）、右都威卫（由五支探马赤军组成）、唐兀卫（3000人）、贵赤卫（？）、西域亲军（？）、卫候直都指挥使司（630人）、右阿速卫（约

---

① 额尔登泰、乌云达赉校勘本：《蒙古秘史》，第224节。

② 王龙耿、沈斌华：《蒙古族历史人口初探（11世纪—17世纪中叶）》，《内蒙古大学学报》1996年第5期。

③ 《元史》卷99《兵志》二《宿卫》，第2509页。

④ 《元史》卷99《兵志》二《宿卫》，第2528页。

3 700人）、左阿速卫（？）、隆镇卫（约4 693人）、左卫率府（10 000人）、右卫率府（可能也是10 000人）、康礼卫（？）、忠翊侍卫（至少是3 000人）、宗仁卫（5 100人）、右钦察卫、左钦察卫（两卫共25个千户）、龙翊侍卫（9个千户）、虎贲亲军都指挥使司（？）、左翊蒙古侍卫亲军都指挥使司（？）、右翊蒙古侍卫亲军都指挥使司（？）、宣忠斡罗思扈卫亲军都指挥使司（？）、威武阿速卫亲军都指挥使司（？）、东路蒙古侍卫亲军都指挥使司（？）、女直侍卫亲军万户府（？）、高丽女直汉军万户府管女直侍卫亲军万户府（？）、镇守海口侍卫亲军屯储都指挥使司（？）、宣镇侍卫（？）等。① 以上所列各卫军中，有的卫军的人数不得而知。要准确估计上述卫军的数目很难，这里只能很粗略地推测为30万左右。

因此，元朝时，两都及蒙古地区驻屯的宿卫军及怯薛军大约有65万，按照元代镇戍军与宿卫军是内外相维，互相制约的关系来考虑，蒙古地区的镇戍军可能也会达到这个数目。

元代有14道官牧场。我们根据《元史·兵志·马政》记载，对蒙古地区的官牧场上的牧人进行粗略的统计：明确记载为千户的有87个，百户27个，有"口千子哈剌不花一所""奥鲁赤一所""亦不剌金一所"，总管一处。此外，还记牧人名字但不知是千户还是百户者约有76人。若将87个千户与27个百户分别平均按500户与50户，每户平均按3—4人计算，则有14—18万人，若将其余无明确数目的牧人估计为5万，则蒙古地区官牧场上的牧人有24—28万人左右。在岭北行省境内的官牧场上的牧人是不少的，阿鲁辉帖木儿叛乱时，元政府曾在称海一处就发"哈剌赤万人为军"。② 因此，整个官牧场上的牧人有25万左右应是可信的。

约元成宗大德年间，是蒙古民族及整个元朝人口最盛时期。据研究，元代全国人户最高数字除征东行省及宣政院辖地外，约有1 980万户，按每户4.5计，则当接近9 000万③。其中，各地蒙古族人口有人认为合计约为

---

① 参见《元史》卷99《兵志》二《宿卫》，第2526—2530页。
② 《元史》卷206《阿鲁辉帖木儿传》，第4596页。
③ 邱树森、王颋：《元代户口问题刍议》，《元史论丛》第2辑，中华书局1983年版。

"四五百万"①，这可能有点夸张。而根据以上所述，当时蒙古地区的人口大约有200万左右。这种剧增主要不是因为蒙古人口的自然增长，而是因为大量色目、汉人的蒙古化。

① 《蒙古民族通史》，内蒙古大学出版社2002年版，第48页。

第　七　章

元代内蒙古地区的政局

第一节　两都巡幸制度

　　1260 年，忽必烈在开平即汗位。开平成为蒙古国的都城，正式设立开平府。中统四年（1263 年），加号开平为上都。翌年，改燕京为中都，大蒙古国确定了两都制度。至元四年（1267 年），大蒙古国在金朝中都城的东北营建新都，并迁都中都，九年改中都为大都。大都与上都是元代并列的政治中心。蒙古族统治者习惯了游牧生活，而且广大的蒙古草原既是其发祥地又是各家诸王势力的所在，因此，元朝定都大都后，草原上仍然需要一个政治、军事中心，这是元朝两都并存的原因所在。

　　两都制下，元朝大汗每年冬春居大都，夏秋巡幸上都，形成了一套巡幸制度，直到元惠宗至正十八年（1358 年）十二月，红巾军攻占上都，将百年都城付之一炬，上都宫殿灰飞烟灭，元惠宗无法北巡，才结束了巡幸制度，两都制度也随之结束。①

　　巡幸时间　元世祖从中统四年（1263 年）开始巡幸上都，一般二月从大都起驾赴上都，八月从上都回銮大都。元成宗巡幸上都时间与世祖基本相同。武宗、英宗、泰定帝一般在三月到九月巡幸上都，仁宗、文宗、惠宗多

---

　　①　本节主要参考叶新民：《元上都研究》之四《两都巡幸与上都的宫廷生活》一章写成，同时还参考了《蒙古民族通史》第 2 卷第 3 章第 6 节《驿路交通》，文中不再一一注出。

在四五月以后才从上都出发，七月即开始南返。一般来讲，受汉文化影响较深的大汗居大都的时间长，巡幸时间较短；反之，则巡幸时间较长。

巡幸路线　元代从大都到上都有四条道路，即孛老驿路（西路）、望云驿路（中路）、黑谷路（"黑谷"今名"黑峪"，在元缙山县东北。元代俗称此道"辇路"）、古北口路（东路）。

大汗的巡幸总是从黑谷辇道赴上都，沿途设有皇帝驻跸的纳钵18处。从大都健德门启程，行20里到大口、黄堠店①（今昌平辛店东北，小榆河南。又写作皇后店）、皂角纳钵（今昌平皂角屯，在大榆河西北，永太庄南），到达龙虎台（今昌平西北，北距南口七里，又名南口新店，是新店纳钵所在，距大都不足百里），然后到居庸关北口。再经瓮山、车坊。车坊，属元缙山县。今名车房屯，在北京延庆县永宁城西北30里，近延庆旧县城。延祐三年（1316年）九月，因元仁宗生于缙山县，特升为龙庆州。驿道从龙庆州到黑谷口。接着"过色泽岭，其山高峻，曲折而上，凡十八盘而即平地"。色泽岭，今名十八盘岭，在永宁城东北二十里。又历龙门（今河北赤城县东龙门所）、黑石头（今赤城县一带）、黄土岭（在今赤城县与云州之间）、程子头（约今云州堡西北的羊房堡以南某处）、摩儿岭（约为今十八盘、马皮岭（花皮岭？）一带），至颉家营（约今独石口西南的油房、马营沟一带）。再经过白答儿（约为今独石口）到沙岭（今河北沽源县丰元店附近）。周伯琦记载，"自车坊，黑谷至此，凡百一十里。皆山路崎岖"。"溪涧淙淙急，峰峦蠢蠢奇"。"高岭横天出，炎天气候凉"。过沙岭往北是"平川如掌"的草原。从沙岭北上，经历黑咀儿（约沽源县今小厂附近）到失八儿秃（又名牛群头。今独石口北70里之石头子城，即牛群头遗址）。失八儿秃是一个有3 000多户人家的居民点，从此往北走至察罕脑儿行宫。驿站在行宫东北5里处，称明安驿，也称为察罕脑儿站或昔宝赤站。察罕脑儿行宫在今河北沽源县北小红城。从察罕脑儿站往前走，经郑谷店（牛群头与明安驿之间，约当今小河子附近）、明安驿（又称泥河儿，约今沽源县

---

① 元朝大汗巡幸路线的古今地名注释多采用《周伯琦〈扈从诗前后序〉疏证稿》，见贾敬颜：《五代宋金元人边疆行记十三种疏证稿》第354—379页，本节中凡未注明出处的引文也都出自贾敬颜：《周伯琦〈扈从诗前后序〉疏证稿》及其所引用的周伯琦的《纪行诗》。

北苏鲁滩以东之地），再北走 60 里到李陵台（今内蒙古正蓝旗西南黑城子），过桓州（今正蓝旗北之四郎古城）的六十里店纳钵、南坡店（今正蓝旗黄旗大营子），最后到达上都。

元朝大汗于每年秋天从西路返大都。从上都西南出发，经南坡店、六十里店、桓州、李陵台、明安驿、郑谷店到察罕脑儿站。由此西行，与驿路、辇路分途。经盖里泊纳钵（又称怀秃脑儿，意为"后海"。今内蒙古太仆寺旗南巴彦查干诺尔）、平陀儿（即哈柳台河）、石顶河儿纳钵（当地人称鸳鸯泊，蒙古语称其为遮里哈剌纳钵，意为"远望则黑"，今河北张北县西南的安固里淖。石顶河儿，今天尚存，当地人称为黑水河，即哈剌乌苏），从察罕脑儿到这里有百余里，都属云需总管府管辖。从石顶河儿经宝昌州（今河北沽源县九连城）境内的苦水河儿纳钵、回回柴纳钵（蒙古名忽鲁秃，意为"有水泺"，今张北县北 30 里的白城子古城东北的察罕淖）。再经忽察秃（忽察秃即元中都王忽察都之地①，今张北县北 30 里白城子古城）。由此西行 20 里，即至兴和路治所高原（今河北张北县）。兴和路治也是一个有着 3 000 余户人家的集镇，是大汗回銮大都时的必经之地，"故置有司，为供亿之所"。由兴和路向南行 30 多里，过野狐岭（今张家口市西北膳房堡北），经得胜口（在野狐岭下，距今张家口 30 里，属宣德府宣平县），得胜口属宣德府（今河北宣化县）宣平县境（今张家口左卫镇西北十里之宣平堡）。得胜口建有御花园和行宫，花园中种有元代从西域传来的苹果树，时称平波果。再南行 50 里至宣平县治②。越沙岭（今张家口东南沙子岭镇）南行 50 里至宣德府（后至元三年因地震而改名为顺宁府）。从宣德府东南行 30 里过坳儿岭（在今宣化东南 30 里），又走崎岖山路 40 里到鸡鸣山（今

---

　　① 贾敬颜据《元史·燕铁木儿传》载明宗次"忽察都"之地及《元史·明宗本纪》记载明宗"八月乙酉朔，次王忽察都之地"的记载，认为王忽察都即忽察都，亦即忽察秃。见《周伯琦〈扈从诗前后序〉疏证稿》，《五代宋金元人边疆行记十三种疏证稿》，第 369 页。

　　② 贾敬颜：《周伯琦〈扈从诗前后序〉疏证稿》（《五代宋金元人边疆行记十三种疏证稿》，第 372 页）所用《扈从诗前后序》在此处原文是"得胜口南至宣平县十五里，小邑也。"贾敬颜引周伯琦纪行疏证云："'始悟一岭隔，气候殊寒暄。小邑名宣平，相距两舍间。'两舍，宣平、得胜口之距离。"案：两舍，六十华里，与正文"十五里"不合。叶新民：《元上都研究》（第 40 页）据内蒙古大学图书馆藏《近光集》卷 3《前后诗序》，云得胜口南至宣平为五十里，这与周伯琦诗相合。

河北涿鹿县下花园车站以东约 3 里①），接着南行 20 里到雷家驿（今新保安镇），在雷家驿西北 10 里有丰乐纳钵（约今沙城堡，即新怀来县），丰乐 20 里至阻车纳钵（约今怀来县小土木或安家堡附近）。从阻车行 20 里到统幕（今怀来县土木堡村）。在统幕与大都到上都的 4 条驿路的中路即望云路相合。由此而南经狼山（今怀来县西 45 里，今名狼山堡）到怀来县（今怀来县怀来镇）。县南 2 里有纳钵，留大都的官署派员至此迎接大汗车驾回大都。从怀来往南行 55 里，经榆林（今河北涿鹿岔道村西 25 里东西之旧榆林）驿到妫头（今河北涿鹿岔道村），过居庸关，经龙虎台（昌平县南，居庸关南 25 里）、大口回到大都，全程 1 095 里，纳钵 24 处。②

　　大汗有时也从古北口路回大都。至元二十年（1283 年）十月，忽必烈"由古北口路至自上都"。③ 即从上都东南出发，经东凉亭（今内蒙古多伦县北白城子）、宜兴州（今河北滦平县兴州村小城子）、古北口（今北京密云县东）、檀州（今北京密云县）、顺州（今北京顺义县）的驿站回大都。古北口路是扈从大汗赴上都的"御史按行"之路。

　　此外，还有所谓"朝官分曹之后行者"，他们往往从望云路（中路）去上都，这条路就是大都通往岭北行省的帖里干驿路的前一段，关于这条驿路的所经之处，在《元代内蒙古地区的交通运输》一节中已有详细交代。

　　扈从人员与军队　元制规定"天子时巡上京，则宰执大臣，下至百司庶府，各以其职分官扈从"。④ 中书省右、左丞相，枢密院的知院、同知，御史台的御史大夫等官员都要随行。此外，掌管皇族及蒙古各投下词讼等公事的大宗正府札鲁忽赤、负责农田水利的大司农、统管释教与吐蕃地区的宣政院、掌帝后饮食的宣徽院及翰林国史院、蒙古翰林院、太常礼仪院、典瑞院、太史院、太医院、将作院等机构的正职官员都在随行之列。甚至释、道的首领也要参加扈从。对扈从人员所经驿路有明确的规定，如前所述。扈从

---

　　①　《张德辉〈岭北纪行〉疏证稿》，《五代宋金元人边疆行记十三种疏证稿》，第 337 页。
　　②　以上元朝大汗巡幸路线的古今地名注释未注出处者，采用《周伯琦〈扈从诗前后序〉疏证稿》，《五代宋金元人边疆行记十三种疏证稿》的注释。同时，参见叶新民：《元上都研究》之四《两都巡幸与上都的宫廷生活》；《蒙古民族通史》第 2 卷第 3 章第 6 节《驿路交通》。
　　③　《元史》卷 12《世祖本纪》九，第 257 页。
　　④　《金华黄先生文集》卷 8《上都御史台殿中司题名记》。

百官不许骑坐骟马，只能骑 2 岁的马驹，称答罕马。①

大汗巡幸上都时，后妃、太子和蒙古诸王扈从至上都。元人杨允孚在诗中写道："先帝妃嫔火失房，前期承旨到滦阳"。② "火失房"，就是 qošiliq，后妃的宫车，各朝的后妃都到上都清暑。

扈从大汗到上都的还有怯薛军和扈从军。③ 枢密院每年都要抽调大量卫军充当扈从军。武宗至大二年（1309 年）十一月，枢密院上奏："'去岁六卫汉军内，以诸处兴建工役，故用六千军士于上都。臣等议，来岁车驾行幸，复令骑卒六千人，备车马器仗，与步卒二千人扈从。'制可。"④ 至顺元年（1330 年）十月，"枢密院臣言：'每岁大驾幸上都，发各卫军士千五百人扈从，又发诸卫汉军万五千人驻山后，蒙古军三千人驻官山，以守关梁。乞如旧数调遣，以俟来年。'从之。"⑤

大汗在上都时戒备森严。大汗最亲信的怯薛军负责守卫上都的宫殿和城门，四怯薛长带领怯薛军在宫廷轮番值卫。文宗天历二年（1329 年）十二月，上都留守司有八剌哈赤（守城者）2 200 余户，另有烛剌赤（掌灯者）800 余户。⑥ 此外，在大汗经常驻跸的察罕脑儿行宫、东凉亭行宫也驻有许多卫军，文宗至顺元年（1330 年）时，察罕脑儿及东西凉亭有卫士950 人。⑦

为了加强上都的安全保卫工作，上都留守司下设兵马司，秩正四品，设指挥使、副指挥使等职，兵马指挥使司共有 202 人。兵马司下设巡检司，上都有 24 所巡检司，司内有员 660 人。⑧ 巡检司主要设在大汗巡幸上都经过

---

① 杨瑀：《山居新语》卷 3，云："国朝有禁；每岁车驾巡幸上都，从驾百官不许骑坐骟马、唯骑答罕马。"小字注云："答罕马，二岁驹也。"中华书局《元明史料笔记丛刊》本，《玉堂嘉话·山居新语》合刊本，第 223 页。

② 《滦京杂咏》，《知不足斋丛书》本。

③ 本节主要参考叶新民：《元上都研究》之四《两都巡幸与上都的宫廷生活》一章写成，同时还参考了《蒙古民族通史》第 2 卷第 3 章第 6 节《驿路交通》，文中不再一一注出。

④ 《元史》卷 99《兵志》二，第 2523 页。

⑤ 《元史》卷 34《文宗本纪》三，第 786 页。此官山不是内蒙古卓资县的官山，是上都附近的官山。袁桷咏上都诗《采蘑菇》："官山蘑姑天下无"，见《清容居士集》卷 15。

⑥ 《元史》卷 33《文宗本纪》，第 746 页。

⑦ 《元史》卷 10《世祖本纪》七，第 244 页，至元十九年七月；卷 34《文宗本纪》三，第 763页，至顺元年闰七月。

⑧ 《国朝文类》卷 41《经世大典·弓手》。

的驿路上，如牛群头驿、檐子洼等处。巡检司的任务是组织兵马巡逻，至顺元年闰七月，文宗由上都将返大都时，令上都兵马司二位官员，率兵士"由偏岭至明安巡逻，以防盗贼"。①

巡幸仪式　大汗巡幸上都出发与南归都要举行仪式。大汗巡幸上都前，例行在大都做佛事，如文宗至顺二年三月，"以将幸上都，命西僧作佛事于乘舆次舍之所"。② 从大都出发前，大汗在万岁山大宴百官。③ 大都留守官员要护送大汗到大都西面的大口，而上都官员有时要到黑谷驿道的沙岭纳钵去迎接大汗，并在此举行宫廷小宴。④

上都的宫廷生活　大汗在上都的宫廷生活非常丰富，主要有以下几项。

（一）朝会、燕飨与娱乐　朝会之制来源于蒙古族的生活习俗。所谓"元之有国，肇兴朔漠，朝会燕飨之礼，多从本俗"⑤。朝会，或称聚会，原是部落议事会，后演变成为宗王大臣会议，商议征伐、继位等军国大事。朝会之际，与会的人在一起宴饮。元朝建立后，每当大汗即位、元旦、天寿节（皇帝生日）等重大节日，经常举行朝会，后妃、宗王、亲戚、大臣、将帅都要前来参加。大汗在上都也经常举行朝会。至元二年（1265 年）二月，"诏诸路总管史权等二十三人赴上都大朝会"。⑥ 仁宗曾诏令诸王、妃子、公主、驸马和各个千户，趁夏季草青来上都参加朝会⑦。各地的诸王、驸马云集上都，他们的马匹趁机就食上都周围丰美的水草。大汗每年巡幸上都时，都例设大宴席，招待宗亲、大臣、近侍诸人。参加宴会的人所着衣冠的形制及颜色都统一，故称"质孙宴"或"诈马宴"。质孙宴，是蒙古语音译。诈马宴，是波斯语音译。质孙宴连续开 3 天，与宴者每天换一次衣服。上都的质孙宴多在夏历六月举行，宴会地点一般设在可容纳数千人的棕毛殿。质孙宴上，各地珍馐列陈。

---

① 《元史》卷 34《文宗本纪》三，第 762 页。
② 《元史》卷 35《文宗本纪》四，第 78 页。
③ 《南村辍耕录》卷 1《万岁山》，第 15 页。
④ 本节主要参考叶新民：《元上都研究》之四《两都巡幸与上都的宫廷生活》一章写成，同时还参考了《蒙古民族通史》第 2 卷第 3 章第 6 节《驿路交通》，文中不再一一注出。
⑤ 《元史》卷 67《礼乐志》，第 1663 页。
⑥ 《元史》卷 5《世祖本纪》二，第 96 页。
⑦ 《元史》卷 25《仁宗本纪》二，第 565 页。

　　大汗在宴飨宗亲、大臣后，还大加赏赐，以笼络他们。成宗元贞二年（1296 年）十二月："定诸王朝会赐予：太祖位，金千两，银七万五千两；世祖位，金各五百两，银二万五千两，余各有差。"① 尤其是新汗即位，为酬谢宗亲、大臣的支持，更是不惜重金赏赐。成宗在上都即位，"诸王、驸马赐予，宜依往年大会之例，赐金一者加四为五，银一者加二为三"②。这种惊人的赐予，造成国库空虚。武宗在上都即位时，中书省统计应赐朝会者350 万锭，"已给者百七十万，未给犹百八十万，两都所储已虚"。③ 夏历八月，大汗启程返回大都前，还要在上都举行马奶子宴。

　　大汗在上都期间还要举行一些娱乐活动。在朝会燕飨期间，宫廷乐队表演歌舞，最著名的舞蹈是十六天魔舞。此外，还举行角抵与放走活动。角抵，就是摔跤。放走，就是长跑比赛。元朝大汗佞佛，每年农历二月在大都、六月在上都都要举行盛大的迎佛仪式和游行，称为"游皇城"。

　　（二）**祭祀**　蒙古族有洒马奶子祭天的习俗。元朝大汗在上都的一项重要活动就是望祭祖先陵墓。蒙古大汗死后，一般都葬在漠北的起辇谷（其地在克鲁伦河与土拉河上源之间的肯特山中）。自忽必烈起，大汗就率领汗室在上都西北郊依蒙古习俗望祭祖先陵墓，"皇族之外皆不得预祀也"④。至治三年（1323 年）三月，英宗"巡北边望祭陵寝"。⑤ 至正十二年（1352 年）七月九日，元惠宗在上都望祭祖先陵寝。扈从顺帝到上都的周伯琦在《立秋日书事五首》诗注中写道："国朝岁以七月七日或九日，天子与后素服，望祭北方陵园，奠马酒，执事皆世臣子弟，是月择日南行⑥。"诗人萨都剌描绘这一仪式说"祭天马酒洒平野，沙际风来草亦香"。⑦ 元朝大汗在上都望祭祖先陵寝，不仅是寄托哀思，更主要的是借此加强汗室内部的凝聚力。

　　（三）**游猎**　古代蒙古人的狩猎活动是游牧经济的重要补充，同时也是

---

①　《元史》卷 19《成宗本纪》二，第 407 页。

②　《元史》卷 19《成宗本纪》二，第 382 页。

③　《元史》卷 22《武宗本纪》一，第 486 页。

④　《秋涧集》卷 81《中堂事记》卷中。

⑤　《清容居士集》卷 19《竹凤石屏记》。

⑥　《周伯琦〈扈从诗前后序〉疏证稿》，《五代宋金元人边疆行记十三种疏证稿》，第 366 页。

⑦　萨都剌：《萨天锡诗集》前集《上京即事》，《四部丛刊》初编本。

一种军事训练与演习。入主中原后，蒙古贵族把游猎作为一种消遣与享受。大汗巡幸上都时，每年都在上都近郊或北方草原举行秋猎。上都东、西郊各建有一凉亭，称东、西凉亭，是大汗行猎时居住的行宫。东凉亭，蒙古名只哈赤·八剌哈孙，意为"渔者之城"，故址在今内蒙古锡林郭勒盟多伦县北白城子古城，此地产鱼。至元十三年（1276年），设立了只哈赤·八剌哈孙达鲁花赤。延祐二年（1315年），改总管府，秩正三品，掌守护东凉亭行宫及大汗巡幸游猎供需之事。泰定四年（1327年）二月，尚供总管府改隶上都留守司。① 西凉亭，即察罕脑儿行宫，至元十七年五月建成，宫殿名为亨丽殿。延祐二年，设云需总管府，秩正三品，掌守护察罕脑儿行宫，及大汗巡幸上都时游猎供办之事。察罕脑儿还设有鹰房养猎鹰，大汗巡幸上都时常到此地纵鹰行猎。② 元朝大汗游猎的范围，远至离上都700多里的三不剌川（今内蒙古乌兰察布盟北部一带）。③ 大汗每年定期巡幸上都，实际就是一次长途徙牧游猎，可以解决汗室大量豢养马匹的饲料问题。

元朝大汗在上都的一些宫廷生活，如朝会、燕飨、赏赐等，有着明显政治意图和政治安抚作用。至元六年（1269年），海都约集窝阔台、察合台、术赤三系后王在今塔拉斯河畔召开忽里勒台，遣使责问忽必烈为何留居汉地、采用汉法而抛弃游牧生活的旧俗。因此，大汗巡幸上都及在上都活动的重要原因之一就是延续游牧生活，来联络蒙古统治者之间的感情。

第二节　元上都的政治生活

元朝大汗每年在上都巡幸的时间长达三至六个月，为办理国务，元朝的中央机构在上都设立了一些分部。元朝许多重大的国策是在上都制定的，元朝许多重大事件也与上都密切相关。下面作些简单的介绍。

一、上都的中央机构

上都分省　每年春夏两季，扈从大汗到上都的部分中书省官员，组成了

---

① 《元史》卷91《百官志》六，第2299页；卷30《泰定帝本纪》二，第677页。
② 《元史》卷91《百官志》六，第2300页；卷11《世祖本纪》八，第224页。
③ 《清容居士集》卷15《竹凤石屏记》。

"上都分省"，留在大都的另一部分中书省官员称"留省"。中书省上都分省，肇始于中统二年（1261 年）五月开平中书省、燕京行省的并立，正式定制于中统四年两都巡幸初具雏形以后。元朝上都分省的宰执，通常是由右、左丞相为首，包括若干平章、右丞、左丞、参政在内的宰执所组成。留守大都的中书省官员，一般是平章政事及几名右丞、左丞、参政。但成宗大德年间、武宗、仁宗三朝时期，有中书省丞相留守大都的情况。除宰执外，上都分省还包括参议府、左司、右司等扈从僚属。因为此时大汗及中书省的右、左丞相都在上都，因此上都分省相当于中书省的主体部分。上都分省有权议论大都留省的政务咨文，一旦认为不妥，亦有权"阻驳"。而且大都留省上奏的奏章，通常也需要上都分省官转达。上都分省还有权以檄文等形式，传达皇帝圣旨，指挥大都留省的政务。总之，在大汗巡幸上都之际，上都分省的基本职司大体可以概括为：国家政务由大都留省转达上都分省，由上都分省或批准或驳回或奏闻大汗；上都分省将大汗旨意传达给大都留省，由其具体施行。① 中书省所属的工部、户部在上都也都有下属机构。

枢密院所属的上都官署　据《元史·郑制宜传》，至元二十五年（1288 年），"车驾幸上都。旧制：枢密官从行，岁留一员司本院事，汉人不得与。至是，以属制宜"。郑制宜此时为枢密院判官。

御史台所属的上都机构　大汗巡幸上都时，御史台派员扈从，形成御史台上都分台。御史台殿中司要派殿中侍御史二员扈从，监察院派监察御史巡按上都。元初名臣月鲁帖木儿与元末著名文人周伯琦都任过巡按上都的监察御史。

翰林国史院上都分院　扈从大汗到上都的百官中，也有翰林国史院的侍读学士、直学士等人，他们形成上都翰林国史院上都分院。其职责是向皇帝讲解经史。从英宗至治元年（1321 年）开始，上都分院每年都作"题名记"，② 记官员的官位、氏名、岁月等情况。

此外，大司农司、大宗正府、通政院、太医院、宣政院、宣徽院、司天

---

① 　参见李治安：《元代上都分省考述》，《文史》第 60 辑，中华书局 2002 年版。
② 　参见《金华黄先生文集》卷 8 各篇《上都翰林国史院题名记》。

监、利用监等机构都在上都有分支机构。①

二、上都留守司及其下属机构

元上都的官署，除了中央政府直属的上都官署外，还有上都留守司及其下属机构。自唐朝开始，皇帝外出巡视或亲征时，命亲王或大臣留守京师，称留守。元朝在大都、上都都设有留守司。中统四年，元政府升开平为上都，并设立了上都路总管府。至元三年（1266年），元世祖令上都路总管府行留守事，并颁赐了留守司印。十九年，并为上都留守司兼本路都总管府。上都留守司兼上都路都总管府，有留守六员，正二品。留守司的主要职掌是管理宫廷事务及皇帝行幸时的一切杂务，车驾还大都，则领上都诸仓库之事。其直属机构有：修内司、祗应司、器物局、仪鸾局、兵马司、警巡院、上都司狱司、平盈库、万盈库、广积仓、万亿库、行用库、税课提举司、八作司、饩廪司、尚供总管府、云需总管府等20多个。

三、上都的政治生活

大汗驻跸上都时，上都具有完整的中央办公机构，各中央机构主要长官，继续辅佐大汗处理国家政务。而大汗在上都也不只是游猎，仍然要如在大都一样上朝。元上都的政治生活丝毫不逊色于元大都。

下面分几个时期介绍上都的政治生活。②

金莲川幕府时期　早在忽必烈开府漠南时，金莲川幕府就成为蒙古国治理漠南汉地的中枢。忽必烈是一个非常有见识、有才能的诸王。忽必烈年轻时就接触了汉族儒士，这与其母唆鲁禾帖尼有很大关系。太宗丙申年（1236年）分封时，唆鲁禾帖尼的汤沐邑在真定，由此真定以至河朔地区的汉族儒士与拖雷家族建立了密切的关系。唆鲁禾帖尼征召许多汉族儒士及道士、和尚至漠北侍奉她的家庭。当时，因为蒙古统治者优待各种宗教人士，北方许多知识分子混迹于僧道之中，所以他们实际是"儒而道"，"儒而释"，典型例子如刘秉忠。1242年，忽必烈召海云禅师去漠北，海云携同刘

---

① 参见叶新民、齐木德道尔吉编著：《元上都研究丛书·元上都研究资料选编》，第64页。

② 本节主要参考叶新民：《元上都研究·上都的政治生活》一章写成，文中不再一一注出。

秉忠（僧子聪）应召去见他。忽必烈向海云询问安定天下之法，海云建议
"宜求天下大贤硕儒，问以古今治乱兴亡之事"①。海云南还，刘秉忠留下为
忽必烈服务。刘秉忠"邃于《易》及邵氏《经世书》，至于天文、地理、律
历、三式六壬遁甲之属，无不精通。论天下事如指诸掌"②。善论治道的刘
秉忠成为忽必烈的得力助手。同年，另一个颇通儒术的儒士赵璧也到了忽必
烈的藩府，得到了忽必烈的信用。通过他们的帮助，忽必烈对中国前代王朝
的兴衰得失有了较多的了解，学习中原汉地的典章制度与文化的兴趣更浓。
1244 年，忽必烈又派赵璧请来了金朝状元王鹗。王鹗向忽必烈进陈"修身
齐家、治国平天下之道"。1247 年，忽必烈又召见了真定名士张德辉，向他
询问治道。张德辉向他辨析了辽金丧乱的原因，指出了用人对于治国的重要
性，并推荐了李冶、元好问等 20 位当时名士大儒。忽必烈在漠北延揽了孟
速思、燕真、贾居贞、董文炳、董文用、许国桢、刘秉忠、赵璧、王鹗、张
德辉、张文谦、李德辉、窦默、廉希宪、魏璠、姚枢等人。他还高兴地接受
了"儒教大宗师"的称号，并代向蒙哥请求，免除了儒生的兵赋。③

　　1251 年，蒙哥即汗位后，为了将全部权力集中在拖雷家族手中，命忽
必烈总领漠南汉地军国庶事，忽必烈喜出望外。姚枢提醒他：漠南汉地的财
赋为全国各地区之冠，现今军民都由你掌管，若有人从中离间，大汗必然后
悔并将全部权力收回，不如只掌兵权，需要财赋由官府供应，如此才能顺势
理安。忽必烈采纳了他的建议。④ 忽必烈南下漠南，驻帐于滦河上游的金莲
川地区。在这里，忽必烈继续广泛搜罗人才。刘肃、李简、张耕、王恂、刘
秉恕、张易、杨惟中、许衡、八思巴、杨果、郝经、杨奂、宋子贞、商挺、
李昶、徐世隆、阿里海牙、叶仙蔼、也黑迭儿、札剌马丁等数十人都聚集到
了忽必烈的金莲川幕府。原来漠北藩府的儒士也一并参加到了金莲川幕府。
这些人物具有广泛的代表性，既有中原儒士，也有西域、西藏、波斯等地的
独具特长的专门人才；既有精通谋略的汉族世侯幕僚，也有满腹经纶的儒士

---

① 《历代佛祖通载》卷 21·2。
② 《元史》卷 157《刘秉忠传》，第 3688 页。
③ 《元朝名臣事略》卷 10《宣慰张公》，第 205 页。
④ 参见《牧庵集》卷 15《姚枢神道碑》。

和剽悍善战的武将。金莲川幕府的建立，对忽必烈治理汉地起到了重要作用。

通过金莲川幕府的汉人儒士，忽必烈对当时汉地不治情况有了相当的了解，决定在漠南进行采用汉法的试验。藩府儒士为忽必烈治理中原提供了许多有益的奏议：用汉法治汉地；加强封建法制，整顿地方官制；恢复发展农业生产；尊孔崇儒等。1251 年，忽必烈派脱兀脱、张耕、刘肃、李简等治理邢州。次年，又向蒙哥请求，将河南地区交给他治理。于是，以史天泽、杨惟中、赵璧等设河南屯田经略司于汴京，代为治理。1253 年，蒙哥将关中封给忽必烈，后来又将南怀孟益封给他。忽必烈便派孛兰奚、杨惟中治理关中。

邢州、河南、关中在忽必烈所派官府的治理下，迅速出现了新气象。邢州原有 1 万多户人口，由于蒙古贵族与官吏息索不止，人民大量逃亡，户口锐减至 570 户。① 忽必烈在邢州设立安抚司，以脱兀脱为长官，脱兀脱与被黜旧臣勾结，阻挠新政，赵良弼驰告时在云南的忽必烈，将其罢免。于是，新政施行，邢州大治，流亡者复归，户口增加了 10 倍。② 随之又"置都运司于卫，转粟于河，继馈诸州"。③

自金灭亡后，河南地区的情况尤为糟糕。所谓"民无所恃，差役急迫，流离者多，军无纪律，暴掠平民，莫敢谁何"。④ 忽必烈河南道经略司于汴梁后，经略使史天泽、杨惟中、赵璧，经略司参议陈纪、杨果等励精图治。当时，河南道总管万户刘福，"贪鄙残酷，虐害遗民二十余年"。杨惟中杀刘福，屯田唐、邓、申、裕、嵩、汝、蔡、息、亳、颍诸州。经略司一方面进行屯田解决军粮，河南出现了"帑有余资，庾有余粟"的大治局面。另一方面加强了边防，经略司西起穰、邓、宿州，与襄阳的攻宋军队互为掎角，东连陈、亳、清口、桃源，布列障碍进行防守。⑤ 关中地区在蒙金战争

① 《元史》卷 4《世祖本纪》一，第 57 页。
② 《国朝文类》卷 58《张文谦神道碑》。
③ 《牧庵集》卷 15《姚枢神道碑》。
④ 《元朝名臣事略》卷 7《丞相史忠武王》，第 114 页。
⑤ 郝经：《陵川集》卷 20《瑞麦颂》，《文渊阁四库全书》本；参阅《元史》卷 4《世祖本纪》一，第 59 页；卷 146《杨惟中传》，第 3467—3468 页；《牧庵集》卷 15《姚枢神道碑》。

中屡遭兵燹，京兆八州十三县，户不满万，民皆惊扰。起初，忽必烈将河东解州的盐池归陕西，设立了从宜所，筹措供应四川军队粮饷。从宜府在兴元入中粮食，又在秦州设立了行部，辅助收集军粮，从嘉江、潼关、沔州漕粮入利州。[①] 1253 年夏天，忽必烈派姚枢前往京兆设置宣抚司，又称关西道宣抚司、陕右四川宣抚司，先以孛兰、杨惟中为宣抚，商挺为郎中。次年，忽必烈以廉希宪取代杨惟中为宣抚使，升高挺为副使，赵良弼为郎中。宣抚司治理的是忽必烈的关中分地，即原金朝京兆府，辖 8 州 13 县。宣抚司设立了劝农使、提学、交钞提举司等机构，"进贤良，黜贪暴，明尊卑，出淹滞，定规程，主簿责，印楮币，颁俸禄，务农薄税，通其有无。期月，民乃安"。又将关中常赋减半征收，后来还兴办学校。关中的生产因此得到恢复发展，1256 年，京兆提供"军需布万匹、米三千石、帛三千段，械器称是"。[②] 关中情况由此大为改观。

邢州、关中、河南在忽必烈指派官员的治理下，不到三年时间内由乱而治，使忽必烈的政治声望大大提高。

忽必烈开府漠南后，对汉地的了解日益加深，越来越受到汉地仪文制度的影响。1254 年，忽必烈征大理回来，驻于滦河上游的桓、抚州之间，他决定从蒙古包移居到汉式宫殿。1256 年，命刘秉中卜地建府。刘秉中选址在桓州东、滦水北的龙冈，建立了开平城。从此，开平城成为忽必烈经营汉地的根据地。

忽必烈采用汉法，侵犯了惯于随意勒索的蒙古、色目贵族的利益，引起了他们的嫉恨。在掌管关中、河南、邢州时，忽必烈幕府成员把一些应归大汗的税收擅自送往忽必烈的藩府。忽必烈的声望与势力的发展也引起了蒙哥汗的猜忌。这一切导致了蒙哥汗对忽必烈的一次制裁活动。

1256 年，不断有宗亲与掌握天下财赋的大臣到宪宗面前告发忽必烈，称忽必烈"王府得中土心"，[③] "王府人多擅权为奸利事"[④]。蒙哥立即采取

①　《牧庵集》卷 15 《姚枢神道碑》。
②　参阅《元朝名臣事略》卷 11 《商挺事略》，第 217 页；《元史》卷 159 《商挺传》，第 3738 页。
③　《元朝名臣事略》卷 7 《平章廉文正王》，第 124 页。
④　《牧庵集》卷 15 《姚枢神道碑》。

了措施：一、宪宗七年（1257年），解除忽必烈兵权；二、宪宗七年十一月，蒙哥汗派"阿蓝答儿、脱因、囊加台诣陕西等处理算钱谷"。[①]　大汗亲信之臣、和林副留守阿蓝答儿被任命为陕西行省左丞相，刘太平为参知政事。阿蓝答儿等拥有便宜处置官吏的权力，他们搜罗酷吏组建钩考局，发布142项条例，召集陕西宣抚司、河南经略司大小官吏，对他们进行钩校括索。钩考局大开告讦，罗织罪名。当时，陕西安抚司死于酷刑者就达20余人。[②]　阿蓝答儿钩考的目的是：蒙哥汗欲夺回皇弟忽必烈对陕西、河南等地的民政、财赋大权；迫害王府成员，打击忽必烈的政治力量。忽必烈为了化解危机，把家口送到蒙哥处为人质，并亲自觐见蒙哥汗，蒙哥汗终于念及手足之情未加深究。忽必烈也交出了河南、陕西、邢州等地的全部权力，撤回所派出的王府人员及所设立的行部、安抚、经略、宣抚、都漕等机构。

忽必烈与蒙哥汗的这场斗争，以双方的妥协，特别是忽必烈的退让而暂时结束。忽必烈虽然经历了一场政治风险，但是，他并没有放弃控制中原汉地的雄心[③]。

金莲川幕府的活动，表明忽必烈与汉人地主阶级儒士已结成了联盟。忽必烈在这一时期的活动，为建立元朝后治理全国作了重要的实习。

开平汗廷　庚申年（1260年）三月，忽必烈在开平即汗位，开平成为蒙古国都城，开平成为忽必烈施行汉法的大本营。这标志着蒙古国的政治中心开始转移到漠南汉地。首先，他仿照中原王朝惯例建立了年号，称"中统"。其次，开始专制主义中央集权制的政权建设，中央设立中书省总理朝政，地方设立了十路宣抚司。第三，建立宿卫军。中统元年（1260年）四月，征诸道兵6 500人赴开平宿卫，又从原随史天泽出征的部队中抽调2 200多人到开平担任城防军。在这些宿卫军的基础上，建立了一支约1万人的武卫军，以董文炳、李伯佑为都挥使。武卫军，是一支精锐的汉人部队，是保卫开平汗廷的核心军事力量。后来，武卫军又扩展为5个侍卫军，成为元代宿卫军的主力。

---

① 《元史》卷3《宪宗本纪》，第50页。
② 《元朝名臣事略》卷11《枢密赵文正公》，第224页。
③ 参阅陈得芝、王颋：《忽必烈与蒙哥的一场斗争》，《元史论丛》第1辑。

忽必烈即位之初即展开了反击幼弟阿里不哥争夺汗位的战争，自 1260 年到 1264 年，忽必烈以开平为基地，调集汉地兵马、粮草打败了阿里不哥，迫使其投降称臣。

中统三年（1262 年）二月，在忽必烈与阿里不哥争夺汗位的时候，山东益都行省长官、江淮大都督李璮举兵叛乱。李璮以涟海三城献于南宋，还师益都，进据济南。忽必烈立即全力进行镇压，围困济南城。七月，城破，李璮被俘处死。李璮之乱前后不过 5 个月，但对元初的政治影响却十分巨大。在此之前的中统初年，汉人官僚在忽必烈的政权中不但不受歧视，而且掌握实权。中统元年五月所任命的十路宣抚司正副使中，除两名回回人和汉化很深的女真人、畏吾人各一名外，其余百分之八十全是汉人。七月成立的燕京行中书省，除丞相祃祃外，其他三名长官都是汉人，僚佐百余人中，百分之九十是汉人。① 汉人王文统还官至中书省平章政事。李璮之乱让忽必烈感到十分震动，这不仅仅是李璮敢于称兵，而且李璮的亲信、叛乱的与谋者王文统还打入了忽必烈政权的核心，充任中书省平章政事这一要职，地方军阀多与李璮交通，被李璮计算为能够响应其叛乱的盟友。因此，忽必烈在平叛后，迅速调整了统治策略，加速了政治改革。其对世侯军阀主要采取了五个方面的措施。一、削弱私家势力，除本人外，罢其兄弟子侄为官者；同时，除真定董氏外，一度解除了所有地方军阀的兵权。以后，在灭南宋的战争中，史天泽、张宏范子弟虽分别又受命将兵，但这时的军队已不再是他们的私属。二、严格实行地方军民分治，管民官理民事，管兵官掌兵戎，各有所司，不相统辖。三、罢诸侯世袭，行迁转法，消除割据的基础。四、置万户府监战，选宿卫士以监汉军。② 五、取消汉人官僚的封邑。与此同时，忽必烈在中央设枢密院，总领军事；加强中书省的权力，把司法、行政等权力集中到中央。

李璮事件大大加深了蒙古统治者的民族猜忌心理。此后，蒙古统治者大量援引回回人作为统治帮手，使之分任权力而对汉人进行牵制。至元二年

---

① 《秋涧集》卷 80《中堂事记》上；参阅周良霄：《李璮之乱与元初政治》，《元史及北方民族史研究集刊》第 4 期，1980 年。

② 《元史》卷 5《世祖本纪》二，第 90 页；卷 154《谒只里传》，第 3643 页。

（1265 年），忽必烈正式颁布"以蒙古人充各路达鲁花赤，汉人充总管，回回人充同知，永为定制"。① 这一规定成为终元一代基本的用人行事政策。从此以后，回回人在政治上的重要性便大大增加。

夏都理政与上都的政治斗争 元朝大汗在上都期间，大都的重要公文表奏都通过急递铺转到上都，由上都分省等中央机构或大汗裁决。忽必烈时期，经常召儒臣或官员到上都议政。仅至元元年（1264 年），《世祖本纪》就记载了数起召赴臣僚、藩邦国主赴上都的记载：二月，史权等诸路总管23 人被召赴上都参加大朝会；四月，召高丽国王王植至上都；六月，召王鹗、姚枢赴上都。整个元朝，大汗召文武官员到上都议政是相当多的。

大汗常在上都处理国家大事。灭南宋的方略主要制定于上都。至元十年（1273 年），忽必烈在上都召集大臣，商议攻宋事宜。十一年，将攻宋主帅伯颜带到上都驻夏，面授机宜。六月，忽必烈在上都发出兴师讨宋的诏书。十二年五月至八月，忽必烈诏伯颜回到上都，就大军渡江后的作战方案进行磋商。十三年五月，亡宋帝后王公大臣一行，被伯颜掳至上都，在大安阁朝见忽必烈。忽必烈在上都大赏有功将士，并就亡宋之事，在上都告祭宗庙天地。

至元十四年（1277 年），昔里吉叛乱，应昌的弘吉剌部贵族只儿瓦台起而响应，势逼上都。忽必烈命诸王彻彻都统帅扈从到上都的怯薛和侍卫军出战，一举剿灭只儿瓦台。至元二十四年，乃颜等东道诸王起兵作乱，与西道诸王海都遥相呼应。忽必烈在上都集结军队，在五至八月，亲征乃颜，溃其主力。一年后，终于肃清了乃颜余党。二十六年七月，忽必烈又亲率大军，由上都北面出击海都。实际上，后来元朝对付西北诸王叛乱势力的战争，仍然是以上都为大本营的。军马粮饷在这里集结转运，充分显示了上都的重要性。

上都也是在朝统治阶级内部斗争的重要场所。忽必烈为解决财政匮乏，先后用了三位善于理财的大臣：阿合马、卢世荣、桑哥。朝中大臣对他们非常不满。至元十九年三月，利用忽必烈巡幸上都之机，汉人王著、高和尚等伪称太子返京，将阿合马及留京党羽诛杀。卢世荣于至元二十一年十一月任

---

① 《元史》卷6《世祖本纪》三，第 106 页。

中书右丞，任职百余天，即遭监察御史陈天祥弹劾，忽必烈令两人至上都当面对质，卢世荣被下狱处死。桑哥于至元二十四年入中书省，不久升右丞相。二十八年二月，忽必烈在驾幸上都途中听了怯薛太官要求罢黜桑哥的建议，加上上都留守木八剌沙等人的极力弹劾，桑哥被籍家、处死。至于涉及汗位继承的南坡之变、两都之战、明文之争无不与上都相牵连，详见后面章节。

上都是召开忽里台的重要场所，是蒙古宗王、功臣定期觐见大汗的地方。早期，蒙古人的忽里台是部落或部落联盟的议事会，用于推举首领、决定征战大事。从成吉思汗起，蒙元大汗继位，在形式上一般要经过忽里台的推举。在忽里台上，首先是推举大汗。大汗候选人，一般早已内定，只是参加忽里台的全体贵族履行一下确认手续。大汗候选人照例谦让一番，宗王们也依例多次恳请，尔后，大汗欣然即位，宗王们宣誓效忠。接着，举行登基仪式，宣读先朝祖训，赏赐先朝斡耳朵、诸王、驸马、蒙古各部领主，再举行三天大宴，即诈马宴。

继忽必烈在上都即位后，成宗铁穆耳、武宗海山、文宗图帖睦耳、天顺帝阿速吉八、惠宗妥懽帖睦尔都在上都即汗位。

元末农民战争的烈火将上都烧为灰烬，元朝灭亡后，蒙古草原上的元上都逐渐被湮没了。

第三节　忽必烈对阿里不哥的战争及元朝前期的统治

一、忽必烈与阿里不哥的汗位之争

忽必烈与弟弟阿里不哥争夺汗位的战争，是元朝政局中的重大历史事件。宪宗九年（1259 年）七月，元宪宗蒙哥在进攻南宋合州（今重庆合川）时，死于钓鱼城下。宪宗生前没有指定嗣位之人，于是，宪宗的同母弟忽必烈与阿里不哥为争夺汗位，干戈摇曳，打了四五年内战。①

成吉思汗幼子拖雷的正后是唆鲁禾帖尼，她生有蒙哥、忽必烈、旭烈兀

---

① 参见陈得芝：《忽必烈与蒙哥的一场斗争》，《元史论丛》第 1 辑。

和阿里不哥四子。蒙哥继位不久，派旭烈兀到伊朗讨伐"邪教徒"；派忽必烈到漠南，主管汉地政务与征讨大理、南宋。蒙哥亲征南宋时，让阿里不哥守和林，统领留下的蒙古军队和斡耳朵。而且，蒙哥死时，其嫡长子班秃已死，嫡幼子玉龙答失还小，旭烈兀远在波斯，于是，对汗位最有竞争力的就是忽必烈与阿里不哥兄弟俩了。

蒙哥病逝时，忽必烈正率军与南宋酣战。宪宗九年（1259 年）九月，庶弟穆哥从合州来到忽必烈在淮河岸边的军营，报告了蒙哥的死讯，并请其北归参加忽里勒台。但忽必烈认为自己奉命南征，不能无功而返，仍挥军自阳逻堡渡长江，围鄂州（今武汉），并以兵接应从云南北上的兀良合台军。十一月，忽必烈正妃察必哈敦派急使脱欢、爱莫干，从漠北来到军中，告知忽必烈，留守和林的阿里不哥企图趁握有重兵的忽必烈远在南方、旭烈兀在波斯之机，利用留守和林的监国身份登上大汗之位。忽必烈滞留在南方，不是对汗位没有野心，而是因为两方面的原因。一是当时与南宋的战争处于胶着状态，如果仓促撤军、无功而返，有损其威望，于争夺汗位不利。二是传统的推举大汗的忽里勒台制度在一定程度上淡化了他对如何取得汗位问题的敏锐性。正在此时，南宋贾似道求和。关键时刻，其藩府中的汉人谋士起了作用。忽必烈的幕僚郝经献《班师议》，并以金世宗与海陵王争位之事作比喻，说："若彼（指阿里不哥——引者注）果决，称受遗诏，便正位号，下诏中原"，大王那时回去还能行吗？他建议"断然班师，亟定大计，销祸于未然"。① 廉希宪也劝忽必烈速还京城，以正大位；接着，赵良弼陈时务十二事；又有商挺献策，与留守江北的霸都鲁和兀良合台之军订约，使其不接受阿里不哥的调遣。于是，忽必烈采纳了谋士们的建议。一方面与宋议和，留兵守鄂；轻骑驰归，迎蒙哥灵舆，迎取大汗印玺。另一方面召集诸王亲贵会丧和林；派遣廉希宪、赵良弼、商挺等加强控制关陇，稳定关中局势。最重要的一步是忽必烈争取了东道诸王及五投下的支持，而势力最大的斡赤斤家族成为忽必烈的首要争取对象。忽必烈派亲信廉希宪专程"赐塔察儿饮膳"，廉希宪在塔察儿面前盛赞忽必烈"圣德神功，天顺人归"，而后力劝

---

① 《元史》卷157《郝经传》，第3707页；参见孟繁清：《试论忽必烈与阿里不哥之争》，《元史论丛》第 2 辑，中华书局 1983 年版。

塔察儿说："大王位属为尊。若至开平，首当推戴，无为他人所先。"① 是年闰十一月忽必烈启程北上，不日即抵燕京，驻兵京郊，遣散脱里赤奉阿里不哥之命所征之兵，挫败了阿里不哥控制燕京的计划。

　　按照嫡长子、嫡幼子在财产继承方面具有绝对优势的蒙古传统，在蒙哥没有指定接班人的情况下，作为拖雷幼子并有监国特殊身份的阿里不哥最具有继承蒙古大汗之位的资格，阿里不哥确实也这样做了。据后来审讯阿里不哥时的供词，是孛鲁合和阿蓝答儿向其建议说："忽必烈和旭烈兀二人出征去了，［蒙哥］合罕把大兀鲁思托付给了你，你有什么想法，［难道］你能让我们像羊一样被割断喉咙吗？"② 孛鲁合与阿蓝答儿在1257年钩考事件中得罪了忽必烈，害怕忽必烈取得汗位后对他们不利。于是，阿里不哥的大臣秃满、脱古思、忽察、脱里赤一同商定助其夺取汗位的策略。阿里不哥首先在政治上先声夺人。遣使诸王贵族，约他们来蒙古本土，为蒙哥举哀发丧。加紧筹办即位的忽里勒台，遣脱里赤为断事官，行尚书省于燕京，按图籍，号令诸王。军事上，阿里不哥拥有留守和林的蒙古军队。又派阿蓝答儿发兵漠北诸部，使脱里赤括兵漠南诸州，令刘太平、霍鲁海发诸部兵直趋关右，谋借以举事。浑都海以六盘山兵呼应阿里不哥，浑都海与四川成都密里火者、青居（今四川南充）的乞台不花、西川的纽邻等守将契交甚厚，他们都支持阿里不哥。1260年春，阿里不哥抢在忽必烈之前在和林城西的夏营地金河（按坦河）畔召开了忽里勒台，继承了蒙古大汗之位。③ 阿里不哥虽然得到了蒙哥诸子以及窝阔台、察合台系多数西道诸王的支持，但他与忽必烈一样都属于单方面召开忽里勒台，因此，在继承汗位的程序上还是违反了蒙古传统惯例。

　　庚申年（1260年）三月，忽必烈赶赴开平，召集已到开平的亲王40余人及勋臣多人召开忽里勒台。在廉希宪等谋臣的操作下，塔察儿率先向忽必烈上书劝进。集议之初，"诸侯王议未一"。忽必烈遂当众公布塔察儿的劝

---

① 《元朝名臣事略》卷7《平章廉文正王》所引《廉希宪家传》，第127页。
② 《史集》（汉译本）第2卷，第308页。
③ 《史集》（汉译本）第2卷，第293—295页；关于阿里不哥即位地点，参阅陈得芝：《岭北行省建置考》（中），《蒙元史研究丛稿》，第141页。

进书，"书出而决"。① 忽必烈即汗位，建元中统。合撒儿之子移相哥、合赤温之孙忽剌忽儿、别里古台之孙爪都等东道诸王都来与会。但西道诸王只来了窝阔台子哈丹和察合台孙阿只吉，其他人仍旧支持一个月前在和林即位的阿里不哥。

　　至此，大蒙古国出现了二汗争立的局面，双方实力各有优劣。阿里不哥据有蒙古本土，能理直气壮地号令四方，他的拥戴者也比忽必烈多，因此，阿里不哥在政治上占有优势。起初，尤赤兀鲁思的别儿哥汗和察合台兀鲁思摄政者兀鲁忽乃妃子都奉阿里不哥为汗。旭烈兀开始时也持观望态度，后来才表示支持忽必烈。蒙古诸将也有不少人拥护阿里不哥。跟随蒙哥南征的蒙古军此时都退居六盘山地区，主将为浑都海，将士们的家小都在漠北，因此都想北归。驻守西京北面的蒙古万户阿失铁木儿也想率军北还，以从阿里不哥。② 但是，阿里不哥也有两大弱势：一是蒙古本土人力资源不足。蒙古本土本来就人口不多，再加上多年征战，青壮年被大量抽调出征，蒙哥出征带走了蒙古军的主力，留守的军队为数不多，又不可能再大量补充兵力。二是漠北地区物资不足。自窝阔台汗以来，蒙古大兀鲁思就非常依赖中原的粮食、兵械、手工业品，从汉地运往和林的粮食每天都有 500 车。③ 后来，忽必烈又切断了通往漠北的运输驿道，阿里不哥便无法在和林地区坚持下去。忽必烈方面的优势是控制了漠南汉地丰富的人力与物力资源，其麾下集中了一批优秀的谋臣猛将。

　　忽必烈与阿里不哥的争位战争首先从关陕开始。中统元年（1260 年）六月，忽必烈派廉希宪宣抚陕西四川西道。刘太平、浑都海闻廉希宪将至，乃乘驿先二日入京兆。廉希宪入京兆，宣读忽必烈的即位诏书，人心稍稍安定。廉希宪派使者到六盘山，被浑都海所杀。浑都海约京兆刘太平、霍鲁海、成都密里火者、东川乞台不花北归和林。廉希宪获悉，来不及向忽必烈请示，乃当机立断，抢先派万户刘黑马、京兆治中高鹏霄捕获刘太平、霍鲁海等人。又派刘黑马火速南下诛灭密里火者，四川总帅汪惟正杀乞台不花，

────────────

① 《元朝名臣事略》卷 2《丞相楚国武定公》所引姚燧撰《阿里海牙神道碑》，第 32 页。
② 参见《元史》卷 134《昔班传》，第 3246 页；陈得芝：《岭北行省建置考》（中），《蒙元史研究丛稿》。
③ 《史集》（汉译本）第 2 卷，第 69 页。

同金总师汪惟良将秦、巩兵进军六盘山，别将更成蜀卒和在家余丁 4 000 人组成一军，交由八椿率领，但虚张声势。陷入孤立的浑都海见势不妙，就劫掠府库，骚扰北归，致使西夏震动。当汪惟良、八椿军出发后，廉希宪修缮京兆城防，正在此时，忽必烈即位后赦免罪犯的诏书已到京兆近郊。廉希宪先斩刘太平、霍鲁海，再出城接旨。九月，阿蓝答儿率军自和林南下，与浑都海、哈拉不花会师西凉。哈拉不花与阿蓝答儿意见相左，引兵北去。阿蓝答儿、浑都海引兵汹汹东来。忽必烈的军队初战不利，部分臣僚主张放弃川东、川西，退保兴元。廉希宪等力主不可，这时，诸王哈丹、合必赤、老将按竺尔等率骑兵赶来，与汪惟正等会师，在姑藏大溃和林之军，俘阿蓝答儿与浑都海，杀于京兆，悬首示众三日。① 经此一役，忽必烈控制了陕甘宁地区，切断了阿里不哥从漠南至漠北的物资供应通道，浑都海与阿蓝答儿两员大将的败死又使阿里不哥损兵折将。此后，阿里不哥无力再出漠南。

与此同时，忽必烈于中统元年七月亲自北征。年底在和林境内追上了成吉思汗的全部四个斡耳朵和阔烈坚的斡耳朵，忽必烈把这些斡耳朵都送回去了，并驻兵翁金河。② 当时忽必烈即位不久，中原是其统治的根本所在，又有大量紧迫国务需要处理，而且他率领北征的军队多是汉军，不适应漠北的气候。因此，忽必烈没有穷追阿里不哥，而是撤军南还，约在十二月回到燕京近郊。阿里不哥逃到谦谦州，他一面扶持阿鲁忽回察合台汗国主政，约定阿鲁忽供应大军的物资，并扼守阿母河，防止旭烈兀和别儿哥东援忽必烈。另一方面遣使忽必烈诈降，称等来年养壮了马匹就来见忽必烈，别儿哥（尤赤之子）、旭烈兀和阿鲁忽（察合台之孙）也将前来，他正等待他们的到来。③ 忽必烈相信了阿里不哥的投降，将诸王、大臣的军队遣回了各自的分地，只留皇侄移相哥驻守漠北东部边境。在此期间，旭烈兀与阿鲁忽都向忽必烈与阿里不哥派遣了使者，都倾向忽必烈。别儿哥则派使者至忽必烈与阿里不哥双方，劝他们讲和。次年，夏秋之间，阿里不哥从外剌部（即斡亦剌部）征召了不少士兵，兵力得到了补充。秋后，阿里不哥谎称入朝，

---

① 参见《国朝文类》卷65《廉希宪神道碑》。
② 《史集》（汉译本）第2卷，第298页。
③ 参见《史集》（汉译本）第2卷，第298页。

袭击并打败了移相哥，夺取了成吉思汗和阔列坚的斡耳朵，并收回自己的斡耳朵，占领了漠北全境，穿过草原，向南进发。① 忽必烈仓促调集蒙汉军队迎敌，会战于昔木土脑儿，阿里不哥大败。据研究，昔木土脑儿可能就是今天东乌珠穆沁旗北中蒙边界北侧的沙漠南缘的沼泽地。②

由于阿鲁忽坐稳了察合台汗国汗位，不仅不供应阿里不哥军需，反而倒向忽必烈，阿里不哥十分恼怒。中统四年（1263 年）春，阿里不哥西征阿鲁忽，攻占阿里麻里，在那里大肆杀戮劫掠，致使当地民怨沸腾，无法立足，只得逃回了吉利吉思。至元元年（1264 年）春，阿里不哥众叛亲离，困居边地，束手无策，只得前往忽必烈处请降。

受降之日，忽必烈聚集军队，排列在大帐外。按蒙古人的习俗，阿里不哥像罪人一样披着大帐的门帘，在众目睽睽之下，走过队列，站在大帐外，等候觐见忽必烈。过了一个多小时，忽必烈才宣他进帐。兄弟相见，恨爱交加。忽必烈问："在这场纷争中，是你对还是我对？"阿里不哥回答："当时是我对，现在是你对。"当时，有一个从旭烈兀处来的急使成忽儿在受降现场，他回伊利汗国后，记下了此事。③ 忽必烈处死了阿里不哥的十员大将，赦免了阿里不哥，但阿里不哥只能生活在忽必烈处，不准再回封地。不久，阿里不哥便患病死去了。

二、大蒙古国的分裂与元朝前期的统治

忽必烈与阿里不哥之争，以忽必烈的胜利而结束。这主要是因忽必烈得到牧地在内蒙古地区的蒙古东道诸王和五投下的支持，拥有漠南汉地的人力与物力优势。忽必烈占领国都和林与漠北地区后，因其政治、经济基础在中原，因此还是将国都定在漠南的燕京与开平，和林的国都地位被废除了。然而在蒙古人心目中，漠北是大蒙古国传统的中心，是祖宗根本之所在。但是，漠北地区的多数民户与牧地都是阿里不哥与蒙哥诸子的，忽必烈不能剥夺他们继承领民领地的权力，只能设法加以控制。为此忽必烈采取几项措

---

① 参见《史集》（汉译本）第 2 卷，第 300 页。
② 参见陈得芝：《岭北行省建置考》（中），《蒙元史研究丛稿》，第 144 页。
③ 参见《史集》（汉译本）第 2 卷，第 306 页。

施：一是安抚和笼络诸王。对曾经支持阿里不哥的诸王并释不问，因其皆为太祖之裔，而且对玉龙答失、昔里吉、兀鲁带等还封以王爵。对阿里不哥诸子，在至元六年（1269 年）召其入朝朝觐后，即命他们分别继承阿里不哥的诸斡耳朵和封地。二是以皇子那木罕出镇漠北。至元三年，封那木罕为北平王，出镇漠北，统御漠北诸王及整个漠北地区。三是设置益兰州等五部断事官。至元七年，为了加强对吉利吉思—谦谦州等阿里不哥后王的控制，防御海都，忽必烈任命刘好礼为益兰州、吉利吉思、谦谦州、撼合纳、乌斯等五部断事官，治益兰州。同时还进行军事屯戍，命蒙古万户伯八率领诸部军马屯守益兰州。

忽必烈虽然在这次汗位之争中取得了胜利，却加剧了成吉思汗黄金家族原有的裂痕。战后各汗国纷纷独立，至元六年以海都为首的窝阔台、察合台、术赤三系诸王在塔剌思河畔召开忽里台。三家达成协议，共同瓜分了原属大汗管辖的阿姆河以北的地区，尊海都为西北叛王的领袖，共与忽必烈的元朝和伊利汗国为敌。塔剌思会议后，忽必烈及以后的元朝诸帝在西北诸王的心目中只是成吉思汗汗位的继承人和黄金家族的总代表，而其直接统治地域被限制在东方，大蒙古国分裂为几个互相联系又相对独立的兀鲁思。[①]由于蒙古帝国的分裂，忽必烈开始专心治理中原，这为中原经济文化的恢复和发展创造了有利条件。

忽必烈即位后，采用汉法统治汉地，建立与中原经济相适应的中央集权封建政权。中统元年（1260 年）三月，在中央设中书省总理全国政务，今天河北、内蒙古、山东、山西等省的部分地区及今北京市由中书省直辖，称"腹里"。二年五月，设枢密院以掌管全国兵务。至元五年，设御史台为最高督察机构。至元元年，设总制院（后更名宣政院），管理吐蕃地区与全国佛教事务。地方上，设行省，路、府、州、县机构。在建立新王朝、稳定对北方统治的同时，忽必烈于至元十一年大兴伐宋，十三年，下临安，十六年，消灭了流亡崖山的南宋君臣，完成了全国的大统一。忽必烈时期，采取了一系列恢复发展经济的措施，使全国的社会经济得到很大程度的恢复和发展。镇压李璮之乱，削夺汉人世侯的兵权，加强中央集权；与蒙古诸王海

---

① 参见刘迎胜：《察合台汗国史研究》，第 192、193 页。

都、乃颜等分裂势力作坚决的斗争，维护了国家的统一。

至元三十一年（1294 年），忽必烈去世，皇孙铁穆耳于四月在上都继位，受文武百官朝贺于大安阁，即为元成宗。

元成宗注意限制诸王投下的扰民行为，罢征日本、安南之役，减免江南地区的部分赋税，又令编辑整理法令，这些措施使社会矛盾有所缓和。成宗在位时，还成功地挫败了海都、笃哇的侵扰，迫使察合台、窝阔台两汗国的统治者息兵请和，基本结束了西北地区 40 余年的战争。因此，成宗前期基本维持了守成局面。但他对诸王贵戚滥赠赏赐，使国库亏空。挪用钞本，又使钞币贬值。大德十一年（1307 年）正月，成宗病故，当时已无子嗣。成宗之侄爱育黎拔力八达得到右丞相哈剌哈孙的帮助，从怀州赴京夺取汗位。五月，爱育黎拔力八达之兄怀宁王海山率漠北镇军至上都，举行忽里台，处死安西王阿难答等人，出成宗皇后卜鲁罕居东安州；海山继汗位，在大安阁受百官朝贺。海山就是元武宗。武宗能够取得汗位，得益于他的军事实力和爱育黎拔力八达的先发制人。武宗封爱育黎拔力八达为皇太子，双方还约定兄终弟及，叔侄相承。武宗滥封王爵，广施赏赐，造成国库严重亏空。武宗在位四年而卒，皇弟爱育黎拔力八达即位，是为元仁宗。元仁宗在位再用儒术，力图纠正武宗弊政，但其政务多受答己太后及其幸臣铁木迭儿掣肘，并无多大起色。延祐七年（1320 年），元仁宗去世，共在位 9 年。

第四节　南坡之变

延祐七年正月，元仁宗死。三月，17 岁的太子硕德八剌继位，是为元英宗。

按照当初武宗与仁宗夺取政权后的约定，仁宗死后，汗位应由武宗嫡长子和世㻋继承。延祐三年，中书右丞铁木迭儿为了固位取宠，迎合仁宗的意图，倡言立仁宗长子硕德八剌为太子，武宗与仁宗之母答己太后也认为硕德八剌比和世㻋柔懦，易于控制，也很赞同立硕德八剌为太子。于是和世㻋被黜居于外，硕德八剌于当年被立为太子。

如果说硕德八剌被立为太子是仁宗、答己与铁木迭儿三方面利益一致而取得的结果，那么，硕德八剌继位后，构成这种结合的基础已经不复存在了。英宗继立后，太皇太后答己发现新汗"毅然见于色"，绝非柔懦之辈，深悔不该立英宗。① 答己太后在武宗、仁宗时就放纵幸臣铁木迭儿、失列门等多为不法，并极力阻挠仁宗对他们的惩治。在仁宗死后第四天，英宗尚未即位，答己就把铁木迭儿立为右丞相。铁木迭儿立即着手铲除异己、发展自己的势力：仁宗最亲信的儒臣李孟被褫了秦国公制命，其先祖墓碑被扑毁；前平章政事萧拜住、杨朵儿只，因在仁宗时曾弹劾铁木迭儿不法，被逮至徽政院，未经英宗允许即以"违太后旨"的罪名被杀；与答己、铁木迭儿关系密切的黑驴、赵世荣、木八剌儿等人，都进入中书省任要职。英宗即位不到两个月，就发现中书平章政事黑驴、御史大夫脱忒哈、徽政院使失列门等阴谋废汗。由于英宗猜到政变的幕后指使者即是太皇太后，不能深究，只以"谋废立罪"诛杀失列门五人，籍其家族等结案。英宗面临的这种太皇太后答己勾结权臣铁木迭儿等把持朝政的局面，深感自己不仅势单力薄，而且其地位乃至身家性命都岌岌可危。

硕德八剌汗与答己、铁木迭儿之间不仅仅是统治权力的争夺，还有思想意识领域的分歧。这种分歧表现为元朝统治者内部的"行汉法"还是遵蒙古旧俗的矛盾，分歧的实质是在中原汉地的农业经济基础之上应该建立什么样的上层建筑。这种分歧是一个现实的政治、经济问题，又是一个民族感情、民族心理问题，它附着于元朝的朝政、官制、税法、宫廷生活等各个方面。汉法是建立在中原、南方封建农业经济基础之上，并与之相适应的一套封建上层建筑，包括中央集权的官僚制度、法律制度及正统儒家思想文化等。任何游牧民族的统治阶级，要在中原和南方建立统治，都必须顺应中原与南方原有经济基础对上层建筑的固有要求。因此，实行以汉法治汉地是历史的要求。忽必烈对此有一定的认识，他大批起用儒臣，并采用了一系列汉法。但是，仍有相当数量的蒙古贵族却竭力主张以蒙古旧俗统治汉地。从元世祖起，蒙古贵族内部的"行汉法派"与守旧派的力量，互有消长。到元中期，蒙古统治者内部除了旧有军事游牧贵族外，一少部分长期定居中原和南方的封建地主化的蒙古贵族，与汉族地主阶级在经济上有了更密切的联系，更热衷于以地租剥削方式来维持其阶级利益，英宗和拜住的经历使他们

---

① 《元史》卷 116《后妃传》二，第 2902 页。

成为了这个小集团在政治上的代表。

硕德八刺汗与元代其他大汗相比，处在一个最易接受汉族封建文化的社会环境中。[①]英宗的父亲仁宗，是继忽必烈后推行"汉法"比较积极的元朝大汗。忽必烈在怀州的分地传给了仁宗之父答刺麻八刺，答刺麻八刺于至元二十八年出镇怀州，未至而以疾召还[②]；大德九年，成宗的卜鲁罕皇后令仁宗与母妃答己出居怀州。怀州一带是宋代理学家程颢、程颐兄弟的故乡，仁宗家族因为分地所在，与当地的儒士建立了密切的联系，受到儒学的影响较大。潞州名儒李孟是仁宗、武宗少年时代的老师，又随仁宗居怀州四年，仁宗及其左右深受李孟的教化、影响非常大。仁宗在位9年中，罢尚书省、限制僧侣阶层特权，截止营造，起用李孟、程鹏飞、郝天挺等汉族官僚；首行科举，对统治政策作了不少的调整。虽然，由于蒙古、色目旧贵族集团的阻挠，仁宗后期，政治上渐趋保守，不能有多少作为，但是毫无疑问，仁宗的政治理想、政治活动对英宗产生了重要的影响。英宗在这样的环境中长大，从小接受的是士大夫式的教育，耳濡目染了中原封建文化，自然在其后来的施政方针取向上倾向于"汉法"。

英宗最信任的大臣拜住是木华黎家族东平王的后代。拜住家族世居汉族农业经济发达的山东地区，其物质生活方式已基本封建地主化了。他们与山东地区具有悠久文化传统的汉族士大夫集团有着长久密切的交往与合作，这个家族出过不少"蒙古儒者"[③]。拜住在武宗至大二年（1309年），袭世职为宿卫长，时年12岁。延祐初，拜太常礼仪院使，好儒学，"每退食，必延儒士咨访古今礼乐刑政、治乱得失、尽日不倦"。[④]拜住的身上还有迂腐的书生气，"每议大政，必问'合典故否？'"。[⑤]这种迂腐，再加上拜住年轻而无政治经验，实际上很难担当丞相的大任。英宗当太子时，已对拜住很有好感，只是不便来往。而且，拜住是木华黎后人，在看重出身的蒙古贵族中很有威望，提拔拜住，有利于英宗改变自己在宫廷中力量单薄的局面。

① 参见萧功秦：《英宗新政与"南坡之变"》，《元上都研究丛书·元上都研究文集》，第265页。
② 参见《元史》卷115《顺宗传》，第2895页。
③ 《金华黄先生文集》卷25《别里哥帖木儿神道碑》。
④ 《元史》卷136《拜住传》，第3300页。
⑤ 《元史》卷136《拜住传》，第3300页。

　　与英宗拜住相对立的答己、铁木迭儿代表的是蒙古世袭军事游牧贵族集团的利益。太皇太后答己崇信喇嘛教，有着浓厚的游牧贵族思想意识，史称其"自正位东朝，淫恣益甚，内则黑驴母亦烈失八用事，外则幸臣失烈门、纽邻及时宰迭木帖儿相率为奸，以至棰辱平章张珪等，浊乱朝政，无所不至"。① 迭木帖儿，即铁木迭儿，他自成宗时期就供职宣徽院，宣徽院属后妃直接掌管，职掌玉食及燕飨宗戚宾客之事。铁木迭儿与其他宣徽院使逐步与答己太后关系密切，依靠太后的权势，他们常常担任政治要职。宣徽院使及其他臣僚，基本都是蒙古贵族世袭职务，他们在政治上往往反映了保守的游牧贵族的利益，与朝中的地主士大夫官僚集团形成对峙。这些保守的游牧贵族，依靠世袭和岁赐财币维持自己的特权，他们把"引荐汉人"与"行科举"、"行汉法"视为是对他们利益的侵犯。

　　于是，在英宗即位后，由于现实的利益与思想意识等方面的原因，在朝中形成了两大势力：一方是年仅 17 岁、立志改革的英宗及世故不深的左丞相拜住；另一方是威临三朝的太皇太后及爪牙遍布朝野的右丞相铁木迭儿。双方力量悬殊而彼此的冲突又不可避免，这就预示了未来事态的发展方向。

　　英宗施政，大体上以至治二年（1322 年）九月为界，分前后两期。前期，从延祐七年（1320 年）一月仁宗死到至治二年九月，太后、铁木迭儿相继去世，计 2 年又 9 个月。后期，从至治二年十月，任拜住为中书右丞相起，到至治三年八月发生"南坡之变"时，计 10 个月。

　　前一时期，答己与铁木迭儿势力很强，两方对峙，但矛盾未公开化。英宗与拜住只是策略性地抵制答己与铁木迭儿的势力。从《英宗本纪》所载的诏令看，这一时期基本保持成宗以来的旧传统。

　　至治二年十月以后，英宗的国策政令发生了泾渭分明的变化。造成这种变化的原因，一是至治二年八、九月间，铁木迭儿和答己相继病殁，掣肘之力已去，为英宗与拜住进行改革提供了条件。二是延祐末年以来，水灾旱灾频仍，民不聊生，社会矛盾激化，元朝经济困难。从《英宗本纪》记载看，至治二年一月至九月，各地水、旱、霜、雹、蝗灾和饥馑就达 49 次之多，波及山东、河北、四川、湖北、江南十余行省的广大地区。在这种情况下，

---

　　① 《元史》卷 116《后妃传》二，第 2902 页。

阶级矛盾与民族矛盾加速发展，自至治二年五月至三年三月的 10 个月中，就发生了临邑王驴儿、道州符翼轸、泉州留应总等多起民变，两江岑世兴、湖广龙仁贵二次兵变，以及静江獠族、西番参卜郎族起义。① 这种危险的社会局面，促使英宗下决心改革制度，调整统治，以维护蒙汉贵族、地主阶级的统治。至治二年十月，英宗任命拜住为中书右丞相，并不再设左丞相，以示信任之专。

此后数月间，英宗进行了一系列的改革，概括起来有以下几个方面：

一、大规模起用汉族地主官僚知识分子。首先复以张珪为平章政事，吴元珪、王约、韩从益、赵居信、吴澄、王结、宋本等人，短期内擢任集贤、翰林院及六部官职。

二、罢冗官冗职。元朝有一套庞大的官僚机构，耗费大量库财。至治二年十一月，英宗省并崇祥、福寿院之属十三署，罢徽政断事官、江淮财赋下属机构 60 多处。② 这一行动难免带有清算答己集团的色彩。

三、行助役法。令大土地所有者按一定比例上缴一小部分土地的岁收，作为助役费，用以补偿一般农民劳役方面的经济负担。

四、减轻徭役。"凡差役造作，先科商贾末技富实之家，以优农力"。③ 至治二年十月，全免"江淮科包银"和"两浙煎盐户牢盆之役"④ 等等。

五、命王约等制定《大元通制》颁行天下。使"行汉法"的行政措施以法令条文的形式确立下来，这是元代法制史上的大事，是推行"汉法"的一项重要措施。

英宗新政的核心就是行汉法。新政触犯了大多数蒙古贵族的利益。这些贵族依靠世袭军功和岁赐财币维持其特权，他们视国家为祖辈遗赠的一份巨额家私，自然把"引荐汉人"与"行科举"、"行汉法"视为是对他们世袭利益的侵犯与威胁。罢减冗官冗署，使寄生于这些肥差美缺之上的蒙古贵族受到了直接的打击。英宗的新政，遭到了蒙古保守势力的不满和抵制，拜住

---

① 《元史》卷 28《英宗本纪》二，第 622、624、625、626、629 页。
② 《元史》卷 175《张珪传》。
③ 《元史》卷 28《英宗本纪》二，第 625 页。
④ 《元史》卷 184《王克敬传》，第 4233 页。

"方欲除恶进善，致治隆平，诸人共阻挠之。臣度不能有所为矣"①。阻力之大，令右丞相拜住深感沮丧。加之英宗年轻气盛，性情"刚明"，施政过于急躁，一改历朝大汗对蒙古贵族的宽大、怀柔政策。动辄对诸王、朝臣疾言厉色，曾告诫群臣："卿等居高位，食厚禄，当勉力图报。苟或贫乏，朕不惜赐汝；若为不法，则必刑无赦。"② 其矛头直接指向蒙古贵族上层官僚集团。《元史·英宗本纪》，至治二年十月以后，达官贵人"坐赃杖免"者，屡有记载。泰定帝即位以后的第八天，就下诏召"诸王官属流徙远地及还元籍者二十四人还京师"。③ 可见，在泰定帝即位前，诸王遭到处分的现象十分普遍。英宗的施政造成了一贯养尊处优的蒙古贵族的恐慌，使他们感到了不安与危险，许多人因此走上背叛大汗的道路。

英宗对铁木迭儿及余党的追究，直接激化了新政引起的矛盾。

浙民吴机以贿赂交结权贵，称宋高宗吴皇后为其族祖姑，有旧赐汤沐田在浙西，愿献与朝廷。司徒刘夔以此事上奏，又与铁木迭儿、铁失等串通，奏赐官币十二万五千锭偿其值，却暗中瓜分了这笔巨款。朝廷命官"驰驿至浙西疆其田，则皆编户恒产，连数十万户。户有田皆当夺入官，浙西大骇"④。此事曾经本道廉访司奏至宪台，被铁木迭儿、铁失等阻挠，未能上奏大汗。至治二年铁木迭儿死后，拜住以此为契机打击保守势力，将此事上奏英宗，使铁木迭儿之子八里吉思因受刘夔冒献田地罪被诛，铁木迭儿另一子锁南被罢黜。至治三年二月，刘夔和牵连此案的同金宣政院事囊加台亦被诛。五、六月间，英宗下诏追夺铁木迭儿官爵及封赠制书，拆毁其墓碑。七月，籍没铁木迭儿家资。与刘夔献田贪污案有关的人员只剩一个铁失，他得到了英宗的特赦。

铁失与铁木迭儿及答己关系密切。至治元年三月，监察御史观音保被杀，御史台空虚，铁木迭儿趁机引荐他为御史大夫。八个月后，铁失又兼任左、右阿速卫亲军都指挥使，后一职务负责警卫大汗。铁木迭儿与答己的死，使铁失失去了靠山。而铁失在刘夔案中也分得不少赃物。英宗的步步紧

---

① 《滋溪文稿》卷18《题忠王传》。
② 《元史》卷28《英宗本纪》二，第633页。
③ 《元史》卷29《泰定帝本纪》一，第639页。
④ 刘基：《宋文瓒政绩记》，《诚意伯文集》卷6，上海商务印书馆1936年版，第28页。

逼，使铁失感到了绝望，并苦思对策。由于他与喇嘛僧侣的密切关系，英宗也非常信奉喇嘛教，铁失考虑怂恿宫中喇嘛诱劝英宗实行大赦，以求逃生。当时英宗在上都"夜寐不宁，命作佛事。拜住以国用不足谏止之。既而惧诛者复阴诱群僧言：'国当有厄，非作佛事而大赦无以禳之'"。拜住叱曰："'尔辈不过图得金帛而已，又欲庇有罪耶？'""又欲庇有罪耶？"，铁失认为这句话是将治其罪的信号，于是奸党"益惧，乃生异谋"。① 铁失决定铤而走险，纠集知枢密院事也先铁木儿、大司农失秃儿、前平章政事赤斤铁木儿、前云南行省平章政事完者、铁木迭儿之子锁南、铁失弟宣徽使锁南，以及诸王按梯不花、孛罗、月鲁铁木儿、曲律不花、兀鲁思不花等 16 人合谋政变，准备在英宗南返大都的途中行刺。也许铁失认为弑君之罪可由拥立新君之功来抵偿，八月二日，铁失派密使斡罗思至和林东北的土刺河畔，密告正在那里打猎的晋王也孙铁木儿："谋已定，事成，推立王为皇帝。"②

铁失一伙不选其他诸王而选定晋王也孙铁木儿作为新的政治靠山是有原因的。一方面，也孙铁木儿的晋邸具有"宗盟之长"的地位，同时驻守漠北，重兵在握，是蒙古诸王中最强有力的军事游牧贵族。另一方面，也孙铁木儿与宣徽院使内侍集团铁失一伙关系本来就十分密切，晋王府内使倒剌沙早与宣徽院使探芯"深相要结"，③ 这也正好反映了这两个集团之间的政治趣味与利益的一致性。除此以外，也孙铁木儿个人历经武宗、仁宗、英宗三朝，"不谋异心，不图位次，依本分与国家出气力行来"④，所以在蒙古贵族中的口碑也比较好。

至治三年（1323 年）八月五日，英宗由上都回驾大都，当晚驻跸上都西南 20 里的南坡店（今内蒙古正蓝旗东北）纳钵，铁失和赤斤铁木儿命阿速卫守住禁幄四周，二人直闯进去，先杀拜住，然后铁失手弑英宗于卧榻，史称"南坡之变"。英宗遇害时身边只有一个拜住能信任，他们对政变毫无觉察，可见这一双君臣的政治经验是如何欠缺，悲剧的发生也就不足为

----

① 《元史》卷 136《拜住传》，第 3305 页。
② 《元史》卷 29《泰定帝本纪》一，第 637 页。
③ 《元史》卷 29《泰定帝本纪》一，第 637—638 页。
④ 《元史》卷 29《泰定帝本纪》一，第 637 页。

怪了。

行弑后，铁失、失秃儿一伙急驰至大都，深夜从北门入城，直趋中书省，收封全部印信，[①] 静候也孙铁木儿即汗位的消息。

九月四日，晋王也孙铁木儿在胪朐河（今克鲁伦河）即帝位，是为泰定帝。帝位异常顺利地从真金次子答剌麻八剌系转到他的长子甘剌麻系，当年甘麻剌问鼎汗位的意愿终于由其子实现了。

硕德八剌继位、被弑及其"行汉法"的措施，集中体现了元朝中期汗位争夺的斗争以及元代政治上层建筑领域艰难的封建化过程。南坡之变后的历史也反映出元代政治上层建筑领域与经济基础之间的反复而痛苦的磨合。从参与政变的人员看，宗王占了三分之一，后来泰定帝封买奴为泰宁王的理由是：买奴是唯一能自拔于逆党的宗王，可见，默许政变的宗王大有人在，默许政变的蒙古贵族估计更多。这说明汉法很不得这部分统治者的心。与此相反，儒臣们对事变持激烈的反对态度。事发后，铁失党人迫使二院学士北上，曹元用表示"此非常之变，吾宁死，不可曲从也"。[②] 张珪以不能共事，要求辞职，并立即致书也孙铁木儿，要求"躬行天诛"。[③] 许有壬、赵庆成等向泰定帝揭发铁失余党。多年以后，一些儒臣还深深怀念这两位殉难的大汗与丞相。张养浩在《赠李秘监至治间画御容》中哀悼英宗："封章曾拜殿堂间，凛凛丰仪肃九川。回首桥山泪成血，逢君不忍问龙颜。"[④] 种种事实说明，南坡之变不只是统治阶级的一次寻常内讧，而是一场有着深刻社会背景的两种政治力量的较量。

历史在曲折中前进，泰定帝以保守势力的同盟者、政治靠山的身份登上汗位，却不自觉地顺应了历史的潮流。泰定帝即位后的政策即可说明这一点。泰定帝在克鲁伦河即位时，为稳定局面，非常策略地与即位诏一同公布了大赦诏书，十恶中除杀祖父母、父母，妻妾杀夫不赦外，其余如谋反、大逆、奴婢杀主等罪，概赦不问。[⑤] 被赦的罪行中，包括儒家最为不容的谋反

---

① 《国朝文类》卷 53《张珪墓志铭》。
② 《元史》卷 172《曹元用传》，第 4027 页。
③ 《国朝文类》卷 53《张珪墓志铭》。
④ 《归田类稿》卷 20《赠李秘监至治间画御容》。
⑤ 《至正集》卷 77《正始十事》。

和大逆以及最为蒙古人所见恶的奴婢杀主。① 坐稳大汗位子后，为洗刷自己，泰定帝尽诛铁失、也先铁木儿、失秃儿、赤斤铁木儿、完者、锁南；流放诸王按梯不花、孛罗、月鲁铁木儿、曲律不花、兀鲁思不花于边疆。不过这次事件牵涉到的人太多，泰定帝抱定的宗旨是"逆党胁从者众，何可尽诛"②，尤其是对于与谋的诸王，最后都以流远处置，一个没杀。清除首恶分子后，泰定帝吸取前朝教训，加强控制阿速卫。同时，续用了英宗起用的大批儒臣，保留了助役法。由名儒向皇帝进讲帝王之道的做法，则在泰定元年（1324 年）发展成正式的经筵制度，"始以省、台、翰林通儒之臣知经筵事，而设其属焉"③。这反映了元代政治上层建筑领域中的封建化进程是一种不可逆转的历史趋势，它渊源于封建农业经济基础的要求，渊源于生产关系必须适应生产力发展的要求。

第五节　两都之战

如果说中统初年的内战是汗室内部的汗位之争，南坡之变是代表不同经济类型与生活方式的政治力量之间的较量，那么，天历之变则主要是权臣之间的过招。

泰定帝时期当国的大臣，多是与汉文化隔膜颇深的蒙古、色目人。泰定帝尤其重用原晋王内史府旧臣和西域人：旭迈杰任中书右丞相兼阿速卫达鲁花赤、回回人倒剌沙升任中书左丞相、按答出为太师、知枢密院事，这三人都是原晋王内史府旧臣。回回人乌伯都剌任中书省平章政事、钦察人燕铁木儿任金枢密院事。这种政局使武宗朝的旧臣子弟及汉人儒臣在泰定一朝始终怀有受挫感。致和元年（1328 年）七月，泰定帝病死于上都。半个月后，年幼的皇太子阿剌吉八以储君名义与皇太后联名降旨安抚百姓，阿剌吉八似乎可以顺理成章地正式登基。但到八月初，燕铁木儿在大都发动政变，拥立

---

① 《元典章》卷 3《圣政·需恩宥》，第 104 页；引至大四年三月十七日中书省奏议。该年正月初五，元廷因武宗不豫实行大赦，曾宣布连十恶罪一起赦宥。仁宗即位之后，中书省以上引奏文入闻，遂下制收回成命，重新宣布十恶不在赦免之列。

② 《元史》卷 175《张珪传》，第 4076 页。

③ 《至正集》卷 44《赦赐经筵题名碑》。

元武宗后人为汗，两都之间争夺帝位的斗争很快演变为遍及中国北部及西南的内战。

燕铁木儿是元武宗漠北旧部中最受宠信的武将床兀儿之子。武宗夺得帝位之后，床兀儿继续在岭北带兵，燕铁木儿则以宿卫身份随驾南下。仁宗时期，燕铁木儿袭左卫亲军都指挥使。到泰定帝时期，升同金枢密院事、金枢密院事。燕铁木儿及哈剌拔都儿兄弟等一批仁宗、英宗时受到削弱的武宗旧臣的子弟，渐生用世之志①，希望在泰定帝去世后，把帝位夺还海山系，借此实现自己的政治目的。致和元年（1328 年）春，泰定帝行猎时染疾，不久即赴上都度夏。燕铁木儿留守大都，直接掌握着左卫亲军以及由其同族统率的钦察卫侍卫亲军，且身居"总环卫事"的要职，有权调度拱卫京畿的其他宿卫部队。此前，燕铁木儿与随驾北巡的同党诸王秃满、阿马剌台，太常礼仪使哈海，宗正扎鲁忽赤阔阔出等相约，一旦泰定帝去世，就在上都和大都同时行动，用政变方式迎立武宗后人即位。但上都的局面迅速被拥立皇太子的倒剌沙控制，燕铁木儿同党在上都发难的计划没有实现②。在大都，政变行动却得以按原计划顺利实施。

八月初四日晨，燕铁木儿在兴圣宫召集百官，率阿剌铁木儿、孛伦赤、纳只秃鲁等 17 人以武力胁迫众官同意立武宗之子为汗，"有不顺者斩"。当即逮捕平章政事乌伯都剌、伯颜察儿，中书左丞朵朵、参知政事王士熙、侍御史铁木哥等，将他们投入监狱。燕铁木儿与西安王阿剌忒纳失里（忽必烈子奥鲁赤后人）入守内庭，分腹心之士守枢密院，自东华门至内廷夹道排列军士，派人在其中往来行走，传达命令，以防走漏风声。同时，命令前河南行省参知政事明里董阿、前宣政院使答剌麻失里乘驿去江陵迎接图帖睦尔，又密令河南行省平章伯颜选兵士扈从图帖睦尔。伯颜，也是武宗旧臣，年 15 岁即侍武宗于藩邸，武宗朝历任吏部尚书、御史中丞、尚书平章政事。但自仁宗朝起就差不多一直外放，所担任的虽然也是行省长官、方面大员等要职，毕竟失去了在朝官"密近天光"的优越地位。伯颜也自认为"此

---

① 参阅《道园学古录》卷 10《跋哈剌拔都儿充奎章阁捧案官制》。

② 上都发难稍晚于大都，事未果行而谋先泄。倒剌沙杀诸王秃满、宗正扎鲁忽赤阔阔赤等 18 人，制止了一场未遂政变。

（指图帖睦尔）吾君之子也，夙荷武皇加世恩，委以心膂"，全力支持燕铁木儿。伯颜与明里董阿等在汴梁发动政变，"执行省臣，皆下之狱，又收肃政廉访司、万户府及郡县印。……"杀河南行省平章曲烈、右丞别铁木儿、参政脱别台，控制河南的局势。伯颜尽其可能征河南粟帛，又募勇士5 000，扈从怀王北行。八月，怀王入大都。① 燕铁木儿还派人分别诈称图帖睦尔及和世㻋的使臣已赴大都，宣称两位太子已先后启程，"且夕即至"。大都形势基本被他控制，"中外乃安"②。

和世㻋与图帖睦尔是武宗的两个儿子，和世㻋居长，图帖睦尔次之。武宗、仁宗发动政变时约定：汗位传承要兄终弟及、叔侄相继。据此，仁宗死后应当传汗位给和世㻋。延祐二年（1315 年），仁宗为了立己子硕德八剌为皇太子，封和世㻋为周王。次年三月，命周王道经陕西、四川至云南就藩。和世㻋行至陕西，遂利用关中驻军发动兵变，分军攻潼关、河中府，已而以内部不和退兵。和世㻋乃"盘桓屯难，草行露宿"，狼狈西奔，到金山投靠察合台后王，③ 居金山之西 10 余年，积聚了一些军事力量。图帖睦尔与和世㻋为异母兄弟，英宗至治元年（1321 年）五月，出居海南。泰定元年（1324 年）诏回，封怀王。泰定二年，泰定帝为防止武宗后人觊觎汗位，又令图帖睦尔出居建康（今南京）。致和元年三月，泰定帝病重，倒剌沙再迁怀王于江陵。

泰定帝病死时，和世㻋仍羁留在察合台后王封地。虽然燕铁木儿宣称"已遣使北迎帝"，实际上，他属意的是怀王图帖睦尔。燕铁木儿曾紧急任命一批宿卫军官，以待调遣。"既受命，未知所谢，注目而立，乃指使南向拜，众皆愕然，始知有定向矣"④。这"使南向拜"说明了燕铁木儿心中的大汗人选。

八月十三日，明理董阿等人抵江陵。次日，图帖睦儿立刻从藩府北上，经河南汴梁，由伯颜扈从，于二十七日赶到大都。

① 《元史》卷 138《燕铁木儿传》，第 3326—3327 页；卷 138《伯颜传》，第 3335—3336 页。
② 《元史》卷 31《明宗本纪》，第 695 页；卷 138《燕铁木儿传》，第 3327 页。
③ 参见许有壬：《至正集》卷 34《晋宁忠襄王碑序》。
④ 《元史》卷 138《燕铁木儿传》，第 3327 页。

九月十三日，燕铁木儿等拥立怀王图帖睦尔在大都即位，是为元文宗，改元天历。接着，倒剌沙和梁王王禅也在上都立泰定帝子阿速吉八为汗，改元天顺。元朝出现了上都、大都两个政权。

在图帖睦尔抵京前后，上都方面兵分四路，攻击大都集团。梁王王禅、诸王失剌、诸王也速帖木儿，分别领军直逼居庸关、古北口和辽东迁民镇（今山海关）；湘宁王八剌失里等则绕道山西，再向东回攻紫荆口；辽王脱脱、左丞相倒剌沙等人仍留守上都，驻守辽东的木华黎后人国王朵罗台也加入上都的阵营。其时，大都方面的防守力量有限，上都对长城诸关隘实施同时突破、从四面包围大都的战略，大都方面受到严重的威胁。为此，燕铁木儿把最能作战的主力集中在自己的直接指挥之下，采用运动奔袭的方式，转战于最需要增援的各战略要地。

八月底，上都方面的王禅及太尉不花、丞相塔失帖木儿、平章买闾、御史大夫纽泽等进军至榆林。九月初一日，燕铁木儿首先督军居庸关，派其弟撒敦袭击榆林，上都军队败北，撒敦追至怀来乃回师；隆镇卫指挥使斡都蛮在陀罗台击败诸王灭里铁木儿、脱木赤，将二王擒送京师。三日，上都的辽东军攻破迁民镇，由东向西挺进。燕铁木儿立即从居庸关星夜赶赴三河、蓟州（今天津市蓟县）一线拦截。王禅趁此又整军攻来，十六日破居庸关。燕铁木儿闻讯，留脱脱木儿屯兵蓟州，阻击辽东军队，而自己则率主力西返。二十日，与王禅先头部队激战于榆林河，王禅败，退至榆林河北。二十二至二十六日凌晨，两军在白浮之野（在今河北昌平东北）激战四天四夜，王禅指挥失当，最终全军溃败。居庸关方面的战事平息。二十六日，上都方面的军队攻破古北口。燕铁木儿派其弟撒敦为先锋，自率大军乘胜从白浮倍道兼行，在白浮山以东百余里的石槽截击由古北口向西南行进的上都军队，大获全胜，穷追40里，至牛头山，擒诸王孛罗帖木儿，平章蒙古答失、牙失帖木儿等将领，上都士兵万余人投降。当夜又遣撒敦袭其余部，上都军队退出古北口。二十八日，上都辽东方面秃满迭儿及诸王也先帖木儿的军队攻破大都的蓟州防线，占领通州（今北京通州），迫近大都。燕铁木儿迅速从古北口率师南下救援，十月初一日黄昏赶到通州，乘辽东军初至，奇袭之，辽东军狼狈败走，撤到潞河对岸。十月五日，阳翟王太平、国王朵罗台、平章塔海领军来援也先帖木儿、秃满迭儿，在通州东南的枣林会合，与尾追来的上都军队大战到晚上，燕铁木儿之子唐其势攻入辽东军阵中，杀阳翟王太平，辽东军死者蔽野，残部趁夜色溃走。燕铁木儿遣撒敦将轻兵追击，未及而还。[①]

击溃辽东方面军队后，燕铁木儿派脱脱木儿领兵四千，西援紫荆关。十月初七日，上都方面诸王忽剌台、指挥阿剌铁木儿、安童攻入紫荆关，进犯良乡，游骑逼近北京南城。燕铁木儿立即率领军队"循北山而西，令脱衔系囊，盛荜豆以饲马，士行且食，晨夜兼程，至于卢沟河，忽剌台闻之，望风西走"[②]，紫荆关转危为安。

此时，湘宁王八剌失里从山西分兵南下，攻入冀宁（今山西太原）城，但因为围攻大都的四路军队中已有两路完全溃败，退至古北口外的辽东军这时也已丧尽原先的锐气，而湘宁王孤军深入，已难以进一步扩大战果。十月十一日，退出长城的辽东秃满迭儿部经过整顿，再次破古北口南进。燕铁木儿再驱军迎击，与秃满迭儿军在檀州（今北京密云）南面决战，败之，秃满迭儿走还辽东。忽剌台、阿剌帖木儿、安童、朵罗台、塔海等被擒，被杀于大都。至此，上都方面出攻大都的四路军队全部瓦解。

随着上都方面的军事行动渐次受挫，东道诸王中一部分起初采取观望立场的人，逐渐倒向大都方面。驻防辽东的东路蒙古军元帅府元帅不花帖木儿是燕铁木儿的叔父，[③] 他在策反东道诸王方面应当起了一定的作用。十月中旬，东路蒙古万户哈剌那怀率麾下万余人向大都集团投降。不花帖木儿、齐王月鲁帖木儿（合撒儿后王）聚集的一些左手诸王及其将领，进围上都。而上都方面，这时已在多数战场上失败，守上都城的兵力也严重不足。辽王脱脱等勉强整军出城应战，兵败，脱脱阵亡；梁王王禅逃遁，不入被俘杀；倒剌沙被迫奉皇帝宝玺出降，不久即被诛杀；幼帝阿剌吉八失踪。

两都之战之中，大半个中国都卷进了内讧的漩涡。当时，各行省的倾向可以分为三个类型。一类如河南、江西、湖广等省，被坚决支持大都的官员或诸王所控制。前面已说明河南行省平章政事伯颜是武宗旧臣，坚决支持大

---

① 参见《元史》卷32《文宗本纪》一，第717页；卷138《燕铁木儿传》，第3328—3330页。

② 《元史》卷138《燕铁木儿传》，第3330页。

③ 参见《元史》卷32《文宗本纪》一，第717页。

都方面。他牢牢地控制了河南局势，到九月底、十月初，河南更成为抵御响应上都的陕西军队东攻京畿的重要屏障。湖广行省平章政事高昌王铁木儿不花、镇守武昌的威顺王宽彻不花可能早与图帖睦尔有密切交往，所以也在燕铁木儿发难之初即拥护大都方面。江西行省亦因两平章倾向燕铁木儿而成为大都集团的积极支持者。另一类行省则对两都之争持消极观望的立场。大都传檄各地时，江浙行省平章换住、高昉等态度暧昧。燕铁木儿任亲信明理董阿为江浙行省平章，江浙行省始终没有公开称兵。① 甘肃行省因省臣分裂为支持大都、上都的两派，互相僵持，而反侧不安。四川和云南两省宰臣，虽然都站在武宗系一边，但他们都欲拥立武宗长子和世㻋为帝，反对燕铁木儿拥立图帖睦尔。两都之战进行过程中，四川、云南两省对大都集团的观望多于支持，图帖睦尔即位以后，两省先后起兵失败。第三个类型如陕西、辽东等省，则是上都集团的坚决支持者。辽东方面的军队，是围攻大都的主力部队之一，已如前述。陕西行省驻军差不多与上都军同时采取行动，分路出击，而最终失败。

　　两都之战以大都方面的胜利而结束，燕铁木儿凭借其出色的政治谋略和卓越的军事才干，将帝位夺归海山系。但武宗系内部又展开了争夺汗位的斗争。

第六节　明文之争与元末权臣柄政

　　两都之战之后，接踵而来的是武宗的两个儿子争夺汗位与燕铁木儿的专权，元朝政局依然不平静。

　　元末权臣柄政源于元代的家臣治国政策，而元代家臣治国现象则与蒙古建国时蒙古社会所处的文明程度较低密切相关。当时，蒙古社会还未完全脱离部落社会的窠臼，成吉思汗的崛起快速催生了一个新的民族、一个新的游牧政权。成吉思汗一方面顺应历史发展的潮流，创立了千户制度，使之取代传统的氏族、部族结构，成为新国家的基本社会组织和单位。在千户制度下，氏族共同体进一步分解，草原上原有各部族相互搀和，并与统治部

---

① 《金华黄先生文集》卷13《史惟良神道碑》；《滋溪文稿》卷11《高昉神道碑》。

族——蒙古部渐趋合一，形成全新而有持久生命力的蒙古民族。另一方面，在国家管理上，成吉思汗建立了大断事官，扩建自己的护卫军——怯薛组织，并赋予它们襄理国务的职能。蒙元时期，宗王、驸马各皆就藩，在各自的分地内行使统治权力。他们对国家政治生活的参与，主要表现为出席忽里勒台、决定立汗、征伐等大事，战时率部出兵，平时并不亲自参加国家日常行政事务的管理。大蒙古国时期，国家日常政务主要由大汗的亲信家臣——怯薛成员和大断事官来处理，如耶律楚材、忙哥撒儿、孛鲁合等人都以权重著称。忽必烈即位后，行用汉法，建立了一套汉式官僚机构，忽里勒台大会不经常召开，宗王、驸马各居封地，养尊处优，与国家日常政务已基本无涉。终元一代，迄今还找不出明确的证据能够证明哪一位宗室成员曾任宰相，外戚拜相者也寥寥可数。而作为皇室家臣，怯薛组织却成为元朝高级官僚的主要来源。怯薛出身的朝官，其原来的怯薛执事不变。因此，一些怯薛出身的高官在掌握某方面权力的同时，又兼领怯薛与宿卫军或宫中侍应差事，以至于权侔君主。元后期大臣燕铁木儿、伯颜相继擅政，几乎危及黄金家族的统治。甚至到元朝灭亡、蒙古退回漠北以后，来源于怯薛的贵族的势力依然强大。他们挟持汗室成员，互争雄长，使草原长期处于动荡之中。①

元朝从仁宗朝开始，权臣弄柄的现象开始明显。仁宗时期的右丞相铁木迭儿"尝逮事世祖"②，即曾是世祖宿卫。铁木迭儿结纳太后答己，掣肘仁宗革新政治，贪赃枉法。铁木迭儿的同党御史大夫、左右阿速卫亲军指挥伙同铁失等人，在至治三年（1323 年）八月发动政变，杀害了元英宗。而一手策划大都政变的燕铁木儿，则成为元朝后期另一位著名的权臣。燕铁木儿的成功政变与其家族世代统领钦察卫军密切相关。

燕铁木儿是土土哈之孙。钦察人在元朝最显赫的是土土哈家族。土土哈家族祖先是"武平北折连川按答罕山部族，自曲出徙居西北玉里伯里山，因以为氏"。③ 武平，即元朝的大宁（今赤峰市宁城县境）。折连川，即折连

①　参见张帆：《元朝的特性——蒙元史若干问题的思考》，《学术思想评论》第 1 辑，辽宁大学出版社 1997 年版；张帆：《论蒙元王朝的"家天下"政治特征》，《北大史学》第 8 期，北京大学出版社 2001 年版。

②　《元史》卷 205《奸臣传》，第 4576 页。

③　《道园学古录》卷 26《句容武毅王纪绩碑》，第 28 页。

怯呆儿，地当辽河上游，今通辽市一带。蒙哥西征时，土土哈之父"班都察举族迎降。从征麦怯斯有功"。宪宗蒙哥时期，班都察率钦察百人从世祖征大理、伐南宋，以强勇著称，班都察遂成为忽必烈的宿卫之士。至元十四、十五年，诸王脱脱木、失烈吉叛乱。土土哈率 1 000 钦察兵讨伐，屡立奇功，元世祖下旨："钦察人为民及隶诸王者，皆别籍之以隶土土哈，户给钞二千贯，岁赐粟帛，选其材勇，以备禁卫。"① 这样，许多钦察俘虏、奴仆被释放，归土土哈统领，其中精锐之士组成了钦察卫。最先设立的是右钦察卫，至元二十三年（1286 年）设置，有行军千户 19 所。成宗大德年间，增设 2 个千户所。至大元年（1308 年），再增 4 个千户所。至此，钦察卫共有 25 个千户所。② 至治二年（1322 年），钦察卫增加到 35 个千户所。元朝将右钦察卫分为右、左两钦察卫。天历元年（1328 年）十月，从钦察左卫中析出龙翊卫。钦察三卫都归燕铁木儿的大都督府统领③。估计钦察卫兵有 3 万左右。至元二十四年，乃颜叛乱，土土哈率军征讨，元世祖下诏："钦察、康里之属，自叛所来归者，即以付土土哈，置哈剌鲁万户府，钦察之散处安西诸王部下者，悉令统之。"土土哈又败叛王火鲁哈孙与哈丹，"尽得辽左诸部，置东路万户府"。④ 从此，东蒙古地区的蒙古军东路万户府及哈剌赤军都在土土哈家族的控制之下，这支军队与钦察卫军成为燕铁木儿发动政变、打败上都方面的重要力量。钦察卫还出镇岭北，至元二十九年秋，土土哈领兵"略地金山，获海都之户三千余，还至和林。有诏进取乞里吉思。三十年春，师次欠河，冰行数日，始至其境，尽收其五部之众，屯兵守之"。⑤

　　土土哈所统的钦察人又善酿马奶酒，至元二十年，土土哈兼领群牧司，其家族便世代掌管皇帝的马群，使他们"掌尚方马畜，岁时挏马乳以进，

---

① 《道园学古录》卷 26 《句容武毅王纪绩碑》，第 29 页。
② 参见《元史》卷 99 《兵志》二《宿卫》，第 2529 页。
③ 《元史》卷 138 《燕铁木儿传》，第 3331 页。
④ 《道园学古录》卷 26 《句容武毅王纪绩碑》；参见宝音德力根：《北元、明朝时期的内蒙古地区》第 2 章第 1 节《东西蒙古两大集团的起源及其形成》，见郝维民、齐木德道尔吉主编：《内蒙古通史纲要》第四编《北元、明朝时期的内蒙古地区》，第 277—283 页。
⑤ 《道园学古录》卷 26 《句容武毅王纪绩碑》，第 25 页。

色清而味美，号黑马乳，因目其属曰哈剌赤"。① 从此，在蒙古的钦察人就以哈剌赤—哈剌陈之名而见称。元代，哈剌赤—哈剌陈牧户分别隶太仆寺属下的成吉思汗大斡耳朵及御位下的各牧场。《元史》记载，哈剌赤（钦察人）在官牧场的情况如下：折连怯呆儿等处御位下有 22 个哈剌赤千户、1 个哈剌赤百户，玉你伯牙等处御位下 8 个哈剌赤百户，阿剌忽马乞等处御位下有 1 个哈剌赤千户、17 个百户，斡斤川等处御位下约 4 个哈剌赤千户，左手永平等处御位下 60 个哈剌赤千户。此外，在固安州、青州、涿州、阿察脱不罕等处都有哈剌赤，但不知具体是多少个千户、百户。② 若按平均每个千户 500 户，平均每户 3—4 人估计，这些哈剌赤及其家属有 14—23 万人左右，他们之中有相当一部分人是钦察人。此外，部分钦察人还在大都近郊屯田。至元二十年，土土哈并请以所部哈剌赤在京畿内屯田。元世祖下诏将霸州文安县 400 顷田地给钦察人屯种，又以 800 新附军人作为屯田劳力。次年，又赐给土土哈大都近郊田 2 000 亩，又金发河东诸路蒙古军子弟 4 600 人隶于其麾下。由上可知，到文宗即位前，钦察卫军以及土土哈家族控制下的哈剌赤军队、蒙汉军队大约有几十万，而且布列于大都、上都、辽东、岭北等地，势力很大。

作为元朝的侍卫亲军主力，钦察人有机会介入元朝的政治事变中。泰定帝死后，燕铁木儿利用自己留守大都，负责大都防卫的职权及阿速卫与钦察卫的兵力发动政变，③ 先控制了大都，在与上都方面的战争中，又依靠蒙古地区的哈剌赤军作为外应，打败了上都，迫使上都方面的臣僚、诸王出降。这样，燕铁木儿发动的政变，基本上取得了成功。

接着，燕铁木儿在选择谁为大汗的问题上再次弄权，使元明宗成为元代历史上第二个死于权臣发动的政变的大汗。

明文之争 致和元年（1328 年）九月十三日，燕铁木儿等拥立怀王图帖睦耳在大都即大汗之位时，图帖睦耳迫于元仁宗在大德末年推奉其兄、谦

---

① 《元史》卷 128《土土哈传》，第 3132 页。

② 参见《元史》卷 100《兵志》三《马政》，第 2555—2558 页。

③ 《元史》卷 34《文宗本纪》三，第 755 页：至顺元年四月，"燕铁木儿言：'天历初，阿速军士为国有劳，请以钞十万锭、米十万石分给其家'。"

居储贰的前例，宣称"谨俟大兄之至，以遂朕固让之心"①。但文宗一经即位，其"固让"之意大减。而且，燕铁木儿在两都之战中与图帖睦耳结成了密切的利益联盟，岂能甘心将浴血奋战、打拼出来的江山拱手送与和世㻋集团。这就有了燕铁木儿操控的图帖睦耳与和世㻋的汗位争夺。

虽然燕铁木儿在致和元年八月宣称已遣使北上迎接武宗长子和世㻋，后来又矫称和世㻋使者已经南下，不日即可至京师。②但两都之战结束前，大都政权并没有真正派使者去迎接和世㻋南还。上都方面失败后，图帖睦耳迫于即位时的诺言，派哈撒与撒迪等人相继去迎接和世㻋。当大都使者到达和世㻋处时，"朔漠诸王皆劝帝（按：指和世㻋）南还京师，遂发北边"。史载"诸王察阿台、沿边元帅朵列捏、万户买驴等帅师扈行。"③察阿台，可能非诸王名字，而是指察合台系诸王。真实的情况可能是阿察台系诸王、元帅朵列捏、万户买驴等人是与和世㻋相随而行，来参加新汗即位的忽里勒台大会，不见得是率领兵马专程护送和世㻋南下。和世㻋于天历元年（1328年）底，东行至金山。岭北行省平章政事泼皮、金枢密院事帖木儿不花、出镇北边的武宁王彻彻秃，相继西驰奉迎和世㻋。天历二年正月末，和世㻋在和林之北即汗位。但是，和世㻋不可能像其父武宗那样坐得稳大汗的位子。

元武宗当年是总兵北边的统帅，南下时以3万精兵扈从。而元仁宗当时是一个出居食邑的藩王，没有军事实力作为后盾。在和世㻋与图帖睦尔争夺汗位时，恰好是图帖睦尔占优势。首先，和世㻋并没有直接控制强大的军队，南下时也只有贴身卫士1 800多人④，而图帖睦尔有燕铁木儿所控制的强大军事实力作为后盾。两都之战结束后，元朝于天历二年（1329年）正月初一，设立都督府（不久即升督府为大都督府），以燕铁木儿总领钦察三卫、哈剌鲁万户府、东路蒙古万户府、东路蒙古元帅府。⑤燕铁木儿掌握的

---

① 《元史》卷31《明宗本纪》，第695页。
② 参见《元史》卷138《燕铁木儿传》，第3327页。
③ 《元史》卷31《明宗本纪》，第695页。
④ 《元史》卷33《文宗本纪》二，第739页，天历二年八月，"赐明宗北来卫士千八百三十人各钞五十锭，怯薛官十二人各钞二百锭"。
⑤ 参见《元史》卷138《燕铁木儿传》，第3331页；卷33《文宗本纪》二，第727页。

这支大军，既是他擅权的资本，也是图帖睦耳与和世㻋争夺汗位的最重要的筹码。不仅如此，河南行省平章政事伯颜还"别募勇士五千人以迎帝（图帖睦耳）于南，而躬勒兵以俟"。所以，图帖睦耳方面的军事实力是很充足的。其次，图帖睦耳一方在经济实力方面也远胜和世㻋一方。伯颜在河南就在经济上为图帖睦耳作了充分的准备："会计仓廪、府库、谷粟、金帛之数，乘舆供御、牢饩膳羞、徒旅委积、士马刍精供亿之须，以及赏赉犒劳之用，靡不备至。不足，则檄州县募民折输明年田租，及贷商人货赀，约倍息以偿。又不足，则邀东南常赋之经河南者，辄止之以给其费"。① 图帖睦耳到汴梁后，"河南行省出府库金千两、银四千两、钞七万一千锭，分给官吏、将士"。② 经费充足，有利于拉拢蒙古诸王与其他贵族。而和世㻋的经费则是自己张罗：天历二年三月，和世㻋在和宁之北即汗位后，对中书左丞跃里帖木儿说："朕至上都，宗藩诸王必皆来会，非寻常朝会比也，诸王察阿台今亦从朕远来，有司供张，皆宜豫备，卿其与中书臣僚议之。"③ 第三，燕铁木儿通过两都之战，获得了巨大成功，他不愿意失去既得的巨大利益。两都之战中，燕铁木儿及其子弟亲冒矢石，冲锋陷阵，屡涉险境，经过与上都军队的殊死搏斗，才赢得了这场政变，将汗位夺回武宗系，直接将元文宗图帖睦耳扶上了大汗宝座。而元文宗也对燕铁木儿着意拉拢，大加赏赐。天历元年九月，文宗即位时就"封燕铁木儿为太平王，以太平路为其食邑。甲戌，加开府仪同三司、上柱国、录军国重事、中书右丞相、监修国史、知枢密院事"。十月，"赐太平王黄金印，……加燕铁木儿以答剌罕之号，使其世世子孙袭之"。天历二年初，立大都督府，下辖左、右钦察、龙翊三卫、哈剌鲁及东路蒙古二万户府、东路蒙古元帅府，由燕铁木儿统领大都督府。燕铁木儿要求辞去丞相一职，只统领宿卫，文宗讨好地说："卿已为省院，惟未入台，其听后命。"二月，"迁御史大夫，依前开府仪同三司、上柱国、录军国重事、太平王。未几，复拜中书右丞相、监修国史、知枢密院事、领都督府龙翊侍卫亲军都指挥使司事，就佩元降虎符，依前开府仪同三

---

① 《元史》卷138《伯颜传》，第3336页。
② 《元史》卷32《文宗本纪》一，第706页。
③ 《元史》卷31《明宗本纪》一，第696页。

司、上柱国、录军国重事、答剌罕、太平王"。① 文宗给燕铁木儿的其他赏赐更是不可胜数。后来，燕铁木儿辞去知枢密院事一职，文宗命燕铁木儿的叔父、东路蒙古元帅不花帖木儿任此职。② 燕铁木儿清楚地知道，当年支持仁宗爱育黎拔力八达取得汗位的哈剌哈孙在武宗即位后，即受排挤出京，以左丞相身份出镇和林行省。如果和世瓎取代图帖睦耳成为新大汗，燕铁木儿在两都之战中得到的巨大利益肯定会受到损害。第四，图帖睦耳早存龙飞之志。图帖睦耳尽管宣称要效法仁宗爱育黎拔力八达，将汗位奉与兄长，但他却与仁宗有着明显的差别。仁宗在政变前，没有流露出君临天下的政治理想，在武宗南来之前，他也并未正式即汗位。而图帖睦耳早就想染指汗位，其在游今江苏镇江时作诗自喻："自是擎天真柱石，不同平地小山峰。""我欲倚栏吹铁笛，恐惊潭底久潜龙。"③ 有了这种思想基础。所以，图帖睦耳一经即位为帝，其"固让之心"也难维持，他心情矛盾：不让位，则失信于天下；让位，则实在心有不甘。天历二年正月，和世瓎的使者已抵达大都。图帖睦耳在明知大兄已决意南归继位的情况下，仍册立自己的元妃卜答失里为皇后。五月二十日，明宗派来宣命图帖睦耳为皇太子的使者武宁王彻彻秃、中书平章政事哈八儿秃到达了大都。这天，图帖睦耳感到让位的大势已定，遂"改储庆使司为詹事院。伯颜、铁木儿不花及江南行台御史大夫阿儿思兰海牙、江浙行省平章政事曹立，并为太子詹事；又除副詹事、詹事丞及断事官、家令司、典宝、典用、典医等官"。④ 储庆使司，是天历元年由詹事院改置的，至此又改为詹事院，是辅佐皇太子的机构。图帖睦耳此时急忙利用最后的权力，将亲信网罗在自己门下。⑤ 五月二十一日，图帖睦耳自大都北行、亲迎和世瓎。二十四日，他在途中下令"置江淮财赋都总管府，秩正三品，隶詹事院"⑥。江淮财赋都总管府，即至元十六年（1279年）设立的江淮等处财赋都总管府，掌南宋谢太后、福王献纳产业及贾似

---

① 本段以上未注出处的引文都出自《元史》卷138《燕铁木儿传》。
② 参见《元史》卷32《文宗本纪》一，第707页。
③ 张豫章等辑：《御选宋金元明清四朝诗》卷10，清朝康熙四十八年内府刻本。
④ 《元史》卷33《文宗本纪》二，第734页。
⑤ 参见《元史》卷89《百官志》五《储政院》，第2243页。
⑥ 《元史》卷33《文宗本纪》二，第734页。

道等人田地所纳赋税，原隶属皇后中宫，大德八年（1304 年）七月罢废。图帖睦耳在此时恢复江淮财赋都总管府的建置，并将它改隶东宫官署詹事院，显然是为自己日后以皇太子身份控制这笔重要的财产资源预作准备①。

天历二年（1329 年）四月，燕铁木儿在行宫向明宗奉上皇帝玉玺时，明宗虽然"嘉其勋"，对燕铁木儿"仍命为中书右丞相、开府仪同三司、上柱国、录军国重事、监修国史、答剌罕、太平王并如故"，却削去其知枢密院事一职，这就免去了他手中的大部分兵权。燕铁木儿不安地向这位新主子试探说："陛下君临万方，国家大事所系者，中书省、枢密院、御史台而已，宜择人居之。""帝然其言，以武宗旧人哈八儿秃为中书平章政事，前中书平章政事伯帖木儿知枢密院事，常侍孛罗为御史大夫"。孛罗和哈八儿秃都是与和世琜一同流亡的人物。虽然明宗此前表示："凡京师百官，朕弟所用者，并仍其旧，卿等其以朕意谕之。"② 但明宗的实际行动，却是通过安插亲信来替换或牵制元文宗图帖睦耳此前所任用的重臣。五月，明宗又选用藩邸旧臣及扈从之士，受制命者 85 人，六品以下仅有 26 人。③ 很明显，如果和世琜临朝，燕铁木儿很难君恩独厚，图帖睦耳的势力也将大为削弱。元明宗显然政治经验不足，立足未稳就开始排除异己，这只能坚定觊觎者背叛的决心。燕铁木儿或在此时决心谋害明宗，而代之以图帖睦耳。

七月初二日，图帖睦耳到达上都南面的三十里店，在上都停留近 20 天，又原路回转道中都旺忽察都，与和世琜会面。八月一日，和世琜抵达旺忽察都。次日，图帖睦耳见大兄于行宫。和世琜设宴招待皇弟及诸王、大臣。兄弟欢聚的场面未满五天，和世琜即于八月六日"暴崩"。图帖睦耳"入临哭尽哀。燕铁木儿以明宗后之命，奉皇帝宝授于帝"，遂簇拥图帖睦耳"疾驱而还，昼则率宿卫士以扈从，夜则躬擐甲胄绕幄殿巡护"④。初九日，即到上都。十五日，文宗再次即汗位于上都。

明宗暴死的原因很令人怀疑。后至元六年（1340 年），明宗之子惠宗下

① 参见白寿彝主编：《中国通史》第 8 卷《中古时代·元时期》下册《乙编综述》第 8 章《从变通祖述到粉饰文治》第 3 节《晋邸继统与两都之战》。
② 《元史》卷 31《明宗本纪》，第 696 页。
③ 《元史》卷 31《明宗本纪》，第 699 页。
④ 《元史》卷 33《文宗本纪》二，第 737 页；卷 138《燕铁木儿传》，第 3332 页。

诏说："文宗稔恶不悛，当躬逊之际，乃与其臣月鲁不花、也里牙、明理董阿等谋为不轨，使我皇考饮恨上宾。归而再御宸极，思欲自解于天下，……则杀也里牙以杜口。"① 也里牙为爱薛之子、权臣铁木迭儿女婿。天历初，他与妻弟锁住等投靠大都集团，也里牙为太医院使。和世㻋即位后，为报复铁木迭儿离间宗室、胁迫他出京的前嫌，命流锁住等人于南方。也里牙可能因为担心株连，遂受人唆使，利用职权向和世㻋进毒。至顺元年（1330 年）正月，也里牙得复秦国公爵位，应是文宗对他们参与谋杀和世㻋的奖赏。但同年七月，锁住、也里牙等人"以坐怨望、造符录、祭北斗、咒诅"伏诛，与之有牵连的明宗旧人索罗等也一起被杀。屠寄认为，"也里牙景教徒，必无造符录、祭北斗事……盖不便论其本罪，虚构狱辞，以饰观听耳"②。这可能是文宗杀人灭口。燕铁木儿则应是旺忽察都事变的直接主使人，可惜史文阙略，只有存疑。

元惠宗向天下诏告文宗罪责后，除文宗庙主，戕文宗子燕帖古思，天历之变才算结束。

燕铁木儿与伯颜专权　天历之变对元朝政治产生了另一个严重的影响：元末因此出现了严重的权臣擅权现象。天历二年（1329 年）十二月，燕铁木儿因功封赠三代。至顺元年（1330 年）二月，文宗命礼部尚书马祖常制文，在大都北郊为燕铁木儿立功德碑。并下诏以燕铁木儿为独相，不再置左丞相。三月，命燕铁木儿总领皇太子宫相府事。六月，知枢密院事阔彻伯、脱脱木儿等 10 人因燕铁木儿专权，欲行刺燕铁木儿，事觉，燕铁木儿即擅自率钦察卫军捕杀之。文宗为笼络燕铁木儿，还将其子塔剌海收为养子。在文宗朝，燕铁木儿上奏凡 20 次，其中的四次奏请，史书未载明其奏请结果的可否。一次奏请立文宗子燕帖古思为帝，被文宗皇后拒绝。其余 15 次上奏，文宗都允其请。由此可见，文宗对燕铁木儿几乎是言听计从，也可见燕铁木儿权倾朝野。③ 史载"燕铁木儿自秉大权以来，挟震主之威，肆意无

---

① 《元史》卷 40《顺帝本纪》三，第 856 页。

② 参见《元史》卷 34《文宗本纪》三，第 759、761 页；《蒙兀儿史记》卷 117《也里牙传》，第 712 页。

③ 参见马娟：《元代钦察人燕铁木儿事迹考论》，《元史论丛》第 10 辑，中国广播电视出版社 2005 年版。

忌。一宴或宰十三马，取泰定帝后为夫人，前后尚宗室之女四十人，或有交礼三日遽遣归者，而后房充斥不能尽识"。① 燕铁木儿的奢侈荒淫生活也从侧面反映了他的权焰熏天。

至顺四年（1333 年），文宗病死，遗诏立明宗之子为帝，燕铁木儿因参与谋害明宗，担心明宗后人清算，便召集群臣，议立文宗之子燕帖古思为帝，遭到文宗皇后抵制，只得立明宗次子懿璘质班为帝，是为元宁宗。宁宗在位一年多即夭折，燕铁木儿再请立燕帖古思为帝，文宗皇后坚持要立明宗长子妥懽帖睦尔为帝。

文宗及其皇后不答失里起初肯定不想传位给明宗的后人，惠宗诏书称文宗夫妇"私图传子，乃构邪言，嫁祸于八不沙皇后，谓朕（元惠宗）非明宗之子，遂俾出居遐陬"。② 文宗皇后与宦官拜住谋杀了明宗的八不沙皇后。③ 兄弟相残，同室操戈，即使是获胜的一方，内心也会很惨痛。文宗临终前嘱咐道："昔者晃忽叉（即旺忽察都）之事，为朕平生大错。朕尝中夜思之，悔之无及④。"再加上文宗与不答失里皇后都是佛教信徒，尤其不答失里皇后是非常信佛的，佛教的因果报应说可能也起了一定的作用，最后使他们决心立明宗后人为汗，再让明宗后人传位于自己的子孙。于是才有了文宗皇后坚持立明宗之子为帝之举。

文宗死时，妥懽帖睦尔仍出居于广西静江（今广西桂林），朝廷命"中书左丞阔里吉思迎帝于静江"。妥懽帖睦尔一行北上至大都近郊的良乡，燕铁木儿具卤簿迎接妥懽帖睦尔，与妥懽帖睦尔并马徐行，"具陈迎立之意。帝幼且畏之，一无所答。于是燕铁木儿疑之，故帝至京，久不得立"。⑤ 直到燕铁木儿因纵欲而死，妥懽帖睦尔才于至顺四年六月登基即位，是为元惠宗，死后被明太祖加谥号为元顺帝。

元惠宗妥懽帖睦尔是元朝的末代大汗。妥懽帖睦尔即位，元朝汗室内部的帝位之争告一段落，但统治集团内部的倾轧并没有稍减，"它突出地表现

---

① 《元史》卷 138《燕铁木儿传》，第 3333 页。
② 《元史》卷 40《顺帝本纪》三，第 856 页。
③ 参见《元史》卷 114《后妃传》一，第 2877 页。
④ 权衡著，任崇岳笺证：《庚申外史笺证》，卷上，第 7 页。
⑤ 《元史》卷 138《燕铁木儿传》。

在权臣与权臣之间、权臣与皇帝之间、皇帝与皇后之间"。① 惠宗即位初，朝中出现了燕铁木儿家族与伯颜争权的局面。

元惠宗即位后，用伯颜为右丞相。伯颜是篾儿乞氏人，也是怯薛出身。15 岁就成为武宗的宿卫之士。武宗总兵漠北时，伯颜作为怯薛一直侍奉在侧。大德十一年（1307 年），武宗即位，伯颜官拜吏部尚书、尚服院使，又拜御史中丞。至大二年（1309 年），伯颜领右卫阿速亲军都指挥使司达鲁花赤。延祐末年至泰定年间，伯颜先后在江浙行省、拜陕西行台，江西行省、河南行省等地任平章政事或行台官员。伯颜仗义疏财，办事干练，辖内吏治较好。伯颜与燕铁木儿是熟识之人，燕铁木儿才会在政变之初就联络伯颜举事。致和元年（1328 年）八月，燕铁木儿派明里董阿南迎怀王图帖睦尔，并让明里董阿过河南时联络伯颜一起政变。伯颜立即响应，"即遣蒙哥不花以其事驰告怀王。又使罗里报燕铁木儿曰：'公尽力京师，河南事我当自效。'"② 明里董阿与伯颜等在汴梁发动政变，"执行省臣，皆下之狱，又收肃政廉访司、万户府及郡县印"。杀河南行省平章曲烈、右丞别铁木儿、参政脱别台，控制了河南的局势。图帖睦尔即拜伯颜为河南行省左丞相，伯颜募 5000 精兵护送图帖睦尔入京，图帖睦尔即任命"河南行省左丞相伯颜为御使大夫"。③ 图帖睦尔即位，伯颜自然是开国元勋之一，文宗即加伯颜为"太尉"。十月，特许唯燕铁木儿与伯颜可"兼三职署事"。十一月，"伯颜兼忠翊侍卫都指挥使"。十二月，"伯颜加太尉、开府仪同三司，与亦列赤并为御史大夫"。④ 据《伯颜传》记载，文宗即位后，伯颜还担任了中政院使。天历二年（1329 年）八月，文宗拜伯颜为中书左丞相。天历三年三月，拜知枢密院事。⑤ 至顺元年（1330年），赐给伯颜卫士三百。文宗死后，伯颜因为未参与谋害明宗，因此在立明宗之子为帝的问题上与文宗皇后没有什么分歧，成为翊戴明宗、文宗及宁宗、惠宗四朝的功臣。元统元年（1333 年）六月，元惠宗"命伯颜为太师、

---

① 韩儒林主编：《元朝史》（下册），第 35 页。
② 《元史》卷 138《伯颜传》，第 3336 页。
③ 《元史》卷 32《文宗本纪》一，第 707 页。
④ 《元史》卷 32《文宗本纪》一，第 710、718、719、723 页。
⑤ 参见《元史》卷 33《文宗本纪》二，第 737 页；卷 34《文宗本纪》三，第 752 页。

中书右丞相、上柱国、监修国史，兼奎章阁大学士，领学士院、太史院、回回、汉人司天监事"。十一月，封伯颜为秦王。十二月，"命伯颜提调彰德威武卫"①。《伯颜传》记载，从元统二年始，伯颜不仅兼领威武、阿速诸卫，还总领蒙古、钦察、斡罗思诸卫亲军都指挥使，继领太禧宗禋院、中政院、宣政院、隆祥使司、宫相诸内府等。伯颜的权势比燕铁木儿有过之而无不及。

　　燕铁木儿死后，其弟撒敦为中书左丞相，其子唐其势为总管高丽女直汉军万户府达鲁花赤、御使大夫，其女伯牙吾氏被立为皇后。燕铁木儿的子弟不甘心退居执掌朝政的第二位，与伯颜展开了争夺权力的斗争。不久，撒敦死，唐其势继为中书左丞相，伯颜专权独断，唐其势怨忿地说："天下本我家天下也，伯颜何人而位居吾上。"② 伯颜先以退为进，后至元元年（1335 年）五月，"伯颜请以右丞相让唐其势"。元惠宗夹在两大权臣中间，只好采取平衡方法，"命唐其势为左丞相"。③ 后至元元年六月，唐其势与其叔答里联络亲王晃火帖木儿，图谋废立，在上都发动兵变，被伯颜一网打尽。唐其势之妹、惠宗皇后伯牙吾氏也被伯颜鸩死于开平民居。其后，伯颜独任大丞相，收诸卫精兵为己用，随意出纳府库钱帛，斥儒生，罢科举。伯颜"势焰熏灼，天下之人惟知有伯颜而已"。④ 伯颜全然抛弃蒙古人的奴仆应绝对忠于主子、绝对不能杀害主子的传统，对皇室成员肆意杀戮。伯颜出身篾儿乞部，篾儿乞部被成吉思汗击败后，部众大多分给蒙古贵族作奴仆。伯颜幼时曾为郯王彻彻秃家奴，郯王彻彻秃是宪宗蒙哥第三子玉龙答失之孙。伯颜见到郯王时，仍需呼郯王为"使长"。"伯颜至是怒曰：'我为太师，位极人臣，岂容犹有使长耶！'遂奏郯王谋为不轨"。惠宗不准杀郯王，伯颜强行传旨，杀郯王并王子数人。⑤ 伯颜还擅自贬谪宣让王帖木儿不花、威顺王宽彻普化。伯颜的专横跋扈威胁到了皇权，惠宗深"患之"。后至元六年，惠宗支持伯颜侄子、御使大夫脱脱逐走伯颜，起用脱脱

---

① 《元史》卷 38《顺帝本纪》一，第 817、819 页。
② 《元史》卷 138《伯颜传》，第 3334 页。
③ 《元史》卷 38《顺帝本纪》一，第 827 页。
④ 《元史》卷 138《伯颜传》，第 3338 页。
⑤ 权衡著，任崇岳笺证：《庚申外史笺证》，第 17 页。

为中书右丞相。

脱脱为右丞相时一方面开始提调阿速、钦察诸卫亲兵，以为防范。此时离元亡不远，脱脱家族与阿速、钦察诸卫建立的这种非同寻常的关系延续到了北元。另一方面改伯颜旧政，复科举，开马禁，减盐额，修辽、金、宋三史，颁《至正条格》，史称"脱脱更化"。但这些新政没有能挽救元朝的社会危机，而且，脱脱对朝中贵族的结党营私仍然无能为力。左丞相别儿怯不花勾结贺太平、韩嘉纳、秃满帖儿等为十兄弟，排挤脱脱。惠宗听信谗言，脱脱不安其位，于至正四年（1344年）辞去右丞相。知枢密院事阿鲁图接任中书右丞相。不久，别儿怯不花又唆使御使台臣弹劾阿鲁图不宜居相位，至正七年，阿鲁图去职。左丞相别儿怯不花升任右丞相，铁木儿塔失任左丞相。未几，铁木儿塔失病卒，以木华黎后人、御史大夫朵儿只为左丞相。至正八年，别儿怯不花遭弹劾而罢相，朵儿只继为右丞相，平章政事太平为左丞相。从脱脱去丞相到朵儿只继为右丞相的五、六年中，相位更迭不已，政治危机日益严重，终于导致了元末农民大起义于至正十一年爆发。在元朝镇压农民军的过程中，地方军阀与朝内的党争交织，再次出现了大臣专权的局面，由此加速了元朝的灭亡。至正二十八年（1368年）八月初二日，明军攻入大都，元朝在中原的统治结束。

元朝从仁宗末年开始出现大臣弄权局面和英宗被弑、明宗遇害、燕铁木儿与伯颜专权的现象，以及随后出现的军阀罗帖木儿与扩廓铁木儿之争，这些奴仆欺主、杀主的历史事实说明，经过近百年的历史进程，蒙古社会从社会意识到社会行为发生了极大的变化。在早期的蒙古社会，成吉思汗黄金家族的汗权被认为是天授的，是神圣不可侵犯的。而到了元朝末年，权臣不仅弑主，还胆敢喊出"天下，本我家之天下"的狂言，权臣从阴谋弑主发展到了公开迫害黄金家族的成员。如果从人类文明演进的角度来看，这些事实表现了蒙古人开始藐视天威，挑战传统，表现了从迷信与宗教的束缚中解脱的端倪。但这种进步是一个痛苦而漫长的过程，从元末开始的异姓贵族弄权现象，随着蒙古族退回草原而愈演愈烈，并在很大程度上导致了北元时期的蒙古族内部的战乱与蒙古社会的动荡。

第七节 元代朝廷与东、西道诸王的斗争及元朝 在内蒙古地区边防的巩固（上）

一、蒙元朝廷与西道诸王矛盾的形成

朝廷与西道诸王矛盾的由来 忽必烈统治初年，元代西北边地的形势经历了急剧而复杂的变化。引起这种变化的原因主要有两个：一是成吉思汗黄金家族内部的汗权之争形成的家族派系恩怨；二是西道诸王之间及他们与朝廷之间的力量对比发生了变化，要重新划定中亚及畏兀儿地区的统治范围。

元代前期没有确立汉地那种嫡长子继承汗位的制度，皇子继位决定于诸多因素。大蒙古帝国的缔造者成吉思汗在晚年决定传位于长后孛儿帖生的第三子窝阔台，并规定此后汗位的传承应在窝阔台系内进行。窝阔台汗在位时有旨传位皇孙失烈门，但窝阔台汗去世后，六皇后乃马真氏立己子贵由为汗，造成窝阔台系内部的分裂，又为后来拖雷系诸王夺取汗位制造了口实。贵由汗死后，拖雷的嫡长子蒙哥依靠拖雷所继承的成吉思汗的庞大军队、分地及尤赤系诸王的支持夺取了汗位，使蒙古大汗之位从窝阔台系转移到了拖雷系。蒙哥上台后，严厉处置了窝阔台系与察合台系中的反对派，这两系的大多数宗王及其后裔从此与拖雷系结怨，尤其是窝阔台系的宗王，十分不甘心失去蒙古大汗之位，整个元代不断有宗王与朝廷对抗。蒙哥汗死后，拖雷家族内部又一次发生了汗位之争，蒙哥长弟忽必烈与幼弟阿里不哥兵戎相见，阿里不哥争夺汗位失败，忽必烈宽恕了他，保留了阿里不哥诸子的领地。但是，阿里不哥系宗王及蒙哥系宗王对忽必烈系夺取汗位心怀嫉恨，阿里不哥的子孙后来继续反对忽必烈，发动叛乱。蒙古人在登上世界历史舞台之前，其社会内部还保留了浓厚的氏族社会残余，人与人之间的亲疏关系，很大程度上取决于血缘关系的远近。与汉族相比，蒙古部落首领与大汗，一方面特别留心维护整个家族的私利，排挤可能危及其家族统治的其他显贵家族；另一方面又比较容易宽容家族内部的权力争夺者。正是基于这种传统，在蒙古汗室内部，窝阔台系与拖雷系、阿里不哥系与忽必烈系的诸王始终因汗位的转移在元代及北元时期互存芥蒂，而大汗无法作严厉处置，一定程度

上助长了诸王叛乱的气焰。黄金家族内部的这种恩怨纠纷，在忽必烈统治初年导致了大蒙古的分裂及中央政府与西北诸王之间长达四五十年的战争。

西道诸王兀鲁思势力的发展变化　自从成吉思汗分封诸子到西北地区以后，虽然黄金家族内部的矛盾斗争不断发生，但直到忽必烈即位前，西道诸王还基本上处于蒙古汗廷的有效统治之下。蒙哥汗时期，设立别失八里等处行尚书省管理阿尔泰山以西至畏兀儿之间的诸城郭农耕之地，设阿姆河等处行尚书省，治理阿姆河以南及以西的波斯诸地。蒙哥汗死后，忽必烈与阿里不哥争夺汗位打了四五年仗，阿里不哥以西北为后方，蒙古国的东部则在忽必烈的统治之下。西道诸王一时间不受朝廷约束，趁机迅速扩张势力，他们与朝廷的力量对比逐渐发生了变化。而且，忽必烈即位后，着力灭南宋，统一全国，没有太多力量解决西北问题。因此，西道诸王兀鲁思得到了一个比较长的发展时期，其各自的力量消长也导致了它们之间关系的不断变化。窝阔台兀鲁思兴起，并且控制了察合台兀鲁思，集结成为中亚的一大实力集团。钦察汗国从蒙哥汗时期得到朝廷优惠，成为钦察草原上一个大的汗国。忽必烈的弟弟旭烈兀，此时也在波斯建立了强大的伊利汗国。大蒙古国分裂成元朝与此四大汗国。元朝只是四大汗国名义上的宗主，其直接统治的地区局限在蒙古高原东部与汉地。

在西道诸王中，首先是察合台兀鲁思利用忽必烈和阿里不哥争夺汗位之机，迅速扩张。阿里不哥为了得到中亚兵马、粮草的支持，派其心腹阿鲁忽回察合台兀鲁思即汗位，取代原来察合台兀鲁思年幼的木八剌沙汗及监国的兀鲁忽乃妃子。阿鲁忽是察合台第六子拜答里之子，跟随阿里不哥已久，很得阿里不哥信任。此时，察合台兀鲁思的汗是年幼的木八剌沙，他的母亲兀鲁忽乃妃子辅政。木八剌沙是察合台嫡长子抹土干之子哈剌旭烈兀的儿子，蒙哥在哈剌旭烈兀死后立木八剌沙为汗。阿里不哥现在将阿鲁忽立为察合台兀鲁思的汗，意味着废黜了木八剌沙。阿里不哥将阿鲁忽派回去当汗时，还将忽阐河（今锡尔河）以东草原和阿姆河以北地区的农耕城郭之地的实际控制权授予了阿鲁忽，这些地区原属大汗辖地。[①]阿鲁忽一旦统辖了这些地盘，就想干脆吞并这块地盘，于是拘系了阿里不哥派到阿姆河地区征集军需

---

①　参见《察合台汗国史研究》，第 4 章第 1 节，第 143—159 页。

的使臣，转而归服了忽必烈。忽必烈为了笼络西道诸王，下令"从质浑河岸到密昔儿的大门，蒙古军队和大食人地区，应由你旭烈兀掌管，你要好好防守，以博取我们祖先的美名。从阿勒台的彼方直到质浑河，可让阿鲁忽防守并掌管兀鲁思和各部落"。① 这样，阿鲁忽从阿里不哥那里取得的权益得以继续。察合台兀鲁思因此迅速发展为中亚的一支重要力量。

术赤第二子拔都是钦察汗国的实际创立者。拔都在太宗初年的长子西征中与贵由在酒宴上因位序高低发生过争执，后来拔都拒绝出席贵由的登基大会。贵由即位后，亲统大军西征拔都，拔都亦亲率大军东进迎击，贵由汗途中病死时，拔都已到海押立西面的不远处。拔都与别儿哥兄弟随后在拥立蒙哥即汗位的事件上有大功劳，蒙哥汗为报答拔都与别儿哥兄弟，一是将曲儿只（今格鲁吉亚）赐给了别儿哥，② 二是基本不再干预术赤兀鲁思的事务，朝廷与术赤兀鲁思沿塔剌思河与碎叶川一线的草原划界而治。③ 术赤系后王在宪宗蒙哥汗时期俨然成了粟特故地与忽阐河以东草原的主人。④

察合台兀鲁思汗也速蒙哥因其汗位系贵由汗从哈剌·旭烈兀手中夺来赐予他的，因此也速蒙哥与本宗诸王也孙脱、不里反对蒙哥继承汗位，他们被蒙哥分别处死或放逐⑤。察合台兀鲁思的势力在蒙哥时期有所削弱，这与术赤后王拔都、别儿哥在钦察草原与中亚的势力得到增长是互为因果的。因此，中统元年（1260 年），随着阿鲁忽成为察合台兀鲁思的汗，与术赤系后王在西域就展开了争夺。随着阿里不哥败降忽必烈，他对阿鲁忽的威胁随之解除。阿鲁忽立即乘术赤后王与旭烈兀之间发生战争的时机，出兵忽阐河中、下游一带，打败别儿哥，占领和劫掠阿姆河中游属于术赤兀鲁思的重镇讹答剌。接着，他又残杀术赤后王在不花剌城的 5 000 属民，霸占了他们的财产和妻女。⑥ 阿鲁忽向忽阐河下游发展，意欲席卷整个阿姆河以北地区和

① 《史集》（汉译本）第 2 卷，第 299 页。

② 《元史》卷 3 《宪宗本纪》，第 45 页。

③ 参见柔克义英译本，何高济汉译本：《鲁布鲁克东行纪》，中华书局 1985 年出版，第 246、247 页。

④ 参见《察合台汗国史研究》，第 3 章第 5 节。

⑤ 参见《史集》（汉译本）第 2 卷，第 170 页。

⑥ ［俄］巴托尔德：《蒙古侵寇前的突厥斯坦》，伦敦，1970 年版（V. V. Barthold Turkestan down to the Mkngol Invasion, London, 1970），第 490—516、225 页。

忽阐河以东的草原，尤赤后王的势力受到严重威胁，于是尤赤后王别儿哥决定支持正在向他求援的窝阔台后王海都，希望联合海都，解除阿鲁忽的威胁。

海都是窝阔台子合失的儿子。蒙哥汗夺得汗位的时候，海都才十六、七岁，未参与脑忽、禾忽、失烈门及也速蒙哥一伙的活动。蒙哥为削弱窝阔台系，将窝阔台兀鲁思在按台山外的分地，分割为若干小块，分授给未参与反对蒙哥的窝阔台子孙们。海都也在这时候受赐海押立（在今哈萨克斯坦共和国塔迪库尔干东北）为分地。海都对于汗系由本家族转入拖雷系也心怀不满，他到海押立以后，开始暗暗地聚集兵力。在阿里不哥与忽必烈的汗位之争中，海都一直站在阿里不哥一边。阿里不哥失败后，拖雷系在漠北的势力严重受损，海都取得了别儿哥的支持，起而反抗阿鲁忽。至元元年（1264 年），海都在别儿哥支持下与阿鲁忽的军队开战。至元三年（1266 年）左右，阿鲁忽死，海都占领了察合台兀鲁思汗的斡耳朵所在地阿力麻里（今新疆霍城县东北）。[①] 除此之外，海都还占领了塔剌思、肯切克、讹答剌、可失哈儿和阿姆河一带，即从亦列河直到忽阐河的地盘。[②] 这里本是察合台兀鲁思的旧地，这块肥美的草原成为海都发迹的资本，海都由此建立了窝阔台兀鲁思。这样，在忽必烈初年，元朝的西北地区，就出现了四支强大的势力：别儿哥的金帐汗国、旭烈兀的伊利汗国、海都的窝阔台汗国、阿鲁忽的察合台汗国。而忽必烈打败阿里不哥、平息李璮之乱后，坐稳了汗位，正意图重新控制西北地区。于是，朝廷展开了与西道诸王的争夺中亚及畏兀儿地区的战争。

塔剌思会议 阿鲁忽在至元二年（1265 年）死去，给了忽必烈重新掌控西北局势的一个好机会。按蒙古国的旧制，各兀鲁思汗位继承人的确定权由大汗掌握。于是，忽必烈派八剌回察合台兀鲁思继承汗位。八剌是察合台长子抹土干第三子也孙脱的儿子，也孙脱虽然因为参与反对蒙哥汗即位的活动受到蒙哥汗的处置，但也孙脱的后裔是察合台汗国中很有势力的家族，八剌及其子都哇是著名的察合台兀鲁思汗。哈剌旭烈兀之子木八剌沙曾受蒙哥

---

① 参见《察合台汗国史研究》，第 247—251 页。
② 参见《察合台汗国史研究》，第 4 章第 1 节，第 143—156 页。

汗之命继承其父的汗位，因年幼，由其母兀鲁忽乃妃子监国。中统年间，阿里不哥又命阿鲁忽回国夺取了兀鲁忽乃的权力称汗。阿鲁忽死后，兀鲁忽乃妃子为首的察合台诸系宗王贵戚重新立木八剌沙为汗，这与忽必烈汗的旨意是相违的。① 木八剌沙是哈剌旭烈兀的儿子，又有先皇蒙哥汗的旨意承袭父位，此时复位，在察合台系诸王看来，并无不当之处。但是在已占据蒙古大汗之位的忽必烈看来，由朝廷择定的人选继承阿鲁忽的汗位才算符合蒙古旧制，何况此时，汗位的确定权意味着朝廷对该兀鲁思的统治权。因此，八剌回察合台兀鲁思夺取汗位成为察合台兀鲁思与蒙古汗廷关系史上的一件大事。八剌回到察合台兀鲁思时，木八剌沙已经建立了统治。八剌明白不能凭着忽必烈的一纸圣旨将木八剌沙赶下台，于是，他隐瞒了受忽必烈汗之命前来的目的，暗中笼络军队，时机成熟后才夺取了政权。

这一时期，忽必烈从几个方面着手加强对西北诸地的控制。在对察合台兀鲁思有所行动时，忽必烈还遣铁连出使钦察之地，力图离间尤赤后王与海都的关系。② 至元三年（1266 年）六月，又封皇子那木罕为北平王，命其出镇漠北，增强对阿里不哥系诸王的监视弹压，同时也为从蒙古高原出兵西北边地作好了军事准备。忽必烈还一再诏命海都驰驿入觐。鉴于窝阔台系诸王遭受蒙哥汗清洗报复的教训，海都对忽必烈的朝觐诏命充满疑虑，因此托辞不至。忽必烈希图通过这些措施，加强大汗对西北政局的控制，但西北时局发展变化极快，超出了忽必烈政权的预测。

八剌夺得政权以后，就成了整个察合台系诸王势力的代表，为察合台系的利益考虑，八剌竭力保持对阿姆河到按台山地区的控制，限制朝廷在这一地区的影响，逐步背弃了当初回国时对朝廷的承诺。早在太宗窝阔台汗时期，察合台就有吞并朝廷在阿姆河以北属地的行为。定宗贵由汗时期，尤赤系势力大为膨胀。宪宗蒙哥汗时期，虽设别失八里等处行尚书省管理阿尔泰山以西至畏兀儿之间的诸城郭农耕之地，设阿姆河等处行尚书省治理阿姆河以南诸地，但尤赤系宗王在中亚的势力与朝廷的统治并存。到忽必烈即位时，阿姆河以北地区成为朝廷鞭长莫及的地方。为了争夺这一地区，察合台

---

① 《史集》（汉译本）第 2 卷，第 311 页。
② 《元史》卷 134 《铁连传》，第 3248 页。

汗国、蒙古汗廷、金帐汗国三方的矛盾日渐明朗化。

至元五年，海都一部游弋东趋，进入岭北，冲击了蒙哥子玉龙答失所统巴邻部众。① 驻扎在蒙古高原的朝廷军队认为海都发兵叛乱，乃出击海都，"逆败之于北庭，又追至阿力麻里，则又远遁二千余里，上令勿追"。② 此时，海都可能是想避免与忽必烈军正面开战或者是力量不够，因此从阿力麻里西撤。

海都战败后的西逃行为令八剌感到疑惧。早在阿鲁忽死后，海都就趁木八剌沙新立之际，从察合台汗国夺取了忽阐河以东的大片草原。八剌即位后，为夺回这片草原，察合台汗国与窝阔台汗国发生了激烈的冲突。此时，海都西奔，八剌深恐海都就此西渡忽阐河，夺取河中，于是急忙出兵拦截，两军在忽阐河畔相遇，发生大战。八剌先胜，海都向术赤兀鲁思的蒙哥帖木儿汗求援。别儿哥死后，其侄子，即拔都的儿子蒙哥帖木儿继为术赤兀鲁思的汗，他继续与海都结盟对抗八剌。蒙哥帖木儿派其叔别儿哥只儿率5万骑驰援海都。③ 得此援兵后，海都再度出战，大败八剌，向河中地区溃退。

在忽阐河之战前，海都已控制了察合台旧地亦列河至忽阐河之间的广阔草原，而察合台汗国则保有今天的天山以南地区，双方大致以今天山与锡尔河一线为分界线。八剌军战败后，沿忽阐河向西溃退到粟特故地（Sogdiana，今锡尔河与阿姆河中游之间泽拉夫善河流域一带），才将军队重新集结起来。这时，忽阐河以东的天山以南地区也都落入了海都手中，八剌主要控制地缩减为阿姆河以北地区。八剌担心海都与蒙哥帖木儿的联军会继续追击，使他失去阿姆河以北地区，遂与诸将议定要破坏抢劫这块繁华地区的城邦不花剌与撒麻儿干。因为不花剌的居民是由术赤系、拖雷系和充任蒙古国大汗的家族分领的，没有察合台系诸王的份额。撒麻儿干诸王贵戚的分

---

① 《史集》（汉译本）第 2 卷，第 26 页。

② 《元史》卷 63《西北地附录》原文作："世祖逆败之于北庭"。忽必烈亲征，于其他有关史料无征，率领这支军队的，应当是北平王那木罕。"北庭"，此指岭北。参见白寿彝主编《中国通史》第 8 卷《中古时代·元时期》上册《乙编综述》第 6 章第 4 节《西北边地的争夺与北方、东北边疆的巩固》。

③ 参见《史集》（汉译本）第 2 卷，第 114 页。

领情况尚不见记载，很可能也没有察合台系诸王的份额。① 八剌在阿姆河以北地区的劫掠行为传到海都与蒙哥帖木儿处后，引起了他们的不安，如果阿姆河以北地区的生产遭到破坏，他们的利益就会蒙受很大的损失。为了避免河中城郭地区遭到更大破坏，海都深思熟虑后，说服其他诸王放弃强攻八剌的主张，而是采取与八剌约和的方法来解决争端。海都乃遣哈丹（窝阔台子）的儿子钦察去与八剌和谈。钦察能言喜辩，自称要"用甜言蜜语劝诱"八剌同意约和。② 钦察见到八剌后，与八剌谈起和解、团结和亲属关系，八剌说："你说的非常好。……我们族人中的其他宗王们都占有大城和繁荣的牧场，可是我只有这一小块兀鲁思（分地）。海都和蒙哥帖木儿由于这块分地反对我，要把我这个悲惨、窘迫的人赶走。"③ 钦察带着八剌的要求回到海都处进行协商。

至元六年（1269年）春，尤赤兀鲁思、察合台兀鲁思和窝阔台兀鲁思三方会盟于海都控制下的塔剌思和肯切克草原，这是一次没有大汗参加、也没有经过大汗同意的忽里台会议。会议的主要内容是调停八剌、海都与蒙哥帖木儿三方之间的纠纷以及西道诸王如何瓜分阿姆河以北地区。在会上，八剌指出，拖雷家族利用汗权为自己谋利益，率先占领了东面的汉地和西面的波斯两块最肥美的土地，钦察草原为尤赤家族占有，忽阐河至亦列水之间的草原已被海都占领，成吉思汗的四个嫡子犹如一棵树上的四个果子，既然其他三家都占领了与自己地位相当的地盘，察合台系当然也要有自己的份额。④ 简单地说，八剌就是想占领蒙古国中尚未被分割的土地——阿姆河以北地区。而海都则要求八剌停止对窝阔台系的敌对活动，与其结盟对抗忽必烈。最后，三方议定：互相结为"安答"，海都成为事实的盟主；⑤ 河中地区三分之二划归八剌，剩下三分之一属于海都和蒙哥帖木儿；诸王各自退回山地和草原，不得进入城郭地区，不得在农耕地上放牧牲畜，也不允许向城郭居民滥行征发；农耕定居区域的管理仍由麻速忽负责；为了增加八剌的牧

① 参见《察合台汗国史研究》，第179页。
② 《史集》（汉译本）第3卷，第109页。
③ 《史集》（汉译本）第3卷，第110页。
④ 《史集》（汉译本）第3卷，第110—111页；参见《察合台汗国史研究》，第179页。
⑤ 参见《中国大百科全书·中国历史·元史》，第39页"海都"条。

场、土地和军队，将由海都派兵，援助八剌西越阿姆河去侵夺伊利汗阿八哈的疆域。这样，在瓜分阿姆河以北地区的问题上，八剌与海都、蒙哥帖木儿基本达成了共识，八剌替自己争得了一块地盘。八剌背弃了受命归国时忽必烈汗令其与海都对抗的旨意，抛弃了自己承诺的服从朝廷、牵制海都军事力量的义务，反而与海都、蒙哥帖木儿言和了。塔剌思大会形成了一个脱离蒙古汗廷统属的中亚蒙古诸王的联盟，蒙古国就此逐步演变为元朝和几个兀鲁思，它们之间相互联系，又相对独立；塔剌思大会以后的元朝诸帝，虽被尊为成吉思汗汗位的继承人与黄金家族总代表，但其直接统治地域仅限于东方；海都是塔剌思大会的最大赢家，而且事实上已成为反叛元朝的盟主。①

二、元朝西北边境的平定

元朝与西道诸王在天山南北的争夺 至元七年春，八剌按塔剌思会议上的约定从河中西攻呼罗珊。伊利汗阿八哈在也里（今阿富汗赫拉特）附近设计大败八剌军。八剌败退河中，不久死去。合剌旭烈兀之子、前已被黜的察合台汗国之汗木八剌沙及阿鲁忽诸子尤伯、合班认识到海都成为了中亚地区新的主人，他们前去请求海都帮助立自己为汗，但是海都却立了察合台之子撒里班的儿子聂古伯为察合台兀鲁思的新汗，察合台兀鲁思沦为海都的附庸。海都取得对突厥斯坦和河中的支配权后，对元朝的态度逐渐强硬起来，开始了与元朝在天山地区直接对峙和争夺的阶段。

阿里不哥攻阿鲁忽时，曾席卷今天山以北地区，阿鲁忽只得避居于天山以南地区的可失哈儿、斡端一带。斡端，是元朝控制西域的重镇，约在中统初年一度回到蒙古大汗手中，至元三年（1266 年），大蒙古国置"忽丹八里局"，置大使一员，给从七品印。② 忽丹就是斡端的异译。塔剌思会议之前，八剌夺取了斡端。八剌死后，察合台汗国的力量削弱，今塔里木盆地周围的绿洲地区又回到了元朝手中。至元八年六月，朝廷"招集河西、斡端、昂吉呵等处居民"。③

---

① 《察合台汗国史研究》，第 192、193 页。
② 《元史》卷 85《百官志》，第 2149 页。
③ 《元史》卷 7《世祖本纪》四，第 136 页。

次年，元政府又发工匠往斡端、可失哈儿采玉。① 至元十一年，元朝设畏兀儿断事官，"掌旧州城及畏吾儿之居汉地者，有词讼则听之"。② 同年正月，元政府改善通往今塔里木盆地西端与西南端的交通，"立于阗、鸦儿看两城水驿十三，沙洲北陆驿二。免于阗采玉工差役"。四月，忽必烈还下诏"安慰斡端、鸦儿看、合失合等城"。③ 由此可知，此时的天山以南地区在元期的统治之下。至元十二年，贵由之子禾忽叛乱之后，海都把斡端视为其势力范围，与元朝进行了反复争夺。至元十三年，元朝灭宋后，腾出兵力来对付西北叛王。这年十月，元朝"命别速觯、忽别列八都儿二人为都元帅，领蒙古军 2 000 人、河西军 1 000 人，守斡端城"。④ 十八年，刘恩率元军击败海都部将，进据斡端；翌年又击退前来攻城的海都系诸王。⑤ 二十年三月，元政府又遣汉都鲁迷失率甘州新附军开往斡端。⑥ 至元二十年，海都遣八把率众 3 万攻斡端，刘恩以众寡不敌，破围退师。元军一时间丢失了斡端，但不久又重新占领。至元二十四年正月，由于上年歉收，元朝"以钞万锭赈斡端贫民"。二月，"设都总管府以总皇子北安王民匠、斡端大小财赋"。⑦ 至元二十五年（1288 年）正月，为稳定斡端驻军的军心，忽必烈下令对出征斡端的军人的军户禁止买和雇。⑧ 至元二十五年七月，斡端有"戍兵三百一十人屯田"。⑨ 但在同一时期，海都的势力越来越强大，并且频繁袭扰斡端，元朝政府要在斡端驻屯较多的军队来保卫斡端，就要从内地转运大量的粮草，费用浩大，因此，逐步放弃了斡端。至元二十五年，有大批来自斡端和可失哈儿的人口随撤回内地的元朝军队来到了河西地区。这年十一月，元政府命忽撒马丁为管领甘肃、陕西等处屯田达鲁花赤，督率"斡端、可失哈儿工匠千五百户屯田"。⑩ 这些工匠可能是在刘恩

① 《永乐大典》卷 19417 《经世大典·站赤》。
② 《元史》卷 89 《百官志》，第 2273 页。
③ 《元史》卷 8 《世祖本纪》五，第 153—154 页。
④ 《元史》卷 99 《兵志》二，第 2533 页。
⑤ 《元史》卷 166 《刘恩传》，第 3897 页。
⑥ 《元史》卷 12 《世祖本纪》九，第 252 页。
⑦ 《元史》卷 8 《世祖本纪》五，第 295、296 页。
⑧ 《元典章》卷 34 《兵部》。
⑨ 《元史》卷 15 《世祖本纪》十二，第 314 页。
⑩ 《元史》卷 15 《世祖本纪》十二，第 316 页。

的军队退出斡端时，被元政府括出来的。至元二十六年，斡端、别失八里的屯田汉军撤回内地。① 这年九月，元政府决定放弃斡端，于是"罢斡端宣慰使元帅府"。②

元政府放弃斡端后，在塔里木盆地北缘的曲先塔林都元帅府还继续存留了一段时间。曲先塔林，在今新疆库车附近塔里木河流域一带。③ 札剌亦儿人兀浑察至元三十年（1293 年）死后，"次子袭授曲先塔林左副元帅，寻卒。弟塔海忽都袭"。④ 元贞元年（1295 年）正月，元朝"立曲先塔林都元帅府，以衅都察为都元帅"。⑤ 大德元年（1297 年）七月，"罢蒙古军万户府入曲先塔林都元帅府"。⑥ 此后，《元史》不见有关曲先塔林的记载，可能是元朝已经放弃了。从至元年间至大德初年，海都与元朝政府争夺天山以南地区的斗争，以元朝退出该地而结束。

在天山以北的地区，海都与察合台后王联合起来与元朝进行争夺。阿里不哥失败后，大蒙古国的势力又延伸到了畏兀儿地区。至元三年，忽必烈命马木剌的斤之子火赤哈儿的斤嗣位为亦都护。至元五年，海都率兵从阿力麻里东侵，海都在北庭（此处应为岭北）被那木罕军击败，那木罕进占海都曾占领的察合台汗国大斡耳朵所在地阿力麻里。至元八年，忽必烈命北平王那木罕建帐于阿力麻里，加强对海都的戒备。是年，元朝在畏兀儿地市米万石以补充那木罕军的装备。⑦ 但是，畏兀儿地区处在元朝与西道诸王势力之间，成为双方争夺的焦点。

至元九年，海都扶植都哇为察合台汗国的新汗。都哇是八剌之子。约在至元十年，都哇、不思麻兄弟向东进攻亦都护所在的北庭（今新疆吉木萨尔北破城子）。亦都护抵挡不住都哇、不思麻的进攻，因"北庭多故，民弗

① 《元史》卷 100《兵志》三《屯田》，第 2560 页。

② 《元史》卷 15《世祖本纪》十二，第 328 页。

③ 刘迎胜：《元代曲先塔林考》，《中亚学刊》第 1 辑，中华书局 1983 年版；参见《察合台汗国史研究》，第 6 章第 4 节，第 277—283 页。

④ 《元史》卷 123《拜延八都鲁传》，第 3024 页。

⑤ 《元史》卷 18《成宗本纪》一，第 390 页。

⑥ 《元史》卷 19《成宗本纪》二，第 412 页。

⑦ 《元史》卷 7《世祖本纪》四，第 134 页，至元八年"敕往畏兀儿地市米万石"。

获安，仍迁国火州"。① 亦都护放弃北庭，危及元朝在今天山南北的统治。于是，次年，元朝为加强对畏兀儿地区的控制，置畏吾儿断事官，秩三品。② 至元十二年（1275 年），都哇等领兵 12 万包围火州（今新疆吐鲁番），逼迫畏兀儿亦都护火赤哈儿的斤投降。火赤哈儿的斤表示：忠臣不事二主，誓与火州共存亡。③ 都哇围火州半年，攻城不下，射箭书给火赤哈儿，提出要娶亦都护的女儿为妻，作为撤兵的条件。由于城中粮食将尽，为救百姓性命，火赤哈儿将女儿也立亦黑迷失别吉从城上吊放到城外，都哇得女，解围而去。此后，亦都护放弃火州，南迁哈密，时间约为至元十四年。④

至元十三年，元朝灭掉了南宋，可以抽调出兵力来应付西北局势了。自至元十五年开始，元朝不断派出大批蒙古军、探马赤军和汉军开赴西域，海都的军队被迫退出了别失八里地区。《元史》的相关记载说明，至元十五年以后，别失八里地区又回到了元朝的手中。⑤ 十八年二月，元廷改畏吾儿断事官为北庭都护府，升为从二品。"掌领旧州城及畏吾儿之居汉地者，有词讼则听之"。⑥ 至元二十年四月，元朝设立了别失八里、和州等处宣慰司。⑦ 但海都的势力还是时常入侵别失八里。至元十七年，禾忽子秃古灭袭攻哈剌火州，劫掠附近地区。⑧ 至元二十二、二十三年，海都又侵别失八里。至元二十三年的战争中，元军在洪水山溃败，海都掩杀至哈密力之地。⑨ 畏兀儿亦都护火赤哈儿这时屯驻于哈密力，战死。此后亦都护移治甘肃永昌。海都不久退回，元军重戍于畏兀儿之地。至元末年，元朝的军队与海都、都哇的

① 危素：《西宁王忻都公神道碑》，张维编辑：《陇右金石录》卷 5，中国西北文献丛书编辑委员会编《中国西北文献丛书·西北考古文献》第 7 辑，第 182 分册，兰州古籍书店 1990 年影印出版。关于亦都护放弃北庭（即元代别失八里）的时间考订，请参见《察合台汗国史研究》，第 261—262 页。

② 《元史》卷 89《百官志》五，第 2273 页。

③ 参见《道园学古录》卷 24《高昌王世勋碑》；《元史》卷 122《巴而尤阿而忒的斤传》，第 3001 页。

④ 亦都护放弃火州的时间及火州之战的时间的考订，请参见《察合台汗国史研究》，第 271 页。

⑤ 《元史》卷 10《世祖本纪》七，至元十五年二月庚辰条，同年十月辛酉条；卷 11《世祖本纪》八，至元十七年正月丙午条；至元十八年七月甲午条。

⑥ 《元史》卷 11《世祖本纪》八，第 230 页。

⑦ 《元史》卷 12《世祖本纪》九，第 253 页。

⑧ 《元史》卷 11《世祖本纪》八，第 225 页。

⑨ 《元史》卷 165《綦公直传》，第 3884 页。

军队同时活动在畏兀儿地区。《史集》记载，成宗初年，火州位于合罕与海都边地之间，当地人同双方友善，并向双方贡献。①

为了增强元朝对畏兀儿地区的控制，元贞元年（1295 年）正月，元政府在设曲先塔林都元帅府的同时，还"立北庭都元帅府，以平章政事合伯为都元帅，江浙行省右丞撒里蛮为副都元帅，皆佩虎符。立曲先塔林都元帅府，以衅都察为都元帅，佩虎符"。二月，又命北庭都元帅府"曷伯（即合伯）、撒里蛮、孛来将探马赤军万人出征，听诸王出伯（即尤伯）节度"。②元政府不断增加对尤伯一军的补给。元贞二年三月，"诸王出伯言所部探马赤军懦弱者三千余人，乞代以强壮，从之，仍命出伯非奉旨毋擅征发"。"以合伯及塔塔剌所部民饥，赈米各千石"。六月，"给出伯军马七千二百余匹"。③ 尽管元政府不断增加对畏兀儿地区的戍军及装备，但仍然无法恢复元朝在畏兀儿地区的支配性统治地位，都哇完全将火州视为其领地。海都与都哇的力量越来越强大，他们步步进逼，元政府军则取守势力，且战且退。④ 这情况持续到了大德八年（1304 年）蒙古诸汗国约和前夕。

在天山北面的西部直到亦列河（今伊犁河）地区，那木罕的军队与海都发生激烈的冲突。至元十年（1273 年），那木罕与诸王孛兀儿趁察合台汗国的汗聂古伯与海都不睦，往征聂古伯，史称元军"平之"。⑤ 元朝为了应对窝阔台汗国与察合台汗国的扩张，这年夏天，忽必烈诏安童"以行中书省枢密院事从皇子北平王镇北圉"。⑥ 此时，察合台汗国的汗聂古伯死去，海都又支持不花帖木儿（察合台第七子合答海之子）继位为察合台汗国的汗。不久，不花帖木儿死，海都又扶立八剌之子都哇为察合台汗国的汗。

海都进犯漠北失败及元朝与叛王在中亚的争夺　海都虽然对拖雷系占据皇位不满，不臣服元朝，但很长时间内并没有进攻东面的元朝。这可能一是从实力上考虑，二是从战略上考虑不能四面树敌。至元二十四年（1287

---

① 《史集》（汉译本）第 2 卷，第 285—286 页。转引自《察合台汗国史研究》，第 284 页。
② 《元史》卷 18《成宗本纪》一，第 390—391 页。
③ 《元史》卷 19《成宗本纪》二，第 403、404 页。
④ 参见《察合台汗国史研究》，第 6 章第 4 节。
⑤ 《元史》卷 8《世祖本纪》五，第 152 页。
⑥ 《国朝文类》卷 24《丞相东平忠宪王碑》。

年），东道诸王的叛乱使海都彻底改变了他对元朝的政策。

至元二十四年四月，东道诸王塔察儿之孙乃颜起兵，在辽东发动叛乱，并遣使联合海都。海都答应出兵 10 万骑响应。① 次年正月，海都如约"犯边"。忽必烈令"驸马昌吉，诸王也只烈，察乞儿、哈丹两千户，皆发兵从诸王尤伯北征"海都。② 六月，海都派大将暗伯、著暖率兵越按台山，进犯叶里干脑儿（今蒙古国西部艾里克湖），被管军元帅阿里带（即阿剌台）击溃。③ 十月、十二月，海都又两次犯边，元军都予以迎击。二十六年春，药木忽儿与明里帖木儿煽动海都大举入侵漠北，占领了漠北西部及吉利吉思等地。二月，忽必烈以中书右丞相伯颜为知枢密院事，统率漠北诸军。和林设置知院即从伯颜开始。六月，伯颜尚未至前线，而海都兵已至杭海岭。晋王甘麻剌率军抵御，兵溃，陷于敌阵，幸亏土土哈援救才得脱。海都乘胜进至和林，宣慰使怯伯奉北安王命弃城，率城民南撤，行六日，于八儿不剌之地被海都军追及，怯伯惧敌叛降。同撤的刘哈剌八都鲁与千户忽剌思逃脱，路遇元军向漠北运送军资者，一同安全撤回。④ 七月，忽必烈亲征，收复和林，命伯颜镇守。⑤ 元政府为恢复对漠北西部地区的控制，与叛乱势力在杭海岭一带进行了反复较量。至元二十七年，药木忽儿、明里帖木儿率军进攻北安王那木罕的驻地，元军将领朵儿朵怀居守大帐，与宗王牙忽都共同御敌，不战而溃，朵儿朵怀恐因战败获罪，乃投靠了药木忽儿，牙忽都以十三骑逃回。⑥ 次年，钦察亲军卫都指挥使土土哈督钦察军增援漠北西部，元军一路攻至吉利吉思。至元二十九年（1292 年），明里帖木儿与海都再次引兵攻击元朝戍军，伯颜迎敌于阿撒忽秃岭（今杭爱山西侧、扎不罕河上游以南之阿萨赫土岭），大破海都军，明里帖木儿逃走。伯颜以轻骑追至别竭儿，斩首级 2 000，俘敌余众。土土哈所部进至按台山，掠海都属民 3 000

---

① 冯承钧译：《马可波罗行纪》，第 175 页，《世纪文库》丛书本，上海世纪出版集团、上海书店出版社 2006 年版。

② 参见《元史》卷 15《世祖本纪》十二，第 308 页。

③ 参见《元史》卷 15《世祖本纪》十二，第 313 页。

④ 参见《元史》卷 169《刘哈剌八都鲁传》，第 3975 页。

⑤ 参见《元史》卷 15《世祖本纪》十二，第 323 页。

⑥ 参见（汉译本）《史集》第 1 卷第 1 分册，第 191 页；《元史》卷 117《牙忽都传》，第 2909 页。

余户归。伯颜统军漠北时，以守为主，不时遣使海都，以稳住对手，有朝臣因此怀疑伯颜畏敌。忽必烈乃以玉昔帖木儿代伯颜。至元三十年六、七月间，玉昔帖木儿尚未至漠北，海都军又来攻，伯颜欲诱敌深入，一举消灭之，故一连七日每战皆败。诸军以为伯颜畏怯不战，自令部下反击，大败海都军，使海都逃走。①

自至元二十八年秋开始，元政府计划开通从吉利吉思到其东邻斡亦剌的驿站。② 为此，元政府首先要建立对当地的统治。因此，至元二十九年，忽必烈下令土土哈进军欠州。次年春，土土哈部奉命取吉利吉思，"师次谦河，冰行数昼夜，至其境，尽收五部之众，屯兵镇之"。五月，海都领军救欠州至谦河，欲再据吉利吉思诸部，被土土哈击退。③ 但海都仍然控制了吉利吉思以西的八邻、帖良古惕诸地。在土土哈收复欠州后，阿速军千户玉哇失率领的元军继续西进至也儿的石河，及亦必儿、失必儿之地，即今鄂毕河上游、中游一带。④

海都与药木忽儿兄弟从至元二十五年开始进攻漠北，倾其全力而不能占领漠北，到至元三十年只好退出按台山，明里帖木儿则不得不归顺朝廷。"说明立国中原的元政府拥有雄厚的经济与军事实力，足以控制漠北根本之地，绝非依托游牧经济的西北藩王所能动摇的"。⑤

元成宗即位后，遣晋王甘麻剌就藩，仍统领漠北诸部。又派太师、知枢密院事玉昔帖木儿回漠北主持军务。以宁远王阔阔出、成宗的驸马高唐王阔里吉思、钦察卫兼左卫亲军都指挥使土土哈及其子床兀儿、蒙古军万户囊加歹、前卫亲军都指挥使玉哇失等人，而以宁远王阔阔出为主帅，驻守在按台山至称海沿线，以备海都。

土土哈及其子床兀儿奉命继续进攻吉利吉思以西的服属海都的八邻、帖良古惕诸地。大德元年（1297 年），床兀儿率领军队越过按台山，攻击八邻

　① 《元史》卷 127《伯颜传》，第 3115 页。

　② 《永乐大典》卷 19419《经世大典·站赤》，保存了至元二十八年九月二十日元政府关于在吉利吉思到斡亦剌设驿站的定议。

　③ 《元朝名臣事略》卷 3 引阎复撰：《土土哈传纪绩碑》，第 43 页。

　④ 参见《察合台汗国史研究》，第 289 页。

　⑤ 参见陈得芝：《岭北行省建置考》（中），《蒙元史研究丛稿》，第 169 页。

部等地，大败八邻部，床兀儿军追至亦马儿河（今鄂毕河）上游的阿雷河，海都派来的援军孛伯拔都在阿雷河南面的高山上设阵阻击元军，元军猛攻，孛伯拔都溃退30里，仅以身免。① 元朝完全控制了漠北包括吉利吉思在内的地区。

元成宗又对西北边防重新作了部署。察合台系诸王阿只吉、出伯防守火州、别失八里之地，阔阔出等诸王、驸马、将领防卫按台山沿线，安西王阿难答防卫原西夏边境，甘麻剌镇守漠北，在每个关隘都设置戍兵与探哨，设驿站通达军情，使各防区相互联结、相互呼应。② 于是，形势进一步朝有利于元朝的方向转变。在这种背景下，元贞二年（1296年）冬天，叛王药木忽儿、兀鲁思不花、叛将朵儿朵怀向朝廷投降。药木忽儿是阿里不哥之子，兀鲁思不花是蒙哥之子昔里吉的儿子。

药木忽儿、明里帖木儿兄弟投降海都的本意是借海都的力量恢复其父阿里不哥的势力，结果失败，只好跟着退到海都领地，并且又被海都支遣到都哇手下，他们作为拖雷的嫡系子孙当然不能忍受这种寄人篱下的待遇。朵儿朵怀叛降海都，则只因为在漠北抵抗西道诸王的战争中失败惧怕被治罪，与海都等叛王没有其他瓜葛，叛逃后也未与元军对抗过，所以趁成宗登基大赦之机，联络药木忽儿和昔里吉的儿子兀鲁思不花回归，并带回了12 000人。朵儿朵怀叛归海都时只带去了少数几个随从，带回的这些人大多数是药木忽儿与兀鲁思不花原来的领民。得悉约木忽儿等愿来归降之事，元朝十分重视，派土土哈率军至按台山的玉龙海，一是以备不虞，二是馈饷安抚降民；同时还派宗王阿只吉、晋王甘麻剌去迎接、引领他们入朝。元贞二年十月，药木忽儿、兀鲁思不花、朵儿朵怀等回到朝廷，成宗举行宗亲大会，议定"释其罪戾"，并增其岁赐，拨粮、钞赈其部众。为庆祝此次叛王来归，还宣布改元"大德"。③

宁远王阔阔出失利　成宗初年，由于漠北及畏兀儿地区的边防加强，以及药木忽儿、兀鲁思不花等主动归降，元朝西北边地的局势有所缓和。自至

① 《道园学古录》卷23《句容郡王世绩碑》，第23页。
② 《史集》（汉译本）第2卷，第337页。
③ 《元典章》卷1《诏令·大德改元》，第10页。

元二十六年（1289 年）战乱以来，只设都元帅府的和林地区，于大德二年（1298 年）重新设立了宣慰司，这说明漠北局面稳定了，行政机构又开始了正常运转。在这种局面下，备边的阔阔出等将帅生出了麻痹轻敌的情绪，这导致了大德二年都哇突袭元军的成功。

大德二年秋，阔阔出及驸马阔里吉思等诸王、驸马、将帅共议边事时，多数人认为，"往岁敌无冬至之警，宜各休兵境上"。阔里吉思却认为："今秋候骑至者甚寡，所谓'鸷鸟将击，必匿其形'，兵备不可废也。"① 这年冬天，都哇及察合台之子莫赤耶耶之子彻彻秃等率领大军来攻驻在火儿哈秃的元军。火儿哈秃，当为漠北边防军的营地，其地在按台山以东的今科布多境内。其时，阔阔出、床兀儿、囊加歹浑然不知，正相聚宴饮作乐，待哨报于夜间到达营地时，他们已烂醉如泥。敌大至，只有阔里吉思率本部 6 000 人出战，而左右两翼军都因处于没有防备的状态，未能出动配合，致使阔里吉思寡不敌众，退到山中，被都哇俘去。阔里吉思因不肯降都哇而被杀。因为这次失利，阔阔出、床兀儿、囊加歹受到成宗的严厉斥责。②

海山出镇与西北叛王的平定　元成宗统治时期，停止了对海外的战争，而且元朝对全国的统治也已经稳固，因此能抽出更多的力量来对付西北叛王。在阔阔出失败后，成宗重新调整边防部署。大德三年，成宗派遣同母兄长答剌麻八剌嫡长子海山赴漠北，代替阔阔出掌领漠北边防军队。随从海山出镇的有其藩邸侍臣乞台普济及其子也儿吉尼、康里脱脱、篯儿乞氏伯颜、杨教化等人，蒙古军万户伯里阁不花亦奉命率本部军从海山戍边。

海山统率下的军队有两部分，一是元朝中央政府的诸卫军，一是诸王、驸马所部军。中央卫军的主力是钦察亲军都指挥使床兀儿所领的钦察卫军（哈剌赤军）。《元史·兵志》记载，钦察卫军在大德年间扩充前有 19 个千户。《句容郡王世绩碑》记载，钦察卫军"数已盈万"。其次是前卫亲军都指挥使玉哇失所部阿速军，以及其他诸卫军。此外尚有蒙古军都万户囊加歹、蒙古军万户伯里阁不花、朵儿朵怀等人统率的军队。诸卫军由床兀儿统

---

① 《国朝文类》卷 23《驸马高唐忠献王碑》。
② 《史集》（汉译本）第 2 卷，第 282—283 页；《国朝文类》卷 23《驸马高唐忠献王碑》；参见陈得芝：《岭北行省建置考》（下），《蒙元史研究丛稿》，第 176—177 页。

一指挥。诸王、驸马的军队，有安西王阿难答（忽必烈孙）、也只里（合赤温家族）、八不沙（合撒儿家族）、脱脱（斡赤斤家族）、忽剌出（合赤温家族）、也里悭（斡赤斤家族）、瓮吉剌带（别里古台家族）、蛮子台（弘吉剌氏）、脱列帖木儿（拖雷庶子拨绰曾孙）、阿失（亦乞列思）等。晋王甘麻剌所统的漠北诸军另为一个集团。^① 海山出镇漠北之初，尚无王封。大德四年，成宗以真金的"皇太子宝"赐之。^② 成宗即位前抚军漠北时，曾佩此印，海山得此印以行令，证明他具有指挥诸王、诸将之军的最高统帅权。不过，经学者研究，海山实际统率的只是称海沿边的驻防之军，而晋王所部则自为一军，不属于海山统辖。^③

大德四年八月，元朝出动大军西击海都、都哇。在按台山南面的阔别列与海都军队交战，败之。但海都的军队"夜袭他部辎重"，而海山所部军队后勤供应严重不足，依靠晋王部下厘日补给军粮才渡过了难关。^④ 海山的军队是阔别列之战的主力。海都虽败但未远遁。十二月，元军乘胜西进，"军至按台山，乃蛮带部落降"。^⑤ 同年秋天，另一支"叛王秃麦、斡罗思等犯边，床兀儿迎敌于阔客之地。及其未阵，直前搏之，敌不敢支，追之踰金山乃还"。^⑥ 秃麦，可能是窝阔台之子灭里之子秃满，也可能是禾忽之子秃苦灭。斡罗斯，是海都之子。元军打退了海都的进攻，守住了金山、称海的防线。但海山作战失利，退至杭爱山。^⑦

但由于阔别列之战进行得不理想，成宗决定以晋王甘麻剌取代海山，指挥迤北元军，月赤察儿副之。《淇阳忠武王碑》记载，大德"五年，朝议北帅少怠，纪律或失，命王亚晋王以督之"。^⑧ 这里的北帅少怠应就是指阔别

① 参见陈得芝：《岭北行省建置考》（下），《蒙元史研究丛稿》，第 179 页。
② 《牧庵集》卷 26《史公先德碑》；《道园学古录》卷 42《杨襄敏公（教化）神道碑》说："武宗总兵朔方，镇祖宗故地，诸亲王、诸军莫不听命。内朝以玉章赐之，盖天子之所服用，使施诸所部，以为机密符令之信。"
③ 参见陈得芝：《岭北行省建置考》（下），《蒙元史研究丛稿》，第 178 页。
④ 参见《牧庵集》卷 26《史公先德碑》；陈得芝：《岭北行省建置考》（下），《蒙元史研究丛稿》。
⑤ 《元史》卷 22《武宗本纪》一，第 477 页。
⑥ 《元史》卷 128《土土哈传》，第 3136 页。
⑦ 参见陈得芝：《岭北行省建置考》（下），《蒙元史研究丛稿》，第 181 页。
⑧ 《国朝文类》卷 23《太师淇阳忠武王碑》。

列之战的失利。大德五年，海都与都哇联兵，倾巢出动，进攻漠北，这是自至元二十六年以来海都对元朝发动的规模最大的战争。此次战争发生在帖坚古山。从现存史料看，此次战争分为两个阶段。元军共有 5 支军队参加了战争，应当包括了海山、晋王甘麻刺、安西王、阿难答与月赤察儿各部。① 第一阶段，战场在帖坚古山。第二阶段，战场在合刺合塔山。

第一阶段中，海都与都哇相约合力进攻元军。但都哇因驻地遥远，当海都在帖坚古山与元军相遇时，都哇尚未能赶到。"海都兵越金山而南，止于铁坚古山，因高以自保"，② 可能是等待都哇来合军。《史集》记载，帖坚古山是一山丘，札卜哈河流经其旁。札卜哈，即札布罕沐涟，今蒙古国西北部的札布汗河。③ 元军趁其立足未稳，发起攻势，床兀儿"以其军驰当之，既得平原地，便于战，乃并力攻之，敌又败绩"。④

战争的第二阶段就发生在帖坚古山之战的二日后，都哇应约赶到。《元史·武宗本纪》记载，大德"五年八月朔，与海都战于迭怯里古之地（即帖坚古山），海都军溃。越二日，海都悉合其余众以来，大战于合刺合塔之地"，元军失利，诸王、驸马、众军悉被围。海山"亲出阵，力战大败之，尽获其辎重，悉援诸王、驸马众军以出"。次日，双方又战，元军又不利，"军少却，海都乘之，帝（海山）挥军力战，突出敌阵后，全军而还"。⑤ 在合刺合塔山战斗中，亦乞列思氏驸马阿失射中了叛王头目之一的都哇的膝盖，"笃哇（即都哇）号哭而遁"。⑥ 都哇的军队可能在离合刺合塔山不远的兀儿秃地方受到了床兀儿部的重创。《句容郡王世绩碑》说帖坚古山会战后三日，"都哇之兵西至，与元军相挠于兀儿秃之地。王（即床兀儿）又独以其精锐入其阵，戈甲戞击，尘血飞溅，转旋三周，所杀不可胜计，而都哇之兵几尽"。《玉哇失传》也说："武宗镇北边，海都复入寇，于兀儿秃，玉

---

① 《国朝文类》卷 23《太师淇阳忠武王碑》说："是年（大德五年），海都、笃哇入寇，我为五军，王（月赤察儿）将其一"；参见陈得芝：《岭北行省建置考》（下），《蒙元史研究丛稿》，第 182 页。

② 《道园学古录》卷 23《句容郡王世绩碑》；参见《元史》卷 22《武宗本纪》一，第 477 页。

③ 参见《察合台汗国史研究》，第 301、302 页；《史集》第 2 卷，汉译本第 305 页。

④ 《道园学古录》卷 23《句容郡王世绩碑》；参见《元史》卷 132《玉哇失传》；参见《察合台汗国史研究》，第 303 页。

⑤ 《元史》卷 22《武宗本纪》一，第 477、478 页。

⑥ 《元史》卷 118《字秃传》，第 2923 页。

哇失败之，获其驼马器仗以献"。① 可见该役中都哇的损失很大。

尽管都哇受伤及其军队遭到严重打击，但元军此次会战未获全胜。《元史·囊加歹传》反映的情况可能比《武宗本纪》的记载更为真实："武宗在潜邸，囊加歹尝从北征，与海都战于帖坚古。明日又战，海都围之山上，囊加歹力战决围而出，与大军会。武宗还师，囊加歹殿后，海都遮道不得过，囊加歹选勇敢千人直前冲之，海都披靡，国兵乃由旭哥耳温、称海与晋王军合。"② 囊加歹参加的这次战争发生在帖坚古山之战的次日，应就是合剌合塔山之战。海山军显然是受到了重创，所幸突出了重围。但海都的军队乘势追击海山军队，《元史·玉哇失传》提到："武宗南还，命玉哇失后从，敌惧莫敢近，因留戍边。"这里隐晦地指出了海山兵溃南撤、玉哇失断后的情况。苏天爵《郭德明神道碑》记载：大德"六年，海都扰边，边民大惊。宣慰司悉焚仓廪，独辇金帛南徙，久之方定，选百官抚定"。时为工部员外郎的郭德明被调任和林宣慰司副使。郭德明任内，在和林修治城郭，积极有所为，并总结说："近年兵少失利，因无故守之地，逡巡退避千有余里，致使敌人侵我疆域，刈我人民，赖天之灵，旋亦收复。向若敌人深入不返则将奈何！"③ 大德六年（1302 年）时，海都已死，此处海都入侵事应就是大德五年的事，故"六年"应是"五年"之误。晋王甘麻剌与海山一溃千里有余，败讯传至和林，宣慰司官员惊慌不已，以为和林不可保，竟放火烧掉仓库，准备放弃和林。但海都并未乘虚追到和林，宣慰司这才复归和林。和林宣慰司的这次撤退，使许多漠北戍卒四散逃走，元成宗极为震怒。次年五月，下旨："谪和林溃军征云南，其战伤及尝奉晋王令旨、诸王药（忽木）[木忽] 儿而免者，不遣。"④ 看来，下达放弃和林命令的是晋王甘麻剌，只有战场负伤和奉晋王、药木忽儿之令撤退者，才可免去谪征云南的命运。

大德五年的战争使元军及海都、都哇双方都损失惨重。尤其是西北叛王损兵折将不说，叛乱的首领海都与都哇都在战争中负伤或染疾，海都不久即死去。《元史·武宗本纪》记载，元军决围撤走后，"海都不得志去，旋亦

---

① 《道园学古录》卷 23《句容郡王世绩碑》；参见《元史》卷 132《玉哇失传》，第 3210 页。
② 《元史》卷 131《囊加歹传》，第 3185 页。
③ 《滋溪文稿》卷 11《故少中大夫同金枢密院事郭敬简侯神道碑铭》。
④ 《元史》卷 20《成宗本纪》三，第 441 页。

死"。《史集》说海都因受伤致死。瓦撒夫说，海都在归程中得疾死于沙漠中。① 据研究，海都在大德五年秋天的帖坚古山会战后，并未马上退走，而是追击元朝溃兵到了和林地区，可能是因为驻冬的原因，在和林地区逗留近一年，才退走。因此，海都可能病死于大德六年至大德七年春天。② 海都之死，是元代西北地区历史上的大事。

帖坚古山会战是元朝与海都、都哇之间的一场决定性的大战。至元末年以来，元朝在畏兀儿以西地区节节后退，但对漠北却全力死守，势在必争，其原因在于漠北乃元室肇兴之地，一旦有失，影响甚大。大德五年，元朝倾漠北所有之军力，仍不能击败海都、都哇，说明元朝仅靠武力难以控制海都、都哇。而海都、都哇分别与元朝、伊利汗国、尤赤后王白帐汗为敌，使自己四面树敌，势难持久。因此，一年多以后，蒙古诸汗国即约和了。

第八节　元代朝廷与东、西道诸王的斗争及元朝在内蒙古地区边防的巩固（下）

蒙古诸汗国约和　元朝与海都、都哇帖坚古山会战后的一年多，海都死去。窝阔台汗国失去了强有力的统治人物，都哇成了察合台兀鲁思与窝阔台兀鲁思联盟的新盟主。都哇作为中亚蒙古诸王新盟主，比较清楚地认识了当时的形势。元朝与西北叛王之间长达数十年的战争，特别是帖坚古山大战表明，元朝与西北叛王"任何一方在军事上都不具有压倒对方的优势，都无法单凭武力来消灭对方。经过忽必烈一朝长达三十多年的统治，至元成宗铁穆耳在位时，元朝皇帝作为成吉思汗大位的合法继承者的地位，除了察合台、窝阔台两汗国外，几乎已为全体成吉思汗后裔所承认。同时，在中亚蒙古诸王的西方与北方，向元朝称藩的伊利汗国和钦察汗国也已立国数十年。察合台、窝阔台两系诸王的最好前景也是拥兵割据一方"。"对西北诸方来说，以承认元成宗的大汗地位为条件，换取元朝不再对西北用兵，谋求同钦

---

① 《元史》卷22《武宗本纪》一，第477页；《史集》第2卷，汉译本第386页；《瓦撒夫史》，第450、451页，德黑兰1959年刊本。转引自《察合台汗国史研究》，第305页。

② 《察合台汗国史研究》，第311—313页。

察汗国、伊利汗国的和平，摆脱征战不已的困局，乃是一件迫在眉睫的事"。① 而忽必烈与海都的去世，也给元朝与西北诸王之间一个消除积怨的机会。新即位的元成宗与代海都而起的都哇，通过互相沟通，终于达成和约，乃是顺应民心之举。

而海都之死、都哇代海都而起又使窝阔台、察合台两汗国之间原有的力量对比发生了变化，并且很快又导致都哇与窝阔台家族之间以及西北诸王与朝廷关系的急剧变化。海都死后，工于心计的都哇舍海都贤明的嫡长子斡罗斯不立，而立海都庶出的长子察八儿为汗。察八儿于大德七年五六月间在叶密立即汗位。② 都哇及察八儿的行为，导致窝阔台家族内部的汗位争夺，窝阔台汗国变成一盘散沙，称雄一时的窝阔台汗国一蹶不振。

都哇想趁窝阔台汗国势力转弱之机，联合元朝彻底整垮窝阔台汗国。因此，都哇首先向元朝方面发出了求和信号。《句容郡王世绩碑》记载大德九年（1305年），都哇、察八儿、明里帖木儿等诸王商议道："昔太祖艰难以成帝业，奄有天下，我子孙乃弗克靖以安享其成，连年动兵，以相残杀，是自伤祖宗之业也。今抚军镇边者，世祖之嫡孙也，吾与谁家争哉？且前与土土哈战，既不累胜，今与其子创兀儿战，又无一功。惟天祖宗意可见矣。不若遣使请命罢兵，通一家之好，使吾士民老者得其养，少者得其长，伤残疲惫者得其休息焉。则亦无负太祖之所望于子孙者矣。"③ 虞集所记大德九年当为七年之误，元朝与诸汗国约和是在大德七年。是年七月，"都哇、察八而、灭里铁木而等遣使请息兵，帝命安西王慎饬军士，安置驿传，以俟其来"。④ 元成宗觉察到海都死后，察合台汗国与窝阔台汗国之间实力对比的变化，遂趁机拉拢都哇，扩大察合台、窝阔台两系之间的矛盾。他给都哇下令："突厥斯坦之地，按昔（当指成吉思汗）圣旨，察合台及其一族之属地。至海都时，［这些土地］由于［他的］侵占、压迫和征服，被夺走了。今都哇所收回之地，全部增定为其领地。"⑤ 实际上，当年察合台从成吉思

① 《察合台汗国史研究》，第319页。
② 《察合台汗国史研究》，第317页。
③ 《道园学古录》卷23《句容郡王世绩碑》，第12页。
④ 《元史》卷21《成宗本纪》四，第454页。
⑤ 哈沙尼《完者都史》，德黑兰刊本，第33页。转引自《察合台汗国史研究》，第321页。

汗手里得到的封地，仅是从畏兀儿之西部边境延伸到阿姆河以北地区的草原，并不包括中亚的城郭农耕之地。后来，阿鲁忽趁乱据有此地，海都兴起后，整个阿姆河以北地区和忽阐河以东草原为察合台、窝阔台两家分领。忽必烈即位以后，由于各种原因，已放弃了原别失八里等处行尚书省所辖的西部地区。成宗的这个圣旨，可以说是拉拢都哇所作的一个许诺，其实质是诱使都哇去完全占有这一地区，以达到削弱窝阔台汗国的目的。都哇与元廷达成了协议：察合台汗国奉元朝为正朔，元廷支持察合台汗国削弱窝阔台汗国。

　　都哇获得元廷的支持后，公开向窝阔台家族提出了领土要求，使他们之间长期存在的联盟开始破裂。都哇与察八儿之间不能达成协议，他们与元朝的约和之会未能很快召开。最后，察八儿无力对抗都哇，只好同意与都哇相会，一起参加与元朝约和的大会。① 《元史·床兀儿传》记载，都哇、察八儿的约和使者至，"帝许之。于是明里帖木儿等罢兵入朝，特为置驿以通往来"。② 据《元史·成宗本纪》，大德七年（1303年），都哇、察八儿、明里帖木儿与元朝之间达成和约，元朝西北边地局势有了很大的缓和。都哇等与元廷约和后，与伊利汗、钦察汗也达成了和议。

　　察八儿归降与窝阔台汗国的灭亡　元朝与各汗国约和后，元朝与察合台汗国之间维持了大约十年的和平。但察合台汗国与窝阔台汗国之间为了争夺土地与百姓却打起了仗。大德十年（1306年），两汗国间发生了大规模的武装冲突。元朝的军队从按台山出动，威胁窝阔台汗国的侧翼。《元史·武宗本纪》记载，大德十年七月，海山"自脱忽思圈之地逾按台山，追叛王斡罗思，获其妻孥辎重；执叛王也孙秃阿等及驸马伯颜。八月，至也里的失之地，受诸降王秃满、明里铁木儿、阿鲁灰等降。海都之子察八儿逃于都瓦部，尽俘获其家属营帐。驻冬按台山，降王秃曲灭复叛，与战败之，北边悉平"。③ 察八儿走投无路，向都哇投降。④ 都哇逐一剪除海都诸子及其那颜

---

① 参见《察合台汗国史研究》，第7章第2节，第318—328页。
② 参见《元史》卷128《床兀儿传》。《床兀儿传》据虞集的《句容郡王世绩碑》成，其中关于都吐、察儿八遣使约和的时间错载为大德九年，据《成宗本纪》，约和时间应为大德七年。
③ 《元史》卷22《武宗本纪》一，第477页。
④ 参见《察合台汗国史研究》，第336页。

们，夺取了阿姆河以北的农耕地区，将窝阔台家族诸王限定在也儿的石河以西的叶密立、阿里麻里一带。大德十一年，元成宗死后，都哇废黜察八儿，另立海都之子仰吉察儿为汗。数十年来察合台汗国最大的竞争对手窝阔台汗国终于被都哇整垮了。不久，都哇死去，其子宽阁继位。大约于武宗至大元年至至大二年（1308—1309 年），宽阁死，察合台汗国内部为汗位争夺发生内乱，最后都哇之子怯别取得了汗位。察八儿伙同秃苦灭趁机收集 20 万军队，企图趁怯别立足未稳时一举攻败怯别。双方的军队在牙忽思大战，最后，秃苦灭战败被杀。窝阔台汗国的情况因此更加恶化。仰吉察儿惧怕都哇吞并，于是与察八儿一道率领诸那颜、近亲及 7 000 骑，往投元朝。至大三年三月，他们到达大都，仰吉察儿被鸩杀。① 但察八儿受到元武宗宽待，元廷上下对察八儿等人的归降十分高兴，因"察八儿向慕德化，归觐阙廷……"，遂将海都分地上几十年的五户丝（已折算为币帛）一并赐予察八儿。② 察八儿遂留在元廷，窝阔台汗国至此灭亡。延祐二年（1315 年），察八儿被仁宗封为汝宁王。

察八儿降元后，其部众陆续来归。至大元年，有 86 多万口涌入漠北。③自大德末年到至大元年，逃往元朝的西北部众有百多万口，这一点我们在前面的章节中已讨论过。察八儿的归降，使困扰数十年的西北诸王之乱终于平息，元朝"遂撤边备"④。因此，察八儿归降是延续了五十多年的西北藩王叛乱结束的标志。

察合台汗国与后期元朝的和战关系　大德七年，元朝与都哇约和后，元朝与察合台汗国保持了约十年的和平关系。随着窝阔台汗国的灭亡，双方在边境上的对峙局面逐步形成，并由对峙走向战争，在元朝后期再又归于和平。窝阔台汗国灭亡后，其部众虽往投元朝的甚多，但其土地则多并入了察合台汗国，只有东面与元朝相接的西境才归入了元朝的岭北行省辖下。元朝大将、岭北行省丞相脱火赤在至大年间曾驻军于野孙沐涟和霍博一带，这里

---

① 《完者都史》，第 148、149 页。转引自《察合台汗国史研究》，第 342、343 页。

② 《元史》卷 23《武宗本纪》二，第 523、524 页。

③ 《元史》卷 22《武宗本纪》一，第 496、497 页。《武宗本纪》的原文为："以北来贫民八十六万户……"，我们在本书第四章第七节已讨论过，这个数字可能是 86 万口之误。

④ 《元史》卷 132《玉哇失传》，第 3210 页。

本属于窝阔台汗国，应是察八儿归降后，元脱火赤移驻于此了。元朝与察合台汗国在野孙沐涟和霍博一带对峙相屯，双方为牧场问题发生了争执。①

仁宗皇庆年间至延祐初的两三年中，察合台汗国的也先不花汗陆续扣留了数批往来于元朝与伊利汗国之间途经其境的使臣。其间，有使臣向也先不花汗泄露了元朝欲与伊利汗国联兵攻灭察合台汗国的消息。② 也先不花汗为了免于被两大势力夹攻，便拦截伊利汗国与元朝的使臣，使他们的联盟计划最终没能成功。也先不花还先发制人，首先针对最靠近察合台汗国的元朝边境戍军脱火赤所部配置了 5 万人，"以便对其驻地发起突然攻击，进行夜袭，实施打击"。③ 皇庆二年（1313 年）冬天，脱火赤得到消息后，从霍博以南的野孙沐涟北撤到也儿的石河对岸，双方在此发生大战。因天气太冷，也先不花部队的坐骑大批倒毙，初战失利。自大德七年（1303 年）都哇请和以来，这是元朝与察合台汗国首次交战。④ 延祐元年（1314 年），也先不花汗的同母弟也不干和怯别率领 1 万军队，前往阔勒·火亦之地。其中，1 000 人为前锋。脱火赤得知叛军将来，立即主动攻击，也不干和怯别的 1 000 前锋部队除 7 人逃生外，余皆被元军歼灭。次年，战争扩大到了察合台汗国境内。《完者都史》记载，元仁宗下令元朝镇守西北的军队开入察合台国境内。当时，向察合台汗国推进的元朝军队主要有两支：一支是原来驻守在按台山之西的脱火赤与床兀儿等人率领的军队；一支是原来镇守河西、哈密一线的宽彻等人的军队。《完者都史》记载，脱火赤的军队扫荡敌人达三月之路程远，并置于自己的控制之下。而尤伯之子（即宽彻）的军队则驱敌致四十日路程，直到完全占领合迷里（即哈密），叛军完全远离了自己的禹儿惕。⑤ 秋天，元军趁也先不花进攻伊利汗国时，发起攻击，夺取了也先不花汗大斡耳朵冬夏营地所在的塔刺思和亦思宽。元朝与察合台汗国的这次战争，以元朝的大获全胜而告结束。

延祐末年，察合台汗也先不花死，其弟怯别继位，与元朝恢复了和平关

---

① 参见《察合台汗国史研究》，第 360—369 页。
② 参见《察合台汗国史研究》，第 373—381 页。
③ 《完者都史》第 205 页。转引自《察合台汗国史研究》，第 384 页。
④ 关于此次战争的时间及情况，请参见《察合台汗国史研究》，第 8 章第 4 节，第 381—389 页。
⑤ 参见《察合台汗国史研究》，第 8 章第 5 节，第 390—398 页。

系。元朝后期,察合台汗国内部争夺汗位,陷于分裂。后来,其西部出现了帖木儿帝国,其东部则产生了东察合台汗国,由察合台后裔继续统治。

蒙元时期,西北诸王兀鲁思是蒙元帝国内部的藩国,随着时间的推移,它们的独立性越来越强,但它们都奉元朝汗室为正宗,并认为他们与元朝之间的争战是成吉思汗家族内部的争夺,可以通过和谈协商来解决。其中,伊利汗国因与忽必烈以后的元朝汗室血缘最近,其关系也最为友好。伊利汗国与钦察汗国因离元朝本土距离遥远,与元朝基本没有直接的武力冲突。窝阔台汗国与察合台汗国因汗位继承及争夺畏兀儿、中亚地区发动叛乱,与元朝进行了几十年的战争。后来,元朝与察合台汗国联合吞并了窝阔台汗国,元朝与察合台汗国逐步走向了相对和平的关系。元朝中后期,其西北边境基本是安宁的。

三、元朝平定昔里吉之乱与北方边境的巩固

至元十三年(1276年),奉命镇边、建帐于阿里麻里的皇子那木罕军队中发生了叛乱。那木罕军中,那木罕与其兄弟阔阔出所统领的忽必烈家族的属民组成中军。蒙哥和阿里不哥的子侄辈诸王的部属组成右翼集团,如:蒙哥之子河平王昔里吉,拖雷之子岁哥都之子脱脱木儿,阿里不哥之子明里帖木儿、药木忽儿,蒙哥之子玉龙答失之子撒里蛮,拖雷之子拨绰之子牙忽都,以及阔列坚系宗王忽儿霍等诸王的部众;斡赤斤之孙扎剌忽等诸王组成的左翼集团。在左右翼集团中,有不少诸王是阿里不哥的拥护者,他们虽然投降了忽必烈,但余恨未消,埋下了诸王在军中发动兵变的隐患。

在叛乱发生之前,漠北诸王的部队中陆续出现了一些不良现象。至元十年(1273年),北方诸王中已有人背叛,进攻欠州,执五部断事官刘好礼,因刘好礼善应对,方免一死。[①] 至元十二年,受命辅佐那木罕的安童突袭贵由之子禾忽(驻叶密立之地)的军队,掠其辎重,引起禾忽叛乱,叛军控制了河西走廊,占有斡端和可失哈耳。直至至元十三年,忽必烈灭宋后,从南方调集军队开赴漠北,进入河西,才击败禾忽。[②] 至元十三年秋,因安童

---

① 《元史》卷167《刘好礼传》,第3925页。
② 《元史》卷134《昔班传》,第3246页。

分配给养不公，脱脱木儿率部叛逃，昔里吉往讨。脱脱木儿以阿里不哥失败后所受耻辱为辞煽动昔里吉叛元，并许诺事成后帝位归于昔里吉。在脱脱木儿的诱惑下，趁着拥兵将领八鲁浑、粘阍等也率兵叛逃、宗王牙忽都追截的时候，昔里吉起兵叛乱。① 叛乱诸王拥戴昔里吉为王。昔里吉是元宪宗蒙哥第四子，在忽必烈、阿里不哥争位之战中，昔里吉支持阿里不哥。至元四年（1267 年）秋，因阿里不哥势衰，昔里吉遂与诸王玉龙答失、阿速台等来降，获忽必烈赦免，次年，封昔里吉为河平王。昔里吉起兵后，械系那木罕、阔阔出和安童，擒牙忽都，将那木罕、阔阔出送至钦察汗蒙哥帖木儿处，将安童送往海都处。② 昔里吉等宗王的叛乱，使元朝在阿里麻里的军事镇戍堡垒一时间土崩瓦解。叛王们向西进攻，占领了吉里吉思和欠州诸地。此前，忽必烈已于至元七年设立了治理益兰州、吉里吉思、欠州、撼合纳和乌斯五部的断事官，任命刘好礼为五部断事官，治所在益兰州。同时，还在欠州地区设置了戍军，由蒙古万户伯八驻守。③ 叛乱势力控制了吉里吉思等地，五部断事官刘好礼被迫南还。至元十四年（1277 年），昔里吉、脱脱木儿、药木忽儿、撒里蛮等集结部众，分道东进，并扬言海都与蒙哥帖木儿与之联兵东来。④ 蒙古高原的弘吉剌氏部只儿瓦台也起兵响应，劫持其兄斡罗陈，斡罗陈不从，被杀。撒里蛮部越过了杭爱山，东南深入今河套北部，被汪古部爱不花的军队及土土哈率领的钦察军击败。⑤ 昔里吉、脱脱木儿、药木忽儿率领这次东侵的主力一直进至和林北之北，渡过斡耳寒河，至土拉河流域，欲与弘吉剌的只儿瓦台相会。原来拥护忽必烈的广宁王爪都（别里古台之孙）也倒向昔里吉，叛乱势力已扩展到怯绿连河，且波及漠南。忽必烈意识到这次叛乱的严重性，急调蒙、汉诸军，命中书右丞别吉里迷失等率领，急奔应昌。同时，任命灭宋主将、同知枢密院事伯颜统兵北伐。元军

---

① 《元史》卷 117《牙忽都传》，第 2908 页。

② 《史集》（汉译本）第 2 卷，第 313—317 页。但《元史》卷 153《石天麟传》记载，那木罕被囚于海都处，与被海都扣留 10 年的元廷使臣石天麟在一起。

③ 《元史》卷 193《忠义》一《伯八传》，第 4384 页。

④ 《史集》（汉译本）第 2 卷，第 313 页。

⑤ 参见《张伯祥先茔碑》，《满洲金石志》卷 4；《元史》卷 149《移剌元臣传》，第 3531 页；阎复：《高唐王世勋碑》及《土土哈神道碑》，《静轩集》卷 3，《藕香零拾》丛书本。

中卫亲军总管移剌元臣所部军队在鱼儿泊擒获只儿瓦台，脱脱木儿领兵接应只儿瓦台，也被土土哈截击退走，应昌之乱遂平。六月，伯答儿、土土哈的军队在土拉河畔大败药木忽儿、脱脱木儿。七月，叛王兀鲁带（成吉思汗庶子阔列坚之孙）率部向伯颜投降。八月，土土哈等军与伯颜统率的大军在斡耳寒河畔会合渡河，再败脱脱木儿等，原先被叛军擒获的诸王牙忽都从斡耳寒河前线倒戈，昔里吉、脱脱木儿等大败西逃，元军遂收复和林地区。

当时，驻守在陕西的安西王忙哥剌部被调往漠北平叛，后方空虚。于是，驻守在六盘山的定宗贵由汗之孙南平王秃鲁也在至元十四年冬天起兵响应昔里吉，汪惟正奉命征讨，很快就平息了秃鲁的叛乱。[①]

脱脱木儿、昔里吉和撒里蛮在漠北失败后，分别向西面的八邻部与也儿的石河逃窜。至元十五年，元军继续追击叛军。正月，土土哈部越过按台山，逮住了叛将扎忽台。[②] 四月，朝廷命汉军都元帅刘国杰与左卫亲军都指挥使贾忙古觯统率左、中、右三卫侍卫亲军精兵万人开赴漠北参战。五月，别吉里迷失领兵自和林向西北方向攻击，击败斡亦剌与宽彻哥思两部联军。[③] 十月，刘国杰与贾忙古觯所部已屯驻于和林之南的亦脱山，在那里建立了一座城堡，称为"宣威军"。[④] 至元十六年，朝廷命别吉里迷失为同知枢密院事，与刘国杰同领边事。[⑤] 其时，脱脱木儿从也儿的石河进据吉里吉思、欠欠州。四月，率其全部兵力进攻漠北。趁脱脱木儿倾巢出动、其后方空虚之机，刘国杰领兵直捣欠州，直至乌斯地面（今俄罗斯克拉斯诺亚尔斯克边区南部）。脱脱木儿急忙回军，元军以逸待劳，欲击叛军，脱脱木儿部众溃退，渡谦河，人马溺死过半，元军俘获"生口畜牧万计"。[⑥] 至元十七年春，脱脱木儿、昔里吉、撒里蛮等再度拥众东来，又大败，别吉里迷失

---

① 《元史》卷155《汪惟正传》，第3656页；卷159《商挺传》，第3748页；卷162《李忽兰吉传》，第3791页；卷163《赵炳传》，第3835页。

② 《静轩集》卷3《土土哈神道碑》。

③ 《元史》卷132《杭忽思传》，第3205页；卷166《玉昔剌传》，第3911页。

④ 《静轩集》卷3《刘国杰先茔碑》。

⑤ 《金华黄先生文集》卷25《刘国杰神道碑》。

⑥ 《金华黄先生文集》卷25《刘国杰神道碑》；1926年苏联学者科兹洛夫发现了该城遗址和当时所立的建城碑记，参见堀江雅明：《关于"宣威军"与宣威军城堡》，载《一九八六年国际元史学术讨论会论文提要》（南京）。

与刘国杰率部追至唐五路（当即唐麓岭，今唐努乌拉①）和按台山而还。刘国杰进至也儿的石河，侦知当地的窝阔台系宗王脱忽与昔里吉勾结，昔里吉正驻军于脱忽的领地内，刘国杰军便偷袭之，元军得胜，乘胜进攻吉里吉思，再次获胜。② 元朝在军事上获得的一系列胜利，给叛王集团以沉重的打击。

叛王集团在经受了连续的失败后，已失去继续作战的能力，其内部开始由猜忌而发展成为内讧。脱脱木儿在吉里吉思一战中失败，辎重遭元军刘国杰部洗劫之后，曾向昔里吉求援，却未能如愿。见昔里吉实力削弱，脱脱木儿便同撒里蛮结为同盟，共同反对昔里吉，并相约事成之后帝位归于撒里蛮。此事被昔里吉的部将亦迪·不花侦知，报信给昔里吉。昔里吉征集宗王诸将的军队，迫近脱脱木儿和撒里蛮等，但未能使他们屈服。昔里吉不得已宣布退位，于是诸王们如约奉撒里蛮为帝，遣使布告于尤赤兀鲁思和海都处。在拥立撒里蛮称帝的问题上，叛乱集团意见不一。脱脱木儿及阿里不哥幼子明里帖木儿等诸王奉撒里蛮为帝，但阿里不哥长子之子药木忽儿却反对撒里蛮为帝。脱脱木儿欲以武力胁迫药木忽儿拥护撒里蛮，反被药木忽儿击败擒获。药木忽儿与争位失败的昔里吉合议，杀死了脱脱木儿。③ 脱脱木儿一死，撒里蛮的势力遭到削弱，不得已去其帝号，而昔里吉则趁机夺去了他的军权与属民。

至元十八年二月，忽必烈命皇太子真金抚军漠北，以伯颜相扈从，至十月方回大都。在这期间，漠北边防更加巩固，元军收复了欠州。元政府于六月、八月两次赈济欠州居民。昔里吉龟缩在按台山以西也儿的石河一带，所夺取的撒里蛮的军队纷纷投降元朝。昔里吉将撒里蛮押送尤赤系宗王火你赤处时，撒里蛮逃脱，并劫取了昔里吉的辎重，有意向元朝投降。④ 昔里吉与药木忽儿乃合军对付撒里蛮，但其多数军士厌战，纷纷阵前倒戈，昔里吉与药木忽儿被擒。但在撒里蛮将他们押送至元廷的途中，药木忽儿买通斡赤斤

---

① 参见陈得芝：《岭北行省建置考》（中），《蒙元史研究丛稿》，第 153 页。
② 《金华黄先生文集》卷 25 《刘国杰神道碑》；《元史》卷 169 《刘哈剌八都鲁传》，第 3974 页。
③ 《金华黄先生文集》卷 25 《刘国杰神道碑》。
④ 《元史》卷 12 《世祖本纪》九，第 239 页；参见陈得芝：《岭北行省建置考》（中），《蒙元史研究丛稿》，第 150 页。

后裔某王，袭击了撒里蛮。药木忽儿逃脱并劫取了撒里蛮的斡耳朵，逃到火你赤处。昔里吉则被押至大都，后被流放到南方的一个海岛上。药木忽儿之弟明里帖木则投奔了海都，撒里蛮受到元朝宽待。不久，海都将那木罕与安童也放归元朝，历时六年的昔里吉之乱至此平定，元朝恢复了对漠北地区的统治。元廷因此改封北平王那木罕为北安王。那木罕东归以后，主要驻扎在岭北。

四、平定乃颜之乱与元朝东北边疆的巩固

在蒙古高原的东部，自怯绿连河中游以东至哈剌温山（今大兴安岭），是成吉思汗四个弟弟的封地。在忽必烈与阿里不哥争夺汗位的斗争中，东道诸王因与忽必烈都是以漠南为根据地的，利益一致，因此，他们支持忽必烈。忽必烈即位后，东道诸王很受优待，特别是斡赤斤兀鲁思的藩主塔察儿尤受到尊崇，在东道四藩中势力最强。他们俨然是独立王国，不把朝廷命官放在眼里，塔察儿甚至派人到高丽"收拾民户"。[①]

忽必烈即汗位以后，由于西道诸王的叛乱，蒙元帝国的直接统治范围主要局限于蒙古高原的东部与汉地。忽必烈因此加强了对蒙古高原东部的四家藩王的控制，中央政府与地方藩王势力发生了权益之争。但在中统及至元前期，忽必烈主要集中力量进行灭南宋的战争。同时，兼顾西北的平叛战争。在策略上，自然不宜对东道诸王施加过多压力。因此，东道诸王的权益没有受到太大的损害，与中央政府的关系也就不太紧张。忽必烈在攻灭宋朝后，就开始加强中央对辽东、辽西地区的管理。对于那些目无朝廷法规的东道诸王，自然也要严加管束，这就必然会触犯诸王的特权。东道诸王与元廷之间的矛盾由此激化，最终发动叛乱。仅从元代辽东、辽西地区的地方行政设置上，就可以窥见东道诸王与朝廷关系的发展变化。至元三年（1266 年）二月，元廷调整辽东建置，设立东京、广宁、懿州、开元、恤品、合懒、婆娑等路宣抚司管辖辽东各地。不久，又设立行省统辽东诸路。至元十五年，复改为宣慰司。至元后期，乃颜反状日益明显。至元二十三年（1286 年）二月，为控制东北政局，忽必烈下令设立东京行省，作为元廷在辽东、辽西地

---

① 《高丽史》卷 28 《忠烈王世家》一。

区的最高行政机构，以代替原来设置的山北辽东道、开元路等宣慰司。这一做法，明显刺激了东道诸王，使他们感受到了来自朝廷的压力。一方面，他们通过各种方式，迫使元廷于同年七月将辽阳行省（即东京行省所改名）撤去，复立宣慰司。另一方面，他们开始和西北叛王沟通，相约共同出军对抗元廷，以进一步加强割据势力的实力，甚至不惜推翻忽必烈的统治。

　　塔察儿之孙乃颜是叛乱的首要分子，他继承兀鲁思汗位后，野心膨胀，至元后期，其反状日益明显。但朝廷对他已有戒备。至元二十四年（1287年）二月，"乃颜遣使征东道兵"，朝廷"谕阇里铁木儿毋辄发"。[1] 同月，朝廷还派伯颜往辽东窥觇。四月，乃颜联结合撒儿兀鲁思藩主势都儿、诸王火鲁哈孙等，合赤温兀鲁思藩主胜纳哈儿、诸王哈丹秃鲁干等发动叛乱。叛军的活动，东线从黑龙江下游、乌苏里江流域的水达达等、女直野人地面直指辽河流域，西面一度到达克鲁伦、土拉二河。元朝如不能迅速控制事态发展，就很有可能会形成东、西道诸王夹攻岭北、联兵南下的危险局势。因此，忽必烈以73岁的高龄亲自率师北征。元军兵分三路：一路沿哈刺温山东侧北进；忽必烈所部由上都出发，经应昌（旧城在今达尔泊西南）出，缘哈刺温山西侧东北行；戍守杭海岭（今杭爱山）的土土哈奉命疾驰东趋，渡土拉河，逆克鲁伦河而上，肃清沿途叛军。

　　当时，胜纳哈儿随同北安王那木罕出镇漠北，乃颜遣使通谋胜纳哈儿，使者被土土哈截获，并奏闻朝廷。胜纳哈儿欲设鸿门宴以待土土哈与大将朵儿朵怀，劫持漠北驻军叛乱，被土土哈识破，计谋未能得逞。于是，胜纳哈儿被召入朝。其后，胜纳哈儿下落不明，可能被处死或流放了。阔列坚后裔河间王也不干也参与谋反，闻乃颜举兵，即率所部东趋怯绿涟河成吉思汗大帐以应乃颜。驻帐帖木儿河（可能是和林西北的塔密儿河[2]）的北安王遣阔阔出、土土哈率军追击，"疾驱七昼夜，渡秃兀剌河，战于亨怯岭，大败之，也不干仅以身免"。[3] 这时，忽必烈命土土哈收聚也不干败散部众，沿怯绿涟河而下会攻乃颜。土土哈遇叛王也铁哥军万骑，击走之，俘获马匹甚

---

① 《元史》卷14《世祖本纪》十一，第296页。
② 参见陈得芝：《岭北行省建置考》（中），《蒙元史研究丛稿》，第147页。
③ 《元史》卷一二八《土土哈传》，第3133页。

多，并擒叛王哈儿鲁等。忽必烈五月十二日从上都出发，以玉昔帖木儿为主帅，又以李庭、董士选等所率之精锐汉军作为贴身侍卫。亲征军道出应昌，进兵东北，直指叛王领地。六月三日，忽必烈"至撒儿都鲁之地。乃颜党塔不带率所部六万逼行在而阵"，① 撒儿都鲁，在今内蒙古陈巴尔虎境内。忽必烈此时竟乘象舆临阵，"意其望见御驾，即就降"。② 但叛军强弓劲射，悉力攻象舆。忽必烈被迫下舆御马，命元军固营自守，不复出战，疑惑叛军。至夜，以汉军前列步战，李庭持火突袭敌阵。叛军惊溃，忽必烈转危为安。当时，参与征伐的元军将领多数是蒙古人，与东道诸王族属亲近，两军对阵，竟然"立马相向语，辄释仗不战，逡巡退却"。忽必烈采用叶李的计策，以"前用汉军列前步战，而联大车断其后，以示死斗"。③ 叛军不虞有此变化，因而元军大获全胜。元军继续进军，至哈拉哈河。十三日，抵失剌斡耳朵（当即乃颜之斡耳朵，应在今内蒙古呼伦贝尔盟新巴尔虎左旗之东）。据王恽《东征诗》，当忽必烈"长驱抵牙帐"时，"巢穴已自空"。④ 元军在这里获乃颜丢弃的"辎重千余"。率领蒙古军主力的玉昔帖木儿在击败叛王哈丹秃鲁干后，也赶到这里与忽必烈会师。这时候，乃颜已东撤到大兴安岭西侧哈拉哈河与诺木尔金河交汇处以东的三角地带不里古都伯塔哈（蒙语 bürgüd-tü boltaɣ 的音译，意为鹰山）山地。元军由玉昔帖木儿率领，与乃颜决战于此。当时，"卯乌温都间，天日为昼冥。僵尸四十里，流血原野腥"。⑤ 乃颜军败出逃，被元军追获于失列河流域，忽必烈将其立即处死。⑥ 哈丹秃鲁干等投降。擒获乃颜后，玉昔帖木儿领军又折回哈拉哈河，扫荡呼伦贝尔草原。元军逆亦迷河（今伊敏河）而上，北至海剌儿河（即海拉尔河），战于札剌马秃（今海拉尔市西面的扎罗木得）之地，元军获胜。之后，元军又东逾大兴安岭北端蒙可山，追乃颜残众至嫩江。九月，玉

①　《元史》卷14《世祖本纪》十一，第298页。

②　郑元祐：《侨吴集》卷12《岳铉行状》，北京图书馆古籍珍本丛刊影印弘治九年（1496年）刊本；《元史》卷162《李庭传》，第3795页。

③　《元史》卷173《叶李传》，第4046页。

④　《秋涧集》卷5《东征诗》。

⑤　《秋涧集》卷5《东征诗》。卯乌温都，蒙语 mauɣündür 的音写，译言歹山岭。

⑥　《马可波罗行纪》，第181页。

昔帖木儿师还。忽必烈本人在元军擒杀乃颜时，则应已从哈尔哈河逾大兴安岭缓缓东行，此后即经由辽东班师。八月七日，忽必烈回到上都。①

在漠北，继土土哈击败铁哥军外，至元二十四年八月，朵儿朵怀又击败叛王阿赤思，并俘虏了阿赤思。② 牙忽都粉碎了企图响应乃颜叛乱的诸王与蒙古军。北安王帐下的逊笃思部兵逃去，牙忽都将其追还。怯必秃忽儿霍台诱惑 2 万蒙古军从乃颜叛乱，牙忽都夜袭其军，突入帐中，忽都灭儿坚逃走。③ 这样，乃颜集团企图西进漠北腹地并与海都夹击元军的计划破产了。

元军的军事行动虽然取得很大的成功，但未能完全镇压东道叛王。逃窜到嫩江、黑龙江地区的合赤温系诸王哈丹秃鲁干，索性以该地为其新地盘，率余部继续与元廷相对抗。忽必烈还都后，哈丹秃鲁干等降而复叛，叛军自辽东西进。至元二十四年十月，命皇孙铁穆耳督军讨伐，调土土哈从征，败哈丹秃鲁干于哈剌温山，诛叛王兀塔海，尽降其众。忽必烈在讨平乃颜叛乱后，于同年十月，重新设立辽阳行省，以加强对辽东、辽西地区的控制。

至元二十五年（1288 年）春，宗王火鲁火孙发动叛乱，铁穆耳（即后来的元成宗）率大将土土哈、玉昔帖木儿分路进讨。火鲁哈孙攻掠兀鲁灰河（今内蒙古东乌珠穆沁旗乌拉盖河）上的合赤温兀鲁思的后王也只里部众，铁穆耳派土土哈等军往救，击败火鲁哈孙，又趁夜色渡贵烈河（今洮儿河上游支流归流河），败叛王哈丹秃鲁干。同年冬天，玉昔帖木儿部追击哈丹秃鲁干过黑龙江，捣其巢穴，杀戮殆尽，毁其牙帐而还。哈丹秃鲁干率残部流窜到高丽境内。元军追入高丽作战，至元二十八年，哈丹秃鲁干兵败自杀。至此，元朝完全平息了乃颜余部的叛乱。

乃颜之乱平定后，忽必烈将叛王的分民、财产没收了大部分。又命在乃颜故地立肇州城，并将其所领的部分蒙古军分置于河南、江浙、湖广、江西诸省，另在辽东设立了东路蒙古军万户府驻守辽河地区。经过这次打击，东道诸王的力量大为削弱，受到朝廷所置的行省等机构的节制。元朝中央政府

---

① 参见姚大力：《乃颜之乱杂考》，《元史及北方民族史研究集刊》第 7 期，南京大学历史系元史研究室，1983 年。该文对忽必烈出征路线有详细的考证，认为与 1221 年丘处机赴斡赤斤处所行的路线基本一致；《马可波罗行纪》，第 181 页。

② 《元史》卷 14《世祖本纪》十一，第 300 页。

③ 《元史》卷 117《牙忽都传》，第 2908 页。

对辽东地区的统治由此获得巩固。

经过乃颜、海都之乱，忽必烈以后诸帝更加强了对漠北的统治与边防。自至元二十九年忽必烈遣晋王甘麻剌出镇漠北，三十年派皇孙铁穆耳总领北方军事，授予皇太子宝以重其权，元朝形成了亲王出镇漠北的制度。从此，漠北镇边亲王拥有极大的权力，在皇位继承中居于优势，反过来又对元朝的政治产生了重大的影响。

第九节　元朝末年内蒙古地区的政治局势

元朝末年的内蒙古地区，集中体现了当时元朝社会的各种矛盾：阶级矛盾、民族矛盾、统治集团内部争权夺利的斗争，交织在一起，一幕幕上演。当时，统治集团，内讧日炽。御史大夫老的沙、知枢密院事秃坚帖木儿为一党，支持元惠宗。皇后奇氏、丞相搠思监、宦官朴不花为另一党，支持皇太子爱猷识里达腊，后者力图迫使惠宗禅位。而宫廷斗争的双方，往往又援引地方军阀势力为依托，使元末政局变得错综复杂、异常混乱。

宫廷斗争　元惠宗在至正末年彻底丧失了勤政图治的精神，沉湎于享乐嬉戏。惠宗不惜花费精力，设计出十分精巧的内苑龙舟，与宫女们在水上取乐。其宠臣康里人哈麻"阴进西天僧以运气术媚帝，帝习为之，号演揲儿法"。[1] 哈麻的妹婿集贤学士秃鲁帖木儿也是惠宗宠臣，与老的沙、八郎、答剌马吉的、波迪哇儿祃等 10 人，号称倚纳，"皆在帝前相与亵狎，甚至男女裸处，号所处室曰皆即兀该，华言事事无碍也"。[2] 秃鲁帖木儿也将西蕃僧伽璘真推荐给惠宗。伽璘真又向惠宗传授秘密法，又称双修法。演揲儿、秘密法都是房中术。于是，惠宗与众西蕃僧及宠臣们广取妇女相亵狎，弄得朝中乌烟瘴气。大汗如此颓放、堕落，逐渐长大的皇太子及其母奇皇后便借此逼惠宗禅位。

至正十三年（1353 年），惠宗立 15 岁的长子爱猷识理达腊为皇太子，委以中书令、枢密使之职。次年十一月，"敕：'中书省、枢密院、御史台，

---

① 《元史》卷 205《哈麻传》，第 4583 页。
② 《元史》卷 205《哈麻传》，第 4583 页。

凡奏事先启皇太子。'"①。爱猷识理达腊主持朝政后，立即卷进了宫廷斗争。

皇太子首先支持中书平章政事哈麻迫害右丞相脱脱。

至正九年（1349年），脱脱第二次出任中书右丞相，气度已大不如前，"恩怨无不报"。② 脱脱开始打击政敌，重用亲信。十一年，脱脱之弟御史大夫也先帖木儿以知枢密院事的身份，领诸卫兵10多万南讨刘福通的红巾军，驻兵沙河时，军中夜惊。也先帖木儿尽弃军资器械而逃，却仍然能入朝为御史大夫。陕西行台御史大夫朵儿直班及监察御史12人弹劾也先帖木儿丧师辱国，脱脱大怒，迁朵儿直班为湖广行省平章政事，"而御史皆除各府添设判官，由是人皆莫敢言事"。③ 脱脱用亲信乌古孙良桢、龚伯遂、汝中柏、伯帖木儿等为僚属，"皆委以腹心之寄，小大之事悉与之谋，事行而群臣不知也"。④

哈麻是惠宗宠臣，惠宗对他言听计从。脱脱复相位，得益于哈麻在惠宗面前的周旋。脱脱复相后，为报答哈麻，擢哈麻为中书右丞。哈麻与脱脱的亲信、参议中书省事汝中柏产生矛盾，脱脱偏袒汝中柏，改哈麻为宣政院使，且位居第三，哈麻因此衔恨脱脱，借皇太子行册宝礼的问题驱逐脱脱。爱猷识理达腊的生母奇皇后本是高丽贡女，出身卑微，元世祖时规定高丽女子不得立为皇后。⑤ 但奇氏很伶俐，邀宠于惠宗，终被立为二皇后。爱猷识理达腊立为皇太子后，哈麻曾与脱脱议授皇太子册宝礼，脱脱每言："中宫有子，将置之何所？"⑥ 以故久不行。至正十四年，脱脱总兵征高邮张士诚，哈麻趁机复入中书省为平章政事。此前，汝中柏认定哈麻必为后患，多次劝说脱脱兄弟除掉哈麻，脱脱兄弟不从。哈麻得息后，恐不能自保，便在奇皇后、爱猷识理达腊母子面前进谗言："皇太子既立，而册宝及郊庙之礼不行

① 《元史》卷43《顺帝本纪》六，第916页。

② 《元史》卷138《脱脱传》，第3344页。

③ 《元史》卷138《脱脱传》，第3346页；卷139《朵儿直班传》，第3359页。

④ 《元史》卷138《脱脱传》，第3345页；参见《蒙古民族通史》，第2卷第6章第2节《元亡前夕蒙古统治集团彻底腐烂与内部混斗》。

⑤ 《元史》卷41《顺帝本纪》四，第883页，至正八年十一月："监察御史李泌言：'世祖誓不与高丽共事，陛下践世祖之位，何忍忘世祖之言，乃以高丽奇氏亦位皇后。今灾异屡起，河决地震，盗贼滋蔓，皆阴盛阳微之象，乞仍降为妃，庶几三辰奠位，灾异可息'。"参见任崇岳：《庚申外史笺证》，第12页。

⑥ 《元史》卷138《脱脱传》，第3347页。

者，脱脱兄弟之意也。"① 所以，哈麻驱逐脱脱的行为得到了皇太子支持。

至正十四年十二月，监察御史袁赛因不花等秉承哈麻的意思，弹劾："脱脱出师三月，略无寸功，倾国家之财以为己用，半朝廷之官以为自随。"而且连续三次上奏章。惠宗终于听信谗言，下诏"脱脱老师费财，已逾三月，坐视寇盗，恬不为意……"②，于阵前免去脱脱官爵，最后谪居大理宣慰司镇西路（今云南腾冲西）。不久，哈麻矫诏鸩死脱脱。脱脱一死，元朝可以说是失去了最后一位忠诚而又相对有魄力的股肱之臣。

脱脱死后，朝中的争斗开始直接危及皇权。哈麻逐走脱脱后，升任中书左丞相，其弟雪雪为御使大夫，国家大权遂归兄弟二人之手。哈麻担心他的妹婿秃鲁帖木儿暴露他与西蕃僧诱帝淫乱的事，便一方面设法除掉秃鲁帖木儿，另一方面想迫使惠宗禅位与太子。不料，这个阴谋让他的妹妹知道了，其妹归告其夫。秃鲁帖木儿害怕皇太子继位，自己见诛，便很策略地将哈麻的阴谋密告惠宗："哈麻谓陛下年老故耳。"惠宗大惊："朕头未白，齿未落，遽谓我为老耶!"③ 于是，下诏流放哈麻到惠州（今广东省惠州市）、雪雪流放到肇州（今黑龙江省肇东县）。二人在途中被杖死。

惠宗并没有从哈麻的阴谋中感受到危机而有所振作，继续"溺于娱乐，不恤政务"。④ 这时，皇太子"春秋日盛，军国之事，皆其临决"。⑤ 爱猷识理达腊、奇皇后拉拢右丞相搠思监、资正院使朴不花为一党，逼惠宗禅位。左丞相太平不愿加入爱猷识理达腊一党，爱猷识理达腊便设计陷害太平，太平被迫辞去相位。至正二十年（1360年），阳翟王阿鲁辉帖木儿拥兵数十万，发动叛乱，叛军势逼上都，准备夺取政权。爱猷识理达腊想借刀杀人，"乃言于帝，命太平留守上都，实欲置之死地"。⑥ 太平至上都，阿鲁辉帖木儿败亡，太平乃归养奉元。不久，惠宗欲起用伯里撒为右丞相，伯里撒以年老为辞，要求非得有太平同事不可。伯里撒乃持惠宗密旨追太平，太平行至

① 《元史》卷205《哈麻传》，第4584页。
② 《元史》卷43《顺帝本纪》六，第917页。
③ 《元史》卷205《哈麻传》，第4584页。
④ 《元史》卷205《搠思监传》，第4586页。
⑤ 《元史》卷204《朴不花传》，第4525页。
⑥ 《元史》卷140《太平传》，第3371页。

沙井，闻命而止。皇太子非置太平于死地不可，仍令御史大夫普化劾太平故违上命，勒令太平往陕西之西居住，搠思监又乘机诬奏，又命安置太平于吐蕃，随即又遣使者逼太平自杀于东胜。

太平去职之后，搠思监独为丞相。搠思监与资政院使朴不花、宣政院使脱欢相勾结，浊乱朝政。"四方警报及将臣功状，皆壅不上闻"。[①] 至正二十三年（1363年）十二月，监察御史也先帖木儿等弹劾朴不花、脱欢、内恃皇太子，外结丞相搠思监，骄恣不法，但这些人受到奇皇后与太子的庇护，参加弹劾的监察史反而被贬放外地。接着，治书侍御史陈祖仁上疏指责皇太子："使谏臣结舌，凶人肆志，岂惟君父徒拥虚器，而天下苍生，亦将奚望！"皇太子大怒，并继续为脱欢等人辩护。

此时朝中党争已逐步发展为太子党与帝党两大党派之争，争夺目标是最高统治权。皇太子、奇皇后、搠思监、朴不花相交结，外联军阀扩廓帖木儿，组成太子党；惠宗则依靠其母舅御史大夫老的沙、知枢密院事秃坚帖木儿，外结军阀孛罗帖木儿，组成帝党。两大党争与两大军阀势力纠结在一起，展开了一场大规模的军阀混战与几起几落的宫廷斗争，而元王朝就在这场斗争中谢幕。

地方军阀的兴起　元末农民起义爆发后，元军在农民军的打击下土崩瓦解。元廷被迫下令各地地主组织武装力量勤王，于是，各地出现了"义军"、"乡军"和"民兵"等各种名目的地主武装。各地地主武装集团在保元的旗帜下，乘机抢占地盘，发展自己的武装力量。至正十四年（1354年）以后，逐渐形成了几支势力强大的地主武装。河南沈丘探马赤军户察罕帖木儿，河南信阳罗山地主李思齐，罗罗宣慰司世袭万户、四川行省参知政事、蒙古珊竹氏答失八都鲁，河南邓州张良弼等人依靠地主武装起家，在镇压农民起义中，逐渐形成了军阀集团，在西北的晋、冀、关陕一带混战。此外，尚有福建陈友定、广东何真等地主武装。

地主武装混战于内蒙古的主要是察罕帖木儿及其养子扩廓帖木儿与孛罗帖木儿的战争。

察罕帖木儿是乃蛮人。曾祖随蒙古探马赤军屯戍河南，遂落籍河南颍州

---

① 《元史》卷205《搠思监传》，第4587页。

沈丘。察罕帖木儿，曾用汉姓李，字廷瑞，时人称为"李上公"①。史称其"幼笃学，尝应进士举，有时名"。可见，察罕帖木儿是个深受汉地儒家文化影响的蒙古人。至正十一年，红巾军起义爆发，"不数月，江淮诸郡皆陷。朝廷征兵致讨，卒无成功"。至正十二年，察罕帖木儿组织沈丘子弟数百人建立了一支地方武装，与信阳罗山李思齐合兵破罗山，朝廷以功授其中顺大夫、汝宁府达鲁花赤。在此后的十年中，察罕帖木儿残酷镇压农民军，势力迅速膨胀，由河南而河北，又逾太行山，入山西，进关陕，守御关、陕、晋、冀，后屯兵太行山一线。察罕帖木儿的官位也从汝宁府达鲁花赤，累迁至中书平章政事、知河南、山东行枢密院事，成为当时实力最强的元军将领。至正二十二年六月，察罕帖木儿在益都城外被降而复叛的农民军首领田丰、王士诚刺杀，年仅35岁。察罕帖木儿死后，其养子是他的外甥扩廓帖木儿（蒙古伯要兀氏，小名保保，因封河南王又称王保保）袭统其兵，官拜太尉、中书平章政事、知枢密院事。至正二十三年，以重兵驻守太原。

　　答失八都鲁是蒙古珊竹氏人，曾祖纽璘是元初经略四川的名将。纽璘家族世袭万户，镇守罗罗宣慰司。至正十一年，答失八都鲁以四川行省参知政事的身份，领本部探马赤军三千，出川讨伐荆襄地区的义军。次年，答失八都鲁进至荆门，招募襄阳官吏及土豪避兵者，组成了一支2万人的义兵队伍。至正十四年，答失八都鲁以功升至四川行省平章政事，兼知行枢密院事，总荆襄诸军。十五年，答失八都鲁被调到河南任行省平章政事，管领诸王藩将兵马，围剿红巾军。十七年，因战事不利，遭朝廷猜疑，郁郁而死。其子孛罗帖木儿袭职、领军。至正十九年三月，元廷命孛罗帖木儿屯驻大同。而察罕帖木儿视大同为自己的地盘，以冀、晋为军需给养之地。由此，两家军阀为争夺地盘不时开战，置朝廷多次调解于不顾。

　　元末统治集团内部的纷争与元朝灭亡　至正二十年（1360年）九月，孛罗帖木儿欲得冀宁，越石岭关，围攻察罕帖木儿驻地冀宁，围城三日而不克，乃南攻交城。察罕帖木儿调阎奉先引兵来战，孛罗帖木儿退至石岭关以北，双方对峙于石岭关南北。元朝派遣参知政事也先不花前去调解，令孛罗

　　①　《元史》卷141《察罕帖木儿传》，第3384页；参见党宝海：《察罕帖木儿的族属、生年与汉姓》，《中国史研究》1983年第3期。

帖木儿、察罕帖木儿讲和。① 在孛罗帖木儿与扩廓帖木儿双方，元惠宗无疑是偏袒孛罗帖木儿的。十月，元惠宗下诏，将冀宁划为孛罗帖木儿守区，孛罗帖木儿乃遣保保、殷兴祖、高脱因急行军至冀宁，而察罕帖木儿的守将拒绝他们入城。察罕帖木儿派陈秉直、琐住领兵，在冀宁与孛罗帖木儿交战，被孛罗帖木儿的部将脱列伯战败。接着，察罕帖木儿为保住冀、晋这块军需供应地，便借口向汴梁用兵，渡黄河，占领泽州、潞州来阻断孛罗帖木儿，又调集延安的军队与孛罗帖木儿在东胜州等处交战。察罕帖木儿又欲再派八不沙领兵支援东胜方面。八不沙谓其军"奉旨而来，我何敢抗王命，察罕帖木儿怒，杀之"。② 至正二十三年十月，孛罗帖木儿又复南侵察罕帖木儿的地盘，占据真定。

至正二十三年，御史大夫老的沙与知枢密院事秃坚帖木儿，得罪于皇太子，被罢黜，贬至东胜州安置。而惠宗"别遣宦官密谕孛罗帖木儿，令留军中。皇太子累遣官索之，孛罗帖木儿匿不发"。③

至正二十四年三月，皇太子与搠思监、朴不花诬称孛罗帖木儿与老的沙图谋不轨，惠宗迫于太子党的压力，下诏削孛罗帖木儿兵权、官爵，遣回四川安置。孛罗帖木儿杀使者，拒不受命。元廷乃命令扩廓帖木儿讨伐孛罗帖木儿。孛罗帖木儿"悉知诏令调遣之事非出帝意"，④ 而是皇太子一党所为，便遣部将秃坚帖木儿提兵犯阙，扬言要索取右丞相搠思监、资正院使朴不花二人。四月初九，秃坚帖木儿兵入居庸关。初十日，知枢密院事也速、詹事不兰奚迎战秃坚帖木儿于皇后店，失败。次日，皇太子从光熙门出逃，经古北口逃往兴州、松州。十二日，秃坚帖木儿在清河列营屯兵。大都大为恐慌，元廷令百官吏卒分守京城，派达达国师充当使者至秃坚帖木儿军营谈判，秃坚帖木儿"以必得搠思监及宦官朴不花为对"。惠宗为缓和矛盾，下诏"屏搠思监于岭北，窜朴不花于甘肃，执而与之"。⑤ 又下诏复孛罗帖木儿官职，加太保，仍旧总兵守御大同，秃坚帖木儿为中书平章政事。秃坚帖

①　《元史》卷45《顺帝本纪》八，第951页；卷207《孛罗帖木儿传》，第4601—4602页。
②　《元史》卷45《顺帝本纪》八，第952页。
③　《元史》卷46《顺帝本纪》九，第965页；卷207《孛罗帖木儿传》，第4602页。
④　《元史》卷46《顺帝本纪》九，第966页。
⑤　《元史》卷46《顺帝本纪》九，第966页。

木儿撤军还大同。此时，皇太子逃到了路儿岭，惠宗下诏追回宫中。"皇太子恚怒不已，再征扩廓帖木儿兵，保障京师。五月，诏扩廓帖木儿总兵，调诸道军分讨大同"。① 扩廓帖木儿屯兵冀宁，分兵三路：东道以白锁住领兵3万，驻于龙虎台，守御京师；② 中道以貌高、竹贞领兵4万；西道以关保领军5万，向大同进兵。孛罗帖木儿留一部分兵力守大同，亲自与秃坚帖木儿、老的沙率兵再次进犯京师。七月，孛罗帖木儿军的前锋进入居庸关，皇太子亲自率军在清河列阵防御，左丞相也速军则驻军于昌平，扩廓帖木儿部下青军头目杨同金守居庸关。然而军士无斗志，青军头目杨同金在居庸关被杀，不兰奚战败，皇太子逃入大都。白锁住胁迫东宫官僚从太子出奔，经雄州、霸州、河间，取道往冀宁。孛罗帖木儿兵至大都，驻兵健德门外，"欲追袭皇太子，老的沙力止之"。③ 惠宗下诏以孛罗帖木儿为中书左丞相，老的沙为中书平章政事，秃坚帖木儿为御史大夫，他们的部属布列省台百司。八月十一日，又下诏以孛罗帖木儿为中书右丞相、监修国史，节制天下军马。孛罗帖木儿主持朝政，诛杀秃鲁帖木儿、波迪哇儿祸，"罢三宫不急造作，沙汰宦官，减省钱粮，禁止西番僧人好事"。④

孛罗帖木儿派脱吉儿屯兵盖里泊，又派宗王也速也不坚驻上都东郊，命上都留守善安向弘吉剌部征兵。开平府尹、前上都留守达礼麻识理与善安周旋，善安乃避走。孛罗帖木儿又调帖木儿、托忽速哥至上都进行防御。达礼麻识理密遣前宗正扎鲁忽赤月鲁帖木儿联络罕哈哈剌海行枢密知院益老答儿，请其亟调兵南下，又遣上都留守司照磨陈恭起兴州之兵，又联络上都周围的八剌哈赤、虎贲司等军兵，布列在铁幡竿山下，虚张声势，宣称四方勤王之师皆至上都，帖木儿等大惊，乘夜东奔，兵士溃散。达礼麻识理乘势增修上都武备，严密城防。⑤

至正二十五年（1365年）三月，皇太子令扩廓帖木儿调遣岭北、甘肃、辽阳、陕西各地军队，进讨孛罗帖木儿。扩廓帖木儿取大同，皇太子"自

---

① 《元史》卷207《孛罗帖木儿传》，第4603页；卷46《顺帝本纪》九，第966页。
② 《元史》卷141《察罕帖木儿传》，第3390页；卷46《顺帝本纪》九，第966页。
③ 《元史》卷207《孛罗帖木儿传》，第4604页；卷46《顺帝本纪》九，第967页。
④ 《元史》卷46《顺帝本纪》九，第968页。
⑤ 《元史》卷145《达礼麻识理传》，第3453页。

率扩廓帖木儿兵取中道"，①　直指京师。孛罗帖木儿大怒，一方面"……矫制幽（奇皇后）于诸色总管府，令其党姚伯颜不花守之。四月庚寅，孛罗帖木儿逼后还宫，取印章，伪为后书召太子"，②　欲以皇后被囚之事逼太子就范。另一方面，孛罗帖木儿遣秃坚帖木儿率军讨伐上都，响应皇太子号召的军队，调知枢密院事也速从大都南下御扩廓帖木儿军。也速南进至良乡则转向东边进军，驻兵永平，派人西连太原，东连辽阳。是时，白锁住又将2万骑屯渔阳，为朝廷声援。③　由此，也速方面军声大振，对抗孛罗帖木儿。孛罗帖木儿遣骁将姚伯颜不花统兵出御也速，姚伯颜不花至通州，遇水患，在虹桥扎营，遭也速偷袭，姚伯颜不花被擒杀。孛罗帖木儿十分恐慌，亲自将兵出通州，遇大雨三日，无功而还。孛罗帖木儿郁郁不乐，"乃日与老的沙饮宴，荒淫无度，酗酒杀人，喜怒不测，人皆畏忌"。④　孛罗帖木儿还向惠宗索要所爱的女子，孛罗帖木儿这种专横跋扈威胁到了黄金家族的统治，因此，惠宗与孛罗帖木儿的联盟破裂，惠宗决心除掉孛罗帖木儿。

　　七月，孛罗帖木儿命秃坚帖木儿进攻上都，先派利用少监帖里哥赤至上都，令达礼麻识理广备粮饩，远迎大军。达礼麻识理杀帖里哥赤。不久，秃坚帖木儿率铁甲马步军"蔽野而至，呼声动天"。⑤　达礼麻识理坚守上都。晚间，派敢死队缒城而下，焚秃坚帖木儿的攻城工具。同时，调副留守秃鲁迷失海牙领兵从小东门出，与秃坚帖木儿大战于卧龙冈。上都军队战败。秃坚帖木儿派人到大都向孛罗帖木儿告捷。

　　威顺王宽彻普化之子和尚，得到惠宗的支持，交结勇士上都马、金那海、伯颜达儿、帖古思不花、火儿忽达、洪宝宝等人，准备除掉孛罗帖木儿。七月二十九日，秃坚帖木儿派人报告上都方面的捷报，孛罗帖木儿入内廷奏事，行至延春阁李树下，伯颜达儿、上都马及金那海等趁机斫死孛罗帖木儿。老的沙负伤，护着孛罗帖木儿母亲、妻子及其子天宝奴北遁，"有旨令民间尽杀

①　《元史》卷141《察罕帖木儿传》，第3390页。
②　《元史》卷114《后妃传》一，第2881页。
③　《元史》卷141《察罕帖木儿传》，第3391页。
④　《元史》卷207《孛罗帖木儿传》，第4604页。
⑤　《元史》卷145《达礼麻识理传》，第3453页。

其党"。① "益王浑都帖木儿、枢密副使观音奴擒老的沙,诛之。秃坚帖木儿以余兵往八儿思之地,命岭北行省左丞相山僧及知枢密院事魏赛因不花同讨之"。② 十二月,秃坚帖木儿也被擒获处死。孛罗帖木儿集团被消灭。

孛罗帖木儿被杀后,元惠宗遣使将其首级函送时在冀宁的皇太子,诏皇太子还朝。至正二十五年九月,扩廓帖木儿扈从皇太子返大都。当初,皇太子奔冀宁时,欲仿唐肃宗在灵武自行即皇帝位的故事,自己在外即汗位,扩廓帖木儿与孛兰奚等不从。至此返京,"皇后奇氏传旨,令扩廓帖木儿以重兵拥太子入城,欲胁帝禅之位。扩廓帖木儿知其意,比至京城三十里,即散遣其军。由是皇太子心衔之"。③ 扩廓帖木儿此举却赢得了惠宗信任,惠宗下诏升扩廓帖木儿为中书左丞相、知枢密院事。十月,又"封扩廓帖木儿河南王,代皇太子亲征,总制关陕、晋冀、山东等处并迤南一应军马,诸王各爱马应该总兵、统兵、领兵等官,凡军民一切机务、钱粮、名爵、黜陟、予夺,悉听便宜行事"。④ 而皇太子曾"累请出督师,而帝难之"。⑤ 可见,惠宗此时十分忌讳皇太子掌兵权。

至正二十六年(1366年)二月,扩廓帖木儿领兵到河南,寻居怀庆,又居彰德。"分立省部以自随","调度各处军马"。⑥ 但扩廓帖木儿年少威望不高,老军阀们不听其指挥。"初,李思齐与察罕帖木儿同起义师,齿位相等。及是扩廓帖木儿总其兵,思齐心不能平"。⑦ 屯驻陕西的张良弼、孔兴、脱列伯等也都以功自恃,莫肯统属于扩廓帖木儿。他们联合起来,进攻扩廓帖木儿。扩廓帖木儿遣关保、虎林赤领兵西攻张良弼于鹿台。扩廓帖木儿"惟务用兵陕西,天子之命置而不问,朝廷因疑其有异志"。⑧ 七月,扩廓帖木儿又派遣硃珍、卢旺屯兵河中,遣关保、虎林赤会师渡黄河,与竹贞、商暠合兵,攻击张良弼与李思齐。至正二十七年正月,李思齐、张良

---

① 《元史》卷207《孛罗帖木儿传》,第4605页。

② 《元史》卷46《顺帝本纪》九,第970页。

③ 《元史》卷141《察罕帖木儿传》,第3391页。

④ 《元史》卷46《顺帝本纪》九,第970页。

⑤ 《元史》卷141《察罕帖木儿传》,第3391页。

⑥ 《元史》卷47《顺帝本纪》十,第975页。

⑦ 《元史》卷141《察罕帖木儿传》,第3391页。

⑧ 《元史》卷141《察罕帖木儿传》,第3391页。

弼、脱列伯会盟于京兆含元殿旧基，推李思齐为盟主，共同抗拒扩廓帖木儿。五月，李思齐遣张良弼部将郭谦等守黄连寨，扩廓帖木儿部将关保、虎林赤、商暠、竹贞领兵拔其寨，郭谦败走。这时，扩廓帖木儿部下的貊高等发动兵变，关保、虎林赤趁夜逃走，李思齐得以解围而去。此时的扩廓帖木儿一心与其他军阀争胜负，置元廷危亡于不顾。

因扩廓帖木儿、李思齐、张良弼等各怀异见，构兵不已，致使农民起义军发展极快。至正二十七年八月，惠宗下诏命皇太子以中书令、枢密使身份悉总天下兵马；扩廓帖木儿，总领本部军马，自潼关以东，肃清江淮；李思齐与侯伯颜达世进取川蜀；以少保秃鲁为陕西行中书省左丞相，驻扎本省，总本部及张良弼、孔兴、脱列伯各支军马，进取襄樊。扩廓帖木儿拒不受命，又杀朝廷派来的宣诏使天下奴，其部将貊高、关保等不满扩廓帖木儿的做法，都叛离扩廓帖木儿，举兵攻击扩廓帖木儿。关保勇冠诸军，是察罕帖木儿起兵时就重用的将领，功劳卓著；而貊高善论兵法。皇太子用沙蓝答儿、伯颜帖木儿、李国凤等人的计策，立大抚军院，总制天下军马，以备扩廓帖木儿。十月，惠宗下诏落扩廓帖木儿官职，以汝州为河南王食邑，其所领诸军分别由各将帅统领："在帐前者白锁住、虎林赤领之，在河南者李克彝领之，在山东者也速领之，在山西者沙蓝答儿领之，在河北者貊高领之。"[1] 扩廓帖木儿退守泽州。至正二十八年（1368 年）年初，扩廓帖木儿遣兵占据冀宁，尽杀朝廷所置官属。惠宗下诏削扩廓帖木儿爵邑，皇太子命魏赛因不花、关保皆、李思齐、张良弼诸军夹攻扩廓帖木儿的泽州。二月，扩廓帖木儿退守平阳，关保占据泽、潞二州，以与貊高合军。这时，朱元璋的北伐军已攻入河南，李思齐、张良弼、孔兴、脱列伯恐怕失去在陕西的地盘，便"皆遣使诣扩廓帖木儿，告以出师非本心，乃解兵大掠西归"。[2] 三月，朱元璋的北伐军攻入潼关，李思齐退守凤翔。五月，中书平章政事李克彝弃守河南，奔入陕西，推李思齐为总兵。李思齐等驻兵于岐山、鏊屋、武功、陇州。显然，元朝依靠的这些地方军阀在明军的打击下，已无还击的能力了。面对元朝危局，元朝军内部继续混战。七月，貊高、关保进攻平阳。

---

① 《元史》卷 141《察罕帖木儿传》，第 3392 页。
② 《元史》卷 141《察罕帖木儿传》，第 3393 页。

闰七月，扩廓帖木儿夜袭貊高、关保营寨，大败其众，貊高、关保被擒。元惠宗被迫罢大抚军院，杀貊高、关保，下诏恢复扩廓帖木儿的官爵，希望利用扩廓帖木儿来阻挡明军的北阀。此时，明军已"定山东及河、洛，中原俱不守"。① 明军正逼近大都。元惠宗决定作最后的挣扎，下诏扩廓帖木儿"以兵从河北南讨，也速以兵趋山东，秃鲁兵出潼关，李思齐兵出七盘、金、商，以图复汴、洛"。② 但这些军阀在朝廷存亡的关头仍然不肯效命。不久，也速兵溃，秃鲁、李思齐不出兵，而扩廓帖木儿又从平阳退守太原，不敢向南进攻。八月初二，明军攻入京城，元亡。明军攻太原时，扩廓帖木儿即弃城逃走，率余众西奔甘肃。

第十节　元朝末年社会矛盾的激化与农民军在内蒙古地区的活动

一、元末社会矛盾的激化

元朝的民族歧视与民族压迫政策　元朝在元世祖至元时期，就在事实上将全国的百姓按民族与地域分成了四等：第一等是蒙古人，包括原来蒙古原各部落的人；第二等是色目人，包括西夏、回回、西域以至留居中国的一部分欧洲人；第三等是汉人，指原金朝境内的汉族、契丹、女真等族及云南、四川两地较早附元的居民；第四等是南人，指南宋统治下的汉人和西南各民族人民。元统治者把色目人列为第二等，是为了提高回回上层分子的地位，使他们成为蒙古贵族统治的助手。把汉族分为汉人和南人，则是为了要分化汉族人民，削弱他们的反抗力量。四等人的政治地位与待遇是不平等的。在统治机构中，长官和掌权的官吏都是蒙古人或色目人，其次才是汉人，而在南宋灭亡后的相当长的时期内，很少有南人能够在中央作官③。在地方政府

---

① 《元史》卷 141《察罕帖木儿传》，第 3393 页。
② 《元史》卷 141《察罕帖木儿传》，第 3393 页。
③ 参见白寿彝主编：《中国通史》第 8 卷《中古时代·元时期》（上）《乙编综述》第 9 章第 1 节《元朝统治的衰败》。

机构中，规定由蒙古人担任达鲁花赤，色目人作同知，汉人作总管，同知、总管彼此互相牵制，都要服从达鲁花赤的指挥。仁宗延祐年间，恢复科举取士后，在名额分配上规定：蒙古、色目、汉人、南人四等，乡试各取75名，会试各取25名。汉人、南人超过蒙古、色目数百倍，这种平均分配名额是极大的不平等，也就是要限制汉人、南人入仕。在军事上，对汉人、南人进行严密的防范。元朝军队有蒙古军、探马赤军、汉军和新附军的区别。出兵时各军参差调用，而以蒙古军为主力，军权都掌握在蒙古军统帅的手中。在刑法上，四等人犯同样的罪，量刑轻重不一。规定蒙古人、色目人和汉人分属不同的机关审理，蒙古人殴打汉人，汉人不得还手。蒙古人因争执及乘醉殴死汉人，只征烧埋银，并断罚出征，无需偿命。而汉人打死蒙古人则要处死，甚至只打伤蒙古人也要处以极刑。又规定汉人、南人不得聚众畋猎和迎神赛会，不得执弓矢。在征敛方面，如括马，蒙古人不取，色目人取三分之一，汉人、南人则全取。此外，在《元典章》中记录的很多法令，都是针对汉人、南人制定的，并且指出蒙古人不受这些法令的约束。当然，许多蒙古族的下层人民也并不能享受特权，他们也承受着繁重的军役和租赋，遇有天灾人祸，常常破产流亡。而与蒙古统治者结成了联盟的某些汉族大官僚、大地主并未受到民族歧视与民族压迫，他们的政治地位与待遇和蒙古贵族相差无几。

元朝末年，中书右丞相伯颜专权，禁止南人学蒙古、色目文字，以阻塞他们的仕途。还扬言要杀尽张、王、刘、李、赵五姓汉人。这种做法更加深了民族压迫，激化了民族矛盾。

土地高度集中与赋税严重不均　元朝后期，土地高度集中。蒙古贵族入主中原以后，他们当中愈来愈多的人认识到了耕地的可贵，明白在土地上可以榨取更多的财赋，因而竞相追逐土地，许多蒙古贵族都占有大量的田财。元代有相当数量的官田是分拨给皇太后、皇后、太子的，并设有专门机构管理。元平南宋后，设立江淮等处财赋都总管府管理宋谢太后、福王所献资产，及贾似道地产、刘坚等人的田财，这个总管府起初隶属皇后的中宫，元世祖去世后，则隶属皇太后。① 元成宗籍没以海盗起家、以漕运得官的朱

---

① 《元史》卷89《百官志》五，第2260页。

清、张瑄的财产。武宗至大元年（1308年）六月，设立了江浙财赋总管府、提举司，隶皇后中宫。① 江淮、江浙两财赋都总管府占有浙西、浙东、江东的大片土地。仅以镇江路为例，田地共计 3 661 127 亩，内有官田地共939 959 亩。而江淮财赋府所管为 410 418 亩，江浙财赋府所管为 1 212 亩，有司管辖 528 329 亩。② 两财赋都总管府在镇江所占官田为当地官田总数的43% 强。除了皇太后、皇后、太子这些皇室成员占领大量土地外，元朝的诸王、驸马、公主也都有食邑及其他田产。除皇室及其姻亲的田产外，一些异姓蒙古贵族也疯狂兼并土地。最典型的例子如元末权臣伯颜。伯颜在河南有赐田 5 000 顷，后至元元年（1335年）二月，元惠宗以"以蓟州宝坻县稻田提举司所辖田土赐伯颜"。③ 二年六月，"以汴梁、大名诸路脱别台地土赐伯颜"。七月，"以公主奴伦引者思之地五千顷赐伯颜"。④ 伯颜占有的田产是非常惊人的。元朝汗室尊奉释教，大量赐予寺庙田产。文宗时曾括山东益都、般阳、宁海处田土 162 090 余顷，赐给大承天护圣寺为永业田⑤。汉族地主兼并之风也与日俱增，不少汉族地主拥有大量田产。

土地高度集中，而且税赋沉重且不均，是元朝社会矛盾激化的一个重要原因。福建崇安县有田税人户共 450 家，纳粮 6 000 石，"其大家以五十余家而兼五千石，细民以四百余家而合一千石。大家之田，连跨数郡，而细民之粮仅升合。有司常以四百之细民配五十大家之役，故贫者受役旬日而家已破"。⑥ 浙西则以赋税重而闻名。至正间，平江路长洲县（今江苏苏州）"地下水悍，岁赋五十万石，民避其役，不啻如猛虎"⑦。在江南地区，田主除向佃户征租外，还随意向佃户征收丝料，勒派附加粮，甚至迫使佃户代服差徭。有的地主还用飞洒（凡将自己田地应纳田粮洒派别户者，曰"飞洒"）、诡寄（将自己田粮暗中挂于他人名下者，曰"诡寄"）等办法躲避差役。赋役不均的

---

① 《元史》卷 22《武宗本纪》一，第 499 页。
② 《至顺镇江志》卷 5《田土》、卷 6《赋税》，江苏古籍出版社 1990 年版；参见陈高华、史卫民：《中国经济通史——元代经济卷》，第 255、256 页。
③ 《元史》卷 38《顺帝本纪》一，第 825 页。
④ 《元史》卷 39《顺帝本纪》二，第 835 页。
⑤ 《元史》卷 34《文宗本纪》三，第 756 页。
⑥ 参见《元史》卷 192《邹伯颜传》，第 4373 页。
⑦ 杨维桢：《长洲县重修学宫记》，《全元文》卷 1305，第 336 页。

现象非常严重，其结果是"大家收谷岁至数百万斛，而小民皆无蓄藏"。①广大农民的极度贫困，是促使元末农民起义爆发的根本原因。

财政困难　为了维持一个庞大的元帝国，元朝政府的财政开支十分巨大，有元一代的财政始终处于匮乏之中，元世祖接连使用理财之臣阿合马、桑哥、卢世荣都不能解决问题。

财政困难的原因之一就是元朝汗室对亲王、驸马、百官、卫士的赏赐特别多，不仅年年有岁赐，还有大汗登基等朝会赏赐。岁赐，是朝廷按定额每年颁给蒙古宗王与贵族的赏赐，赏赐的内容有金、银、钱钞、丝、绢等物品。太宗朝，每年岁赐总额为银 1 130 锭，缎 3 100 匹。至元二十五年（1288 年），各种赏赐加起来金 1 700 两，银 3 047 锭，钞 1 100 锭，缎 43 900 匹，绵 8 320 斤，丝 10 000 两。② 以后，历朝的赏赐数额不断增加。

大汗登基颁发的赏赐之多，也是十分惊人的。大德十一年（1307 年），武宗即位时，"以朝会应赐者，为总钞三百五十万锭，已给者百七十万，未给犹百八十万，两都所储已虚"。③ 至大四年（1311 年），仁宗登基时，朝会赐金 39 650 两（793 锭），银 1 849 050 两（36 981 锭），钞 223 279 锭，币帛 472 488 匹。④ 英宗即位时，赐金 5 000 两（100 锭），银 780 000 两（15 600 锭），钞 1 211 000 贯（24 220 锭），币 57 364 匹，帛 49 322 匹，木绵 92 672 匹，衣 359 袭。⑤ 泰定、文宗、宁宗、惠宗登基均有赏赐，只是因财政困难，比仁宗、英宗时期有所减少。这种赏赐颁发一次，立即造成国家财政的紧张与亏空。元朝从成宗登基到惠宗即位，38 年之间，换了 10 个大汗，他们登基的赏赐成为元朝沉重的财政负担。

除了赏赐外，元朝的军费开支与工程建造花费也十分惊人。养军之费中，支付给怯薛卫士的费用不菲。据研究，文宗至顺三年（1332 年），支付给怯薛卫士的钱钞达 109 万锭，而前一年即至顺二年，支付则达到了 120 万

---

① 余阙：《青阳先生文集》卷 3《宪使董公均役记》，《文渊阁四库全书》本。
② 陈高华、史卫民：《中国经济通史——元代经济卷》，第 774—777 页。
③ 《元史》卷 22《武宗本纪》一，第 486 页。
④ 《元史》卷 24《仁宗本纪》一，第 538 页。
⑤ 《元史》卷 27《英宗本纪》一，第 607 页。

锭。① 而且，还要给怯薛卫士属下的怯怜口另行颁发钱钞。成宗大德九年（1305 年）二月，"赐宿卫怯怜口钞一百万锭"。② 怯薛卫士的马匹的草料，也由朝廷定时发放。大德十一年十一月，中书省臣言："宿卫廪给及马驼刍料，父子兄弟世相袭者给之，不当给者，请令孛可孙汰之。今会是年十月终，马驼九万三千余，至来春二月，阙刍六百万束、料十五万石；比又增马五万余匹。此国重务，臣等敢以上闻。"③ 可见，怯薛卫士的马匹饲料已成为朝廷的一个沉重的经济负担。军费开支更大的是战争费用。元朝前期征南宋、侵日本、攻占城，以及对东北、西北诸叛王的战争，都耗费了数万财赋。成宗以后，战争逐步减少，巨额战争费用被巨额备边费用代替。至大四年时，"北边军需"高达"六七百万锭"④，占年度财政支出额的三分之一还多。英宗至治二年（1322 年）闰五月，"岭北戍卒贫乏，赐钞三千二百五十万贯（650 000 锭）、帛五十万匹"。⑤ 其他边远地区的军备费用由各行省关支，问题没有岭北行省这么严重，但也不会少。

至于赈灾的开支，元代也比任何其他朝代为多，这里不一一列举。国家日常的其他开支，例如官俸、宫廷花费等还需要很多。因此，元朝中期，即成宗至宁宗时期，财政收支就出现了严重的收不抵支现象。元朝财政收入中的货币部分，在至元晚期大约是 300 万锭，元中期有所增加。⑥ 但元朝的财政开支增加更快。大德三年（1299 年）正月，中书省臣上奏："比年公帑所费，动辄巨万，岁入之数，不支半岁，自余皆借及钞支。"⑦ 根据这个奏议看，当时的财政总支出额大约到了 700 万锭。⑧ 至大四年，仁宗即位时，李孟指出："今每岁支钞六百余万锭，又土木营缮百余处，计用数百万锭，内降旨赏赐复用三百余万锭，北边军需又六七百万锭；今帑藏见贮止十一万余

---

① 陈高华、史卫民：《中国经济通史——元代经济卷》，第 770 页。
② 《元史》卷 21《成宗本纪》四，第 462 页。
③ 《元史》卷 22《武宗本纪》一，第 490 页。
④ 《元史》卷 24《仁宗本纪》一，第 547 页。
⑤ 《元史》卷 28《英宗本纪》二，第 623 页。
⑥ 《元史》卷 17《世祖本纪》十四，第 368 页，至元二十九年十月，"完泽等言：'一岁天下所入，凡二百九十七万八千三百五锭'"；参见陈高华、史卫民：《中国经济通史——元代经济卷》，第 754 页。
⑦ 《元史》卷 20《成宗本纪》三，第 426 页。
⑧ 《元史》卷 20《成宗本纪》三，第 426 页。

锭，若此安能周给。"① 按李孟的计算，财政支出达 1 600 万锭左右。为解决经费不足，元朝政府自成宗朝开始借支钞本。② 至大元年时，中书省借支钞本 710 万锭救急，到至大二年，已累计借支钞本 10 603 100 余锭。③ 借支钞本也不能解决问题了，元武宗时期，开始变更钞法，滥发钞币，劫掠民间财富。元惠宗至正十一年，再次变更钞法，铸至正通宝钱，印造交钞，令民间通用，结果造成钞法混乱，物价暴涨。"京师料钞十锭，易斗粟不可得。既而所在郡县，皆以物货相贸易，公私所积之钞，遂俱不行，人视之若弊楮，而国用由是遂乏矣"。④ 到至正十六年时，纸币"绝不用，交易惟用铜钱耳"。⑤ 变钞本是通过以"钞买钞"的办法，即用新钞来压低民间的至元宝钞，达到增加国库收入，摆脱财政危机的目的。结果由于新币发行额过大，老百姓加以抵制，形成恶性通货膨胀，变钞的目的没有达到，政府的信誉却一落千丈。至此，元朝的财政已逐渐趋向枯竭。

吏治腐败 元朝末年吏治十分腐败，官场中贪污受贿之风盛行，官吏敛钱的花样名目繁多："所属始参曰拜见钱，无事白要曰撒花钱，逢节曰追节钱，生辰曰生日钱，管事而索曰常例钱，送迎曰人情钱，勾追曰赍发钱，论诉曰公事钱。觅得钱多曰得手，除得州美曰好地分，补得职近曰好窠窟。"⑥ 至正五年（1345 年）十月，元廷派奉使宣抚天下，朝廷旨意是要"询民疾苦，疏涤冤滞，蠲除烦苛，体察官吏贤否，明加黜陟"。⑦ 可是宣抚使本人

---

① 《元史》卷 24《仁宗本纪》一，第 547 页。

② 《元史》卷 18《成宗本纪》一，第 387 页，至元三十一年八月："诏诸路平准交钞库所贮银九十三万六千九百五十两，除留十九万二千四百五十两为钞母，余悉运至京师。"《元史》卷 19《成宗本纪》二，第 417 页，大德二年二月："右丞相完泽言：'岁入之数，金一万九千两，银六万两，钞三百六十万锭，然犹不足于用，又于至元钞本中借二十万锭，自今敢以节用为请。'"

③ 《元史》卷 22《武宗本纪》一，第 495 页，至大元年二月：中书省臣言："……今和林、甘肃、大同、隆兴、两都军粮，诸所营缮，及一切供亿，合用钞八百二十余万锭。……今乞权支钞本七百一十余万锭，以周急用，不急之费姑后之。"《元史》卷 23《武宗本纪》二，第 516 页，至大二年九月，尚书省臣言："今国用需中统钞五百万锭，前者尝借支钞本至千六十万三千一百余锭，今乞罢中统钞，以至大银钞为母，至元钞为子，仍拨至元钞本百万锭，以给国用。"

④ 《元史》卷 97《食货志》五《钞法》，第 248 页。

⑤ 孔齐：《至正直记》卷 1《楮币之患》，上海古籍出版社 1987 年。

⑥ 叶子奇：《草木子》卷 4 下《杂俎篇》，《历代笔记史料丛刊》本，中华书局 2006 年版，第 81—82 页。

⑦ 《元史》卷 41《顺帝本纪》四，第 873 页。

就是贪官，"政绩昭著者十不二三"。① 他们到地方大肆搜刮，老百姓讽刺他们是"九重丹诏颁恩至，万两黄金奉使回"。② 官吏以贪墨为务，元王朝的覆灭已为时不远了。

自然灾害频仍　元朝末年，各种自然灾害频仍。至正四年五月，连下大雨 20 多日，黄河暴溢，平地水深二丈多，黄河先后在白茅堤（今河南兰考东北）、金堤决口。沿河郡邑，如济宁路（治今山东巨野）的单州（今山东单县）、虞城（今河南虞城北）、砀山（今属安徽）、金乡（今属山东）、鱼台（今山东鱼台西）、丰（今江苏丰县）、沛（今江苏沛县）、任城（今山东济宁）、嘉祥（今属山东），曹州（今山东菏泽）的定陶（今属山东）、楚丘（今山东曹县东南）、成武（今属山东），大名路（治今河北大名南）的东明（今山东东明东南），东平路（治今山东东平）的汶上（今属山东）等州县均遭水患，形成了历史上罕见的河患。③ 次年，又遭大旱，赤地千里。余阙哀叹："至正四年，河南北大饥，田萧尽荒，蒿藜没人，狐兔之迹满道。"④ 至正八年，河水又决，洪水汇入运河，危及运河航运，河间、山东两盐运司所属几十个盐场也有淹没的危险。大都赖以生存的粮食和生活用品的运输、元朝财政收入的重要来源盐税，都受到威胁。更为严重的是，河患加剧了社会的动荡不安。黄泛区流民涌入长江下游，"沿河盗起，剽掠无忌，有司莫能禁"。⑤ 至正十一年四月，元政府以工部尚书贾鲁为总治河防使，征发汴梁、大名等 13 路民 15 万人，庐州等地戍卒十八翼共 2 万士兵修治黄河。十一月，水土工毕，河复故道，治理黄河取得了成功。但在治理黄河过程中，官吏督责严苛，激起了民工的强烈不满。农民领袖韩山童、刘福通等利用开河机会，发动了农民起义。

二、元末农民战争的爆发

贾鲁开河后，大量农民聚集在修河工地上，农民领袖韩山童等决定抓住

① 《南村辍耕录》卷 19《阑驾上书》，第 229 页。
② 《南村辍耕录》卷 19《阑驾上书》，第 229 页。
③ 参见《元史》卷 66《河渠志》三《黄河》，第 1645 页。
④ 《青阳先生文集》卷 8《书合鲁易之作颍川老翁歌后续集》。
⑤ 《元史》卷 41《顺帝本纪》四，第 879 页。

这一时机，发动武装起义。韩山童是河北栾城人，出身于北方白莲教世家，其祖父韩学究是白莲教主。白莲教渊源于佛教净土宗的弥勒净土法门，南宋初昆山（今江苏昆山）人茅子元创立白莲宗，即白莲教。白莲教信奉阿弥陀佛，认为人死后可"往生"西方极乐世界。元朝建立以后，实行宽容的宗教政策，白莲教进一步得到发展。"历都过邑，无不有所谓白莲堂者，聚徒多至千百，少不下百人，更少犹数十"。① 自至元十七年（1280 年），江西都昌杜万一利用白莲教，发动武装起义后，白莲教徒起义屡有发生。元武宗时白莲教被取缔，仁宗时恢复。韩山童成为北方白莲教主后，聚集了刘福通、杜遵道、罗文素、盛文郁、王显忠、韩咬儿等一批骨干，他们以"弥勒佛下生"和"明王出世"为号召，鼓动反元起义，"河南及江淮愚民，皆翕然信之"。② 治河开工前，韩山童等凿好一个一只眼的石人埋在黄陵岗，石人背上雕刻一句话："莫道石人一只眼，此物一出天下反。"同时散布民谣："石人一只眼，挑动黄河天下反。"③ 至正十一年（1351 年）四月下旬，开河民工挖出独眼石人，消息传出，群情汹汹，以为天下真要大乱了。五月初，韩山童与刘福通等聚众 3 000 余人于颍州颍上县（今属安徽），杀黑牛白马，誓告天地，宣布起义。刘福通鼓吹山童系宋徽宗八世孙，当为中国主。④ 起义军打出了"虎贲三千，直抵幽燕之地；龙飞九五，重开大宋之天"的旗联。⑤ 并指出蒙古统治者的掠夺，形成了"贫极江南，富称塞北"的社会现象。⑥ 就在起义军誓告天地之时，地方官闻讯突然袭击，韩山童被捕牺牲。刘福通冲出重围，率起义军于五月初三日占领颍州（今安徽阜阳），正式发动起义。军士头裹红巾作标志，称红巾军。起义军多为白莲教徒，烧香拜佛，故又称香军。红巾军很快就攻破了罗山、真阳（今河南正阳）、确山、舞阳、叶县。九月，刘福通占领汝宁府及息州（今河南息县）、光州（今河南潢川）等地，众至 10 余万。

---

① 刘壎：《水云村泯稿》卷 3《莲社万缘堂记》。
② 《元史》卷 42《顺帝本纪》五，第 891 页。
③ 《元史》卷 66《河渠志》三，第 1648 页。
④ 何乔远：《名山藏》卷 43《天因记》，中华书局点校本。
⑤ 《南村辍耕录》卷 27《旗联》，第 342 页。
⑥ 《草木子》卷 3 上《克谨篇》。

颍州农民起义的成功，点燃了各地反元起义的战火。在北方，徐州李二和濠州郭子兴等揭竿而起，响应起义。李二，又称芝麻李，于至正十一年（1351 年）八月，与赵均用（一作赵君用）、彭大及其子早住等起兵占领徐州，众至 10 余万人，也称红巾军。不久，占领徐州近县宿州、五河、睢县、虹县、丰、沛、灵璧、安丰（今安徽寿县）、泗县等地。至正十二年二月，定远（今属安徽）土豪郭子兴与农民出身的孙崖等人起兵，攻占濠州（今安徽凤阳东北），亦以红巾为号。

南方的白莲教主彭莹玉长期在江淮、江西、湖南、湖北一带传教，教徒遍及南方各地。至正十一年夏，彭莹玉起兵于淮西①。八月，麻城（今属湖北）铁匠邹普胜、罗田（今属湖北）布贩徐寿辉等起兵于蕲州（今湖北蕲春南），他们宣传"弥勒下生，当为世主"，烧香拜佛，也头裹红巾，故亦为红巾军。十月，攻克蕲水（今湖北浠水），并在此建立天完政权，以徐寿辉为帝，邹普胜为太师。② 自至正十二年正月开始，天完军队分兵四出：向西攻克武昌、汉阳、中兴（今湖北江陵），西北攻破沔阳（今湖北沔阳西南）、安陆（今湖北钟祥），向南克兴国（今湖北阳新）、龙兴（今江西南昌），并深入湖南、广西，东面从江西攻入福建。彭莹玉也南下与天完军会合，与项普略（又名项甲、项奴儿）东攻九江，从此进入安徽，激战于徽州（今安徽歙县），过昱岭关，占领杭州。旋因元军反扑，转战于苏南、徽州等地，最后退至瑞州。红巾军所过之处，所在农民纷纷响应，"不旬日，众辄数万"。③ 南方红巾军虽然夺取许多城池，但多数不能守住。

元廷先后派出几批重兵血腥镇压中原的红巾军。首先派枢密院同知赫厮、秃赤率阿速军六千及各路汉军协同河南行省，镇压刘福通的红巾军，结果大败而归。至正十一年九月，派御史大夫也先帖木儿以知枢密院事与卫王宽彻哥率诸卫兵 10 余万前往河南。十月，又增派知枢密院事老章至河南。十二月，元军破上蔡，俘杀红巾军将领韩咬儿。④ 至正十二年（1352 年）

---

① 陶安：《陶学士文集》卷 17 《繁昌县监邑铁仲宾功绩纪》，《文渊阁四库全书》本。

② 参见白寿彝主编：《中国通史》第 8 卷《中古时代·元时期》上册《乙编综述》第 9 章第 2 节《元末农民大起义》。

③ 《元史》卷 195 《魏中立传》，第 4426 页。

④ 参见《元史》卷 42 《顺帝本纪》五，第 892、893 页。

八月，中书右丞相脱脱亲率大军出征徐州芝麻李。九月，破城，元军进行大屠杀，芝麻李被俘杀，赵均用、彭大、彭早住等率余众奔濠州郭子兴。

在南北红巾军起义不久，在河南、湖北一带还出现了"南锁红军"和"北锁红军"。他们活跃于南阳、襄阳及汉水流域一带，拥众达 10 余万。元廷调四川行省参知政事珊竹氏答失八都鲁等分路"围剿"。至正十二年五月，答失八都鲁陷襄阳，镇压了北锁红军。十四年正月，再陷峡州（今湖北宜昌），南锁红军也被镇压。

这时，北方红巾军受察罕帖木儿、李思齐地主武装的牵制，因徐州芝麻李的失败及南、北锁红巾军被镇压，南方红巾军失去屏障而受到南方各省元军的围攻。至正十三年（1353 年）十一月，元江西行省右丞火你赤破瑞州，彭莹玉遇害。十二月，江浙行省平章卜颜帖木儿、南台御史中丞蛮子海牙、四川行省参知政事哈临秃、左丞秃失里、西宁王牙罕沙等联军攻陷天完政权都城蕲水，杀天完政权 400 多名官员，徐寿辉逃走。至此，南北红巾军经过最初的发动与壮大，在元军的镇压下，遇到了暂时的挫折。

三、农民军在内蒙古地区的活动

在红巾军处于低潮时，至正十三年正月，泰州（今属江苏东台）盐贩张士诚募集盐丁起兵，队伍很快就发展到万余人。五月，攻克高邮。十四年正月，张士诚建立大周政权。九月，元惠宗命右丞相脱脱总诸王各爱马、诸省各翼军马，董督总兵、领兵大小官将，号称百万，出征高邮。十一月，元军抵高邮，张士诚大败，困守城中。十二月，奸臣哈麻唆使监察御史奏劾脱脱，元惠宗以"脱脱老师费财"为由，[①] 就在阵前削去脱脱的官职。临阵易帅，元军哗然，百万大军，一时四散。张士诚乘机出兵，大败元军。高邮战役是元末农民战争的一个转折点。从此，元廷再也没有力量纠集如此众多的兵力来镇压起义军，转而主要依靠地主武装来对付起义军。农民起义军则以此为转折，重新积聚力量，组织队伍，掀起更大规模的反元斗争。

至正十五年（1355 年）二月，刘福通在亳州（今安徽亳县）立韩山童之子韩林儿为帝，国号宋，年号龙凤，正式建立政权。宋政权建立后，农民

---

① 《元史》卷 43《顺帝本纪》六，第 905 页。

军受到河南行省平章政事答失八都鲁、元将刘哈剌不花、豫南地主武装察罕帖木儿的围攻。但刘福通率部击退元军,众至30余万。至正十六年九月,刘福通兵分三路北伐,意欲一举包围大都,推翻元朝。三路军是:以毛贵在山东的军队为主力,由东路进攻大都;以关先生、破头潘、冯长舅、沙刘二的队伍为中路,绕道山西,转攻河北,形成对大都的包围;派白不信、李喜喜增援在陕西的李武、崔德,组成西路军。

西路军在李武、崔德的统率下,出潼关,克陕、虢(今河南灵宝),再转攻晋南。至正十七年春,李武、崔德入陕西,攻下商州(今陕西商县)、蓝田,进逼奉元路(治今陕西西安),同时分兵攻占同(今大荔)、华(今华县)诸州。陕西告急,元廷调察罕帖木儿、李思齐、刘哈剌不花驰援,西路军败走兴元(今陕西关中)。闰九月,红巾军的援军白不信、大刀敖、李喜喜等进入陕西,与李武、崔德汇合,自兴元转攻秦(今甘肃天水)、陇(今陕西陇县),一度占领巩昌(今属陕西),但终被察罕帖木儿击溃。西路军北伐失败。

东路军的统帅是毛贵。宋政权建立后,毛贵转战于安东、海宁、沭阳、赣榆一带。至正十七年初,毛贵由海道入山东,取胶州(今山东胶县),元佥枢密院事脱欢战死,毛贵又下滨州(今滨县北)。四月,克莒州(今莒县)诸地。元廷急调湖广行省左丞相太不花,知枢密院事孛兰奚及董抟霄等出兵镇压毛贵。又命答失八都鲁与知枢密院事达礼麻识理攻曹州的红巾军盛文郁部,防止盛部与毛部势力联成一气。元廷为防止毛贵北上,又从太不花、答失八都鲁等三处军马内,择其精锐守河北。次年正月,投降红巾军的田丰攻下东平。二月,毛贵克济南。至此,山东几乎尽为红巾军所有。毛贵把山东建成东路军的后方基地,然后挥师北上。

至正十八年(1358年)二月,毛贵入河北,在南皮县杀河南行省右丞董抟霄,克清(今河北青县)、沧(今河北沧州东南)等地。三月,克蓟州(今天津蓟县),大都震动,元惠宗下诏征集四方兵士,入卫大都。毛贵乘胜攻至漷州枣林、柳林(均在今北京市境内),元枢密副使达国珍战死。当时形势对红巾军非常有利,答失八都鲁已病死,其子孛鲁帖木儿与察罕帖木儿互相攻伐,京师十分空虚。但由于中路军作战失利,不能突破山西、河北元军防线,不能与东路军汇合攻大都,致使毛贵孤军深入,元同知枢密院事刘哈剌不花在柳林击败毛贵，毛贵被迫回师济南。至正十九年，东路红巾军内讧。四月，毛贵被赵均用杀害。七月，毛贵部将续继祖自辽阳回益都，又杀赵均用。山东红巾军实力大受影响。至正二十一年夏，察罕帖木儿从井陉、邯郸、磁州、白马以及汴梁、洛阳各个方向向山东红巾军出击。至正二十二年年底，山东红巾军全部被镇压。因此，东路军的北伐也告失败。

中路军的主将是关先生和破头潘。关先生，名铎，今江西崇仁人。关铎为人豪侠负气，曾作诗云"西风吹醒英雄梦，不是咸阳是洛阳"。后来为刘福通谋士，人称关先生。破头潘，即潘诚。中路军是宋政权的丞相盛文郁在曹州（今山东菏泽）的部队。至正十七年（1357年）九月，由关先生、破头潘、冯长舅、沙刘二等率领，逾越太行山入山西，下泽州之陵川（今山西陵川），杀县尹张辅，克高平（今山西高平）。闰九月，取潞州（今西长治），北攻重镇冀宁（今太原），受察罕帖木儿的重兵遮拦，红巾军受阻，退入太行山。

十八年春，毛贵率东路军北上，兵锋直指大都。为配合攻大都，加强中路军，二月，毛贵遣部将王士诚、续继祖等自益都西向，攻占怀庆。三月，取晋宁路，杀总管杜赛音不花。中路军得到东路军的配合，势力大增，决定分兵两路：一路攻绛州（今山西新绛）；一路由泌州（今山西泌县）出发，攻冀宁、大同等处。

由于毛贵进攻大都失利，入卫大都的察罕帖木儿所部得以撤回山西。察罕帖木儿又调集重兵对付中路军。五月，察罕帖木儿遣董克昌克复冀宁，遣关保、虎林赤追击晋南红巾军。六月，关先生、破头潘克辽州（今山西左权县），转攻冀宁路，意欲从保定、定州（今河北定州市）突破元军防线，但关保、虎林赤尾追不舍，红巾军的战略目标没有实现。九月，关先生攻保定路（今河北保定），不克，转而攻克完州（今河北完县）。接着南向，再图与毛贵合军，但在南山口遭察罕帖木儿伏击，大败。由于元军在晋、冀的兵力很强，中路军原拟由山西入河北，与毛贵会师的计划不能实现。中路军主力转向晋北。十月，关先生等焚上党，掠大同、云中、雁门、代郡，兴和，烽火数千里，锋芒直指上都。十二月初九日，关先生、破头潘攻陷上都，焚烧宫阙，抄走大汗玉玺、金宝、金银铜印、牌符等。一座经历百年才陆续建成的草原都城就这样灰飞烟灭，元惠宗从此不再北巡，元朝的两都制度结束。关先生军在上都驻留七日后，东经虎贲司，克大宁，下全宁，占应昌，烧毁鲁王府。再从全宁转攻辽阳，攻辽阳时，农民军前哨扮成地主武装，外着青衣，与广宁路总管郭嘉所率巡逻队相遇，被识破，短兵相接，农民军被杀退。不久，农民军大队人马继至，攻陷辽阳行省首府辽阳（治今辽宁辽阳），杀死懿州路总管吕震。① 宋政权遂于此处置辽阳行省，命毛居敬、关先生、破头潘、冯长舅、沙刘二等为平章，农民军在辽阳整治弓马。元朝命左丞相太平之子、知枢密院事也先忽都总元军来攻辽阳的红巾军，也先忽都竟不战而溃。至正十九年（1359 年）初，孛罗帖木儿北上代州（今山西代县）、丰州（今内蒙古呼和浩特东）、云内（今内蒙古土默特左旗东南），驻军大同，切断中路军与汴梁的联系。七月，元廷命札剌亦儿氏国王囊加歹，知枢密院事黑驴，中书平章政事佛加奴、也先不花统探马赤军，进征辽阳。十二月，察罕帖木儿又派遣枢密院判官锁住进兵辽阳。农民军战败，往高丽方向退去。②

红巾军进入东北后，决定进攻高丽。高丽国是元朝藩属，高丽王族世尚元汗室公主，高丽王以元室外甥自居，与元廷有着特殊的关系，遂派军进入中原镇压红巾军。至正十九年二月，中路军致书高丽王，准备进攻高丽。十一月，中路军前锋渡鸭绿江。十二月，中路红巾军在战争失利的情况下，向高丽转移。毛居敬率红巾军 4 万多人，攻占义州、静州、麟州、西京（今朝鲜平壤）。以后转战于西北沿海诸州。至正二十年正月，农民军被高丽军队赶出西京，逐回中国境内。农民军再取大宁，辽阳行省左丞相、知枢密院事也速在侯家店大败农民军，擒杀农民军将领汤通、周成等 35 人。九月，农民军再攻上都，元将忙哥帖木儿出城战败。此后，关先生部在辽东一带转战。至正二十一年九月，关先生、破头潘、沙刘二、朱元帅等率众 10 余万渡鸭绿江，下朔州，一路进逼，迫使高丽恭愍王与王妃仓皇南奔福州（今朝鲜安东），农民军攻占高丽京城开京（今朝鲜开城）。留驻开京期间，农

---

① 参见《元史》卷 45《顺帝本纪》八，第 945、946 页；白寿彝主编：《中国通史》第 8 卷《中古时代·元时期》上册《乙编综述》第 9 章第 2 节《元末农民大起义》。

② 参见白寿彝主编：《中国通史》第 8 卷《中古时代·元时期》上册《乙编综述》第 9 章第 2 节《元末农民大起义》，第 333—345 页。

民军将领多纳高丽女子为妻，生活糜烂，放松警惕。至正二十二年正月，农民军在开京遭到高丽军突袭、围攻，关先生、沙刘二等战死，农民军死伤10余万人，取自上都的大汗玉玺、金宝等为高丽军所获。后来，高丽使者来元献玉玺二枚、金宝一枚以及金、银、铜印与牌符不等。中路军余部10余万人在破头潘率领下，败退回国。至正二十三年正月，农民军再陷大宁。四月，辽阳行省参同知高家奴邀击农民军，斩农民军4 000余人，擒破头潘。余军再攻上都，被孛罗帖木儿击败、投降。中路军至此全部失败。

中路军主力北上后，还有一部分继续在山西北部至今内蒙古南缘活动。至正十九年二月，这部分农民军分两路奔袭大都。一路攻顺宁路（元初为宣德路，治今张家口宣化），元将张立出紫荆关、鸦鹘出北口迎战，这部分农民军被逐到内蒙古境内。三月，孛罗帖木儿在丰州、云内州击溃这部军队。另一路经灵丘、飞狐攻占蔚州（今河北蔚县），占领到年底，致使粮食运不进大都，京师大饥。①

除中路军外，还有几支不大的农民军在内蒙古地区活动。至正十九年，杨诚据蔚州（今河北蔚县）。十一月，元军攻蔚州。次年正月，孛罗帖木儿追杨诚到飞狐县东，杨诚弃军逃走。后来，杨诚入山东，在东昌降元。② 元末活动于辽东的农民军程思忠曾西入内蒙古。至正二十年（1360年）三月，元廷命孛罗帖木儿讨上都程思忠军，孛罗帖木儿军到兴和后，程思忠退走辽东。九月，程思忠复攻上都，中书右丞忙哥帖木儿将程思忠击溃。至正二十一年春，程思忠、雷帖木儿在辽东永平被辽阳行省左丞相、知枢密院事也速所败，雷帖木儿被俘。程思忠转攻大宁，为大宁守将王聚所攻，程思忠乃西奔。也速预计农民军会再攻上都，"即调右丞忽林台提兵护上都，简精锐自蹑贼后"。③ 程思忠果然再侵上都，再被忽林台击溃，永平、大宁为元廷收复。

由于三路先后遭致失败，北伐没有达到预期的目标。北伐的三路红巾军缺乏统一指挥，各路大军之间不能互相协调，没有明确的战略思想。加之主

---

① 参见《元史》卷45《顺帝本纪》八，第946页；卷207《孛罗帖木儿传》，第4601页。

② 参见《元史》卷207《孛罗帖木儿传》，第4601页。

③ 参见《元史》卷142《也速传》，第3402页。

力远离中原，后方空虚，使汴梁为元军袭取，致使北伐失败。但是，北伐军横扫北中国，在内蒙古中东部、辽东、高丽境内广泛活动，沉重打击了元军主力，为南方各起义军的发展以及最后推翻元王朝创造了条件、奠定了基础。尤其是关先生、破头潘等领导的中路红巾军，从至正十八年到二十三年，深入漠南，屡陷上都，将上都夷为平地，对将蒙古地区视为祖宗根本之地的元统治者在精神上予以致命打击，宣告了元朝的彻底没落。

北伐失败后，宋政权很快从鼎盛开始逆转。至正二十年五月，察罕帖木儿移军虎牢关，分兵两路进攻宋政权：南路出汴南，攻陷归、亳、陈、蔡。北路出汴东，置战船于黄河内，略曹州南，据黄陵渡，又发陕西、山西各路元军，把汴梁包围得水泄不通。八月，汴梁失陷，刘福通护小明王韩林儿逃奔安丰。至正二十三年二月，张士诚遣将吕珍攻安丰，小明王急向朱元璋求救，朱元璋亲率大军北上，救出小明王、刘福通，安置于滁州。至此，宋政权已经名存实亡。至正二十六年（1366 年）十二月，朱元璋称吴王前夕，其将廖永安迎小明王、刘福通至应天，途经瓜步，将其溺死①。

元代内蒙古地区的部落起义与兵变　元末，作为统治民族的蒙古族人民，也加入到反抗蒙古贵族统治的各族人民大起义的洪流中。至正七年（1347 年），岭北行省蒙古族人民发动了起义。九月，八邻部内哈剌那海、秃鲁和伯起义，阻断岭北驿道。十月，又有"亦怜只答儿反"。② 至正十二年，皇太子爱猷识理达腊的五投下领地也发生了暴动。③ 次年，金山一带又爆发起义，并打死了前往镇压的诸王只儿哈郎。④ 约在至正十七、八年时，在汪古部驸马赵王领地上发生了暴动。据《元史·顺帝本纪》记载，赵王部属灭里要谋害赵王，赵王位下同知怯怜口总管府事昔班帖木儿妻剌八哈敦曾保育赵王，昔班夫妻让自己的儿子观音奴化装成赵王，居赵王府。而昔班夫妻夜半时分，保护赵王微服脱逃，灭里至王府杀观音奴。从赵王不得不依靠化装与夜色掩护才能出逃的情况来看，王府可能被起义者暗中控制，参与

①　钱谦益：《国初群雄事略》卷 1《宋小明王》引《通鉴博论》，中华书局 1982 年版；《明太祖实录》卷 12 称："吕珍攻刘福通于安丰，入其城，杀福通等。"

②　参见《元史》卷 41《顺帝本纪》四，第 878、879 页。

③　参见《元史》卷 42《顺帝本纪》五。

④　参见《元史》卷 43《顺帝本纪》六，第 911 页。

起义的人有王府中的私属人口，也有居于别处的一般牧民。至正十八年三月，毛贵攻大都，进至漷州、枣林、柳林，同知枢密院事刘哈剌不花领兵击败毛贵军。然而，刘哈剌不花部卒哗变，在怀来、云州一带抢劫，被右丞也速收服。

　　元室宗诸王阿鲁辉帖木儿也从按台山起兵，向元惠宗索"国玺"。阿鲁辉帖木儿，是窝阔台汗第七子灭里之后。宪宗蒙哥即汗位后，析分窝阔台的分地，分迁太宗诸子居之，灭里即被迁居于也儿的石河一带。窝阔台系始终不甘失去汗位，在世祖、成宗朝时，在海都的纠集下与元朝进行了一系列战争。灭里的曾孙秃满也是叛乱诸王之一，大德十年（1306年）八月才向当时总兵北边的怀宁王海山投降。① 至大元年（1308年）九月，秃满将所藏的太宗玉玺进献武宗，因此得封为阳翟王。② 在两都之战中，阳翟王太平站在上都方面，战败被杀。③ 元末刘福通起义后，元惠宗号召宗王领兵南征，阿鲁辉帖木儿聚兵数万于木儿古兀彻之地（其地当在称海西北），与诸王囊加、玉枢虎儿吐华等合谋起兵，并遣使责问元惠宗："祖宗以天下付汝，汝何故失其太半？盍以国玺授我，我当自为之。"④ 阿鲁辉帖木儿将南下攻击两都，夺取政权。元廷遣知枢密院事秃坚帖木儿前去征讨，秃坚帖木儿单骑败回上都。至正二十一年，元朝再命少保、知枢密院事老章发兵10万征讨，阿鲁辉帖木儿被部将脱欢等擒送阙下，被诛。

　　蒙古地区游牧民零散的、自发的起义及元朝汗室内部的斗争，说明元朝最高统治集团的彻底孤立。

　　朱元璋北伐与元朝的灭亡　　红巾军三路北伐，元军的主力被吸引到北方地区，南方各支反元武装因此得到了一个发展的机会，其中朱元璋的势力发展最快。朱元璋是濠州钟离太平乡人，出身于十分贫苦的农民家庭。至正十一年（1351年），投奔郭子兴部红巾军。他作战勇敢，足智多谋，被郭子兴视为亲信。至正十五年，郭子兴死后，朱元璋逐步成为这支队伍的统帅。十

① 《元史》卷22《武宗本纪》一，第478页。
② 《元史》卷22《武宗本纪》一，第503页。
③ 《元史》卷32《文宗本纪》一，第714页。
④ 《元史》卷206《阿鲁辉帖木儿传》，第4597页。

六年三月，朱元璋攻克集庆，改集庆路为应天府。朱元璋占据应天后，意延揽人才，使自己的队伍稳步发展。

至正二十三年（1363 年），朱元璋开始了统一战争。这年四月，陈友谅领兵 60 万，攻击朱元璋，先围洪都（今江西南昌），不克，退至鄱阳湖。在鄱阳湖，朱元璋、陈友谅进行了中国古代军事史上规模空前的一次水军大会战。陈友谅人众、舰大，朱元璋人少、舰小，双方差距悬殊。但朱元璋的部队士气高涨，上下一心。从七月二十一日至二十四日，双方激战于鄱阳湖，朱元璋采用火攻，焚毁陈友谅战舰数百。"烟焰涨天，湖水尽赤，死者大半"①。八月二十七日，陈友谅在向湖口突围时，中矢而死。至正二十四年（1364 年）二月，朱元璋征武昌，陈友谅之子陈理出降，大汉割据政权灭亡。至正二十六年（1366 年）八月，朱元璋命徐达、常遇春率师 20 万攻张士诚。至十一月，朱元璋军已占领湖州、杭州、绍兴、嘉兴等地，形成对平江的包围。二十七年，平江城破，张士诚率军巷战，最后自经未遂，俘送应天，自缢死。张士诚割据政权被消灭。

至正二十七年（1367 年）九月，朱元璋派部将朱亮祖、汤和、廖永忠攻浙江的方国珍，朱元璋军连克台、温、余姚、上虞、庆元诸地。十一月，方国珍被迫投降。南方基本上统一在朱元璋的政权之下。

朱元璋接着兴师北伐，问鼎中原。

至正二十七年（朱元璋吴元年，1367 年）十月，朱元璋命中书右丞相徐达为征虏大将军，中书平章政事常遇春为副将军，率 25 万大军渡淮河北上，开始了规模宏大的北伐战争。朱元璋发布北伐檄文，提出"驱逐胡虏，恢复中华，立纲陈纪，救济斯民"②的口号。这一口号对当时的汉族地主阶级有很大的号召力，对分化瓦解蒙汉各族上层贵族联合统治的元政权起了很大作用。

北伐军"先取山东，撤其屏蔽"。徐达由淮安攻入山东，先后攻占了营州、滕州、益都、东平、兖州、济南、济宁、密州、登州、莱州、东昌等地。至正二十八年（1368 年）正月，朱元璋即皇帝位，定国号为明，建元

---

① 《明太祖实录》卷 12，中央研究院历史语言研究所校印本，1968 年，第 160 页。
② 《明太祖实录》卷 26，第 402 页。

洪武。接着，北伐军展开第二步的攻势："旋师河南，断其羽翼"。洪武元年（1368年）二月，徐达等率师进入河南后，首先攻入汴梁，次第攻克河南各州县。同时，由冯宗异率领的偏师攻克陕州（今河南三门峡西），扼潼关，以防李思齐军。七月末，山东诸将自益都、徐州、济宁会师东昌，前锋分兵渡河。闰七月初，徐达等自汴梁发兵，自中滦渡河，进取彰德、磁州、邯郸。闰七月十一日，徐达会诸将于临清。

面对朱元璋的北伐，元朝进行最后的挣扎。闰七月十九日，元惠宗下诏罢大抚军院，复扩廓帖木儿官职，命其出援京师，勤王御敌。扩廓帖木儿故意自平阳绕道大同，依然观望不进。闰七月二十三日，明军抵直沽，水陆两路向大都进发。元中书右丞相也速，望风逃遁，元都大震。二十七日，元惠宗命淮王帖木儿不花监国，命庆童为中书左丞相，同守京城。二十八日夜半，元惠宗率三宫后妃、皇太子、皇太子妃等，开健德门北奔上都。八月初二日，明军攻占大都，元朝灭亡。

第　八　章

元代内蒙古地区的文化教育与宗教

第一节　元代内蒙古地区的文化

　　蒙元时期的今内蒙古地区作为全国政治中心，文化事业也堪称繁荣，百花齐放、人文荟萃。

　　蒙古语言文字　蒙元时代蒙古族文化最重要的成就是有了自己的文字。蒙元时期先后使用了两种蒙古文字：一是畏兀儿体蒙古字，一是八思巴蒙古字。

　　畏兀儿体蒙古字　在建立蒙古国以前，蒙古地区的各部落因经济、文化发展水平不一致，彼此之间方言差异很大，蒙古、突厥语族之间甚至言语不通，亦无文字。据《蒙鞑备录》和《黑鞑事略》记载，凡世系事迹，或口相传述，或刻木为记。直至 1204 年成吉思汗征服乃蛮后，得畏兀儿人塔塔统阿，"遂命教太子诸王以畏兀字书国言"①。开始以畏兀儿字拼写蒙古语，并令塔塔统阿教太子、诸王子弟等识字，用这种文字发布公文、信件、玺书、牌札等。这是蒙古国使用文字的最早记载，世称为"畏兀儿体蒙古字"。畏兀儿体蒙古字是一种拼音文字，自左向右竖写。共有字母 20 个左右，但各时期有所增损。自蒙古建国以来，逐渐在蒙古族中通用。蒙元统治者用以书写诏令文书的同时，又曾用以译写《孝经》《资治通鉴》《贞观政

---

　　① 《元史》卷 124《塔塔统阿传》，第 3048 页。

要》等汉文典籍。至元二十九年（1292 年）搠思吉斡节儿还用畏兀儿体蒙古字译写了印度的梵文经典《入菩提行经疏》，并加有注释，皇庆元年（1312 年）木刻刊行，现有少量残页见于德国。14 世纪初，古希腊文学作品《亚历山大传》也被翻译成蒙文，蒙译本名为《祖勒合尔乃词话》。元中期，搠思吉斡节儿写成第一部蒙古语语法书《心箍》，涉及了蒙古语的语音、语法和畏兀儿体蒙古文的词法。该书比较系统地分析了蒙古语的特点，首次粗略地描绘了蒙古语语法规律，是蒙古传统语法研究的开山之作。这部书对蒙古语的发展和畏兀儿体蒙古文的规范化起到了重大作用。但该书现已失传。元世祖忽必烈命八思巴制作蒙古字颁行后，畏兀儿体蒙古字不再作为官方文字，但仍在民间行用。

八思巴蒙古字　忽必烈即位后为有效管理疆域辽阔、民族众多的国家，决定创制一种能够统一记写帝国境内各民族语言的帝国新字。中统元年（1260 年），忽必烈封授吐蕃萨迦派喇嘛八思巴为国师，并命他制作蒙古字。至元六年（1269 年）字成，正式颁行天下，称为"蒙古新字"。次年，改称"蒙古国字"。现在通称"八思巴字"。至元八年规定："今后不得将蒙古字道作新字。"八思巴蒙古字由此成为官方法定文字。八思巴蒙古字，以藏文字母为基础改制而成，以音节为单位拼写，其字自上而下直写、自右向左行。八思巴蒙古字共有字母 40 多个，可以拼写蒙语和汉语。字母基本上通用，但有些字母在拼写蒙语和汉语时，所代表的音值不同。八思巴蒙古字音节相互不连接，并且没有标点，词与词之间界限不清，不易识读。因此，忽必烈下令用新字"译写一切文字"的同时，还允许"凡有玺书颁降者，并用蒙古新字，仍各以其国字副之"，[①] 实际上采取了"国字"与其他民族文字并行的政策。现存八思巴蒙古字文献，主要是保留在一些碑石和历代收藏的拓本，以及官印、钱钞等文物上。广东南华寺保存的元仁宗爱育黎拔力八达圣旨原件，是现存元代八思巴蒙古字的珍贵文献。《事林广记·蒙古字百家姓》和传写本《蒙古字韵》，将汉字与拼写汉语的八思巴蒙古字相互对照，是当时的识字课本。其中，《蒙古字韵》是这类对音材料中最为重要的一种，全面而系统地反映了元朝当时的汉语语音面貌，对于元代语音系统的

---

① 《元史》卷 202《释老传》，第 4518 页。

考订和构拟，具有重要的参考价值。

八思巴蒙古字在有元一代主要是作为官方文字被通行使用，主要用于元朝廷圣旨和官方文书的书写。元亡以后，北元还曾用以铸造官印。此后，八思巴蒙古字渐不通用。畏兀儿体蒙古字经过改革，沿用至今。

有了本民族的文字，蒙古族的历史与文化就有了载体。蒙古文字在发展民族文化、保存蒙元时期丰富的文化遗产方面起了重要作用。

（一）**蒙古族的文学、艺术**　元代蒙古草原上的普通牧民可以说没有写作技能，只有蒙古贵族和蒙古族官吏掌握了较多的蒙汉文化知识，少部分人具备了从事文学艺术等方面的创作技能与才华。蒙古族源出蒙古草原，后世即使移居他乡，也与故土血脉相连。何况在两都制度下，"文武百司扈从"大汗巡幸上都，许多蒙古族文人、官员频繁往来于内蒙古地区，他们的文化行为自然会汇流于内蒙古文化历史长河中。

蒙古族在文学领域的主要成就是诗歌创作。元朝前期能够用汉文创作诗歌与散曲的有伯颜、不忽木、郝天挺等人。

伯颜（1237—1295 年）　伯颜是蒙古八邻部人，曾祖述律哥图在元太祖时任八邻部左千户。祖父阿剌袭父职兼断事官。父亲晓古台随宗王旭烈兀西征，留居西域，因而伯颜自幼在西域成长。至元元年（1264 年），伯颜受旭烈兀委派赴大汗处奏事，当时"世祖见其貌伟，听其言厉，曰：'非诸侯王臣也，其留事朕。'"① 于是将其留仕。伯颜"与谋国事，恒出廷左右"，"诸曹白事，有难决者，徐以一二语决之"。众人叹服，也深得世祖器重。至元二年七月，就拜为光禄大夫、中书左丞相。四年，改仕中书右丞。七年，升迁同知枢密院事。至元十一年（1274 年），复为中书左丞相，受命领军大举伐宋。伯颜在征宋战争中深谋善断，知人善任，行军有纪，指挥有力。"将二十万众伐宋，若将一人，诸帅仰之若神明"。后来，相继平定昔里吉叛乱、乃颜叛乱。又长期在北方边地与叛王海都作战。至元二十六年（1289 年），伯颜进金紫光禄大夫、知枢密院事，出镇和林。至元三十一年，世祖驾崩。成宗元年（1294 年）五月，伯颜官拜开府仪同三司、太傅、录军国重事。冬十二月，伯颜逝故，终年 59 岁，谥号"忠武"。

---

① 《元史》卷 127《伯颜传》，第 3099 页。

伯颜不仅是一位政治家、军事家，而且还是一位出色的吟诗作曲之人。伯颜位极人臣，一生多半在军旅中度过，他以得天独厚的军旅统帅生活为基础，创作了不少内容充实、气势雄浑的诗歌及散曲。只可惜大部分现已散佚，所传数首，实为脍炙人口的佳作。伯颜创作的作品多与伐宋有关。至元十一年（1274 年），伯颜统军 20 万伐宋，其诗歌《奉使收江南》就此写道：

剑指青山山欲裂，马饮长江江欲竭。
精兵百万下江南，干戈不染生灵血。①

此诗写尽元军声势浩大、胜利在握之气象。伯颜下临安，掳亡宋幼帝、太后一行归上都，受到各方慰劳。一日，即席赋小令《喜春来》②：

金鱼玉带罗襕扣。皂盖朱幡列五侯。
山河判断在俺笔尖头。得意秋。分破帝王忧。

全曲前两句对仗典雅，第三句以下语言质朴，但又落笔雄健，充分表现出大将的英雄气魄与对君主的拳拳之心。

不忽木（1255—1300 年）　不忽木一名时用，字用臣，先世为康里人，后入蒙古籍。父燕真从元世祖征战有功。不忽木"资禀英特，进止详雅"③，世祖非常欣赏，命其给事真金太子东宫。曾就学于名儒王恂、许衡。不忽木聪颖好学，其"日记数千言"，对历代帝王的名谥、统系、岁年读过几遍就能背诵下来，且不遗漏一个字。不忽木性格豪爽，极言直谏，"及帝前论事，吐辞洪畅，引义正大，以天下之重自任，知无不言"。④ 为官清正廉洁，深得世、成宗器重，曾累官至翰林学士承旨、知制诰兼修国史，中书平章

---

① 庄星华选注：《历代少数民族诗词曲选》（上册），内蒙古人民出版社 1985 年版，第 279 页。
② 隋树森：《全元散曲》（上），中华书局 1981 年版，第 74 页。
③ 《元史》卷 130《不忽木传》，第 3164 页。
④ 《元史》卷 130《不忽木传》，第 3172、3173 页。

政事，昭文馆大学士，平章军国事等职。大德四年（1300年），因病医治无效，享年46岁，谥号"文贞"。

不忽木有良好的汉文化修养，颇具文才，是继伯颜后元前期的蒙古族散曲家和诗人。可惜作品现多已散佚，今只留传包括有14支长曲的一组套曲，名为《仙吕·点绛唇·辞朝》。其艺术工整匀称，为后人所传颂。不忽木的作品集中反映了他厌恶官场倾轧、向往隐居生活的愿望。如他的套曲《仙吕·点绛唇·辞朝》① 的第一支：

> 宁可身卧糟丘。赛强如命悬君手。
> 寻几个知心友。乐以忘忧。愿作林泉叟。

其诗歌也有同样的倾向。如《过赞皇五马山泉》：

> 相彼山泉原本清，太平君子濯尘缨。
> 泠泠似与游人说，说尽今来往古情。②

郝天挺（1247—1313年）　字继先，出生于蒙古朵鲁别族，祖居安肃州（治今河北徐水）。父亲和上拔都鲁于太宗、宪宗之世多著武功，为河东行省五路军民万户。郝天挺以勋臣子受世祖召见，被委任以政。年轻时宿卫真金太子东宫，寻出为云南行省参知政事等职，后入朝为吏部尚书、中书左丞、御史中丞。郝天挺英爽刚直，有志略，曾受业于元好问，喜文事、擅吟咏，多所撰述。修《云南实录》5卷，它是元初重要的官修地方史志文献，后毁于火。为老师元好问编撰的《唐人鼓吹集》做注，注有10卷。该注虽颇简略，而凡释出典，尚不涉于穿凿，故在唐人诗集中属于佳作。郝天挺余暇作有不少诗文，但传世不多。今仅见七律游仙诗《麻姑山》和五言律诗《寄李道复平章》等数首。

---

① 《全元散曲》（上），第75页。
② 不忽木：《过赞皇五马山泉》，《元诗选》癸集，中华书局2001年版。

萨都剌（1290？—1348？）　元中期蒙古族①著名诗人首推萨都剌②。萨都剌，字天锡，号直斋。祖父思兰不花、父亲阿鲁赤从元世祖、元英宗征伐有功，奉命镇守云、代。萨都剌生于代州雁门（治今山西代县西北），至萨都剌时家道中落。他资质聪颖，登泰定四年（1327年）进士，曾任镇江录事司达鲁花赤、淮西廉访司经历、江浙行省郎中、江南行台侍御史、淮西江北道经历。萨都剌所任虽衔低官微，但他为官清廉，曾有提倡开仓济贫，公平买卖，惩治豪强，禁止巫蛊等政绩。晚年，萨都剌寓居武林（今浙江杭州），后入方国珍幕府。

萨都剌博学能文，擅吟诗作词。一生著述颇丰，创作了800余首诗词。诗词编有《雁门集》（有3卷、6卷、8卷、20卷本）、《萨天锡诗集》2卷、《集外诗》1卷（毛晋刻）、《萨天锡逸诗》（日本刻本）、《西湖十景词》③。

萨都剌的诗风格多样，题材广泛。他宦游南北，胸罗万里名胜风情，又以北人豁达情怀，涵融前代各家之长而不蹈袭前人，故诗作诸体皆备，既有雄健锵然之章，又有清婉绮丽之作。其描写景物、风光的诗，风格俊逸洒脱，清新自然，描写细腻，贴切入微，富有浪漫色彩。《上京即事》④写塞北：

> 牛羊散漫落日下，野草生香乳酪甜。
> 卷地朔风沙似雪，家家行帐下毡帘。

《渡淮即事》⑤记江南：

> 杨花点点冲帆过，燕子双双掠水飞。

---

①　关于萨都剌的族属有多种说法，有色目人、蒙古族、回族、回回人等说，其中以持回回或回族说者为多。近人陈垣在《元西域人华化考》一书的卷4中主要依据杨维桢：《西湖竹枝集》、钱大昕：《廿二史考异·元史二》、陶宗仪：《书史会要》等史籍考证其为回回人。

②　有关萨都剌的生卒年，历来说法不一，尚难确定。关于生年，有1272年、1282年、1284或1283年左右、1290年、1300年、1308年等说；卒年有1340年、1346年、1348年等说。

③　参见《元西域人华化考》卷8《结论》三《元西域人华文著述表》，第140页。

④　顾嗣立：《元诗选》（初集中），《萨经历都剌》，中华书局2002年版，第1252页。

⑤　《元诗选》（初集中），《萨经历都剌》，第1251页。

淮上渔人闲不得，船头对结绿蓑衣。

萨都剌的《早发黄河即事》、《鬻女谣》、《征妇怨》等诗篇，对黑暗社会进行了无情的鞭挞，表达了对苦难百姓的深切同情，成为折射当时社会现实的一面镜子。《早发黄河即事》① 写道：

> 长安里中儿，生长不识愁。
> 朝驰五花马，暮脱千金裘。
> 斗鸡五坊市，酣歌醉高楼。
> 绣被夜中酒，玉人坐更筹。
> 岂知农家子，力穑望有秋。
> 短褐常不完，粝食常不周。
> ……

萨都剌的词作虽不多，但颇有影响。尤以《念奴娇·登石头城》、《满江红·金陵怀古》最为著名。他在两首词中抚今追昔，吊古伤今，格调沉郁苍凉，艺术意境阔大，表现出圆熟的作词技巧。后人备极推崇，列为有元一代词人之冠。

萨都剌不仅以诗词名冠一时，同时他还擅写楷书，工于绘画。所画《严陵钓台图》和《梅雀》，现收藏于北京故宫博物院，是研究元代绘画艺术的珍贵遗产。

泰不华（1304—1352 年） 泰不华，初名达普化，文宗赐以今名。字兼善，蒙古伯牙吾氏，世居白野山（今蒙古国巴彦洪戈尔西北巴颜布拉格西南）。父亲塔不台，入值宿卫，历仕台州录事判官，遂居于浙江台州。泰不华自幼好学，曾被集贤待制周仁荣抚育，于延祐七年（1320 年）参加江浙乡试，荣膺第一名。次年，赴会试得大魁，赐进士及第，时年仅 18 岁。历任集贤修撰、秘书监著作郎、江南行台监察御史、奎章阁学士院典签、中台监察御史、礼部尚书等职。泰不华为官清正，有气节，不随俗浮沉。至正十

---

① 《元诗选》（初集中），《萨经历都剌》，第 1195 页。

二年（1352 年），在台州路达鲁花赤任上与方国珍作战身死，享年 49 岁，谥号"忠介"。

泰不华曾参与修撰《辽》《宋》《金》三史。曾重类《复古编》10 卷，考证讹误之字，对研究经史多有根据。在诗学方面，有诗集 1 部，名曰《顾北集》，收诗 24 首，现载于顾嗣立《元诗选》初集。其诗作多为写景送别，但也有指斥官场黑暗的力作。

除诗歌创作外，泰不华的书法作品也冠绝一时。其"善篆隶，温润遒劲，盛称于时"。[①] 陶宗仪在《书史会要》中颇称赞他的书法艺术，"篆书师徐铉、张有，稍变其法，自成一家。行笔亦圆熟，特乏风采耳。常以汉刻题额字法题今代碑额，极高古可尚，非他人所能及。正书宗欧阳，率更亦有体格"。[②] 清代敕纂的《佩文斋书画谱》，以及《浙江通志》《绍兴府志》等方志中也记载有他所书写的诸多碑版文字。

买闾 元末著名蒙古族诗人。买闾，斡罗剌氏，父亲唐兀台为濮州（治今山东鄄城北部）蒙古军户。惠宗元统元年（1333 年），买闾中进士，官至礼仪院太祝，元亡后尚存。其善诗，现存诗 11 首，收入清顾嗣立《元诗选》。买闾前期进士及第，为官朝廷，颇想作为一番。表现在诗作上，内容多为描写帝都风光、君臣宴会，情绪热烈欢快。如，七律《春晓》：

> 香雾空蒙落月低，六街官马散银蹄。
> 芙蓉帐底梦初醒，卧听栗留花外啼。

这里诗人以画师的手法描绘出繁华帝都的晨景，写得典雅华丽，不拘一格。后期国破身辱，隐迹乡野，多为丧乱怀旧、缠绵阴冷之诗。如，七律《感怀》：

> 关河北望正愁人，且复云间托此身。
> 一片丹心照日月，数茎白发老风尘。

---

① 《元诗选》（初集下），《忠介公泰不华》，第 1729 页。
② 陶宗仪：《书史会要》卷 7《大元·泰不华》，武进陶氏逸园影刊洪武本，1929 年。

　　箕裘嗣世惭无子，菽水承颜喜有亲。
　　自是故园归未得，杜鹃啼破越山春。

　　蒙古帝王及皇子、公主诗词作品　元代诗文集中，还有部分相传由蒙古帝王及太子、公主所作的诗歌。元代蒙古族统治者出于统治与交往的需要，学习汉语，习作汉文诗歌。世祖忽必烈有一首《陟玩春山纪兴》①：

　　时膺韶景陟兰峰，不惮跻攀谒粹容。
　　花色映霞祥彩混，垆烟拂雾瑞光重。
　　雨沾琼干岩边竹，风袭琴声岭际松。
　　净刹玉毫瞻礼罢，回程仙驾驭苍龙。

　　是诗为忽必烈游大都登山时所作，描写了眼前一派万物和谐、生机勃勃的景象与礼佛归来的庄敬心态。全诗风格阔大典重，颇具帝王气象。
　　文宗图帖睦耳有4首诗传世。文宗在至治时，出居海南岛。泰定帝时封怀王，初迁建康（治今江苏南京），再徙江陵（治今湖北荆州）。汉地居住既久，汉文化浸染便深。因此，文宗具有较高的汉文化修养。他对汉族古典诗词有浓厚的兴趣，常于政务之暇赋诗吟咏。如《登金山》：

　　巍然块石数枝松，尽日游观有客从。
　　自是擎天真柱石，不同平地小山峰。
　　东连舟楫西津渡，南望楼台北固钟。
　　我欲倚栏吹铁笛，恐惊潭底久潜龙。

　　这是元文宗登金山（在今江苏省镇江市西北）时所作，诗文中以"擎天柱"与"惊潜龙"来刻画自己想有一番大作为，又怕引起帝位争夺者注意的矛盾心理，全将自己的政治抱负巧妙地融入到景物的描写当中，创造出一种开阔的意境。

———————————

　　① 《历代少数民族诗词曲选》（上册），第276页。

惠宗妥懽帖睦尔有三首诗传世。其中有一首《赠吴王》①：

> 金陵使者过江来，漠漠风烟一道开。
> 王气有时还自息，皇恩无处不周回。
> 莫言率土皆王化，且喜江南有俊才。
> 归去丁宁频属付，春风先到凤凰台。

　　元朝灭亡后，惠宗北走上都、应昌，明太祖朱元璋遣使招降，惠宗作此诗答复。全诗语言朴实，意态不卑不亢。

　　元代还出现了一位蒙古族女诗人阿盖公主。阿盖公主，元代镇守云南的梁王巴匝拉瓦尔密之女，下嫁云南大理总管、行省平章政事段功，两人感情欢洽，就此阿盖写有《金指环歌》来赞美段功的英武和对美满婚姻的期望。几年后，梁王谋害段功，阿盖写了《悲愤诗》以示抗议与哀悼，并殉情而死。《悲愤诗》②：

> 吾家住在雁门深，一片闲云到滇海。
> 心悬明月照青天，青天不语今三载。
> 欲随明月到苍山，恨我一生踏里彩。
> 吐噜吐噜段阿奴，施宗施秀同奴歹。
> 云片波鳞不见人，押不芦花颜色改。
> 肉屏独坐细思量，西山铁立风潇洒。

　　这是一首汉、蒙、僰语相混合的古诗，叙述了阿盖自己老家在雁门以北，后随父来到昆明滇海，嫁予段功，而段功不见信于父终被害的经历。诗人独坐驼背，思念夫君，悲痛莫名。该诗在西南民间曾广为流传，成为一首有名的爱情悲歌。

　　可以反映蒙古族文学水平的还有 13 世纪用畏兀儿体蒙古文创作的《蒙

---

① 《元诗选》（初集上），《卷首·顺帝》，第 1 页。
② 《历代少数民族诗词曲选》（上册），第 460 页。

古秘史》。它是真正用蒙古语思维、用蒙古文撰写的、现存的蒙元时代唯一的长篇蒙古语作品。但该文体版本早已散佚，其较高的文学造诣可从其流传下来的明朝翰林院汉字音写本中得以窥见。

蒙古族文学瑰宝《蒙古秘史》　《蒙古秘史》是一部珍贵的历史著作，也是一部优秀的文学作品。"从史学角度看，它是古代蒙古史的三大史料之一，但对成吉思汗时代史实的记载比起其他两部来最为具体，最为详备。从文学的角度看，它又是一部堪与汉族的《史记》《左传》《战国策》相媲美的文学作品，是蒙古文学史上的一个高峰。"①

《蒙古秘史》中有大量的韵文、诗文。语言和形象具有草原民族特有的韵味。《蒙古秘史》对有些事件和人物的描述，与其说是历史的记录，不如说是文学的创造。其中，汪罕被写得充满内心矛盾，既对成吉思汗感恩戴德，又在别人的怂恿下反对成吉思汗。这些都是歌颂成吉思汗、为成吉思汗背叛旧主辩护的一种笔法。

《蒙古秘史》以叙事为主，抒情为辅，叙事和抒情相结合。叙事部分精练准确，朴实清晰，详略得当，人物对话生动传神，富于性格特征。《蒙古秘史》往往以作者的口吻或作品中人物的口吻将内心的思想感情直接抒发出来，达到以情感人、以情咏史的目的。其浓厚的抒情色彩，是一般史书所没有的，甚至也是一般的叙事文学作品所不及的。

蒙古族的口头文学　蒙古族虽然长期无文字，但口头文学相当丰富，这一点可以从《蒙古秘史》看出来。因此，蒙元时期有不少以蒙古族语言流传的民歌。如蒙古族的劳动歌《呔咕歌》。《呔咕歌》，主要就是哄母羊哺乳幼羔时的"呔咕、呔咕"的反复吟唱。据蒙古族文学工作者考证，这首民歌产生于蒙元时代，现仍在内蒙古呼伦贝尔盟、锡林郭勒盟、新疆的卫拉特地区有它的不同变体。兵役歌《阿莱钦柏之歌》，也是蒙元时期产生的民歌，取材于 13 世纪末 14 世纪初的战争，描写了一个远征到莲花城的士兵阿莱钦柏看到亲人们送的金弓、白翎箭、火镰袋等睹物思人，感叹命运悲惨的故事。这首民歌在今内蒙古的科尔沁、鄂尔多斯、阿拉善等地仍有多种变体。《金帐桦皮书》，出土于俄罗斯伏尔加河右岸 14 世纪金帐汗国的一个墓

---

① 巴雅尔：《蒙古秘史》代前言，第 1 卷，内蒙古人民出版社 1980 年版，第 88 页。

葬中，歌词记载在桦皮上，用蒙古字和畏兀儿字两种文字书写。该民歌采用母子对唱形式，歌中描写了一位牧民母亲对将要服役的儿子临行前的教诲和儿子在远方思念母亲和家乡的故事。作者通过母亲和儿子的互念之情，揭露了战争给蒙古人民带来的痛苦。蒙古族喜欢宴饮，且宴饮之间多以歌舞助兴，以歌舞劝酒，因此产生了许多宴歌。蒙元时期的宴歌主要有《和平安宁》、《祝愿和平幸福》等等。

蒙古族在文化领域还用本民族语言翻译了一些中原汉文典籍，促进了蒙汉民族的文化交流与传播。翻译的著作有：《通鉴节要》《论语》《孟子》《大学》《中庸》《周礼》《春秋》《孝经》等。元朝廷通过译文了解了汉族传统文化，为其统治以儒家思想为主的多民族国家奠定了理论基础。同时，又在一定程度上提高了蒙古族的文化水平。

（二）**其他民族文艺成就**　蒙元时期有不少汉人、女真人、契丹人、回回人世代居住在内蒙古地区，他们的文人留下了不少文艺作品，在内蒙古地区的文化发展史上留下了浓墨重彩的一笔。其中就有大诗人马祖常、经学家赡思、画家和诗人高克恭、杂剧家李直夫等。

马祖常（1279—1338 年）　字伯庸。世出西域，先人于辽道宗年间迁居甘肃临洮。六世祖伯索麻也里束时迁净州（治今四子王旗乌兰花镇西北城卜子村）天山，故为汪古部人。五世祖锡里吉思为金朝凤翔（今陕西凤翔）府兵马判官。四世祖月合乃跟随世祖忽必烈征宋，留汴（治今河南开封），官至礼部尚书。父润，同知漳州路事，家于光州（治今河南潢川）。因先世所任官职名称中见有"马"字，便以之为姓氏。

马祖常自幼好学，7 岁时就"得钱即以市书"[①]。少年时代仰慕古学。延祐初，元朝科举法行，马祖常列乡贡第一，会试时又在一科之首，廷试规定以蒙古人为首，他屈居第二。授应奉翰林文字，后升监察御史。

马祖常为官清正，不畏权势，"荐贤拔滞，知无不言"[②]。泰定元年（1324 年），重开经筵，马祖常任典宝少监。泰定帝巡幸上都，他以老成讲官的资格，与王结、虞集等随行。历任礼部尚书、太子右赞善兼经筵讲官、

---

① 《元史》卷 143《马祖常传》，第 3411 页。
② 《元史》卷 143《马祖常传》，第 3412 页。

参议中书省事、徽政院副使、江南行台御史中丞等职。元惠宗即位，马祖常应召与翰林承旨许师敬等赴上都共议新政。惠宗命儒臣进讲，马祖常又兼知经筵事。晚年辞官回光州定居。至元四年（1338 年）去世，终年 60 岁，谥号"文贞"。

马祖常文学造诣高深，其诗文并茂，彬彬称盛。诗文代表作有《石田集》，是以读书处"石田山房"而得名。此集已收入《四库全书》，其中，诗赋 5 卷，文章 10 卷。

马祖常的诗圆密清丽，才力富健，长篇巨制，回薄奔腾，不受羁勒之气。诗作题材多样，既有关注民间疾苦、揭露贪官污吏、谴责权豪骄奢淫逸的反映社会现象的现实性诗歌，如《拟古》《室妇叹》《踏水车行》等；又有描绘民族风情、风光景物，以及慨叹人生、思古幽情的怡情类诗歌，如《庆阳》《河湟书事》《河西歌效长吉体》《丁卯上京四绝》等。马祖常的文章"宏赡而精核，务去陈言，专以先秦两汉为法，而自成一家之言"①。其文章，多为任职期间的表章和应酬而作的碑铭、序跋，但不乏精品。如散文《记河外事》《小石山记》等，或叙事传人，或记游写景，文笔朴实，但又新奇有致，堪称佳作。马祖常曾参与修撰《英宗实录》，翻译《皇图大训》《承华事略》，编集《列后金鉴》《千秋记略》。

赡思（1278—1351 年）　字得之，大食人。祖父鲁坤随蒙古军东迁居丰州（治今呼和浩特市东郊大黑河北岸），窝阔台汗时官至真定（治今河北正定）、济南等路监榷课税使，因此举家又迁居真定。父亲斡直，轻财重义，不乐于仕途。赡思 9 岁时就能"日记古经传至千言"。② 弱冠之年，师从名儒王思廉，博览群经，涉猎宽广，虽年少，但已为乡邦所推重。泰定三年（1326 年），以遗逸名义征至上都，元文宗于龙虎台召见，眷遇优渥。天历三年（1330 年），召入为应奉翰林文字。元文宗下诏令赡思参与修撰《经世大典》，后因与诸儒意见不合离去。赡思为官刚正不阿，秉公办事。于惠宗朝先后任陕西行台监察御史，浙西、浙东肃政廉访司事等职。至正十一年（1351 年），病故于家，终年 74 岁，谥号"文孝"。

① 《元史》卷 143《马祖常传》，第 3413 页。
② 《元史》卷 190《儒学》二《赡思》，第 4351 页。

　　赡思淡泊名利，潜心著述，对经学颇有研究，尤精于《易》学，而对天文、地理、音乐、算术、水利，以及外国史地、佛学也无不研习精到。赡思一生著述甚富，其有《帝王心法》《四书阙疑》《五经思问》《奇偶阴阳消息图》《老庄精诣》《镇阳风土记》《续东阳志》《重订河防通议》《西国图经》《西域异人传》《金哀宗记》《正大诸臣列传》《审听要诀》及文集30卷。诸多著述中，今存世的有《河防通议》2卷，现辑之于《永乐大典》。文集30卷，在清朝沈涛撰修的《常山贞石志》中仅发现5篇：《加号大成诏书碑阴记》（至治三年五月）、《哈珊神道碑》（至顺三年十二月）、《善众寺创建方丈记》（元统三年二月）、《龙兴寺钞主通照大师碑》（至正六年八月）、《龙兴寺住持佛光弘教大师碑》（至正六年八月）①。

　　赡思文名极盛，而其书法亦精。有《哈珊神道碑》跋文，其"体势波磔，用力极深"②。

　　高克恭（1248—1310年）　字彦敬，号房山。祖籍西域，回回人，占籍大同（今属山西），后居燕京（今北京）。父亲名亨，对儒学和理学颇有造诣，崇尚风雅，不乐于仕途，晚年居大都房山。高克恭秉承家学，"于群经奥义，靡不研究"③。于至元十二年（1275年），开始走上仕途，至大德八年（1304年）官至刑部尚书。至大三年（1310年）逝世，谥号"文简"。

　　高克恭擅画山水和墨竹，是有元一代著名的画家。时人曾称："近代丹青谁自豪，南有赵魏北有高。"④与赵孟𫖯南北齐名，卓为不凡。他的山水画，始学米芾、米友仁父子，后学董源、李成，他博采诸家精髓，不拘泥于一派一家，开创了富有特色的自家风貌。山泉、烟霭、树木、山峰等等，无不错落有致，生动逼真，神形兼备，实可称得上"世之图青山白云者，率尚高房山"⑤。其代表作有《夜山图》《秋山暮霭图》《云横秀岭图》《越山

　　①　参见《元西域人华化考》卷4《文学篇》四《西域之中国文家》，第78、79页。
　　②　参见《元西域人华化考》卷5《美术篇》一《西域之中国书家》，第92页。
　　③　柯劭忞：《新元史》卷188《高克恭列传》，中国书店1988年版，第760页。
　　④　张羽：《静居集》卷3《临房山小幅感而作》，《北京图书馆古籍珍本丛刊》，第97册，书目文献出版社1988年版，第766页。
　　⑤　刘仁本：《羽庭集》卷2《题米元晖〈青山白云卷〉》，第1216册，台湾商务印书馆影印文渊阁四库全书，1986年版，第26页。

春晓图》等。高克恭的墨竹画，师学于黄华。所画墨竹笔法凝练，墨气清润，可与历代及当代画墨竹名家文同、苏轼、王庭筠、赵孟頫相媲美。高克恭同时兼有诗名，"为诗不尚鉤棘，自得天趣"。① 诗风神超韵胜，自有一种奇秀之气。苏天爵的《国朝文类》选录西域诗人五家之诗作，而选录他的从数量上仅次于马祖常。高克恭的文集有《房山集》1 卷（《元诗选》）、《高尚书文集》（《式古堂画考》有王士熙跋）及《高文简公集》7 卷（见《千顷堂书目》）②。

李直夫　女真人，蒲察氏，汉姓为李，居德兴府（治今河北涿鹿），是元朝前期的杂剧家。李直夫作杂剧 12 种，今存《虎头牌》一种，《伯道弃子》有佚曲存于《太和正音谱》和《北词广正谱》中，仅存剧目者有《谏庄公》《错立身》《占断风光》《夕阳楼》等十余种。《虎头牌》，全名《便宜行事虎头牌》，现存版本有《元曲选》丙集本、《元人杂剧全集》本。《虎头牌》，主要描述了女真元帅山寿马不徇私情处罚违反军纪的叔叔银住马的故事。其主旨在于褒扬忠孝两全的山寿马对国事和家事、君和亲公私分明的处事态度。

（三）蒙古族历史著作与法律汇编　在诗歌、散曲得到很大发展的同时，蒙古族历史著作与法律文献也大量涌现出来，它们以文字记录了整个蒙古地区蒙古人的历史，而这自然会涉及内蒙古地区，而且应是很重要的、不可分割的一部分。

《蒙古秘史》　作为一部重要的历史文献，《蒙古秘史》记载了 13 世纪中期以前的蒙古历史，具有较高的史学、历史语言学和文学价值。早在 13 世纪用畏兀儿体蒙古文写下的原书早已散佚，流传至今的是 15 世纪初出自明朝翰林院的特殊形式的汉字音写本。

《蒙古秘史》由 282 节史文构成。其中前 58 节是成吉思汗先祖的谱录，从 22 代传说始祖说起，罗列先祖先宗的名字，直到成吉思汗的父母。在此记载中，包含有许多关于蒙古氏族部落起源的传说和史实。以后一直到 268 节，都是有关成吉思汗时代的历史记载，从成吉思汗诞生、幼年成长经历直

---

① 《元诗选》（二集上），《高尚书克恭》，中华书局 2002 年版，第 299 页。
② 参见《元西域人华化考》卷 8《结论》三《元西域人华文著述表》，第 139 页。

至写到逝世。详细地描述了成吉思汗统一蒙古各部的斗争以及统一后西征南下的历史过程。第268节以后，写的是太宗窝阔台汗时期的历史。

《蒙古秘史》有多方面的研究价值。史学方面，其价值远远超出了孛儿只斤黄金家族纪传的狭小范围，从中所反映出来的古代蒙古社会的生产活动和生产方式、氏族部落制度、社会心理和风俗人情等方面，对研究古代蒙古社会结构和政治、军事机构，提供了最为基本的资料。历史语言学方面，《蒙古秘史》是古蒙古语的典范文献。书中保存了大量的古蒙古语词语和语法现象，这些材料具有巨大的学术研究价值。文学方面，它是蒙古文学的经典之作。书中有大量的韵文、诗文，描绘生动，别有情趣，极具草原民族韵味。国内外有关《蒙古秘史》的论著，有很大一部分就是从文学角度对其进行研究的。

《蒙古秘史》是由没有受过中原封建史官那样严格训练的草原史家修撰而成，因此难免会出现一些差误。如：年代上的错乱，将不同时期的同类事件混放在一起叙述等等。这些缺陷在所难免，而以这些缺陷来否定其价值，则是不公允、不科学的。

《元朝秘史》，当前通行的主要有四部丛刊本、观古堂本等版本，其中，1936年由商务印书馆影印出版的四部丛刊三编本讹误较少，是目前最好的本子。

《圣武亲征录》　又名《圣武亲征记》，是有关成吉思汗、窝阔台时期蒙古历史的重要典籍。作于世祖至元年间，作者佚名。中统三年（1262年），世祖忽必烈曾下令王鹗等商榷史事，王鹗等便延访了成吉思汗事迹，因此《四库全书总目提要》和一些学者认为该书可能是王鹗等人撰修的。内容与《蒙古秘史》相比，有同有异，有详有略，而实际上它就是根据《蒙古秘史》写成的。《圣武亲征录》现存版本中，《说郛》本是最早的，近人王国维校注本质量较好。国外有日人那珂通世增注本；法国伯希和的法文译注本，但他只完成了全书的三分之一，逝世后由学生韩百诗整理出版。

《金册》　《金册》是《圣武亲征录》的蒙古文译文，是用古蒙古语写成的。该书现已失传，但其大要可以从《史集》得知一二，这就说明拉施特《史集》的某些内容，主要是根据《金册》编撰而成。书中有成吉思汗及其祖先、宗族世系等方面的记载。

《世界征服者史》　13 世纪波斯史学家志费尼撰著，是一部有关成吉思汗及其子孙远征国外的历史著作。

《世界征服者史》是研究 13 世纪蒙古史的基本史料之一。该书共 3 卷，史料价值最高的部分分别是：第 1 卷成吉思汗及其后裔史；第 2 卷第 26—31 章波斯地区蒙古长官史；第 3 卷前 7 章拖雷、蒙哥、旭烈兀史。因为这些部分都是作者根据耳闻目睹的第一手材料写成。此外，有关畏兀儿史、花剌子模王朝史、哈剌契丹史的记载，对研究畏兀儿史、中亚史、西辽史也具有重要价值。但该书文辞华丽，雕琢过甚，因此在利用中应认真地加以鉴别。

该书现流传下来的波斯文抄本散见于英、法、伊朗、俄罗斯等国，其中最古老、最好的抄本为巴黎国家图书馆收藏的 1290 年抄本。

《史集》　14 世纪初，伊利汗国宰相拉施特奉伊利汗合赞和合儿班答之命主持编纂的用波斯文写成的世界通史性巨著。全书原为 3 部分，但流传下来的只有前两部和一残缺的附编。

该书第一部《蒙古史》共 3 卷，分别记述了乌古思及起源于乌古思亲属、后裔的各部落和民族，札剌亦儿、塔塔儿等 19 个部落，克烈、乃蛮、汪古、唐兀、畏兀儿、吉利吉思等 9 大部族，一直以来就称为蒙古的诸部落，成吉思汗先祖纪和 1155—1227 年间的成吉思汗纪及同时代的亚洲、北非各国君主传，成吉思汗编年大事记、成吉思汗训言、军队编制，波斯伊利汗以外的成吉思汗后裔历史，以及旭烈兀至合赞诸伊利汗的历史。第二部为《世界史》，包括第 4 至第 7 卷，记载了波斯古代诸帝王的历史直至萨珊王朝衰亡，以及穆罕默德传，波斯后期伊斯兰教诸王朝等方面的历史。该书第一部的史料价值很高，是研究 14 世纪初以前的蒙古族历史的重要的基本史料之一，为研究古代游牧部族社会制度、族源等提供了重要资料。其中，有些记载是《蒙古秘史》和其他汉文史书所没有的。相比之下，第二部《世界史》的史料价值则远逊色于第一部。

《史集》流传至今的波斯文抄本有十多种，现分散在英、法、德、伊朗、俄罗斯、土耳其等国。其中最古老、最好的则为伊斯坦布尔 1317 年抄本，伦敦本、塔什干本、德黑兰本也较好。

《大札撒》　是蒙古建立元朝以前，古代蒙古游牧社会的立法代表作。

"札撒"在蒙古语里的意思即是"法度、法令"，即古代蒙古部落首领对众人发布的命令。蒙古国建立以后，成吉思汗命令将历来的训令、札撒和习惯加以汇总，并用文字书写在卷帙上，史称为《札撒大全》或《大札撒》。同时规定宗王各领一部收藏于金匮当中，每逢新汗登基、大军调动或诸王大会，就拿出来进行诵读，并依照上面的话行事。元朝建立后，虽然它的法律效力被其他法律所替代，但是在大规模集会之时诵读《大札撒》，则作为一种王朝仪式被保留了下来。《大札撒》原本今已不存，只在汉文和波斯、阿拉伯文史料中保留了一些条款。它包括刑法、私法等多方面内容，其主旨就是为了维护大汗和蒙古贵族阶级的权益。

青册　据《蒙古秘史》记载，成吉思汗建国后任命失吉忽秃忽为大断事官，命他"把一切领民的分配和判断的案件都造青册写在上面"，并下令"［凡］失吉忽秃忽向我建议拟定而写在青册白纸上的，直到子孙万代不得更改"。可见，青册是蒙元前期重要的档案文书，可惜没有保存下来。

第二节　元代内蒙古地区的教育与科举

一、内蒙古地区的教育

忽必烈建立元朝，统一全国以后，相对安宁的社会政治环境，有力推动了文化教育事业的发展。宫廷教育、中央官学、地方官学都得到了长足发展。而内蒙古地区作为统治民族——蒙古民族的聚居地，其教育事业也得到了不小的进步。

上都　元朝实行两都制度，大都与上都是并列的两个都城。皇帝每年巡幸上都，往往是三四月出发北巡，八九月南还。上都作为元朝春夏季国家中枢所在地，皇帝在此期间进行宫廷教育也是必不可少的。因此，蒙古帝王的学习成为上都教育的一个重要组成部分。大汗接受宫廷教育，主要通过经筵制度来实现。历史上把为皇帝专设的研读经史的御前讲座称为"经筵"。忽必烈早在金莲川幕府时就常与儒臣谋士谈论治道，这是一种政治活动，但对于当时昧于农业文明的蒙古贵族来说更是一种学习。从泰定帝开始，大汗正式通过经筵制度来学习。文宗时设奎章阁，职责之一就是选拔经筵官。元惠宗时经筵制度不辍。大汗巡幸上都时，专有百官扈从前往，其中不乏经筵之士。泰定元年（1324 年），"诏结知经筵，扈从上都。结援引古训，证时政之失，冀帝有所感悟"。① 与王结一起随行赴上都进讲的还有虞集、马祖常。虞集任集贤侍读学士期间，几乎每年都要从幸上都，为大汗讲解，出谋划策，为上都宫廷教育的发展贡献了一己之力。

元上都的教育当中，还包括对皇太子和皇子们进行的宫廷教育。上都的香殿、清宁殿、鹿顶殿都是皇太子们学习的场所②。他们学习经史及佛学理论，讲授的教材主要有《资治通鉴》《贞观政要》《论语》《孟子》《大学》《中庸》《孝经》等等。

上都的国子分学，是元代中央官学蒙古国子监学和国子监学在上都设立的分学机构。始建于成宗大德六年（1302 年）③。这一分学机构不常设，开放时间直接与大汗巡幸上都的时间相联系，北巡结束南还大都以后就停止开放，接着便回到大都授课。其师儒有学正、学录、伴读、助教等人员。学生绝大部分是前来扈从皇帝的"入宿卫者"和大臣子弟，其人数不定，有时多达数十人。上都国子生学习的课程内容，大体上与大都国子学相一致，主要学习用蒙文译写的《通鉴节要》，还要学习《孝经》《小学》和四书五经等。

上都也设有蒙古字学。至元六年（1269 年）二月，忽必烈以新制八思巴蒙古字颁行天下，并要求文职官员必须掌握该文字。因此，建立与之相适应的蒙古字学学校机构是非常迫切和必要的。至元六年七月，世祖下令设立了诸路蒙古字学。元上都蒙古字学的学生绝大部分是官员子弟，也有少数庶民之后。其教材，主要是蒙译本的《通鉴节要》。

中统二年（1261 年）五月，元朝政府采用太医院使王猷的进言："医学久废，后进无所师授。窃恐朝廷一时取人，学非其传，为害甚大。"于是派遣副使王安仁授以金牌，往诸路设立医学④。上都的医学教育配备有医学教

---

① 《元史》卷 178《王结传》，第 4145 页。
② 参见王风雷：《元上都教育考》，《内蒙古师范大学学报》2000 年第 4 期。
③ 参见王风雷：《元上都教育考》，《内蒙古师范大学学报》2000 年第 4 期。
④ 《元史》卷 81《选举志》一，第 2033 页。

授，对学生严加管理，严格考核。在教学过程中，十分重视培养学生的实际动手能力，以直观的针灸铜人像教学，让学生掌握基本的针灸要领，以便日后的临床治疗。教授课程主要有：《素问》《难经》《本草》《圣济总录》《伤寒论》等。同时，为了加强对上都医学教育的管理，还设有相应的行政管理机构。如，上都回回药物院、御药局、行御药局、惠民药局等，这些机构的设立使上都的医学教育趋于正规。

路、府、州、县　元代地方官学制度比较完备，在路、府、州、县都设有相应的各类学校。其中，内蒙古地区的亦集乃路（治今额济纳旗达赖呼布镇东南黑城古城）、净州路（治今四子王旗乌兰花镇西北城卜子村）、集宁路（治今察右前旗巴彦塔拉乡土城子）、应昌路（治今克什克腾旗达里诺尔西南）、全宁路（治今翁牛特旗乌丹镇一中西侧古城）、沙井总管府（治今四子王旗红格尔苏木所在地）、丰州（治今呼和浩特市东郊大黑河北岸）、东胜州（治今托县县城西北角）等地都有相应的教育教学机构。

亦集乃路儒学的师儒和生徒实具一定数量。据《黑城出土文书》可知，杨景仁、李时敏、史允、易和敬等人都曾在此任过教授之职。由于儒学和文庙建在一起，文庙的管理和祭祀也由儒学教授负责。同时，儒学教授负责管理学校的固定资产，离任时进行清理交接，登记造册。儒学教授新旧任交接各种物品的清册中有："万岁牌一面，大小奠牌十五面，香桌儿六个，大小破损香炉五个，高桌儿三个，长床四个，破单四片，破铁小锅一口，文庙一所门窗俱全，明经堂小斋堂门窗。"① 由此不难看出，亦集乃路儒学的办学条件是十分简陋的。亦集乃路有于德、杨天福、杜延寿、金祐甫等儒户之门。这样，儒学的生员有一部分自然是来自于这些儒户。除此之外，有些是当地有钱有势人家的子弟。

亦集乃路儒学占有学田，但学田并不能很好地满足学校开销。因此，亦集乃路儒学还向学生收取学课钱。②

亦集乃路儒学在教学过程中注重学生的启蒙教育，主要是从抄习和诵读经史诗文开始。亦集乃路遗址中出土了多件儒学生员抄习《小学》《孝经》

---

① 参见《黑城出土文书》（汉文文书卷），第195页。
② 参见《黑城出土文书》（汉文文书卷），第195页。

《大学》《论语》《孟子》等的习字纸。但字迹多为不整，多有讹误残缺现象。①

亦集乃路的蒙古字学有固定名额的蒙古教授，师儒们在长期的教学过程中摸索出一套教授汉生习学蒙古语的实用方法，就是用汉字音写蒙古语，再在蒙语的旁边用汉语标注词义。这对广泛普及蒙古新字教育是非常有益的。

此外，亦集乃路的医学、阴阳学也形成了一定规模。亦集乃路有三皇庙、惠民药局，也发现了一些治疗用的药方和《圣济总录》字样的残页。② 阴阳学方面，发现了"符占秘术""堪舆地理书"和"历学"的残页和记录。③

二、科举考试

在元代，蒙古人真正参加科举考试是从仁宗延祐二年（1315 年）开始，并一直持续到元末。

元代的蒙古人，每三年开科一次。分乡试、会试、御试三道。考试中，蒙古人试两场，第一场经问五条，于《大学》《论语》《孟子》《中庸》内设问，用朱氏章句集注。其义理精明、文辞典雅者有可能中选。第二场以时务出题，限 500 字以上。④

元代科举考试中，其政治上的蒙古、色目、汉人、南人四等人制也有着很深的反映。蒙古、色目人为一榜，称为"右榜"。汉人、南人为一榜，称为"左榜"。蒙古人以"右"为尊，以"右"为上，他们参加的"右榜"考试，在当时占有优势地位，是绝对不允许汉人、南人参加的。而蒙古人却不受这样的限制，可以任意参加。而且他们参试汉人、南人科目中选以后还要加一等注授。⑤ 同时，相对来说，蒙古人的科举考试内容的范围狭窄，次数较少。

在元代，通过科举考试及第的蒙古人是很多的，如护都沓尔、忽都达尔、泰不华、八剌、阿察赤、笃列图、拜住、普颜不花、阿鲁辉帖木儿、朵

---

①　参见《黑城出土文书》（汉文文书卷），第 196—201 页。
②　参见《黑城出土文书》（汉文文书卷），第 94、99、208 页。
③　参见《黑城出土文书》（汉文文书卷），第 209、212 页。
④　《元史》卷 81《选举志》一，第 2019 页。
⑤　《元史》卷 81《选举志》一，第 2019 页。

列图、买住、赫德溥化等等，他们通过科考走上仕途，也成为本民族的高级知识分子。

第三节　元代内蒙古地区的宗教

由于蒙元统治者奉行宗教兼容的政策，因此萨满教、佛教、景教、道教、伊斯兰教都同时并行于世。而它们在内蒙古地区的传播、发展也是不容忽视的。

萨满教　萨满教是绝大多数蒙古人都信奉的一种原始宗教信仰。是蒙古人在原始社会中对复杂的天体、气象等不能进行合理解释，从而把自然现象神化，崇拜敬畏天地、日月、火、祖先等的基础上逐步形成的。萨满教没有系统的教义、教规和经文。其主要教义就是"天命论"，认为天是世间万物的最高主宰，笃信长生天能够决定一切，凡遇有重大行事，都必先向天祷告，念着"长生天的气力里"，请求天的护佑。每次征战，若出师前听见雷声，便以为是上天在发怒，则不敢出兵。萨满教认为人死后灵魂是不灭的，相信"万物有灵"。

萨满教的信仰贯穿于蒙古社会生活的各个方面。出帐南向，对日跪拜，奠酒于地以酹天地五行，制偶像，悬于帐壁，对之膜拜、献食等。

萨满教的宗教仪式由巫师萨满主持，它是神与人的中介，能够代表神灵占卜休咎、治病祛灾、抗暴制邪、预测未来。皇室祭先祖、祭孔庙、大汗巡幸上都，也都由萨满主持祭祀。

佛教　元代的佛教，大体可以分为汉地佛教和藏传佛教两派。汉地佛教，以禅宗最为流行。禅宗分为曹洞宗和临济宗势力较大的两派，在北方和南方拥有大批信徒。汉地佛教在平民中的影响较大，而藏传佛教则主要依附于元廷皇室。窝阔台汗三年（1244年），驻守凉州（治今甘肃武威）的蒙古亲王阔端遣使征召最有影响的西藏佛教首领萨思迦班智达，萨班接受召请，于同年领着侄子八思巴兄弟二人赶赴凉州，率先归附蒙古。萨班伯侄留居凉州，讲授佛法，甚受优遇，自此西藏佛教在蒙古人中的影响渐大[1]。蒙

---

① 参见陈得芝：《元代内地藏僧事辑》，《蒙元史研究丛稿》，第236页。

哥汗三年（1253年），忽必烈在六盘山（在今宁夏固原南大湾西）召见了八思巴，对他礼敬有加。次年，忽必烈征大理回，特赐八思巴以优礼僧人令旨，尊为上师。五年（1255年），八思巴在河州（治今甘肃临夏）受比丘戒后，就随侍于忽必烈王府，长期居住在开平城。中统元年（1260年），忽必烈即汗位后，封授八思巴为"国师"，赐以玉印，统天下教门，成为全国佛教的最高领袖，其他西藏和中原佛教各派僧人不能与之匹敌。至元元年（1264年），设立的掌管全国佛教及吐蕃地区的中央机构——总制院（二十五年改为宣政院）也由八思巴领之。至元六年（1269年），八思巴奉诏创制成功"蒙古新字"，遂被晋封为"帝师"，自此便形成了元朝特有的帝师制度。帝师地位高崇，"百年之间，朝廷所以敬礼而尊信之者，无所不用其至。虽帝后妃主，皆因受戒而为之膜拜。正衙朝会，百官班列，而帝师亦或专席于坐隅。且每帝即位之始，降诏褒护，必敕章佩监络珠为字以赐，盖其重之如此"。① 帝师人选从萨思迦派僧人中遴选，多出于八思巴的款氏家族。"自此萨思迦派成为吐蕃地区宗教上和政治上的首脑，西藏佛教成为元朝最受尊宠的佛教宗派，佛教由是确立了凌驾于其他各教之上的地位。"②

今天的内蒙古地区，自东到西留有许多元代佛教遗存。通辽市开鲁县的元代佛塔，又称"开鲁白塔"，建于至元十六年（1279年），位于开鲁县开鲁镇烈士陵园东北部，现列为全国重点文物保护单位，是内蒙古地区保存不多的元代藏传佛教覆钵塔之一。上都佛寺林立。蒙哥汗八年（1258年），于上都东北建有龙光华严寺，由刘秉忠旧交、僧人至温住持。华严寺是一座禅宗寺院，曾在元仁宗、英宗和惠宗时两次扩建。至元十一年（1274年），在上都建乾元寺，以吐蕃僧人胆巴住持。乾元寺是一座藏传佛教寺院。除此之外，见于文献记载的上都佛寺还有：开元寺、弥陀院、弘正寺、黄梅寺、帝师寺、庆安寺等。应昌路古城的罔极寺和报恩寺，分别为囊加真公主和祥哥剌吉公主所建，是属于元朝皇室崇信的藏传佛教寺院。亦集乃路城址内发现佛教遗址达6处之多，城墙西北角上至今依然耸立着覆钵式佛塔，城外西侧和南侧分布着许多残塔基址。同时，出土了大量用汉文、藏文、西夏文、畏

---

① 《元史》卷202《释老传》，第4520、4521页。
② 参见陈得芝：《元代内地藏僧事辑》，《蒙元史研究丛稿》，第237页。

兀儿体蒙古文等书写的佛经残页①。丰州古城有辽代修建的万部华严经塔，元代在塔前建宣教寺，塔内收藏有大藏经。大宁路（治今赤峰市宁城县大明城）内在辽、金时期修建的许多寺院和佛塔，到元代仍被沿用，现存的大塔、小塔和半截塔都属于藏传佛教密宗建筑。《大元一统志》记载的戒学院、永安禅院、大觉禅院，则属于汉地佛教系统②。

景教 基督教曾于公元 7 世纪传入中国。当时传入中国的基督教是聂思脱里派，中原汉地称为"景教"，蒙古称为"也里可温"，意即"上帝教"，或"信奉上帝的人"。唐朝武宗会昌年间禁佛，累及景教，景教在中原内地几近消失，但仍在我国西北和北方少数民族地区得以广泛传播。进入有元一代，今内蒙古地区的景教特别盛行。"西从额济纳旗，东至赤峰市区，北自达尔罕茂明安联合旗，南至鄂尔多斯高原"，到处都遗留有景教遗迹和遗物③。

元代的汪古部，分布于阴山山脉东段大青山南北。在汪古部封国内，居主导地位的是景教。在大青山之南，今呼和浩特市平原上的辽代丰州万部华严经塔内有古叙利亚文题记。清水河县土沟子也发现了景教墓顶石。大青山北达尔罕茂明安联合旗和四子王旗是景教传布的中心地带。汪古部首府敖伦苏木古城，位于达尔罕茂明安联合旗艾布盖河北畔，俗称赵王城。该城东面有大片景教徒墓地，这片墓地，大概有几十座元墓，有的墓顶还遗留有景教墓顶石，背刻古叙利亚文一行。赵王城西北约 20 公里有毕其格图好来景教墓陵园，在陵园内从被盗的墓地当中，盖山林先生曾于 1973 年发现 9 块古叙利亚文景教残碑。达尔罕茂明安联合旗木胡尔索卜尔嘎古城中发现了刻有十字的残砖，古城东北的景教墓地中发现了墓顶石和景教石塔。该旗德里森呼图克西城西约 1 公里处，发现了汪古部首领火思丹之妻竹忽真公主的景教墓顶石。④ 四子王旗的耶律氏陵园，从该墓地发现了一通耶律公神道碑。据墓碑记载，该家族祖籍是西域帖里薛人，是西域的景教世家。墓主"耶律公"耶律子成，不仅是景教徒，而且还是某十字寺"主管领也里可温"的，

① 参见《黑城出土文书》（汉文文书卷），第 61—62 页。
② 参见张文平：《内蒙古地区元代城址的初步研究》，第 43 页。
③ 参见盖山林：《中国北方草原地带的元代基督教遗迹》，《世界宗教研究》，1995 年第 3 期。
④ 参见盖山林：《中国北方草原地带的元代基督教遗迹》，《世界宗教研究》，1995 年第 3 期。

掌管景教权。陵园内的景教墓顶石，共发现 17 块。另外，还有一些已散失到附近村子中。

道教　金末元初，道教全真派及时投效蒙古统治者，得到了蒙古统治者的支持，因而在北方盛极一时，其地位远较佛教、儒学以及道教中其他派别优越。全真教利用这一有利形势，肆意扩张，强改佛寺为道观，霸占佛寺田产，毁损佛像，贬斥佛教，与佛教间的矛盾日益激化。蒙哥汗五年（1255年），在和林大内万安阁召集两家对质，最后蒙哥汗判定"道士理短"，下令退还占据的佛寺，修复佛像，焚毁伪经，全真道开始在政治上失势。然而，道士不甘失败，四处活动。蒙哥汗八年夏天，忽必烈奉命在开平召集僧人、道士、儒士与官员近千人，以《老子化胡经》的真伪为中心进行辩论。八思巴为首的僧人引经据典，据理力争，道士则完全处于被动地位，而且忽必烈也有意让道士出丑，令道士公开显示白日飞升、入火不烧的本领，道士技穷，全真道再败。参加辩论的 17 名道士被削发为僧，占有的寺院田宅也归还佛门。自此，全真道一蹶不振，佛教地位显著提高。①

元代内蒙古地区有一些道观遗存。上都有崇真万寿宫、长春宫、太一宫、寿宁宫等。但上都城内的这些道观，主要是作为政府的职能部门而修建的，平常为皇室作一些斋醮祈禳之事，并没有在下层人民中形成影响②。亦集乃路遗址曾出土 1 件道教符篆残页，说明这里有过道教信徒，但数量不多，目前还没有发现建立道观的文字记载③。而在内蒙古地区的其他元代城址中，则很少发现道教遗存，也无相关史料记载。

伊斯兰教　早在唐朝时，伊斯兰教就在留居中国的波斯人和阿拉伯人中流行。蒙元时期，中亚各族居民大批徙居内地，其中不少是伊斯兰教徒。元朝称伊斯兰教徒为"木速鲁蛮"或"木速蛮"，而汉文史籍则通常称之为"回回人"。元政府在中央设立了回回哈的司，由哈的大师（阿拉伯语 Qadi，意为法官）领之，依回回法掌本教门的宗教活动和回回人的户婚钱粮等词

---

① 祥迈：《大元至元辨伪录》，《北京图书馆古籍珍本丛刊》，第 77 册，书目文献出版社 1988 年版，第 78 页。

② 参见张文平：《内蒙古地区元代城址的初步研究》，第 34 页。

③ 参见《黑城出土文书》（汉文文书卷），第 65 页。

讼，以及部分刑名之事。并曾在各地设有相应的地方机构。元仁宗下诏罢回回哈的司属，使哈的大师的职掌被限制在"掌教念经"等纯属宗教活动的范围之内。① 到文宗时，又有"罢回回掌教哈的所"的诏命。② 伊斯兰教在元代虽已传播到全国各地，但终因教规严格，基本上限在回回人中间流行。

　　元代内蒙古地区的回回人主要集中在两个地区：一是丰州、集宁路、下水镇（今乌兰察布市凉城县的岱海）、弘州直到宣德州的沿线城址上。窝阔台汗时期，将阿尔浑人与从撒麻耳干等处掳掠的回回工匠 3 000 户迁往荨麻林（今河北张家口洗马林）和丰州以东诸地，专门织造纳失失锦。阿尔浑人，原居于塔剌思（今哈萨克斯坦江布尔）和八剌沙衮（今吉尔吉斯斯坦托克马克）之间，操突厥语，信仰伊斯兰教。另一处是安西王封地内的河西关陇地区，是回回人的聚居地。司天少监每年要向安西王忙哥剌呈送回回历，以便在该地区颁行。嗣王阿难答从小由回回人抚养长大，到至元十七年（1280 年）嗣位安西王，其不仅皈依伊斯兰教，还令所部 15 万蒙古军人中的大多数改信伊斯兰教。除上述两处聚居地外，至元八年（1271 年），元朝在上都建立回回司天台（皇庆二年改为回回司天监），回回人札马鲁丁被任命为"提点"（即台长），回回司天台逐年颁行回回历书。上都还建有回回寺，英宗至治年间遭官府拆毁，以其地建帝师寺。后来，泰定帝又择址重建③。亦集乃路古城外西南角有一片伊斯兰教徒墓园。西南角还有一处伊斯兰教礼拜寺，如今该礼拜寺的废墟依然耸立，原有风貌大体得以保存。当时它管领有不少的穆斯林，其中就有回回包银户、农民和军人身份的穆斯林④。

　　总之，蒙古统治者对各种宗教采取兼容并包的政策，极力笼络各宗教上层人物，旨在为自己的政治统治服务，从而实现政教合一。同时，元代内蒙古地区的多种宗教文化并存，充分显示了元代多元文化的特点。

　　① 《元史》卷 24《仁宗本纪》一，第 542 页。
　　② 《元史》卷 32《文宗本纪》一，第 707 页。
　　③ 参见张文平：《内蒙古地区元代城址的初步研究》，2004 年内蒙古大学硕士学位论文，第 23 页。
　　④ 参见《黑城出土文书》（汉文文书卷），第 63 页。

内蒙古通史 第三卷

蒙元时期的内蒙古地区（二）

总 主 编　郝维民　齐木德道尔吉
本卷主编　宝音德力根

人 民 出 版 社

第三编

专　　题

第　九　章

祖宗故地与亲王出镇

第一节　祖宗故地与亲王出镇（上）

漠北地区是蒙古族的发祥地，是成吉思汗黄金家族的龙兴之处，也是元代蒙古人民精神的地理依托，被视为"国家根本之地"①。在忽必烈定都开平以前，漠北还是蒙古国的统治中心所在。中统以后虽然统治中心移到漠南和中原，但漠北是成吉思汗宫帐及历朝大汗的陵寝所在，漠北还遍布宗亲诸王的分地，按照蒙古的传统，漠北是大蒙古传统的国家中心，控制漠北是汗权的象征，也是元代统治者维护其统治的重要保证。尤其是自中统年间的争夺汗位战争开始，漠北就是汗室内部争夺帝位的温床。西北叛乱诸王、元朝境内的叛乱宗王都想占领漠北，与元朝争夺漠北。因此，元朝朝廷十分重视对漠北的统治。

忽必烈打败阿里不哥之后，与西北叛王的军事对抗日益严重，南方被压迫民族的反抗又连绵起伏，针对这种严峻的形势，忽必烈相继分封皇子为王出镇西北、西南、东南一带，逐步形成了宗王出镇制度。所谓"世祖之时，海宇混一，然后命宗王将兵镇边徼襟喉之地，"即是指宗王出镇制度。② 成宗以降，宗王出镇制度被推而广之，长期沿用。宗王出镇是元政府控驭边徼

---

① 《元朝名臣事略》卷33《枢密句容武毅王》，引阎复：《土土哈纪绩碑》，第48页。
② 《元史》卷99《兵志》二，第2538页。

襟喉的重要手段。①

　　虞集《杨公神道碑》也记载："初，金山南北，叛王海都、笃哇据之。不奉正朔，垂五十年。时入为寇，恒命亲王统左右部宗王、诸帅，屯列大军。备其冲突。"② 总兵漠北诸王统领的军队包括"左右部宗王、诸帅"，即戍守漠北的诸王、驸马的军队和中央政府军。若在至元十八、九年，元朝立和林宣慰司。③ 至元二十六年（1289 年）六月，海都攻陷和林，宣慰使怯伯叛降，宣慰司机构崩溃。④ 当年七月，元军收复和林。二十七年，元朝置和林等处都元帅府。⑤ 大德二年（1298 年）五月，置和林宣慰司都元帅府，恢复了和林宣慰司，以宣慰司兼都元帅府之职。宣慰司或都元帅府是漠北地区设行省前最高行政与军事机构。大德十一年七月，元武宗罢和林宣慰司，设和林行省，和林行省（仁宗时改为岭北行省）接管了漠北地区的军事指挥职责。⑥ 实际上总兵漠北的诸王才是漠北诸军的最高军事指挥权官，因为元代蒙古高原的战争实为成吉思汗黄金家族间的封建战争，双方都有大量的皇族参与，除了黄金家族的成员，别无他人可以服众望。⑦

　　元朝在漠北的军事部署，在《史集》中有比较详细的记载：元朝漠北的军事前线在金山一线，与海都等西道诸王的前线约相距40天的路程，双方隔沙漠而阵。元朝大汗的领地从上述防线向东方延伸一月的途程。在东方边界的末端是甘麻刺，其次是成宗的女婿阔里吉思，再其次是土土哈的儿子床兀儿，接下来是囊加歹，再其次是成宗的叔父阔阔出。然后，边界抵达安西王阿难答的领地唐兀惕，再其次到达畏兀儿人之城哈剌—火州之境。以下驻有察合台之孙，宗王阿只吉和阿鲁忽之子宗王出伯。⑧《史集》记载的虽然是成宗时期的漠北与河西地区的元军布防情况，但终元一代这条防线变化

---

　　① 参见《元代分封制度研究》，第 194 页。

　　② 《道园学古录》卷 42《杨襄敏公（教化）神道碑》，第 232 页。

　　③ 参见陈得芝：《岭北行省建置考》（中），《蒙元史研究丛稿》，第 156 页。

　　④ 参见《元史》卷 15《世祖本纪》十二，第 323 页。

　　⑤ 参见《元史》卷 58《地理志》一，第 1382 页。

　　⑥ 参见《元史》卷 22《武宗本纪》一，第 483 页。

　　⑦ 参见萧启庆：《元代的镇戍制度》，见《内北国而外中国：蒙元史研究》（上册），中华书局2007 年版，第 266 页。

　　⑧ 《史集》（汉译本）第 2 卷，第 337 页、382 页。

不大。

一、那木罕出镇漠北

那木罕第一次出镇漠北　那木罕（Nomuqan）是忽必烈第四子。至元三年（1266 年）六月，那木罕受封为北平王,[①] 那木罕可能就是在此时开始"帅诸王之师，镇祖宗龙兴之故地"。[②] 那木罕最初出镇漠北的驻地不详。陈得芝先生认为有可能作为其驻地的不外乎是成吉思汗的大斡耳朵所在的三河之源和国都所在地和林地区两处，因为这两处应是大汗直接掌握之地，不属于诸王领有。

至元初年，阿里不哥虽然已向忽必烈投降，但他的儿子们都留在按台山至乞儿吉思一带的领地上。阿里不哥死后，忽必烈将他的斡耳朵及领地分别赐给了他的儿子药木忽儿、明里帖木儿、乃剌不花、探马赤，让他们驻牧在漠北地区。[③] 阿里不哥的儿子们对于忽必烈夺取汗位是心怀不满的，蒙哥的儿子们也同样对汗位落入叔父忽必烈之手而心有不甘，那木罕出镇漠北防御的对象之一就是阿里不哥与蒙哥两系诸王，另一个防御的对象则是窝阔台与察合台、尤赤系诸王。窝阔台系在忽必烈时代产生了一位聪明能干的后王海都，他认为按照成吉思汗的命令汗位当属窝阔台系，乃积极谋求自立为汗。在忽必烈争位战争中，海都支持阿里不哥。阿里不哥失败后，忽必烈征其入朝，海都以马瘦为辞，拒不来朝。他利用中统年间忽必烈与阿里不哥的战争，不断扩大自己的势力。至元五年，海都、帖木迭儿等兴兵南侵畏兀儿等地。至元六年，海都同八剌等察合台后王、尤赤后王在答剌速河畔召开忽里勒台，海都成为事实上的盟主，一致对抗忽必烈与伊利阿八哈汗，并誓约保持游牧生活与蒙古习俗。面对西北诸王的攻势，忽必烈开始派皇子那木罕出镇漠北，统率漠北诸军。

《史集》记载，至元初年，海都"与火你赤那颜勾结起来，驱逐、击溃并洗劫了在他们附近的、依附于［蒙哥合罕之子］玉龙答失的纳邻，就这

---

① 《元史》卷 6《世祖本纪》三，第 111 页。
② 《道园学古录》卷 23《句容郡王世绩碑》，第 12 页。
③ 《史集》（汉译本）第 2 卷，第 365—369 页。

样他们发动了叛乱。合罕为平定海都之叛，派出了自己的儿子那木罕和左右翼宗王：蒙哥合罕的后裔昔里吉，阿里不哥的儿子［玉］不忽儿、明里帖木儿，合罕诸弟岁哥都的儿子脱黑·帖木儿、斡鲁忽台，以及合罕的侄子札剌忽和斡斤，带着众异密和浩浩荡荡的大军前去，并以安童那颜为［出征的］众异密之长。"① "纳邻"，即八邻部。② 从中可以看出那木罕统率了当时东道诸王及拖雷系出镇漠北的各位宗王以及其他镇戍漠北的元朝军队。至元五年，海都举兵南侵，元军败其于北庭，再追至阿力麻里，海都远遁。元军进据曾为海都所占的原察合台汗国大斡耳朵所在地阿力麻里。至元八年（1271 年），那木罕受忽必烈之命从漠北移营于阿力麻里，在此建立牙帐。③ 至元初期，察合台兀鲁思汗八剌与伊利汗阿八哈开战，八剌战败，忽必烈利用此机会以畏兀儿为中心向伊犁河谷草原和今塔里木盆地周围的绿洲地区进攻。那木罕的军队在伊犁河谷草原与海都的军队发生激烈的冲突。随同那木罕出镇阿里麻里的诸王有蒙哥之子昔里吉、阿里不哥之子药木忽儿与明里帖木儿、玉龙答失之子撒里蛮、岁哥都之子脱脱木儿、拨绰之孙牙忽都、阔列坚之孙兀鲁带、斡赤斤曾孙札剌忽等诸王，他们各率本部军队扈从那木罕。协助那木罕统兵出镇的还有其弟阔阔出。④ 元朝为了控制阿力麻里诸地，不断增加那木罕的力量。至元九年十二月，至元十年正月、十二月，至元十一年十月，十二年三月，都有那木罕受赐大量钱物的记载。⑤ 随着海都与察合台汗国的力量逐渐增长，元朝西北边境的压力增大。至元十二年七月，忽必烈诏安童"以行中书省枢密院事，从太子北平王出镇极边"。⑥ 至元十三年，昔里吉等人在阿力麻里发动叛乱。从当时情况看，那木罕统领的漠北诸军很不稳定。在昔里吉叛乱之前，就有其他叛乱发生了。"八鲁浑拔都儿、粘闍与海都通，相率引去。"⑦ 昔里吉等人相互串通活动，并企图策反那木罕身

---

① 《史集》（汉译本）第 2 卷，第 312、313 页。
② 邵循正：《剌失德丁集史忽必烈汗纪译释》，《清华学报》第 14 卷第 1 期。
③ 《元史》卷 13《世祖本纪》十，第 265 页。
④ 陈得芝：《岭北行省建置考》（中），《蒙元史研究丛稿》，第 150 页。
⑤ 《元史》卷 7《世祖本纪》四，第 144、147、153、158、164 页。
⑥ 《元史》卷 126《安童传》，第 3082 页。
⑦ 《元史》卷 117《牙忽都传》，第 2908 页。

边的诸王牙忽都。至元十三年秋，那木罕部下的诸王脱脱帖木儿率部叛逃，那木罕命昔里吉往讨，脱脱木儿诱惑昔里吉一起叛乱。① 脱脱木儿与昔里吉商议帝位归于昔里吉，并说"合罕使我们和我们的父亲们受了多少侮辱啊！""他们在夜里将那木罕和他的兄弟阔阔出两人抓住，送到了忙哥帖木儿处，并将安童［抓住］送到了海都处。"② "北平诸部暨祖宗所建大帐，尽为所掠"。元朝的西北防御体系瓦解。忽必烈重新调配军队。八月，土土哈与叛军大战于斡鲁欢河（鄂尔浑河），"获所掠祖宗大帐，北平部众悉追还之。"③ 至元十四年，忽必烈诏右丞相伯颜帅军往漠北防御。④ 十九年春正月，那木罕派诸王札剌忽从漠北军中来到大都，报告了昔里吉、脱脱木儿、药木忽儿、撒里蛮内讧，撒里蛮捉住昔里吉想投降元朝的消息。⑤

那木罕当时可能离海都分地不远。《史集》记载，尤赤兀鲁思汗忙哥帖木儿死，新汗脱脱蒙哥继位，火你赤、那海与脱脱蒙哥商议后放回了那木罕。⑥ 可能那木罕从尤赤兀鲁思回来的途中又被叛王劫持到了海都处。《元史·石天麟传》云："宪宗六年，遣天麟使海都，拘留久之，既而边将劫皇子北安王以往，寓天麟所。天麟稍与其用事臣相亲狎，因语以宗亲恩义，及臣子逆顺祸福之理，海都闻之悔悟，遂遣天麟与北安王同归。"⑦ 至元二十一年三月丁巳，"皇子北平王南木合至自北边。王以至元八年建幕庭于和林北野里麻里之地，留七年，至是始归，右丞相安童继至。"⑧ 野里麻里即阿力麻里。

那木罕第二次出镇漠北 至元二十一年（1284 年）闰五月，"赐北安王

---

① 汉文史料中，对脱黑帖木儿、昔里吉的叛乱时有至元十二年、十三年、十四年等几种不同记载，刘迎胜先生据耶律铸：《双溪醉隐集》卷 2《后凯歌词》的自序，考订为至元十三年。参见《察合台汗国史研究》，第 264 页。

② 《史集》（汉译本）第 2 卷，第 312、313 页。

③ 《元朝名臣事略》卷 33《枢密句容武毅王》，引阎复：《土土哈纪绩碑》，第 48 页；参见《道园学古录》卷 23《句容郡王世绩碑》，第 24 页。

④ 《元史》卷 9《世祖本纪》六，第 191 页。

⑤ 《元史》卷 12《世祖本纪》九，第 239 页。

⑥ 《史集》（汉译本）第 2 卷，第 317 页。

⑦ 《元史》卷 153《石天麟传》，第 3619 页。

⑧ 《元史》卷 13《世祖本纪》十，第 265 页。

螭纽金印。"① 北平王那木罕回朝改封北平王后又出镇漠北。据《元史·牙忽都传》记载："北安王驻帖木儿河"。据研究，此帖木儿河可能是今土拉河之西、即和林西北之塔密儿河，此地也是太宗、宪宗时代夏季巡狩之地。② 至元二十四年，乃颜叛乱，遣使来结随那木罕出镇漠北的诸王胜纳哈儿与河间王也不干，土土哈获得谍报，密报朝廷。忽必烈下诏召胜纳哈儿回朝，土土哈奏于北安王那木罕令胜纳哈儿从西道回京，以免胜纳哈儿从东道回京的途中趁机回到分地起兵。③ 十二月，朝廷为"皇子北安王置王傅，凡军需及本位诸事并以王傅领之。"④ 这个北安王王傅与当初的安西王王相府有类似之处，即它不仅掌本位下之事，还兼掌北安王所统漠北大军的军需，这是因为当时西北有海都等叛乱，东面又有乃颜之叛，防守在漠北的驻军需要一个能灵活调度的机构。至元二十六年春，海都与药木忽儿、明里帖木儿大举进攻漠北，⑤ 攻占其西部及吉利吉思等地。六月，海都打败防守杭海岭的晋王部队，一路攻至和林地区。北安王命宣慰合怯伯率城民南撤，途中遇敌，怯伯降附海都。⑥ 北安王的部属因此遭到洗劫，为此，朝廷赈济北安王部，"以驼运大都米五百石有奇给皇子北安王等部曲。"⑦ 至元二十七年，药木忽儿与明里帖木儿复来攻北安王驻地，大将朵儿朵怀守那木罕大帐，宗王牙忽都与朵儿朵怀同御敌，军未战而溃。朵儿朵怀惧被问责，率领少数随从投奔了药木忽儿。⑧ 那木罕约死于至元二十八年左右，史称"初，世祖以第四子那木罕为北安王，镇北边。北安王薨，显宗以长孙封晋王代之，统领太祖四大斡耳朵及军马、达达国土。"⑨ 显宗，即甘麻刺。至元二十九年，甘麻刺受封晋王出镇大斡耳朵。

---

① 《元史》卷 13《世祖本纪》十，第 268 页。

② 以上参见陈得芝：《岭北行省建置考》（中），《蒙元史研究丛稿》，第 147 页。

③ 《道园学古录》卷 23《句容郡王世绩碑》，第 23 页。

④ 《元史》卷 14《世祖本纪》十一，第 303 页。

⑤ 《元朝名臣事略》卷 2《丞相淮安忠武王》引《勋德碑》，第 21 页。

⑥ 《元朝名臣事略》卷 3《枢密句容武毅王》引《纪绩碑》，第 50 页；《元史》卷 128《土土哈传》，第 3134 页。

⑦ 《元史》卷 15《世祖本纪》十二，第 325 页。

⑧ 《元史》卷 117《牙忽都传》，第 2909 页；《史集》（汉译本）第 2 卷，第 191 页。

⑨ 《元史》卷 29《泰定帝本纪》一，第 637 页。

二、阔阔出总兵称海

阔阔出总兵称海　阔阔出（Kököčü）是忽必烈庶子。至元二年（1265年），那木罕受封北平王出镇漠北时，阔阔出随那木罕出镇。至元八年，那木罕移至阿力麻里时，阔阔出亦在行伍中。至元十三年冬，昔里吉叛乱时，阔阔出与那木罕一同被抓起来。但不久被送回忽必烈处。[①] 在那木罕被俘至其重新出镇漠北这段时间内，在漠北作为出镇诸王之长的可能就是阔阔出。那木罕至元二十一年再次出镇漠北，驻帖木儿河时，阔阔出仍然协同出镇。至元二十四年，"乃颜、也不坚有异图，也不坚引兵趋怯绿怜河大帐。王（指那木罕）遣阔阔出、秃秃哈率众追之。"[②] 至元二十六年十二月，忽必烈封阔阔出为宁远王，应当是考虑到了他在漠北的功劳。成宗元贞年间，对边防进行了重新部署。《史集》举出了沿边主要的诸王、大将，自东到西有甘麻剌、阔里吉思、床兀儿、囊加歹、阔阔出、阿难答、阿只吉和出伯。《史集》另一处说："宗王阔阔出和合罕的女婿阔里吉思被派到了海都和都哇的边界。"[③] 阔阔出以宗王之尊成为这支部队的首领，从后来海山取代阔阔出总兵而驻扎于称海这一点来看，[④] 阔阔出当然也是驻军在称海。

甘麻剌出镇大斡耳朵后，一方面是西北诸王对元朝边境的攻势加大，元朝要充实边防；另一方面可能甘麻剌辈分低，对皇叔阔阔出等诸王调度不灵。因此，从甘麻剌出镇开始，元朝在漠北的诸王军队可能分为了两部分。一部分是晋王所统的以四大斡耳朵属民为主的部众，以及出镇在漠北北部的诸王军队，东道诸王可能在晋王所统之下；另一部分即是阔阔出所统的后由海山所领的在金山、称海一线的元军，这些军队有弘吉剌部驸马、汪古部驸马、安西王系统的军队。大德二年（1298年）冬天，都哇及察合台次子莫赤耶耶之子彻彻秃之军发动突然袭击，驸马阔里吉思领 6 000 人出战，寡不敌众，被都哇掳去。"……而合罕的叔父阔阔出，由于［自己的］疏忽而未

---

① 《史集》（汉译本）第 2 卷，第 313、285 页。
② 《元史》卷 117《牙忽都传》，第 2908 页。
③ 《史集》（汉译本）第 2 卷，第 337、338、376 页。
④ 参见松田孝一：《海山出镇西北蒙古》，《蒙古学译文选》（内部资料），内蒙古社会科学院情报研究所编，1984 年。

赶上军队，便处于犹豫不决中。他被召了数次，他都没有去。最后合罕派宗王阿只吉去把他说服了带来。"因为这次失败，阔阔出、床兀儿、襄加歹诸人受到成宗的严厉斥责。① 大德三年，成宗以宁远王阔阔出总兵北边，怠于备御，撤阔阔出总兵官一职，命海山"即军中代之"。② 至此，称海一线的元军由海山统领。

三、晋王甘麻剌、也孙帖木儿守藩漠北

甘麻剌（Kamala）是真金太子的嫡长子。至元二十三年（1286 年），奉旨在和林"建藩府，镇护诸部"。③ 他以后出镇漠北建立的斡耳朵应当就是至元二十三年在和林建立的藩府。此时，那木罕尚在漠北，甘麻剌又尚未封晋王，应是协同北平王那木罕出镇。至元二十六年春，甘麻剌驻军杭海岭，海都与药木忽儿、明里帖木儿大举进攻漠北，④ 攻占漠北西部及吉利吉思等地。二月，忽必烈以中书右丞相伯颜为知枢密院事，统率漠北诸军。六月，伯颜未至而海都军已至杭海岭，晋王甘麻剌部首当其冲。甘麻剌率部抵御，兵溃，幸亏土土哈救出。⑤ 同年，甘麻剌回京。⑥ 二十七年十月，甘麻剌被封为梁王，出镇云南。⑦

至元二十九年，北安王那木罕死后，甘麻剌"以长孙封晋王代之，统领太祖四大斡耳朵及军马、达达国土。"⑧ 成宗"把父亲留下的一整份财产授予了自己的长兄甘麻剌，把他派到境内有成吉思汗的禹儿惕和斡耳朵的哈剌和林去，并让该地区的军队受其节制。哈剌和林、赤那思、昔宝赤、斡难、怯绿涟、谦谦州、薛灵哥、海押立以迄吉儿吉思边境的诸地区和名为不

---

① 《国朝文类》卷 23《驸马高唐忠献王碑》；《史集》（汉译本）第 2 卷，第 382、383 页；《元史》卷 118《阿剌兀思剔吉忽里传》，第 2925、2926 页。

② 《元史》卷 22《武宗本纪》一，第 477 页。

③ 《秋涧集》卷 43《总管范君和林远行图诗序》；《元史》卷 115《显宗传》，第 2893 页。

④ 《元朝名臣事略》卷 2《丞相淮安忠武王》引《勋德碑》，第 17 页。

⑤ 参见《道园学古录》卷 23《句容郡王世绩碑》，至元"二十六年，海都犯金山，抵杭海岭。皇孙晋王，帅兵御之。""敌先据险，我师不利，王（土土哈）独以其军陷阵入战，翼晋王出。"

⑥ 《元史》卷 115《显宗传》，第 2893 页；参见《道园学古录》卷 23《句容郡王世绩碑》，至元"二十六年，海都犯金山，抵杭海岭。皇孙晋王，帅兵御之。"

⑦ 《元史》卷 16《世祖本纪》十三，第 340 页。

⑧ 《元史》卷 29《泰定帝本纪》一，第 637 页；卷 115《显宗传》，第 2893 页。

儿罕·合勒敦的成吉思汗的伟大禁地，全由他掌管，并由他守卫着照旧在那里的成吉思汗的诸大斡耳朵。"① 从此，成吉思汗四大斡耳朵及其属民由晋王镇守、管理，克鲁伦河上游祖先故地就成了晋王甘麻剌的分地所在。因此，晋王出镇漠北与其他出镇宗王是有些不同的，即晋王在出镇区内有分地，晋王既是出镇漠北又是分藩漠北，元朝其他出镇漠北诸王都有罢镇就封的时候，独有晋王一系始终驻守漠北；晋王在漠北的主要任务是镇护太祖四大斡耳朵及其属民，晋王以其守护太祖斡耳朵及在真金系居长的双重尊贵身份，自然而然地成为漠北诸王之长，在元朝没有委派其他总兵宗王时，晋王兼领漠北诸军；在朝廷明确委派了总兵诸王时，晋王就不是全漠北的最高军事指挥官，他只是本位下及随他镇守的部分诸王的军队。晋王在漠北的这种特殊情况使元朝在漠北的总兵诸王有两王并存的情况，如晋王甘麻剌与宁远王阔阔出、怀宁王海山，晋王也孙铁木儿与安远王丑汉。

　　元成宗即位以后，以皇侄海山取代宁远王阔阔出，统领漠北西边的元朝军队，驻守在称海一带。大德四年（1300 年）八月，诸王海山总领的称海一线元军，以及晋王甘麻剌所部与海都大战于阔别列之地，"虽胜而寇未退，与晋军合，而大官廪肉不足，（晋王部属哩日——引者注）则日馈二羊，又继诸军粮。其府又尽，则赋他部供亿。"② 是役，海山之部曾发生严重的后勤供应不足的问题。晋王为漠北诸王之长，遂命赋他部供应海山军粮。③ 由于阔别列之战中，元军的战果不理想，因此"朝议北师少怠，纪律或失，命王（月赤察儿）亚晋王甘麻剌以督之。"④ 《元史·康里脱脱传》记载，康里脱脱于大德五年从武宗"师次杭海"，可能海山于大德四年战败，由称海退到杭爱山，因此成宗派月赤察儿辅佐晋王。⑤ 这样，海山在称海一线的军事指挥权暂时交给了晋王甘麻剌。大德五年秋，海都与都哇联兵

---

① 《史集》（汉译本）第 2 卷，第 376 页。

② 《牧庵集》卷 26 《史公先德碑》；碑中人名经四库馆臣改动，但还能辨认；参见《元史》卷 22 《武宗本纪》一，第 477 页；陈得芝先生认为武宗海山总兵漠北时实际只领称海沿边的驻军，陈得芝《岭北行省建置考》（下），《蒙元史研究丛稿》。

③ 《蒙兀儿史记》卷 121 《乞台普济传》，第 734 页。

④ 《国朝文类》卷 23 《淇阳忠武王碑》，第 13 页。

⑤ 松田孝一：《海山出镇西北蒙古》，《蒙古学译文选》（内部资料），内蒙古社会科学院情报研究所编，1984 年；陈得芝：《岭北行省建置考》（下），《蒙元史研究丛稿》，第 176 页。

进攻漠北，发动了自至元二十年以来对元朝最大的进攻。战争在帖坚古山进行，双方激战，海山"师失利，亲出阵力战，大败之，尽获其辎重，悉援诸王、驸马众军以出。明日复战，军少却，海都乘之，帝挥军力战，突出敌阵后，全军而还。"①《元史·囊家歹传》记载，帖坚古山战的次日，海山之军被海都围困于山上，囊加歹奋力决战才突围，后经旭哥耳温、称海撤退，才与晋王军会合。综合各种史料看，晋王的军队也在帖坚古山决战的次日后撤，与敌脱离接触。②苏天爵《郭明德神道碑》记载，元军溃退千里，败迅传到和林，"〔和林〕宣慰司悉焚仓廪，独辇金帛南徙，久之方定。"③元成宗对这次战役十分不满，次年五月，下诏将和林溃军谪戍云南。④

大德六年正月，晋王甘麻剌死，⑤长子也孙帖木儿袭封晋王⑥。

也孙帖木儿即汗位前的主要事迹　晋王也孙帖木儿（Yisün Temür）镇守漠北时，元朝与察合台、窝阔台各兀鲁思已经约和，加之窝阔台汗国在至大年间灭亡，元朝的西北边境一直比较平静，而且元朝设立了岭北行省，漠北的军务多由岭北行省接管，因此，晋王也孙帖木儿在漠北没有什么军事作为。

至大元年（1308 年）九月，朝廷升晋王的内史府为内史院，秩正二品。⑦当初，甘麻剌封晋王出镇太祖斡耳朵时，朝廷为之设立了高于一般王傅府规格的内史府。武宗即位以来对宗室非常优待，盛封滥赏，提高晋王内史府的品秩，以示殊宠。元仁宗时代，命驸马丑汉总兵漠北，而对晋王也孙帖木儿则优其赏赐而架空其军权。但这挡不住晋王家族对汗位的谋求。英宗至治三年（1323 年）八月，御史大夫铁失等潜结晋王也孙帖木儿，谋害了元英宗。九月，也孙帖木儿即汗位。元成宗铁穆耳、元武宗海山、泰定帝也孙帖木儿

①　《元史》卷 22《武宗本纪》一，第 477 页；《史集》（汉译本）第 2 卷，第 386、15、167 页；参见《道园学古录》卷 23《句容郡王世绩碑》。

②　《元史》卷 22《武宗本纪》一，第 477 页；《史集》（汉译本）第 2 卷，第 386、15、167 页；《道园学古录》卷 23《句容郡王世绩碑》；《国朝文类》卷 23《太师淇阳忠武王碑》，第 13 页。

③　《滋溪文稿》卷 11《故少中大夫金枢密院事郭敬简侯神道碑铭》。

④　《元史》卷 20《成宗本纪》三，第 441 页。

⑤　《元史》卷 20《成宗本纪》三，第 439 页。

⑥　《元史》卷 29《泰定帝本纪》一，第 637 页。

⑦　《元史》卷 22《武宗本纪》一，第 496、503 页。

都以漠北总兵诸王的身份取得了帝位，这与他们掌握漠北的军队密切相关。

晋王也孙帖木儿谋得汗位后，立皇子阿速吉八为太子，以八的麻亦儿间卜（Badima Irgyal bu）嗣封晋王，时间在泰定元年（1324 年）三月。① 其时八的麻亦儿间卜尚幼，并未就藩。泰定三年，时遣梁王王禅（Ongšan）出镇北边，整饬斡耳朵及边事。泰定四年，泰定帝命第四子允丹藏卜（Yondan dzangbu）出镇岭北。致和元年（1328 年），泰定帝太子阿速吉八的上都集团被拥戴文宗的军队剿灭。八的麻亦儿间卜也在内乱中死于上都，泰定帝四子俱早陨，晋王之封遂绝。从此，晋王甘麻剌这一家失去了统领岭北蒙古军民的地位。不过，直到元末，晋王在漠北的管理机构内史府仍然继续存在。泰定四年二月，营王也先铁木儿奉命出镇北边，② 其后，营王一支直到元亡都在漠北。

第二节　祖宗故地与亲王出镇（下）

一、海山出镇漠北

海山（Qaišan）是真金太子次子答剌麻八剌（后被尊为顺宗）之长子，母为答剌麻八剌正妃弘吉剌氏答己（后被尊为兴圣皇太后）。成宗大德三年（1299 年），"以宁远王阔阔出总兵北边，怠于备御，命帝（武宗海山）即军中代之。"③ 海山时年 19 岁，以元成宗嫡亲侄子的身份就任，以亲信宿卫之臣唐兀人乞台普济参赞军务。海山出镇漠北的驻地在按台山东面的称海。④ 因海山出镇时尚无王封，大德四年乞台普济"又身入闻，得裕宗信宝以归。"⑤ 即被赐以"皇太子宝"。但这并非册立海山为皇太子，而是因为"总兵朔方，镇祖宗故地，诸亲王、诸军莫不听命。内朝以玉章赐之，盖天

---

① 《元史》卷 29《泰定帝本纪》一，第 645 页。
② 《元史》卷 30《泰定帝本纪》二，第 677 页。
③ 《元史》卷 22《武宗本纪》一，第 477 页。
④ 松田孝一：《海山出镇西北蒙古》，《蒙古学译文选》（内部资料），内蒙古社会科学院情报研究所编，1984 年；陈得芝：《岭北行省建置考》（下），《蒙元史研究丛稿》，第 176 页。
⑤ 《牧庵集》卷 26《乞台普济神道碑》；参见《全元文》卷 299，第 9 册，第 342 页。

子之所服用，使施诸所部，以为机密符令之信。"① 大德四年四月，"赐皇侄海山所统诸王戍军马二万二千九百余匹。"② 当时，成称海诸王受海山统辖，受赐亦以海山之名。八月，海山军以及晋王甘麻剌所部与海都大战于按台山之南的阔别列之地，海山之部曾发生严重的后勤供应不足的问题，晋王甘麻剌命其他军队供应海山军粮。③《元史·康里脱脱传》记载，康里脱脱于大德五年从武宗"师次杭海"，陈得芝先生据此推断海山于大德四年战败，由称海退到杭海山。因此，成宗派月赤察儿辅佐晋王督战漠北，④ 这样，海山在称海一线的军事指挥权也交给了晋王甘麻剌。但海山仍在军中，稍后称海一线的军事指挥权可能又交还给了海山。《元史·武宗本纪》记载，海山率领元军于大德五年八月初一日，与海都战于迭怯里古之地，"海都军溃。越二日，海都悉合其众以来，大战于合剌合塔之地，师失利，亲出阵力战，大败之，尽获其辎重，悉援诸王、驸马众军以出。明日复战，军少却，海都乘之，帝挥军力战，突出敌阵后，全军而还。"⑤ 合剌合塔之战中，元朝的重大战果是亦乞列思氏驸马阿失射中了都哇膝盖。尽管射伤了敌首，但元军并未能获胜。《元史·囊家歹传》记载，帖坚古山战的次日，海山之军被海都围困于山上，囊加歹奋力决战才突围，后撤时，"海都遮道不得过，囊加歹选勇敢千人直前冲之，海都披靡，国兵乃由旭哥耳温、称海与晋王军合。"此战发生在帖坚古山之战的次日，应是合剌合塔之战。陈得芝先生综合各种史料得出结论：大德五年的战争，打得十分激烈，元军失利，敌军亦有很大损失，都哇受伤，海都突然发病，所以急忙撤兵。元朝终究阻止了海都、都哇的进攻，故成宗为"大德五年战功"而赏赐北师及海山、阿难答、床兀儿等诸王驸马、大将等人。⑥ 此次大战之后不久，海都死去，都哇受到重创，于是海都的继位者察八儿、都哇及昔里吉之乱的余党明里帖木儿向元朝

①《道园学古录》卷42《杨襄敏公（教化）神道碑》，第9页。

②《元史》卷20《成宗本纪》三，第431页。

③《蒙兀儿史记》卷121《乞台普济传》，第734页。

④ 松田孝一：《海山出镇西北蒙古》，《蒙古学译文选》（内部资料），内蒙古社会科学院情报研究所编，1984年；陈得芝：《岭北行省建置考》（下），《蒙元史研究丛稿》，第176页。

⑤《元史》卷22《武宗本纪》一，第477页；《史集》第2卷，汉译本第386、15、167页；参见《道园学古录》卷23《句容郡王世绩碑》，第23页。

⑥《元史》卷21《成宗本纪》四，第451页。

请和。大德八年底，元朝与察合台汗国、窝阔台汗国达成协议。约和之后，漠北边境宁静，海山仍统军镇守称海。

海都死后，都哇援立察八儿为窝阔台兀鲁思汗位，察合台、窝阔台两汗国联盟的领导权转移到了察合台汗国。两汗国与元朝请和时，都哇在先。元成宗觉察到了两汗国关系的变化，乃趁机拉拢察合台汗国以削弱窝阔台汗国。有研究表明，约和时元成宗允许都哇收回以前被海都占去的领地，都哇以成宗圣旨为依据，向察八儿提出了领土要求，这就导致了两汗国之间的战争。大德十年（1306 年）七月，在都哇对察八儿攻击时，海山的军队从按台山出动，威胁窝阔台汗国的侧后，察八儿也将一支 10 万人的大军从也儿的石河出动至按台山，与元军对峙，很快两军发生了大规模的战争。关于此次战争，中外史料如《完者都史》《元史·武宗本纪》、姚燧《乞台普济神道碑》、元明善《太师淇阳忠武王碑》都有记载。加藤和秀、陈得芝、刘迎胜都有相关的研究。① 据《完者都史》记载，都哇挑拨海山进攻察八儿驻军的前锋斡罗思，海山一举获胜。《武宗本纪》记载："［大德］十年七月，自脱忽思圈之地逾按台山，追叛王斡罗思，获其妻孥辎重；执叛王也孙秃阿等及驸马伯颜。八月，至也里的失之地，受诸降王秃满、明里铁木儿、阿鲁灰等降。海都之子察八儿逃于都瓦部，尽俘获其家属营帐。驻冬按台山，降王秃曲灭复叛，与战败之，北边悉平。"② "脱忽思圈"，陈得芝先生认为可能是今乌列盖附近一湖。

大德八年冬十月，海山被封为怀宁王，③ 大德九年三月，"以和林所贮币帛给怀宁王所部军。"④ 海山自大德三年出镇漠北，直到大德十一年正月，一直镇守在漠北。大德十一年正月，成宗崩，海山闻讯自按台山统军南下，三月回到和林。此前，海山之同母弟爱育黎拔力八达与母妃答己已从怀孟赶回大都奔丧，在右丞相哈剌哈孙等人谋划下发动了政变，清除了政敌成宗皇

---

① 加藤和秀：《察合台汗国的成立》，《足利惇氏博士喜寿记念东方学印度学论集》，1978 年；《察合台汗国史研究》，第 329—340 页；陈得芝：《岭北行省建置考》（下），《蒙元史研究丛稿》。本文中提到的《完者都史》资料系据《察合台汗国史研究》所引。

② 《元史》卷 22《武宗本纪》一，第 477、478 页。

③ 《元史》卷 21《成宗本纪》四，第 461 页；卷 22《武宗本纪》一，第 478 页。

④ 《元史》卷 21《成宗本纪》四，第 462 页。

后及安西王阿难答。答己欲让爱育黎拔力八达即汗位，海山乃与其亲信率"劲卒" 3 万自和林南下，[①] 爱育黎拔力八达只得拥戴海山即位。海山，即元武宗。元武宗时期，代总兵漠北的只有晋王也孙帖木儿，但是武宗通过设和林行省及称海宣慰司都元帅府，一方面限制了漠北诸王的势力，一方面加强了漠北的防御力量。

二、安远王丑汉总兵漠北

丑汉（Čuqan）是弘吉剌部首领特薛禅之子按陈的后裔。[②] 至元前期，丑汉驸马曾戍守四川合答城。[③] 丑汉后来袭万户，转而戍守西北。黄溍《敕赐康里氏先茔碑》记载，至大三年（1310 年），"边将脱火赤请以新军益宗王丑汉，廷议俾王（康里脱脱——引者注）往给其资装。王言时方宁谧，不宜挑变生事，辞不行。遂遣丞相秃忽鲁、平章政事也先帖木儿往给之。事几以激变。"[④] 这个"宗王丑汉"，很可能是驸马丑汉，因为两年后，仁宗即命驸马丑汉以知枢密院事身份出总漠北之军，倘若丑汉不曾为统军大将，不了解边情，不可能一下子出总北军。丑汉在仁宗朝是一个相当活跃的人物。仁宗鉴于武宗凭借镇北亲王的军事实力夺取了帝位，便注意防范业已镇北多年的晋王势力。皇庆元年（1312 年）正月，命驸马丑汉以知枢密院事身份总领北军，出镇岭北行省，并封其为安远王[⑤]。延祐三年（1316 年）二月，元朝从丑汉的 3 000 探马赤军内，摘军 300 人与之守卫岭北行省的仓库，说明丑汉此时仍在漠北镇守。[⑥] 延祐元年至延祐二年，元朝与察合台汗国发生战争，元军攻入察合台汗国，夺取了察合台汗国也先不花汗的冬夏营地塔剌思（今哈萨克斯坦江布尔）与亦思宽（今吉尔吉斯斯坦的伊塞克湖）[⑦]，取

---

① 《元史》卷 138《康里脱脱传》，第 3324 页；卷 116《后妃传》二，第 2900 页。

② 《元史》卷 118《特薛禅传》，第 2918 页。

③ 合答城，今四川乾宁北，《中国大百科全书·中国历史·元史》，第 187 页。

④ 《金华黄先生文集》卷 28《敕赐康里氏先茔碑》，第 1 页；《元史·康里脱脱传》取材于黄溍：《敕赐康里氏先茔碑》，对此有完全相同的记载。

⑤ 《元史》卷 24《仁宗本纪》一，第 552 页。

⑥ 《元史》卷 99《兵志》二《看守军》，第 2537 页。

⑦ 参见《道园学古录》卷 23《句容郡王世绩碑》，第 23 页；《察合台汗国史研究》，第 394—397 页。

得了重大的军事胜利。丑汉当时总军岭北，应当率军参战了，为朝廷倚重。因此，延祐三年二月，朝廷为其置王傅；四月，又赐丑汉金银、钞、币帛有差；六月，又给他分枢密院印。① 延祐四年五月，朝廷"赐出征诸王丑汉等金、银、钞币有差"。延祐五年（1318 年）三月，"特授安远王丑汉开府仪同三司、录军国重事、知枢密院事"。② 至此，丑汉的政治生涯达到巅峰。此后不久，可能丑汉已去世，《元史》中再未见其踪影。元宁宗至顺三年（1332 年）八月，燕铁木儿奉旨赏赐诸王驸马时，领赐的是"诸王丑汉妃公主台忽都鲁"。③

三、郯王彻彻秃出镇北边

郯王彻彻秃（Čečektü）是宪宗蒙哥第三子玉龙答失之孙，④ 又写作阇阇秃。至治二年（1322 年）七月，"遣亲王阇阇秃总兵北边，赐金二百五十两、银二千五百两、钞五十万贯。"是年十二月，"封阇阇秃为武宁王，授金印。"⑤ 彻彻秃被委以总兵北边的重任，以此得封武宁王。危素《夏侯尚玄传》记载，彻彻秃"所统军四十八万"。⑥ 泰定朝，彻彻秃仍是元朝漠北地区的统兵官。至治三年十二月，泰定帝"命岭北守边诸王彻彻秃，月修佛事，以却寇兵。"⑦ 泰定三年（1326 年）六月，"命梁王王禅及诸王彻彻秃镇抚北军。"⑧ 致和元年（1328 年）六月，"诸王喃答失、彻彻秃、火沙、乃马台诸郡风雪毙畜牧，士卒饥，赈粮五万石、钞四十万锭。"⑨ 喃答失是豳王，守在河西一线。本纪的这些记载说明彻彻秃一直出镇漠北。

泰定帝死后，天历元年（1328 年）冬天，周王和世㻋欲南下夺取汗位，

① 《元史》卷 25《仁宗本纪》二，第 572、573、574 页。

② 《元史》卷 26《仁宗本纪》三，第 579、582、583 页。

③ 《元史》卷 37《宁宗本纪》，第 810 页。《元史》的校勘者认为公主名字"台忽都鲁"是"台忽鲁都"的倒误。见《元史》卷 37，第 813 页校勘四。

④ 《元史》卷 107《宗室世系表》，第 2723 页。

⑤ 《元史》卷 28《英宗本纪》二，第 623、626 页。

⑥ 危素：《危太仆续集》卷 8《夏侯尚玄传》，《元人文集珍本丛刊》本；《全元文》卷 1476，第 48 册，第 385 页。

⑦ 《元史》卷 29《泰定帝本纪》一，第 641 页。

⑧ 《元史》卷 30《泰定帝本纪》二，第 670 页。

⑨ 《元史》卷 30《泰定帝本纪》二，第 687 页。

"至金山，岭北行省平章政事泼皮奉迎，武宁王彻彻秃、金枢密院事帖木儿不花继至。"① 彻彻秃在和世㻋与图帖睦耳兄弟之间进行联络。天历二年正月，武宁王彻彻秃遣使到大都报告"皇兄启行之期"。② 彻彻秃还作为明宗和世㻋的使者与哈八儿秃赍立太子诏至大都，宣布立图帖睦耳为皇储。③ 至顺二年二月，彻彻秃以拥戴之功晋封郯王。④ 至顺三年十一月，郯王彻彻秃奉命垂移镇辽阳。⑤ 郯王彻彻秃在辽阳可能与昌王沙蓝朵儿只产生了矛盾，成为其日后被诬杀的诱因之一。

元惠宗即位初年，伯颜专权。伯颜出身篾儿乞部，篾儿乞部被成吉思汗击败后，部众大多被分给蒙古贵族作奴仆。伯颜先世可能是蒙哥的奴仆。《庚申外史》记载，伯颜"本郯王家奴，谓郯王为使长。""伯颜至是怒曰：'我为太师，位极人臣，岂容犹有使长耶！'遂奏郯王谋为不轨。"惠宗不准杀郯王，伯颜强行传旨，杀郯王并王子数人。⑥ 从危素《夏侯尚玄传》看，伯颜杀郯王的原因是伯颜忌讳郯王统兵数十万，对伯颜擅权构成了有力的震慑。伯颜为巴结郯王，于后至元四年（1338年）郯王回京朝见时，为其子向郯王之女求婚，被拒绝，恼怒之余遂起杀心。次年，暗里派人说动昌王沙蓝朵儿只，诬告郯王谋反。郯王被"征下枢密院狱，鞫其家奴，无一验者。十二月□□，杀郯王光熙门外"。⑦

四、营王、宁王家族镇守漠北

郯王被杀后，出镇漠北的诸王可能是营王、宁王家族。

云南王忽哥赤之子也先帖木儿（Esen Temür），于至元十七年（1280年）十月，袭封云南王。至大元年（1308年）正月，也先帖木儿晋封营王。泰定四年（1327年）二月，营王也先帖木儿出镇北边。⑧ 致和元年（1328

① 《元史》卷31《明宗本纪》，第695页。
② 《元史》卷33《文宗本纪》二，第727页。
③ 《元史》卷33《文宗本纪》二，第734、740页。
④ 《元史》卷35《文宗本纪》四，第777页。
⑤ 《元史》卷37《宁宗本纪》，第813页。
⑥ 权衡著，任崇岳笺证：《庚申外史笺证》，第17页。
⑦ 《危太仆续集》卷8《夏侯尚玄传》；《全元文》卷1476，第48册，第385页。
⑧ 《元史》卷30《泰定帝本纪》二，第677页。

年）九月，两都战争爆发，营王也先帖木儿站在上都方面，从诸王、将帅攻大都。上都方面兵败后，营王也先帖木儿被夺爵收印。接着，上都方面的诸王秃坚逃到云南，在云南发动了反对文宗的叛乱。天历三年（1330 年）二月，文宗被迫"以兵兴"之故，将拘收的"也先帖木儿、搠思监等印还给之"。① 也先帖木儿应是继续镇守在漠北。明洪武二十年（1387 年），冯胜、蓝玉攻辽东。六月，纳哈出降明。七月，"纳哈出所部营王失剌八秃等来降。先是，纳哈出既降，营王失剌八秃等以病在道相失，至是与云安王蛮吉儿的、郡王桑哥失里、和尚国公等来降。"② 营王失剌八秃应是营王也先帖木儿的儿子或孙子，可能也先帖木儿在泰定年间出镇北边以后，其家族一直北边，元亡后，嗣王失剌八秃归到纳哈出旗下。笔者还没有见到过别的关于元代云安王这个爵号的材料，推测可能是云南王之误，因为也先帖木儿家族本来有云南王爵号。

元末，宁王阔阔出家族重新出镇漠北。《元史·顺帝本纪》记载：至正十三年十二月"己亥，宁王旭灭该还大斡耳朵思，赐金系腰一、钞一千锭。"③《元史·宗室世系表》对宁王阔阔出一系只记载到彻彻秃与阿都赤兄弟，不知旭灭该与宁王彻彻秃与阿都赤是什么关系。阔阔出家族的分地应在漠北，当初阔阔出作为庶子随那木罕出镇漠北，可能阔阔出的分地与那木罕分地相连。大德三年六月，甘麻剌派家臣塔察儿去四川行省，索要至元七年从成吉思汗的忽阑皇后斡耳朵民户中签发入军的 253 名汉军，其中有"那木罕、阔阔出太子每的户计也那说将来呵"之语，似是将那木罕、阔阔出当做一个投下来看待的。④ 上述推测的佐证是《岭北行省右丞郎中总管收粮记》。此碑是 19 世纪末俄国拉德洛夫（Radloff）探险队发现的，碑在今蒙古国额尔德尼召内三庙内，是一方蒙汉合璧碑。碑阳面有 22 行汉文和 5 行畏兀儿体蒙古文，碑阴有汉文和 4 行畏兀儿字蒙古文。最近，日本学者松川节先生解读了蒙古文碑文，其中碑阳的碑文中有宁王旭灭该。碑阳的碑文是

① 《元史》卷 34《文宗本纪》三，第 752 页。
② 《明太祖实录》卷 183，第 2757 页。
③ 《元史》卷 43《顺帝本纪》六，第 912 页。
④ 郭成伟点校《大元通制条格》卷 2《户令》。法律出版社 2000 年版，第 21 页。

松川节先生据拉德洛夫的拓影的内容（但没有提示碑额）释读的，因为不是据原碑，松川节先生自称只是"暂时性的结果"。① 据此碑的碑阳蒙古文译成汉语碑称大斡耳朵里的旭灭该宁王统治的青色的城里居住的人们，说明元末确实由宁王接管了成吉思汗的大斡耳朵。据碑文的汉文部分可知，此碑立于"至正戊子秋八月"，即至正八年八月。此时离至正十三年十二月宁王旭灭该还大斡耳朵思，受赐的记载已有五年。

结语 因为漠北屯列大军几十万，总兵宗王一要有杰出的军事才干，二要为大汗宠信，在元朝前期非皇子皇孙莫属。② 元代最先出镇漠北的是忽必烈之子那木罕，忽必烈的庶子阔阔出也曾统兵漠北。其后是太子真金系的晋王家族与真金嫡孙海山。武宗朝以后，一方面是元朝与西北诸王的约和，漠北趋于宁静。同时，漠北行政体制的逐步健全，岭北行省接管了部分漠北防务，镇边诸王举足轻重的作用有所减弱。另一方面，随着皇室内部争夺汗位斗争的激化，元朝大汗对手握重兵的镇北诸王的防范，明显加强。武宗时期，除了分藩漠北的晋王继续镇守在漠北，似乎未派总兵北边的诸王。仁宗以驸马代宗王总兵漠北，更是利用驸马家族所部实为大汗的私属，驸马家族的实力大不如宗王，驸马家族极少反叛大汗这一特点。英宗以后启用比较疏远的宗王郯王守边，泰定帝时除命郯王继续戍守漠北外，还命梁王王禅、营王也先帖木儿出镇北边。英宗朝与泰定朝的情况也可能与汗室当时嫡系子孙不昌，皇子幼小有关。但仍然有以大汗亲近的宗王出镇北边的趋势。在元朝与西北诸王对抗严重的时候，真金太子与时为皇孙的铁穆耳衔"皇太子宝"抚军漠北。总之，终元一代，亲王出镇漠北的制度一直沿续下来。出镇亲王在维护以忽必烈系为核心的元朝政权的稳定方面，与朝廷休戚与共，利益一致。无论是抵御叛乱，还是节制远支宗室，出镇宗王都竭诚充当元朝的藩屏垣墙，其意义重大。

元代漠北军事防御的对象是西北诸王，即察合台、窝阔台、尤赤三兀鲁

---

① 松川节撰，宫海峰译：《哈剌和林出土的 1348 年汉蒙合璧碑文——〈岭北行省右丞郎中总管收粮记〉》，《元史及民族与边疆研究集刊》第 18 辑，上海古籍出版社 2006 年版。

② 参见《元代分封制度研究》，第 194—210 页。

思（武宗以后，窝阔台兀鲁思灭亡）。尤赤兀鲁思与伊利汗国与元朝的关系比较好，所以主要防御的是察合台、窝阔台两兀鲁思汗及其诸王。察合台与窝阔台后王在至元初到成宗大德七年与元朝约和之前，在西北边境与元朝对抗了40余年，发生了多次战争，元朝不得不在边境部署大量兵力防御。大德七年（1303年），西北诸王与元朝约和，漠北基本归于安定。① 武宗至大年间，窝阔台汗国在察合台汗国的进攻下灭亡，其兀鲁思汗察八儿投归元朝。元朝边境的压力大为减轻。虽然元代总兵漠北的诸王未见得有多么杰出的军事才干，但他们代表大汗统兵镇戍，监督军政。而西北各汗国虽常与元朝分庭抗礼，但他们都把元朝皇帝视为所有蒙古汗国的宗主，元朝与各汗国都是成吉思汗家族内部的支藩。《句容郡王世绩碑》记载，大德年间都哇、察八儿、明里帖木儿等诸王商议道："昔太祖艰难以成帝业，奄有天下，我子孙乃弗克靖以安享其成，连年动兵，以相残杀，是自伤祖宗之业也。今抚军镇边者，世祖之嫡孙也，吾与谁家争哉？……不若遣使请命罢兵，通一家之好，使吾士民老者得其养，少者得其长，伤残疲惫者得其休息焉。则亦无负太祖之所望于子孙者矣。"② 延祐元年（1314年），察合台兀鲁思汗也先不花兴兵内寇，对被他囚禁的元朝派往伊利汗国的使者拜住元帅说："我已入汝境土矣。"拜住说："兄弟之国无内外，彼地亦王地，王往何所疑？"③ 关于元朝与西北诸汗国这种关系的记载不仅存于汉文史料，也存于波斯文史料中。《完者都史》记载，延祐初年，也先不花汗与元朝关系恶化，为了取得尤赤兀鲁思汗月即别的支持，就挑拨元朝与月即别的关系，说元朝大汗认为月即别不宜为尤赤兀鲁思汗，要另立其他诸王为汗。月即别产生了疑惑，而月即别的一位大臣则劝谏月即别不要反叛元朝大汗，只有服从大汗，才有权统治兀鲁思。④ 以上诸史实说明，当时在西北诸王的意识中，元朝皇帝是所有蒙古汗国的宗主。因此，若将元朝诸王出镇漠北的体系视为一般意义上的国与国之间的防御体系，是不符合历史事实的。正因为元朝与西北诸汗国

---

① 参见陈得芝：《岭北行省建置考》（下），《蒙元史研究丛稿》，第176页。
② 《道园学古录》卷23《句容郡王世绩碑》，第23页。
③ 《清容居士集》卷34《史母程氏传》，第512页；《全元文》卷731，第551页。
④ 《完者都史》第145、146页，转引自《察合台汗国史研究》，第389页。

是"兄弟之国"，按照蒙古的家族既共产又析出的传统，宗王出镇漠北比一般将帅更具有与西北诸王分庭抗礼的资格。

　　漠北的总兵诸王手握重兵，对元朝汗权的归属具有重要影响。成宗铁穆耳、武宗海山、泰定帝也孙铁木儿都是以漠北总兵诸王的身份夺取汗位的。后来武宗的长子和世瑓逃到西北察合台后王处，积蓄了一些兵力，也欲效法其父凭武力问鼎汗位，可惜他并不是总兵诸王，不能调动漠北的军队，以至于被毒死。

第　十　章

元代的东道诸王及其兀鲁思

第一节　元代的东道诸王及其兀鲁思

元代东道诸王，是指成吉思汗的四个弟弟合撒儿、合赤温、别里古台、铁木哥·斡赤斤以及他们的后裔。成吉思汗的四个弟弟，除二弟合赤温早逝外，其余三人与成吉思汗戮力同心，共取天下，奠定了东道诸王在蒙古帝国及元朝的崇高地位的基础。成吉思汗建国后对子弟进行分封，他的四个弟弟及其后裔也成为世袭的统治家族，与成吉思汗的四个嫡子家族一起，形成元朝八大世袭的兀鲁思。东道诸王兀鲁思，主要属民是蒙古人，后来加入不少蒙古化的女真·兀者人。东道诸王兀鲁思的牧地在蒙古高原东部及其迤东的大兴安岭、嫩江流域——这里本来就是蒙古民族及其先人的故地。东道诸王，即因其在蒙古高原东部而得名，而与兀鲁思在蒙古高原西部及其迤西的成吉思汗的儿子们，即西道诸王相对而称。因为东道诸王兀鲁思邻近中原，与中原利益攸关，因此在中统初年忽必烈与阿里不哥争夺汗位的斗争中，以塔察儿为首的东道诸王支持忽必烈，成为忽必烈夺得汗位的重要武力后盾与道义支柱，从而在忽必烈的新政权中进一步巩固了东道诸王的政治地位。至元中后期，随着全国的统一、元朝政权的巩固，忽必烈开始削弱、限制诸王投下的权力，加强中央集权，以大汗为代表的中央政府与以东道诸王为代表的地方势力的矛盾激化，东道诸王乃颜等人发动叛乱。元朝政府迅速平定叛乱，并借此机会从各方面削弱了东道诸王的势力，使他们的分地虽然还是世袭的兀鲁思，但其独立性远不如西道诸兀鲁思，而只能服从元朝中央政府的管理。由于与忽必烈及其后裔为统治者的元朝政权利害、恩怨关系密切，东道诸王没有像西道诸王一样最终走上独立发展的道路，而成为后来蒙古民族共同体的重要组成部分。①

一、成吉思汗诸弟与大蒙古国的建立

合撒儿 拙赤·合撒儿，也速该次子，成吉思汗同母弟，出生于甲申猴年（1164年）。② 1170年，合撒儿只有7岁时，父亲也速该被塔塔儿人毒死，部众被泰亦赤乌氏夺走，孛儿只斤家族受到重挫。合撒儿随母亲与兄弟们在斡难河河源附近以渔猎为生。不久，泰亦赤乌部来抓铁木真，合撒儿射箭抵抗，使家人安全撤退。③ 后来，合撒儿陪同成吉思汗前往客烈亦惕部，依附王罕，以求得庇护。

1179年，铁木真一家遭到三姓篾儿乞人袭击，铁木真之妻孛儿帖被抢走。合撒儿、别里古台陪同铁木真前往土拉河向王罕求援。接着，合撒儿、别里古台又到豁儿豁纳黑·主不儿地方，向札木合搬兵。王罕与札木合各带兵2万，助铁木真击败了篾儿乞人，夺回了孛儿帖。12世纪80年代初，阿勒坛等人在阔阔海子推戴铁木真为蒙古乞颜氏汗，铁木真乃委派合撒儿统领忽必来等三人为佩刀侍卫，令他们要"斩断逞强者的颈，刺穿逞勇者的胸。"④ 不久，铁木真与札木合之间进行了十三翼之战，合撒儿同母亲及诸弟组成一翼参战。约在1199年，成吉思汗与王罕共同击败乃蛮部的不亦鲁黑罕。王罕对成吉思汗的壮大已心怀戒备，回军途中，王罕受札木合的离间，趁夜里宿营时，乃虚燃烟火率军离去。成吉思汗在合撒儿的护卫下回军撒阿里川，并与合撒儿商量，分析、了解了乃蛮的大致情况，为后来击败乃

---

① 本节多处采撷自：玉芝博士的博士学位论文《蒙元东道诸王及其后裔所属部众历史研究》，内蒙古大学2006年博士学位论文，下文不再一一作注；白寿彝主编：《中国通史》第8卷《中古时代·元时期》下册《丁编传记》第2章《拙赤合撒儿 按赤台 铁木格斡赤斤 别里古台》。

② 余大钧译注：《蒙古秘史》第60节说："帖木真九岁时，合撒儿七岁。"

③ 余大钧译注：《蒙古秘史》，第79节。

④ 余大钧译注：《蒙古秘史》，第124节，第152页。

蛮部奠定了基础。① 1203 年，成吉思汗与王罕彻底决裂，双方在合兰真沙陀（在今内蒙古东乌珠穆沁旗北境）展开激战，成吉思汗在这一战役中严重受挫，被迫退到班朱尼河，只剩下 2 600 人（一说 4 600 人），储粮俱尽，情势十分危及。② 当时"合撒儿别居哈剌浑山（今大兴安岭），妻子为汪罕所虏"，③ 他听到铁木真身陷险境，便把自己的妻子和两个儿子也古、也松格留在王汗处，只带着幼子和少数几个那可儿逃出来，吃生皮和筋度日，④ 在班朱尼河找到了成吉思汗。合撒儿的到来令成吉思汗非常高兴，遂商量让合撒儿向王罕派使者诈降，谎称合撒儿因顾念妻、子愿意投降王罕。王罕信以为真，于是成吉思汗、合撒儿趁王罕放松警惕之机，率军突袭，激战三昼夜，打垮了王罕的军队。合撒儿在成吉思汗落败时的表现，足见其忠诚、勇敢、善谋的个性。合撒儿的参与和谋划，为成吉思汗迅速打垮王罕起到了关键性的作用。

1204 年，成吉思汗与乃蛮部的太阳汗在纳忽昆山（今鄂尔浑河东、土拉河西）进行决战，成吉思汗命合撒儿领中军，担负着统率中军的重任。合撒儿表现英勇，此役灭掉了太阳汗，消灭了铁木真统一蒙古高原的最后一个劲敌，漠北统一。

合撒儿勇力过人，特别善射。《蒙古秘史》记载，札木合对太阳汗称赞合撒儿说："用人肉养来，身有三度长，吃个三岁头口，披三层铁甲，三个强牛拽着来也，他将带弓箭的人全嚼呵，不碍着喉咙，吞一个全人呵，不勾点心。怒时将昂忽阿的箭隔山射呵，十人二人穿透。大拽弓，射九百步；小拽弓，射五百步。"⑤《史集》也说，合撒儿"力气［很大］，能用双手抓起一个人，将他像支木箭般地折成两半，将他的脊椎骨折断。"⑥ 这些记载虽不乏夸张成分，却也生动地反映出合撒儿勇力过人、箭术高超。成吉思汗曾

---

① 《史集》（汉译本）第 1 卷第 2 分册，第 149—155 页。

② 《元史》卷 120《札八儿火者传》，第 2960 页；余大钧译注：《蒙古秘史》，第 175 节；《史集》（汉译本）第 1 卷第 2 分册，第 172 页。《元史》此处有误，应是 18 人，即所谓"十八功臣"，加上成吉思汗才 19 人。

③ 《元史》卷 1《太祖本纪》，第 11 页。

④ 余大钧译注：《蒙古秘史》，第 183 节。

⑤ 余大钧译注：《蒙古秘史》，第 195 节，《四部丛刊》三编本，中华书局 1985 年版。

⑥ 《史集》（汉译本）第 1 卷第 2 分册，第 65 页。

说："有别里古台之力，合撒儿之射，此朕之所以取天下也。"①

大蒙古国建立后，合撒儿与成吉思汗的关系开始发生实质性的转变。由原来的兄弟血缘关系转变成以君臣关系为主、以兄弟关系为辅的政治关系。合撒儿与成吉思汗之间开始出现矛盾，或者说，他们以前曾经存在着的一些分歧开始突显出来。作为成吉思汗的同母弟和得力助手一起打天下时，合撒儿与成吉思汗齐心协力，共渡各种难关。但两人有过一些误解和冲突。如1201 年，成吉思汗与盟友札木合决裂后，札木合联合了蒙古草原上的 12 个部落，准备突袭成吉思汗。弘吉剌部本想投靠成吉思汗，但合撒儿不知其意，劫掠了弘吉剌部，弘吉剌部便投奔了札木合。于是"成吉思汗生拙赤·合撒儿的气，认为责任在他。"② 蒙古灭掉塔塔儿部时，因为两部有世仇，成吉思汗规定凡比车辖高的塔塔儿人都要杀光。其中，给合撒儿 1 000个塔塔儿人，让他全部杀掉。但合撒儿出于同情，只杀了 500 个，而隐藏了其余 500 个。成吉思汗知道后大发雷霆，说这是合撒儿所犯的罪过中的一条。③ 合撒儿为此事可能还离开过成吉思汗，《史集》说："尽管在与王汗交战时，他（合撒儿——引者注）曾离开过他（成吉思汗——引者注）。"《元史》也说，王罕与铁木真交战时，合撒儿"别居哈剌浑山"。④

合撒儿既有谋略，又能征善战，在蒙古人中有一定的影响力，成吉思汗对他很可能存有戒心。《史集》记载，在成吉思汗登汗位之前，巴牙兀惕部有位贤明的老人，分析当时几个想统一蒙古高原登临汗位的部长时说："乞牙惕·禹儿勤部的薛扯别乞想登大位，但他没有这个［福］分。札木合薛禅经常让人们互相冲突，行使种种口是心非的奸计来推进［自己的］事业，也没能成功。拙赤·八剌（即成吉思汗的兄弟拙赤·合撒儿）也有这种野心，他倚仗自己的力气和神射，但也不成功。"⑤ 这说明，当时有一些蒙古人认为合撒儿有意于汗王之位，这对成吉思汗来说是十分忌讳的。成吉思汗

---

① 《元史》卷 117《别里古台传》，第 2905 页。

② 《史集》（汉译本）第 1 卷第 2 分册，第 161 页。《史集》此处记载铁木真受合撒儿挑拨而抢掠了弘吉剌部，弘吉剌部因此投奔别部了。

③ 《史集》（汉译本）第 1 卷第 1 分册，第 172 页；余大钧译注：《蒙古秘史》，第 154 节。

④ 《史集》（汉译本）第 1 卷第 2 分册，第 65 页；《元史》卷 1《太祖本纪》，第 11 页。

⑤ 《史集》（汉译本）第 1 卷第 2 分册，第 161 页。

称汗不久之后发生的帖卜腾格里事件，则将成吉思汗与合撒儿的矛盾推到了顶点。晃豁坛氏蒙力克，实际上是成吉思汗的继父，他有七个儿子，第四子帖卜腾格里是萨满巫师。帖卜腾格里利用萨满教在蒙古人心中的崇高地位，在成吉思汗兴起时，经常对成吉思汗说："神命你为普世的君主！"在1206年的忽里勒台大会上，帖卜腾格里又给铁木真献上尊号"成吉思汗"。① 帖卜腾格里为成吉思汗的汗权大造舆论，大大强化了成吉思汗的权力，从而为成吉思汗立下了大功劳。蒙古建国后，帖卜腾格里受到成吉思汗的宠遇，帖卜腾格里权势嚣张，挑拨皇族关系。《蒙古秘史》第244节记载，帖卜腾格里竟然无端将合撒儿殴打一番，成吉思汗竟然没有为合撒儿说话，合撒儿因此对成吉思汗不满。帖卜腾格里随后又对成吉思汗宣布了一个别有用心的天命：大意是"长生天有旨，宣示［谁应当］为汗的神谕：一次命帖木真执掌国政，一次命合撒儿执掌国政，如果不及早对合撒儿下手，今后会怎么样就不知道了。"成吉思汗将这一预言与以前对合撒儿的猜忌联系起来，认定合撒儿要夺权。于是，当天夜里他就把合撒儿抓起来审问，欲加治罪。诃额仑夫人闻讯赶来，她斥责成吉思汗说："我的合撒儿有力气，能射，射得他们陆续来投降，远射出去，使惊走的敌人前来投降。如今已讨平了敌人，你的眼里就容不得合撒儿了！"② 成吉思汗被迫释放了合撒儿。但对合撒儿的猜忌并未消除，他背着诃额仑夫人，夺走了分封给合撒儿的大部分百姓，只给合撒儿留下了1 400户，可能是夺走了两个大千户，而留下了两个小千户。而当时成吉思汗派去协助合撒儿管理府事的札剌亦儿人者卜客，因为害怕受牵连，"惊惧地逃到巴儿忽真地方去了"。由此可见，合撒儿与成吉思汗的矛盾一度很尖锐。

　　1213年，蒙古发兵攻金。合撒儿与斡陈（即斡赤斤）等主左军攻取蓟州、平、滦、辽西诸郡。合撒儿曾随成吉思汗伐西夏，《元史·李恒传》："太祖经略河西，有守兀纳剌城者，夏主之子也，城陷不屈而死。子惟忠，方七岁，求从父死，主将异之，执以献宗王合撒儿，王留养之。及嗣王移相

---

　　① 《史集》（汉译本）第1卷第2分册，第208页；《史集》（汉译本）第1卷第1分册，第273页。

　　② 参见余大钧译注：《蒙古秘史》第244节，第404页。

哥立，惟忠从经略中原，有功。淄川王分地，以惟忠为达鲁花赤，佩金符。"① 合撒儿，当在 1215 年左右去世。

尽管与成吉思汗有矛盾，合撒儿凭借其在建国过程中的不朽功勋与蒙古的传统习惯，仍然在蒙古政权中享有崇高的地位。《史集》说成吉思汗对合撒儿特别开恩，"在所有的兄弟和侄儿之中［特别看重他］，按照作为兄弟和宗王在习惯上应得的权利，将［崇高的］官位和封号授予他和他的儿子们。直到现今，在全体叔伯和堂兄弟之中，成吉思汗的兀鲁黑只让掘赤·合撒儿的兀鲁黑坐于宗王之列，其余都坐于异密之列。"②

别里古台　别里古台是成吉思汗的异母兄弟，应当是也速该的第四子③。《元史》与《史集》记载别里古台是也速该第五子，是据其庶子地位而论的，而非按年龄而定。除别里古台外，其母还生有一子别克帖儿，④ 年长于别里古台。也速该死后成吉思汗一家陷入困顿之中，年少的铁木真、合撒儿与别克帖儿、别里古台两对同父异母的兄弟争夺食物，别克帖儿、别里古台两兄弟抢走了铁木真、合撒儿钓得的鱼和射得的雀儿，于是铁木真、合撒儿就背着母亲射死了别克帖儿，别克帖儿临死嘱咐铁木真要善待别里古台，铁木真心中自然也有愧意，日后，别里古台得到了成吉思汗的照顾，成吉思汗对别里古台予以重用与信任。

《元史·别里古台传》称别里古台"幼从太祖平诸部落"，"天性纯厚，明敏多智略，不喜华饰，躯干魁伟，勇力过人。"也速该死后，泰亦赤乌部来抓铁木真，铁木真逃往密林，别里古台在密林内砍伐木头搭成寨子，将弟弟、妹妹合赤温、帖木格、帖木仑三个藏在崖缝里，使他们脱险。为躲避泰亦赤乌人的侵害，铁木真一家迁徙到桑古儿河的阔阔纳浯儿，别里古台打猎来帮助维持一家生计。⑤ 不久，铁木真一家遭到三姓篾儿乞人的袭击，别里

①　《元史》卷 129《李恒传》，第 3155 页。
②　《史集》（汉译本）第 1 卷第 2 分册，第 66 页。
③　余大钧译注：《蒙古秘史》，第 79 节记载："别里古台于密林内将木头折折，札做寨子。又将合赤温、帖木格、帖木仑三个小的藏在崖缝里。"又第 90 节中记载，铁木真的马被偷，合撒儿、别里古台、铁木真三兄弟争着去追，这也从侧面说明当时合赤温、帖木格比较小，家事主要由三位稍长的兄弟打理。
④　参见《元史》卷 117《别里古台传》，第 2905 页；《史集》（汉译本）第 1 卷第 2 分册，第 73 页。
⑤　参见余大钧译注：《蒙古秘史》，第 79、89、90 节。

古台的母亲及铁木真的妻子被篾儿乞人掳走，别里古台随铁木真、合撒儿前往土拉河的黑林拜见王罕，又同合撒儿去豁儿豁纳黑·主不儿地方见札木合，借助他们的兵力，在不兀儿刺客额儿大败篾儿乞人。据说，这时别里古台的母亲觉得无颜见儿辈，遂逃到林中，再也找不到她了。别里古台未接到母亲，一怒之下射杀篾儿乞男人 300，把他们的妻子们"可以做妻的做了妻，做奴婢的做了奴婢。"①

铁木真做了乞颜氏的汗以后，即命"弟别里古台与合剌勒歹脱忽剌温二个掌驭马"。随后，在斡难河的宗族宴会上，别里古台掌铁木真的乞列思（即从马）事。主儿乞氏人不里孛阔的随从偷盗马缰，被别里古台拿住。不里孛阔袒护自己的随从，斫伤了别里古台肩胛。别里古台不以为意，流血行走之间，树荫下的成吉思汗看见了，寻问如何被伤成这样？别里古台说："我没伤着了，不要为了我，造成兄弟之间失和。"② 此事可见别里古台能忍辱负重、顾全大局。后来，成吉思汗灭主儿乞，杀薛扯别乞和泰出，不里孛阔投降成吉思汗。不里孛阔号称"一国不及之力"，十分自大，成吉思汗命之与别里古台相搏，趁不里孛阔故意示弱时，成吉思汗暗示别里古台除掉了不里孛阔，以报复这位堂叔在战争中不支持自己之仇。③ 蒙古部与塔塔儿部有世仇，1202 年击败塔塔儿后，成吉思汗命令将比车辖高的塔塔儿男子全部杀掉，别里古台无意间泄露了这一消息，塔塔儿遂进行坚决抵抗，使蒙古部人伤亡不少。于是，成吉思汗下令："自家一族里商量大事，因别里古台泄漏了，所以军马被伤，死者甚多。今后议大事，不许别里古台人来，只教他在外整治斗殴、盗贼等事，议事后，进一盏酒毕，方许别里古台、答阿里台人来。"④ 这就是《元史·别里古台传》所说的成吉思汗把别里古台"立为国相，又长扎鲁火赤。"别里古台因此成为蒙古国的第一任扎鲁忽赤，即断事官。成吉思汗在蒙古高原东部的崛起，震惊了蒙古高原西部势力强大的乃蛮部，其部长太阳汗不能容忍铁木真成为强大的对手，于是率部来攻铁木

---

① 余大钧译注：《蒙古秘史》，第 98、99、101、104、105、112 节。
② 余大钧译注：《蒙古秘史》，第 124、131 节。
③ 余大钧译注：《蒙古秘史》，第 140 节。
④ 余大钧译注：《蒙古秘史》，第 154 节。

真，成吉思汗为是否应战犹豫不决，最后听从别里古台的劝告，迎击乃蛮。1204 年，在纳忽昆地方大败太阳汗，取得统一蒙古高原的最后胜利。①

　　成吉思汗死后，别里古台以东道诸王的身份参加了在克鲁伦河畔举行的窝阔台即位的忽里勒台。别里古台很长寿，《史集》甚至夸张地说他活了110 岁。蒙哥汗曾听从别里古台的劝告，取消了忽必烈的军事指挥权。② 宪宗元年（1251 年）六月，"西方诸王别儿哥、脱哈帖木儿，东方诸王也古、脱忽、亦孙哥、按只带、塔察儿、别里古带"等大会于阔帖儿阿阑之地，举行忽里勒台，推举蒙哥即汗位。③

　　在蒙古建国过程中，成吉思汗五兄弟中，合撒儿、别里古台对成吉思汗的帮助最大。但合撒儿受到成吉思汗的猜忌，而别里古台作为庶出兄弟，始终唯成吉思汗马首是瞻，成吉思汗也因为蒙古的习惯所在，不必担心别里古台会威胁他的汗权，因此对别里古台反而信任有加。因为别里古台的功勋，成吉思汗分封时，其虽为庶弟，但同样得到了"忽必"，即份子。

　　合赤温　合赤温是成吉思汗的四弟。《蒙古秘史》第 60 节说："帖木真九岁时……合赤温五岁。"则合赤温生于丙戌狗年（1166 年）。由于合赤温早逝，史书上很难见到关于他的记载。④ 蒙古建国后，成吉思汗分封时，合赤温一支是由其子按赤台受封的。

　　铁木哥斡赤斤　铁木哥斡赤斤是成吉思汗幼弟。《蒙古秘史》第 60 节记载："帖木真九岁时……帖木格三岁"。则铁木哥斡赤斤生于戊子鼠年（1168 年）。铁木哥是人名，斡赤斤是称号。斡赤斤又译写斡惕赤斤、窝嗔、斡辰、斡陈、斡真等。按蒙古旧俗，儿子们成人后各分一份家产另立门户过日子，唯幼子留在父母身边，将来由他继承家业，故多称守产幼子为斡赤斤。元代史料经常仅以斡赤斤称成吉思汗幼弟而不名之，大概就因为他经常

　　① 余大钧译注：《蒙古秘史》，第 190 节。
　　② 《史集》（汉译本）第 2 卷，第 268 页。
　　③ 《元史》卷 3《宪宗本纪》，第 44 页。
　　④ 余大钧译注：《蒙古秘史》，第 124 节说到：铁木真做了汗以后，"教字斡儿出弟斡歌来同合赤温、哲台、多豁勒忽四人带了弓箭……"。余大钧认为此"合赤温"为札剌亦儿部合赤温，有道理。有论者认为此"合赤温"即是成吉思汗的四弟，不妥。如《蒙古秘史》同在第 124 节提到成吉思汗的长弟合撒儿、四弟别里古台时都在他们的名字前面加称"弟"，以示亲疏之别。

以幼弟身份据守老营。①

1204 年，乃蛮部太阳汗将要进攻铁木真。铁木真在驻夏地帖麦该川（在洮儿河上游支流特们河流域）召集忽里台大会商讨对策，部属中有人主张待秋天马肥时再出兵。斡赤斤与异母兄弟别里古台坚决主张抓住战机出兵，铁木真遂决心及时进兵。在纳忽昆山与乃蛮部的决战中，斡赤斤受命负责管理供铁木真阵前替换骑乘的从马。按蒙古"国法"，"常以腹心"之人掌从马。② 可见斡赤斤是很受铁木真信任的。

成吉思汗建国初期，晃豁坛氏的萨满巫师帖卜·腾格理阔阔出挑衅成吉思汗的汗权。阔阔出兄弟先是殴打合撒儿，继而，离间成吉思汗与合撒儿的关系，还到处收集百姓，"九种语言的百姓都聚集到了帖卜·腾格理那里。"斡赤斤向阔阔出提出要收回走失的份民，结果阔阔出兄弟逼斡赤斤下跪悔过。经成吉思汗授意，在阔阔出等人奉命来见成吉思汗时，斡赤斤布置了 3 个力士，当场打死阔阔出。成吉思汗的汗权得到了巩固③。1211 年，成吉思汗统兵南下攻金。1213 年秋季，蒙古兵分三路，扫荡中原诸州县，斡赤斤与合撒儿一起领左军，破蓟州（今河北蓟县）、滦州（今河北滦县）、平州（今河北卢龙）及辽西诸郡。④ 1215 年，攻下中都。1219 年至 1224 年，成吉思汗西征时，斡赤斤以幼弟身份留守漠北大营。⑤ 当时全权负责经略中原汉地的木华黎，名义上也在他的节制之下。汉文史料称："皇弟斡真那颜统治中原"；⑥ 穆斯林史料中提到："他（按：指成吉思汗）把契丹境内的土地分给他的兄弟斡赤斤那颜及几个孙子"⑦。在成吉思汗西征期间，斡赤斤开始染指高丽，他多次以"皇太弟、国王"的名义发令旨到高丽招谕，或"趣其贡献"，或"察其纳款之实"。⑧ 《高丽史》记载：高宗八年（1221

---

① 参见白寿彝主编：《中国通史》第 8 卷《中古时代·元时期》下册《丁编传记》第 2 章第 3 节《铁木哥斡赤斤（附塔察儿）》。

② 参见余大钧译注：《蒙古秘史》，第 190、195 节；《圣武亲征录》，《王国维遗书》本，第 53、54 页；《元史》卷 117《别里古台传》，第 2905 页。

③ 参见余大钧译注：《蒙古秘史》，第 244、245 节。

④ 参见《圣武亲征录》，《王国维遗书》本，第 66 页。

⑤ 参见余大钧译注：《蒙古秘史》，第 254 节。

⑥ 《金华黄先生文集》卷 25《合剌普华神道碑》。

⑦ 《世界征服者史》（上册），第 45 页。

⑧ 参见《元史》卷 208《外夷传》一《高丽》，第 4608 页。

年）八月，斡赤斤向高丽国索取"獭皮一万张、细绸三千匹、细苎一千匹、绵子一万斤、龙团墨一千顶、笔二百管、纸十万张、紫草五斤、红花、蓝荀、朱红各五十斤，雌黄、光漆、桐油各十斤"① 等。1224 年秋，斡赤斤来到额尔齐斯河流域的不合·速·只忽地方，迎接西征归来的成吉思汗。成吉思汗在那里举行了大宴，由于该地土质很松，尘土飞扬，因此成吉思汗下令，让每个人都搬取石头掷到他的斡耳朵和营地上。大家都掷了石头，而斡赤斤却不掷石头，只掷了些树枝。为此，成吉思汗责备了斡赤斤。加上围猎时，斡赤斤又迟到了一会儿。成吉思汗发怒，七天内不许他进斡耳朵来。② 术赤死后，成吉思汗命斡赤斤去术赤兀鲁思处理善后事，宣布术赤次子拔都为术赤兀鲁思汗。③ 太宗元年（1229 年）八月，斡赤斤与拖雷、察合台一起，作为最有资格推戴新大汗的亲王，在怯绿连河曲雕阿兰成吉思汗大斡耳朵主持了窝阔台继承汗位的典礼。《史集》描写道："察合台、拖雷和斡赤斤分别护持着窝阔台的右手、左手和腰部，把他扶上了合罕的大位。"④

太宗二年（1230 年）七月，南伐金国，斡赤斤是统帅之一。1231 年，大名守将苏椿叛归金朝，大名路安抚使王珍与元帅梁仲先发兵攻苏椿，苏椿逃遁。"国王斡真授仲行省，珍骠骑卫上将军、同知大名府事、兼兵马都元帅。""顷之，仲死，国王命仲妻冉守真权行省事，珍为大名路尚书省下都元帅，将其军。"⑤ 1232 年，蒙古军攻占徐州，"皇太弟国王驻兵河上……"⑥

1241 年，窝阔台死。其子贵由及蒙哥还未从西征途中返回蒙古。据《史集》记载，窝阔台死后，斡赤斤欲乘机夺取汗位，遂率大军从自己的兀鲁思趋向汗廷。脱列哥那闻讯后遣使质问。斡赤斤临事迟疑，又闻贵由引军回朝已至叶迷立，于是很快撤回自己的分地。⑦ 1246 年，贵由汗即位后，委

---

　　① 《高丽史》卷 22《高宗世家》。

　　② 《史集》（汉译本）第 1 卷第 2 分册，第 316 页。

　　③ 《突厥世系》，汉译本第 163 页；参见《元史》卷 1《太祖本纪》，第 23 页；卷 152《王珍传》，第 3592 页。

　　④ 参见《史集》（汉译本）第 2 卷，第 29 页；《元史》卷 2《太宗本纪》，第 29 页。

　　⑤ 《元史》卷 152《王珍传》，第 3592 页；卷 152《杨杰只哥传》，第 3594 页。

　　⑥ 《元史》卷 152《杨杰只哥传》，第 3594 页。

　　⑦ 参见《世界征服者史》（上册），第 285 页；《史集》（汉译本）第 2 卷，第 212、218 页。

任蒙哥与尤赤之子斡儿答审理这一起未遂的篡位事件，一说斡赤斤受审后被处死；一说斡赤斤并未被处死，而是"全寿而终"。① 屠寄等人以为斡赤斤属善终，当死于 1246 年至 1247 年之间。②

斡赤斤死后，脱列哥那决定由斡赤斤孙塔察儿继承其王位。欧阳玄《高昌偰氏家传》记载，成吉思汗幼弟斡赤斤死后，必阇赤兼领王傅事撒吉思、火鲁和孙曾奏报皇后帖列聂（脱列哥那）氏，"乃授塔察以皇太弟宝，袭爵为王。"③ 由此看来，斡赤斤曾被成吉思汗授以"皇太弟宝"的印鉴。按蒙古习俗，诸子中以嫡长子与嫡幼子地位最高，斡赤斤作为也速该的嫡幼子、成吉思汗的嫡幼弟，受此封是完全可能的。这枚"皇太弟宝"印鉴由斡赤斤传给其子孙。斡赤斤及其子弟还有"国王"的称号。《元史·宗室世系表》云："列祖神元皇帝，五子：长太祖皇帝；……次四铁木哥斡赤斤，所谓皇太弟国王斡嗔那颜者也。"④《元史·高丽传》中多次出现"皇太弟、国王"的提法。⑤ 1978 年，黑龙江省宝清县出土了一枚铜质"管民千户之印"，上有"塔察国王发"，"甲寅年（1254 年）六月　日造"字样⑥。至正末年成书的《南村辍耕录》也记载斡赤斤为"铁木哥斡赤斤国王"。⑦ 从斡赤斤到乃颜，这一家族的兀鲁思汗都有国王之称。

二、成吉思汗分封与东道诸王兀鲁思的形成

史书云："太祖皇帝初起北方时节，哥哥弟兄每商量定，取天下了呵，各分地土，共享富贵么道。"⑧ 在成吉思汗和其子弟们看来，蒙古帝国是黄金家族的共同财产。因此，成吉思汗必须遵守本家族共同所有的原则，每征服一大片土地后，就要在家族中进行一次分封。成吉思汗将蒙古高原东部作

① 参见《史集》（汉译本）第 2 卷，第 72、212 页。
② 参见《蒙兀儿史记》卷 22《成吉思汗诸弟·帖木格斡赤斤》，第 248 页；邹越华、魏建华：《关于帖木格斡赤斤之死》，《黑龙江民族丛刊》2005 年第 1 期。
③ 《圭斋集》卷 11《高昌偰氏家传》；《全元文》卷 1100，第 592 页。
④ 《元史》卷 107《宗室世系表》，第 2710 页。
⑤ 《元史》卷 208《外夷传》一《高丽》，第 4608 页。
⑥ 转引自白拉都格其：《元代东道诸王勋臣封地概述》，《东北地方史研究》1989 年第 2 期。
⑦ 《南村辍耕录》卷 1《大元宗室世系》，第 4 页。
⑧ 《元典章》卷 9《吏部卷》之三《流官·投下·改正投下达鲁花赤》，第 301 页。

为牧地划分给自己的四个弟弟，他们的领地领民就形成东道诸王四兀鲁思。自此至元亡，成吉思汗弟弟们的家族世代统治着这些地区与民众，对元代的政治及蒙古地区高原东部地区及其迤东地区的历史，产生了重要的影响。

关于成吉思汗诸弟所得的份子，史书记载不一。具体情况如下表：

姓　名	《元朝秘史》所载分民数量	《史集》所载分军数量	附　注
诃额仑	共 10 000 户	3 000 户	
斡赤斤		5 000 户	
合撒儿	4 000 户。后被成吉思汗夺走大部分，仅留 1 400 户	3 000 户	
按赤台（合赤温之子）	2 000 户	3 000 户	
别里古台	1 500 户	缺载	《元史·别里古台传》说："分得蒙古百姓 3 000 户"

《蒙古秘史》反映了 1207 年至 1211 年的分赐民户的情况，而《史集》所记载的是 1227 年成吉思汗去世之后传给家族诸子诸弟军队的情况，因此《秘史》反映的是成吉思汗最初分封时的情况。

成吉思汗在给子弟分赐民户的同时，又将部分国土以份子的形式分给诸子诸弟作为牧地。对于成吉思汗诸弟所分的领地的范围，国内学者多有论述，对合撒儿和斡赤斤的领地范围颇有争议，争议的主要问题是斡赤斤封地是否分布在兴安岭以东，以及合撒儿与斡赤斤分地的大致分界线。[①]

---

　① 箭内亘（箭内亘：《蒙古史研究》，第 607—622 页。）认为合撒儿的领地在兴安岭以西、古烈儿山以南、哈拉哈河以北；斡赤斤的领地在兴安岭以东、洮儿河、嫩江流域。杉山正明（杉山正明：《蒙古帝国的原始形象——关于成吉思汗分封家族的研究》，《东洋史研究》第 37 卷第 1 号，1980 年。）则认为合撒儿的领地在兴安岭以西，额尔古纳河、海拉尔河两河流域。姚大力（姚大力：《乃颜之乱杂考》，《元史及北方民族史研究集刊》第 7 辑，1983 年。）认为哈拉哈河流域是斡赤斤受封地的中心地区。白拉都格其（白拉都格其：《成吉思汗时期斡赤斤受封领地的时间和范围》，《内蒙古大学学报》，1984 年第 3 期。）认为额尔古纳与其东支流根河、得尔布尔河汇合处一带是合撒儿与斡赤斤封地的相接地区，斡赤斤领地东北直抵嫩江中上游的金界壕，西南至哈拉哈河流域。叶新民（叶新民：《斡赤斤家族与蒙元朝廷的关系》，《内蒙古大学学报》，1988 年第 2 期）认为合撒儿的封地主要在额儿古纳河以西一带，额儿古纳河以东、海拉尔河以南地区是斡赤斤的封地，还包括今贝尔湖、哈拉哈河及其以东地区。

随着考古新发现及研究的展开，一般认为成吉思汗长弟合撒儿的分地在呼伦湖、海拉尔河下游、额尔古纳河右岸地区，东与斡赤斤领地相接。合撒儿后裔在今俄罗斯境内的额尔古纳河支流乌卢龙桂河和昆兑河畔曾建造过宫室，[①] 这里应是合撒儿家族的统治中心。这也与《史集》记载的情况相符。《史集》云："移相哥和拙赤·合撒儿的禹儿惕和游牧营地，在蒙古斯坦的东北部额尔涅河、阔连海子和海剌儿河一带，离斡赤斤那颜的儿子只不和他的孙子塔察儿的禹儿惕所在地不远。"[②]

《史集》记载，斡赤斤的"领地位于蒙古遥远的东北角，因此在他们的那一面再也没有蒙古部落了"。[③] 1221 年，丘处机西行去觐见成吉思汗时，曾到过斡赤斤的大帐，其帐在哈拉哈河以北三日行程、呼伦池东南五日行程之地。[④] 据此推测，当时斡赤斤的大营盘大致在今新巴尔虎左旗之东的辉河畔。[⑤] 一说斡赤斤王府，即今额尔古纳河左岸的根河与额尔古纳河汇流处的黑山头古城。现在一般认为斡赤斤的初封地在西至根河、得尔布尔河下游，在此与合撒尔的封地相接；南在哈拉哈河流域以南与按赤台的封地相邻，东抵金长城，这个范围内的大兴安岭西麓地区是斡赤斤的主要牧地，其统治中心在今哈拉哈河右岸（但不是地域中心）。

作为成吉思汗幼弟，斡赤斤还获准向大兴安岭以东发展势力。在成吉思汗西征期间，斡赤斤留镇漠北本部，便大力东扩，占领了大兴安岭以东地区，主要是嫩江、洮儿河、绰儿河，东北地区的一半归其所有。但至元二十四年（1287 年），乃颜之乱后，斡赤斤家族的势力受到了削弱。若在辽王脱脱时代起，辽王家族可能渐渐放弃大兴安岭以西领地，而专心经营以泰宁路为中心的大兴安岭以东地区。

据《元史·别里古台传》，别里古台分有"蒙古百姓三千户"，"以斡

---

①　[苏联] C. B. 吉谢列夫：《位于贝加尔地区黑尔河畔的蒙古移相哥城堡》，汉译文载《蒙古史研究参考资料》第 19 辑，1981 年。

②　《史集》（汉译本）第 1 卷第 2 分册，第 67 页。

③　《史集》（汉译本）第 1 卷第 2 分册，第 52—56 页。

④　《长春真人西游记》卷上，《王国维遗书》第 13 册，第 15—17 页；参见白拉都格其：《元代东道诸王勋臣封地概述》，《东北地方史研究》1989 年第 2 期。本节其他参考了白拉都格其：《元代东道诸王勋臣封地概述》之处，不再一一注出。

⑤　参见陈得芝：《李志常和〈长春真人西游记〉》，《蒙元史研究丛稿》，第 483 页。

难、怯鲁连之地建营以居。"其"居处近太祖行在所，南接按只台营地。"据此，一般认为别里古台的分地在克鲁伦河、斡难河两河中游和浯勒扎河流域，东与合撒儿领地、南与按赤台领地接邻。别里古台的王府，可能是克鲁伦河北岸的巴尔斯城，此地在清代属于车臣汗中左前旗境内。①

《史集》中未记载别里古台的封民户数，并且将别里古台的所封千户列在大汗直属的 101 个千户内。② 有日本学者据此认为别里古台身为庶弟，只能视为成吉思汗左翼军团第 16 位千户长，不当在东道诸王之列。而国内的一些学者周良霄、陈得芝、李治安诸先生认为别里古台所封千户当在东道诸王兀鲁思之列。③《蒙古秘史》第 255 节明确记载成吉思汗在分配给诸弟份子后命令四个弟弟的"位子里，他的子孙各教一人管。"《史集》虽未记载别里古台所分民户数，却在另处将别里古台的兀鲁黑与合撒儿的兀鲁黑相提并论。④《黑鞑事略》称，窝阔台时期"耦僭号"称汗的八人，是加上窝阔台汗及东西道诸王在内的八人。⑤ 北元时期别里古台后裔毛里孩势力非常大，这与别里古台分兀鲁思也是相对独立于北元大汗直属部众的 1 万户集团的历史状况密切相关。

按赤台的分地在贝尔湖以南，包括合兰真沙陀、兀鲁回河流域。即包括今东乌珠穆沁旗的大部分地区和西乌珠穆沁旗的一小部分。北与别里古台、合撒儿、斡赤斤的领地相接。《史集》说："他的兀鲁思和禹儿惕在

---

① 参见［俄］波兹德涅也夫：《蒙古及蒙古人》所附《蒙古图略》，东亚同文会调查编辑部，1908 年。达力扎布：《北元初期的疆域和汗斡耳朵地望》，《蒙古史研究》第 3 辑，内蒙古大学出版社1989 年版。

② 《史集》（汉译本）第 1 卷第 2 分册，第 373 页。

③ 参见陈得芝：《岭北行省建置考》（上、中、下），见《蒙元史研究丛稿》；周良霄：《元代投下分封制度初探》，《元史论丛》第 2 辑，中华书局 1983 年版；村上正树：《蒙古统治时期的分封制的起源》，《东洋学报》44 卷 3 号，1961 年；李治安：《元代分封制度研究》；海老泽哲雄：《蒙古帝国东方三王家诸问题》，汉译见《蒙古学资料与情报》1987 年第 2 期；杉山正明：《蒙古帝国的原始形象——关于成吉思汗分封家族的研究》；《忽必烈政权与东方三王家——鄂州战役前后再论》，《东方学报》第 54册，1982 年；玉芝：《蒙元东道诸王所属部众历史研究》，内蒙古大学 2006 年博士学位论文。海老泽哲雄、杉山正明认为别里古台不应列为东道诸王。村上正树、周良霄、陈得芝、李治安、玉芝诸先生认为别里古台所封千户当在东道诸王兀鲁思之列。

④ 《史集》（汉译本）第 1 卷第 2 分册，第 74 页。

⑤ 《黑鞑事略》，《王国维遗书》本，第 1 页。

东方，位于蒙古斯坦正东部，在乞台人所筑的起自哈剌沐涟河［黄河］直到女真海为止的长城边境，靠近女真地区。同那个地区邻近的地区是：亦乞剌思［部落］的古代禹儿惕，合剌阿勒真·额列惕地方和额勒古亦地区。"①

终元一代，除斡赤斤领地外，成吉思汗其他诸弟的领地基本没有什么变动。东道诸王统治家族及其部众主要居住在分地上。

蒙古政权占领中原后，成吉思汗诸弟又陆续在中原分得了食邑五户丝户与江南户钞户。

合撒儿的五户丝食邑是丙申年（1236 年）分拨的。"般阳路二万四千四百九十三户。延祐六年，实有七千九百五十四户，计丝三千六百五十六斤。江南户钞，至元十三年，分拨信州路三万户，计钞一千二百锭。"② 般阳路在中书省南部，今山东省淄博市。信州路在江浙行省，今江西省上饶市。另据《一二七九年莱州万寿宫圣旨碑》记载："皇帝福荫里势都儿大王令旨：今有本投下分拨到莱州神山长生万寿宫石真人，依旧加九阳保德纯化真人，诸人不得使气力欺负者。"次年，势都儿又下了一道保护石真人的令旨。③ 可见，莱州也是合撒儿家的领地。

斡赤斤家族分得益都路及平、滦二州为食邑。上述地区居民总户数凡62 156 户。④ 他的份民，在东西道诸王中，仅次于窝阔台的儿子贵由和成吉思汗幼子拖雷位下的户数。

太宗八年（1236 年）七月，按赤台分得滨州、棣州两地为食邑。但《食货志》记载，"哈赤温大王子济南王"（按赤台）的食邑却在济南路，有五户丝户 55 200 户。⑤ 这两处记载中，哈赤温家族的食邑地似有不同，实则没错。这是因为至元二年（1265 年）元廷为照顾投下封君的利益及便于政府管理，调整了一批地方路府州县的设置。元朝将元初济南路的一些州县析出，或将附近的州县割入，哈赤温家族的滨州、棣州并入济南，因此

《食货志》称其食邑在济南路。① 平宋以后，按赤台家族又益封建昌路65 000 户。因为按赤台系的五户丝食邑在济南路，故这一支的嫡长子曾封为济南王。

别里古台的五户丝是"广宁路、恩州二城户一万一千六百三。"江南户钞户是"信州路及铅山州二城户一万八千。"② 《元史·地理志》广宁府路条记载："元封孛鲁古歹为广宁王，旧立广宁行帅府事；后以地远，迁治临潢，立总管府。"③ 孛鲁古台，即别里古台。因此，广宁府路也是别里古台家族的分地。别里古台后王因分地名称而封为广宁王。

元代别里古台家族有一支是驻守在恩州分地上的。自至元二十六年（1289 年）起，诸王按灰就屡屡出现在《元史》的记载中。至元二十六年四月，"遣官验视诸王按灰贫民，以给粮。"④ 按灰曾随武宗出镇称海，海山自和林南下夺取帝位时，"武宗亲率大军由西道进，按灰由中道，床兀儿由东道，各以劲卒一万从。"⑤ 因按灰有功，大德十一年（1307 年）八月，"赐诸王按灰、阿鲁灰、北宁王迭里哥儿不花金三百五十两、银三千七百两。"⑥ 皇庆二年（1313 年）六月，"赐诸王按灰金五十两，银七百五十两、金束带一、币帛各四十匹。"⑦ 延祐三年（1316 年）十二月，"诸王按灰部乏食，给米三千一百八十六石济之。"⑧ 延祐四年春正月，"诸王脱脱驻云南，扰害军民，以按灰代之。"⑨ 文宗天历元年（1328 年）九月，"诸王塔尤、只儿哈郎、佛宝等自恩州来朝。赐按灰钞百锭，以祀天神。"可能按灰当时并没有来，但他作为恩州的别里古台宗支的宗长而受赐，按灰当是随后才到京师的。故《元史》接着记载："诸王阿儿八忽、按灰、脱脱来朝。"⑩

① 参见《元史》卷 2《太宗本纪》，第 35 页；卷 95《食货志》三《岁赐》，第 2412 页；卷 58《地理志》一，第 1372 页；《元代分封制度研究》，第 104 页。

② 《元史》卷 95《食货志》三《岁赐》，第 2412 页。

③ 《元史》卷 59《地理志》二，第 1396 页。

④ 《元史》卷 15《世祖本纪》十二，第 321 页。

⑤ 《元史》卷 138《脱脱传》，第 3322 页。

⑥ 《元史》卷 22《武宗本纪》一，第 486 页。

⑦ 《元史》卷 24《仁宗本纪》一，第 557 页。

⑧ 《元史》卷 25《仁宗本纪》二，第 575 页。

⑨ 《元史》卷 26《仁宗本纪》三，第 577 页。

⑩ 《元史》卷 32《文宗本纪》一，第 710、711 页。

文宗至顺三年（1332 年）十一月，"恩州诸王按灰，坐击伤巡检张恭，杖六十七，谪还广宁王所部充军役"。①

综合上述史料可知，诸王按灰及脱脱、只儿哈郎、佛宝、塔尤都是别里古台后王。其中，《元史·宗室世系表》记载，别里古台第三子罕秃忽大王之孙"塔出大王"，应即前揭史料中的诸王塔尤，依此推测，别里古台的第三子罕秃忽一支当驻恩州。前揭各史料中的诸王按灰曾一度是这支的宗主。后至元二年（1336 年）三月，"以按灰为大宗正府也可札鲁忽赤，总掌天下奸盗诈伪。"② 这位诸王按灰似乎不可能是别里古台系按灰了，其时间上不合。

三、东道诸王与元朝政权的关系

元代东道诸王与元朝保持了密切的关系。元初，东道诸王是忽必烈建立政权的主要支持者。窝阔台汗即位时，因有成吉思汗的遗命，他得到了东、西道诸王的共同支持。窝阔台汗死后，按其遗嘱，应由皇孙失列门继承汗位，但临朝称制的脱列哥那皇后玩弄权术，使自己的亲生子贵由继承了汗位。虽然脱列哥那皇后违背了窝阔台的遗命，但汗位的传承还算是未违背成吉思汗"今后蒙古大汗之位永远留在窝阔台家族"这个札撒，所以没有在成吉思汗家族内部引起太大的混乱。1246 年，东道诸王以斡赤斤诸子、按赤台为首，会同西道诸王共同拥立贵由为汗。贵由死后，蒙古大汗之位由窝阔台系转入了拖雷系。在这次政变中，起关键作用的是成吉思汗的长孙、素与贵由不和的拔都。东道诸王在这次政变中支持了拔都。辛亥年（1251 年）六月，东道诸王也古、脱忽、移相哥、按赤台、塔察儿、别里古台等宗王会同西方诸王别儿哥、脱哈帖木儿"复大会于阔帖兀阿阑之地"，推举蒙哥为汗。③

己未年（1259 年）八月，蒙哥突然死于征讨南宋的前线，蒙哥长弟忽

---

① 《元史》卷 34《文宗本纪》三，第 770 页。
② 《元史》卷 39《顺帝本纪》二，第 834 页。
③ 《元史》卷 3《宪宗本纪》，第 44 页；参见内蒙古大学 2006 年玉芝博士论文：《蒙元东道诸王及其后裔所属部众历史研究》，第 14 页。

必烈与幼弟阿里不哥由此开始争夺汗位。东道诸王在这次汗位争夺中又起了决定性的作用。当时，正在鄂州前线的忽必烈利用以前的交情，积极争取东道诸王之长、斡赤斤之孙塔察儿的支持。据元代文献记载，塔察儿听到许多宗王支持阿里不哥为汗的消息后，犹豫不决。王傅撒吉思"驰见塔察儿，力言宜协心推戴世祖，塔察儿从之。"① 忽必烈派廉希宪去游说塔察儿，得到了塔察儿的首肯。于是，庚申年（1260 年）四月，忽必烈在以塔察儿为首的四家东道诸王移相哥、忽剌忽儿、爪都的支持下，在开平召开了忽里勒台，夺取了大汗之位。而阿里不哥的即位因为符合蒙古的传统，得到了成吉思汗家族更为广泛的支持。西道诸王尤赤、窝阔台、察合台三家族的后王支持，东道诸王的部分后王也支持阿里不哥。② 由于塔察儿等东道诸王军事、经济实力雄厚，又地近中原，更易对战局发生影响，因此在忽必烈与阿里不哥的争战中起到了关键性的作用。关于这场争战，本书已有专节叙述，兹不再赘述。正因为忽必烈的政权建立与东道诸王的支持密切相关，故忽必烈即位后对东道诸王进行了大量的赏赐，分封东道诸王为王，允许东道诸王各家任命陪臣到中书省任职。③ 东道诸王势力膨胀，继续保持着成吉思汗以来的相对独立的兀鲁思汗的地位。

　　但是随着忽必烈统一全国，入主中原，建立起以中原农业经济为主并与其相适应的上层建筑的政权，草原帝国时代分封形成的东道诸王兀鲁思与元朝中央集权产生了严重的矛盾。东道诸王在辽东的势力也严重损害了元朝在东北的利益，东道诸王与元中央政府争夺属民与属地的斗争也越来越激烈。于是，忽必烈开始削弱东道诸王的势力，试图将东北纳入中央的统一管辖之下，其具体措施就是设立行省。至元二十三年（1286 年）二月，罢北京、开元宣慰司，立东京行省（又称辽阳行省）。七月，忽必烈罢辽阳行省，复立北京、咸平等三道宣慰司，以争取东道诸王。二十四年乃颜等人发动叛乱，到至元二十九年彻底被平定。至元二十四年时，元朝复立辽阳行省，④

---

① 《元史》卷 134 《撒吉思传》，第 3243 页。

② 参见《史集》（汉译本）第 2 卷，第 293 页。

③ 参见海老泽哲雄：《蒙古帝国东方三王家诸问题》，汉译见《蒙古学资料与情报》1987 年第 2 期。

④ 《元史》卷 14 《世祖本纪》十一，第 286、288、290、301 页。

辽东地区遂终于纳入行省的监管之下了。

乃颜之乱是东道诸王及其兀鲁思地位的转折点。平叛后，忽必烈废掉参与叛乱的东道诸王各家的藩主，重新册立了新的藩主；对势力最大的斡赤斤家族进行析分，形成了以乃蛮台和脱脱为首的两大支；将乃颜的部分属民籍入国家版籍，将参与叛乱的军队迁移到南方等地；其他三家东道诸王也受到不同程度的削弱。忽必烈以后的历朝基本都采取抑制东道诸王的做法，将东道诸王的军队纳入出镇漠北的宗王指挥之下，遏制了东道诸王的军权。至元惠宗退出大都，逃回蒙古草原，东道诸王一度又成为北元政权的统治支柱，成为北元大汗与明朝对抗的军事后盾。

总体上讲，东道诸王四家虽有自己的领地领民，但无论从地理与民族成分看，还是从经济生活来看，他们都与元朝大汗紧密相连，构成一个整体。特别是元朝所采取的加强对东道诸王及其兀鲁思控制的一系列政策，有效地将他们约束在元朝这个政治实体中，使他们始终未能发展成像西道诸王兀鲁思那样的政治实体。[1]

第二节　东道诸王家族中的主要宗王

一、合撒儿家族的主要宗王

淄川王也苦　《元史·宗室世系表》与《史集》都记载也苦是成吉思汗长弟搠只合撒儿长子。《蒙古秘史》记载，1203 年成吉思汗与王罕彻底决裂，双方在合兰真沙陀（在今内蒙古东乌珠穆沁旗北境）展开激战，成吉思汗大败，被迫退到巴儿诸惕海子。当时"合撒儿别居哈剌浑山，妻子为汪罕所虏"，[2] 他把自己的妻子和三个儿子也苦、也松格、秃忽抛下在王汗处，只身带着少数几个那可儿逃出来，寻找成吉思汗。[3] 据此，也苦在 1203 年至少已经 3 岁。《史集》记载："合撒儿死后，长子也苦继承其位。也苦

---

①　参见内蒙古大学 2006 年玉芝博士论文：《蒙元东道诸王及其后裔所属部众历史研究》，第 14 页。

②　《元史》卷 1《太祖本纪》，第 11 页。

③　余大钧译注：《蒙古秘史》，第 183 节：一说带着幼子逃到了成吉思汗处。

死后，他的儿子合儿合孙继位。在他之后，他的叔父移相哥继承其位。在蒙哥和忽必烈合罕时代，移相哥是拙赤·合撒儿的继承者，他声誉远播，参与要务，很受尊重。按照习惯，他统辖了父亲及其长幼宗亲的全部军队和部落。"①

　　《史集》称，成吉思汗把"军队分给儿子们时，他将一千人分给了拙赤·合撒儿的儿子们、[氏族中的]长者，即也苦、脱忽、移相哥等人，还从各个部队中拨给他们一百个人。"② 太宗窝阔台丙申年（1236年）分封中原食邑时，合撒儿家族是以"野苦（即也苦）"的名义受封的："野苦，益都、济南二府户内拨赐。"③ 说明此时也苦已是合撒儿兀鲁思的藩主。宪宗"元年辛亥夏六月，西方诸王别儿哥、脱哈帖木儿，东方诸王也古、脱忽、亦孙哥、按只带、塔察儿、别里古台，西方诸大将班里赤等，东方诸大将也速不花等，复大会于阔帖兀阿阑之地，共推帝即皇帝位于斡难河。"④ 也苦、脱忽、移相哥（亦孙哥），合撒儿的三个儿子都参加了拥立宪宗的忽里勒台。宪宗二年（1252年）十月，"命诸王也古征高丽。"⑤ 宪宗三年正月，"诸王也古以怨袭诸王塔剌儿营。帝遂会诸王于斡难河北，赐予甚厚。罢也古征高丽兵，以札剌儿带为征东元帅。"⑥ 塔剌儿，即塔察儿。

　　《元史·食货志》记载："太祖弟搠只合撒儿大王[子]淄川王位"的食邑，一在般阳路，一在信州路。⑦ 一般认为也苦有淄川王的封号。

　　移相哥 据《元史·宗室世系表》，移相哥是合撒儿次子，成吉思汗之侄。在成吉思汗的侄子中，按赤台、移相哥是成吉思汗最为器重的。前文已提到，1203年成吉思汗与王罕在合兰真沙陀激战，成吉思汗大败，被迫退到巴儿诸惕海子。当时合撒儿在王罕处，他把也苦、移相哥、秃忽三兄弟抛在王汗处，自己逃出来，寻找成吉思汗。可知，此时移相哥已经出生。《史

① 《史集》（汉译本）第1卷第2分册，第66—67页。
② 《史集》（汉译本）第1卷第2分册，第66、67页。
③ 《元史》卷2《太宗本纪》，第35页。
④ 《元史》卷3《宪宗本纪》，第44页。
⑤ 《元史》卷3《宪宗本纪》，第44、46页。
⑥ 《元史》卷3《宪宗本纪》，第46页。
⑦ 《元史》卷95《食货志》三《岁赐》，第2412页。

集》称，成吉思汗把"军队分给儿子们时，他将一千人分给了拙赤·合撒儿的儿子们、[氏族中的] 长者，即也苦、脱忽、移相哥等人，还从各个部队中拨给他们一百个人。"《史集》还记载："合撒儿死后，长子也苦继承其位。也苦死后，他的儿子合儿合孙继位。在他之后，他的叔父移相哥继承其位。在蒙哥和忽必烈合罕时代，移相哥是拙赤·合撒儿的继承者，他声誉远播，参与要务，很受尊重。按照习惯，他统辖了父亲及其长幼宗亲的全部军队和部落。"① 《元史·李惟忠传》记载，西夏人李惟忠被送合撒儿，"及嗣王移相哥立，惟忠从经略中原，有功，淄川王分地，以惟忠为达鲁花赤，佩金符。"② 据此，移相哥曾经是合撒儿封地的藩主。

移相哥善射，1224 年成吉思汗西征还师，大蒙古国全体那颜聚会于不哈速只忽（碑文为不哈只忽）进行射箭比赛，移相哥一箭射出 335 庹远（成年男子两臂平伸间的距离为"庹"，约为 1.7 米，335 庹约为 569 米），成吉思汗降旨刻石立碑以纪念，此即有名的成吉思汗石或称移相哥石。19 世纪初叶，俄罗斯考古学者在今中俄界河——内蒙古呼伦贝尔市额尔古纳河西岸的俄罗斯吉尔吉拉古城（又称移相哥宫殿），发现了这块记录移相哥远射之事的石碑。碑文为回鹘体蒙古文，它是现存时代最早的回鹘体蒙古文碑，在国际学术界极为著名，现存于彼得堡美术博物馆。1226 年，成吉思汗最后一次征伐西夏时，移相哥当在军中。在成吉思汗染疾病危时，移相哥伴在成吉思汗跟前。③ 宪宗元年（1251 年）六月即位时，"亦孙哥"参加了阔帖儿阿阑之地的忽里台大会；宪宗六年六月，"诸王亦孙哥、驸马也速儿请伐宋。"④ 诸王亦孙哥就是移相哥。宪宗死后，忽必烈与阿里不哥争位，移相哥等东道诸王支持忽必烈。也可·哈丹与移相哥是忽必烈派去与阿里不哥作战的先锋。⑤ 中统元年（1260 年）春三月，"亲王哈丹、阿只吉率西道诸王，塔察儿、也先哥、忽剌忽儿、爪都率东道诸王，皆来会，与诸大臣劝进。⑥" 也先哥，

① 《史集》（汉译本）第 1 卷第 2 分册，第 66—67 页。
② 《元史》卷 129《李惟忠传》，第 3155 页。
③ 《史集》（汉译本）第 1 卷第 2 分册，第 318 页。
④ 《元史》卷 3《宪宗本纪》，第 44、49 页。
⑤ 《史集》（汉译本）第 2 卷，第 294、295、296 页。
⑥ 《元史》卷 4《世祖本纪》一，第 63 页。

就是移相哥。中统三年四月，"赐诸王也相哥金印。"① 至元四年（1267 年）十二月，"赈亲王移相哥所部饥民。"②

《史集》记载，移相哥的儿子额木干在忽必烈合罕时继承拙赤·合撒儿之位及其兀鲁思。额木干的儿子势都儿在忽必烈合罕时代又继承了父位。③ 但据《元史·宗室世系表》，势都儿是移相哥之子，爱哥阿不干是也苦之子。爱哥阿不干，应就是《史集》中所说的"额木干"，他是势都儿的堂兄，可能做过很短的藩主就死了。《元史·宗室世系表》里，淄川王也苦一支到爱哥阿不干以后就没有记载了，此后合撒儿兀鲁思藩主就一直是移相哥后王继承。

势都儿　移相哥之子势都儿在至元后期已经是合撒儿封地的藩主。至元二十四年（1287 年），势都儿从乃颜在辽东发动叛乱。六月，"诸王失都儿所部铁哥率其党取咸平府，渡辽，欲劫取豪、懿州，守臣以乏军求援，敕以北京戍军千人赴之。""秋七月癸巳，乃颜党失都儿犯咸平，宣慰塔出从皇子爱牙赤，合兵出沈州进讨，宣慰亦儿撒合分兵趣懿州，其党悉平。"④ 至元二十九年正月，"赐诸王失都儿金千两。"⑤ 失都儿即势都儿，从至元二十九年的赏赐看，势都儿应是在至元二十四年七月投降了元朝。

齐王八不沙　据《元史·宗室世系表》，齐王八不沙是势都儿之子。势都儿在至元二十四年与乃颜、胜纳哈儿一起谋反，被忽必烈废掉其藩主之位，以其子八不沙继为藩主。元贞二年（1296 年）三月，有人告晋王甘麻剌谋反，枢密院鞫之无验。成宗遣诸王亦只里、八不沙、亦怜真、也里悭、瓮吉剌带并驻夏于晋王怯鲁剌之地。⑥ 当年四月，"赐诸王八卜沙钞四万锭，也真所部六万锭。"⑦ 成宗统治前期，西北以海都与都哇为首的诸王叛乱势力不断东扩，元朝在西北边境驻有重兵，进行防守。大德六年（1302 年），八不沙仍然驻守和林。是年十一月，朝廷禁止和林驻军酿酒，但是出镇诸王

---

① 《元史》卷 5《世祖本纪》二，第 84 页。
② 《元史》卷 6《世祖本纪》三，第 117 页。
③ 《史集》（汉译本）第 1 卷第 2 分册，第 67 页。
④ 《元史》卷 14《世祖本纪》十一，第 298、299 页。
⑤ 《元史》卷 17《世祖本纪》十四，第 358 页。
⑥ 《元史》卷 19《成宗本纪》二，第 403 页。
⑦ 《元史》卷 19《成宗本纪》二，第 403 页。

例外，"惟安西王阿难答、诸王忽刺出、脱脱、［八］不沙、也只里、驸马蛮子台、弘吉剌带、燕里干许酿。"① 据《元史·宗室世系表》，忽刺出、也只里是哈赤温的后王，弘吉剌带是别里古台后王，脱脱是斡赤斤后王。燕里干，世系不明。大德五年，元朝与海都、都哇在帖坚古山（在金山附近）进行了一次大规模的会战，元朝出动了几乎所有漠北的精兵，战争结果，双方死伤都很严重，元朝略胜于叛军。西北叛军中都哇被射中膝盖，海都在撤退中染疾，不久死亡。② 此后，西北叛军开始与元朝中央政府进行和谈，并于大德八年与中央政府达成和议。元政府因此对此次战役的结果比较满意，于是在大德七年五月，"以大德五年战功，赏北师银二十万两、钞二十万锭、币帛各五万九千匹。赐皇侄海山及安西王阿难答，诸王脱脱、八不沙，驸马蛮子台等各金五十两、银珠锦币等物有差。"③ 大德十一年（1307 年）正月，成宗死，武宗继位。武宗对当年跟随他在漠北戍边、作战的诸王、驸马大加封赏。七月，武宗赐诸王八不沙钞万锭，并封八不沙为齐王。④ 齐王设有王傅府，从《元史·百官志》记载的诸王傅设官情况看，齐王在金印兽纽一等爵位中地位较低，他不能"各设王傅、傅尉、司马三员"，而是"独设王傅一员。"⑤ 至大元年（1308 年）三月，武宗又赐齐王八不沙金 500 两，银 5 000 两。⑥

齐王八不沙曾与楚王牙忽都争夺部属，差点被诬为叛乱。牙忽都曾从北安王那木罕北征海都，被叛王昔里吉劫持了几年，他的部民因此被八不沙吞并。至大四年，牙忽都向八不沙索要部民。八不沙周围的诸王不里牙屯等不满牙忽都，想煽动八不沙一起攻击牙忽都，八不沙因为其父势都儿叛乱被废，再不敢沾上叛乱分子，于是逃到牙忽都处避乱，不里牙屯反而诬告齐王八不沙谋反。朝廷查实后，将谋反诸王不里牙屯、秃干流放到河南，诸王因忽乃、纳里、太那、班出兀那分别被贬至扬州、湖广、江西、

① 《元史》卷 20《成宗本纪》三，第 442 页。
② 《元史》卷 22《武宗本纪》一，第 477—478 页；参见《察合台汗国史研究》，第 301—306 页。
③ 《元史》卷 21《成宗本纪》四，第 451 页。
④ 《元史》卷 22《武宗本纪》一，第 483、484 页。
⑤ 《元史》卷 89《百官志》五，第 2272 页。
⑥ 《元史》卷 22《武宗本纪》一，第 497 页。

云南诸地。① 《元史·宗室世系表》中，斡赤斤后王有位八里牙者，此处的不里牙屯抑或就是斡赤斤的这位子孙。皇庆元年（1312 年）十二月，八不沙向他的分地般阳路委派薛儿帖该任达鲁花赤，中书省以兄弟不能同时出任路达鲁花赤与该路所辖州县的达鲁花赤，以免他们相互偏袒、勾结为由，将般阳路下州县"委付来的弟兄每都革罢了。"② 齐王八不沙可能在仁宗延祐初年死去，因为其子月鲁帖木齐在延祐三年（1316 年）封保恩王。

月鲁帖木儿　据《元史·宗室世系表》，月鲁帖木儿是势都儿之孙，黄兀儿之子，齐王八不沙侄子。据《元史·宗室世系表》，八不沙绝嗣，故齐王一爵转入其幼弟黄兀儿一系。《元史·诸王表》，将月鲁帖木儿误为玉龙帖木儿两人。③

延祐二年二月，仁宗"赐诸王月鲁帖木儿钞万锭。"④ 此时可能八不沙已死，合撒儿一支由月鲁帖木儿承袭掌领。延祐三年七月，"封玉龙帖木儿为保恩王，赐金印。"⑤ 延祐六年三月，"封诸王月鲁帖木儿为恩王，给印，置王傅官。"⑥ 泰定三年（1326 年）七月，"以月鲁帖木儿嗣齐王，给金印。"⑦ 次年七月，齐王月鲁帖木儿受赐钞二万锭及齐王印章。⑧ 泰定朝，月鲁帖木儿嗣封齐王，且受赐颇丰，故在两都之战中，齐王月鲁帖木儿很是犹豫，在观望一阵后发现大都方面获胜的希望大，乃从自己利益出发，选择支持大都政权。天历元年（1328 年）十月十三日，"齐王月鲁帖木儿、东路蒙古元帅不花帖木儿等以兵围上都，倒剌沙等奉皇帝宝出降。梁王王禅遁，辽王脱脱为齐王月鲁帖木儿所杀，遂收上都诸王符印。"知枢密院事不花帖木儿是燕铁木儿之叔，原东路蒙古元帅。二十二日，"帝御兴圣殿，齐王月鲁帖木儿、诸王别思帖木儿、阿儿哈失里、那海罕及东路蒙古元帅不花帖木

---

① 参见《元史》卷 138《康里脱脱传》，第 3324 页；卷 24《仁宗本纪》一，第 548 页。
② 《大元通制条格》卷 6《选举》，第 108 页。
③ 屠寄：《蒙兀儿史记》卷 150《诸王表》，上海古籍出版社《元史二种》本，1989 年，第 949 页。
④ 《元史》卷 25《仁宗本纪》二，第 568 页。
⑤ 《元史》卷 25《仁宗本纪》二，第 574 页。
⑥ 《元史》卷 26《仁宗本纪》三，第 588 页。
⑦ 《元史》卷 30《泰定帝本纪》二，第 671 页。
⑧ 《元史》卷 30《泰定帝本纪》二，第 680 页。

儿等奉上皇帝宝。"① 十一月，文宗两次赏赐齐王金、银、钞不等。② 天历二年正月，"齐王月鲁帖木儿薨。"③

齐王失列门　失列门可能是齐王月鲁帖木儿之子。至正十二年（1352年）八月，齐王失列门献马 15 000 匹于京师。④ 齐王月鲁帖木儿死时，正是朝廷十分器重他的时候，失列门可能就在天历、至顺年间继位。至正十五年七月，农民起义军倪文俊复陷武昌、汉阳等处，朝廷乃"命亲王失列门以兵守曹州，山东宣慰马某火者以兵分府沂州、莒州等处。"⑤ 在至正末年的军阀与朝中内争中，至正二十五年，孛罗帖木儿入朝为中书右丞相，皇太子命扩廓帖木儿发兵攻孛罗帖木儿，并同时"以丞相也速兵屯东鄙，魏、辽、齐、吴、豫、幽诸王兵驻西边，而自率扩廓帖木儿兵取中道"准备直取京师，达到既灭孛罗帖木儿又逼顺帝让位的双重目的。⑥ 元亡后，失列门的归宿不见于记载。

二、合赤温家族的主要宗王

按赤台　按只吉歹，《元史》又译写成按只带、按只台、按赤台、按赤带，与《蒙古秘史》中"阿勒赤台"写音相符。"吉"字见于《南村辍耕录·大元宗室世系表》，系元代衍误。⑦ 按赤台是合赤温的儿子。⑧

合赤温早死，成吉思汗分封时，由按赤台代替合赤温受封，合赤温家族兀鲁思也由按赤台掌管。按赤台很有才干，是成吉思汗非常器重的侄子，他参加了蒙古国的多次征战活动。1203 年，铁木真与王罕交恶开战，按赤台的牧马人首先发现了来袭的敌人。⑨ 成吉思汗西征时，按赤台即从征。⑩ 已

---

① 《元史》卷 32《文宗本纪》一，第 715、716 页。
② 《元史》卷 32《文宗本纪》一，第 719、720 页。
③ 《元史》卷 33《文宗本纪》二，第 727 页。
④ 《元史》卷 42《顺帝本纪》五，第 901 页。
⑤ 《元史》卷 44《顺帝本纪》七，第 926 页。
⑥ 《元史》卷 141《察罕帖木儿传》，第 3390、3391 页。
⑦ 《元史》卷 107《宗室世系表》，校勘记一四，第 2731 页。
⑧ 按赤台一文参考了白寿彝主编：《中国通史》第 8 卷《中古时·元时期》《丁编传记》第 2 章第 2 节《按赤台》。
⑨ 参见余大钧译注：《蒙古秘史》，第 170 节。
⑩ 参见《元史》卷 135《铁哥朮传》，第 3271 页。

丑年（1229 年）八月，作为东道诸王一支的兀鲁思汗，按赤台参加了在怯绿涟河曲雕阿兰成吉思汗大斡耳朵拥立窝阔台继承汗位的忽里勒台大会。① 1230 年，蒙古攻金。十月，按赤台随木华黎孙塔思国王攻下潞州（治今山西长治）。十一月，随窝阔台往征关中。次年春，攻破凤翔城。太宗四年（1232 年）春，按赤台等人率部与拖雷会师于钧州（今河南禹县）的三峰山，与金军大战，重创金军，金朝所存精锐，几乎在此役中全遭覆灭。② 太宗五年，按赤台受命偕皇子贵由、国王塔思至辽东蒲鲜万奴。秋末，万奴被擒。③ 太宗十二年（1240 年）春，命张柔等 8 万户伐宋，按赤台当在军中。1244 年，按赤台授孟德为万户，攻豪、蕲、黄等州。④ 1251 年，蒙哥即位时，按赤台是参与拥戴大会的东道诸王之一。1260 年，忽必烈继任大汗时，按赤台可能因年老而未参加忽里勒台，由他的儿子忽剌忽儿（《元史·宗室世系表》作忽列虎儿）出席大会。⑤ 中统元年（1260 年）十二月，确定诸王岁赐额时，"诸王按只带、忽剌儿、哈丹、忽剌出、胜纳合儿银各五千两，文绮帛各三百匹，金帛半之。"⑥ "忽剌儿"，就是《史集》记载的按赤台之子"忽剌兀儿"，《世祖本纪》中的忽剌忽儿；⑦ "忽剌出"，就是《元史·宗室世系表》中所谓的"陇王忽剌出"，可能是明朝史臣将按赤台系的忽剌出与窝阔台系的陇王忽剌出混为一人了。从中统元年岁赐名单看，忽剌儿、哈丹、忽剌出都是哈赤温家族的诸王。哈赤温家族中多人享有岁赐，可见他们在支持忽必烈即位过程中起过很大的作用。按赤台可能在中统初年死去。《元史》记载中，中统以后未再见按赤台。

　　至元二十四年（1287 年）十月，桑哥奏言："诸王胜纳合儿印文曰'皇侄贵宗之宝'，宝非人臣所宜用，因其分地改为'济南王印'为宜。"忽必烈"从之。"⑧ 这一史实说明两点：一、胜纳哈儿有王爵印章，后来的济

①　参见《史集》（汉译本）第 2 卷，第 29 页；《元史》卷 2《太宗本纪》，第 29 页。

②　参见《元史》卷 119《塔思传》，第 2938 页；卷 121《按竺尔传》，第 2982、2983、2984 页。

③　参见《元史》卷 149《王珣传》，第 3535 页；卷 149《移剌捏儿传》，第 3529 页。

④　参见《元史》卷 166《孟德传》，第 3903 页。

⑤　《元史》卷 3《宪宗本纪》，第 44 页；卷 4《世祖本纪》一，第 63 页。

⑥　《元史》卷 4《世祖本纪》一，第 69 页。

⑦　《史集》（汉译本）第 1 卷第 2 分册，第 71 页。

⑧　《元史》卷 14《世祖本纪》十一，第 301 页。

南王即是由此印改印而来。二、忽必烈是胜纳哈儿的堂伯祖，此印当然非忽必烈时所颁发；胜纳哈儿是按赤台的重孙，按赤台是成吉思汗的二弟合赤温之子，在诸侄中，成吉思汗最器重按赤台，[1]"皇侄贵宗之宝"应是成吉思汗颁给按赤台的。此印应是合赤温兀鲁思藩主之印，由按赤台传至胜纳哈儿。

胜纳哈儿　《史集》记载，合赤温兀鲁思藩主的传承与世系是哈赤温—额勒只带（即按赤吉歹，或作按赤台）—察忽剌—忽剌兀儿—哈丹—胜剌哈儿—也只里。胜纳哈儿是哈丹之子。[2] 而《元史·宗室世系表》记载胜纳哈儿是按赤台的曾孙、哈丹之孙、忽剌出之子。中统元年十二月，确定诸王岁赐额时，"诸王按只带、忽剌儿、哈丹、忽剌出、胜纳合儿银各五千两，文绮帛各三百匹，金帛半之。"[3] 从这份名单排序看，胜纳哈儿为哈丹之孙、忽剌出之子也是可能的。按赤台在1203年就已出现在《蒙古秘史》上，成为合赤温一家的主持者，至少也在十四、五岁左右，到中统年间有曾孙成林也是可能的。所以，《宗室世系表》所载胜纳哈儿为按赤台曾孙的记录很不好否定。胜纳哈儿可能是在按赤台之后袭位的。至元二十年三月，元廷为胜纳哈儿设王府官，说明至少在这一年，胜纳哈儿已是哈赤温兀鲁思的汗了。前文提到至元二十四年十月，桑哥奏章里称"诸王胜纳合儿印文曰'皇侄贵宗之宝'，宝非人臣所宜用，因其分地改为'济南王印'为宜。"忽必烈"从之。"[4] 说明胜纳哈儿是元廷赐印的兀鲁思藩主。

至元二十二年（1285年）元朝为征日本，遍征胶州、莱州、高丽、江南等处漕船、海船、民船，又令辽阳行省的女直人造船，胜纳哈儿的女直鹰坊户、采金等人户也受到征调。[5] 二十三年，元朝设立山东、河东宣慰司。忽必烈下旨："济南乃胜纳合儿分地，太原乃阿只吉分地，其令各位委官一

---

① 《史集》（汉译本）第1卷第2分册，第380页。
② 《史集》（汉译本）第1卷第2分册，第71页。
③ 《元史》卷4《世祖本纪》一，第69页。
④ 《元史》卷14《世祖本纪》十一，第301页。
⑤ 参见《元史》卷13《世祖本纪》十，第280页。

人同治之。"① 自从东道诸王支持忽必烈夺取汗位之后，忽必烈十分优待东道诸王。但是随着至元期间朝廷对东北地区的管理日益加强，中央与东道诸王的利益之争日渐激烈。以塔察儿后王乃颜为首的东道诸王最后发展到公然举兵叛乱。至元二十四年，乃颜叛乱，暗中派人去联络随北安王那木罕出镇漠北的胜纳哈儿，使者被土土哈截获上奏，于是胜纳哈儿被召回朝。② 此后，不见了他的消息，可能是被流放或被处死。二十四年七月，胜纳哈儿所署济南分地官与乃颜所署益都分地官同被罢去。十月，尚书省平章政事桑哥有以上之奏，胜纳哈儿家族所用的"皇侄贵宗之宝"被取消，而改授济南王印。此时，胜纳哈儿被黜，济南王印被授与从兄弟也只里。③ 由合赤温后王的"宝"改"印"可以推想，斡赤斤后王的"国王"号也取消了。此后，东道诸王的兀鲁思的独立性大大削弱，朝廷还析分了叛王的军队，没收了他们的部分属民④；在东北设辽阳行省，将东道诸王的封地纳入行省的监管之下，大大削弱了东道诸王的势力。

成吉思汗的三个嫡亲弟弟，两个有表示兀鲁思汗地位的封王印章"宝"，长弟合撒儿家族也应该有，可惜史料阙如。

哈丹　哈丹，按赤台之子，也称哈丹秃鲁干。⑤ 《史集》记载，哈丹曾是合赤温兀鲁思的汗。⑥ 但据《元史·世祖本纪》，至元二十年（1283 年）三月，"诸王胜纳合儿设王府官三员"。⑦ 二十四年十月，桑哥又奏请废诸王胜纳合儿的"皇侄贵宗之宝"的印章，按其分地在济南而另颁"济南王印"。则胜纳合儿才是由元廷赐印、设王府官的兀鲁思汗。其时，哈丹在

---

①　《元史》卷 14《世祖本纪》十一，第 288 页。

②　参见《国朝文类》卷 26《句容郡王世绩碑》；《元史》卷 128《土土哈传》，第 3133 页。

③　参见《元史》卷 14《世祖本纪》十一，第 301 页；陈得芝：《岭北行省建置考》（中），《蒙元史研究丛稿》，第 166 页。

④　《元史》卷 15《世祖本纪》十二，第 320 页：至元二十六年二月，"尚书省臣言：'行泉府所统海船万五千艘，以新附人驾之，缓急殊不可用。宜招集乃颜及胜纳合儿流散户为军，自泉州至杭州立海站十五，站置船五艘、水军二百，专运番夷贡物及商贩奇货，且防御海道，为便。'从之。"《元史》卷 17《世祖本纪》十四，第 370 页：至元三十年正月，"诏旧隶乃颜、胜（答）［纳］合儿女直户四百，虚糜廪食，令屯田扬州。"

⑤　《史集》第 1 卷第 2 分册，汉译本第 71、77 页，记载哈丹是按赤台曾孙，似不可信；《元史·宗室世系表》记载哈丹为按赤台之子。

⑥　《史集》（汉译本）第 1 卷第 2 分册，第 71 页。

⑦　《元史》卷 12《世祖本纪》九，第 251 页。

世，他只是一般的诸王，没有当过本兀鲁思的汗。①

在忽必烈与阿里不哥争位时，哈丹等东道诸王是忽必烈的有力支持者。中统元年（1260 年）九月，"阿蓝答儿率兵至西凉府，与浑都海军合，诏诸王哈丹、合必赤与总帅汪良臣等率师讨之。丙戌，大败其军于姑臧，斩阿蓝答儿及浑都海，西土悉平。"十二月，定岁赐时，"诸王按只带、忽剌忽儿、哈丹、忽剌出、胜纳合儿银各五千两，文绮帛各三百匹，金素半之。"② 中统二年六月，"辛亥，转懿州米万石赈亲王塔察儿所部饥民。赐亲王哈丹所部军币帛九百匹、布千九百匹。"十一月，忽必烈的大军与阿里不哥大战于昔木土脑儿之地，"诸王哈丹等斩其将哈丹火儿赤及其兵三千人，塔察儿与合必赤等复分兵奋击，大破之，追北五十余里。"③ 可见，哈丹是忽必烈方面的主要将领。但至元中后期以后，东道诸王与大汗及其政府间的矛盾激化，东道诸王发动了叛乱。至元二十四年，斡赤斤后王乃颜发动叛乱。因为斡赤斤家族是东道诸王的首领，合撒儿、合赤温、别里古台家族的后王多起而应之。其中，按赤台之子哈丹是乃颜之乱中仅次于乃颜的首领，他统领的叛军与元军对峙最久。是年五月，忽必烈下诏亲征乃颜。此时哈丹与乃颜一起，盘踞在连接大兴安岭东、西两麓的战略要隘，遣军四出作战。六月，元军进至哈儿哈河流域。哈丹率万人出战，被元军前锋玉哇失击退。不久，叛军主力在不里古都伯塔哈（在哈尔哈河与诺木尔根河交汇处的三角地带）被元军打败，乃颜被俘。哈丹退至那兀江（今嫩江）上游附近，迫于元军追击，出降。元军南还，复叛，从那兀江一带四出抄掠，与进征元军胶着相峙多月。至元二十五年春，哈丹乘诸王火鲁火孙在辽东比邻地区复叛，渡那兀江大举南下。忽必烈命皇孙铁穆耳、大将玉昔帖木儿统率元军，与哈丹等部在贵烈河（今归流河）、托吾儿河（今洮儿河）一线会战。哈丹大败后退回那兀江。元军乘胜追击，远至黑龙江两岸，哈丹溃不成军。至元二十七年，哈丹乘辽西地震复出，仍被元军击溃，乃退往高丽边界。是年夏秋，哈丹军一直活动于从合兰河（今图们江）到宋瓦江（今松花江）上游诸水的

---

① 《哈丹》一文参考了白寿彝主编：《中国通史》第 8 卷《中古时代·元时期》下册《丁编传记》第 2 章第 2 节《按赤台附哈丹》。
② 《元史》卷 4《世祖本纪》一，第 68、69 页。
③ 《元史》卷 4《世祖本纪》一，第 70、76 页。

山地间。入冬后，哈丹再渡合兰水，攻入高丽境内，高丽军队多次被其击败。元军进入高丽，追击哈丹。至元二十八年正月，哈丹进至交州道（今韩国江原南道），失利退走。三月，攻王京（今朝鲜开城），被高丽军队和元军合力击退。五月，元军在禅定州、青州（今朝鲜北青一带）大战，哈丹大败，溃围遁去，下落不明。其子老的被博罗欢与乃蛮台部斩于阵中，哈丹的两个妃子被俘获，忽必烈命将一妃子赐乃蛮台，一妃赐博罗欢。① 东道诸王之叛，在次年被完全平定。②

济南王也只里　据《元史·宗室世系表》，济南王也只里是成吉思汗二弟哈赤温的曾孙，是按赤台之子察忽剌大王的儿子，是胜纳哈儿的堂叔，而《史集》记载也只里是胜纳哈儿的儿子。③ 宪宗三年（1253 年），蒙古征云南，也只里从忽必烈出师。九月，在临洮以南的忒剌，忽必烈命蒙古军分三道以进，"大将兀良合带率西道兵，由晏当路；诸王抄合、也只烈（即也只里——引者注）帅东道兵，由白蛮；帝由中道。"④ 而胜纳哈儿最早出现在《元史》中是中统元年，以此观之，也只里不会是胜纳哈儿之子，《史集》所载有误。也只里当如《宗室世系表》所载是胜纳哈儿的堂叔。至元二十四年（1287 年），胜纳哈儿响应乃颜叛乱，被召回京面圣，废除了藩主之位，而由也只里继位。

至元二十五年正月，海都犯边。"敕驸马昌吉，诸王也只烈，察乞儿、哈丹两千户，皆发兵从诸王尤伯北征。"⑤ 此哈丹是窝阔台后王哈丹。当时，也只里等诸王可能出镇于漠北西部，故从尤伯北征。至元二十五年七月，"诸王也真部曲饥，分五千户就食济南。"八月，"诸王也真言：'臣近将济

---

① 《元史》卷 121《博罗欢传》，第 2990、2991 页；《牧庵集》卷 14《平章政事蒙古公神道碑》。

② 参见白寿彝主编：《中国通史》第 8 卷《中古时代·元时期》（下册）《丁编传记》第 2 章第 2 节《按赤台附哈丹》。

③ 《史集》（汉译本）第 1 卷第 2 分册，第 77 页附表。

④ 《元史》卷 4《世祖本纪》一，第 59 页。"忒剌"，别译作"塔拉"。吴景敖在《西陲史地研究·元代平滇征缅路线》（上海中华书局 1948 年版）中，列有"塔拉临路"一节，专门对此作了考证。吴氏认为，忽必烈分兵攻蜀之"忒剌"，当今甘南洮河之阴，叠山之阳的达拉沟，地属今甘肃迭部县。陈世松在《忽必烈征滇过蜀路线考辨》（《四川历史研究论文集》，四川省社会科学出版社 1987 年版）一文中指出，"晏当"即今四川阿坝，晏当路，即由今之阿坝为起点，经由壤塘、炉霍、新龙、理塘、中甸、丽江、剑川，以大理为终点。

⑤ 《元史》卷 15《世祖本纪》十二，第 307 页。

宁投下蒙古军东征，其家皆乏食，愿赐济南路岁赋银，使易米而食。'诏辽阳省给米万石赈之。"① 诸王"也真"可能就是也只里，因为济南路是哈赤温家族的食邑，除了哈赤温家族当时的藩主济南王也只里，谁有权力请给"济南路岁赋银"？至元二十六年正月，征讨哈丹的元军回师后，忽必烈遣金左卫亲军都指挥使司事钦察人伯帖木儿"戍也真大王之境"，② 这既是以中央军队加强东北方面的防卫，也是对也只里等东道诸王的一种监督。也只里无疑卷入乃颜之乱，所以王傅府一度被撤，至元二十七年五月才复置诸王也只里王傅，当月忽必烈还"敕应昌府以米千二百石给诸王亦只里部曲。"③ 元贞二年（1296 年）三月，朝廷"遣诸王亦只里、八不沙、亦怜真、也里悭、瓮吉剌带并驻夏于晋王怯鲁剌之地。"④ 将东道诸王置于晋王的统辖之下。元贞二年四月，"诸王也只里以兵五千人戍兀鲁思界，遣使来求马，帝不允。"⑤ 大德元年（1297 年）十二月，诸王也只里部忽剌带于济南商河县侵扰居民，蹂践禾稼，成宗命有司诘之，忽剌带走归其部。成宗说："彼宗戚也，有是理耶？其令也只里罪之。"⑥ 所以忽剌带是哈赤温家族的诸王。大德六年七月辛酉，"赐诸王八八剌、脱脱灰、也只里、也灭干等钞四万三千九百余锭。"⑦

大德十一年正月，成宗死。三月，海山自按台山南归，至和林。"诸王勋戚毕会，皆曰今阿难答、明里铁木儿等荧惑中宫，潜有异议；诸王也只里昔尝与叛王通，今亦预谋。既辞服伏诛，乃因阖辞劝进。"⑧ 说明也只里当年与乃颜之乱有牵连，在成宗死后的宫廷政变中又站错了队，因此被杀。

朵列纳　据《元史·宗室世系表》，吴王朵列纳是按赤台幼子，与济南王也只里之父察忽剌是兄弟。也只里被杀后，合赤温家族的藩主又从按赤台

---

　①　《元史》卷 15《世祖本纪》十二，第 314 页。

　②　《元史》卷 131《伯帖木儿传》，第 3195 页。

　③　《元史》卷 16《世祖本纪》十三，第 337 页。

　④　《元史》卷 19《成宗本纪》二，第 403 页；《金华黄先生文集》卷 25《刘国杰神道碑》；《全元文》卷 970，第 208 页。

　⑤　《元史》卷 18《成宗本纪》一，第 393 页。

　⑥　《元史》卷 19《成宗本纪》二，第 415 页。

　⑦　《元史》卷 20《成宗本纪》三，第 441 页。

　⑧　《元史》卷 22《武宗本纪》一，第 478 页。

第二子转入幼子一系。

武宗即位后大封宗族、功臣。大德十一年（1307 年）秋七月，"封诸王八不沙为齐王，朵列纳为济王，迭里哥儿不花为北宁王，太师月赤察儿为淇阳王，加平章政事脱虎脱太尉。"① 皇庆元年（1312 年）徙封朵列纳为吴王。② 延祐三年（1316 年）六月，吴王朵列纳等部乏食，赈粮两月。③ 延祐四年夏四月，答合孙寇边，吴王朵列纳等败之于和怀，赐金玉束带、黄金、币帛有差。④ 至顺二年（1331 年）四月乙卯，"诸王朵列捏镇云南品甸，自以赀力给军，协力讨贼，诏以袭衣赐之。"⑤ 从语音上考虑，这个诸王朵列捏有可能是吴王朵列纳。从泰定三年（1326 年）已有新吴王的情况看，或许吴王朵列纳因事被夺爵并被惩罚到云南品甸驻守。当然也有可能出镇品甸的完全是另一个同名诸王。

吴王波皮　据《元史·宗室世系表》，吴王波皮是吴王朵列纳之子。泰定三年六月，"赐吴王泼皮钞万锭。"⑥ 天历二年（1329 年）八月癸丑，"征吴王泼皮及其诸父木南子赴京师。"⑦ "诸父"，即指伯父和叔父。这条史料说明木南子是波皮的叔父或伯父。至顺元年三月，"徙封济阳王木南子为吴王，吴王泼皮为济阳王。"⑧ 波皮在天历初年被征入朝，可能软禁在京师，后来又被降爵，可能是卷入了两都之战。

吴王木南子　上文已谈到吴王木南子是吴王波皮的叔父或伯父。至大元年（1308 年）四月，"赐诸王木南子金五十两、银千两、钞千锭，赐皇太子位鹰坊钞二十万锭。"⑨ 延祐七年八月，"诸王木南〔子〕即部饥，兴圣宫牧驼户贫乏，并赈之。"⑩ 这说明木南子已是合赤温家族内部再分封的一个

---

①　《元史》卷 22《武宗本纪》一，第 483 页。

②　《元史》卷 108《诸王表》，第 2741 页。

③　《元史》卷 25《仁宗本纪》二，第 573 页。

④　《元史》卷 26《仁宗本纪》三，第 578 页。

⑤　《元史》卷 35《文宗本纪》四，第 782 页。

⑥　《元史》卷 30《泰定帝本纪》二，第 671 页。

⑦　《元史》卷 33《文宗本纪》二，第 739 页。

⑧　《元史》卷 33《文宗本纪》二，第 754 页。

⑨　《元史》卷 22《武宗本纪》一，第 497 页。

⑩　《元史》卷 27《英宗本纪》一，第 605 页。

小宗主，故有自己的属民。天历二年二月癸卯，"赐吴王木南子、西宁王忽答的迷失、诸王那海罕、阔儿吉思金银有差。"① 从后文将谈到的情况看，这里不当称吴王木南子而应是济阳王木南子。天历二年八月癸丑，"征吴王泼皮及其诸父木南子赴京师。"② 至顺元年三月，"丁巳，徙封济阳王木南子为吴王，吴王泼皮为济阳王。"③ 至顺三年八月，吴王木南子及诸王答都河海、锁南管卜、帖木儿赤、帖木迭儿等来朝觐了元文宗。④

吴王搠思监 《元史·宗室世系表》没有记载搠思监，不知他是朵列纳之后还是木南子之后。

后至元二年（1336 年）六月，"辛丑，以钞五千锭赐吴王搠失江。"⑤ 至正十三年（1353 年）六月，"赐吴王搠思监金二锭、银五锭、钞二千锭、币帛各九匹服。"⑥ "搠失江"就是"搠思监"。至正十三年六月，也有赏赐吴王的记录。⑦ 至正十四年，有了新吴王朵尔赤，吴王搠思监当已死。

吴王朵尔赤 吴王朵尔赤的世系不清楚。

至正十四年，顺帝命右丞相脱脱总兵南讨张士诚。中书参议龚伯建言："'宜分遣诸宗王及异姓王俱出军。'吴王朵尔赤厚赂龚伯遂获免。"⑧ 至正二十五年，皇太子爱猷识理达腊曾调集魏、辽、齐、吴、豫、幽诸王兵力防御孛罗帖木儿，据下文所揭《明太祖实录》，此吴王是朵尔赤。洪武二十一年（1388 年）正月，明朝以蓝玉为征虏大将军，提兵 15 万讨伐北元。三月，"大将军永昌侯蓝玉率师十五万，由大宁进庆州，闻虏主脱古思帖木儿在捕鱼儿海，从间道，兼程而进。"四月，"丙辰，黎明至捕鱼儿海南饮马，侦知虏主营在海东北八十余里。玉以弼（即定远侯王弼）为前锋，直薄其营。虏始谓我军乏水草，必不能深入，不设备，又大风扬沙，昼晦，军行，虏皆不知。虏主方欲北行，整车马皆北向。忽大军至，其太尉蛮子率众拒

① 《元史》卷33《文宗本纪》二，第730页。
② 《元史》卷33《文宗本纪》二，第739页。
③ 《元史》卷33《文宗本纪》二，第754页。
④ 《元史》卷36《文宗本纪》五，第806页。
⑤ 《元史》卷39《顺帝本纪》二，第835页。
⑥ 《元史》卷43《顺帝本纪》六，第910页。
⑦ 《元史》卷4.《顺帝本纪》六，第910页。
⑧ 《元史》卷139《朵儿赤传》，第3355页。

战，败之，杀蛮子及其军士数千人，其众遂降。虏主脱古思帖木儿与其子天保奴、知院捏怯来、丞相失烈门等数十骑遁去。玉率精骑追之，出千余里，不及而还。获其次子地保奴等六十四人及故太子必里秃（指爱猷识理达腊）妃并公主等五十九人。其詹事院同知脱因帖木儿将逃，失马，窜伏深草间，擒之。又追获吴王朵儿只、代王达里麻、平章八兰等二千九百九十人，军士男女七万七千三十七人，得宝玺图书牌面一百四十九、宣敕照会三千三百九十道、金印一、银印三；马四万七千匹，驼四千八百四头，牛羊一十万二千四百五十二头，车三千余辆。聚虏兵甲焚之。"① 北元汗廷在此遭到致命的打击。朵儿只就是朵尔赤，他的被俘，意味着元代哈赤温家族的覆没。洪武二十一年八月，"赐故元吴王朵儿只并其将校二千九百余人钞一万锭、绢一万一千七百匹。"② 据此可知吴王朵儿只在元亡后势力尚大。

三、斡赤斤家族的主要宗王

塔察儿 塔察儿是斡赤斤嫡孙，只不干之子。约1246年，斡赤斤死，其时只不干已死，塔察儿尚未成年，其同父异母的庶兄帖木迭儿欲废嫡自立。斡赤斤藩王府府官撒吉思等人火速驰告汗廷。摄政的乃马真氏皇后脱列哥那遂定议将"皇太弟玺"授予塔察儿，由他继任斡赤斤兀鲁思汗。③

贵由汗去世以后，塔察儿站在拔都一边，支持拖雷的儿子蒙哥为大汗。宪宗七年（1257年）春，蒙哥汗因猜忌皇弟忽必烈在中原汉地收揽民心，将不利于己，派亲信到汉地钩考，并收回忽必烈节制汉地军事的权力，而委任塔察儿为汉地军事统帅。是年秋，"宗王塔察儿率诸军南征，围樊城，霖雨连月，乃班师。"④ 冬天，忽必烈到漠北入觐，与蒙哥释憾。翌年春，蒙哥重新命忽必烈统左翼诸路蒙古、汉军征鄂，取消了塔察儿的统帅权。蒙哥自将右翼由西蜀攻宋，塔察儿部加入右翼集团。十一月，"诸王塔察儿略地至江而还，并会于行在所"。⑤ 宪宗九年（1259年），蒙哥在四川前线因伤

---

① 《明太祖实录》卷190，第2866页；《明史》卷132《蓝玉传》，第3865页。
② 《明太祖实录》卷193，第2898页。
③ 《圭斋集》卷11《高昌偰氏家传》；《全元文》卷1100，第592页。
④ 《元史》卷3《宪宗本纪》，第49页。
⑤ 《元史》卷3《宪宗本纪》，第52页。

染疾死去。塔察儿当随右翼征宋军班师。在阿里不哥与忽必烈的汗位之争中，西道诸兀鲁思后王大都倾向于支持留守漠北大营的阿里不哥。忽必烈欲夺得汗位，则主要依靠东道诸王的支持，而势力最大的斡赤斤家族成为忽必烈的首要争取对象。忽必烈派亲信廉希宪专程"赐塔察儿饮膳"，廉希宪在塔察儿面前盛赞忽必烈"圣德神功，天顺人归"，而后力劝塔察儿说："大王位属为尊。若至开平，首当推戴，无为他人所先。"到开平大朝会时，塔察儿果然率先向忽必烈上书劝进。集议之初，"诸侯王议未一"。忽必烈遂当众公布塔察儿的劝进书，"书出而决"①。中统元年（1260年）六月，"诏中书省给诸王塔察儿益都、平州封邑岁赋、金帛，并以诸王白虎、袭剌门所属民户、人匠、岁赋给之。"② 诸王白虎是斡赤斤的儿子，诸王"袭剌门"就是《宗室世系表》上斡赤斤曾孙"袭剌谋大王。"③ 这种特别恩宠，是对塔察儿在关键时刻曾全力支持忽必烈的回报。中统二年十一月，忽必烈的大军与阿里不哥大战于昔木土脑儿之地，"诸王哈丹等斩其将哈丹火儿赤及其兵三千人，塔察儿与合必赤等复分兵奋击，大破之，追北五十余里。"④ 中统元年十二月，确定的岁赐是"诸王塔察、阿术鲁钞各五十九锭有奇，绵五千九十八斤，绢五千九十八匹，文绮三百匹，金素半之；……自是岁以为常。"⑤ 阿术鲁是塔察儿之孙。中统二年八月，"赐诸王塔察儿金千两、银五千两、币三百匹。"⑥ 中统二年，朝廷专为塔察儿王置管领种田打捕鹰房民匠等户万户府，"掌归德、亳州、永、宿二十余城各蒙古、汉军种田户差税。"⑦ 中统"四年十一月丙戌，仍寓祀事中书，以亲王合丹、塔察儿、王磐、张文谦摄事。"⑧ 至元九年（1272年）十二月，"赐北平王南木合军马一万二千九百九十一、羊六万一千五百三十一，及诸王塔察儿军币帛。"⑨

① 《元朝名臣事略》卷2《丞相楚国武定公》所引姚燧撰：《阿里海牙神道碑》，第32页。
② 《元史》卷4《世祖本纪》一，第67页。
③ 《元史》卷107《宗室世系表》，第2717页。
④ 《元史》卷4《世祖本纪》一，第70、76页。
⑤ 《元史》卷4《世祖本纪》一，第68页。
⑥ 《元史》卷4《世祖本纪》一，第74页。
⑦ 《元史》卷88《百官志》四，第2236页。
⑧ 《元史》卷74《祭祀》三《宗庙上》，第1831页。
⑨ 《元史》卷7《世祖本纪》四，第144页。

塔察儿可能随北平王出镇于阿力麻里，所以与北平王南木罕（即那木罕）同受赐。至元十年六月，"赈诸王塔察儿部民饥。"九月，"给诸王塔察儿所部布万匹。"①

至元十年，元廷赈济塔察儿所部饥民。翌年，廉希宪行省事于北京，塔察儿曾向他及辽西"嗣国王头辇哥"等"传旨"。此后，有关塔察儿的记载不见于史籍，可能已去世。

塔察儿死后，斡赤斤兀鲁思汗位先后由阿朮鲁、乃颜继承。②

乃颜国王　上文已说到塔察儿死后，斡赤斤兀鲁思汗位先后由阿朮鲁、乃颜继承。③ 但是关于乃颜的世次，因为东西方史料记载的歧异，至今难以确言。《史集》俄译本第一卷第二分册和德黑兰波斯文刊本，则分别将乃颜世次载录如下：

俄译本：斡赤斤—只不（即只不干）—塔察儿—失儿不海—阿朮鲁—乃颜—脱黑台；德黑兰刊本：斡赤斤—只不（即只不干）—塔察儿—？—乃颜—脱黑台。

脱黑台即辽王脱脱。《史集》记载，失儿不海后来率部逃往西道诸王海都的兀鲁思，④ 时间大概是在乃颜之乱失败后，此人当拉施都丁撰写《史集》时仍然在世。《贵显世系》所载塔察儿后人中也有他。至于阿朮鲁，按《元史·宗室世系表》，实为只不干兄斡端的长子，与塔察儿是堂兄弟。他搀入塔察儿世系，应是由于他继塔察儿之后担任过斡赤斤兀鲁思的汗。因此，乃颜的世系可能是：塔察儿—失儿不海—乃颜—脱黑台。失儿不海一支可能因乃颜叛乱而不显，故未见于《元史·宗室世系表》。

至元七年（1270年），头辇哥国王指挥元军进征高丽时，乃颜在行伍中。⑤ 乃颜大约在至元二十年左右继阿朮鲁任斡赤斤兀鲁思汗。乃颜为兀

---

① 《元史》卷8《世祖本纪》五，第150、151页。

② 参见《史集》（汉译本）第1卷第1分册，第72、77页附表。

③ 参见《史集》（汉译本）第1卷第1分册，第72、77页附表。

④ 参见《史集》（汉译本）第1卷第1分册，第77页附表。《乃颜》一文主要参考了白寿彝主编：《中国通史》第8卷《中古时代·元时期》（下册）《丁编传记》第2章第3节《铁木哥斡赤斤（附乃颜）》。

⑤ 《元史》卷208《外夷传》一《高丽》，第4617页。

鲁思汗时，元朝完成了全国的统一，忽必烈着手限制诸王、投下的权力，以加强中央集权，其措施主要是在地方设行省，在诸王、投下领地上设路、府、州、县，试图将诸王、投下的领地纳入中央统一的行政管辖之下。而乃颜除了原有的分地外，并不想放弃向大兴安岭以东地区扩张势力的权力，因此展开了与元廷争夺对辽东地区控制权的斗争，且矛盾日趋尖锐，萌生了反叛念头。随着乃颜反状日益明显，元廷担心治理辽东政事的宣慰司的威望轻，不足临镇一方，因此在至元二十三年（1286年）二月罢山北辽东道、开元等路宣慰司，将辽东的地方行政机构升格为"东京等处行中书省"（治今辽宁沈阳市）。① 翌月，又北徙东京省治于咸平（今辽宁开原县）。① 东京行省虽然不满半年即撤销，但仍然引起乃颜的不满，乃颜在辽东征兵准备叛乱。至元二十四年二月，"敕诸王阇里铁木儿节制诸军。""乃颜遣使征东道兵，阇谕里铁木儿毋辄发。"② 夏四月，诸王乃颜举兵反叛。东道诸王的宗盟之长是斡赤斤家族，当初忽必烈与阿里不哥争位，塔察儿首肯推戴忽必烈，东道诸王便都支持忽必烈。现在乃颜号召反对忽必烈，东道诸王也多人响应，合赤温后王哈丹、胜纳哈儿，合撒儿后王势都儿，别里古台后王爪都等东道诸王四家都参加了叛乱。叛军的活动，西面直达土拉河中游，东面则从大兴安岭东麓洮儿河地区及松嫩河流域向水达达居地乃至辽河流域扩展。此时，元朝与西北诸王海都、都哇的战争正在金山一线对峙，而乃颜还遣使联合海都同时出兵，以便东西夹击忽必烈。为防止东、西道诸王夹攻岭北、联兵南下的危险，镇守漠北的北安王那木罕命土土哈从驻地东行，"疾驰七昼夜"，在土拉河挫败乃颜叛党西进的兵锋，接着又沿克鲁伦河而下，破其后续部队万余骑。乃颜试图打通岭北，占领"国家根本之地"的战略计划即告失败。

与此同时，忽必烈部署平叛，决定亲征乃颜。至元二十四年五月己亥，"遣也先传旨谕北京等处宣慰司，凡隶乃颜所部者禁其往来，毋令乘马持弓矢。庚子，以不鲁合罕总探马赤军三千人出征。"忽必烈亲自率博罗欢所领五部军（应即弘吉剌氏等五投下）及李庭所领诸卫汉军，由上都经应昌，

---

① 《元史》卷14《世祖本纪》十一，第286页。
② 《元史》卷14《世祖本纪》十一，第296、298页。

沿大兴安岭西麓北上。北征蒙古军主力由玉昔帖木儿率领，与忽必烈分道行进。六月初，忽必烈抵达撒儿都鲁之地（当即今呼伦湖东南的沙尔士冷呼都克）。元军在这里先后与叛将黄海、塔不台、金家奴等6万叛军遭遇。元军在数量上居于劣势，忽必烈却贸然乘象舆临阵，"意其望见车驾，必就降"。但叛军强弓劲射，悉力攻击象舆。忽必烈被迫下舆御马，命元军固营自守，不复出战，疑惑叛军。至夜，李庭持火突袭敌阵，叛军惊溃，忽必烈转危为安。撒儿都鲁之战后，元军进至乃颜的分地，留下部分军队镇守哈尔哈河，以精骑扈驾直捣乃颜的失剌斡耳朵（译言黄帐，即斡赤斤后老营），乃颜已逃走，元军在这里获乃颜丢弃的"辎重千余"。率领蒙古军主力的玉昔帖木儿在击败叛王哈丹后，也赶到这里与忽必烈会师。① 当年七月，势都儿进攻咸平被元军打败，势都儿所部投降，叛乱力量被分化。②

此时，乃颜已东撤到大兴安岭西侧哈尔哈河与诺木尔金河交汇处以东的不里古都伯塔哈山地（蒙语"有鹰山"）。玉昔帖木儿以钦察将领玉哇失为前锋，冲入敌阵，叛军溃散，乃颜逃到失列门林之地为元军追擒。忽必烈下令处死乃颜。据王恽的《东征诗》，乃颜被杀后，"死弃木裔河，其妻内一泓"。"木裔"是蒙语 muren 的音译，意为"河"。这个木裔河，与失列门林所指，当即一地。一般认为，"失列门林"是蒙语 sira muren 的音译，意谓"黄河"，即今西拉木伦河。

乃颜死后，参加叛乱而为元军俘虏的斡赤斤后王部众，多被没入国家版籍，有些还被强行徙置江南。至元二十六年（1289 年）四月，尚书省臣言："乃颜以反诛，其人户月给米万七千五百二十三石，父母妻子俱在北方，恐生它志，请徙置江南，充沙不丁所请海船水军。"忽必烈"从之。"③ 至元二十八年三月，"乃颜所属牙儿马兀等同女直兵五百人追杀内附民余千人，遣塔海将千人平之。"④ 这是乃颜属民内部叛乱与反叛乱的斗争。至元三十一

---

① 参见《元史》卷 14《世祖本纪》十一，第 298、299 页；卷 162《李庭传》，第 3797 页；卷 119《玉昔帖木儿传》，第 2948 页。

② 《元史》卷 14《世祖本纪》十一，第 299 页。

③ 《元史》卷 15《世祖本纪》十二，第 322 页。

④ 《元史》卷 16《世祖本纪》十三，第 354 页。

年八月，"以合鲁剌及乃颜之党七百余人隶同知枢密院事不怜吉带，习水战。"① 大德元年（1297 年）十二月，又"徙乃颜民户于内地。"② 乃颜的部分属民被发配到了镇南王的军中，"谪从叛诸王赴江南诸省从军自效。谕镇南王脱欢，禁载从征诸王及省官奥鲁赤等，毋纵军士焚掠，毋以交趾小国而易之。"③ 镇南王可能还趁机夺取叛王的财产。乃颜所部蒙古军被分置于河南、江浙、湖广、江西诸省。至顺二年（1331 年）正月，"命枢密院遣使括其数，得二千六百人。"④ 元廷还在"乃颜故地"立肇州（在今黑龙江肇州西南、松花江畔），迁西北吉里吉思等部东居，通过安插朝廷所辖民众来监督斡赤斤后王的动向，并组织当地各族部众在该地区开垦。但是，未直接参与叛乱的斡赤斤系其他诸王所部，并未被元廷褫夺。如塔察儿长子乃蛮带（乃麻歹）一系。此后，斡赤斤后王的大帐，可能就从大兴安岭之西的呼伦贝尔草原迁到了辽东。

　　乃颜是基督教徒。根据马可·波罗的记载，乃颜举兵反元时，曾将十字架徽记标上自己的战旗，在他的军队中有大量基督教信徒。⑤ 元赵世延《应昌路曼施山新建龙兴寺记》述及忽必烈出征乃颜之事时，谓乃颜"离佛正法"。另一则汉文史料也提到"叛始由惑于妖言，遂谋不轨"。元代蒙古人中间信奉聂思脱里教的人数相当多。因此，所谓"离佛正法"的"妖言"，在这里很可能就是指被乃颜利用来进行反元动员的聂思脱里教。

辽王脱脱　据前揭《史集》资料，"脱黑台"（即脱脱）是乃颜之子，乃颜之父失儿不海率部逃往西道诸王海都的兀鲁思，⑥ 应是在乃颜之乱失败后。天历元年（1328 年）十二月，"江南行台御史言：'辽王脱脱，自其祖父以来，屡为叛逆，盖因所封地大物众，宜削王号，处其子孙远方，而析其元封分地。'"⑦ 据此，可以视脱脱为失儿不海之孙、乃颜之子，至少脱脱与

---

　　① 《元史》卷 18《成宗本纪》一，第 387 页。

　　② 《元史》卷 19《成宗本纪》二，第 415 页。

　　③ 《元史》卷 14《世祖本纪》十一，第 300 页。

　　④ 《元史》卷 35《文宗本纪》四，第 775 页。

　　⑤ 《马可波罗行纪》，第 181 页。

　　⑥ 参见《史集》（汉译本）第 1 卷第 1 分册，第 77 页附表；参见白寿彝主编：《中国通史》第 8 卷《中古时代·元时期》（下册）《丁编传记》第 2 章第 3 节《铁木哥斡赤斤（附乃颜）》。

　　⑦ 《元史》卷 32《文宗本纪》一，第 722 页。

乃颜的直系血缘关系是没有问题的。《元史·宗室世系表》记载，辽王脱脱为寿王乃蛮台的孙子、孛罗大王之子，当有误。

乃颜叛乱被处死后，忽必烈扶持斡赤斤家族的另一个宗王乃蛮台，使其一度掌管斡赤斤兀鲁思。但不久即以乃颜之子脱脱继位成斡赤斤分地的藩主，乃蛮台只管领本支分地与属民，辽王才是斡赤斤家族的大宗主。

大德元年（1297 年）秋七月庚午，"赐诸王脱脱、孛罗赤、沙秃而钞二千锭，所部八万四千余锭，撒都失里千锭，所部二万余锭。"① 可见，脱脱在大德元年就以本部藩主身份受赐了，不过撒都失里是另一支。大德三年十二月，"赐诸王六十、脱脱等钞一万三千余锭。"② 大德六年十一月，"禁和林军酿酒，惟安西王阿难答、诸王忽剌出、脱脱、八不沙、也只里、驸马蛮子台、弘吉列带、燕里干许酿。"③ 这说明辽王脱脱此时出镇和林，脱脱参加了大德五年元军对海都与都哇的战争，因为大德七年，成宗赏赐大德五年有功军将时，诸王脱脱亦在受赐之列。④ 大德七年三月，"以脱欢诬告诸王脱脱，谪置湖广省军前自效。""以铁哥察而所收爱牙合赤户仍隶诸王脱脱。"⑤ 爱牙合赤也是斡赤斤后王，爱牙合赤应与脱脱是一支，所以他的人户属于脱脱。大德八年五月，"以平宋隆济功，赐诸王脱脱、亦吉里［带］，平章床兀而等银、钞、金、币、玉带，及大理金齿、曲靖、乌撒、乌蒙宣慰等官银、钞各有差。"⑥ 亦吉里带就是济南王也只里。大德四年，成宗采纳梁王等人的建议，命湖广行省左丞刘深为云南征缅行省右丞，率湖广等省兵征八百媳妇（今泰国北部等地）。刘深沿途征发息索，向亦溪不薛（彝语，意为水西，指今贵州鸭池河以西）彝族女首领蛇节（或作折节）索要金3 000 两、马 3 000 匹。蛇节乃与水东雍真葛蛮土官宋隆济于大德五年率领苗、彝、仡佬族人民起义。⑦ 看来，脱脱等东道诸王可能在大德五年元军与

---

① 《元史》卷 19《成宗本纪》二，第 412 页。

② 《元史》卷 20《成宗本纪》三，第 429 页。

③ 《元史》卷 20《成宗本纪》三，第 443 页。

④ 《元史》卷 21《成宗本纪》四，第 451 页。

⑤ 《元史》卷 21《成宗本纪》四，第 450 页。

⑥ 《元史》卷 21《成宗本纪》四，第 459 页。

⑦ 参见《国朝文类》卷 41《经世大典序录·政典·招捕》；《中国大百科全书·中国历史·元史》，第 90 页"蛇节"条。

海都、都哇大战后，即被抽调至南方，去平定宋隆济、蛇节的起义。大德九年三月，车驾幸上都。"赐亲王脱脱钞二千锭，奴兀伦、孛罗等金五百两、银千两、钞二万锭。"①

脱脱在成宗朝比较活跃，参加了两次征伐活动，建立了功劳，便想恢复家族势力，开始收集旧日属民。大德十一年七月，右丞相塔剌海、左丞相塔思不花言："前乃颜叛，其系虏之人，奉世祖旨俱隶版籍。比者近臣请以归之诸王脱脱，彼即遣人拘括。臣等以为此事具有先制，今已归脱脱所部，宜令辽阳省臣薛阇干等往谕之，已拘之人悉还其主。"武宗"从之"。② 皇庆元年（1312 年）二月，"省女直水达达万户府冗员。" 敕："诸王脱脱所招户，其未籍者，俾隶有司。"③ 这应当是脱脱招收了水达达民户作为投下户，朝廷令这些民户重新登记在朝廷户版上。有一些水达达民户隶属斡赤斤家族，这是当年斡赤斤经营辽东的掳获。乃颜叛乱时，"女直、水达达官民与乃颜相连结"。④ "相连结"的实质应当是乃颜驱使水达达、女直属民充当士兵。乃颜之乱后，朝廷命"水达达、女直民户由反地驱出才，押回本地，分置万夫、千夫、百夫内屯田。"⑤ 成宗元贞元年（1295 年）七月，立肇州蒙古屯田万户府，"以乃颜不鲁古赤及打鱼水达达、女直等户，于肇州旁近地开耕。"属于乃颜的不鲁古赤有 220 户，水达达 80 户。⑥ "不鲁古赤"是蒙古语，意即捕貂人。仁宗皇庆元年三月，"中书省臣奏李马哥等四百户为民。初，李马哥等四百户属诸侯王脱脱，乙未年定籍为民，高丽林衍及乃颜叛，皆尝签为军。至元八年置军籍，以李马哥等非七十二万户内军数，复改为民。至大四年，枢密院复奏为军。"⑦ 关于这段史料需要作较详细的说明。元太宗五年（1233 年），"以阿同葛等充宣差勘事官，括中州户，得户七十三万余"⑧。元太宗六年，蒙古灭金，窝阔台发布圣旨："不论达达、回回、

① 《元史》卷 21《成宗本纪》四，第 462 页。
② 《元史》卷 22《武宗本纪》一，第 485 页。
③ 《元史》卷 24《仁宗本纪》一，第 551 页。
④ 《元史》卷 133《塔出传》，第 3224 页。
⑤ 《元史》卷 17《世祖本纪》十四，第 366 页。
⑥ 《元史》卷 100《兵志》三《屯田》，第 2566 页。
⑦ 《元史》卷 98《兵志》一，第 2521 页。
⑧ 《元史》卷 2《太宗本纪》，第 32 页。

契丹、女真、汉人等，如是军前掳到人口，在家住坐做驱口；因而在外住坐，于随处附籍，便系是皇帝民户，应当随处差发。主人见，更不得识认。如是主人识认者，断按答奚罪戾。"① 据此，诸王将校寄留在各地州郡的其他俘户生口，被国家收编为"皇帝民户"。元太宗七年，窝阔台命中州断事官胡土虎再次括户，直到次年六月括户才结束，"得续户一百一十余万"。这次括户从乙未年（1235 年）开始进行，故称乙未户籍。但是据《元史·兵志》，所谓"得续户一百一十余万"应是太宗时期两次籍户的总和。《元史·兵志》云：太宗"十三年八月，谕总管万户刘黑马，据斜烈奏，忽都虎等元籍诸路民户一百万四千六百五十六户，除逃户外，有七十二万三千九百一十户，随路总签军一十万五千四百七十一名，点数过九万七千五百七十五人，余因近年蝗旱，民力艰难，往往在逃。有旨，今后止验见在民户签军，仍命逃户复业者免三年军役。"② 前揭史料中的"七十二万户内军数"就是指太宗时期签发的汉地军户，他们属于大汗即元政府军队。李马哥等 400 户本来是斡赤斤位下的人户，不属于军户，只在至元初年藩属国高丽权臣林衍叛元及乃颜叛乱时被临时签发为军，至大四年再改为隶属枢密院的军户，说明乃颜之乱后，朝廷在削弱斡赤斤家族的势力。

泰定三年（1326 年）七月，"辽王脱脱请复太母月也伦宫守兵及女直屯户，不允。"③ 致和元年（1328 年）二月，"赐辽王脱脱钞五千锭。"④ 七月，泰定帝死。统治集团内部的纷争又开始了。辽王脱脱在泰定朝很受重视，御史两次弹劾他，泰定帝都不予追究，而且多次受赏赐，因此辽王脱脱支持泰定帝后人继承汗位。八月，上都方面分兵进攻大都，"留辽王脱脱、诸王孛罗帖木儿、太师朵带、左丞相倒剌沙、知枢密院事铁木儿脱居守上都。"天历元年（1328 年）十月十三日，"齐王月鲁帖木儿、东路蒙古元帅不花帖木儿等以兵围上都，倒剌沙等奉皇帝宝出降。梁王王禅遁，辽王脱脱为齐王月鲁帖木儿所杀，遂收上都诸王符印。"文宗下令："晋邸及辽王所

---

① 郭成伟点校本《通制条格》卷 2《户令·户例》，第 7 页。
② 《元史》卷 98《兵志》一，第 2510 页。
③ 《元史》卷 30《泰定帝本纪》二，第 670、671 页。
④ 《元史》卷 30《泰定帝本纪》二，第 685 页。

辖路、府、州、县达鲁花赤并罢免禁锢，选流官代之。"十一月，燕铁木儿言："晋王及辽王等所辖府县达鲁花赤既已黜罢，其所举宗正府扎鲁忽赤、中书断事官，皆其私人，亦宜革去。"文宗"从之"。① 这是对辽王、晋王家族权力的清算。辽王之子八都大约对朝廷的处罚不满，乃"聚党出剽掠，敕宣德府官捕之。"② 十二月，"江南行台御史言：'辽王脱脱，自其祖父以来，屡为叛逆，盖因所封地大物众，宜削王号，处其子孙远方，而析其元封分地。'诏中书与勋旧大臣议其事。"③ 成吉思汗子孙的分地是不可能剥夺的，勋旧大臣肯定将御史的奏议驳回，后来有牙纳失里袭封辽王可以说明这一点。

辽王脱脱十分骄横。大德十年（1306 年），"辽王脱脱入朝，从者执兵入大明宫，铁哥（当时的中书平章政事——引者注）劾止之，王惧谢。"④ 泰定元年二月，监察御史傅岩起、李嘉宾上奏："'辽王脱脱乘国有隙，诛屠骨肉，其恶已彰，恐怀疑贰，如令归藩，譬之纵虎出柙。请废之，别立近族以袭其位。'不报。"⑤ 这年五月，监察御史董鹏南、刘潜、边笥、慕完、沙班以灾异上章弹劾："辽王擅杀宗亲"之事。⑥ 六月，中书平章政事张珪与左右司员外郎宋文瓒在上都上奏："辽王脱脱，位冠宗室，居镇辽东，属任非轻，国家不幸，有非常之变，不能讨贼，而乃觊幸赦恩，报复仇怨，杀亲王妃主百余人，分其羊马畜产，残忍骨肉，盗窃主权，闻者切齿。今不之罪，乃复厚赐放还，仍守爵土，臣恐国之纪纲，由此不振。设或效尤，何法以治！且辽东地广，素号重镇，若使脱脱久居，彼既纵肆，将无忌惮，况令死者含冤，感伤和气！臣等议：累朝典宪，闻赦杀人，罪在不原，宜夺削其爵土，置之他所，以彰天威。"⑦ 许有壬上《辽王》折弹劾，"比者脱脱辽王，擅杀亲族八里牙等，实违太祖皇帝大法，不闻有所处置，内外无不忧

---

① 《元史》卷 32《文宗本纪》一，第 715、721 页。

② 《元史》卷 32《文宗本纪》一，第 721 页。

③ 《元史》卷 32《文宗本纪》一，第 722 页。

④ 《元史》卷 125《铁哥传》，第 3077 页。

⑤ 《元史》卷 29《泰定帝本纪》一，第 644 页。

⑥ 《元史》卷 29《泰定帝本纪》一，第 646 页。

⑦ 《元史》卷 175《张珪传》，第 4076 页。

疑。"① 据《元史·宗室世系表》，八里牙是塔察儿的兄弟帖木迭儿之孙。由以上史料可知辽王脱脱在南坡之变后，趁机在本宗内部暴乱，杀本宗宗王、妃主百余人，又分掉他们的家产。但泰定帝顶住臣子们的几度弹劾，并未处罚脱脱，这是脱脱在天历初年为什么站在泰定帝后人一方的原因。

自辽王脱脱以后，辽王的营幕地，应当就在辽阳行省的元泰宁路境内。在本书的概述部分，我们已经谈到泰宁路属于辽阳行省。明初此地的蒙古部众降附后，被就地改编为泰宁卫，统率该卫的指挥同知阿札失里被当时文献称为"故元辽王"。泰宁卫的蒙古名称"往流"、"罔留"，也表明这一部分蒙古人众原来是"属于王的人民"，亦即辽王部民。② 这就是说，到元代中期以后，斡赤斤兀鲁思汗的大帐，一直是在大兴安岭东麓的洮儿河流域。

辽王牙纳失里　辽王牙纳失里的世系不清楚。辽王脱脱被杀后，天历二年八月，文宗"封牙纳失里为辽王，以故辽王脱脱印赐之。"③ 至正十五年（1355 年）正月，"命河南行省参知政事洪丑驴守御河南，陕西行省参知政事述律朵儿只守御潼关，宗王扎牙失里守御兴元，陕西行省参知政事阿鲁温沙守御商州，通政院使朵来守御山东。诏豫王阿剌忒纳失里与陕西行省平章政事搠思监从宜商议军事。"④ 此宗王扎牙失里是否是牙纳失里出现了倒误？

明洪武十七年（1384 年）十一月，江西布政使司参议胡星上奏：纳哈出窃据金山，恃强为患，元嗣君帖古思帖木儿不能制，"其麾下哈剌章、蛮子、阿纳失里诸将各相猜疑，……"⑤ 因此建议明朝发兵攻打纳哈出。此"阿纳失里"即辽王牙纳失里。

辽王阿札失里　元亡后，有辽王阿札失里与纳哈出等活动在辽东一带，当是元末辽王牙纳失里的继承者。洪武二十一年八月，"辽东都指挥使司送故元来降辽王并其臣属四十九人来朝贡马。"十一月，"辛卯，故辽王阿札失里命宁王塔宾帖木儿来降，先遣人赍脱古思帖木儿旧降诏书赴京来献，以

① 《至正集》卷76《辽王》。
② 参见宝音德力根：《往流、阿巴噶、阿鲁蒙古》，《内蒙古大学学报》1998 年第 4 期。
③ 《元史》卷 33《文宗本纪》二，第 739 页。
④ 《元史》卷 44《顺帝本纪》七，第 921 页。
⑤ 《明太祖实录》卷 168，第 2566 页。

示其诚。"① 此处"辽王阿札失里命宁王塔宾帖木儿"的"命"字应是
"会"之误，为"会同"之义。洪武二十二年五月，明朝在兀良哈之地设泰
宁、朵颜、福余三卫。以辽王阿札失里时为泰宁卫指挥使，塔宾帖木儿为指
挥同知。② 据研究，明朝初年，这三卫的游牧地在潢水之北。其中，泰宁卫
牧地在元泰州（今吉林省洮安县）一带，这里正是元代辽王家族的分地。③
辽王降而复叛，《明史·傅友德传》记载，傅友德"明年（洪武二十四年）
为征虏将军，备边北平。复从燕王征咂者舍利，追元辽王。"④

四、别里古台家族主要宗王

广宁王爪都 据《元史·别里古台传》，爪都是别里古台次子也速不花
之子。《史集》记载别里古台之后是爪都做了其兀鲁思的汗。"爪都"意为
"有百"，《史集》称其因娶百名妃子并生有百子而得此号，⑤ 其原名则被人
遗忘。

中统元年（1260 年）春三月戊辰朔，忽必烈车驾至开平，召开忽里勒
台即位。"亲王哈丹、阿只吉率西道诸王，塔察儿、也先哥、忽剌忽儿、爪
都率东道诸王，皆来会，与诸大臣劝进。"⑥ 中统年间，爪都就是本兀鲁思
的汗，这与《史集》记载的情况相符。中统元年十二月，确定爪都的岁赐
是"银五千两，文绮三百匹，金素半之……。"⑦ 中统三年正月，"癸未，赐
广宁王爪都驼钮金镀银印。"⑧《元史·别里古台传》明确说爪都"始以推
戴功，封广宁王。"爪都因推戴之功在忽必烈初年受到的赏赐很多。中统四
年七月，"诏赐诸王爪都牛马价银六万三千一百两。"⑨

至元十三年（1276 年），从北平王那木罕出镇阿里麻里的宗王昔里吉、

① 《明太祖实录》卷 193，第 2903 页；卷 194，第 2916 页。
② 参见《明太祖实录》卷 196，第 2946 页。
③ 和田清：《明代蒙古史论集》（上册），商务印书馆 1984 年版，第 90—124 页。
④ 《明史》卷 129《傅友德传》，第 3803 页。
⑤ 《史集》（汉译本）第 1 卷第 2 分册，第 73 页。
⑥ 《元史》卷 4《世祖本纪》一，第 63 页。
⑦ 《元史》卷 4《世祖本纪》一，第 68 页。
⑧ 《元史》卷 5《世祖本纪》二，第 81 页。
⑨ 《元史》卷 5《世祖本纪》二，第 93 页。

撒里蛮、脱铁木儿、岳木忽儿等发动叛乱时，一向支持忽必烈的广宁王爪都也与叛王相通。因为爪都在忽必烈与阿里不哥的争战中支持了忽必烈，忽必烈只是将爪都流放到南方的海岛上而未处死爪都。① 终元一代别里古台家族未封一等金印兽钮王，可能是因为其家族始祖别里古台是庶出。

广宁王彻里帖木儿 据《元史·宗室世系表》，别里古台之子口温不花有子翁吉剌歹，翁吉剌歹有子"广宁王彻里帖木儿。"② 广宁王彻里帖木儿是爪都的堂侄子。爪都谋反，使广宁王王封转入了口温不花一系。

广宁王按浑察 按《元史·宗室世系表》，广宁王按浑察是广宁王彻里帖木儿之子。致和元年（1328年）八月，燕铁木儿发动政变。"丙午，诸王按浑察至京师。"③ 按浑察支持立武宗后人为汗，有功，故于至顺元年（1330年）七月被封为广宁王。④

广宁王浑都帖木儿 泰定四年（1327年）闰九月，浑都帖木儿获得五千锭钞的赏赐。⑤ 在按浑察之后是浑都帖木儿任别里古台兀鲁思的藩主，也被封为广宁王。至正十三年（1353年）九月己丑，"广宁王浑都帖木儿薨，赙钞一千锭。"⑥

广宁王帖木儿不花 至正十四年春正月，"命帖木儿不花袭封广宁王，赐钞一千锭。"⑦ 这是末代广宁王。

① 《史集》（汉译本）第1卷第2分册，第74页。
② 《元史》卷107《宗室世系表》，第2714页。
③ 《元史》卷32《文宗本纪》一，第706页。
④ 《元史》卷34《文宗本纪》三，第759页。
⑤ 《元史》卷30《泰定帝本纪》二，第682页。
⑥ 《元史》卷43《顺帝本纪》六，第911页。
⑦ 《元史》卷43《顺帝本纪》六，第913页。

第 十 一 章

安西王家族

第一节　安西王忙哥剌、阿难答王及其与朝廷的关系

元代的安西王家族以忽必烈第三子忙哥剌为始祖。至元九年（1272年），忽必烈封忙哥剌为安西王，以京兆为其分地，统辖河西、吐蕃、四川诸处的广大地区，忙哥剌成为担当方面之重的诸王。① 但忙哥剌家族经历了忽必烈时期的兴旺之后，逐步走向衰落，其直接原因是嗣王阿难答、月鲁帖木儿父子成为两次宫廷政变的主要人物。在元朝的政治舞台上，安西王家族比较特殊，他们覆灭在汗室内部的争斗中而非元末改朝换代的战火中。

一、安西王、秦王忙哥剌及其王相府

忙哥剌是忽必烈正后察必皇后生。至元元年（1264 年）八月，忽必烈以李槃为皇子忙哥剌的"说书官"。说书官，即是老师。② 李槃是真定名士，曾奉唆鲁禾帖尼之命侍阿里不哥讲读。③ 至元九年十月，忙哥剌被封为安西王，以京兆为其分地，授二等金印螭纽。同时，开府于京兆与六盘山。④ 至

---

① 《元史》卷 14《世祖本纪》十一，第 301 页。
② 《元史》卷 5《世祖本纪》二，第 99 页。
③ 《元史》卷 126《廉希宪传》，第 3086 页。
④ 《元史》卷 7《世祖本纪》四，第 143 页。

元十一年，忽必烈立燕王真金为皇太子，忙哥剌遂益封秦王，另赐兽纽金印，同时兼绾安西王印，成为元代极罕见的身绾二金印、两府并开的亲王。① 忙哥剌晋封秦王后，仍常被称为安西王。

安西王忙哥剌统辖河西、吐蕃、四川诸处军民之政 至元九年，忙哥剌受封安西王时，忽必烈令其驻兵六盘山，统辖河西、吐蕃、四川诸处的广大地区。② 为此，为安西王设置了规格高于王傅府的王相府，先后有商挺、李德辉、赵炳、汪良臣等勋臣出任王相，辅弼安西王。元初命宗王出镇边徼要地，以宗王王府兼理当地军政事务，王府王相或兼为地方官。西安王相李德辉兼西川行枢密院副使，京兆路总管赵炳亦兼安西王王相，中书左丞、行四川行中书省事汪良臣为安西王相。③ 当时，皇子北安王那木罕、云南王忽哥赤与安西王忙哥剌虽然都设立了王相府，但北安王那木罕、云南王忽哥赤的王相府无印，"而安西王相独有印"。④ 而且，安西王王相用的印在至元十四年时由铜印改为银印。⑤ 安西王王相府的地位大大超过一般的王傅府，是与它当时所担负的职责密切相关的。

军事大权 安西王王相府是元朝中央派出的秦蜀地区的最高行政和军事机构。安西王忙哥剌王相府在至元十年至十六年的主要军事任务是督战川蜀。所以，忙哥剌的王相府地位极高、权力极大。忙哥剌及其王相府有多种特权：一是有权派遣官吏巡视和督战，以调节内部纷争；二是可直接奏报四川战况；三是可以根据具体情况自行其是，发布特别命令。

安西王受命督战川蜀时，元朝分兵三道伐宋。伯颜统中道自襄阳浮汉水而出至长江，而四川在长江上游，其时嘉定、重庆、涪州、夔州诸地都在南宋辖下，元朝设东川、西川两行枢密院讨伐四川，两院行军之事都由安西王及其王相府节制。王相府一方面直接派兵参战，另一方面有权派遣官吏巡视

---

① 参见《牧庵集》卷10《延厘寺碑》；元朝另一身绾二金印的是驸马高丽国王、沈王王璋，张岱玉：《〈元史〉高丽驸马王封王史料考辨》，《内蒙古社会科学》2005年第5期。

② 《元史》卷7《世祖本纪》四，第143页；卷14《世祖本纪》十一，第301页。

③ 《元史》卷163《李德辉传》，3816、3817页；卷163《赵炳传》，第3837页；卷10《世祖本纪》六，第214页。

④ 《元史》卷14《世祖本纪》十一，第301页。

⑤ 《元史》卷9《世祖本纪》六，第188页。

和督战，以调节内部纷争，还可直接奏报四川战况。至元十二年（1275 年）三月，元朝征南宋及西南未复之地，派兵征建都及吐蕃，其中安西王忙哥剌、诸王只必帖木儿、驸马长吉，各遣所部蒙古军由西平王奥鲁赤统领，出征吐蕃。① 至元十二年，安西王王相李德辉至成都督战。至元十三年，王相府奏请颁诏招抚合州张珏。十一月，"安西王所部军克万州。"② 至元十五年正月，安西王府报告："万户秃满答儿、郝札剌不花等攻克泸州，斩其主将王世昌、李都统。"川蜀平定后，安西王王相府上奏："川蜀悉平，城邑山寨洞穴凡八十三，其渠州礼义城等处凡三十三所，宜以兵镇守，余悉彻毁。"忽必烈"从之。"③ 至元十六年九月，安西王王相府上奏："四川宣慰司有籍无军虚受赏者一万七千三百八人。"朝廷"命诘治之。"④ 十一月，安西路总管、安西王相、兼陕西五路西蜀四川课程屯田事赵炳向忽必烈奏陈陕西运司郭同知、王相府郎中令郭叔云盗用官钱，恣为不法之事，忽必烈敕令尚书秃速忽、侍御史郭佑检核。赵炳因此被二郭毒死。其时安西王忙哥剌已死。⑤

由于东、西川行枢密院并不是王相府的下属，虽由王相府节制，但两院有时不服从王相府的调配。至元十二年秋，东、西两院合兵数万围重庆，两院彼此观望不配合，且"利其剽掠"，不听王相李德辉的调度，南宋军队乘机攻克两院据点泸州，东、西两院各奔东西，重庆之围自溃。两川战役结束后，因东、西川主战场的转移及两院的矛盾，元朝将东川行枢密院及成都经略司省入西川行院。⑥ 忽必烈下诏以李德辉为西川行枢密院副使，仍兼王相。王相府虽然可以统一指挥两川战局了，但两川原有的人事无大变动。因此，作战效率不高，致使泸州、合州、重庆久不得下。安西王非常着急，遣使将镇守嘉定的刘恩召至六盘山询问："江南已平，四川未下奈何？"刘恩

---

① 《元史》卷 8《世祖本纪》五，第 164 页。
② 《元史》卷 9《世祖本纪》六，第 180、186 页。
③ 《元史》卷 10《世祖本纪》七，第 198、204 页。
④ 《元史》卷 10《世祖本纪》七，第 216 页。
⑤ 参见《元史》卷 10《世祖本纪》七，第 216 页；卷 163《赵炳传》，第 3837 页。
⑥ 《元史》卷 9《世祖本纪》六，第 181 页。

回答："若以重臣之不徇私者奉诏督责之，则半年可下矣。"① 安西王忙哥剌即遣刘恩与府僚尤儿赤乘驿奏闻忽必烈。忽必烈深以为然，重建东、西行院，罢去原东、西行院枢密使合剌和忽敦，命丞相不花等行枢密院于西川，李德辉为副枢密使仍兼王相；哈丹、阔里吉思领东院。李德辉留成都供应军粮，战况仍由安西王相府奏报朝廷。② 至元十五年，下重庆、绍庆、南平、夔、施、思、合州诸地，川蜀平定。③

安西王驻兵六盘山，还有以皇子身份监控旁系宗王及地方官的作用。至元十二年，川蜀、西藩诸地诸部多未归附，地方叛服不常。三月，忽必烈"谕枢密院：'比遣建都都元帅火你赤征长河西，以副都元帅覃澄镇守建都，付以玺书，安集其民。'仍敕安西王忙哥剌、诸王只必帖木儿、驸马长吉，分遣所部蒙古军从西平王奥鲁赤征吐蕃。"④《月举连赤海牙传》云：月举连赤海牙"至元十二年，佩虎符，为陇右河西道提刑按察使。兀朗孙火石颜谋乱，从皇太子安西王往镇之，皇太子赐以白金五十两"⑤。

灭南宋后，安西王出镇京兆的主要任务之一是镇遏关中。《元史·兵志》有一段记载颇能说明这个问题："泰定四年三月，陕西行省尝言：'奉元建立行省、行台，别无军府，唯有蒙古军都万户府，远在凤翔置司，相离三百五十余里，缓急难用。乞移都万户府于奉元置司，军民两便。'及后陕西都万户府言：'自大德三年命移司酌中安置，经今三十余年，凤翔离大都、吐藩、甘肃俱各三千里，地面酌中，不移为便。'枢密议：'陕西旧例，未尝提调军马，况凤翔置司三十余年，不宜移动。'制可。"⑥ 陕西行省、行台无领属军府，就是因为安西王王相府掌握了一支大军，足以担当镇遏关中之责。据《史集》记载，忙哥剌曾使 15 万蒙古士兵中的大部分改宗伊斯兰教，可见其手下军兵之众。

忽必烈命忙哥剌出镇京兆、又开府六盘山的另一个目的是继续缩小太宗

① 《元史》卷166《刘恩传》，第3896页。
② 《元史》卷169《贺仁杰传》，第3968页。
③ 参见《国朝文类》卷49《李德辉行状》；《元史》卷163《李德辉传》，第3817页。
④ 《元史》卷8《世祖本纪》五，第164页。
⑤ 《元史》卷135《月举连赤海牙传》，第3279—3280页。
⑥ 《元史》卷99《兵志》二，第2549页。

次子阔端系的地盘。太宗时期，阔端负责专攻秦、巩，阔端攻下秦、巩、成都后，复回驻于凉州，拥兵控制西北、西南数省，遥领陕西。宪宗即位后，以同母弟忽必烈总领漠南汉地，又将关中封给忽必烈。再至安西王忙哥剌出镇京兆，阔端之子只必铁木耳辖区就只限于其分地永昌附近的一小块地方。太宗系的宗王对于汗权的转移与分地的缩小是不满的。可能就是这个原因，定宗之孙秃鲁发动了叛乱。至元十四年（1277 年），安西王奉命北征海都后，留守六盘山的诸王是定宗贵由汗之孙、禾忽之子南平王秃鲁趁机发动叛乱。安西王王相府早命延安路管军招讨使李忽兰吉训练延安民兵数千，以此军会合王相府别速台及巩昌总帅府兵于六盘，败秃鲁于武川，擒秃鲁。[①] 至元十五年春，六盘山再次有兵叛乱，京兆路总管、王相府王相赵炳等人再次平定叛乱。

　　关于安西王的管理范围，一般只是据至元二十四年桑哥奏折所称界定为河西、四川、吐蕃诸处。在《元史》中所见的则主要是陕西、四川诸地。但据《元史》之《兵志》与《地理志》记载看，吐蕃确有部分地区属安西王辖区。大德十一年（1307 年）四月，"诏礼店军还属吐蕃宣慰司。初，西川也速迭儿、按住奴、帖木儿等所统探马赤军，自壬子年（1252 年）属籍礼店，隶王相府，后王相府罢，属之陕西省，桑哥奏属吐蕃宣慰司，咸以为不便，大德十年命依壬子之籍，至是复改属焉。"[②] 礼店，在今甘肃礼县，元朝在此建立了礼店文州汉儿军民元帅府。从该引文看，礼店的探马赤军在忙哥剌封安西王时是隶属安西王王相府的。至元十七年，罢王相府，礼店军改隶陕西行省，一度改属吐蕃宣慰司，因不便管理，大德十一年七月，又命礼店蒙古万户"依旧属脱思麻宣慰司，防守陕州。"[③]

　　财政大权　据记载，安西王忙哥剌在其辖区内"大如军旅之振治，爵赏之予夺，威持之宽猛，承制行之。自余商贾之征，农亩之赋，山泽之产，盐铁之利，不入王府，悉邸自有。"[④] "承制行之"，表明安西王及其王相府

---

　　① 《元史》卷 159《商挺传》，第 3740 页；卷 162《李忽兰吉传》，第 3791 页；卷 163《赵炳传》，第 3836 页。

　　② 《元史》卷 98《兵志》一，第 2520 页。

　　③ 《元史》卷 22《武宗本纪》一，第 483 页；卷 60《地理志》三，第 1434 页。

　　④ 《牧庵集》卷 10《延厘寺碑》。

是奉中央之命行使治权。"王府"，即国库。安西王王相府掌握的赋税收入十分可观，至元十六年九月，王相赵炳向朝廷报告："陕西课程岁办万九千锭，所司若果尽心措办，可得四万锭。"① 朝廷即命赵炳总办课程。朝廷还以解州盐赋作为王府经费。② 王相府邸用不足，还可以取之于朝廷，"岁或多至楮币贯计十万三千。"③ 这些费用除了安西王私用，还包括了很大一笔军政费用开支。至元十二年正月，"安西王相府乞给钞万锭为军需，敕以千锭给之。"④ 朝廷明白安西王有足够的财政收入维持军费，故不予足额拨付。

官员除拜权 除财政权，王相府还有相当的人事任免权。忽必烈还"诏许凡官关中者，职与不职者，听其（安西王）承制迁黜"⑤。至元十三年正月，忙哥剌在京兆府发了一道令旨，保护平阳府的尧庙、后土庙、禹王庙，规定"这的每宫观房舍里，使臣每休安下者。铺马祗应休要者。田产物业休夺要者。"⑥ 至元十四年五月，忙哥剌命道士"葆真大师前诸路道教提举李道谦""提点陕西五路西蜀四川道教勾当。"⑦ 六月，西安王又发令旨，谕道教提点李道谦："可授提点陕西五路西蜀四川道教兼领重阳万寿宫事，别赐金冠法服。"⑧ 至元十七年正月，忙哥剌再次发令旨，李道谦"可授提点陕西五路、西蜀、四川道教提点兼领重阳万寿宫事。"⑨ 陕西五路：北宋设鄜延、邠宁、环庆、秦凤、熙河五路经略使，便通称陕西五路，元初沿用。安西王府的文学官姚燧，至元"十二年，以秦王命，安辑庸、蜀。"⑩ 庸，周代古国，建都上庸（今湖北省竹山县西南），公元前611年，为楚所灭。此处"庸、蜀"即指今湖北与四川相邻地区。至元十六年，安西王承制改东川行枢密院都事畅师文为"四川北道宣慰司经历。"⑪ 安西王王相府

① 《元史》卷10《世祖本纪》七，第216页。
② 《元史》卷163《赵炳传》，第3837页。
③ 《牧庵集》卷10《延厘寺碑》。
④ 《元史》卷8《世祖本纪》五，第159页。
⑤ 《牧庵集》卷23《有元故少中大夫淮安路总管兼府尹兼管内劝农事高公（良弼）神道碑》。
⑥ 《一二七六年龙门禹王庙令旨碑》，《元代白话碑集录》，第25页。
⑦ 《一二六八年鼇屋重阳万寿宫圣旨碑》其二，《元代白话碑集录》，第24页。
⑧ 《一二七七年鼇屋重阳万寿宫圣旨碑》，《元代白话碑集录》，第119页。
⑨ 《一二六八年鼇屋重阳万寿宫圣旨碑》其三，《元代白话碑集录》，第24页。
⑩ 《元史》卷174《姚燧传》，第4058页。
⑪ 《元史》卷170《畅师文传》，第3995页。

的王相与地方官员往往合为一体。至元十四年，时为京兆路总管兼府尹的赵炳又被任命为安西王相。十六年，赵炳以王相的身份兼陕西五路西蜀四川课程屯田事。① 王相李德辉兼为西川行枢密院副使。这些都说明当时的王相府行使了地方行政机构职能。至元八年至十七年，元朝罢陕西四川行省，而由安西王相府兼领陕、甘、川等处军政，此时的安西王相府，实际代行了陕西四川行省的职能。至元十六年，忙哥剌病死。至元十七年，复立陕西四川行省。至元二十年，朝廷"定拟安西王王相府首领官令史，与台、院吏属一体迁转。"② 元朝御史台、枢密院的首领官的品级可高达从五品，是所有首领官中品级最高的。③ 安西王王相府的首领官令史与台、院吏属一体迁转，可见王相府地位之高了。

安西王大权在握的原因 忙哥剌及其王相府权力极大，与至元前期的形势、六盘山及陕西的战略地位有密切关系。首先，当时元与南宋的战争还在进行，六盘山地区在蒙元初年的战略地位十分重要，是蒙元从西线攻金取宋的枢纽。成吉思汗攻西夏时，于丁亥年（1227 年）闰五月曾在六盘山避暑；成吉思汗留下的灭金策略是联宋灭金，假道南宋，从陕南东攻金之唐州、邓州、汴梁；宪宗初年，忽必烈受命攻大理，出师南向与班师北归都驻跸六盘山④；1258 年，宪宗征宋也是走六盘山、宝鸡到四川的路线，仍然驻跸六盘山。至元前期，六盘山仍然是元朝攻取南宋川蜀地区的大本营。所以，忽必烈封忙哥剌为安西王，首先即令其"驻兵六盘山"，分治秦、蜀，允许安西王在六盘山与长安同时开府。在至元十年到至元十六年的元朝与南宋的战争中，六盘山的开城王府成为元朝推进川蜀前线战事的大本营。⑤ 其次，元朝的地方最高行政机构——行省体制尚未成熟稳定。安西王相府设立后，原来的陕西四川等处行中书省罢免，安西王王相府实际承担了这一地区的军政首脑机关的职能。因此，史称忽必烈授予安西王统御河西、吐蕃、四川诸地。

① 《元史》卷 163《赵炳传》，第 3837 页。

② 《元史》卷 84《选举志》四，第 2098 页。

③ 参见许凡：《元代的首领官》，《西北师院学报》1983 年第 2 期。

④ 参见《元史》卷 4《世祖本纪》一，第 60 页；卷 169《贺仁杰传》，第 3967 页；卷 164《王恂传》，第 3844 页。

⑤ 参阅薛正昌：《固原历史地理与文化》，甘肃文化出版社 1998 年版，第 138 页。

第三，京兆是忽必烈的分地，是所谓"渊龙所国"，[①] 安西王以次嫡子的身份出镇此处，自然比出镇别处的宗王更荣耀。第四，京兆西接河西地区，河西地区连着西道诸王，京兆地区是防守西道诸王的一道重要防线。由此可见，安西王忙哥剌的权力来源于特定历史时期以及出镇地区的战略地位，这在元代诸王中，不具有普遍性。迨至至元中后期，元朝已实现了全国的统一，地方上相对安定了，行省制度已基本定型，安西王王相府担负的西南、西北地区军政首脑机关的历史使命就完成了，这时中央就要防备藩王的权力过大，形成尾大不掉之势。因此，元政府在灭南宋的次年，即至元十七年（1280 年），也正好此前安西王忙哥剌去世，忽必烈乃下令撤去安西王相府。当然，安西王是不甘心丧失手中大权的，嗣王阿难答在成宗朝数次请求再立王相府，成宗都未允许，最后，成宗虽勉强同意设王相府，却又规定王相府只行王傅府事，阿难答的王相府与一般王傅府无实质差别了。安西王忙哥剌所拥有的庞大权力成为其后继者的美梦，并由此开启安西王觊觎汗权之衅。

二、安西王阿难答及朝廷对安西王权力的削弱

安西王阿难答是安西王、秦王忙哥剌之子。至元十五年忙哥剌死后，忽必烈没有马上让皇孙阿难答嗣位，于是忙哥剌的王妃遣王相府王相商挺回朝奏请立阿难答为嗣王，忽必烈说阿难答年少，"祖宗之训未习，卿姑行王相府事。"[②] 而实际的原因是，灭宋的战争即将全部结束，安西王王相府独揽四川、吐蕃、河西的大权不仅没有必要而且还会滋生不稳定因素，忽必烈因此要将原安西王王相府对四川、河西、吐蕃地区的行政、军政、财政权转移到地方总司手中，即收归朝廷。但忽必烈不能在皇子忙哥剌刚去世就采取这种行动，需要一个过渡，因此，等到至元十七年，元廷罢安西王相府，改设王傅府。[③] 这一举措实际上将安西王忙哥剌所统的河西、四川、吐蕃诸处划归四川、陕西、甘肃等处行中书省，使安西王只能领有其在京兆路等处的分地。设王傅府也意味着阿难答嗣安西王位，故《元史·诸王表》载阿难答

---

① 《牧庵集》卷 10《延厘寺碑》。
② 《元史》卷 159《商挺传》，第 3742 页。
③ 《元史》卷 11《世祖本纪》八，第 224 页；《国朝文类》卷 49《李德辉行状》。

于至元十七年袭封安西王。

阿难答嗣安西王之后，先是奉命领本部人马出镇于畏兀儿地区，① 后又出镇漠北。同恕的《郭君秉彝墓志铭》记载，郭秉彝于大德"戊戌（二年），开成路同知方君荐为安西王府说书。会王受命北征……"。② 这一年元军在漠北被都哇打败，汪古部驸马阔里吉思被俘。安西王所守的河西一带无事，遂被派至漠北加强防御。大德五年（1301 年），元军与海都、都哇之军大战于帖坚古山，是役双方都打得非常艰苦。《句容郡王世绩碑》记载，床兀儿"独以其精锐，驰入其阵，戈甲戛击，尘血飞溅，转旋三周，所杀不可胜计，而都哇之兵几尽。"因此，参战的安西王、晋王、怀宁王都对床兀儿有赏赐。③ 大德七年五月，成宗赏赐大德五年战功，安西王阿难答在受赐之列。大德六年十一月，朝廷禁止和林驻军酿酒，但出镇诸王可以酿酒，安西王阿难答也在享受特权的名单中，④ 说明安西王此时仍驻守在漠北。据《完者都史》，笃娃在海都死后成了西北诸王之长，他深知无力对抗大汗，便在伊斯兰太阴历 703 年"暗中向忽必烈之孙忙哥剌之子诸王阿难答（Shāhzādah-i Anandah）递讯，表示愿意归顺和臣服于铁穆耳合罕。阿难答在 Subia 峡谷和哈剌和林之边拥有禹儿惕。"都哇表示"诸王海都已死，我不再触犯合罕陛下。"阿难答得讯后，向朝廷遣使奏报。⑤ 大德七年七月，"都哇、察八而、灭里铁木而等遣使请息兵，帝命安西王慎饬军士，安置驿传，以俟其来。"⑥ 大约是大德六年晋王甘麻剌死后，阿难答以其在世祖嫡系中资历地位最高而为漠北诸王之长，统领当时漠北驻军。大德八年，察合台、窝阔台汗国与元朝约和后，阿难答等诸王可能返回藩地，而由海山继续统领漠北的军队。只是由于阿难答后来参与政变，他曾为漠北诸军统率的历史活动被刻意抹杀。阿难答出镇漠北，多数时候只是一般出镇诸王，并不是

---

① 《史集》（汉译本）第 2 卷，第 353、354 页；参见《察合台汗国史研究》，第 273 页。

② 同恕：《榘庵集》卷 8《郭君秉彝墓志铭》，《四库珍本丛刊》本；《全元文》卷 603，第 418 页。

③ 《道园学古录》卷 23《句容郡王世绩碑》。

④ 《元史》卷 20《成宗本纪》三，第 443 页。

⑤ 《完者都史》，第 33 页。转引自《察合台汗国史研究》，第 320 页。

⑥ 《元史》卷 21《成宗本纪》四，第 454 页。

漠北诸军的军事指挥。与其父相比，阿难答在元朝政治舞台上显然没有特殊的勋劳。

在阿难答为安西王时期，正是元朝削弱安西王家族权力的时期。至元二十四年（1287年）十月，"桑哥言：'北安王相府无印，而安西王相独有印，实非事例，乞收之。'"忽必烈"从之"。由此可知，至元十七年罢王相府后，并未收王相之印，至此乃收印。十一月，"桑哥言：'先是皇子忙哥剌封安西王，统河西、吐蕃、四川诸处，置王相府，后封秦王，绾二金印。今嗣王安难答仍袭安西王印，弟按摊不花别用秦王印，其下复以王傅印行，一藩而二王，恐于制非宜。'诏以阿难答嗣为安西王，仍置王傅，而上秦王印，按摊不花所署王傅罢之。"① 因为是忽必烈诏令收秦王印，再加上忙哥剌子嗣陆续参与宫廷政变，终元一代，忙哥剌家族再无人得封秦王，即使在武宗以后，其他旁系宗王与驸马家族普遍封一等金印兽纽王的情况下，忙哥剌家族也无人封其他的一等金印兽纽王。自至元二十四年十二月开始，元朝陆续改造了王相府，使之成为一般的王傅府。至元二十七年五月，"罢秦王典藏司，收其印。"② 至元三十年春正月，安西王请仍旧设常侍，未得世祖允许；八月，"给安西王府断事官印。"十二月，"以铁赤、脱脱木儿、咬住、拜延四人，并安西王傅。"③ 可以看出，自至元十七年，罢王相府改设一般王傅府到收秦王之印，朝廷从剥夺安西王对河西、四川、吐蕃的管理权入手，到收王相之印、秦王之印、再罢秦王典藏司，重新安排安西王王府的机构与官员，使安西王彻底成为一个普通的藩王。但设四员王傅的安西王王府的规格还是高于一般只设三员王傅的其他王府。安西王阿难答自然不甘心权力的缩小。

成宗即位初年，安西王与大汗的新一轮斗争又开始了。如果说忽必烈在世，阿难答不敢公开要权，那么到元成宗即位，阿难答与成宗是堂兄弟，辈分相当，而且成宗的威望又远不及忽必烈，因此，成宗一即位阿难答就要赖似的争夺起权力。起初，安西王一方面哭穷要钱，一方面又梦想恢复王相

---

① 《元史》卷14《世祖本纪》十一，第301、302页。
② 《元史》卷15《世祖本纪》十二，第337页。
③ 《元史》卷17《世祖本纪》十四，第370、375页。

府；而成宗最初设想对安西王的经济特权也要予以限制，到后来却不得不在经济上作出让步；迨至成宗晚期由其皇后主政期间，安西王与大汗的矛盾渐趋缓和。至元三十一年五月，成宗赐"安西王阿难答钞万锭"；七月，"以陕西道廉访司没入赃罚钱旧给安西王者，令行省别贮之。"① 元贞元年（1295 年）正月，"安西王阿难答、宁远王阔阔出皆言所部贫乏，赐安西王钞二十万锭、宁远王六万锭。又以陨霜杀禾，复赈安西王山后民米一万石。"② "二月丙子朔，安西王相铁赤等请复立王相府，不许。令陕西省臣给其所需，仍以廉访司没入赃罚钞与之。"③ 元贞元年六月、十一月，都对安西王阿难答有赏赐。④ 元贞二年春正月，安西王王傅铁赤、脱铁木儿等"复请立王相府"，帝曰："去岁阿难答已尝面陈，朕以世祖定制谕之，今复奏请，岂欲以四川、京兆悉为彼有耶？赋税、军站，皆朝廷所司，今姑从汝请，置王相府，惟行王傅事。"⑤ 成宗所言，道明了王相府或置或罢对于安西王权力的影响程度。如若置王相府，设相挂印，便有管辖政区和军队、征取岁赐赋税的特权。而仅设王傅官，执断事官印，只能管理本位下军需、封地内诉讼和本位下内部诸事。元贞二年五月，安西王遣使来告贫乏，成宗说："世祖以分赍之难，尝有圣训，阿难答亦知之矣。若言贫乏，岂独汝耶？去岁赐钞二十万锭，又给以粮，今与，则诸王以为不均；不与，则汝言人多饥死。其给粮万石，择贫者赈之。"⑥ 显然，成宗清楚阿难答因为恢复王相府的要求没有得到满足，便故意以经济困难为借口，既给大汗制造麻烦又捞点赏赐。

安西王谋取汗位　大德七年（1303 年）以后，安西王开始受到朝廷的重视。一方面可能是与此前他在漠北出镇期间，对元朝与察合台、窝阔台各兀鲁思约和中的功劳有关；另一方面，安西王阿难答已从漠北回到京兆，离元朝的政治中心近了，有利于他参与到朝廷政治活动中。大德七年八月，

① 《元史》卷 18《成宗本纪》一，第 383、386 页。
② 《元史》卷 18《成宗本纪》一，第 390 页。
③ 《元史》卷 18《成宗本纪》一，第 390 页。
④ 《元史》卷 18《成宗本纪》一，第 394、397 页。
⑤ 《元史》卷 19《成宗本纪》二，第 401 页。
⑥ 《元史》卷 19《成宗本纪》二，第 403 页。

"给安西王所部贫民米二万石。"① 大德八年十二月，"赐安西王阿难答，诸王阿只吉、也速不干等钞一万四千锭。"② 大德九年三月，"给还安西王积年所减岁赐金五百两、丝一万一千九百斤，仍赐其所部钞万锭。"③ 大德十年二月"赐安西王阿难答，西平王奥鲁赤、不里亦钞三万锭，南哥班万锭，从者三万二千锭。"④ 大德后期，成宗多病，政出中宫，由上述所列安西王受赐史实看，成宗皇后对安西王阿难答是很重视的。《史集》记载，阿难答在宗教信仰问题上得到成宗的宽待后，"阿难答多次前往合罕处，向他表示爱戴和尊敬。"⑤ 这种联系有助于化解成宗初年在设王相府问题上阿难答与大汗的不睦，成为成宗死后其皇后选立阿难答的前提条件。大德十一年正月，成宗死，安西王阿难答与诸王明里铁木儿、诸王也只里等与左丞相阿忽台、平章八都马辛、前中书平章伯颜、中政院使怯烈、道兴等"潜谋推成宗皇后伯要真氏称制，阿难答辅之。"⑥ 成宗皇后"尝谋贬顺宗妃答吉与其子仁宗往怀州。明年，成宗崩。时武宗在北边，恐其归，必报前怨，后乃命取安西王阿难答失里来京师，谋立之。仁宗自怀州入清宫禁，既诛安西王，并构后以私通事，出居东安州。"⑦ 可见，安西王谋取汗位有其内在的动因，也有外在的偶然因素。仁宗以及右丞相哈剌哈孙抢先发动政变。五月，"执安西王阿难答、诸王明里铁木儿至上都，亦皆赐死。"⑧ 阿难答被诛后，其封地、王爵都被剥夺了。史称阿难答"既以谋逆诛，国除，版赋入詹事院。"⑨ 詹事院，管理皇太子爱育黎拔力八腊事务的机构。"版赋"，就是封地与人户；"国除"就是剥夺封地与王爵。武宗为酬谢皇弟爱育黎拔力八腊，将安西王的"版赋"给了皇太子的詹事院。连"陕西运司岁办盐十万引，向给安西王"的钱也被夺去给了皇太子。⑩ 安西王位下的京兆路分地应

---

① 《元史》卷21《成宗本纪》四，第454页。
② 《元史》卷21《成宗本纪》四，第461页。
③ 《元史》卷21《成宗本纪》四，第462页。
④ 《元史》卷21《成宗本纪》四，第468页。
⑤ 《史集》（汉译本）第2卷，第379—381页。
⑥ 《元史》卷22《武宗本纪》一，第478页。
⑦ 《元史》卷114《后妃传》一，第2874页。
⑧ 《元史》卷22《武宗本纪》一，第478页。
⑨ 《元史》卷178《王约传》，第4319页。
⑩ 《元史》卷22《武宗本纪》一，第490页。

当未被夺走，这是维持安西王家族及部分部属生活的基本保障。

第二节　安西王家族的其他宗王与王府

一、安西王月鲁帖木儿

安西王月鲁帖木儿与南坡之变　《元史·宗室世系表》与《史集》都记载安西王阿难答有子月鲁帖木儿。《史集》还说："他（指阿难答——引者注）有一个儿子名叫月鲁帖木儿，他在自己的兀鲁思中坐在王位上掌着大权。"① 大德九年七月，赐安西王阿难答子月鲁帖木儿钞 2 000 锭。② 大德十一年，阿难答与谋汗位，被诛后，其封地与王爵都被剥夺，月鲁帖木儿等安西王子孙因此不能继承其封地与王爵，这是很严重的处罚。至大二年（1309 年），大臣奏请让安西王阿难答之子复国袭爵。皇太子爱育黎拔力八腊召太子詹事丞王约商议，王约说："安西以何罪诛？今复之，何以惩将来！""议遂寝"。③ 至治三年八月，"癸亥，车驾南还，驻跸南坡。是夕，御史大夫铁失、知枢密院事也先帖木儿、大司农失秃儿、前平章政事赤斤铁木儿、前云南行省平章政事完者、铁木迭儿子前治书侍御史锁南、铁失弟宣徽使锁南、典瑞院使脱火赤、枢密院副使阿散、金书枢密院事章台、卫士秃满及诸王按梯不花、孛罗、月鲁帖木儿、曲吕不花、兀鲁思不花等谋逆，以铁失所领阿速卫兵为外应，铁失、赤斤铁木儿杀丞相拜住，遂弑帝于行幄。"④ 兀鲁思不花就是昔里吉之子，随岳木忽儿反正入朝者；孛罗是阿里不哥之后，曾封冀王。月鲁帖木儿及其叔按梯不花与谋南坡之变，最重要的原因就是阿难答被诛后，朝廷对安西王家族的严厉打击，安西王的子孙被剥夺了封国王爵的继承权。这不符合蒙古的传统，无论是蒙哥对待贵由汗谋反的子孙，还是忽必烈对待阿里不哥的儿子们和东道诸王的叛逆者，都基本是

---

① 《史集》（汉译本）第 2 卷，第 382 页。
② 《元史》卷 21《成宗本纪》四，第 464 页。
③ 《元史》卷 178《王约传》，第 4319 页。
④ 《元史》卷 28《英宗本纪》二，第 632 页。

剥夺谋叛者本人的王爵或在其家族内部析分封地，还没有彻底剥夺叛逆者家族子弟对王爵、分地继承权的。各支宗王都有权利享有一定的分地，这是黄金家族内部的通识。如果说武宗在位时间短，对安西王家族的善后事宜未来得及处理的话，那么仁宗、英宗两朝十三、四年都没有恢复安西王后人的王爵与分地，那就不是时间的问题了。这个问题的症结就是当初安西王阿难答被诛，其"版赋"被时为皇太子的爱育黎拔力八达夺取了的；仁宗即位后，原安西王的人户与封地又转给仁宗皇后的中政院；仁宗皇后死后，安西王的人户与封地又转给了仁宗的母亲、英宗的祖母答己太后。① 仁宗家族不愿放弃已经取得的安西王家族的丰厚的"版赋"，故不让安西王子弟袭封。安西王的子弟久不得复爵复封，心衔怨望，以至于叔侄同时成为南坡之变的主犯。至治三年八月，诸王按梯不花及也先帖木儿"奉皇帝玺绶，北迎帝于镇所。"九月，泰定帝为酬劳政变的拥戴之功，"以知枢密院事淇阳王也先帖木儿为中书右丞相，诸王月鲁帖木儿袭封安西王。"② 但是泰定帝坐稳帝位后就开始清洗政变分子，当年十二月，"流诸王月鲁帖木儿于云南，按梯不花于海南，曲吕不花于奴儿干，孛罗及兀鲁思不花于海岛，并坐与铁失等逆谋。"③ 月鲁帖木儿刚复封安西王，又立即被流放，原来忙哥剌的分地与人户又被泰定帝家族与昌王家族夺去。泰定元年（1324 年）三月，泰定帝遣侄子湘宁王八剌失里出镇察罕脑儿，罢察罕脑儿宣慰司，立王傅府。④ 四月，又"命昌王八剌失里往镇阿难答昔所居地⑤"，昌王八剌失里应是出镇京兆。天历元年（1328 年）十一月，四川行省平章囊加台自称镇西王，起兵造反，云南的诸王秃坚等亦起兵。天历二年正月，"诸王月鲁帖木儿统蒙古、汉人、答剌罕诸军及民丁五万五千，俱至乌江。"⑥ 二月，"诸王月鲁帖木儿等至播州，招谕土官之从囊加台者，杨延里不花及其弟等皆来降。"⑦

① 参阅周清澍：《从察罕脑儿看元代的伊克昭盟地区》，《元蒙史札》。

② 《元史》卷 29《泰定帝本纪》一，第 637、639 页。

③ 《元史》卷 29《泰定帝本纪》一，第 641 页。

④ 察罕脑儿宣慰司属安西王所有，阿难答被杀后，即转入当时皇太子爱育黎拔力八达手中，又几经易手。请参阅周清澍：《从察罕脑儿看元代的伊克昭盟地区》，《元蒙史札》，第 276—283 页。

⑤ 《元史》卷 29《泰定帝本纪》一，第 645 页。

⑥ 《元史》卷 33《文宗本纪》二，第 729 页。

⑦ 《元史》卷 33《文宗本纪》二，第 730 页。

杨延里不花是湖广行省播州宣慰使。天历二年正月，囊加台东攻播州时来投降。镇压云南叛乱的月鲁帖木儿可能就是被流放于云南的前安西王。天历二年五月，"昌王八剌失里还镇。"① 可能是月鲁帖木儿参与平定云南叛乱有功，文宗复其封爵，故昌王回归本部。至顺三年（1332年）四月，安西王阿难答之子月鲁帖木儿，"坐与畏兀僧玉你达八的剌板的、国师必剌忒纳失里沙津爱护持谋不轨，命宗王、大臣杂鞫之，狱成，三人皆伏诛，仍籍其家。"② 六月，朝廷以月鲁帖木儿等罪诏告中外，其家族的封地与王爵无疑再次被剥夺。至正十七年（1357年），红巾军攻陷商州，进据蓝田县，逼近奉元时，陕西行省官员与豫王阿剌忒纳失里会集于安西王月鲁帖木儿府邸，商量请察罕帖木儿出兵相援。③《元史·宗室世系表》中没有记载月鲁帖木儿之后的忙哥剌家族的后裔。至正十八年十月丙寅朔，诏豫王阿剌忒纳失里徙居白海，寻迁六盘。④ "白海"就是元初安西王忙哥剌修建的察罕脑儿，元武宗至大三年（1310年）九月在这里设立了宣慰使都元帅府⑤。可见，忙哥剌家族的封地又转给了豫王阿剌忒纳失里，安西王家族已先于元朝而覆灭了。

二、忙哥剌之子按摊不花

按摊不花是阿难答之弟，忙哥剌死后，阿难答袭爵安西王，朝廷未及时收回秦王印，因此按摊不花以秦王自居。⑥ 如前揭史料所示，尚书省平章政事桑哥向元世祖上奏章，认为阿难答已嗣安西王，而按摊不花还在使用秦王印章，王府管理人员还使用王傅印章，这样一藩而二王，不符合元朝的王爵制度。元世祖于是下"诏以阿难答嗣为安西王，仍置王傅，而上秦王印，按摊不花所署王傅罢之。"⑦ 说明按摊不花擅自以秦王自居过，私自袭用秦

① 《元史》卷33《文宗本纪》二，第734页。
② 《元史》卷36《文宗本纪》五，第803页。
③ 《元史》卷183《王思诚传》，第4214页。
④ 《元史》卷45《顺帝本纪》八，第940、945页。
⑤ 《元史》卷26《武宗本纪》二，第526页。
⑥ 《元史》卷109《诸王表》，第2735页。
⑦ 《元史》卷14《世祖本纪》十一，第302页。

王印章，但朝廷并未封按摊不花为王。至元二十六年四月，"罢皇孙按摊不花所设断事官也先，仍收其印。"① 至治三年（1323 年），按摊不花与御史大夫铁失等人联络晋王也孙铁木儿，策划弑英宗而立晋王为汗。八月，英宗自上都回銮大都，驻跸上都南面的南坡，"御史大夫铁失、知枢密院事也先帖木儿、大司农失秃儿、前平章政事赤斤铁木儿、前云南行省平章政事完者、铁木迭儿子前治书侍御史锁南、铁失弟宣徽使锁南、典瑞院使脱火赤、枢密院副使阿散、金书枢密院事章台、卫士秃满及诸王按梯不花、孛罗、月鲁帖木儿、曲吕不花、兀鲁思不花等谋逆，以铁失所领阿速卫兵为外应，铁失、赤斤铁木儿杀丞相拜住，遂弑帝于行幄。"② 此诸王按梯不花就是忙哥刺之子，他是政变中诸王的首领；月鲁帖木儿是阿难答之子，兀鲁思不花是昔里吉之子，参与昔里吉之乱后与玉木忽儿同归元朝；孛罗是阿里不哥之后，曾封冀王。至治三年八月，诸王按梯不花及也先帖木儿"奉皇帝玺绶"到漠北迎接晋王也孙铁木儿，也孙铁木儿遂在龙居河即位，是为泰定帝。③ 十二月，泰定帝坐稳了大汗位子，乃下手清除弑汗逆臣，"流诸王月鲁帖木儿于云南，按梯不花于海南，曲吕不花于奴儿干，孛罗及兀鲁思不花于海岛，并坐与铁失等逆谋。"④

以后按摊不花的情况不明。

三、安西王王府

安西王忙哥刺同时开府于长安与六盘山。忙哥刺冬居长安王府，夏居六盘山。元初，长安仍称为京兆，至元十六年（1279 年）改京兆为安西路，皇庆元年（1312 年）再改为奉元路。宪宗时以京兆为忽必烈的分地，京兆是忽必烈的潜藩旧封，忙哥刺出镇京兆，自当在此开府。长安的安西王王府在城东北隅，故址在今西安城东北约 3 公里处。这里本为唐代皇家禁苑，东距浐河约 2 公里，北与渭河河滨大草滩相连，王府周围川湖泉水不少，府西

---

① 《元史》卷 15《世祖本纪》十二，第 322 页。
② 《元史》卷 28《英宗本纪》二，第 632 页。
③ 《元史》卷 29《泰定帝本纪》一，第 637 页。
④ 《元史》卷 29《泰定帝本纪》一，第 641 页。

北有曾供唐高宗李治饮用的御井（在今大明宫乡井上村），府东南隔浐河有供武则天饮用的神峪寺沟内的甘泉（在今灞桥区内），自然环境十分优美。①姚燧《延厘寺碑》记载，王府"巍殿中峙，卫士环列，车间容帐，包原络野，周围四十里。中为牙门，讥其出入。故老望之眙目怵心，齐咨啧啧，以为有国而来，名王雄藩，无有若是吾君之子威盛者。"② 从文献记载看，王府的正中宫殿有地基，但其外部结构呈现为蒙古式大殿帐。现代考古发掘也表明，安西王府的规模宏大，王府遗址四角均呈半圆形，城墙四角也是半圆形。③ 不少论者认为宏大华丽的安西王府属于越制，体现了安西王的不臣之心。实际上，安西王府在建造时是由忽必烈钦点的京兆路总管兼府尹赵炳负责营造的，史称"皇子安西王开府于秦，诏治宫室，悉听炳裁制。"④ 赵炳是个绝对忠于忽必烈的人，对安西王王府的不法行为多有暴露，最后还为此丧生，不可能监造一违制的藩府。安西王府的宏大华丽主要是因为这里曾是世祖的潜藩旧封，以及忽必烈对忙哥剌的器重宠爱所致。

安西王夏宫在六盘山下的开成，即今宁夏南部固原南 20 公里处六盘山北段东麓的开城镇。至元十年（1273 年），忽必烈封忙哥剌为安西王，令其"驻兵六盘山"，设王府于开成。开成的地位骤然上升，于是，元政府将王府所在的原州升为"开成府，仍视上都，号为上路。"⑤ 将开成路与上都相媲美。因为是安西王府所在，开成路设立了许多中央机构的下属机构。1963年，在固原县开成古城址发现一石碑。碑下部残损，碑文记录了元代开成职官设置、官置机构等。据元碑记载，开成设有"管领六盘山怯连口诸色民匠等户都提举司"、"管领开成等处怯连口诸色民匠提领所"、"管领开成等原田赋怯连口引者思提领所"、"开成长官司"等。⑥ 引者思是公主、后妃的陪嫁人户。这些机构是中政院的下属机构，据《元史·百官志》，管领六盘

---

① 参见李好文：《长安志图·奉元城图》，台北商务印书馆 1969 年版；辛玉璞：《西安地区元代遗址的几个问题》，《考古与文物》1999 年第 3 期。

② 《牧庵集》卷 10《延厘寺碑》。

③ 参见辛玉璞：《西安地区元代遗址的几个问题》，《考古与文物》1999 年第 3 期；夏鼐：《元安西王府址和阿拉伯数码幻方》，《考古》1960 年第 5 期。

④ 《元史》卷 163《赵炳传》，第 3836 页。

⑤ 《元史》卷 60《地理志》三，第 1428 页。

⑥ 碑文见张鸿智、韩孔乐：《元代开城政区建置及官制》，《固原师专学报》1991 年第 2 期。

山等处怯怜口民匠都提举司辖有五长官司、十提领所，分布在陕、甘、宁等边远地区。① 京兆本为忽必烈的分地，安西王忙哥剌又是忽必烈正后察必所生，管领皇后中宫事务的下属机构大量设于开成，当然不奇怪。

元朝罢安西王相府后，开成府的地位下降。大德十年（1306 年）八月，开成路地震，王宫及官民庐舍都毁坏，"压死故秦王妃也里完等五千余人"。② 也里完是汪古部人爱不花驸马之女。③ 至治三年（1323 年）时，开成路降为州。

忙哥剌在察罕脑儿还建有行宫。《元史·顺帝本纪》称："察罕脑儿之地，在世祖时隶忙哥剌太子四千户。"④ 可知，忙哥剌在察罕脑儿安置了属下的 4 个千户。察罕脑儿宣慰使司都元帅府治所在今乌审旗河南乡古城村西南 500 米的三岔河古城。⑤ 《史集》记载忽必烈时期的边境驻军时说："然后，［边界］抵于忙哥剌之子，宗王阿难答所领有的唐兀惕地区，他率军居于该处的察罕脑儿境内。"⑥ 另一处说："阿难答禹儿惕（驻地）在一处察罕脑儿的地方，并在该处建有一宫殿。"⑦

四、安西王与伊斯兰教

蒙古人西征时，从中亚、波斯各地俘虏来的工匠及其他平民，先后签发来的军队大部分是木速蛮，即伊斯兰教徒。大批木速蛮工匠被编入了元朝政府或诸王贵族所属的工局，从事各种劳作。安西王王府中即有木速蛮，而且安西王忙哥剌统领的关陇河西地区是从西域进入中原的交通要道，因而分布在这一带的木速蛮比较多，正是在这种情况下，第二代安西王阿难答开始改宗伊斯兰教。《史集》记载，"因为阿难答的父亲忙哥剌的子女长不大，所

---

① 参见《元史》卷88《百官志》四，第2232页；张鸿智、韩孔乐：《元代开城政区建置及官制》。

② 《元史》卷21《成宗本纪》四，第471页。

③ 萧斆：《勤斋集》卷1《秦王妃祠堂记》，《文渊阁四库全书》本；《全元文》卷365，第748页。

④ 《元史》卷45《顺帝本纪》八，第948页。

⑤ 内蒙古文物考古研究所、鄂尔多斯博物馆：《乌审旗三岔河古城与墓葬》。

⑥ 《史集》（汉译本）第2卷，第338页。

⑦ 《史集》（汉译本）第2卷，第333页。

以阿难答被托付给了一个名为蔑黑帖木儿·哈撒·阿黑塔赤的突厥斯坦伊斯兰教徒，让这个人抚养［他］。这个人的妻子名祖来哈，把他奶大，因此木速蛮的信仰在他的心中已经巩固起来，不可动摇，他背诵过《古兰经》，并且用大食文书写得很好。他经常把时间消磨于履行戒律与祈祷上，同时，他还使依附于他的十五万蒙古军队的大部分皈依了伊斯兰教。"① 阿难答部下有个撒尔塔黑的人前往成宗处抱怨说，阿难答经常在清真寺从事于祈祷和念诵《古兰经》，给大多数儿童施行割礼，并且使大部分蒙古军队皈依了伊斯兰教。成宗听后非常生气，派人去劝阻阿难答履行祈祷和戒律。阿难答拒绝了，成宗下令囚禁阿难答。阿难答向成宗辩解：合赞汗也信奉伊斯兰教。最后，成宗母后阔阔真哈敦劝导成宗说"你登位已经两年了，而［你的］国家却还没有巩固。阿难答有很多军队，并且唐兀惕地区的所有那些军队和居民都是木速蛮并对此执［迷不悟］。本地就有叛乱者。不要让他们［军队和居民］变心，那可真了不得了，［你］不宜强迫他，让他自己选择自己的宗教信仰吧。"② 于是成宗释放了阿难答，加以抚慰，待之以礼民，让阿难答继续统辖唐兀惕的军队和国家。拉施特称阿难答现今大约有 30 岁，其皮肤黝黑、长胡须、高身材、体肥胖。他有个儿子名月鲁帖木儿。他在自己的兀鲁思中坐在王位上，掌着大权，在自己营地建立清真寺，经常念诵《古兰经》，沉湎于祈祷。③ 安西王信奉伊斯兰教及令其部属 10 余万人改宗伊斯兰教，对壮大元代穆斯林队伍及西北社会经济文化产生了深远影响。

---

① 《史集》（汉译本）第 2 卷，第 379—381 页。
② 《史集》（汉译本）第 2 卷，第 380 页。
③ 《史集》（汉译本）第 2 卷，第 379—381 页。

第 十 二 章

元代漠南弘吉剌部

第一节　弘吉剌部统治家族

一、弘吉剌部概述

在族源上，弘吉剌（Qonggirad）属于室韦人。《史集》把蒙古人分为迭儿列勤蒙古人与尼伦蒙古人，前者是一般的蒙古人，后者专指阿阑·豁阿在丈夫死后所生的三个儿子的后代。弘吉剌氏属于迭儿列勤蒙古人，是一个古老的部落。据《史集》的记载，蒙古人的祖先室韦人还在额儿古涅·昆山中时，弘吉剌部就已经出现了。① 据突厥文《毗伽可汗碑》，8 世纪初，室韦—鞑靼人出现在漠北腹地。② 但后世以弘吉剌氏之名见知于世的室韦人似乎没有进入蒙古高原腹地。五代时期的文献记载了活动于今呼伦贝尔周围的乌古、敌烈部，他们的活动地区与金末的弘吉剌氏、塔塔儿部相当，应就是这两部。金朝的婆速火部就是《元史·特薛禅传》中的孛思忽儿，也就是唐代的婆苪室韦，隋代的钵室韦。这个部落在隋朝是个大部落，经唐至金末，可能衰落了，其名称只为一个分支所用，而与它有着血缘关系的大部落集团就以弘吉剌氏之名见知于世了。在汉文史料中，"弘吉剌"一词最早出

---

① 《史集》（汉译本）第 1 卷第 1 分册，第 128、261 页。

② 参见芮传明：《古突厥碑铭研究》，上海古籍出版社 1998 年版，第 263—269 页。

现于《辽史》，按契丹读法 Onggirad，译为王纪剌；《金史》按女真读法 Gonggirad，译为广吉剌或光吉剌。与此相应，元代也有瓮吉剌、雍吉烈、瓮吉里和弘吉剌、晃吉剌两类译法。蒙文史书《黄金史》、《蒙古源流》和波斯文《史集》都写作 Qonggirad，说明后一类译音反映多数蒙古人的读法①。

　　根据弘吉剌部自己的传说，弘吉剌的祖先是出自"金瓮"的三兄弟，这也表明他们与蒙古有着不同的起源②。据蒙古人的传说，弘吉剌的祖先同蒙古人的祖先一同迁出额尔古纳河且与蒙古部世代通婚。弘吉剌与蒙古可能分别起源于在远古时代实行外婚制的两个氏族。尼伦蒙古和迭儿列勤蒙古两大集团互通婚姻的历史是很长久的。成吉思汗的曾祖合不勒汗就娶了弘吉剌氏女子豁阿·古鲁吉，生了六个勇武的儿子③。成吉思汗的母亲诃额仑是斡勒忽讷兀惕氏人，拉施特记载该部是弘吉剌部的一个分支④。成吉思汗幼年就与弘吉剌孛思忽儿部首领特薛禅之女孛儿台订了亲。在成吉思汗统一蒙古高原过程中，以帖木哥·阿蛮为首的弘吉剌部多次参与反蒙古部的联盟。特薛禅则支持成吉思汗，在统一战争中立了功。成吉思汗建立大蒙古国后，将全体弘吉剌人划为 3 000 户，封特薛禅之子按陈、孙赤窟等为千户。成吉思汗又下旨：弘吉剌氏"生女为后，生男世尚公主，……世世不绝"⑤。建立了以世婚关系为纽带的孛儿只斤氏与弘吉剌氏的政治军事联盟。入元后，弘吉剌部驸马被封为王。弘吉剌氏是元代最重要的异姓贵族。

　　据《史集》，弘吉剌部曾有弘吉剌氏、亦乞列思氏、斡勒忽讷惕、豁罗剌思氏、燕只斤等分支氏族。后来亦乞列思氏、斡勒忽讷惕、豁罗剌思氏、燕只斤等分别发展为单独的部落，弘吉剌部便仅指其中的弘吉剌氏这一支。蒙古建国后，弘吉剌氏的统治家族是孛思忽儿氏。蒙元时期，弘吉剌氏又分为四大支：一支迁往漠南，是弘吉剌氏的本部所在。一支出镇西宁州，迁居青海。漠南弘吉剌氏的首领家族与湟水流域的弘吉剌氏首领家族都是按陈的

---

① 《中国大百科全书·中国历史·元史》，第 42 页"弘吉剌"条。
② 《史集》（汉译本）第 1 卷第 1 分册，第 260 页。
③ 《史集》（汉译本）第 1 卷第 2 分册，第 50 页。
④ 余大钧译注：《蒙古秘史》，第 54 节；《史集》（汉译本）第 1 卷第 1 分册，第 261—265 页。
⑤ 《蒙兀儿史记》卷 23，第 241 页，认为《元史》卷 118《特薛禅传》，第 2915 页，将弘吉剌氏"生女为后，生男尚公主，世世不绝"一语载于丁酉年（1237 年）之后不妥。此旨应是成吉思汗所下。

后人。一支迁入中亚，住在巴里黑与巴忒吉思境内。中亚的这支弘吉剌部是成吉思汗分给察合台的一个弘吉剌氏千户。察合台后王都哇曾将这个千户的那颜亦速儿派到呼罗珊边境上对抗伊利汗国①。第四支是随旭烈兀西征迁居西亚的伊利汗国的弘吉剌氏。蒙哥派旭烈兀西征时，规定从蒙古国的全部军队中，每 10 个人中抽出 2 个人，随旭烈兀西征，因此伊利汗国一直有出自弘吉剌部的异密。《史集》还称伊利汗国有弘吉剌部的 5 个千户，有一部分住在伊利汗国的八的吉思境内②。上述四处是弘吉剌氏比较集中的居住区。此外，可能也有少数弘吉剌人因战乱或其他原因成为别的贵族的属民或迁居中原。

辽金时代，弘吉剌部牧地北起海拉尔河、额尔古纳河上游，南至喀尔喀河、乌拉盖河一带。金代，弘吉剌氏别部孛思忽儿居于呼伦湖和额尔古纳河以东，北至得尔布尔河一带。弘吉剌部参加征西夏、平金战争等历次战争，逐步扩充为万户。1214 年，成吉思汗分封新得自金朝的漠南地，将老哈河、西拉木伦河流域及其西北、东北地区赐给按陈兄弟。从此，弘吉剌部迁到了漠南。

二、弘吉剌部按陈家族的主要首领

特薛禅 特薛禅，《史集》写作德那颜。德、特，可能是汉语"大"之音转；薛禅，蒙古语，意为聪明、睿智；特薛禅意即"大贤者"③。12 世纪末，特薛禅只是弘吉剌别部孛思忽儿氏贵族。④ 特薛禅家族的崛起乃因招成吉思汗为女婿。

成吉思汗 9 岁时，其父也速该领着他去弘吉剌部斡勒忽讷兀惕氏的舅舅家聘娶姑娘，路遇特薛禅。特薛禅说铁木真目中有火，面上有光，相貌不

① 《史集》（汉译本）第 1 卷第 1 分册，第 376—377 页，巴里黑 Balkh，是古代巴克特里，1220 年为蒙古人所毁，14 世纪帖木儿重建。今为阿富汗北部（今阿富汗马扎里沙星夫）。巴忒吉思在也里（今阿富汗的赫拉特）与撒剌哈夕（Sarakhs，今土库曼斯坦共和国境内的马鲁西南）之间。

② 《史集》（汉译本）第 1 卷第 1 分册，第 266 页；第 1 卷第 2 分册，第 371 页；第 3 卷，第 29 页。

③ 余大钧译注：《蒙古秘史》，第 61 节。

④ 《元史》卷 118《特薛禅传》，第 2915 页。

凡，便将女儿孛儿帖许配给铁木真。

金朝承安三年（1198 年），宗浩率军出泰州（今洮南城四家子古城），越大兴安岭进抵移米河（今伊敏河），讨伐弘吉刺、合底忻、山只昆、婆速火等部，"进至呼歇水，敌势大蹙，于是合底忻部长白古带、山只昆部长胡必刺及婆速火所遣和火者皆乞降"。"婆速火九部斩首、溺水死者四千五百余人，获驼马牛羊不可胜计。军还，婆速火乞内属，并请置吏。"① ［合底忻，即合答斤，与山只昆同属尼伦蒙古；婆速火，即孛思忽儿；和火，即特薛禅之子火忽；呼歇水，即今辉河。］ 特薛禅家族可能未参加此役或中途退出战争，并派其子和火向金朝乞降。因此，特薛禅在本氏族遭"九部斩首"的惨败中而幸免于难。

成吉思汗约 17 岁时找到特薛禅家，与孛儿帖成亲②。回家时，特薛禅送他们到了克鲁伦河畔的兀刺黑啜勒，其妻搠坛一直送他们到家。特薛禅给孛儿帖一件黑貂皮袄作为见公婆的礼物，成吉思汗把它送给克烈部的脱里汗，求得了脱里汗的庇护③。

约 1201 年，朵儿边、塔塔儿、弘吉刺与合答斤及撒勒只兀部结盟，袭击铁木真与王罕。特薛禅暗送消息给铁木真，使铁木真与王罕有了准备，在捕鱼儿海子（今呼伦湖）打败了敌人④。1203 年，铁木真派主儿扯歹率领兀鲁兀惕部军人收降了弘吉刺部大首领帖儿格·阿蛮，特薛禅所在的孛思忽儿氏也应在此时正式归降铁木真⑤。1206 年，成吉思汗分封功臣时，特薛禅不在其中，可能已去世。

特薛禅家族成为元代弘吉刺部的首领家族，主要得益于与成吉思汗的联姻。特薛禅因翁婿关系，心向成吉思汗，关键时刻暗通消息，有功于成吉思汗。而弘吉刺部的大首领帖儿格·阿蛮，屡与成吉思汗为敌。成吉思汗杀帖儿格·阿蛮，将全体弘吉刺人划为 3 000 户，封特薛禅子孙为千户，使他们成为弘吉刺部的首领家族。1237 年，窝阔台汗下旨：弘吉刺氏"生女为后，

① 《金史》卷 93 《宗浩传》，第 2074 页。
② 乌兰：《〈蒙古源流〉研究》卷 3，辽宁民族出版社 2000 年版，第 149 页。
③ 余大钧译注：《蒙古秘史》，第 94—96 节。
④ 《史集》（汉译本）第 1 卷第 2 分册，第 158 页。
⑤ 余大钧译注：《蒙古秘史》，第 176 节；《圣武亲征录》，《王国维遗书》本，第 37 页。

生男尚公主，世世不绝"，① 确立了孛儿只斤氏与弘吉剌氏之间以世婚关系为纽带的政治军事联盟，确立了特薛禅家族在元代的崇高地位。特薛禅有子：按陈、火忽、册；女：孛儿帖，成吉思汗的大皇后。

河西王按陈　按陈是特薛禅之子。1206 年，被封为第 86 千户。蒙金战争中，弘吉剌、亦乞列思、札剌亦儿、兀鲁、忙兀五部落组成了著名的五投下，属攻金的主力。1211 年，契丹人耶律留哥占据隆安（今吉林农安）、韩州（今吉林梨树县八面城）反金，聚众 10 万。次年，成吉思汗遣按陈那颜进兵辽东，留哥正率部西投蒙古，按陈与留哥在金山相遇，结盟而返。1213 年春，金朝元帅完颜承裕率军 60 万讨伐留哥。留哥求援于蒙古，成吉思汗命按陈等引千骑支援留哥，两军相会后，大败金军于迪吉脑儿②。1213 年，蒙古围攻金中都（今北京），不克。成吉思汗乃分兵扫荡华北。对这次行动，《史集》的记载是："成吉思汗派遣拙赤·合撒儿、弘吉剌惕部人阿勒赤那颜、自己的幼子尤儿赤台和弘吉剌惕部人薄察四人分左右两路去攻打沿海地区"③。1217 年，木华黎总兵伐金，从五投下抽选矫捷有力之士组成五探马赤军，按陈率领的 3 000 弘吉剌氏是五探马赤军之一④。1218 年，按陈进军太原，收降汾州的梁瑛、杜丰二人，且授军职。1219 年秋，按陈下平阳、霍州、晋安、沁、潞等府州数十处，继攻太行山寨堡，又下怀、孟等十余城⑤。1221 年，出使蒙古的南宋使者赵珙了解到按陈"有骑军十余万，所统之人颇循法"⑥。1222 年十月，木华黎遣按陈将兵 3 000，从山西攻潼关⑦。按陈入"陕右、桢州"⑧。此后，按陈似是驻守在新占领的秦陇一带，后移防河西。1227 年，按陈那颜被赐国舅之号。1232 年，窝阔台汗赐其银印，封河西王，统领本部。1237 年，窝阔台汗又赐按陈钱 20 万缗。窝阔台汗还授按陈为万户。按陈之子斡陈于 1238 年袭万户，应是按陈去世了。

---

① 《元史》卷 118《特薛禅传》，第 2916 页。
② 《元史》卷 149《耶律留哥传》，第 3511 页。
③ 《史集》（汉译本）第 1 卷第 2 分册，第 234 页。
④ 《圣武亲征录》，《王国维遗书》本，第 73 页；《史集》（汉译本）第 1 卷第 2 分册，第 246 页。
⑤ 《评事梁公碑》，《全元文》卷 247，第 46—48 页；《元史》卷 151《杜丰传》，第 3574 页。
⑥ 《蒙鞑备录》，《王国维遗书》本，第 9 页。
⑦ 《元史》卷 119《木华黎传》，第 2935 页。
⑧ 《评事梁公碑》，《全元文》卷 247，第 46—48 页。

按陈是著名的五投下与五探马赤军的首领之一，是仅次于成吉思汗的四骏、四狗、两先锋①的大将。按陈又与成吉思汗是嫡亲郎舅，与窝阔台汗是嫡亲甥舅，所以按陈很受器重。元初的异姓功臣中，只有他与汪古部驸马镇国分别得到"河西王"和"北平王"封号。成吉思汗时代的分封活动中，按陈家族不仅分地广阔，而且兄弟、父子共五人单独列名受封，从现存史料看，是异姓功臣家族中单独列名受封人数最多的②。按陈及其子弟的地位，反映了弘吉剌氏当时的军事实力和他们与蒙古大汗的密切关系。蒙元时期的弘吉剌氏贵族主要出自特薛禅之子按陈系统。元成宗元贞元年（1295年）二月，追封按陈为济宁王③。

按陈有子：赤古、纳陈、斡陈、唆儿火都、必哥，女儿察必是元世祖的皇后，另一女儿兀乞旭真是尤赤台之妻④。

斡陈　按陈之子。1238年，窝阔台汗授斡陈万户。斡陈尚拖雷之女也速不花公主。

纳陈　按陈之子。1257年，袭其兄弟斡陈万户之职。是冬，蒙哥汗亲自统军伐宋，纳陈也率本部军马南征⑤。1259年，取山东南部及河南，纳陈驻帐于济州昌邑城北，分军屯巨野，互为犄角。又筹划以山东控制新取的河南。济州是按陈家的食邑。金朝天德三年（1151年），黄河大水淹济州治所巨野城，州治因此而迁至任城。纳陈驻济州期间，将州治复迁至巨野⑥。随后，纳陈从忽必烈涉淮河，下大清口，获船百余艘。1260年，纳陈参加了拥戴忽必烈即位的忽里勒台⑦。中统二年，纳陈与诸王北伐阿里不哥，其子哈海、脱欢、斡罗陈等10人随行。在石木温都，"驸马腊真（即纳陈）与

---

①　四骏：木华黎、博尔尤、博尔忽、赤老温；四狗：者勒篾、速不台、虎必来、哲别；两先锋：尤赤台、畏答儿。

②　参见《元史》卷118《特薛禅传》；《史集》（汉译本）第1卷第2分册，第373页记载，按陈之子赤古受封于湟水流域。

③　《元史》卷118《特薛禅传》，第2915页；《秋涧集》卷67《追封皇国舅按赤那演济宁王谥忠武制》。

④　《史集》（汉译本）第2卷，第125页。

⑤　《元史》卷118《特薛禅传》，第2916页。

⑥　《相哥八剌碑》，《石刻史料新编》第3辑，第324—326页；《紫山大全集》卷18《济宁路总管府记碑》。

⑦　《史集》（汉译本）第2卷，第294页。

诸王哈丹、"兀鲁、忙兀的军队大败阿里不哥属民斡亦剌军队①。中统二年秋，阿里不哥袭击驻扎在西北边境的移相哥，纳陈率 1 万人迎击②，至莽来，由失木鲁与阿里不哥之将八哈八儿思等大战，又北追至孛罗克秃，鏖战一日，斩首万余③。纳陈可能于至元初年去世，子斡罗陈袭万户。

1259 年，蒙哥汗死于进攻宋朝的前线四川合州，蒙哥生前没有指定汗位继承人。其时，拖雷幼子阿里不哥留守和林，担任监国，抢先继承了汗位④。但忽必烈长期韬光养晦，手握重兵，便起而与幼弟阿里不哥争汗位，在开平举行忽里勒台，即大汗之位。纳陈与忽必烈是嫡亲郎舅，参加了忽里勒台，支持忽必烈夺取汗位。

纳陈尚成吉思汗孙女薛只干公主，有子哈海、脱欢、斡罗臣、帖木儿、蛮子台、只儿瓦台⑤。

唆儿火都　按陈之子。成吉思汗时，唆儿火都有功，封千户，赐其镀金银印和金银字海青圆符、驿马券、牧地。牧地在可木儿温都儿（今翁牛特旗虾蟆儿岭）以东，络马河（今英金河）至于赤山（今赤峰红山），涂河以南。元世祖时下诏："弘吉剌万户所受驿券、圆符皆仍其旧，凡唆儿火都所受者，宜皆收之"。但唆儿火都的孙辈孛罗沙、伯颜、蛮子、添寿不花、大都不花、掌吉等，及曾孙也速达儿，都世袭本藩蒙古军站千户⑥。

唆儿火都之子阿哈驸马袭父千户职。蒙哥汗攻宋时，阿哈破徐州，受赏黄金一锭、白金十锭及银鞍勒等物。《特薛禅传》中"及阿哈千户之孙曰也速达儿与按陈之弟名册者，在太祖世授官本藩蒙古军站千户"⑦ 的记载有误。蒙古正式设立驿站是在窝阔台汗时代。因此，也速达儿授官本藩蒙古军站千户等应是在太祖朝以后。

必哥及安远王丑汉　必哥为按陈之子，其本人事迹不见经传，其名以孙丑汉得以见诸于史。关于丑汉驸马，在本书的祖宗故地与亲王出镇一节中有

① 《元史》卷 120《尤赤台传》，第 2962 页。
② 《史集》（汉译本）第 2 卷，第 300 页。
③ 《元史》卷 118《特薛禅传》，第 2916 页。
④ 《史集》（汉译本）第 2 卷，第 292—295 页。
⑤ 《张氏先茔碑》，《历代石刻史料汇编》第 4 编第 3 册，第 814 页。
⑥ 《元史》卷 118《特薛禅传》，第 2917 页。
⑦ 《元史》卷 118《特薛禅传》，第 2917—2918 页。

详细叙述，此不赘述。

斡罗臣　纳陈之子。中统二年（1261 年），斡罗臣随父纳陈北伐阿里不哥。至元初年，纳陈死后，斡罗臣袭万户。斡罗臣先尚完泽公主，至元八年（1271 年）继尚元世祖第三女囊加真公主，在答儿海子（今达里泊）建立了应昌城①。至元十四年，斡罗臣之弟只儿瓦台叛乱，挟持斡罗臣及其陪臣张应瑞北走，斡罗臣被杀，张应瑞遭鞭挞后放回②。斡罗臣之女宝怜答里是元成宗皇后。

济宁郡王帖木儿　帖木儿是纳陈之子。关于帖木儿的世次有两种记载：一、以帖木儿为按陈子。胡祖广《相哥八剌碑》和校点本《元史·特薛禅传》即采此说。二、以帖木儿为纳陈子、按陈孙。程钜夫《应昌路报恩寺碑》，刘敏中《敕赐应昌府罔极寺碑》、《诸公主表》③ 即如此载录。刘碑、程碑制于元前期，胡碑制于元惠宗时，且斡罗臣、帖木儿、蛮子台先后都尚囊加真公主④，因此，帖木儿是按陈孙、纳陈之子的记载更可信。至元十四年（1277 年），斡罗臣死。十八年，帖木儿袭职⑤。

《相哥八剌碑》记载，帖木儿"至元六年（1269 年）请命于朝，创立济宁府。十八年（1281 年）升府为路。驸马都尉乃以驱虏及从行蒙古军三千余户，分为十七奕，散居济、兖、单三州"。此碑专为帖木儿次子相哥八剌而勒，虽属敕文，却将纳陈、斡罗臣、蛮子台的一些活动都记在帖木儿的名下。其原因可能一是胡祖广从汉人节烈观出发，避囊加真公主先后适斡罗臣、帖木儿、蛮子台三兄弟之讳，二是弘吉剌氏首领不通汉文，任由这种连家族四代之内的直系祖先都弄错的碑刻面世。将《特薛禅传》、《武略将军济宁路总管府达鲁花赤先茔神道碑》、《张氏先茔碑》中关于纳陈、斡罗臣的记载与《相哥八剌碑》的这段记载比较，则发现这些举措是纳陈或斡罗

① 刘敏中：《敕赐应昌府罔极寺碑》载"至元辛未岁"（1271 年）开始兴建应昌城，见《全元文》卷 396，第 527 页；《特薛禅传》记载斡罗臣至元十四年死，则与公主同请建应昌城者是斡罗臣。

② 《张氏先茔碑》，《历代石刻史料汇编》第 4 编第 3 册，第 814 页。

③ 程钜夫：《应昌路报恩寺碑》，《雪楼集》卷 5，景刊洪武本，阳湖陶氏涉园影印，1910 年；《敕赐应昌府罔极寺碑》，《全元文》卷 396，第 527 页；《元史》卷 108《诸公主表》，第 2758 页。　·

④ 《元史》卷 118《特薛禅传》，第 2916 页；卷 109《诸公主表》，第 2758 页。

⑤ 《元史》卷 118《特薛禅传》，第 2916 页。

臣所为，而不是帖木儿的作为。但帖木儿可能随军到过济宁。至元二十四年（1287 年），乃颜在辽东叛乱，元世祖亲征，帖木儿从征，有功。十一月，元世祖封帖木儿为济宁郡王。至元二十五年，哈丹秃鲁干再叛，① 帖木儿随皇孙铁穆尔及御史大夫玉昔帖木儿出征，在龟剌儿河（今内蒙古科尔沁右翼前旗的归流河）与哈丹秃鲁干军相遇，直战至恼木连河（今嫩江），歼叛军。元世祖赐帖木儿按答儿秃那颜（意为"声名远播之官人"）称号，以旌其功②。

帖木儿也尚囊加真公主。《特薛禅传》记载帖木儿有二子：长，珣阿不剌；次，桑哥不剌。至元二十七年（1290 年），帖木儿弟蛮子台袭万户，帖木儿应于此前去世③。

程钜夫《应昌路报恩寺碑》记载，元贞元年（1295 年）帖木儿封济宁王，其时帖木儿已死，这条记载不确。④

元世祖时期，驸马只封郡王，而且得封者仅有弘吉剌氏的章吉驸马、帖木儿驸马与亦乞列思氏的不花驸马与唆都哥驸马四人。这与他们和汗室的密切联姻有关，也与他们支持忽必烈争夺汗位有关，弘吉剌氏与亦乞列思氏两家的驸马出席了忽必烈即位的忽里勒台⑤。

济宁王蛮子台　蛮子台是纳陈之子、帖木儿之弟。帖木儿死时，其子幼小。至元二十七年，蛮子台袭万户，收娶囊加真公主。囊加真公主薨，蛮子台继尚真金之女喃哥不剌公主。

至元三十一年四月，蛮子台参加在上都召开的成宗铁穆耳继位的忽里勒台。⑥ 成宗很优待蛮子台。元贞元年正月，蛮子台封济宁王。二月，其部人

① 哈丹秃鲁干，即《元史》卷120《尤赤台传》，第2962页，哈丹，是合赤温后王。
② 《元史》卷14《世祖本纪》十一，第302页；卷118《特薛禅传》，第2916页。
③ 《元史》卷118《特薛禅传》，第2916页。
④ 钱大昕：《廿二史考异》卷93云："今以表、传、碑文反复参校，乃知斡罗臣兄弟三人相继尚囊加真公主。传不言帖木儿尚主，表不言斡罗臣尚主，皆史家之缺漏。碑不言斡罗臣、蛮子台之尚主，则以碑以帖木儿之子弳不剌所作，故为之讳也。传称成宗即位封皇姑鲁国大长公主，以金印封蛮子台为济宁王，纪书于元贞元年，其时帖木儿已前卒，而碑隐蛮子台之名，悉归之帖木儿，讳言公主改适事也。当以史文为正。"
⑤ 《元史》卷14《世祖本纪》一，第296、302页；卷6《世祖本纪》三，第116页；卷13《世祖本纪》十，第272页；《史集》（汉译本）第2卷，第294页。
⑥ 《史集》（汉译本）第2卷，第376页。

贫乏，元朝赐钞18万锭。五月，因囊加真公主在应昌建佛寺，元朝给钞千锭、金50两。六月，蛮子台私杀罪人，遭御史台臣弹劾，成宗下诏"谕蛮子台令知之"，并未深究。大德三年（1299年）四月，蛮子台所部匮乏，元朝赈粮13万石①。

成宗即位后，派宗王阔阔出、女婿汪古部人阔里吉思西御海都、都哇。据《蛮子台传》，蛮子台应在其中。一次，与海都、都哇短兵相接，蛮子台单骑突入阵中，往复数次，大扰敌兵，元朝军得胜。《史集》还记载，大德二年冬，八剌之子都哇袭击驻防在西北边境的元军，统兵的宗王阔阔出、囊加台怠于防御，醉酒不能出征。成宗女婿汪古部人阔里吉思率所部6 000人御敌，寡不敌众，阔里吉思被俘。事后，成宗鉴于阔阔出昏聩，以皇侄海山代之，并令蛮子台为总领蒙古军民官，辅佐海山②。成宗时，元军成功地击败了海都、都哇，解决了西北诸王40多年的叛乱，元成宗对出征诸王大加封赏。

蛮子台是成宗姑父、姐夫或妹婿，又出征西北多年且有功，在成宗朝受到厚待就不奇怪了。

大德十一年（1307年）三月，帖木儿长子瑚阿不剌袭万户③，应是蛮子台已死。

《相哥八剌碑》记载，帖木儿"元贞二年遣使于朝，请立济宁、大都、池州、安西投下总管府……"。上文已考证帖木儿死。至元二十七年，蛮子台袭万户，请设济宁投下总管府者是蛮子台而非帖木儿。但据《成宗本纪》，济宁路立诸色户计诸总管府是至元三十一年十一月④。

只儿瓦台　纳陈之子。至元十二年（1275年），忽必烈派右丞相安童行中书省、枢密院事，辅佐皇子那木罕北征海都。从征的宗王昔里吉、撒里蛮、脱铁木儿、玉木忽儿等劫持那木罕、安童，叛附海都。十四年春，昔里吉军越金山东进至和林地区。只儿瓦台在应昌响应昔里吉，兵围应昌城，囊加真公主在围中。中卫亲军总管移剌元臣率军驰击，只儿瓦台挟其兄斡罗臣

① 《元史》卷18《成宗本纪》一，第390、391、393、395页；卷20《成宗本纪》三，第427页。
② 《元史》卷118《特薛禅传》，第2916页；《史集》（汉译本）第2卷，第377、382页。
③ 《元史》卷118《特薛禅传》，第2916页。
④ 《相哥八剌碑》，《石刻史料新编》第3辑，第324—326页，《元史》卷18《成宗本纪》一，第389页。

北奔，移剌元臣追至鱼儿泺，擒只儿瓦台，只儿瓦台被处死①。只儿瓦台叛乱的原因可能是家族内部的权力之争。

鲁王琱阿不剌　琱阿不剌是帖木儿与襄加真公主所生。大德十一年，袭万户，封鲁王②。琱阿不剌尚武宗之妹祥哥剌吉公主。武宗滥封王爵，驸马封金印兽钮一字王就始自琱阿不剌。至大元年（1308年），武宗赐永平路滦州、卢龙、迁安、抚宁、昌黎、石城、乐亭六县给公主驸马作为食邑。次年，再赐平江稻田1 500顷。大德十一年七月，元武宗加封孔子为大成至圣文宣王。曲阜在鲁王食邑济宁，所以，鲁王琱阿不剌与公主祥哥剌吉于至大元年祭祀了孔庙③。琱阿不剌死于至大三年（1310年），其女卜答失里是文宗皇后。

郓安王、鲁王桑哥八剌　桑哥八剌，或译相哥八剌，是帖木儿次子、琱阿不剌之弟、阿里嘉室利之叔④。桑哥八剌最初袭职，统本部民400户。成宗时奉旨尚成宗女普纳公主。至顺三年（1332年）正月，"封公主不纳为郓安大长公主"⑤。桑哥八剌也当在此时受郓安王封，《相哥八剌碑》与《特薛禅传》也记载桑哥八剌于至顺年间（1330—1333年）封郓安王，受千户职。元统元年（1333年），阿里嘉室利死，桑哥八剌袭万户。次年，桑哥八剌袭封鲁王。桑哥八剌死时61岁。由其父帖木儿的生平和《相哥八剌碑》立碑时间来推算，桑哥八剌死于至正四年（1344年）到至正九年（1349年）之间⑥。

纳哈驸马　纳哈驸马是按陈之孙，尚太宗女哈罕公主。⑦

浑都帖木儿　浑都帖木儿是按陈之孙，其女答己为答剌麻八剌之妃、武

---

① 《元史》卷149《移剌元臣传》，第3531页；《张氏先茔碑》，《历代石刻史料汇编》第4编3册，第814页。

② 《元史》卷22《武宗本纪》一，第481页；《敕赐应昌府罔极寺碑》，《全元文》卷396，第527页。

③ 《皇妹大长公主鲁王祭孔庙碑》，《历代石刻史料汇编》第4编第1册，第701页。

④ 《元史》卷118《特薛禅传》，第2917页；《相哥八剌碑》，《石刻史料新编》第3辑，第324—326页。

⑤ 《元史》卷36《文宗本纪》五，第800页。

⑥ 《元史》卷118《特薛禅传》，第2917页；《相哥八剌碑》，《石刻史料新编》第3辑，第324—326页。

⑦ 《元史》卷118《特薛禅传》，第2918页；卷116《后妃传》二，第2900页。

宗及仁宗之母①。

威靖王斡留察儿　斡留察儿是按陈之孙，其女八不罕是泰定帝皇后。据《后妃表》，泰定帝的必罕皇后、速哥答里也都是八不罕皇后的妹妹。如此，则她们都是斡留察儿的女儿②。泰定二年（1325年）四月，"封后父火里兀察儿为威靖王。"③ 火里兀察儿，就是斡留察儿。④ 据《元史·诸王表》，威靖王"火里兀察儿"是"驸马"。

脱怜　脱怜是按陈的裔孙，世系不详。世祖授本藩千户，赐驿券、圆符各四，令其以兵守克鲁伦河。至元二十四年（1287年），从祖父帖木儿征乃颜有功，元世祖赐其拔都儿称号。脱怜死，子迸不剌嗣千户。迸不剌之女真哥是武宗的皇后。迸不剌卒，其子买住罕嗣千户。⑤ 脱怜之女帖古伦为元世祖的大皇后。⑥

兖王买住罕　关于买住罕的身份，《元史》的《后妃传》《特薛禅传》《诸公主表》记载，驸马买住罕是脱怜之孙，是泰定帝妃必罕、速哥答里之父，是鲁国大长公主拜塔沙之夫婿。泰定四年七月，"赐诸王火儿灰、月鲁帖木儿、八剌失里及驸马买住罕钞一万五千锭，金、银、币、帛有差"⑦。《蒙兀儿史记》引用《元史》的《后妃传》《特薛禅传》和诸王食邑地望考证："木八剌"为"本八剌"之误，"本八剌"即"迸不剌"之异译，迸不剌子"买住韩"即兖王"买住罕"，是按陈裔孙⑧。至大三年十月，买住罕封兖王⑨。

孛罗帖木儿　关于孛罗帖木儿的世次有两种载录：《特薛禅传》载孛罗帖木儿是迸不剌子，买住罕之弟。买住罕死，其弟孛罗帖木儿嗣千户。而

① 《元史》卷118《特薛禅传》，第2918页；卷116《后妃传》二，第2900页。
② 《元史》卷114《后妃传》一，第2876页；卷118《特薛禅传》，第2919页；卷106《后妃表》，第2670页。
③ 《元史》卷29《泰定帝本纪》一，第656页。
④ 《蒙兀儿史记》卷150《诸王表》，第951页。
⑤ 《元史》卷118《特薛禅传》，第2918、2919页。
⑥ 《元史》卷118《特薛禅传》，第2919页；卷106《后妃表》，第2697页。
⑦ 《元史》卷30《泰定帝本纪》二，第680页。
⑧ 《蒙兀儿史记》卷148《宗室世系表》，第923页。
⑨ 《元史》卷109《诸公主表》，第2759页；卷114《后妃传》一，第2876页；卷23《武宗本纪》二，第528页。

《元史·后妃传》记载顺帝的伯颜忽都皇后是弘吉剌氏，是武宗皇后真哥的侄子孛罗帖木儿之女；武宗真哥皇后是进不剌之女，据此孛罗帖木儿是进不剌之孙。孛罗帖木儿世次待考，所尚公主也不见于史。泰定二年七月"封驸马孛罗帖木儿、知枢密院事火沙并为郡王"①。两都之战中，天历元年（1328 年）八月，"上都诸王及用事臣以兵分道犯京畿，留辽王脱脱、诸王孛罗帖木儿、太师朵带、左丞相倒剌沙、知枢密院事铁木儿脱居守"。九月乙酉，"燕铁木儿大兵继至，转战四十余里，至牛头山，擒驸马孛罗帖木儿，平章蒙古塔失、［雅失］帖木儿，将作院使撒儿讨温，送阙下戮之"。十月丙申，"中书省为言上都诸王大臣，不思祖宗成宪，惑于倒剌沙之言，辄以兵犯京畿。赖陛下洪福，王禅溃亡，生擒诸王孛罗帖木儿及用事臣蒙古答失、雅失帖木儿等，既以明正典刑，宜传首四方以示众"②。从元史的相关记载看，九月乙酉条的孛罗帖木儿应是诸王，而史臣误记为驸马。诸王孛罗帖木儿攻大都被诛，驸马孛罗帖木儿与此事无关。他有女伯颜忽都，元惠宗选聘伯颜忽都为后。后至元二年（1336 年）夏四月，"戊寅，封驸马孛罗帖木儿为毓德王"；戊戌"赐宗室灰里王金一锭，钞一千锭，毓德王孛罗帖木儿钞三千锭"。至元三年，伯颜忽都被册为皇后。孛罗帖木儿死，买住罕孙阿失袭千户③。

仙童　仙童是纳陈之孙，其女喃必是元世祖皇后④。

鲁王马谋沙　鲁王马谋沙仅在《顺帝纪》中有一次记载：至正十四年"四月……复立应昌、全宁二路。先是，有诏罢之，以拨属鲁王马谋沙王傅府，至是有司以为不便，复之"⑤。屠寄据此定马谋沙封鲁王时间在至正十四年（1354 年）。勒于至正三年（1343 年）秋的胡祖广碑，称桑哥八剌为今王，则他当时还在世。马谋沙封王时间当在至正四年到至正十四年之间。

洪武七年（1374 年）七月，"左副将军李文忠率师攻高州大石崖，克

①　《元史》卷 29《泰定帝本纪》一，第 658 页。

②　《元史》卷 32《文宗本纪》一，第 706、712、714 页。

③　《元史》卷 39《顺帝纪》二，第 834 页；卷 109《诸公主表》，第 2759 页；卷 118《特薛禅传》，第 2918 页。

④　《元史》卷 118《特薛禅传》，第 2918 页；卷 114《后妃传》一，第 2873 页。

⑤　《元史》卷 43《顺帝本纪》六，第 915 页。

之，斩故元宗王朵朵失里，擒其承旨百家奴，余众败走，文忠复遣指挥唐某追击之，至毡帽山，遇故元鲁王，营于山下，以兵攻之，斩鲁王及司徒银答海俊、平章把剌、知院忽都，获其妃蒙哥秃并金印一，玉图书一"。① 高州在辽阳行省大宁路境内，紧邻弘吉剌部的封地全宁。此鲁王被斩，标志着元代鲁王家族也彻底覆灭。《明史纪事本末》卷 10《故元遗兵》也记有此事。不知此鲁王是马谋沙，还是另有其人。

三、弘吉剌部首领家族的其他首领

（一）弘吉剌部大首领帖木哥·阿蛮

帖木哥·阿蛮在史书中有不同的写法：《圣武亲征录》作帖木哥·阿蛮；《蒙古秘史》作帖儿格·阿勒篯；《金史》作忒里虎；《史集》记作合剌合·额篯勒或迭儿客②。帖木哥·阿蛮是 12 世纪末弘吉剌部的大首领。

在成吉思汗兴起之初，弘吉剌部与塔塔儿部长期附属金朝并在金朝指令下多次攻击蒙古、克烈等部。金章宗承安元年至三年（1196—1198 年），弘吉剌、塔塔儿两大部背叛金朝，金朝两度出兵呼伦贝尔、喀尔喀河一带与两部作战，塔塔儿部受重创，首领篯兀真·笑里徒被杀。弘吉剌部投降，金朝征弘吉剌部 4 000 骑兵参加镇压山只昆、合答斤、迪烈土（即塔塔儿）的战争，弘吉剌部长忒里虎（即帖木格·阿蛮）与金兵同进，攻破山只昆、合答斤、婆速火（即孛思忽儿）诸部③。弘吉剌部的势力遭到削弱，便加紧了与其他蒙古部的联络。约在 1200 年，朵儿边、塔塔儿、弘吉剌与合答斤、撒勒只兀部刑牛结盟，对抗铁木真与王罕，并出兵相袭，但被打败。弘吉剌部走投无路决定来投铁木真，但铁木真之弟合撒儿不知弘吉剌部的意图，掳掠了弘吉剌部，于是弘吉剌部投奔了札木合④。鸡儿年（辛酉年，1201

①　《明太祖实录》卷 91，第 1593 页；《明史》卷 126《李文忠传》，第 3745 页。

②　《圣武亲征录》，《王国维遗书》本，第 38 页；《金史》卷 93《宗浩传》；《史集》（汉译本）第 1 卷第 1 分册，第 264 页作合剌合·额篯勒，第 265 页记作迭儿客。

③　参阅额尔登泰、乌云达赉校勘本：《蒙古秘史》，第 132—134 节；《金史》卷 10《章宗本纪》二；卷 93《宗浩传》，第 2073、2074 页；卷 94《完颜襄传》。

④　《元史》卷 1《太祖本纪》，第 8 页；《史集》（汉译本）第 1 卷第 1 分册，第 158 页；《史集》（汉译本）第 1 卷第 2 分册，第 161 页。

年），合答斤、撒勒只兀、弘吉剌等11部相会于阿勒灰泉，商议共推札只剌惕人札木合为汗，弘吉剌部长帖木哥·阿蛮参加会盟。他们顺额尔古纳河而下，在刊河（今额尔古纳河东岸支流根河）流入额尔古纳河的三角洲，拥立札木合为古儿汗。随后他们出兵攻打成吉思汗与王罕。1203年，王罕之子桑昆突袭铁木真营地，铁木真在合兰真沙陀大败，退到了帖木哥·阿蛮营地的边界上，派主儿扯歹率领兀鲁兀惕部人收降了帖木哥·阿蛮等弘吉剌惕人①。《史集》记载，成吉思汗将女儿嫁给帖木哥，他说成吉思汗的女儿像癞蛤蟆和乌龟，不娶，被成吉思汗处死②。多次参与反蒙古联盟的宿怨与拒婚可能是帖木哥被杀的原因。

（二）特薛禅之子册那颜与火忽那颜及其子孙

册那颜与火忽那颜　册与火忽是特薛禅之子、按陈之弟。《特薛禅传》记载，1214年，成吉思汗分封时，特薛禅的儿子按陈、册、火忽、按陈之子唉儿火都分别有独立的牧地。蒙古的分封，土地与牧民是结合在一起的。分了民，必须有相应的游牧地面，反过来讲，分了牧地就同样分了民。因此，这四人应都是千户。而且，同传确实记载册那颜在太祖成吉思汗时期授官本藩蒙古军站千户。唉儿火都在成吉思汗时已是千户了③。

不只儿驸马　不只儿驸马是火忽之孙，尚斡可真公主④。

册那颜的子孙　册那颜的儿子哈儿哈孙，因平金朝有功，被赐拔都儿称号。蒙古与金的战争发生在1211年至1234年，因此从哈儿哈孙的世次考虑，他主要活动在太宗与蒙哥汗时期。哈儿哈孙的孙子都罗儿，至元四年（1267年）封懿国公⑤。

（三）特薛禅之弟答里台及其子孙

答里台是特薛禅之弟，答里台有子怯台、不忽儿、塔忽答儿与申忽儿四子。《史集》记载，答里台的四个儿子与特薛禅的两个儿子按陈与火忽共同

　　① 余大钧译注：《蒙古秘史》，第141节；《圣武亲征录》，《王国维遗书》本，第38页；《史集》（汉译本）第1卷第2分册，第172—173页。

　　② 《史集》（汉译本）第1卷第1分册，第264页。

　　③ 《元史》卷118《特薛禅传》，第2917页。

　　④ 《元史》卷118《特薛禅传》，第2918页。

　　⑤ 《元史》卷118《特薛禅传》，第2918页。

管理了弘吉剌氏的 5 个千户①。蒙古建国后，分封阿勒赤（按陈）驸马等弘吉剌惕三千户长，按陈之子赤古驸马另封为千户长②，除按陈外另两个千户长可能有答里台的儿子。《蒙古秘史》记载，成吉思汗降旨让阿勒赤的亲族阿忽台管领 1 000 名卫士，阿忽台也可能就是塔忽答儿③。

1211 年，成吉思汗进攻金朝，攻下怀来后，追击金将尤虎、高琪到察不察勒关，双方对峙起来。成吉思汗留下弘吉剌人怯台与薄察带着军队守着④。据《圣武亲征录》，察不察勒关应就是居庸关北口。⑤ 1213 年，成吉思汗则从关隘另一端进，从紫荆关出，并派哲别带军队去袭攻居庸关，从南口进，出北口与怯台与薄察遂会合。成吉思汗又令怯台与哈台围守中都。

（四）特薛禅系统的祖系或父系不明的弘吉剌氏首领

答儿罕及其子孙 答儿罕是特薛禅之孙，作战有功，元世祖赐其拔都儿称号，并赐黄金一锭。答儿罕的儿子不只儿，从元世祖征乃颜，擒乃颜同党金家奴，元世祖赏不只儿金带。不只儿有孙伯奢⑥。不知答儿罕的儿子不只儿是不是火忽的孙不只儿驸马，《元史》中这种一人两传的错漏不是没有的。如果这两个不只儿是一人，则答儿罕就是火忽之子了，但这只是一种推测。

脱罗禾驸马 脱罗禾驸马是特薛禅之孙，但不知是何人之子。脱罗禾驸马尚不鲁罕公主，继尚阔阔伦公主，阔阔伦公主是仁宗之女⑦。

忙哥陈 忙哥陈是特薛禅之孙，但不知是何人之子。其女忽都台为宪宗贞节皇后，早逝。后妹也速儿继为宪宗妃子。⑧

哈儿只驸马 《元史·后妃传》称武宗的速哥失里皇后是哈儿只之女，是武宗真哥皇后之从妹。《特薛禅传》又称哈儿只是按陈从孙。而真哥皇后之父是进不剌，其祖脱怜，脱怜是按陈之裔孙，因此据《特薛禅传》的世

---

① 《史集》（汉译本）第 1 卷第 2 分册，第 371 页。
② 余大钧译注：《蒙古秘史》，第 202 节。
③ 余大钧译注：《蒙古秘史》，第 226 节。
④ 《史集》（汉译本）第 1 卷第 2 分册，第 371、232 页。
⑤ 《圣武亲征录》，《王国维遗书》本，第 64 页。
⑥ 《元史》卷 118《特薛禅传》，第 2918 页。
⑦ 《元史》卷 118《特薛禅传》，第 2918 页；卷 109《诸公主表》，第 2760 页。
⑧ 《元史》卷 114《后妃传》一，第 2870 页；卷 118《特薛禅传》，第 2918 页。

次考证，哈儿只是按陈之从曾孙。其女为武宗的速哥失里皇后①。又《牙忽都传》称楚王牙忽都的曾孙燕帖木儿之妃为弘吉剌氏，是"哈只儿驸马之女孙，速哥失里皇后之从妹也"②。如此，则"哈儿只"就是"哈只儿"的倒误，哈只儿（Qaǰir）是伊斯兰教人中常用的名字。Qaǰir，当来源于突厥语 Qadir，③ 意思是勇敢的。

（五）世系不明的弘吉剌氏首领

脱忽察儿　《史集》记载，成吉思汗时代弘吉剌氏有个秃忽察儿的异密，由于他曾修筑过堤坝，被称为答兰·秃儿合黑·脱忽察［儿]④（dalan turqaqtu tuqucar，意为"有七十个散班的秃忽察儿"）。秃忽察儿即是脱忽察儿，但他的具体家族却不清楚。

史书中系于脱忽察儿名下的记载有以下几处。《史集》与《圣武亲征录》：1211 年春天成吉思汗征金国时，先派弘吉剌人脱忽察儿率两千人到西边巡哨，以警戒被征服的蒙古、克烈、乃蛮等部，并保护他的斡耳朵;⑤1217 年，成吉思汗派速别台用铁裹车轮远征篾儿乞余众时，命脱忽察儿将兵二千为前锋。在行进中，脱忽察儿与花剌子模的军队遭遇，被花剌子模的王子札兰丁打败。⑥ 比对《史集》前后文所记脱忽察儿的活动，可知《圣武亲征录》中出现的这个脱忽察儿与《史集》中的脱忽察儿、脱忽察儿巴阿秃儿、答兰·秃儿合黑·脱忽察儿是一人。⑦ 接着，成吉思汗西征花剌子模时，脱忽察儿会师从行。1220 年蒙古军攻下了花剌子模的都城撒马儿干，马合谋算端逃走。成吉思汗派别速部的哲别做前哨、兀良哈人速不台领一万人为后卫，接着又派弘吉剌部的脱忽察儿领一万人跟在后面，命他们追歼马合谋算端。过蔑里可汗城时，哲别与速不台皆过而不犯，脱忽察儿则掳掠了

---

①　《元史》卷 114《后妃传》一，第 2870 页，第 2883 页校勘记（十）；卷 118《特薛禅传》，第 2918、2919 页。

②　《元史》卷 117《牙忽都传》，第 2910 页。

③　R. Dankoff/J. Kelly trans. Maḥmūd al-Kāšɣarī *Compendium of The Turkic Dialects* part Ⅰ, Harvard University Press 1982, p. 281.

④　《史集》（汉译本）第 1 卷第 1 分册，第 266 页。

⑤　《史集》（汉译本）第 1 卷第 2 分册，第 227 页。《圣武亲征录》，《王国维遗书》本，第 61 页。

⑥　《史集》（汉译本）第 1 卷第 2 分册，第 244、261 页。《圣武亲征录》，《王国维遗书》本，第 72 页。

⑦　《史集》第 1 卷第 2 分册中所记脱忽察儿的活动，可据同书附《人名索引》第 409 页"脱忽察儿"——查看。

城外的种田人，并与城外守军交战，惊走蔑里可汗。蔑里可汗与札兰丁会合，进攻成吉思汗所率部队。脱忽察儿违反了军纪，依法当斩，被赦免，但被削去军职①。《史集》还记载在蒙古军进军过程中，马鲁都督汗·灭里表示归顺，成吉思汗命蒙古军队暂不侵犯他的地盘，但跟在后面的脱忽察儿不知为何违令，进犯了马鲁都督汗·灭里的古耳和哈儿赤境内（今阿富汗西北部木尔加河上游的山区），结果被打死。②

关于脱忽察儿的死与身份还有不同记载。《世界征服者史》记载，回历617年11月（公元1220年6月），"拖雷的先锋脱哈察儿古列坚（Toghachar Küregen）（他是成吉思汗的驸马）及众在异密，率一万人马，作为拖雷的前锋部队抵达，并于剌马赞月［11月］中旬兵临你沙不儿城下；城内的百姓鼓足十分勇气，因自己人多，蒙古军少，他们时时出击，进行交锋。""第三天，他们在哈剌忽失（Qara-Qush）城头激战，从城堞和壁垒发射方镞箭和弩矢。由于致所有百姓于死地的一个不幸巧合，一支飞矢使脱哈察儿丧身尘埃，市民不知他是谁就结束了他的生命。"回历618年沙法儿月12日［公历1221年4月7日］礼拜三拂晓，拖雷的军队会师你沙不儿城下，发起猛攻，礼拜六晚城破，蒙古军在你沙不儿施行报复性屠杀，"连猫犬都不得留下。成吉思汗之女，脱哈察儿③的长妻，此时带领她的卫士入城，他们把活人杀光，仅剩下四百人，这些人因有技艺而被挑选出来，并被送到突厥斯坦，其中一些人的后裔至今仍能在那里找到。"④《算端札兰丁传》也记载脱忽察儿确是成吉思汗的女婿。⑤

为什么会有这些不同的记载？

志费尼家族住在呼罗珊的志费因县，在你沙不儿西北不远，志费尼之父巴哈丁被蒙古人录用做官，他耳闻了你沙不儿的屠杀。《算端札兰丁传》的著者自称曾为札兰丁的书记官、札兰丁宫廷服务人员，亲历你沙不儿屠杀。

---

① 《史集》（汉译本）第1卷第2册，第291、292页；《圣武亲征录》，《王国维遗书》本，第77页。

② 《史集》（汉译本）第1卷第2册，第303页。

③ 汉译原文如此。波义耳英译为"Toghachar"，汉译本排印有误。

④ 志费尼著，何高济译：《世界征服者史》上册，第204、207页，内蒙古人民出版社1981年版。

⑤ 讷萨著，奥达斯编译：《算端札兰丁传》，第87页，巴黎，1891年。转引自 *John Andrew Boyle, The History of the World Conqueror, Part I*, p. 174。

《世界征服者史》与《算端札兰丁传》都成书于 13 世纪中期，可视为一手史料。这两部书对脱忽察儿的死地及身份的记载不能轻易否定。此外，朱思扎尼也说，成吉思汗的一个女婿死在你沙不儿城下，但没有提到他的名字。① 17 世纪成书的《突厥世系》却记载弘吉剌人脱忽察儿到了埃剌特后，拒不接受该城的投降保证，武力进攻埃剌特被一箭射死，其部下人马前去哲别处会合了。②《突厥世系》的作者参考了十八种突厥文、波斯文、阿拉伯文著作，其说自有依据。《多桑蒙古史》关于脱忽察儿的记载与《世界征服者史》大致相同，或源自《世界征服者史》。③ 综上所述，我们认为脱忽察儿是死于你沙不儿城下或其附近地区。

　　《圣武亲征录》与《史集》都没有言明脱忽察儿是成吉思汗的驸马。《世界征服者史》《算端札兰丁传》却都明确记载脱忽察儿是成吉思汗的女婿。《世界征服者史》的英译者认为脱忽察儿可能是弘吉剌氏族族长之子，成吉思汗四女秃马伦之夫。这也仅仅是推测，事实上，赤古的世系与活动是比较清楚的。④ 假如《世界征服者史》《算端札兰丁传》的记载准确，脱忽察儿是成吉思汗的女婿，则有两种可能：一是脱忽察儿娶的可能是成吉思汗的庶出之女，虽然史籍中没有明确记载成吉思汗有庶出之女，但成吉思汗妻妾众多，有庶出之女而未被明确记载是完全可能的。例如下嫁高昌亦都护家族的也立安敦公主应当就是庶出公主，⑤ 因为《史集》记载了孛儿帖大皇后所生的五个女儿及她们的驸马，也立安敦公主不在其中。⑥ 二是秃马伦先嫁脱忽察儿，后改嫁给赤古。

　　为何中国本土的史料《蒙古秘史》《圣武亲征录》《元史》及波斯的《史集》没有记载脱忽察儿的驸马身份？而《世界征服者史》《算端札兰丁

---

　　① 朱思扎尼著，拉维特译：《塔巴合特·依·纳昔里》，第 992 页，1881 年伦敦本。John Andrew Boyle, *The History of the World Conqueror, Part I*, p.175。

　　② 阿布尔·哈齐·把阿秃儿汗著，罗贤佑译：《突厥世系》，中华书局 2005 年版，第 116 页。

　　③ 多桑著，冯承钧译：《多桑蒙古史》，中华书局 1962 年版，第 116、120 页。

　　④ 张岱玉：《元代章吉驸马世系及族属考释》，见《2005 年中国蒙古学国际学术研讨会论文集》，内蒙古教育出版社 2008 年版。

　　⑤ 《元史》卷 122《巴而术阿而忒的斤传》；虞集：《高昌王世勋碑》，《国朝文类》卷 26，四部丛刊本。

　　⑥ 《史集》（汉译本）第 1 卷第 2 册，第 88 页。

传》《多桑蒙古史》却记载脱忽察儿的驸马身份？这可能是不同的史源和不同的历史视角造成的。有关蒙古古代史的几部文献中，《蒙古秘史》《世界征服者史》体系不同，《圣武亲征录》及所谓金册又是一个系统。拉施特《史集·成吉思汗纪》主要据《金册》编纂而成的，而《圣武亲征录》是《元太祖实录》与《元史·太祖本纪》的史源之一，所以《史集·成吉思汗纪》与《圣武亲征录》《元史·太祖本纪》最为接近。《蒙古秘史》集中描写成吉思汗早年的艰辛、建国及扩张事迹，除了四个嫡子外，其女儿及其夫婿基本没有涉及；《圣武亲征录》重在记述成吉思汗与窝阔台汗时期的军事活动。因此，上述史书里没有记载脱忽察儿的驸马身份也就不奇怪了。另外，《蒙古秘史》及《圣武亲征录》的作者清楚蒙古军作战惯例：所攻之城不能抵抗，否则便屠城。你沙不儿长时间地顽强抵抗，破城后肯定会遭到大规模的杀戮；如果脱忽察儿系成吉思汗之婿，那报复性屠杀更为严重，成吉思汗的爱孙木秃坚即在范延堡战役中，而且两书的作者也有意隐瞒蒙古军队的残暴行径。《世界征服者史》《算端札兰丁传》是当时当地人记当时事，作者站在自己的历史文化背景里观察外来入侵者蒙古人的行为。你沙不儿屠杀是当地人刻骨铭心的伤痛，他们自觉不自觉地要追索惨案的历史原因，他们可能并不了解蒙古军屠城的原因，于是将你沙不儿惨遭屠城完全归因于成吉思汗的驸马脱忽察儿被射杀在城下，脱忽察儿的驸马身份因此在当地人的历史记忆中得到了强化而保留下来了。

即使脱忽察儿是成吉思汗的女婿，但也不能完全确定他为特薛禅家族。

据《史集》记载，脱忽察儿一支应该是迁到了伊朗，"我在国［即伊朗］，住在八的吉思（bādǧīs）境内的合剌兀纳思千户的异密别乞把阿秃儿，是他（按：指脱忽察儿）的孙子。"[1] 蒙古语别乞（beki）来源于突厥语 bek（王公），意义也相当于 bek，蒙古人中取得别乞称呼的主要是长子部落的长辈，具有族长身份，有的还是巫师。[2] 脱忽察儿之孙有此名号，可能他是脱忽察儿的长子之后；还有一种假设是脱忽察儿是原来弘吉剌部的大首领帖木

---

① 《史集》（汉译本）第 1 卷第 1 分册，第 266 页。
② 参见 B. 符拉基米尔佐夫：（秦卫星译）《蒙古称号"别乞"与"别吉"》，《蒙古学资料与情报》1987 年第 2 期。

哥·阿蛮的儿子。如果这种假设能找到史料证据，则成吉思汗的确有个女儿嫁给了帖木哥·阿蛮的儿子。

有关特薛禅家族的汉籍资料零散而不多，就现存史料看，无论《元史》程钜夫《应昌路报恩寺碑》《太原宋氏先德之碑》，刘敏中《敕赐应昌府罔极寺碑》，胡祖广《相哥八剌碑》《竹温台碑》，马祖常《张公先德碑》，尚师简、张起岩《张氏先茔碑》，柳贯《全宁路新建三皇庙记》都没有提到过脱忽察儿，可见此人没有获得弘吉剌氏驸马家族的纪念。如何来解释这一现象？一种可能是脱忽察儿是弘吉剌氏人，但非特薛禅家族的人，因此，波伊勒猜测其为不能成立；第二种可能是脱忽察儿是弘吉剌部大首领帖木哥·阿蛮的儿子，后裔迁到了伊朗，他确如《世界征服者史》所载，是成吉思汗的女婿。

三、蒙元时期漠南弘吉剌氏与成吉思汗家族的通婚关系

1237 年，窝阔台汗下旨，弘吉剌氏"生女为后，生男尚公主，世世不绝"。有元一代，大汗的大皇后主要出自弘吉剌氏，整个元代后妃队伍中弘吉剌氏的嫔妃最多，而弘吉剌部的首领也多尚元朝汗室的公主。

（一）出自弘吉剌氏的后妃

成吉思汗的大皇后孛儿帖　孛儿帖是成吉思汗的大皇后，生有术赤、察合台、窝阔台、拖雷四子[1]。屠寄据《蒙古源流》记载，认为孛儿帖卒年在成吉思汗之后。元世祖至元二年（1265 年）十二月，追谥光献翼圣皇后[2]。

术赤之妻撒儿塔黑　弘吉剌氏撒儿塔黑是术赤正妻。另外，阿勒赤那颜的女儿兀乞旭真也是术赤之妻，生子拔都[3]。

察合台的妻子也速仑和秃儿坚　也速仑和秃儿坚是姐妹俩，是弘吉剌氏特薛禅之堂兄弟答里台的孙女。《史集》记载她们是察合台的妃子[4]。

蒙哥宪宗的贞节皇后忽都台　蒙哥的妃子忽都台是特薛禅孙忙哥陈之

---

① 余大钧译注：《蒙古秘史》，第 104、110、118 节；《元史》卷 114《后妃传》一，第 2869 页。
② 《蒙兀儿史记》卷 19，第 206 页；《元史》卷 114《后妃传》一，第 2869 页。
③ 《史集》（汉译本）第 2 卷，第 115、125 页。
④ 《史集》（汉译本）第 2 卷，第 367 页。

女，早逝。她的妹妹也速儿继为妃。至元三年，追谥忽都台为贞节皇后①。

元世祖的帖古伦大皇后、察必皇后、南必皇后 帖古伦是按陈孙脱怜之女，是忽必烈的元妃，守大斡耳朵，早逝②。

元世祖的二皇后察必是按陈之女。生朵儿只、真金太子、忙哥剌、那木罕。中统初年立为皇后，至元十年授册宝，上尊号为贞懿昭圣顺天睿文光应皇后。史称察必皇后"性明敏，达于事机"，对忽必烈多有辅佐。宪宗九年（1259 年），蒙哥汗死于攻宋的前线四川合州，留守和林的阿里不哥准备继承汗位，察必赶紧给在鄂州前线的忽必烈报信，促其北归谋汗位。察必皇后至元十八年（1281 年）二月去世。三十一年，成宗即位追谥昭睿顺圣皇后③。

至元二十年，纳陈的女儿南必继察必守第二斡耳朵。其时，元世祖春秋已高，南必颇能参预政事，相臣常通过南必皇后奏事。南必生有一子铁篾赤④。

旭烈兀的忽推皇后 旭烈兀的一个皇后忽推，出自弘吉剌部首领家族，是旭烈兀西征前在蒙古地区娶的，生帖克里和帖古迭儿·阿合马。帖古迭儿·阿合马初名帖古迭儿，阿八合汗死后，当了国君⑤。旭烈兀的一个妃子名叫亦里·额格赤，也是弘吉剌氏⑥。

阿里不哥的弘吉剌氏皇后、妃子 阿里不哥的一个妻子是弘吉剌氏的忽都哈敦，他的一个妾阿失台也是弘吉剌氏人。拖雷有一个妻子叫伯颜哈敦，也是弘吉剌氏，后为阿里不哥收娶⑦。

真金太子的妃子伯蓝也怯赤 伯蓝也怯赤，一名阔阔真。生甘麻剌、答剌麻八剌、成宗铁穆耳等三子。元世祖死时，真金太子已死，阔阔真联合大

---

① 《元史》卷 114《后妃传》一，第 2870 页。
② 《元史》卷 106《后妃表》，第 2697 页；卷 118《特薛禅传》，第 2919 页。
③ 《史集》（汉译本）第 2 卷，第 282—285 页；《元史》卷 114《后妃传》一；《蒙古族通史》（上），第 417 页。
④ 《史集》（汉译本）第 2 卷，第 287 页。但《元史》卷 114《后妃传》一，第 2873 页和卷 118《特薛禅传》都记载南必为纳陈孙女。
⑤ 《史集》（汉译本）第 3 卷，第 20—23 页。
⑥ 《史集》（汉译本）第 3 卷，第 20 页。
⑦ 《史集》（汉译本）第 2 卷，第 366、367 页。

臣伯颜、玉昔帖木儿压制真金的长子甘麻剌，扶植其幼子铁穆耳继位，是为元成宗。成宗即位，追尊真金为裕宗，尊阔阔真为皇太后。大德四年（1300年）二月去世，追谥裕圣皇后。至大三年（1310年）十月，又追尊为徽仁裕圣皇后①。

忙哥剌的长妻忽推　忽必烈第三子忙哥剌的长妻忽推是弘吉剌惕阿勒赤那颜的侄女②。

甘麻剌的妃子普颜怯里迷失　真金的长子甘麻剌有弘吉剌氏妃子普颜怯里迷，生泰定帝也孙帖木儿。泰定帝元年（1324年），追尊普颜怯里迷失为宣懿淑圣皇后③。

答剌麻八剌妃子答己　答己是按陈之孙浑都帖木儿之女，生武宗海山、仁宗爱育黎拔力八达。成宗崩时，答己与次子爱育黎拔力八达从怀孟奔丧至大都，与权臣哈剌哈孙合谋，击败成宗皇后卜鲁罕与安西王阿难答，取得帝位。答己倾向爱育黎拔力八达即汗位，无奈海山拥有强兵，答己与爱育黎拔力八达只好将汗位让给海山，海山即位是为元武宗。武宗即位，尊答己为太后，为其建兴圣宫，答己居之，因称兴圣太后。兴圣太后颇干政事。仁宗朝时，答己的幸臣失列门、纽邻、铁木迭儿勾结为奸，仁宗软弱不能处置，致使朝政不堪，并埋下英宗被弑的隐患。至治三年（1323年），兴圣太后去世④。

元成宗的失怜答里妃子　失怜答里是斡罗陈之女，铁穆耳之妃，死于铁穆耳登位之前。⑤

武宗的真哥皇后、速哥失里皇后　真哥是进不剌之女。至大三年（1310年）四月，册为武宗正后，死于泰定四年（1327年）。谥宣慈惠圣皇后。速哥失里是册那颜孙哈儿只之女，是真哥皇后之从妹，立后年月与卒年不详。⑥

元仁宗阿纳失失里皇后　阿纳失失里是元仁宗正后，生元英宗。皇庆二

---

① 《元史》卷116《后妃传》二，第2899页。
② 《史集》（汉译本）第2卷，第283页。
③ 《元史》卷116《后妃传》二，第2899页。
④ 《元史》卷116《后妃传》二，第2902页。
⑤ 参见《元史》卷106《后妃表》，第2698页。
⑥ 《蒙兀儿史记》卷19，第212页；《元史》卷114《后妃传》一，第2874页。

年（1313年）三月，受皇后册宝。阿纳失失里死于元英宗即位前①。

泰定帝八不罕皇后、必罕妃子、速哥答里妃子 八不罕是泰定帝正后，按陈孙斡留察儿之女，泰定元年（1324年）册立为后。必罕妃子、速哥答里妃子是兖王买住罕之女。泰定帝死后，被元文宗贬居东安州②。但《后妃表》将八不罕皇后、必罕妃子、速哥答里妃子都记为买住罕之女③。

文宗卜答失里皇后 卜答失里是鲁王琱阿不剌、公主桑哥剌吉之女。泰定帝封武宗子图帖木儿为怀王，配以卜答失里为妃。天历元年（1328年）立为皇后，二年受册宝。至顺元年（1330年）四月，卜答失里与宦官拜住谋杀明宗皇后八不沙。至顺三年八月，文宗死，遗命传位于明宗和世㻋之子。丞相燕铁木儿请立卜答失里子燕帖古思为帝。卜答失里坚持立明宗次子懿璘质班为帝，是为宁宗。十一月，被尊为皇太后。十一月，宁宗崩，大臣再次请立燕帖古思，卜答失里固辞，坚持立明宗长子妥懽帖睦尔在上，是为元惠宗。惠宗初年，卜答失里仍称制，设徽政院掌宫政。后至元二年（1336年）十月，上尊号为赞天开圣仁寿徽懿昭宣贞文慈佑储善衍庆福元太皇太后。惠宗既长，羽翼渐丰，便实行秋后算账，为父昭雪。后至元六年，下诏除文宗庙主，徙卜答失里于东安州，又赐死，年33岁。放燕帖古思于高丽，中途戕之④。

宁宗皇后答里也忒迷失 也忒迷失皇后也是弘吉剌氏，至顺三年十月，立为后，未及婚典而宁宗崩。⑤

元惠宗（顺帝）的伯颜忽都皇后、木纳失里皇后 伯颜忽都是毓德王孛罗帖木儿的女儿，后至元三年三月，立为正宫皇后。生皇子真金，两岁夭折。伯颜忽都皇后性节俭，身后衣物敝坏。

元惠宗的三皇后弘吉剌氏木纳失里，居隆福宫。高丽贡女完者忽都奇氏初在三皇后宫中司茶水，奇氏颖黠，渐攫顺帝欢心。木纳失里皇后很嫉妒，

---

① 《元史》卷88《百官志》四，第2230—2231页；卷114《后妃传》一，第2875页。
② 《元史》卷114《后妃传》一，第2876页。
③ 《元史》卷106《后妃表》，第2770页。
④ 《元史》卷114《后妃传》一，第2877—2878页；《蒙兀儿史记》卷19，第214页。
⑤ 《元史》卷114《后妃传》一，第2878页；《蒙兀儿史记》卷19，第214页。

多次"捶辱"奇氏。至正八年（1348 年）十二月，木纳失里皇后"遇害"①。

据《草木子》记载，惠宗某弘吉剌氏皇后生子雪山，字罗帖木儿进兵大都，赶走皇太子爱猷识理达腊，欲立雪山为皇太子。不久，皇太子爱猷识理达腊与扩廓帖木儿进兵大都，字罗帖木儿被刺死，太子复位，弘吉剌皇后以忧死，雪山被其舅家携往"海都田地"即原窝阔台汗国领地。雪山之母很可能是惠宗正宫皇后伯颜忽都。②

斡儿答的三个弘吉剌氏妻子 斡儿答是尤赤的长子，他有三个出自弘吉剌氏的妻子，一个叫尤克，一个叫秃巴哈纳，还有一个佚名③。这三个妻子有可能是斡儿答娶自蒙古地区漠南弘吉剌氏家族，故列出。

乃剌忽·不花的弘吉剌氏妻子 阿里不哥的第三个儿子乃剌忽·不花有弘吉剌氏妻子阿失黑，是察必皇后的侄女。乃剌忽·不花的另一个妻子是弘吉剌的分支斡勒忽讷的兀臣·额格赤④。

（二）弘吉剌氏所尚公主

公主阿勒塔伦 《史集》记载，公主阿勒塔伦是成吉思汗的第五个女儿，嫁弘吉剌别部斡勒忽讷惕部塔尤驸马的儿子札兀儿·薛禅。塔尤是成吉思汗母舅⑤。阿勒塔伦在脱列哥那掌权或贵由汗时期被处死⑥。但是《史集》⑦又记载弘吉剌氏别部斡勒忽讷惕人塔出驸马，娶成吉思汗幼女阿塔鲁罕。不知阿勒塔伦到底嫁给了塔尤驸马还是其子，或是札兀儿·薛禅在其父去世后续娶了阿勒塔伦。《元史·诸公主表》中塔尤驸马及其子尤真伯（就是札兀儿·薛禅）都尚公主，只是公主名字已佚。

鲁国大长公主也速不花 也速不花是拖雷的女儿，嫁按陈之子斡陈万户。追封鲁国大长公主⑧。

---

① 《元史》卷41《顺帝本纪》四，第880页；卷114《后妃传》一，第2880页。
② 《草木子》，卷3《克谨篇》上，第45页。
③ 《史集》（汉译本）第2卷，第116页。
④ 《史集》（汉译本）第2卷，第370页。
⑤ 《史集》（汉译本）第1卷第2分册，第88页。
⑥ 《史集》（汉译本）第2卷，第144页。
⑦ 《史集》（汉译本）第1卷第1分册，第268页。
⑧ 《元史》卷109《诸公主表》，第2757—2758页。

薛只干公主　薛只干是成吉思汗的孙女，嫁按陈之子纳陈驸马。追封鲁国公主①。

完泽公主　完泽公主嫁纳陈之子斡罗陈万户，追封鲁国大长公主。完泽公主死，斡罗陈继尚元世祖女囊加真公主②。

囊加真公主　囊加真公主是元世祖第三女③，初嫁纳陈子斡罗陈万户。斡罗陈死，改适其弟帖木儿万户。帖木儿死，再嫁帖木儿弟蛮子台万户。囊加真与帖木儿生两子：珊阿不剌、桑哥不剌。至元七年（1270 年），囊加真公主与斡罗陈在答儿海子（今内蒙古克什克腾旗达里诺尔）之西建应昌城。

喃哥不剌公主　喃哥不剌是真金太子之女，在其姑囊加真公主殁后，继适蛮子台驸马。后追封鲁国大长公主④。

祥哥剌吉公主　祥哥剌吉公主是答剌麻八剌之女，答己所生，与武宗、仁宗是同胞兄弟姊妹⑤。帖木儿长子珊阿不剌袭万户，尚祥哥剌吉公主。六月，武宗封其为"皇妹大长公主"。皇庆间，仁宗加封其为皇姊大长公主。公主生子鲁王阿里嘉室利，生女卜答失里，是文宗正宫皇后⑥。

祥哥剌吉公主作为武宗、仁宗二帝之同胞姊妹、文宗正后之母，一生备受恩宠。至大二年（1309 年），武宗至公主府第"叙家人礼"⑦，又赐其平江稻田 1 500 顷。延祐三年（1316 年）四月，仁宗赐皇姊大长公主钞 5 000 锭、币帛 200 匹。天历二年十二月，文宗时加号皇姑徽文懿福贞寿大长公主⑧，在天历二年、至顺元年都对祥哥剌吉公主有多次巨额赏赐。⑨

祥哥剌吉公主像蒙元汗室多数贵族一样十分佞佛。至大四年，祥哥剌吉公

---

①　《元史》卷 109《诸公主表》，第 2758 页。

②　《元史》卷 118《特薛禅传》，第 2916 页，作纳陈之子斡罗陈尚完泽公主。《元史》卷 109《诸公主表》，第 2758 页，作完泽公主适斡陈子斡罗真。《蒙兀儿史记》卷 151，第 977 页，已改作纳陈子斡罗陈。

③　程钜夫：《雪楼集》卷 5《应昌路报恩寺碑》。

④　《元史》卷 109《诸公主表》，第 2758 页；卷 118《特薛禅传》，第 2916 页。

⑤　据元《应昌路报恩寺碑》文载："淳不剌，尚相哥剌吉公主，乃今皇太后之中女也。"（转引自《口北三厅志》）。

⑥　《元史》卷 118《特薛禅传》，第 2917 页。

⑦　《相哥八剌碑》，《石刻史料新编》第 3 辑，第 324—326 页。

⑧　《元史》卷 109《诸公主表》，第 2758 页；卷 118《特薛禅传》，第 2917 页。

⑨　《元史》卷 33《文宗本纪》一，第 746 页；卷 34《文宗本纪》二，第 757、767 页；《待制集》卷 14《全宁路新建三皇庙记》。

主为报皇恩，特于应昌内城东北建报恩寺。延祐五年，祥哥剌吉公主又在全宁西南 4 公里处建护国寺（今翁牛特旗山嘴子乡乌兰板村）。泰定二年（1325 年），祥哥剌吉公主还为应昌城东南 30 公里的曼陀山东麓兴建龙兴寺布施。

祥哥剌吉公主还附庸道教。延祐四年，祥哥剌吉在全宁路大永庆寺东面建三皇庙，祀伏羲、神农、黄帝①。1957 年，考古工作者在全宁古城遗址发现一铜祭器，上面刻有"皇姊大长公主施财铸造祭器永充全宁路三皇庙内用"字样②。

祥哥剌吉大长公主爱书画，好收藏，且收藏甚富，传世元画中有不少是她的收藏品③。元代翰林直学士袁桷曾列出祥哥剌吉公主收藏的 41 件名画，最有名当属北宋黄庭坚赋诗并书写的《松风阁诗卷》。

祥哥剌吉公主很可能懂汉文，有较深的汉文化修养。全宁路儒学的修复也在祥哥剌吉公主时代。今克什克腾旗博物馆藏有解放前在元全宁路关帝庙（今乌丹针织厂厂址）出土的元泰定二年六月二日立的《全宁路新建儒学记碑》，碑云："全宁之学，始于皇姑、驸马。今皇姊大长公主，禀性生知学用，熙绍舅姑既往之志，嘉惠斯文，以教道结人心。鲁王温恭以孝，世世舅甥于皇家，福泽诅可涯也。"④ 皇姑就是襄加真公主，皇姊大长公主就是祥哥剌吉。

至顺二年四月戊申，皇姑鲁国大长公主祥哥剌吉薨⑤。

普纳公主　普纳公主是元成宗之女，元成宗时下嫁帖木儿次子鲁王桑哥不剌。《元史·文宗本纪》记载，至顺三年春正月"庚子，封公主不纳为郓安大长公主"。元统二年（1334 年），桑哥不剌封鲁王，普纳公主进号皇姑大长公主⑥。

朵儿只班公主　朵儿只班公主，至大四年（1311 年）适鲁王阿里嘉室利。元统元年，阿里嘉室利死。至顺年间，封朵儿只班为肃雍贤宁公主⑦。

---

① 《待制集》卷 14《全宁路新建三皇庙记》。

② 参见李俊义：《元代大长公主祥哥剌吉及其书画收藏》，《北方文物》2000 年第 4 期。

③ 《清容居士集》卷 45《鲁国大长公主画图记》和《皇姑鲁国大长公主图画奉教题》。

④ 参见李俊义：《元代大长公主祥哥剌吉及其书画收藏》，《北方文物》2000 年第 4 期。

⑤ 《元史》卷 35《文宗本纪》四，第 782 页。

⑥ 《元史》卷 118《特薛禅传》，第 2918 页；《相哥八剌碑》，《石刻史料新编》第 3 辑，第 324—326 页。

⑦ 《元史》卷 118《特薛禅传》，第 2917 页；卷 109《诸公主表》，第 2759 页。

拜答沙公主　拜答沙公主适按陈裔孙买住罕，后追封鲁国大长公主①。

台忽鲁都公主　台忽鲁都公主嫁必哥之子安远王丑汉。②

唆儿哈罕公主　唆儿哈罕公主是窝阔台汗之女，适按陈孙纳哈③。

斡可真公主　斡可真公主适按陈弟火忽之孙不只儿④。

不鲁罕公主、阔阔伦公主　不鲁罕公主适特薛禅裔孙脱罗禾。阔阔伦公主是元仁宗女，嫁脱罗禾为继室⑤。

公主别克列迷失·阿合　公主别克列迷失·阿合是拖雷的第三个儿子忽睹都的女儿，她嫁给了弘吉剌的撒勒只带驸马。这个驸马在术赤汗兀鲁思的君主脱脱处。脱脱汗和宗王都很尊敬克列迷失·阿合。当昔里吉叛乱，将那木罕逮送术赤兀鲁思时，克列迷失·阿合为将那木罕送回忽必烈处做了有效的努力⑥。

第二节　漠南弘吉剌部首领家族

一、漠南弘吉剌氏的分地及其统治制度

弘吉剌部的分地　大蒙古国建国后，成吉思汗将全体蒙古百姓划分为60多个千户，分别授予开国有功的贵戚、功臣，任命他们为千户长，实行世袭统治。按照游牧社会的传统，整个大蒙古国的土地和人民都是成吉思汗家族的共同财产，必须在亲族中分配。因此，成吉思汗就给诸弟、诸子分配了"份子"（蒙古语"忽必"，意为应得的份额），即人户（若干千户）和牧地（蒙古语"农土"）。分给子弟的千户和牧地形成为具有相对独立地位的封国——兀鲁思。成吉思汗的部分贵戚、功臣，如姻亲弘吉剌、亦乞列思、汪古、斡亦剌也可世袭领有本部或本千户，自己任命千户长并拥有相对

① 《元史》卷118《特薛禅传》，第2918页；卷109《诸公主表》，第2759页。

② 《元史》卷37《宁宗本纪》，第810页，校勘者认为公主名字"台忽都鲁"是"台忽鲁都"的倒误；卷118《特薛禅传》，第2918页；卷109《诸公主表》，第2759页。

③ 《元史》卷118《特薛禅传》，第2918页；卷109《诸公主表》，第2759页。

④ 《元史》卷118《特薛禅传》，第2918页；卷109《诸公主表》，第2760页。

⑤ 《元史》卷118《特薛禅传》，第2918页；卷109《诸公主表》，第2760页。

⑥ 《史集》（汉译本）第2卷，第191页。

稳定的牧地，这种授封方式蒙古语称之为"莎余儿合勒"，意为恩赐。"恩赐的"就不能与"应得的"的等齐，他们的军队要编入成吉思汗直属军队中，领地在本质上也属大汗直辖。蒙古灭金平宋后，也先后将这种制度推行到中原。但作了些变动，分地称食邑。兀鲁思、莎余儿合勒与食邑的管理不同。弘吉剌部的首领是外戚，只有莎余儿合勒与食邑。

　　弘吉剌部的牧地原在斤河（今根河）、迭列木儿（今得尔布尔河）、也里古纳河（今额尔古纳河）三河流域，三河交汇处的苦烈儿温都儿（今苦烈业尔山）是其中心。1214 年，成吉思汗将这一带牧地分封给自己的弟弟斡赤斤和合撒儿，同时将弘吉剌部迁往漠南。按陈分得答儿脑儿（今赤峰市克什克腾旗的达里湖）、可木儿温都儿（今赤峰市翁牛特旗蛤蟆儿岭，位于达里泊湖南部、落马河北岸）、迭蔑可儿（即达里泊以北的失儿古鲁河一带）等地。① 按陈弟册分得阿剌忽马乞（约今西乌珠穆沁旗西南）以东，蒜吉纳秃山（今巴林右旗北境的葱山，或为西乌珠穆沁旗境内的同名之山）、阿只儿合温都（今克什克腾旗西北博罗·阿只尔罕山）、哈老哥鲁（今霍林河）等地，北以胡卢忽儿河（今西乌珠穆沁旗巴拉噶尔河）为界。册的分地约为今锡林郭勒盟西乌珠穆沁旗大部，赤峰市克什克腾旗的东北部和巴林左、右二旗的北部地区。按陈弟火忽分得哈老温山（今大兴安岭中段）以东，涂河（今老哈河）、潢河（今西拉木伦河）之间，火儿赤纳（今巴林左旗之东的乌力吉木伦河流域）、庆州（今巴林右旗西北）之地。火忽分地约为今赤峰市巴林左、右二旗大部、翁牛特旗的大部分地区。按陈子唆鲁火都分得可木儿温都儿以东，络马河（今英金河）至于赤山（今赤峰市红山区北的红山），涂河以南等地，与北京路州县为邻②。唆鲁火都的分地大致是今翁牛特旗南部和赤峰市红山区部分地区。弘吉剌部的全部牧地，东起今通辽市科右中旗、霍林河和扎鲁特旗，西北到锡盟锡林浩特市、西乌珠穆沁旗，南至宁城县以北，跨大兴安岭南北，包括今赤峰市辖区的全部以及锡林郭勒盟、通辽市部分地区。

---

　　① 叶新民：《弘吉剌部的封建领地制度》，《内蒙古大学纪念校庆二十五周年学术论文集》1982 年10 月；白拉都格其：《元代东道诸王勋臣封地概述》，《东北地方史研究》1989 年第 2 期。

　　② 《元史》卷 118《特薛禅传》，第 2919 页。

弘吉剌氏的食邑 食邑是诸王投下在中原的领地，主要由窝阔台丙申分封及宪宗、世祖、成宗、仁宗、泰定诸朝在汉地进行的分封形成。太宗窝阔台在灭金后，于丙申年（1236 年），将东平府的济州、兖州、单州及其属县巨野、郓城、金乡、虞城、砀山、丰县、肥城、任城、鱼台、沛县、单父、嘉祥、磁阳、宁阳、曲阜、泗水十六县①分赐给弘吉剌氏。至元初年，元朝省并州县后只剩"济、兖、单三州，属县一十四"②。这些州县在今山东省中部和南部。至元八年（1271 年），济州升为济宁府。十六年，升济宁府为路，置总管府③。至元三十一年十一月，济宁路立诸色户计诸总管府，秩四品④。至元十八年，平宋后，元朝又将江南的一些地区分赐诸王、贵戚、功臣。元朝将汀州路的长汀、宁化、清流、武平、上杭、连城六县都划为弘吉剌部的食邑⑤。汀州路有户 41 400 余，全是弘吉剌氏的封户⑥。元武宗时，弘吉剌氏的首领封为一等金印兽纽一字王——鲁王，地位进一步提高。大德十一年（1307 年）七月，"以永平路为皇妹鲁国长公主分地，租赋及土产悉赐之"⑦。《特薛禅传》记载，至大元年（1308 年），正式将中书省直辖的永平路所属的滦州、卢龙、迁安、抚宁、昌黎、石城、乐亭六县分赐弘吉剌部⑧。据《地理志》所记，石城县在至元三年省入义丰，石城应作义丰⑨。永平路有户 13 500 余，亦全为弘吉剌部封户。至大二年，鲁

---

① 《元史》卷 118《特薛禅传》，第 2920 页。

② 《相哥八剌碑》，《石刻史料新编》第 3 辑，第 324—326 页。

③ 至元八年五月癸未，升济州为济宁府（《元史》卷 7《世祖本纪》四，第 136 页）；至元十六年十二月，改单州、兖州隶济宁路（《元史》卷 10《世祖本纪》七，第 218 页）；至元三十一年十一月，济宁路立诸色户计诸总管府，秩四品。（《元史》卷 18《成宗本纪》一，第 389 页）；《元史》卷 58《地理志》一《济宁路》，第 1366 页也记载，济州至元八年升府，十六年升路，置总管府。《济宁路总管府记碑》也作十六年改路。独《相哥八剌碑》与《元史》卷 118《特薛禅传》记载为至元十八年改路。应是后者有误。

④ 《元史》卷 18《成宗本纪》一，第 389 页。

⑤ 《元史》卷 118《特薛禅传》，第 2920 页，记载弘吉剌部分得汀州食邑时在至元十三年。然而卷 95《食货志》三《岁赐》记载的诸王投下分得江南食邑都在至元十八年。而且，元朝至元十五年才将宋朝的福建路改为汀州路，《特薛禅传》称为"汀州路"，也可证弘吉剌受食邑地在至元十五年后。所以，弘吉剌氏受江南分地的时间是至元十八年。

⑥ 《元史》卷 62《地理志》五，第 1506 页；卷 95《食货志》三《岁赐》，第 2426 页。

⑦ 《元史》卷 22《武宗本纪》一，第 484 页。

⑧ 《元史》卷 118《特薛禅传》，第 2920 页。

⑨ 《元史》卷 58《地理志》一，第 1352—1353 页。

王琱阿不剌建立鲁王府，元武宗又赐弘吉剌氏平江稻田 1 500 顷。① 文宗至顺元年（1330 年）九月，又"以平江等处官田五百顷，赐鲁国大长公主。"②

弘吉剌分地的管理　弘吉剌氏贵族实际上控制了其分地上的行政管辖之权，他们按千户制组织牧民生产。他们的封地上有两种人口，一是草原投下封户，是成吉思汗时期分封的封户，封户对千户那颜有严格的隶属关系。作为姻族，弘吉剌氏的莎余儿合勒领地的封户除向自己的领主缴纳赋税外，还要负担国家赋税、承担兵役和站役等徭役。第二种人口是诸王投下私属户。这类投下户，是诸王投下通过掳获、分封、招收、影占等手段占有的人户。他们被称作"怯怜口"，意为家中儿郎。投下私属户大致包括"匠人、打捕户、鹰房子、金银铜铁冶户"。他们专为领主服役，不承担国家赋役。但因赋役名色及其与领主的亲疏，各种投下专业私属户计的政治经济待遇也表现出多样性。他们属投下户籍而不隶国家版籍。怯怜口总管府或提举司是专门管理投下私属户的机构③。

元中期为加强对诸王投下的控制，在漠南诸王投下的领地上设立了与全国行政系统相应的统治机构。弘吉剌氏的领地设立应昌与全宁路。应昌路设于按陈领地的中心达里诺尔岸边。全宁路设在弘吉剌氏的驻冬地，即金代全州，距应昌路 700 里。元惠宗时，曾一度罢应昌、全宁二路，拨属鲁王马谋沙王傅府。至正十四年（1354 年）四月，复立二路。④

设在弘吉剌部领地上的应昌、全宁两路与当时设在漠南诸王投下的领地上的其他统治机构一样，具有特殊性。这些路设有总管府，其官员有达鲁花赤、总管、同知等官⑤，但是"诸王邑、司与所受赐汤沐之地，得自举人，然必以名闻于朝廷而后授职"。⑥ 邑，就是路府州县；司，就是王府机构；汤沐之地就是中原的食邑。这就是说，从诸王领地到食邑到王府的官员，诸

---

① 《相哥八剌碑》作赐平江稻田 5 000 余万亩，《石刻史料新编》第 3 辑，第 324—326 页。
② 《元史》卷 34《文宗本纪》二，第 767 页。
③ 弘吉剌氏领地的管理，请参阅叶新民：《弘吉剌部的封建领地制度》，《内蒙古大学纪念校庆二十五周年学术论文集》，1982 年 10 月。
④ 《元史》卷 43《顺帝本纪》六，第 915 页。
⑤ 下路不设治中，同知职同治中，《元史》卷 91《百官志》七，第 2316 页。
⑥ 《国朝文类》卷 40《经世大典序·投下》。

王都可以举"自己的人"（一般是诸王身边的陪臣）为之，朝廷只是最后裁定、认可。这些官员升迁不入常选，不是流官，但可以终身连任，也可以在投下领地上流转升迁。因此，这种诸王投下的陪臣担任官长的统治机构，具有很大的独立性与自主权，因而使投下分地上的地方行政与普通地方行政有了较大的不同。

在弘吉剌部的领地上，除了政府设立的机构外，还有弘吉剌氏领主建立的一套独立的统治机构，主要是王傅府等。

弘吉剌氏设王傅府是在元武宗至大二年（1309 年），"旧典唯设断事官，创立王傅官府及怯怜口都总管府、钱强外总管府（应是钱粮都总管府——引者注）"①。原王府的怯薛张应瑞是鲁王府的第一任王傅②。元惠宗时，应昌、全宁两路曾一度罢废，由鲁王马谋沙的王傅府行使全部管理权力。王傅府除了在分地上有很大的行政权力外，在司法方面也有很大的权力。元政府规定诸王、驸马投下领地内的蒙古、色目人、汉人的案件由大宗正府审理③，但有时也不尽然。至元二十七年（1290 年），元世祖曾下诏："诸王分地之民有讼，王傅与所置监郡同知；无监郡者王傅听之。"但王傅府还是受到中央监管，"诸王傅文卷，监察御史考阅，与有司同"④。

鲁王府还有其他统治机构。

首先是钱粮都总管府。《相哥八剌碑》记载，鲁王设立王府的同时创立了钱粮都总管府，管理弘吉剌领地内的钱粮税收，其全称是"管领随路打捕鹰房诸色人匠等户钱粮都总管府"⑤。钱粮都总管府设有达鲁花赤、总管、副总管等官职。据《元史·百官志》，这类机构的官秩为正三品或正四品。其次是怯怜口都总管府，这也是与鲁王王傅府同时设立的，管理各投下的不属于国家户籍的人口，其中包括工艺、农耕、杂役户。怯怜口都总管府的官

---

① 《相哥八剌碑》，《石刻史料新编》第 3 辑，第 324—326 页。
② 《张氏先茔碑》，《历代石刻史料汇编》第 4 编第 3 册，第 814 页。
③ 《元史》卷 87《百官志》三，第 2187 页。
④ 《元史》卷 16《世祖本纪》十三，第 337 页；卷 103《刑法志》二，第 2626 页。
⑤ 弘吉剌氏领地的管理，请参阅叶新民：《弘吉剌部的封建领地制度》，《内蒙古大学纪念校庆二十五周年学术论文集》，1982 年 10 月。

秩约与"管领诸路怯怜口民匠都总管府"①相当，正三品。朝廷同样监管钱粮都总管府，"诸位下置财赋营田等司，岁终则会；会毕，从廉访司考阅之"②。

其次是断事官。据《相哥八剌碑》，鲁王府设有断事官。成吉思汗建立大蒙古国时设立了大断事官，掌管分封领民与刑罚。成吉思汗分封蒙古贵族后，他们的府中就设有断事官，"时诸侯王及十功臣各有断事官"。"诸侯王与十功臣既有土地人民，凡事干其城者，各遣断事官自司，听直于朝"③。元朝建立后，中央设大宗正府，以诸王主持府事，设从一品高秩的札鲁忽赤，审理四怯薛、诸王、驸马投下蒙古、色目人的争讼以及汉人南人的重大案件④。一般的讼事由诸王分地的断事官处理。中书省也设有断事官，秩三品，诸王分地内的断事官属中书省系统。仁宗时曾下令"罢诸王断事官，其蒙古人犯盗诈者，命所隶千户鞫问"。但在延祐三年（1316年）正月，又"增置晋王部断事官四员"⑤。说明，罢诸王分地断事官的诏令并未执行或罢而复置。朝廷对诸王驸马分地内和司法词讼往往加以干预。元律规定："诸投下轻重囚徒，并从廉访司审录。"⑥仁宗时，"皇姊大长公主祥哥剌吉作佛事，释全宁府重囚二十七人，敕按问全宁府守臣阿从不法，仍追所释囚还狱"⑦。

二、军队

蒙古部落中，兵民一体，上马则战，下马则屯聚牧养。蒙古建国时，弘吉剌部至少有3个千户。蒙金战争中，弘吉剌、亦乞列思、札剌亦儿、兀鲁、忙兀五部组成了著名的五投下，属攻金的主力。1217年，木华黎总兵伐金，从五投下抽选矫捷有力之士组成五探马赤军，按陈率领的3 000弘吉剌氏是五探马赤军之一⑧。探马赤军或充当先锋，或屯驻中原，颇立战功。

①　《元史》卷89《百官志》五，第2272页。

②　《元史》卷103《刑法志》二，第2626页。

③　《元史》卷121《博罗欢传》，第2988页；《国朝文类》卷59《平章政事忙兀公神道碑》。

④　《元史》卷87《百官志》三，第2187页。

⑤　《元史》卷24《仁宗本纪》一，第547页；卷25《仁宗本纪》二，第568页。

⑥　《元史》卷103《刑法志》二《职志》，第2626页。

⑦　《元史》卷26《仁宗本纪》三，第590页。

⑧　《圣武亲征录》，《王国维遗书》本，第73页；《史集》（汉译本）第1卷第2分册，第246页。

"既平金，随处镇守。"中统三年（1262年），忽必烈建立专门管理五投下探马赤军的机构——蒙古探马赤军总管府。至元十六年（1279年）罢其军，分到本投下应役。至元十九年，仍令充军。至元二十一年，五投下探马赤军均拨隶东宫，"复置官属如旧"。至元二十二年，改为蒙古侍卫亲军指挥司。至元三十一年，再改为隆福宫右都威卫使司。① 除弘吉剌探马赤军外，弘吉剌本部还有不少军队。弘吉剌部的首领常领本部军马奉命驻守岭北，或奉命出征。忽必烈与阿里不哥争位时，纳陈驸马率领本部人马出征；成宗时蛮子台驸马领本部军马出驻岭北；仁宗时丑汉驸马不仅戍守漠北，而且还是岭北诸军的统军将帅。弘吉剌部驻守在外地的军队，除朝廷负责供应军需外，本部还要提供资金和装备。至元二十五年十二月，元政府命应昌府运米3万石给弘吉剌军②。在弘吉剌的分地上，更有本部军马。在特殊时期，元朝在弘吉剌部的领地上驻扎有政府的军队。至元十四年，弘吉剌部只儿瓦台叛乱时，中卫亲军移剌元臣平叛，并镇守应昌一年多。③ 另外，至元十五年九月、成宗元贞二年（1296年）七月，都有元朝廷发军戍应昌的记载。④

三、漠南弘吉剌部领主的经济生活及其经济特权

漠南弘吉剌部的经济生活　弘吉剌部有多少属民，具体数字很难知道。但从以下史实可窥知大概。至元十三年七月，弘吉剌部民贫，元政府赐米1 000石；大德元年（1297年）四月，又赈应昌府米2 000石；大德三年四月，又一次性赈弘吉剌氏驸马蛮子台部粮130 000石⑤。从这些数字看，弘吉剌部的属民不少。

弘吉剌部的属民以游牧畜牧业为主，王府牧场"畜马牛羊累巨万"。全宁路鲁国大长公主的滕臣竹温台养马牛羊钜万。元代十四道官牧地之一的阿

① 《元史》卷99《兵志》二，第2526页。
② 《元史》卷15《世祖本纪》十二，第317页。
③ 《元史》卷99《兵志》二《镇戍》，第2540页。
④ 《元史》卷19《成宗本纪》二，第405页。
⑤ 分别见《元史》卷14《世祖本纪》十一，第291页；卷19《成宗本纪》二，第411页；卷20《成宗本纪》三，第427页。

刺忽马乞等处，就在弘吉刺分地内，即今内蒙古锡林浩特市与西乌珠穆沁旗之间。应昌、全宁二路地处漠南，地势较好，与中原物资交流方便，经济文化比漠北各部有较大发展。牧业以外，出现了专业的弘吉刺种田户。元朝建立后，为解决游牧地区军民的粮食需求，在蒙古高原进行屯田，在今内蒙古地区就有数处大片屯田区域，应昌路即其中之一。应昌路在蒙古国时期就有"人烟聚落，多以耕钓为业。"世祖初年的文书中，即有弘吉刺、亦乞列思"种田户"的记载。至元十三年，在应昌路设有和籴所，每年可籴储粮近万石，列入全国120余处屯田中的一个。应昌路成为元政府在北方的粮食聚集地之一，和林的粮食供应大都需要由此转运。

弘吉刺氏王府的人匠总管府，聚集了许多为贵族服役的各种手工匠人。由中原通往漠北的主道从答儿海子经过，元朝正式设帖里干（蒙语，意为车）驿道，军队和商旅的往来，粮食的贸易、仓储和北运，促进了这里商业和城镇的发展。现今发掘的弘吉刺部投下城址除了应昌路遗址、全宁路遗址外，还有应昌县治址，在达日罕乌拉苏木驻地北10里的古城，以及小城子古城，在林西县十二吐乡小城村，都属弘吉刺部。

漠南弘吉刺部的经济特权　元代诸王、驸马、投下在政治经济上有种种特权。弘吉刺部的经济特权主要有以下几种。

五户丝　五户丝是蒙古国时期与元朝封建领主征收的基本赋税之一，出现于窝阔台丙申年（1236年）分封后。耶律楚材对窝阔台说："裂土分民，易生嫌隙，不如多以金帛与之。"窝阔台从耶律楚材之议，规定"每二户出丝一斤，以给国用；五户出丝一斤，以给诸王功臣汤沐之资"①。元世祖时将五户丝一斤改为二斤②。"五户丝六两四钱"。诸王、驸马、投下只能在封地设达鲁花赤监治，朝廷置官吏收租赋，诸王位下在指定地点从朝廷领取租赋，各位下非奉诏不得征兵赋③。弘吉刺部领主在丙申年分得济宁路3万户作为五户丝，至延祐六年（1319年）实有6 530户，计丝2 209斤④。

---

① 《元史》卷146《耶律楚材传》，第3460页。
② 《元史》卷93《食货志》一，第2362页。
③ 《元史》卷2《太宗本纪》，第35页；卷93《食货志》一，第2361—2362页。
④ 《元史》卷95《食货志》三，第2425页。

江南户钞　元朝平宋后，诸王、驸马、投下在江南分得的分地，封户缴纳江南户钞，每户每年纳中统钞 5 钱，成宗时改为中统钞 2 贯①。至元十二年，元政府规定，"诸王、公主、驸马得江南分地者，于一万户田租中输钞百锭，准中原五户丝数②"。弘吉剌部在至元十八年，分得汀州路 4 万户，所得江南户钞 1 600 锭③。

皇室的赏赐与赈济　元政府对诸王驸马除了给予岁赐外，平时还给他们大量的赏赐，有灾害时进行赈济，这些也是投下领主的经济来源。至元三十一年（1294 年）四月，元成宗即位，赐驸马蛮子台银 76 500 两。元贞元年（1295 年）二月，赐济宁王蛮子台钞 180 000 锭④。大德三年（1299 年）四月，赐驸马蛮子台粮 130 000 石⑤。弘吉剌部另一个多得赏赐的是鲁王阿里嘉室利的母亲鲁国大长公主祥哥剌吉，公主建宅第，文宗两次赐钞。天历二年（1329 年）正月，文宗赐钞 20 000 锭。同年五月，又赐钞 20 000 锭。至顺元年（1330 年）五月，赐钞 10 000 锭⑥。这里只是仅举数例，另外，弘吉剌氏还有立功受赏、喜庆有赐、召开诸王大会时都有赏赐。

赋税收入　元朝还常将某地的租赋赏给诸王驸马投下，赋税收入也成了领主的一项经济来源。元武宗时将永平路赐为鲁国长公主分地，租赋及土产悉归公主⑦。至大二年，元武宗又赐弘吉剌氏平江稻田 1 500 顷⑧。

元代投下领主对分地人民盘剥极重，弘吉剌部领主的属民也常流离失所。至元十九年，任济宁路（弘吉剌部的食邑）总管的胡祗遹记载当地人民的生活情景"……百色横敛，急于星火……吾血肉不堪以充赋税，吾老幼不足以供赁用，与其闭口而死，曷若苟延岁月以逃"。当时分地的民户逃亡的很多。"即今济宁一路，逃户八千"⑨，由此可见，弘吉剌部分地内的民

---

① 《元史》卷 95《食货志》三，第 2411 页。
② 《元史》卷 12《世祖本纪》九，第 249 页。
③ 《元史》卷 95《食货志》三，第 2426 页。
④ 《元史》卷 18《成宗本纪》一，第 382、390 页。
⑤ 《元史》卷 19《成宗本纪》二，第 427 页。
⑥ 《元史》卷 33《文宗本纪》二，第 727、734 页；卷 34《文宗本纪》三，第 757 页。
⑦ 《元史》卷 22《武宗本纪》一，第 484 页。
⑧ 《元史》卷 118《特薛禅传》，第 2920 页。但《相哥八剌碑》作赐平江稻田 5 000 余万亩。
⑨ 《紫山集》卷 22《论逃户》、《论复逃户》。

户生活是很困苦的。

四、漠南弘吉剌部领主的宗教文化生活

弘吉剌部领地上的儒学 12 世纪生活在蒙古高原的蒙古部、弘吉剌部没有文字。蒙元建国后，先后创制了畏兀儿蒙古字和八思巴字。八思巴字用于官方发行令旨等文书中，民间通用畏兀儿字。元代中央设立了国子监学和蒙古国子监学，命侍臣子弟入学，中有蒙古人、色目人、汉人、南人，学习儒家经典。元朝规定路、州级行政机构要建立儒学，元朝蒙古地区的儒学常与孔庙合在一起。应昌路遗址的外城东南部，有一处南北长约65 米，东西宽约 50 米的院落址，院北部正中为一座高约 1 米的长方形台基，上布柱础，台基前左、右两侧对称分布 4 座配房建筑址。院中部发现汉白玉石碑两段，额首阴刻"应昌路新建儒学记"八个篆字，证明此院为一处儒学遗址。①

全宁路也设有儒学，今克什克腾旗博物馆藏有解放前在元全宁路关帝庙（今乌丹针织厂厂址）出土的元泰定二年六月二日立的《全宁路新建儒学记碑》。从碑文看，在襄加真公主时，全宁路就设有儒学，祥哥剌吉公主时立有此碑。②

弘吉剌部的宗教、文化活动 萨满教是蒙古各部落普遍信仰的一种原始宗教。入元以后，蒙古牧民仍旧信仰萨满教。窝阔台汗时，藏传佛教开始传入蒙古地区。忽必烈即汗位后，尊吐蕃萨迦派首领八思巴为帝师，佛教遂在蒙古地区滥觞。弘吉剌部贵族也信仰佛教。应昌路建有罔极寺、报恩寺、龙兴寺。

罔极寺是与应昌城同时营建的。据刘敏中《敕赐应昌府罔极寺碑》记载，"寺为正殿，为周庑。庑四维为楼，为碑。楼为垣，为门，为斋、庐、庖、库。"③ 可见，罔极寺有正殿、有对面的厢房，厢房周围有墙，院墙上

---

① 张文平：《内蒙古地区元代城址的初步研究》，第 22 页；李逸友：《元应昌路故城调查记》，《考古》1961 年第 10 期；刘志一：《元应昌路遗址》，《内蒙古文物考古》1984 年第 3 期。

② 参见李俊义：《元代大长公主祥哥剌吉及其书画收藏》，《北方文物》2000 年第 4 期。

③ 《敕赐应昌府罔极寺碑》，《全元文》卷 396，第 526 页。

建门楼，院内尚有斋房、厨房、库房及简单的庐房。考古发掘表明，罔极寺位于应昌外城西北角，为一南北长约 200 米、东西宽约 150 米的院落，南墙开门。院中有两座建筑，北面为一长方形台基，南面为又一院落。考古发掘与刘敏中所记相符。刘敏中在碑文中还指出：应昌寺"聘梵僧有德业者诵持，祝厘祈年"，因此罔极寺是属藏传佛教。罔极寺是元世祖女囊加真公主所建，元皇室奉藏传佛教的萨迦派高僧为帝师，公主也应是信萨迦派佛教，所以罔极寺当为藏传佛教的萨迦派寺庙。刘敏中所撰的碑文即刻在寺院南面小院的碑上。

至大二年（1309 年），祥哥剌吉公主在应昌内城东北建报恩寺。从现代考古发掘看，其寺址南北长约 120 米、东西宽约 50 米，南墙开门。院中有 7 座建筑台基，北面 2 座，南面 1 座，中部 4 座，对称分布。此外，应昌城外西侧 500 米处有一座覆钵式残塔基址，方基砖砌圆。城东南 30 公里的曼陀山东麓有龙兴寺遗址，发现有《应昌路曼陀山新建龙兴寺记》石碑一方，碑文记载龙兴寺始建于泰定二年（1325 年），由祥哥剌吉公主兴建。弘吉剌部首领还在全宁路建有大永庆寺、护国寺。①

蒙古国时期，全真教首领丘处机谒见成吉思汗后，道教盛极一时。蒙哥汗时期，道教与佛教争宠失败，势力转衰。蒙古贵族真正信道教的不多，但道教首领仍能出入皇宫，为汗室祈福禳灾。元室公主耳濡目染，也附庸道流。延祐四年（1317 年），祥哥剌吉公主在大永庆寺东面建三皇庙，祀伏羲、神农、黄帝。三皇信仰是典型的汉文化中的道教信仰。延祐年间，正一道宗师张留孙筑仁圣宫于大都齐化门外，后增建馆所于仁圣宫之东，两处总称东岳仁圣宫。泰定二年，鲁国大长公主自京师归全宁路，出东门时，至仁圣宫祈福，"出私钱巨万，俾作神寝"，后文宗将这一神寝赐名为昭德殿②。

祥哥剌吉公主还喜欢收藏绘画。至治三年（1323 年）三月，公主宴请文士后，"出图画若干卷，命随其所能，俾识于后。礼成，复命能文词者叙其岁月，以昭示来世。"③ 据袁桷在《皇姑鲁国大长图画奉教题》中记载了

---

① 张文平：《内蒙古地区元代城址的初步研究》，第 30 页。
② 《待制集》卷 14《全宁路新建三皇庙记》。
③ 《清容居士集》卷 45《鲁国大长公主画图记》。

鲁国大长公主珍藏的古画达40多种，如《徽宗扇面》、《定武兰亭》、《牧羊图》、《松风阁诗卷》①。传世元画有不少是她的收藏品。这说明元中期以后，弘吉剌首领渐受汉文化浸染。

弘吉剌部与蒙古部曾长期共同生活在额尔古纳河流域的山地中，与蒙古部在生活习俗上基本相同。与克烈部、乃蛮部、篾儿乞部、汪古部信奉景教不同，弘吉剌部不信景教而信奉萨满教。随着蒙古汗室接触佛教、道教，尊崇佛道诸教，弘吉剌部因与汗室极为密切的姻亲关系也开始佞佛并旁及道教。在弘吉剌部领地几乎没有发现景教、回回教遗址，因此蒙元时期这些部落首领家族所表现出来的部落文化传承也是较为明显的。

结语 弘吉剌氏家族与元朝汗室长期双向联姻的实质是氏族社会的外婚制与阶级社会的贵族政治婚姻的混合。成吉思汗、蒙哥汗、世祖、成宗、武宗、仁宗、泰定帝、文宗、宁宗、顺帝都有弘吉剌氏皇后，弘吉剌氏贵族也多尚公主，这是该家族能长盛不衰的主要原因。漠南弘吉剌氏地处冲要，从东北面看，他们位于上都与东道诸王兀鲁思之间，他们与驻牧辽河、老哈河流域的亦乞列思驸马家族及札剌亦儿、兀鲁、忙兀三功臣投下，构成元朝防御东道诸王的重要防线；从西北方向看，弘吉剌氏与岭北行省毗邻，是西道诸王东袭上都的最后一道关卡。因此，弘吉剌氏是防御东、西道诸王，屏蔽两都的要害之地。为此，元代汗室极力笼络漠南弘吉剌部首领。元代汗室能对姻亲托以心腹，与蒙古当时的社会意识和制度密切相关。从社会意识讲，蒙古人相信黄金家族的汗权乃天授，外姓不得觊觎；而对于黄金家族内部来说，汗权又是家族尤其是大汗直系子孙的公产，这是导致元代汗位纷争严重的重要原因。所以，大汗采取了以异姓贵族来防范黄金家族内部争夺统治权的手段。从制度上讲，第一、元朝分封制度下，家奴与封户受主子与封君的管理，而不是受上一级政府管理。驸马家族的封地、人口、军队在本质上是大汗的私产，是大汗能充分依靠的兵力。第二、蒙古国时期，国家大事常通过忽里台大会决定，宗室、姻亲部落大首领都参与决策。入元以后，建立了官僚制度，中书省、枢密院等机构分割了原忽里台的职能。元代的异姓贵族只世袭本部千户、万户军职，而军队的提调权在枢密院，他们难成坐大之

---

① 《清容居士集》卷45《皇姑鲁国大长图画奉教题》。

势；他们散居于自家分地或出镇于外，不能在朝中形成权力集团威胁汗权。漠南弘吉剌氏的显赫正是处在这种特定历史状态中的产物。弘吉剌氏驸马家族在元朝的异姓贵族中无疑是势力最大的。

第 十 三 章

元代的亦乞列思部首领家族

第一节　元代的亦乞列思部首领家族（上）

亦乞列思氏是弘吉剌氏的分支，也是与蒙古部互相联姻的氏族之一。[①]
《史集》记载，孛秃驸马是成吉思汗的母舅。12 世纪末，泰赤乌部联合扎答
阑、豁罗剌思、兀鲁和那牙勤诸部长期与成吉思汗为敌，亦乞列思部是泰赤
乌部组织的联盟中的一员。该部贵族捏群曾在札木合袭击成吉思汗的十三翼
之战前夕，将这一信息及时传递给了成吉思汗。[②] 捏群、孛秃父子心向成吉
思汗，是因为与成吉思汗家族有姻亲关系。在氏族社会，血缘关系是人与
人、氏族与氏族之间最重要的联系纽带，姻亲是血缘关系的补充。孛秃家族
与成吉思汗家族结为姻亲，加入了成吉思汗统一蒙古高原的政治、军事联
盟，成吉思汗让孛秃统领归顺的亦乞列思部 2 000 户。亦乞列思与弘吉剌、
札剌亦儿、兀鲁、忙兀成为著名的五投下。窝阔台汗时亦乞列思首领被封为
万户。孛秃家族在蒙元时有分地、有王号，是元代汗室的世婚家族，其家族
与弘吉剌部、汪古部的统治家族构成蒙元三大显赫的异姓贵族。

---

① 参见《史集》（汉译本）第 1 卷第 1 分册，第 262、267、269 页。弘吉剌氏的族源及其与辽代
乌古部的关系见张岱玉《弘吉剌氏驸马家族诸问题研究》之（一）《族源》（内蒙古社会科学院 2005 年
院青年课题）。

② 《史集》（汉译本）第 1 卷第 2 分册，第 111 页。

一、重要人物

孛秃　孛秃是亦乞列思部贵族捏群之子，[①] 善骑射，曾暗中帮助过成吉思汗派到额尔古纳河的使者，成吉思汗将妹妹帖木伦许配给孛秃，以拉拢孛秃"同取天下"，争取"乞列思之民"[②]。姻亲关系是捏群、孛秃父子心向铁木真的最基本的原因。约于 1182 年，成吉思汗离开斡难河中游札木合的营地，在克鲁伦河上游建立了自己的营盘，孛秃按当时的习俗来成吉思汗家做女婿。不久，孛秃的父亲捏群将札木合要袭击铁木真的消息报告给成吉思汗。[③] 成吉思汗将他的十三个圈子组成 3 万骑迎战札木合，进行了著名的十三翼之战[④]。其时，孛秃家族只是亦乞列思部的贵族之一。1203 年，成吉思汗在哈阑真沙陀被王汗大军击溃，退到呼伦湖附近的巴勒渚纳湖休整，[⑤]《史集》记载此役中豁罗剌思人房获了以不秃克（būtūk）为首的亦乞列思人，亦乞列思人逃出来投奔了成吉思汗[⑥]。《史集》另一处说"豁罗剌思部赶跑了亦乞列思部人孛秃。孛秃被他们击溃后，到那里［巴勒渚勒］归附了成吉思汗"[⑦]，这是《史集》误将孛秃记为两人，当时亦乞列思部的首领不一定是孛秃，《史集》可能是据后来孛秃成为亦乞列思部首领而记载的。亦乞列思部归附成吉思汗后，成吉思汗即以孛秃为该部首领。

在与乃蛮的战争中，孛秃"大战败之"[⑧]。蒙古建国后，孛秃被封为第八十七位功臣千户，管领亦乞列思 2 000 户，是漠南五投下之一，属于蒙古军队的左翼。1213 年秋，蒙古分兵三路进攻金朝，河间、清、沧诸城投降蒙古，继而叛去。成吉思汗命孛秃分蒙古军及乣、汉军 3 000 助宣抚使王檝

---

① 孛秃：《元朝秘史》作不图或不秃，《圣武亲征录》作孛徒，《蒙鞑备录》作豹突，《黑鞑事略》作拔都。《圣武亲征录》，《王国维遗书》本，第 5 页。捏群，《史集》（汉译本）第 1 卷第 1 分册，第 270 页作捏古思；第 1 卷第 2 分册，第 110—111 页作捏群。

② 《元史》卷 118《孛秃传》，第 2921 页。

③ 参见《圣武亲征录》，《王国维遗书》本，第 5 页；余大钧译注：《蒙古秘史》，第 129 节。

④ 《史集》（汉译本）第 1 卷第 2 分册，第 111 页；余大钧译注：《蒙古秘史》，第 129 节记载成吉思汗在古连古勒山，出发迎敌于答阑·巴勒主惕。

⑤ 余大钧译注：《蒙古秘史》，第 270 节，第 468 页。

⑥ 《史集》（汉译本）第 1 卷第 1 分册，第 269 页。

⑦ 《史集》（汉译本）第 1 卷第 2 分册，第 181 页。

⑧ 《元史》卷 118《孛秃传》，第 2921 页。

收复河间，俘获军民万人。孛秃憎其反复，欲尽行诛杀，因王楫担保才作罢。① 1214 年，孛秃率蒙古左路军攻辽东，成吉思汗以其所掳掠的全部百姓赐给孛秃，又命归降各部遣子弟入质孛秃，火鲁剌部人哈儿八台不送其子也可忽林入质，孛秃率千人攻其于碗图河与拙赤河，尽杀哈儿八台父子及其众，以威慑诸部。② 孛秃攻占辽西的豪、懿二州后，成吉思汗即以此二州赐孛秃。1218 年，成吉思汗封木华黎为太师、国王，统军攻金并管理已征服的汉地。亦乞列思等五投下归属木华黎③。通过征金、伐夏的战争，虏获甚多，亦乞列思贵族部众增加至 9 个千户，它们都由孛秃管理，并由孛秃自行任命千户长④。

1227 年，孛秃从征西夏，成吉思汗病死后十余日，孛秃也死，窝阔台令"送还本土，葬于乞只儿"⑤。孛秃死后，子琐儿哈袭爵。孛秃是最早主动追随成吉思汗打天下的异姓贵族之一，很受成吉思汗器重，他奠定了本家族及亦乞列思部在元代的历史地位。

孛秃先娶成吉思汗之妹帖木伦，帖木伦死，成吉思汗又以长女火臣别吉妻孛秃⑥。

孛秃有四子：《孛秃传》记载一子琐儿哈；《诸公主表》载有两子琐儿哈与帖里垓⑦；《史集》记载孛秃还有答儿吉和忽勒带两子。《史集》一处称蒙哥合罕的长后忽秃黑台哈敦是孛秃驸马之子忽勒带的女儿；另一处又说蒙哥的正后忽秃灰（即忽秃黑）哈敦是成吉思汗的女婿亦乞列思部人不花驸马之子兀鲁带的女儿。⑧ 从时间与世系考虑，《史集》后一处的记载有误，当以前者为是。

琐儿哈驸马　琐儿哈是孛秃之子，《元史》有本传，本传部分取材于

---

① 参见《元史》卷 1《太祖本纪》，第 17 页；卷 153《王楫传》，第 3611—3612 页。
② 《国朝文类》卷 25《驸马昌王世德碑》；《元史》卷 118《孛秃传》，第 2921 页。
③ 《史集》（汉译本）第 1 卷第 2 分册，第 246 页。
④ 《史集》（汉译本）第 1 卷第 2 分册，第 246 页、第 370—371 页；《圣武亲征录》，《王国维遗书》本，第 73 页。
⑤ 《国朝文类》卷 25《驸马昌王世德碑》。
⑥ 《史集》（汉译本）第 1 卷第 1 分册，第 270 页。
⑦ 《元史》卷 118《孛秃传》，第 2922 页；卷 109《诸公主表》，第 2758 页。
⑧ 《史集》（汉译本）第 1 卷第 1 分册，第 267、270 页；《史集》第 2 卷，第 232 页。

《驸马昌王世德碑》。英宗至治二年（1322 年），追封驸马昌王阿失四代，张士观奉诏制《驸马昌王世德碑》。是碑记载孛秃死，琐儿哈袭爵，擢为万户，"攻嘉州，破之，师还，卒于道"。本传记载"琐儿哈，事太宗。与木华黎取嘉州，……（帝）召至中都，以疾薨"①。嘉州，《元史》的校勘记云：金元之际无此地名，疑史文有误；并引用钱大昕《廿二史考异》云："嘉州恐是葭州之伪"②。元太祖辛巳年（1221 年）八月，石天应从木华黎征陕右，假道西夏，自东胜渡河，攻下葭州③。金代葭州属金鄜延路，元改延安路，④ 即今陕西佳县。另外，《太祖本纪》与《木华黎传》的相关记载也说明蒙古取葭州在 1221 年。⑤ 故，钱大昕之嘉州为葭州之伪有理。由碑、传可知，孛秃死后，琐儿哈统领亦乞列思部，并率本部探马赤军随木华黎南伐金国，在太宗时期死于中都（今北京）。

屠寄认为琐儿哈是从阔端南征，入蜀攻破南宋嘉州的。⑥ 但嘉州已在南宋庆元元年（1195 年）十月，升为嘉定府。⑦ 屠寄之论难以成立。

琐儿哈尚不海罕公主。琐儿哈至治元年被追封昌王。⑧

扎忽儿臣驸马　扎忽儿臣是琐儿哈之子，《驸马昌王世德碑》记载扎忽儿臣从定宗贵由讨蒲鲜万奴有功。⑨ 元太祖乙亥年（1215 年）十月，金朝宣抚使蒲鲜万奴叛乱，据辽东，建大真国。次年十月，降蒙古，旋叛，改国号为东夏，至 1233 年，才为蒙古所灭。1216 年，木华黎曾进攻辽东，蒲鲜万奴率十余万众退入高丽。⑩ 但贵由生于 1206 年，⑪ 此时不可能参加征辽东战争。贵由与诸王按赤台将左翼军征蒲鲜万奴应是在太宗窝阔台汗五年

① 《元史》卷 118《孛秃传附琐儿哈传》，第 2922 页。
② 《元史》卷 118《孛秃传附琐儿哈传》，第 2928 页校勘记。
③ 《元史》卷 149《石天应传》，第 3526 页。
④ 《元史》卷 60《地理志》，第 1425 页。
⑤ 参见《元史》卷 119《木华黎传》，第 2934、2936 页；卷 1《太祖本纪》，第 21 页。
⑥ 《蒙兀儿史记》卷 23《琐儿哈传》，第 245 页。
⑦ 《宋史》卷 37《宁宗本纪》一，第 720 页。
⑧ 《国朝文类》卷 25《驸马昌王世德碑》。
⑨ 《国朝文类》卷 25《驸马昌王世德碑》。
⑩ 《元史》卷 119《木华黎传》，第 2932 页。
⑪ 《元史》卷 2《太宗本纪》，第 40 页。

（1233 年）①。是年九月，蒙古军擒万奴，灭东夏国。亦乞列思军正属左翼，故，扎忽儿臣应是在 1233 年率亦乞列思军讨蒲鲜万奴，因为此次战功，窝阔台以宗王按赤台（成吉思汗之弟合赤温之子）之女也孙真公主下嫁扎忽儿臣。②

扎忽儿臣有子月列台、忽怜、琐郎哈。③ 月列台驸马是扎忽儿臣长子，娶皇子赛因主卜女哈答罕公主，生子脱别台。月列台驸马曾参与征乃颜的战争，有功。④

忽怜　扎忽儿臣次子。据《附马昌王世德碑》，忽怜嗣琐儿哈万户之职，尚宪宗女伯牙鲁罕公主。至元十二年（1275 年）八月，忽必烈以右丞相安童辅佐皇子那木罕北御海都，驻兵于阿力麻里。十四年七月，从征的宗王蒙哥之子昔里吉、孙撒里蛮，岁哥都之子脱脱帖木儿，阿里不哥之子玉木忽儿等发动叛乱，劫持那木罕、安童，分别送到术赤后王忙哥帖木儿和窝阔台孙海都处，并回师攻掠和林。忽必烈调集征宋主将伯颜、阿术、别吉里迷失北征叛军⑤。忽怜领亦乞列思军参战，忽怜与脱脱帖木儿大战竟日，脱脱帖木儿败走，元世祖令忽怜再尚宪宗孙女卜兰奚公主，以示嘉奖。⑥ 至元二十三年，海都、笃哇进攻按台山。次年，斡赤斤后王乃颜、合撒儿后王势都儿、合赤温后王哈丹、胜纳哈儿乘机在辽东叛乱，与海都相呼应。叛乱势力一时甚为嚣张，元军后退到豪州（今辽宁彰武）、懿州（今辽宁阜新东北）以西。至元二十四年六月，元世祖亲征乃颜，以玉昔帖木儿领蒙古军，李庭领汉军，从上都北进⑦。在程火失温地区，薛彻坚等与哈丹屡战不胜，元世祖召忽怜至，忽怜以 200 兵战败哈丹，以少胜多。次年夏天，元世祖令忽怜再征哈丹，在曲列儿、塔兀儿二河之间大战，哈丹受创，忽怜又以 200 兵剿灭躲入山谷的百余叛军。二十六年，忽怜再征，与哈丹相遇于兀剌沐涟河

---

　　① 《元史》卷 2《太宗本纪》，第 32 页。
　　② 《元史》卷 118《字秃传》，第 2922 页；卷 109《诸公主表》，第 2758 页；《国朝文类》卷 23《驸马昌王世德碑》。
　　③ 《元史》卷 118《字秃传》，第 2922 页；卷 109《诸公主表》，第 2758 页。
　　④ 《元史》卷 118《字秃传》，第 2922 页。
　　⑤ 《元史》卷 9《世祖本纪》六，第 191 页。
　　⑥ 《国朝文类》卷 25《驸马昌王世德碑》；《元史》卷 118《字秃传》，第 2922 页。
　　⑦ 《元史》卷 14《世祖本纪》十一，第 298 页。

（今松花江），夜，率千余人潜入哈丹军，尽杀之①。作为探马赤军之一，亦乞列思军在乃颜之乱期间，可能驻防在原属乃颜分地的今嫩江、兴安岭、海拉尔河地方，始终参加了对乃颜的战争。至元二十八年，乃颜之乱被彻底平定，亦乞列思军为元朝东北的稳定作出了贡献。忽怜十分骁勇，元世祖不仅两次奖其金银，还赐其霸突（勇士）称号。

《驸马昌王世德碑》记载武宗即位，忽怜之子阿失袭万户、封昌王。因此，忽怜应在成宗末年去世。

琐郎哈驸马 扎忽儿臣之子。《李秃传》记载，"忽怜从弟不花，尚世祖女兀鲁真公主；其弟锁郎哈，娶皇子忙哥剌女奴兀伦公主，生女，是为武宗仁献章圣皇后，实生明宗。"②《诸公主表》载，忽怜有弟琐郎哈，琐郎哈尚安西王忙哥剌之女奴兀伦公主。奴兀伦公主生女为武宗妃，妃生明宗。③钱大昕《元史氏族表》将琐郎哈列在帖里垓子孙里。④

昌王阿失驸马 阿失是忽怜子。《驸马昌王世德碑》载阿失"年十五，已能从征乃颜"，阿失出生时间当在至元九年到十三年。乃颜之乱，阿失从乃父忽怜出征。阿失本传称其"事成宗"。⑤窝阔台后王海都与察合台后王笃哇屡攻元朝西北边境，至元三十年（1293 年）六月，铁穆耳"受皇太子宝，抚军于漠北"。阿失可能在彼时已领本部军从铁穆耳驻防漠北，因为至元三十一年十二月，有"以诸王晃兀而、驸马阿失等皆在军，加赐金银、鞍勒、弓矢、衣服各有差"⑥ 的记载。铁穆耳于至元三十一年四月即位，是为元成宗。元成宗派皇兄晋王甘麻剌率皇侄海山出镇北边，阿失仍在军中。⑦大德五年（1301 年），阿失"与都瓦（即笃哇）战，射中其足，败之"⑧。笃哇"号哭而遁"，阿失追斩甚众，海山即赐阿失衣。成宗加赐珠

① 《元史》卷 118《李秃传》，第 2922 页；《蒙兀儿史记》卷 23《不秃传》，第 245 页。
② 《元史》卷 118《李秃传》，第 2922 页。
③ 《元史》卷 118《李秃传》，第 2923 页；卷 114《后妃传》一，第 2875 页。
④ 钱大昕：《元史氏族表》，《二十五史补编》，第 16—17 页，中华书局 1956 年版。
⑤ 《元史》卷 118《李秃传附阿失传》，第 2924 页。
⑥ 《元史》卷 18《成宗本纪》一，第 381、389 页。
⑦ 参见《史集》（汉译本）第 2 卷，第 377 页。
⑧ 《国朝文类》卷 25《驸马昌王世德碑》。

衣，并赐其尚皇女亦里海牙①。大德十一年，武宗即位，阿失袭万户。仁宗朝每年例赐阿失文豹及海青白鹘。延祐七年（1320年）六月，昌王阿失的亦乞列思部饥馑，元廷赈钞千万贯②。英宗即位赐阿失"楮币二万匹"及西马、七宝带等，兴圣太后答己另有赏赐③。

阿失被封为昌王。阿失本传记载"大德五年，战哈剌答山，阿失射笃哇中其膝……成宗加赐珠衣，封为昌王，置王府官属。"阿失在成宗时封为昌王的记载有误。《武宗本纪》至大元年（1308年）六月，"封药木忽儿为定王，驸马阿失为昌王，并赐金印"④。《附马昌王世德碑》亦载"武宗即位，（阿失）袭万户，赏赉优渥，颁金印，封昌王，置王府"。

阿失最先尚宗王之女撒儿塔陈公主，生子失剌浑台。后尚成宗女亦里哈牙公主，生英宗皇后速哥八剌和泰定帝妃亦怜真八剌。阿失又尚买的公主，生子监藏八剌和阿剌纳失里。阿失在成宗至英宗朝受朝廷宠渥，与其为成宗之婿、英宗之岳父这种姻亲关系密切相关。阿失是亦乞列思部首领家族中继孛秃后最受汗室恩宠的人物。

昌王八剌失里 《孛秃传》记载"阿失薨，子八剌失里袭封昌王"。张士观《附马昌王世德碑》载阿失有七子，独缺八剌失里，使人对八剌失里的世次多了一层疑惑。钱大昕《元史氏族表》虽列八剌失里为阿失子，也取存疑态度。但是《泰定帝本纪》有一条史料可助释惑：泰定元年（1324年）四月"封八剌失里继母买的为皇妹昌国大长公主"⑤。买的公主是阿失妻，如此，八剌失里是阿失子无疑了，同时说明买的是甘麻剌之女。至于张碑为何不载，实不得其解。

八剌失里袭封昌王，⑥ 自然也当袭万户之职。据《附马昌王世德碑》，至治元年（1321年）十月，阿失仍在世，阿失当在至治二、三年死亡。因泰定元年四月"命昌王八剌失里往镇阿难答昔所居地"，"赐昌王八剌失里

① 《元史》卷118《孛秃传附阿失传》，第2923页；《蒙兀儿史记》卷23，第245页。
② 《元史》卷27《英宗本纪》一，第603页。
③ 《国朝文类》卷25《驸马昌王世德碑》。
④ 《元史》卷22《武宗本纪》一，第499页。
⑤ 《元史》卷29《泰定帝本纪》一，第646页。
⑥ 《元史》卷118《孛秃传附阿失传》，第2923页。

牛马橐驼"①，这说明当时八剌失里已继昌王位。八剌失里袭封时间，《元史·诸王表》和本纪都失载，封年可能就在至治二、三年或泰定元年。阿难答是元世祖孙、安西王忙哥剌之子，嗣封安西王。封地在京兆（今西安），驻兵六盘山。京兆，中统初年立陕西四川行省，治京兆。至元十六年，改京兆为安西路。皇庆元年（1312 年），改安西路为奉元路②。安西王"王府冬居京兆，夏徙六盘，岁以为常"③。"府在长安者为安西，六盘者为开成，皆听为官邸"④。开成是安西王的夏宫。元成宗死，阿难答与海山争汗位被杀。其子月鲁帖木儿至治三年袭封⑤。至治三年八月，月鲁帖木儿等诸王与铁失弑英宗。至治元年十二月，被流放云南⑥。泰定元年三月，泰定帝遣侄子湘宁王八剌失里出镇察罕脑儿，罢察罕脑儿宣慰司，立王傅府⑦。四月，"命昌王八剌失里往镇阿难答昔所居地⑧"。昌王八剌失里应是出镇京兆。泰定三年正月，"以湘宁王八剌失里镇兀鲁思部"。六月，"命湘宁王八剌失里出镇阿难答之地"，"赈昌王八剌失里部钞四万锭"。⑨ 若不将湘宁王出镇的史料列出来，很容易认为是湘宁王八剌失里在泰定三年六月接管了昌王八剌失里的镇戍区，实际上是湘宁王从兀鲁思部回镇察罕脑儿，而昌王仍镇守京兆，直到天历二年（1329 年）五月，"昌王八剌失里还镇"本部。⑩

据《元史·诸公主表》，八剌失里尚昌国大长公主烟合牙。

懿德王、昌王沙蓝朵儿只驸马　沙蓝朵儿只是昌王八剌失里子。《元史·诸公主表》记载"昌国大长公主月鲁适八剌失里子昌王沙蓝朵儿只"。⑪

---

① 《元史》卷 29《泰定帝本纪》一，第 646 页。

② 《元史》卷 60《地理志》，第 1423 页。

③ 《元史》卷 163《赵炳传》，第 3837 页。

④ 《国朝文类》卷 22《延厘寺碑》。

⑤ 《元史》卷 108《诸王表》，第 2736 页。

⑥ 《元史》卷 28《英宗本纪》二，第 632 页；卷 29《泰定帝本纪》一，第 641 页。

⑦ 察罕脑儿宣慰司属安西王所有，阿难答被杀后，即转入当时皇太子爱育黎拔力八达手中，又几经易手。请参阅周清澍：《从察罕脑儿看元代的伊克昭盟地区》，《元蒙史札》，第 276—283 页。

⑧ 《元史》卷 29《泰定帝本纪》一，第 645 页。

⑨ 《元史》卷 30《泰定帝本纪》二，第 667、669 页。

⑩ 《元史》卷 33《文宗本纪》二，第 734 页。

⑪ 《元史》卷 109《诸公主表》，第 2760 页；卷 108《诸王表》，第 2752 页校勘记云据"本书卷 35《文宗纪》至顺二年八月甲辰条作'沙蓝朵儿只'，《蒙史》（即《蒙兀儿史记》——引者注）据补'只'字，当是。藏语'沙蓝朵儿只'，意为'智能金刚'。"

至顺二年（1331 年）八月，沙蓝朵儿只封懿德王，"并给以涂金银印"，《元史·诸王表》列为四等金镀银印龟纽①。沙蓝朵儿只何时封昌王，史无明载。后至元五年（1339 年）六月丁丑，"封皇姊月鲁公主为昌国大长公主"，沙蓝朵儿只当在此时袭封昌王，同时说明月鲁公主是明宗女。顺帝初年，郯王彻彻秃由统兵漠北改镇辽阳，可能因此与昌王的分地相冲突，从而使昌王沙蓝朵儿只与郯王"素有隙"。后至元五年，权臣伯颜指使昌王沙蓝朵儿只诬告郯王谋反，致使郯王被杀于上都光熙门外。②

孛秃之子帖里垓驸马　至治元年，元朝追封驸马昌王阿失四代，张士观奉敕作《驸马昌王世德碑》，因为阿失是琐儿哈的后裔，《驸马昌王世德碑》中未涉及孛秃的另三个儿子帖里垓、答儿吉和忽勒带的世系。③

帖里垓，《史集》作帖里垓；《大元通制条格》卷 2《户令·户例》作帖里干；《宪宗本纪》作帖里垓；《诸公主表》作帖坚干，中华书局校点本《元史》校勘记认为"坚"为"里"之误。④ 据《大元通制条格》，至元二年（1265 年），五投下之一的亦乞列思是以帖里干驸马为代表的，⑤ 可见，此时帖里干是亦乞列思的部落长。约在宪宗六年（1256 年）的一次忽里勒台上，帖里垓驸马向蒙哥汗建议："南家思国离我们这么近，并与我们为敌，我们为什么置之不理，拖延着［不去出征彼国］呢"⑥？南家思就是南宋。《宪宗本纪》也记载宪宗于丙辰年（1256 年）六月，幸斡亦儿阿塔，诸王亦孙哥（即移相哥）、驸马也速儿请伐宋，宪宗遂"会议伐之"。《史集》与《本纪》记载的是一回事。蒙哥汗于丙辰年（1256 年）大举伐宋，分左右两翼，左翼大将中有"［亦乞列思部落的帖里垓驸马］"⑦。同年秋七月，宪宗命诸王各还所部以居。诸王塔察儿、驸马帖里垓军过东平等处时，

---

① 《元史》卷 35《文宗本纪》四，第 789 页；卷 108《诸王表》，第 2740 页。

② 《危太仆续集》卷 8《夏侯尚玄传》；《全元文》卷 1476，第 48 册，第 385 页。

③ 《史集》（汉译本）第 1 卷第 1 分册，第 270、267 页；《史集》第 2 卷，第 232 页。

④ 《史集》（汉译本）第 2 卷，第 267 页；《大元通制条格》卷 2《户令·户例》；《元史》卷 3《宪宗本纪》，第 49 页；卷 109《诸公主表》，第 2758 页。

⑤ 《大元通制条格》卷 2《户令·户例》。

⑥ 《史集》（汉译本）第 2 卷，第 265 页。

⑦ 《史集》（汉译本）第 2 卷，第 267 页。

抢掠百姓羊、猪，宪宗遣使问罪①。己未年（1259 年）七月，宪宗死于伐宋的合州前线。庚申年（1260 年）三月，忽必烈在开平即位，帖里垓参加了拥戴忽必烈即位的忽里勒台②。中统二年（1261 年）秋，阿里不哥袭击了驻扎在西北边境的移相哥，帖里垓驸马率 1 万人参加了迎击阿里不哥的战争，阿里不哥大败③。

帖里垓尚亦乞列思公主，继尚茶伦公主。

孛秃之子答儿吉驸马　帖木伦死，成吉思汗又以长女火臣别吉妻孛秃，火臣别吉生子答儿吉，娶成吉思汗之女察奔④。

孛秃之子忽勒带　在孛秃一目中已谈到，《史集》记载孛秃还有一子忽勒带，他的女儿忽秃黑台是蒙哥合罕的长后；《史集》另一处又说蒙哥的正后"忽秃灰哈敦是成吉思汗的女婿亦乞列思部人不花驸马之子兀鲁带的女儿"。⑤从时间与世系考虑，《史集》后一处的记载有误，当以前者为是。

帖木干　帖木干世系不明。帖木干或即帖里垓？《诸公主表》记载孛花（即不花）是帖木干之子，孛花有弟宁昌郡王唆都哥⑥。钱大昕《元史氏族表》将不花列为帖木干之子⑦，在没有其他材料之前，姑妄信之。

帖木干之子、郡王不花驸马　不花是帖木干长子。不花尚世祖女兀鲁真公主。世祖封爵主要以血缘为依据，不花因为是世祖的女婿而被封王，至元四年冬十月正式"赐驸马不花银印"⑧。元代王爵六等印章制度中，郡王持银印，故不花封爵为郡王。《诸王表》将不花列在"无国邑名者"中⑨。在爵号前加国邑名是中原仪制，至元期间，忽必烈仿行汉法，逐步在爵号前冠以食邑的地名。不花是亦乞列思部首位封王驸马，在元世祖朝，驸马得封郡

---

①　《元史》卷 3《宪宗本纪》，第 49 页。

②　《史集》（汉译本）第 2 卷，第 294 页。

③　《史集》（汉译本）第 2 卷，第 300 页。

④　《史集》（汉译本）第 1 卷第 1 分册，第 270 页。

⑤　《史集》（汉译本）第 1 卷第 1 分册，第 267、270 页；《史集》第 2 卷，第 232 页。

⑥　《元史》卷 109《诸公主表》，第 2758—2579 页。

⑦　《元史氏族表》，《二十五史补编》，第 1716 页。

⑧　《元史》卷 6《世祖本纪》三，第 116 页。

⑨　《元史》卷 108《诸王表》，第 2748 页。

王者仅有弘吉剌与亦乞列思两家，不花封王还早于弘吉剌氏的章吉驸马与帖木儿驸马①，这三家驸马都尚元世祖之女。

帖木干之子、宁昌郡王唆都哥驸马 唆都哥是帖木干之子，不花驸马之弟，尚鲁鲁罕公主，继尚以鲁伦公主。至元二十二年（1285 年）正月，封为宁昌郡王，赐龟纽银印②。应是不花驸马已死且无子嗣或子幼，唆都哥袭兄爵为郡王。至元中王爵制度受汉地影响，爵名缀有国邑号，宁昌又是孛秃家分地，因此唆都哥郡王号加"宁昌"二字。后来，仁宗延祐五年（1318年）二月，"置宁昌府"，这是从懿州升来的。英宗至治二年（1322 年）十二月，升宁昌府为下路，增置一县③。

宁昌郡王不怜吉歹驸马 不怜吉歹未载于《元史》之《孛秃传》，只见于《诸公主表》和《诸王表》。据《诸公主表》，他是唆都哥之子，尚普颜可里美思公主。大德年间，义州大奉国寺重修，住持向普颜可里美思公主与驸马宁昌郡王不怜吉歹驸马化缘，碑称"适遇普颜可里美思公主，帝之堂妹，驸马宁昌郡王，世族元胄，期立殊功，乃施元宝二千锭"以重修大奉国寺。大奉国寺于大德七年（1303 年）修成，立有卢懋撰写的《义州重修大奉国寺碑》④。由此可知。大德七年，驸马不怜吉歹尚在世。

不怜吉歹封宁昌郡王的年代考索无果。不怜吉歹死后，帖木干一系在史书即不见踪影，可能是绝嗣。王封转移到孛秃次子琐儿哈一系，自阿失开始封昌王。

二、亦乞列思部与成吉思汗的婚姻关系

（一）亦乞列思氏后妃

忽秃灰哈敦 《史集》记载宪宗正后忽秃灰哈敦是"孛秃驸马之子忽勒

---

① 至元十九年二月"敕改给驸马章吉印"（《元史》卷 12《世祖本纪》九，第 240 页），《诸王表》元国邑名者中列"昌吉驸马所改封宁濮郡王"，昌吉即章吉，应是至元十九年封郡王。至元二十四年二月"封驸马昌吉为宁濮郡王"（《元史》卷 14《世祖本纪》十一，第 296 页）是在郡王号前加国邑名。至元十八年袭万户。帖木儿驸马至元二十四年封济宁郡王（《元史》卷 14《世祖本纪》十一，第 302 页；卷 118《特薛禅传附帖木儿传》，第 2916 页）。

② 《元史》卷 13《世祖本纪》十，第 272 页；卷 108《诸王表》，第 2748 页。

③ 《元史》卷 26《仁宗本纪》三，第 582 页；卷 28《英宗本纪》二，第 626 页。

④ 《义州重修大奉国寺碑》，《历代石刻史料汇编》第 4 编第 2 册，第 802—804 页。

带（hūldāi）驸马的女儿"。① 忽秃灰哈敦生了班秃和玉龙答失两个儿子及巴牙仑公主②。其中，班秃是聂思脱里教派基督教徒。③

武宗妃子亦乞烈氏　《后妃传》载武宗有妃子亦乞烈氏，奴兀伦公主之女，生明宗。④《孛秃传》载锁郎哈驸马与奴兀伦公主之女为武宗仁献章圣皇后。⑤ 屠寄载此妃名寿童⑥。明宗天历二年（1329 年）正月，追封"皇姚亦乞烈氏曰仁献章圣皇后"⑦。

英宗皇后速哥八剌　速哥八剌是昌国公主亦里海牙与驸马昌王阿失之女。至治元年十二月，立为皇后⑧。泰定四年（1327 年），速哥八剌皇后薨，八月上谥号为"庄静懿圣"，升祔太庙⑨。

至治三年八月五日晚，以御史大夫、左右阿速卫亲军都指挥使铁失为首，发动南坡之变，弑英宗。泰定帝即位后，御史许有壬上疏言"特实（即铁实）者身为台端，兼领数职，妹为君配，已正位次"⑩；"然元恶铁实身为台端，妹为君偶"⑪。屠寄据此认为铁实是速哥八剌皇后之兄⑫。屠氏此论有商榷余地。"已正位次"不一定只指正宫皇后，凡是已定名分的后妃都可以认为是"已正位次"。

亦怜真八剌皇后　泰定帝亦怜真八剌皇后也是亦里海牙与驸马昌王阿失之女，与英宗皇后速哥八剌是同母姊妹⑬。

（二）亦乞列思氏驸马所尚的公主

帖木伦　帖木伦是也速该正妻诃额仑所生，若比成吉思汗小八岁，可能

---

① 《史集》（汉译本）第 1 卷第 1 分册，第 267 页。
② 《史集》（汉译本）第 2 卷，第 233 页。
③ 柔克义译：《鲁布鲁克行记》，第 189—190 页。
④ 《元史》卷 114《后妃传》一，第 2874 页。
⑤ 《元史》卷 118《孛秃传》，第 2923 页。
⑥ 《蒙兀儿史记》卷 19，第 212 页。
⑦ 《元史》卷 31《明宗本纪》，第 69 页。
⑧ 《元史》卷 27《英宗本纪》一，第 615 页。
⑨ 《元史》卷 30《泰定帝本纪》二，第 681 页。
⑩ 《至正集》卷 76《恶党论罪》。
⑪ 《至正集》卷 76《自劾》。
⑫ 《蒙兀儿史记》卷 19《后妃传》，第 213 页。
⑬ 《元史》卷 106《后妃表》，第 2700 页。

生于 1170 年。① 成吉思汗欲光大家业，帖木伦的婚事成为他谋划的第一宗政治婚姻。成吉思汗将帖木伦许给孛秃，欲孛秃为他收集亦乞列思之民，结成同取天下的联盟。② 定婚后，孛秃按蒙古婚俗来铁木真家做女婿，③ 孛秃四子中不知是否有帖木伦所生。帖木伦死后，她的大侄女即成吉思汗的长女火臣继适孛秃。至治元年，追封帖木伦为昌国大长公主。

火臣别吉　《蒙古秘史》第 165 节作豁真·别吉；《元史·太祖本纪》与《亲征录》作火阿真伯姬；《元史·太宗本纪》作果真；《蒙鞑备录》作阿其鳌拽。成吉思汗曾主动为长子朮赤求娶桑昆的妹妹察兀儿·别吉④，作为交换，准备把火臣嫁给桑昆的儿子秃撒合。但桑昆认为与成吉思汗的门户不配，说"我们家的女儿如果嫁到他家，只能站在门后［做妾婢］，仰看坐在正位的［主人的脸色］。他的女儿如果嫁到我家，是坐在正位上［做主人］，俯视站在门后的［妾婢们］！"因此不肯同意察兀儿·别吉嫁给朮赤，两家联姻不成。实际原因是，王罕当时是蒙古高原霸主，成吉思汗与王罕的联盟已出现裂痕⑤，成吉思汗羽翼未丰，想借联姻缓和冲突。后来，桑昆却重提姻事，请成吉思汗去吃许婚酒（蒙古语称"不兀勒札儿"或"布浑察儿"），想趁机捉住成吉思汗。成吉思汗不知是计，中途被蒙力克老人提醒才免遭害⑥。帖木伦死后，火臣继适亦乞列思的孛秃。至治元年，追封火臣为昌国大长公主。

察奔公主　察奔是成吉思汗女，嫁孛秃与火臣别吉所生之子答儿吉驸马⑦。

亦乞列思公主　亦乞列思公主嫁孛秃子帖里垓，追封昌国大长公主⑧。

---

① 余大钧译注：《蒙古秘史》第 60 节："帖木真九岁时……帖木伦还睡在摇车上"，史家一般认为成吉思汗生于 1162 年（《中国大百科全书·中国历史·元史》，第 21 页；周清澍：《成吉思汗生年考》，《元蒙史札》，第 411 页）。

② 《元史》卷 118《孛秃传》，第 2921 页。

③ 余大钧译注：《蒙古秘史》，第 120 节，第 139 页。

④ 《元史》卷 1《太祖本纪》作抄兀儿·伯吉。

⑤ 余大钧译注：《蒙古秘史》，第 159 节，在巴亦答剌黑·别勒赤儿击乃蛮可克薛兀·撒卜剌黑前，王罕即不辞而别，将成吉思汗部暴露在敌人面前。

⑥ 余大钧译注：《蒙古秘史》，第 168 节。

⑦ 《史集》（汉译本）第 1 卷第 1 分册，第 270 页。

⑧ 《元史》卷 109《诸公主表》，第 2758 页。

茶伦公主　茶伦公主的世系不详，在亦乞列思公主死后，嫁给帖里垓①。

安秃公主　《元史》之《诸公主表》和《琐儿哈传》记载安秃公主是太宗窝阔台孙女、阔出女，嫁孛秃子琐儿哈②。安秃公主生女为宪宗皇后③。但《驸马昌王世德碑》中与琐儿哈一起追封的是不海罕公主。假如安秃公主是嫁琐儿哈，以其太宗孙女之尊是应受追封的。《史集》的记载有助于释疑：《史集》记载蒙哥的正宫皇后忽秃灰台哈敦是"孛秃驸马之子忽勒带驸马的女儿"④。结合《元史》之《诸公主表》与《孛秃传》的记载，应是安秃公主嫁与了忽勒带，生女忽秃灰为宪宗蒙哥正后。

不海罕公主　不海罕公主不见于《元史》之《诸公主表》与《孛秃传》中，仅存于《驸马昌王世德碑》，据碑文，不海罕公主适琐儿哈驸马。至治元年，追封为昌国大长公主。

也孙真公主　《驸马昌王世德碑》与《孛秃传》中的也孙真公主是按赤台的女儿，嫁扎忽儿臣⑤。按赤台是成吉思汗三弟合赤温之子。1233 年，扎忽儿臣率亦乞列思军从贵由讨蒲鲜万奴有功（见前文扎忽儿臣），太宗窝阔台特命也孙真公主下嫁扎忽儿臣⑥。

但《史集》记载蒙哥汗的女儿巴牙仑嫁给了扎忽儿臣。⑦《附马昌王世德碑》作为制文应更为可信，《史集》似有误。

伯雅伦公主　《孛秃传》作伯牙鲁罕，《驸马昌王世德碑》与《诸公主表》作伯牙仑或伯雅伦。伯雅伦公主是宪宗蒙哥的女儿⑧，嫁扎忽儿臣子忽怜⑨。但《史集》记载忽秃灰哈敦生女巴牙仑，公主嫁扎忽儿臣，扎忽儿臣

①　《元史》卷 109《诸公主表》，第 2758 页。

②　《元史》卷 109《诸公主表》，第 2758 页；卷 118《孛秃传》，第 2922 页。

③　《元史》卷 118《孛秃传》，第 2922 页。

④　《史集》（汉译本）第 1 卷第 1 分册，第 267 页；《史集》第 2 卷，第 232 页。

⑤　《元史》卷 118《孛秃传》，第 2922 页；卷 109《诸公主表》，第 2758 页；《国朝文类》卷 23《驸马昌王世德碑》。

⑥　《元史》卷 118《孛秃传》，第 2922 页；《国朝文类》卷 23《驸马昌王世德碑》。

⑦　《史集》（汉译本）第 2 卷，第 232—233 页。

⑧　《元史》卷 109《诸公主表》，第 2759 页；《史集》（汉译本）第 2 卷，第 232—233 页。

⑨　《国朝文类》卷 23《驸马昌王世德碑》；《元史》卷 109《诸公主表》，第 2759 页。

与巴牙仑的外祖父兀鲁带是兄弟。① 此处《史集》有误。至治元年，追封伯雅伦公主为昌国大长公主。

卜兰奚公主 卜兰奚公主是元宪宗的孙女②。至元中期，出征海都的宗王蒙哥之子昔里吉、岁哥都之子脱脱帖木儿、阿里不哥之子玉木忽儿发动叛乱。忽必烈调集伯颜、阿术、别吉里迷失北征叛军。③ 忽怜也在行伍中，忽怜与脱脱帖木儿大战，败脱脱帖木儿，元世祖为嘉奖忽怜，令其再尚宪宗孙女卜兰奚公主④。至治元年（1321 年），追封卜兰奚公主为昌国大长公主。

哈答罕公主 哈答罕公主，皇子赛因主卜之女，嫁扎忽儿臣子月列台，生脱别台⑤。

撒儿塔陈公主 撒儿塔陈公主是元宗室女，阿失最先尚撒儿塔陈公主，撒儿塔陈公主生子失剌浑台⑥。

亦里海牙公主 亦里海牙是元成宗女，嫁昌王阿失。大德五年（1301 年），阿失战西北叛王都哇，射中其足，败之。成宗录其功，以皇女益里海牙公主下嫁阿失。亦里海牙生英宗皇后速哥八剌和"晋王妃亦怜真八剌"⑦。《驸马昌王世德碑》制于至治元年，因此，当时的晋王是也孙铁木儿即后来的泰定帝。至治元年，追封亦里海牙为皇姑昌国大长公主。

买的公主 买的公主后于亦里海牙下嫁阿失。至治元年三月，赐公主买的钞 5 万贯⑧。泰定元年（1324 年）四月，"封八剌失里继母买的为皇妹昌国大长公主，给银印。"⑨ 泰定帝也孙铁木儿是甘麻剌的长子、真金太子的嫡孙、元世祖忽必烈的曾孙。由此说明买的公主也是元世祖忽必烈的曾孙女。但《驸马昌王世德碑》与《孛秃传》记载买的公主是宪宗蒙哥的曾孙女⑩。元代虽诸王之女也称公主，但称"皇妹"的公主应是皇帝的同父妹

---

① 《史集》（汉译本）第 2 卷，第 233 页。
② 《元史》卷 118《孛秃传》，第 2922 页。
③ 《元史》卷 9《世祖本纪》六，第 191 页。
④ 《国朝文类》卷 23《驸马昌王世德碑》；《元史》卷 118《孛秃传》，第 2922 页。
⑤ 《元史》卷 118《孛秃传》，第 2922 页。
⑥ 《国朝文类》卷 23《驸马昌王世德碑》。
⑦ 《国朝文类》卷 23《驸马昌王世德碑》。
⑧ 《元史》卷 27《英宗本纪》一，第 611 页。
⑨ 《元史》卷 29《泰定帝本纪》一，第 646 页。
⑩ 《元史》卷 118《孛秃传》，第 2923 页；《国朝文类》卷 23《驸马昌王世德碑》。

妹。《驸马昌王世德碑》与《孛秃传》记载买的是宪宗曾孙女似有误。买的公主生子监藏八剌和阿剌纳失里①。

普颜可里美思公主　普颜可里美思公主嫁唆都哥子宁昌郡王不怜吉歹②。大德年间，普颜可里美思公主与驸马宁昌郡王不怜吉歹驸马出"元宝二千锭，缯帛马牛数称是，续降之物不可屡纪"，用于修复大宁路义州奉国寺。奉国寺始建于辽圣宗开泰九年（1020 年），金天眷三年（1140 年）修成规模宏富的寺庙。至元朝大德间，庙宇颓坏，遂重修，大德七年修成，并立碑《义州重修大奉国寺碑》，碑称"普颜可里美思公主，帝之堂妹。"由此可知，普颜可里美思公主是成宗铁穆耳的堂妹，但不知是何人之女③。成宗元贞元年（1295 年）七月，"普颜怯里迷失公主等，俱以其部贫乏来告，赐钞计四十九余锭"④。这个普颜怯里迷失公主就是普颜可里美思公主。

烟合牙公主　烟合牙公主嫁昌王八剌失里⑤。延祐二年（1315 年）庚申，赐公主燕海牙钞千锭⑥，燕海牙就是烟合牙。《诸公主表》载烟合牙有昌国大长公主封号。

奴兀伦公主　安西王忙哥剌之女，嫁孛秃曾孙琐郎哈，生武宗妃子寿童。寿童生明宗和世㻋⑦。

鲁鲁罕公主　鲁鲁罕公主不详所出，适宁昌郡王唆都哥⑧。

鲁伦公主　鲁伦公主嫁宁昌郡王唆都哥为继室⑨。

月鲁公主　月鲁公主嫁昌王沙蓝朵儿只。后至元五年（1339 年）秋七月，"封皇姊月鲁公主为昌国大长公主"⑩。说明月鲁公主是明宗和世㻋之女。

————————————

①　《国朝文类》卷 23《驸马昌王世德碑》。

②　《元史》卷 109《诸公主表》，第 2759 页。

③　《义州重修大奉国寺碑》，《历代石刻史料汇编》第 4 编第 2 册，第 802—804 页。

④　《元史》卷 18《成宗本纪》一，第 395 页。

⑤　《元史》卷 109《诸公主表》，第 2760 页。

⑥　《元史》卷 25《仁宗本纪》二，第 569 页。

⑦　《蒙兀儿史记》卷 19《后妃传》，第 212 页。

⑧　《元史》卷 109《诸公主表》，第 2760 页。

⑨　《元史》卷 109《诸公主表》，第 2760 页。

⑩　《元史》卷 40《顺帝本纪》三，第 852 页。

亦勤真公主 《驸马昌王世德碑》载亦勤真公主是"宗王木南子女"。木南子是成吉思汗弟合赤温曾孙，封吴王①。亦勤真公主嫁昌王阿失之子失剌浑台。

入元以后，亦乞列思首领家族的女儿嫁入大汗家族的很少，可能是亦乞列思迁居漠南后，与东道诸王更为邻近，因此与东道诸王的婚姻更频繁。

第二节　元代的亦乞列思部首领家族（下）

一、亦乞列思氏驸马家族的分地、食邑与经济生活

亦乞列思首领家族的分地　12 世纪末，亦乞列思部游牧在额尔古纳河下游和大兴安岭东侧的中段。蒙古建国后，成吉思汗将这一带封给了弟弟合撒儿与斡赤斤，而将老哈河和上辽河一带分给亦乞列思作领地。据《附马昌王世德碑》，1214 年，成吉思汗遣木华黎为右军经略北京，遣孛秃赐为左军"规取阿八哈，亦马哈等城"。"阿八哈，亦马哈"两处的具体地望不得而知。《孛秃传》称其"略地辽东、西，以功封冠、懿二州。""冠"是金代山东东平府的冠氏县，是食邑，而非分地；懿州才是分地。孛秃的分地在以懿州、壕州（即豪州）为中心的上辽河、老哈河一带②。

孛秃分地的东南到了金代辽阳府。《辽东志》载在辽阳城西南 80 里有"驸马营城"，"俗传元有驸马筑城居于此"；辽阳城西北百里近辽河处有"船城"，"俗传前元养鹰所"③。明初毕恭任辽东都指挥司金事，正统八年（1443 年）开始修《辽东志》④，此时去元亡未过 80 年，这个记载是可信的。《辽东志》中的元代驸马就是亦乞列思部的驸马，辽阳一带或是亦乞列思驸马家的冬夏营地之一。至顺三年（1332 年）十一月，统兵漠北的郯王彻彻秃奉命移镇辽阳。⑤ 后至元五年（1339 年），权臣伯颜构陷郯王，乃指

---

① 《元史》卷 107《宗室世系表》，第 2710 页。
② 《内蒙古历史地理》，第 124 页。
③ 《辽东志》卷 1《地理》，《辽海丛书》第 1 册，第 367 页。
④ 《辽海丛书》第 1 册，第 345 页《校印辽东志序》。
⑤ 《元史》卷 37《宁宗本纪》，第 813 页。

使与郯王"素有隙"的昌王"沙蓝朵儿只"诬"告郯王将为变"而致郯王被杀。① 郯王与昌王沙蓝朵儿只的矛盾可能是因为郯王奉命出镇辽阳，侵占了昌王家族的分地而引起的。

此外，义州也在孛秃的分地内。义州，即辽宜州，辽代辖弘政、闻义两县。② 金改宜州为义州，辖弘政、开义、同昌三县和饶庆一镇③。元代义州，治辽阳城西 540 里。④ 元大德年间，重修义州大奉国寺时，亦乞列思部驸马宁昌郡王不怜吉歹和公主普颜可里美思公主布施元宝 2 000 锭及其他财物甚多，应是义州在其分地才有此举。⑤

概括地讲，孛秃家的分地南至金懿州（今辽宁阜新、彰武一带）、豪州、义州、辽阳府，东邻金上京、咸平，北邻金泰州，据有金临潢府东南，即今哲里木盟大部、赤峰市敖汉旗一带以及吉林省西部部分地区。但亦乞列思部的中心在懿州、豪州。

亦乞列思首领家族的五户丝分地与江南户钞地　元太宗八年（1236年），将新得自金朝的土地分封宗王、驸马、功臣，"公主果真"等人"并于东平府户内拨赐有差"⑥。"公主果真"，就是公主火臣。《食货志》昌国公主位记载"丙申年，分拨一万二千六百五十二户。延祐六年，实有三千五百三十户，计丝二千七百六十六斤"。⑦《食货志》失载火臣公主五户丝封户的具体地点。《孛秃传》记载孛秃"以功封冠懿二州"，⑧ 则火臣公主的五户丝分地是东平府的冠氏县与辽东的懿州，冠氏县当时属东平府。至元六年，冠氏县自东平路析出自成冠州，直隶省部。⑨

平宋以后，孛秃家族在故宋境内也分得了江南户钞地，这就是《元史·世祖本纪》记载的至元二十二年（1285 年）二月，又"拨民二万七千

① 《危太仆续集》卷 8《夏侯尚玄传》。
② 《辽史》卷 39《地理志》三《中京道·宜州》，第 487 页。
③ 《金史》卷 24《地理志》上《北京路·义州》，第 559 页。
④ 《辽东志》卷 1《地理志·沿革》，《辽海丛书》第 1 册，第 353 页。
⑤ 参阅《义州重修大奉国寺碑》，《历代石刻史料汇编》第 4 编第 2 册，第 802—804 页。
⑥ 《元史》卷 2《太宗本纪》，第 35 页。
⑦ 《元史》卷 95《食货志》三，第 2426 页。
⑧ 《元史》卷 118《孛秃传》，第 2922 页。
⑨ 《元史》卷 58《地理志》一，第 1366 页。

户与驸马唆郎哥"①，没有载明地点。据《食货志》昌国公主位，有"江南户钞，至元十八年，分拨广州路二万七（十）［千］户，计钞一千八十锭"②。因此，至元二十二年的"二万七千户"在广州路。但《食货志》记载分封江南户钞户是在至元十八年，与《世祖本纪》稍异。据《孛秃传》记载，仁宗朝时又以"宁昌县税"赐阿失。

亦乞列思首领家族的经济生活　亦乞列思家族的分地主要分布在辽河平原，自然条件好，宜牧宜农，作为习惯于游牧生活的蒙古贵族入居辽河平原后，他们的封户们应主要从事牧业，牧业生产应当发达，可惜史料缺乏，尚难探究。但是其农业、手工业、商业活动却可窥之一斑。

亦乞列思部首领家族分地上的懿州、豪州位于辽河平原的西部边缘，东南的义州、辽阳等地位于辽河平原，这些地方自辽代以来，农业就比较发达。10 世纪中期，胡峤居契丹 7 年，胡峤追述："又行三日，遂至上京，所谓西楼也。③ 西楼有邑屋市肆，交易无钱而用布。有绫锦诸工作、宦者、翰林、伎术、教坊、角牴、秀才、僧、尼、道士等，皆中国人，而并、汾、幽、蓟之人尤多。自上京东去四十里，至真珠寨，始食菜。明日，东行，地势渐高，西望平地松林郁然数十里。遂入平川，多草木，始食西瓜，云契丹破回纥得此种，以牛粪覆棚而种，大如中国冬瓜而味甘。又东行，至袤潭，始有柳，而水草丰美，有息鸡草尤美，而本大，马食不过十本而饱。自袤潭入大山，行十余日而出，过一大林，长二三里，皆芜荑，枝叶有芒刺如箭羽，其地皆无草。"④ 辽初，懿州与豪州、宜州都是以契丹贵族的俘户为主的投下州，俘户主要是汉人，州的规模不大。这些俘户把农业、手工业技术带来后，依靠这里便于发展生产的地理环境，在投下主的管理下从事各种生产活动，致辽河平原人口增加，农业经济有了进步。后来，懿州下面增设了宁昌、顺安两县。辽宜州初为兴宗以定州俘户建州，后辖弘政、闻义两县，

---

①　《元史》卷 13《世祖本纪》十，第 275 页。

②　《元史》卷 95《食货志》三，第 2426 页。

③　上京是辽朝前期的国都。上京城遗址位于今内蒙古自治区巴林左旗林东镇南。上京未建成前，名"西楼"，是辽太祖阿保机创业之地，建成后称皇都，后改称上京，府曰临潢。

④　《新五代史》卷 73《四夷附录二》引《胡峤陷虏记》，第 906 页。

"民工织纴，多技巧"①；金代改宜州为义州，有 30 233 户②。到元朝时，辽河平原的农业继续发展。《元一统志》载"谷、麦、稷、豆、麻大宁路诸县出"③。亦乞列思家族的私属人口中农民应当不少，孛秃 1214 年攻辽东辽西时，其所掳汉民都归了他本人。亦乞列思部的分地宜农地面积大，乃颜之乱期间，奉命到辽东平叛的诸王爱牙合赤请求"以所部军屯田咸平、懿州，以省粮饷"④。《满洲金石志》收有几通元代辽河地区的寺庙田产碑，如《大元国懿州路兴中州大通法寺常住上下院地产碑记》、义州《大奉国寺庄田记》，更进一步说明元代辽河平原尽管多属诸王驸马投下的分地，但农业生产仍是相当发达，所以寺庙极重田产，有的寺庙还为田产争讼，如利州玉京观立有《玉京观地产弭讼碑》。元朝在懿州设有粮仓，收购本地粮食或储备从南方运来的粮食，并再转运到其他东道诸王府中。中统二年（1261 年）六月，"转懿州米万石赈亲王塔察儿所部饥民"⑤。至元二十七年（1290 年）正月，"营懿州仓"⑥。

亦乞列思分地上除农业外，手工业、商业活动也有一定的发展。1987年在敖汉旗敖润苏莫苏木乌兰章梧嘎查之北的沙地里出土了一方八思巴文印。印文是用八思巴文拼写的汉文，李逸友先生译出为"记号合同"四字。印文表明此印是经济活动或其他事务的双方签订契约的印记。这说明当地民间各项活动中签订合同已经很普遍。⑦

元朝皇室对诸王驸马后妃例行的赏赐与临时性的赏赐也是亦乞列思家族的一大宗经济收入。五户丝与江南户钞是亦乞列思驸马家族的稳定的经济收入。延祐六年（1319 年）统计，"亦乞列思驸马有冠州五户丝户三千五百三十，每年收丝二千七百六十六斤；江南户钞户，在广州路，有二万七（十）[千] 户，年收钞一千八十锭"⑧。在阿里不哥与忽必烈争位及乃颜之乱期

---

①　《辽史》卷 39《地理志》三《中京道·宜州》，第 487 页。

②　《金史》卷 24《地理志》上《北京路·义州》，第 559 页。

③　《元一统志》卷 2《土产》，第 204 页。

④　《元史》卷 15《世祖本纪》十二，第 320 页。

⑤　《元史》卷 4《世祖本纪》一，第 70 页。

⑥　《元史》卷 16《世祖本纪》十三，第 333 页。

⑦　《敖汉旗出土的几方辽金元铜印》，《内蒙古文物考古》1999 年第 1 期。

⑧　《元史》卷 95《食货志》三《岁赐》，第 2426 页。

间，亦乞列思家族的分地上的生产遭到严重破坏，元朝在这个时期对亦乞列思部救济较多。中统三年四月，"以北京、广宁、豪、懿州军兴劳弊，免今岁税赋"①。至元二十四年九月，"咸平、懿州、北京以乃颜叛，民废耕作，又霜雹为灾，告饥，诏以海运粮五万石赈之"②。至元二十五年二月，"豪、懿州饥，以米十五万石赈之。"五月，"运米十五万石诣懿州饷军及赈饥民"③。元统二年（1334 年）六月，"大宁、广宁、辽阳、开元、沈阳、懿州水旱蝗，大饥，诏以钞二万锭，遣官赈之"④。至元年间，忽怜以军功受赐，合计钞 5 万贯、金 2 锭、银 15 锭。英宗即位，阿失合计受赐楮币 3 万锭。但是，据《元史》的记载，从总体上看，与其他驸马家族汪古部、弘吉剌部相比，元朝对亦乞列思部的赈济无论次数，还是数量都少了许多，可能就是因为亦乞列思部分地上农业比较发达，粮食能基本自给，抵抗天灾的能力相对较强。

二、亦乞列思部的统治机构

（一）**亦乞列思部首领家族的王府**　大德十一年（1307 年），阿失袭万户"封昌王，仍置王府"⑤。王府的级别低于王傅府。⑥ 亦乞列思家族王傅府的具体情况，因史料缺少，不太清楚。

（二）**亦乞列思部分地上的行政机构**　在亦乞列思部首领的分地上，设有路府州县。

懿州与懿州路　《元一统志》记载，"豪州本辽时懿州，金皇统三年省入顺安县，后复置。元初为懿州路，至元六年降为东京支郡，并省县入州"⑦。这里有两个问题，一是元朝何时设懿州为路？二是"省县入州"中

---

①　《元史》卷 5《世祖本纪》二，第 84 页。

②　《元史》卷 14《世祖本纪》十一，第 299、300 页。

③　《元史》卷 15《世祖本纪》十二，第 309、312 页。

④　《元史》卷 38《顺帝本纪》一，第 823 页。

⑤　《国朝文类》卷 25《驸马昌王世德碑》。

⑥　参见《元史》卷 27《英宗本纪》一，第 611 页；卷 33《文宗本纪》二，第 745 页；卷 34《文宗本纪》三，第 759 页，三处记载诸王宽彻、忽塔迷失王府给印情况可知，诸王宽彻、忽塔迷失起初只是设王府，晋封肃王、豳王后才设王傅府。昌王王府是否后来也升为王傅府，则不得而知。

⑦　《元一统志》，第 186 页。

省去的是哪些县？中统三年四月，《元史》仍记载了懿州①。但到至元三年二月，"立东京、广宁、懿州、开元、恤品、合懒、婆娑等路宣抚司"时，已正式称懿州为路②。懿州为路的时间不长，至元六年十二月，懿州降为东京路属州。③ 懿州路降为东京路属州时，"所领豪州及同昌、灵山二县省入顺安县，入本州"④。可见，豪州、同昌、灵山都并入顺安县，懿州下辖顺安一县。但是《地理志》"辽阳路"条又记载，至元六年置东京路，至元十七年以懿州属东京路，二十五年改东京路为辽阳路⑤。《元一统志》，始修于至元二十二年（1285 年），成书于至元三十一年（1294 年）。其关于至元六年降懿州为东京路属州的记载又有《本纪》及《地理志》应证，拟可信。《地理志》载至元十七年后懿州才属东京路，或有误，或是懿州的建置有变动而史书不备也未可知。皇庆二年（1313 年）十月，"以辽阳路之懿州隶辽阳行省"⑥，懿州成为辽阳行省直隶州。至正二年（1342 年）正月，"降咸平府为县；升懿州为路，以大宁路所辖兴中、义州属懿州"⑦。

概言之，约至元三年，元改金懿州为路，至元六年，降懿州为东京路属州，懿州下辖顺安一县。皇庆二年，懿州从辽阳路析出，成为辽阳行省的直隶州。至正二年，再升懿州为路，并将大宁路的兴中州、义州割入懿州路。至元亡，懿州行政建置未变。另外，在今辽宁阜新县东北 80 里塔营子古城，曾发现了元统二年（1334 年）《懿州城南学田碑》。可见，今辽宁阜新县塔营子古城即元代懿州城旧治。⑧

豪州与宁昌路　豪州在金末复置后，元前期仍在。忽必烈与阿里不哥争位时，"以北京、广宁、豪、懿州军兴劳弊"。中统三年（1262 年）四月，上述诸地 "免今岁税赋"。⑨ 至元六年（1269 年），豪州省入懿州顺安县，

① 《元史》卷 5《世祖本纪》二，第 84 页。
② 《元史》卷 6《世祖本纪》三，第 110 页。
③ 《元史》卷 6《世祖本纪》三，第 124 页。
④ 《元史》卷 59《地理志》二，第 1396 页。
⑤ 《元史》卷 59《地理志》二，第 1395 页。
⑥ 《元史》卷 24《仁宗本纪》一，第 558 页。
⑦ 《元史》卷 40《顺帝本纪》三，第 863 页。
⑧ 《懿州城南学田碑》，《历代石刻史料汇编》第 4 编第 2 册，第 868 页。
⑨ 《元史》卷 5《世祖本纪》二，第 84 页。

其后复置，但复置时间不知。至元二十四年，乃颜之乱发生后，豪州频见于《元史》，并于至元二十四年七月移北京道按察司置豪州。① 至元二十二年，封唆郎哥为宁昌郡王时，可能还没有宁昌府、县的行政建置，只是取辽金时代的懿州军号曾为宁昌而冠名为宁昌郡王。延祐五年（1318 年）二月，"置宁昌府，"② 应是将豪州改升宁昌府。至治二年（1322 年）十二月，升宁昌府为下路，增置一县③。增置的县即是宁昌县。辽代懿州就设有宁昌县。《孛秃传》称阿失在仁宗朝受赐。"宁昌县税"的说法不确，当时尚无宁昌县的建置，应是宁昌府。但元代宁昌路可能不是辽金时代豪州旧治，其地更偏西。在今内蒙古赤峰市敖汉旗玛尼罕乡五十家子古城内，近年出土了许多元代文物，如"至大元宝"金币，最重要的发现是元代至正二年（1342 年）加封孔子制诏碑，碑阴所刻均为"宁昌路"、"宁昌县"的一些官员名字。由此可以证明，元代宁昌路治在此址。这里还是辽代奉圣州治所。④

简单地说，元初沿金制置豪州。至元六年，省入懿州顺安县。至元中期，复置豪州。延祐五年，升豪州为宁昌府。至治二年，升为宁昌路，置宁昌县属之。

（三）**亦乞列思部分地上的驿站**　至元三十年（1293 年）正月，元朝政府在辽阳行省广立驿站。先在亦乞列思部分地上"立豪、懿州七驿"，接着又立辽阳庆云至合里宾 28 驿。⑤

三、亦乞列思部的军队

亦乞列思部是著名的五投下之一，元代基本由木华黎家族统领⑥。蒙古建国之初，成吉思汗封孛秃为第八十七位功臣千户，管领亦乞列思 2 000

---

① 《元史》卷 14《世祖本纪》十一，第 298、299 页；卷 15《世祖本纪》十二，第 309 页；卷 17《世祖本纪》十四，第 370 页；卷 14《世祖本纪》十一，第 299 页。

② 《元史》卷 26《仁宗本纪》三，第 582 页。

③ 《元史》卷 28《英宗本纪》二，第 626 页。

④ 参见李雅丽：《赤峰市内蒙古自治区区级、县市级重点文物保护单位一览表》，见内蒙古文物考古研究所（webmaster@ nmkgyjs. nm. cn）之信息中心网页，2007－09－29 15：32：02 发布。赤峰市敖汉旗博物馆（http：//www. bowugu. und. com. cn/）网页产品介绍。

⑤ 《元史》卷 17《世祖本纪》十四，第 370 页。

⑥ 《史集》（汉译本）第 1 卷第 2 分册，第 370—371 页。

户①。亦乞列思首领在战争中不断掳掠人口，部属增加很快。1213 年秋蒙古攻金，成吉思汗曾命驸马孛秃分蒙古军及乣、汉军 3 000 给王檝，收复河间，清、沧俘获军民万人②。可见，这时孛秃部下已有金朝的乣，还有汉军，人数已不止 2 个千户。1218 年，成吉思汗封木华黎为太师国王，统军攻金并管理已征服的汉地。亦乞列思部孛秃率 2 000 骑在木华黎帐下从征③，这 2 000 骑只是亦乞列思部的探马赤军，而不是亦乞列思部当时已有的全部部属及军队。至成吉思汗晚期，亦乞列思部众曾加至 9 个千户，都由孛秃管理，由孛秃任命千户长④。孛秃死后，琐儿哈袭爵，太宗擢其为万户，也就是说，到太宗窝阔台时期，正式承认亦乞列思部的万户编制。

在蒙元的征伐战争中，作为五投下之一，孛秃、琐儿哈、扎忽儿臣祖、父、孙三代，率三部军马参加了蒙古平金、灭夏、伐宋的战争，是主力军之一。入元以后，亦乞列思部军马驻扎在领地，担负守土之责，有警则配合政府军队作战。忽必烈与阿里不哥争位及乃颜之乱时，亦乞列思部分地都在交战区内。中统三年二月，元帅阿海分兵戍平滦、海口及东京、广宁、懿州⑤。二十四年，乃颜叛乱，元军退到豪州、懿州以西。七月，乃颜党失都儿攻咸平，宣慰亦儿撒合分兵趣懿州，平定失都儿。⑥ 至元二十五年三月，元世祖命辽阳省亦乞列思、兀鲁、札剌亦儿探马赤军自懿州东征乃颜党⑦。至元二十六年七月，元朝再命辽阳行省增兵守咸平、懿州。忽怜驸马率亦乞列思军北征到了嫩江、海拉尔河等地。亦乞列思部军马还出镇外地。至元中后期，忽怜就曾领兵北征，反击叛王脱脱木儿。昌王阿失率本部军驻守岭北，与海都、都哇作战。泰定帝时，八剌失里曾驻守安西王的封地京兆。亦乞列思部军队始终站在元朝大汗一方。

---

① 余大钧译注：《蒙古秘史》，第 202 节；《元史》卷 118《孛秃传》，第 2921 页。

② 《元史》卷 153《王檝传》，第 3611—3612 页。

③ 《史集》（汉译本）第 1 卷第 2 分册，第 246 页；《圣武亲征录》，《王国维遗书》本，第 73 页。

④ 《史集》（汉译本）第 1 卷第 2 分册，第 370—371 页。

⑤ 《元史》卷 5《世祖本纪》二，第 82 页。

⑥ 《元史》卷 14《世祖本纪》十一，第 299 页。

⑦ 《元史》卷 15《世祖本纪》十二，第 310 页。

四、亦乞列思部的宗教文化生活

辽金时代，辽河平原佛教盛行。亦乞列思部分地上的义州大奉国寺于辽开泰九年（1020 年）开始修建，金天眷三年（1140 年）落成，大德七年（1303 年）重修。重修时宁昌郡王不怜吉歹和公主普颜可里美思布施元宝、物件甚多，奉国寺庙宇广"可纳千僧"，"旁架长廊二百间"，庙产丰厚，有田土、山地、店铺。至正十五年（1355 年）六月，立有《大奉国寺庄田记》①。兴中州的大通法寺，创制于元代以前，到元代发展为巨刹。《大元国懿州路兴中州大通法寺常住上下院地产碑记》记载，该寺常住寺院达 18 处，田产地名 4 处。② 此碑建碑时间已磨灭不可读。但懿州升路，并割兴中州来属的时间是至正二年，可知此碑立于至正二年以后的顺帝时期。入元后，辽河平原可能佛教更为盛行。《满洲金石志》注录的寺观碑铭中，绝大多数属佛寺的。因为秉承了前代佛教余绪，且师承不辍，辽河平原上的元代佛教以中原传统佛教为主。辽河平原还有道教。《元一统志》载，金大定府（今内蒙古宁城）不仅有大量的佛寺，还有华阳宫、白鹤宫、重阳观、玉清观、大清观、紫微宫、东华宫等道教宫观③。

亦乞列思部的分地上设有儒学。义州城有大德年间加封先师碑，其址应是元朝儒学与文庙所在，明朝即在此旧址上建有义州卫学④。懿州城址发现了《懿州城南学田碑》，是碑题款为"儒学田宗尹撰并书"。从碑文看，至治二年（1322 年）以前，懿州就有了儒学。此碑立于元统二年（1334 年），发现于今阜新县东北 40 公里的塔营子古城城南田野中，并由此确认此处为元代懿州城旧治⑤。在宁昌路故址，即今内蒙古赤峰市敖汉旗玛尼罕乡五十家子古城内发现了元代至正二年（1342 年）加封孔子制诏碑，表明城址内可能有孔庙与儒学。

① 《义州重修大奉国寺碑》与《大奉国寺庄田记》，分别见《历代石刻史料汇编》第 4 编第 3 册、罗福颐撰：《满洲金石志》卷 4，第 802、835 页。

② 《大元国懿州路兴中州大通法寺常住上下院地产碑记》，《历代石刻史料汇编》第 4 编第 3 册、罗福颐撰：《满洲金石志》卷 4，第 837 页。

③ 《元一统志》卷 2，第 210—214 页。

④ 《辽东志》卷 2《建置》，《辽海丛书》本，第 378 页。

⑤ 《懿州城南学田碑》，《历代石刻史料汇编》第 4 编第 3 册、罗福颐撰《满洲金石志外编》，第 868 页。

按推测，宁昌路与懿州路应设有蒙古字学，但现在没有史料。

结语　从现有资料看，作为元朝汗室的三大世婚家族之一，在政治地位上，亦乞列思部是逐步下降的。到元成宗时期，弘吉剌氏家族的蛮子台驸马封济宁王（三等金印驼纽）；湟水流域弘吉剌氏驸马脱脱木儿封濮阳王（六等银印龟纽）；汪古部的驸马阔里吉思封高唐王（三等金印驼纽），① 而这个时候亦乞列思家族还只有宁昌郡王不怜吉歹（六等银印龟纽）。元武宗滥封王爵，弘吉剌氏、汪古部、亦乞列思家族的首领开始封金印兽纽一字王，但弘吉剌氏的鲁王与汪古部的赵王可设王傅府，而亦乞列思家族的昌王，我们现在知道的还只有设王府的记载。究其原因，从成吉思汗到元惠宗时代，弘吉剌氏家族一直延续着娶元朝大汗之女或嫁女为元朝大汗正后的历史。而亦乞列思家族在元成宗以后，只出了一个正宫皇后，即元英宗的正后速哥八剌，可是元英宗在位 4 年被弑，这位正后对扭转亦乞列思家族的政治地位没有起到作用，而且自成宗以后，亦乞列思首领家族没有娶到一位大汗之女。造成元成宗以后亦乞列思家族被逐步疏远的原因之一是其分地偏离两都，而弘吉剌氏与汪古部的分地分别紧邻两都的东北与西面。这不仅便于他们与元朝汗室的来往，而且使弘吉剌氏与汪古部成为两都东北、西面的第一道防线，所以，元汗室特别重视与弘吉剌氏及汪古部的关系。从经济上看，亦乞列思部的分地在辽河平原，而弘吉剌氏、汪古部的分地在草原。因此，弘吉剌氏与汪古部的经济是比较完全的畜牧经济，对农业经济的依赖性重，元政府对弘吉剌氏的大量赈济、赐予可以说明这一点。② 再次，从已有的宗教与儒学方面的史料看，辽金时代即深受中原文化影响的辽河平原，即使成为诸王驸马投下的分地后，基本保持了原有的文化传承。藏传佛教还未能影响到辽河平原的亦乞列思分地，而弘吉剌氏的应昌、全宁两地佛寺基本是藏传佛教，汪古部领地上居主导地位的则是景教。

但总体上，亦乞列思首领家族在元代的政治、军事方面还是扮演了比较重要的角色。

---

① 参见张岱玉：《元代弘吉剌氏、亦乞列思两驸马家族诸问题研究》；周清澍：《汪古部事辑》，《元蒙史札》，第 124 页。

② 周清澍：《汪古部事辑》，《元蒙史札》，第 124 页。

第 十 四 章

元代的汪古部统治家族

第一节　元代的汪古部统治家族（上）

一、汪古部的族源

汪古（Önggüd）部是金元两代活动在今内蒙古大青山以北的一个部族。汪古部族源复杂，学术界有沙陀突厥说、回鹘说、鞑靼说、党项说。现在一般认为汪古部是由蒙古高原东部迁居阴山山脉的蒙古语族"黑车子室韦"或"黑车子鞑靼"与当地沙陀、回鹘等突厥语族部落长期混合而形成的较为独特的部族。

黑车子室韦或是唐朝的和解室韦一部，原居地在大兴安岭左右。在回鹘汗国时已向西南迁移入蒙古高原。《辽史·太祖本纪》记载，阿保机几次征"黑车子室韦"。唐天复三年（903 年）九月，讨黑车子室韦，唐卢龙节度使刘仁恭发兵数万，遣养子赵霸来拒。至武州，为辽太祖谍所知，辽伏劲兵桃山下，遣室韦人牟里诈称其酋长所遣，约霸兵会平原。既至，四面伏发，擒霸，歼其众，乘胜大破室韦。次年七月，辽太祖复讨黑车子室韦，唐河东节度使李克用遣通事康令德乞盟。辽太祖元年（907 年）二月，"征黑车子室韦，降其八部"；"十月乙巳，讨黑车子室韦，破之"；二年冬十月，"遣轻兵取吐浑叛入室韦者。"[①]

---

① 《辽史》卷 1《太祖本纪》上，第 2、3 页。

吐浑及吐谷浑，王国维认为黑车子室韦原住地本在契丹之北，契丹因为讨伐黑车子故而南与刘仁恭交兵，复与李克用会盟。而且吐浑与黑车子原居之处相去甚远，其叛入室韦，应是当契丹兴起时，黑车子室韦已南迁"幽并近塞"。① 可以说，9世纪时，黑车子室韦已迁到阴山地区。《辽史·百官志·属国》记有"黑车子室韦国王府"。《契丹国志》作"七姓室韦"。宋人记载，辽庆州（今内蒙古巴林右旗白塔子古城）之西，奉圣州狗泊（在今内蒙古太仆寺旗南）之北，都分布着鞑靼部落②。这些鞑靼部落中当会有黑车子室韦人。

在阴山地区，还有源自今新疆东部金娑山之南、蒲类海（巴里坤湖）以东的大沙碛的沙陀突厥。汪古部人自称是朱邪氏之后。耶律铸《涿邪山诗》注云："涿邪山者，其山在涿邪中也。涿邪后声转为朱邪，又声转为处月。……处月部居金娑山之阳，皆沙漠碛卤地也，……即今华夏犹呼沙漠为沙陀，突厥诸部遗俗至今亦呼其碛卤为朱邪，又声转为处月，今又语讹声转而为川阙。"③ 岑仲勉先生认为，耶律铸所谓"涿邪、朱邪为声转，说诚最当"，但朱邪转处月，却不可信，"处月、朱邪往往连称，不能以朱邪概处月"。④ 朱邪只是处月部落联盟中的一部。而处月为西突厥别部，贞观末年统属于阿史那贺鲁。《新唐书·沙陀传》："贺鲁来降，诏拜瑶池都督，徙其部庭州之莫贺城，处月朱邪阙俟斤阿厥亦请内属。""永徽初，贺鲁反（按贺鲁反于永徽二年），……于是射脾俟斤沙陀那速不肯从，高宗以贺鲁所领授之。"朱邪为处月的一个部落，后来演变为姓氏。沙陀首领拔野曾从唐太宗讨高丽、薛延陀，唐平薛延陀诸部后，设置沙陀都督府，拔野在永徽年间（650—655年）任都督，其后子孙袭职。唐德宗贞元年间（785—805年），吐蕃攻陷沙陀都督府，沙陀首领尽忠率其族7 000帐徙于甘州，吐蕃追兵掩至，尽忠战死。⑤ 元和三年（808年），尽忠之子执宜及尽忠之弟葛勒阿波

① 王国维：《黑车子室韦考》，见《观堂集林》卷14，第1—32页。
② 《武经总要》前集卷24《北蕃地里·蕃界有名山川》，《中国兵书集成》本，解放军出版社、辽沈书社1988年版，第1125、1126页。
③ 耶律铸：《双溪醉隐集》卷2，《辽海丛书》本。
④ 岑仲勉：《西突厥史料补阙及考证》，中华书局2002年版，第201页。
⑤ 《旧五代史》卷25《武皇纪》上，第331页。

率余众，分别奔至灵州（今宁夏灵武）、振武（今内蒙古呼和浩特市和林格尔县）附唐。唐德宗命其部处盐州（治今陕西定边县），设阴山府，葛勒阿波兼阴山府都督。① 次年，朔方盐灵节度使范希朝调太原，范希朝挑选该部沙陀骁勇骑士 1 200 名，组成"沙陀军"，驻守神武川（今山西省山阴县东北一带）的黄花堆（今山西省山阴县东北黄花梁）。其余的沙陀部众被安排在定襄川居住。定襄川是今山西右玉县以北至呼和浩特平原一带②。沙陀部改称阴山北沙陀。元和年间，唐朝命朱邪执宜屯守天德军（治今内蒙古乌拉特中旗西南"西受降城"），以防回鹘南下。大和（827—835 年）中，唐朝委付执宜为代北行营招抚使兼阴山府都督，治理云州（治所在今山西省大同市）、朔州（治所在今山西省朔县东北马邑）等塞下 11 处废府。唐大中十二年（858 年）闰二月，"以河东马步都虞候段威为朔州刺史，充天宁军使，兼兴唐军沙陀三部落防遏都知兵马使。"③ 乾符五年（878 年），沙陀副兵马使李克用（李昌国之子。朱邪执宜之子朱邪赤心，有功于唐室，被赐姓名李昌国）在大同起兵反唐，失败后率宗族逃入阴山鞑靼地区（即黑车子室韦）。两年后，"国昌自达靼率兵归代州。"④ 从李克用开始，沙陀贵族在中原相继建立了后唐、后晋、后汉、北汉政权，沙陀部众的大部分应随李克用家族进入了长城以内的北中国，但仍有少量部众居留在塞外。⑤ 汪古部人自称是朱邪氏之后，当不是完全为了炫耀自己的祖先而勉强比附的，汪古部人中有一定的沙陀人的因素。

　　9 世纪时，在今内蒙古大青山地区还有少量回鹘人。唐开成（836—840 年）初年，"黠戛斯领十万骑破回鹘城……又有近可汗牙十三部，以特勤乌介为可汗，南来附汉。"回鹘的乌介可汗南渡大碛，至天德界上。会昌三年（843 年），刘沔率兵击乌介营，当时乌介营在幽州界外 80 里。乌介惊走，至东北约 400 里处，依和解室韦下营。大中元年（847 年），乌介部众 3 000 至幽州降唐。大中二年春，回鹘部众为室韦所掠。接着，黠戛斯又败室韦，

---

① 参见《旧唐书》卷 14《宪宗本纪》上，第 426 页；《新唐书》卷 218《沙陀传》，第 6155 页。

② 《中国古今地名大辞典》，第 454 页。

③ 《旧唐书》卷 18《宣宗本纪》下，第 644 页。

④ 《新唐书》卷 218《沙陀传》，第 6158 页。

⑤ 参见樊文礼：《沙陀的族源及其早期历史》，《民族研究》1999 年第 6 期。

"回鹘在室韦者，阿播皆收归碛北。在外犹数帐，散藏诸山深林，盗劫诸蕃，皆西向倾心望安西庞勒之到"①。可见，回鹘留居幽州界外阴山一带人不会很多。

至辽金时代，阴山一带的居住者已称白鞑靼，即汪古部。白达达一词最早见于《辽史》。辽亡之际，金兵攻下南京（今北京），辽天祚帝逃往今呼和浩特及其以南地区。由于君臣相互猜忌，翰林承旨耶律大石"自立为王，率铁骑二百宵遁。北行三日，过黑水，见白达达详稳床古儿。床古儿献马四百、驼二十、羊若干。"《辽史·部族表》也记有"白达旦部"②。与白达达相对的是达靼、黑达靼。后唐明宗时，"遣宿州刺史薛敬忠以所获契丹团牌二百五十及弓箭数百赐云州生界达靼，盖唐常役属之。"③云州，即今大同，阴山正好在其界外。《大金国志》称"白波斯"为"白厮波"，下有小注："《宋通鉴》云：'鞑靼有黑白，此白鞑靼也。'"④ 1221 年，赵珙出使蒙古后写成《蒙鞑备录》，书中说：鞑靼"其中有三：曰黑、曰白、曰生。所谓白鞑靼者，容貌稍细，为人恭谨而孝。……今彼部落之后，其国乃鞑主成吉思汗之公主必姬权管国事。……所谓生鞑靼者，甚贫且拙且无能为。但知乘马随众而已。今成吉思皇帝及将相大臣皆黑鞑靼也。"又说成吉思汗的"二公主阿里海百因，俗曰必姬夫人。曾嫁金国亡臣白四部，死，寡居，今领白鞑靼国事。"⑤ 因此，白鞑靼就是汪古部。

据说"汪古"一词意为界壕或长城，因为他们为金朝守护界壕，所以才有了这个名称。汪古部应该是突厥语族的沙陀人、回鹘人与蒙古语族的黑车子室韦长期融合形成的。无论是文化习俗，还是形貌，汪古部人都保留了中亚突厥语族的特点，尤其是汪古部统治家族阿剌兀思剔吉忽里家族，突厥语族的特征很明显。⑥ 马可·波罗在至元年间来华，经过汪古部居地时，听到了当地对汪古的介绍，明确指出汪古与蒙古的不同。他写道："此地即吾

① 《旧唐书》卷195《回纥传》，第5215页。
② 《辽史》卷30《天祚皇帝》四，第355页；卷69《部族表》，第1123页。
③ 《新五代史》卷74《四夷附录》三《达靼》，第911页。
④ 宇文懋昭：《大金国志》卷22。
⑤ 《蒙鞑备录·立国》，《王国维遗书》本，第1页；《蒙鞑备录·太子诸王》，第7页。
⑥ 周清澍：《汪古部的族源》，《元蒙史札》，第118页。

人所称峨格（Gog）同马峨格（Magog）之地。其人则自称汪古（Ung）同木豁勒（Mugul）。盖在此州中原有二种人，先鞑靼人居住其地，汪古人是土著，木豁勒人则为鞑靼，所以鞑靼人常自称曰木豁勒，而不名曰鞑靼。"① 峨格与马峨格是高加索北方的种族。马可·波罗记述的当地汪古人自认为不是蒙古，只有蒙古人才是鞑靼人。

二、汪古部的主要首领

阿剌兀思剔吉忽里　阿剌兀思剔吉忽里是蒙元时期汪古部的始祖。12世纪末，汪古部仍是金朝的臣民，是金朝乣军之一，为金朝守护"净州之北，出天山外"的界壕。② 乃蛮部太阳汗派人来联合阿剌兀思剔吉忽里共同对抗成吉思汗。其时漠北除乃蛮部外，余部俱为成吉思汗所败，灭乃蛮是成吉思汗统一漠北的最后一场大战。阿剌兀思剔吉忽里审时度势，决定联合成吉思汗，于是将乃蛮使者缚送成吉思汗，并"奉酒六尊，具以其谋来告太祖。""遂约同攻太阳可汗。阿剌兀思剔吉忽里先期而至。"③ 1206年，成吉思汗建立大蒙古国，大封功臣，"汪古惕阿剌忽失惕吉忽里古列坚五千户"。说明当时汪古部的属民相当多，是蒙古军队的重要组成部分。这也是汪古部统治家族极受成吉思汗及其继承者重视的原因。据研究，阿剌兀思剔吉忽里可能在1207年为汪古部内部的亲乃蛮势力所杀。

不颜昔班　不颜昔班是阿剌兀思剔吉忽里之长子，娶成吉思汗之女阿剌海。他在中原人的著作中被记作白厮波、白四波等。他在阿剌兀思剔吉忽里之后应当管过汪古部。蒙古攻金时，不颜昔班的汪古部人防守的乌沙堡向蒙古献关，金兵的乌月营遂为蒙古前锋哲别所取。尤赤、察合台、窝阔台也领兵从汪古部驻守的净州边堡入境，越大青山，南出丰州，进至大同以西，攻下云内、东胜、武、朔诸州。就在蒙古攻金不久，汪古内部再次发生权力之

---

① 《马可波罗行纪》，第158页。

② 《金史》卷24《地理志》上，第549页；参见周清澍：《汪古部统治家族》，《元蒙史札》，第52—87页。本专题《元代的汪古部统治家族》多采撷自周清澍的专题论文《汪古部事辑》，余不一一注出。

③ 《元史》卷118《阿剌兀思剔吉忽里传》，第2924页；参见《国朝文类》卷23《驸马高唐忠献王碑》。

争，不颜昔班被杀。①

镇国 镇国是阿剌兀思剔吉忽里之侄，曾作为汪古部的质子被送到金国。《史集》记载，镇国发动叛乱杀了阿剌兀思剔吉忽里，实际上被杀的可能是不颜昔班。但镇国的叛乱主要是汪古部贵族内部的权力之争，而且成吉思汗还需要笼络汪古部的首领，故未处罚镇国，而是让其继娶阿剌海，并封其为北平王，统领汪古部。② 约在 1221 年，镇国已不在位，赵珙称此年阿剌海别吉已"寡居"。

孛要合 孛要合是阿剌兀思剔吉忽里之子。阿剌兀思剔吉忽里被杀时，其母携之避难云中。成吉思汗攻下云中后，寻得孛要合，时间当在1215 年之后。成吉思汗西征时，孛要合作为质子亦在行伍中，西征返回蒙古时，孛要合 17 岁，镇国已死，孛要合袭封北平王，继尚阿剌海别吉。③《驸马高唐忠献王碑》记载孛要合三子，长君不花，次爱不花，季掘里不花。

聂古䚟 聂古䚟是镇国与阿剌海别吉之子。《驸马高唐忠献王碑》称其"亦封北平王，尚睿宗皇帝女独木干公主。略地江淮，殁于王事。诏以兴州户民千计给葬，其户至今隶王府。"④ 这说明孛要合并不长寿，聂古䚟得以袭封北平王主管汪古部。但聂古䚟没能活到蒙哥汗时代，因为壬子年清查汪古部户口时，是以孛要合次子爱不花的名义代表汪古部的。⑤

君不花 君不花是孛要合长子，尚定宗贵由汗长女叶里迷失，1258—1259 年从蒙哥伐宋，至四川钓鱼山。1278 年，隐居在大都附近山中的畏兀儿人列班骚马与东胜州的汪古部人马儿可思相约同游圣地耶路撒冷，他们到达大都与唐兀之间的 Konshang 城，该城领主名为 Künbuqa 和 Aï-buqa，是王中之王忽必烈的女婿，他们将两位神甫请到自己的营帐中，并送给他们许多

---

① 参见周清澍：《汪古部统治家族》，《元蒙史札》，第52—87 页。
② 《国朝文类》卷23《驸马高唐忠献王碑铭》。
③ 《国朝文类》卷23《驸马高唐忠献王碑铭》。
④ 《国朝文类》卷23《驸马高唐忠献王碑铭》。
⑤ 《大元通制条格》卷2《户令》，第14 页。

礼物。伯希和考证认为 Konshang 就是东胜，Künbuqa 和 Aï-buqa 就是君不花与爱不花。① 据前揭《驸马高唐忠献王碑》，君不花娶的是定宗之女，这里稍误。同时说明当时东胜州在汪古部的领地内。

爱不花　爱不花是孛要合次子，尚忽必烈之女月烈公主。中统年间，在忽必烈与阿里不哥争位的战争中，爱不花总领本部兵马征伐阿里不哥，攻至阿尔泰山东侧，占领了称海城。② 中统三年（1262 年），南征济南的李璮。诸王昔里吉、撒里蛮叛乱，爱不花又领兵与撒里蛮之军大战于和林、晃兀儿等地。

前面说到壬子年清查汪古部户口时，代表汪古部的是爱不花。③ 或在此时爱不花已是汪古部部主。中统四年十二月，"敕驸马爱不花蒲萄户依民例输赋。"④ 至元八年（1271 年）三月，又清查了"爱不花驸马位下人户。"⑤《经世大典·站赤》中，至元十六年两次提到了爱不花。⑥ 至元十七年八月，爱不花之子阔里吉思出现在《元史》中，爱不花可能已死。爱不花与月烈公主生四子：长阔里吉思；次也先海迷失，早逝；次阿里八觯；季尤忽难。⑦

高唐王阔里吉思　阔里吉思是爱不花与月烈公主之子，忽必烈的外孙。阔里吉思先尚真金之女忽答迭迷失，继尚成宗女爱牙失里。

至元二十四年夏，河间王也不干叛，阔里吉思率千余骑追也不干，追及之时，大败也不干，也不干仅以 10 余骑逃走。⑧ 马可·波罗记载海都征集 6 万骑进攻哈剌和林，那里有阔里吉思与那木罕的军队驻守，阔里吉思与那木罕闻海都军至，乃率部迎击。最后，海都闻大汗的援军将至，于是撤军，阔里吉思与那木罕亦随之撤军。⑨ 从那木罕的历史活动看，那木罕与阔里吉思

---

① 冯承钧译：《唐元时代中亚及东亚之基督教徒》，《西域南海史地考证译丛》第 1 卷第 1 编，第 49 页。

② 参见周清澍：《汪古部统治家族》，《元蒙史札》，第 66、67 页。

③ 《通制条格》卷 2《户令》，第 14 页。

④ 《元史》卷 5《世祖本纪》二，第 95 页。

⑤ 《元典章》卷 7《户部卷》之三《籍册》，第 634 页。

⑥ 《永乐大典》卷 19417，至元十六年五月二十日、二十七日。

⑦ 参见《国朝文类》卷 23《驸马高唐忠献王碑铭》。

⑧ 《国朝文类》卷 23《驸马高唐忠献王碑铭》。

⑨ 《马可波罗行纪》，第 450 页。

共同镇守哈剌和林的时间应在至元二十一年到至元二十八年左右。至元二十九年二月，忽必烈将几位叛王发往边地，令"从诸王阿秃作乱者，朵罗带以付阔里吉思……"三月，又下诏派人"至合敦奴孙界，与驸马阔里吉思屯田。"① 看来，至元末年以来，阔里吉思就开始出镇北边。至元三十一年四月，成宗即位，"赐驸马蛮子带银七万六千五百两，阔里吉思一万五千四百五十两，高丽王王昛三万两。"② 至元三十一年六月，"封驸马阔里吉思为〔高〕唐王，给金印。"③ 驸马封三等金印驼钮王王爵，即自汪古部驸马家族开始，汪古部的食邑在高唐州，故爵名为高唐王。成宗元贞年间，对边防进行了重新部署，《史集》举出了沿边主要的诸王、大将是甘麻剌、阔里吉思、床兀儿、囊加歹、阔阔出、阿难答、阿只吉和出伯。《史集》另一处说"宗王阔阔出和合罕的女婿阔里吉思被派到了海都和都哇的边界，"④ 阔阔出与阔里吉思驻守地相距不远，当时阔阔出是北军总帅，阔里吉思可能是佐贰。从后来海山出镇称海，代替阔阔出总兵来看，阔里吉思的驻地当在称海一线靠近金山的地方。大德元年（1297年）冬天，海都的一支军队在阿雷河与撒剌思河与床兀儿的军队开战，而阔里吉思的军队也在伯牙思与敌遭遇，阔里吉思鼓噪而进，大破敌军。大德二年冬天，都哇及察合台次子莫赤耶耶之子彻彻秃之军突然袭击了元军的营地。《史集》记载，"……事有凑巧，宗王阔阔出、床兀儿和囊加台正聚集在一起，举行宴会，饮酒作乐。通知是夜间来到的，而他们已醉迷不醒，不能出征了。"⑤ 只有阔里吉思领6 000人出战，寡不敌众，被都哇掳去。被俘后，都哇屡次诱降，又欲妻以己女，阔里吉思皆不从。成宗遣阿昔思为使，至都哇处索取，阔里吉思终以不屈被害。⑥《史集》则记载，药木忽儿、兀鲁思不花、朵儿朵怀为救阔里吉思，出兵追击都哇，俘获都哇之婿，却未能救出阔里吉思。都哇遣使元

---

① 《元史》卷17《世祖本纪》十四，第359、361页。
② 《元史》卷18《成宗本纪》一，第382页。
③ 《元史》卷18《成宗本纪》一，第385页。
④ 《史集》（汉译本）第2卷，第337、338、376页。
⑤ 《史集》（汉译本）第2卷，第383页。
⑥ 《国朝文类》卷23《驸马高唐忠献王碑铭》；《元史》卷118《阿剌忽思剔吉忽里传》，第2925、2926页。

朝，表示欲交换双方被俘的驸马，但当元朝遣使送回都哇之婿时，阔里吉思已遇害。[①] 阔里吉思死后，葬于天池（今新疆赛里木湖）附近的卜剌之地。至大三年（1310 年）冬，其子尤安前往其地移运灵柩归葬故土。[②]

马可·波罗在 13 世纪 70 年代来华时，经过河西走廊、宁夏，到达 Tenduc。Tenduc，经学者研究就是天德军，即元代的丰州，当时还沿用辽金时代的军名。马可·波罗指出天德军的统治者是乔治（George）。[③] 乔治在叙利亚文中拼写成 Giwargis（Gorigis），是很普通的基督教徒名字，因汪古部所信奉的聂思脱利教是从叙利亚传入中国的，故转为突厥语或蒙古语就读作 Körgüz 或 Görgüz，即阔里吉思。[④] 说明天德军即元丰州也是汪古部的领地。

阔里吉思还是位难得的文武兼备的贵族。《驸马高唐忠献王碑铭》还记载阔里吉思"崇儒重道，出于天性，兴建庙兴，裒集经史，筑万卷堂于私第，讲明义理，阴阳术数，靡不经意。"看来，这位驸马在信奉本部传统的聂思脱利教之外，还喜好汉地文化。至元末年，阔里吉思在大都时还与另一位意大利教士蒙帖哥维诺相交。蒙帖哥维诺是天主教神甫，罗马教皇尼古拉四世派其到东方传教，1291 年由讨来思启程前往远东，约至元二十九、三十年到达大都。他在大都与属于基督教聂思脱利教派的乔治（George）之王结识，乔治王从其言而改宗天主教正宗，成为低级神甫。乔治之王受到其他聂思脱利教徒的诋毁，"然王仍率其大部臣民与彼同归天主下宗，并建教堂一所"，题名"罗马教堂"。[⑤] 蒙帖哥维诺将这些情况写信告诉了他的西方友人，有两封信保存下来了。蒙帖哥维诺还说乔治王的教堂"距此尚有二十日之程，"与北京到汪古部的领地（今四子王旗与达茂旗一带）的距离相当；乔治王死后，子主安尚幼，由其诸弟主事。蒙帖哥维诺所说的乔治王无疑是阔里吉思。据此可知，阔里吉思可能改宗天主教，其部民可能也有一部分随之改信天主教。

---

① 《史集》（汉译本）第 2 卷，第 382、383、385 页。
② 《中庵集》卷 4 四《驸马赵王先德加封碑铭》。
③ 《马可波罗行纪》，第 157 页。
④ 参见周清澍：《汪古部统治家族》，《元蒙史札》，第 70 页。
⑤ 《中西交通史料汇编》第 1 册，第 220 页。

高唐王、郓王尢忽难 尢忽难是爱不花幼子。《驸马高唐忠献王碑》记载，"初王（阔里吉思）之北也，世子主安甫脱襁褓，诏以其弟尢忽难才识英伟，授以金印、玉带、海东白鹘，封高唐王，袭爵之后，恪守父祖成业，抚民御众，境内乂安。"阔里吉思死时，子主安年幼，故其弟尢忽难袭封高唐王。《元史·成宗本纪》记载，大德三年十二月，成宗"赐诸王岳忽难银印。"① 武宗即位，进封尢忽难为郓王。② 至大元年三月，武宗诏有司括索"郓王尢忽难"散失人户，被中书省臣驳回。③《元史·阿剌兀思剔吉忽里传》称："至大二年，尢忽难加封赵王。"《元史·诸王表》赵王位："主忽驸马，至大元年封。"《诸王表》的至大元年可能是至大二年之误。郓是西汉古县名，治所在元代高唐州内，郓王之爵名也来源于汪古部的食邑。可能尢忽难先封郓王，又改封赵王。至大二年，尢忽难死。④

高唐王、郓王、赵王主安 主安是阔里吉思驸马之子。主安，阎复《驸马高唐忠献王碑铭》作主安，《元史·武宗本纪》作注安，《元史·仁宗本纪》作汝安。⑤ 约翰·蒙帖哥维诺说："乔治王之子名约翰，盖取余名以为名也。"可知，主安是基督教名拉丁写法 Jean 的异译。蒙帖哥维诺还说："六年前，乔治王卒，仅留一子，尚在襁褓之中，今则已九龄矣。"⑥ 乔治王，就是阔里吉思。蒙帖哥维诺的信写于 1305 年元月八日，即大德八年（1304 年）十二月，可知主安当生于元贞元年（1295 年）。阔里吉思死时，主安尚幼，其叔尢忽难袭爵高唐王。至大元年，尢忽难从高唐王进封郓王，高唐王由尢安袭封。至大二年九月，"赐高唐王注安金"。说明注安曾封高唐王，只是至大二年九月时，注安此时已封赵王，不当再称高唐王。《元史·武宗本纪》记载，至大二年三月，"封公主阿剌的纳八剌为赵国公主，

---

① 《元史》卷20《成宗本纪》三，第429页。
② 《中庵集》卷4《驸马赵王先德加封碑铭》；高唐王、郓王、赵王掘忽难的历史事迹及封王详情请参阅周清澍：《汪古事辑》相关内容。
③ 《元史》卷22《武宗本纪》一，第496页。
④ 《中庵集》卷4《驸马赵王先德加封碑铭》；高唐王、郓王、赵王掘忽难的历史事迹及封王详情请参阅周清澍：《汪古部事辑》相关内容。
⑤ 《元史》卷22《武宗本纪》一，至大元年二月、九月；卷24《仁宗本纪》一，皇庆元年四月。
⑥ 《中西交通史料汇编》第1册，第220、222页。

驸马注安为赵王。"①　但是，《赵王先德碑》的记载有所不同："武宗至大元年，［尤忽难］封郮王。明年薨，世子尤安袭爵郮王。三年，帝思忠献之忠，加封尤安赵王。"②　"忠献"，就是阔里吉思。大德九年，追封忠献王；可能尤忽难死后，主安一度袭爵为郮王，随后才另封为赵王。《元史·阿剌兀思剔吉忽里传》也含糊地记载："至大二年，尤忽难加封赵王，即以让尤安。"周清澍先生认为应理解为以郮王让尤安。姚燧的《河内李氏先德碣铭》是应郮王府长史李惟恭所请而作的，时间在至大庚戌（至大三年）。文中说"郮王之考"曾在"元贞始年，表贺圣节"云云，成宗元贞初年在位的是阔里吉思，那么至大三年的郮王就是主安了。

阔里吉思被都哇处死后葬于卜罗（今新疆博乐县西 5 公里博罗塔剌河北岸的古城），赵王主安奏准武宗，派王府司马阿昔思等人前往卜罗将阔里吉思遗骸移葬于祖茔地也里可儿思。皇庆元年（1312 年）四月，"赵王汝安"部告饥，朝廷赈粮 800 石。③　延祐元年（1314 年）时已有新赵王，当是主安早卒。

尤安尚晋王甘麻剌之女阿剌的纳八剌公主。④

赵王阿鲁秃　赵王阿鲁秃在《王傅德风堂碑》中作阿剌忽。⑤　周清澍先生研究认为阿鲁秃是君不花次子丘邻察之子，⑥　君不花是字要合长子。主安死时才十七八岁，无子嗣，王位转入君不花一系。延祐元年三月，阿鲁秃袭为赵王。⑦　延祐三年正月、延祐四年三月、四月朝廷对赵王阿鲁秃及其部众赏赐有钞、粮、金、银等物。⑧　延祐四年六月，"安远王丑汉、赵王阿鲁秃为叛王脱火赤所掠，各赐金银、币帛。"⑨　当时，安远王丑汉出镇岭北，脱火赤在边境发动叛乱，由此可知，阿鲁秃也随镇岭北。至治元年（1321 年）

---

①　《元史》卷 23《武宗本纪》二，第 510、516 页。

②　参见《元史》卷 23《武宗本纪》二，第 510 页；《中庵集》卷 4《赵王先德加封碑》；周清澍：《汪古部事辑》，《元蒙史札》，第 124、146 页。

③　《元史》卷 24《仁宗本纪》一，第 551 页。

④　参见《元史》卷 23《武宗本纪》二，第 510 页。

⑤　林子良：《王傅德风堂碑》，黄奋生：《百灵庙巡礼》，上海商务印书馆 1936 年版。

⑥　参见周清澍：《汪古部事辑》，《元蒙史札》，第 83 页。

⑦　《元史》卷 25《仁宗本纪》二，第 564 页。

⑧　《元史》卷 25《仁宗本纪》二，第 572 页；卷 26《仁宗本纪》三，第 578 页。

⑨　《元史》卷 26《仁宗本纪》三，第 579 页。

十月，已有新赵王，阿鲁秃当已死。

赵王马札罕　《王傅德风堂碑》记载马札罕是赵王阿鲁秃长子，尚英宗之妹速哥八剌。至治元年十月，袭封赵王，朝廷为之设管理汪古部的正三品钱粮总管府。两都之战中，赵王马札罕支持上都方面的泰定帝皇子即位，与湘宁王八剌失里、诸王忽剌台等各起所部之兵南攻冀宁，不克。① 马札罕还同忽剌台领兵至大都郊外的卢沟桥，被枢密院同金斡都蛮击败，由紫荆关退出。② 天历二年（1329 年）五月，"赵王马札罕部落旱，民五万五千四百口不能自存，敕河东宣慰司赈粮两月"。③ 这是明宗下的诏令。后至元乙亥（1335 年），赵王马札罕曾有钧旨颁发至代州柏林寺住持。④ 后至元二年八月，"立屯卫于马札罕之地。"⑤ 至正七年（1347 年），已有新赵王，马札罕可能死于后至元三年至至正七年之间。

《元史·诸王表》赵王位记载："马札罕驸马，泰定元年封。"《元史·英宗本纪》至治元年十月，"置赵王马札罕部钱粮总管府，秩正三品。"⑥ 周清澍先生据此认为马札罕袭封赵王的时间可能是至治元年。

赵王不鲁纳　不鲁纳是阿剌兀思剔吉忽里之曾孙，字要合幼子掘里不花之子。⑦ 至顺二年（1331 年）三月，"赵王不鲁纳食邑沙、净、德宁等处蒙古部民万六千余户饥，命河东宣慰发近仓粮万石赈之。"⑧ 据此，不鲁纳在文宗年间曾为赵王。钱大昕认为可能是马札罕在两都之战中站在上都方面，兵败后被削爵，以不鲁纳为赵王，而到顺帝时马札罕的爵位又得以恢复。⑨

赵王怀都　《王傅德风堂碑》记载，怀都是马札罕之弟，马札罕死时，

---

① 《元史》卷 32《文宗本纪》一，第 717 页。

② 《元史》卷 123《阿剌瓦而思传》，第 3026 页。

③ 《元史》卷 31《明宗本纪》，第 699 页。

④ 《大元冀宁路代州柏林寺重修唐节度使晋王李氏影堂碑》，见《山右石刻丛编》卷 39 及《光绪代州志》，山西人民出版社 1988 年版。

⑤ 《元史》卷 39《顺帝本纪》二，第 836 页。

⑥ 《元史》卷 27《英宗本纪》一，第 614 页。

⑦ 《中庵集》卷 4《赵王先德加封碑》中的"不邻纳"即不鲁纳。

⑧ 《元史》卷 35《文宗本纪》四，第 779 页。

⑨ 钱大昕：《潜研堂金石文字跋尾》卷 20，《石刻史料新编》第 1 辑，台北新文丰出版社 1977 年版；参见周清澍：《汪古部事辑》，《元蒙史札》，第 85 页。

子八都帖木儿"尚在襁褓之中，"于是马札罕"母弟"怀都袭位。① 是碑立于丁亥年，即至正七年，这时怀都已在位，马札罕最后出现在《元史》中是后至元二年（1336 年），或许怀都早已即位。至正五年，金河南廉访司事归旸行部至西京，处置了赵王府贪暴的官属。② 赵王曾几次派人求情，归旸不为所动。这个赵王可能就是怀都。

赵王八都帖木儿　山西代县的《柏林寺重修唐节度使晋王李氏影堂碑》立于至正十五年，碑中记录了赵王八都帖木儿给予施舍供奉长明灯的事。怀都以后的赵王是不是八都帖木儿，八都帖木儿的世系怎样，都不清楚。至正十八年，赵王封地上发生了农民起义。《顺帝本纪》记载："九月丁酉朔，诏授昔班帖木儿同知河东宣慰司事，其妻剌八哈敦云中郡夫人，子观音奴赠同知大同路事，仍旌表其门闾。先是，昔班帖木儿为赵王位下同知怯怜口总管府事，其妻尝保育赵王，及是部落灭里叛，欲杀王，昔班帖木儿与妻谋，以其子观音奴服王平日衣冠居王宫，夜半，夫妻卫赵王微服遁去。比贼至，遂杀观音奴，赵王得免。事闻，故旌其忠焉。"③

赵王的部落灭里起义发生于红巾军关先生由山西北上攻击大同、兴和诸地之时，当是在全国农民起义的感召下爆发的反对封建领主的起义。

赵王汪古图　《明太祖实录》记载，洪武五年（1372 年）"四月庚子，故元赵王汪古图、左丞钱友德等来降。"④ 此汪古图是末代赵王。但汪古图的世系及继位时间都不清楚。

第二节　元代的汪古部统治家族（下）

一、汪古部首领家族与成吉思汗家族的通婚关系

汪古部虽然算不得纯正的蒙古人，但因其在成吉思汗建国之初的功业，

---

① 《王傅德风堂碑》，黄奋生：《百灵庙巡礼》，上海商务印书馆 1936 年版。
② 《元史》卷 186《归旸传》，第 4270 页。
③ 《元史》卷 45《顺帝本纪》八，第 944 页。
④ 《明太祖实录》卷 73，第 1347 页。

成吉思汗与之"仍约世婚，敦交友之好，号按达—忽答。"① "按达"，《蒙古秘史》作"安答"，汉译"契交"、"契合"，相当于结拜、结义、朋友的意思；"忽答"，《蒙古秘史》译作"亲家"，也就是姻亲的意思。成吉思汗通过与别部首领结为姻亲的方式建立与别部的政治、军事联盟，这种联盟从蒙古国建国开始，延续到了整个元代。汪古部的首领有多人尚公主，但元朝大汗并不娶汪古部的女儿作皇后、妃子。这一点上，汪古部首领与畏兀儿亦都护家族一样，他们可以尚公主，但大汗并不娶他们的姑娘。这可能是因为汪古部、畏兀儿都不是蒙古人，而是色目人，大汗家族只娶属于蒙古系统的世婚家族的女子。因此，汪古部的姑娘嫁入成吉思汗家族的只有少数几位。

（一）汪古部所尚公主

阿剌海别吉 阿剌海别吉是成吉思汗之女，关于她到底嫁给了谁，《蒙古秘史》《史集》《黑鞑事略》《元史》、阎复《驸马高唐忠献王碑》及刘敏忠《赵王先德加封碑》的相关记载分歧较大。不少学者对这个问题作过研究，周清澍先生综合分析诸家学说及相关史料认为，阿剌海别吉先嫁阿剌兀思剔吉忽里，再嫁不颜昔班、镇国及孛要合，实是一人四醮。②

阿剌海别吉曾掌管汪古部。据《蒙鞑备录》记载，1221 年时镇国已死，阿剌海别吉正寡居。书中说阿剌海别吉"今领白鞑靼国事，日逐看经，有妇士数千人事之。凡征伐斩杀，皆自己出。""所谓白鞑靼者，……今彼部族之后，其国乃鞑主成吉思公主必姬权管国事。"1221 年，木华黎率军南攻晋、陕，途经汪古部的分地，驻军"青冢"（今呼和浩特市南郊的昭君墓）。③ "监国公主遣其臣习里吉思劳王（即木华黎——引者注），且犒将士。"④ 所谓监国公主就是阿剌海别吉，因她当时正权管汪古部事，故称监国公主。《山西通志·李佺传》记载："李佺，汾州西河人，金末寇乱，佺集乡人保御。己卯岁（1219 年），太祖之妹曰曳剌海，号监国公主，遣行省不华收地河东，公主承制，授佺汾州左监军。"⑤ 这里正式记载了监国公主

① 《国朝文类》卷 23《驸马高唐忠献王碑》。
② 参见周清澍：《汪古部与成吉思家族世代通婚关系》，《元蒙史札》，第 132—136 页。
③ 《元史》卷 119《木华黎传》，第 2934 页。
④ 《元朝名臣事略》卷 11《太师鲁国忠武王》，第 6 页。
⑤ 《山西通志》卷 148《仕实录》，光绪本。

的名字，曳剌海就是阿剌海。这一事迹说明阿剌海公主确实主持"军国大政"，"凡征伐斩杀，皆自己出"的说法不假。至于说阿剌海是太祖之妹则有误。1224 年，成吉思汗西征结束回到了蒙古，孛要合大约也在这时回到了汪古部，纳阿剌海为妻。此后她仍有"监国公主"之称。如，王檝于戊子年（1228 年），"奉监国公主命，领省中都。"① 当时蒙古的诸王、驸马都可以自行任命官吏，对某地宣布征税或免税，他们的"令旨""懿旨"与大汗的"圣旨"一样有效。因此，有监国公主之称的阿剌海别吉并不是代表成吉思汗监国，而是在汪古部内监国。1974 年，内蒙古文物工作队在武川县征集到一方铜印，印文是阳刻篆体九叠文三行十四字，经辨识为"监国公主行宣差河北都总管之印。"②《蒙鞑备录》曾记载蒙古的情况是："彼奉使曰宣差"，"自皇帝或国王处"都可派遣。又说：在蒙古所征服的地区，"遣发临民者曰宣差，逐州守臣皆曰使节。"可见，这方铜印是监国公主阿剌海派河北"临民"的"行宣差""都总管"之印，是阿剌海掌管汪古部，有权派宣差直接管民的实物证明。

　　1236 年，窝阔台将"中原诸州民户分赐诸王、贵戚"，"公主阿剌海"在东平府内分得食邑。③ 可见，阿剌海公主此时还代表着汪古部，其统治汪古部 20 年左右，史称其"神明毓粹，智略超凡，决生运筹，凛有丈夫之风烈。"④ 元成宗时，阿剌海公主被追封为齐国大长公主，仁宗时又封为赵国大长公主。

　　独木干公主　独木干公主是拖雷之女，适聂古觯。⑤ 独木干是继阿剌海别吉后另一个有影响的公主。刘仲□"祖居九原古襄刘念里人。……至乙巳（1245 年）钦奉独木干公主懿旨，佩以金符，特遣驰驿随路拘收户计，未几可及四□余户。……还家就官真、平阳、太原三路达鲁花赤。"⑥ 释祥

---

　　① 《元史》卷 153《王檝传》，第 3612 页。

　　② 丁学芸：《监国公主铜印考释》，中国蒙古史学会编：《中国蒙古史学会成立大会纪念集刊》，1979 年。

　　③ 《元史》卷 2《太宗本纪》，第 35 页。

　　④ 《程雪楼集》卷 3《赵王主安故曾祖母齐国大长公主阿剌海别吉追封皇高祖姑赵国大长公主制》。

　　⑤ 参见《元史》卷 109《诸公主表》，第 2758 页；《国朝文类》卷 23《驸马高唐忠献王碑》。

　　⑥ 《三路达鲁花赤刘公墓幢》，《定襄金石考》卷四，《石刻史料新编》，第 2 辑第 13 册。

迈《西京大华严寺佛日圆照明公和尚碑铭》记载：壬子年（1252 年），"六月十五日癸丑，中有独谟干翁主者，太祖之女也，权倾朝野，威震一方，仰师硕德，加'佛日圆照'徽号焉。"① 这里将独谟干翁主（即独木干公主）误为太祖女。壬子年是宪宗蒙哥汗二年，可能这时聂古䚟已死，由独木干在主持汪古部事情，因其为宪宗之妹，故而"权倾朝野，威震一方。"

月烈公主　月烈公主是忽必烈"季女"②，嫁孛要合次子爱不花。忽必烈时期，爱不花虽是次子，但他代表汪古部，或许就是因为他是"帝婿"。月烈公主先后追谥为齐国大长公主与赵国大长公主。

叶里迷失公主　叶里迷失公主是定宗贵由的"长女"，嫁孛要合长子君不花。③ 后追封为赵国大长公主。

忽答迷失公主　忽答迷失是真金太子之女，嫁阔里吉思。④ 忽答迷失先后追封为齐国大长公主与赵国大长公主。

爱牙失里公主　爱牙失里公主是成宗之女，阔里吉思先尚忽答迷失，继尚爱牙失里。⑤ 阔里吉思以世祖外孙、真金与成宗之婿的三重尊贵身份，在忽必烈与元成宗初年很受重视。爱牙失里先后谥为齐国公主、赵国长公主。

亦怜真公主　亦怜真公主适君不花子囊家台，追封为赵国大长公主。⑥ 但她是何人之女则不清楚。

回纥公主　《元史·诸公主表》记载："赵国大长公主回纥，适君不花弟赵康僖王乔邻察。"阎复《驸马高唐忠献王碑》云：君不花"三子：曰囊家䚟、曰丘邻察、曰安童。丘邻察尚宗王阿直吉女回鹘公主。"刘敏忠《赵王先德加封碑》还说丘邻察与回纥公主有一子，名"玉束忽都合。""乔邻

---

① 释祥迈：《西京大华严寺佛日圆照明公和尚碑铭》，《山右石刻丛编》卷 25，山西人民出版社1988 年版。

② 《国朝文类》卷 23《驸马高唐忠献王碑》；参见《元史》卷 109《诸公主表》，第 2758 页。

③ 《国朝文类》卷 23《驸马高唐忠献王碑》；参见《元史》卷 109《诸公主表》，第 2758 页。

④ 参见《国朝文类》卷 23《驸马高唐忠献王碑》；《中庵集》卷 4《赵王先德加封碑》；《王傅德风堂碑》，黄奋生：《百灵庙巡礼》，上海商务印书馆 1936 年版；《元史》卷 109《诸公主表》，第 2758页。

⑤ 参见《国朝文类》卷 23《驸马高唐忠献王碑》；《中庵集》卷 4《赵王先德加封碑》；《王傅德风堂碑》，黄奋生：《百灵庙巡礼》，上海商务印书馆 1936 年版；《元史》卷 109《诸公主表》，第 2758页。

⑥ 《元史》卷 109《诸公主表》，第 2758 页。

察”，即丘邻察，丘邻察是君不花之子而非其弟，《诸公主表》有误；阿直只，即阿只吉，察合台后王。中统元年（1260 年），拥戴忽必烈为大汗，故继承了察合台在太原的分地。海都、都哇之乱，他一直领兵镇守在合剌火州以西的畏兀儿地区，所以将女儿取名为回纥。唐末以后，回纥称回鹘，元称畏兀儿，都是 Uyiγur—Uiγur 的不同汉译。①

阿实秃忽鲁公主 《元史·诸公主表》记载：“赵国大长公主阿失秃鲁，适爱不花子王鄃（忠）［襄］王朮忽难。”阎复《驸马高唐忠献王碑》云：“今高唐王（朮忽难）尚宗王兀鲁斛女叶绵真公主，早卒，再尚宗王奈剌不花女阿实秃忽鲁公主”。兀鲁斛就是河间王兀鲁带，是成吉思汗庶子阔列坚之孙。“奈剌不花”，即阿里不哥之子乃剌不花大王。“阿失秃鲁”，阎复《驸马高唐忠献王碑铭》、刘敏忠《驸马赵王先德加封碑铭》、林子良《王傅德风堂碑》都作“阿实秃忽鲁”。

叶绵真公主 见上文阿实秃忽鲁公主。

速哥八剌公主 《元史·诸公主表》记载：“大长公主桑哥八剌适囊家台子赵王马札罕。”《王傅德风堂碑》记载，阿鲁秃之子马札罕“尚皇妹赵国大长公主速哥八剌”。《元史·英宗本纪》至治元年（1321 年）八月，“赐公主速哥八剌钞五十万贯。”同年十月，“置赵王马札罕部钱粮总管府。”二年五月，“以公主速哥八剌为赵国大长公主。”闰五月，“封公主速哥八剌乳母为顺国夫人。”速哥八剌应是英宗之妹，才可能有此殊恩。元朝的“大长公主”有时可以表示辈分，有时表示荣誉。

竹忽真公主 阎复《驸马高唐忠献王碑》记载孛要合第三子“掘里不花镇云南而卒。子火思丹尚宗王卜罗出女竹忽真公主。”卜罗出，《元史》作孛罗赤，是窝阔台第三子阔出之孙。② 至元二年（1265 年）闰五月，他代表阔出一系分得睢州的封地。③ 刘敏忠《赵王先德加封碑》记载火思丹与竹忽真公主有一子长吉。

奴伦公主 《赵王先德加封碑》记载爱不花第三子阿里八斛“尚宗王完

① 《道园学古录》卷 24《高昌王世勋碑》；《史集》（汉译本）第 2 卷，第 185 页。

② 《元史》卷 107《宗室世系表》，第 2717 页。

③ 《元史》卷 6《世祖本纪》三，第 107 页。

泽女奴伦公主。"完泽是蒙哥之孙，玉龙答失之子，后封卫王。

阿剌的纳八剌　《元史·阿剌兀思剔吉忽里传》记载："［至大］三年，主安袭赵王，尚晋王女阿剌的纳八剌公主。"《赵王先德加封碑》称尤安"尚皇伯晋王女"，此碑作于皇庆元年（1312 年），此时晋王是也孙铁木儿，可知阿剌的纳八剌是甘麻剌之女。大德十一年（1307 年）七月，"赐阿剌的纳八剌钞万锭。"① 至大二年（1309 年）三月，"封公主阿剌的纳八剌为赵国公主，驸马注安为赵王。"② 至治二年（1322 年）正月，"公主阿剌的纳八剌下嫁，赐钞五十万贯。"③ 公主阿剌的纳八剌可能改嫁了。

吉剌实思公主　《王傅德风堂碑》记载："赵王阿剌忽都（即阿鲁秃），……尚赵国公主吉剌实思。"

□难公主　《王傅德风堂碑》记载："元统……，赵王［马札罕］继尚宗王晃兀帖木儿仲女□难公主。"晃兀帖木儿，即蒙哥第四子河平王昔里吉之子。《王傅德风堂碑》脱落，公主的名字已难恢复。《王傅德风堂碑》还称："公主天性聪明，懿德好善，崇敬三教。迄王马札罕工，薨，有女公主吉奴，世子八都帖木儿尚在襁褓之中。"即公主生有一子一女。

马札罕之弟怀都，《王傅德风堂碑》称他为驸马王，应当尚公主，可惜已无记录了。

（二）嫁入大汗家族的汪古部女子

海迷失　《史集》记载，"阿鲁浑汗的母亲海迷失哈敦是汪古惕部人。"海迷失是伊利汗阿八哈之妾。④ 阿儿浑是旭烈兀之孙。海迷失在汉文资料中没有记载，不知她是谁的女儿。

必札匣　阎复《驸马高唐忠献王碑》记载："武襄（爱不花）……女三人：必札匣，为晋王皇兄妃……。"《驸马高唐忠献王碑》作于成宗时期，皇兄晋王就是甘麻剌。

叶里弯　阎复《驸马高唐忠献王碑》记载：爱不花次女"叶里弯为宗

① 《元史》卷 22《武宗本纪》一，第 483 页。
② 《元史》卷 23《武宗本纪》二，第 510 页。
③ 《元史》卷 28《英宗本纪》二，第 618 页。
④ 《史集》（汉译本）第 1 卷第 1 分册，第 231 页。

王按摊不花妃。"按摊不花，是忽必烈第三子忙哥剌次子。大德十年八月，"开成路地震，王宫及官民庐舍皆坏，压死故秦王妃也里完等五千余人。"[①]"也里完"，是叶里弯的异译，"故秦王妃"不准确。按摊不花在英宗至治三年八月还是南坡之变的主谋之一，被泰定帝流放到了海南岛。[②]

忽都鲁 阎复《驸马高唐忠献王碑》记载：爱不花第三女名"忽都鲁，为河间王也不干妃。"

八咂实里 《王傅德风堂碑》载："马札罕……尚皇妹赵国大长公主速哥八剌生一女八咂实里公主□□郯王之子也。"中间两个不清楚的字，可能是说公主速哥八剌生一女八咂实里，嫁予郯王之子；也可能是说，马札罕又尚八咂实里公主。

二、汪古部的领地及其统治机构

汪古部领主的家族统治 从阿剌兀思惕吉忽里归降蒙古后，成吉思汗确认他在汪古部的领主地位，并让他的子孙世袭，世世代代享有尚公主、封王的殊遇，统治今内蒙古西部部分地区长达160多年。

《元史·阿剌兀思剔吉忽里传》说他是"汪古部人，……世为部长。"说明成吉思汗时代之前，阿剌兀思惕吉忽里的祖先就是汪古部的首领了。《新五代史》等书记载，唐末以来有鞑靼别部散居于振武、天德军以北的阴山地区，这是汪古部祖先定居这里的最早记录，并且提到了"每相温、于越相温"两个首领的名字。《辽史·天祚帝本纪》中，初次出现了"白达达"这个名称，还提到其首领名叫"详稳床古儿"。"相温"和"详稳"都是来源于汉语"相公"一词，为契丹及其影响下的北方各部所借用，或作为官衔，或作为贵族首领表明身份的称呼，而"于越"则是更高级别的契丹尊号。因此，每相温、于越相温和详稳床古儿，可以认为是汪古部阿剌兀思惕吉忽里的祖先。因此，汪古部统治家族在本部的统治可以上溯300年。

金章宗承安年间（1196—1200年），由于蒙古已经在漠南西部兴起，频频与金朝发生冲突，所以又在净州之北增修新长城。汪古部处在扼守边防的

---

① 《元史》卷21《成宗本纪》四，第471页。

② 《元史》卷29《泰定帝本纪》一，第641页。

重地，其首领摄叔、阿剌兀思惕吉忽里子弟相继得到北平王的尊号，地位更加提高。与漠北各部在回鹘、黠戛斯败亡后处于分裂状态，相互攻击的情况不同，汪古部是唐、后唐、辽、金的臣民，这些王朝承认汪古部部长的统治权力，辽、金时代还授予详稳、北平王的爵位，因而保证了他们的世袭统治的稳定。汪古部降蒙古后，成吉思汗确认阿剌兀思惕吉忽里是汪古部五千户的首脑，并将自己的女儿嫁给他，阿剌兀思惕吉忽里家族对汪古部的统治更加牢固，[①] 并且世世代代与成吉思汗家族联姻。入元以后，汪古部的首领被封为高唐王、郕王、赵王，与宗室并列为最高王爵，他们可以参与全国的军国大政，有权与皇室一样分享政治、经济特权。

与其他异姓功臣与宗室一样，终元一代，阿剌兀思惕吉忽里的子孙世袭统治了汪古部，从未间断。一般父子相传，子幼则由其弟继承，再传位于其兄之子或己子。由于继承人须得大汗认可，所以在继承问题上不致引起内讧。有时也存在寡妻摄政的情况，如阿剌海公主与独木干公主都在夫死后主持汪古部事情。汪古部部长或王只能由一人继承，由皇帝颁印封王的人是部内的最高统治者。但其亲族仍可分得属民和分地。如阿剌兀思惕吉忽里、孛要合一系主持汪古部事，而镇国之子聂古觮"亦封北平王"，其妻独木干公主也可以独立行使权力，而且独木干夫妇及其子孙还可以单独分得自己的五户丝和江南户钞。孛要合次子爱不花继承父位，《马儿·牙八剌哈三世》说Koshang 城的领主是 Künbuqa 和 Aï-buqa，据该书描述，似乎君不花也同主汪古部事，自然也会有自己的属民。孛要合第三子掘里不花镇云南，也会有一部分汪古部民属于他，随他去云南。其子不邻纳曾一度是赵王，可见拙里不花一系也是汪古部的领主之一。可见，汪古部内部也是由若干大小领地和领主组成，部内的百姓和贡赋属于阿剌兀思惕吉忽里家族所有，而部长或赵王的世袭继承人则是这个家族行使统治权力的最高代表。

汪古部的领地与属民随着蒙古军征服地区的扩大而扩充发展起来。蒙古攻金，汪古部推进到界墙以南，尽有天山以北土地，同时掳得许多人口。灭金后，汪古部的公主位下分得华北的五户丝。平宋后，又分得江南的户钞户。成宗以后汪古部主被封为王，设立了王傅府和其他机构，形成了一套完

---

① 　周清澍：《汪古部的领地及其统治制度》，《元蒙史札》，第130—150 页。

整的封建领地的统治制度。

汪古部的基本领地 《驸马高唐忠献王碑》云：金朝"堑山为界，忠武王（阿剌兀思剔吉忽里）一军扼其冲。""天兵下中原，忠武为向导，南出界垣。"可见，汪古部是驻于界墙之外的金朝境内。1211年，蒙古攻金，大举南下，汪古部为之向导，金西京以北地区不能守，而蒙古军掳获一通后撤军，大约在此时，汪古部部众南出金朝界垣，占据了天山以北广大地区，逐步形成其基本领地。

元人陈旅指出："天山以北，皋陆衍迤，联亘乎大漠，赵王之封国在焉。"① 天山，即今呼和浩特市北面的大青山，说明汪古部的基本领地在大青山以北地区。萧㪺的《秦王妃祠堂记》记载爱不花之女叶里弯"乃祖叶赞圣朝，抚定中夏，以勋（功）分土，食静安诸城。"② 至元八年（1271年）的文书里说蒙哥汗壬子年（1252年）籍查"爱不花驸马位下人户"时，计有"沙井、集宁、静州、按打堡子四处。"③ 具体指明了汪古部所辖四处领地的名称。《王傅德风堂碑》明确说，赵王王傅府下辖"德宁、沙井、净州、集宁等路。"《元史·文宗本纪》也有"赵王不鲁纳食邑沙、净、德宁等处"的记载。在《元史·地理志》中书省直辖各路中有以下记载："德宁路，下。领县一：德宁，下。""净州路，下。领县一：天山，下。""集宁路，下。领县一：集宁，下。""沙井总管府，领县一：沙井。"并说"以上七路、一府、八县皆阙。"④ 这意味着这些地方的地理沿革、户口等在《元一统志》、《经世大典》等原始资料中没有记载。因为这些路府县都是漠南各投下的领地，元政府只不过将这些地方按全国统一的制度改成相应的行政建置，而内部仍由领主自治，他们的属民不隶国家版籍，因此德宁、净州、沙井、集宁的户籍史均无载。

综合金元时代的记录，汪古部分地上的建置沿革还是有迹可稽的。《金史·地理志》记载：净州是大定十八年（1178年）由天山县升来的，北至

---

① 陈旅：《陈众仲文集》卷4《赠沙井徐判官诗序》，北京图书馆藏元至正刊本。又见《全元文》卷1169，第251页。

② 《勤斋集》卷1《秦王妃祠堂记》。

③ 《大元通制条格》卷2《户令》，第14页。

④ 《元史》卷58《地理志》一，第1353页。

界80里，同时设天山县为倚郭县。金抚州下辖集宁县，明昌三年（1192年）设。沙井虽在金代没有建置，但金元之际的文献中常提到这个地方。耶律楚材1227年经过沙井时写了两首诗，并称沙井为沙城，将沙井与天山联系在一起。① 可知，这沙井或沙城就是元代净州路附近的沙井总管府。《黑鞑事略》称沙井在"天山县［北］八十里。"天山县，就是净州的倚郭县，沙井是净州至北界的交通要冲。中统初年，沙井是通往漠北的重要驿站的粮食的"军储"所。② 沙井还有"榷场仓官。"③

净州、集宁、沙井何时设路、县，史无明文。延祐三年（1316年）十一月，"增集宁、沙井、净州路同知、府判、提控案牍各一员。"④ 说明此前已有三路的设置了。

元德宁路遗址为今达茂联合旗鄂伦苏木古城。德宁路领德宁一县，本为金边堡，在黑水（今达茂联合旗境内艾不盖河）之北，因汪古部首领阿剌兀思剔吉忽里与成吉思汗交好，互称按达，故又名按打（达）堡子。⑤ 可能在元初时，汪古部主才在此建城，故有黑水新城或新城之称。至元二十年四月与二十五年时，《元史》中出现了"新城"。⑥《经世大典·站赤》至元二十六年下和王恽关于《振武屯田》的意见中都提到了新城，⑦ 而且将新城同沙井、净州并列在一起，可知此新城就是后来改为静安路的黑水新城。大德九年（1305年）七月，"以黑水新城为（靖）［静］安路，"⑧ 领静安县。延祐五年（1318年）三月，"改静安路为德宁路、静安县为德宁县。"⑨ 姚燧至大三年（1310年）作的《河内李氏先德碣》称："郐王世居静安，黑水之阳。"可知，静安是汪古部首领的世代居住之地，也就是王府所在地。德宁路约辖今包头市达茂联合旗、固阳县。

---

① 《湛然居士文集》卷2《丁亥过沙井和移剌子春韵二首》，卷4《寄沙井刘（移剌）子春》。
② 《元史》卷4《世祖本纪》一，第66页。
③ 《永乐大典》卷11598《经世大典·市籴粮草》。
④ 《元史》卷25《仁宗本纪》二，第575页。
⑤ 参见周清澍：《汪古部的领地及其统治制度》，《元蒙史札》，第161页。
⑥ 《元史》卷12《世祖本纪》九，第253页；卷15《世祖本纪》十二，第314页。
⑦ 《永乐大典》卷19418《经世大典·站赤》；《秋涧集》卷90《便民三十五事》。
⑧ 《元史》卷21《成宗本纪》四，第464页。
⑨ 《元史》卷26《仁宗本纪》三，第582页。

元净州路的故址为今乌兰察布市四子王旗吉生太乡城卜子古城，城西南有文庙遗址，原有《大元加封宣圣碑记》一方，碑上刻有"净州路总管府"，"大德十一年七月二十一日立"等字。① 可知，最晚在元成宗大德十一年（1307 年）前已设路。

沙井总管府　领沙井一县。沙井在金末是标志边界的城堡。中统初年，沙井是通往漠北的重要驿站和粮食的军储所。至元二十三年（1286 年）的一个文件提到沙井有"榷场仓官"②，故址为今四子王旗红格尔苏木布拉莫林庙村西南的大庙古城。沙井建总管府、设县，最晚当在元仁宗延祐三年（1316 年）之前。

元集宁路的故址为今乌兰察布市察右前旗巴音塔拉乡土城子古城，城内现有集宁路《大成至圣文宣王庙学碑》，碑上有集宁路总管府达鲁花赤、总管和同知的题名，碑上还提到了治中、同知、判官、学正、教授、学录、教谕等官员的名字，碑立于皇庆元年正月。③ 说明至迟在仁宗皇庆元年（1312年）前，集宁已经设路，官员的机构设置也比较齐全。

此外，《马可波罗行纪》说丰州是汪古部领地的中心；《马儿·牙八剌三世和列班骚马史》说东胜州是汪古部首领君不花和爱不花兄弟的驻营地；《鄂多立克东游录》也说东胜是汪古部的重要城市。据这些记载，一般认为，当初蒙古军南下时，尤赤、察合台、窝阔台在西翼作战，连破云内、东胜、丰州等地，汪古部的军队应在此路军队中。当时蒙古诸王、大臣及将校每征伐一地，都掳掠大量人口作为驱口，一部分驱口随军迁往自己的领地为奴，一部分驱口往往寄留诸郡。汪古部自阴山南下即达丰州、东胜，当地被蒙古占领后，汪古部以近便之故，所掠驱口自然比他部为多。而在成吉思汗时期，"方事进取，所降下者，因以与之，自一社一民，各有所主，不相统属。"至窝阔台汗下诏括户后，"始隶州县"。④ 如果阴山以南的丰州、东胜州、云内州也有大量汪古部属民，他们也会认为阔里吉思等人是自己的领

---

① 《归绥县志·金石志》民国二十三年排印本；郑隆：《元代净州路古城调查》，《考古通讯》1957 年 1 月。
② 《永乐大典》卷 11598《经世大典·市籴粮草》。
③ 张驭寰：《元集宁路城与建筑遗物》，《考古》1962 年第 11 期；《集宁县志》卷 4。
④ 《国朝文类》卷 57《中书令耶律公神道碑》。

主，将自己居住的地方看作是汪古部的领地。太宗时，赛典赤曾被授"丰、净、云内三州都达鲁花赤。"① 这三州地跨天山南北，可能是因为山南的云内、丰州有许多汪古部的属民，因此才将这几个地方作为一个单位交由赛典赤管理。但是丰州、东胜、云内三州始终属于大同路，与净州等处赵王的封地设路自治的情况有很大的不同。

除了上述云内、东胜、丰州外，汪古部属民还散处延安府、巩昌、真定等处。

至元十一年（1274 年）五月，忽必烈下诏："延安府、沙井、静州等处种田白达达户选其可充军者佥起出征。"② 白达达就是汪古，可见延安府也有汪古部人，尽管延安府是嫁与了斡亦剌部的公主火雷的五户丝食邑。元朝将延安府的汪古与沙井、静州的汪古部人一并佥发，向爱不花所部汪古人征兵，说明汪古部的属民还散居在延安府。

至元二十七年，丞相桑哥等报告："阔里吉思投下军士于真定府飞放，征取站赤饮食刍粟。"忽必烈下诏拘留："食讫之物，勒其偿纳。"然后将人"发还阔里吉思投下"。③ 苏天爵《元故承务郎真定等路诸色人匠府总管关君墓碑铭》称关德聚"世为真定新东人，户版隶高唐王府。王进封赵，户仍隶之。……数侍赵王往来漠北，王念其劳，命同知真定等路诸色人匠府总管府事，凡王之贡赋出纳户数登耗皆司之。……久之，赵王复荐于朝，中书以闻，天子乃降玺书。"下诏由中央任命为"其府总管"。④ 说明元朝的诸王、驸马可以自行设置官衙管理散处中原的属民，自行任命官衙的官员，只要通过中书省奏准皇帝，这些官员还可以升入国家官僚之列。

真定是拖雷的食邑，说明真定也有部分汪古部属民，所以设立了真定等路诸色人匠总管府，全称应是"管领真定等路诸色人匠总管府"，掌汪古部赵王位下真定等路五户丝及诸色人匠赋役等事，领达鲁花赤、总管各一员，下设同知、副总管等官。戊子年（1228 年），阿剌海公主曾命王檝"领省中

---

① 《元史》卷 125《赛典赤传》，第 3063 页。
② 《元史》卷 98《兵志》一，第 2515 页。
③ 《永乐大典》卷 19818《经世大典·站赤》。
④ 《滋溪文稿》卷 20《元故承务郎真定等路诸色人匠府总管关君墓碑铭》。

都"，真定路属民应是此时阿剌海公主派汪古部军队抄掠河北所得。①

至元十六年，巩昌便宜都总帅汪惟正所辖地区中的临洮、巩昌、通安等10 站，因站户负担过重，有人"投充诸王位下昔宝赤、怯怜口人匠等规避站役者。"其中有 340 户，分别"投充诸王只必铁木儿、驸马爱不花投下户。"② 这说明临洮、巩昌等处也有爱不花的属民。

1217 年，成吉思汗命木华黎统军攻金时，所统诸军中以汪古部军队最多。阿剌海公主曾独自派军攻打山西等地，史称："己卯岁（1219 年），太祖之妹（当为太祖之女）曰曳剌海，号监国公主，遣行省不花收地河东。"汾州西河县人李佺，集乡人投降蒙古，"公主承制受佺汾州监军，寻擢元帅。"③ 汪古部军队收地河东，招降了坚州与汾州，阿剌海命坚州人刘会为坚州都元帅兼节度使。④ 有研究表明，阿剌海的汪古部军队与木华黎是分开行动的，李佺的任职只需阿剌海首肯而不需要木华黎批准。可知，木华黎对诸位驸马、诸王的军队只有要求共同配合军事行动的调度权。各投下军各自分担一方面的进攻任务，不仅掳掠的人口、财物可据为己有，而且招降的军民官员也有权由各投下首领任命。汪古部招降的汾州、坚州两地的民户当与丰州、东胜等地一样，"所降下者，因以与之"。中统四年（1263 年）十二月，忽必烈敕"驸马爱不花葡萄户依民例输赋"。⑤ 元朝"于冀宁等路造葡萄酒"。⑥ 太原等地因此有专门为蒙古贵族种植葡萄的民户。可见，这一带也有汪古部属民，他们应就是当初招降的汾州、坚州民户。

汪古部在中原的食邑　窝阔台汗丙申年（1236 年）分封时，汪古部公主阿剌海等"并于东平府内拨赐有差"。⑦《元史·食货志》记载，赵国公主位下的岁赐是丙申年分拨的"高唐州二万户"。⑧ 阎复：《高唐斡朵忽都政绩碑》记载，"圣元开创之初，封建宗室，皇曾祖姑齐国大长公主驸马高唐

① 参见周清澍：《汪古部的领地及其统治制度》，《元蒙史札》，第 182 页。
② 《永乐大典》卷 19417《经世大典·站赤》；卷 19424《元典章·站赤》。
③ 《山西通志》卷 148《仕实录·元李佺传》。
④ （光绪朝）《繁畤县志·刘会传》；《山右石刻丛编》卷 27《刘会碑》，山西人民出版社 1988 年版。
⑤ 《元史》卷 5《世祖本纪》二，第 95 页。
⑥ 《草木子》卷 3 下，第 68 页。
⑦ 《元史》卷 2《太宗本纪》，第 35 页。
⑧ 《元史》卷 95《食货志》三《岁赐》，第 2425 页。

武毅王（孛要合）有佐命之勋，裂高唐、夏津、武城三县为汤沐邑，迄今为皇甥驸马都尉赵王分地。"① 这段话明确指出了阿剌海公主丙申年分拨的是这三县的民户。据《金史·地理志》，金代高唐州属博州，夏津属大名府，武城属恩州。金元之际，这三处都在严实所辖的 54 县之内。至元初的省并州县，为照顾汪古部领主便于管理自己的食邑，便将这分属三个州、府的县集中起来单独设立了高唐州。阿剌海之后，高唐州的食邑由孛要合一系的子孙继承。

除此之外，镇国一系还另有分地。《驸马高唐忠献王碑》称镇国之子聂古鰆"略地江淮，殁于戎事。诏以兴州户民千计给葬，其户至今隶王府。"《元史·食货志·岁赐》记载，独木干公主位有丁巳年（1257 年）分拨的平阳五户丝户 1 100 户。这一千户应就是前文的"兴州户民千计"。但兴州与平阳不在一处，前者在金代的河北东路，平阳在河东南路，即使在元代也分属冀宁路和晋宁路。何以有此分歧，尚不得解。

元朝灭南宋后，至元十八年（1281 年）又将江南民户分赐诸王、驸马，其中"赵国公主位""分拨柳州路二万七千户，计钞一千八十锭。"独木干公主也在至元十八年，分得"梅州程乡县一千四百户，计钞五十六锭。"②

汪古部领主在高唐州的食邑，由本部领主派达鲁花赤直接监督征赋税和当地行政。《高唐斡朵忽都政绩碑》称："国朝之制，宗室诸王得承制监治封域，号达鲁花赤。武德将军斡朵忽都自乃祖乃父来莅兹郡，有德政于民，凡三世矣。"可见，斡朵忽都一家祖父孙三代世袭为高唐州的达鲁花赤。斡朵忽都之子名为沈温祥，也"袭监高唐"。③《高唐斡朵忽都政绩碑》还称斡朵忽都"位居牧守之上"，以下有知州、同知，则由朝廷委派，任满迁转。

王傅府等领地统治机构　王傅府是诸王领地上的最高统治机构。汪古部领主在被封王和置王府之前，其官衙与官属很少见于记载，但是为领主管理分地的事务的机构与人员肯定是有的，只是没有特定的称谓。《驸马高唐忠

① 阎复：《高唐斡朵忽都政绩碑》，《全元文》卷 296，第 274 页。
② 《元史》卷 95《食货志》三《岁赐》，第 2427 页。
③ 周家齐、鞠建章纂修：《高唐州志》卷 7，清光绪三十三年（1907 年）刻本。

献王碑》记述阔里吉思被俘后，"王府莣臣阿昔思"被推举为去都哇处"理索"；《史集》记载遣使都哇处的几个人时，或称那可儿或称那颜，这些都是泛指汪古部领主的属官，并不是特定的官称或机构。

至大元年（1308 年），尤忽难由高唐王进封郮王，《王傅德风堂碑》记载，就在这一年设立了王傅府："自至大元年，始立王傅府事，奉王□颁银印，给虎符……俱备。王傅府后乃为赵国之纲领，以下德宁、沙井、净州、集宁等路及断事官，所辖总计壹佰……拾……属焉。"至大三年，主安封赵王，故说王傅府是"赵国之纲领"，意即赵王领地内的大小事务，都由王傅府总其成。王傅府一般设王傅、傅尉、司马各三员。赵王王傅的官员设置比较齐全。刘敏忠《驸马赵王先德加封碑》记载有王傅脱欢、尤忽难二人。至正七年（1347 年）所立的《王傅德风堂碑》就是颂扬赵王王傅的，可惜这部分文字没有保存下来。至正十五年立的《晋王影堂碑》列有王傅三人。按元朝制度，王傅一般是正三品的内任官。①《王傅德风堂碑》记载赵王王傅由朝廷颁发银印、虎符，有自己的印信和衙门。王傅是王傅府的主要官员，也是王的辅弼和监护人。

《赵王先德加封碑》中提到的府尉有迭迭哥、撒里黑思、也不干三人。《晋王影堂碑》也提到了府尉三人。《王傅德风堂碑》残存的文字中有府尉二人。元朝官制规定府尉是正四品的内任官，其职责是协助王傅处理府事。

赵王府司马只有《赵王先德加封碑》记下阿昔思、忽都不花二人。《王傅德风堂碑》提到了一个司马。司马一般负责军事方面的事务。司马是正五品的内任官。

王傅府下其他官员主要有断事官，管理王府词讼；②典食司，主管王府饮食；人匠都总管府，管领王府属人和工匠；怯怜口都总管府，管理郮王、赵王私属人口；钱粮都总管府，专管赵王各领地钱粮收入；管领诸路也烈可温答总管府，为专门管理基督教徒的机构。

王府官员的职责是职掌王府私产与王府属民，王府的官员因此多由领主

---

① 《元典章》卷7《吏部卷》之一《官制·职品·内外文武官职》，第 177 页。以下府尉、司马品秩都出自此条。

② 《元史》卷85《百官志》一，第 2152 页。

本人任命。《经世大典》所谓："郡县之官皆受命于朝廷，惟诸侯王邑、司与所受汤沐邑之地，得自举人，然必以名闻于朝廷而后受职。"[1] 就是说王府及分地可以由领主自行命官，然后再奏报朝廷，获得朝廷的批准即可。可见，诸王、驸马、功臣领地上虽然设立了路府州县机构，但因领主掌握了这些机构的官员的任免，因此与一般中央政府所辖的路府州县有很大的不同。但各投下在中原的汤沐邑即食邑的管理不同于其分地，各投下只能委派达鲁花赤监临，而其他官员是由朝廷委派，并非由各投下自举陪臣充任。

---

① 《国朝文类》卷40《经世大典序录·投下》。

第 十 五 章

蒙元时期的札剌亦儿部

第一节 札剌亦儿部族源

札剌亦儿，（jalayir），其元代汉译写法有："札剌儿"、"札剌亦儿"、"押剌伊而"、"札剌儿"、"札剌儿台"、"札剌儿歹"等①。札剌亦儿部是成吉思汗兴起以前在漠北具有一定影响的强大部落，是辽金时期已活跃于漠北的草原部落之一。《史集》中便记有："这个部落过去人数众多；它的各分支都有异密和首长"。② 其《史集·土敦·笺年纪》中说：居于怯绿连之边的札剌亦儿人共七十古列延，七万帐幕。③ 辽代札剌亦儿部被列入阻卜之列。《辽史·百官志二》中著录的阻卜国大王府所统节度使司之一阻卜札剌节度使司即为札剌亦儿部，这是札剌亦儿部的初始记载④。

关于札剌亦儿部的族源，有"元之同族"⑤、白塔塔部⑥、突厥部落之

---

① 《圣武亲征录》作"札剌儿"；《元史》作"札剌亦儿""押剌伊而""札剌儿""札剌儿台"；《南村辍耕录》作"札剌儿歹""札剌亦儿歹"或"札剌儿台"。

② 《史集》（汉译本）第1卷第1分册，第148页。

③ 《史集》（汉译本）第1卷第2分册，第18页。此处"七"，可能是蒙古语虚词，意为"多"。

④ 冯承钧：《辽金北边部族考》，《西域南海史地考证论著汇辑》，中华书局1957年版，第188页。

⑤ 《草木子》卷3下《杂制篇》中谓："元为札剌儿氏"，中华书局1959年版，第63页；钱大昕：《元史氏族表》卷1，第2页中说"札剌儿元之同族矣"。收入《二十五史补编》第6册，上海开明书店版，民国二十六年（1937年），第8293页。

⑥ 柯劭忞：《新元史》卷28《氏族表第二》，第57页，开明书店版；《蒙兀儿史记》卷153《氏族表第四之二》札拉亦儿氏一条，第1003页。

说。① 《史集》将札剌亦儿列入"现今被称为蒙古的突厥诸部落"中，但在该书的《土敦·篾年纪》中又称其为源于额儿古涅昆的蒙古人，属于驻牧于怯绿连一带的迭儿列勒蒙古。② 《史集·部族志》札剌亦儿部落一节中载："据说他们的禹儿惕为哈剌和林的合迪马［地名］；他们是［如此地］愚忠，以至于他们把奶油给古儿汗的公骆驼［食用］"。③ 古儿汗即畏兀儿君主即回纥汗。这里引述的史实显然表明札剌亦儿人不仅曾臣服于回纥汗国，而且还一度驻牧于回纥汗廷附近。可能与宋使王延德《使高昌记》中记载的唐宋之际，臣服于回纥汗国的达怛部落一同驻牧于哈剌和林川一带。④ 回纥汗国经过近一个世纪的统治，于 9 世纪中叶被来自剑河流域的黠戛斯人推翻，从而结束了突厥语族部落统治漠北的历史。是时，从额儿古涅昆迁出的室韦—达怛人趁势西进，很快填补了回纥人留下的空间。因此，可以认为曾臣服于回纥汗廷的札剌亦儿人不是 9—10 世纪时才迁出额儿古涅昆的迭儿列勒蒙古人，其历史似应追溯到 7—8 世纪间就可能西迁的一批室韦—达怛人。据 735 年所建的突厥《毗伽可汗碑》和后来的回纥《磨延缀碑》及《铁尔痕碑》的记载，自 8 世纪以来，室韦—达怛人主要活跃在土拉河以北，贝加尔湖以南，色楞格河以东，鄂嫩河以西区域内，并不断卷入漠北高原的斗争之中，先后臣服于突厥和回纥政权。⑤ 这些达怛部落当中很可能就有札剌亦儿部。根据畏兀体蒙古文的读音规则，当时的 jalayir 应被读作 yalayir，⑥ 这在后来的汉籍中有确切的反映，如《元史》中作押剌伊而，⑦ "伊而"即后缀-ir，其单数形式当为押剌。⑧

---

① 《草原帝国》（第 249 页）载："札剌儿部可能是降为蒙古人藩属的一支突厥部落，并且被当时传说中的蒙古英雄海都的蒙古人同化"。另参见龚钺译：《蒙古帝国史》，商务印书馆 1989 年版，第 23 页。

② 《史集》（汉译本）第 1 卷第 2 分册，第 18 页。

③ 《史集》（汉译本）第 1 卷第 1 分册，第 148 页。

④ 王明清：《挥麈前录》卷 4《王延德使高昌记》；《宋史》卷 490《外国传》六《高昌传》，中华书局 1985 年点校本。

⑤ 转引自张久和：《原蒙古人的历史——室韦—达怛研究》，高等教育出版社 1998 年版。

⑥ 即畏吾文中的半元音 y 移植到畏吾体蒙古文中，便记舌叶塞擦音 j 的规则。参见亦邻真：《〈元朝秘史〉畏吾体蒙古文复原本》，内蒙古大学出版社 1987 年版，第 16 页。

⑦ 《元史》卷 1《太祖本纪》，第 2 页。参见韩儒林：《读〈史集·部族志〉札记》（部分），《元史论丛》第 3 辑，中华书局 1986 年版；亦邻真：《元朝秘史》畏吾体蒙古文复原本，第 94 页。

⑧ 《元史》中偶作"押剌伊而"，卷 1《太祖本纪》，第 2、3 页。关于蒙古语后缀-ir 的说法仍有争议。目前肯定的是 jalayir 的复数形式有 jalayid。参见乌兰：《〈蒙古源流〉研究》，第 206 页。

札剌亦儿等部臣服回纥后，当被迁到了鄂尔浑河的上游，即回纥牙帐所在地哈剌和林川，开始过上为回纥贵族"牧驼"的生活。982 年所著穆斯林著作《世界境域志》第十二节《回鹘和达怛之图》中载："达怛亦为回鹘之一种"。① 这种记载多半反映出札剌亦儿等部落臣服于回纥汗国的历史。

　　直至唐末、五代时期，札剌亦儿等达怛部落仍在哈剌和林川一带活动。契丹建国以后，室韦—达怛各部与辽往来频仍，并常遣使聘辽。当时，九姓达怛中的克烈部逐渐强悍，并雄踞了鄂尔浑河一带，② 或许由此之故，迫使札剌亦儿部东迁至斡难河与怯绿连河流域。这一过程最晚应在成吉思汗七世祖土敦·篾年时（大约 11 世纪初）已完成。因为在《史集》的《土敦·篾年纪》中记述札剌亦儿时，已经将其驻地划到怯绿连河境内，并与契丹隔岸而驻。关于札剌亦儿东迁后的具体驻地，《史集》又有不同记载。其《部族志》之札剌亦儿部落的章节中记："斡难地区有他们的一部分营地"。苏天爵《元朝名臣事略》卷一《太师鲁国忠武王碑》称木华黎"生于阿难水之东"。可以推知，当时部分札剌亦儿人的营地应在斡难与怯绿连两河中间地带。

　　随着札剌亦儿的东迁，其与辽的斗争愈演愈烈，《史集》载有契丹人与札剌亦儿等部落经常发生战争和冲突，以及在土敦—篾年时代契丹军对斡难河一带的札剌亦儿人进行屠杀的历史。当时，只有少部分札剌亦儿人得以幸免，辽乘胜加强了对札剌亦儿等部的控制。《辽史》中载，1011 年，辽征服了漠北地区的阻卜诸部之后，设置过阻卜诸部节度使控制札剌亦儿等诸部。《辽史·百官志二》中又列阻卜国大王府分设的节度使司，其一曰阻卜札剌节度使司，③ 即为札剌亦儿部，其显系辽代阻卜之一。札剌亦儿部包括札惕在内的少数氏族因为在逃离时杀死了莫挈伦及其儿子们而沦为海都的家庭奴隶，祖祖辈辈世代相传，最后传给了成吉思汗。④ 至此，作为庞大的部落联盟的札剌亦儿部不复存在了。

　　早期的札剌亦儿联盟可能包括后来西迁至斡难河流域的部分迭儿列勤蒙

①　转引自陈得芝：《十三世纪以前的克烈王国》，《元史论丛》第 3 辑，中华书局 1986 年版。
②　陈得芝：《十三世纪以前的克烈王国》，《元史论丛》第 3 辑，中华书局 1986 年版。
③　《辽史》卷 46《百官志》二，第 757 页。
④　《史集》（汉译本）第 1 卷第 1 分册，第 148 页；《史集》第 1 卷第 2 分册，第 19 页。

古人。阿巴拉嘎兹在其书中说道："他们（札剌亦儿）的主要成分是蒙古迭儿列勤氏"。① 拉施特也曾说过他们是迭儿列勤蒙古人。《史集》在谈到哈剌和林川一带的札剌亦儿时，列出其十大分支。② 很有可能当强大一时的札剌亦儿人移居至斡难河与怯绿连河一带时，曾攻掠、降服了一些迭儿列勤蒙古人；也有可能迭儿列勤蒙古是个变化的概念，如同《史集》中提到："不属于尼伦（诸部落）的蒙古部落概称迭儿列勤"。③ 在铁木真称汗以后，乞颜蒙古部以外的所有的蒙古部落很有可能被通称为迭儿列勤蒙古。拉施特也可能是从广义的迭儿列勤蒙古概念去理解并将非尼伦蒙古的札剌亦儿列入迭儿列勤蒙古。

综上所述，札剌亦儿部落的历史似应追溯到 7 至 8 世纪间就已西迁的室韦—达怛。札剌亦儿与这些早期西进的室韦—达怛部落一同曾臣服于回纥汗国，并共同驻牧于哈剌和林川一带。直到克烈部强盛，迫其东迁至斡难与怯绿连河一带，可能与由额儿古涅昆西迁至此的部分迭儿列勤蒙古人交会、融合了。④ 11 世纪末 12 世纪初（辽大安、寿昌年间）札剌亦儿参加克烈（又称"九姓鞑靼"或"北阻卜"）部长磨古斯发动的反辽战争，最终札剌亦儿部遭受毁灭性打击，残部被蒙古等部吞并。

第二节　札剌亦儿部显贵世胄

一、木华黎家系

木华黎世家对蒙元社会影响之深，足以让人们误将札剌亦儿部落与木华黎家族等量齐观。从木华黎本人随从成吉思汗统一蒙古诸部，建立蒙古帝国，讫元末，其后裔纳哈出踞金山，力抗明廷，历 170 多年。在这一历史进程中，其家族可谓与帝室休戚与共，与蒙元王朝俱荣俱损，相始终。现略述

①　阿巴拉嘎兹著，策登道尔吉蒙译：《蒙古诸王朝史纲》，第 63 页。

②　《史集》（汉译本）第 1 卷第 1 分册，第 149 页。

③　《史集》（汉译本）第 1 卷第 2 分册，第 14 页。格鲁塞于《草原帝国》（第 248 页）曰："后来，成吉思汗成功以后，蒙古部落根据是否与乞颜部族有关系而分为两支。这一做法已成习惯。有关系者由光之子尼鲁温，或者说由纯种蒙古人组成；无关系者纳入都儿鲁斥族，他们享有低一等的血统。"

④　有关札剌亦儿族源请参见谢咏梅：《札剌亦儿族源管见》，《元史论丛》第 8 辑，江西教育出版社 2001 年版。

木华黎家系较为有影响的成员事迹。

木华黎　又作木合黎、模合里，摩睺国王①，出身札剌亦儿氏。世为成吉思汗家族"斡脱古·孛斡勒"（老奴隶）。祖帖列格图伯颜曾居于怯绿连河上游的"阔朵额阿剌仑朵罗安孛勒儿塔兀惕"之地。约于 1197 年，铁木真收复主儿乞部时，帖列格图伯颜与子孙归附了铁木真，并令子孙永远做其"门户奴隶"。②　父古温兀阿（又作孔温窟哇）为帖列格图伯颜长子，从铁木真平定篾儿乞，出征乃蛮部，屡建战功。死于收复乃蛮部落的战争中。木华黎为古温兀阿第三子、铁木真的伴当。与博尔朮、博尔忽、赤老温一同被称为"掇里班·曲律"（dörben　kulug），即"四杰"。木华黎则是众多伴当中帅才最著，战功最显者。史书描述木华黎的外貌特征和性格时写道："虎首虬须，黑面"，"沉毅多智略，猿臂善射，挽弓二石强"。

在统一蒙古诸部的战争中，木华黎累著勋劳。据《蒙古秘史》记载，木华黎曾劝铁木真称汗，是他唤起了铁木真回忆蒙古人与塔塔儿人之间的世仇。在与塔塔儿部的对阵中，铁木真失利，丢失牙帐，又适逢大雪，卧于草泽时，木华黎与博尔朮整夜为其张毡遮蔽；又有一次，木华黎与 30 余骑，随铁木真经过溪谷时，遇到敌人突袭，当时箭下如雨，情形极为紧张。木华黎引弓，三发三中，敌人惶恐退散。铁木真曾派木华黎等四杰协助克烈部王罕，击退了乃蛮兵。1203 年，铁木真与王罕决裂，木华黎奉命精选士兵，连夜袭击王罕营地，克烈部灭亡。

1206 年，大蒙古国建立，铁木真称成吉思汗。分封功臣时，木华黎拜左手万户，并将"太行以东，尽委经略"，成吉思汗提道："如今教你坐国王，座次在众人之上，东边至合剌温山，你就作左手万户。直至你子孙相传管者"③。分封九十五个千户当中，木华黎排名第三。成吉思汗在封赏辞中说道："国内平定，汝等之力居多，我与汝，犹车之有辕，身之有臂也。汝等切宜体此，勿替初心。"④　木华黎以开国功臣之首，封赏在众人之上，同

①　额尔登泰、乌云达赉校勘：《蒙古秘史》，第 211、137 节。

②　额尔登泰、乌云达赉校勘：《蒙古秘史》，第 137 节，第 175 页。

③　额尔登泰、乌云达赉校勘：《蒙古秘史》，第 206 节总译，第 611 页。

④　《元史》卷 119《木华黎传》，第 2930 页。

时令木华黎掌领第三怯薛。

1211 年，木华黎随成吉思汗攻金。当年秋，蒙古军连下桓州（今内蒙古正蓝旗）、昌州（今河北张北九连城）和抚州（今张北）。自抚州南下时，金军号称 40 万，列阵于野狐岭。木华黎说："彼众我寡，弗致死力战，未易破也"，随即策马横戈，大声呼喊，攻入敌阵。成吉思汗麾军齐进，大败金军。此战，歼灭了金军精锐部队。第二年，木华黎率军克宣德州（今河北宣化），进攻德兴府（今河北涿鹿）。1213 年，成吉思汗兵分三路，攻掠黄河以北、太行东西各地。木华黎隶于成吉思汗与拖雷中军，经涿州（今河北涿县）、霸州（今河北霸县），进略棣州（今山东惠民）、滨州（今山东滨县北）、益都府（今山东益都）和密州（今山东诸城）等地。1214 年春夏之际，木华黎随成吉思汗围困金都城燕京，迫金宣宗遣使求和。甲戌年（1214 年）十月，木华黎奉命征辽东和辽西，他率金降将史天祥、萧也先指挥的契丹、汉军，进攻高州（今赤峰东北），敌军将领以城降。1215 年，木华黎攻金北京（今辽西），金军大败，并以城降。木华黎听从汉世侯的劝告，停止杀戮，开始重用降将，镇守其地。乙亥年（1215 年）四月，成吉思汗诏木华黎以张鲸总北京十提控兵，从忽阑彻里必南征途中张鲸谋叛遁去，其弟亦叛据锦州，木华黎率军讨伐，逐一收复。①

1217 年，成吉思汗欲领军西征，以平金之任，专责木华黎。诏封木华黎为"太师、国王、都行省承制行事"，令将蒙古五投下军、汪古、契丹、女真、汉军 10 万南征，并赐誓券、黄金印曰："子孙传国，世世无绝"。成吉思汗下谕："太行之北，朕自经略，太行以南，卿其勉之"，将继续攻金之事，委付给了木华黎。② 成吉思汗还赐以九斿大纛，谕告诸将："木华黎建此旗以出号令，如朕亲临也。"木华黎随即建"都行省于燕，以图中原"。此后"十年以来，东征西讨，威震夷夏，征伐大事，皆决于己，故曰权皇帝，衣服制度，全用天子礼"③。可见功业之高、声誉之隆。终元之世，木华黎子孙承袭"国王"爵位者共 13 人，凡 15 传。1207—1214 年间，成吉

---

① 参见《元史》卷 119《木华黎传》，第 2931 页。
② 参见《元史》卷 119《木华黎传》，第 2932 页。
③ 《蒙鞑备录》，《王国维遗书》本，第 8 页。

思汗分封诸子、诸弟时，很可能将上都（今内蒙古正蓝旗）一带封给了木华黎，为国王幕府。从此至1265年左右忽必烈建开平（上都）和大兴（大都）时，札剌亦儿部牧地一直在此。忽必烈问鼎幽燕，移札剌亦儿等部列镇辽阳。

1217年，木华黎率军向燕南、山东进军。年底，已攻占大名府，又平定益都、淄州（今山东淄博南）、潍州（今山东潍坊）、密州（今山东诸城）、莱州（今山东掖县）和登州（今山东蓬莱）。1218年，木华黎经略河东（今山西境内），由太和岭攻入雁门关，连下代州（今代县）、忻州（今忻县）、太原府、汾州（今汾阳）、霍州（今霍县）、潞州（今长治）、泽州（今晋城）和平阳府（今临汾）。1219年，木华黎遣将攻略朔州（今朔县）、岢岚州（今岢岚）、石州（今离石）等地。至此，木华黎已经占有河东绝大部分地方，并在平阳屯驻重兵。1220年，木华黎经略河北西路。以汉世侯史天倪权知河北西路兵马事。木华黎听从史天倪进言，停止杀戮，以"仁厚不杀"之名远扬。因而，不仅金方归降者增多，也使"军中肃然，吏民大阅"。大军又南下攻克邢州（今河北邢台）、滏阳（今河北磁县）、相州（今河南安阳）、林州（今河南林县）。1220年秋，木华黎进驻济南，东平严实携30万户归降，木华黎进围东平。将攻取东平战事交给严实。自身北还，趋攻铭州（今河北曲州西南）。元太祖辛巳年（1221年）五月，木华黎驻野狐岭，金朝将领及汉世侯陆续来降。八月，木华黎至天德军（今呼和浩特东），由东胜州（今内蒙古托克托县）渡黄河进入西夏境内，夏国李王请以兵5万归属。十月，南下进入葭州（今陕西佳县），又南下经略陕北，攻取绥德、保安（今志丹），进而指向延安。太祖壬午年（1222年），木华黎亲率大军出云中（今大同），攻下隶属太原府的孟州、晋阳及霍邑（今山西霍县）。十月，攻拔荣州（今河津西南），占有河中府，以石天应权河南北路陕右关西行台，扼守该军事要冲。接着，大军渡河西进，攻下同州（今陕西大荔）、蒲城（今陕西蒲城），直趋长安。未能攻下长安，分兵6000屯守，亲率军西进，攻乾、汾、泾、原等州，急攻凤翔，不克，于是驻兵渭水以南。

1223年，木华黎渡河还师，至闻喜县，病笃，召其弟带孙说："我为国家助成大业，擐甲执锐垂四十年，东征西讨，无复遗恨，第恨汴京未下耳！

汝其勉之。"言毕而卒。①

孛鲁　木华黎子，1223年，孛鲁袭爵，继续攻金。大概1226年，首降东平，作为军功酬答，将东平郡城邑民户分属其投下。孛鲁由于长期浸润于汉文化，受了一定熏陶。史书记其"沈毅魁杰，宽厚爱人，通诸国语"②；当蒙古军围攻山东李全时，有人劝其处死李全。孛鲁对曰："杀之不足以立威，徒失民望"，反而命李全为山东淮南楚州行省。③　这一举措，说明孛鲁已体认到重用汉世侯之必要。《蒙鞑备录·诸将功臣》条载其："美容仪，不肯剃婆焦，只裹巾帽，著窄服，能诸国语"。④　太祖丁亥年（1227年），平定山东，九月还师，至燕京。后闻成吉思汗驾崩，趋赴北庭，因过度哀伤成疾，第二年夏五月死，年32岁，有子7人。

塔思　又名查剌温⑤，系孛鲁长子，自小聪颖，很受木华黎赏识⑥，18岁时袭为国王。1230年，始从太宗窝阔台攻金，相继攻取潞州、潼关、钧州等地。1232年，略定河南。次年，从定宗潜邸东征辽东。1234年，命与皇子曲出总军南征。1237年，渡河入汴京。1236年"丙申分封"中查剌温为木华黎家族实际受封者。1239年，卒于云中，年28，子硕笃儿。

霸都鲁　孛鲁子，塔思弟⑦，是侧事忽必烈潜邸蒙古旧侣，在忽必烈政

---

① 《元史》卷119《木华黎传附孛鲁传》，第2936页。
② 《元史》卷119《木华黎传附孛鲁传》，第2936页。
③ 《元史》卷119《木华黎传附孛鲁传》，第2937页。
④ 《蒙鞑备录》，《王国维遗书》本，第9页。
⑤ 塔思为突厥语，为石头意，蒙古语中谓查剌温。参见《华夷译语》，第363页，"畏兀儿馆译语·地理门"中将"石"译为"他失"。珪庭出版社有限公司印行。
⑥ 《元史》卷119《木华黎传附塔思传》，第2937页。
⑦ 《国朝文类》卷24《丞相东平忠宪王碑》，第3页下，追溯安童先祖时，谓霸都鲁为塔思次子。钱大昕、屠寄、柯劭忞作《元史氏族表》以及韩伯诗作木华黎世系时皆沿此说。《元史·木华黎传》中视霸都鲁为塔思子。黄溍作《拜住神道碑》的世系序与《元史》同，即将霸都鲁视为孛鲁子、塔思弟。但钱大昕于晚年，又据所见太常元永贞所撰《东平王世家》中谓塔思、霸都鲁当为兄弟之说，改《元史氏族表》之原持说法（钱大昕：《十驾养新录》卷13《圣武亲征录》，江苏古籍出版社2000年版）。萧启庆作木华黎家世系表时沿此说（萧启庆：《元代蒙古四大家族》，收《元代史新探》，台湾新文丰出版公司1983年版）。又据河南省李氏家谱载："……忠定子七，可传者长忠烈，次武靖王霸都鲁……"，忠定即孛鲁。可知，霸都鲁世系与《元史》、《黄溍文集》及《东平王世家》记载正合。只是《元史》谓霸都鲁为孛鲁第三子，"家谱"记为次子。

权的建立过程中起到了关键作用。①

1257 年，霸都鲁率"一万精兵"从世祖忽必烈南征②。宪宗九年（1259 年）七月，霸都鲁所率军在汝南（即蔡州）与忽必烈军会合，忽必烈命霸都鲁先行至汉水之畔，准备军粮。继而五战皆胜，遂渡江。霸都鲁攻岳州，试图接应兀良合台的军队，一度攻入潭州境内，因兀良合台的军队尚未到达，又撤回鄂州。蒙哥去世后忽必烈北返，与阿里不哥争夺汗位时，命霸都鲁、兀良合台率军留守长江北岸。忽必烈起初欲以回鹘之地当作首选屯驻地，是霸都鲁劝其选幽燕一带，作为驻跸之所。这奠定了忽必烈政权的基础③。忽必烈即位开平后常言："朕居此以临天下，霸突鲁之力也"。中统二年（1261 年），霸都鲁卒于军中，有子 5 人④。

相威 木华黎三世孙，系国王速浑察子。相威性弘毅重厚，不饮酒，寡言笑。相威是木华黎家族中以将易相的典型人物。至元十一年（1274 年），相威奉命统五投下军伐宋，参与了临安、扬州的攻略。十三年（1276 年），入觐，赏功授金虎符、征西都元帅，率五投下军移镇西土，镇压海都、昔里吉之乱。十四年（1277 年），相威在扬州改拜行台御史大夫，帅麾下诸军重返江南，并向皇帝陈便民十五事⑤。相威常常不惜颜面，秉公执法。十六年（1279 年），赴大都与枢密院博罗共鞫阿合马。十九年（1282 年），遣使弹劾阿里海牙强占降民等事。

相威对儒学涵濡颇深，平时也与儒士紧密结纳："喜延士大夫，听读经史，论古今治乱。"⑥ 至元二十年（1283 年），还因进译语《资治通鉴》，获赐东宫经筵。至元二十一年（1284 年），迁转为江淮行省左丞相，途中去世。子阿老瓦丁，曾拜南台御史大夫。

安童 系木华黎三世孙，祖孛鲁，父霸都鲁，母弘吉剌氏，世祖察必皇后

① 另参阅沈卫荣：《关于木华黎家族世系》一文，载南京大学历史系元史研究室《元史及北方民族史研究集刊》1984 年第 8 期。

② 《史集》（汉译本）第 2 卷，第 289 页。

③ 《元史》卷 119《木华黎传附塔思传》，第 2942 页。

④ 《元史》卷 119《木华黎传附霸突鲁传》谓其有子四人。河南洛阳蒙古族李氏家谱则又增记第五子铁古而忠。

⑤ 《元史》卷 128《相威传》，第 3129 页。

⑥ 《元史》卷 128《相威传》，第 3129 页。

之姊。安童于世祖忽必烈朝曾拜中书右丞相，"为国朝之贤相，必以为称首"①。

　　自中统初年安童受世祖忽必烈之命，年仅 13 岁便"掌环卫之政令，位百僚上"。②"至元二年（1265 年），由宿卫官拜中书右丞相"③。至元二年，拜光禄大夫，于大都路下辖范阳"食四千户"，为五户丝食邑④。英宗至治元年（1321 年），安童孙拜住曾奉命往于安童采食所在地范阳立碑，英宗亲往观摩，又将此地命为驻跸庄，以示永怀⑤。至元七年（1270 年），因阿合马立尚书省，总政务。安童曾力斥阿合马误国害民，并立御史台以正朝纲，立太常寺以崇典礼⑥，但因世祖倚信阿合马，安童被调离相位。至元七年至十一年间，国王头辇哥行省北京，并出戍高丽期间，安童曾一度掌领过札剌亦儿本千户⑦。安童于至元十二年（1275 年）行中书省枢密院事，从皇子北平王那木罕出镇西北边防阿力麻里之地，后被叛王昔里吉劫持，送至海都处拘质近十年，至元二十一年方返朝，复拜中书右丞相。⑧ 安童大概于至元二十三年（1286 年）至至元三十年（1293 年）间任怯薛长⑨。二十五年

---

　　① 《金华黄先生文集》卷 24《拜住神道碑》，第 2 页下。
　　② 《国朝文类》卷 24《丞相东平忠宪王碑》，第 4 页上；《金华黄先生文集》卷 24《拜住神道碑》，第 2 页上。
　　③ 《元朝名臣事略》卷 12《丞相东平忠宪王》，第 9 页。
　　④ 《金华黄先生文集》卷 24《拜住神道碑》，第 2 页上；《国朝文类》卷 24《丞相东平忠宪王碑》，第 4 页下谓"别食四千户"；《元史》卷 126《安童传》，第 3081 页记"增食邑至四千户"。
　　⑤ 《金华黄先生文集》卷 24《拜住神道碑》，第 2 页下载："英宗皇帝特赐（安童）以碑额，曰：元勋世德，别赐忠宪王，开国元勋，命世大臣之碑，敕翰林侍讲学士元明善制为铭辞，树于王所食采地范阳之通达。回临幸而观焉。号其地曰驻跸庄"。元季字尤鲁翀有《驻跸颂》一则，曰："至治元年，诏若曰：忠宪弼我世皇，功在社稷，德在生民，其敕词臣即王所有范阳采地朔南康碑之"，又颂曰："逐鹿范阳，王有采食……渊鉴昭回，驻跸永怀"。（字尤鲁翀《菊潭集》卷二《驻跸颂》，四库珍本）《元史·拜住传》中也说拜住曾"奉旨，往立忠宪王碑于范阳"。（《元史·拜住传》卷 136，第 3303 页。）元明善又言："东平忠宪王，开国元勋，命世大臣之碑，碑建大都良乡之通达"（《国朝文类》卷 24《丞相东平忠宪王碑》，第 1 页）。
　　⑥ 《金华黄先生文集》卷 24《拜住神道碑》，第 2 页下。
　　⑦ 《国朝文类》卷 59《平章政事忙兀公神道碑》载，至元初年，忽必烈曾下令："凡忙兀事无大细，如札剌而事统安童者，悉统于博罗欢"。
　　⑧ 《金华黄先生文集》卷 24《拜住神道碑》，第 2 页上。
　　⑨ 萧启庆：《元代四大蒙古家族》中认为安童大概于至元二十三年（1286 年）至至元二十六年（1289 年）间任怯薛长。《国朝文类·丞相东平忠宪王碑》曰："二十五，见天下大务一入尚书省，屡上中书印，不许，明年，宰相止掌环卫"。此处的"止掌环卫"之"止"如果义为停止，那么，安童于至元二十六年，即 1289 年辞去怯薛长一职。此与萧启庆所持安童任怯薛长止于 1289 年之说恰好吻合。如果"止"义为"只有"，那就意味着安童于至元二十六年罢相后只掌怯薛，直到至元三十年（1293 年）其子兀都台嗣职为止。据《元史》本传载"二十八年，罢相，仍领宿卫事"。

（1288 年），见天下大权尽归尚书省，安童感慨："臣力不能回天"。至元二十八年（1291 年）罢相，仍领宿卫事①。

安童本人对儒学颇为熟谙，曾援引儒臣姚枢、许衡、商挺、窦默等给予重任，并常与儒臣"讲论古今治道，评品人物得失"②。且以儒家学说为宏纲，与儒臣协力，力抗阿合马、卢世荣、桑哥的聚敛政策。可谓元朝前期维护汉法，推行儒政之要臣。安童与世祖虽君臣相称，却相知无间。至元二十一年，当安童重返京师时，世祖便"召见慰劳之……遂留寝殿，语至四鼓乃出"③。

至元三十年（1293 年），安童因疾死于大都，年49，追封东平王，谥忠宪王。子兀都带，袭第三怯薛长。

拜住 安童之孙，拜住因服劳武宗、仁宗、英宗朝，曾以"三朝服勤帷幄"著称。

拜住生于大德二年（1298 年）④，5 岁而孤。稍长兼事华学，凝然端大，已兆伟度。武宗入继大统时，拜住方 10 岁，"迎谒道左，上亲执其手慰藉久之"⑤。至大二年（1309 年），12 岁时袭掌怯薛长⑥。仁宗延祐二年（1315 年），拜资善大夫太常礼仪院使，主掌礼仪与宗庙祭祀，即史料所记"拜住亚献"①。四年，晋荣禄大夫、大司徒。五年，晋金紫光禄大夫。六年，加开府仪同三司。

---

① 《元史》卷 126《安童传》载"至元二十八年罢相"。《国朝文类》24《丞相东平忠宪王碑》曰："二十五年，见天下大务一人尚书省，屡上中书印，不许，明年，宰相止掌环卫"。安童罢相又似在至元二十六年。

② 《国朝文类》卷 24《丞相东平忠宪王碑》，第 8 页上。

③ 《元史》卷 126《安童传》，第 3083 页。

④ 据《金华黄先生文集》卷 24《拜住神道碑》，第 3 页上，载大德十一年武宗入继大统时拜住 10岁，以此推算，应生于大德二年。

⑤ 《金华黄先生文集》卷 24《拜住神道碑》，第 3 页上。

⑥ 萧启庆先生认为拜住任职怯薛长时间当为 1314—1320 年。其实，拜住起掌环卫应早于 1314 年。《金华黄先生文集》卷 24《拜住神道碑》载："大德十一年，武宗皇帝人正大统，王（拜住）甫十岁……至大二年，袭掌环卫"。《元史》卷 136《拜住传》也载："至大二年，袭为宿卫长。至大二年，即公元 1309 年。又查元明善《丞相东平忠宪王碑》云："丞相（拜住）……年十二，事武宗，嗣掌环卫"。拜住生于大德二年，即 1298 年，年 12，当为 1309 年，与上引两段史料正合，故拜住起掌第三怯薛实为 1309 年。萧先生主要根据《元史》或《元典章》中的拜住番直日次认为拜住任怯薛长起自延祐元年（1314 年），似有不周全之处。

① 《元史》卷 27《英宗本纪》一，第 609 页。

延祐七年（1320 年）四月，英宗即位，拜住任中书平章政事，并专责于诸王大会宣读太祖金匮宝训。五月，拜中书左丞相，协助英宗粉碎了阿散、失列门、亦列失八等"擅权乱政"的阴谋。至治二年（1322 年），命领左右钦察卫亲军都指挥使司事。五月，领宗仁蒙古侍卫亲军都指挥使司事。十月，独拜中书右丞相。与皇帝协力，力抗聚敛之臣及保守派，进行了一系列改革。

拜住因自幼受儒学陶冶，"稍长，兼事华学"①，主张以儒家的伦理纲常为准绳，实行汉法改革。因而也成为对英宗最具影响的大臣，提出了许多有益建议，也是英宗至治新政的主要筹划人。拜住任左、右丞相期间"振立纪纲，修举废坠，裁不急之务，杜侥幸之门，加惠兵民，轻徭薄敛，英宗倚之"。首先，同蒙古贵族进行斗争，粉碎了以蒙古保守派皇太后答己为后盾的阿散、失列门等的谋乱的同时，抵制了实力雄厚的权臣铁木迭儿党羽的倒行逆施。其次，罢汰冗员，大量启用儒士。"励精为治，黜陟臧否，朝廷赫然"②；"斥聚敛之臣，以靖四表，诛黩货之徒，以正庶官"，③ 整顿吏治，颇具成效。第三，裁不急之务，行助役法，安定人民生活。谏阻皇室的不必要的开支和大兴土木，并建议轻徭薄敛，力求"民足而国安"。第四，兴办学校，大力擢用儒臣，储备了一批英宗新政的"智囊团"。此外，还审定颁行了《大元通制》。

拜住历仕三朝，身行儒道，可谓使儒家意识形态与政治权力结为一体的蒙古大臣。然而，以极大期盼开始的改革却遭到一些蒙古贵族的反抗。至治三年（1323 年）八月，与英宗在南坡共殉难，年仅 26 岁，葬于大都路宛平县良乡田村之原④。追封东平王，谥忠献。至治改革短短三年，拜住和英宗就突然而悲惨地结束了年轻的生命。元季文人墨客喻拜住与皇帝之间关系："知鱼水之亲，脗合无间"⑤；"君臣同心，亲信无间，真千载一时也"⑥。英

---

① 《国朝文类》卷 24《丞相东平忠宪王碑》。
② 《道园学古录》卷 44《吴公行状》。
③ 《国朝文类》卷 12《丞相拜住赠谥制》，第 19 页下。
④ 据《（光绪）畿辅通志》载，元大都路，领宛平、良乡两县，并不互属。而黄溍《拜住神道碑》中谓，拜住死后葬于宛平县下的一个乡，乡名漏而不载，此处漏掉的恐怕是为良乡。
⑤ 《金华黄先生文集》卷 24《拜住神道碑》，第 3 页上。
⑥ 《滋溪文稿》卷 28《题丞相东平忠献王传》，陈高华、孟繁清点校本，第 467 页。

宗时，拜住丞相曾被特许立家庙，他也是元朝唯一的附庸风雅建立家庙的大臣。《元史》卷七六《祭祀五·大臣家庙》载："大臣家庙，惟至治初右丞相拜住得立五庙"①，可见其所受殊遇。

朵儿只　号"慎斋"，②系木华黎六世孙，父脱脱。是元朝末期推行儒政的主要代表之一。朵儿只因生于杭州，深受当地汉人文化的影响，自幼"喜读书，不屑屑事章句，于古君臣行事，忠君爱民之道，多所究心"③。天历初，因国王朵罗台支持上都派对抗大都一方，文宗即位后被杀。天历二年（1329年），朵儿只嗣国王，扈跸上都，诏便道至辽阳之国"④。驻京师间朵儿只与文士紧密结纳。⑤后至元四年（1338年），因朵罗台弟乃蛮台以贿赂得为国王，朵儿只被免爵，任辽阳行省左丞相。六年（1340年），迁河南行省左丞相。但仍以安靖为治，颇得民心。因此，遭平章政事纳麟之忌。纳麟曾言于朝廷，谓朵儿只"心徇汉人"。⑥至正四年（1344年），迁浙江行省左丞相，"丞相之德，布于江浙"⑦，深得其出生地民心。皇帝也嘉其绩，赐九龙衣，上尊酒。七年（1347年），拜御史大夫，后升任中书省丞相，旋即升为右丞相。其间，"请赐经筵讲官坐，以崇圣学，选清望官专典陈言，以求治道"⑧。其本人也善于诗歌。杨维桢有《丞相梅诗序》一则，将朵儿只所作梅诗喻为召伯之甘棠诗。⑨九年（1349年），朵儿只罢相，回其封国辽阳，复为国王。当时有诸多汉人文士如危素、虞集、陆友仁、宋褧、纳延等均赠其诗⑩。可见，朵儿只与汉族、色目文人圈一贯保持着紧密联系。十四

---

① 《元史》卷76《祭祀志》五《大臣家庙》，第1905页。

② 《道园学古录》卷3《集为朵儿只慎斋平章题紫微亭用王右丞语也，并赋诗一首奉寄》，第17页下。

③ 《元史》卷139《朵儿只传》，第3353页。

④ 《元史》卷139《朵儿只传》，第3353页。

⑤ 《危太朴集》续集卷5《彭承初墓志铭》。

⑥ 《元史》卷139《朵儿只传》，第3354页。

⑦ 《东维子集》卷1《丞相梅诗序》，第4页上。

⑧ 《元史》卷139《朵儿只传》，第3354页。

⑨ 《东维子集》卷1《丞相梅诗序》，第4页上，曰："丞相之德，布于江浙，而手植梅之诗作，若古源者。谓得古诗人之性情，非欤。"

⑩ 《危太朴集》续集卷1《送札剌尔国王诗序》；《道园学古录》卷2《送国王朵儿只之辽东诗》；陆友仁：《送国王朵儿只就国诗》，顾嗣立编：《元诗选》三集之庚集《杞菊轩稿》，中华书局1987年版；宋褧：《题道者山诗》，《燕石集》卷2《题道者山诗》，四库全书；纳延：《送刘碧溪之辽阳国王府文学诗》、《行路难诗》，《金台集》卷1、卷2，四库全书本。

年（1354年），朵儿只主动领本部出淮南，并留守扬州。次年（1355年），死于军中。寿年52，有子2人。

二、带孙家系

带孙　带孙为木华黎弟，系孔温窟哇第五子①。《蒙古秘史》中不见带孙其人，《元史》无传。其主要事迹是在1217年，从兄木华黎攻金后方显于汉文、波斯文史料。带孙曾作为成吉思汗委付木华黎南征金国的首领之一，领本族2000人从兄征讨，战功卓越②。

带孙被封东阿郡王③，可能在征金之初已获赐"郡王"位号④，而"东阿"二字恐怕是后人根据其投下食邑所在附上的⑤。

据《元史·食货志三》载，带孙郡王一系于丙申年受封食邑于东平路东阿县，并留驻东阿之地，迄元终。札剌亦儿部"江南户钞"的获赐者中也有带孙郡王投下，封邑集中于江南行省韶州等路。其子忙哥一系，世袭东平路达鲁花赤一职，得以监临其地。⑥另一子秃满惕虽身任军职，出没战场，但居地仍在东平。正所谓："王封鲁疆，习礼义之化，子孙华学，世济其美，百年涵濡，于是，乡其土而家其俗矣。"⑦这是对带孙郡王家系世居

①　《元史·木华黎》谓其为孔温窟哇第三子；《蒙兀儿史记》列木华黎、不哈、带孙三兄弟；《元史氏族表》却只列木华黎、带孙二人，曰："孔温兀答子曰木华黎，曰带孙（一作不哈）"。韩伯诗作《木华黎家系表》中列带孙为孔温窟哇第五子。据《东平王世家》载，孔温窟哇有子五人，木华黎位第三，带孙位序为五。正与《元史·木华黎传》所载："孔温窟哇，有子五人，木华黎其第三子也"吻合。

②　《圣武亲征录》，《王国维遗书》本，第73页，记载了1217年这些千户，曰："戊寅，封木华黎为国王，率王孤部万骑……札剌儿部及带孙等二千骑，同北京诸部乌叶儿元帅、秃花元帅所将汉兵及札剌儿所将契丹，南伐金国。"

③　《蒙兀儿史记》卷27《木华黎传附带孙传》，第263页，记有："丙戌（1226年）秋，带孙围李全于益都，不克，明年，与孛鲁同下之。积功封郡王，食邑东阿，世称东阿郡王"。此外，《至正集》卷38《札剌尔公祠堂记》中载带孙受封"东阿郡王"。

④　带孙冠有"郡王"位号，始见于庚辰年（1220年）左右。《元史·木华黎传》记1220年的战事时曰："先是，郡王带孙攻洺不下"，带孙获赐郡王之号又似在1227年。

⑤　东阿是东平路下辖县，《元史》卷95《食货志》三，第2429页，称东平东阿为带孙郡王食邑所在，而只称带孙为郡王，不冠"东阿"二字。而且，丙申年（1236年）功臣五户丝分封之前，即便指定东阿为带孙封邑，也不是完整意义上的食邑，更谈不上国邑王号了。

⑥　《元史》卷119《木华黎传附塔塔儿台传》，第2943页。

⑦　《至正集》卷38《札剌尔公祠堂记》。

东阿之地，浸润于汉文化之现象的描述。

茶合带 又作茶阿台，带孙郡王子。《元史·太宗纪》在提及受东平食邑的八个投下封君时记有"茶合带"，即为丙申年东阿食邑的实际受封者，自茶阿台起，应始称东阿郡王。带孙之后由子秃满惕嗣爵，[①] 秃满惕后其弟茶合带袭封。

塔塔儿台 带孙郡王之孙，父忙哥。塔塔儿台曾随从宪宗蒙哥征南宋，蒙哥崩于合州后，塔塔儿台护灵驾赴漠北，被阿里不哥拘掳。至元元年（1264年），归忽必烈，授怀远大将军，佩金虎符，系世袭东平路达鲁花赤，其后人亦有任东平路总管者。子4人，只必，于至元十四年（1277年）监东平，官少中大夫，多善政，以清廉著称，受江南淮北道提刑按察使，改浙西，弟秃不申嗣其职[②]。

忽鲁忽都 带孙郡王孙，封东阿郡王。[③] 至元初年，忽鲁忽都因夙著才识，世祖命其攻蜀、嘉定诸城，降之，以功佩金符，再统蒙古五投下军万人[④]。至元五年（1268年），忽鲁忽都被"召归，擢临本属"[⑤]。后从丞相阿术定淮东未下州郡，后坐镇扬州[⑥]。大德八年（1304年），仍归东阿。十年终，葬阿亭之原。

三、阿剌罕家族

阿剌罕家族是元代武士出身的家族。可谓"无征不从，无战不捷，而所部之士威信素著，如臂使指，无不如志"；[⑦] "自开基以来，已入备禁卫，出死行阵者，三世矣"[⑧]。此家族后来世居曹南，杂居腹心之地，并"开国曹南中土"，三代被追谥为曹南王。即"以曹南之田为脂泽之赋，尚歆宠

---

① 《至正集》卷38《札剌尔公祠堂记》。
② 《元史》卷119《木华黎传附塔塔儿台传》，第2942页。
③ 《至正集》卷38《札剌尔公祠堂记》。
④ 《蒙兀儿史记》卷27《木华黎传》，第263页。
⑤ 《至正集》卷38《札剌尔公祠堂记》。
⑥ 《至正集》卷38《札剌尔公祠堂记》。
⑦ 《至正集》卷45《曹南忠宣王神道碑铭并序》。
⑧ 《国朝文类》卷25《曹南王世德碑》。

渥，益衍庙食"①。

拔徹　拔徹，自其幼年，已在宿卫，为成吉思汗心腹，被委以博而赤、豁儿赤等要职②，直至太宗窝阔台时期仍执此事③，"……攻城掠地，数有战功。太宗即位，仍以其职从征陇北、陕西，身先战士，死焉"，谥号忠定，子也柳干。

拔徹死后由其子也柳干继为火而赤、博而赤④。也柳干除担任怯薛重要执事外，并任皇子岳里击（太宗子月良）之卫士长⑤。太宗七年（岁乙未，1235 年），从皇子阔出、忽都秃南征伐金，累功授万户，迁天下马步禁军都元帅，统领屯戍大军。岁乙卯（宪宗五年，1255 年）适大帅察罕殁，命也柳干代之，拜诸翼军马都元帅⑥，统大军攻淮东、淮西。也柳干也是丙申分封中实际受封者，曾于保定拥有食邑户。⑦ 宪宗八年（戊午，1258 年），战死扬州，谥号桓毅。

阿剌罕　也柳干子。戊午年（1258 年），阿剌罕嗣父职，以诸翼蒙古军都元帅统其父军。次年，随从忽必烈渡江，至鄂而还。中统初，将所部北讨阿蓝答儿、浑都海于昔门秃。中统三年（1262 年），镇压李璮，授都元帅，赐金虎符，银印。四年，又从阿朮征宋，多年转战于蒙宋战场。⑧ 至元十二年（1275 年），以蒙古汉军上万户权建康行省事，拜中奉大夫，参知政事。是时，伯颜兵分三路攻临安，阿剌罕统右军，兼行江东道宣慰使。不久，阿剌罕所统军与平定两浙的东西路军和淮南东路军一同组成了江淮行省。至元十四年（1277 年），阿剌罕出任左丞，后又升至右丞。十八年，召拜光禄大夫、中书左丞相。统蒙古军 40 万征日本，后卒于途中。⑨ 阿剌罕死后葬于

① 《石田文集》卷 6 《平章也速迭儿封赠三代制》，《元人文集珍本丛刊》第 6 册第 599 页。

② 《元史》卷 129 《阿剌罕传》，第 3147 页；《至正集》卷 45 《曹南忠宣王神道碑铭并序》，第 15 页上。

③ 《元史》卷 129 《阿剌罕传》，第 3147 页。

④ 《国朝文类》卷 25 《曹南王世德碑》。

⑤ 《元史》卷 129 《阿剌罕传》，第 3147 页。

⑥ 《元史》卷 129 《阿剌罕传》，第 3147 页；虞集：《道园学古录》卷 24 《曹南王勋德碑》。

⑦ 《元史》卷 95 《食货志》三《岁赐》，第 2443 页。虽然记为阿剌罕名下，其实当时是也柳干时期。

⑧ 《道园学古录》卷 24 《曹南王勋德碑》。

⑨ 《至正集》卷 45 《曹南忠宣王神道碑铭并序》。

曹州济阴县郭屯。① 子也速迭儿、脱欢②。

至正元年（1341年），立阿剌罕祠于集庆③。许有壬《有元功臣曹南忠宣王祠堂碑》载："皇上于忠宣既立之庙，又赐之田，思贤念功之盛德，岂区区蜀禅所能知哉。"④

也速迭儿 阿剌罕子，因阿剌罕死时也速迭儿尚幼，由阿剌罕从子拜降袭职，领本军万户。⑤ 于成宗年间又拜江浙行省右丞。拜降死后，元贞元年（1295年），阿剌罕子也速迭儿袭都万户，总左手蒙古军万户府。也速迭儿曾袭任怯薛豁儿赤执事⑥。

天历二年（1329年），山东河北蒙古军都万户府更名山东河北蒙古军大都督府，也速迭儿因于"天历之变"中曾帅兵扈从、拥立怀王图帖木儿入继大统，而且在与上都泰定帝党羽作战中充当了主力军。因此，以功先后被任命为河南行省参知政事和河南江北行省平章政事，兼有山东河北蒙古军大都督。

四、奥鲁赤家族系

奥鲁赤家族可能是木华黎之"近属"和"近族"。⑦ 此家族历史悠久，

---

① 《至正集》卷49《有元功臣曹南忠宣王祠堂碑》。

② 钱大昕云："许有壬撰曹南王神道、祠堂二碑俱云子男二，长也速迭儿，次脱欢，无拜降名。虞集撰世德碑云阿剌罕殁，子也速迭儿幼，拜降也速迭儿之兄也，袭世职为万户。则拜降非阿剌罕之子可知，今姑依本传列之，而辨证于后。"屠寄亦曰："拜降，也速迭儿从兄，不详其父。"看来，钱氏已疑拜降非阿剌罕子，但根据《元史·阿剌罕传》仍将其列于阿剌罕世系中。查《元史·阿剌罕传》，阿剌罕死后，"子拜降袭……拜降卒，弟也速迭儿袭"，不提脱欢。《元史》之说大抵源于虞集撰：《曹南王世德碑》。许有壬作：《曹南忠宣王神道碑铭并序》中则曰阿剌罕"子男二，曰也速迭儿，袭左手蒙古军万户……曰脱欢"。其作《祠堂碑》亦同，不提拜降。又见《至正金陵新志》之《曹南王祠堂图·抄白》中载："……中书省判送至元六年（后至元——引者注）十月十二日奏过事内一件，脱欢平章文书里说有，父阿剌罕，世祖皇帝时分，与伯颜丞相等统领蒙古兵马征讨亡宋"，又"脱欢平章父曹南王阿剌罕根底起盖祠堂者，么道，有圣旨来……"。据以上分析，可知，脱欢为阿剌罕子。《元史·阿剌罕传》与虞集：《曹南王世德碑》均漏载。拜降当为也速迭儿从兄。因阿剌罕死时也速迭儿尚幼，故暂时命其从兄拜降代领万户。

③ 《至正金陵新志》卷11《祠祀志·祠庙》中收有"曹南王祠堂图"一条，详述立祠原由。该书第1卷《金陵山川封域总图》又附有"曹南王同堂"图一幅。《至正金陵新志》卷1《金陵山川封域总图》，第1918、1584页，中国方志丛书，台湾成文出版有限公司1968年版。

④ 《至正集》卷49《有元功臣曹南忠宣王祠堂碑》。

⑤ 《元史》卷129《阿剌罕传》，第3149页；《道园学古录》卷24《曹南王勋德碑》，第3页下。

⑥ 《国朝文类》卷25《曹南王世德碑》曰："十月癸卯，皇帝若曰：也速迭儿属櫜鞬，以备干城，恪恭职事，朕用嘉之，其以为河南行中书省平章政事"，属櫜鞬，疑是豁儿赤。

⑦ 《元史氏族表》，第16—17页；《蒙兀儿史记》卷153《氏族表》。

身世地位颇显贵，其族人多以武士出仕，可谓"一门六叶服劳王家"。①

忒木台　父朔鲁罕，疑是成吉思汗千户长余噜罕，② 或为札剌亦儿部朵郎吉惕分支之搠赤塔儿马剌弟搠赤·札兀儿罕（joči-čaurqan）。③ 朔鲁罕深受成吉思汗优宠，被视为"朕之一臂"。④ 辛未（1211 年），与金兵战于野狐岭，中流矢而亡。子忒木台。

忒木台，又译忒木歹火儿赤⑤、忒木觿⑥。《蒙古秘史》谓其于太宗初领散班，显然系宿卫出身⑦。忒木台担任怯薛近侍，常在禁闼，宪宗征蜀时也日扈帐殿⑧。忒木台为窝阔台军队的主要将领，常充"大兵前锋"。1231年，"嗣将世部征杭里，执讯取大珠以献，平西夏"，推首功，太宗皇帝命其行都行省，并统领五投下探马赤军伐金。累功受封 2 千户⑨，驻防于太原、平阳、河南一带，⑩ 子孙遂居河南洛阳⑪。当地"土人德之，皆为立祠"。⑫ 子奥鲁赤。

奥鲁赤　智勇过人，早事宪宗蒙哥，充任云都赤⑬。戊午（1258 年），随从蒙哥汗征蜀，攻钓鱼山。至元五年（1268 年），攻襄阳，授金符、蒙古军万户。至元六年（1269 年），奥鲁赤袭父职，又领 4 万户蒙古军攻取南宋。至元十一年（1274 年），率所部从伯颜丞相南下攻宋，渡江占领鄂州后，在江东独松关一带与宋军大战，十三年，又分讨未下州郡，加镇国上将军、行中书省参知政事。奥鲁赤统领 4 万户蒙古军于至元十一年（1274 年）

---

① 《至正集》卷 47《有元扎剌尔氏三世功臣碑铭并序》。

② 那珂通世：《成吉思汗实录》，筑摩书房 1942 年版，第 78 页。

③ 村上正二：《モンゴル秘史—チンギスカン物语》2，平凡社 1973 年版，第 375 页；松田孝一：《河南淮北蒙古军部万户府考》，《东洋学报》68—3·4，1987 年。

④ 《元史》卷 131《奥鲁赤传》，第 3190 页。

⑤ 《圣武亲征录》，《王国维遗书》本，第 83 页。

⑥ 《金史》卷 114《白华传》，第 2509 页。

⑦ 额尔登泰、乌云达赉校勘：《蒙古秘史》，第 278 节，第 485 页。

⑧ 《至正集》卷 47《有元札剌尔氏三世功臣碑铭并序》。

⑨ 《至正集》卷 47《有元札剌尔氏三世功臣碑铭并序》。

⑩ 《元史》卷 131《奥鲁赤传》，第 3190 页；松田孝一：《河南淮北蒙古军都万户府考》及《关于河南的蒙古军》一文，前文载《东洋学报》68—3·4，1987 年。后文译文载《蒙古学信息》1997 年第 2 期。

⑪ 《元史氏族表》，第 5 页。

⑫ 《元史》卷 131《奥鲁赤传》，第 3190 页。

⑬ 《元史》卷 131《奥鲁赤传》，谓"带御器械"，疑是云都赤。

至十七年（1280 年）间参加了攻打南宋的一系列战事，并转战、屯驻于江淮、湖广等行省境内。① 至元十四年左右所领 4 万户蒙古军，主要在江淮行省（即扬州行省）境内驻屯；至元十四年，奥鲁赤任湖北宣慰使，4 万户蒙古军由扬州移湖北鄂西；至元十五年，奥鲁赤转任湖南（潭州）宣慰使，其所领 4 万户蒙古军又随奥鲁赤移镇潭州。② 但其奥鲁或主要驻屯地却在黄河北岸。即"开阓洛阳县龙门山之南，伊水之东，以治军政"；其子脱桓不花时，"始构治宇，以肃官寮"。③

至元二十三年（1286 年），奥鲁赤拜湖广等处行省平章政事。同年，命佐镇南王征交趾。后改江西行省平章政事。二十六年（1289 年），授同知湖广等处行枢密院事。成宗即位，授江西等处行中书省平章政事。大德元年（1297 年）卒，葬于洛阳伊水。④ 谥忠宣。子拜住、脱桓不花、特穆实⑤。

至元二十四年（1287 年），"以四万户奥鲁赤改为蒙古军都万户府"。成宗大德七年（1303 年），又将蒙古军都万户府定名为河南淮北蒙古军都万户府。⑥ 由子脱桓不花、孙普答剌吉和察罕铁穆尔相继以都万户统领河南淮北蒙古军。⑦ 另外，至元十七年（1280 年），元廷将部分 4 万户蒙古军编入蒙古侍卫亲军，并由奥鲁赤子拜住任副都指挥使。⑧ 其子脱完不华亦因"拥

---

① 参见李治安：《行省制度研究》，第 262 页。

② 《行省制度研究》，第 261 页。

③ 《菊潭集》卷 2《河南淮北蒙古军都万户府增修公廨碑铭》。

④ 《至正集》卷 47《有元札剌尔氏三世功臣碑铭并序》。

⑤ 查《元史·奥鲁赤传》，就奥鲁赤子仅列拜住与脱桓不花二人，仍许有壬：《有元札剌尔氏三世功臣碑铭并序》则曰："昭武大将军河南淮北蒙古军都万户察罕帖穆尔言……高祖朔鲁罕……曾大父忒木惕……大父奥鲁赤"，又载即命"先人脱完普花，袭世官"；"若兄普答剌吉则又攻文事"云云。又据孛尤鲁翀：《河南淮北蒙古军都万户府增修公廨碑铭》载："奥鲁赤统蒙古军四万户佐帝平宋，开阓洛阳县，龙门山之南，伊水之东，以治军政。至其子嗣万户脱完不花始构治宇，以肃官寮，今其孙嗣都万户察罕铁穆尔偕其副都万户……"。可知，察罕铁穆尔当为脱桓不花子，普达剌吉弟。察罕铁穆尔世次，应沿钱氏之说，而普达剌吉的世次则两说均误。

⑥ 《元史》卷 86《百官志》二，第 2166 页。《山右石刻丛编》卷 37 孛尤鲁翀：《伯里阁不花碑》中谓伯里阁不花于"大德六年（1302 年）授河南淮北蒙古军都万户府副万户"。与《元史·百官志》的记载有出入。看来，河南淮北蒙古军都万户一称大德六年就已被使用。

⑦ 见《菊潭集》卷 3《河南淮北蒙古军都万户府增修公廨碑铭》；《元史》卷 99《兵志》二《镇戍》。

⑧ 《元史》卷 131《奥鲁赤传》，第 3192 页。

护有功"拜湖广行省平章政事；孙察罕帖穆尔亦曾扈从皇帝北归。①

五、额勒只吉歹

额勒只吉歹（alčidai），是《蒙古秘史》中的阿勒赤歹②、《黑鞑事略》中的丞相按只惕③，为《蒙古秘史》所列成吉思汗千户长亦鲁该（ilügei）之子。成吉思汗将亦鲁该连同军队一起给了窝阔台合罕。④ 亦鲁该曾在窝阔台幼年时充任看护人（师傅 atabcak），"并对他有过父亲般的关怀"⑤。额勒只吉歹与窝阔台合罕以乳兄弟相称，合罕视其若家人，并委以重任。《史集》载："窝阔台合罕让这个额勒只带与失乞·忽秃忽一起，常侍御前，让额勒只带携带他的座椅，和失乞·忽秃忽在汗帐中行走；额勒只带学会了声律、［宫廷］礼仪和技艺，并逐渐成为受尊敬的异密"。⑥ 当时，失乞·忽秃忽以"古儿迭额列因札儿忽赤（gür dehere-yin jarquči）"，即"全体之上断事官"著称。

大概从 1229 年至 1247 年间，额勒只吉歹连任窝阔台、乃马真皇后称制和贵由时期的大断事官⑦。此人权之大、任之重，类如宰相。⑧

关于额勒只吉歹理政刑的具体情况，彭大雅曾在"按只惕"名下注："黑鞑人，有谋而能断"。看来，额勒只吉歹更侧重听断狱讼之事，曾评断有关谣传亦巴合别吉杀死窝阔台一事。⑨ 定宗即位后，额勒只吉歹随绰儿马

---

① 《至正集》卷47《有元札剌尔氏三世功臣碑铭并序》。

② 额尔登泰、乌云达赉校勘：《蒙古秘史》，第226节谓：窝阔台的护卫散班"一千教亦鲁该亲人阿勒赤歹管着"。额勒只吉歹当此阿勒赤歹之异译。常以官人阿勒赤歹出现。《蒙古秘史》，第277节，第483页。

③ 《黑鞑事略》，《王国维遗书》本，第2页。王国维在注解《黑鞑事略》时，将该书中所说的按只惕拟同于《蒙古秘史》之额勒只吉歹，并已为学界所认同。

④ 《史集》（汉译本）第1卷第1分册，第197、153页。

⑤ 《史集》（汉译本）第1卷第1分册，第153、197页。

⑥ 《史集》（汉译本）第2卷，第73页；《史集》第1卷第1分册，第154页。

⑦ 额尔登泰、乌云达赉校勘本：《蒙古秘史》，第278节中所录窝阔台汗的圣旨中便提到了众官人每额勒只吉歹为长，额勒只吉歹的言语依着行。但《蒙古秘史》中又分别译写阿勒赤歹和额勒只吉歹。不知是否同一人？

⑧ 《黑鞑事略》，《王国维遗书》本，第2页。王国维认为额勒只吉歹在太宗即位之初，"实为宰相，明年乃以耶律楚材代之"。

⑨ 《史集》（汉译本）第2卷，第73页。

汗一同被派到了西方,① 仍以大断事官专理直属汗廷的西方新征服区域的户口、赋敛等事。定宗死后，额勒只吉歹因反对蒙哥登汗位而被诛。②《史集》载："第二天［蒙哥合罕］降旨把一群人人自以为比高山上的天还要高的那颜和异密，如额勒只带那颜……全都扣押起来，并命令断事官忙哥撒儿坐下来，与另一些异密们一起开始审讯"。③ 可窥见，在窝阔台与定宗时期，额勒只吉歹地位之高、声誉之隆。

六、忙哥撒儿

忙哥撒儿（？—1254 年），察哈（札惕）札剌亦儿氏，宪宗朝最高断事官。曾祖赤老温恺赤系木华黎叔父，曾与兄弟一同隶属主儿乞氏。成吉思汗灭主儿乞，遂转属成吉思汗。祖搠阿，精骑射，号"默尔杰"（mergen，善射者），从成吉思汗统一漠北有功。父那海，事太宗，"备历艰险，未尝形于言，帝嘉其世勋"，赐怀州（今河南沁阳）、洛阳分民 175 户④。

忙哥撒儿曾为拖雷家臣，屡从征战。1230 年，从攻凤翔，首立战功。拖雷死后，继续奉侍唆鲁禾帖尼及其诸子⑤。蒙哥命其治理拖雷家藩邸分民，一度出任唆鲁禾帖尼分地真定路达鲁花赤。定宗时，升任藩府札鲁忽赤之长。1235 年，从蒙哥西征钦察、阿速、斡罗思，造舟济河，伐山开道。1250—1253 年间，自蒙哥位下断事官升任大断事官，备受优宠。"乃以为断

① 《元史》卷 2《定宗本纪》，第 39 页；《史集》（汉译本）第 2 卷，第 219 页。

② 《元史》卷 3《宪宗本纪》，第 45 页；《史集》（汉译本）第 3 卷，第 251 页。有关额勒只吉歹，史书记载极为混乱。《元史·定宗纪》载："叶孙脱、按只惕……等，务持两端，坐诱诸王为乱，并伏诛"。其后又曰："以宴只吉带违命，遣哈丹诛之，仍籍其家"。屠寄言："按只惕即宴只吉带，亦即额勒只吉歹"；（卷六《蒙哥汗纪》，第 56 页）村上正二也说，此为札剌亦儿出身的将军，按只惕与宴只吉带同属一人，即《秘史》中的额勒只吉歹（译注二）。而伯希和则指出，有必要慎为分别翁吉剌惕部的野里知吉歹（中文称宴只吉带），他们是党于窝阔台这一系，因此，被蒙哥杀死；阿勒赤台那颜，属于札剌亦儿部，他也是党于窝阔台这一系，并且做他的代言人；亲王阿勒赤台，合赤温之子（《蒙古帝国史》之"注释和参考"，第 394 页）。

③ 《史集》（汉译本）第 2 卷，第 249 页。

④ 《元史》卷 124《忙哥撒儿传》，第 3054 页，攻陷洛阳当在太宗三年，即 1231 年。分赐食邑，亦当在 1231 年以后。那海所封"怀、洛阳百七十五户"，应该是军功掳掠或拨赐民户数。

⑤ 《元史》卷 124《忙哥撒儿传》，第 3055 页。白寿彝主编：《中国通史》第 8 卷《元时期》（下册），第 100 页—101 页，谓忙哥撒儿："拖雷家臣"，继而曰："忙哥撒儿事于拖雷，屡从征战……拖雷死后继续奉祀其妃唆鲁禾帖尼及其诸子……他极为效忠于拖雷家族。"

事官之长，其位在三公之上，犹汉人之大将军也。"《史集》说："在蒙哥合罕时代，札惕氏族的忙哥撒儿那颜，是位大异密和断事官之长"① 或 "最高断事官"。②《世界征服者史》中谓其 "大札儿忽赤"。③ 其职责为治理蒙古国军国庶政。《元史》本传载："帝或卧未起，忙哥撒儿入奏事，至帐前，扣箭房，帝问何言，即可其奏，以所御大帐行扇赐之，其见亲宠如此。" 忙哥撒儿死后，宪宗诏谕其子说："人（忙哥撒儿）则虽死，朕将宠之如生。"④ 宪宗蒙哥曾曰："……录其勤劳，命为札鲁忽赤，治朕皇考受民，布昭大公，以辨狱慎民，爰作朕股肱耳目。"⑤

忙哥撒儿任职期间，以刚明著称。"间出游猎，则长其军士，动如纪律。虽太后及诸嫔御小有过失，知无不言，以故邸中人咸敬惮之。"⑥ 1249年，举行忽里台，选举新大汗，忙哥撒儿随从蒙哥赴会。拔都议立蒙哥为汗，遭到窝阔台家族反对，提出：应遵循太宗窝阔台遗言立皇孙失烈门为汗。忙哥撒儿反驳道："汝言诚是，然先皇后立定宗时，汝何不言耶？八都罕固亦遵先帝遗言也。有异议者，吾请斩之。"⑦ 在蒙哥临御汗位时忙哥撒儿曾被委以审讯那些与窝阔台后王们一同参与谋反的那颜们，"既不顾情面，也［不偏］心"，共对77人处以极刑，继而审讯了诸多叛王⑧。宪宗曾谓忙哥撒儿子孙曰："朕取有罪者，使辨治之，汝父体朕之公，其刑有宥，克比于法……自朕用汝父，用法不阿，兄弟亲姻，咸丽于宪"。⑨

1235年冬，忙哥撒儿饮酒致病而死。至顺四年（1333年），追封兖国公。有4子。长子脱欢，任万户，曾从宪宗南征四川。其余3子后人皆仕宦，唯幼子帖木儿不花之子伯答沙最显，武宗朝任宣徽院使。仁宗延祐四年

① 《史集》（汉译本）第1卷第1分册，第155页。
② 《史集》（汉译本）第1卷第1分册，第155页。
③ 《世界征服者史》（下册），第686页。
④ 《元史》卷124《忙哥撒儿传》，第3060页校勘记十。
⑤ 《元史》卷124《忙哥撒儿传》，第3056—3057页。
⑥ 《元史》卷124《忙哥撒儿传》，第3055页。
⑦ 《元史》卷124《忙哥撒儿传》，第3055页。
⑧ 《史集》（汉译本）第1卷第1分册，第155页。这段史实另见《世界征服者史》（下册），第686页；《史集》（汉译本）第2卷，第247—251页。
⑨ 《元史》卷124《忙哥撒儿传》，第3057页。

（1317 年），拜中书右丞相。英宗初（1321 年），以大宗正府札鲁忽赤，出镇北方。泰定四年（1327 年），拜太保。天历元年（1328 年），因拥戴文宗功升太傅，仍兼宗正大札鲁忽赤。至顺三年（1332 年），死，追封威平王①。

第三节　札剌亦儿部显贵分地、食邑和爵位承继

一、札剌亦儿部分地

据《史集》记载，札剌亦儿部的"禹儿惕为哈剌和林的合迪马［地方］"，②"在斡难地区有他们的一部分营地"。③可见，札剌亦儿部的禹儿惕，即牧地曾在哈剌和林一带。在公元 8 世纪初至 9 世纪中叶，札剌亦儿部一度臣属于回纥，居住在回纥汗廷所在斡儿浑河上游之哈剌和林河附近。回纥汗国灭亡后，札剌亦儿部落成为辽之阻卜之一。11 世纪前期或辽代中后期，札剌亦儿部的居地与土敦·篾年妻子莫拏伦之克鲁伦河中游附近的牧地相连，大概驻牧于斡难与怯绿连两河之间。拉施特说："那时，名为札剌亦儿的蒙古人……有若干部落住在怯绿连河境内，它们共有七十古列延……这条怯绿连河邻近乞台地区"。④是个庞大的聚落，其主要分布地域当在斡难河以南到怯绿连河中游一带。⑤11 世纪中后期以后，札剌亦儿之札惕等分支因附属蒙古部之故，由怯绿连河中上游移牧斡难河以东地带。木华黎便"生于阿难水之东"⑥，"世居阿难水东"⑦。这样，大致勾勒出札剌亦儿早期

---

① 《元史》卷 124《忙哥撒儿传》，第 3058 页。参见白寿彝主编：《中国通史》第 8 卷《丁编传记》第 5 章第 2 节《忙哥撒儿传》。

② 《史集》（汉译本）第 1 卷第 1 分册，第 149 页。

③ 《史集》（汉译本）第 1 卷第 1 分册，第 149 页。

④ 《史集》（汉译本）第 1 卷第 2 分册，第 18 页。按拉施特的说法，七十古列延计七万个帐幕。但此处"七十"恐为蒙古语中常用虚词，表示数量多。

⑤ 皮路思：《史集·部族志·札剌亦儿传研究》，见《蒙古史研究》第 4 辑，内蒙古大学出版社 1993 年版，第 2—5 页；《元朝史》（上册），第 20 页。

⑥ 《元朝名臣事略》卷 1《太师鲁国忠武王》，第 2 页。

⑦ 《元史》卷 119《木华黎传》，第 2929 页。

驻地变迁的基本轨迹为，自最初的斡儿浑河上游、土拉河南岸东徙至斡难与怯绿连两河之间，其一些分支最后移至斡难河东，邻近额尔古纳河之地。但是，拉施特在谈及札剌亦儿驻地时，一直强调着"部分"驻地或"若干"部落。据《圣武亲征录》载，另有札剌亦儿人搠赤塔儿马剌及搠只鲁钞罕等则居住在怯绿连河源及其上游萨里河（川）①。萨里河，即怯绿连河上游之撒里川。木华黎祖帖列格秃伯颜与其子孙也曾在成吉思汗崛起前，一度游离斡难河东畔，臣服于驻牧怯绿连河上游的主儿乞部②。1196 年，成吉思汗征伐塔塔儿后，至怯绿连河上游的"阔朵额阿剌仑朵罗安孛勒儿荅兀惕"地面，收复了主儿乞部。当时居于主儿乞营地的札剌亦儿部之帖列格秃伯颜与子孙归附了成吉思汗。可知，主儿乞大致在怯绿连上游的曲雕阿兰之朵栾盘陀山一带，距搠赤塔儿马剌的营地不远。不难窥知，虽然札剌亦儿部由哈剌和林东移后，不曾远离怯绿连河与斡难河一带，但始终游移于两河之间。

1206 年，成吉思汗分封功臣时谕木华黎："东边至合剌温山，你就做左手万户"。③ 拉施特也说："成吉思汗让他带着军队留在合剌温·只敦的地方"。④ 虽然在成吉思汗分封诸弟及弘吉剌等功臣诸部之前的数年间，东蒙古之地，依然在木华黎统治之下⑤，但成吉思汗令木华黎统辖东至哈剌温山的各千户，仅仅是统领权的给予，并不是其封地所在，其牧地应该仍在漠北斡难河与怯绿连河之间。

1207—1214 年间，成吉思汗着手分封诸弟、驸马及部分功臣部落于哈

---

① 即《蒙古秘史》中所记成吉思汗伴当拙赤答儿马剌。《圣武亲征录》，《王国维遗书》本，第 3 页载："时上麾下搠只塔儿马剌别居萨里河"，王国维注云，此萨里河位克鲁伦河源及其上游地。该书第 13 页处又载："后搠只鲁钞罕二人率朵郎吉札剌儿部……亦来归"。王国维认为此搠只鲁钞罕二人即孔温兀阿兄弟，钞罕为赤剌温之异译。据《史集》第 1 卷第 1 分册，汉译本第 150 页载，成吉思汗时，札剌亦儿部有拙赤·答儿马剌和其兄弟拙赤·札兀儿罕。拙赤·札兀儿罕大概是为搠只鲁钞罕，鲁钞罕为钞鲁罕之倒误，即札兀儿罕之异译。因此，《圣武亲征录》中的搠只鲁钞罕二人概指搠只塔儿马剌兄弟二人。《圣武亲征录》言，搠只鲁钞罕二人为朵郎吉札剌儿部人，而孔温兀阿则为札惕部出身，两者不可等同。

② 有关主儿乞部落，请参阅郝时远：《主儿乞部及几点问题的探讨》，《中国蒙古史学会成立大会纪念集刊》，1979 年。

③ 额尔登泰、乌云达赍校勘：《蒙古秘史》，第 206 节。

④ 《史集》（汉译本）第 1 卷第 1 分册，第 150 页。

⑤ 箭内亘：《元代之东蒙古》，收箭内亘论文集《蒙古史研究》，译文由陈捷、陈清泉译，载《元代经略东北考》，上海商务印书馆民国二十三年（1934 年）版。

刺温以西、野狐岭以北①。斡难河、怯绿连河中下游一带分别授予别里古歹和合撒儿。弘吉刺部按陈、册、火忽分别分得领地于哈刺温以西，额尔古纳迤西拉木伦之间。亦乞列思封地与弘吉刺之最南端之火忽领地毗邻。② 而札刺亦儿与兀鲁部则被移至其西端桓州以西阿儿查秃之地。③ 桓州在开平，即元代上都之西南数里处。木华黎孙速浑察于 1239 年（己亥年）袭爵时于"上京（即上都）之西阿儿查秃置营"④。阿儿查秃（arčatu）之地可能是《宣镇图说》中所载兴和路界内的"怪柏山"⑤。可知，札刺亦儿牧地当在上都路西南，兴和路地界。延祐四年（1317 年），木华黎后裔别里哥帖穆尔死于辽阳时谓其"先茔在兴和"，⑥ 正是说明札刺亦儿部曾置幕于兴和路。又见，元季张德辉行纪云："北入昌州，居民仅百家，中有廨舍，乃国王所建也。"昌州位于桓州西南，后来隶兴和路辖区，此一国王即速浑察⑦。只因兴和迄至元四年（1267 年）方由隆兴府升为一路，后由上都路析出，因此往往只提桓州，不谓兴和。⑧

　　札刺亦儿与兀鲁等部落在忽必烈建开平（即上都）、大兴（即大都）之际又被移至辽阳。危素《送札刺尔国王诗序》中言："及建都开平、大兴，则视辽阳行省为之左臂，以异姓王札刺尔氏、兀鲁氏、忙儿氏、亦乞烈思氏、翁吉刺氏列镇此方，以为藩屏"⑨。从建上都、大都的时间大抵可以推算出札刺亦儿部移牧辽阳大约在中统到至元初年。⑩

---

　　① 杉山正明：《モンゴル帝国の原像—チンギスカンの一族分封をめぐって—》一文中谓黄金家族分封当于 1207—1211 年间。《元史·特薛禅传》中则谓分封弘吉刺一门于甲戌年，即 1214 年。

　　② 《元史》卷 118《特薛禅传》，第 2919 页；《史集》（汉译本）第 1 卷第 2 分册，第 70 页；另参见箭内亘：《元代之东蒙古》与《鞑靼考》。

　　③ 《元史》卷 58《地理志》一，第 1349 页。

　　④ 《元史》卷 119《木华黎传附速浑察传》，第 2940 页。

　　⑤ 姚大力：《关于元代"东诸侯"的几个考释》；韩儒林：《元朝史》（上册），第 200 页。"怪柏山"又见于《张北县志》卷 1《地理志》："山脉"，十七，上；《口北三厅志》卷 2，"山川志"，第 26 页。

　　⑥ 《金华黄先生文集》卷 25《札刺尔公神道碑》，第 14 页下。

　　⑦ 萧启庆：《元代四大蒙古家族》，《元代史新探》，第 159 页。

　　⑧ 《元史》卷 6《世祖本纪》三，第 113 页。

　　⑨ 《危太朴集》续一《送札刺尔国王诗序》。

　　⑩ 乌兰：《〈蒙古源流〉研究》，第 232 页，说忽必烈于"甲子年至辛未年的八年之间，修建了夏宫上都·开平·库儿都城；冬宫大都城……等四座宏伟的都城"。按：甲子年为至元元年，即 1264 年，其实上都于 1256 年始建，至元元年已加号上都。

辽阳，初称东京，至元六年（1269 年），始置东京等路行省，后多次移治或改称。至元二十四年（1287 年），复移治辽阳路，改置辽阳行省，遂为定制。① 辽阳行省之称概始于此。② 危素所指忽必烈建都时的辽阳行省，当是以后来之称代其前身。当时辽阳仍谓东京，辽阳行省的建立更是晚至1287 年。札剌亦儿东移之初，应于辽西锦州一带驻牧。③ 此地建有木华黎后人忽速忽儿之墓碑，谓"国王碑"④。锦州于元代属大宁路，仍系辽阳省辖区，国王碑出现在锦州城附近，说明锦州也是木华黎的分地。札剌亦儿部东迁以后的最初营地，应在锦州以北、大、小凌河经流的山地⑤。元中后期，随着至元二十四年平定乃颜之乱及建置辽阳行省，札剌亦儿部势力又逐渐向辽东推进，国王王府也已徙至辽东⑥。至元二十四年，平定乃颜之乱后，乃颜的属民大部分被移置他处或改属，封地仅限于泰宁路。⑦ 在平定乃颜之乱中，因札剌亦儿部多著功勋，从原驻地辽西，扩延势力于辽东一带，填补了叛王乃颜势力被剪灭后所造成的空缺。不过，辽西仍为国王势力范围。⑧ 从札剌亦儿部嗣国王多埋葬于辽西来看，辽西一带仍是札剌亦儿部分地所在⑨。

---

① 《元史》卷91《百官志》七，第2307 页；另参见《奉天通志》（二）卷55，沿革五，金。有关辽阳行省建置沿革参见薛磊：《元代辽阳行省与东北统治研究》，南开大学研究生院，2006 年。

② 《元史》卷139《朵儿只传》，第3353、3355 页，载朵儿只两度任国王，"至辽阳之国"、"复为国王，之国辽阳"；黄溍亦曰别里哥帖穆尔死于"辽阳"。纳延又作《送刘碧溪之辽阳国王府文学》诗，纳延：《金台集》卷1。以上"辽阳"当为辽阳行省之简称。

③ 黄溍说，世祖即位之初，硕德自辽西入宿卫。

④ 《清太宗实录》卷51，第34 页下载"崇德五年五月丙午，驻跸国王碑，碑系元勋臣木华黎之裔乃马代追封其父兀斯和尔所建。此外参见贾敬颜：《五投下遗民——兼说"塔布囊"一词》一文，《民族研究》1985 年第2 期。

⑤ 姚大力：《关于元代"东诸侯"的几个考释》，《中国史论集》，天津古籍出版社1994 年版。

⑥ 虞集：《送国王朵而只之辽东》诗。《道园学古录》卷2，14 下，姚大力认为虞集所言辽东，乃是等义于辽阳行省的泛指词；纳延：《行路难》诗曰："至正己丑（至正九年，即1349 年）夏，右相朵儿只公拜国王，就国辽东。"《金台集》卷1；陆友仁：《送国王朵儿只就国》诗亦曰："奕世名王策骏功，远分茅土镇辽东。"《元诗选》3 集之庚集《杞菊轩稿》。

⑦ 韩儒林主编：《元朝史》（下册），第199 页。

⑧ 危素：《彭成初墓志铭》中即谓朵儿只"还镇辽西"。《危太朴集》续集卷5《故管领随州路蒙古汉人军民都总管府判官彭君墓志铭》。

⑨ 有关札剌亦儿驻地变迁请参见谢咏梅：《札剌亦儿部驻地变迁及留驻食邑和分戍中原》，《内蒙古师范大学学报》2004 年第3 期。

二、札剌亦儿部显贵食邑分赐

（一）大蒙古国时期

功臣食邑在成吉思汗时期初见端倪，太宗、宪宗朝具有了一定规模，世祖朝又以"江南户钞"的形式进行分赐。札剌亦儿部的木华黎、带孙、忒木台、那海、阿剌罕等家族，因身份、地位、功勋等差异，先后获赐不等的食邑。

元代采食分地虽然"始定于太宗之时，而增于宪宗之日"①，但从一些碑文、传记中仍可窥得成吉思汗时期中原食邑分封之踪迹。《元史》卷一一九《木华黎传附孛鲁传》《金华黄先生文集》卷二四《拜住神道碑》《国朝文类》卷二四《丞相东平忠宪王碑》以及河南李氏家谱中均记载：大概丙戌夏（1226 年）左右，诏封功臣户口为食邑，孛鲁因奉成吉思汗命攻西夏、定河北、平山东，功第一，为十投下，食东平郡。② 其实，十投下分封当在窝阔台汗丙申年五户丝食邑分封中进行的。③ 孛鲁自 1223 年嗣国王，1226 年冬率蒙古军围攻山东益都。此时的东平路一直在汉世侯严实总领之下，不见转赐于十投下。孛鲁所谓"食邑东平"或"食采东平"，主要是在说明其所属投下。成吉思汗时期，由于首降东平之功，将东平作为酬劳分赐予孛鲁，还不能算做严格意义上的食邑，应属攻略东平后的军功俵分。但丙申年查剌温国王之所以于东平府内受封食邑，无疑基于成吉思汗时期初见端倪的功臣军功酬答的。可以说，丙申分封是基于 1226 年的分土裂民，将其纳入统一的五户丝食邑制度。

《元史》卷一二四《忙哥撒儿传》中记成吉思汗因嘉奖其父那海，诏封怀、洛阳百七十五户。那海，察哈（札惕）札剌亦儿氏，系木华黎叔父，

---

①　《元史》卷 95《食货志》三《岁赐》，第 2411 页。

②　《元史》卷 119《木华黎传附孛鲁传》，第 2936 页；《金华黄先生文集》卷 24《拜住神道碑》，第 1 页下；《国朝文类》卷 24《丞相东平忠宪王碑》，第 2 页下；参见《洛阳蒙古族李氏家谱》，第 696 页，李氏家谱续修委员会，2005 年。

③　《元史》卷 2《太宗本纪》，太宗八年，即丙申秋七月一条中又载有十投下食邑分赐为："……皇子阔端、驸马赤苦、公主阿剌海、公主果真、国王查剌温、茶合带、锻真、蒙古寒札、按赤那颜、圻那颜、火斜、尤思、并于东平府户内拨赐有差"。

疑是《元史》卷九九《兵志·宿卫》中所载木华黎麾下之"纳海投下"。①
然而，成吉思汗时期，洛阳尚为金有②，攻陷洛阳当在太宗三年（1231
年）。③ 分赐食邑，应在此后。因此，以上记载误以太宗平金后的事记为太
祖事了。那海所封"怀、洛阳百七十五户"，起初同样不是正式的五户丝食
邑封民，而是军功掳掠或拨赐民户数。《元史·太宗纪》和《食货志·岁
赐》所录丙申年分封中均不见那海受封怀、洛民户事，更不见其后人承袭
的记载。

太宗窝阔台丙申年功臣分封中，札剌亦儿部表现出受封家族多、封邑相
对集中、封户比例大等特点。

木华黎家族丙申年实际受封者为木华黎孙塔思国王，又名查剌温。《食
货志·岁赐》记木华黎投下拨赐封户计 39 019 户，居丙申功臣分封榜首，
封邑东平④。木华黎弟带孙郡王"分拨东平东阿县一万户"。《元史·太宗
纪》在提及受东平食邑的八个投下封君时记有"茶合带"，即带孙郡王子。
带孙郡王曾领本族 2 000 人从兄木华黎征金，战功卓越。因此，其受封民户
仅次于木华黎及忙兀部的温里答儿（畏答儿）薛禅和兀鲁部的尤赤台郡王。

蒙哥即位后，除了对太宗丙申户籍重新抄检以外，又增封了部分诸王、
功臣食邑。冠有"壬子元查"字样的札剌亦儿部功臣有忒木台和阿剌罕。忒
木台，太宗初领散班，⑤ 1231 年为行省，领五投下探马赤军⑥。其所领部众
在平金战争中常为前锋。因此，食邑也应表现出与其他探马赤军将领之食邑
基本相同的特点。即：分拨时间在乙未年左右的检括民户过程中；分民多为

---

① 杨志玖：《元代的探马赤军》，《元史三论》，人民出版社 1985 年版第 12 页。另参考黄时鉴《木
华黎麾下诸军考》，《元史论丛》第 2 辑，中华书局 1983 年版。

② 《元史》卷 124《忙哥撒儿传》，第 3060 页校勘记（十）。

③ 《元史》卷 2《太宗本纪》，第 31 页。

④ 萧启庆先生在《元代四大蒙古家族》一文中又将《食货志·岁赐》所录拾得官人列于木华黎家
族中，并疑其为塔思子硕笃儿。然而，塔思卒于 1239 年，由于当时硕笃儿尚幼，由弟速浑察袭爵。"硕
笃儿既长，诏别赐三千为食邑，得建国王旗帜。"毫无疑问，硕笃儿受封食邑，最早也只能在 1239 年后，
或更晚。这与《食货志·岁赐》所录拾得官人"壬子年，元查东平等处畸零一百一十二户"，无论受封
民户，还是受封时间均相去甚远。

⑤ 额尔登泰、乌云达赉校勘：《蒙古秘史》，第 278 节，第 485 页。

⑥ 杨志玖：《探马赤问题三探》，《中国蒙古史学会论文集》，1981 年。收入《元史三论》。

种田户，大多来自军前掳掠民，起初为投下私属，后来朝廷作为赏赐军功而给予认可①。《元史》卷一三一《奥鲁赤传》中谓忕木台，"平河南，以功赐户二千"②。《食货志·岁赐》则记忕木台"五户丝，壬子年，元查大同等处七百五十一户"。忕木台之"平河南，以功赐户二千"正说明其食邑民的来源和掳掠民性质，其最初分民来自平金后的河南一带民户。从后来忕木台常驻兵太原、平阳、河南一带③，"并、晋、怀、洛之民怀不杀恩，皆立生祠以祀"④ 等也可窥得一斑。《食货志·岁赐》记"大同等处七百五十一户"，大概是因为，除了普遍存在的种田户逃离现象，部分种田户随使长北徙，从而居地发生了变化外，未北迁者则在壬子年，朝廷分检、复查过程中被收为国有所致⑤。

《食货志·岁赐》载，阿剌罕万户"壬子年元查保定一户"。其实丙申分封中实际受封者当为阿剌罕父也柳干。因自太宗七年（1235 年）至宪宗七年（1257 年），出没于蒙金战场上的应是阿剌罕之父也柳干。⑥ 所以，丙申年实际受封者抑或壬子元查中的实际封君当为也柳干，非阿剌罕。据马祖常《平章也速迭儿封赠三代制》载，阿剌罕家族"以曹南之田为脂泽之赋，尚歆宠渥，益衍庙食"⑦，以及此家族三代被追谥为曹南王来看，曹南之地似乎又为阿剌罕家族之食邑所在。

另外，《元史·食货志三》中的也速鲁千户壬子年受封真定路 169 户⑧，很可能是札剌亦儿千户札剌亦儿台·也速儿。⑨

（二）世祖朝分赐

蒙哥时期对功臣只是进行了补充性、有限的分封，可谓是对自己夺取汗

---

① 《秋涧集》卷 81《中堂事记》中，第 19 页。

② 《至正集》卷 47《有元札剌尔氏三世功臣碑铭并序》的记载大致与之相同。

③ 《元史》卷 131《奥鲁赤传》，第 3190 页。

④ 《至正集》卷 47《有元札剌尔氏三世功臣碑铭并序》。

⑤ 《元代分封制度研究》，第 125 页。

⑥ 据《元史》卷 129《阿剌罕传》载，也柳干于"岁乙未（1235 年），从皇子阔出、忽都秃南征，累功授万户……戊午（1257 年），战死扬州"。《道园学古录》卷 24《曹南王勋德碑》亦载："岁乙未，阔出、忽都秃太子出师伐金，有旨也柳干从战……岁乙卯（宪宗五年，公元 1255 年）大帅察罕殁，命也柳干代之。"

⑦ 《石田文集》卷 6《平章也速迭儿封赠三代制》，《元人文集珍本丛刊》第 6 册第 599 页。

⑧ 《元史》卷 95《食货志》三《岁赐》，第 2436 页。

⑨ 史卫民：《蒙古汗国时期蒙古左、右翼千户沿袭归属考》。

位的功臣之论功行赏。当时江南尚未攻取，因此，与太宗丙申分封一样，主要以中原民户拨隶于诸王、功臣名下。忽必烈统治时期也有部分食邑分赐。随着平宋战争的结束，食邑范围不断向新的征服区——江南推进。与五户丝食邑拨赐方式不同的是，元廷在江南将纸币以锭为单位进行分赐，因而又往往称为"江南户钞"。

世祖朝，首封食邑的札剌亦儿功臣为木华黎四世孙安童。据黄溍《拜住神道碑》载，安童拜中书右丞相后"食四千户"①。《国朝文类·丞相东平忠宪王碑》谓安童："至元二年……别食四千户"②。《元史》本传则载，安童于至元二年（1265 年）"增食邑至四千户"③。可知，安童的食邑领民户数表现为两种可能：一是，至元二年首赐安童四千户；另一种是，在原有部分食邑的基础上，至元二年"别食"或经此次分赐而"增至四千户"。从相关的碑铭可以窥知，安童的食邑所在地为大都路下辖范阳之良乡。在至治元年（1321 年），安童孙拜住曾奉命往于安童采食所在地范阳立碑，英宗亲往观摩，又将此地命为驻跸庄，以示永怀④。拜住死后也葬于大都路宛平县良乡田村之原⑤。安童食邑性质当是五户丝食邑，其大抵上与始自至元二年的元廷对乙未、壬子户籍的重新检括以及诸色户计的分类、定籍同步进行⑥。

"江南户钞"的拨赐始于至元十八年（1281 年）。札剌亦儿部"江南户钞"的获赐者仅为木华黎、带孙郡王昆弟投下，封邑集中于江南行省韶州等路。而那些曾在中原拥有五户丝，并在平宋战争中累著战功的奥鲁赤、阿

---

① 《金华黄先生文集》卷 24《拜住神道碑》，第 2 页上。
② 《国朝文类》卷 24《丞相东平忠宪王碑》，第 4 页下。
③ 《元史》卷 126《安童传》，第 3081 页。
④ 《金华黄先生文集》卷 24《拜住神道碑》，第 2 页下；《元史》卷 136《拜住传》，第 3303 页；李尤鲁翀：《驻跸颂》一则中谓，至治元年，立碑于"王所有范阳采地朔南康庄"（《菊潭集》卷 2《驻跸颂》）。元明善又言："碑建大都良乡之通达"（《国朝文类》卷 24《丞相东平忠宪王碑》，第 1 页）。立碑之地似有矛盾，其实不然。范阳，元属大都路，大都路，又领有宛平、良乡等县。因此，范阳可能是泛称，良乡为具体地点。
⑤ 据《（光绪）畿辅通志》载，元大都路，领宛平、良乡两县，并不互属。黄溍：《拜住神道碑》中载，拜住死后葬于宛平县的一个乡，乡名漏而不载，疑是良乡。
⑥ 参见《元典章》卷 17《户部·籍册》，第 634 页。

刺罕等札剌亦儿家族却不见受领"江南户钞"①。这可能与世祖分封时主要
考虑了一些大的功臣、投下有关。此次分封从另一侧面又揭示了札剌亦儿部
落内部的层级之别。那些具有"深厚根脚"的木华黎、带孙等家族往往拥
有大规模的江南投下封地、封民。而跻身军籍，累年攻略于宋疆的奥鲁赤、
阿剌罕等家族反而无一能够染指江南投下食邑。兹列太宗、宪宗、世祖朝札
剌亦儿显贵食邑分封情况一览表。

札剌亦儿部显贵食邑受封情况一览表

受封对象	年 次	封 邑	户 数	赐丝（钞）额	备 注
木华黎	1236（丙申）	东平	39 019 户	丝 3 340 斤	丙申年实际受封者为查刺温（塔思）。
	1281（至元十八年）	韶州等路	41 019 户	钞 1 640 锭	
带孙	1236	东平东阿	10 000 户	丝 720 斤	实际受封者为察合带。
	1281	韶州路乐昌县	10 700 户	钞 428 锭	
忒木台	壬子元查	大同	751 户	丝 110 斤	《元史·奥鲁赤传》及《至正集·有元扎剌尔氏三世功臣碑》中记忒木台于太宗年间受封河南等地二千户。
也柳干	壬子元查	保定	1 户		《元史·食货志三》记受封者为阿剌罕万户。阿剌罕家族在曹南也似有食邑。
那海	太宗年间	怀、洛	175 户		《元史·食货志三》不载。
硕笃儿	1239 年后		3 000 户		萧启庆将其拟为《元史·食货志三》中所载拾得官人，兹暂列于表中，存疑。

---

① 请参阅植松正：《元代江南统治研究》第 1 部《江南地域社会と经济政策》第 3 章"元代江南投下领分赐について"，第 100—102 页，所列"江南户钞表"。又见村冈伦：《元代江南投下领とモンゴル遊牧集团》，《龙谷纪要》第 18 卷第 2 号，1997 年 3 月。

（续表）

受封对象	年　次	封　邑	户　数	赐丝（钞）额	备　注
也速鲁千户	壬子年	真定路	169 户	丝 16 斤	族属不详。史卫民将其拟同于札剌亦儿部也速儿千户。今暂列于表中，存疑。
安童	1265 年（至元二年）	大都路范阳	4 000 户		《金华黄先生文集》卷二四《拜住神道碑》；《国朝文类》卷二四《丞相东平忠宪王碑》；《元史》卷一二六《安童传》；孛尤鲁翀：《菊潭集》卷二《驻跸颂》。

（三）拨赐田土

在拨赐"江南户钞"的同时，元廷往往又将丰腴的浙西一带官田，赏赐给诸王功臣等。见于史料的札剌亦儿人获赐江南官田者仅有拜住与阿剌罕两例①。至治二年（1322 年），六月壬寅，敕赐拜住平江腴田万亩。②

至正元年（1341 年）二月，中书省礼部奏，建阿剌罕祠于集庆，"官给其费，且请赐田千亩，以奉祭祀"③，即于集庆路"官田内拨赐一十顷以酬勋"④。显然，阿剌罕所受千亩官田是追赐的。其获赐田土的原因，不仅因帝室为酬其勋劳，也因阿剌罕子中书平章脱欢的极力要求⑤。许有壬曾感慨："皇上于忠宣既立之庙，又赐之田，思贤念功之盛德，岂区区蜀禅所能知哉"；"衮裳旒冕曹南村，石头城高江流溁，新庙奕奕摩苍穹，圭田千亩亩且鍾"⑥。

---

①　赵翼：《廿二史札记》"元代以江南田赐臣下"一条中却不列阿剌罕。参见王树民校证：《廿二史札记》，中华书局 1984 年版，第 698 页。

②　《元史》卷 136《拜住传》，第 3304 页；卷 28《英宗本纪》二，第 623 页，至治二年（1322 年）七月丁未条载："赐拜住平江田万亩"。

③　《至正集》卷 49《有元功臣曹南忠宣王祠堂碑》；卷 45《曹南忠宣王神道碑铭》序中又曰："又立祠建庙，赐祭田千亩。"

④　《至正金陵新志》卷 1《地理图》之《曹南王祠堂图·抄白》，《中国方志丛书·华北地方》，第 46 号，第 1585 页。

⑤　请参见上引《至正金陵新志》卷 1《地理图》之《曹南王祠堂图·抄白》。

⑥　《至正集》卷 49《有元功臣曹南忠宣王祠堂碑》。

元中后期，因赐田虚耗国储而令赐田悉返还潮流中①，札剌亦儿部拜住、阿剌罕等仍可获赐田土，足以表明其地位之殊异。

总之，在成吉思汗时期的类似食邑的军功酬答中札剌亦儿功臣便占有了一席之地。在丙申抑或世祖朝食邑分赐中，其所受封民及钞额又是相当可观的。这足以表明，札剌亦儿人与成吉思汗黄金家族的特殊从属关系以及其在蒙元帝国的建立过程中的卓越功绩，使他们能够比照皇室成员享有殊遇，跻身蒙元社会上层。

三、札剌亦儿人留驻食邑和分成中原

札剌亦儿部一些家族或个别家系，因身系军籍或累世入仕元廷，又得以留驻汉地食邑或分成中原。其中，成吉思汗时期，孛鲁采食东平，于东平阳谷县马儿庄修建王府宅邸，从此这一家系开始移驻中原。孛鲁孙安童于世祖初年食采于上都路范阳一带，并留驻其地。至治二年（1322 年），安童孙拜住遇难后便葬于大都路宛平县，② 此地大概仍属于安童食邑范围内。据悉，今陕西省大荔县拜家村，有拜住后裔 6 000 余人，脉系尚存。忽必烈时期，安童五弟铁古而忠任广东南恩州达鲁花赤，子铁思袭职，后迁为江西信州万户府，子咬儿，嗣为江苏松江万户府。适元亡，咬儿去官退隐松江集贤乡。入明后，其后裔则从木从子，易姓为李。后来其一支谪戍河南，最终迁至洛阳城北邙山之李家营村。今有人口约 5 000 之众，分居 10 个村落。③

札剌亦儿部木华黎弟带孙郡王一系丙申年受封食邑于东平路东阿县，并留驻东阿，迄元终。子忙哥一系，世袭东平路达鲁花赤，监临其地④。另一子秃满惕居地仍在东平。至元五年（1268 年），秃满惕子忽鲁忽都被"召归，擢临本属"，应该是还居东阿之地，统领本属。后屡任外职，大德八年（1304 年），归东阿。十年终，葬阿亭之原。可谓："王封鲁疆，习礼义之

① 《元史》卷 175《张珪传》，第 4081 页。
② 《金华黄先生文集》卷 24《拜住神道碑》，第 6 页上。
③ 《洛阳蒙古族李氏家谱》，第 6 页。
④ 《元史》卷 119《木华黎传附塔塔儿台传》，第 2943 页。

化，子孙华学，世济其美，百年涵濡，于是，乡其土而家其俗矣。"①

阿剌罕家族曾于保定拥有食邑户。② 但其族人并无留居保定的记载。从阿剌罕与祖、父三代得以封赠"曹南王"谥号来看，其世居之地，似在曹南。曹南，即曹州南部。曹州，至元二年（1265 年）由东平路析出，直隶中书省。马祖常谓阿剌罕家族"开国曹南中土"；"以曹南之田，为脂泽之赋"等，正是说明其族人世居曹南，食邑其地的历史。③ 许有壬谓阿剌罕："天下既一，俾率其部而世其职，杂居腹心之地，以制四方。"④ 阿剌罕死后葬曹州济阴县郭屯⑤。

奥鲁赤父忒木台于太宗朝累功受封二千户，驻防于太原、平阳、河南一带⑥，是为其家族成员移居中原之始。如屠寄谓忒木台行省"开都万户府于河南洛阳，子孙遂家焉"。⑦ 钱大昕也道奥鲁赤："子孙居河南洛阳"⑧。至元六年（1269 年），奥鲁赤嗣职，领 4 万户蒙古军攻取南宋，其部分军力随之转驻于江淮行省、湖北、潭州境内⑨。但其奥鲁或主要驻屯地仍在黄河北岸⑩，具体开阔洛阳县龙门山之南，伊水之东，以治军政，奥鲁赤子脱桓不花时，于河南行省境内西北端，洛阳之东之伊水"始构治宇，以肃官寮"⑪。奥鲁赤死后即葬于此。其孙察罕帖穆尔故曰"伊水之东，先茔在焉"⑫。

留居或分戍中原汉地的札剌亦儿人也对元朝统治的汉地以及对当地的文化、经济生活起到了重要的影响。

---

① 《至正集》卷 38《札剌尔公祠堂记》。

② 《元史》卷 95《食货志》三《岁赐》，第 2443 页。

③ 《石田文集》卷 6《平章也速迭儿封赠三代制》，《元人文集珍本丛刊》第 6 册，第 599 页。

④ 《至正集》卷 45《曹南忠宣王神道碑铭并序》。

⑤ 《至正集》卷 49《有元功臣曹南忠宣王祠堂碑》。

⑥ 《元史》卷 131《奥鲁赤传》，第 3190 页；松田孝一：《河南淮北蒙古军都万户府考》及《关于河南的蒙古军》，前文载《东洋学报》68—3·4，1987 年；后文译文载《蒙古学信息》1997 年第 2 期。

⑦ 《蒙兀儿史记》卷 153，第 1007 页。

⑧ 《元史氏族表》，第 5 页。

⑨ 《行省制度研究》，第 261 页。

⑩ 《元史》卷 99《兵志》二《镇戍》，第 2540 页，至元十五年（1278 年），奥鲁赤领兵转战于江南之际，元廷仍令："四万户所领之众屯河北"。

⑪ 《菊潭集》卷 2《河南淮北蒙古军都万户府增修公廨碑铭》。

⑫ 《至正集》卷 47《有元札剌尔氏三世功臣碑铭并序》。

四、国王、郡王爵位封授与承袭

（一）国王封授与承袭

蒙古征金后，仿中国之制，大封宗室、驸马、功臣为王，且各有直辖封地、属民，子孙承袭。札剌亦儿人世为成吉思汗黄金家族之斡脱古·孛斡勒，尽忠于帝室，尤以木华黎家族历仕累朝，备受优遇，故受封王爵印章，位列异姓功臣之首。然而，随着时间的推移和帝位更易，札剌亦儿部与帝室关系之疏密程度因时而异，王爵封号之具体内容也有所变化。

札剌亦儿部木华黎身为成吉思汗亲密伴当，在大蒙古国成立过程中多立战功，被誉为"四杰"之一。蒙古入主中土之际，又随成吉思汗攻夺伐略，屡著勋劳。当时，成吉思汗欲领军西伐花剌子模，因而，（太祖）十二年（1217年）秋八月，以木华黎为太师、国王，将蒙古、糺、汉诸军南征[①]，以图中原[②]。

据拉施特的记载，哈剌温山边界一带的契丹居民称木华黎为"国王"已多时。直至1217年，成吉思汗决定再次派木华黎到中原时，认为这一称呼是佳兆，即以此衔予之[③]。

就木华黎"国王"爵位印章等级和印章镌文，据《元史·木华黎传》载，1217年诏封木华黎为国王时："赐誓券，黄金印曰：'子孙传国，世世不绝'。"显然，木华黎所受王爵印章为金印。迄元末，虽然印章封爵制度有了很大发展，但"国王"位号并没有受其影响，仍保持原有金印。1338年，乃蛮台袭国王时仍"授以金印"。[④] 犹如"国王"印文所训，木华黎家

---

① 《元史》卷1《太祖本纪》，第19页。

② 有关木华黎受封"国王"的时间有1206年、1217年、1218年三种不同记载。《蒙古秘史》载，1206年成吉思汗赐封木华黎为国王；《史集》载："虎年［1218年］，成吉思汗封木华黎为'国王'"；《圣武亲征录》戊寅条也载：戊寅（1218年），封木华黎为国王；《元朝名臣事略·太师鲁国忠武王》（第2页）载："丁丑（1217年），以佐命功诏封王（木华黎）为太师、国王"；《元史·木华黎传》基本相同。据考订，1217年当为木华黎正式获赐"国王"位号之年。参见谢咏梅：《札剌亦儿显贵"国王"爵位封授与承袭》，《内蒙古师范大学学报》2003年第4期。

③ 《史集》（汉译本）第1卷第2分册，第370页；《蒙兀儿史记》卷27《木华黎传》，第254页；《史集》（汉译本）第1卷第2分册，第370页。

④ 《元史》卷139《乃蛮台传》，第3352页。

族拥有"国王"位号，可谓与元室相始终。据统计，木华黎家族承袭"国王"名爵者共13人，凡15传①。然而，由于蒙古人家产分配制与汉地传统宗法制的双重影响，王位印章继承变得纷杂无序。加之大汗裁定权的渗入，尤其受皇位争夺中的顺逆向背等因素影响，使国王位号印章继承有时无法保持正常秩序。成吉思汗封木华黎为国王，意在依靠其全权代理经营中原汉地。然而，随着汉地渐入蒙古版图及原有的政治、军事环境之更易，迫使蒙古朝廷尽快调整、完善汉地行政网络构建。曾留驻中原，统驭汉地的国王势力也随之发生变化。

　　1217年，木华黎受封国王的同时，即以都行省之任监临中原②，并"建牙云燕"③。此"都行省"与"国王"一样，是在蒙古人官称习惯的基础上，比附金朝官职而来的，并无更多实际意义。成吉思汗不仅命木华黎领左翼军经略，更委以"都行省"，并谕曰："太行以南，卿其勉之"④。还将表示大汗权势的九斿大旗赐予木华黎，谕诸将曰："木华黎建此旗以出号令，如朕亲临也。"⑤ 此后十年以来，木华黎"东征西讨，威震夷夏，征伐大事皆决于己，故曰权皇帝，衣服制度，全用天子礼"⑥。木华黎本人也往往被金朝遗民视为"一国之君"⑦。木华黎国王兼拥中原军、民、财政大权，功业之高、声誉之隆，可见一斑。到嗣国王孛鲁时，仍"承制行事"，并以首降东平之功食邑其地，留镇中原。国王还享有比照大汗拥有收质之权等诸多特权。⑧

---

　　① 萧启庆：《元代蒙古四大家族》载《元史新探》，谓"国王"位号承袭者凡12人，共14传，并将头辇哥国王视为忽林池。这一论点可能沿屠寄：《蒙兀儿史记》载：忽林池，一名头辇哥，袭父爵（卷27，第257页）一说，叶新民教授对此提出异议，参见《内蒙古大学学报》1992年第4期载《头辇哥事迹考略》。

　　② 《元朝名臣事略》卷1《太师鲁国忠武王》，第2页。

　　③ 《国朝文类》卷24《丞相东平忠宪王碑》，第2页下；《金华黄先生文集》卷24《拜住神道碑》。

　　④ 《元史》卷119《木华黎传》，第2932页；《国朝文类》卷24《丞相东平忠宪王碑》曰："太行迆南，尽委经略"。

　　⑤ 《元史》卷119《木华黎传》，第2932页。

　　⑥ 《蒙鞑备录》，《王国维遗书》本，第9页。

　　⑦ 《史集》（汉译本）第1卷第1分册，第246页。

　　⑧ 《元史》卷150《何实传》，第3552页，载："乙未，孛鲁以实子仲泽为质子"。《蒙兀儿史记》卷56，第9页改孛鲁为嗣国王塔思，并注云："按孛鲁薨于戊子（1228年）五月，乙未（1235年）不得更有孛鲁"。

　　第三代国王塔思（查剌温）时，由于窝阔台汗亲征金朝，从而改变了成吉思汗时期通过国王间接经略中原的模式，由大汗直接掌握攻伐中原的军事权①。国王"都行省"之权不复存在，势力也随之被削弱，其在中原汉地的存在价值也在一定程度上被淡化。此后，国王更多的是以五投下军首领身份出现，有时甚至难保有五投下军统领权②。由于朝廷更多地介入和裁定五投下军首领的择选，国王与五投下军统辖权的传统连锁也有了微妙的变化，国王的军事权力不断地被削弱。

　　如果说窝阔台亲历戎行，分解了国王征伐中原的军事权，使国王丧失了在中原汉地的军事统率权。那么，大汗对中原的统治机构的构建与调整，即燕京大断事官行署的设立，使国王继而失去了综揽中原汉地财赋、民政的诸多权力。1234 年，适金朝灭亡，窝阔台以忽都忽那颜为中州断事官，"大料汉民"③。中州断事官，又被称作燕京行尚书省或燕京行台。其所拥有的职权和表现出的特点，使国王丧失了往日"权皇帝"的威风。燕京断事官行署所统辖的范围几乎包括了原金朝所统治的区域。④ 国王不能够再"太行以南""自勉之"，⑤ 而几乎完全失去了中原庶政裁决权。加之，燕京断事官行署实为朝廷大断事官机构的分司，断事官不仅要由大汗直接委派，也能"号令诸道，行皇帝事"⑥，使新征服的汉地不再游离于朝廷统治之外。而曾"都行省"于中原汉地的国王也不过与其他投下封君一样，必须"听直于朝"了。

　　① 这一点从当时文人拟词中亦可窥得其踪迹。例如，木华黎与孛鲁时期经略中原之举多用"平"、"定"或"奉诏"、"承制行事"等词，而塔思以后，国王出征却多缀有"从"字，如，"（塔思）从皇子曲出南征"（《国朝文类》卷 24《丞相东平忠宪王碑》，第 3 页下。）；"速浑察嗣国王，从太宗皇帝攻凤翔"等。

　　② 参见谢咏梅：《五投下军及五投下探马赤军统领权的演变》，《内蒙古师范大学学报》2008 年第 1 期。

　　③ 《元史》卷 2《太宗本纪》，第 34 页；《元史》卷 121《畏答儿传》，第 2988 页。

　　④ 《石田文集》卷 14《故贞节赠容国夫人萨法礼氏碑铭》（《元人文集珍本丛刊》第 6 册，第 672 页）中曰："国初制度未遑立，凡军国务务悉决于断事官。断事官治在燕，鸾舆尚驻和宁，中原数十百州之命脉系焉"；《遗山先生文集》卷 26《大丞相刘氏先茔神道碑》亦云："明圣继统万国，连诏勋旧大臣行省于汉境，节制所及二十余道"，可见其监临中原诸道，统辖范围之广。

　　⑤ 参见张金铣：《燕京行尚书省的建立及其职权》，《内蒙古社会科学》1995 年第 3 期。

　　⑥ 《陵川集》卷 32《班师议》。

　　1260 年，忽必烈即位开平，继而迁都燕京，使昔日统辖汉地的国王日渐偏远。元初，因上都路仍为札剌亦儿部牧地①，国王幕府与开平府毗邻。忽必烈即位后首先将久驻燕地、位高权重的国王迁移至辽阳②，令其充当"藩屏"，控御辽阳一带及高丽，同时便于朝廷直接管辖两都地区。至此，国王的角色有了彻底的转换，其居于辽阳，在相当长的时期内又充任朝廷防御抑或联络高丽的代理人，主要替朝廷处理高丽方面的事务，调解元廷与内属国间的关系，充当了朝廷东北边隅的藩屏。迄元末，国王仍行"藩屏"之任③。

　　自国王移幕辽阳，辽阳即成为国王幕府所在，历任国王必兼行省官职④。世祖以降，国王多兼任行省官，负有朝廷使命，替元廷分驭各地。历任国王曾兼行了辽阳（包括北京行省、东京行省）、岭北、江浙、河南等行省事。如：世祖潜邸旧臣乃燕虽无国王之名，却有国王之实，曾替其兄忽林池国王处理庶政。至正八年（1348 年）死后赠"辽阳等处行中书省参知政事"。至元初，头辇哥国王一直担任东京等路行中书省，北京、辽东等路行尚书省，北京行省长官等。⑤ 大德七年（1303 年），国王乃蛮台行岭北行省右丞相。至治二年（1322 年），改甘肃行省平章政事。天历二年（1329年），迁陕西行省平章政事。后至元六年（1340 年），拜岭北行省左丞相。至正二年（1342 年），迁辽阳行省左丞相。后至元四年（1338 年），朵儿只国王除辽阳行省左丞相，后累迁河南行省左丞、江浙行省左丞相。直至元末国王也先不花仍兼辽阳行省左丞相一职。⑥ 随着忽必烈调整地方行政体制，加强中央集权制的进程，国王逐渐纳入元朝官僚体系中，转变为替天子分镇藩服、担方面之任的"藩大臣"，国王也必须"禀命而行"，以朝觐、贡献、

---

　　① 《元史》卷 58《地理志》一，第 1349 页。

　　② 《危太朴集》续一《送札剌尔国王诗序》谓"及建都开平、大兴，则视辽阳行省为之左臂，以异姓王札剌尔氏、兀鲁氏、忙兀氏、瓮吉剌氏列镇此方，以为藩屏，祖宗思虑之精、区画之善，其为长久之计，既深远矣"。

　　③ 《元史》卷 47《顺帝本纪》十，第 985 页，至正二十八年七月丁巳条载："诏太尉、辽阳左丞相也先不花，郡王知枢密院厚孙等军，捍御海口，藩屏畿辅。"辽阳左丞相也先不花即末代国王也先不花。可见，直到 1368 年元朝灭亡在即，国王仍固守阵地，充当畿辅藩屏。

　　④ 贾敬颜：《五投下的遗民——兼说"塔不囊"一词》，《民族研究》1985 年第 2 期。

　　⑤ 《元史》卷 159《赵璧传》，第 3749 页；《元史》卷 7《世祖本纪》四，第 136 页。

　　⑥ 《元史》卷 139《乃蛮台传》，第 3352 页；《元史》卷 139《朵儿只传》，第 3353—3354 页。

奏事、征戍等行为表示对皇帝的臣服和忠顺①。皇帝居上控驭，牢牢掌握国王的政治命运。如：至元十一年（1274 年），诏起廉希宪为北京行省平章政事，令头辇哥国王毋署事，并由和童代任国王；② 元朝后期朵儿只国王起落无常的政治命运等都能说明这一点。

此外，随着朝廷移驻幽燕以及武宗以降，围绕着皇帝废立而引起的权力斗争之频仍，使王爵封授予官僚层的变化产生了某种非制度性的关联。新任大汗往往为组建新的政治基础而使王爵作为论功行赏的手段来施行。这种王爵封授与异姓功臣在官僚层内的地位升降的密切关联，使异姓功臣的地位因帝位变更而有所变化。札剌亦儿部功臣王爵封授及其地位演化亦受此影响。

大蒙古国时期，继木华黎所封授的异姓王，均出自伐金时期木华黎麾下诸部。国王拥有的特殊地位，无疑使其在早期异姓功臣封爵中占有了绝对优势。然而到了世祖朝，与成吉思汗黄金家族结联姻娅的若干部落功臣，即驸马，渐渐析出异姓功臣之列，自成为姻族集团，位殊于一般功臣③。然而，此时异姓功臣中的驸马集团仅授予银印，仍逊于世袭金印的国王④。

成宗时期，除了相继追封灭宋战役中著有殊勋的异姓功臣⑤，驸马功臣封王受爵之事也变得频繁，并殊于一般异姓功臣，多获金印，地位已然高居国王之上⑥。武宗朝，驸马封爵不仅数量多，而且地位很高，比照亲王多授一等王爵。⑦ 驸马已然与宗王一同通称诸王。可以说，驸马集团所受殊遇，

---

① 有关札剌亦儿显贵仕进情况请参见谢咏梅：《札剌亦儿勋臣世胄的仕进情况及其与蒙元政治的关系》，《元史论丛》第 10 辑，中国广播电视出版社 2005 年版。

② 《元史》卷 126《廉希宪传》，第 3093 页；卷 8《世祖本纪》五，第 156 页；卷 164《杨恭懿传》，第 3841 页；《国朝文类》卷 65《平章政事廉文正公神道碑》。

③ 这一点，似乎从世祖朝对东平路驸马投下封邑置路州的措施中窥得一斑。如：弘吉剌部赤苦驸马位下设濮州；按陈、坼那颜驸马位下设济宁路；汪古部驸马位下设高唐州；亦乞列思部驸马孛秃位下设冠州。驸马封邑自设路州，无疑使驸马集团渐渐脱离札剌亦儿国王的控御。

④ 《元史·诸王表》所载至元年间受封王爵的驸马共有三例。三者均被划入六等印章"银印龟纽"之列。其受封时间多在至元末年。请参阅野口周一：《元代世祖·成宗期の王号授与について》一文，《中国史における乱の构图》，1986 年。

⑤ 如阿鲁剌氏玉昔帖木儿为广平王，巴邻氏伯颜为淮安王，兀良哈氏阿术为河南王，木华黎族人亦多被追封为鲁王等。

⑥ 即汪古部阔里吉思、岳忽难封高唐王，弘吉剌部蛮子台为济宁王，脱帖木儿为濮阳王，另有氏族不详的合伯驸马为昭武王。其中，除濮阳王脱帖木儿被列入六等印章中以外，其余均归三等"金印驼纽"之列。

⑦ 相继封授王、赵王、鲁王、昌王、沈王。

使其完全析出异姓功臣之列，纳入诸王阶层。而此时，已迁至辽阳的札剌亦
儿部国王颇受冷落，远不能与诸王同日而语了。

总之，元中后期，驸马地位不断提升，逐渐析出异姓功臣之列，他们自
成姻族集团，比照宗王，封王赐印，备受优遇。伴随皇位更迭和王爵滥封，
著有拥戴之功的异姓王的势力渐趋上升，跻身于统治上层。而曾著有勋劳的
札剌亦儿部，却在武宗以降王爵滥封中显得暗淡很多，并不见增封王爵之事。

札剌亦儿人"国王"爵位承继情况一览表

人　名	世　系	嗣爵时间	史　源
木华黎	1	1217 年（丁丑）—1223 年（癸未）	《元史》卷一《太祖本纪》、卷一一九《木华黎传》；《元朝名臣事略》卷一《太师鲁国忠武王》。
孛鲁	2	1223 年（癸未）—1228 年（戊子）	《元史》卷一一九《木华黎传》；《国朝文类》卷二四《丞相东平忠宪王碑》；《黄金华集》卷二四《拜住神道碑》；卷二五《札剌儿公神道碑》。
塔思	3	1228 年（戊子）—1239 年（乙亥）	《元史》卷一一九《木华黎传附塔思传》；《国朝文类》卷二四《丞相东平忠宪王碑》。
速浑察	3（塔思弟）	1239 年（乙亥）—1255 年？（蒙哥时期）	《元史》卷一一九《木华黎传附速浑察传》；《黄金华集》卷二五《札剌儿公神道碑》。
忽林池	4	1255 年？（蒙哥时期）—1262 年（中统三年）	《元史》卷一一九《木华黎传》、卷一二○《抹兀答儿传》；《黄金华集》卷二五《札剌儿公神道碑》；《史集》第二卷，第267 页。
头辇哥	4	1262 年—1265 年（中统年末—至元年初）—1274 年（至元十一年）	《元史》卷六《世祖纪三》、卷一二六《廉希宪传》、卷一五九《赵璧传》、卷一五四《洪茶丘传》；《通制条格》卷二《户令·户例》"五投下军站户"；元明善《平章政事廉文正王神道碑》，《国朝文类》卷六五；卷四一《杂著·高丽》；《高丽史》卷二六《元宗世家》。
安童	4	1274 年（至元十一年）—武宗年间	《国朝文类》卷二四《丞相东平忠宪王碑》安童作和同；《元史》卷一六四《杨恭懿传》、卷二二《武宗纪》、卷一一九《木华黎传》。

（续表）

人 名	世 系	嗣爵时间	史 源
忽速忽尔	4（阿里乞失子）		《元史》卷一三九《乃蛮台传》。
朵罗台	5（忽速忽尔子）	—1328 年（天历元年）	《元史》卷一三九《朵儿只传》、卷二二《文宗纪》；《十驾斋养新录》卷一三《东平王世家》、《圣武亲征录》条。
朵儿只	5（速浑察孙）	1329 年（天历二年）—1338 年（后至元四年）	《元史》卷一三九《朵儿只传》、卷三五《文宗纪四》、卷三九《顺帝纪二》。
乃蛮台	5（朵罗台弟）	1337 或 1338 年（后至元三或四年）—1349 年（至正九年）	《元史》卷一三九《乃蛮台传》、卷一三九《朵儿只传》。
朵儿只	5	1349 年（至正九年）—1355 年（至正十五年）	《元史》卷一三九《朵儿只传》、卷四二《顺帝纪五》；《国朝文类》卷六《送国王朵儿只之辽东》。
俺木哥失里	6（朵儿只子）	1355 年（至正十五年）—1359 年？（至正十九年）	《元史》卷一三九《朵儿只传》。
襄加歹		1359 年？（至正十九年）—？	《元史》卷四五《顺帝纪八》至正十九年秋七月。
也先不花	6（乃蛮台子）	1365 年（至正二十五年）—？	《元史》卷一四二《也速传》。

（二）郡王封授与承袭

元代"郡王"与"国王"一样，都是来自汉地的位号与蒙古拨赐印章惯例相糅合的结果。辽金时期，郡王多属"二字王"，《元史·诸王表》将郡王划归第六等印章"银印龟纽"之列，地位不彰。

札剌亦儿部受封郡王的有木华黎之弟带孙一系。带孙曾从兄征金，因功受封"郡王"，后人根据其投下食邑在东平东阿，又谓"东阿郡王"。[1] 带

---

[1] 《至正集》卷38《札剌尔公祠堂记》。《元史·食货志》称东平东阿为带孙郡王食邑所在，而只称带孙为郡王，不冠"东阿"二字。韩百诗：《元史诸王表笺注》（下），将带孙郡王列入"授银印龟纽诸王·无国邑名诸王"之下，《蒙古史研究参考资料》第25辑，1966年1月。其实，蒙古人初封王爵时尚无国邑王号之说。况且，丙申年（1236年）功臣五户丝分封之前，即便指定东阿为带孙封邑，也不是完整意义上的食邑，更谈不上国邑王号了。

孙名冠有"郡王"，始见于庚辰年（1220 年）左右。《元史·木华黎传》记 1220 年的战事时曰："先是，郡王带孙攻洺不下"，[①] 屠寄《蒙兀儿史记》中则记："丙戌（1226 年）秋，带孙围李全于益都，不克，明年，与孛鲁同下之。积功封郡王，食邑东阿，世称东阿郡王"。[②] 带孙获赐郡王之号又似在 1227 年。[③]

有关带孙郡王印章质地和印文，史料阙如，《元史·诸王表》也未将其纳入六等王爵印章之列。韩百诗将带孙郡王列入"银印龟纽"中。[④]

带孙之后由带孙子秃满惕嗣爵，[⑤] 秃满惕后其弟茶阿台袭封。[⑥] 茶阿台即为丙申年东阿食邑的实际受封者，自茶阿台起，始称东阿郡王。

第四节　札剌亦儿部军队编制

一、札剌亦儿部万户、千户编组与改属

1206 年，首封千户时，成吉思汗诏谕木华黎为左手万户，统辖东至哈剌温山一带，并令子孙相传。[⑦] 元明善《丞相东平忠宪王碑》载："太祖即大位，官制简，止置万户二，乃以忠武为左万户"。[⑧] 忠武为木华黎谥号。大体上，木华黎后人"承袭国王称号者，即为该万户继任者"，木华黎、孛鲁、塔思、速浑察、忽林池五人相继承袭万户长，[⑨] 受大汗直接控驭。

就札剌亦儿部千户，史料记载互有抵牾。兹将《蒙古秘史》与《史集》

---

① 《元史》卷 119《木华黎传》，第 2933 页。

② 《蒙兀儿史记》卷 27《木华黎传附带孙传》，第 263 页。

③ 《元史》卷 95《食货志》三《岁赐》，第 2429 页。

④ 其实即使郡王，亦不能排除获赐金印的可能。如：太宗年间，兀鲁部的怯台便"以劳封德清郡王，赐金印"（《元史》卷 120《尤赤台传》，第 2962 页）；武宗至大二年（《蒙兀儿史记》与《元史·诸王表》记为至大三年），加封床兀儿为"句容郡王，改授金印"（《元史》卷 128《土土哈·状兀儿传》，第 3137 页；《道园学古录》卷 23《句容郡王世绩碑》，第 12 页下）。

⑤ 《至正集》卷 38《札剌尔公祠堂记》。

⑥ 《蒙兀儿史记》卷 27《木华黎·带孙传》，第 263 页。

⑦ 额尔登泰、乌云达赉校勘：《蒙古秘史》，第 206 节总译，第 587 页。

⑧ 《国朝文类》卷 24《丞相东平忠宪王碑》，第 2 页。

⑨ 史卫民：《蒙古汗国时期蒙古左右翼军千户沿袭归属考》，《西北民族研究》1986 年第 1 期。

军队节所载札剌亦儿千户封袭情况列表于下：

札剌亦儿千户封袭情况比较表

《蒙古秘史》			《史集》			备 注
千户长	功臣位次	所属	千户长	所领千户数	所属	
木合黎国王	3		木华黎国王	3	左翼	
亦鲁该	5	斡哥歹	亦鲁该	1	窝阔台	
秃格	10					
木格（蒙客）	37	察阿歹	木格	1	察合台	《史集·军队节》作弘吉剌部人，那珂通世将其拟为《元史·孛阑奚传》中的弘吉剌部之忙哥。
朵罗阿歹	40	由拖雷系改属窝阔台子阔端				史卫民作"附属千户"。
者卜客	44	合撒儿				《圣武亲征录》作哲不哥。
余噜罕	45					《元史》卷一三一《奥鲁赤传》作捌鲁罕。
巴剌扯儿必	49	拖雷	巴剌那颜	1	右翼	
			札剌儿台·也速儿	1	左翼	史卫民认为《元史》卷九五《食货志》三中记也速鲁千户。
			兀孩、巴儿尤	1	左翼	由阿里不哥系改属海都。
			带孙	2	左翼	
			阿儿孩·合撒儿	1	右翼	

　　从上表可以获知，《蒙古秘史》所载札剌亦儿部首封千户 8 个，分隶于 8 个千户长。《史集》军队节则载千户长 9 人，领 8 个千户。《史集》所载千户数目应该是成吉思汗季年的千户数目，要多于首封千户数目。[1]

　　① 本田实信：《チンギス·ハンの千户—《元朝秘史》とラシード《集史》との比较を通じて—》，《史学杂志》62—8，1953 年 8 月。

木华黎领 3 个千户　其中包括其弟带孙所领 2 个千户。① 带孙所领 2 个千户很有可能是在攻金之际，因事而分设的。这也符合蒙古人的习惯，即战功卓著者方可同亲族分开别受千户。木华黎千户的掌领，大体又与"国王"承袭相一致。千户领地也随着"国王"牧地迁徙而有所变动。

《蒙古秘史》所载札剌亦儿诸千户：

亦鲁该千户　隶属窝阔台。亦鲁该的儿子，就是与窝阔台兄弟相称、曾反对蒙哥登临汗位的札剌亦儿人额勒只吉歹，蒙哥即位后被诛。② 这一支千户一直归属窝阔台后裔。

木格千户　属察合台所有。③ 直至 1266 年，当察合台汗帐由七河地区迁至河中地区时，"某些蒙古部落，包括札剌亦儿部和八鲁剌思部"也随同迁徙。④ 其中应该包括木格千户。

朵罗阿歹千户　朵罗阿歹即《史集》中提到的，窝阔台在拖雷死后，擅自从属于拖雷诸子的两翼军中与一千苏尼特和二千速勒都思一同拨给自己的儿子阔端的札剌亦儿千户长 dulādāi-noyan（朵剌带那颜）。⑤《史集·部族志》又载："朵剌带为司膳（宝儿赤），窝阔台合罕曾将他连同一千户赐给自己的儿子阔端"。⑥ 朵罗阿歹千户应当一直归属阔端。

---

①　《史集》（汉译本）第 1 卷第 2 分册，第 369 页。

②　《史集》（汉译本）第 1 卷第 1 分册，第 154 页。但拉施特在另一处又说，额勒只吉歹是亦鲁该的弟弟，因犯罪逃到窝阔台处，后来逐渐成为受尊敬的异密。其实，拉施特已说过，额勒只吉歹为窝阔台乳兄弟，而亦鲁该之所以归窝阔台，是因为他曾在窝阔台幼年时充任看护人（师傅 atabcak），"并对他有过父亲般的关怀"。（《史集》第 1 卷第 1 分册，汉译本第 153、197 页）因此，与窝阔台兄弟相称的额勒只吉歹，想必是亦鲁该子。《蒙古秘史》第 226 节中，言窝阔台的护卫散班"一千教亦鲁该亲人阿勒赤歹管着"，额勒只吉歹当此阿勒赤歹之异译。

③　《蒙鞑备录》，《王国维遗书》本，第 8 页，记木华黎："弟二人，长曰抹哥，见在成吉思处为护卫"。王国维注云，此抹哥为《蒙古秘史》中载，木华黎弟不合。看来，木格与抹哥名同实异。

④　А. Г. 波多尔斯基：《察合台汗国》，《蒙古学研究参考资料》新编第 29 辑，内蒙古大学蒙古史研究所 1983 年编印。

⑤　本田实信引《史集》君士坦丁照相本较详细记载了窝阔台拨给阔端的千户数。即札剌亦儿千户长 dulādāi-noyan，速尼惕 1 000 及速勒都思 2 000。并列出了反对这一举措的各异密之名。（《成吉思汗的千户》）符拉基米尔佐夫引用这段史料时，只提及速勒都思和苏尼特。（《史集》第 2 卷，第 204 页注⑧）余大钧所译《史集》中却只提窝阔台将速勒都思部落中的 2000 人给了自己儿子阔端，而且未能列出持反对意见的万夫长和千夫长之姓名。（同上）本田实信称，《史集》君士坦丁本为最好、最善本，而且其所载内容多于后者，可能更接近于拉施特原著。

⑥　《史集》（汉译本）第 1 卷第 1 分册，第 159 页。

巴剌扯儿必千户　在成吉思汗晚年仍归拖雷诸子。

秃格千户　《蒙古秘史》又作统格，赤佬温恺赤子，木华黎从兄弟。《蒙古秘史》以外其他史料不见此人。

者卜客千户　者卜客是帖列格秃伯颜第三子。帖列格秃伯颜归顺成吉思汗时，将其托付给成吉思汗弟合撒儿。① 因而，分封 95 千户时，仍隶合撒儿。②《蒙古秘史》在谈到成吉思汗听信巫者帖卜·腾里谮言，将合撒儿千户分解的事情时提到了该千户，说："太祖不教母亲知，将合撒儿百姓夺去，止与了一千四百……合撒儿处初委付的者卜客走入巴儿忽真地面去了"。③ 原文记为"札剌亦儿台者卜客"，这无疑是曾委托予合撒儿的者卜客。

余噜罕千户（yuru-qan）　应为《元史》卷一三一《奥鲁赤传》中的札剌亦儿人朔鲁罕（surqan）。④ 这一千户后来被忒木惕所袭。忒木惕（又译忒木台）曾随太宗平金，并留驻太原、平阳、河南一带，转化为黄河线上防卫驻屯军。⑤ 可以推断，河南淮北蒙古军都万户府中的奥鲁赤所统 4 万户，即以朔鲁罕之千户为一个分支发展起来的。⑥

《史集》军队节中提及的成吉思汗季年所增置的札剌亦儿诸千户：

札剌亦儿台·也速儿千户　《史集·部族志》又作也速儿千户。⑦ 此千户归旭烈兀所有。⑧ 1336—1411 年间，在原来旭烈兀王朝的废墟上，于伊拉克境内由"蒙古札剌亦儿部首领、母亲为成吉思汗后裔的哈撒·不祖儿黑"创建了札剌亦儿王朝。1356—1374 年间，是该王朝最为强盛时期。可见，归属旭烈兀所有的札剌亦儿部众是极具影响力的。⑨

---

①　额尔登泰、乌云达赉校勘：《蒙古秘史》，第 137 节。

②　额尔登泰、乌云达赉校勘：《蒙古秘史》，第 243 节。

③　额尔登泰、乌云达赉校勘：《蒙古秘史》，第 244 节。

④　《成吉思汗实录》，第 277 页。

⑤　《元史》卷 131《奥鲁赤传》，第 3190 页。

⑥　松田孝一：《河南淮北蒙古军万户府考》，《东洋学报》卷 68，第 3、4 辑合刊，1987 年。

⑦　《史集》（汉译本）第 1 卷第 1 分册，第 157 页。

⑧　《史集》（汉译本）第 1 卷第 1 分册，第 157 页；《史集》第 1 卷第 2 分册，第 372 页。

⑨　А. И. 法利娜：《札剌亦儿王朝》，《蒙古学研究参考资料》新编第 29 辑，内蒙古大学蒙古史研究所 1983 年编印。

阿儿孩·合撒儿千户　阿儿孩·合撒儿，即上述巴剌那颜之兄。此人事迹屡现于《蒙古秘史》，《圣武亲征录》作阿里海①。在成吉思汗最初所设的执事官中阿儿孩·合撒儿担任使者、头哨。② 1204 年，设怯薛护卫时，又令其选 1 000 勇士掌领。③ 1206 年，仍执此职。④ 并誉其所领 1 000 勇士为"老勇士者"。⑤《史集》军队节所记阿儿孩·合撒儿千户，可能是在其原领 1 000 名勇士的基础上发展起来的。或许可以说，1206 年首封千户前后，阿儿孩·合撒儿兼有统领 1 000 勇士的侍卫长与千户长之职。

兀孩与巴儿尤兄弟俩合掌的一个千户　《史集》多次提及该千户，但不见于其他史料。拉施特说，他们世为成吉思汗的家庭奴隶，看管御羊群。⑥兀孩与巴儿尤的千户领地应该在离不儿罕山不远的不鲁克·孛勒答黑或不答［不劣］温都儿地方，并奉旨率领一千斡亦剌惕人守卫藏有宗王们之骨的大禁地⑦。至元十二年（1275 年），宗王昔里吉叛乱之际，这一千户的大部分又并入海都军队。一部分人则留在不答温都儿一带，仍由兀孩后裔统领。⑧宝音德力根认为守护大禁地的兀孩兄弟应是兀良哈人，他们所率当是森林兀良哈即者勒篾、速不台兄弟的肯特山兀良哈人（他认为蒙元时代不存在肯特山兀良哈人外的所谓森林兀良哈人，《史集》部族志中的"森林兀良哈人"是拉施特的杜撰）。"一千斡亦剌惕人"是"一千森林兀良哈人"的误记，同一时代，在肯特山附近可能存在与兀孩同名的札剌亦儿千户。⑨

游牧民族本身好征善战的特性以及千户属民"全民皆兵"的原则，对

① 《圣武亲征录》，《王国维遗书》本，第 38 页。由是那珂通世将位功臣第五位的亦鲁该，训为阿里海。并言："蒙古字里阿和亦不仅容易混写，就是海和该也容易误写"（第 273 页），此论断无疑与史实南辕北辙。

② 额尔登泰、乌云达赉校勘：《蒙古秘史》，第 124、127、181、185 节。

③ 额尔登泰、乌云达赉校勘：《蒙古秘史》，第 191 节总译。

④ 额尔登泰、乌云达赉校勘：《蒙古秘史》，第 226 节。

⑤ 额尔登泰、乌云达赉校勘：《蒙古秘史》，第 230 节。本田实信认为，阿儿孩·合撒儿，可能是在较晚的窝阔台汗时期，由"侍卫长转为千户长"。参见《成吉思汗的千户》。

⑥ 《史集》（汉译本）第 1 卷第 2 分册，第 373 页；《史集》第 1 卷第 1 分册，第 157—158 页。

⑦ 《史集》（汉译本）第 2 卷，第 371 页；《史集》第 1 卷第 2 分册，第 322 页。

⑧ 《史集》（汉译本）第 2 卷，第 371 页。

⑨ 参见宝音德力根：《关于兀良哈》，载《硕果——纪念扎奇斯钦教授 80 寿辰》，内蒙古人民出版社 1996 年版。

蒙古千户制度本身的演化、各千户的重新整合与配置产生了一定的影响。加之，蒙元历史上，几度皇位争夺以及各索己兵、各保其主的现象，使千户民往往游离于本千户，迁驻或改属他处，从而改变了千户的发展走向。札剌亦儿千户的变化，可以说是以蒙古军的征伐战争为滥觞。在窝阔台统治时期，擅自将属于拖雷诸子的札剌亦儿、苏尼特、速勒都思等4个千户拨给皇子阔端，蒙哥即位后报复性的洗劫行为和元初汗位争夺加快了其分化的步伐。①

元末，在曾驻牧于蒙古东部喀尔喀河周围的若干部落——如札剌亦儿、弘吉剌惕等部的基础上形成了以喀尔喀命名的集团，后来发展成为蒙古之喀尔喀万户，这些部落则成为喀尔喀万户属下鄂托克。② 而以札剌亦儿为首的外七喀尔喀，成为后来的喀尔喀汗国或四汗部先民。今蒙古国戈壁阿尔泰省诸县、东方省喀尔喀郭勒县等地仍有札剌亦儿氏。③

二、统领五投下军及五投下探马赤军

五投下，即指伐金战争中木华黎麾下札剌亦儿、兀鲁兀惕、忙兀惕、亦乞列思、弘吉剌惕五部。"五投下"一称概源于此。"五投下"这一固定称呼的确定，也应在木华黎伐金之初。从此以后，该五部一直以一个武装集团出现，"五投下"一称逐渐成为专用名词。

自五投下构成以来，木华黎家族便与之结下了不解之缘。木华黎家族对五投下军的统率，至少可以上溯至1217年。是年，木华黎率五投下12个千户、12 000 骑伐金。攻金战役中，五投下构成了木华黎麾下主力军。随之，国王亲率五投下军成为定制。1223年，孛鲁承袭国王，统领五投下军。1228年，孛鲁子嗣国王塔思（查剌温）继统五投下军。虽然此时，窝阔台即位并亲历平金之战，使木华黎家族在战场上失去了许多主动权，但对五投下军的统帅权应当是牢牢在握的。不久，塔思随皇子阔出征金都汴梁，其所领军队当以五投下为主。太宗末年至贵由统治时期，由塔思弟速浑察继任国

---

① 有关札剌亦儿万户、千户变迁请参见谢咏梅：《札剌亦儿万户、千户编组与变迁》，《内蒙古师范大学学报》2006 年第 4 期。

② 《金轮千辐》，内蒙古人民出版社 2000 年版，第 216、228 页。

③ 敖特根等转写：《蒙古人民共和国部族学》（一），内蒙古人民出版社 1990 年版。

王，兼领五投下军。① 宪宗蒙哥时，由速浑察子忽林池袭封国王，领五投下远征南宋。② 这也是五投下军由蒙金战场转移到蒙宋战场之始。中统三年（1262 年），忽林池率五投下军镇压李璮之乱后，其事迹不再现于史料。而在《通制条格》卷二《户令·户例》之"五投下军站户"一条中所列至元二年间五投下头目名单里札剌亦儿部首领为头辇哥国王。③ 同时，据《至正集·札剌尔公祠堂记》载，至元初年，五投下军统领权一度旁落于木华黎弟带孙郡王后裔忽鲁忽都之手。④ 屠寄说道："（忽鲁忽都）以功佩金符，监蒙兀五投下军万人"。⑤ 忽鲁忽都麾下的"五枝军"或"五投下军"，极有可能是其伐蜀、攻嘉定时继领了忽林池远征南宋时所统五投下之部分军力。⑥

由忽鲁忽都统领五投下军，可以说是国王统率五投下军这一传统制度失效之滥觞。从而使国王与五投下军统辖权的传统连锁关系有了微妙的变化。朝廷开始更多地介入、裁定五投下军首领的择选。继而，世祖命非国王身份的相威总其父"速浑察元统弘吉剌等五投下兵从伐宋"。至元十一年（1274年），相威总五投下军，参与了临安、扬州的攻略。至元十三年（1276 年），亲王海都叛，相威统五投下军移镇西土。次年（1277 年），相威拜行台大夫，帅麾下诸军重返江南。⑦ 并于至元二十一年（1284 年），迁转为江淮行省左丞相，途中去世。相威死后，忙兀部勋臣畏答儿曾孙博罗欢一度任行台御史大夫，或许此时，他与相威原统五投下军结缘。至元二十四年（1287年），得以督统五投下军平乃颜之乱。⑧ 可见，世祖即位后，五投下军首领

---

① 据《元史》卷128《相威传》，第3129 页，载：至元十一年（1274 年），"世祖命相威总速浑察元统弘吉剌等五投下兵"。

② 《史集》（汉译本）第2 卷，第267 页，拉施特在谈及蒙哥时期南宋远征军时，分别提及五投下首领，其中即有木华黎国王的儿子（应为子孙）忽林池。

③ 另参见叶新民：《头辇哥事迹考略》，《内蒙古大学学报》1992 年第4 期。

④ 《至正集》卷38《札剌尔公祠堂记》中载："公（忽鲁忽都）夙著才识，世祖命攻蜀、嘉定诸城，降之，赐金符，再统蒙古军五枝万人，至元五年，召归。"

⑤ 《蒙兀儿史记》卷27《木华黎传》，第263 页。

⑥ 据《至正集》卷38《札剌尔公祠堂记》载，至元五年（1268 年），忽鲁忽都被召归后，从丞相阿术征淮东未下州郡，后坐镇扬州。忽鲁忽都麾下军与后来坐镇扬州的相威所统五投下军似有某种渊源关系。

⑦ 《至正金陵新志》卷6《官守志·大元》，第1810 页；堤一昭在《元朝江南行台の成立》一文中认为，江南行台的构建是以五投下军团为基础的。《东洋史研究》第54 卷第4 号，1997 年。

⑧ 《国朝文类》卷59《平章政事忙兀神道碑》。

的人选似乎不断受到朝廷的干预。迄世祖后期，非札剌亦儿人亦有机会统领五投下军了。

元朝中后期皇位更替频仍，国王对大汗的亲疏、顺逆时有变化，但五投下军一直为朝廷所依恃。至正十四年（1354年），国王朵儿只率五投下军南讨淮东张士诚。① 至正二十九年（1369年），元廷北遁后，顺帝又命郡王阿怜歹"统五投下之众屯于会州"。② 阿怜歹之世系不详，但依其为"郡王"来看，非札剌亦儿部带孙郡王子孙，即兀鲁、忙兀部首领之后裔。

总之，五投下军为成吉思汗建立大蒙古国和元朝巩固统治所依恃的重要武装集团。其最初成立时尽属木华黎国王麾下。在蒙古国时期，五投下军首领一直与国王封袭相一致。直至忽必烈入继大统，迁都幽燕，迫使国王东徙辽阳，五投下军统领权时而与国王封袭失去了传统的连锁。从此，五投下军虽依然作为大汗政权之基盘为元廷所倚重，但其首领人选却多由大汗来裁定。五投下军统领权的嬗变与蒙元朝廷中央集权制的建立与逐步完善也有着密切关系。首先，可视为蒙廷削弱国王势力政策之延续；其次，是将五投下纳入元廷，这是控制东北军事体系的重要表现。通元一代，五投下军虽非尽由木华黎家族统率，③ 但两者仍渊源相连。

木华黎家族除了统率五投下军以外，又统有"五投下探马赤军"。五投下探马赤军，源自五投下主力，是由五投下军中签出，专门以充任先锋及镇戍为己任的军队，是在蒙古征金战争中应运而生的。大蒙古国时期，五投下探马赤军虽各有将帅，但统属木华黎麾下。④ 可见，伐金之初，木华黎还总领五投下探马赤军。木华黎家族对五投下探马赤军统领权的弱化，似乎始于蒙哥汗时期。蒙哥即位后，委其弟忽必烈"尽属以漠南汉地军国庶事"。⑤ 忽必烈即位后，继续推行中央集权政策，于中统三年（1262年），"以五投下探马赤立蒙古探马赤总管府"。至元十六年（1279年），罢五投下探马赤

---

① 《元史》卷139《朵儿只传》，第3355页；参见堤一昭：《大元ウルス江南统治首脑の二家系》。

② 刘佶：《北巡私记》，第3页。

③ 萧启庆：《元代四大蒙古家族》中认为："五投下军世由木华黎家族统率"。

④ 这一点从五部探马赤将领的本传中即可窥得一斑。如：《元史》所录《肖乃台传》、《按扎儿传》、《粟直脯鲁花传》中均记有他们领蒙古军"从太师国王为先锋"或"前锋"等字样。

⑤ 《元史》卷4《世祖本纪》一，第57页。

军"各于本投下应役"。至元二十一年（1284 年），枢密院奏："以五投下探马赤军俱属之东宫"。至元二十二年（1285 年），改为蒙古侍卫亲军指挥使司。至元三十一年（1294 年），又更名"右都威卫使司"。① 至此，五投下探马赤军从专属木华黎麾下之军队逐渐转化为中央卫军，五投下探马赤军的统领权也由札剌亦儿部木华黎家族转移到了中央。可知，木华黎家族在 1262 年以后即失去了五投下探马赤军统率权。② 五投下探马赤军构成中央卫军之一部分后，其统领权不再专属木华黎家族，而归中央统一调配。

总之，平金之初，因战事所需，由五投下军中抽调部分主力，充任先锋及镇戍，称五投下探马赤军，并统属于木华黎麾下，累世受其族人统率。直至蒙哥即位，忽必烈总领漠南军国重事，方有了转变。从此，五投下探马赤军统领权逐渐由木华黎家族转移到了中央，构成世祖朝推行的中央集权政策的重要一环。③

三、札剌亦儿部与蒙古军都万户府

札剌亦儿部落中除了木华黎家族领有五投下与五投下探马赤军以外，又有一些家族成员活跃于蒙金、蒙宋战场上，以万户、都万户等身份领有部分蒙古、汉军。南宋灭亡后，元廷将这些远征军安置于腹心要地，以蒙古军都万户府等机构来掌领。一些札剌亦儿将领不仅随之留驻汉地，而且又能以军团长的身份兼有了都万户、副都万户、大都督等职。

（一）河南淮北蒙古军都万户府

《元史·百官志二》载，至元二十四年（1287 年），"以四万户奥鲁赤改为蒙古军都万户府"。成宗大德七年（1303 年），又将蒙古军都万户府命为河南淮北蒙古军都万户府。④ 可知，河南淮北蒙古军都万户府与 4 万户奥

---

① 《元史》卷 99《兵志》二《宿卫》，第 2526 页。

② 萧启庆：《元代四大蒙古家族》，《元代史新探》，第 126 页。

③ 以上内容请参见谢咏梅：《五投下军及五投下探马赤军统领权的演变》，《内蒙古师范大学学报》2008 年第 1 期。

④ 《元史》卷 86《百官志》二，第 2166 页；《山右石刻丛编》卷 37 字尤鲁翀：《伯里阁不花碑》中谓伯里阁不花于"大德六年（1302 年）授河南淮北蒙古军都万户副万户"，与《元史·百官志》的记载有出入。看来，河南淮北蒙古军都万户一称大德六年就已被使用。

鲁赤有渊源关系。奥鲁赤，札剌亦儿人，因此，这一军团在史籍中又往往被
称为"总管四万户扎剌"。[①] 奥鲁赤之万户来自其父忒木台所领军队，忒木
台之军队则源自其父朔鲁罕（余噜罕）的千户。[②] 即奥鲁赤所领 4 万户之
一，是在余噜罕千户的基础上发展起来的。河南淮北蒙古军为探马赤军，从
忒木台、奥鲁赤等往往以探马赤将领著称来看，他们所领军队大概是在签自
余噜罕千户的部分札剌亦儿人的基础上形成的。忒木台曾活跃于蒙金战场，
后屯驻于河南、山西一带。[③] 奥鲁赤统领 4 万户蒙古军于至元十一年（1274
年）至十七年（1280 年）间参加了攻伐南宋的一系列战事，并转战、屯驻
于江淮、湖广等行省境内。[④] 但其主要驻屯地仍在黄河北岸。奥鲁赤自蒙宋
战场北归后，于"洛阳县龙门山之南，伊水之东，以治军政"。继奥鲁赤，
子脱桓不花、孙普答剌吉和察罕铁穆尔相继以都万户统领河南淮北蒙古军，
迄元终。[⑤] 另外，至元十七年（1280 年），元廷将部分 4 万户蒙古军编入蒙
古侍卫亲军，并由奥鲁赤后人拜住任副都指挥使。[⑥]

兹列奥鲁赤家族任职于河南淮北蒙古军都万户府一览表于下：

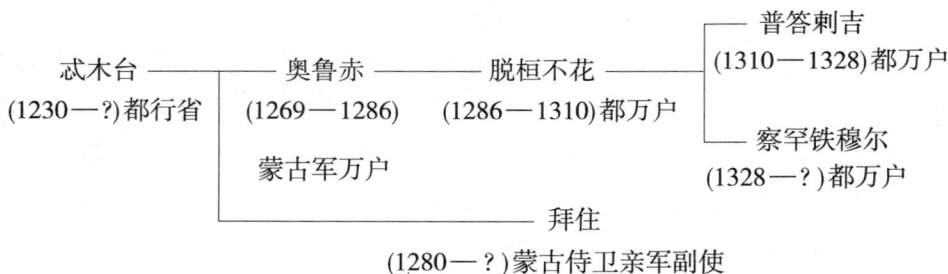

```
                                                      ┌── 普答剌吉
                                                      │   (1310—1328)都万户
忒木台 ──────┬── 奥鲁赤 ────── 脱桓不花 ──────┤
(1230—?)都行省 │  (1269—1286)   (1286—1310)都万户 │
              │  蒙古军万户                          └── 察罕铁穆尔
              │                                        (1328—?)都万户
              └────────────────── 拜住
                        (1280—?)蒙古侍卫亲军副使
```

（二）山东河北蒙古军都万户府

山东河北蒙古军都万户府是于成宗大德七年（1303 年）由蒙古军都万

---

① 《事林广记》9/10a，8；转引自松田孝一文。

② 松田孝一：《河南淮北蒙古军都万户府考》，载《东洋学报》68—3·4，1987 年。

③ 《元史》卷 131《奥鲁赤传》，第 3190 页。

④ 参见《行省制度研究》，第 262 页。

⑤ 见《菊潭集》卷 3《河南淮北蒙古军都万户府增修公廨碑铭》；《元史》卷 99《兵志》二《镇
戍》。

⑥ 《元史》卷 131《奥鲁赤传》，第 3192 页。

户府改称。蒙古军都万户府则是于至元二十一年（1284 年）由阿朮所领蒙古军都元帅府改立。① 都元帅府曾统有 5 个蒙古军万户，其一便由札剌亦儿部阿剌罕家族统领。该万户组建于征金之际。1235 年，阿剌罕父也柳干从太子阔出、忽都秃伐金，有功得以拜万户，并以天下马步禁军都元帅为察罕将军之副，统领屯戍大军。1255 年，察罕殁，也柳干代拜诸翼军马都元帅。1258 年，也柳干死后，子阿剌罕嗣职，并以诸翼蒙古军都元帅统其父军。中统初，将所部北讨阿蓝答儿、浑都海；从征阿里不哥；镇压李璮。后又从伯颜征宋，多年转战于蒙宋战场。② 至元十二年（1275 年），以蒙古军马上万户权建康行省事，后卒于征日本途中。③ 从子拜降袭职。④ 元贞元年（1295 年），阿剌罕子也速迭儿袭都万户，总左手万户府。天历二年（1329 年），山东河北蒙古军都万户府更名山东河北蒙古军大都督府，也速迭儿因于"天历之变"中拥护文宗图帖睦尔帅有功，以河南行省平章政事兼有山东河北蒙古军大都督。

兹列阿剌罕家族任万户、都万户等军职一览表：

```
也柳干 ─────────────── 阿剌罕 ─────────────── 也速迭儿
（1235—1258）万户，    （1258—?）诸翼         （1295—?）都万户，山东河北
天下马步禁军都元      或右军都元帅，        蒙古军大都督
帅，诸翼军马都元帅，   蒙古军马上万户
蒙古军马上万户
                                        ─────────── 拜降
                                                    蒙古军马上万户
```

（三）四川蒙古军都万户府

四川蒙古军都万户府是于至元二十六年（1289 年）由蒙古军都元帅府改立。曾由珊竹部也速迭儿任都万户，总领该都万户府。据《元史·拜延八都鲁传》载，札剌亦儿人拜延八都鲁子塔海忽都由都元帅改授四川蒙古

---

① 《元史》卷86《百官志》二，第 2172 页；参见史卫民：《元代蒙古军都万户府的建置及其作用》。
② 《道园学古录》卷24《曹南王勋德碑》。
③ 《至正集》卷45《曹南忠宣王神道碑铭并序》。
④ 《元史》卷129《阿剌罕传》，第3149页；《道园学古录》卷24《曹南王勋德碑》。

军副都万户。① 四川蒙古军都万户府，应由 6 个蒙古军万户组成。其一即为
札剌亦儿部兀浑察万户。兀浑察为塔海忽都兄，至元二十一年（1284 年）
授任蒙古军万户。三十年（1293 年），塔海忽都袭此万户，为都元帅。至治
二年（1322 年），塔海忽都病逝，子孛罗帖木儿袭副都万户。其后不详。兹
列札剌亦儿人任万户、都万户等军职一览表于下：

兀浑察 ———————— 塔海忽都 ———————— 孛罗帖木儿
（1284—1293）　　　　　　（1293—1322）　　　　　　（1322—?）
蒙古军万户　　　　　　　蒙古军都元帅　　　　　　四川蒙古军副都万户?
　　　　　　　　　　四川蒙古军副都万户

　　札剌亦儿人除了在以上 3 个都万户府中任重要职务以外，亦有被编组或
任职于其他蒙古军者，如辽阳行省平章政事塔出便兼有蒙古军万户。②

第五节　札剌亦儿部与成吉思汗黄金家族的关系

一、成吉思汗黄金家族的斡脱古·孛斡勒

　　据《史集》记载，成吉思汗六世祖海都时，部分札剌亦儿人由于杀死
了海都的母亲及兄长，沦为其"孛沙合因赤讷孛斡勒（bošuqa-yin činu
boγul)"、"额阗讷赤纳奄出孛斡勒（ehüden-ü činu emčü boγul)"③。随着札
剌亦儿部落部分成员在成吉思汗建国过程中充任那可儿（nökür，即伴当），
从而拥有了孛斡勒与那可儿双重身份，并逐渐以"斡脱古·孛斡勒"（ötügü
boγul）著称④。到了元代，斡脱古·孛斡勒往往与"老奴婢根脚者"、"元

---

　　① 《元史》卷 123《拜延八都鲁传》，第 3024 页。
　　② 《元史》卷 133《塔出传》，第 3224 页。
　　③ 《史集》（汉译本）第 1 卷第 2 分册，第 20、21 页。额尔登泰、乌云达赉校勘：《蒙古秘史》，
第 137 节，旁译为"门限的你的奴婢"和"门的你的梯己奴婢"。阿巴拉嘎兹将这部分札剌亦儿人称作
"被俘获的札剌亦儿人（olja-yinjalayirčud)"而区别于全体札剌亦儿人（büküjalayirčud)。《蒙古诸王朝史
纲》，第 63 页。
　　④ 《史集》（汉译本）第 1 卷第 2 分册，第 14 页。

勋世臣"构成同义语①。大约 1197 年，木华黎归附铁木真，成为铁木真的亲密那可儿。此外，该部拙赤塔儿马剌和兀的·曲儿出也是成吉思汗的伴当，老那可儿②。随着斡脱古·孛斡勒的地位提升、家族璜贵，又往往以"根脚深重"、"大根脚"等来表彰其古老而优越的家世了。

札剌亦儿部落一些家族身为成吉思汗黄金家族的元勋世臣，有元一代，备受优遇，可谓与元俱荣俱损，休戚与共。元季文人墨客往往以谀美之辞表彰札剌亦儿部与成吉思汗黄金家族的特殊关系："惟札剌尔氏，大贤世出，殊勋硕画，与国基命，盖国之世臣也"；③ "惟札剌尔氏，功烈在世，盖与国相久长"；④ "皇元以仁武取天下，艰难肇造，与共事者惟国人尔，而国人中尤赖以济者若札剌尔氏"；⑤ "惟札剌尔氏之先，奋其雄材，翊扶兴运，元功茂烈"。⑥ 终元一世，札剌亦儿人不仅以"世臣"自居，而且对蒙元帝室世笃忠贞。入元以后，虽然由于一些札剌亦儿人得以封王拜将、撄朱夺紫，但始终与成吉思汗黄金家族间保持主从关系。

据《史集》载，札剌亦儿人兀孩与巴儿尤兄弟祖先自古以来就是成吉思汗家族的私属奴隶。成吉思汗曾想让他们当大异密，他们却不同意地说："是也速该把阿秃儿让我们当你的牧人的"⑦。有元一代，木华黎家族一向以"忠"与"武"为其家风。这种主从制关系首先以札剌亦儿人遵从帝命，勤于征伐之事为表现的。1234 年，塔思从皇子阔出远征南宋时对窝阔台发誓说："臣家累世受恩，图报万一，正在今日"⑧；又，世祖嘱木华黎后人硕德征讨西土之乱时，硕德对曰："臣不朕幸，以勋阀之裔，为国世臣，边陲重

———————

① 《永乐大典》卷 2608《宪台通纪》，第 18 页，总 1288 页；《大元敕赐诸色人匠府达鲁花赤竹公神道碑铭》，参见亦邻真：《关于十一十二世纪的孛斡勒》，《元史论丛》第 3 辑，中华书局 1986 年版。

② 额尔登泰、乌云达赉校勘：《蒙古秘史》，第 128 节，谓拙赤答儿马剌为成吉思汗的伴当，但不提族属。《史集》（汉译本）第 1 卷第 2 分册，第 110 页提到他，谓札剌亦儿氏。《史集》（汉译本）第 1 卷第 1 分册，第 277 页，札剌亦儿部兀的·曲儿出（aūti-k（u）rčū）为成吉思汗老那可儿，此人可能是拉施特在他处常提及的兀孩·合剌尤。

③ 《至正集》卷 47《有元札剌尔氏三世功臣碑铭并序》。

④ 《至正集》卷 38《札剌尔公祠堂记》。

⑤ 《至正集》卷 45《曹南忠宣王神道碑铭》。

⑥ 《金华黄先生文集》卷 14《宝忠堂记》，第 8 页下。

⑦ 《史集》（汉译本）第 1 卷第 2 分册，第 373 页。

⑧ 《元史》卷 119《木华黎传附塔思传》，第 2939 页。

事，故当任责赖。"① 至正十四年（1354 年），元廷调东北之兵镇压淮东张
士诚叛乱时，札剌亦儿部朵儿只独曰："吾国家世臣，天下有事，正效力之
秋也，吾岂暇与小子辈通贿赂哉。"② 札剌亦儿部其他家族成员也多凭借武
力累著战功，服劳元室。如奥鲁赤族人 "一门六叶服劳王家;"③ 曹南王世
家也 "无征不从，无战不捷，而所部之士威信素著，如臂使指，无不如
志"④。可见，不论在统一蒙古诸部和建造帝国过程中，还是在征服战争或
在巩固元朝统治的战役中，札剌亦儿人一向冲锋陷阵，为朝廷效劳，而且与
木华黎世家有着密切关系的五投下军，可谓终元之世为元廷所倚重，成为蒙
元朝廷政治基石和大汗权力的支柱。同时，这种主从制关系又以札剌亦儿人
以人臣自居，世笃忠贞为表现的。如：当塔思从皇子阔出征金朝，进驻汴京
时，守臣刘甫欲请塔思宴于大庆殿，塔思曰："此故金主所居，我人臣也，
不可处此"，于是宴于甫家。⑤ 塔思虽身为国王，却对大汗仍谨守人臣本分。
其后人朵尔直班谓自己："为国家之世臣，兹已八叶"。⑥ 木华黎家族虽在元
朝声华最盛，但其 "人臣" 身份，仍为时人共知。世祖朝，木华黎曾孙、
中枢要臣安童因平反了诸多乃颜之乱中的 "宗室中诖误者"，免死者谢恩于
道，"至有执辔扶公上马者"，安童却 "毅然不顾"。有人便间言于帝："宗
室虽有罪，皆太祖子孙、陛下昆弟，丞相虽尊，人臣也，奈何悖慢如此!"⑦
元季文人危素也谓朵儿只为 "国王世臣家";⑧ 黄溍谓拜住："有如王之恢张
先烈，乘时奋庸为国世臣，同休共戚"，又谓其子笃麟铁穆尔 "世其家
臣"。⑨ 可见，终元一世，一些札剌亦儿人虽出仕高位、尊荣显贵，但与黄
金氏族的主从制关系始终沿袭，不曾改变。同时，作为成吉思汗黄金家族的
私属，札剌亦儿人自古以来就沿袭着效忠帝室的传统。《宝忠堂记》中便录

---

① 《金华黄先生文集》卷 25 《札剌尔公神道碑》，第 23 页上。
② 《元史》卷 139 《朵儿只传》，第 3355 页。
③ 《至正集》卷 47 《有元札剌尔氏三世功臣碑铭并序》。
④ 《至正集》卷 45 《曹南忠宣王神道碑铭并序》。
⑤ 《元史》卷 119 《木华黎传附塔思传》，第 2939 页。
⑥ 《金华黄先生文集》卷 14 《宝忠堂记》，第 8 页上。
⑦ 《元朝名臣事略》卷 12 《丞相东平忠宪王》，第 12 页。
⑧ 《危太朴文续集》卷 5 《彭承初墓志铭》。
⑨ 《金华黄先生文集》卷 24 《拜住神道碑》，第 7 页上。

有朵尔直班言："古人或以善为宝，或以仁亲为宝，而吾家世之传则以忠为宝，子孙宜谨其承相保守之而弗失，是用名吾堂曰宝忠。"① 札剌亦儿部后人常以"宝忠"或"世忠"匾其所居堂室，正是表明自己的尚忠之德。② 《元史·拜住传》记拜住所言："我祖宗为国元勋，世笃忠贞，百有余年。"③ 许有壬《世忠堂记》所载："至治间王之孙当国，独以忠死，其为世忠"④，正是对南坡之变中与英宗共殉难的拜住的表彰。元季文人吴当特为木华黎后裔笃麟铁穆尔作《明良诗》一首，曰："硕硕元勋，后先四王，维君之明，维臣之良……明良之逢，有典有则，世笃忠贞，式报天德"⑤，便是对札剌亦儿部世忠于黄金氏族的嘉美。木华黎后裔硕德将所获历代传国玉玺转献于成宗之事，尤以表明其对帝室的支持与忠诚。⑥ 这种特殊主从制关系还体现在札剌亦儿人对成吉思汗黄金家族所履行的传统义务上，尤以扈从大驾和守卫漠北帝王秘藏墓地为己任。如：迭木台在宪宗征蜀时便"日扈帐殿"；其孙脱完普华亦因"拥护有功"拜湖广行省平章政事；曾孙察罕帖穆尔亦曾扈从皇帝北归。⑦ 札剌亦儿人又常任护送帝王灵柩和守卫大禁地之责。宪宗晏驾后，带孙郡王后人塔塔儿台曾"护灵驾赴北"；⑧ 忙哥撒儿孙伯答沙"幼入宿卫……武宗崩，护梓宫葬于北，守山陵三年，乃还"。⑨ 还有部分札剌亦儿人是以看守御羊群或守卫大禁地为己任。⑩ 也许因札剌亦儿部与兀良哈部落同为黄金氏族的斡脱古·孛斡勒的特殊身份，使他们拥有了世守主人灵地的义务和职责。

---

① 《金华黄先生文集》卷 24《拜住神道碑》，第 8 页。

② 《至正集》卷 36《世忠堂记》，特为带孙后裔安僧作。

③ 《元史》卷 136《拜住传》，第 3303 页。

④ 《至正集》卷 36《世忠堂记》。

⑤ 吴当：《学言稿》卷 1《明良诗》，《四库全书》本，台湾商务印书馆 1986 年版。

⑥ 《元史》卷 173《崔彧传》，第 4045 页，载：成宗即位时，曾得玉玺于故臣札剌氏之家；《金华黄先生文集》卷 25《札剌尔公神道碑》亦载此事（第 23 页上、下），谓硕德得历代传国玉玺，并经崔彧将之献于成宗。陶宗仪：《辍耕录·传玉玺》所载即此事，谓崔彧所进传国玉玺得于太师国王孙拾得之家。拾得为硕德一名之异译。

⑦ 《至正集》卷 47《有元札剌尔氏三世功臣碑铭并序》。

⑧ 《元史》卷 119《木华黎传附塔塔儿台传》，第 2943 页。

⑨ 《元史》卷 124《忙哥撒儿传》，第 3058 页。

⑩ 《史集》（汉译本）第 1 卷第 2 分册，第 322 页。

　　成吉思汗黄金家族又将札剌亦儿显贵待以戚里，视若家人。① 这一身份是由其"斡脱古·孛斡勒"身份决定的。整个蒙元时代，只有同样出身"斡脱古·孛斡勒"的兀良哈家族可与之媲美。中原文人将这种世代的主仆关系拔高为"亲连天家"②"与元同族"③。在成吉思汗时期，札剌亦儿部木华黎、拔徹等就曾充任那可儿，为帝心腹。成吉思汗分封万户、千户时对木华黎说："我之与汝，犹车之辕，犹身之臂"，并令其与博尔朮任左右万户，"各以其属翊卫宸极，仪位一如诸侯王"④。《蒙古秘史》称木华黎、博尔朮二人为成吉思汗的"亦纳兀惕"（inaγud），旁译为"宠信的每"。可以体认到大汗对他的宠信之深。此外，朔鲁罕也被成吉思汗视为"朕之一臂"⑤；拔徹自幼年，已在宿卫，为火而赤、博而赤，这些执事则"盖非笃慎强敏，见知而亲信任使者，不得预"。⑥ 宪宗时，察哈札剌亦儿之忙哥撒儿充任札鲁忽赤，备受优宠。常常是"帝或卧未起，忙哥撒儿入奏事，至帐前，叩箭房，帝问何言，即可其奏，以所御大帐行扇赐之，其见亲宠如此"。忙哥撒儿死后，宪宗诏谕其子时说："人（忙哥撒儿）则虽死，朕将宠之如生。"⑦ 通元一代，札剌亦儿人多以元勋被召入宿卫，掌怯薛或充执事官，侍帝左右；或出仕高位与君协力；或知经筵，常侍禁闼。如：安童与世祖虽君臣相称，却相知无间⑧。其子兀都带亦"常侍掖庭，赞画大政，帝及中宫咸以家人礼待之"⑨。世祖又对木华黎后人撒蛮父子宠爱若子，"自襁褓时，世祖抚育之若子……及长，常侍左右"。成宗即位后"其宠顾为尤笃，常侍禁闼，出入惟谨"。⑩ 安童孙拜住尤以"三朝服勤帷幄"著称。武宗入继大统时，拜住方10岁，"迎谒道左，上亲执其手慰藉久之"。英宗时，拜住与皇帝协力，力抗聚敛之臣及保守派，于南坡共殉难。其与帝之间："知鱼水

①　《元朝名臣事略》卷1《太师鲁国忠武王》，第3页。
②　《国朝文类》卷24《丞相东平忠宪王碑》。
③　《元史氏族表》，第2页。
④　《元朝名臣事略》卷11《太师鲁国忠武王》，第2页。
⑤　《元史》131《奥鲁赤传》，第3190页。
⑥　《道园学古录》卷14《曹南王勋德碑》；《国朝文类》卷25录其为《曹南王世德碑》。
⑦　《元史》卷124《忙哥撒儿传》，第3056—3057页。
⑧　《元史》卷126《安童传》，第3083页。
⑨　《元史》卷126《安童传》，第3084页。
⑩　《元史》卷119《木华黎传附脱脱传》，第2943—2944页。

之亲，胁合无间"①；"君臣同心，亲信无间，真千载一时也"。② 拜住子笃麟铁穆尔也"平无事时侍上起居，弗懈"。③ 元末，顺帝曾"亲御翰墨，作庆寿两大字"赐于札剌亦儿部朵尔直班"以保其家宜也"。④ 可见，通元一代，札剌亦儿部以戚里身份与帝室休戚相关，不曾远离久违。

有元一代，札剌亦儿部显贵被视若戚里家人，得以比照皇室成员的待遇，共天下之福，世享殊遇。可谓"惟札剌尔氏有大功于帝室，世享王封"⑤。元明善亦曰："时则有佐命元勋，曰博儿浑，曰博儿朱，曰木华里，及即宝位，锡之券誓，庆赏延于世世，故朝廷议功选德，必首三家焉。"⑥ 札剌亦儿部所受殊遇，首先表现在其得以比照成吉思汗黄金家族，世享分地、分民。1206 年，分封 95 千户时便命木华黎拜左手万户，"太行迤东，尽委经略"。此外在丙申年分封与世祖年间江南户钞拨赐中，札剌亦儿部功臣均获赐相当的封邑、封户。⑦ 札剌亦儿人还获有相当多的赐田，并享受立祠、立庙等特殊待遇。至治初，右丞相拜住便得立五庙⑧。此外，至正元年（1341 年），立札剌亦儿人阿剌罕祠于集庆。⑨ 少数札剌亦儿勋臣得立庙立祠，是朝廷酬答军功，又体现了元帝对札剌亦儿人的亲宠与恩典。值得注意的是，由于札剌亦儿人的原有身份的局限，使其仅能比照皇室成员，实际上仍低于其正式成员。他们所受的亲宠尊荣，主要是相对于一般臣民。若在成吉思汗黄金家族成员面前，他们永远是低于其一等的"老奴隶"。

二、入充怯薛

在最初组织怯薛执事时，札剌亦儿人就担任了不同名目的执事。其脱忽剌温氏三兄弟之合赤温为箭筒士（qurči），合儿孩为云都赤（üldüči），合剌

① 《金华黄先生文集》卷 24 《拜住神道碑》，第 3 页上。
② 《滋溪文稿》卷 28 《题丞相东平忠献王传》，陈高华、孟繁清点校本，第 467 页。
③ 《金华黄先生文集》卷 24 《拜住神道碑》。
④ 《金华黄先生文集》卷 21 《恭跋御书庆寿二大字》，第 2 页上。
⑤ 《金华黄先生文集》卷 25 《札剌尔公神道碑》，第 25 页上。
⑥ 《国朝文类》卷 23 《太师淇阳忠武王碑》，第 9 页下。
⑦ 有关札剌亦儿部五户丝食邑和江南户钞，可参阅《元史》卷 95 《食货志》三《勋臣》。
⑧ 《元史》卷 76 《祭祀志》五《大臣家庙》，第 1905 页。
⑨ 《至正集》卷 49 《有元功臣曹南忠宣王祠堂碑》。

勒歹为掌驭马者（aγtači）①；阿儿孩合撒儿充逻骑队长，视若远箭近箭般，常充信使或军哨②；弟巴剌被称为"巴剌扯儿必"，即近侍之官，常在可汗左右。③ 在铁木真首次任命的 26 个怯薛执事中，札剌亦儿人至少有 4 名，且多掌重要执事。如箭筒士、带刀者、掌马者等。1203—1204 年间，正式设立怯薛组织以及 1206 年扩充为万人"大中军"之际，札剌亦儿人一直有入充怯薛者，且多任重要执事。札剌亦儿部显贵木华黎家族还得以世领第三怯薛，迄元终。

1203 年，铁木真灭克烈后，组建规模较大的宿卫组织。其中，令札剌亦儿人阿儿孩合撒儿"选一千勇士管着，如厮杀则教在前，平时则做护卫"。1206 年，怯薛再度扩充为万人，称"大中军"。此时不少札剌亦儿人又担任了重要执事。其中阿儿孩合撒儿领有一千散班，④ 所领一千人被誉为"老勇士者"（ötügü baγatud）⑤。另外，木华黎弟不合也领有一千散班。⑥ 札惕（察哈）札剌亦儿氏不吉歹长领豁而赤⑦。拔徹早事成吉思汗，为其心腹，被委以博而赤、豁儿赤等要职，直至太宗窝阔台时期仍执此事。⑧ 拔徹死后由其子也柳干继任⑨，并充皇子卫士长。⑩ 继也柳干之后，子也速迭儿袭职"属橐鞬"⑪，大概是豁儿赤之类执事。正是《曹南王世德碑》中道："若曹南王家自开基以来，已入备禁卫，出死行阵者，三世矣。"

窝阔台时期，有札剌亦儿台豁儿赤为怯薛执事官。⑫ 札剌亦儿台豁儿赤

---

① 额尔登泰、乌云达赉校勘：《蒙古秘史》，第 124 节，第 151 页。

② 据《圣武亲征录》载，十三翼中"札剌儿及阿哈为一翼"，此时于铁木真处仅有脱忽剌温三兄弟和阿儿孩合撒儿巴剌兄弟。

③ 额尔登泰、乌云达赉校勘：《蒙古秘史》，第 202 节；《蒙兀儿史记》卷 40。

④ 额尔登泰、乌云达赉校勘：《蒙古秘史》，第 226 节总译。

⑤ 额尔登泰、乌云达赉校勘：《蒙古秘史》，第 230 节。

⑥ 不合，《元史》不见其传，《蒙兀儿史记》补录其传，为孔温窟哇第四子，带孙之兄。

⑦ 有关不吉歹的氏别，《蒙兀儿史记·氏族表》于赤剌温孩亦赤子统格名下列不吉歹。钱大昕：《元史氏族表》却不见统格一系。村上正二在译注《蒙古秘史》时亦注意到此，然而，他在列赤剌温孩亦赤系谱时仍将统格、不吉歹父子列于其名下。《蒙古秘史》，第 225 节总译。

⑧ 《国朝文类》卷 25《曹南王世德碑》，第 15 页上；《至正集》卷 45《曹南忠宣王神道碑铭并序》。

⑨ 《国朝文类》卷 25《曹南王世德碑》中载："也柳干，继为火而赤、博而赤，膺其父之职也。"

⑩ 《元史》卷 129《阿剌罕传》，第 3147 页。

⑪ 《国朝文类》卷 25《曹南王世德碑》。

⑫ 有关札剌亦儿台豁儿赤，参见箭内亘：《蒙古の高丽经略》，《蒙古史研究》。

一名系"兼氏与官称之"①。窝阔台与蒙哥时期另有忒木台父子、塔塔儿台等札剌亦儿人充任怯薛执事官。忒木台为窝阔台军队的主要将领，曾任都行省，并统领五投下探马赤军。其在太宗、宪宗朝任豁儿赤，并常在禁闼。② 即"大父忒木惕，……宪宗征蜀，日扈帐殿"。③ 子奥鲁赤"早事宪宗，带御器械者，特见亲任，戊午，扈驾征蜀"④。恐非怯薛执事官云都赤或豁儿赤莫属。带孙后裔塔塔儿台："由怯薛歹授世袭东平答鲁合臣"。⑤ 元代，札剌亦儿人入充怯薛执事官者更是不乏其人。如，木华黎五世孙硕德便在世祖即位之际："入宿卫，典朝仪"⑥；忙哥撒儿孙伯答沙任博而赤，历事成宗、武宗、仁宗、泰定、文宗朝。武宗驾崩后，护灵驾北归，守山陵 3 年之久。元末，木华黎六世孙，即国王乃蛮台子野仙溥花与七世孙朵尔直班曾掌速古儿赤⑦。此外，史籍不明载执事官名，而只录其备宿卫的札剌亦儿人也为数不少。如脱脱、朵儿只、唆都等。

总之，札剌亦儿人作为成吉思汗黄金家族的"梯己奴婢"，与皇室保持着非凡的亲密关系，这使他们子弟通常有机会入充怯薛，担任可汗近旁的执事官，常侍禁闼。而札剌亦儿人服侍大汗，为博儿赤、豁儿赤、云都赤、速古儿赤等执事者为数甚多。这些执事若非"亲信"，是"不得预"的，且大多世袭，又常居禁近，实殊于一般怯薛歹，足以体现札剌亦儿与大汗之间的特殊从属关系。

通元一代，札剌亦儿木华黎家族又得以世领第三怯薛。第三怯薛，最初是由木华黎弟不合代领⑧，之后改由木华黎家族世领。《元史·兵志二》宿卫一条载："四怯薛：太祖功臣博尔忽、博尔术、木华黎、赤老温，时号掇里班曲律，犹言四杰也，太祖命其世领怯薛之长……寅、卯、辰日，木华黎

---

① 《蒙兀儿史记》卷 153，第 1005 页。
② 《圣武亲征录》，《王国维遗书》本，第 83 页。
③ 《至正集》卷 47《元札剌尔氏三世功臣碑铭并序》。
④ 《元史》卷 131《奥鲁赤传》，第 3191 页。
⑤ 《蒙兀儿史记》卷 153，第 1004 页。
⑥ 《元史》卷 119《木华黎传附硕德传》，第 2941 页。典朝仪一职可能是怯薛执事之执法官，蒙语谓扎撒克齐（jasarǧi），专掌朝会时的风纪，位殊于一般怯薛歹。
⑦ 《元史》卷 139《乃蛮台传》，第 3353 页；卷 139《朵尔直班传》载文宗命朵尔直班为尚衣奉御，无疑由速古儿赤出仕。
⑧ 额尔登泰、乌云达赍校勘：《蒙古秘史》，第 227 节总译，第 595 页。

领之，为第三怯薛。"札剌亦儿人额勒只吉歹（alčidai）也曾担任过窝阔台朝的怯薛长①。木华黎之后直至元末，见于史乘的第三怯薛长的继任者依次为安童、兀都带、拜住、笃麟铁穆尔。

木华黎四世孙安童"自中统初年世祖皇帝命掌环卫之政令，位百僚上"。② 其任怯薛长的时间大概是在至元二十三年（1286 年）至至元三十年（1293 年）间③。世祖末、成宗初兀都台继父安童袭第三怯薛长④。继兀都台之后，由其子拜住于至大二年（公元 1309 年）袭掌第三怯薛⑤。拜住子笃麟铁穆儿于元统二年（1334 年）至至正十二年（1352 年）间任怯薛长⑥，也是元代最后一任第三怯薛长。

下面就札剌亦儿人入充怯薛情况列表如下：

蒙元时期札剌亦儿人入充怯薛一览表

人 名	世 系	怯薛执事	番值时间	出 处
合赤温	脱忽剌温札剌亦儿氏	豁儿赤	1189 年	《蒙古秘史》一二四节。
合儿孩	合赤温弟	云都赤	1189 年	同上。
合剌勒歹	合赤温弟	阿黑塔赤	1189 年	同上。
阿儿孩合撒儿	薛止朵抹黑子，巴剌兄	远箭近箭般	1189 年、1203—1204 年	《蒙古秘史》一二四、一二六、一九一节。
不合	木华黎弟	怯薛长	1206 年	《蒙古秘史》二二六节。
札剌亦儿台豁儿赤（札剌台）	塔出父	豁儿赤	成吉思汗、太宗、宪宗时期	《蒙古秘史》二七四节；《元史》卷三《宪宗纪》，卷一三三《塔出传》；钱大昕《元史氏族表》。

———————

① 额尔登泰、乌云达赉校勘：《蒙古秘史》，第 278、226 节，第 375、485 页。
② 《国朝文类》卷 24《丞相东平忠宪王碑》，第 4 页上；参见《金华黄先生文集》卷 24《拜住神道碑》，第 2 页上。
③ 《元代四大蒙古家族》中谓"至元二十三年（1286 年）至至元二十六年（1289 年）间"。
④ 《金华黄先生文集》卷 24《拜住神道碑》记："兀都台，成宗时袭掌环卫"。
⑤ 萧启庆先生断定拜住任职怯薛长时间当为 1314—1320 年，似有不周全之处。
⑥ 参见萧启庆上引文。片山共夫认为笃麟铁穆儿应该在文宗至顺元年（1330 年）袭任怯薛长。

（续表）

人　名	世　系	怯薛执事	番值时间	出　处
不吉歹	赤老温孩亦赤孙，统格之子	豁儿赤长	成吉思汗时期	《蒙兀儿史记》卷一五三《氏族表》。钱大昕《元史氏族表》不见统格一系。
拔徹		博而赤、豁儿赤	成吉思汗、太宗、宪宗时期	《元史》卷一二九《阿剌罕传》；《国朝文类》卷二五《曹南王世德碑》；《至正集》卷四五《曹南忠宣王神道碑铭》。
也柳干	拔徹子	皇子番卫长、博而赤、豁儿赤	太宗朝	同上。
额勒只吉歹		宿卫大臣怯薛长	太宗	《蒙古秘史》二二六、二七八节；《蒙兀儿史记·氏族表》。
忒木台		豁儿赤	太宗、宪宗	《圣武亲征录》；《蒙古秘史》二七八节。
奥鲁赤	忒木台子	豁儿赤	宪宗、世祖	《元史》卷一三一《奥鲁赤传》；《至正集》卷四七《有元札剌尔氏三世功臣碑铭》。
塔塔儿台	带孙郡王之孙		宪宗、世祖	《元史》卷一一九《木华黎传》；《蒙兀儿史记·氏族表》。
安童	木华黎四世孙	第三怯薛长	世祖中统初年——至元二十六年（或至元三十年）	《元史》卷一二六《安童传》；《国朝文类》卷二四《丞相东平忠宪王碑》；《黄金华集》卷二四《拜住神道碑》；《元典章》卷二八《礼部》一等。
兀都台	木华黎五世孙，安童子	第三怯薛长	成宗年间（1294—1302年）	《国朝文类》卷二四《丞相东平忠宪王碑》；《黄金华集》卷二四《拜住神道碑》；《元史》卷一二六《安童·兀都台传》。
拜住	木华黎六世孙，兀都台子	第三怯薛长	至大二年——延祐七年（1309—1320年）	《元史》卷一三六《拜住传》；《黄金华集》卷二四《拜住神道碑》；《国朝文类》卷二四《丞相东平忠宪王碑》；钱大昕《十驾斋养新录》卷一三《东平王世家》；《元典章》卷八《吏部》等。
笃麟铁穆儿（因牙纳硕理）	木华黎七世孙，拜住子	第三怯薛长	文宗朝至顺帝朝	《黄金华集》卷二四《拜住神道碑》。

（续表）

人　名	世　系	怯薛执事	番值时间	出　处
野仙溥花	木华黎六世孙	速古儿赤	顺帝朝	《元史》卷一三九《乃蛮台传》。
硕德	木华黎五世孙（乃燕子）	宿卫、典朝仪	中统初年入宿卫	《元史》卷一一九《木华黎传》；《黄金华集》卷二五《札剌尔公神道碑》。
脱脱	木华黎五世孙	宿卫	世祖朝	《元史》卷一一九《木华黎传》。
朵儿只	木华黎六世孙（脱脱子）	宿卫	仁宗朝	《元史》卷一三九《朵儿只传》。
朵尔直班	木华黎七世孙	速古儿赤	文宗朝	《元史》卷一三九《朵尔直班传》。
唆都		宿卫	忽必烈潜邸	《元史》卷一二九《唆都传》。
伯答沙	忙哥撒儿孙	博儿赤	成宗、武宗	《元史》卷一二四《忙哥撒儿传》。

从札剌亦儿人入充怯薛者的身份特点来看，与其他入充怯薛者略有不同。掌四怯薛的博尔朮、博尔忽、赤老温等个人而言，均以成吉思汗的那可儿身份入充怯薛的。札剌亦儿人虽然也以那可儿作为入充怯薛的契机，但其成吉思汗黄金家族"老奴隶"的基本身份始终不得改变。这种特殊身份，使大汗与札剌亦儿部入充怯薛者之间的主奴色彩变得更加浓重，"亲连天家"的家人属性尤为突出。可以说，札剌亦儿人特有的奴隶兼那可儿的混合身份，使之在蒙元一代有异于其他入充怯薛者，备受信赖。

从札剌亦儿人在怯薛中的角色和地位来看，终元一代，札剌亦儿人往往能以禁近之臣，分服弓矢、尚饮、车马、官服等与帝王生活密切相连的事务。这些执事，往往"非甚亲信者""不得预"，且可子孙"世守"。[①] 这些无疑增加了他们固宠显达的政治资本。札剌亦儿显贵木华黎家族世掌第三怯薛，从而在内廷占有举足轻重的地位。木华黎家族与博尔朮家族是有元一代

---

① 《道园学古录》卷17《宣徽院使贾公（秃坚不花）神道碑》，第6页上。

能够长期世掌怯薛的仅有的两个家族。这和此两家族与大汗之间保持紧密关系，并始终在朝廷得以担任重要职务彼此影响，相得益彰。比较起来，木华黎家族世掌第三怯薛的时间稍长于博尔尤家族，于此相应，木华黎家族在蒙元朝廷中所担任的重要角色，往往超过了博尔尤家族。

在元代，由怯薛出仕成为重要的入仕途径之一。朝廷大臣兼官怯薛歹遂成为元代政坛的一个怪现象。① 我们从札剌亦儿仕进者的根脚可以获知，由怯薛出仕职官者为数甚多。由于门第贵贱不同，在怯薛中担任的角色各异，使札剌亦儿人出仕职官的机缘、品阶也有所不同，从而导致部落或家族内部的政治等级之高下。就木华黎家族而言，凡担任怯薛长者往往初任官职便在正三品以上。② 然而，不曾任怯薛长的族人，其初任官职也有低于正三品的。如：木华黎七世孙朵尔直班由速古儿赤出仕从五品的尚衣奉御；七世孙野仙溥花更是由速古儿赤初任正七品之监察御使。但，木华黎家族作为蒙元王朝勋旧世家，其子孙多有世袭或担任怯薛重要执事的机缘。因而，也不乏出仕品秩较高的职官的机会。此外，由那些与帝王生活紧密相关的博而赤、豁儿赤等执事官出仕者，虽非木华黎家族成员，却也可获得较为理想的官职。例如，豁儿赤身份的奥鲁赤便出仕从二品官湖北道宣慰使；忙哥撒儿孙伯答沙由博而赤同知宣徽院事，为正二品官。相比之下，一般宿卫出身的带孙后裔塔塔儿台却受从三品的东平路达鲁花赤一职；札剌亦儿人唆都由宿卫出任千户。还有大部分札剌亦儿人与怯薛无缘，更不能奢求由怯薛径直出仕。

从札剌亦儿人入充怯薛及出仕职官的特点来看，几乎形成了较为明显的政治层级。有缘入充怯薛者往往集中于该部若干个显贵家族中。而且，即使同一家族成员，由于在怯薛中扮演的角色不同，出仕职官的品秩也有明显的差异。这些入怯薛的札剌亦儿人在怯薛中的角色和等级，几乎直接影响着他们在元朝官僚层中的政治等级，成为其出仕职官的政治等级之重要依托。③

---

① 《元史》卷 102《刑法志》一《职制》上。
② 参见片山共夫：《怯薛と元朝官僚制》，《史学杂志》89—12，1980 年。
③ 以上内容参见谢咏梅：《蒙古札剌亦儿部与黄金家族的关系》，《蒙古史研究》第 9 辑，内蒙古大学出版社 2007 年版。

第六节　札剌亦儿部显贵婚姻与文化生活

一、札剌亦儿部显贵婚姻状况

札剌亦儿部显贵之婚姻关系，一方面，受传统部族婚姻习俗的影响，有着较为稳定的婚姻关系；另一方面，蒙元社会的变迁和札剌亦儿人地位之更易，其婚姻策略与择偶对象也有所改变。加之，札剌亦儿部落内部因政治地位高低不等，婚姻所表现出来的差异也是值得注意的。兹列表一览札剌亦儿人婚姻关系于下。

札剌亦儿男性成员婚配情况一览表

男性成员名	世　系	妻　名	身　世	史　源
孔温窟哇	木华黎父	阔虇		《黄金华集》卷二四《拜住神道碑》；卷二五《札剌尔公神道碑》。（下同）
木华黎		普合伦		同上。
		×　×	汉人，史秉直女	《永清文徵》卷二，18 上，参见萧启庆《元代蒙古四大家族》。
		赖蛮公主	乃蛮	《蒙鞑备录》。
孛鲁	木华黎子	奔只海	？	《札剌尔公神道碑》。
		合笃辉	？	《拜住神道碑》。
霸都鲁	孛鲁子	铁木伦	弘吉剌氏，95千户之一按陈那颜女，昭睿皇后妹	《元史》卷一一九《木华黎传》、卷一二六《安童传》；《拜住神道碑》。
速浑察	孛鲁子	秃木忽都		《札剌尔公神道碑》。
乃燕	速浑察子	锁台	兀鲁氏	同上。
撒蛮	速浑察子	孛罗海		《元史》卷一一九《木华黎传附脱脱传》。
硕德	乃燕子	脱脱真因	弘吉剌氏	《札剌尔公神道碑》；《南村辍耕录》卷二六《传国玺》。

（续表）

男性成员名	世　系	妻　名	身　世	史　源
安童	霸都鲁子	普颜忽都	怯烈氏	《国朝文类》卷二四《丞相东平忠宪王碑》；《拜住神道碑》。
兀都台	安童子	特济格	怯烈氏，曾祖昔勒·字斡忽勒为95千户之一	姚燧《牧庵集》卷一三，10下（四部）。
		吐萨怯温	笃思剌氏	《拜住神道碑》；《丞相东平忠宪王碑》。
拜住	兀都台子	妥妥微	汉人，太府卿土禄不花女	同上。
别里哥帖穆尔	硕德子	伯笃都弥实	阿儿剌氏	《札剌尔公神道碑》。
晃忽儿不花	乃蛮台子木华黎六世孙		巴邻氏，伯颜孙女，曾祖阿剌黑为95千户之一	《丞相东平忠宪王碑》，第17页下。
字蘭朌			忙兀，博罗欢女，祖畏答儿为95千户之一	《牧庵集》卷一四，姚燧《平章政事忙兀公神道碑》，第9页下。参见萧启庆《元代四大蒙古家族》，《元代史新探》226页。
拔徹	阿剌罕祖	塔拜		许有壬《至正集》卷四九《有元功臣曹南忠宣王祠堂碑》；《国朝文类》卷二五《曹南王世德碑》；马祖常《石田文集》卷六《平章也速迭儿封赠三代制》。
也柳干	拔徹子	滅列		同上。
阿剌罕	也柳干子	脱脱阔阔伦（脱脱阔阔伦忽都忽台）（脱脱、阔阔伦）		同上。
伯答沙	忙哥撒儿孙		乞咬契	《元史》一二四《忙哥撒儿传》。

札剌亦儿女性成员婚配情况一览表

女性成员名	家　世	夫　名	身　世	史　源
××	霸都鲁女	木苏	国戚	《国朝文类》卷二四《丞相东平忠宪王碑》。（下同）
别速真	霸都鲁女	伯颜（淮安忠武王）	巴邻氏太傅	同上；《丞相淮安忠武王碑》。
忽都台	霸都鲁女	月赤察儿	阿儿剌氏，四杰之博而术后	《丞相东平忠宪王碑》。
××	兀都台女	相嘉硕利	巴邻伯颜之孙枢密副使囊加带子，同金枢密院事	《丞相东平忠宪王碑》。
××	别里哥帖穆尔女	实理由	孙都氏，裕宗皇帝怯薛官，资善大夫，同知徽政事院，赤老温后人	《黄金华集》卷二五《札剌尔公神道碑》。
××	别里哥帖穆尔女	勃罗帖穆尔	弥氏朝散大夫，同金太常礼仪院事	同上。
吉勒帖（哈敦）	祖兀勒都忽儿那颜；父塔蓝那颜	灭里·帖木尔	阿里不哥子	《史集》第二卷，368页。
××	阿剌罕孙女脱欢长女	忽剌出	管军总管	许有壬《至正集》卷四五《曹南忠宣王神道碑铭并序》。
××	次	八合谋	贵赤卫副使	同上。
××	次	塔察儿	蒙古军千户	同上。
××	次	哈剌孙	真定路总管	同上。
××	次	也而吉尼	蒙古右手万户	同上。
札剌儿氏		阿都台	光禄大夫，江西等处行中书省左丞	《国朝文类》卷一一《妻札剌儿氏封王夫人制》。

从以上所得札剌亦儿人婚配情况来看，似乎可以得到以下几点认识。

首先，札剌亦儿人所谓"亲连天家，世不婚姻"的婚姻传统在札剌亦儿人婚姻中有所体现。尤其在蒙元社会前期，札剌亦儿显贵全无联姻成吉思汗黄金家族的记录。这是因为札剌亦儿世为成吉思汗黄金家族"斡脱古·

孛斡勒"，有主仆关系，不能或没有资格通婚。后来，随着札剌亦儿新贵的政治地位的提高，虽然可以通婚，但坚持自古"不娶不嫁"的原则，以标榜与成吉思汗家族的特殊关系。仁宗时，曾诏拜住丞相联姻宗室女，但因拜住恪守札剌亦儿部婚姻传统，拒绝了这次婚姻。其次，札剌亦儿显贵多有联姻弘吉剌、克烈等蒙元皇室后族。其中，霸都鲁妻铁木伦为忽必烈察必皇后姐。这是因为霸都鲁在忽必烈即位过程中起了至关重要的作用。这一婚姻表明忽必烈对霸都鲁的亲宠和札剌亦儿人政治地位的提高。《元史·安童传》中载："母弘吉剌氏，昭睿皇后之姊，通籍禁中"①。通过与皇族的后族联姻，札剌亦儿人与成吉思汗黄金家族的关系变得更为密切。第三，札剌亦儿人与蒙元社会名门望族联姻的情况极为普遍。其中，仅木华黎家族与95千户的联姻就多达6例。与四杰后裔通婚则有2例②。而木华黎家族与95千户后裔伯颜家族的婚戚关系更是令人瞩目。两家族联姻达3次之多。伯颜出身名门，曾为南宋远征军统帅，在元朝建立过程中可谓与札剌亦儿人功业俱显，地位相当。正如世祖曾谓霸都鲁女曰："为伯颜妇，不惭尔氏矣"③。此外，元末，阿剌罕孙，中书平章政事脱欢的五位女儿"俱适望"④。第四，由于札剌亦儿内部成员地位不等或入仕领域不同，其婚配对象也表现出一些明显的特性。如木华黎家族除与一些蒙元皇室后族联姻之外，往往得以与蒙元上层结为姻娅。而武门出身的阿剌罕后裔虽然联姻于望族，却集中在地方官员或军队将领中。共事同一领域的家族也最容易相互攀亲。如，脱欢女嫁蒙古右手万户也而吉尼，而脱欢从兄拜降曾与也而吉尼共事于山东河北蒙古军都万户府，各分掌1万户。此外，金通政院事别里哥帖穆尔女分别嫁同知徽政院事实理门和同金太常礼仪院事勃罗帖穆尔。第五，迄元后期，因年代远隔，札剌亦儿人与成吉思汗黄金家族"世不婚姻"的婚姻礼俗似乎逐渐松动或被忽视，两方通婚之例，屡见不鲜。我们从《史集》中看到，早在窝阔台和忽必烈时，札剌亦儿人就有联姻皇族的记录。如拉施特提到的札剌

① 《元史》卷126《安童传》，第3081页。
② 《元代四大蒙古家族》，《元代史新探》，第159页。
③ 《国朝文类》卷24《丞相东平忠宪王碑》，第12页上。
④ 《至正集》卷49《有元功臣曹南忠宣王祠堂碑》。

亦儿的蒙古撒儿古列坚①和札剌亦儿人章吉古列坚。② 蒙元之世，古列坚为驸马通称，专指成吉思汗黄金家族女婿。表明札剌亦儿婚姻关系也有例外。拉施特又记阿里不哥第二子灭里·帖木儿娶了札剌亦儿部落的兀勒都忽儿那颜的孙女吉勒帖哈敦，并让她居于大斡耳朵中。③

总之，有元一代，札剌亦儿人遵循着传统的婚姻礼俗，与成吉思汗黄金家族"世不婚姻"。随着时间的推移，至元末，尤其到了明代，札剌亦儿人多有联姻皇室的记录④。札剌亦儿人的婚姻同样无法超越门第社会婚姻的藩篱，婚姻仍然成为许多札剌亦儿人改变其政治地位的手段和体现其社会地位的重要指标。

二、札剌亦儿部显贵文化生活

作为蒙古统治阶层的核心家族之一，木华黎世家与元廷休戚与共，深受蒙古本位主义的影响，在文化上表现的民族认同也非常严重。但蒙元一代，札剌亦儿部落一些显贵世系，因得以留驻食邑或分戍中土，混杂于汉地，较多地浸润于汉文化，其家族成员文化取向因而往往表现为双重性。札剌亦儿部其他一些家族则多羁身军籍，以武文化为主导。不同家族对儒学等文化之背向也不尽相同。

攻金之际，蒙古人仍奉行"蒙古本位主义"。攻城略地，每到一处烧杀掠夺，对中原文化毫无经心⑤。1217 年，木华黎以国王、都行省全权代理汉地时，其族人漠视汉文化也无异于其他蒙古人。例如："郡王（木华黎弟带孙——引者注）兵破相下之水栅，继破曹濮，怒其翻复，莫可保全，欲尽坑之……"，后在严实的劝谏下才作罢⑥。在木华黎进入中原，并长期统治汉地，以及汉世侯的不断降附和规劝下这一现象逐渐有所改变。1220 年，

---

① 《史集》第 2 卷，君士坦丁照相本，参见本田实信《チンギスハンの千户》一文。
② 《史集》第 2 卷，汉译本第 371 页。
③ 《史集》第 2 卷，汉译本第 368 页。
④ 参见乌兰：《〈蒙古源流〉研究》；《大黄史》，民族出版社 1983 年版。
⑤ 《牧庵集》卷 4《序江汉先生事实》，第 1 页上；《国朝文类》卷 57《中书令耶律公神道碑》，第 14 页下。
⑥ 参见《遗山先生文集》卷 26《东平行台严公神道碑》。

当木华黎进军山西时，吸纳史天倪的进言，下令："敢有剽房者，以军法从事"①。从而，力避杀戮，开始重用和优遇汉世侯。② 木华黎本人也曾不自觉中触及汉文化。如：据《史集》载，木华黎之"国王"爵号本源自金人对其称呼，而"都行省"，更是以汉文之意来封授的官名。

木华黎子孛鲁的食邑所在地东平当时成为人才荟萃之地，可谓："东府多儒冠列州"③。加之，木华黎家族与汉世侯之间姻娅相连，从而促进了相互间的涵化。1226 年，孛鲁"食东平郡"而移驻中土④。其本人逐渐接受了一定的汉文化熏染。当蒙古军围攻山东李全时，有人劝其处死李全，孛鲁对曰："杀之不足以立威，徒失民望"，反而命李全为山东淮南楚州行省⑤。孛鲁本人也"美容仪，不肯剃婆焦，只裹巾帽，著窄服，能诸国语；"⑥ "慕华风，不薙发。唯以便骑射故，仍胡帽胡服而已"⑦。由于东平为汉世侯严实的地盘，严实又笃于兴学养士，⑧ 使东平成为汉文化复兴之重镇⑨。因而，以东平为封邑的木华黎世家不仅有了浸润于当地主流文化的机缘，其特殊地位也为接受汉文化之精致部分提供了良好的条件，真可谓："王封鲁疆，习礼义之化，子孙华学世济其美，百年涵濡，于是乡其土而家其俗矣。"⑩

忽必烈总领漠南军国庶事后，也有一批蒙古袍泽侧身事潜邸，与汉人士大夫共同为忽必烈献计纳策⑪。木华黎后人乃燕、霸突鲁便在此列。由于身处特殊地位，使他们有了更多机会与汉族文人接触，耳濡目染，自不免冲破蒙古本位主义的藩篱，改变保守态度。例如，木华黎孙霸突鲁因事忽必烈于潜邸，对中原文化涵濡渐深，曾建议忽必烈驻跸幽燕之地。⑫ 在当时以阿里

---

① 《元史》卷 147《史天倪传》，第 3480 页。

② 参见朱清泽、李鹏贵：《木华黎厚待降将之初探》，《蒙古史研究》第 2 辑，内蒙古大学出版社 1986 年版。

③ 《至正集》卷 16《送王从义赴东平总管》。

④ 《国朝文类》卷 24《丞相东平忠宪王碑》，第 2 页下。

⑤ 《元史》卷 119《木华黎传附孛鲁传》，第 2937 页。

⑥ 《蒙鞑备录·诸将功臣》，《王国维遗书》本，第 9 页上。

⑦ 《蒙兀儿史记》卷 27《木华黎传附孛鲁传》，第 256 页。

⑧ 《遗山先生文集》卷 26《东平行台严公神道碑》，第 4 页下。

⑨ 萧启庆：《大蒙古国时代衍圣公复爵考》。

⑩ 《至正集》卷 38《札剌尔公祠堂记》。

⑪ 萧启庆：《元代的儒户：儒士地位演进史上的一章》，见《元代史新探》。

⑫ 《元史》卷 119《木华黎传附霸突鲁传》，第 2942 页。

不哥为首的保守派坚持定都漠北蒙古故地的情况下，霸突鲁能够审时度势，认识到以汉地为重心之必要，表明其对汉文化的进一步认同。此外，木华黎四世孙乃燕"性谦和，好学，以贤能称"，深受忽必烈的嘉赏，"世祖皇帝在潜邸，与之论事，敷陈大义，多所开悟，援引典故尤习。上每以为可大用，因称之曰薛禅。"①

木华黎家族在国家肇造之初，多凭借武力打下江山。但随着政权的稳定和元朝统治重心的南移，出身将门，身列戎行的木华黎后人也体认到"以文易武"的必要。如此累世担任中枢重臣，得以推行儒政。木华黎长孙相威，便是以将易相的典型人物。1274 年，相威奉命统五投下军伐宋，后又率兵进军西土，镇压昔里吉之乱。1277 年，相威在扬州改拜行台御史大夫，后迁江淮行省左丞相，与儒士紧密结纳，"喜延士大夫，听读经史，论古今治乱"②。至元二十年（1283 年），相威还因进译语《资治通鉴》，获赐东宫经筵讲读。此外，通元一代，因身兼要职而推行儒政的木华黎后人还有安童、拜住、朵儿只等。

安童本人对儒学颇为熟谙，曾受世祖嘱咐受业于许衡。③ 他任相期间不仅援引诸多儒臣给予重任，并经常向儒臣问学，④ 常常"讲论古今治道，评品人物得失"。⑤ 且以儒家学说为宏纲，与儒臣协力，力抗阿合马、卢世荣、桑哥的聚敛政策。是元朝前期维护汉法，推行儒政之要臣。

继安童，大力推行儒治的木华黎族人有安童孙、三朝名相拜住。拜住自幼受儒学陶冶。延祐二年（1315 年），任太常礼仪院使，主掌礼仪与宗庙祭祀。⑥ 至治二年（1322 年）拜相后，大力擢用儒臣，推行汉法，力抗蒙古保守派皇太后答己和权臣铁木迭儿。⑦ 拜住历仕三朝，身行儒道，也是元朝唯一的风雅儒流、建立家庙的大臣。⑧ 即使在他过世后，仍随汉俗，葬于中

————————
①　《金华黄先生文集》卷 25《札剌尔公神道碑》，第 22 页上。
②　《元史》卷 128《相威传》，第 3129 页。
③　《元史》卷 126《安童传》，第 3082 页。
④　《丛书集成》，转引自萧启庆：《元代蒙古人的汉学》一文，《蒙元史新研》，第 137 页。
⑤　《国朝文类》卷 24《丞相东平忠宪王碑》，第 8 页上。
⑥　《元史》卷 27《英宗本纪》一，第 609 页。
⑦　《国朝文类》卷 12《丞相拜住赠谥制》，第 19 页下。
⑧　《元史》卷 76《祭祀志》五《大臣家庙》，第 1905 页。另参见任崇岳主编：《中国社会通史·宋元卷》，山西教育出版社 1996 年版，第 135 页。

原——大都宛平县。①

木华黎五世孙朵儿只是元朝末期推行儒政的主要代表之一。因生于杭州，朵儿只深受当地汉人文化的影响，自幼"喜读书，不屑事章句，于古君臣行事，忠君爱民之道，多所究心"。② 天历初嗣国王后，曾驻京师间与文士紧密结纳。③ 不久被免国王，任江浙行省左丞相，但仍以安靖为治，颇得民心。故遭平章政事纳麟之忌，谓其"心徇汉人"。④ 后升任中书省丞相，其间"请赐经筵官以崇圣学，选清望专典陈言以求治道"。朵儿只本人也精于诗歌。杨维桢有《丞相梅诗序》一则，将朵儿只所作梅诗喻为召伯之甘棠诗。⑤ 朵儿只也随汉文人风雅，取"慎斋"之号。⑥ 当朵儿只罢相，返辽东再嗣国王时，便有诸多汉人文士赠其诗⑦。可见，朵儿只与汉族、色目文人圈一贯保持着紧密联系。

元朝建立后，由将门出仕的木华黎族人多数改就文职，子孙也多继任文官。在元朝中后期，悉心研习儒学，并擅诗能文的札剌亦儿人随之辈出。

木华黎四世孙脱脱便是好学崇儒之士。脱脱自幼"喜与儒士语，每闻一善言善行，若获拱璧，终身识之不忘"。⑧ 还乐于收集法书、秘书及收藏古圣贤像。⑨ 脱脱从侄别里哥铁穆尔也兼通蒙汉二学。仁宗朝任通政院使，以"蒙古人中儒者"著称。⑩ 此外，带孙郡王曾孙只必兄弟，因世监东平，身处汉地，受汉文化熏染很深。只必嗜读书，习翰墨，并曾将家藏 2 000 余

---

① 《金华黄先生文集》卷 24《拜住神道碑》，第 6 页上。

② 《元史》卷 139《朵儿只传》，第 3353 页。

③ 《危太朴集》续集卷 5《彭承初墓志铭》。

④ 《元史》卷 139《朵儿只传》，第 3354 页。

⑤ 《东维子集》卷 1《丞相梅诗序》，第 4 页上。

⑥ 《道园学古录》卷 3《寄赋朵儿只平章紫微亭》，第 17 页下。

⑦ 《危太朴集》续集卷 1《送札剌尔国王诗序》曰："王纯雅好读书，通知今古"。另有《送国王朵儿只之辽东诗》一首（《道园学古录》卷 2《送国王朵儿只之辽东诗》，第 14 页下）；陆友仁：《送国王朵儿只就国诗》（《元诗选》三集之庚集《杞菊轩稿》）；宋褧：《题道者山诗》赠朵儿只国王（《燕石集》卷 2《题道者山诗》）；纳延：《送刘碧溪之辽阳国王府文学诗》和《行路难诗》（《金台集》卷 1、卷 2）。

⑧ 《元史》卷 119《木华黎传附脱脱传》，第 2944 页。

⑨ 苏天爵：《书孔子及颜子以下七十二贤像》，便是为其所藏古圣贤像所作的跋（《滋溪文稿》卷 30《书孔子及颜子以下七十二贤像》点校本），参见萧启庆：《元代蒙古人的汉学》，收《蒙元史新研》。

⑩ 《金华黄先生文集》卷 25《札剌尔公神道碑》，第 24 页上。

卷书捐赠东平庙学。弟秃不伸袭封后亦为兴建学校而奔波操劳。①

除研习儒学之外，在文学与艺术领域内颇具造诣的札剌亦儿人有木华黎六世孙朵尔直班、笃麟铁穆尔等。

朵尔直班，钻研汉学，精于书画。"稍长，好读书。年十四，见文宗，适将幸上都，亲阅御衣，命录于簿，顾左右无能书汉字者，朵尔直班引笔书之"②；"生长富贵，雍容妙年，而处之淡然，笃志问学"；③ "读书精治理"。④ 顺帝时，任奎章阁承制学士，又升侍书学士。《元史》本传谓其"乃独以经术侍帝左右"，"正身立朝，无所附丽，以扶持名教为己任"。元季文人谓其："公以宗臣世胄，曰侍天子，清闲之燕，而谦退不伐，克念厥绍，休沐在外，辄与鸿生骏士探讨儒家者流之言。"⑤ 至正元年（1341 年），朵尔直班知经筵事，专为帝王译讲学术，"朵尔直班则为翻译，曲尽其意，多所启沃，禁中语秘不传。"⑥ 可见，他对蒙汉二学的精通。曾著有《治原通训》，汇编先哲名言，论及学术、君道、臣职、国政。⑦ 又编有《资政备览》，叙及资政院由来及执掌。⑧ 朵尔直班又擅长诗歌书画，《元史》本传谓其："喜为五言诗，于字画尤精"。曾与书法家巎巎共事经筵，往来甚密。其文艺成就可与巎巎媲美："自近世言之，书法之美，如康里子山（巎巎）、札剌尔氏惟中（朵尔直班字——引者注），诗文雄浑清丽，如马公伯庸、奉公兼善、余公廷心，皆卓然自成一家。"⑨ 危素亦常客于朵尔直班府邸。⑩ 其书画作品还留传于后世。⑪

名相拜住子笃麟铁穆尔也是一名元末翰苑之臣。至治三年（1323 年），

① 《元史》119《木华黎传附塔塔儿台传》，第 2943 页。
② 《元史》卷 139《朵尔直班传》，第 3355 页。
③ 吴师道：《吴正传先生集》卷 13《敬义斋记》，台北中央图书馆影印明钞本，转引自萧启庆文。
④ 《燕石集》卷 2《送多尔济班监宪淮东分题赋诗得礼乐亭》，文渊阁四库全书本。
⑤ 《金华黄先生文集》卷 14《宝忠堂记》。
⑥ 《元史》卷 139《朵尔直班传》，第 3357 页。
⑦ 《元史》卷 139《朵尔直班传》，第 3361 页。
⑧ 《金华黄先生文集》卷 16《资政备览序》，第 8 页下、第 9 页。
⑨ 胡行简：《樗隐集》卷 15，四库全书本。
⑩ 《元史》卷 139《朵尔直班传》，第 3360 页。
⑪ 《至正集》卷 44《敕赐经筵题名碑》；严观《湖北金石诗》，《丛书集成》，第 46—47 页。

笃麟铁穆尔受经奎章阁，"端粹博硕，尚文而下士"。① 曾两度任翰林承旨。担任大司农时，奉敕作《北溪延公塔铭》及《云兴公舍利塔铭》。② 由于笃麟铁穆尔汉学造诣之深，又依当时撰取字号之风气，文宗封赐字号"明良"。③

总之，札剌亦儿木华黎家族因早徙中土，与汉族混杂而居，接受当地主流文化的影响颇深。且因其家门显贵，子孙多获高位，从而有了更多结纳汉文士，追随名师的机缘。接受中原传统文化，提高汉文化素质成为这一家族的门风，代代相传，迄元终④。

札剌亦儿木华黎等家族虽较多地触及并接受汉文化，但作为蒙元统治阶层的核心家族，不免多份家族骄满情绪。加之，元朝虽然推行汉法，提倡儒学，但民族等级制度的存在以及蒙古人享有的诸多特权，尤其木华黎家族作为元朝"大根脚"家族，其后人多由怯薛出仕，世享封荫特权，依然成为许多札剌亦儿人不愿改就汉俗、接纳汉文化的原因。因此，虽然有一些族人勤于研习汉学，以作为服官佐治的工具，但仍有部分子弟惰于读书之事，漠视汉文化，固守旧的民族认同，政治认同也相当严重。还有一些札剌亦儿部族成员，常年处于军营，过着较为封闭的军营生活，自然没有太多的机会接触汉文化，因之，对汉文化的隔膜也很深。

---

① 《金华黄先生文集》卷 24《中书右丞相神道碑》，第 6 页下。

② 《金华黄先生文集》卷 41《荣禄大夫司空大都大庆寿禅寺住持长老佛心普慧，大禅师北溪延公塔铭》；同卷《云兴公舍利塔铭》。

③ 吴当：《学言稿》卷 1《明良诗》。

④ 本节内容参考了萧启庆：《元代蒙古人的汉学》、《元代蒙古人之汉化》等论文，《内北国而外中国：蒙元史研究》。

第 十 六 章

元代蒙古人的风俗习惯

第一节 婚姻家庭

元代蒙古人实行多妻制。娶妻多少，由家庭财产状况决定，能供养多少妻子，就可以娶多少，可以有十几个，也可以有几十个。一般官员、贵族妻子的数目在五到十个之间，普通百姓则少些，一般是二妻或三妻，还有不少是一夫一妻，甚至有无妻室者。

蒙古人实行一夫多妻制，是因为当时蒙古社会以男子为中心，同时还存在着浓厚的原始婚姻制度残余，一方面是因为频繁的战争使大量男子丧生，而同时又俘获了大量妇女。实行一夫多妻制的一个重要原因是为了蒙古人的繁衍。[①]

实行多妻制，妻室就要有正、次名分之分。蒙古大汗多建四大斡耳朵，由大汗确定守各斡耳朵的都是长后，守第一斡耳朵的是正后，地位较高，在决定事务方面，有一定的发言权。从后妃帐幕排列来看，地位最尊贵的正后帐幕位于最右边（蒙古人以右为尊），地位最低妃嫔的帐幕在最左边。

由于实行多妻制，丈夫轮流在诸妻帐幕中食宿，相对而言，在正妻帐幕留居的时间会长一些。丈夫夜晚寝宿于谁的帐幕，次日该妻室就坐在他身边，其他各妻室集中到该帐幕食饮，重要事务也在此讨论。

---

① 参见白寿彝主编：《中国通史》（第13册），第1028页。

元代蒙古人实行严格的族外婚，同部族内严禁通婚。有些蒙古部族之间，形成了固定的通婚关系。成吉思汗家族与弘吉剌、汪古、亦乞列思等部族保持着长期的通婚关系。

成吉思汗蒙古乞颜部与弘吉剌部是世代通婚关系。成吉思汗年幼时，父亲也速该带着他到弘吉剌部特薛禅处提亲，特薛禅称也速该为"忽答"（亲家）。后来，成吉思汗与特薛禅女孛儿帖定亲，蒙古国建立后，以孛儿帖为正后，赐号特薛禅为国舅，封王爵，继续维持了两部族间的婚姻关系。元朝皇后大多出自弘吉剌部，而弘吉剌部的男性领主也一般都具有驸马身份。

成吉思汗与汪古部也约为世婚。但一般是将部族女子嫁过去，而很少娶汪古部女子为后妃。原因是汪古部属于色目人，成吉思汗黄金家族只限于以蒙古系统的世婚之家女子为后妃。

元代蒙古人有抢婚的习俗。这是古代氏族部落外婚时用抢掠或战争手段俘获妇女的一种强制性婚姻形态。蒙古建国以前，铁木真之父也速该的正妻诃额仑就是从篾儿乞部抢来的，后来篾儿乞人一直记恨此仇，突袭铁木真家，抢走孛儿帖夫人。在当时，这一习俗虽带有掠夺性，但在一定程度上是一种力量的象征，是为人们所接受的。后来，这一习俗在蒙古人的婚嫁中得以发挥。"当任何人同另一个人达成一项交易，娶他的女儿为妻时，姑娘的父亲就安排一次宴会，而这位姑娘则逃到亲戚家里躲起来。这时父亲便宣布：'现在我的女儿归你所有了，你在哪里找到她，就把她带走。'于是他和朋友们到处寻找她，直至找到了她；这时他必须用武力把她抢过来，并把她带回家去，佯装使用暴力的样子。"①

元代蒙古人中收继婚俗非常盛行。收继婚，又称"接续"或"转房"，是指妇女丧夫之后，由亡夫亲属收娶为妻。收继婚有同辈收继和异辈收继两种情况。同辈收继是弟收兄嫂或兄娶弟媳。异辈收继是子收庶母、侄收婶母、孙娶继祖母等。收继对象当中，亲生母亲和同母姐妹除外。

收继婚俗，汉文文献中称为"烝母报嫂"，它曾在许多古代北方民族中实行。蒙古兴起时，和它邻近的党项、女真、畏兀儿等有此婚俗，因此在当

---

① 鲁不鲁乞：《鲁不鲁乞东游记》，见《出使蒙古记》，第122页。

时蒙古人的观念中是顺理成章的。成吉思汗死后，宠妃木哥哈敦就被三子窝阔台收娶。[1]

蒙古人入主中原以后，收继婚俗仍没有改变。虽然大斡耳朵儒学教授郑咺建言：“蒙古乃国家本族，宜教之以礼。而犹循本俗，不行三年之丧，又收继庶母、叔婶、兄嫂，恐贻笑后世，必宜改革，绳以礼法。”[2] 但没有引起统治者更多的重视。受汉族贞节观的影响，少数蒙古妇女反抗收继婚。如弘吉剌部人脱脱尼，丈夫死后拒绝前妻之子收继，并斥责道：“汝禽兽行，欲妻母耶，若死何面目见汝父地下？”[3] 还有，鲁国大长公主祥哥剌吉，“蚤寡守节，不从诸叔继尚，鞠育遗孤”[4]。但这些不能从根本上改变这一传统婚俗，它在蒙古人中是根深蒂固的。

元代蒙古人中也流行冥婚制。“彼等尚有另一风习，设有女未嫁而死，而他人亦有子未娶而死者，两家父母大行婚仪，举行冥婚。婚约立后焚之，谓其子女在彼世获知其已婚配。已而两家父母互称姻戚，与子女在生时婚姻者无别。彼此互赠礼物，写于纸上焚之。谓死者在彼世获有诸物。”[5]

蒙古人的婚嫁有一套程序，求婚、许婚、下聘礼、许婚筵席、迎送仪式等等。其中较为重视许婚筵席，蒙古语为饮“布浑察儿”，汉语指许亲酒。筵席上，通常要吃羊颈喉肉。羊颈喉骨头坚硬，吃它则表示订婚不悔。订婚时，男方向女方下聘礼，一般以马匹为聘。订婚后，未来的女婿要在女方家中留居一段时间。

元代蒙古人的家庭中妇女地位较高。生产和日常家务劳动主要由妇女承担。随行出师时，“妇女专管张立毡帐，收卸鞍马、辎重、车驮等物事”[6]。日常生活中，抚养小孩、准备食品、管理仆役、缝制皮衣等生活用品。此外，还参加牧业生产。男人则主要从事狩猎、骑战、制造弓箭、马镫、马鞍、马嚼子等等。

---

① 参见白寿彝主编：《中国通史》（第13册），第1029页。
② 《元史》卷44《顺帝本纪》七，第921页。
③ 《元史》卷200《列女传》一，第4495—4496页。
④ 《元史》卷33《文宗本纪》二，第746页。
⑤ 《马可波罗行纪》，第243页。
⑥ 《蒙鞑备录》，《王国维遗书》本，第18页。

生育方面，"霆见鞑靼耆婆在野地生子，娩毕用羊毛揩抹，便用羊皮包裹束在小车内，长四、五尺，阔一尺，耆婆径挟之马上而行。"①

蒙古家庭子女长大后，婚配成家，立帐另过。但正妻所生幼子，成婚后不分立门户，有"幼子守灶"的习俗。蒙古人称幼子为"额毡"（主人、家主）或"斡惕赤斤"（守炉灶者），就是因为幼子经常留守在家，而灶火是一个家庭的中心。根据这一习俗，幼子和父母生活在一起，继承父辈主要财产、牲畜与属众，承担家庭赡养义务。

蒙古家庭财产分配方面，一般来说，兄弟之间年长者较年幼者会多分得一些。诸子分得财产的多少，主要由母亲的地位来决定，正妻所生诸子在财产分配中占有明显的优势地位。

第二节　衣食住行

蒙古男子的发式不同于其他民族。"上至成吉思，下及国人，皆剃婆焦，如中国小儿留三搭头在囟门者，稍长则剪之。在两下者总小角，垂于肩上"②。所谓"婆焦"，是指"男子结发垂两耳"③，"被发而椎髻"④。该发式的具体样式是："男人们在头顶上把头发剃光一方块，并从这个方块前面的左右两角继续往下剃，经过头部两侧，直至鬓角。他们也把两侧鬓角和颈后（剃至颈窝顶部）的头发剃光，此外，并把前额直至前额骨顶部的头发剃光，在前额骨那里，留一簇头发，下垂直至眉毛。头部两侧和后面，他们留着头发，把这些头发在头的周围编成辫子，下垂至耳。"⑤

蒙古男子冬帽夏笠。"官民皆带帽，其檐或圆，或前圆后方，或楼子，盖兜鍪之遗制也。其发或辫，或打纱练椎，庶民则椎髻。"⑥ 前帽檐是元世祖皇后察必改进设计而成的。"胡帽旧无前檐，帝因射日色炫目，以语后，

① 《黑鞑事略》，《王国维遗书》本，第17页。
② 《蒙鞑备录》，《王国维遗书》本，第16页。
③ 《长春真人西游记》卷上，《王国维遗书》第13册，第18页。
④ 《黑鞑事略》，《王国维遗书》本，第7页。
⑤ 《鲁不鲁乞东游记》，见《出使蒙古记》，第119页。
⑥ 《草木子》卷3下《杂制篇》，第61页。

后即益前檐。帝大喜，遂命为式。"① 帽多以羊羔皮或白毡为里，边沿用狐皮，贫者则无皮饰。帽顶用枣红或棕紫色缎子，有的还以金锦镶边和一撮红丝穗子。夏天则戴笠，即钹笠冠，因形状像钹而得名。

蒙古女子的冠饰尤具特点。贵族妇女多戴罟罟冠。"罟罟"译自蒙古语，又有"顾姑""故故""故姑""固姑""姑姑"等异写形式。另称为"孛黑塔"，系源于波斯语"baghtaq"，通常指已婚妇女的冠饰。②

元代蒙古人的罟罟冠并不是一种孤立的文化现象。"桦树皮做冠帽是远古北方少数民族一种传统的冠冕制度，晋代郭义恭《广志》说：'乌丸与匈奴人同俗，大夫、妇人为木帻，朱染之，如杆盆以沓头。'桦皮制作的顾姑冠应是'木帻'之一种，它与乌丸、匈奴沓于头上的木帻有源流关系。"③

对于罟罟冠有很多记载，其形制大体上就是："这种头饰有一厄尔④高，其顶端呈正方形；从底部至顶端，其周围逐渐加粗，在其顶端，有一根用金、银、木条或甚至一根羽毛制成的长而细的棍棒。这种头饰缝在一顶帽子上，这顶帽子下垂至肩。这种帽子和头饰覆以粗麻布、天鹅绒或织锦。"⑤

罟罟冠作为蒙古传统冠饰，进入元朝之后，装饰较蒙古国时期更为华丽，这在元末时人熊梦祥的描述中表现尤为明显。

> 罟罟，以大红罗幔之。胎以竹，凉胎者轻。上等大、次中、次小。用大珠穿结龙凤楼台之属，饰于其前后。复以珠缀长条，襟饰方弦，掩络其缝。又以小小花朵插带，又以金累事件装嵌，极贵。宝石塔形，在其上。顶有金十字，用安翎筒以带鸡冠尾。出五台山，今真定人家养此鸡，以取其尾，甚贵。罟罟后，上插朵朵翎儿，染以五色，如飞扇样。先带上紫罗，脱木华以大珠穿成九珠方胜，或叠胜葵花之类，妆饰于上。与耳相联处安一小纽，以大珠环盖之，以掩其耳在内。自耳至颐下，光彩眩人。环多是大塔形葫芦环。或是天生葫芦，或四珠，或天生

---

① 《元史》卷114《后妃传》一，第2872页。
② 详见方龄贵：《罟罟考述》，《内蒙古社会科学》1989年第5期。
③ 盖山林：《蒙古族文物与考古研究》，辽宁民族出版社1999年版，第209页。
④ 厄尔，古时长度名，等于45英寸。
⑤ 约翰·普兰诺·加宾尼：《蒙古史》，见《出使蒙古记》，第8页。

茄儿，或一珠。又有速霞真，以等西蕃纳失今为之。夏则单红梅花罗，冬以银鼠表纳失，今取其暖而贵重。然后以大长帛御罗手帕重系于额，像之以红罗束发，峨峨然者名罟罟。以金色罗拢髻，上缀大珠者，名脱木华。以红罗抹额中现花纹者，名速霞真也。①

蒙古妇女除戴罟罟冠外，还戴不卷沿的圆帽，即瓜皮帽。另外，还戴卷沿帽，帽顶为突起的桃形圆状。

蒙古人早在 13 世纪就有了披肩，垂于左右两肩。类似但长于披肩的是比甲，由世祖皇后察必设计。"前有裳无衽，后长倍于前，亦无领袖，缀以两襻，名曰比甲，以便弓马，时皆仿之。"②

元代蒙古人主要穿袍服。"男人和女人的衣服是以同样的式样制成的。他们不使用短斗篷、斗篷或帽兜，而穿用粗麻布、天鹅绒或织锦制成的长袍，这种长袍是以下列式样制成：它们〔二侧〕从上端到底部是开口的，在胸部折叠起来；在左边扣一个扣子，在右边扣三个扣子，在左边开口直至腰部。各种毛皮的外衣样式都相同；不过，在外面的外衣以毛向外，并在背后开口；它在背后并有一个垂尾，下垂至膝部。已经结婚的妇女穿一种非常宽松的长袍，在前面开口至底部。"③

元廷后妃袍服多为交领式，一般为右衽。"袍多是用大红织金缠身云龙，袍间有珠翠云龙者，有浑然纳失失者，有金翠描绣者，有想其于春夏秋冬绣轻重单夹不等，其制极宽阔，袖口窄以紫织金爪，袖口才五寸许，窄即大，其袖两腋褶下，有紫罗带拴合于背，腰上有紫纵系，但行时有女提袍，此袍谓之礼服。"④

元代蒙古人的袍服中最具特色的是"质孙"服。质孙，又写作"只孙"、"济逊"，是蒙古语"jisun"的音译，意为颜色。另称为"诈马"，是波斯语"jaman"的音译，意为衣服、外衣。"质孙"和"诈马"同指一种

① 《析津志辑佚·风俗》，第 205—206 页。
② 《元史》卷 114《后妃传》一，第 2872 页。
③ 《蒙古史》，《出使蒙古记》，第 8 页。
④ 《析津志辑佚·风俗》，第 206 页。

东西，都是指衣服。① 质孙服是宫廷宴会上穿着的同色不同制礼服。由皇帝颁赐，包括皇帝、百官、仪卫、乐工按等阶统一穿着，非常壮观，借此昭示朝廷礼乐之盛、恩泽之普、法令之严。

质孙服形制右衽方领，如同古代"深衣"。腰间密密打作不计其数的细褶，用红、紫帛捻成线，形成腰线，紧束腰身，便于马上骑射，更突出彩艳好看。质孙服冬夏不同，每季各有数套，每套帽、衣、腰带、靴子相配套。

质孙服的穿着有严格规定。预宴时服色必须与大汗保持一致，且每天换一种颜色。"大汗于其庆寿之日，衣其最美之金锦衣。同日至少有男爵骑尉一万二千人，衣同色之衣，与大汗同。所同者盖为颜色，非言其所衣之金锦与大汗衣价相等也。……每次大汗与彼等服同色之衣，每次各易其色。"②

据《元史·舆服志》，元代宫廷皇帝冬季质孙服依次有以下 11 等：

服纳石失袍，冠金锦暖帽；服怯绵里（剪茸）袍，冠金锦暖帽；服大红宝里袍，冠七宝重顶冠；服桃红宝里袍，冠七宝重顶冠；服紫宝里袍，冠七宝重顶冠；服蓝宝里袍，冠七宝重顶冠；服绿宝里袍，冠七宝重顶冠；服红粉皮袍，冠红金答子暖帽；服黄粉皮袍，冠红金答子暖帽；服白粉皮袍，冠白金答子暖帽；服银鼠袍，冠银鼠暖帽，上加银鼠比肩。

夏季质孙服依次有以下 15 等：

服答纳都纳石失袍，冠宝顶金凤钹笠；服速不都纳石失袍，冠珠子卷云冠；服纳石失袍，冠珠子卷云冠；服大红珠宝里红毛子答纳袍，冠珠缘边钹笠；服白毛子金丝宝里袍，冠白藤宝贝帽；服驼褐毛子袍，冠白藤宝贝帽；服大红绣龙五色罗袍，冠大红金凤顶笠；服绿绣龙五色罗袍，冠绿金凤顶笠；服蓝绣龙五色罗袍，冠蓝金凤顶笠；服银褐绣龙五色罗袍，冠银褐金凤顶笠；服枣褐绣龙五色罗袍，冠枣褐金凤顶笠；服金绣龙五色罗袍，冠金凤顶笠；服金龙青罗袍，冠金凤顶漆纱冠；服珠子褐七宝珠龙答子袍，冠黄牙忽宝贝珠子带后檐帽；服青速夫金丝阑子袍，冠七宝漆纱带后檐帽。

质孙服精粗有别，有等级差异。百官质孙服与皇帝质孙服相比较，无论是质料、纹饰都会轻薄、简单许多。百官质孙服，冬季九等：大红纳石失

---

① 详见韩儒林：《元代诈马宴新探》，《历史研究》1981 年第 1 期。

② 《马可波罗行纪》，第 334 页。

袍；大红怯绵里袍；大红罗官素袍；桃红罗官素袍；蓝罗官素袍；绿罗官素
袍；紫罗素袍；黄罗素袍；鸦青素袍。夏季十四等：素纳石失袍；聚线宝里
纳石失袍；枣褐浑金间丝蛤珠袍；大红罗官素带宝里袍；大红明珠答子袍；
桃红罗袍；蓝罗袍；绿罗袍；银褐罗袍；高丽鸦青云袖罗袍；驼褐罗袍；茜
红罗袍；白毛子袍；鸦青官素带宝里袍。

　　元代蒙古人的发式、冠帽、袍服深具民族特色，它的产生和使用，与当
时蒙古的自然环境、生产生活有着密切的联系。

　　饮食方面，元代蒙古人以肉食为主，“其食肉而不粒”①。食用羊肉、牛
肉、马肉，火燎、煮食为之。“牧而庖者，以羊为常，牛次之，非大燕会不
刑马。火燎者十九，鼎烹者十二三”②。同时，也食用猎获物兔、鹿、野猪、
黄鼠、羱羊等肉。冬季肉食的储备，往往在牲畜膘肥的秋天，把肉切成肉
条，悬挂晾干，然后进行存储。

　　宫廷饮食以羊肉为主。御膳每日例用五羊，元惠宗时，日减一羊，每日
四只。《饮膳正要》记录的宫廷“聚珍异馔”门，其中有70余种是以羊肉
作主料或辅料，约占总数的十分之八。食疗方61种，其中12种与羊肉有
关。③官府的膳食供应，肉食部分也一般都用羊肉。

　　蒙古地区只有个别部落食粮。临近中原的汪古部、弘吉剌部食用粳稻。
进入中原以后，受农业民族的影响，开始进行农作物生产，开始食用粟麦，
食用粮食熬成的粥。

　　蒙古人除以肉食为主外，还大量食用多种奶制品。如奶酪、奶干、奶豆
腐、酸奶汁、牛羊奶、黄白奶油等等。

　　蒙古人嗜饮马乳所酿之湩，名为“忽迷思”（kumis），即马奶。传教士
鲁不鲁乞曾对忽迷思的制作过程作有记载：“当他们收集了大量的马奶
时——马奶在新鲜时同牛奶一样的甜——就把奶倒入一只大皮囊里，然后用
一根特制的棒开始搅拌，这种棒的下端像人头那样粗大，并且是挖空了的。

------

　　① 《黑鞑事略》，《王国维遗书》本，第6页。
　　② 《黑鞑事略》，《王国维遗书》本，第6页。
　　③ 忽思慧：《饮膳正要》卷1《聚珍异馔》，卷2《食疗诸病》，《四部丛刊续编》本。转引自史卫
民：《元代社会生活史》，中国社会科学出版社2005年版，第114页。

当他们很快地搅拌时，马奶开始发出气泡，像新酿的葡萄酒一样，并且变酸和发酵。他们继续搅拌，直至他们能提取奶油。这时他们尝一下马奶的味道，当它相当辣时，他们就可以喝它了。"①　忽迷思其性滋补，可以久存，其味像喝醋一样刺舌，有时使人醉。

蒙古人也用上面这种方法酿造哈剌忽迷思（kara kumis），即黑忽迷思。"他们酿造黑忽迷思时，搅拌马奶，直至奶中所有的固体部分下沉到底部，像葡萄酒的渣滓那样，而纯净的部分留在上面，像乳清或白色的发酵前的葡萄汁那样。渣滓很白，这是给奴隶们吃的，它具有强烈的催眠作用。纯净的液体则归主人们喝，它无疑是一种非常好喝的饮料，并且确实是很有效力。"②

除了传统的马奶以外，蒙古人还喜饮葡萄酒。蒙古国建立以后，中亚畏兀儿首领亦都护首先归附。畏兀儿当时生活在哈剌火州（今新疆吐鲁番）和别失八里（今新疆吉木萨尔）为中心的地区，其中，哈剌火州便是出产葡萄酒的地方。后来，蒙古西征，征服了广大中亚地区。因此，蒙古宫廷中有很多来自中亚的葡萄酒，并得到蒙古贵族的青睐。约在金、元时期，山西开始生产葡萄酒。蒙古统治北方农业区以后，山西安邑葡萄酒成为贡品。元代宫廷宴会大量饮用葡萄酒，有时也用它来赏赐臣属。③

蒙古人进食时"由于肉有油，他们把双手弄得很脏，当他们吃东西时，他们就在裹腿上或草上或诸如此类的东西上擦擦手。按照他们的风俗，他们之中比较有地位的人备有小块布片，当他们吃完肉时，就用它擦擦手。[在吃肉时，]他们之中的一个人把肉切成小块，另一个人用刀尖取肉，送给每一个人，给某人多些，给某人少些，数量的多少，视他们愿意对某人表示较大或较小的敬意而定。他们不洗他们的盘子，如果他们偶尔用肉汤来冲洗盘子，洗完后他们又把肉汤和肉倒回锅里去。锅、匙或其他这类用具，如果要完全弄干净，也以同样方法冲洗。他们认为，如果任何食物或饮料被允许以任何方式加以浪费，是很大的罪恶；因此，在骨髓被吸尽以前，他们不允许

---

① 《鲁不鲁乞东游记》，《出使蒙古记》，第 116 页。
② 《鲁不鲁乞东游记》，《出使蒙古记》，第 117 页。
③ 参见《元代社会生活史》，第 124—126 页。

把骨头丢给狗吃。"①

蒙元内廷大宴众多，其中尤具特色的是"质孙宴"。质孙宴是着质孙服而举行的宫廷宴会，主要因其穿着的服饰而得名。后至元六年（1340 年），翰林院官员周伯琦扈从顺帝至上京曾亲临质孙宴，并作有如下记述：

> 国家之制，乘舆北幸上京，岁以六月吉日，命宿卫大臣及近侍服所赐济逊珠翠金宝衣冠腰带，盛饰名马，清晨自城外各持彩仗列队驰入禁中。于是上盛服御殿临观，乃大张宴为乐。唯宗王戚里宿卫大臣前列行酒，余各以所职叙坐合饮，诸坊奏大乐，陈百戏，如是者凡三日而罢。其佩服日一易。大官用羊二千，噭马三匹，它费称是，名之曰济逊宴。济逊，华言一色衣也。俗呼曰诈马宴。②

元代蒙古人的基本居住场所是帐幕、毡帐。帐幕大小不一，一般可以拆卸，逐水草进行迁徙，便于携带。不可拆卸的帐幕，需要用车搬运，但并非一般蒙古百姓所有。

蒙元帝后居所"斡耳朵"，它是蒙古语"Ordo"的音译，又有"斡鲁朵""斡里朵""兀鲁朵""窝里陀"等异写形式，汉语意为"宫帐""行宫"。

斡耳朵主要有两种形式，一种是可以迁徙的，可以直接装在车上拉走，赶车人站在车上帐幕门口驾驭车辆，帐内之人坐卧皆可。人们往往把这种帐和车的结合称为"帐舆"。斡耳朵迁徙，称为起营，选定地点扎帐，称为定营。徙帐队伍，声势浩大。帐舆前边是专职的占卜术士，负责选择扎营地点，到达选定的地点后他先卸下自己的帐幕，为举行定营宗教仪式做准备。此后，才卸下斡耳朵和其他帐幕，并依次安置。定营地点，大多选在坡阜之下，以杀风势。迁徙时间，由主人来决定，一般在初春时节。另一种是固定不动的，其规模要比可迁徙者大很多。无论哪一种斡耳朵，都有环绕它的庞大帐幕群。居中南向的斡耳朵位于前列，后妃帐幕排列在斡耳朵稍后的左右

---

① 《蒙古史》，见《出使蒙古记》，第17页。
② 周伯琦：《诈马行》，《近光集》卷1，内蒙古大学馆藏抄本。

两侧，地位尊贵的正后帐幕位于最右边，地位最低妃嫔的帐幕则在最左边。护卫人员和官员僚属的帐幕，排列在后妃帐幕稍后的左右两边。其排列间距大约为 30 米。

斡耳朵整体外形为圆形，外部一般由白毡搭盖，有时也用白、黑、红条纹相间的狮、豹皮搭盖。帐内有几根柱子，柱子上贴金箔或镏金雕花，与横梁连接处用金钉钉之。帐顶和四壁覆以织锦，或衬以貂皮，地面铺有毡毯，非常奢华。

蒙古国时期，成吉思汗建立了四大斡耳朵，作为大汗和后妃的居住场所，以后凡"新君立，复自作斡耳朵"①，形成了一套比较完整的斡耳朵制度。

窝阔台即蒙古汗位以后，于 1236 年在夏营地月儿灭怯土（今吉尔马台河源头附近）修建了一座可容千人的大帐，称为"昔剌斡耳朵"，意为"黄色宫殿"，是蒙古大汗召集贵族、宗室聚会的重要场所。

忽必烈即位以后，在上都西面新建了一座昔剌斡耳朵，可容纳数千人，用来举行宫廷大宴等活动。同时，在大都宫城之内也建有固定的斡耳朵。"元君立，另设一帐房，极金碧之盛，名为斡耳朵，及崩即架阁起。"② 皇帝去世之后，仍由妃嫔居守，称为"火室房子"或"火失毡房"。火室（失）者，即累朝老皇后传下宫分者，就是历朝后妃的宫车，是一种车上大宫帐。

蒙元帝后的居所还有皇城与宫城。元代哈剌和林、大都、上都宫城和皇城的建设，基本承袭了中原传统的宫殿建筑风格。以木结构建筑为主，采用琉璃装饰，讲究对称。但也有一些宫殿建设，融入了很多蒙古民族的建筑风格。将正殿与寝宫用柱廊连接，形成"工"字形建筑布局，很明显是受了斡耳朵制度的影响。殿廷内设御榻、坐床和酒具，寝宫普遍使用壁衣和毡毯，具有鲜明的蒙古特色。蒙古皇帝虽身居深宫，但不忘保持蒙古本俗，仍未能完全适应中原的居住习惯。③

为适应草原游牧迁徙生活的需要，蒙古居民必备各种车辆。根据用途，

---

① 《草木子》卷 3 下《杂制篇》，第 63 页。
② 《草木子》卷 3 下《杂制篇》，第 63 页。
③ 参见《元代社会生活史》，第 152 页。

车辆大致可分为乘坐和载物两大类。

一般蒙古居民乘坐的车辆是黑车或毡车，蒙古语称为"哈剌兀台·帖儿坚"。黑车，就是指黑毡篷车，是一种双轮上等轿子车，牛、驼驾之，上覆黑毡，雨水不透。

载物车包括搬运帐幕的大车和载运杂物的驮车。搬运帐幕的"大车"，蒙古语称为"合撒黑·帖儿坚"或者"格儿·帖儿坚"，该车将乘人和载物结合在一起，由一头或数头牛、驼拉行。驮车有多种，有"农合速秃·帖儿坚"（羊毛车）、"撒斡儿合·帖儿坚"（有锁的车）等。有锁的车，应该就是载运许多带锁箱子的车辆。

草原上"一个妇女可以赶二十或三十辆车子，因为那里的土地是平坦的。她们把这些车子一辆接一辆地拴在一起，用牛或骆驼拉车。这个妇女坐在前面一辆车子上，赶着牛，而所有其余的车子也就在后面齐步跟着。如果她们来到一段坏的路面时，她们就把这些车子解开，一辆一辆地把车子拉过去。她们以一种很慢的步伐前进，像一只羊或一头牛走路那样。"[1]

蒙古人的主要出行工具还有马。拉车、驮运、跑远路都离不开马，它在蒙古人的生产生活中起到了重要的作用。

元代宫廷特有的乘舆是"象辇"，又称"象轿"或"象舆"，是架在四只大象背上的大木轿子，专供皇帝巡幸乘坐。象辇始制于至元十七年（1280年）十月。[2] 驾辇的象最先来自云南，后来自域外缅国、占城、交趾、安南等国的进献。贡象，饲育于大都析津坊海子之阳。象辇上插旌旗和伞盖，轿内衬金丝坐垫，外包狮子皮，每象有一名驭者，非常气派。

第三节　信仰习俗

蒙元时期蒙古人信奉原始萨满教，相信万物有灵，把日月、雷电、山川、土地等都奉为神灵，但所有这些神灵中，将"天"作为高出于诸神之上的尊神而加以崇拜。"其常谈必曰：托着长生天底气力，皇帝底福荫。彼

---

① 《鲁不鲁乞东游记》，《出使蒙古记》，第113页。
② 《元史》卷11《世祖本纪》八，第227页。

所欲为之事，则曰：天教恁地；人所已为之事，则曰：天识著。无一事不归之天，自鞑主至其民无不然。"① "元兴朔漠，代有拜天之礼。衣冠尚质，祭器尚纯，帝后亲之，宗戚助祭。其意幽深古远，报本反始，出于自然，而非强为之也。"② 蒙古国时期，成吉思汗多行祭天活动。宪宗蒙哥在壬子年（1252 年）秋八月八日，始以冕服拜天于漠北日月山。忽必烈即位以后，先是每年四月和九月两次祭天，后改成每年六月二十四日于上都祭天一次。"每岁，驾幸上都，以六月二十四日祭祀，谓之洒马妳子。用马一，羯羊八，彩缎练绢各九匹，以白羊毛缠若穗者九，貂鼠皮三，命蒙古巫觋及蒙古、汉人秀才达官四员领其事，再拜告天。又呼太祖成吉御名而祝之，曰：'托天皇帝福荫，年年祭赛者。'礼毕，掌祭官四员，各以祭币表里一与之；余币及祭物，则凡与祭者共分之。"③

此外，"他们对神的信仰并不妨碍他们拥有仿照人像以毛毡做成的偶像"④。蒙古人盛行对偶像的崇拜。偶像放在帐幕门户两边，偶像下面放一个以毛毡做成的牛、羊等乳房模型，用以保护家畜、赐予他们乳和马驹的利益。另外，还有以绸料做成的偶像。有些人会把这些偶像放在帐幕门前的一辆美丽的有篷的车子里面，如果任何人偷窃车子里的任何东西，会处以死刑，决不宽恕。⑤

蒙古人经常把每一头乳牛和母马第一次挤出的奶用来供奉他们的偶像。当要进食时，首先拿一些食物和饮料供奉偶像。当屠宰动物时，把动物的心放在杯子里供奉车子里面的偶像，直到第二天早晨，他们才把它从偶像面前拿开，煮而食之。⑥ "他们并且为第一代皇帝做一个偶像，他们把这个偶像放在一辆车子里，这辆车子则放在一座帐幕前面的敬礼偶像的地方，像我们在现今皇帝的宫廷前面所看到的那样。他们向这个偶像奉献许多礼品。他们也向这个偶像奉献马匹，这些马没有人敢骑，直至它们死去。他们也向这个

① 《黑鞑事略》，《王国维遗书》本，第 11 页。
② 《元史》卷 72《祭祀志》一，第 1781 页。
③ 《元史》卷 77《祭祀志》六，第 1924 页。
④ 《蒙古史》，《出使蒙古记》，第 9 页。
⑤ 《蒙古史》，《出使蒙古记》，第 9—10 页。
⑥ 《蒙古史》，《出使蒙古记》，第 10 页。

偶像奉献其他动物，如果他们屠宰这些动物，以供食用，他们不弄碎这些动物的任何骨头，而把这些骨头放在火中烧掉。他们朝南向这个偶像鞠躬，像向神鞠躬一样，而且他们让正在访问他们的其他贵族也这样做。"①

蒙古人还进行自然崇拜。"他们尊敬和崇拜太阳、月亮、火、水和土地，把食物和饮料首先奉献给它们，特别是早晨在他们进饮食以前"②。当蒙古人聚在一起会饮时，首先把饮料洒在男主人头上边的偶像身上，然后依次洒在其他所有偶像的身上。此后，一个仆人拿着杯子和饮料走出帐外，向南方洒饮料三次，每一次都下跪行礼，这是向火敬礼；其次，向东方，向天空敬礼；然后，向西方，向水敬礼；向北方，致礼于死者。当男主人准备喝的时候，先倒一些饮料在地上，作为给地喝的一份。如果是坐在马上喝的，则在喝之前倒一些饮料在马颈或鬃毛上。③

蒙古人"其择日行事则视月盈亏以为进止，朏之前、下弦之后，皆其所忌。见新月必拜"④。"当天空出现新月，或月圆时，他们便着手去做他们愿意做的任何新的事情，因此他们称月亮为大皇帝，并向它下跪祈祷。他们并且说，太阳是月亮的母亲，因为月亮是从太阳那里得到它的光辉的。"⑤

蒙古人崇拜火，认为火可以净化污秽，祛除灾邪。"他们相信万事万物是被火所净化的。因此，当使者们或王公们或任何人来到他们那里时，不论是谁，都被强迫携带着他们带来的礼物在两堆火之间通过，以便加以净化，以免他们可能施行了巫术，或者带来了毒物或任何别的有害的东西。同样的，如果有火从天空降落到牲畜或人身上（这种事情在那里是常常发生的），或被他们认为是不洁或不祥的任何同样的事情降临到他们身上，他们必须由占卜者以同样的方式加以净化。他们几乎把他们所有的希望都寄托在这些事情上。"⑥

蒙古人对于预卜、占卜等极为注意。"凡占卜吉凶、进退、杀伐，每用

---

① 《蒙古史》，《出使蒙古记》，第 10 页。
② 《蒙古史》，《出使蒙古记》，第 10 页。
③ 《鲁不鲁乞东游记》，《出使蒙古记》，第 114 页。
④ 《黑鞑事略》，《王国维遗书》本，第 8 页。
⑤ 《蒙古史》，《出使蒙古记》，第 12 页。
⑥ 《蒙古史》，《出使蒙古记》，第 12—13 页。

羊骨扇，以铁椎火椎之，看其兆坼以决大事，类龟卜也。"① 《黑鞑事略》："其占筮则灼羊之枚子骨，验其文理之逆顺，而辨其吉凶，天弃天予，一决于此，信之甚笃，谓之烧琵琶，事无纤粟不占，占必再四不已。"徐霆对此补注："霆随一行使命至草地，鞑主数次烧琵琶以卜使命去留，想是琵琶中当归，故得遣归。烧琵琶即钻龟也。"②

蒙古人遇事占卜时烧羊肩胛骨，若骨头受热后的裂纹呈纵的直线，或三块骨头中，有一块裂为直纹，表明他们可以做这件事。若骨头是横的裂开，或是裂成碎片，那么他们就不可以做这件事。③ 显然，蒙古人的羊骨卜是以直纹为吉，与汉人以横为吉不同。

第四节　习尚禁忌

元代蒙古人受自然环境、宗教信仰等因素的影响，在长期的生产生活过程中形成了具有民族特点的习尚禁忌。

蒙古人尚右，以右为尊。主要表现在：成吉思汗分封宗族，诸子封地在老营右面，诸弟封地在老营左面；元代太庙神主的排列，由左昭右穆改为右昭左穆；住地帐幕群排列中，地位最尊贵的正后帐幕位于右边；帐幕中，男子坐右边，女子坐左边；元代右丞相在左丞相之上；元宫中有三库，御用宝玉、远方珍异隶内库，金银、质孙衣缎隶右库，常课衣缎、缣布隶左库；行进中，两骑相向交左而过，表示谦顺；进食时，接他人递来的肉要用右手，用左手就是相逆，等等。④

蒙古人尚白，以白为洁。主要表现在：1206 年成吉思汗建国时树九斿白旗；成吉思汗死后，墓地搭建八个白帐供祭；元代皇帝死，灵车以白毡为帘；大都大明殿御榻铺白盖金缕褥，御座上的镇邪伞盖亦为白色；元正节庆时，皇帝百官皆衣白袍；祭祀时以白缯作币；进献宫廷的禽兽，若为白色，

---

① 《蒙鞑备录》，《王国维遗书》本，第 17 页。
② 《黑鞑事略》，《王国维遗书》本，第 10 页。
③ 《鲁不鲁乞东游记》，见《出使蒙古记》，第 182—183 页。
④ 参见白寿彝主编：《中国通史》（第 13 册），第 1025 页，下文"尚白""崇九"处亦参见此书，另不注明。

则更具敬意，如白鹰、白马、白驼等。

蒙古人崇九，以九为吉。主要表现在：祭祀时，羊鹿野豕等祭品一般常用九数或九的倍数；每年六月二十四日的上都祭祀，祭牲九头，马一羯羊八，彩缎练绢各九匹，以白羊毛缠若穗者九；成吉思汗给予臣子的特权之一是九次犯罪不罚；成吉思汗赐与姚里氏河西俘人九口、马九匹、白金九锭、币器皆以九计。

蒙古人"其俗最敬天地，每事必称天"①。但又十分畏惧天威，"闻雷声则恐惧不敢行师，曰天叫也"②；"霆见鞑人每闻雷霆，必掩耳屈身至地，若弹避状。"③　为防止触怒天威，"春夏两季人们不可以白昼入水，或者在河流中洗手，或者用金银器皿汲水，也不得在原野上晒洗过的衣服；他们相信，这些动作增加雷鸣和闪电。"④　另外，"他们还说，如果把酒或酸马奶、淡奶和酸奶洒出在地上，闪电多半会打在牲畜身上，尤其是马身上。如果洒出了酒，那就会发生更严重的后果，闪电准会打到家畜身上或打到他们的家里。由于这个原因，［蒙古人］做所有这些事时，都很小心谨慎。如果有人从脚上脱下毡袜，想在太阳下晒干它，那也会发生上述那种灾祸。因此，他们要弄干［自己的］毡袜时，就把帐幕之顶遮起来，在帐内［将它］晾干"⑤。此外，"每年，当他们中间有人遭到雷击时，他们便把他的部族和家室从诸族中赶走三年，在这期间他们不得进入诸王的斡耳朵。同样的，要是他们的牲畜和羊群中有一头也遭雷击，他们如法施行数月之久。而当这类事发生时，他们在该月余下的日子里不进食，就他们的哀悼期限说，他们在该月的末尾举行一个仪式（süyürmishī）。"⑥

蒙古人敬重火，他们禁"拿小刀插入火中，或甚至拿小刀以任何方式去接触火，或用小刀到大锅里取肉，或在火旁拿斧子砍东西，这些都被认为

---

① 《蒙鞑备录》，《王国维遗书》本，第17页。
② 《蒙鞑备录》，《王国维遗书》本，第17页。
③ 《黑鞑事略》，《王国维遗书》本，第16页。
④ 《世界征服者史》（上册），第241页。
⑤ 《史集》（汉译本）第1卷第1分册，第256页。
⑥ 《世界征服者史》（上册），第241页。

是罪恶，因为他们相信，如果做了这些事，火就会被砍头。"①

蒙古人禁忌入帐幕时脚踏门槛和碰触绳索，不得带笠帽进撞帐房。男子进帐幕，不能把箭袋等挂放在妇女这一边，须挂在西侧帐壁上。在帐幕中，"如果任何人吃入一口食物，由于不能咽下去，而把它吐出口外，那么，就要在帐幕下面挖一个洞，把他从那个洞里拖出来杀死，决不宽恕。"②

蒙古人严禁"倚靠在鞭打马的马鞭上（他们不用踢马刺，而用马鞭），用马鞭去接触箭，捕捉或弄死小鸟，用马笼头打马，用另一根骨头去打碎一根骨头"③。

对于蒙古人的禁忌，若有人故意犯禁则被处死；若并非故意，则必须付一大笔钱给占卜者，由占卜者为其举行涤罪仪式，即携带帐幕和帐内各项物件在两堆火之间通过，以涤除罪恶。④

第五节 丧葬习俗

元代蒙古人"刳木为棺"，实行土葬，无冢，"其墓无冢，以马践蹂，使如平地"⑤。有陪葬品，其多少则取决于死者地位和财富多寡。蒙古人埋葬死者有一定的程序和特色：

> 当他死去以后，如果他是一个不很重要的人物，他就被秘密地埋葬在他们认为是合适的空地上。埋葬时，同时埋入他的一顶帐幕，使死者坐在帐幕中央，在他面前放一张桌子，桌上放一盘肉和一杯马乳。此外，还埋入一匹母马和它的小马、一匹具备马笼头和马鞍的马，另外，他们杀一匹马，吃了它的肉以后，在马皮里面塞满了稻草，把它捆在两根或四根柱子上，因此，在另一个世界里，他可以有一顶帐幕以供居住，有一匹母马供他以马奶，他有可能繁殖他的马匹，并且有马匹可供

① 《蒙古史》，《出使蒙古记》，第11页。
② 《蒙古史》，《出使蒙古记》，第12页。
③ 《蒙古史》，《出使蒙古记》，第12页。
④ 《蒙古史》，《出使蒙古记》，第12页。
⑤ 《黑鞑事略》，《王国维遗书》本，第30页。

乘骑。……他们在埋葬死人时，也以同样方式埋入金银。他生前乘坐的车子被拆掉，他的帐幕被毁掉，没有任何人敢提到他的名字，直至第三代为止。

至于埋葬他们的首领，则他们有一种不同的方法。他们秘密地到空旷地方去，在那里他们把草、根和地上的一切东西移开，挖一个大坑，在这个坑的边缘，他们挖一个地下墓穴。在把尸体放入墓穴时，他们把他生前宠爱的奴隶放在尸体下面。这个奴隶在尸体下面躺着，直至他几乎快要死去，这时他们就把他拖出来，让他呼吸；然后又把他放到尸体下面去，这样他们一连搞三次。如果这个奴隶幸而不死，那么，他从此以后就成为一个自由的人，能够做他高兴做的任何事情，并且在他主人的帐幕里和在他主人的亲戚中成为一个重要人物。他们把死人埋入墓穴时，也把上面所说的各项东西一道埋进去。然后他们把墓穴前面的大坑填平，把草仍然覆盖在上面，恢复原来的样子，因此，以后没有人能够发现这个地点。上面所描述的其他事情，他们也同样地做，只是他们把他生前的帐幕丢在空地上，而不埋入墓中。①

蒙古人吉凶观念很强，"当任何人得了病而医治不好时，他们就在他的帐幕前面树立一支矛，并以黑毡缠绕在矛上，从这时起，任何外人不敢进入其帐幕的界线以内。当临死时的痛苦开始时，几乎每一个人都离开了他，因为在他死亡时在场的人，直至新月出现为止，谁也不能进入任何首领或皇帝的斡耳朵。"② 而且为了避邪，死者亲属和住在他帐幕内的所有人都必须接受火净仪式，仪式方法是：

他们烧起了两堆火，在每一堆火附近树立一支矛，用一根绳系在两支矛的矛尖上，在这根绳上系了若干粗麻布的布条；人、家畜和帐幕等就在这根绳及其布条下面和两堆火之间通过。有两个妇女，在两边洒水和背诵咒语。如果有任何车子在通过时损坏了，或者，如果在通过时有

---

① 《蒙古史》，《出使蒙古记》，第13—14页。
② 《蒙古史》，《出使蒙古记》，第13页。

任何东西掉落地上，那么这些东西就归魔法师所有。如果任何人被雷电击毙，住在他帐幕里的所有的人都必须按照上述方式在两堆火之间通过；没有一个人接触他的帐幕、床、车子、毛毡、衣服或他拥有的任何其他这类东西，它们被所有的人认为是不洁之物而予以摒弃。①

受吉凶观念的影响，发现帝后病危不可治愈之时，就要移居到外毡帐房。有不讳，则就地殡殓。葬后，每天用羊二次烧饭以为祭，至四十九日而后已。其帐房亦赐与近臣。②

蒙元历代皇帝的葬地在"起辇谷"（又译"古连勒古"），地望在今蒙古国肯特省曾克尔满达勒一带。③ 有关蒙古皇帝的棺椁和葬礼，见如下记载：

> 凡宫车晏驾，棺用香楠木，中分为二，剜肖人形，其广狭长短，仅足容身而已。殓用貂皮袄、皮帽，其靴袜、系腰、盒钵，俱用白粉皮为之。殉以金壶瓶二，盏一，碗碟匙筋各一。殓讫，用黄金为箍四条以束之。舆车用白毡青缘纳失失为帘，覆棺亦以纳失失为之。前行，用蒙古巫媪一人，衣新衣，骑马，牵马一匹，以黄金饰鞍辔，笼以纳失失，谓之金灵马。日三次，用羊奠祭。至所葬陵地，其开穴所起之土成块，依次排列之。棺既下，复依次掩覆之。其有剩土，则远置他所。送葬官三员，居五里外。日一次烧饭致祭，三年然后返。④

蒙元皇帝的墓葬受到格外的保护。皇帝尸首葬入土中后，当即驱马践平，漫如平地，不留任何遗迹，无人知晓，无法找到确切的墓葬地点。那里被蒙古人称为"大禁地"（蒙古语称为"也可忽鲁黑"），由禁卫骑兵巡视保护，外围有箭杆插成的短墙，任何人不得踏入墓地。

---

① 《蒙古史》，《出使蒙古记》，第14—15 页。
② 《元史》卷77《祭祀志》六，第1925 页。
③ 详见亦邻真：《起辇谷和古连勒古》，《内蒙古社会科学》1989 年第3 期。
④ 《元史》卷77《祭祀志》六，第1925—1926 页。

入主中原以后，蒙古皇帝的丧葬仪式中，汉人官僚不得参加，将灵驾送到大都健德门外就必须止步，只能由蒙古官员卫护灵驾北行至起辇谷。"至元三十一年（1294 年）岁次甲午，正月廿二日癸酉亥刻，帝崩于大内紫檀殿，既殓，殡于萧墙之帐殿，从国礼也。越三日乙亥寅刻，灵驾发引，由健德门出，次近郊北苑。有顷，祖奠毕，百官长号而退。"①

前面提到的"烧饭"是一种重要的祭祖仪式，蒙古语称为"亦捏鲁"（ineru），它是直接因袭了契丹、女真的类似风俗。烧饭祭祀时，由萨满教巫师主持，用蒙古语念祝词，把马奶酒洒在祭牲上，烧掉骨头，然后把肉分食给参加祭祀的人。元代大都有烧饭院，是皇家行烧饭礼的场所。"每岁，九月内及十二月十六日以后，于烧饭院中，用马一，羊三，马湩，酒醴，红织金币及裹绢各三匹，命蒙古达官一员，偕蒙古巫觋，掘地为坎以燎肉，仍以酒醴、马湩杂烧之。巫觋以国语呼累朝御名而祭焉。"②

元代太庙祭祖时行"割奠"之礼，其为蒙古旧礼。"每岁，太庙四祭，用司禋监官一员，名蒙古巫祝。当省牲时，法服，同三献官升殿，诣室户告腯，还至牲所，以国语呼累朝帝后名讳而告之。明旦，三献礼毕，献官、御史、太常卿、博士复升殿，分诣各室，蒙古博儿赤跪割牲，太仆卿以朱漆盂奉马乳酌奠，巫祝以国语告神讫，太祝奉祝币诣燎位，献官以下复版位载拜，礼毕。"③ 此后，将割奠之余撒在南棂星门外，名曰"抛撒茶饭"。④

蒙古丧葬中，若"其从军而死也，驰其尸以归；否则，罄其资橐而瘞之。"⑤ 对此，徐霆注疏："霆见其死于军中者，若奴婢能自驰其主尸首以归，则止给以畜产；他人致之，则全有其妻奴畜产。"⑥

蒙古人"他们有一种风俗是，倘若一个官吏或一个农民死了，那他们对死者的遗产，无论多寡，概不置喙，其他任何人也不得插手这笔财物。如他没有子嗣，财产就传给他的徒弟或奴隶。死者的财产决不归入国库，因为

① 《秋涧集》卷 13 《大行皇帝挽辞八首》序。
② 《元史》卷 77 《祭祀志》六，第 1924 页。
③ 《元史》卷 77 《祭祀志》六，第 1923—1924 页。
④ 《元史》卷 74 《祭祀志》三，第 1841 页。
⑤ 《黑鞑事略》，《王国维遗书》本，第 30 页。
⑥ 《黑鞑事略》，《王国维遗书》本，第 30 页。

他们认为这种做法是不吉利的。"①

第六节　庆典娱乐

元代蒙古人的庆典活动主要有天寿节、元正节、四季宴等。

天寿节，又称"圣节""圣节本命日"，即皇帝诞辰。天寿节当天，朝臣百官诣阙称贺，地方官员等"望阙"进行庆祝活动，非常隆重。"元自世祖以来，凡遇天寿圣节，天下郡县立山棚，百戏迎引，大开宴贺。"② 而"大汗于其庆寿之日，衣其最美之金锦衣。同日至少有男爵骑尉一万二千人，衣同色之衣，与大汗同。所同者盖为颜色，非言其所衣之金锦与大汗衣价相等也"。同时"一切偶像教、回教、基督教之教徒，及其他种种人，各向其天主燃灯焚香，大事祈祷礼赞，为其主祝福求寿"。此外，"庆寿之日，世界之一切鞑靼人及一切州区皆大献贡品于大汗"③。

蒙古人在蒙古国时期就庆祝元正节。进入中原以后，它融历代中原王朝和蒙古传统习俗为一体，变得更为丰富。"节庆之日黎明，案席未列以前，一切国王藩主，一切公侯伯男骑尉，一切星者、哲人、医师、打捕鹰人，以及附近诸地之其他不少官吏，皆至大殿朝贺君主。其不能入殿者，位于殿外君主可见之处。其行列则皇子侄及皇族在前，后为诸国王、公爵，其后则为其他诸人，各按其等次而就位。"④ 司辰郎宣布元正朝会开始后，殿前侍卫人员向皇帝叩拜，后分立两旁或殿下。后妃、诸王、驸马依次行贺献礼后，百官向皇帝叩拜，齐呼万岁。中书省丞相向皇帝三进酒，宣读中央和地方官府的贺表和礼单。按蒙古习俗，进献的礼品数应与"九"或"九"的倍数相合，进贡马匹也应多为白马。举行受朝仪式时，皇帝在内的所有人都穿白色衣服，即白色质孙服。"是日依俗大汗及其一切臣民皆衣白袍，致使男女老少衣皆白色，盖其似以白衣为吉服，所以元旦服之，俾此新年全年获

---

① 《世界征服者史》（上册），第 35 页。

② 《草木子》卷 3 下《杂制篇》，第 64 页。

③ 《马可波罗行纪》，第 334—335 页。

④ 《马可波罗行纪》，第 337—338 页。

福。"① 朝仪之后，举行盛大的质孙宴。

四季宴，它是一年四季中在固定日子里所举行的庆典。春季庆典在阴历三月廿一日，夏季五月十六日，秋季九月十二日，冬季十一月初三日。前三季的庆祝活动与牧业生活关系密切，而冬季宴据说与成吉思汗的诞辰有关。②

元代蒙古人较有特色的娱乐活动有围猎、角觝、射箭和打球等。

围猎是蒙古人每年都要举行的一项重要活动。其不单为的是猎取野兽，也为的是习惯狩猎锻炼，熟悉弓马和吃苦耐劳，是一种军事训练和演习。但对蒙古人来说，同时也是一项令人激动的娱乐活动。

大型围猎活动，由蒙古皇帝或宗王组织，蒙古贵族往往带领部属参加。"其俗射猎。凡其主打围，必大会众，挑土以为坑，插木以为表，维以毳索，系以毡羽，犹汉兔罝之智，绵亘一二百里间，风扬羽飞，则兽皆惊骇而不敢奔逸，然后麾围攫击焉。"③ 围猎一般有固定的猎场。蒙古国时期，猎场设在漠北草原。进入中原后，围场南移，以大都、上都地区为活动的中心。春季围猎大多在大都东南的柳林。夏季在上都附近有北凉亭、东凉亭、西凉亭、察罕脑儿（白海）等专用猎场。④

大汗围猎一般在冬初举行，往往持续一到三个月。大汗进行围猎时，首先下旨命令驻扎在大本营四周和斡耳朵附近的军队作好行猎准备，每十人中选派几骑，分发围猎用器。军队右翼、左翼和中路，由大异密率领；大汗携同后妃、嫔妾、粮食、饮料等，一起出发。围猎中用一两个月或三个月的时间，形成一个猎圈，并缓慢、逐步地驱赶野兽，唯恐有野兽逃出。若出乎意料有野兽破阵而出，要对出事原因作仔细调查，千夫长、百夫长和十夫长要因此受杖，甚至被处以极刑。在驱赶野兽过程当中，及时捎信给大汗，报告猎物数之多寡，已赶至何处，从何地将野兽惊起等等。最后，不断缩小包围圈，直到野兽已不能跑动时，大汗带领几骑先行驰入，猎厌后至围场中央高地，观看他人射猎。诸王、那颜、将官和士兵依次入场射猎。这样猎获几

---

① 《马可波罗行纪》，第337页。

② 参见《蒙古民族通史》第2卷，内蒙古大学出版社2002年版，第417页。

③ 《黑鞑事略》，《王国维遗书》本，第7页。

④ 陈高华、史卫民：《元上都》，吉林教育出版社1988年版，第131—133页。

天，最后放生伤残野兽，清点猎获物。① 猎物除献给皇帝外，在宗王、贵族和士兵中分配，参加围猎的人都会分得一份。

角觝，即摔跤，是蒙古人非常喜欢的一项传统娱乐项目。有关蒙古人的摔跤习俗在《蒙古秘史》中记述较多，成吉思汗曾以角觝的方式消除异己力量。窝阔台汗特意从中亚请来摔跤手，进行宫廷比赛。进入中原以后，角觝经常在大都和上都举行。元仁宗时，设置了专门管理角觝士的机构。延祐六年（1319 年）六月戊申，"置勇校署，以角觝者隶之"②。对角觝者的赏赐也较为优厚。大德十一年（1307 年）六月，"以拱卫直都指挥使马谋沙角觝屡胜，遥授平章政事。"③ 延祐七年六月，"赐角觝百二十人钞各千贯。"④

"骑射""射柳""射草狗"是元代宫廷举行的主要射箭活动。骑射，即骑马射箭。它在蒙古人中极为兴盛。蒙古"男人们除了制造箭以外，完全不制造任何东西。他们有时也照管牲畜，但他们主要是从事打猎和练习箭术，因为他们（不论是大人和小孩）全都是极好的射手。他们的小孩刚刚两三岁的时候，就开始骑马和驾驭马，并骑在马上飞跑，同时大人就把适合于他们身材的弓给他们，教他们射箭。他们是极为敏捷和勇猛的"⑤。"其骑射则孩时绳束以板，络之马上，随母出入。三岁，以索维之鞍，俾手有所执，从众驰骋。四五岁挟小弓短矢，及其长也，四时业田猎。凡其奔骤也，跂立而不坐，故力在跗者八九，而在髀者一二，疾如飙至，劲如山压，左旋右折如飞翼，故能左顾而射右，不特抹鞦而已。"⑥

射柳一般在端午日举行。"射柳者于端午日，质明镇南王于府前张方盖，与王妃偕坐焉。是时覃王妃同在，诸王妃咸坐，仍各以大红销金伞为盖，列坐于左；诸王列坐于右。诸王行觞为节令寿。前列三军，旗帜森然。武职者咸令射柳，以柳条去青一尺，插入土中五寸。仍各以手帕系于柳上，

---

①　《世界征服者史》（上册），第30—31 页。
②　《元史》卷26《仁宗本纪》三，第589 页。
③　《元史》卷22《武宗本纪》一，第481 页。
④　《元史》卷27《英宗本纪》一，第603 页。
⑤　《蒙古史》，《出使蒙古记》，第18 页。
⑥　《黑鞑事略》，《王国维遗书》本，第17 页。

自记其仪。有引马者先走，万户引弓随之，乃开弓射柳。断其白者，则击锣鼓为胜，其赏如前。不胜者亦如前罚之。仪马匹咸与前饰同，此武将耀武之艺也。"①

射草狗是俗称，又称"射圃""开垜场"，是传统的脱灾活动。《元史》记载："每岁，十二月下旬，择日，于西镇国寺内墙下，洒扫平地，太府监供彩币，中尚监供细毡针线，武备寺供弓箭环刀，束杆草为人形一，为狗一，剪杂色彩缎为之肠胃，选达官世家之贵重者交射之。非别速、札剌儿、乃蛮、忙古、台列班、塔达、珊竹、雪泥等氏族，不得与列。射至糜烂，以羊酒祭之。祭毕，帝后及太子妃嫔并射者，各解所服衣，俾蒙古巫觋祝赞之。祝赞毕，遂以与之，名曰脱灾。国俗谓之射草狗。"②

元朝后期，射草狗的形式略有变化。"十月太史院涓日，都府差官于东华门外作苇芭，南向北三所，北向南如之，约三百步。西一所即储皇、诸王等，二所省院宰辅，第三所武职枢所。安措定，候旨。""圣上在西宫，丞相略聚，请太子开垜场御弓。得旨，百辟导从，至垜场，端箭调弓，自有主者揖让升降，动有国典，俱用小金仆姑。（原注：名小追风箭。）其制：宰执奉弓执箭，跪以进，太子受弓后，发矢至高远，名射天狼。（原注：俗呼射天狗，束刍为草人以代天狼，非侯。）三矢而止。宰执揖让，进拜太子后，开弓发数矢。诸王如上发矢，不以虎侯，豹虎熊侯，以草为人作侯，遵国典也。以次射毕，于别殿张盛燕，极丰厚。"③

打球，也叫"击鞠"或"击球"。蒙古国时期就很盛行，入主中原以后，打球成为元廷每年都要举行的一项娱乐活动。据记载："击球者，今（金）之故典。而我朝演武亦自不废。常于五月五日、九月九日，太子、诸王于西华门内宽广地位，上召集各衙万户、千户，但怯薛能击球者，咸用上等骏马，系以雉尾、缨络，萦缀镜铃、狼尾、安答海，装饰如画。玄其障泥，以两肚带拴束其鞍。先以一马前驰，掷大皮缝软毬子于地，群马争骤，各以长藤柄毬杖争接之。而毬子忽绰在毬棒上，随马走如电，而毬子终不坠

---

① 熊梦祥：《析津志辑佚·风俗》，第 204 页。
② 《元史》卷 77《祭祀志》六，第 1924 页。
③ 《析津志辑佚·岁纪》，第 211 页。

地。力捷而熟娴者，以毬子挑剔跳掷于虚空中，而终不离于毬杖。马走如飞，然后打入球门中者为胜。当其击毬之时，盘屈旋转，攸如流电之过目，观者动心骇志，英锐之气奋然。虽耀武者，捷疾无过于是，盖有赏罚不侔耳。"①

---

① 《析津志辑佚·风俗》，第 203—204 页。

第四编

人　　物

第 十 七 章

元代黄金家族

成吉思汗

　　成吉思汗（Činggis qan，1162—1227 年，1206—1227 年在位），蒙古开国君主，本名铁木真（Temüjin），姓孛儿只斤（Borjigin），蒙古乞颜（Qiyan）氏人。元朝上庙号太祖。

　　成吉思汗出生于蒙古贵族家庭，五世、四世叔祖曾为辽朝部族令稳、详稳官，曾祖葛不律汗及其弟咸补海汗、伯祖父忽都剌汗都做过蒙古部主。铁木真父也速该，有拔阿秃儿（baatur，勇士）称号，是一个有实力的贵族。当时，蒙古高原部落林立，塔塔儿人、蒙古人、弘吉剌人、克烈人、乃蛮人、篾里乞人、斡亦剌人互相攻打，争战不休。这些部落与辽朝是臣属和纳贡的关系，有的是金朝的守边部族，但时附时叛。金朝利用归顺的部落征伐叛离者，使蒙古高原部落战争局势复杂化。争战愈益频繁，规模日益扩大，部落结构常被打破，形成跨部落的军事联盟，从而出现了走向大规模联合的客观趋势。1162 年，受金朝控制的塔塔儿人与蒙古人发生激战，也速该俘获塔塔儿首领铁木真，凯旋时正值长子出生，也速该便用俘虏的名字为儿子命名，以纪念胜利。"烈祖征塔塔儿部，获其部长铁木真。宣懿太后诃额伦适生帝，手握凝血如赤石。烈祖异之，因以所获铁木真名之。"① "铁木真"

---

① 《元史》卷1《太祖本纪》，第3页。

一词意为如铁般坚硬。

约 1170 年，也速该被塔塔儿人毒死，母亲诃额伦带着铁木真几个孩子和剩下的少数部众住在斡难河上游不儿罕山一带，过着困苦的生活。铁木真渐渐长大。乞颜氏的亲族、蒙古泰赤乌氏贵族塔儿忽台等率众进攻，抓走了铁木真，后由泰赤乌氏属民锁儿罕失剌暗中救助才得以脱逃，与母弟会合，并迁到了桑沽儿河（今克鲁伦河支流臣赫尔河）附近，后来又迁到不儿吉之地（今克鲁伦河上游布尔肯河附近）。

泰赤乌部众繁多，要想抵抗，必须寻求一强大势力的支持和保护。铁木真此时来到土兀剌河黑林（今蒙古国乌兰巴托南）他父亲的"安答"（anda，意为兄弟）——克烈部最高首领王汗处，尊王汗为父，表示依附或臣属。在王汗的帮助下，铁木真开始积聚力量。但这时又遭到了三姓篾儿乞人的袭击，妻子孛儿帖被抢走。他求救于王汗和蒙古札答阑氏贵族札木合，共同袭击了篾儿乞人的营地不兀勒川（今蒙古国恰克图南布拉河地），因篾儿乞人事先没有设防，部众全被打散，首领沿薛良格河逃走，铁木真夺回了妻子，并俘获妇女、儿童为奴婢。经过这次战争，铁木真的力量逐渐壮大起来，很多蒙古部众聚集到他这一边。大约在 1182 年，铁木真摆脱了对札木合的依附，被乞颜氏贵族推举为汗，建立了乞颜氏兀鲁思。铁木真此举得到了克烈部王汗的支持。

札木合不愿看到铁木真的强大，于是发生了"十三翼之战"。战争以札木合部人劫掠铁木真的马群而被射死为导火线。札木合与泰赤乌贵族联合起来，起兵 30 000 进攻铁木真。铁木真将部众和各家贵族的兵力，组成十三翼，布列于答兰版朱思（Dalan Baljus，意为"七十沼泽"，克鲁伦河上游支流澄赫尔河附近）[①]，后因实力不敌而败退。此后，铁木真不断笼络人心，招徕人马，有很多泰赤乌族人因不满其主非法前来归附，如兀鲁（尤赤台）、忙兀（畏答儿）、晃豁坛等，力量不断壮大起来。

1196 年，金兵征塔塔儿等部，铁木真和王汗出兵配合金朝，于斡里札河（今蒙古国东方省乌勒吉河）打败塔塔儿人。这次战事中铁木真不仅严重打击了劲敌塔塔儿人，使其从此一蹶不振，而且在蒙古部中赢得了"为

---

① 参见韩儒林主编：《元朝史》（修订本上册），人民出版社 2008 年版，第 64 页。

父祖复仇"的声望，同时又得到了金朝的封赏。金右丞相完颜襄授铁木真以"札兀惕忽里"（jaut-quri）之职。王汗因是战争中的主力，得到了"王"的封号。他本名脱里（To'oril），汗号之上再冠以王的头衔，因此被称为王汗。金朝的封赏大大提高了铁木真的政治权力，从此他可以用朝廷命官的身份号令蒙古部众和统辖其他贵族了。①

1201年，札木合搜罗了一批散败贵族，包括塔塔儿、斡亦剌、泰赤乌、札答阑、合答斤、散只兀、朵儿边等各部首领，对抗日益强大的王汗和铁木真。他们在也里古纳河与犍河（今内蒙古根河）、秃律别儿河（今得尔木尔河）汇流处附近的忽兰也儿吉集会，结成了一个松散的联盟，共推札木合为"古儿罕"（Gür-qan，意为全体之君）。1201—1202年，铁木真和王汗联兵，与札木合联盟先后大战于海剌儿河（今内蒙古海拉尔河）流域和金界壕边的阙弈坛（今哈拉哈河上游）等地，获胜，札木合投降于王汗。1202年，铁木真消灭了四部塔塔儿，占领了富饶的呼伦贝尔草原，实力猛增。

王汗见铁木真势力不断壮大，危及自己在蒙古高原的霸主地位，便在1203年对铁木真发起袭击，双方在合兰真沙陀激战，铁木真失败，麾下仅剩2000余人，被迫退到哈拉哈河以北。铁木真收集溃散部众，并收降弘吉剌部，势力逐渐恢复。战后，王汗和追随他的蒙古贵族发生了分裂，并起兵相攻。答里台和蒙古巴阿邻、嫩真二部、克烈撒合夷部归附铁木真，札木合等奔乃蛮。王汗则麻痹大意，未乘胜追歼铁木真，反而率部进攻强大的金朝，被金军大败。铁木真充分利用了这个天赐良机。他探得王汗搭建金帐，宴饮欢娱，乘其不备，进行了奇袭，直捣王汗牙帐，克烈部亡。同年，为金朝看守界壕的汪古部也归附铁木真。1204年，铁木真出征蒙古高原西部强部乃蛮，在纳忽崖与乃蛮人决战，消灭了乃蛮太阳汗的斡耳朵。1206年，又在莎合水（今科布多河上游）消灭了太阳汗弟不欲鲁汗。札木合逃往唐努岭，被其部下执送铁木真。至此，铁木真完成了蒙古高原各部的统一，成为蒙古高原最大的统治者。

1206年，铁木真在斡难河（今蒙古鄂嫩河）源举行忽里台（大聚会），树九斿白纛，即大汗位，汗号"成吉思"（意为坚毅），建立了也可·蒙

---

① 参见韩儒林主编：《元朝史》（修订本上册），第66页。

古·兀鲁思（Yeke Monggyol ulus），即"大蒙古国"。从此"蒙古"由原来蒙古高原的一个部族名变成了一个新兴的统一的游牧封建大帝国的名称，一个以"蒙古"命名的民族共同体登上了世界历史舞台。

蒙古国初期，成吉思汗把全体蒙古百姓划分为95个千户，千户下设百户、十户。千户那颜是成吉思汗的封臣，有各自的领地，各千户内的牧民不能任意离开千户组织，对那颜有人身隶属关系。成吉思汗把一部分千户作为领民分封给诸弟诸子并划给嫩土（牧地），形成左右手诸王，四个儿子为右手、右翼，四个弟弟为左手、左翼。其他蒙古千户为成吉思汗直辖，也分为左右翼。成吉思汗以木华黎、博尔尤为左右万户那颜，即两个最大的军事长官。为了加强大汗权威，成吉思汗把原来只有150人的"怯薛歹"（Keshigtai，侍卫）扩充到1万人，征调千户那颜、百户长、十户长的子弟充当怯薛，以此控制全国。成吉思汗颁布了蒙古第一个成文法典——大札撒，并设札鲁忽赤（JarquChi，断事官）掌管民户分配，审断刑狱、词讼等，是蒙古国的最高行政官，相当于汉族官制的丞相。成吉思汗还颁行蒙古文字，用回鹘字母音写蒙古语，号畏吾（回鹘）体蒙古文。

勃兴的蒙古贵族渴望占有大量财富，西夏成了成吉思汗首先攻略的目标。1205年、1207年，成吉思汗入侵西夏，掠夺大批骆驼和财物。1209年，再次大举入侵，引黄河水淹灌西夏都城兴府（今宁夏银川），居民被淹死无数，西夏迫不得已，纳女请和，每年向蒙古纳贡。

成吉思汗即大汗位后，仍向金朝纳贡，曾亲至净州（今内蒙古四子王旗城卜子村）贡岁币，并结识卫绍王。卫绍王即金帝位，成吉思汗说："我谓中原皇帝是天上人做，此等庸懦亦为之耶！"最后断绝了对金朝的臣属关系。1211年，率领大军南下攻金。当时金朝处于重重社会危机之中，政治腐朽，经济凋敝，财政拮据，阶级矛盾和民族矛盾不断激化，无力抵御蒙古入侵。据守野狐岭的金军号称40万，但一触即溃。在浍河堡决战中，成吉思汗实行中央突破，全歼金军主力。1213年，缙山一战，金军精锐消耗殆尽。成吉思汗南出紫荆关，蒙古军分三路横扫华北平原，到处掠获财物，俘虏工匠。金朝无力抵抗，1214年向成吉思汗献歧国公主，并给蒙古大批金银珠宝。成吉思汗退出居庸关北上。金宣宗随后从中都（今北京）逃迁南京（今河南开封）。1215年，蒙古军占领中都，在辽西消灭金朝守军，攻占北京（今内蒙古宁城西）。华北、东北的地主武装纷纷投降蒙古，倒戈攻金。1217 年，成吉思汗封木华黎为太师国王，专事攻金，自己准备西征。1218 年，派大将哲别灭亡了被乃蛮太阳汗之子屈出律篡夺王位的西辽。于是，新兴的花剌子模王朝统治下的中亚地区便与极力向外扩张的蒙古直接接壤。

1219 年，成吉思汗率 20 万大军西征，向花剌子模发动了侵略战争。战争开始后，摩诃末算端失去抵抗信心，一味远逃，幻想蒙古军队饱掠一场之后自行退去。花剌子模失去统一指挥，兵力分散，只有各个孤城的防御，没有大兵团的野战反击，使蒙古军从一开始就居于优势。成吉思汗几路进兵，分割包围了各战略重镇，各个击破，采用大规模屠杀、夷平城市等手段震慑敌人，解除了后顾之忧。1219 年，蒙古军围攻讹答剌城，次年攻克。1220 年，成吉思汗攻下不花剌、花剌子模新都撒麻耳干（今乌兹别克斯坦撒马尔罕）等城，尤赤、窝阔台、察合台率兵攻克花剌子模都城玉龙杰赤（今土库曼斯坦乌尔根奇），拖雷一军进入呼罗珊地区。哲别、速不台奉成吉思汗之命穷追摩诃末算端，其逃至里海孤岛后病死。哲别、速不台率军继续西侵，远抵克里木半岛。1221 年，拖雷占领呼罗珊全境。成吉思汗追击新算端札阑丁至印度河，不获而还。1222 年，在占领区置达鲁花赤监治。1223 年，还撒麻耳干驻冬，次年起程回返。哲别、速不台部转战今阿塞拜疆和格鲁吉亚（谷儿只）地区，然后越太和岭（高加索）攻入钦察草原，在这里大败俄罗斯联军，进军俄罗斯南部，入克里米亚。1223 年，他们又攻入伏尔加河中游的不里阿耳，遭抵抗后经里海、咸海北部与成吉思汗会师东还。

1226 年，成吉思汗出征西夏。兴兵的理由是西夏曾接纳仇人亦剌合及未遣质子。蒙古军攻下黑水等城，驻兵肃州之北，四处抄掠。进兵攻取沙州、肃州、甘州，诸州军民奋起抵抗，肃州城破，残酷屠杀，幸存者仅 106 户。[①] 蒙古军攻西凉府，取应里等县。元太祖二十一年（1226 年）十一月庚申，成吉思汗进攻灵州。丙寅，蒙古军渡河进击，西夏军队败退，杀死无数。丁丑，成吉思汗驻跸盐州川，蒙古军在盐州一带肆行杀掠，生灵涂炭。太祖二十二年（1227 年），成吉思汗留一部分军队攻打中兴，自己则率师渡

---

① 《元史》卷 122《昔里钤部传》，第 3011 页。

河攻积石州，攻陷临洮府，洮、河、西宁等府州。闰五月，避暑于六盘山。六月，继续向南进兵，至秦州清水县。七月壬午，不豫。己丑，崩于萨里川哈老徒行宫。[①]

成吉思汗一生共有500多个妻妾，几百个儿女。正后孛儿帖生子四人：长子尤赤，为钦察汗国诸汗之祖；次子察合台，为察合台汗国诸汗之祖；第三子窝阔台，蒙古第二代大汗；第四子拖雷，后裔为元朝和伊利汗国皇室。忽兰皇后所生一子阔列坚，后裔入元封河间王。

成吉思汗统一蒙古各部，在历史上起到了进步作用。攻金灭夏，曲折地反映了当时中国各族交往日益密切的客观趋势，为元朝的建立奠定了基础。成吉思汗西征打通了欧亚大陆，为中西经济文化交流创造了条件。

成吉思汗军事才能卓越，战略上重视远交近攻，力避树敌过多。用兵注重详探敌情、分割包围、远程奇袭、佯退诱敌、运动中歼敌等战法，史称"深沉有大略，用兵如神"[②]。另一方面，其作战具有从游牧部落战争带来的野蛮残酷的特点，大规模屠杀居民，毁灭城镇田舍，破坏性也很大。

成吉思汗是世界闻名的军事家、政治家，也是蒙古民族的缔造者。他是人类历史上最成功的征服者。他和他的子孙通过不断的西进，建立了空前规模的、横跨欧亚大陆的帝国。因其历史功勋和事业，成为对人类历史产生重大影响的千年伟人。

（宝音德力根　撰稿）

窝阔台

窝阔台（Öködei，1186—1241年，1229—1241年在位），大蒙古国第二代大汗，成吉思汗正妻孛儿帖所生第三子。

从青年时代起，窝阔台便跟随成吉思汗征服漠北诸部，在与克烈部王汗的争战中，力战负伤。1211年，从成吉思汗伐金，领兵分掠云内（今托克托县东北）、东胜（今托克托县）、武（今山西五寨县）、朔（今山西朔县）

---

①　《元史》卷1《太祖本纪》，第23—25页。

②　《元史》卷1《太祖本纪》，第25页。

诸州。1213 年，蒙古军分三道南下，与尤赤、察合台所率右军，尽破太行山东西两侧诸州郡。成吉思汗分封诸子，窝阔台所得封地在叶密立（今新疆额敏县）、霍博（今新疆和布克赛尔蒙古族自治州境之地）。1219 年，成吉思汗西征前，窝阔台被确定为大汗继承人。西征中，成吉思汗命窝阔台与尤赤、察合台围困讹答剌城。城破后，他领军赴撒麻耳干，与成吉思汗会合。在进攻玉龙杰赤城的战役中，成吉思汗派他调协其兄尤赤与察合台两军，统一指挥，终于取胜。然后他至塔里寒与成吉思汗合军，进击札阑丁至于申河（印度河）。1227 年，随成吉思汗出征西夏。

成吉思汗死后第三年，即 1229 年，蒙古诸王贵族在克鲁伦河畔曲雕阿兰召开忽里台，按成吉思汗的札撒，推举窝阔台正式即蒙古大汗位。即位后，窝阔台强化了国家机器，提高了大汗权威。始创朝仪，制定了皇族诸宗王见大汗时的跪拜礼节。颁行大札撒（法令），确定牧民赋额，始置仓廪，建立驿站制度。命耶律楚材掌领汉人赋税，花剌子模人麻合没的·牙剌瓦赤掌领西域赋税。太宗二年（1230 年）春正月，制定诸路课税，酒课验实息十取一，杂税三十取一。十一月，于汉地始置十路征收课税使。①

1230 年，窝阔台与弟拖雷率蒙古大军南下，拔天城寨，经山西攻取凤翔。次年，住九十九泉（今卓资县北境），大会诸王，商讨灭金之策，决定分道伐金。窝阔台统领中军由西京（今山西大同）下河中府（今山西永济），从白坡渡黄河，进驻郑州。拖雷率右路军出宝鸡，破大散关，掠汉中境，再由金川（今陕西安康）南下，渡汉江在钧州南（今河南禹州市）三峰山灭完颜合达所率金军主力 20 万。此时，窝阔台大军也来到这里与拖雷军会合，取钧州，擒合达，进而破金 10 余州，留大将速不台兵围困汴京（今河南开封），然后北返。

1232 年，窝阔台派撒礼答征高丽。次年，又遣诸王按赤带（成吉思汗弟哈赤温子）与皇子贵由出征辽东蒲鲜万奴。

1233 年初，速不台攻下汴京，金哀宗先后迁归德（今河南商丘）、蔡州（今河南汝南）。1234 年春，蒙古、南宋合兵攻破蔡州，金哀宗自杀，金朝灭亡。

---

① 《元史》卷 2《太宗本纪》，第 29—30 页。

灭金后，窝阔台下令再次清查、登记中原户口，以失吉忽秃忽为大断事官领其事，得户 110 余万，史称"乙未户籍"①。同年，又在燕京创立国子学，选派蒙古子弟学习汉文。1234 年灭金后，窝阔台在达兰达葩大会诸王百僚，进一步申明律令，对参加大会、出入宫禁、行军纪律等方面作出一些新的规定。②

1229 年，窝阔台继位后便令阔客歹、雪尼台以 3 万军进攻伏尔加河中下游地区的钦察、撒克辛和不里阿耳人，拔都也派兵协同作战。1235 年，窝阔台召集忽里台，决定以成吉思汗家族长支以及各万户、千户、百户长支组成 15 万远征军，出征钦察、俄罗斯诸国。诸王以拔都为首，有贵由、哈丹（窝阔台子）、海都（窝阔台孙）、蒙哥、拜答儿（察合台子），不里（察合台孙）为最高统帅，速不台为主将。1236 年底，蒙哥军来到钦察，玉里伯里山（扎牙黑河与伏尔加河汇流处）钦察首领班都察按事先约定归降，另一部首领巴赤蛮被蒙古军击破。次年在里海一岛上被俘。1237 年底，拔都、贵由、蒙哥所率蒙古大军来到俄罗斯，首先攻破莫尔多瓦、也烈赞（今梁赞）。1238 年，蒙古军分路出击，先后破科罗木纳、莫斯科、罗斯托克等十余城，并占领公国首府弗拉基米尔城，然后追歼大公。蒙古军乘胜进攻钦察西部，其首领忽滩战败逃入马札儿（匈牙利）。

1239 年，贵由、蒙哥大军来到阿速国，围其都城蔑怯思三月，国主杭忽思投降。拔都再次从钦察草原进入俄罗斯南部。太宗十二年（1240 年），各路大军围攻乞瓦（今乌克兰首都基辅）。十一月，俄罗斯 300 年来的国都被攻破。

太宗十三年（1241 年），蒙古军分兵两路，一路由拜答儿、兀良哈台（速不台子）率领攻入孛烈儿（今保加利亚）；一路由拔都、速不台率领攻入马札儿。四月，蒙古军在孛烈儿大败孛烈儿及日耳曼与条顿骑士团。三月，蒙古军在佩斯城外大败马札儿军。四月，在撒岳河东再败国王别剌亲率的 6 万大军，破佩斯城。七月，一支蒙古军在维也纳附近击败奥地利、波希米亚联军。

---

① 《元史》卷 2《太宗本纪》，第 32 页。
② 《元史》卷 2《太宗本纪》，第 33 页。

太宗七年（1235 年），创建和林城，建造万安宫。派遣诸王拔都和贵由、蒙哥征西域，皇子阔端征秦、巩，皇子曲出及胡土虎伐宋，唐古征高丽。1236 年，万安宫落成。登记中州户口，得续户 110 余万。① 窝阔台把其中的大部分人户分赐诸王、贵戚、斡耳朵为封户。采用耶律楚材建议，行"五户丝制"，规定受封的诸王投下在所分封的州郡设达鲁花赤，但收租则由政府设官吏负责，再颁赐封主，非奉诏不得擅征兵赋。1237 年，试中原诸路儒士，中选者编入儒户籍，其中部分人被任命为本贯州县议事官。1238年，又在漠北筑图苏湖城，作迎驾殿。1240 年，废除了失盗的官物责令当地人民代偿的规定。②

窝阔台在位的 13 年中，除了在军事上继续进行扩张之外，在政权建设、增颁法令、确定赋税、建立驿站等方面都有新的发展。其"量时度力，举无过事，华夏富庶，羊马成群，旅不赍粮，时称治平"③。但晚年性喜奢豪，挥霍无度。太宗十三年（1241 年）十一月，因饮酒过量而暴死。因窝阔台在蒙古历史上首称合罕（Qa γan，大汗），故元代诏令、公文中"合罕"一词习惯上便是他的专门称号。庙号太宗。他有后妃多人，子 7 人。第六皇后乃马真氏脱列哥那，在窝阔台死后称制，摄理国政（1242—1246 年）。

（宝音德力根　撰稿）

贵　由

贵由（Güyük，1206—1248 年，1246—1248 年在位），大蒙古国第三代大汗，窝阔台长子，母六皇后脱列哥那。

1233 年，贵由与按只带攻辽东，擒蒲鲜万奴。1235 年，与诸王拔都、蒙哥西征，入斡罗思及东欧诸地。1237 年冬，灭莫尔多瓦（今俄罗斯同名共和国），攻入也烈赞（今俄罗斯梁赞州），屠其城。次年初，蒙古军分四

---

① 《元史》卷 2《太宗本纪》，第 34 页。
② 《元史》卷 2《太宗本纪》，第 37 页。
③ 《元史》卷 2《太宗本纪》，第 37 页。

路向俄罗斯腹地推进，拔都军连破莫斯科、罗斯托克等十余城，进围公国首府弗拉基米尔城，破其城，并追击大公弗拉基米尔，在昔迪河畔消灭其大军，大公战死。1239 年底，贵由与蒙哥大军来到钦察草原，围攻阿速都城蔑怯思城，降其部众。1240 年，贵由、蒙哥率部越太和岭（今高加索山脉）北征，降服余部。同年秋，大汗窝阔台遣使召蒙哥、贵由东还。在此次远征中，贵由与尤赤长子拔都发生了激烈的争吵，从此不睦。

1241 年，大汗窝阔台去世。此时，贵由、蒙哥还在回蒙古途中，因此由六皇后乃马真氏脱列哥那称制。窝阔台生前曾指定三子阔出为大汗之位继承人。但是，阔出早于窝阔台去世，窝阔台于是指定阔出之子失烈门为继承人。此时，脱列哥那玩弄权术，通过滥行赏赐等手段拉拢宗亲、大臣，专国政达 5 年之久。最后，她得到成吉思汗幼子拖雷遗孀唆鲁禾帖尼及其诸子的支持，将蒙古大汗位传于亲子贵由。

1246 年，贵由在哈喇和林附近的达兰达葩（七十岭）即位，但母后仍不时干预国政。不久，脱列哥那去世，贵由亲政，杀母后脱列哥那宠信之大臣奥都剌合蛮，以牙老瓦赤领汉地事务，命察罕进攻江淮。同时，派野里知吉带率军进驻波斯等地，授予征伐大权。1247 年秋，领兵西归藩邸封地叶密立（今新疆伊敏河上游）。次年春，出兵西进，准备攻打拔都，行抵横相乙儿（今乌伦古河上游），被拔都的奸细毒死。庙号定宗。定宗在位不足 3 年，期间蒙古高原遭遇连年大旱，人力困顿，民不聊生。又因法度不一，内外离心，史称"而太宗之政衰矣"。[①]

（宝音德力根　撰稿）

蒙　哥

蒙哥（Mongka Möngke，1209—1259 年，1251—1259 年在位），"蒙哥"蒙古语意为"长生"，大蒙古国第四代大汗，成吉思汗幼子拖雷的长子，母怯烈氏唆鲁禾帖尼。

蒙哥幼年得到窝阔台青睐，养为己子。拖雷死，窝阔台令蒙哥回家，成

---

① 《元史》卷 2 《定宗本纪》，第 39—40 页。

为拖雷家族首领。1235 年，蒙哥奉窝阔台命，与拔都、贵由等西征不里阿耳、钦察、斡罗思诸地。1237 年春，攻破钦察部，追擒其部长八赤蛮于也的里河（今俄罗斯伏尔加河）一海岛上。进伐斡罗思，克弗拉基米尔城，破薛儿客速人与阿速人。1240 年秋，与贵由奉旨东还。

贵由去世后，斡兀立海迷失皇后称制，诸宗王在汗位继承上发生争议。术赤子拔都以宗长身份在阿剌脱忽剌兀地召集部分宗王开会，首推蒙哥为大汗继承人。窝阔台系及察合台系诸王多未参加，斡兀立海迷失也只派代表出席。唆鲁禾帖尼则派蒙哥率诸弟赴会以示支持。会上，拔都建议推戴蒙哥为大汗，斡兀立海迷失的代表八剌提出：“‘昔太宗命以皇孙失烈门为嗣，诸王百官皆与闻之。今失烈门故在，而议欲他属，将置之何地耶？’”拖雷子木哥及那颜们群起反驳：“‘太宗有命，谁敢违之。然前议立定宗，由皇后脱列忽乃与汝辈为之，是则违太宗之命者汝等也，今尚谁咎耶？’”兀良合台又说道：“‘蒙哥聪明睿知，人咸知之，拔都之议良是。’”① 其实这些言论完全是强词夺理，因为在推举窝阔台为大汗时，诸王曾按成吉思汗的札撒向窝阔台宣誓在他死后必须拥立其后人继承汗位。但拖雷系诸王军事力量强大，加上术赤系的支持，其势力雄劲，因此会上强行通过了拔都的建议，推举蒙哥为大汗。窝阔台、察合台两系诸王以大会不是在成吉思汗根本之地召开为由，拒绝予以承认。

拔都令其弟别儿哥、脱哈帖木儿率领大军护送蒙哥回蒙古，同时再次遣使定于来年召集各支宗王在斡难河、怯绿连河（今蒙古国克鲁伦河）召开大会。东道诸王应召赴会，而窝阔台系和察合台系诸宗王等仍旧抵制，拖延大会达两年之久。拔都不顾他们的抵制，于 1251 年 6 月，大会在阔帖兀阿兰（成吉思汗大斡耳朵所在地，今蒙古国温都尔汗西南克鲁伦河与臣赫尔河汇流处西）举行，到会诸王、诸大臣们承认了阿剌脱忽剌兀大会的既成事实，共奉蒙哥为大汗。失烈门与脑忽等心不能平，合谋反对蒙哥。他们以朝会为名，率部进发大斡耳朵，却中途被蒙哥鹰者克薛杰发觉告变。蒙哥派遣诸王旭烈与忙可撒儿率军到撒里川拦截，把他们和部将一起带到斡耳朵，拷问后处死诸部将，将失烈门和脑忽遣发汉地军前从征。

① 《元史》卷 3 《宪宗本纪》，第 44 页。

　　蒙哥登大汗位，命皇弟忽必烈领治蒙古、汉地民户；遣塔儿、斡鲁不、察乞剌、赛典赤、赵璧等诣燕京，抚谕军民；以忙哥撒儿为断事官；以孛鲁合掌宣发号令、朝觐贡献及内外闻奏诸事；以晃兀儿留守和林宫阙和帑藏；牙老瓦赤、不只儿、斡鲁不等任燕京等处行尚书省事；讷怀、塔剌海、麻速忽等任别失八里等处行尚书省事；阿儿浑任阿母河等处行尚书省事；以茶寒、叶了干统两淮等处的蒙古军和汉军，以带答儿统四川等处的蒙古军和汉军，以和里觯统吐蕃等处的蒙古军和汉军；僧海云掌佛教事，道士李志常掌道教事。又颁发政令，拘收朝廷及诸王所滥发之牌印、诏旨、宣命，限制诸王乘驿所征用的马匹数量，禁诸王擅招民户和以朝觐为名滥征人民财货，放免修筑和林城的工匠。①

　　1252年，派忽必烈征大理国，诸王也古征高丽。任诸臣分掌汗廷事务，以帖哥绅、阔阔尤等掌帑藏；孛兰合剌孙掌斡脱；阿忽察掌祭祀巫卜；只儿斡带掌传驿所需；孛鲁合掌必阇赤写发宣诏及诸色目官职。②癸丑年（1253年），遣弟旭烈兀西征，塔塔儿带撒里等征欣都思（印度）、怯失迷儿（克什米尔）等国。以忙可撒儿为万户，哈丹为断事官。十二月，平定大理。③1254年，遣札剌亦儿部人火儿赤征高丽。会诸王于蒙古圣地不而汗山下的颗颗脑儿之西，祭天于日月山（不而汗山）。

　　1256年，诸王会议决定大举伐南宋。蒙哥以幼弟阿里不哥留守和林，诸王塔察儿（斡赤斤孙）率师出东路，攻荆襄，自率主力入四川。元宪宗七年（1257年）冬，蒙哥渡漠南。次年十月，渡嘉陵江至白水江，命汪德臣造浮桥以渡。十一月，拔长宁（今四川广元西南），顺流东下，至大获山（今四川苍溪东），宋将杨大渊率众降。因塔察儿所统东路军无功后撤，改命忽必烈统诸路蒙古军、汉军攻宋。元宪宗九年（1259年）二月，蒙哥率全军渡鸡爪滩，至石子山，猛攻钓鱼山（今四川合川东），因宋将王坚恃险坚守，屡攻不克。天气暑湿，军中疫疠流行，兵士多病死，蒙哥亦染疾，七月卒于钓鱼山，在位九年。后追谥桓肃皇帝，庙号宪宗。有子5人：班秃、

　　① 《元史》卷3《宪宗本纪》，第44—45页。
　　② 《元史》卷3《宪宗本纪》，第44页。
　　③ 《元史》卷3《宪宗本纪》，第47页。

阿速歹、玉龙答失、昔里吉、辨都。

（宝音德力根　撰稿）

元世祖忽必烈

元世祖忽必烈（Qubilai，1215—1294 年，1260—1294 年在位），元朝的创建者，蒙古语尊号薛禅皇帝（Sečen qaḥan），拖雷正妻唆鲁禾帖尼第二子。

蒙古灭金，据有中原地区以来，习惯于游牧的蒙古贵族，不懂以汉法治理汉地，这些不利于中原经济的发展，也影响着蒙古对中原统治的稳定。忽必烈为藩王时，便"思大有为于天下，延藩府旧臣及四方文学之士，问以治道"①。1251 年，长兄蒙哥即大汗位，忽必烈以皇弟之亲，取得统领"漠南汉地军国庶事"的权力。先后任汉人儒士整饬邢州吏治，立经略司于汴梁，整顿河南军政，屯田唐、邓等州，都收到积极效果。1253 年，受京兆（今陕西西安）封地，忽必烈又在这里任诸儒臣开立屯田，兴复吏治，恢复农业，建立学校，使关陇地区的吏治有了明显的进步。这些成效加深了忽必烈对采行汉法的认识，忽必烈也因此取得了北方汉族士大夫的进一步拥护。同年，忽必烈受命与大将兀良合台远征云南，平定大理国。年底，班师北还，留兀良合台继续经略云南诸地。1256 年，命僧子聪相地于桓州（今内蒙古正蓝旗北）东北、滦河北岸的龙冈（今内蒙古多伦西北），营建宫室，3 年后建成，名为开平。这里聚集了忽必烈的一批重要谋士，成为忽必烈集团的根据地。

忽必烈采行汉法的活动招致了蒙哥的不满。1257 年，蒙哥遣使钩考关中、河南财赋，藩府诸臣都受罗织致罪。忽必烈采用姚枢建议，送家口前往和林，以为人质，并亲身入觐，以取得蒙哥谅解。1258 年，蒙哥兴师伐南宋，忽必烈初以足疾家居休养，后因负责东路的诸王塔察儿进攻襄、郢地区无功受谴责，蒙哥命忽必烈代总东路军。元宪宗九年（1259 年）九月，忽必烈率师抵淮河，蒙哥在合州前线病逝的消息传来，忽必烈仍挥军自阳逻堡

---

① 《元史》卷 4《世祖本纪》一，第 57 页。

渡长江，围鄂州（今湖北武汉），并以军接应从云南北上的兀良合台军。这时，得悉留守漠北的幼弟阿里不哥欲图谋汗位，忽必烈立即采纳汉人儒士郝经的献计，与宋约和，轻骑北返燕京，试图利用自己的军权，夺取汗位。

庚申年（1260 年）初，阿里不哥在和林城西按坦河即位。① 支持者有西道诸王的绝大多数，包括窝阔台后王、术赤后王、察合台后王，拖雷系蒙哥子孙阿速带、玉龙答失、昔里吉，旭烈兀及其子出木哈儿等。此外，还有大将阿蓝答儿、脱里赤、浑都海、密里火者、乞台不花等。三月，忽必烈在以塔察儿为首的东道诸王和五投下贵族以及哈丹（窝阔台庶子）、阿只吉（察合台孙）等少数其他诸王的拥戴下，于开平即蒙古大汗位，建元中统。"中统元年春三月戊辰朔，车驾至开平。亲王哈丹、阿只吉率西道诸王，塔察儿、也先哥、忽剌忽儿、爪都率东道诸王，皆来会，与诸大臣劝进。帝三让，诸王大臣固请。辛卯，帝即皇帝位。"② 由于多数蒙古贵族没有参加即位大会，因此忽必烈之举始终遭到异议。更为严重的是，忽必烈的即位使大蒙古国出现了一国二主并立的局面，帝位争夺战一触即发。

争位战争中，双方加紧部署。阿里不哥命霍鲁海、刘太平等到陕、甘任职。忽必烈则命廉希宪为京兆等路宣抚使，其就任后擒捕霍鲁海，杀掉刘太平、密里火者、乞台不花等，稳定了关陇局势。这时，阿里不哥不甘心失败，派遣阿蓝答儿从和林南下联合哈剌不花、浑都海，聚集兵士到达甘州（今甘肃张掖）。忽必烈将八春、汪良臣与诸王哈丹击败，杀死阿蓝答儿、浑都海等。中统元年（1260 年），忽必烈亲征和林，阿里不哥自知不敌，逃至谦谦州（今俄罗斯叶尼塞河上游南）。阿里不哥以谦谦州和按台山（今阿尔泰山东南）为根据地，控制了察合台和窝阔台后裔的分地。忽必烈即位后，曾派阿必失哈及其弟哈萨儿前往察合台分地主持事务，但两人途中被阿里不哥的支持者扣留，阿里不哥则另派阿鲁忽前往镇守。阿鲁忽至阿力麻里后，从兀鲁忽乃手中夺权，将术赤系势力逐出河中，控制了察合台封地全境，拥有骑兵 15 万，势力壮大，于是不愿再服从于阿里不哥。不久，阿里不哥派使者来征钱物、牲畜和兵器，阿鲁忽将其征集物资扣留，又杀其使

① 《元史》卷 4《世祖本纪》一，第 65 页。
② 《元史》卷 4《世祖本纪》一，第 63 页。

者，宣布归附忽必烈。阿里不哥和阿鲁忽兵锋相见，阿鲁忽在毫无防备的情况下被阿里不哥重创，仓促退至忽炭（今新疆和田）和可失哈儿。一个多月后，率部移向撒麻儿干。阿里不哥在阿力麻里等地大肆蹂躏，激起了当地人民的反抗。中统二年秋，阿里不哥至和林，佯装归顺，却对移相哥（即也先哥，成吉思汗弟合撒儿子）进行突然袭击，占领和林，并发兵南下。由于内部矛盾和财力物力日益贫乏，阿里不哥阵营开始分化，有不少人转而支持忽必烈。忽必烈因有中原汉地为后方，粮草充足，兵强马壮，逐渐占据了优势。中统二年十一月，双方大战于昔木土脑儿，阿里不哥大败，部将多降，众叛亲离，最终不得不于至元元年（1264 年）向忽必烈投降。投降的阿里不哥被带到忽必烈前，忽必烈问："你我继位，谁对？"阿里不哥则答道："当初是我对，现在是你对。"经过 4 年的争斗，阿里不哥的势力被消灭，漠北与中原地区恢复了统一。

中统三年（1262 年）春，益都行省李璮乘机叛乱，被忽必烈迅速镇压。不久，以太宗窝阔台孙海都为首的西北诸王发动叛乱，终使大蒙古国陷入分裂。身为蒙古大汗的忽必烈统治区域大大缩小，只限于蒙古高原和中原等地。这些迫使忽必烈专心经略中原，确定了以"附会汉法"为核心的基本政治纲领。而李璮的叛乱又强烈地引起了忽必烈对汉人的猜忌，于是采取了一系列措施：削弱私家权力，除本人为官外，其兄弟子侄有为官者罢；削弱地方军权，在地方上执行军民分治；罢诸侯世袭，行迁转法；实行易将制，使将不擅兵；置万户府监战，选宿卫士监汉军；取消汉人官僚的封邑。这些措施连同枢密院的设立和中书省的加强，使中央集权制得到了巩固。同时，则严密对汉人的防范，并在各级政权中引用色目人分掌事权，与汉人官僚相互牵制。至元二年（1265 年），忽必烈规定"以蒙古人充各路达鲁花赤，汉人充总管，回回人充同知，永为定制"①。在这样的政治背景与政治意图下兴建的新王朝，其创制立法，始终着眼于在保持蒙古贵族统治特权的前提下，对旧制作必要的更改，使政权机构能大体上符合汉地的统治需要，又足以确保蒙古贵族的既得利益。

窝阔台后代海都对忽必烈即位不满，认为蒙古的汗位应由窝阔台家族继

---

① 《元史》卷6《世祖本纪》三，第106页。

承，便联合察合台和术赤家族发动叛乱。至元六年（1269 年），海都等 3 家在塔拉斯河畔召开忽里台，推举海都为蒙古大汗，表示保持蒙古游牧传统，共同对抗忽必烈和伊利汗（伊利汗是忽必烈之弟旭烈兀在波斯今伊拉克境内建立的汗国的汗王）。至元十二年（1275 年），忽必烈派其子那木罕、右丞相安童率领宗王昔里吉（蒙哥子）、明里帖木儿（阿里不哥子）、药木忽儿（阿里不哥子）、脱脱木儿（忽必烈弟岁哥都子）等征讨海都。但蒙哥、阿里不哥诸子因与忽必烈不和，中途以昔里吉为首发动了叛乱。至元二十四年（1287 年），成吉思汗弟斡赤斤后裔乃颜、合撒儿后裔失都儿、合赤温后裔哈丹等东道诸王响应海都，发动叛乱。历 30 余年的战争，元朝才将这些叛乱一一平定。但是，蒙古四大汗国的独立和蒙古帝国的进一步分裂却成为事实。

甲子年（1264 年）八月，忽必烈改中统为至元。经过从中统元年到至元初年的增损改益，新王朝的各种制度大体上确立下来。至元八年（1271 年），取《易经》"乾元"之义，建国号为"大元"①。至元九年，以大都为首都，标志着新王朝的政权建设已全部完成。

至元十一年（1274 年）六月，忽必烈命伯颜、阿术率兵大举伐宋。至元十三年正月十八日，宋廷遣宗室赵尹甫、赵吉甫等携传国玉玺及降表至元军营，降表称："惟是世传之镇宝，不敢爱惜，谨奉太皇命戒，痛自贬损，削帝号，以两浙、福建、江东西、湖南北、二广、四川见在州郡，谨悉奉上圣朝，为宗社生灵祈哀请命。……不忍臣祖宗三百年宗社遽至殒绝，曲赐裁处，特与存全，大元皇帝再生之德，则赵氏子孙世世有赖，不敢弭忘。臣无任感天望圣，激切屏营之至。"②伯颜接受南宋降表和玉玺，谢后命文天祥等赴元营请和，伯颜发觉文天祥举动异常，便羁留军中。二月，赵㬎正式上表投降，元改临安为两浙大都督府，命忙兀台、范文虎入城接管，元世祖发布文告。至此，南宋灭亡。至元十六年（1279 年），最后消灭了流亡在崖山的南宋残余势力，完成了全国的大统一。

元朝是中国历史上第一个少数民族统治全国的王朝，它初步奠定了我国疆域的规模，发展了国内各民族的经济文化交流，南北方的统一为社会经济

---

① 《元史》卷 7《世祖本纪》四，第 138—139 页。
② 《元史》卷 9《世祖本纪》六，第 176—177 页。

的进一步发展开拓了前景，其意义十分深远。

按照蒙古习俗，忽必烈置四斡耳朵，分处四皇后。大斡耳朵属弘吉剌氏察必皇后，至元十八年（1281 年），察必去世。至元二十年，继娶其妹南必为皇后，继守正宫。忽必烈素有足疾，晚年体弱多病，相臣常不得入见，往往通过南必奏事，因此南必皇后颇干预国政。[①] 至元三十一年（1294 年），忽必烈病逝，年 80，在位 35 年。庙号世祖。子十一人。第二子真金早立为皇太子，先忽必烈去世。至元三十年，始以皇太子宝授真金第三子铁穆耳，确定为皇位继承者。

（宝音德力根　撰稿）

元成宗铁穆耳

元成宗铁穆耳（Temür，1265—1307 年，1294—1307 年在位），蒙古语尊号完泽笃皇帝（Öljeitü-qaḥan）。元朝第二代皇帝，忽必烈次子真金第三子，至元二年（1265 年）生，母弘吉剌氏伯蓝也怯赤。

至元十年（1273 年），忽必烈立真金为皇太子。至元二十二年（1285 年）真金死后，忽必烈一直没有确定继承人。至元三十年（1293 年），铁穆耳受命平乃颜余党哈丹，统军镇守漠北，忽必烈乃以真金之"皇太子宝"授之。[②] 这为他后来争得帝位，至少在名分上已占先机。至元三十一年（1294 年）正月，忽必烈去世。四月，蒙古诸王贵族于上都召开选举皇帝的大会，会上铁穆耳与长兄甘麻剌之间竞争激烈，铁穆耳得到了权臣伯颜、玉昔帖木儿等的支持。"伯颜握剑立殿陛，陈祖宗宝训，宣扬顾命，述所以立成宗之意，辞色俱厉，诸王股栗，趋殿下拜。"[③] 玉昔帖木儿对甘麻剌施加压力："'宫车晏驾，已踰三月，神器不可久虚，宗祧不可乏主。畴昔储闱符玺既有所归，王为宗盟之长，奚俟而不言。'"[④] 甘麻剌受此压力，急忙表

① 《元史》卷 114《后妃传》一，第 2873 页。
② 《元史》卷 119《玉昔帖木儿传》，第 2948 页。
③ 《元史》卷 127《伯颜传》，第 3115 页。
④ 《元史》卷 119《玉昔帖木儿传》，第 2948 页。

态："'皇帝践祚，愿北面事之。'"① 于是，宗亲大臣合辞劝进，铁穆耳遂即帝位。建元元贞（1295—1296 年），后改大德（1297—1307 年）。

成宗铁穆耳鉴于忽必烈晚年宠信桑哥、用兵海外等错误，优礼汉人旧臣，限制诸王投下的非法活动，罢侵日本、安南之役，减免江南地区部分赋税，令编辑整理律令，这些措施使社会矛盾暂时有所缓和。特别是他在位时，元军成功地击败了海都、笃哇的侵扰，迫使察合台和窝阔台汗国的统治者息兵请和，重振大汗在西方诸汗国中的宗主地位，基本上结束了西面延续40 多年的皇室内争。

成宗为了酬谢拥立他的诸王贵戚而滥施赏赐。"赐金一者加四为五，银一者加二为三"②，很快造成了国库"向之所储，散之殆尽"③ 的枯竭局面。尽管如此，对宗亲的赏赐仍很阔绰，往往以万计算。大德元年（1297 年）二月，赐晋王甘麻剌钞 7 万锭，安西王阿难答 3 万锭。④ 大德二年二月，中书右丞相完泽称："岁入之数，金一万九千两，银六万两，钞三百六十万锭，然犹不足于用，又于至元钞本中借二十万锭"⑤，财政出现了赤字。赏赐泛滥自成宗起，到武宗时期更为严重，已成为元廷一项沉重的财政负担。

成宗朝政府机构冗杂，其即位五年，尚不知六部官员其人为谁，实属荒误。在位时期，且多有大贪污案发生，朝纲腐败。

成宗晚年多病，不理朝政。"凡国家政事，内则决于宫壼，外则委于宰臣"⑥，皇后卜鲁罕和中书右丞相哈剌哈孙分掌朝廷大权。

大德十一年（1307 年）正月，成宗病逝，在位 13 年。庙号成宗。

（宝音德力根　撰稿）

元武宗海山

元武宗海山（Qaišan，1281—1311 年，1307—1311 年在位），蒙古语尊

---

① 《元史》卷 119《玉昔帖木儿传》，第 2948 页。

② 《元史》卷 18《成宗本纪》一，第 382 页。

③ 《元史》卷 19《成宗本纪》二，第 402 页。

④ 《元史》卷 19《成宗本纪》二，第 408 页。

⑤ 《元史》卷 19《成宗本纪》二，第 417 页。

⑥ 《元史》卷 21《成宗本纪》四，第 472 页。

号曲律皇帝（Külük-qaḥan）。元朝第三代皇帝，元世祖忽必烈太子真金孙，父答剌麻八剌，母弘吉剌氏答己。

　　成宗于大德十一年（1307 年）死后，怀宁王海山自漠北拥兵南还，即皇帝位于上都，封母弟爱育黎拔力八达为皇太子，相约兄终弟及，叔侄相传。

　　武宗的奢侈挥霍超过成宗，其赏赐仍按成宗时期的数目进行。但当时的财政状况不允许这样。成宗的大额赏赐是以先朝世祖时期的丰盈国库为基础的，虽大加赏赐，但尚未引起严重的财政困难。但武宗即位时，充富的国库条件已不存在，若继续大肆赏赐则不可避免地会造成"两都所储已虚"① 的局面。尽管如此，武宗海山仍挥金如土，如大德十一年九月，他为了买进怯来木丁所献宝货，"敕以盐万引与之，仍许市引九万"②。至大元年（1308年）正月，江南六路大饥，死者甚众。而又大兴土木建立中都（今河北省张北县境），致使国库空虚，军民疲惫。为了摆脱财政困难，武宗于至大二年（1309 年），立尚书省，专门理财，改行至大银钞，始行至大铜钱。

　　至大四年（1311 年）正月，武宗病死，在位 5 年。庙号武宗。

（宝音德力根　撰稿）

元仁宗爱育黎拔力八达

　　元仁宗爱育黎拔力八达（Ayurbarwada，1285—1320 年，1311—1320 年在位），蒙古语尊号普颜笃皇帝（Buyantu qaḥan）。元朝第四代皇帝，成宗兄答剌麻八剌次子，母弘吉剌氏答己。

　　早年师事李孟，接受儒家思想影响。大德九年（1305 年），奉成宗诏出居怀州（今河南沁阳），其间汉儒李孟随从，为之讲授尧、舜之道，讲论古先帝王得失成败，及君君臣臣父父子子之义，对他造成了深刻影响。已认识到："'所重乎儒者，为其握持纲常，如此其固也。'"③ "'明心见性，佛教

---

①　《元史》卷 22《武宗本纪》一，第 486 页。
②　《元史》卷 22《武宗本纪》一，第 487 页。
③　《元史》卷 175《李孟传》，第 4084—4085 页。

为深；修身治国，儒道为切。'"又言："'儒者可尚，以能维持三纲五常之道也。'"①

至大四年（1311 年）正月，武宗死后的第二天，爱育黎拔力八达就宣布罢尚书省。将丞相脱虎脱、三宝奴，平章乐实，右丞保八，左丞忙哥帖木儿，参政王罴，以"变乱旧章，流毒百姓"为名，命中书右丞相塔思不花、知枢密院事铁木儿不花等参鞫，过几日即行诛杀，其中忙哥帖木儿被杖流海南。②

武宗时的尚书省及其骨干被铲除后，爱育黎拔力八达"召世祖朝谙知政务素有声望老臣平章程鹏飞、董士选，太子少傅李谦，少保张驴，右丞陈天祥、尚文、刘正，左丞郝天挺，中丞董士珍，太子宾客萧斠，参政刘敏中、王思廉、韩从意，侍御赵君信，廉访使程钜夫，杭州路达鲁花赤阿合马，给传诣阙，同议庶务。"③在完成中央主要机构的人员变动以后，于至大四年四月，才正式即帝位。

仁宗即位后，重视对人才的选拔培养。施行科举方面，他主要听取了中书平章政事李孟的提议："'人材所出，固非一途，然汉、唐、宋、金，科举得人为盛。今欲兴天下之贤能，如以科举取之，犹胜于多门而进；然必先德行经术，而后文辞，乃可得真材也。'"④对此"帝深然其言，决意行之"⑤。遂于皇庆二年（1313 年）冬十月，敕中书省议行科举。十一月，颁布《行科举诏》，规定了科举的录取标准、考试科场和程序、考试目的等。⑥并于延祐二年（1315 年）和五年（1318 年）通过廷试，共得进士 106 人。⑦

仁宗朝纂修《风宪宏纲》，即《大元通制》的前身。仁宗即位以后，对武宗朝两次提出但并未最终实行的要求编制太祖和世祖时期所行政令条格的奏请⑧，表示应允。并择"耆旧之贤、明练之士"，"若中书右丞伯杭、平章

　　①　《元史》卷 26《仁宗本纪》三，第 594 页。
　　②　《元史》卷 24《仁宗本纪》一，第 537 页。
　　③　《元史》卷 24《仁宗本纪》一，第 537 页。
　　④　《元史》卷 175《李孟传》，第 4089 页。
　　⑤　《元史》卷 175《李孟传》，第 4089 页。
　　⑥　《元史》卷 81《选举志》一《科目》，第 2018—2020 页。
　　⑦　《元史》卷 81《选举志》一《科目》，第 2026 页。
　　⑧　《元史》卷 22《武宗本纪》一，第 492、516 页。

政事商议中书事刘正等，由开创以来政制法程可著为令者，类集折衷，以示所司"，大纲有三：一、《制诏》，二、《条格》，三、《断例》，而将错居于《条格》和《断例》之间的汇辑成《别类》。书成于延祐三年（1316年）夏五月，名为《风宪宏纲》，由监察御史马祖常作序。成书后，又命"枢密、御史、翰林、国史、集贤之臣相与正是，凡经八年事未克果"。到英宗至治二年（1322年），才审定颁行，题名《大元通制》。[①] 此书仅有第二部分《条格》的一部分流传至今，今天通称《通制条格》。

仁宗朝政事受到母答己太后和右丞相铁木迭儿的严重干预。铁木迭儿依仗太后答己的宠信，贪赃枉法，作恶多端，仁宗虽厌恶，但终不能制裁，表现出仁宗软弱的一面。

按照武宗即位时的盟约，爱育黎拔力八达的皇位应由武宗子和世琜继承，但他毁约，立自己的儿子硕德八剌为皇太子，令和世琜出居云南，和世琜于中途抗命，失败后避往阿尔泰山以西。这一事件，招致不少诸王和武宗旧臣的不满。

延祐七年（1320年），仁宗爱育黎拔力八达病逝，在位10年，年号皇庆（1312—1313年）、延祐（1314—1320年）。庙号仁宗。

（宝音德力根　撰稿）

元英宗硕德八剌

元英宗硕德八剌（Šidibala，1303—1323年，1320—1323年在位），蒙古语尊号格坚皇帝（Gegehen qaḥan）。仁宗爱育黎拔力八达长子。

大德十年（1306年）冬，随父亲出居怀州，时年4岁。两个多月后，元成宗卒，随父回大都，居旧邸。延祐三年（1316年），父仁宗与答己、铁木迭儿合谋，硕德八剌取代从兄和世琜为皇太子。1320年，仁宗病逝，硕德八剌即帝位，次年改元至治。

至治初年，元廷内部形成两大政治势力。一方为英宗和有志于以儒道治天下的左丞相拜住，另一方是太皇太后答己和右丞相铁木迭儿。答己不安于

---

① 参见韩儒林主编：《元朝史》（修订本上册），第422页。

后宫，武宗、仁宗时放纵幸臣铁木迭儿、失烈门，且极力阻挠仁宗对他们的惩治。懦弱的仁宗对这些奸臣黜而复用，除恶不尽，为英宗埋下了隐患。延祐七年（1320 年）春正月，答己于英宗即位前趁机任命铁木迭儿为中书右丞相。① 铁木迭儿马上调同党黑驴、赵世荣为中书平章政事、江西行省右丞木八剌为中书右丞，重用大批亲信。② 而对仁宗朝重臣李孟，"夺前中书平章政事李孟所受秦国公制命"③，又以违背太后旨意罪杀前御史中丞杨朵儿只、中书平章政事萧拜住，并籍没其家。④ 英宗对答己、铁木迭儿一党不能等闲视之，便提拔心腹拜住为中书左丞相，以牵制铁木迭儿。

英宗施治前期，答己与铁木迭儿势力强劲，两方对峙，但矛盾并未表面化，英宗与拜住只是策略性地加以抵制。至治二年（1322 年），答己、铁木迭儿病逝，为英宗与拜住实行政治改革提供了机会和条件。但铁木迭儿一党以铁失为代表的势力仍布列朝中，当时社会矛盾日益激化，连年天灾，民变迭起，革新政治势在必行。

英宗新政大规模起用汉族地主官僚和儒臣；裁汰冗员；行助役法；审定颁行《大元通制》。新政的各项措施，特别是大规模任用儒臣和罢汰冗员，直接触犯了大批蒙古、色目贵族的世袭特权，引起他们的强烈反对，铁木迭儿义子铁失等人及其党羽更加恐惧，一场宫廷政变正在预演。

至治三年（1323 年）八月五日，英宗由上都回驾大都，当晚驻跸上都西南 20 里的南坡店（今内蒙古正蓝旗东北）。铁失与知枢密院事也先帖木儿、大司农失秃儿、前平章政事赤斤铁木儿等 16 人合谋发动政变，命阿速卫守禁幄四周，铁失、赤斤铁木儿二人直闯英宗住处，先杀拜住，铁失手弑英宗于卧榻，史称这一血腥政变为"南坡之变"。⑤ 可怜英宗革新未果身先死，成了政治斗争的牺牲品，时年仅 21 岁。庙号英宗。

（宝音德力根　撰稿）

① 《元史》卷 27《英宗本纪》一，第 598 页。
② 《元史》卷 27《英宗本纪》一，第 598 页。
③ 《元史》卷 27《英宗本纪》一，第 599 页。
④ 《元史》卷 27《英宗本纪》一，第 599 页。
⑤ 《元史》卷 28《英宗本纪》二，第 632—633 页。

泰定帝也孙铁木儿

泰定帝也孙铁木儿（Yesün-temür，1276—1328 年，1323—1328 年在位），父甘麻剌为元世祖嫡孙，也孙铁木儿于大德六年（1302 年）嗣父封为晋王。

至治三年（1323 年），铁失等人预谋发动政变，派人到岭北，告知手握重兵的也孙铁木儿，并说事成之后将推戴也孙铁木儿为帝。"南坡之变"英宗遇害，也孙铁木儿即位于漠北龙居河。① 次年，改元泰定。

泰定帝即位之初笼络参与谋杀英宗的铁失等人，以也先帖木儿为右丞相，铁失为知枢密院事等等。② 但是到了同年十月，未至大都以前就果断惩治发动政变的人，诛杀逆贼也先帖木儿、完者、锁南、秃满等。改以旭迈杰为中书右丞相，并遣他和御史大夫纽泽诛杀铁失、失秃儿、赤斤铁木儿、脱火赤、章台等，戮其子孙，籍没家产。又加强对阿速卫的控制，以旭迈杰兼阿速卫达鲁花赤。③ 同年十二月，又对余党进行清洗，杀月鲁、秃秃哈、速敦等人，流放诸王月鲁铁木儿于云南，按梯不花于海南，曲吕不花于奴儿干，孛罗及兀鲁思不花于海岛。④ 泰定帝这样做的根本目的就是想开脱责任，表明自己与"南坡之变"无"牵连"。同时，通过此般处置，维护了蒙古札撒的原则（臣仆不准杀害黄金家族），赢得了大批臣僚的拥护。

泰定帝在位期间标榜行事遵世祖成宪，任用英宗时的一批旧臣，保留元仁宗、英宗两朝的改革成果，顺应了进一步行汉法的历史趋势。虽连年灾祸，但总体保持了较为稳定的社会秩序。"泰定之世，灾异数见，君臣之间，亦未见其引咎责躬之实。然能知守祖宗之法以行，天下无事，号称治平，兹其所以为足称也。"⑤

---

① 《元史》卷 29《泰定帝本纪》一，第 637—638 页。
② 《元史》卷 29《泰定帝本纪》一，第 639 页。
③ 《元史》卷 29《泰定帝本纪》一，第 639—640 页。
④ 《元史》卷 29《泰定帝本纪》一，第 641 页。
⑤ 《元史》卷 30《泰定帝本纪》二，第 687 页。

致和元年（1328 年），病死于上都。无庙号。

（宝音德力根 撰稿）

天顺帝阿速吉八

天顺帝阿速吉八（Aragibaγ，？—1328 年，1328 年在位），泰定帝子。泰定元年（1324 年）三月，立为皇太子。泰定帝曾宠任回回人倒剌沙升为左丞相。致和元年（1328 年）七月，泰定帝病逝，倒剌沙与辽王脱脱、梁王王禅等拥立阿速吉八为帝，即位于上都，改元天顺。当时，金枢密院事燕帖木儿留守大都，与西安王阿剌忒纳失里等发动政变，拥立武宗子图帖睦耳。于是，上都、大都之间发生战争。经两个多月的较量，大都方面获胜。① 倒剌沙、王禅等被处死，阿速吉八不知所终。

（宝音德力根 撰稿）

元明宗和世瓎

元明宗和世瓎（Qošila，1300—1329 年，1329 年在位），蒙古语尊号忽都笃（jayahtu qaḥan）皇帝。元武宗海山长子。

延祐三年（1316 年），仁宗为了让自己的儿子继承皇位，封和世瓎为周王，出镇云南。② 和世瓎行至延安，起兵造反，兵败后逃往阿尔泰山一带，投靠回鹘阿儿思兰汗，并娶阿儿思兰女为妃。不久，西北诸王察阿台等来附，和世瓎势力猛增。

泰定帝时，和世瓎手握重兵，镇守阿尔泰山一带，成为漠北颇具实力的诸王。致和元年（1328 年）七月，泰定帝死，和世瓎弟图帖睦耳入大都主政，遣使来漠北迎和世瓎，要他南下即位。天历二年（1329 年）正月，和世瓎在和宁（哈喇和林）北即帝位。③ 四月，立图帖睦耳为皇太子，仍相约

---

① 《元史》卷 31《明宗本纪》，第 694—695 页。
② 《元史》卷 31《明宗本纪》，第 693 页。
③ 《元史》卷 31《明宗本纪》，第 696 页。

兄终弟及，叔侄相传。八月，随前来迎接的燕帖木儿轻骑南下，中途驻中都附近的王忽察都（今河北张北县北）之地，被燕帖木儿毒死。庙号明宗。

（宝音德力根　撰稿）

元文宗图帖睦耳

元文宗图帖睦耳（Tuq-temür，1304—1332 年，1329—1332 年在位），蒙古语尊号札牙笃皇帝（jayahatu qaḥan）。武宗海山次子。

英宗时出居海南，泰定帝时召还，封怀王，先后居建康（今南京市）、江陵（今湖北沙市）。致和元年（1328 年）七月，泰定帝死。金枢密院事燕帖木儿留守京师，遂谋举义，谋立武宗子为帝，即遣前河南行省参知政事明里董阿、前宣政使答里麻失里至江陵迎接入大都，路过河南，行省平章政事伯颜发兵护送北上。八月，梁王王禅、丞相倒剌沙等拥立泰定帝子阿速吉八于上都，改元天顺，发兵攻大都。九月，图帖睦耳即帝位于大都，改元天历，在燕帖木儿及其所属钦察、阿速军团和一部分武宗旧部的支持下，击败王禅、倒剌沙等，取上都。接着，又调兵平定了四川、云南的反对集团。武宗长子和世㻋在仁宗时被迫出走，留居阿尔泰山以西之地，图帖睦耳在即位诏中曾表示："谨俟大兄之至，以遂朕固让之心"①，并遣使迎接和世㻋回朝。天历二年（1329 年），和世㻋得讯东还，于哈喇和林北即位，是为明宗。四月，明宗立弟图帖睦耳为皇太子，仍相约兄终弟及，叔侄相传。八月，明宗南下上都，驻于上都附近的王忽察都，前往迎接的图帖睦耳与燕帖木儿，伺机毒死了明宗。于是，图帖睦耳复于八月即位于上都。次年，改元天历。

文宗有较高的汉文化修养，懂得一点诗文，流传至今的诗有《自集庆路入正大统途中偶吟》。在位期间，文治方面有所建树。于天历二年（1329 年），创建奎章阁学士院，立于兴圣殿西，"命儒臣进经史之书，考帝王之治"②。编修《经世大典》，天历二年九月，文宗"敕翰林国史院官同奎章

---

① 《元史》卷32《文宗本纪》一，第709—710 页。
② 《元史》卷88《百官志》四，第2222—2223 页。

学士采辑本朝典故，准唐、宋会要，著为经世大典"①，其成书于至顺二年（1331 年）。

回回官僚集团，因倒剌沙等的失败而受到严重打击，因此色目人在朝廷上的政治势力被削弱。而钦察官僚集团则权势大增，燕帖木儿独揽相权，政事一决于他，甚至立太子也要先取得他的同意。由于钦察贵族的得势，元文宗失去了原有的蒙古贵族的支持，这种情况不同于前朝。②

至顺三年（1332 年）八月，文宗病死。庙号文宗。

（宝音德力根　撰稿）

元宁宗懿璘质班

元宁宗懿璘质班（Irinǰinbal，1326—1332 年，1332 年在位），明宗次子，母八不沙皇后。明宗被害后，皇后八不沙也被燕帖木儿所害，年幼的懿璘质班成为孤儿，留居京师。天历三年（1330 年）二月，封为鄜王。③ 至顺三年（1332 年）八月，文宗病死。生前因毒死亲兄明宗夺取皇位而心存愧疚，遗命立明宗子为皇帝。权臣燕帖木儿为便于操控，不立明宗长子妥懽帖睦尔，而立年仅 7 岁的懿璘质班。懿璘质班于十月即帝位，十一月病死，在位 43 天。庙号宁宗。

（宝音德力根　撰稿）

元惠宗妥懽帖睦尔

元惠宗妥懽帖睦尔（Toqon-temür，1320—1370 年，1333—1370 年在位），蒙古语尊号乌哈笃皇帝（Uqahatu qaḥan）。元明宗长子。

文宗害死明宗后，取得帝位，于至顺元年（1330 年）将妥懽帖睦尔徙居高丽大青岛，不与人接触。一年后，又移居静江（今广西桂林）。④ 至顺

---

① 《元史》卷 33 《文宗本纪》二，第 740—741 页。
② 参见韩儒林主编：《元朝史》（修订本上册），第 434—435 页。
③ 《元史》卷 37 《宁宗本纪》，第 809 页。
④ 《元史》卷 38 《顺帝本纪》一，第 815 页。

三年（1332年），文宗去世，遗诏立明宗之子。权臣燕帖木儿为便于控制，立明宗次子懿璘质班，是为宁宗。不久，宁宗病故，燕帖木儿欲立文宗子燕帖古思，文宗后不同意，主立明宗长子妥懽帖睦尔。燕帖木儿因亲手毒死明宗，深恐妥懽帖睦尔即位后追举前事，迟迟不让妥懽帖睦尔即位。后燕帖木儿身死，妥懽帖睦尔得以即帝位于上都，时至顺四年（1333年）六月。①

妥懽帖睦尔即位后，任命有拥戴之功的伯颜为中书右丞相，以牵制燕帖木儿弟左丞相撒敦和子御史大夫唐其势。伯颜与唐其势等争权夺利，斗争激烈。元统三年（1335年），伯颜以唐其势集团"私蓄异志"为名，杀唐其势及其弟塔剌海，鸩死其妹皇后伯牙吾氏。而后，伯颜独秉国政，专权跋扈。

伯颜所行令侄子脱脱感到不安，他担心伯颜身败名裂，殃及自己，于是向妥懽帖睦尔表忠心，愿为国家除害。后至元六年（1340年），脱脱逐走伯颜，继为右丞相。脱脱一上台，废除伯颜旧政，史称"脱脱更化"。其主要是恢复科举取士；开马禁，减盐额，蠲负逋；修辽、金、宋三史，颁《至正条格》。但是，由于元廷的腐朽，脱脱的这些新政并未能挽救元朝的社会危机。

至正四年（1344年），黄河泛滥，沿河州郡灾荒连年，人民死亡过半，国库空虚。妥懽帖睦尔被迫于至正十年（1350年）变更钞法，十一年用贾鲁修治黄河。钞法变更，导致物价上涨。修河工程因时紧工迫，官吏乘机对百姓横加勒索，最终引发了元末红巾军农民大起义。

妥懽帖睦尔对红巾军进行血腥镇压。至正十一年（1351年），主要由脱脱及其他地方长官，用中央及地方军队，甚至调动蒙古草原上的诸王、爱马的军队进行镇压。至正十五年至二十三年，主要依靠察罕帖木尔、孛罗帖木儿等地主武装进行镇压。至正二十三年（1363年）后，红巾军一支朱元璋的力量壮大，逐渐统一南方，元朝已无力对抗。同时，元朝统治集团日益腐败，内部斗争加剧，在镇压红巾军过程中发迹的蒙汉地主武装也为争夺地盘、扩张势力而相互倾轧。至正十四年，中书平章哈麻等乘脱脱出兵高邮，劾其劳师无功，妥懽帖睦尔听信谗言，夺脱脱兵权，将其流放。这一错举不

---

① 《元史》卷38《顺帝本纪》一，第815—816页。

仅使镇压红巾军的元朝主力军彻底失败，还使国家大权尽归哈麻、雪雪兄弟等小人之手。妥懽帖睦尔本人怠于政事，耽于游宴。至正十六年，哈麻、雪雪谋废妥懽帖睦尔，立皇太子爱猷识理达腊，事败被杀。其后，皇太子及其生母奇皇后仍谋废立。宫廷内分为两派，一派拥护顺帝，一派支持太子，自至正二十四年起，两派矛盾尖锐化。北方陷于军阀混战的局面，元军将领为了争夺地盘权势，相互攻伐，妥懽帖睦尔的号令已失去作用。

至正二十七年（1367 年）十月，朱元璋开始北伐。洪武元年（1368年）七月，明兵逼近大都。七月二十八日，妥懽帖睦尔率后妃太子奔上都。八月初二，徐达率明兵入大都，元朝在中原的 130 多年的统治宣告结束。

失去大都后，妥懽帖睦尔有所悔悟。在上都，他与大臣日夜商议"恢复大计"，试图重新夺取中原。他起用出身平凡但军事政治才能出众的扩廓帖木儿为左丞相，贤相脱脱子哈剌章为知枢密院事兼第一平章，为日后北元朝廷的重振打下了基础。

洪武二年（1369 年）六月，明将常遇春、李文忠攻上都，妥懽帖睦尔奔应昌（今内蒙古达里诺尔西南）。次年四月，因痢疾病死应昌。庙号惠宗。明太祖朱元璋加号顺帝。

（宝音德力根　撰稿）

乃马真六皇后

乃马真六皇后其人　乃马真六皇后，乃蛮部人，乃马真即乃蛮的异译，名脱列哥那（Töregene），太宗窝阔台汗的位居第六的皇后，定宗贵由汗的生母。[①] 1204 年，铁木真击败篾儿乞部，掳掠了其部长脱黑脱阿的长子忽都的两个妃子，其中的"朵列格捏"妃子就赏给了窝阔台，"朵列格捏"即脱列哥那之异译。[②] 1206 年，脱列哥那生子贵由。[③]《史集》记载，窝阔台七

---

　　① 参见蔡美彪：《脱列哥那后史事考辨》，《蒙古史研究》第 3 辑，内蒙古大学出版社 1989 年版。下文凡引用蔡先生此文的观点不再一一注出。

　　② 余大钧译注：《蒙古秘史》，第 198 节；《史集》（汉译本）第 2 卷，第 6 页，记载了两种不同的说法：一说脱列哥那是篾儿乞部部长亦里兀孙的妻子，另一说是脱黑脱阿之子的妻子，但忽都之名失载。

　　③ 《元史》卷 2《太宗本纪附定宗本纪》，第 38 页。

个儿子中五个年长的儿子都出自脱列哥那。① 脱列哥那并不是窝阔台最宠爱的妃子，窝阔台的大皇后是孛剌真，她略先于窝阔台去世。孛剌真皇后死后，由窝阔台最宠爱的妃子木哥皇后继守大斡耳朵。元太宗十三年（1241年）十一月，窝阔台死后，由木哥皇后摄政，木哥皇后按照先例就在其"斡耳朵，即宫廷的门前发号施令和召集百姓。"② 木哥皇后不久死去，"于是，几个年长的儿子的母亲脱列哥那哈敦，未与宗亲们商议，便狡诈地擅自夺取了国家政权。"③ 察合台和其他王公也认为脱列哥那是有权继承汗位的诸王子之母，因此，在新汗选立之前，应由她摄政。④ 乃马真氏六皇后由此在蒙古历史上发生了重大作用。她否定了窝阔台传位于皇孙失烈门的遗诏，将自己的儿子贵由扶上了汗位。在贵由即位前乃马真皇后摄政，在贵由即位后也参与政事，直至去世。

　　乃马真皇后摄政　《元史·太宗本纪》载：壬寅年（1242年）春，"六皇后乃马真氏始称制。"蔡美彪先生指出，本纪称乃马真摄政开始于"壬寅年春"而不是"初"，而窝阔台汗死于前一年的十一月，这中间至少有二、三个月的时间是由木哥皇后摄政的。《元史》的这条记载与前揭《史集》所载的木哥皇后死后，乃马真才夺取了政权可以相印证。乃马真主政期间，蒙古政权继续进攻南宋。当年秋天，张柔自五河口渡淮水，攻宋扬州、滁州、和州等处。1243年春，张柔围襄城，在襄城屯田。秋天，乃马真皇后命张柔戍守杞县。1245年秋，乃马真皇后命马步军都元帅察罕等率骑3万与张柔进攻淮西地区，克寿州，攻泗州、盱眙及扬州，宋军请和，张柔还军杞县。⑤

　　乃马真皇后执政期间，仍然用耶律楚材主管汗廷的汉字文书和汉地公事，对耶律楚材相当信任。窝阔台死时，贵由还在西征途中未返回蒙古，成吉思汗的幼弟铁木格斡赤斤欲趁机夺取汗位。癸卯年（1243年）五月，斡赤斤率大军从自己的兀鲁思向汗廷行进，汗廷一时人心惶惶，脱列哥那后甚

---

① 《史集》（汉译本）第2卷，第7页。
② 《世界征服者史》（上册），第282页。
③ 《史集》（汉译本）第2卷，第209页；《世界征服者史》（上册），第241页。
④ 参见《世界征服者史》（上册），第282页。
⑤ 参见《元史》卷2《太宗本纪》，第37、38页；卷147《张柔传》，第3475页。

至决定西迁以避兵锋，耶律楚材谏以"朝廷天下根本，根本一摇，天下将乱。"乃马真皇后遂罢西迁打算，而改为安抚斡赤斤的策略，斡赤斤遂撤回自己的分地，后来还参加了贵由即位的忽里勒台。① 在立储的问题上，乃马真皇后也曾问计于耶律楚材。《耶律楚材墓志》载："壬寅春，后以储嗣问公。公曰：'此非外姓臣所敢知，自有太宗遗诏在，遵而行之，社稷幸甚。'"② 奥都剌合蛮本是商人，1239 年时以银 44 000 两买通了中原岁课，次年充任提领诸路课税所官员，即所谓"以货取朝政"。朝中官员多阿从奥都剌合蛮，乃马真皇后称制后，"以御宝空纸付与奥都剌合蛮，令从意书填。公（指耶律楚材）奏曰：天下［者］先帝之天下。典章号令，自先帝出。必欲如此，臣不敢奉诏。"③ "御宝空纸"就是印有皇帝印玺的空白圣旨，表示经大汗授权与认可后，可以发布圣旨。耶律楚材面折之后，乃马真皇后让步，将"御宝空纸"由奥都剌合蛮从意书填改为向皇后奏准后，由耶律楚材掌管的中书省——大必阇赤机构中的令史填写，耶律楚材厉声抵制。乃马真皇后虽然怨耶律楚材忤己，但还是因为信任与倚重耶律楚材，并未降罪耶律楚材。甲辰年（1244 年）五月耶律楚材死后，"皇后哀悼，赙赠甚厚。"④ 耶律楚材之后，脱列哥那用杨惟中接管汉地文书之事。与此同时，在脱列哥那摄政期间，用汉人刘敏独掌燕京行尚书省事务。⑤ 总体上看，乃马真皇后摄政时，大的方向还是延续了窝阔台时期的政策。

乃马真皇后谋取汗位　乃马真执政期间的一项重要活动是为其子谋取汗位。木哥皇后死后，脱列哥那趁机继守大斡耳朵，控制朝政，取得皇室政治斗争中第一个回合的胜利。随后，她用各种馈赠笼络亲属和大臣，使他们都站在自己一边，改变了由于拔都不支持贵由即汗位的不利局面。耶律楚材虽然劝她遵行太宗立皇孙失烈门的遗诏，但他只是一个外姓臣子，阻力不大。于是，脱列哥那皇后向东西道诸王及重要大臣都派出使者，邀请他们来参加

---

① 参见《世界征服者史》（上册），第 285 页；《史集》（汉译本）第 2 卷，第 212、215 页；《元史》卷 146《耶律楚材传》，第 3464 页。

② 《元朝名臣事略》卷 5《耶律楚材墓志》，第 83 页。

③ 《元朝名臣事略》卷 5《耶律楚材神道碑》，第 83 页。

④ 《元史》卷 146《耶律楚材传》，第 3465 页。

⑤ 参见《元史》卷 153《刘敏传》，第 3610 页；《遗山先生文集》卷 28《刘氏先茔碑》。

忽里勒台。1246 年春，诸王、大臣会集，召开忽里勒台选汗。斡赤斤及其儿子、按赤台等东道诸王，察合台后王也速蒙哥等，拔都弟昔班、别儿哥等，以及贵由的弟弟阔端等人与会，大会选立贵由为汗。① 七月，贵由即位为汗。贵由的一个皇后是脱列哥那的小妹。②

定宗贵由即位后，乃马真皇后仍然参决政事。所谓"帝虽御极，而朝政犹出于六皇后云。"③ 斡赤斤死后，脱列哥那以其孙塔察儿继承王位。柏朗嘉宾来元朝时，脱列哥那予以接见并赐皮裘等物。④

1247 年冬，脱列哥那皇后卒。⑤ 入元后，追谥昭慈皇后，升祔太宗庙。⑥

（宝音德力根　撰稿）

拖　雷

拖雷（Tolui，1192？—1232 年），太祖成吉思汗第四子，也是嫡幼子，按蒙古"幼子守产"习俗，拥有特殊地位。⑦ 蒙古人在他死后避其名讳，称也可那颜（Yeke-noyan，意为"大官人"），⑧ 世祖至元三年（1266 年），追谥庙号睿宗。⑨

---

① 《史集》（汉译本）第 2 卷，第 217 页；《世界征服者史》（上册），第 293 页。

② 参见《危太仆文集续》卷 2《耶律希亮神道碑》。

③ 《元史》卷 2《太宗本纪附定宗本纪》，第 38 页。

④ 耿昇译：《柏朗嘉宾蒙古纪行》，第 109 页，见《柏朗嘉宾蒙古纪行》与《鲁布鲁古东行纪》合刊本，中华书局 1985 年版。

⑤ 蔡美彪：《脱列哥那后史事考辨》，《蒙古史研究》第 3 辑，内蒙古大学出版社 1989 年版。

⑥ 《元史》卷 114《后妃传》一，第 2870 页。

⑦ 《拖雷》一文摘编自白寿彝主编：《中国通史》第 8 卷《中古时代·元时期》下册《丁编传记》第 1 章第 1 节《拖雷》。

⑧ 《史集》第 2 卷，汉译本第 190 页，谓拖雷称号为也可那颜和兀鲁黑那颜，未言是生前或是死后的称号。"兀鲁黑"，突厥语意为"大"，与蒙语"也可"同义。最早记载这一称号的是《世界征服者史》（上册，第 178 页）。波义耳认为应是死后为避其名讳而用的称号（《志费尼书中的蒙古诸王称号》，载《哈佛亚洲研究杂志》19，1956 年）。《元史》卷 74《祭祀志》载，至元十三年改作父祖金神主牌位，睿宗主题曰："太上皇也可那颜。"

⑨ 《元史》卷 115《睿宗传》："宪宗即位，追谥英武皇帝，庙号睿宗。"按：据《元史》卷 6《世祖本纪》及卷 74《祭祀志》，尊谥庙号皆至元三年始定。

　　拖雷当是出生于 1192 年。① 及长，随父亲征伐，以勇武著称。成吉思汗称他为那可儿（nokor，"伴当"）。② 1212 年，蒙古军攻金德兴府（今河北涿鹿）失利，拖雷与弘吉剌氏按陈之子赤窟驸马（又译赤驹、赤渠）奉命率军往攻，奋勇先登，拔之，尽克德兴境内诸堡而还。1213 年秋，蒙古再攻金国，拖雷随父统率中路军，破雄、莫、河间、清、献、沧、济南、益都等州、府，北还围中都，迫使金宣宗献公主、纳币求和。③

　　成吉思汗西征时，拖雷从父出征。1219 年，成吉思汗于也儿的石河旁驻营。秋天，成吉思汗统全军进攻花剌子模，抵边城讹答剌后分四路进攻花剌子模，其中，拖雷随父统率主力中路军直趋花剌子模腹心河中地区，次年 3 月攻克都城撒麻耳干。是秋，成吉思汗部署了新的进兵计划，命术赤、察合台、窝阔台攻打花剌子模旧都玉龙杰赤（今土库曼斯坦库尼亚乌尔根奇）；自与拖雷率军越铁门关（撒麻耳干南约 150 公里，今布兹加勒山口）而南，进兵阿姆河上游和呼罗珊地区；又从蒙古诸军中抽选精锐士卒，每十人抽一人，归拖雷统率，命其专攻呼罗珊诸城。④

　　拖雷军渡过阿姆河，1221 年初，取马鲁察（今阿富汗巴拉木尔加布）等城。2 月，拖雷率军攻克马鲁察，蒙古军入城后，将军民驱赶到郊外，从中挑选 400 名工匠，其余尽行屠杀。《世界征服者史》记载居民被杀了 130 万人。⑤ 随后，拖雷军经徒思（Tus，今伊朗马什哈德），向你沙不耳进军。1221 年 4 月，拖雷大军架抛石机猛烈攻击你沙不耳，第四天占领全城，血洗该城。⑥ 这时，成吉思汗命拖雷回师。成吉思汗率军于 1221 年初渡阿姆河，取巴里黑，进围塔里寒寨（在巴里黑与马鲁察之间）7 个月而不能克之，而花剌子模算端札兰丁（1220 年底继承父位）已在哥疾宁（今阿富汗

---

　　① 拖雷生年史料缺载，唯《蒙古秘史》第 214 节有一段记事，谓成吉思汗攻杀塔塔儿人时，有一塔塔儿人逃脱，窜入成吉思汗后营行帐中觅食，乘机劫持了 5 岁的拖雷，幸被部属救出。这次战争当是指金承安元年（1196 年）的斡里札河之役，则拖雷应生于 1192 年，此与《睿宗传》所载"寿四十有□（此字缺）"合（按：拖雷死于 1232 年），缺字当为"一"。

　　② 《史集》（汉译本）第 2 卷，第 196 页。

　　③ 参见《圣武亲征录》，《王国维遗书》本，第 63—67 页。

　　④ 参见《圣武亲征录》，《王国维遗书》本，第 74—77 页；《世界征服者史》（上册），第 131、179 页。

　　⑤ 《世界征服者史》（上册），第 191 页。

　　⑥ 《世界征服者史》（上册），第 206 页。

加兹尼）一带集结大军，成吉思汗遂命诸子前来会师。拖雷军自你沙不耳南下，经忽希思丹地区（今伊朗霍腊散省南部），① 进抵也里城，攻占也里城。接着与成吉思汗会合，共同攻克塔里寒。在该地驻夏之后，即随成吉思汗进攻逃到哥疾宁的札兰丁，一直追至申河边，围歼其军，札兰丁逃入印度。1223 年，班师东还。1226 年，拖雷与窝阔台随父征西夏。太祖 22 年（1227 年）七月，成吉思汗病逝，兄弟率诸军奉灵柩回蒙古。

成吉思汗生前已指定窝阔台为继承人，但按照蒙古制度，大汗需由忽里台选举产生。在新大汗没有选出之前，拖雷即以幼子的特殊地位暂时监国摄政。当时，燕京长官石抹咸得不极为贪暴，其亲属及势家子弟公然为盗贼，强夺民财。拖雷遣宿卫塔察儿和耶律楚材同往究治，诛首恶 16 人，其余系狱，燕京始安。②

1229 年秋，拖雷召集诸王、大臣，于成吉思汗的大斡耳朵——怯绿连河上游曲雕阿蓝之地召开忽里台，推举大汗。当时，拖雷掌握着绝大多数蒙古军队，窝阔台不得不谦让，说："按照蒙古人的规矩和习俗，幼子是家中之长，代替父亲并掌管他的营盘和家室。……我怎能在他活着时就登上合罕之位呢？"③ 会议多日未决，耶律楚材向拖雷进言："此宗社大计，宜早定。"④ 终于议决推举窝阔台为大汗。

1230 年秋，拖雷与长子蒙哥及诸王按赤台、口温不花各领所部扈从窝阔台南下攻金，拔天成堡，入山西。金朝平章完颜合达、权参政移刺蒲阿统率重兵堵在潼关，窝阔台与拖雷只好绕道，率军渡黄河入陕，连克韩城、蒲城，进兵凤翔。⑤ 1231 年初，大将速不台攻潼关失败，受到窝阔台切责，拖雷以"兵家胜负不常"为之解，命其立功赎过。完颜合达奉旨提兵出潼关以声援凤翔守军，行 20 里，与渭北蒙古军接战，拖雷引兵来援，完颜合达惧，慌忙退回。太宗三年（1231 年）二月，蒙古军攻克凤翔。

---

① 参见《史集》（汉译本）第 1 卷第 2 分册，第 301 页；《圣武亲征录》，《王国维遗书》本，第 76 页作木剌夷。
② 《元史》卷 146《耶律楚材传》，第 3457 页。
③ 《史集》（汉译本）第 2 卷，第 29—30 页。
④ 《元史》卷 146《耶律楚材传》，第 3457 页。
⑤ 参见《元史》卷 115《睿宗（拖雷）传》，第 2885 页。

降人李国昌向拖雷献策说："金主迁汴，所恃者黄河、潼关之险尔。若出宝鸡，入汉中，不一月可达唐、邓。金人闻之，宁不谓我从天而下乎！"①这和成吉思汗临终所授"假途（宋境）捣汴"的灭金战略不谋而合。五月，窝阔台、拖雷回师避暑于官山（今内蒙卓资北灰腾梁），召集诸王、诸将大会商议攻金之计，拖雷提出此策，窝阔台大喜，遂定议三路伐金。窝阔台率中军南下，渡黄河，由洛阳进；斡赤斤率左军由济南进；拖雷率右军由凤翔渡渭水，过宝鸡，入小潼关，经宋境沿汉水而下，约期次年春会师取汴京。

是年秋天，拖雷军由宝鸡出大散关。九月，破武休、仙人、七方三关。遣搠不罕再入宋，正式提出假道的要求，并约宋合兵攻金，被宋边将杀害。拖雷大怒，责宋人"食言背盟"，②遂挥师长驱入汉中，并分兵进袭四川诸州县。兵临兴元（今陕西汉中市），威逼宋四川制置使桂如渊向蒙古军输纳了刍粮，并遣百人为蒙古军充当东进向导。③十一月，拖雷军出饶凤关，由金州（治今陕西安康）沿汉水而东。十二月二十三日，拖雷以不足4万之军与15万余金军战于禹山，拖雷诈败，士兵散漫而北。金军移营邓州城就粮，拖雷军攻之，相持三日，即挥师北进。元太宗四年（1232年）一月二日，金将完颜合达等恐蒙古军乘虚奔袭汴京，乃离邓趋汴，蒙古军追蹑其后。当时，泌阳（今河南唐河）、南阳、方城等县已为蒙古军所破，金军粮饷不继，一路上艰难行进。十五日，金军前行至三峰山，口温不花、塔思军等来支援的蒙古军万余骑已至，与拖雷军合围。十六日，大雪，金军士有的已饿了三日，困惫至极。拖雷下令诸军夹击之，金军大溃，完颜合达仅以数百骑逃入钧州，移剌蒲阿逃向汴京。三峰山之战，全歼金军精锐，金朝濒临灭亡。④二月，拖雷与窝阔台攻破钧州，斩完颜合达。又率军破许州（今河

----

①　《蒙兀儿史记》卷33《拖雷传》，第303页。
②　宋朝曾遣苟梦玉于1221、1223年两次出使蒙古通好，并达成某种联合攻金的秘密协定。参见《元史》卷115《睿宗（拖雷）传》，第2886页。
③　元明善《雍古公神道碑》，见《永乐大典》卷10899。
④　关于拖雷军渡汉水至三峰山之战经过，主要根据《金史》卷112《完颜合达传》、《移剌蒲阿传》及《元史·睿宗传》；另参见白寿彝主编：《中国通史》，第8卷《中古时代·元时期》下册《丁编传记》第1章第1节《拖雷传》。

南许昌），从窝阔台略取河南十数州。四月，一同北还，经真定、燕京，至官山避暑。

九月，拖雷死于回漠北途中阿剌合的思之地。《蒙古秘史》记载：窝阔台病，命巫师卜卦，巫师称系金国山川之神因军马掳杀人民、毁坏城郭而作祟，只有亲人替代可免，于是窝阔台呼唤身边亲人有谁，当时拖雷随侍，表示愿替兄死，请求照顾他的孤儿寡妇，说毕，取师巫咒水饮下而死。[①]《元史·睿宗传》、《史集》记载大致相同。《世界征服者史》则谓拖雷因饮酒过度，得病而死。

按蒙古人幼子守产的家产继承法，拖雷继承了成吉思汗的财产与军队。据《史集》记载，成吉思汗给尤赤、察合台和窝阔台各分配蒙古军民 4 千户，其亲自统领的左翼 62 千户，右翼 38 千户和御前 1 千户，以及他的诸斡耳朵和财产，均属拖雷统领。又据《世界征服者史》记载，尤赤被封于从海押立（在今巴尔喀什湖东）至不里阿耳（今伏尔加河中游）之地，察合台被封于从畏兀儿国境至河中地区，窝阔台的封地以叶迷立（今新疆额敏）、霍博（今新疆和布克赛尔）为中心，而"帝国的中心"，即从怯绿连河至按台山的蒙古本土，则为拖雷的领地。拖雷所继承的成吉思汗的十多万军队及其领地，是汗系由窝阔台系转入拖雷系的最重要的筹码。

拖雷有十子，长妻唆鲁禾帖尼生蒙哥（长子）、忽必烈（第四子）、旭烈兀（第六子）、阿里不哥（第七子）四子。

（宝音德力根　撰稿）

真金太子

受封燕王 真金（jingin），据《史集》记载，他与长兄朵儿只是忽必烈的察必皇后所生。[②]《元史·宗室世系表》记载忽必烈诸子中，长，朵儿只；次，真金。[③] 朵儿只早逝，真金成为事实上的长子。

---

① 余大钧译注：《蒙古秘史》，第 272 节，第 473 页。
② 《史集》（汉译本）第 2 卷，第 282—283 页。
③ 《元史》卷 107《宗室世系表》，第 2724 页。

　　忽必烈本人注重吸收中原汉文化，也极为重视对真金灌输儒家的思想。1250 年，即以姚枢教授真金经学，日以"三纲五常、先哲格言，熏陶德性"。① 1253 年，姚枢随忽必烈征大理，忽必烈命窦默接替姚枢教导真金。本传称真金"少从姚枢、窦默受《孝经》，及终卷，世祖大悦，设食飨枢等。"② 同年，忽必烈命王恂为皇子真金的伴读。中统二年（1261 年），王恂被擢太子赞善。许衡将历代君主的"嘉言善政"编成教材，由王恂给真金讲授。王恂是教授真金最久的老师，直到至元十八年（1281 年）左右，还侍奉在真金太子身边。③ 王恂等近臣还向真金讲述儒家经典，如《资治通鉴》、《贞观政要》等，阐述三纲五常以及历代治乱兴亡之道，又以辽金两朝帝王行事要略为例，启发真金对儒治的认识。王恂死后，保定大儒刘因任太子右赞善大夫。④ 真金逐渐接受了儒家思想及治国理念，忠孝、节俭、爱民等儒家提倡的行为规范，基本上成了他的行为准则。忽必烈对儒家思想是实用主义态度，适合他需要的他取之，否则弃之。真金没有实际的治国经历，其儒家的治国理念带有浓厚的理想主义色彩。他们父子君臣之间的这种差异，为真金悲剧性的结局埋下了伏笔。

　　真金开始出现在元代的政治生活中是在元宪宗九年（1259 年）十一月。宪宗逝世后，阿里不哥与忽必烈拉开了争夺汗位的序幕。阿里不哥遣阿蓝答儿发兵于漠北诸部，脱里赤括兵于漠南诸州。阿蓝答儿乘传调兵，距开平仅百余里时，察必派人质问阿蓝答儿："发兵大事，太祖皇帝曾孙真金在此，何故不令知之？"⑤ 真金被他精明强干的母妃推出来帮助父亲夺取汗位。与此同时，远在鄂州的谋士郝经也想到王子真金。郝经向忽必烈建议：与宋议和、轻骑北归；迎接蒙哥汗灵舆，收皇帝玺；遣使召集诸王会丧和林。郝经接着出谋："差官于汴京、京兆、成都、西凉、东平、西京、北京，抚慰安辑，召真金太子镇燕都，示以形势。则大宝有归，而社稷安矣。"⑥ 当时真

　　① 《牧庵集》卷 15《中书左丞姚文献公神道碑》；《元史》卷 158《窦默传》，第 3730 页。
　　② 《元史》卷 115《裕宗传》，第 2888 页。
　　③ 参见《元史》卷 164《王恂传》，第 3844 页。
　　④ 参见《元史》卷 16《世祖本纪》十三，第 347 页；卷 171《刘因传》，第 4008 页。
　　⑤ 《元史》卷 4《世祖本纪》一，第 62 页。
　　⑥ 《元史》卷 157《郝经传》，第 3699 页。

金才十六七岁。

中统三年十二月，真金被封为燕王。① 真金封燕王时，即受命领中书省事，守中书令。中书令是元朝中书省的最高长官，自真金被立为太子又兼中书令后，元朝诸帝都奉行只有皇太子才能兼此职的先例。中统四年五月，忽必烈正式设立枢密院，真金再兼判枢密院事。② 虽然如此，真金并没有多少实际权力与作为。

至元元年（1264 年）八月，忽必烈"命燕王署敕"。唐宋以来，敕书需有宰相署名，称为署敕，真金由此开始行使宰相的署敕权。刘秉忠、王鹗、张文谦、商挺又向忽必烈进言，"燕王既署相衔，宜于省中别置幕位，每月一再至，判署朝政。"此后，真金每月到中书省办公两次，在一些公文上签字画押。③ 真金在被立为太子前参与的政治活动，见于记载的还有三次。一次是跟随忽必烈巡视宜兴（今河北滦平县）；一次是至元七年秋天，受忽必烈之命巡抚称海，至冬天才回京；另一次是至元九年正月奉忽必烈之命，派使臣祭祀岳渎、后土、五台山兴国寺。④ 大约至元二年，作为燕王，真金一度出居潮河。⑤

立为皇太子 至元十年（1273 年）二月，真金被册封为皇太子⑥，《立后建储诏》云："朕自纂成大统之后，即命皇后弘吉剌氏正位中宫。……乃立冢嫡燕王真金为皇太子，"⑦ 真金受皇太子册宝，仍兼中书令，判枢密院事。这时真金已经 30 岁了。至元十六年十月，道士李居寿向忽必烈进言：

————————

① 参见《元史》卷 4《世祖本纪》一，第 76 页；卷 5《世祖本纪》二，第 89 页。真金封燕王的时间在《元史·世祖本纪》于中统二年十二月与中统三年十二月两现。《元史》之《真金传》与《王恂传》都记载真金封燕王时间在中统三年。屠寄可能也是据此认为真金封燕王的时间在中统三年十二月。

② 《元史》卷 5《世祖本纪》二，第 92 页。

③ 《元史》卷 5《世祖本纪》二，第 98—99 页。

④ 参见《元史》卷 115《裕宗传》，第 2889 页；卷 7《世祖本纪》四，第 139 页。

⑤ 《元史》卷 115《显宗传》，第 2894 页。

⑥ 《元史》卷 108《诸王表》："真金，中统二年封，至元十四年册为皇太子。"卷 8《世祖本纪》五，至元十年二月丙戌条、卷 115《裕宗传》、卷 126《安童传》及《元典章》卷 1《立后建储诏》等几处都记载真金被册立为皇太子是在至元十年。中华书局点校本《元史》的校勘者据这些考证"十四"年的"四"为衍文。

⑦ 《元典章》卷 1《诏令·世祖皇帝》（上），第 5 页。

"皇太子春秋鼎盛，宜预国政。"① 是月，董文忠也向忽必烈进言，认为太子十多年间"终守谦退，不肯视事"的原因是"事已奏决，而始启太子，是使臣子而可否君父之命，故惟有唯默避逊而已。"并建议让有司先启奏太子，再由忽必烈裁决。② 忽必烈在这样的情况下才"下诏皇太子燕王参决朝政，凡中书省、枢密院、御史台及百司之事，皆先启后闻。"③ 即使如此，国家政治生活中，太子真金的活动仍然极为有限。至元十八年二月，忽必烈命太子抚军北边，以伯颜从行，十月才回京。④

虽然在全国政务方面不能施展抱负，但真金在力所能及的范围内为将来登临大位、治理国家做着准备。忽必烈曾下诏拨侍卫亲军 1 万人隶属东宫，增加东宫的守卫。真金命王庆端、董士亨挑选其中的骁勇者，教以兵法，时而阅试。真金还搜罗了一批儒臣，例如王恂、白栋、李谦、宋衟、杨恭懿等。至元十八年，真金命宋衟挑择可以备其顾问的士人，宋衟推荐郭佑、何玮、徐琰、马绍、杨居宽、何荣祖、杨仁风等人。真金将这些人悉数网罗致其府中，逐渐形成了自己的幕府班子。

禅位风波与真金之死　儒家主张以民为本，轻徭薄赋，藏富于民，真金身体力行实践这种主张，因此他与忽必烈的敛财政策及其理财之臣发生了抵触。元初，因连年用兵及大规模封赐亲王投下，财政一直很紧张。为此，忽必烈起用了善于理财的回回人阿合马。阿合马把持朝政，儒臣受到排挤。真金对阿合马也非常反感，从不给他好颜色，甚至以弓殴伤其面部。真金成为反对阿合马的精神领袖。至元十七年（1280 年），礼部尚书谢昌元建议设立门下省，通过封驳制敕来限制阿合马的权力。忽必烈拟以廉希宪为侍中。真金马上派人对廉希宪说："上命卿领门下省，无惮群小，吾为卿除之。"⑤ 由于阿合马的坚决反对，门下省并未设置成功。至元十九年三月，真金随忽必烈巡幸上都，益都千户王著与高和尚合谋，借太子真金之名将阿合马杀死。四月，和礼霍孙入为中书右丞相，真金太子对他说："阿合马死于盗手，汝

① 《元史》卷 10《世祖本纪》七，第 216 页。
② 《元史》卷 148《董文忠传》，第 3503 页。
③ 《元史》卷 10《世祖本纪》七，第 216 页。
④ 《元史》卷 127《伯颜传》，第 3113 页；卷 11《世祖本纪》八，第 234 页。
⑤ 《元史》卷 126《廉希宪传》，第 3096 页。

任中书，诚有便国利民者，毋惮更张。苟或沮挠，我当力持之。"① 其时，忽必烈年事已高，其新纳的皇后南必颇能干预政事，而真金又已年届不惑，真金有了更强烈的执政欲望。他利用职掌中书省的机会，安插自己的近臣进入中书省，以何玮参议中书省事，徐琰为中书左司郎中，杨恭懿与董文用同置中书省议事。真金还派近臣李栋、宋衟、李谦等到国子学掌教事。至元二十年（1283 年），真金聘取保定名儒刘因为国子祭酒，二十二年，又以中书省长史耶律有尚为国子司业。② 二十一年十一月，忽必烈又起用卢世荣"理财"，命其任中书右丞。真金坚决反对卢世荣敛财，他说："财非天降，安得岁取赢乎。恐生民膏血，竭于此也。岂惟害民，实国之大蠹。"③ 卢世荣为右丞才四个多月，即遭监察御史陈天祥等人弹劾，中书右丞相安童、翰林学士赵孟传等也都反对他的措施。忽必烈乃于至元二十二年十一月，诛卢世荣。真金威望日高，"其大雅不群，本于天性，中外咸归心焉。"④ 于是，次年出现了"禅位"事件。江南行台御史封章上书，言："帝春秋高，宜禅位于皇太子，皇后不宜外预。"⑤ 真金深知忽必烈不愿禅位，恐招来杀身之祸。御史台都事尚文深知秘章干系重大，乃暗中藏之，以杜谗隙。但此事为阿合马余党答即古阿散所知，遂向忽必烈奏请收内外百司吏案，以大索天下埋没钞粮为名，而实欲揭露此事。尚文将事情原委告知中书右丞相安童和御史大夫玉昔帖木儿，决定留秘章不与。次日，答即古阿散乃上告忽必烈，忽必烈命大宗正薛彻干取其章，真金"益惧"。危急时刻，尚文献计，由丞相安童及御史大夫玉昔帖木儿抢先至忽必烈前陈述事情经过。忽必烈听到要他禅位，大发雷霆，厉声责问道："汝等无罪耶?"丞相安童带头认罪说："臣等无所逃罪，但此辈名载刑书，此举动摇人心，宜选重臣为之长，庶靖纷扰。"忽必烈怒气稍解，⑥ 形势遂趋缓和，后答即古阿散等坐奸赃论死，其同伙分别被诛杀、流放或没为奴。

---

① 参见《元史》卷12《世祖本纪》九，第241页；卷115《裕宗传》，第2890页。
② 《元史》卷115《裕宗传》，第2891页。
③ 《元史》卷115《裕宗传》，第2892页。
④ 《元史》卷115《裕宗传》，第2893页。
⑤ 《国朝文类》卷60《平章政事致仕尚公神道碑》。
⑥ 《元史》卷170《尚文传》，第3986页；《国朝文类》卷60《平章政事致仕尚公神道碑》。

虽然如此，真金却因此而忧惧成疾，于同年十二月病死，终年43岁。

至元三十年（1293年）六月，真金第三嫡子铁穆耳受命抚军漠北，忽必烈授其以皇太子宝。[①] 三十一年正月，忽必烈死。四月，铁穆耳继承汗位，即为元成宗。成宗追谥真金为文惠明孝皇帝，庙号裕宗。

真金有三子，长子甘麻剌（1263—1302年），至元二十三年出镇漠北，二十六年召还，封梁王，出镇云南。二十九年，封晋王，复镇漠北"祖宗根本之地"，守太祖大斡耳朵；次子答剌麻八剌（1264—1292年），即武宗、仁宗之父；第三子即成宗铁穆耳。

忽必烈立储及其影响　元代自忽必烈以后，汗位始终都在太子真金一系，这与忽必烈大张旗鼓立储，确立了真金的嫡长子地位及制定汗位由嫡长子继承这一规定密切相关。真金虽未即位为汗，但他为汗储十多年，即使不太了解中原嫡长子世袭制度的蒙古贵族也对真金系的嫡长子地位产生了深刻的印象，他的子孙一直被视为元朝皇位的正统继承人。忽必烈大张旗鼓立储，确立汗位当由大汗嫡长子一系来继承，从而一定程度上涤荡了蒙古人传统的由忽里勒台选汗及幼子守产的观念。忽必烈死后，汗位之争只在真金的两个儿子之间展开，仅从思想观念上看，正好反映了中原的嫡长子继承制与蒙古的幼子守产传统之间的斗争。

据《史集》记载，忽必烈曾有意立那木罕为汗储，后来那木罕被昔里吉劫持至尤赤兀鲁思。忽必烈立真金为太子，那木罕从尤赤兀鲁思回来后很伤心，向忽必烈讨说法，被忽必烈赶出去，并不许那木罕再去见他。[②] 关于忽必烈立太子的事，还有论者认为忽必烈一度想立忙哥剌。我们可以先看看忽必烈对几个儿子的措置。至元三年（1266年），封那木罕为北平王出镇漠北。至元四年，封忽哥赤为云南王出镇云南。而中统三年（1262年），封真金为燕王后，并未让真金出镇，仅在至元二年左右，燕王真金在潮河出居了约1年，随即又召回京了。至元九年，封忙哥剌为安西王出秦陇、河西、吐蕃。至元十年，立真金为太子。因此，忽必烈立真金为太子的想法是从中统年间就有的，中间经历了对真金十多年的培养与观察，如果说忽必烈在诸子中还有其他的太

---

① 《元史》卷18《成宗本纪》一，第381页。

② 《史集》（汉译本）第2卷，第350页。

子人选，那么最有可能的是忙哥剌。但是，忽必烈一方面受汉地立储以嫡以长思想的影响，一方面因真金表现尚可，因此立真金为太子的想法几乎没变。

（张岱玉 撰稿）

皇子爱牙赤

皇子爱牙赤及其兀剌海封地 爱牙赤（Ayaγači）是忽必烈的皇子，与皇子阔阔出同母，母妃为许慎氏。① 《史集》载爱牙赤是忽必烈第八子，《元史·宗室世系表》记载爱牙赤排行第六。

至元二十一年（1284 年）六月，忽必烈赐"皇子爱牙赤怯薛带孛折等及兀剌海所部民户钞六万一千六百四十三锭。"② 爱牙赤的分地可能在河西靠近兀剌海路的地方，故其怯薛歹与兀剌海部同时受赐。③ 二十四年七月，元朝"以中兴府隶甘州行省，以河西（管）［爱］牙赤所部屯田军同沙州居民修城河西瓜、沙等处。"④ 二十五年十一月，《元史》又记载"合迷里民饥，种不入土，命爱牙赤以屯田余粮给之。"⑤ 合迷里，就是哈密立，爱牙赤牧地在河西，部分军队还屯田到了沙州与哈密一带。《元史·地理志》甘肃行省兀剌海路有名而内容阙如，可能就是因为爱牙赤的领地在兀剌海路，故使兀剌海路有名无实。

爱牙赤出镇辽阳 至元九年（1272 年）四月，皇子爱牙赤出现在《元史》中。忽必烈"赐皇子爱牙赤所部马。"⑥ 二十二年十一月，皇子爱牙赤受赐银印。⑦ 至元中期，中央政府与辽东的诸王矛盾日益尖锐，忽必烈将皇子爱牙赤调至辽阳镇守。二十一年，授爱牙赤银印或许是与让其出镇辽东有关。至元二十二年左右，辽东道宣慰使塔出探知乃颜谋叛，"遣人驰驿上

---

① 《史集》（汉译本）第 2 卷，第 285 页。
② 《元史》卷 13《世祖本纪》十，第 267 页。
③ 《蒙兀儿史记》卷 76《忽必烈可汗诸子传》，第 510 页。
④ 《元史》卷 14《世祖本纪》十一，第 299 页。
⑤ 《元史》卷 15《世祖本纪》十二，第 317 页。
⑥ 《元史》卷 7《世祖本纪》四，第 141 页。
⑦ 《元史》卷 13《世祖本纪》十，第 281 页。

闻，有旨，命领军一万与皇子爱牙赤同力备御。女直、水达达官民与乃颜联结，塔出遂弃妻子，与麾下十二骑士抵建州。距咸平千五百里，与乃颜党太撒拔都儿等合战，两中流矢。继知其党帖哥、抄儿赤等欲袭皇子爱牙赤，以数十人退战千余人，扈从皇子渡辽水。"① 二十四年七月，叛王势都儿进犯咸平，"宣慰塔出从皇子爱牙（亦）［赤］合兵出沈州进讨，宣慰亦儿撒合分兵趣懿州，"平定势都儿。② 爱牙赤及其所部在平叛中有功劳，所部受损失也比较大。故同年十二月，忽必烈"赐皇子爱牙赤部曲等羊马钞二十九万百四十七锭、马二万六千九百一十四、羊十万二百一十、驼八、牛九百"。③ 元仁宗即位，益封忽必烈的子孙。皇庆元年（1312 年）二月，"赐晋王也孙铁木儿南康路户六万五千，世祖诸皇子［忽哥赤之子］也先铁木儿福州路福安县、脱欢之子不答失里福州路宁德县、忽都鲁铁木儿之子泉州路南安县、爱牙赤之子邵武路光泽县，户并一万三千六百有四，食其岁赋。"④ 可知，此时爱牙赤已死。

《元史·宗室世系表》记载爱牙赤有两子：阿木干与孛颜帖木儿。阿木干有子也的古不花。元贞元年（1295 年）十二月，"赐诸王不颜铁木而、阿八也不干金各五百两、银五千两、钞二千锭、币帛各二百匹，其幼王减五分之一。"⑤ 阿八也不干是忽必烈之子忽都鲁铁木儿之子，此不颜铁木而应是爱牙赤之子。大德六年（1302 年）十一月，"籍河西宁夏善射军隶亲王阿木哥，甘州军隶诸王出伯。"⑥ 此阿木哥有可能是忽必烈之孙、爱牙赤之子阿木哥，河西兀剌海地区是爱牙赤的封地。泰定三年（1326 年）二月，"命诸王也忒古不花"等守大都，⑦ 屠寄认为此即也的古不花。

作为庶出的皇子，在忽必烈子孙中，爱牙赤本人及其子孙不算显赫。在忽必烈的十个皇子中，长子朵儿只，早逝无嗣；次子真金太子；三子安西王

① 《元史》卷 133《塔出传》，第 3244 页。
② 《元史》卷 14《世祖本纪》十一，第 299 页。
③ 《元史》卷 15《世祖本纪》十二，第 318 页。
④ 《元史》卷 24《仁宗本纪》一，第 550 页；卷 95《食货志》三《岁赐》，第 2420 页。
⑤ 《元史》卷 18《成宗本纪》一，第 398 页。
⑥ 《元史》卷 20《成宗本纪》三，第 443 页。
⑦ 《元史》卷 30《泰定帝本纪》二，第 668 页。

忙哥剌；四子北安王那木罕；五子云南王忽哥赤；七子西平王奥鲁赤；九子镇南王脱欢；十子忽都鲁铁木儿。现在对忽都鲁铁木儿的封地与出镇地不清楚，真金一系是汗位的所有者，其余七位皇子中，出镇地与封地都在今内蒙古地区或部分在内蒙古地区的只有爱牙赤与安西王忙哥剌。

（张岱玉　撰稿）

定王药木忽儿

定王药木忽儿家族概况　药木忽儿（Yomuqur）（或写作要木忽尔、玉木忽尔、岳木忽儿）是阿里不哥长子。《史集》记载阿里不哥五子，玉木忽儿、明里帖木儿、忽秃合、探马赤、乃剌不花。而玉木忽儿有子五人：哈剌忽、阿勒敦·不花、完者、完者·帖木儿……。[1] 实际只记载了四人的名字，而《史集》另一处又记载玉木忽儿有子四人：忽剌出、完者·帖木儿、亦勒［·不花］、兀儿剌。[2] 据《元史》，药木忽儿还有一子薛彻干，正是他袭封定王。

阿里不哥是拖雷嫡幼子，蒙哥汗死后，阿里不哥与同母兄忽必烈争夺汗位。阿里不哥按照嫡长子、嫡幼子在财产继承方面具有绝对优势的蒙古传统抢先在和林城西的夏营地金河（按坦河）畔召开了忽里勒台，继承了蒙古大汗之位。[3] 但在接下来的争位战争中，阿里不哥失败。因此，阿里不哥的子孙中不少人对忽必烈系心怀怨望，元朝时阿里不哥系诸王发起或参与了数次叛乱，这种恩怨一直延续到了北元。但作为拖雷幼子的阿里不哥家族，在黄金家族内部的地位还是非常高的。元代阿里不哥家族拥有威定王、定王、卫王、冀王、镇宁王等多个王号。

唐麓岭之北的谦谦州与吉利吉思是拖雷家族的封地，元人称之为别吉（拖雷之妻唆鲁禾帖尼）大营盘。唆鲁禾帖尼死后，其斡耳朵及谦谦州、吉利吉思由幼子阿里不哥继承。阿里不哥死后，这块封地由其子药木忽儿、孙薛彻干依

---

① 《史集》（汉译本）第2卷，第193页；参见《元史》卷107《宗室世系表》，第2721页。
② 《史集》（汉译本）第2卷，第367页。
③ 《史集》（汉译本）第2卷，第293—295页；关于阿里不哥即位地点，参阅陈得芝：《岭北行省建置考》（中），《蒙元史研究丛稿》，第141页。

次继承。《史集》称阿里不哥死后，忽必烈"命令让玉木忽儿掌管也速迭儿哈敦所居住的大禹儿惕。玉木忽儿娶了也速迭儿［为妻］。"而"阿里不哥的夏营地在阿勒台，冬营地则在帖客和乞儿吉思。其间相距三日途程。"① 所以，定王药木忽儿的营地当在此两处。阿里不哥家族的食邑在真定路与抚州路。②

定王药木忽儿的王爵 屠寄考证云："定王药木忽儿，至元十四年与河平王昔里吉、诸王脱黑木儿等合谋，夜劫皇子北平王那木罕营于阿力麻里，并械系丞相安童以叛。元贞二年秋，与昔里吉之子兀鲁思不花反正入朝。大德三年正月，封定远王，赐金涂银印龟纽。"③ 大德九年（1305 年）二月，定远王岳木忽而（药木忽儿）改封威定王，换赐金印驼纽。④ 至大元年（1308 年）六月，威定王药木忽儿晋封定王，赐金印。⑤

药木忽儿的叛、降元朝始末 至元三年（1266 年），那木罕出镇漠北时，药木忽儿等诸王各率本部军队随从出镇。⑥ 至元八年，北平王那木罕移镇阿力麻里时，阿里不哥诸子药木忽儿、明里帖木儿与蒙哥之子昔里吉，岁哥都之子脱脱木儿都随同镇守阿力麻里。至元十二年，忽必烈派丞相安童以行中书省、枢密院事职权前往阿力麻里辅佐那木罕。安童分派军粮不公，⑦ 引发了蒙哥系、阿里不哥系后王对忽必烈夺取汗位的怨恨。于是，至元十三年冬天，在脱脱木儿的策划下，昔里吉、药木忽儿、明里帖木儿一同起兵叛乱，拥昔里吉为主，夜袭那木罕营帐，捉住那木罕、阔阔出兄弟及安童，将那木罕兄弟械系至尤赤兀鲁思汗忙哥帖木儿处囚禁，将安童送至海都处，约海都一同反对忽必烈。海都虽然囚禁安童，但婉拒与昔里吉联合。昔里吉、药木忽儿、脱脱木儿扬言尤赤后王与海都都响应他们起兵，发兵先取谦谦州，进而打回漠北。次年春，进至和林，夺取了成吉思汗的大帐，谁拥有此大帐，就象征谁合法拥有汗位。忽必烈急命土土哈率兵平叛。次年六月，伯

---

① 《史集》（汉译本）第 2 卷，第 367、365 页。

② 《元史》卷 95《食货志》三《岁赐》，第 2415 页。

③ 《元史》卷 20《成宗本纪》三，第 425 页。

④ 《元史》卷 21《成宗本纪》四，第 462 页。

⑤ 《元史》卷 22《武宗本纪》一，第 499 页。

⑥ 《史集》（汉译本）第 2 卷，第 312、313 页。

⑦ 《元史》卷 203《田中良传》，第 4537 页："昔里吉之叛，以安童之食不彼及也。"

颜、别吉里迷失、土土哈在秃拉河击败脱脱木儿与药木忽儿的军队。八月，伯颜统领的元军进抵斡儿寒河（鄂尔浑河），打败昔里吉等叛王，叛军西逃，元军收复和林地区。至元十六年初，忽必烈增加漠北军力，命别吉里迷失为同知枢密院事、刘国杰为汉军都元帅统侍卫诸军 1 万人同往平叛。而脱脱木儿从也儿的石河进据吉利吉思、谦谦州；四月，率其全部军力侵入漠北，刘国杰乘虚而攻其巢穴谦谦州，俘获生口、牲畜万数，脱脱木儿军队死伤过半。十七年，脱脱木儿、昔里吉、撒里蛮又来攻元军，再遭惨败。① 经此打击，昔里吉势力大为削弱，叛王内部矛盾激化。当时，昔里吉驻在也儿的石河窝阔台后王脱忽领地上，得到脱忽的支持。脱脱木儿驱逐了五部断事官刘好礼，占据谦谦州，所部"最号强盛"。脱脱木儿见昔里吉势力衰弱，便另立撒里蛮为主，遣使约昔里吉来会，昔里吉屈服。但药木忽儿不服，脱脱木儿乃率军攻药木忽儿，脱脱木儿军士"众皆怨忿，且苦其酷虐"，便纷纷临阵倒戈，投向药木忽儿。脱脱木儿大败，被药木忽儿抓住，昔里吉将其处死。② 昔里吉夺取了撒里蛮的军队，囚禁了撒里蛮。至元十八年，撒里蛮从昔里吉的囚禁中逃脱，重新集结本部军队，劫取了昔里吉的辎重，准备带着这些战利品投降忽必烈，并向元朝派出了使者。昔里吉与药木忽儿来攻撒里蛮，但因军队临阵倒戈，反被撒里蛮俘虏。撒里蛮准备押着昔里吉与药木忽儿前来投降元朝。药木忽儿在被押送途中买通了斡赤斤的某后王去袭击撒里蛮，药木忽儿劫取了撒里蛮的斡耳朵，逃至尤赤后王火你赤的领地，其弟明里帖木儿往依海都。昔里吉被押送回元朝后，忽必烈将其流放到海岛；撒里蛮入朝受到忽必烈的宽待。昔里吉是宪宗庶子，而撒里蛮是宪宗嫡子玉龙答失之子，玉龙答失在阿里不哥与忽必烈争位时虽然一度支持阿里不哥，但后来先于阿里不哥归顺忽必烈，并向忽必烈献上了蒙哥汗的玉玺。③ 这些因素可能是昔里吉与撒里蛮得到忽必烈区别对待的原因之一。历时六年的昔里吉之乱结束，元朝恢复了对漠北地区的统治，但药木忽儿尚未归降元朝。

---

① 《金华黄先生文集》卷 25《刘国杰神道碑》；《至正集》卷 48《刘国杰神道碑》；参见陈得芝：《岭北行省建置考》（中），《蒙元史研究丛稿》。

② 《元史》卷 169《刘哈剌八都鲁传》，第 3973 页；《金华黄先生文集》卷 25《刘国杰神道碑》；《史集》（汉译本）第 2 卷，第 314、315 页。

③ 《史集》（汉译本）第 2 卷，第 305 页。

至元二十六年（1289 年）春，海都与药木忽儿、明里帖木儿大举进攻漠北，[①] 攻占其西部及吉利吉思等地。是年，叛军还一度攻占和林，忽必烈亲征，收复和林。至元二十七年，药木忽儿与明里帖木儿复来攻北安王驻地，大将朵儿朵怀守那木罕大帐，宗王牙忽都与朵儿朵怀同御敌，军未战而溃。朵儿朵怀惧被问责，率领少数随从投奔了药木忽儿。[②] 至元三十年，土土哈收复吉利吉思五部，屯兵驻守，恢复统治。这一年，元朝置随路诸色民匠打捕鹰房等户都总管府，掌别吉大营盘事。[③] 至元末年以来，海都等叛王在杭海岭一线与元朝反复较量，伯颜与土土哈率领的元军给叛军以沉重打击，他们的势力遭到削弱。成宗即位，对西北边防又作了严密的部署，漠北的形势日渐变得有利于元朝。在这种情况下，一直与元朝对抗的药木忽儿、河平王昔里吉之子兀鲁思不花准备投降元朝。药木忽儿投靠海都，原为借助海都的力量打回漠北，恢复阿里不哥家族原有的势力与地位，结果却失败了，还被海都支遣至都哇手下。他们与忽必烈虽有怨恨，但都是拖雷的子孙，与其侍奉旁支、被旁支随意转让，还不如回归本宗。大将朵儿朵怀投降药木忽儿也是害怕被问战败之罪，并非与海都有关系，投降后没有与元朝军队作过战，便趁成宗登基大赦之机，联络药木忽儿、兀鲁思不花率众回归元朝。元贞二年（1296 年），药木忽儿、兀鲁思不花及朵儿朵怀带领 12 000 人投奔元朝。[④] 叛王及其部属大量前来，引起了边民骚动，土土哈领兵至杭海岭的玉龙海以备不测，并馈饷安辑降民。元成宗对叛王来归，既感欣慰又略感不信任，派宗王阿只吉与使臣迎接药木忽儿入朝。同年十月，晋王甘麻剌亲自领叛王入大都。

药木忽儿降元是元朝与西北叛王持续了 30 年的战争出现转折的一个重要标志，也是元朝皇室汗位所在的拖雷家族由公开的分裂走向团结的一件大事，元成宗因此举行宗亲大会，议定释诸叛王之罪，并增其岁赐，拨粮、钞

① 《元朝名臣事略》卷 2《丞相淮安忠武王》引《勋德碑》，第 21 页。

② 《元史》卷 117《牙忽都传》，第 2909 页；《史集》（汉译本）第 2 卷，第 191 页。

③ 《元史》卷 85《百官志》一，第 2142 页。

④ 《史集》（汉译本）第 2 卷，第 383 页；《道园学古录》卷 23《句容郡王世绩碑》；药木忽儿等人投降元朝的时间，陈得芝、刘迎胜已考证为元贞二年，请参阅陈得芝：《岭北行省建置考》（下），《蒙元史研究丛稿》第 172、173 页；刘迎胜：《察合台汗国史研究》，第 292 页。

赈恤其部众。让药木忽儿仍回漠北统领本藩军民，兀鲁思不花也保有其部众，唯命他留在宫中，不使就藩统军。药木忽儿、兀鲁思不花分别为阿里不哥与蒙哥的子孙，这是他们能获赦免、优待的重要原因。①

药木忽儿归降元朝后的主要活动　药木忽儿归顺元朝后应是立即回还了本部。《元史·张均传》记载大德元年（1297 年）之前，元朝已令药木忽儿北征。《元史·玉哇失传》记载玉哇失"从皇子阔阔出、丞相朵儿朵怀击海都军……复从诸王药木忽儿、丞相朵儿朵怀击海都将八邻，八邻败。……武宗镇北边，海都复入寇。"关于这次战争发生的时间及"八邻"的含义，学者们已有考证，认为战争时间是大德元年或二年；八邻，就是八邻部。八邻部在成吉思汗时代是中军万户豁儿赤统领的部落之一，其牧地在金山之西、也儿的石河以东一带。八邻部的牧地西边与尤赤兀鲁思接境，东部与藩国即斡儿答兀鲁思（白帐汗国）境土相连。海都强大后吞并了大汗直属的八邻部。② 药木忽儿、朵儿朵怀在归顺元朝后即加入了阔阔出统领的元朝在金山沿线的军队。大德二年冬天，都哇及察合台次子莫赤耶耶之子彻彻秃之军突然袭击了元军的营地，成宗女婿汪古部人阔里吉思孤军应敌，被都哇军队抓住。药木忽儿、兀鲁思不花、朵儿朵怀的军队随后追击都哇的军队，虽未能夺回阔里吉思，却抓住了都哇的一个女婿。③

大德五年秋，海都与都哇联兵进攻漠北，发动了自至元二十年以来对元朝最大的进攻。元军溃败，放弃和林，成宗震怒，次年五月处罚逃散之卒，

---

① 《史集》（汉译本）第 2 卷，第 383、384 页；陈宜甫：《秋岩诗集》卷下《元贞丙申十月扈从晋王领降兵入京朝觐》，《四库全书珍本》（初集），第 97 集，集部，沈阳出版社 1998 年版；《元典章》卷 1《大德改元诏书》；参阅松田孝一：《药木忽儿等之投降元朝》，《立命馆史学》第 4 号，1983 年；陈得芝：《岭北行省建置考》（下），《蒙元史研究丛稿》第 172、173 页。

② 参见《史集》（汉译本）第 2 卷，第 119 页；陈得芝：《岭北行省建置考》（下），《蒙元史研究丛稿》，第 173、174 页。

③ 《道园学古录》卷 23《句容郡王世绩碑》，记载："（大德）二年，诸王都哇、彻彻秃等潜师急至，袭我火儿哈秃之地。"陈得芝先生认为，火儿哈秃为 Qorqatu，蒙古语为"有寨子"，应是漠北边防军立营寨处，其地应在金山之东的科布多境内（陈得芝：《岭北行省建置考》（下），《蒙元史研究丛稿》）。《史集》记载都哇此次攻击的地点在哈剌火州境内（《史集》（汉译本）第 2 卷，第 385 页）。关于大德二年冬天，都哇袭击元军的事，《国朝文类》卷 23《驸马高唐忠献王碑》及《史集》（汉译本）第 2 卷，第 385 页都有记载。

下诏："谪和林溃军征云南，其战伤而归及尝奉晋王令旨、诸王药木忽而免者，不遣。"[1] 看来，下达放弃和林命令的是晋王甘麻剌，诸王药木忽儿应该也曾下令本部军士撤退，故成宗有此诏旨。这从一个侧面说明药木忽儿参加了大德五年对海都、都哇的战争。

至大元年（1308 年），武宗封药木忽儿为定王。

仁宗朝时，药木忽儿即不见于《元史》，可能在皇庆年间就去世了。

（张岱玉 撰稿）

豫王阿剌忒纳失里

据《元史·宗室世系表》，豫王阿剌忒纳失里（Aratnaširi）是西平王奥鲁赤曾孙，云南王老的之子。豫王阿剌忒纳失里是元朝后期一个重要的诸王，泰定、文宗、顺帝三朝中的多起重大军政事务中都有他的身影。阿剌忒纳失里曾封西安王，时间可能在泰定帝时期；天历元年（1328 年）十二月，晋封为豫王。[2]

天历政变的主要策划者 致和元年（1328 年）三月，泰定帝巡幸上都，西安王阿剌忒纳失里留守大都。泰定帝离开大都前夕已染病，扈从巡幸上都的诸王满秃、阿马剌台，太常礼仪使哈海，宗正扎鲁忽赤阔阔出等，与留守大都的金枢密院事燕帖木儿商定，一旦泰定帝死就同时在上都、大都发动政变。七月，泰定帝死于上都，泰定帝近臣倒剌沙，以及泰定帝的侄子梁王王禅、辽王脱脱等支持立泰定帝的儿子阿吉只八继承汗位。而掌大都枢密符印的燕帖木儿，则与西安王阿剌忒纳失里合谋政变，迎立武宗后人。[3] 八月，燕帖木儿等人在大都发动政变，"缚平章乌伯都剌、伯颜察儿，以中书左丞朵朵、参知政事王士熙等下于狱。燕帖木儿与西安王阿剌忒纳失里固守内廷。"[4] 九月，图帖睦耳即位前对追随他的诸王进行赏赐，西安王阿剌忒纳失里是受赐者之一。十月，原河南行省平章政事曲列等

---

① 《元史》卷 20《成宗本纪》三，第 441 页。

② 《元史》卷 32《文宗本纪》一，第 723 页；卷 95《食货志》三《岁赐》，第 2422 页。

③ 参见《元史》卷 32《文宗本纪》一，第 704 页。

④ 《元史》卷 31《明宗本纪》，第 694 页。

23 人的田宅分别被赐给西安王阿剌忒纳失里等 23 人。十一月，西安王阿剌忒纳失里受平江田 300 顷及嘉兴芦地赐。① 十二月，"封西安王阿剌忒纳失里为豫王，赐南康路（今江西星子县）为食邑。"② 天历二年正月，"赐豫王黄金印。"③ 阿剌忒纳失里不仅有赏赐殊多，还晋封为金印兽纽一字王，可见其在天历政变中的重要作用。

镇压云南叛乱　天历二年十一月，豫王阿剌忒纳失里奉诏出镇云南。④ 云南本是梁王、云南王家族传统的镇戍之地，因为梁王王禅支持泰定帝，在政变中被杀。文宗图帖睦耳为惩戒叛王，暂时剥夺了梁王子弟的袭封梁王、镇守云南的权力。云南、四川又发生反对文宗政权的叛乱，因此文宗派其亲信诸王往镇云南。至顺元年（1330 年）四月，朝廷为阿剌忒纳失里设立王傅府，⑤ 元代制度只有封王赐印的宗王才能设王傅府。天历二年三月，云南诸王答失不花、秃坚不花及平章马思忽等集众 5 万叛乱，并成立云南行省机构，设立参知政事等官。⑥ 至顺元年正月，云南诸王秃坚及万户伯忽、阿禾、怯朝等攻陷中庆路、仁德府、晋宁州，秃坚自立为云南王。三月，朝廷"命云南行省平章乞住、左丞帖木儿不花，从豫王由八番道讨云南叛王。"五月，又调派豫王阿剌忒纳失里镇西蕃，授以行军金印。当时，云南的叛乱势力发展很快，调派豫王镇守西蕃可能是为防堵秃坚向西蕃发展。⑦ 六月，元廷立行枢密院专讨云南叛军，发朵甘思、朵思麻及巩昌诸处 13 000 军兵出征，行枢密院知院彻里铁木儿同镇西武靖王搠思班等由四川，行枢密院同知、副使教化从豫王阿剌忒纳失里等由八番，分道进军。七月，云南秃坚、伯忽的势力愈来愈猖獗，与乌撒禄余乘机连约乌蒙、东顺、茫部诸蛮，准备进攻顺元。文宗下诏遣使督促豫王阿剌忒纳失里及行枢密院，四川、云南行省紧急会师围剿叛军。⑧ 十一月，"仁德府权达鲁花赤曲朮，纠集兵众以讨

---

① 《元史》卷 32《文宗本纪》一，第 708、718、720 页。
② 《元史》卷 32《文宗本纪》一，第 723 页；卷 95《食货志》三《岁赐》，第 2422 页。
③ 《元史》卷 33《文宗本纪》二，第 728 页。
④ 《元史》卷 33《文宗本纪》二，第 745 页。
⑤ 参见《元史》卷 34《文宗本纪》三，第 752、753、756 页。
⑥ 参见《元史》卷 33《文宗本纪》二，第 732 页。
⑦ 参见《元史》卷 34《文宗本纪》三，第 752、754、755、756、757 页。
⑧ 参见《元史》卷 34《文宗本纪》三，第 757、759、761 页。

云南，首败伯忽贼兵于马龙州，以是月十一日杀伯忽弟拜延，献馘于豫王。十三日，战于马金山，获伯忽及其弟伯颜察儿、其党拜不花、卜颜帖木儿等十余人，诛之，余兵皆溃，独禄余犹据金沙江。"① 年底，元军打败叛军，收复云南行省省治中庆。至顺二年二月，枢密院臣僚上奏：豫王阿剌忒纳失里等人至当当驿，叛军古剌忽及秃坚之弟必剌都迷失等向豫王诈降，反围豫王军队；在易龙驿，古剌忽等人掩击元朝官军。② 考虑当时的交通不便，枢密院所报告的事应当就是上一年年底元军进攻叛军时的情况。最终，云南各路叛军相继为官军击败。至顺二年三月，豫王阿剌忒纳失里与镇西武靖王搠思班等擒云南叛党首领也木干、罗罗、脱脱木儿、板不、阿居、澄江路总管罗罗不花、伯忽之叔怯得该、伪署万户哈剌答儿等人，全部斩首，磔尸以徇。③ 四月，朝廷按镇西武靖王搠思班的建议，留荆王也速也不干及诸王锁南等各领所部屯驻云南以备反侧；文宗同时还命豫王阿剌忒纳失里分兵给云南行省，与各军共守一岁。④ 后至元三年（1337 年）正月，"豫王阿剌忒纳失里买池州铜陵产银地一所，请用私财锻炼，输纳官课，从之。"⑤ 池州在江浙行省（今安徽省南部池州），豫王可能已从云南改镇中原某地，或许就是在池州。尤其是从下文将要谈到的元末红巾军起义之始，元惠宗就调豫王出兵攻襄阳、南阳、邓州来看，豫王当时的屯驻地应距这些地方不远。

镇压红巾军的主将　至正十一年（1351 年）五月，刘福通以白莲教组织群众，在颍州颍上发动农民起义。数月间，即攻克亳州（今安徽亳县）、项城（今河南固始西北）、罗山、真阳（今河南正阳）、确山、汝宁（今河南汝南）、息州（今河南息县）等地。在刘福通起义军的影响下，是年八月，徐寿辉等人在蕲州（今湖北蕲春南）利用白莲教起义，十月即在蕲水建立天完政权。次年，天完政权分兵四出，攻向今湖北、江西、安徽、福建、浙江、江苏诸地。为此，元政府于至正十二年四月，"命亦都护月鲁帖

---

① 《元史》卷 35《文宗本纪》四，第 773 页。
② 《元史》卷 35《文宗本纪》四，第 776 页。
③ 《元史》卷 35《文宗本纪》四，第 780 页。
④ 《元史》卷 35《文宗本纪》四，第 783 页。
⑤ 《元史》卷 39《顺帝本纪》二，第 838 页。

木儿领畏吾儿军马，同豫王阿剌忒纳失里、知枢密院事老章讨襄阳、南阳、邓州贼。"① 至正十五年正月，朝廷命河南行省参知政事洪丑驴守御河南，陕西行省参知政事述律朵儿只守御潼关，宗王扎牙失里守御兴元，陕西行省参知政事阿鲁温沙守御商州，通政院使朵来守御山东。十六年四月，顺帝"命豫王阿剌忒纳失里与陕西行省官商议军机，从宜攻讨。"说明豫王是当时元朝在陕西方面的军事首脑。九月，汝州、颍州红巾军李武、崔德与元军在潼关展开拉锯战。先是李、崔等部攻破潼关，但随后就为豫王阿剌忒纳失里、同知枢密院事定住领兵收复，元军以河南行省平章政事伯家奴守潼关。接着，红巾军复陷潼关，豫王阿剌忒纳失里复以兵取之，李武、崔德败走。② 至正十七年二月，红巾军攻七盘、蓝田，朝廷命察罕帖木儿等守陕州、潼关；哈剌不花由潼关抵陕西，与豫王阿剌忒纳失里及定住等共同进讨红巾军。③ 豫王阿剌忒纳失里与陕西行省、行枢密院、行御史台等官吏在原安西王府府邸商议对策，最后决定请时在陕州的河南军阀察罕帖木儿领兵来救援。察罕帖木儿遂提轻兵 5 000，倍道来援，才暂解陕西之围。④ 六月，红巾军分三路北伐，白不信、大刀敖、李善善攻入关中。十一月，豫王阿剌忒纳失里与陕西行省左丞相朵朵、陕西行台御史中丞伯嘉讷，分道攻讨关陕。十八年十月，"诏豫王阿剌忒纳失里徙居白海，寻迁六盘。"⑤ "白海"，就是元初安西王忙哥剌修建的察罕脑儿，元武宗至大三年（1310 年）九月时在这里设立了宣慰使都元帅府；⑥ 泰定帝时曾罢宣慰司，代之以湘宁王八剌失里的王傅府；六盘山是安西王的夏宫，安西王月鲁帖木儿因谋反，于文宗至顺三年（1332 年）四月被诛，现在这两个地区由豫王来镇守、管理，意味着到元末，安西王家族可能已绝嗣，分地转入云南王老的家族。

　　洪武二年（1369 年）四月，明军攻陕西，徐达率军度六盘山，至开城，"谍报故元豫王驻西安州。"徐达移兵趋西安州，遣薛显将精兵 5 000 袭豫

① 《元史》卷 42《顺帝本纪》五，第 899 页。
② 《元史》卷 44《顺帝本纪》七，第 923、931、932 页。
③ 《元史》卷 45《顺帝本纪》八，第 935 页。
④ 《元史》卷 183《王思诚传》，第 4214、4215 页。
⑤ 《元史》卷 45《顺帝本纪》八，第 940、945 页。
⑥ 《元史》卷 26《武宗本纪》二，第 526 页。

王，"豫王遁去，获其人口头匹车辆而还。"此次徐达在西安州虏获豫王"七千余口"。① 次年，明征虏左副副将军邓愈"追豫王至西黄河，抵黑松林，破斩其大将。"其后，"河州以西朵甘、乌斯藏诸部悉归附"明朝。② 豫王阿剌忒纳失里可能逃亡而死。

（张岱玉 撰稿）

---

① 《明史》卷 2《太祖本纪》二，第 22 页；卷 125《徐达传》，第 3728 页。

② 《明太祖实录》卷 40，第 824、825 页。

第十八章

元代的内蒙古地区名臣

博尔朮

　　博尔朮（Boḥorču），又作孛斡儿出，蒙古阿儿剌（又作阿鲁剌惕）部人，生卒年代不详。其"父纳忽阿儿阑，与烈祖神元皇帝接境，敦睦邻好。"① 据《蒙古秘史》记载，铁木真家的八匹马被盗，少年博尔朮即帮助铁木真从要儿斤部人手中夺回，不久铁木真召他为伴当，其时，铁木真"除了影子没有伴当"。② 从此，博尔朮与铁木真"共履艰危，义均同气，征伐四出，无往不从。"③ 三姓篾儿乞人来袭击铁木真，铁木真避入不儿罕山，派别里古台、孛斡儿出、者勒篾跟在撤退的篾儿乞人后面侦察了三日，确信篾儿乞人已经走远，才从不儿罕山中出来。④ 大赤兀里之战，铁木真下令殊死战斗，"博尔朮系马于腰，跽而引满，分寸不离故处，太祖嘉其勇胆。"与克烈部作战时，铁木真战败丢了战马，博尔朮与铁木真合骑一马，遇天雨雪，而找不见营帐，夜卧草泽，博尔朮"与木华黎张毡裘以蔽帝，同夕植

---

　　① 《元史》卷119《博尔朮传》，第2945页。
　　② 余大钧译注：《蒙古秘史》，第90、95、125节。
　　③ 《元史》卷119《博尔朮传》，第2945—2946页。关于博尔朮史事，凡引文未注出处者，即出自其本传。
　　④ 余大钧译注：《蒙古秘史》，第103节。

立，足迹不移，及旦，雪深数尺，遂免于难。"① 与篾儿乞部作战时，风雪迷阵，博尔术不见了铁木真，乃再入敌阵寻找铁木真。约在1189年，铁木真被推举为乞牙惕氏族联盟的汗，他命博尔术与者勒篾两人为众人之长。② 后来，乃蛮人抢走了王罕辎重、百姓、牲畜，王罕曾请求铁木真派"四杰"博尔术、博尔忽、木华黎、赤老温帮助他从乃蛮人手中夺回。后来有一天，王罕请博尔术去，博尔术禀告铁木真后，去接受了王罕赠给的10个金"满忽儿"。博尔术觉得自己不应脱离护卫铁木真的岗位而去接受别人的礼物，因此向铁木真请罪。③ 1203年败亡克烈部、1204年大败乃蛮部太阳罕，博尔术均有战绩。直至1206年建国，"四杰"是铁木真"带在跟前"的军中主将。1206年铁木真建国时，分封65千户，④ 博尔术位居第二，其分地当在阿勒台山（今阿尔泰山）附近，其孙玉昔帖木儿袭职时仍"统按台部众"；又任他为右手万户，管辖西边直至阿勒台山地方。当时，怯薛队伍扩充到万人，博尔术是四怯薛长之一，原由其弟斡格来所管的散班增加到1 000名。成吉思汗称赞了博尔术的元勋大功，特别指出博尔术与木华黎二人"赞助我做好事，劝阻我做不好的事，才使得朕得以登上大位"。"今封你位于众人之上，九次犯罪不罚"⑤。在分封百姓的时候，成吉思汗因其叔答里台曾投降克烈部而想杀掉他，博尔术与木华黎、失吉忽秃忽一起谏言不能自破家室，终于使成吉思汗息怒。在1206年以后，成吉思汗与博尔术"君臣之分益密"。⑥ 察合台分藩西北，成吉思汗令其受教于博尔术，"教以人生经涉险阻，必获善地，所过无轻舍止"。成吉思汗予以充分肯定。⑦ 又从成吉思汗西征，约1221年4月，术赤、察合台与窝阔台攻占玉龙杰赤，三人分了诸城和百姓，未向成吉思汗进献，成吉思汗大怒，经博尔术与失吉

---

① 余大钧译注：《蒙古秘史》，第205节记载此事是在答阑捏木儿格思与塔塔儿相对抗时。
② 余大钧译注：《蒙古秘史》，第125节。
③ 《史集》（汉译本）第1卷第2分册，第155页。
④ 史卫民、晓克、王湘云：《〈元朝秘史〉"九十五千户"考》，《元史及北方民族史集刊》第9期，南京大学历史系元史研究室1985年编辑出版。
⑤ 余大钧译注：《蒙古秘史》，第205、226节。
⑥ 《太师广平贞宪王碑》，《国朝文类》卷23。
⑦ 《太师广平贞宪王碑》，《国朝文类》卷23。

忽秃忽的劝谏，才消气训诫三子。① 成吉思汗最后一次征西夏，驻夏于察速秃山，掳获了同阿沙·敢不一同逃到贺兰山的百姓，降旨恩赐孛斡儿出、木华黎二人，听其尽力取掳获的人和财物。② 《太师广平贞献王碑》与《元史·博尔术传》都记载博尔术死于成吉思汗时期。据前文，博尔术则死于1226 年至 1227 年成吉思汗死之前。《元史·博尔术传》称："博尔术志意沉雄，善战知兵，事太祖于潜邸，……时诸部未宁，博尔术每警夜，帝寝必安枕。寓直于内，语及政要，或至达旦。君臣之契，犹鱼水也。"博尔术死后，子孙世袭万户与怯薛长。太宗丙申年（1236 年），以广平路铭水县17 330 户为博尔术之子孛栾觕的五户丝户。平宋后，博尔术家族分得全州路清湘县 17 919 户为江南户钞户。③ 皇庆年间，博尔术曾孙木剌忽开始封广平王，其后，数人袭封此号。

（宝音德力根　撰稿）

博尔忽

博尔忽（Boroqul，？—1207 年），又作孛罗忽勒，蒙古许慎部人，其族依附于主儿乞氏。约 1197 年，铁木真打败主儿乞氏，依附在主儿乞氏的成吉思汗家族的世袭奴隶孔温窟哇三兄弟及其家人又投到了铁木真门下。孔温窟哇的兄弟者卜格将自己在主儿乞部营盘里拾得的小孩博尔忽送给了诃额仑。诃额仑先后收养了 4 个得自敌方的小孩阔阔出、失吉忽秃忽、古出和博尔忽，让他们做自己的儿子们"白天的眼，夜间的耳。"④ 博尔忽长大后成为铁木真的伴当，初为不苦兀勒（掌膳者）、宝儿赤（司膳），后来当了怯薛，以后又担任怯薛长。铁木真帮助克烈部王罕夺回百姓和财物时，博尔忽已是铁木真派出的与乃蛮部作战的"四杰"之一。1203 年与王罕大战时，窝阔台与博尔忽被敌军隔开，窝阔台颈项中箭，博尔忽将窝阔台救回铁木真的营帐。1204 年，博尔忽与沉白奉命率右翼军攻打逃到色楞格河地区的合

① 余大钧译注：《蒙古秘史》，第 260 节。
② 余大钧译注：《蒙古秘史》，第 266 节。
③ 《元史》卷 95《食货志》三《岁赐》，第 2431 页。
④ 余大钧译注：《蒙古秘史》，第 138 节。

剌温·合卜察勒寨的篾儿乞残部，将躲在寨内的篾儿乞余部全部擒获。①
1206 年，成吉思汗立国分封时，博尔忽千户位列第十五，又是右翼副万户
长。② 成吉思汗还称赞他"与我做伴，听到召唤不曾落后"，封他九次犯罪
不罚。③ 1207 年，万户豁儿赤去已经降附的森林部落豁里秃马惕部强行挑选
30 个女子为妻，引起豁里秃马惕部人的反叛，豁儿赤被抓起来。成吉思汗
命熟悉森林部落情况的斡亦剌部首领忽都合别乞去平叛，忽都合别乞也被秃
马惕的女首领抓起来。于是，博尔忽奉命出征豁里秃马惕部。他进军时带着
二人走在大军前面，夜晚在密林中侦察前进，被敌人捕杀。成吉思汗闻讯后
大怒。想要亲征，因博尔术与木华黎劝阻而止。不久，成吉思汗命朵儿伯征
服了这个部落，将 100 个秃马惕人赏给了博尔忽的家属。博尔忽留下的子
女，成吉思汗给予各种恩赐，倍加关怀。博尔忽的子孙世袭千户，为一怯薛
之长。博尔忽家族的五户丝食邑在保定、淇州、沅州等处。④ 子塔察儿、脱
欢，均有战功。

（宝音德力根　撰稿）

失吉忽秃忽

蒙古国的首任最高断事官　失吉忽秃忽（šigi-qutuqu），又译忽都忽、
胡土虎、忽都虎、忽睹虎，蒙古建国后第一任最高断事官，汉人称为胡丞
相。塔塔儿部人。《蒙古秘史》记载，铁木真与克列部长脱斡邻助金打塔塔
儿部时，破其营帐，抢掠中拾得一小儿，献给母亲诃额仑，收为养子，取名
失吉忽秃忽。据《金史》，此事约发生在 1196 年。但据《史集》记载，失
吉忽秃忽是铁木真在路边拾到的婴儿，交给其妻孛儿帖抚育长大。失吉忽秃
忽死于中统年间，享年 82 岁。⑤ 据此，他应生于 1180—1182 年间，到 1196

---

① 《史集》（汉译本）第 1 卷第 2 分册，第 207 页。

② 《史集》（汉译本）第 1 卷第 2 分册，第 305、306 页。

③ 余大钧译注：《蒙古秘史》，第 214 节。

④ 参见《元史》卷 95《食货志》三《岁赐》，第 2434 页；《国朝文类》卷 23《太师淇阳忠武王
碑》。

⑤ 《史集》（汉译本）第 1 卷第 1 分册，第 174 页。

年已十五六岁，《秘史》关于事件时间的记载显然不确，他可能是在1180年初蒙古部与塔塔儿部另一次战争中被铁木真得到的。① 他自幼生长在铁木真家中，如同子弟，忠诚勤劳，深受铁木真赏识，是铁木真最亲信的伴当。②

成吉思汗建国后，封授诸功臣，失吉忽秃忽唯恐落在孛斡儿出、木华黎之后，乃向成吉思汗表白功劳："若要赐予恩典，我立的功劳难道少吗？我出的力气难道少吗？我自幼在摇车里时，就在您家的高门限里，直到额下长出胡须，始终没有三心二意过。自幼年尿裤裆时，就在您家的金门限里，直到嘴边长出胡须，始终没有出过差错。……如今赐给我什么恩典？"成吉思汗听后说，"你不是朕的六弟吗？朕将依照封赐诸弟的分例，封赐义弟你。又因为你功劳多，赦免你九次犯罪不罚。"失吉忽秃忽说："像我这样的义弟，怎么可以取得［与皇弟］同样多的一份呢？若蒙恩赐，可赐予一些城市百姓，任凭大汗恩赐吧。"③ 成吉思汗乃封失吉忽秃忽为千户那颜，并授为最高断事官，掌管全国刑罚词讼及民户分封等政务。成吉思汗降旨道："当［我］被长生天护佑着，平定了普天下百姓的时候，你给我做耳目，把普天下百姓给母亲、我们、弟弟们、儿子们做份子百姓，将有毡帐的、有板门的［百姓］都分别进行分配，任何人不得违背你的言语。普天下百姓做贼的、说谎的，由失吉忽秃忽惩治，应该处死的处死，应该处罚的处罚。把所有百姓份子的分配和断案的事都写成文造为青册；［凡是］失吉忽秃忽向我商量和议拟而写在青册白纸上的，直到子孙万代不得更改，更改的人要治罪。"④ 遂封他做了最高断事官。他断狱公正，总是反复告诫犯人要讲实话，不要因为恐惧而胡乱招认。他断案的方式，奠定了后来蒙古断事官判决案件的基础。

1211年，失吉忽秃忽从成吉思汗攻金。元太祖十年（1215年），初，率

---

① 余大钧译注：《蒙古秘史》，第135节；参见白寿彝主编：《中国通史》，第8卷《中古时代·元时期》下册《丁编传记》第5章第1节《失吉忽秃忽》。

② 《失吉忽秃忽》一文主要参考了白寿彝主编：《中国通史》，第8卷《中古时代·元时期》下册《丁编传记》第5章第1节《失吉忽秃忽》。

③ 余大钧译注：《蒙古秘史》，第203节。

④ 余大钧译注：《蒙古秘史》，第203节。译文参考亦邻真《成吉思汗与蒙古民族共同体的形成》。

军掠取燕、蓟诸州县，招降金通州守将蒲察七斤。五月，蒙古军攻取金中都，成吉思汗遣失吉忽秃忽与汪古儿、阿儿孩合撒儿一同点视中都帑藏，原中都留守哈答等向这三位蒙古官员行贿，汪古儿、阿儿孩合撒儿受之，独失吉忽秃忽拒不受，对哈答说："城未陷时，寸帛尺缕皆金主之物；今既城陷，悉我君物矣，汝又安得窃我君物为私意乎。"① 遂将哈答及中都府库诸物解送成吉思汗大营，并报告了拒受哈答献物之事，成吉思汗以其知大体，大加赞许。后从西征，1221 年夏，奉命率领 3 万军队去征服哥疾宁、可不里（今阿富汗加兹尼、喀布尔）等地。当时，花剌子模算端札兰丁据哥疾宁，依靠也里（今阿富汗赫拉特）诸侯灭里汗等人的支持，势力复振，进屯八鲁湾川（在喀布尔东北）。失吉忽秃忽率军追袭灭里汗，至八鲁湾川之北。灭里汗与札兰丁会合，组织了六七万军队，与蒙古军激战两日。失吉忽秃忽因为主要是主管成吉思汗家内事务及大蒙古国的刑法等事宜，指挥打仗的经历不多，指挥经验不足，因此在那场战斗中指挥不当，再加上寡不敌众，蒙古军大败，损失惨重，仅与副将率少数幸免者退回大营。成吉思汗对他未加深责。②

1231 年，大汗窝阔台与拖雷分统大军攻金，失吉忽秃忽随从拖雷所统右翼军，假道宋汉中地由南面攻入金境，参加了著名的三峰山战役，奉命率部诱金军入于不利之地，得以聚而歼之。1232 年，窝阔台与拖雷北还，诏失吉忽秃忽与塔思同统蒙古军攻取河南诸州县。

治理汉地的中州断事官 1234 年，蒙古灭金后，失吉忽秃忽被任命为"中州断事官"，"主治汉民"，在燕京设官署，统领中原诸路政刑财赋。蒙金战争中，所取汉地州县多委付归降的旧官或土豪管领，由木华黎国王的"都行省"（军政府）统辖，至此正式设置了统治汉地的最高行政机构，汉人称之为燕京行尚书省。失吉忽秃忽任后的第一件事是编籍户口。蒙金战争以来，汉地人民死亡、流散，或被掳为驱口，原有的户籍制度完全破坏。1230 年，窝阔台汗采纳耶律楚材的建议，开始对汉民实行"以户计出赋调"的征赋制度，为此，蒙古汗廷需要直接掌握各地民户数目。1233 年，窝阔

---

① 余大钧译注：《蒙古秘史》，第 252 节。
② 参见《史集》（汉译本）第 1 卷第 2 分册，第 303—305 页。

台汗"以阿同葛等充宣差勘事官，括中州户，得户七十三万余"①。次年，蒙古灭金，窝阔台发布圣旨："不论达达、回回、契丹、女真、汉人等，如是军前掳到人口，在家住坐做驱口；因而在外住坐，于随处附籍，便系是皇帝民户，应当随处差发。主人见，更不得识认。如是主人识认者，断按答奚罪戾。"② 据此，诸王、将校寄留在各地州郡的其他俘户驱口，将被国家收编为"皇帝民户"。以此为标准，1235 年，窝阔台命中州断事官失吉忽秃忽再次括户，直到次年六月括户才结束，"得续户一百一十余万"。据《元史·兵志》，所谓"得续户一百一十余万"应是太宗时期两次籍户的总和。这次括户从乙未年（1235 年）开始进行，故称乙未户籍。括户中，失吉忽秃忽等主张按蒙古、西域之制"以丁为户"，耶律楚材力谏不可：若果行之，丁逃，则赋无所出，宜按户编籍定赋。几经争议，最终采纳了耶律楚材的以户定赋的意见。③ 蒙古汗廷规定，僧、道可以免除部分差发，失吉忽秃忽奉命对他们进行考试、甄别，凡通经文者即为僧、道户，另行立籍，以区别于民户，不通者则与民一体承当差发。失吉忽秃忽又企图在括户时"印识人臂"，幸被海云谏止。④ 1236 年，失吉忽秃忽奏上所籍汉地民户后，窝阔台命他主持将土地、民户分赐宗亲、功臣。失吉忽秃忽大体按照成吉思汗建国后各人所分得的蒙古民户数比例来"差次"其应得汉民户数，奏报大汗，窝阔台酌情加以增损。据《元史·食货志》"岁赐"条记载统计，此次分拨给诸王、贵戚、勋臣的汉民共 76 万多户（称位下户或投下户），其余民户统属大汗朝廷（称"大数目户"）。

1235 年，失吉忽秃忽到燕京任中州断事官，主要任务就是征收汉地赋税。徐霆《黑鞑事略》记载："见差胡丞相来黥贷，更可畏，下至教学行及乞儿行亦出银作差发。燕京教学行有诗云：'教学行中要纳银，生徒寥落太清贫。……'"1251 年，刘秉忠上忽必烈书中说："天下户过百万，自忽都那颜（即失吉忽秃忽）断事之后，差徭甚大，加以军马调发，使臣烦扰，官

---

① 《元史》卷 2《太宗本纪》，第 32 页。
② 《通制条格》卷 2《户令·户例》，第 7 页。
③ 参见《元史》卷 146《耶律楚材传》，第 3459、3460 页。
④ 《佛祖历代通载》卷 21《海云传》。

吏乞取，民不能当，是以逃窜。"① 可知，失吉忽秃忽担任中州断事官后，对汉地的剥削仍然很重，以致户口逃亡近半。

1235 年，蒙古伐宋，皇子曲出与失吉忽秃忽统领东路军，攻宋荆襄、两淮地区。1241 年，窝阔台命刘敏为中州断事官。同年晚些时候又命花剌子模人牙老瓦赤与刘敏同为中州断事官，但牙老瓦赤不入被罢，可能从这一年起失吉忽秃忽不再担任中州断事官，此后大概因年事已高，其活动即不见记载。

（宝音德力根　撰稿）

赤老温

赤老温（Čilaɣun），又作赤剌温、赤老罕，蒙古逊都思部人，生卒年代不详，号把阿秃儿（勇士），成吉思汗的"四杰"之一。赤老温父亲锁儿罕失剌原是泰赤乌部人脱朵格的属民。铁木真少年时候曾被泰赤乌部捕获，戴上木枷，泰赤乌人将铁木真分派到各家轮流住宿，在锁儿罕失剌家时，赤老温与沉白两兄弟同情铁木真，将木枷解下，让铁木真睡觉。后来，铁木真乘机逃到锁儿罕失剌家，在锁儿罕失剌及其子沉白与赤老温的帮助下逃回了家。后来，锁儿罕失剌为此不能再留在泰赤乌部，便带着家人和部属投奔铁木真。② 从此，赤老温成为铁木真的伴当，两人结为安答（义兄弟）。

赤老温十分英勇。一次，他在战场上落马，却一跃而起，徒步持矛打跑了敌骑，铁木真惊叹说："我还没有见过这样的英雄！"③ 在战场上，赤老温屡建功勋。有些战绩是"四杰"一起获取的，如援助王罕、战败乃蛮等，可参见博尔术传。

1206 年建立蒙古国时，成吉思汗封锁儿罕失剌为千户那颜。成吉思汗感谢锁儿罕失剌一家救命之恩，允准他们在原来篾儿乞人的牧地薛良格河地方自由营牧，世袭居住，可佩带弓箭，可参加宫廷宴会享受宗王般喝盏的礼

---

① 《元史》卷 157《刘秉忠传》，第 3689 页。

② 余大钧译注：《蒙古秘史》，第 146、87 节；《史集》（汉译本）第 1 卷第 1 分册，第 284 页；《圣武亲征录》，《王国维遗书》本，第 12 页。

③ 《史集》（汉译本）第 1 卷第 1 分册，第 284 页。

遇，九次犯罪不罚。封锁儿罕失剌为答剌罕，并特别降旨给赤老温、沉白兄弟，"有想要的缺少的东西，不要通过旁人来说，可以亲自找我说，说你们想说的话，要你们想要的东西。"① 在 1206 年以后，史籍中便不再见赤老温的事迹。而《史集》则记，赤老温之子宿敦那颜"是成吉思汗时代的右翼异密，极为尊贵。在窝阔台合罕在位时，他在拖雷汗和唆儿忽黑塔尼别吉诸子的左右。忽必烈合罕在位时，他的儿子合尤据有其位"②。赤老温可能早逝，故后来功勋名声都不及其他三杰。但其子孙仍据有显贵的地位。宿敦那颜之子，大多随旭烈兀西征，并留居伊利汗国，这可能也是赤老温一族在中国影响较小的原因。

赤老温也是成吉思汗的四大怯薛长之一。成吉思汗命博尔忽、博尔尤、木华黎、赤老温，时号掇里班曲律，犹言四杰也，太祖命其四家世领怯薛之长。元代怯薛每三日一轮，博尔忽领申、酉、戌日，为第一怯薛。博尔忽早绝，成吉思汗命别速部代之；博尔尤领亥、子、丑三日，为第二怯薛；木华黎领寅、卯、辰日，为第三怯薛；赤老温领巳、午、未日，为第四怯薛，赤老温后绝，其后怯薛常以右丞相领之。③

（宝音德力根　撰稿）

哲　别

哲别（jebe，生卒年不详），又作者别、遮别、只别，原名只儿豁阿歹，蒙古别速惕部人。别速惕部曾与泰赤乌等部一起对抗铁木真，哲别当时是泰赤乌部一个首领秃答的部属，是一个勇士。1201 年，铁木真与札木合所率十一部联军会战于阔亦田地方，哲别和部分泰赤乌属民躲起来，铁木真对这些人进行围攻，铁木真认出了哲别，想同他进行厮杀，字斡儿赤（即博尔尤）请求让自己去对付哲别，字斡儿赤骑上成吉思汗的白嘴黄马去与哲别对阵，向哲别射出一箭，未中，哲别反过来射出一箭，将成吉思汗的白嘴黄

---

① 参见余大钧译注：《蒙古秘史》，第 219 节。
② 《史集》（汉译本）第 1 卷第 1 分册，第 285 页。
③ 《元史》卷 99《兵志》二，第 2524 页。

马射伤。在这次战斗中，铁木真拼死获胜，哲别随锁儿罕失剌一起投奔了铁木真。哲别向铁木真承认是自己射伤了他的爱马，并且表示："但若蒙大汗恩赦，我愿在大汗面前，去横断深水，冲碎明石，到指派的地方去冲碎青石，到奉命进攻的地方去冲碎黑石。"铁木真认为他很坦诚，可以交朋友，将他改名为哲别（意为箭镞），要他"为我们作战，称他为者别。可降旨，命他跟随在我身边。"① 1202 年秋天，铁木真征伐塔塔儿诸部时先立誓约说：在作战时不可贪取财物，战斗结束后，所有战利品都共同分配。但与塔塔儿人作战时，族人按弹、火察儿和答力台背约，铁木真派哲别和忽必来二人去将他们掠得的财物、马群全部没收。② 1203 年，当铁木真初建怯薛时，哲别已是一名重要成员。③

1204 年，乃蛮的太阳汗向东进攻铁木真。铁木真遣忽必来与哲别为前锋，溯克鲁伦河而上，到达了撒阿里草原。当时，哲别与忽必来、者勒篾、速不台就以"四猛狗"而闻名，他们让乃蛮的太阳汗心惊肉跳。最后，乃蛮军与铁木真的军队在察乞儿·马兀惕地方进行决战，铁木真大胜，擒杀乃蛮首领太阳罕，其子屈出律（古出鲁克）逃遁。④

1206 年铁木真建立大蒙古国，编组千户时，哲别是千户长之一。成吉思汗特别降旨，"者别、速别额台二人，可各自以其所得到、所收集的百姓，组成千户管领。"⑤

蒙古在漠北的兴起，使漠南的金国也深感不安。蒙古部曾经臣属于金，铁木真每年到净州向金国贡岁币，金章宗末年，金卫王允济曾到净州受贡，铁木真见允济庸懦，乃"不为礼"。及金章宗死，允济继立，铁木真南面唾曰："'我谓中原皇帝是天上人做，此等庸懦亦为之耶？何以拜为！'即乘马北去。金使还言，允济益怒……"。1210 年，金国准备攻击蒙古，筑乌沙

---

① 参见余大钧译注：《蒙古秘史》，第 146、147 节；《史集》（汉译本）第 1 卷第 1 分册，第 317 页。

② 余大钧译注：《蒙古秘史》，第 153 节。

③ 《哲别》一文摘自白寿彝主编：《中国通史》，第 8 卷《中古时代·元时期》下册《丁编传记》第 4 章第 3 节《哲别》。

④ 余大钧译注：《蒙古秘史》，第 193—197 节。

⑤ 参见余大钧译注：《蒙古秘史》，第 223 节。

堡。成吉思汗"命遮别袭杀其众，遂略地而东。"① 元太祖六年（1211年）秋七月，成吉思汗出征金国，取抚州，命遮别攻乌沙堡及乌月营，拔之；过野狐岭，取宣德府，派哲别攻居庸关。哲别佯败，诱敌来追，金军中计，追至宣德府的山嘴时，哲别掉头迎击，击溃金军。接着，成吉思汗率领的大中军来到，冲击金军，将金军的契丹、女真、纥军击败，一直将金军追击到居庸关，哲别占领了居庸关，游骑抵中都。② 十二月，哲别还奉命攻金东京（今辽宁辽阳），哲别知其中坚，又佯退500里，金军以为蒙古军已退，遂不设防。哲别命骑兵各牵一匹从马，一昼夜驰还，突然袭击成功，大掠以还。③ 哲别奉命攻游骑进至金中都（今北京）城外。太祖八年（1213年）七月，蒙古军再克宣德府、德兴府，败金军于怀来。金兵保居庸，哲别再克之，成吉思汗遂兵分三路，大举伐金。

1218年，成吉思汗命哲别为先锋，进击据有西辽国土的乃蛮部的屈出律，当时屈出律在可失哈儿城（今喀什）。针对屈出律强迫伊斯兰教徒改宗的做法，哲别宣布"每个人都可以有自己的信仰，保持自己祖先的宗教规矩"④。于是，他赢得了当地居民的支持，那些住在可失哈儿城里的伊斯兰教徒家中的屈出律的士兵全部被消灭。屈出律从可失哈儿出逃，在巴达哈伤境内的山里迷了路，哲别追赶到撒里桓地方将其抓获、处死。哲别下令将屈出律首级往徇可失哈儿、押儿牵、斡端诸城，诸城皆望风降附。哲别班师时，将掳获的1 000匹白嘴黄马献给成吉思汗，实现了他的一个诺言，因为他当年投奔铁木真，承认射伤白嘴黄马一事时还说过：若蒙大汗恩赦"我将带来很多这样的马。"⑤

1219年，成吉思汗发兵西征时，哲别为先锋，后以速不台为援，再后以脱忽察儿为援。兵指不花剌（今乌兹别克斯坦布哈拉）时，哲别与速不台均遵照成吉思汗命令，行进时先不惊动摩诃末；但脱忽察儿违命掳掠，遂

---

① 《元史》卷1《太祖本纪》，第15页。
② 余大钧译注：《蒙古秘史》，第247节；《元史》卷1《太祖本纪》，第15页。
③ 参见《圣武亲征录》，《王国维遗书》本，第62页；《元史》卷1《太祖本纪》，第15页。
④ 《史集》（汉译本）第1卷第2分册，第253页。
⑤ 参见余大钧译注：《蒙古秘史》，第237节；《史集》（汉译本）第1卷第1分册，第318页，撒里桓地方，即今阿富汗东北端瓦罕走廊东部的达拉兹山谷，见姚大力：《曲出律败亡地点考》，《元史及北方民族史研究集刊》1981年第5期；《元史》卷120《曷思麦里传》，第2969页。

使摩诃末闻风逃逸，其子札兰丁迎战失吉忽秃忽，直逼成吉思汗大营。哲别与速不台、脱忽察儿回攻至札兰丁背后，一直追击札兰丁到申河（今巴基斯坦的印度河）。成吉思汗对哲别与速不台大加赏赐，而切责脱忽察儿，撤掉其军职。①

1220 年春，成吉思汗兵锋指向撒麻耳干，闻知摩诃末南逃，即命哲别、速不台与脱忽察儿率领 3 万精兵穷追。成吉思汗降旨说："朕命你们去追赶花剌子模沙算端，直到将他们追上为止，……你们不擒获他不要回来。""归顺者可予奖励，发给保护文书，为他们指派长官；流露出不屈服和反抗情绪者一律消灭掉！三年内结束战争，通过钦察草原回到我们的老家蒙古。"② 哲别挥军渡过阿姆河的主源必阳札卜河，探听到摩诃末的去向，乃追蹑而进。哲别与速不台先进抵巴里黑（今阿富汗北境的巴尔赫），1220 年 5 月初，紧追到你沙不儿，摩诃末又遁。哲别与速不台将盖有红印的畏兀儿文公文和成吉思汗的诏敕的副本发给你沙不儿的首脑们，然后，两人分兵追寻，哲别经过术维因、祃楼答而、阿模里和阿思塔剌巴忒等城，对抵抗者均加杀戮；速不台经达答木罕、西模娘，两军在剌夷城会合。摩诃末逃到阿模里答讷牙州的郊区，与随行大臣们商议，感到厄运难免，只得遁入宽田吉思海（今里海）的小岛上栖身，不久忧病而死。③

哲别与速不台继续率军抄掠伊剌克阿只迷（或称波斯伊剌克）诸州和阿哲尔拜占（今译阿塞拜疆）、谷儿只（今格鲁吉亚）等国。哈耳、西模娘、剌夷、忽木、撒札思、赞章、可疾云、篯剌合、哈马丹、纳黑彻汪、薛剌兀、阿耳迭比勒拜剌罕、吉阳札等城均遭残破。1222 年春，他们与谷儿只军队遭遇，"哲别带着五千人埋伏在一个隐秘的地方，速不台带着军队冲上去。最初，蒙古人败退，谷儿只人追了上来。哲别遂从埋伏处冲出来，将他们包围在中间，一下子歼灭了三万谷儿只人"④。在大胜谷儿只军后，哲别和速不台取道打耳班（一作铁门关，今俄国杰尔宾特西），过太和岭（今

---

① 余大钧译注：《蒙古秘史》，第 257 节；《史集》（汉译本）第 1 卷第 2 分册，第 303 页。
② 《史集》（汉译本）第 1 卷第 2 分册，第 288 页。
③ 参见《史集》（汉译本）第 1 卷第 2 分册，第 291 页；《世界征服者史》（上册），第 170—173 页。
④ 《史集》（汉译本）第 1 卷第 2 分册，第 288—296、311—315 页。

高加索山），受到北高加索的阿兰人与黑海、里海北边草原的钦察人的联合抵抗，哲别和速不台派人通知钦察人说，我们是同一部落的人，而阿兰人则是我们的异己，我们之间应该缔结互不侵犯的条约；同时，给钦察人送去许多财物。钦察人信以为真，撤了回去，这样，蒙古人战胜了阿兰人。接着，哲别与速不台又击溃松散下来的钦察人，并且将原已送去的财物夺了回来。

钦察残部向斡罗思（即俄罗斯）国逃去乞援。哲别与速不台又与斡罗思、钦察联军作战，在阿里吉河畔马里乌波里附近大战获胜，时为 1223 年 5 月。接着，他们抄掠速答黑城热那亚商人的钱财，而后东向攻打也的里河（今伏尔加河）上的不里阿耳国，折向东南降服乌拉尔地区的康里人，最后经锡尔河北边的草原而与成吉思汗的蒙古大军相会合。

哲别在这次西征班师后不久去世，其卒年未有确切记载。[①] 哲别诸弟之中，蒙格秃·撒兀儿后来在拖雷处供职。哲别有七子，后来都在伊利汗国效力，其幼子斡鲁思曾在阿八哈汗时任四怯薛之长。[②]

（宝音德力根　撰稿）

速不台

漠北名将　速不台（Sübeḥedei，1176—1248 年），又作雪不台、速别台、速别额台等，蒙古兀良哈部人，《元史》有本传。其远祖在斡难河狩猎，遇蒙古部部长敦必乃，因相交结，至铁木真时，已有五世交情。速不台之祖名合赤温，父名哈班。哈班有二子，长为忽鲁浑，次即速不台，都骁勇善骑射。铁木真在班朱尼河时，哈班驱群羊来献，遇盗，被执。忽鲁浑与速不台前来救援，枪挑盗贼，哈班脱险，群羊终于献达铁木真。速不台入质于铁木真，初为百户。在铁木真统一蒙古高原各部的战争中，速不台是闻名漠北草原的猛将"四狗"之一。大蒙古国建立时，速不台被成吉思汗封为千户长。[③]

---

① 《元史》卷 120《曷思麦里传》，第 2970 页。
② 参见《史集》（汉译本）第 1 卷第 1 分册，第 319 页。
③ 《速不台》一文摘编自白寿彝主编：《中国通史》第 8 卷《中古时代·元时期》下册《丁编传记》第 4 章第 2 节《速不台》。

成吉思汗西征的偏将 1204 年冬，铁木真出兵征讨篾儿乞后，篾儿乞的大首领脱黑台及其子弟逃到了乃蛮部太阳汗之弟不亦鲁黑汗处。他们在那里积聚了力量，准备反击。① 1216 年，成吉思汗在土拉河畔的黑林大会诸将，问：谁能往征篾儿乞余部？速不台请行，得到成吉思汗赞许。哲别乃选裨将阿里出率百人为"候骑"（即侦察骑兵），② 以探听虚实，速不台以铁裹车轮继进。速不台让阿里出载"婴儿具以行，去则遗之，使若挈家而逃者。"③ 篾儿乞人果然以为这百余人是逃难的，遂不加戒备。速不台大军进至垂河（今楚河），将篾儿乞部击灭，尽降其众，篾儿乞部除了脱黑台的幼子篾儿干以外全部被歼。篾儿干善射，被带到了尤赤处，尤赤遣使请求成吉思汗赦免篾儿干，但成吉思汗不允，遂杀之。④ 1221 年夏，成吉思汗在花剌子模的撒麻耳干，派军追击花剌子模的摩诃末算端，以哲别领 1 万人为前哨，以速不台领 1 万人为后卫，接着又派弘吉剌氏的脱忽察儿领 1 万人跟在前两军之后。成吉思汗命令这三支部队追赶花剌子模算端，直到追上为止，若遇花剌子模军队，当避免交战，且预计三年内结束战争，由钦察草原回蒙古。哲别、速不台先过必阳札卜河，探听到摩诃末已渡阿姆河到了你沙不儿，乃一路追踪而去。哲别和速不台先到巴里黑城，巴里黑城没有抵抗，哲别、速不台为该城委派一名长官后离去。接着到了咱维城，受到当地人的击鼓谩骂，蒙古军乃攻占该城，将全部居民屠杀。当哲别、速不台军接近你沙不儿时，摩诃末又逃往可疾云堡。哲别、速不台在你沙不儿发布文告，大意是降顺者可获得赦免，反抗者将连同妻儿、亲族被杀。你沙不儿没有抵抗蒙古军。接着，哲别与速不台分道追击摩诃末，哲别沿着通往术维因的道路进发，速不台沿着通往札木和徒思的方向进军。徒思的居民进行抵抗，被大量屠杀。从徒思行至刺答罕野禽丰富的草地和矮树林里时，速不台很喜欢这片草地，便没有侵犯当地居民。进军到哈不伤时，速不台对当地居民没有好

---

① 《史集》（汉译本）第 1 卷第 2 分册，第 207、244 页。
② 《秋涧集》卷 50《兀良氏先庙碑铭》；《全元文》卷 183，第 6 册，第 382 页。
③ 《元史》卷 121《速不台传》，第 2976 页。本目下文凡引文未注出处者，即出自此传。
④ 余大钧译注：《蒙古秘史》，第 199、236 节；《史集》（汉译本）第 1 卷第 2 分册，第 245 页。此役，《圣武亲征录》系于丁丑年，即 1217 年，而王恽：《兀良氏先庙碑铭》与《元史·速不台传》系于己卯年，即 1219 年。

感，便大量屠杀当地居民。接着，速不台军过亦思法因、达答木罕、西模娘、列夷诸地，逼近摩诃末算端所在的巴思剌地方，摩诃末又逃往哈伦，再逃往报达、吉里阳、亦思必答儿、阿模里答讷牙等地，蒙古军步步紧逼，摩诃末算端最后避入宽田吉思海（即里海）的小岛，哲别追到里海，未找到算端，乃尽掳算端的嫔妃与金库，押到在撒麻耳干的成吉思汗处，摩诃末算端不久病死。① 成吉思汗说："速不台枕干血战，为我家宣劳，朕甚嘉尚，赐珠宝一银罂。"② 1223 年，速不台奏准成吉思汗，与哲别一同出征，讨伐钦察。率军绕过里海，辗转至太和岭，凿石开道，出其不意，收钦察、斡罗思之境，掠阿速部而还。速不台上奏成吉思汗，以所收降的篾儿乞、乃蛮、克烈、杭斤、钦察诸部千户，别为一军，成吉思汗从其请。1224 年，速不台入觐成吉思汗，献马万匹。1226 年，成吉思汗征西夏，命速不台渡大碛以往，攻下撒里畏吾、特勤、赤闵等部，以及德顺、镇戎、兰、会、洮、河诸州。第二年，他闻知成吉思汗死讯，遂还师。

灭金主将　早在 1211 至 1215 年间，速不台就是伐金战将。1212 年，蒙古军攻金桓州，城小而坚，不易拔，速不台率先登城，克之。

窝阔台即汗位后，以秃灭干公主妻速不台。速不台从太宗攻潼关失利，受到太宗责问，拖雷为其说情，遂奉命从拖雷经理河南。自 1231 年开始，速不台随拖雷进军，克宝鸡，入大散关，绕道南宋境内的凤州（今陕西凤县东北）、洋州（今陕西洋县）、兴元（今陕西汉中）、金州（今陕西安康）、房州（今湖北房县），然后渡汉水向北，兵锋直指汴京（今河南开封）。拖雷、速不台等军完成了蒙古右翼军的战略迂回后，于壬辰年（1232年）正月，窝阔台率中军在白坡渡过黄河，东克郑州，拖雷、窝阔台两军对汴京形成钳形攻势。驻守潼关的完颜合达统率金主力军南下堵截拖雷，未能得逞，又奉金帝之命转向东北援汴。面对大军，拖雷问计于速不台，速不台说："城居之人不耐劳苦，数挑以劳之，战乃可胜也。"拖雷使用此计，果然使金军疲于奔命，苦不堪言。元太宗四年（1232 年）正月，拖雷军在钧州三峰山歼敌十余万，金军自此一蹶不振，再无力抵御蒙古军，蒙古军队

---

① 参见《史集》（汉译本）第 1 卷第 2 分册，第 283—293 页。
② 《秋涧集》卷 50《兀良氏先庙碑铭》。

很快攻占河南多数地方。三月，窝阔台与拖雷北返，留速不台率军3万，进围汴京。速不台乃统诸道兵围攻汴京。十二月，金哀宗逃离京城。太宗五年（1233年）正月，金哀宗渡黄河北奔，速不台追之，败金军于黄龙冈，斩首万余级。金哀宗又南走归德府。四月，速不台进至青城，金汴京西面元帅崔立宣布投降，速不台接受崔立献送的金太后王氏、后妃单氏及梁王从恪、荆王守纯等宗室及宝器，杀荆王、益王等全部宗室近臣，遣人送金后妃与宝器给窝阔台，尔后于四月二十日进入汴京。速不台曾企图屠城，被耶律楚材谏止。当时，汴京饥馑，饿人相食，速不台下令听任城内居民北渡黄河，以就食存活。六月，金哀宗奔蔡州，塔察儿进围之。太宗六年（1234年）正月，蒙古军与宋军相配合攻破蔡州，金哀宗自缢而死，金朝灭亡。[①]

拔都西征军的先锋　1235年，窝阔台命诸王拔都、贵由、蒙哥等西征，因速不台识兵机，有胆略，选为先锋。蒙古大军主要矛头指向钦察和斡罗思等地。钦察部大臣八赤蛮闻速不台军至，乃逃入宽田吉思海。1236至1237年冬天，蒙古军诸王驻于哈班河谷，派速不台先进军不里阿耳和阿速地区，不久诸王也纷纷出军，他们征服了大不里阿耳城及其附近地区。随后，该地区降而复叛，速不台再次前往镇压。约在1237年年底，蒙古军队出现在靠近不里阿耳的斡罗思边境。拔都等率领的蒙古军队一度为斡罗思部主也烈班所败，围攻秃里思哥城也未能得逞，后遣速不台督战，速不台选哈必赤军怯怜口等50人奔赴战场，"一战获也烈班。进攻秃里思哥城，三日克之，尽取兀鲁思所部而还。"[②] 斡罗思人的梁赞公国、弗拉基米尔公国和基辅公国以及阿兰、钦察、不儿塔、莫尔多瓦诸部都被蒙古军攻占。1241年，蒙古军队越哈咂里山（今喀尔巴阡山?），攻马札尔部（今匈牙利）。速不台为先锋，与诸王拔都、呼里兀、昔班、哈丹五道分进。马札尔部主怯怜兵势甚张，速不台出计，将马札尔军队诱至溮宁河（今匈牙利东部的索约河）。速不台在下流水深，欲结筏潜渡，绕出敌后。诸王在上流水浅，又有桥，乃先乘马、涉河作战，拔都军士争着过桥，反被马札尔部乘势攻打，死掉骑兵30人，大将八哈秃也阵亡。等过了河，诸王们认为马札尔兵力尚众，主张

---

① 速不台攻汴事，参见《元史》卷2《太宗本纪》和卷121《速不台传》。

② 《元史》卷121《速不台传》，第2978页；参见《史集》（汉译本）第2卷，第61—67页。

暂停进攻，再想办法。速不台说："王欲归自归，我不至秃纳河马茶城，不还也。"这样，速不台进军至马茶城，诸王也来了，拔城而还。后来，拔都论及征马札尔之役，乃归功于速不台。1242 年，窝阔台死讯传到西征前线后，速不台返回蒙古。1246 年，他参加贵由汗登基大典后，即回驻秃剌河（今蒙古土拉河）自己的营地，直至 1248 年去世。入元后，其后人卜怜吉带被封为河南王，速不台因此被追封河南王，谥忠定。王恽所撰《兀良氏先庙碑铭》称："公深沉有谋略，善于用兵，勇敢无前，临大事有断。"史载其子有二：一为兀良合台，一为阔阔出，为右翼千户长，承袭父位。

（宝音德力根　撰稿）

兀良合台

平定大理　兀良合台（Uriyangqadai，1201—1272 年），据王恽所撰《兀良氏先庙碑铭》，他是速不台的长子。史称其"初事太祖"，应该也是以质子身份入侍成吉思汗。蒙古贵族之家有一种传统，贵族妇女多不亲自抚养子女，而是将孩子放在奴仆或家臣家中代为掬育。兀良合台作为功臣世家，曾抚养蒙哥，后来即掌管蒙哥王府的宿卫。1233 年，兀良合台领兵从皇子贵由征辽东蒲鲜万奴，灭其女真国。1235 年，从诸王拔都征钦察、兀鲁思（今译俄罗斯）、阿速、孛烈儿（今译波兰）诸部。《元史·兀良合台传》记载，兀良合台"丙午，又从拔都讨孛烈儿乃、捏迷思部"。孛烈儿乃当即孛烈儿，捏迷思系俄语 Немеч 的音译，指德国人。德国史籍记载，在里格尼茨（Liegnitz，今波兰的里格尼卡）战役，下西里西亚公爵亨利希二世统帅的波德联军，被蒙古人打得大败，时在 1241 年，亦即拔都西征后期的史事。丙午年为 1246 年，《元史》记此年代恐有误。但记此史事却是汉文文献中所仅见者，而且是关于德国的最早的汉文记录。[①]

　　1248 年，贵由汗去世后，汗位继承问题长久未决。己酉年（1249 年）

---

　　① 丁建弘：《"视线所窥，永是东方"——中德文化关系》，见周一良主编：《中外文化交流史》，河南人民出版社 1987 年版。本文主要参考了白寿彝主编：《中国通史》第 8 卷《中古时代·元时期》下册《丁编传记》第 4 章第 2 节《速不台传附兀良合台传》。

四月，尤赤系诸王拔都，拖雷系木哥、阿里不哥，东道诸王塔察儿、也速不花等人在阿剌脱忽剌兀之地召开忽里勒台，推选蒙哥为汗，并定于次年在斡难、怯绿连之地召集忽里勒台，蒙哥正式登基为汗。大将兀良合台等也参加了会议，拔都首先建议推戴蒙哥为汗。兀良合台说："蒙哥聪明睿知，人咸知之，拔都之议良是。"定宗皇后海迷失的使者八剌说："昔太宗命以皇孙失烈门为嗣，诸王百官皆与闻之。今失烈门故在，而议欲他属，将置之何地耶？"拖雷庶子木哥说："太宗有命，谁敢违之。然前议立定宗，由皇后脱列忽乃与汝辈为之，是则违太宗之命者，汝等也，今尚谁咎耶？"① 失烈门对蒙哥即位也有异议，兀良合台又说："此议已先定矣，不可复变。"拔都说："兀良合台言是也。"与会诸王最终同意推选蒙哥为汗，并决定于次年，在成吉思汗的斡耳朵斡难、怯绿连之地召集忽里勒台，届时蒙哥正式即位。由于窝阔台系与察合系掌权宗王的反对，蒙哥于 1251 年春才正式继承汗位。②

速不台、兀良合台都曾入质于成吉思汗，是成吉思汗的怯薛。成吉思汗死后，其直属军队及财产都由拖雷继承，而且兀良合台还曾经抚养过蒙哥。速不台从窝阔台攻潼关失利，受到窝阔台责备时，速不台的主子拖雷就出面为速不台说情；而窝阔台又不能处置属于拖雷的家臣速不台，只能将速不台遣返给拖雷，命其从拖雷进军，此后速不台家族就一直为拖雷家族效力。兀良合台在忽里勒台上为蒙哥继位而竭力鼓吹，正反映了蒙古贵族主仆之间的利益与恩义关系。

元宪宗二年（1252 年）秋，蒙哥汗命忽必烈征大理，讨西南夷乌蛮、白蛮、鬼蛮（即赤秃哥国），以兀良合台总督军事。八月，进至临洮（今甘肃临洮县）。九月，进至忒剌（今甘肃迭部县与四川若尔盖县接壤的达拉沟），从忒剌起，大军分三路进发，忽必烈亲率中路军，兀良合台率西路军，诸王抄合、也只烈率东路军。兀良合台从忒剌西南经今四川阿坝草原，自今甘孜南下理塘、稻城，再折向西南。③ 宪宗三年（1253 年）秋，兀良

---

① 《元史》卷 3《宪宗本纪》，第 44 页；《秋涧集》卷 50《兀良氏先庙碑铭》。
② 《元史》卷 121《速不台传附兀良合台传》。本目下文凡引文未注出处者，即出自此传。
③ 《元史》卷 4《世祖本纪》一，第 59 页。

合台大军自旦当岭入云南境，降服摩些部，渡过金沙江，分兵入察罕章（今云南丽江地区），次第攻下白蛮（今云南白族的祖先）寨栅。其中，"半空和寨，依山枕江，下临无地，穴石引水，牢未可破。"① 兀良合台侦察后，绝其汲道，自领精锐薄前围攻，7 天后攻破山寨。接着进师，取大理城北面的取龙首关。十二月十三日，当中路军进围大理城时，西路与东路大军均已赶到。十五日，兀良合台协助忽必烈攻破大理城。接着，蒙古军四出略地。1254 年春，忽必烈班师北返，留大将兀良合台戍守云南，与宣抚使刘时中一起督促段氏安辑大理。同年秋天，兀良合台分兵进取大理附都善阐（又称押赤城，今昆明）。先攻罗部府，其酋长高升召集各部兵力抵抗，兀良合台大破其兵于滇可浪山下，乃进至押赤城，"城际滇池，三面皆水，既险且坚"，炮攻、火攻均未奏效，兀良合台"乃大震鼓钲，进而作，作而止，使不知所为，如是者七日，伺其困乏，夜五鼓，遣其子阿术潜师跃入，乱斫之，遂大溃。"此前，大理国王段兴智逃匿昆泽，至此被擒。大理余众依靠山谷阻击元军，兀良合台分命裨将左右出击，约定 3 日之后，同时向中心合围。及围合，兀良合台与阿术陷阵鏖战，"禽狝草薙，川谷为一空。"② 但进至乾德哥城（今澄江）时，兀良合台患病，遂将军事委付其子阿术。阿术取乾德哥城、不花合因、阿合阿因等城，再下赤秃哥（今云南昭通境）山寨，乘胜破罗罗斯（今西昌地区）诸地。两年间，兀良合台所部平大理五城、八府、四郡以及乌、白等蛮 37 部。1256 年秋，宪宗命兀良合台北上夹击四川宋军，乃道出乌蒙，趋马湖江（今金沙江下游），进军嘉定（今四川乐山）、重庆、合川，与铁哥带儿的蒙古军会师后返回大理。③ 1257 年，兀良合台以大理平定，遣使向蒙哥报捷，蒙哥赐其军银 5 000 两、彩帛 24 000 匹，授兀良合台银印，加大元帅。兀良合台向蒙哥奏议在云南设治，蒙哥准其请。兀良合台在云南建立 19 个万户府，下设千户、百户，确立了蒙古贵族的统治，为后来云南行省的建立奠定了基础。

　　征交趾　元宪宗七年（1257 年）九月，兀良合台遣使招降交趾，未果。

① 《秋涧集》卷 50 《兀良氏先庙碑铭》。
② 《秋涧集》卷 50 《兀良氏先庙碑铭》。
③ 《元史》卷 3 《宪宗本纪》，第 49 页。

十月，进兵交趾，其国主陈日煚，隔江列象骑、步卒抵抗。兀良合台分军为三队济江，彻彻都从下游先渡，自率大军居中，怀都驸马与阿术殿后。兀良合台授彻彻都以方略："汝军既济，勿与之战，彼必来逆我，驸马随断其后，汝伺便夺其船。蛮若溃走，至江无船，必为我擒矣。"兀良合台登岸后，即纵兵与交趾军大战，彻彻都违规，也加入混战，结果交趾国王虽然大败，还是得以驾舟逃走。兀良合台大怒，要军法处置彻彻都，彻彻都惧，自饮毒药死。兀良合台入交趾，陈日煚大惧，请求内附，于是兀良合台还军柙赤城。

攻南宋　宪宗八年（1258年），蒙哥亲自率军伐宋。二月，进入西蜀，同时命塔察儿、张柔攻长江中游，在东面配合；又命兀良合台引兵北上，约定于1259年正月会师潭州（今湖南长沙）。史称兀良合台即率四王①骑兵3 000，蛮、僰万人，攻入南宋广南西道。② 在连破横山寨（今广西田东）、宾州（今广西宾阳）、贵州（今广西贵县）、来宾（今广西来宾）、象州（今广西象州）、柳州（今广西柳州）的一些关隘后，经柳州以北的义宁、灵川、兴安、全州，进入湖南。由于宋军截击，兀良合台折向西北，攻破沅州（今湖南芷江）、辰川（今湖南沅陵），再折东挺进，于十一月中旬渡过湘江，抵达潭州城下。③ 潭州宋军20万迎击兀良合台，并断其归路，兀良合台与四王之兵在后，阿术之兵在前，夹击宋军，宋军败走。这时兀良合台得知忽必烈军已在进攻鄂州（今湖北武昌），遂围住潭州，并派人向忽必烈禀告军情，忽必烈遣军相援。闰十一月，忽必烈决定北返争夺汗位，允许贾似道求和，遣铁迈赤迎兀良合台于岳州（今湖南岳阳），兀良合台自岳州抵鄂州。庚申年（1260年）二月，他率领的军队在浒黄洲渡江北上与忽必烈大军会合。三月，忽必烈在开平召集忽里勒台，登上汗位。兀良合台在四月

---

① 《秋涧集》卷50《兀良氏先庙碑铭》。

② 四王：《元史·速不台传》中记载的随速不台进军的诸王有大纳、玉龙帖木儿、驸马怀都。《元史·宗室世系表》记载，成吉思汗的叔父答里真有子大纳耶耶，"大纳耶耶"应是"大纳爷爷"的音写。若此大纳耶耶即是"大纳爷爷"，则大纳耶耶可能比其堂兄弟成吉思汗要小二三十岁。玉龙帖木儿是宪宗蒙哥的儿子。驸马怀都是弘吉剌部赤古驸马之孙（参见张岱玉：《元代章吉驸马族属考论》，见2005年《中国蒙古学国际学术会议集刊》）。还有一王，不见于记载，难以揣测。

③ 参见《元史》卷121《速不台传》，第2981页；卷4《世祖本纪》一，第62页。

抵达上都，支持忽必烈为汗。至元八年（1271 年），兀良合台卒，享年72
岁。其子阿术，是灭宋的主将。

（宝音德力根　撰稿）

者勒篾

者勒篾就是忽鲁浑　这从兀良哈氏者勒篾家族与成吉思汗家族的仆从关
系可以说明。第一，者勒篾（jelme）是蒙古兀良哈部人。《史集》记载，属
于蒙古部的兀良哈部是捏古思族（Nökös）的分支，住在额尔古涅昆
（Ergunequn）山地中，后来一起熔铁打开通道迁出来。[①]《蒙古秘史》记载，
兀良哈部的一个氏族是不儿罕山（Buqan Qaldun）的"主人"。成吉思汗的
十世祖孛端察儿及其兄弟征服的阿当罕·兀良哈（Adangqan Uriyangqai）部
可能就是这支兀良哈人，他们早于蒙兀部迁到不儿罕山。阿当罕·兀良哈部
成了成吉思汗家的世袭奴隶。[②] 北宋王延德雍熙元年（984 年）出使高昌时
"次历卧梁劾特族地，有都督山，唐回鹘之地。"[③] 此卧梁劾特即兀良哈部，
都督山即于都斤山，今杭爱山之北山。这个时间与《蒙古秘史》记载的兀
良哈人在不儿罕山的活动时间大致相当。到成吉思汗时代，兀良哈人已从平
原迁移到不儿罕山中。

第二，速不台是者勒篾的弟弟。兀良哈人者勒篾，初见《蒙古秘史》
卷2 第97 节；《亲征录》，《元史》之《太祖本纪》作折里麦；《元史》之
《速不台传》，王恽《大元光禄大夫平章政事兀良氏先廟碑銘》和黄溍《江
浙行中书省平章政事赠太傅安庆武襄王神道碑》作折里麻；《元史》之《忙
哥撒儿传》作兀良罕·哲里马；蒙古源流（卷3）作jileme（折里麦）。

铁木真出生时，者勒篾的父亲——兀良合惕部札儿赤兀歹老人送给铁木
真一个貂皮褓裸。铁木真长成青年时，札儿赤兀歹领着者勒篾从不儿罕·合

---

① 《史集》（汉译本）第 1 卷第 1 册，第 255 页。
② 余大钧译注：《蒙古秘史》，第 39、211 节。
③ 《宋史》卷 490《外国传六·高昌国传》，第 14110 页。王国维《古行记四种校录·王延德出使
高昌记》据《挥麈录》补"卧梁劾特"为"卧羊梁劾特"，《王国维遗书》本，上海古籍出版社 1983 年
版，第 13 册第 4 页。

勒敦山来到铁木真家中，让者勒篾为铁木真"备马鞍、开门户"，① 按照当时蒙古的习惯，这句话的意思就是让者勒篾做铁木真家门限内的奴婢，守门的私仆。约在1180年，札木合与铁木真在斡难河畔的豁儿豁纳黑草原驻牧了一年多，札木合部属中有不少是原来铁木真的父亲也速该的属民，铁木真努力将这些部属收归自己。札木合觉察后，两人分裂，铁木真迁牧他处，这些部属跟随铁木真一起迁移。其中有"者勒篾因迭兀察兀儿罕速别额台把阿秃儿兀良合纳察合合察周着者勒篾突儿捏亦连亦列罢"，旁译是"者勒篾的弟察兀儿罕、速别额台自兀良合种处分离着也来了"，② 有研究者称此处"迭兀"是弟弟的单数形态，"故察兀儿罕为者勒篾的弟弟（同父弟或族弟），而速别额台并非者勒篾的弟弟。"③ 这个说法不对，在蒙古语中，如果"迭兀"后面跟人名，不论是几个都只能是单数；如果说有几个弟弟而不写出名字时则"迭兀"要用复数，所以，《蒙古秘史》就是说速别额台是者勒篾的弟弟。速别额台，《元史》写作速别台、速不台。

第三，者勒篾即忽鲁浑。元成宗元贞元年（1295年），平章政事不怜吉歹为其父阿术请谥，翰林学士王恽奉敕撰《大元光禄大夫平章政事兀良氏先庙碑铭》，碑称阿术先世出蒙古兀良哈部，远祖捏里必，"生孛忽都拔都，众目为折里麻，汉语深谋略人也。其三世孙合赤温拔都生二子：曰哈班，曰哈不里。哈班生二子，长忽鲁浑，次曰速不台。""太祖朝，忽鲁浑拔都以善射充百夫长。乃蛮之未服也，战长城南，率先锋摧之，彼即惊遁。"④ 此处的长城是金长城，即金界壕；"折里麻"，即"者勒篾"的异译，是孛忽都的美称。蒙元时代有些重要人物常因大汗赐号或其他原因有称其美称而不称其本名的，例如博尔术之孙玉昔帖木儿，袭万户之职，又任御史大夫，深受忽必烈信任，因此被称为月儿鲁那颜（蒙古语，能官）；女真人刘国杰称刘二霸都。据此，作为成吉思汗猛将四狗之一的者勒篾也可能是他的美称，而非其本名。

至正八年（1348年），前江浙行中书省平章政事觯儿追封安庆王，黄潽

①　余大钧译注：《蒙古秘史》，第97节。
②　额尔登泰、乌云达赉校勘本：《蒙古秘史》，第120节。
③　余大钧译注：《蒙古秘史》，第97节，第142页注释⑧。
④　《秋涧集》卷50《兀良氏先庙碑铭》。

受敕命作《江浙行中书省平章政事赠太傅安庆武襄王（也速䚟儿）神道碑》，记述了也速䚟儿家世，碑文称：也速䚟儿"系出兀里養哈䚟氏，其先曰折里麻，生合赤温，合赤温生哈班，于王为曾大父。有二子，曰忽鲁浑，曰速不䚟。俱以骁勇善射称。忽鲁浑则王之大父也，以合必赤百户事太祖皇帝。""又尝从太祖避乃蛮追兵于长城之南，忽鲁浑射却其渠帅，余众夜自相惊而溃。"也速䚟儿死，"还葬于大都宛平县郎山之原。"① 由于王、黄两碑传主不同，因此侧重点不同。黄碑记述忽鲁浑一系，故对忽鲁浑在"长城之南"的战斗记载较详，由此我们能知此役铁木真失利，被对手追到了长城即金界壕之南，忽鲁浑应在该战中退敌有功。

此战是确定忽鲁浑与者勒篾关系最为重要的战争。1201 年，蒙古高原十一部共推札木合为汗后，札木合组织乃蛮等部落联军来攻打王汗与铁木真，战事发生在阔亦田，札木合联军溃败，铁木真与王汗的联军获胜。《蒙古秘史》第 143、144、145 节记载，阔亦田之战后，乃蛮的不亦黑汗向阿勒台山前兀鲁黑·塔黑退去，王汗顺额儿古涅河而下追击札木合，而成吉思汗则追着泰赤乌人阿兀出·阿秃儿进向斡难河，成吉思汗与泰赤乌在斡难河的彼岸反复厮杀，成吉思汗颈部受伤，流血不止。慌乱中在太阳落山时就地与敌方对峙着扎营住下。当晚者勒篾不停地用嘴吸成吉思汗颈部的淤血，他不敢依靠别人，一直守在成吉思汗身边。半夜成吉思汗口渴，者勒篾机智地从敌营中偷来了一桶奶酪。成吉思汗喝了奶酪和水后，精神好了，知道了者勒篾忠心地照顾自己，对者勒篾降旨，说会记住者勒篾的三次救命之恩。② 阔亦田在今呼伦贝尔盟陈巴尔虎旗海拉尔河北岸支流莫尔根河之北的辉腾山及其辉腾村一带，在金界壕之南。③ 在阔亦田之战后与泰赤乌的战争中，者勒篾对成吉思汗的救护至关重要，因为两次战争是连着发生的，所以汉文碑中的长城之南之战就是秘史中的阔亦田之战，汉文碑中的忽鲁浑就是秘史中的者勒篾。

---

① 黄溍：《江浙行中书省平章政事赠太傅安庆武襄王神道碑》，《全元文》卷 967，第 30 册，第 153 页。

② 余大钧译注：《蒙古秘史》，第 141、142、143、144 节。

③ 参见米文平等：《岭北长城考》，《辽海文物学刊》1990 年第 1 期。

忽鲁浑是者勒篾的旁证材料。王恽在《兀良氏先庙碑铭》中说："太祖朝，忽鲁浑拔都以善骑射充百夫长。"黄溍《也速觯儿碑》也说忽鲁浑"以哈必赤百户事太祖皇帝。""哈必赤"，突厥语 Kapıcı，意为"守门人"。《南齐书·魏虏传》提到，拓跋魏宫廷值守宫门者称为"可薄真"，即 kapaq-cïn。-cı 为表示身份、职业的附加成分，元代音译为"赤"。"可薄真"（kapaq-cïn）意为守门人。据德福《新波斯语中的突厥语与蒙古语成分》，古突厥语 qapučï 意为"门房，门卫"，qapăγ，意为"门"，加后缀 čï，表示身份、职业。[①] 王、黄两碑记载的世系中都有忽鲁浑与速不台，唯独没有提起者勒篾，而据《蒙古秘史》第 120 节，者勒篾的弟弟察兀儿罕、速别额台来与者勒篾相会，投奔成吉思汗。察兀儿罕后来做了合撒儿的伴当，蒙古建国后又被成吉思汗指派给合赤温的儿子按赤台做辅佐大臣[②]，与成吉思汗的关系不密切，因此，者勒篾不会是察兀儿罕，者勒篾应当是忽鲁浑。王恽与黄溍的碑文记载的忽鲁浑的合必赤身份，与《蒙古秘史》记载的者勒篾给成吉思汗备马鞍、开门户的私属奴仆身份相符。《蒙古秘史》第 125 节说，成吉思汗做了蒙古部的汗后，说孛斡儿出、者勒篾两人是最初在成吉思汗身边的，为什么不做所有这些人的首长呢？意即命他们为侍卫长，可能职务就是百户。成吉思汗建国后分封功臣千户，者勒篾是第 9 功臣千户，速不台是第 51 功臣千户，察兀儿罕为第 58 功臣千户，而忽鲁浑的名字不在其中，忽鲁浑的儿子哈丹也不在其中，这与忽鲁浑的功劳不符，能解释得了的只是忽鲁浑是者勒篾。

蒙古人有用具有特殊意义的人名来给自己孩子取名的习惯，成吉思汗取名铁木真，就是因为他降生时，其父也速该刚刚俘虏了塔塔儿人铁木真·兀格。忽鲁浑被称为者勒篾，就是因为忽鲁浑很机智而被冠以其祖先的字忽都的美名"折里麻"。

《蒙古秘史》记载 1203 年克烈部王汗准备偷袭、捉拿铁木真，铁木真得到巴歹与乞失里黑的密报后，抛下辎重，率领一些可以依靠的人们连夜沿

---

① Gerhard Doerfer, *Türkische und Mongolische Elemente im Neupersischen*, Band Ⅲ, Wiesbaden 1967，第 370、371 页：qapučï，意为"Türhüter, Türwache"。

② 参见《蒙古秘史》第 120 节、243 节，《史集》（汉译本）第 1 卷第 2 册，第 183—185 页。

着卯·温都儿山背后撤走。"在卯·温都儿山背后，依靠兀良合惕氏人者勒
篾·豁阿在后面担任后哨，设置了哨望所而行进。第二天，过了中午，太阳
偏西时，到达合剌·合勒只惕·额列惕（沙碛）停下来休息。"① 就在休息
时，铁木真等人看见王汗的追兵扬起的灰尘，因此赶紧上马又走。"者勒
篾·豁阿"，"豁阿（ɣoyo）"，蒙古语漂亮的、美的之义，也是对者勒篾的
美称。《史集》称者勒篾为者勒篾·兀赫，《史集》说"兀赫（aūheh）"是
莽夫、强盗、勇士之义。② "兀赫"，是契丹-蒙古语"üge"，契丹官号"于
越"即 üge，契丹与蒙古有民族渊源。蒙古"卯·温都儿山"，《圣武亲征
录》作莫远都儿山，在哈拉哈河上源努木尔根河附近。"达合剌·合勒只
惕·额列惕"，《圣武亲征录》作合兰只之野，《元史·太祖本纪》作哈阑真
沙陀，其地在努木尔根河以南。金朝北边界壕，即金岭北长城的最东段就在
根河南岸。③ 对于王汗偷袭铁木真的这一仗，《圣武亲征录》的记载大致相
同：铁木真听到把带（即巴歹）的报告后，"止军于阿兰塞，急移辎重于失
连真河上游，遣折里麦为前锋，自莫运都儿山之阴行。"王汗追兵到时已是
落日衔山，铁木真军尚无准备即迎战王汗，后来双方都撤离战场，铁木真也
撤至"斡儿弩兀遣惑哥山岗。"④ "斡儿弩兀遣惑哥山岗"，《蒙古秘史》写
作"斡儿讷兀·因·额勒帖该·合答"，意为哈拉哈河的支流斡儿河河曲之
山。⑤《元史·太祖本纪》对合阑真沙陀之战的记载与《圣武亲征录》更近
接，也是"遣折里麦为前锋，俟王汗至即整兵出战。"⑥ 合阑真沙陀之战是
铁木真遇到的极为险恶的一战，铁木真大败，只剩 2 600 人（一说是 4 600
人）。此役以其对于成吉思汗的重要性、险恶性而被载入史册，也被参战者
及其后裔口耳相传，《史集》称之为"不断地讲述它。"⑦

　　概言之，忽鲁浑就是者勒篾，者勒篾是忽鲁浑的美称，忽鲁浑的本名被

---

① 余大钧译注：《蒙古秘史》，第 170 节。
② 《史集》（汉译本）第 1 卷第 1 分册，第 257 页。
③ 参见米文平等：《岭北长城考》，《辽海文物学刊》1990 年第 1 期。
④ 《圣武亲征录》，《王国维遗书》本，第 36—37 页。
⑤ 参见余大钧译注：《蒙古秘史》，第 175 节注②。
⑥ 《元史》卷 1《太祖本纪》，第 10 页。
⑦ 《史集》（汉译本）第 1 卷第 2 分册，第 171 页。

其美称淹没了；速不台是者勒篾之弟。

者勒篾的主要活动　者勒篾作为成吉思汗家族的世袭奴隶，主要负责铁木真家中内务。拖雷小时候被塔塔儿人挟持时，者台、者勒篾就正在帐房后杀一头秃角黑羊以供食用，者台、者勒篾冲出来救了拖雷。① 三姓篾儿乞人来抓铁木真时，铁木真躲入不儿罕山，篾儿乞人退走时，铁木真担心篾儿乞人是否真是退走，就派别里古台、孛斡儿出、者勒篾三人跟在篾儿乞人后面侦察了三日。② 1201 年，铁木真打败札木合联军，乘胜追击泰赤兀部，颈脉在厮杀中受伤，者勒篾夜里守在铁木真身边，口吮其污血，又冒险从敌方阵营中偷来奶酪，挽救了铁木真的生命。③ 1203 年，王汗袭击铁木真时，者勒篾担任殿后之军，保证铁木真安全撤退。1204 年，铁木真灭乃蛮的战斗中，者勒篾与速不台、哲别、忽必来四猛将参战，驱赶乃蛮的哨兵，震慑了乃蛮的太阳汗。④ 者勒蔑与其弟速不台、虎必来、哲别合称"四猛狗"，屡建战功。成吉思汗建国后，者勒篾受封为第 9 位功臣千户。《史集》记载者勒篾死于成吉思汗时代，⑤ 黄溍的碑文也称，"中原既定，方论功行赏，（忽鲁浑）不及禄而卒。"

者勒篾的子孙。《史集》记载者勒篾死于成吉思汗时代，者勒篾有两个儿子，一个是也孙·不花·塔儿乞，⑥ 即《蒙古秘史》中的也孙帖额，是成吉思汗的箭筒士之长，称大箭筒士。⑦ 也孙帖额在太宗窝阔台时仍为全体箭筒士之长，他忠于窝阔台家族，蒙哥即汗位时，"叶孙脱、按只觯、畅吉、爪难、合答曲怜、阿里出及刚疙疸、阿散、忽都鲁等，务持两端，坐诱诸王为乱，并伏诛。"⑧ 叶孙脱就是也孙帖额。《史集》记载的另一个是也速不花，窝阔台称其为太师，他继承了父位，属于左翼诸军，也速不花无法在国内的史籍中得到佐证。《史集》记载森林兀良哈的一个千夫长兀答赤为右翼

---

① 余大钧译注：《蒙古秘史》，第 214 节。
② 余大钧译注：《蒙古秘史》，第 103 节。
③ 余大钧译注：《蒙古秘史》，第 144 节。
④ 余大钧译注：《蒙古秘史》，第 195 节。
⑤ 参见《史集》（汉译本）第 1 卷第 1 分册，第 259 页。
⑥ 参见《史集》（汉译本）第 1 卷第 1 分册，第 259 页。
⑦ 余大钧译注：《蒙古秘史》，第 214、225、230 节。
⑧ 余大钧译注：《蒙古秘史》，第 278 节；《元史》卷 3《宪宗本纪》，第 45 页。

千户，他的子孙世代看守成吉思汗等元代大汗的陵地不儿罕·合勒敦地方，他们不参加军队。① 成吉思汗与世袭奴隶木华黎、者勒篾既有主仆关系又有兄弟情谊，成吉思汗的陵地只有这两个老奴仆家族才有资格看守，这个兀良哈氏兀答赤可能是者勒篾的儿子。据黄溍《也速䚟儿碑》，者勒篾还有一子哈丹，是大宗正府扎鲁忽赤。哈丹的儿子也速䚟儿官至江浙等处行中书省平章政事；也速䚟儿的儿子呼剌䚟，江浙行省平章政事；也速䚟儿的孙子古纳剌，曾任江浙等处行中书省平章政事、权江南诸道行御史台御史中丞、上都留守兼本路都总府达鲁花赤等职。

（宝音德力根　撰稿）

尤赤台

尤赤台（jürčedei），《元史》译作尤赤台、掘赤䚟、尤儿彻丹；《蒙古秘史》译作主儿扯歹，意为"从女真母亲所生者"。《元史·尤赤台传》云："尤赤台，兀鲁兀台氏。其先剌真八都，以材武雄诸部。生子曰兀鲁兀台，曰忙兀，与扎剌儿、弘吉剌、亦乞列思等五人，当开创之先，协赞大业。厥后太祖即位，命其子孙各因其名为氏，号五投下。朔方既定，举六十五人为千夫长，兀鲁兀台之孙曰尤赤台，其一也。"② 剌真八都，就是《蒙古秘史》中的纳臣·把阿秃儿，是篾年·土敦的七个儿子之一。篾年·土敦就是成吉思汗的直系祖先孛端察儿的嫡孙。③ 因此，元代的忙兀部与兀鲁部是成吉思汗的同宗，成吉思汗称尤赤台为伯父。尤赤台初附札木合，十三翼战后，投附铁木真。④ 尤赤台有胆略，善骑射，勇冠一时，与忙兀部部主畏答儿是成吉思汗的两先锋官。1203 年春，铁木真部在哈阑真沙陀与克烈部决战时，"帝命兀鲁一军先发，其将尤彻台横鞭马鬣不应。"⑤ 面对强敌，尤赤台有犹

---

① 《史集》（汉译本）第 1 卷第 1 分册，第 259 页。
② 《元史》卷 120《尤赤台传》，第 2962 页。
③ 参见余大钧译注：《蒙古秘史》，第 43—46 节。
④ 参见余大钧译注：《蒙古秘史》，第 130 节。《史集》（汉译本）第 1 卷第 1 分册，第 301、302 页。
⑤ 《元史》卷 121《畏答儿传》，第 2987 页。

豫，此事后来成为窝阔台汗分赐给尤赤台家族较少封户的理由。而忙兀部的畏答儿慨然允诺为先锋，冲入敌阵。尤赤台亦随之进，单骑陷阵，冲向只儿斤、秃别干、董合亦惕部，射伤王罕之子鲜昆，降王罕大将豁里·失列门。接着，成吉思汗率兵沿哈拉哈河退出战斗，成吉思汗派尤赤台收降了在捕鱼儿海子的弘吉剌部。在灭王罕的战争中，因畏答儿已死，尤赤台与阿儿孩充当先锋，与王罕之军厮杀了三天三夜，克烈部才投降。① 铁木真灭克烈部时，王罕之弟札合·敢不将自己的两个女儿献给铁木真，长女为亦巴合·别吉，次女莎儿合黑塔泥·别吉（《元史》作唆鲁禾帖尼·别吉），铁木真自取其长女，次女则给拖雷为妻，而札合·敢不因此保全了自己的亲属、百姓。后来，札合·敢不又叛去，尤赤台以计袭之，抓住了札合·敢不，俘虏了他的部众。成吉思汗认为这是尤赤台的第二大功劳，第一大功劳就是在合阑真沙陀之战中勇敢杀敌。因此，成吉思汗建国后封尤赤台为第六千户，统领兀鲁4个千户，世袭罔替；还将自己的妃子、札合·敢不的女儿亦巴合·别吉赐给尤赤台，并将亦巴合·别吉带来的陪嫁人员100人带到兀鲁部。成吉思汗曾对尤赤台说："朕之望汝，如高山前日影也。"②

尤赤台死，子怯台袭职。"怯台，材武过人，自太宗及世祖，历事四朝，以劳封德清郡王，赐金印。"③ 既是郡王，又云赐金印，似不对。郝和尚拔都曾在"郡王迄忒麾下"任事。④

尤赤台家族的封地，初在金代桓州一带。《元史·地理志》记载："上都路，唐为奚、契丹地。金平契丹，置桓州。元初为札剌亦儿部、兀鲁郡王营幕地。宪宗五年（1255年），命世祖居其地，为巨镇。"⑤ 忽必烈南下驻牧于桓州后，札剌亦儿、兀鲁部迁牧辽东。至元十四年（1277年）三月，以"郡王合答为平章政事，行中书省事于北京"。⑥ 至元七年，改北京路为大宁路，兀鲁的分地可能在大宁路一带。至元十四年三月，"丙申，赐德州

---

① 余大钧译注：《蒙古秘史》，第172、173、185、208节。
② 余大钧译注：《蒙古秘史》，第186、208节；《元史》卷120《尤赤台传》，第2962页。
③ 《元史》卷120《尤赤台传》，第2962页。
④ 《元史》卷150《郝和尚拔都传》，第3553页。
⑤ 《元史》卷58《地理志》一，第1349页。
⑥ 《元史》卷9《世祖本纪》六，第190页。

户二万为食邑。至元十八年，增食邑二万一千户，肇庆路、连州、德州洎属邑俱隶焉。"① 因此，尤赤台家族的食邑在德州等地，其郡王爵前加德清即与食邑地名有关。

（宝音德力根　撰稿）

畏答儿

畏答儿（Quyildar），忙兀部人。忙兀部与兀鲁部同祖先，都是刺真八都之后（详见前文尤赤台小传），畏答儿是纳臣的六世孙。畏答儿与其兄畏翼起先都在铁木真处，当时主儿勤氏强大，畏翼乃率其部属投附其首领泰出，畏答儿追上畏翼，劝其返回铁木真处，不果，畏答儿乃还事铁木真。铁木真说："汝兄既去，汝独留此何为？""畏答儿无以自明，取矢折而誓曰：'所不终事主者，有如此矢。'"铁木真察其诚，乃与之结为按达，"按达者，定交不易之谓也。"畏答儿是成吉思汗的先锋官，为人忠勇。在哈阑真沙陀与克烈部决战时，成吉思汗兵少不敌，"帝命兀鲁一军先发，其将尤彻台横鞭马鬣不应。"畏答儿慨然说："我犹凿也，诸君斧也，凿匪斧不入，我请先入，诸军继之，万一不还，有三黄头儿在，唯上念之。"率先冲入敌阵，力战至晡时乃还，"脑中流矢"。② 是役，铁木真战败，率军沿哈拉哈河退走，缺粮，以围猎备食，畏答儿不顾创伤，冲向兽群，创伤复发而死，铁木真命人将他安葬在哈拉哈河的斡儿讷兀·因·客勒帖该·合答，即哈拉哈的支流斡儿河河曲之山。③ 灭克烈部后，成吉思汗将克烈部与畏答儿对抗的贵族只里吉的部属只儿斤人100户分给畏答儿的妻儿作奴隶，且给予岁赐，世代享受孤儿的抚恤恩典，④ 仍令其子"收完忙兀人民之散亡者。太宗思其功，复以北方万户封其子忙哥为郡王。岁丙申，忽都忽大料汉民，分城邑以封功臣，授忙哥泰安州民万户。帝讶其少，忽都忽对曰：'臣今差次，惟视

① 《元史》卷120《尤赤台传》，第2962页。

② 《元史》卷121《畏答儿传》，第2987页；余大钧译注：《蒙古秘史》，第171节；参见《史集》（汉译本）第1卷第2分册，第170页。

③ 参见余大钧译注：《蒙古秘史》，第175节。

④ "只里吉"，《蒙古秘史》第186节作合答黑·把阿秃儿。

旧数多寡，忙哥旧才八百户。'帝曰：'不然，畏答儿封户虽少，战功则多，其增封为二万户，与十功臣同。为诸侯者，封户皆异其籍。'兀鲁争曰：'忙哥旧兵不及臣之半，今封顾多于臣。'帝曰：'汝忘而先横鞭马鬣时耶？'兀鲁遂不敢言。忙哥卒，孙只里瓦觯、乞答觯，曾孙忽都忽、兀乃忽里、哈赤，俱袭封为郡王。"①

忙兀部的分地起初当与兀鲁部、札剌亦儿部一起在金代桓州一带，后来应是一起迁牧辽阳。畏答儿后裔博罗欢在至元年间曾"与博罗同署枢密院事，拜中书右丞，行省北京。"② 此博罗就是后来出使波斯的孛罗。

忙兀部的食邑，除前述泰安州外，还有平宋后益封给博罗欢的"桂阳、德庆二万一千户。"成宗时又益封"高邮五百户。"③

（宝音德力根　撰稿）

阿塔赤

阿塔赤（Aqtači）之父杭忽思　杭忽思是阿速国国主。成吉思汗西征时，曾遣哲别讨钦察，哲别命曷思麦里招谕曲儿忒、失儿湾沙等城，这些城池都向蒙古投降。"至谷儿只部及阿速部，以兵拒敌，皆战败而降。"④《元史·杭忽思传》称"太宗兵至其境，杭忽思率众来降，赐名拔都儿，赐以金符，命领其土民。寻奉旨选阿速军千人，及其长子阿塔赤扈驾亲征。既还，阿塔赤入直宿卫。杭忽思还国，道遇敌人，战殁，敕其妻外麻思领兵守其国。外麻思躬擐甲胄，平叛乱，后以次子按法普代之。"则杭忽思降蒙古后，签发来的阿速军隶于窝阔台名下，从窝阔台征伐。窝阔台从西征之旅回蒙古时，阿塔赤（《元史·阿答赤传》作阿答赤）以质子身份来到蒙古，随窝阔台征伐的 1 000 阿速军应当也随阿塔赤来到了蒙古，并由阿塔赤指挥。可能是杭忽思出征后，阿速国内发生了反抗蒙古入侵者的起义，杭忽思在回

① 《元史》卷 121《畏答儿传》，第 2987 页；《牧庵集》卷 14《平章政事蒙古公神道碑》。

② 《元史》卷 121《博罗欢传》，第 2992 页。

③ 《元史》卷 121《博罗欢传》，第 2992 页。下文凡引文未注出处者即出自此传。

④ 《元史》卷 120《曷思麦里传》，第 2969 页。

国途中被杀，其妻外麻思奉命领兵平叛守土，后以次子按法普代外麻思。但阿速的叛乱并未被平服。1236 年，太宗窝阔台派拔都、蒙哥、贵由等诸王领兵远征钦察草原、阿速、不里阿耳、斡罗思诸地，冬天，诸王们在哈班河河谷相会，派速不台率领军队前往阿剌地区和不里阿耳境内。接着，宗王们各自分开，单独作战，蒙哥攻钦察余部八赤蛮和阿速人。蒙古兵至阿速境，阿速的一些部落首领进行了抵抗，最后才被征服。①

阿塔赤　1257 年，宪宗亲自率军伐宋，阿塔赤从宪宗到四川钓鱼山，与宋兵战于剑州，有功，宪宗赏以白金。② 宪宗死后，征宋军北还，一部分驻于六盘山。阿塔赤所部站在忽必烈一方，在忽必烈与阿里不哥争位时，阿塔赤从也儿怯征阿里不哥。③ 至宁夏，与阿蓝答儿、浑都海战，率先赴敌，箭中其腹。忽必烈赏以白金，召其入宿卫。中统二年（1261 年），又扈从忽必烈亲征阿里不哥，追至失木里秃之地。三年，李璮叛乱，阿塔赤亦在征伐军之列，身历 20 余战，累功授金符、千户。至元五年（1268 年），奉旨同不答台领兵征南宋，攻破金刚台。六年，从攻安庆府。七年，从下五河口，都有战功。至元十一年，元朝大举伐宋，阿塔赤所在元军攻下沿江诸郡，阿塔赤戍守镇巢，"民不堪命，宋降将洪福以计乘醉而杀之。"忽必烈"悯其死，赐其家白金五百两、钞三千五百贯，并镇巢降民一千五百三十九户，且命其子伯答儿袭千户，佩金符。"④

阿塔赤家族与阿速卫军　因为阿速人慓悍善战，元朝将阿速人编入宿卫，成为禁卫军中一支力量很强的队伍。⑤《元史·兵志》"至元九年，初立阿速拔都达鲁花赤，后招集阿速正军三千余名，复选阿速揭只揭了温怯薛丹军七百人，扈从车驾，掌宿兼营潮河、苏沽两川屯田，并供给军储。"⑥ 至

①　《史集》（汉译本）第 2 卷，第 62、63、238 页。

②　《元史》卷 135《阿答赤传》，第 3280 页。《元史》将阿答赤与阿塔赤误为两人，故在《杭忽思传》中附有阿塔赤传，又在卷 135 立有《阿答赤传》，称阿答赤之父是"昂和思，宪宗时佩虎符为万户。"

③　也儿怯，《元史》卷 132《杭忽思传》，第 3205 页，作也里可。

④　《元史》卷 132《杭忽思传》，第 3206 页。

⑤　参见叶新民：《元代的钦察、康里、阿速、唐兀卫军》，《内蒙古社会科学》1983 年第 6 期。

⑥　《元史》卷 99《兵志》二，第 2527 页。

元二十三年，定名为阿速军。① 阿速军曾在伐南宋进攻镇巢时，伤亡甚众。至元二十三年，元政府以镇巢 700 户百姓隶属阿速军，与以前的阿速军总为 1 万户，分隶前后二卫。至大三年（1310 年）正月，改立右卫阿速亲军都指挥使司。② 从阿塔赤被赐以镇巢民户到再以镇巢民户被充阿速军，以及阿塔赤来元的情况看，元代阿速军是以阿塔赤带来蒙古的 1 000 阿速人为基础逐步发展组建成的，但先后来到蒙古的钦察人可能不止 1 000 人。至大二年，还设立了左阿速卫。元代见于记载的阿速卫指挥人员虽多，但没有出现像钦察人燕帖木儿那样的权臣。一部分阿速卫军作为扈驾卫士，身近大汗；大多数阿速卫军又是守卫大都的队伍，故在元朝的几次政变中，他们都起了相当大的作用。权臣铁失操纵阿速为外援，谋杀英宗于南坡。在天历政变之初，"阿速卫指挥使脱脱木儿帅其军自上都来归，即命守古北口。"③ 但当时多数阿速军还在泰定帝集团控制下，④ 故天历元年（1328 年）九月，文宗刚即位就下诏"征左右两阿速卫军老幼赴京师，不行者斩，籍其家。"⑤ 这是文宗以大汗身份命令作为大汗禁卫军的阿速军来归附，并以其家属作质的措施。多数阿速卫军应是受诏归附了文宗。至顺元年（1330 年）四月，燕帖木儿曾向上奏："天历初，阿速军士为国有劳，请以钞十万锭、米十万石分给其家。"文宗"从之"。六月，"知枢密院事阔彻伯、脱脱木儿，通政使只儿哈郎，翰林学士承旨教化的、伯颜也不干，燕王宫相教化的、斡罗思，中政使尚家奴、秃乌台，右阿速卫指挥使那海察、拜住，以谋变有罪，并弃市，籍其家。"这次涉及很广的政变后，文宗将阿速万户府为宣毅万户府，以亲信伯颜领之。⑥ 到顺帝时，阿速卫主要由右丞相提调。

元代阿速人的主要任务是保卫大都的安全，他们的营地在潮河川（今

---

① 《元史》卷 86《百官志》二，第 2167 页。

② 《元史》卷 99《兵志》二，第 2527 页；《武宗本纪》记载右阿速卫成立的时间是至大三年正月，《百官志》二与《兵志》记其成立在至大二年。

③ 《元史》卷 32《文宗本纪》一，第 706 页。

④ 至治三年十月，泰定帝以旭迈杰兼阿速卫达鲁花赤，泰定元年正月又以彻里哈为左右卫阿速亲军都指挥使控制之下。两都之战开始时，阿速卫军的主力还是站在泰定帝集团一边。参见《元史》卷 29《泰定帝本纪》一，第 640、643 页。

⑤ 《元史》卷 32《文宗本纪》一，第 710 页。

⑥ 《元史》卷 34《文宗本纪》三，第 755、759 页；卷 35《文宗本纪》四，第 785 页。

北京东北密云县一带），兼守古北口。元朝也常抽调一部分阿速卫军戍边或屯田。至大二年八月，"以阿速卫军五百人隶诸王怯里不花，驻和林，给钞万五千锭，人备四马。"① 延祐二年（1315 年）七月，"敕阿（宿）［速］卫户贫乏者，给牛、种、耕具，于连怯烈地屯田。"② 致和元年（1328 年）三月，"三月庚午，阿速卫兵出戍者千人，人给钞四十锭；贫乏者六千一百人，人给米五石。"③ 至顺二年八月，"阿速及斡罗思新戍边者，命辽阳行省给其牛具粮食。"④

阿塔赤子孙　昔里吉叛乱时，伯答儿奉诏领阿速军 1 000 从别急列迷失北征。伯答儿先与弘吉剌部只儿瓦台军战于押里，⑤ 再与药木忽儿军战于土剌河及斡鲁欢（鄂尔浑河）。至元十五年（1278 年）春，进至伯牙之地，与赤怜军大战。五月，驻兵呵剌牙，与外剌台、宽赤哥思等军逆战。叛将塔思不花"树木为栅，积石为城，以拒大军。"⑥ 伯答儿督勇士拔之，右腿中箭，不为所动。别吉里迷失以其功闻奏，被赏白金。二十年，授虎符、定远大将军、后卫亲军都指挥使，兼领阿速军，充阿速拔都达鲁花赤。二十二年，出征别失八里，驻军于亦里浑察罕儿之地，"与秃呵、不早麻军战，有功。""秃呵"，即当时的察合台兀鲁思汗都哇。二十六年，出征海都、都哇至杭海岭，敌军声势甚盛，大军缺乏粮食，"其母乃咬真输己帑及畜牧等给军食。"⑦ 按元朝制度，蒙古军、探马赤军的家属多随军迁徙，与屯驻地点相隔不远，称为奥鲁。可能伯答儿所领的阿速军的奥鲁也同行到了杭海岭，因此伯答儿的母亲得以向元军输送币、畜等物。大德四年（1300 年），伯答儿死。其长子斡罗思，由宿卫升至隆镇卫都指挥使。次子福定，袭职，官怀远大将军，不久即改任右阿速卫达鲁花赤，兼管后卫军。至大四年（1311 年），伯答儿之兄都丹充任右阿速卫都指挥使；福定复兼管后卫，升枢密同

① 《元史》卷 23《武宗本纪》二，第 514 页。
② 《元史》卷 25《仁宗本纪》二，第 570 页。
③ 《元史》卷 30《泰定帝本纪》二，第 685 页。
④ 《元史》卷 35《文宗本纪》四，第 789 页。
⑤ 押里，《元史》卷 135《阿答赤传》，第 3280 页，作牙里伴朵。
⑥ 《元史》卷 132《杭忽思传》，第 3206 页。
⑦ 《元史》卷 132《杭忽思传》，第 3206 页。

金，奉命领阿速军 1 000 守迁民镇，不久又升定远大将军、佥枢密院事、后卫亲军都指挥使，提调右卫阿速达鲁花赤。仁宗初年，进资善大夫、同知枢密院事。后至元间，进知枢密院事。

（宝音德力根　撰稿）

按竺迩

按竺迩　汪古部人。按竺迩的祖先居云中（今内蒙古托克托东北）塞上，外祖父姓尤要甲、名达工，是金朝群牧使。按竺迩小时养在外祖父尤要甲家，讹言为赵家，因此以赵为姓，其子孙亦姓赵。元太祖六年（1211 年）十月，蒙古军袭金群牧监，"牧马尽入于我太祖皇帝，达工者，死其官。"[1] 按竺迩时年 14 岁，被掳入成吉思汗第二子察合台帐下。按竺迩善射，曾从察合台打猎，有两只虎突然出现，按竺迩皆射死。成吉思汗西征时，按竺迩从察合台征伐，战于寻思干、阿力麻里，累功至千户长。太祖二十二年（1227 年）春，成吉思汗攻西夏时，亲自领兵渡黄河攻积石州，按竺迩"先登，拔其城"。三月，进围河州，按竺迩斩首级四十；破临洮，攻德顺，又斩首级百余；攻巩昌不下，乃撤至秦州班师。[2]

太宗窝阔台即位，号察合台为皇兄，专事征伐，可承制封拜官员，察合台乃以按竺迩为元帅。1228 年，察合台命按竺迩镇守删丹州。史称按竺迩设置自张掖、酒泉抵玉门关的驿站，通往"西域"。删丹州是察合台的封地，此驿道通往察合台封地阿力麻里。辛卯年（1231 年）七月，窝阔台亲自领兵伐金，拔天成等堡，遂渡黄河，攻凤翔。按竺迩从围凤翔，分兵攻西南隅，城上礌石乱下，选死士先登，拔其城，斩金将刘兴哥。按竺迩分兵攻

---

① 元明善：《雍古公神道碑铭》，《全元文》卷 762，第 24 册，第 390 页；《元史》卷 121《按竺迩传》称："其（指按竺迩）先居云中塞上，父（黑旦）公，为金群牧使。岁辛未，驱所牧马来归太祖，终其官。"此系美化按竺迩祖先，将抵抗蒙古军说成是主动投附。《元史·太祖本纪》载：辛未年冬十月，"袭金群牧监，驱其马而还。"此可证元明善碑文的真实情况。下文引文凡未注出处者即出自《元史·按竺迩传》。
② 《雍古公神道碑铭》云："攻巩昌不下，去至秦州班师。"而《按竺迩传》："攻巩昌，驻兵秦州。"

西和州，宋将强俊领众数万，坚壁清野，以消耗蒙古军兵力。按竺迩采用激将法，率死士至城下大骂、挑战。强俊中计，倾巢出阵，按竺迩佯败，强俊追击，按竺迩以预伏的奇兵入其城，克取西和州；再伏兵于强俊归途中进行要击，转战数十里，斩首级数千，擒强俊，其余部退保仇池，进拔之。又从拔平凉，庆阳、邠、原、宁诸地。泾州复叛，杀守将郭元恕，按竺迩率军平定，有将校请求"门诛"叛乱之人，按竺迩只诛首恶者。师还原州，原州"健者夜忽亡去，弃其挈老。众曰：此必反，非阬之不惧余城。"①按竺迩说："此辈惧吾驱之北徙耳。"派人去告谕逃民说："汝等若走，以军法治罪，父母妻子并诛矣。汝归，保无他。明年草青，具牛酒迎师于此州。"逃民皆返回。有豪民陈苟，藏匿数千人于新砦诸洞，按竺迩偕数骑抵砦，"纵马解弓矢，召苟遥语，折矢与为誓。苟即相呼罗拜，谢更生之恩，皆降。"

当时，拖雷领军攻潼关，战于扇车回，不克。拖雷乃分兵迂回到山南进入金境，以按竺迩为先锋，直奔散关。宋军烧绝栈道，按竺迩又由两当县出鱼关，驻军沔州。当时，宋制置使桂如渊守兴元。拖雷派按竺迩等人出使桂如渊，要求假道宋境，按竺迩对桂如渊说："宋雠金久矣，何不从我兵锋，一洗国耻。今欲假道南郑，由金、洋达唐、邓，会大兵以灭金，岂独为吾之利？亦宋之利也。"且"师压君境，势不徒还。谓君不得不吾假也。"②桂如渊被迫同意借道，乃遣100人给蒙古军当东进向导，并输粮给蒙古军。蒙古军由武休关东进至邓州，正逢可以徒步过汉水，到邓州西部，破小关子，金军大骇，谓蒙古军自天而降。金平章完颜合达、枢密使移剌蒲元帅17都尉，引兵15万，拒蒙古军于邓州。拖雷决定不与金军立即决战，而是先与金军周旋，以拖垮金军。壬辰年（1232年）正月，时机成熟后，蒙古军与金军决战于钧州三峰山，按竺迩奉命先引所部精兵进击，诸军继进，金军大败，"由是金不能国。"③拖雷赏按竺迩玉杯盘、奴仆20人，作为假道之功。癸巳年（1233年），金哀宗逃往蔡州。十二月，蒙古军围攻蔡州，按竺迩亦参与作战。甲午年（1234年）正月，金朝灭亡。金亡后，金将郭斌还据有金、

---

① 元明善：《雍古公神道碑铭》，《全元文》卷762，第24册，第391页。
② 《雍古公神道碑铭》，《全元文》卷762，第24册，第390页。
③ 《雍古公神道碑铭》，《全元文》卷762，第24册，第390页。

兰、定、会四州。按竺迩奉命往攻，围郭斌于会州，郭斌粮尽突围，败于城门。蒙古兵攻入城，与顽强抵抗的宋兵展开了巷战，死伤甚众。郭斌将妻儿驱入一室烧死，自己也投火自焚。一女奴从火中抱一小儿跑出，哭授别人说："将军尽忠若此，忍使绝嗣？此将军儿也，幸哀而收之。"① 按竺迩动了恻隐之心，下令保护这个孤儿。金、兰、定、会四州遂定。

甲午年（1234 年）七月，窝阔台遣达海绀卜征蜀。次年春，再遣皇子阔端征秦、巩。按竺迩随阔端攻秦、蜀。金将汪世显守巩州，阔端围巩州，攻而不克。乃遣按竺迩等人去招降，汪世显率众来降。察合台赐按竺迩"白金"5 000 两，赐名拔都，选帐下材官 10 人佐助按竺迩。② 察合台以按竺迩功劳上奏窝阔台后，被授为征行大元帅。

1236 年，蒙古军大举伐蜀，阔端出大散关，分兵令宗王穆直等出阴平郡，相约在成都会合。按竺迩领炮手兵为先锋，随宗王穆直行动，破宕昌，降阶州。攻文州时，宋将刘禄死守该城，数月不下，按竺迩谍知城中无井，"作鹅车洞薄垒，夺其汲道以渴之。"③ 按竺迩率先登梯入城，杀守陴数十人，蒙古军相继攻入城中，遂下文州，刘禄自刭死。接着，招徕吐蕃酋长勘拖孟迦等十族，都赐以银符，略定龙州。随即与阔端的大军会合，进克成都。蒙古军还师后，成都复叛。1237 年，按竺迩向穆直进言："陇州县方平，人心犹贰，西汉阳当陇蜀之冲，宋及吐蕃利于入寇，宜得良将以镇之。"穆直遂分蒙古千户五人，隶按竺迩指挥，往镇陇州等地。按竺迩命侯和尚戍守南面沔州的石门，尤鲁戍守西面阶州，"谨斥堠，严巡逻，西南诸州不敢犯之。"1238 年，按竺迩从元帅塔海伐蜀，攻克隆庆。次年，攻重庆。1240 年，图万州，州将将水师数百艘逆流迎战。按竺迩顺流率劲兵，乘巨筏，另以皮筏子浮于巨筏之间，发箭如雨，宋兵败于夔门，按竺迩受上赏。1241 年，蒙古伐西川，按竺迩攻破 20 余城。成都守将田显开北门以迎降，宋制置使陈隆之逃走，按竺迩追获之。攻汉州，守将王夔乘夜色以火牛

---

① 《雍古公神道碑铭》，《全元文》卷 762，第 24 册，第 390 页。
② 察合台在窝阔台时期留镇中亚，基本未参加窝阔台时期的对宋战争，但是按竺迩是其家臣，按照蒙古的惯例，按竺迩所攻占的地方是察合台家族的势力范围。故而察合台要重赏按竺迩。
③ 《雍古公神道碑铭》，《全元文》卷 762，第 24 册，第 390 页。

为前驱，突围出逃。1242 年，按竺迩与蒙古大军会合，一起攻破遂宁、泸、叙等州。次年，破资州。1250 年，按竺迩安辑泾、邠二州，"招集流离，劝农通商，稍见生聚。"① 不久，宋制置使余玠攻兴元，文州降将王德新乘隙在阶州叛乱，执扈、牛二镇将，领部众千余人逃往江油。宪宗命按竺迩还镇阶州，按竺迩还是派将直捣江油，夺回扈、牛二将。1257 年，按竺迩因为年老，将委务交与其子冀。

中统元年（1260 年），忽必烈即位。阿里不哥的亲信阿蓝答儿、浑都海企图占领关陇，忽必烈遣哈丹、哈必赤、阿曷马三位宗王西讨阿蓝答儿、浑都海时，按竺迩奋老骥之勇，引兵从删丹州的耀碑谷出，从诸王阿曷马军，与浑都海等大战，败之，斩首无算，按竺迩与总帅汪良臣获阿蓝答儿、浑都海等人。忽必烈"锡玺书褒美，赐弓矢锦衣"。中统四年三月二十三日，因病卒于"西汉阳私第"，享年 69 岁。延祐元年（1314 年），赠推忠佐运功臣、太保、仪同三司、上柱国，封秦国公，谥武宣。

按竺迩家族除了镇守删丹州外，后来的文州蒙古汉军元帅、文州吐蕃万户府达鲁花赤都由按竺迩家族世袭。

（宝音德力根　撰稿）

刘　敏

成吉思汗的怯薛　刘敏，字有功，宣德北乡青鲁里人。1212 年，成吉思汗攻燕山以西的昌、桓、抚等州，② 刘敏时年 12 岁，随父母避乱于德兴府禅房山。蒙古兵至，合家被掳，收在一将领门下。后来，成吉思汗于行营犒宴诸将，刘敏随之入宴，成吉思汗见其意态自如，乃索刘敏为宿卫，使刘敏学习蒙古语。"不三四年，诸部译语无不闲习，稍得供奉上前。公资禀聪悟，异于常人。进退应对，无不曲中圣意。未几，擢为奉御之列。"③ "奉

---

① 《雍古公神道碑铭》，《全元文》卷 762，第 24 册，第 390 页。
② 《元史》卷 153《刘敏传》云："太祖师次山西……"而《遗山先生文集》卷 28《大丞相刘氏先茔神道碑》，云"师次燕西"。从碑与传的内容看，传所谓"山西"应是指燕山以西，碑与传所记并不相悖。下文凡引文未注出处者即出自此传。
③ 《遗山先生文集》卷 28《大丞相刘氏先茔神道碑》。

御"，即掌天子供奉的近侍，刘敏成为成吉思汗的随身怯薛。成吉思汗赐刘敏名为"玉出干"（蒙古语，幼小的意思）。元好问《大丞相刘氏先茔神道碑》称刘敏"千载之会，实始于此"的话是不错的，刘敏的发迹正是因其成了成吉思汗的怯薛，成了有"大根脚"的奴仆，后来才能出任燕京行尚书省官。成吉思汗西征，刘敏扈从。西征结束返回蒙古后，成吉思汗授刘敏安抚使，出使诸道，可便宜行事；又以西域工匠千余户立工匠局于燕京，由刘敏统领；还兼领燕京路征收税课、漕运、盐场、僧道、司天等事；将山东十路、山西五路工匠所出军兵士，设立两军戍守于燕京，设置二总管府领其事，以刘敏侄子二人为二府之长，以刘敏总其役，赐玉印，佩金虎符。[①] 刘敏又奏准以佐吏宋元为安抚副使，高逢辰为安抚金事，李臻为参谋。蒙古攻下燕京后，初由耶律楚材总管，燕京多契丹人，中有不法之徒半夜"挟弓矢掠民财，官不能禁，敏戮其渠魁，令诸市。"又释放土豪强占为奴仆的百姓，复兴学校，选名士为师，使燕京局势趋于安定。成吉思汗在世时，刘敏已经既掌成吉思汗帐内的事务，又开始兼任外官。其后，太宗即位，改造行宫幄殿，建和林城，造万安宫，设宫闱司局，立驿传等等，都由刘敏主管差发，甚有功劳。

燕京行尚书省的大断事官 窝阔台汗统治中期，大蒙古国除大汗直辖区外，地方上划分为三个最高级的单位——"行尚书省"："合罕把全部汉地授予了撒希卜马合木牙剌瓦赤管理，把从畏兀儿斯坦领地别失八里和哈剌火者，［从］忽炭、合失合儿、阿力麻里、海押立、撒麻耳干和不花剌一直到质浑河岸的地区，授予了牙剌瓦赤的儿子马思忽惕伯；而从呼罗珊到鲁木和迪牙别克儿边境的地区，则授予了异密阔里吉思"[②]。掌管汉地的行尚书省，即燕京行尚书省，燕京行尚书省又称燕京行台。行尚书省的长官就是也可扎鲁忽赤，即大断事官。辛丑年（1241年）春，窝阔台授刘敏为燕京行尚书省大断事官，诏云："卿之所行，有司不得与闻。"十月，牙老瓦赤自西域

---

① 《元史》卷153《刘敏传》称："癸未，授安抚使，便宜行事，兼燕京路征收税课、漕运、僧道、司天等事，给以西域工匠千余户，及山东、山西兵士，立两军戍燕。置二总管府，以敏从子二人佩金符，为二府长，命敏总其役，赐玉印，佩金虎符。"癸未为1223年，成吉思汗尚在西征，刘敏可能亦未回蒙古。《大丞相刘氏先茔神道碑》对这一段史事的记述也很清楚。

② 《史集》（汉译本）第2卷，第111页。

回蒙古，自荐于窝阔台，请求与刘敏同治汉地民众，窝阔台允其请。牙老瓦赤是花剌子模人，在成吉思汗西征时投降蒙古，在窝阔台时是主管西域赋税的断事官。史称"牙鲁瓦赤素刚尚气，耻不得自专，遂俾其属忙哥儿诬敏以流言，敏出手诏示之，乃已"。十一月，窝阔台汗病死。牙老瓦赤受到摄政的脱列哥那皇后的追究，便逃往阔端处。① 牙老瓦赤罢任后，刘敏仍任燕京行省大断事官。1246 年，定宗虽即位，但仍然政出脱列哥那皇后，因此她所宠信的奥都剌合蛮被任命与刘敏同为燕京行省事。据《史集》载，定宗最终处死了奥都剌合蛮。② 1246 年冬，刘敏去和林觐见定宗，或许与处死奥都剌合蛮有关。③ 辛亥年（1251 年）六月，宪宗即位，召刘敏赴行宫，仍命刘敏与牙老瓦赤同管燕京行尚书省事，同时充任燕京行尚书省断事官的还有布智儿、斡鲁不、睹答儿等。④ 在太宗中期迄定宗朝的时间里，燕京行尚书省的"大断事官"或"断事官"的员额数量往往多至数人。⑤ 1254 年，刘敏以年老，向宪宗请求以子世亨代替自己充任燕京行尚书省断事官，得到允许。宪宗赐其子世亨银章，佩金虎符，赐名塔塔儿台。并诏谕世亨"以不从命者黜之"。又赐刘敏另一子世济名散祝台，令其充必阇赤，入宿卫。

1257 年，宪宗伐宋，至"陕右，敏舆疾请见"，进谏说"中原土旷民贫，劳师远伐，恐非计也。"宪宗不纳，刘敏还家，退居于年丰。忽必烈南征大理，过年丰，刘敏入见。不久，刘敏病卒，年五十九。

（宝音德力根　撰稿）

---

① 《元史》卷 153《刘敏传》云："牙鲁瓦赤素刚尚气，耻不得自专，遂俾其属忙哥儿诬敏以流言，敏出手诏示之，乃已。帝闻之，命汉察火儿赤、中书左丞相粘合重山、奉御李简诘问得实，罢牙鲁瓦赤，仍令敏独任。"牙鲁瓦赤至汉地就任在辛丑年十月，有《太宗本纪》可证，十一月窝阔台死后即病死。牙鲁瓦赤罢任似在脱列哥那皇后摄政时期更可信。《史集》将牙鲁赤罢任记载为脱列哥那皇后公报私仇（《史集》第 2 卷，第 210 页）。另参见蔡美彪：《脱列哥那后史事考辨》，《蒙古史研究》第 3辑，内蒙古大学出版社 1989 年版。

② 《史集》（汉译本）第 2 卷，第 219 页。

③ 《遗山先生文集》卷 28《大丞相刘氏先茔神道碑》；另参见蔡美彪：《脱列哥那后史事考辨》，《蒙古史研究》第 3 辑，内蒙古大学出版社 1989 年版。

④ 《元史》卷 3《宪宗本纪》，第 45 页。

⑤ 参见王颋：《大蒙古国的行尚书省和札鲁花赤》。

土土哈

土土哈的祖先 土土哈（Toqtoḥa.）（1237—1297 年），钦察人，祖先本为武平之北折连川按答罕山部族，姓伯牙兀惕氏。① 其地原为奚王牙帐所在地。② 伯牙兀惕氏属迭列列斤蒙古，源出于蒙古乞颜、捏古思两始祖氏族，可能是一支迁出额尔古纳昆山谷后，南下进入奚地的蒙古人。约在辽末金初时离开故土，随耶律大石西迁中亚后，继续西走到高加索北端的押亦水（即今乌拉尔河）和也的里水（今伏尔加河）之间的玉里伯里山地区，降服了当地部落而统治之，自号钦察，但与也的里河下游的钦察人是两支不同的部族。土土哈的五世祖曲年，四世祖唆末纳，曾祖亦纳思，③ 都是钦察部主。1204 年，铁木真击败篾儿乞部，余众西逃。次年，蒙古军追过阿来岭，在也儿的石河流域的不黑都儿麻河（今布克图尔玛河）源头与乃蛮部余众、篾儿乞部余众的联军大战，败之。篾儿乞部余众在忽都率领下向西逃入玉里伯里的亦纳思部境内。④ 铁木真遣使求索忽都等人，被拒绝，乃命速不台征讨，钦察国陷于混乱。1237 年，亦纳思之子忽鲁速蛮前往蒙古朝见窝阔台汗，其时拔都所率西征军中蒙哥之师已至其地，忽鲁速蛮之子班都察举族投降，从军西征。忽必烈南征大理、伐宋，班都察率本部民百人从军，侍从忽必烈左右。因钦察人"俗善刍牧"，会酿"黑马潼"，乃命班都察所领钦察人放牧御马，"岁时撞马潼以进，其色清徹，号黑马乳。"⑤ 在突厥语、蒙古语中称黑为"哈剌"，故班都察部人被称为"哈剌赤"。班都察被赐婚纳哈

---

① 武平之地在辽代称武安，见《辽史》卷 39《地理志》三《中京道》，第 483 页；《契丹国志》，第 209 页，至金大定七年（1167 年）方改名武平。折连川即《元史》中屡次出现的折连怯儿、者连怯耶儿、折连怯呆儿等，为突厥—蒙古语Jegeren Keger-e之音译，意为黄羊原。

② 本文"土土哈"一目主要参考了白寿彝主编：《中国通史》第 8 卷《中古时代·元时期》下册丁编《传记》第 11 章第 3 节《土土哈传》。

③ 《土土哈纪绩碑》，见《元朝名臣事略》卷 3，第 47 页；按《元史》卷 128《土土哈传》记载土土哈五世祖名"曲出"。

④ 参见余大钧译注：《蒙古秘史》，第 198、199 节；《国朝文类》卷 26《句容郡王世绩碑》；《全元文》卷 871，第 27 册，第 229 页。

⑤ 《土土哈纪绩碑》，《元朝名臣事略》卷 3，第 48 页。

郡王之妹纳伦。① 中统年间，班都察随忽必烈北征阿里不哥有功。其子土土哈弱冠随行，亦立战功。②

至元前期征战漠北与组建钦察军　班都察卒，土土哈袭职，备宿卫，长期征战于漠北。至元十四年（1277 年），叛王昔里吉、脱脱木儿等率兵越金山而东，镇守漠北的北平王那木罕部众及成吉思汗的大帐皆被掠走。土土哈率军征讨，同年三月败叛军于纳兰不剌之地。次月，应昌弘吉剌部万户斡罗陈驸马之弟只儿瓦台响应昔里吉，起兵叛乱，脱脱木儿引兵东援，土土哈部抓获脱脱木儿的"候骑数十"，③ 脱脱木儿惧而撤退。只儿瓦台陷于孤立，不久被擒。六月，土土哈谍知叛军驻于土拉河，乃"驰至河上，追奔逐北，三宿而后返。"④ 八月，又败叛王于斡欢河（今鄂尔浑河），夺回祖宗大帐与北平王的部属。⑤ 元军北伐叛军，忽必烈诏命土土哈率钦察骁骑千人随大军北进。至元十五年正月，土土哈追击昔里吉，越过金山，擒叛将扎忽台，又败叛将宽折哥等，土土哈受伤仍力战不止，获敌辎重羊马甚众。

因土土哈及其所领钦察军英勇善战，忽必烈下诏，将钦察民户，或散处于诸王位下成为奴仆的钦察人，都别立版籍，每户给钞 2 000 贯，每年给予一定数量的粟、帛，选择其中的才勇者隶属禁军。至元十九年（1282 年），土土哈因功授昭勇大将军、同知太仆院事。二十年，改同知卫尉院事，兼领群牧司；又授霸州方安县田 400 顷，命钦察种人屯田，并增以亡宋新附军 800 余名。二十一年（1284 年），赐金符，拨河南等路蒙古军弟子 4 600 余人及其他财物和田产隶属土土哈。二十二年（1285 年），升土土哈枢密副使。二十三年三月，正式设立钦察卫军都指挥使司，以土土哈为亲军都指挥使，"卫之官属，听以公之宗族将吏为之"。钦察卫初设行军千户 19 所，屯田 3 所。至英宗至治年间，钦察卫军共有 23 个千户所，分为钦察左右两卫。⑥ 钦察

　　① 《国朝文类》卷 26《句容郡王世绩碑》。

　　② 《土土哈》一文主要参考了白寿彝主编：《中国通史》第 8 卷《中古时·元时期》下册丁编《传记》第 11 章第 3 节《土土哈》。

　　③ 《元史》卷 128《土土哈传》，第 3132 页。下文凡引文未注出处者即出自此传。

　　④ 《土土哈纪绩碑》，《元朝名臣事略》卷 3，第 48 页。

　　⑤ 《土土哈纪绩碑》，《元朝名臣事略》卷 3，第 48 页。

　　⑥ 《土土哈纪绩碑》，《元朝名臣事略》卷 3，第 48 页。参见《元史》卷 14《世祖本纪》十一，第 288 页；卷 86《百官志》二，第 2176 页。

卫军由土土哈家族世袭统领。天历初年，土土哈之孙燕帖木儿以所掌钦察军助元文宗夺取汗位，钦察军士人数大大增加，文宗命从钦察左右两卫中析出龙翊卫。天历二年（1329 年），设立钦察亲军都督府，后升大都督府，正二品秩，管领左右钦察两卫、龙翊侍卫、东路蒙古军元帅府、东路蒙古军万户府、哈剌鲁万户府，以燕帖木儿兼统大都督府。其中，东路蒙古军元帅不花帖木儿是燕帖木儿之叔，哈剌鲁万户府也应是土土哈家族统领。[①] 因此，元朝中后期，钦察军成为元朝的一支重要力量，而这支力量又掌握在土土哈家族手中。这个家族对元末、北元政局产生了重要影响。

讨伐海都与乃颜的主将　至元二十三年（1286 年）夏，海都兵犯金山，土土哈受命与大将朵儿朵怀率兵御敌。其时，东道诸王乃颜等与元朝朝廷的矛盾激化，遂谋叛乱。二十四年（1287 年），乃颜派人到"其属"也不干、胜纳哈儿军中联络。[②] 也不干是成吉思汗庶子阔列坚之子，胜纳哈儿是成吉思汗二弟合赤温后裔，他们当时驻守在漠北。土土哈侦知这一情报，乃奏报朝廷，要求召胜纳哈儿入朝，以夺其兵权。元廷允其奏，召胜纳哈儿入朝，胜纳哈儿欲从东道走。土土哈向北安王那木罕建议，胜纳哈儿分地在东藩，若由其从东道入朝，是纵虎归山。那木罕遂令胜纳哈儿从西道入朝。不久也不干叛变，土土哈唯恐失去战机，不待奏报朝廷乃"即日启行，疾驱七昼夜，渡秃兀剌河，战于字怯岭，大败之，也不干仅以身免。"当时，忽必烈正御驾亲征乃颜，乃遣使命土土哈沿土拉河而下，辑收乃颜余党，途遇叛军也铁哥万骑，败之，获马甚众，并擒叛王哈儿鲁等人。忽必烈命原属东道诸王的钦察、康里部属投降朝廷者，都拨付土土哈，设置哈剌鲁万户府，又将散处安西王等诸王部下的钦察人都拨隶土土哈。同年十月，乃颜余党重起，土土哈扈从皇孙铁穆耳往讨。十一月，兵至海剌尔河，杀叛王兀塔海，收降其属民。二十五年，诸王也只里（合赤温后裔）为叛王火鲁哈孙所攻，遣使告急。土土哈又奉命从皇孙铁穆耳往援。五月，败之于兀鲁灰（今内蒙东乌珠穆沁旗乌拉根河），也只里收复所有部众。还至哈剌温山（今大兴安岭），夜渡贵烈河（今洮儿河上游支流归流河），败叛王

---

① 《元史》卷 86《百官志》二，第 2175 页；卷 138《燕铁木儿传》，第 3331 页。

② 《土土哈纪绩碑》，《元朝名臣事略》卷 3，第 48 页。

哈丹，哈丹脱身逃窜，而辽东诸部悉平，元廷乃置蒙古军东路万户府镇守其地，蒙古军东路万户府也由土土哈家族统领。济南王也只里以妹塔伦妻土土哈。

扑灭乃颜叛乱后，元廷集中精力对付海都，把防线从杭海岭推至金山。至元二十六年（1289年）春，土土哈从晋王甘麻剌征海都。六月，师次杭海岭，海都军已抢先占据有利地形，元军溃，土土哈率钦察军苦战，护卫晋王脱险。海都乘势进逼，北安王那木罕被迫下令放弃和林。次月，元世祖亲征漠北，收复和林，褒奖土土哈。海都等既数战不利，又闻忽必烈亲征，乃退兵。元世祖为奖励土土哈，以建康、庐州、饶州租户1 000封给土土哈，使之成为哈赤户，又以俘获之户1 700户赐土土哈。至元二十八年，土土哈奏报钦察军数已盈万，请战。受命率钦察军至汉塔海向海都等叛军宣耀武力，海都军原准备入寇，闻知土土哈守边，遂引去。次年秋，元军在金山发动攻势，获海都部民3 000余户，还驻和林。奉诏攻取吉利吉思，至元三十年春至谦河，冰行数日，尽收五部之众，屯兵镇守之。同年五月，海都为收失地，引兵至谦河，土土哈败之，擒叛将孛罗察。成宗即位，以土土哈善战，仍诏镇守北边，无需专程赴朝会往返，并予赏赐。元贞二年（1296年），叛王药木忽儿与叛将朵儿朵怀来归，衣食无着，沿停抢劫，边民惊扰，逃匿山谷，土土哈率军至金山玉龙海为备，馈赠资粮，安辑部众，导叛王入朝。成宗亲解御衣赐之。大德元年（1297年），迁同知枢密院事，乃兼钦察亲军都指挥使。同年病卒，有子8人，以第三子床兀儿袭职。

（宝音德力根　撰稿）

刘秉忠

忽必烈藩府谋臣　刘秉忠（1216—1274年），原名侃，僧名子聪，字仲晦，号藏春，至元元年（1264年）还俗时改名刘秉忠。先世瑞州（今辽宁绥中西南）人，仕辽，为当时官宦大族。曾祖仕金为邢州（今河北邢台）节度副使，其祖刘泽遂定居邢州。1220年，木华黎取邢州，立都元帅府，以刘秉忠父刘润为都统。1225年，降蒙后任河北西路副都元帅的武仙复叛，被何实平定，字鲁命何实守邢州，刘润被署为州录事，^① 以刘秉忠入质于帅府，时年 13 岁。17 岁，刘秉忠被辟为邢台节度使府令史。刘秉忠有志向，不甘久困于吏，谓"吾家累世衣冠，乃汩没为刀笔吏乎！丈夫不遇于世，当隐居以求志耳。"^② 1238 年春，弃职，隐居于武安县清化，后迁居滴水涧，学全真道。不久，被天宁寺虚照禅师剃度为徒，师命掌书记。同年秋，因蝗灾乏食，随师就食云中（山西大同）。次年秋，虚照还邢台，而刘秉忠春留居南堂寺，研习天文、阴阳、术数诸书。1242 年，禅宗高僧海云（印简）奉忽必烈之召赴漠北，路过云中，闻刘秉忠博学多才艺，乃携之同行。忽必烈向海云"问佛法大意"，秉忠侍侧，应对称旨，"论天下事如指诸掌"，^③ 显示出博学多能，得到忽必烈的赏识。海云南还，他被留在王府为书记，随时顾问，成为忽必烈最早的汉人谋士。张文谦说他"顾问之际，遂辟用人之路"。^④ 此后，忽必烈"好访问前代帝王事迹"，慕"唐太宗为秦王时，广延四方文学之士，讲论治道，终致太平"，^⑤ 于是屡次遣使到汉地征聘名士，这与刘秉忠的参谋和推荐大有关系。^⑥

1246 年冬，刘秉忠父殁。次年春，忽必烈赠黄金百两，遣使送他回乡葬父。戊申年（1248 年）冬十二月，奉召还王府。刘秉忠南奔父丧时，同时还负有为忽必烈征聘人才和了解中原政治情况的使命。1247 年，经他推荐被忽必烈征聘到王府的就有张文谦、窦默、李德辉等人。《王恂墓志》载："岁己酉（1249 年），太保刘公自邢北上，取道中山，方求一时之俊，召公（王恂）与语，贤其才，欲为大就之。"^⑦ 1250 年夏，他根据回中原两年所了解的情况向忽必烈呈上万言治国策，首先阐明"以马上取天下，不

①　张文谦：《刘秉忠行状》，《藏春诗集》卷 6《附录》载："事定之后，署为本郡录事。"据《元史》卷 150《何实传》：1225 年，降蒙后任河北西路副都元帅的武仙复叛，据邢州，何实率兵攻取之，字鲁命实镇守邢州。"事定"应即指此。参见白寿彝主编《中国通史》，第 8 卷《中古时代·元时期》下册丁编《传记》第 7 章第 1 节《刘秉忠传》。

②　《元史》卷 157《刘秉忠传》，第 3687 页。下文凡引文未注出处者即出自此传。

③　释念常：《佛祖历代通载》卷 21《海云传》。

④　《刘秉忠行状》，《藏春诗集》卷 6《附录》。

⑤　《内翰王文康公》，《元朝名臣事略》卷 12，第 238 页。

⑥　《刘秉忠》一文主要参考了白寿彝主编：《中国通史》第 8 卷《中古时·元时期》下册丁编《传记》第 7 章第 1 节《刘秉忠》。

⑦　《王恂墓志》，《元朝名臣事略》卷 9《太史王文肃公》引文。

可以马上治"的道理，接着揭示了汉地治理问题上存在的大量问题，并提出改革措施。对当时严重的社会问题：户口逃亡、官吏升迁、赋税繁重、刑法不明、高利贷盘剥诸问题都进行了剖析，并提出相应的改革措施。还建议在忽必烈的分地关西、河南地区设官抚治，招民垦辟、设学校、养贤士、开言路、劝农桑、立朝省等等。① 忽必烈对刘秉忠的建议表示"嘉纳焉"。

当时邢州情况特别严重。1236 年，邢州被分封给巴歹、启昔礼两功臣千户为食邑，派往邢州的达鲁花赤监领更迭频繁，又多不懂治理，加上地处驿路，使臣往来频繁，征敛需索，民不堪命，大量逃亡，致使邢州由"万余户"减至"五七百户"。邢州人到忽必烈王府诉苦，他与张文谦为之引见，并推荐真定张耕、洺水刘肃等人可治邢州。当时，受宪宗之命统领漠南汉地的忽必烈，采纳他们的意见，承制以近臣脱兀脱（断事官）、张耕为邢州安抚使，刘肃为商榷使，李简、赵良弼佐之，他们整顿吏治，召集逃亡者，恢复生产，成为忽必烈实行汉法的第一个成功试点。②

1252 年，忽必烈奉命征大理，刘秉忠从征，"决机制胜，多与上（忽必烈）合"；③ 又"每赞以天地之好生，王者之神武不杀，故克城之日，不妄戮一人。"在攻下大理城时，忽必烈因派去招降的使臣被害，欲屠其城，被他与张文谦、姚枢一同谏止。从大理班师北还后，刘秉忠随忽必烈回到金莲川藩府（今滦河上游闪电河地区）。元宪宗六年（1256 年）三月，忽必烈"命僧子聪卜地于桓州东、滦水北城开平府，经营宫室。"④ 经过三年营建，开平城初步建成。1259 年，又从忽必烈攻宋，"潜赞神机，孜孜匪懈"。⑤ 在围攻鄂州时，宋相贾似道"以木栅环城，一夕而办"，忽必烈对侍从诸臣说："吾安得如似道者用之"，刘秉忠与张易遂推荐王文统是才智之士，⑥ 忽必烈即位后即用为中书平章政事。

---

① 《元史》卷 157《刘秉忠传》，第 3689、3690、3691、3692 页。
② 关于邢州之治，并见《元史·刘肃、赵良弼传》。
③ 徒单公履：《刘秉忠墓志铭》，《藏春诗集》卷 6《附录》。
④ 《元史》卷 4《世祖本纪》一，第 60 页。
⑤ 《刘秉忠行状》，《藏春诗集》卷 6《附录》。
⑥ 《廉希宪家传》，《元朝名臣事略》卷 7，第 132 页。

辅助世祖立法定制　1260 年忽必烈即位后，问刘秉忠"以治天下之大经、养民之良法，秉忠采祖宗旧典，参以古制之宜于今者，条列以闻。于是下诏建元纪岁，立中书省、宣抚司。朝廷旧臣、山林遗逸之士，咸见录用，文物粲然一新。"刘秉忠追随忽必烈多年，熟悉蒙古的"祖宗旧典"，于是糅合蒙古制度与中原传统制度，初步制定了元朝的新制。凡立中书省，改元中统，置十道宣抚司，颁布条画，选用官员，他都起了重要作用。忽必烈曾命官府于开平南山胜地为刘秉忠建庵堂为静修之所，刘秉忠命名南山为南屏山。① 中统二年（1261 年）六月，又赐刘秉忠怀孟、邢州田各 50 顷。② 自入忽必烈藩府以来的 20 多年，他一直以僧人身份参与政务，人称"聪书记"。中统五年（改至元元年，1264 年）八月，翰林承旨王鹗上疏，谓刘秉忠久侍藩邸，积有勋劳，宜正其衣冠，崇以显秩。③ 世祖欣然嘉纳，"命僧子聪同议枢密院事。诏子聪复其姓刘氏，易名秉忠，拜太保，参领中书省事。"④ 至元七年（1270 年），忽必烈命礼部侍郎赵秉温主持，聘窦默次女为刘秉忠妻，"赐第奉先坊，且以少府宫籍监户给之。"

自中统二年在燕京设中书分省，燕京实际上就成为第二个都城。中统四年（1263 年），加号开平为上都后，燕京也于中统五年"正名"为中都。但旧城破坏较甚，于是，至元三年世祖命秉忠主持建造新都城，以张柔、段天佑同行工部事，负责建城。刘秉忠选定旧城东北旷地为新城址，按中国传统的都城宫阙制度作了全面规划。次年动工，城垣、宗庙、衙署、坊市相继兴建。九年，按照他的建议，改中都为大都。

至元五年，刘秉忠为避免繁琐事务，辞去参领中书省事，忽必烈诏其仍居太保位。六年，奉旨与许衡等议定官制。又主持制朝仪，在前金故老和许衡、徐世隆（太常卿）指导下，参照唐《开元礼》斟酌损益，定为新制。从至元八年天寿节（世祖生日）开始举行，此后凡即位、元旦、天寿节、诸王及外国使臣朝见、封册、上尊号、祭祀及群臣朝贺等典礼，一律行朝会

---

① 《刘秉忠行状》，《藏春诗集》卷 6《附录》。
② 《元史》卷 4《世祖本纪》一，第 71 页。
③ 《元史》卷 157《刘秉忠传》，第 3693 页。
④ 《元史》卷 5《世祖本纪》二，第 99 页。

仪礼。以前太宗即位时耶律楚材曾初行朝仪，但不完善，未能改变蒙古旧俗，至此始为定制。这是对蒙古朝廷制度的一项重要改革。

至元八年，刘秉忠等奏请建国号。成吉思汗建国以来，一直称"大蒙古国"或"大朝"，至此，将大蒙古国的国号定为大元。

忽必烈巡幸上都，刘秉忠每次都扈驾北行。至元十一年八月，卒于上都南屏山庵堂。十二年，诏追赠太傅、仪同三司，谥文贞。成宗时，赠太师，谥文正。仁宗时，又进封常山王。

学精术数，道冠儒释　秉忠侍从世祖30多年，不管是远征或两都巡幸，他都随行，受到特殊的信任。刘秉忠兼备释、道、儒之学。王磐《神道碑》记载，刘秉忠死后，世祖谓群臣曰："秉忠事朕三十余年，小心慎密，不避险难，事有可否，言无隐情。又其阴阳术数，占事知来，若合符契，惟朕知之，他人莫得与闻也。"[1] 蒙古人崇拜长生天，大事多要占卜辨吉凶。深明治国之术，又精于术数、占卜，两者相辅而行，这正是刘秉忠深受蒙古皇帝信任的重要原因。姚枢赞他"学际天人，道冠儒释"，与世祖的关系是"情好日密，话必夜阑，如鱼得水，如虎在山"。[2] 王磐称誉他说："辅佐圣天子开文明之治，立太平之基，光守成之业者，实惟太傅刘公为称首。"[3] 他在元朝建国立制中的确起了非常重要的作用。他先后推荐的人才很多，尤其受到时人的称颂。刘秉忠诗、乐、书、画俱善，有《藏春集》传世。无子，以弟秉恕子兰璋为继嗣。

（宝音德力根　撰稿）

伯　颜

入侍忽必烈　伯颜（Bayan，1236—1295 年），蒙古八邻部人。其曾祖述律哥图以其兵从成吉思汗讨定诸部，封千户长。"祖阿剌，袭父职，兼断

---

① 王磐：《刘秉忠神道碑》，《藏春诗集》卷6《附录》。《刘秉忠行状》作"其天文卜筮之精，朕未尝求于他人也，此朕之所自知，人皆莫得与闻。"
② 姚枢：《祭文》，《藏春诗集》卷6《附录》。
③ 王磐：《刘秉忠神道碑》，《藏春诗集》卷6《附录》。

事官，平忽禅有功，得食其地。"① 忽禅，即忽毡，今塔吉克斯坦忽毡州首府忽毡市。伯颜父晓古台袭职，从宗王旭烈兀西征，伯颜自幼在西域长成。至元元年（1264 年），伯颜才 30 岁，受旭烈兀委派赴大汗处奏事，他的风度才干深受世祖赏识和器重，被留在元廷为侍臣，"与谋国事"，"建谋发令，才恒出庭臣上"；② 下属上报待决之事，他往往"一语而破其归要，事以决"。③ 忽必烈命以中书右丞相安童女弟、忽必烈察必皇后之姊之女为伯颜妻。至元二年八月，出任中书左丞相。四年六月，改中书右丞。至元七年二月，迁枢密院副使。④ 后迁同知枢密院事，成为元廷决策机构的核心成员。⑤

征宋主帅　至元十一年正月，负责征伐南宋的将领阿里海牙、阿尤觐见忽必烈，主张趁元军已占领军事要地襄阳，而南宋又日见衰弱之时乘胜灭宋。忽必烈乃召集大臣集议平宋方略和人选，老臣史天泽提议，"可命重臣一人如安童、伯颜，都督诸军。"三月，为了征宋，改荆湖、淮西二行枢密院为二行中书省，以伯颜、史天泽并为左丞相，⑥ 率大军自襄阳水陆并进。史天泽行至郢州（治今钟祥）遇疾，回到真定。七月，史天泽向忽必烈奏言：荆湖、淮西各建行省，"势位既不相下，号令必不能一，后当败事"⑦，请专任伯颜掌两省所属征宋事。忽必烈从史天泽谏，下诏复改淮西行省为行枢密院，乃以伯颜领河南等路行中书省，所属并听节制，统一指挥除四川、淮东方面而外的征宋元军。⑧ 伯颜陛辞出征之际，忽必烈以宋初曹彬不嗜杀平江南为范例，戒伯颜勿滥杀以争取南宋人民。九月，伯颜抵襄阳与前方将

---

① 《元史》卷 127《伯颜传》，第 3099 页；《国朝文类》卷 24《丞相淮安忠武王碑》称阿剌"平忽禅有功，得食其地。"中亚的城郭地区是大汗的直辖地，忽毡城亦不例外。《伯颜传》称阿剌"袭父职，兼断事官，平忽禅有功，得食其地"是更谨慎的叙述。下文凡引文未注出处者即出自《伯颜传》。

② 《国朝文类》卷 24《丞相淮安忠武王碑》。

③ 《中庵集》卷 1《伯颜庙碑》。

④ 参见《元史》卷 6《世祖本纪》三，第 108、115 页；卷 7《世祖本纪》四，第 128 页。

⑤ 《伯颜》一文主要参考了白寿彝主编：《中国通史》第 8 卷《中古时·元时期》下册丁编《传记》第 10 章第 1 节《伯颜》。

⑥ 《元史》卷 8《世祖本纪》五，第 154 页。

⑦ 《元史》卷 8《世祖本纪》五，第 156 页。

⑧ 《元史》卷 127《伯颜传》，第 3100 页。按：淮东元军时由博罗欢统率、节度；卷 121《博罗欢传》，第 2989 页。

帅阿术、阿里海牙会合。按照蒙古的作战惯例，元军分三道并进，命"招讨使翟某以兵一万由西路老鸦山趣荆南府，唆都以兵一万由东路枣阳掠司空山"，① 以分散宋军的注意力，策应和配合主力作战。伯颜本人与阿术等统率包括步、骑、炮兵和水师的20万大军沿汉水向汉江中下游的郢州（今钟祥）推进，途遇大雨水潦，行军艰难。伯颜鼓舞士卒说："吾且飞渡大江，而惮此潢潦耶！"乃召一壮士，骑而前导，"麾诸军毕济"。元军抵达距郢州20里的盐山。郢州在汉水之北，以石筑城，南宋军民又在汉水南岸筑一新城万胜堡，以军10万守之，两岸战船千艘，又"铁绳横江，贯大舰数十"，水中密树桩木，阻扼舟师往来。元军派兵袭城，为宋守将张世杰所却。伯颜得悉下游黄家湾堡有小河，经鹞子山入唐港，至江仅数里。但宋人在黄家湾已筑堡设防，驻兵守之。伯颜督军拔黄家湾，挽舟入溪，出唐港，整列而进。② 伯颜为争取战机，遂舍郢州，顺流而下。伯颜、阿术领百十骑兵亲自殿后，郢州守将赵文义、范兴领二千骑兵来追，"伯颜、阿术未及介胄，亟还军迎击之。伯颜手杀文义，擒范兴杀之，其士卒死者五百人，生获数十人。"十月，伯颜督诸将破沙洋堡，生擒守将串楼王。翌日，次新城，宋军3000余人，力战而死，遂拔新城。十一月，降复州。阿术派右丞相阿里海牙来问渡江日期，伯颜不答。明日又来，又不答。阿术只好亲自来，伯颜说："此大事也，主上以付吾二人，可使余人知吾实乎？"乃"潜刻期而去"。当月下旬，军至蔡店，伯颜往观汉口形势，见对方军在沿江一带严密布防，宋将夏贵领战舰万艘分据要害，江北渡口阳逻堡城防坚固，江面上也有宋游击军扼守中流。伯颜会集诸将商议渡江，马福献计，"回舟沦河口，穿湖中，从阳逻堡西沙芜口入大江。"③ 但沙芜口已有宋军精兵驻防。对此形势，伯颜先围攻汉阳，声言由汉口渡江，吸引夏贵移兵来援，尔后，遣阿剌罕率骑兵急速前进，攻占沙芜堡，控制该处江口。与此同时，发大军自江开坝，引船入沦河，"径趋沙芜，遂入大江"。元军以战舰数千艘泊于沦河

①　《国朝文类》卷41《经世大典·征伐·平宋录》。

②　参见《元史》卷8《世祖本纪》五，第157页；卷127《伯颜传》，第3100页。

③　《元史》卷128《阿术传》，第3121页。

口，数十万步骑屯驻于江北。①

阳逻堡大捷和丁家洲之役　当时，诸将要求从沙芜口渡江，夺取南岸的宋军战船。伯颜认为不可贪小功失大事，应一举渡江，收其全功。乃命修战具，进夺江北要隘阳逻堡。守堡宋军"戮力死战"，元军连攻三日不克，伯颜与阿术密商，决定趁阳逻堡鏖战之机，"泛舟直趋上流，为捣虚之计"。伯颜遣阿里海牙督张弘范、忽失海牙、折的迷失等，先以步骑攻阳逻堡，以吸引宋人的注意力；同时使阿术出其不意，率万户晏彻儿、忙古歹、史格、贾文备四翼之军，溯流西上 40 里，对青山矶而泊。当夜，下大雪，能远远望见南岸多有沙洲，阿术指示诸将，"令径趋是洲，载马后随。"史格一军先渡，为宋都统程鹏飞击退。"阿术横身荡决，血战中流，擒其将高邦显等，死者无算，"程鹏飞负伤败走，元军得船千余艘，占领南岸，架起浮桥，元军成列而渡。阿里海牙也遣张荣实、解汝楫等四翼军攻宋淮西制置使夏贵。夏贵引部下军数千逃走，各路元军趁势追击至鄂州东门而还。伯颜得知阿术军成功渡江，大喜，急挥师攻克了阳逻堡，斩王达。② 是役，宋军大溃，数十万众死伤几尽。更重要的是，江防的突破意味着南宋失去了一道天然屏障，沿江为之震动，使其后的数十座城池不战而下。

阳逻堡大捷之后，伯颜与阿术计议，先取鄂州。元军兵临鄂州，纵火烧毁了宋军的数千艘战船，鄂州、汉阳、德阳的南宋守将为元军的声威所吓倒，"知鄂州张晏然、知汉阳军王仪、知德安府来兴国，皆以城降，程鹏飞以其军降。"伯颜安排了新附诸城的军民事务，就地充实了军饷，留右丞阿里海牙将兵 4 万镇守鄂州，自己则与阿术率主力沿长江"水陆东下"。从占领鄂州截至至元十二年（1275 年）二月，元军一帆风顺，兵不血刃地进至长江下游的池州，沿江所过郡黄州、蕲州、江州、南康、安庆等城亦相继迎降。南宋丞相贾似道致书伯颜，请求元军归还已降州郡，南宋向元朝贡岁币。伯颜断然拒绝说："未渡江，议和入贡则可，今沿江诸郡皆内附，欲和，则当来面议也。"贾似道在芜湖一带布防，总督诸路军马 13 万，号称百

---

① 参见《元史》卷 8《世祖本纪》五，第 158、159 页；卷 127《伯颜传》，第 3101、3102、3103 页；卷 129《阿拉罕传》，第 3147 页；《国朝文类》卷 41《经世大典·征伐·平宋录》。

② 《元史》卷 127《伯颜传》，第 3103 页；卷 128《阿术传》，第 3122 页；卷 129《阿拉罕传》，第 3147 页；《国朝文类》卷 41《经世大典·征伐·平宋录》。

万，以步军指挥使孙虎臣为前锋，淮西制置使夏贵以战舰 2 500 艘横亘江中，贾似道自将后军，摆出决战的架势，企图阻止元军继续东进。宋元两军在丁家洲一线（今铜陵附近）遭遇，爆发激战。伯颜"命左右翼万户率骑兵夹江而进"，"两岸树炮击其中坚"，水师则在阿朮带领下顺流直冲敌阵。面对排山倒海的进攻，宋军在气势上已被压倒，主将夏贵先遁，惊呼："彼众我寡，势不支矣。"贾似道亦"急回棹走"。元军在伯颜指挥下，乘胜追杀百五十里，贾似道东走扬州，夏贵走庐州，孙虎臣走泰州，宋军的战船、军资器仗、图籍印符也尽为元军所获。此战再度重创了宋军主力，南宋由此基本上失去了抵抗的能力，其灭亡之时已屈指可数了。

兵下临安　丁家洲之役后，慑于元军声势，江东、淮西的南宋诸郡太平、无为、镇巢、和州、溧阳、镇江、江阴、宁国等地的守官非逃即降。元军除分兵向江西掠地外，主力则由伯颜统率，以董文炳为前锋长驱直下，顺利开进长江下游重镇建康（今南京）。三月，伯颜受诏命以行中书省驻节建康，并对作战部署作了一些调整，以原淮西行枢密院的阿塔海、董文炳驻守镇江，阿朮则分兵北上攻扬州，为下一步行动预作准备。五月，伯颜奉诏北上述职，路过镇江时召集诸将计事。七月，伯颜进中书右丞相，让功于阿朮，朝廷乃命以阿朮为左丞相。八月，"伯颜陛辞南行，奉诏谕宋君臣，相率来附，则赵氏族属可保无虞，宗庙悉许如故。"① 为了扫荡淮东地区宋军，解除其对元军进攻临安的牵制，伯颜取道益都，巡视沂州等处元军，调淮东都元帅孛鲁欢（即博罗欢）、副都元帅阿里伯，以所部兵溯淮而进。九月，伯颜指挥淮东元军拔淮安城南堡，经宝庆、高邮，十月进围扬州，伯颜召诸将"指授方略"，部署孛鲁欢等守湾头城堡。同月，抵镇江，罢淮西行枢密院，以阿塔海、董文炳同署行省事。十一月，伯颜定策分三路进兵，最后会师于临安。以参政阿剌罕等为右军，率步骑自建康出四安，趋独松关，从西面掩击临安，切断宋室逃往内地的道路；以参知政事董文炳等为左军，领舟师自江阴循海趋澉浦、华亭，入杭州湾，堵截宋室从海路逃亡的路线；伯颜及右丞阿塔海由中道，节制诸军，水陆并进，由常州、平江（今苏州）、嘉兴一线直捣临安。中路军出发后先抵常州，伯颜亲自督战攻城，城陷后，元

---

① 《元史》卷 8《世祖本纪》五，第 169 页。

军恨其降复叛而屠城。十二月，伯颜军抵无锡，宋使柳岳等奉宋主及太皇太后书来见伯颜，柳岳以宋度宗去世不久，"自古礼不伐丧"为由，乞求元军退兵，表示愿年年进奉修好。伯颜斥责宋廷拘留元朝使者郝经16年，去年又杀元朝使者廉希贤，"如欲我师不进，将效钱王纳土乎？李主出降乎？尔宋昔得天下于小儿之手，今亦失于小儿之手，盖天道也，不必多言。"及伯颜师抵平江，宋廷再次派尚书夏士林等前来乞和，表示只要元军为宋廷留一条生路，宋帝愿尊元帝为伯父，"世修子侄之礼"。且岁贡银25万两、帛25万匹。伯颜不睬，加紧进攻临安。

至元十三年正月，元军进至临安近郊皋亭山，南宋皇室不得不遣临安知府贾余庆，同宗室赵尹甫、赵吉甫奉传国玉玺及降表至伯颜军前请降。是时，宋室谢太后及幼主尚留在临安宫中，而宰臣陈宜中、张世杰等拥宋主兄弟益王、广王（后封卫王）南下逃亡。伯颜亟谕右军阿剌罕、左军董文炳等据守浙江，另以劲兵5 000人追击益王、广王，不及而还。伯颜对南宋皇室的投降事宜作了妥善安排。为维持临安正常的社会秩序，他将大军驻扎于临安城北的湖州市，严禁军士入城扰民，仅遣原宋降将吕文焕持黄榜抚谕临安内外军民，使之"安堵如故"。他带左右亲随，巡视临安，观察形势，尔后派兵"分屯要害"，保护宋室的宫室、山陵。又命张惠、阿剌罕、董文炳、吕文焕入城籍军民钱谷之数，阅实仓库，收诰命、符印，罢宋官府，改编三衙诸司宋军，同时派遣新附降官分赴湖广、四川招谕未下州郡。二月，宋少帝率文武百官朝北拜递交降表。三月，伯颜正式入临安，籍没宋室的礼祭器、册宝、仪仗、图书；留阿剌罕、董文炳治行省事，继续经略闽、广，自己则押解宋室君臣北上入觐。

出镇岭北，讨伐叛王　平宋后，忽必烈对伯颜更为赏识，曾面谕太子真金，"伯颜才兼将相，忠于所事，故俾从汝，不可以常人遇之。"至元十三年（1276年），随皇子那木罕出镇于阿力麻里的诸王昔里吉劫持北平王那木罕、右丞相安童叛乱。忽必烈命伯颜统兵北征。至元十四年秋，伯颜率所部与叛军遇于斡鲁欢河（今鄂尔浑河），两军隔水相持竟日，伯颜令部下"牧马具食"以迷惑对方，敌军果中计懈怠。伯颜掩其不备，分军为二，迂回包抄，大破敌军。至元十八年，太子真金巡抚北疆，伯颜随行。至元二十二年，诸王海都与都哇联兵东进，伯颜再度受命，取代失职的宗王阿只吉，统帅西北边军。因军粮运输困难，伯颜"令军中采蒇怯叶儿及蓿敦之根贮之，人四斛，草粒称是，盛冬雨雪，人马赖以不饥。"次年，伯颜指挥元军进军别失八里，在洪水山击败叛军，但因"追击浸远"，后援不至而败绩。① 至元二十四年春，东道诸王乃颜将叛，伯颜受命深入其地探察。乃颜设宴款待，欲伺机拘捕伯颜，伯颜机智脱身。归来后，又伴随忽必烈亲征乃颜。至元二十六年，伯颜以中书右丞相兼知枢密院事出镇和林。至元二十九年，宗王明里铁木儿入寇。伯颜奉命进讨，遇敌于阿撒忽秃岭。敌方居高临下，飞矢如雨，众军畏战不前。伯颜率先冲锋陷阵，带动部属大破敌兵。次日，他又乘势追击，歼敌数千，又致书"谕明里铁木儿以祸福，明里铁木儿得书感泣"。不久，海都又来进犯，"伯颜留拒之"。伯颜久戍北土与海都周旋而未能彻底歼灭，于是朝中大臣谮伯颜与海都通好，忽必烈听信谮言，诏以御史大夫玉昔帖木儿代伯颜，谪居伯颜于大同。玉昔帖木儿尚未至军中，适逢海都又来进犯，伯颜决定诱其深入，以便一鼓擒敌，所以一连七天，伯颜"且战且却"。诸将不解其深意，执意还军迎战。伯颜因已被解职，难以约束部众，只得任其改变战法，结果又使海都逃脱。南归前，当时抚军北边的皇孙铁穆耳特意向伯颜征询驭兵之道。伯颜诫之以酒色当慎、恩威并济、冬夏驻营循旧三条建议。

至元三十年（1293 年）冬，忽必烈病重不起，召伯颜自大同还都。次年正月，忽必烈逝世，伯颜遇变不惊，统领百官保持了宫中的安宁。皇孙铁穆耳即位于上都，"时亲王有违言，王（指伯颜）按剑陈祖宗宝训，述所以立成宗之意。辞色俱厉，诸王股栗，趋殿下拜。"② 成宗即位后，升伯颜为太傅。同年十二月，伯颜病故，终年 59 岁。史称"伯颜深略善断，将二十万众伐宋，若将一人，诸帅仰之若神明。"伯颜一生治军严谨，赏罚分明，"诸文武将佐，皆密悉其才用，临事遣授，各尽其当。故能所向无前，动必有成。"

（宝音德力根 撰稿）

---

① 《元史》卷 165《綦公直传》，第 3884 页。
② 《国朝文类》卷 24《丞相淮安忠武王碑》。

阿　朮

随父征战　阿朮（Aču，1227—1281 年）。蒙古兀良合部人，祖速不台、父兀良合台均为一代名将。宪宗年间，阿朮就随父从军，参与了蒙古军平大理的战争，"率精兵作为候骑"，屡建奇功。① 宪宗三年（1253 年）在攻打押赤城（今昆明）时，阿朮"潜师跃入"。至乾德哥城（今澄江），其父兀良合台病，即代父指挥，破乾德哥城；攻不花合因、阿合阿因（在今曲靖境）时，阿朮先登，取其三城；拔赤秃哥山寨（今云南昭通境），乘胜进击鲁鲁厮国（即罗罗斯，今西昌地区）、阿伯国，两国大惧请降。②

宪宗九年（1259 年），兀良合台奉命率兵自西南方攻入宋境，以期北上与忽必烈所率的主力会师于潭州。③ 南宋在邕州附近的横山寨、老苍关一线设防拦截蒙古军。兀良合台命阿朮"潜自间道"，绕至宋军后方，大破宋军防线。此后，兀良合台一军进展顺利，"蹴贵州（今广西贵县），蹂象州，入静江府，连破辰、沅二州，直抵潭州（长沙）城下。"不久，兀良合台撤军北还，阿朮仍充先锋。④ 阿朮随父征战，极大地锤炼和提高了自己的军事谋略和指挥才干。

灭宋副帅　世祖即位后，阿朮以功臣的质子身份充世祖宿卫。中统三年（1262 年），从诸王拜出、帖哥平定李璮之乱，有功。同年九月，由宿卫将调任征南都元帅，驻扎开封。到任以后，阿朮恢复了淮北宿州建置，并以此为基地"经略两淮，攻取战获，军声大振。"⑤

至元四年（1267 年），元廷据宋降将刘整的建议，将攻宋的主要目标转向汉水中游的军事重镇襄阳。宋元襄阳之战长达五六年，阿朮作为元军总指挥主持了对该城进攻的全过程。当年八月，阿朮"观兵襄阳，遂入南郡，取仙人、铁城等栅，俘生口五万。"还军之时，又于牛心岭布疑阵，斩敌万

---

① 《元史》卷 128《阿朮传》，第 3119 页。下引文出此传者不再注明。
② 《元史》卷 121《兀良合台传》，第 2979、2980 页。
③ 《阿朮》一文主要参考了白寿彝主编：《中国通史》，第 8 卷《中古时·元时期》下册丁编《传记》第 10 章第 2 节《阿朮》。
④ 《元史》卷 121《兀良合台传》，第 2981、2982 页。
⑤ 《秋涧集》卷 50《兀良氏先庙碑铭》。

余。后又采纳刘整的建议，筑鹿门山、白河口、新城、楚山、百丈、漫河滩等城堡，甚至筑实心台于汉水中流，上置弩炮，下面设五个石囤，与夹江堡垒相呼应，自此南宋援襄之军不能进来，完成了对襄阳的战略包围。其后几年，元军主要采取了围点打援的战略战术，屡挫来援的宋军。至元六年七月，"大霖雨，汉水溢，"宋将夏贵、范文虎相继率兵来援襄阳，阿术率元军在新堡大破宋军，"杀溺生擒五千余人，获战船百余艘。"至元七年七月，阿术与刘整商议后，奏准忽必烈，教练水军 7 万余人，造战船 5 000 艘。① 这不但加强了元军对汉江的控制，而且为后来南下渡长江灭宋创造了有利条件。当年九月，"宋将范文虎以兵船二千艘来援襄阳，阿术、合答、刘整率兵逆战于灌子滩，杀掠千余人，获船三十艘，文虎引退。"② 这期间阿术还多次组织元军袭击襄阳外围州郡，掠地至复州、德安、荆山等处。③ 至元九年九月，宋裨将张顺、张贵以轮船百艘运装衣甲，自上流入襄阳，阿术攻之，张顺战死，张贵入城后又乘轮船顺流东走，阿术追战至柜门关，擒张贵，其部 2 000 余人尽死。④ 同月，阿术加官同平章政事。至元九年三月，元军已攻破与襄阳夹江而峙的樊城外郛，增筑重围逼之。但樊城仍可通过汉水中的浮桥与对岸的襄阳互通声气，彼此支援。十一月，刘整向丞相伯颜建议："令善水者断木沉索，督战舰趋城下，以回回炮击之，而焚其栅。"阿术用此计，破坏了宋军植入江中保护浮桥的本栅、铁索，火烧浮梁，一举断绝了襄、樊之间的联系，为最后攻克两城铺平了道路。十二月，樊城陷落，屠城。未几，襄阳守将吕文焕举城出降。

至元十年，世祖任命阿术与史天泽等行荆湖等路枢密院事于襄阳。十一年正月，阿术与阿里海牙入觐世祖，奏请灭宋。阿里海牙说："荆襄自古用武之地，汉水上流已为我有，顺流长驱，宋必可平。"议久不决，阿术乃进一步说："臣略地江淮，备见宋兵弱于往昔，今不取之，时不能再。"⑤ 终于

---

① 参见《元史》卷 161《刘整传》；卷 7《世祖本纪》四，第 128 页。
② 《元史》卷 7《世祖本纪》四，第 131 页。
③ 参见《元史》卷 6、7《世祖本纪》三、四；卷 128《阿术、阿里海牙传》；卷 129《唆都、帖木耳不花传》；卷 159《赵璧传》；卷 161《刘整传》。
④ 《元史》卷 7《世祖本纪》四，第 143 页。
⑤ 《元史》卷 8《世祖本纪》五，第 153 页。

使世祖下灭宋决心，毅然增兵 10 万，并晋阿术为平章政事，与丞相伯颜、参政阿里海牙等行中书省于荆湖，组成征宋的指挥中心。九月，元军水陆两路浮汉水而下，首先抵达设防坚固的郢州。阿术从一俘民口中得知前有间道可绕过郢州，便"与丞相伯颜议，决意前进，遂拖舟达（汉）江，舍郢而去"①。十二月，元朝大军至汉口，南宋重兵分据诸隘，元军不得进。元军虽用千户马福之策，将战船迂回沦河口入江，但连攻三日仍未能攻占战略要点阳逻堡。阿术建议伯颜暂停攻城，而由他引"军船之半，循岸西上，对青山矶止泊，自隙捣虚，可以得志"。此议正合伯颜之意。次日雪夜，阿术率四翼精兵驾舟飞渡长江，宋将程鹏飞来拒，大战中流，鹏飞败走。元军登上靠近南岸的沙洲时，又与宋军激战，阿术与手下数十人"攀岸步斗，（敌阵）开而复合者数四"，宋将夏贵引麾下 300 艘战船败走，遂拔阳逻堡，元军随后过江。渡江后，元军策划下一步进军方向。有人主张顺流东下，直取下游的蕲、黄二州，阿术却认为，"若赴下流，退无所据。上取鄂、汉，虽迟旬日，师有所依，可以万全。"伯颜从其议，元军水陆并进，直取鄂州（今武昌）、汉阳，烧宋兵船 3 000 艘，汉阳、鄂州守将大恐，相继投降。元军在渡江后因此得以站稳脚跟，能相机向下游扩大战果。至元十二年正月，慑服于元军的威势，黄、蕲、江三州降。阿术率舟师趋安庆，范文虎投降，继而攻下池州。宋丞相贾似道拥重兵在芜湖，遣使来元军营中请和。适伯颜也接到诏令要他们驻守待命，因而问计于阿术。阿术道："若释似道而不击，恐已降州郡今夏难守。"并慨然表示，"今日惟当进兵，事若有失，罪归于我。"二月，宋元双方数十万水陆大军决战于丁家洲。阿术身先士卒、勇冠三军。"阿术挺身登舟，手自持桅，突入敌阵，诸军继进，宋兵遂大溃"，追杀 150 余里，宋兵溺死无数，元军获宋战船 2 000 余艘，及其军资器仗、图籍符印等。丁家洲大战使南宋元气大伤，但在江北两淮地区宋军尚有一定的实力。尤其是驻扬州的淮东制置使李庭芝所部，更是宋廷赖以支撑危局的主要力量。同年四月，阿术奉命分兵北上围攻扬州，以掩护东进元军主力的侧翼，阻止两淮宋军增援临安。阿术军至真州（今仪征），在珠金砂（老鹳口）歼敌 2 000。"既抵扬州，乃造楼橹战具于瓜洲，漕粟于真州，树

---

① 《秋涧集》卷50《兀良氏先庙碑铭》。

栅以断其粮道。"接着，在扬州之南 15 里的交通要冲扬子桥筑木垒据守，既"断淮东粮道，且为瓜洲藩蔽。"六月，宋扬州都统姜才、副将张林步骑 2 万人，乘夜攻扬子桥木栅。阿术军力战，大败之，"才仅以身免，生擒张林，斩首万八千级。"① 七月，宋将张世杰、孙虎臣出动大批战船进据焦山，直接威胁元军占领的镇江、瓜洲。宋军每十船为一舫，联以铁锁，以示死战。阿术登石公山，观望敌情，决定火攻，同时与镇江行院的阿塔海等联兵合作，共同破敌。阿术首先命水军万户刘琛率一军循江南岸，绕出敌后，尔后以刘国杰、忽刺出、董文炳分左中右三路齐头并进冲击敌阵，并以张弘范为后续部队跟进。战斗开始，元军选强健善射者千人，乘风以火箭分两翼夹射宋军战船的篷帆、樯檣。霎时，烟焰涨天。② "宋兵既碇舟死战，至是欲走不能，前军争赴水死，后军散走。追至圌山，获黄鹄白鹞船七百余艘，自是宋人不复能军矣。"十月，忽必烈下诏拜阿术为中书左丞相，其时元军进取临安，阿术驻兵瓜洲，以绝扬州之援。史称"伯颜所以兵不血刃而平宋者，阿术控制之力为多"。

至元十三年（1276 年）二月，淮西宋将夏贵举诸城降元，唯有坚守扬州、泰州的李庭芝、姜才等誓死不降。阿术为防李、姜逃往海上，多方布控，在扬州西北丁村、湾头堡、新城分别驻兵、贮粟，阿术预计李庭芝见水路被堵，必定从陆路出击，丁村将是李庭芝的突破口，乃令伯颜察儿加强陆路戒备。六月，姜才知道高邮米将运至，果然夜出步骑五千进攻丁村栅，接应高邮米道。拂晓时，伯颜察儿领阿术帐下精兵来援，宋军望见阿术军旗大惧，纷纷逃遁。七月，扬州、泰州守城宋将开门投降，李庭芝、姜才被执就义。至此，"两淮悉平，得府二、州二十二、军四、县六十七。九月辛酉，入见世祖于大明殿，陈宋俘。第功行赏，实封泰兴县二千户"。至元十七年十二月，"左丞相阿术巡历西边，至别十八里，以疾卒"，③ "葬大同宣宁

---

① 参见《元史》卷 8《世祖本纪》五，第 166、167 页；及阿术、张弘范、李瓘、史弼、刘国杰等人传及《宋史》李庭芝、姜才等传。

② 参见《元史》卷 8《世祖本纪》五，第 166、167 页。

③ 《元史》卷 11《世祖本纪》八，第 228 页。但《兀良氏先庙碑铭》记载阿术于至元二十四年死于哈剌火州，《元史·阿术传》主要据《兀良氏先庙碑铭》撰成，所记阿术卒年与庙碑同。从《元史》本纪的记载看，至元十七年以后，不见阿术活动的记载，故本纪所载阿术死于至元十七年，比较可信。

县。"阿尤一生"南征北讨四十年间，大小百五十战，未尝败衄"①，是一位
非常难得的将帅。

（宝音德力根　撰稿）

博罗欢

　　博罗欢（Boloqon），畏答儿曾孙。16 岁充本部断事官，"听直于朝"②。
忽必烈与阿里不哥争位时，五投下站在忽必烈一方，博罗欢从忽必烈亲征，
有功，受"赐马四十匹，金币称之。"③ 中统三年（1262 年），李璮叛于益
都，博罗欢奉命率领忙兀部的军队围攻济南，又分兵克取益都、莱州。平李
璮后，奉诏"决狱燕南，谳决明允，赐衣一袭。"④ 至元八年（1271 年）二
月，元朝得到了云南王忽哥赤被大理等处宣慰都元帅（云南土官）宝合丁
等人毒死的消息。⑤ 忽必烈惊恸，"中书择可治其狱者四人，奏上，皆不称
旨。丞相线真以博罗欢闻，帝可其奏。"据《元史·张立道传》，博罗欢时
为御史大夫。博罗欢推辞说："臣不敢爱死，第年少不知书，恐误事耳。"
忽必烈乃以吏部尚书别帖木儿与之同行，辅助博罗欢去处置此事。宝合丁等
人秘密以"金六籯"到途中迎接、贿赂博罗欢一行。博罗欢考虑到宝合丁
掌握兵权，自己远离朝廷，所领随员不多，若明确拒绝，恐生变故，乃假意
纳贿应承。及至云南，将宝合丁、阔阔带及阿老瓦丁、亦速夫处死，⑥ 而归

---

① 《秋涧集》卷 50《兀良氏先庙碑铭》。
② 《牧庵集》卷 14《平章政事蒙古公神道碑》。
③ 《元史》卷 121《博罗欢传》，第 2992 页；《牧庵集》卷 14《平章政事蒙古公神道碑》称博罗欢
军受赐骠马 400 匹，姚碑所记数字都比较夸张，如称封畏答儿子"北方万家"，"泰安州民万家"，故博
罗欢受赐马匹数量宜以其本传记载为是。
④ 《元史·博罗欢传》主要据《牧庵集》卷 14《平章政事蒙古公神道碑》写成，故碑与传中，
"决狱燕南"事件在博罗欢受命去处理云南王被毒死一案之前。据《元史》卷 86《百官志》二，第
2180、2181 页，元初仅立四道提刑按察司，立燕南河北道提刑按察司在至元十二年，燕南道属于内八道
之一，隶属于御史台。此处"燕南"当是姚燧作碑文时，以当时的肃政廉访司（提刑按察司后改为肃政
廉访司）辖区去指代元初的提刑按察司。姚燧《平章政事蒙古公神道碑》在处理云南王事件之后，接着
记载"［至元］八年授昭勇大将军、右卫亲军都指挥使……"。
⑤ 《元史》卷 7《世祖本纪》四，第 133、134 页；参见《蒙兀儿史记》卷 76《忽必烈可汗诸子传》。
⑥ 《元史》卷 7《世祖本纪》四，第 133、134 页；参见《蒙兀儿史记》卷 76《忽必烈可汗诸子
传》。

其金于省。回朝后，忽必烈赐博罗欢黄金50两，下诏"忙兀事无大小，悉统于博罗欢。授昭勇大将军、右卫亲军都指挥使，大都则专右卫，上都则兼三卫。"则博罗欢成为忙兀部的部主。

至元十一年（1274年），元朝伐宋，授博罗欢金吾卫上将军、中书右丞。元军分为二路，右军受伯颜、阿尤节制，左军受博罗欢节制。不久，命博罗欢兼淮东都元帅，朝廷罢山东经略司，将其军悉隶博罗欢统领。① 十二年二月，"都元帅博鲁欢次海州，知州丁顺以城降。""都元帅博鲁欢次涟州，宋知州孙嗣武以城降。"②《博罗欢传》亦载，博罗欢驻军于下邳，与将佐筹谋说："清河城小而固，与昭信、淮安、泗州为犄角，猝未易拔。海州、东海、石秋，远在数百里之外，必不严备。吾顿大兵为疑兵，以轻骑倍道袭之，其守将可擒也。"师至，攻下海州、东海、石秋三城，清河城也投降蒙古。元军攻克临安，南宋政权灭亡后，淮东诸城守将李庭芝等人还在坚守。伯颜秘密奉诏命博罗欢进取淮东，乃"拔淮安南堡，战白马湖及宝应，掠高邮，自西小河入漕河，据湾头，断通、泰援兵，遂下扬州，淮东平。"元朝将江南民户分赐诸王、驸马、投下时，将桂阳、德庆21 000户分给博罗欢作江南户钞户。

至元十四年，弘吉剌部贵族只儿瓦台在应昌起兵，响应叛王脱脱木儿，博罗欢奉命率兵讨平之。平叛后，博罗欢与博罗同署枢密院事，拜中书右丞，博罗就是后来出使伊利汗国的孛罗。不久，博罗欢行中书省事于北京，到任不入即召还。当时，元朝灭南宋不久，"尚多反侧，诏募民能从大军进讨者，使自为一军，听节度于其长，而毋役于他军，制命符节，皆与正同。"博罗欢正染疾，乃请董文忠代为上奏："今疆土浸广，胜兵百万，指挥可集，何假此无籍之徒。彼一践南土，则掠人货财，俘人妻孥，仇怨益滋，而叛者将愈众矣。"忽必烈允其奏，遂罢募军。

至元十六年，以哈剌斯、博罗思、斡罗罕诸部不相统隶，命博罗欢往其地监管三年。十八年，以中书右丞行省事于甘肃。当时，为防御海都入寇，元朝在西北驻有大军，粮草多需由甘肃行省转运，而自陕西、陇右、河湟等

---

① 《元史》卷8《世祖本纪》五，第160页；卷121《博罗欢传》，第2989页。

② 《元史》卷8《世祖本纪》五，第160页。

地运粮至西北，都没有水路可走，全凭车辇，运输速度慢，供给经常不足。然而，博罗欢到任后，调度有方，使供应不乏。二十年，博罗欢官拜御史大夫，江南诸道行御史台事，正遇上福建黄华第二次起义，起义队伍号称20万，剪发文身，名为头陀军，也称畲军。黄华分兵攻打福建的崇安、浦城、松溪、古田等处，浙东青田也有人起兵响应。当时，元朝征派内地戍兵前往镇压，这些戍兵"多奴良民为归"，博罗欢令监察御使"随在纠核，皆土还之。"博罗欢因疾从江南行御史台任上解职归养。① 二十四年，乃颜叛，忽必烈准备亲征。博罗欢进谏说："昔太祖分封东诸侯，其地与户，臣皆知之，以二十为率，乃颜得其九，忙兀、兀鲁、札剌亦儿、弘吉剌、亦其烈思五诸侯得其十一，惟征五诸侯兵，自足当之，何至上烦乘舆哉？臣疾且愈，请事东征。"乃赐博罗欢铠甲、弓矢、鞍勒，命其督五投下兵力讨伐乃颜，败之。与乃颜部属塔不带相持日久，适逢淫雨，乏军粮，诸将欲退。博罗欢说："今两阵相对，岂容先动？"不久，塔不带引兵退。博罗欢乘势追击，转战二日，身中三箭，大破塔不带，斩乃不带驸马忽伦。统兵北渡哈剌河（今哈拉哈河），与玉昔帖木儿率领的元朝主力会合，遂平乃颜，追击塔不带至蒙可山（今海拉尔河上游）、那兀江（今嫩江）一带，擒之。二十五年，乃颜余党诸王哈丹等复叛于辽东。博罗欢又奉诏与诸王乃蛮台（即后来封寿王的斡赤斤后王）进讨，博罗欢因屡胜而大意，一日与哈丹游骑猝然相遇，博罗欢与随从三人往回走，至一深涧，宽二丈多、深三四丈，追骑将及，博罗欢策马一跃而过，三随从被杀。后追哈丹至海边，哈丹亡走，斩其子老的于阵，俘获哈丹的两个妃子，忽必烈命将一妃子赐乃马台，一妃赐博罗欢，又赐博罗欢金银器500两。

至元二十八年（1291年），改河南宣慰司为行中书省，拜博罗欢为平章政事。忽必烈下诏，勋臣之家可免括马。博罗欢曰："吾家有马成群连郊垌，不思佐国，无以为方三千里官民之倡。"② 乃先入骟马18匹。开封以南各州县，因黄河决堤，都被水淹浸，博罗欢躬行决口，督有司缮完河堤。至元三十一年，成宗即位，博罗欢迁任陕西行中书省平章政事。"未行，留镇

---

① 《牧庵集》卷14《平章政事蒙古公神道碑》。

② 《牧庵集》卷14《平章政事蒙古公神道碑》。

河南。入朝，请以泰安州所入五户丝四千斤易内库缯帛，分给忙兀一军。帝为敕递车送军中。"有近臣向成宗上奏："伐宋时，右军分属伯颜、阿术，左军分属博罗欢。今伯颜、阿术皆授分地，而博罗欢未及，惟帝裁之。"遂于"淮东所尝战地高邮已籍之民，赐民五百户。"①

大德元年（1297年），博罗欢以平章政事行省于湖广。后又拜光禄大夫、上柱国、江浙等处行中书省平章政事，卒于任上，年63。

史称博罗欢"勇有智略，战常以身先之，所获财物悉与将士，故得其死力。平居常以国事为忧，闻变即请行，至终其事乃止。"累赠推忠宣力赞运功臣、太师、开府仪同三司、上柱国，加封泰安王，谥武穆。

（宝音德力根　撰稿）

月赤察儿

袭任大怯薛长　月赤察儿（Öčičer，1249—1311年），蒙古许兀慎氏人，成吉思汗建国功臣"四杰"之一博尔忽的曾孙。祖脱欢，袭父职领右翼第一千户兼右翼军副万户，②从蒙哥西征钦察、斡罗思有功。父失烈门，从忽必烈征云南，因病死于军中。

至元元年（1264年），月赤察儿入宿卫，为怯薛执事官宝儿赤，掌御膳。十七年，任第一怯薛之长。次年，忽必列以其秉心忠实、执事敬慎、晓畅朝章，命其为宣徽使，③兼领尚膳院、光禄寺。元朝宣徽院主要掌内廷饮膳，朝会宴享，兼及怯薛歹的选拔和廪给，御位下畜牧，蒙古人民差发和诸部赏赐、抚恤等事，职权甚重，故院使皆以大汗最亲信侍臣如怯薛长担任。④宣徽使出则为中书省、枢密院、御史台长官，或由这些军政大臣兼院

---

① 《牧庵集》卷14《平章政事蒙古公神道碑》。

② 《蒙古秘史》第202节所载成吉思汗始封95千户中有脱欢，那珂通世以为即博尔忽子，据此则脱欢于建国时别授千户，非袭父职（见《成吉思汗实录》，324页；屠寄《蒙兀儿史记》卷28即采此说）。伯希和、李盖提、姚从吾皆以《秘史》所载脱欢与其下之帖木儿合为一人之名，氏族不明。此处从《国朝文类》卷23《太师淇阳忠武王碑》。

③ 《国朝文类》卷23《太师淇阳忠武王碑》。

④ 参见白寿彝主编：《中国通史》第8卷《中古时代·元时期》下册《丁编传记》第11章第2节《月赤察儿》。

使。儒臣王思廉给忽必烈进讲《通鉴》等书，忽必烈皆命他在旁听授。至元二十一年，分拨武冈路绥宁县民 5 000 户为月赤察儿的封户。① 二十六年，月赤察儿扈从忽必烈征海都至杭海岭。② 二十七年（1290 年），尚书省右丞相桑哥专权，打击异己，月赤察儿与其他大臣、内侍弹劾桑哥。次年一月，乃诏罢桑哥，治其罪；忽必烈以"月赤察儿口伐大奸，发其蒙蔽"有功，乃以没入桑哥之金、银、田产、别墅等赏之。因湖广行省西连西南各少数民族，南接交趾等国，地广人稠，民情"善惊好斗"，月赤察儿推荐哈剌哈孙为湖广行省平章政事，哈剌哈孙治湖广八年，治绩甚佳，后入朝为相，成为一代名臣，世人皆以为月赤察儿知人善举。当时，都水监奏凿通惠河，忽必烈急欲成功，诏命四怯薛及京中诸府人都参加凿河，分段负责，刻日完工。月赤察儿亲自带领怯薛歹应役，起了表率作用。三十年，忽必烈以他为元勋后裔，廉洁有能力，又有摧奸荐贤之功，任命为知枢密院事，并仍当宣徽使。

讨伐西北叛王　至元三十一年，成宗即位，加月赤察儿开府仪同三司录军国重事、太保，仍为知枢密院事和宣徽使，并提调群牧事。大德四年（1300 年），拜太师。当时，海都、都哇时常进攻元朝西北边境。大德二年冬，海都、都哇军来袭，统领西北边防诸军的宗王阔阔出、将领床兀儿等饮酒误事。三年，成宗"以宁远王阔阔出总兵北边，怠于备御，命帝（武宗海山）即军中代之。"③ 海山以皇侄身份出镇称海、金山沿边，取代阔阔出统军。晋王甘麻剌因分藩漠北，亦领本部军马共同防守。四年八月，海山军以及晋王甘麻剌所部与海都大战于按台山之南的阔别列之地，元军未能获胜。④ 大德五年，朝廷认为漠北防务需要加强，乃命月赤察儿辅佐晋王甘麻剌督统漠北驻军，⑤ 实际上是将海山在称海一线的军事指挥权交给晋王甘麻剌与月赤

---

① 《元史》卷 95《食货志》，第 2440 页。

② 《元史》卷 119《博尔忽传》，第 2949 页，下文凡引文未注出处者即出自此传。

③ 《元史》卷 22《武宗本纪》一，第 477 页。

④ 《牧庵集》卷 26《史公先德碑》，碑中人名经四库馆臣改动，但还能辨认。参见《元史》卷 22《武宗本纪》一，第 477 页。陈得芝先生认为武宗海山总兵漠北时实际只领称海沿边的驻军，见陈得芝：《岭北行省建置考》（下），《蒙元史研究丛稿》。

⑤ 《国朝文类》卷 23《太师淇阳忠武王碑》；参见松田孝一：《海山出镇西北蒙古》，《蒙古学译文选》（内部资料），内蒙古社会科学院情报研究所编，1984 年；陈得芝：《岭北行省建置考》（下），《蒙元史研究丛稿》，第 176 页。

察儿。是年秋天，海都、都哇又大举进攻漠北。元朝军队分为五支，月赤察儿指挥其中一支。先是海山之军与海都军战于帖坚古山（在札布罕河旁），获小胜，但旋即陷入海都大军的包围之中，力战突围，后退至合剌合塔之地（在札布罕河上游之东杭爱山南）。这时晋王、月赤察儿统率的军队开到，五军会合，与海都军大战，互有胜负。不久，海都因病撤军。都哇在战争中被亦乞列思驸马阿失射中膝界，亦撤军。这次战役阻止了海都、都哇的猛烈进攻，保卫了漠北地区。战后，月赤察儿回驻金山。不久，海都病死，长子察八儿继立为汗，窝阔台汗国发生内争，国势衰落。都哇自知已无力继续与大汗对抗，首先于大德七年向朝廷请和。月赤察儿派人向海山及诸王、将帅提出建议说："都哇请降，为我大利，固当待命于上，然往返再阅月，必失事机。事机一失，为国大患，人民困于转输，将士疲于讨伐，无有已时矣。都哇之妻，我弟马兀合剌之妹也，宜遣报使许其臣附。"众人都赞同他的建议，于是先派马兀合剌去见都哇，再遣使入朝报告此事。成宗赞扬月赤察儿"深识机宜"，并许都哇和议，命仍统治其察合台汗国。大德八年底，元朝与察合台汗国、窝阔台汗国达成协议。约和之后，漠北边境趋于宁静，月赤察儿仍驻军于金山前线。

后来，都哇和察八儿又因领土争端发生冲突。大德十年七月，都哇对察八儿发起攻击，海山、月赤察儿的军队趁机从金山出动，威胁窝阔台汗国的侧后，察八儿也将一支10万人的大军从也儿的石河出动至按台山，与元军对峙，很快两军发生了大规模的战争。据《完者都史》记载，都哇挑拨海山进攻察八儿驻军的前锋斡罗思，海山一举获胜。据《太师淇阳忠武王碑》，海山出军后，月赤察儿继进，遣部将秃满铁木儿、察忽率兵万余深入其境，获其部众。元军追击察八儿至也儿的石河一带，察八儿穷途末路，只得投降都哇。[①] 这次战役中察八儿与明里帖木儿两部投降元朝的部众达"十余万口"，[②] 基本上摧毁了窝阔台汗国及其联盟者阿里不哥后王的叛乱势力。

拥立武宗，行省和林　大德十一年（1307年）正月，成宗死，皇后卜鲁罕和一些诸王、大臣合谋立安西王阿难答为帝。三月，海山母答己、弟爱

---

① 《察合台汗国史研究》，第333—337页。

② 《国朝文类》卷23《太师淇阳忠武王碑》。

育黎拔力八达在一部分大臣支持下首先发动政变，控制了朝政。海山接到成宗死讯，立即率领精锐军队从称海至和林，径自召集漠北诸王、勋戚大会，定议拥立海山为帝，并以 3 万大军扈从南来即位。月赤察儿当时是出镇漠北地位最高的朝廷大臣，与海山同守金山，在拥立海山的过程中起了重要作用。故海山即位（是为武宗）后，为赏其战功和拥立之功，将察八儿之女燕帖木儿公主与他为妻，并赐予忽必烈宴幕、成祖御辇及侍仆、乐工等；七月，立和林等处行中书省以统领漠北全境，任命他为行省右丞相，特封淇阳王。诏书称："公（月赤察儿），国之元老，宣忠底绩，靖谧中外。朕昔入继大统，公之谋猷又多。今立和林等处行中书省，以公为右丞相，依前开府仪同三司、太师、录军国重事，特封淇阳王，佩黄金印。宗藩、将领，实赡公麾进退。"① 授予了他节制漠北诸王、将帅的大权。十一月，赐江南田 40 顷。时赐田皆夺还官，中书省以此提出异议。武宗有旨："月赤察儿自忽必烈时积有勋劳，非余人比，宜以前后所赐合为百顷与之。"② 并命浙江行省平章为他掌管赐田岁入。月赤察儿是元朝第一个生前就获得王爵的异姓大臣，曾请置王傅，虽因中书省言异姓王无置傅之例而被驳回，足见其权位之重。至大元年（1308 年），月赤察儿遣使上奏："诸王秃苦灭本怀携贰，而察八儿游兵近境，叛党素无悛心，倘合谋致死，则垂成之功，顾为国患。臣以为昔者都哇先众请和，虽死，宜遣使安抚其子款彻，使不我异。又诸部既已归明，我之牧地不足，宜处降人于金山之阳，吾军屯田金山之北，军食既饶，又成重戍，就彼有谋，吾已捣其腹心矣。"秃苦灭，是贵由之孙、禾忽之子，至元十二年（1275 年）发动叛乱后逃到窝阔台汗国，与察八儿争权。武宗十分赞许他的计谋，即命他移军于阿答罕三撒海之地（当在金山之北）。月赤察儿把大军部署在窝阔台汗国边境上，察八儿、秃苦灭甚惧，欲投奔款彻，款彻不敢接纳，只得投降元朝。漠北边境得以安宁。至大三年，复赐清州民 17 919 户为其封户。

　　至大四年，武宗死，仁宗继立。月赤察儿自和林至大都朝觐，仁宗宴之于大明殿，礼遇优重，诏仍太师，并厚赐金帛。九月，病故于大都家中。

---

　　①　《国朝文类》卷 23《太师淇阳忠武王碑》。
　　②　《元史》卷 22《武宗本纪》一，第 491 页。

　　妻室、子孙显贵　月赤察儿尚三位宗王女："斡赤孙女"抹开公主、"塔察儿孙女"也逊真公主、察八儿之女燕帖木儿公主，以及"右丞相东平王女弟"二人、千户玉龙铁木儿女儿赤鄰别速氏。①　"斡赤"应是斡赤斤；"右丞相东平王"是安童；千户玉龙铁木儿，《元史·食货志》有载，据此可知他是别速部人。月赤察儿之祖博尔忽是右手副万户，故月赤察儿家族与东道诸王及五投下首领、右手万户木华黎家族关系密切，联姻关系正好反映了这一点。月赤察儿有子七人。长子塔剌海，初为皇太子真金侍臣，至元三十年，任左都威卫使佩金虎符，大德元年（1297年）授徽政使仍兼前职，四年兼枢密副使，六年升同知枢密院事，八年兼宣徽使，十年升知枢密院事。十一年五月武宗即位，拜中书省左丞相，仍领枢密、徽政、宣徽三职及怯薛之长。不久，加太保、拜中书右丞相。一人兼任最高军、政及内廷机构长官，可谓荣宠显贵之极。至大元年再加领中政使。同年病死。尚宗王"察带孙女"朔思蛮公主、"失秃儿女、齐王八不沙女兄"也里干公主以及"宿敦官人孙女"木忽里。②　察带，斡赤斤后王有名察剌海者，不知是否为此王的另译；宿敦官人是逊都思氏锁儿罕失剌之孙、赤老温之子。第三子佤头，武宗赐名脱儿赤颜，幼侍武宗、仁宗兄弟；大德十一年，武宗即位，以弟为皇太子，乃任太子府四怯薛之长；不久，相继授徽政使，③　加右丞相；至大元年，兼尚服使，又加中政使，拜太师，兼前卫亲军都指挥使、阿速卫指挥使、左都威卫使；二年，兼知枢密院事；四年，仁宗即位，命嗣父怯薛长之职；皇庆元年（1312年），诏佩父印嗣淇阳王爵。淇阳王家族在元武宗时代最为显赫。

（宝音德力根　撰稿）

阿沙不花

　　康里国王子　阿沙不花，本为康里国王族。康里国，即古代的高车国。

---

　　①　《国朝文类》卷23《太师淇阳忠武王碑》。
　　②　《国朝文类》卷23《太师淇阳忠武王碑》。
　　③　《太师淇阳忠武王碑》作宣徽使。《元史·武宗纪》大德十一年六月丙午条有"徽政使佤头等言……"的记载。佤头时侍仁宗母子，当以《元史》所载为是。

成吉思汗西征时，曾遣哲别、速不台追击摩诃末算端。哲别军途中讨钦察，进击斡罗思，又征康里，"至孛子八里城，与其主霍脱思罕战，又败其军，进至钦察亦平之。"① 霍脱思罕，即是虎秃思，即阿沙不花的祖父。虎秃思战败后下落不明，其子怯失里的寡妻古麻里氏，为保存康里氏家族遗脉，不得不领着两个儿子曲律、牙牙投降，来到蒙古本土，时间当在 1227 年前后。②

掌御位下昔宝赤 据黄溍所撰《康里氏先茔碑》，曲律兄弟先由太宗收养为宿卫，既长，宪宗召入宿卫，命领昔宝赤，即掌御位下的猎鹰。忽必烈即汗位后，"畴其劳绩，给以土田人户，俾居兴和天城之大罗镇。"③ 兴和一带是元朝大汗的养鹰户所居之地，忽必烈曾欲"尽徙兴和桃山数十村之民，以其地为昔宝赤牧地。阿沙不花固请存三千户以给鹰食，帝皆纳之。"④ 曲律无子，牙牙六子，以阿沙不花与康里脱脱最为显赫。阿沙不花 14 岁即入侍忽必烈，掌昔宝赤，以占对详明而特见亲幸。乃颜叛乱时，阿沙不花作为左手千户领昔宝赤之众从征。至元三十年（1293 年），皇孙铁穆耳抚军漠北时，阿沙不花仍以左手千户领昔宝赤从行，与海都战于杭海岭有功。大宗正府扎鲁忽赤脱儿速贪污，成宗命其鞫问，脱儿速伏罪，阿沙不花乃接任大宗正府也可扎鲁忽赤，即大宗正府的大断事官，因其断案严厉，被成宗称为"阿即剌"，意即"阎罗王"。又曾奉旨抄没朱清、张瑄家产而一无所私，因此受到成宗赏赐，命其兼任"两城兵马都指挥使事"。⑤ 当怀宁王海山出镇称海、金山时，阿沙不花向他推荐了自己的康里弟弟脱脱从行。

参与宫廷政变 成宗死后，卜鲁罕皇后、明里帖木儿、安西王阿难答同谋，准备策立阿难答为帝。当时适逢海山派脱脱到大都计事，丞相哈剌哈孙等人欲支持海山夺取汗位，乃急遣脱脱向海山报告消息。而卜鲁罕皇后已密令通政使只儿哈郎不与脱脱驿马，阿沙不花与同知通政院事察乃合谋将给驿文书的日期往前署一日，使脱脱得以北还。阿沙不花又侦得安西王准备在三

---

① 《元史》卷 120《曷思麦里传》，第 2970 页。

② 参见陆峻岭、何高济：《元代的阿速、钦察、康里人》注第 32，《文史》第 16 辑，1982 年。

③ 《金华黄先生文集》卷 28《康里氏先茔碑》；《全元文》卷 963，第 30 册，第 58 页。

④ 《元史》卷 136《阿沙不花传》，第 3297 页，下文凡引文未注出处者即出自此传。

⑤ 《元史》卷 137《奕赫抵雅尔丁传》，第 3318 页："奕赫抵雅尔丁，字太初，回回氏。父亦速马因，仕至大都南北两城兵马都指挥使。"阿沙不花可能是兼任大都南北两城兵马都指挥使事。

月三日趁给爱育黎拔力八达贺寿时举行政变，于是与哈剌合孙合谋先发制人，诈称海山遣使召安西王议事，执安西王至上都，尽诛卜鲁罕皇后一党。爱育黎拔力八达控制大都后，在其母答己妃子的支持下欲即汗位，而海山拥重兵南下，对汗位也是志在必得。阿沙不花与其弟脱脱充当了他们母子三人、两方的谈判使者。这场谈判既要保证拥有兵力的海山取得汗位，以避免兄弟之间的血战；又要让冒死政变的爱育黎拔力八达分享足够的权力，不致两手空空。① 在这场谈判中，阿沙不花兄弟充分展示了他们的政治才干，经过他们周旋，海山母子相互妥协的结果是：海山即汗位，爱育黎拔力八达立为皇太子，以后的汗位传承是兄弟相传，叔侄相继。② 因此，阿沙不花兄弟成为武宗母子三人都信得过的侍臣。

武宗朝的中书省右丞相　武宗即位，即命阿沙不花以也可扎鲁忽赤兼为中书省平章政事。至大元年（1308 年）正月，"授中书平章政事阿沙不花右丞相、行御史大夫。"三月，晋封为康国公。十月，以阿沙不花知枢密院事。③ 至大二年十月，阿沙不花病死，时年 47 岁。至正元年（1341 年），追封顺宁王。

广武康里卫侍卫亲军都指挥使　康里人勇武善战。12 世纪初，花剌子模沙摩诃末母亲秃儿罕可敦是康里伯岳吾氏人，她专权花剌子模时，多信任、重用出身于康里部的军人，康里人遂大量南下进入花剌子模国，其男子多服役于花剌子模军队。撒麻耳干的 11 万军队中有 6 万是以康里人为主要组成部分的。④ 成吉思汗西征攻下不花剌后，将比鞭梢高的康里男子都杀了，"他们的幼小子女，贵人和妇孺的子女，娇弱如丝帛，全被夷为奴婢"。此外，城内居民中"适于服役的青壮和成年人被强征入军，往攻撒麻耳干和答不昔牙"。在康里军士集中的撒麻耳干，"蒙古人清点刀下余生者：三万有手艺的人被挑选出来，成吉思汗把他们分给他的诸子和族人；又从青壮年中挑出同样的人（即 3 万人），编为一支签军"。"后来，又接连几次在撒

---

① 参见何兆吉：《元政权中的显赫家族——〈康里氏先茔碑〉考略》，《西北第二民族学院学报》1994 年第 2 期。

② 参见《元史》卷 138《康里脱脱传》，第 3323 页。

③ 《元史》卷 22《武宗本纪》一，第 479、493、497、503 页。

④ 《史集》（汉译本）第 1 卷第 2 分册，第 285 页。

麻耳干征军，获免的寥寥无几"。① 当然，有不少康里人是从其原居地迁入中土的。公元1223年末，蒙古军饱掠东还，取道撒速惕，进入康里境，败其主霍脱思罕，众多康里人随之被裹胁东迁。

东迁的康里人有分散各王府为驱口的，但以具军士成分者为最多。这些康里军士起初主要编入蒙古的探马赤军中。元廷曾将诸王阿只吉、火郎撒所领探马赤中"属康礼氏者，令枢密院康札卫遣人乘传，往置籍焉。"② 至元二十一年（1284年）五月，将康里子弟与钦察人混编成2 000户，由土土哈统领。③ 至元二十四年，成立的贵赤卫也主要是由康里人组成。康里人明安，在贵赤卫亲军都指挥使司成立时，任本卫达鲁花赤。④ 至武宗时，由于阿沙不花与康里脱脱拥立武宗有功，于至大元年（1308年）七月立"广武康里侍卫亲军都指挥使司，以平章政事阿沙不花为都指挥使。"⑤ 至大三年，"定康礼军籍。凡康里氏之非者，皆别而黜之，验其实，始得入籍。"⑥ 至大四年，元政府颁发了关于创设康里卫的诏书，康里脱脱借创设康里卫之机，扩大康里人的势力，在收聚康里人时，将"存恤军人"、投下和州郡百姓都扩充进来，与元政府的户籍制度发生了矛盾，因此康里脱脱的计划没有成功。⑦ 康里人在元朝的营地主要在大都城近郊及直沽一带。至大二年四月，元政府以汉军5 000人于直沽沿海口屯种，随即又增加了康里军2 000人。至大三年三月，发康里军屯田永平。⑧ 至大四年正月，因康里脱脱一方面扩充康里卫太滥，另一方面，因康里脱脱涉嫌立武宗子为太子而废仁宗之太子位，⑨ 故仁宗即位后，立即罢广武康里卫。⑩

阿沙不花的子弟　阿沙不花之弟康里脱脱，因扈从武宗出镇漠北，又在

①　《世界征服者史》（上册），第123、140页。
②　《元史》卷99《兵志》二，第2528页。
③　《元史》卷13《世祖本纪》十，第266页。
④　参见《元史》卷99《兵志》二，第2527页；卷135《明安传》，第3281页。
⑤　《元史》卷22《武宗本纪》一，第500页。
⑥　《元史》卷99《兵志》二，第2528页。
⑦　参见《元典章》卷2《抚军士》、《重民籍》。另参见叶新民：《元代的钦察、康里、阿速、唐兀卫军》。
⑧　《元史》卷23《武宗本纪》二，第511、523页。
⑨　参见《元史》卷138《康里脱脱传》，第3325页。
⑩　《元史》卷24《仁宗本纪》一，第538页。

拥立武宗即位中功劳极大，所以武宗即位后，即任其为同知枢密院事，不久进中书平章政事，拜御史大夫。迁江南行台御史大夫。寻召拜录军国重事、中书左丞相。① 康里脱脱的次子达识铁木儿，亦官至同知枢密院事、中书右丞。

（宝音德力根　撰稿）

扩廓帖木儿

　　扩廓帖木儿之父赛因赤答忽　扩廓帖木儿是元末名将察罕帖木儿外甥兼养子。自明代以来，扩廓帖木儿被误为汉人，王姓，名保保，颍州沈丘人，顺帝赐名扩廓帖木儿。1990 年冬，在洛阳东郊邙山南麓帽郭村附近，考古发掘出土了扩廓帖木儿之父赛因赤答忽墓，发现了《赛因赤答忽墓志》，云："公讳赛因赤答忽，系出蒙古伯也台氏。其先从世祖皇帝平河南，因留光州固始县，遂定居焉。"其曾祖阔阔出，曾任陕西行省参知政事、护军；祖喜住，曾为四川行省左丞、上护军；考伯要兀歹，任湖广行省平章政事。"至正辛卯，盗起汝、颍，城邑多失守，官将奔溃，悉陷为贼虚。公乃出己赀具甲械，募丁壮为义兵。"至此，扩廓帖木儿为蒙古伯岳兀氏，是落籍光州固始县的蒙古军军户，而非沈丘（沈丘是其舅察罕帖木儿的落籍之地）人，这一真相得以昭示于世。据《赛因赤答忽墓志》，赛因赤答忽自募义兵，从察罕帖木儿讨定罗山红巾军，以功授颍，息招讨千户所弹压。1355年，大军平钧、许、汝州，升招讨副万户；次年，取孟津、巩县、温县，下荥阳、泗水、河阴，战睢、亳，俘斩无算，以功升河东道宣尉副使；又从取陕州、平陆、夏县、卢氏、拢州、灵宝、渔关诸城，擢金河东道廉访司事，改奉政大夫，迁同知河东道宣尉司事，再升河东道廉访副使。当时，关、陕以西的许多地方被农民起义军占领，察罕帖木儿命诸将以互为犄角的布局分道进取，赛因赤答忽取华州、华阴、凤翔、沂阳、陇州诸地，升河东道宣慰使。1358 年，义军首领"扫地王"王士诚，② 攻入晋、冀，赛因赤答忽与

　　① 《金华黄先生文集》卷28《康里氏先茔碑》；《元史》卷138《康里脱脱传》，第3323、3324 页。
　　② 参见《庚申外史笺证》卷下，第113 页。

之战于冷水谷，败之。王士诚是毛贵的部将，后投降察罕帖木儿，至正二十二年（1362 年）反戈，刺杀了察罕帖木儿。《元史·顺帝本纪》记载：至正十八年三月"癸卯，王士诚陷晋宁路，总管杜赛因不花死之。甲辰，察罕帖木儿遣赛因赤等复晋宁路。"① "赛因赤"，即败扫地王于冷水谷的赛因赤答忽。赛因赤答忽以战功"迁金河南行枢密院事。汴梁陷于伪小明王韩林儿，建置百官，驻兵自固，有规取中原意，为忠襄所破。"② 至正十八年八月，"察罕帖木儿督诸将阎思孝、李克彝、虎林赤、赛因赤答忽、脱因不花、吕文、完哲、贺宗哲、孙袁等攻破汴梁城，刘福通奉其伪主遁，退居安丰。"③ 赛因赤答忽以功升为河南行省左丞、右丞，转同知枢密院事，河南省平章政事，翰林学士承旨，拜太尉，仍兼承旨。至正二十五年（1365 年）正月廿九日，赛因赤答忽病死，"春秋四十有九。配佛儿乃蛮氏。"子三人："长扩廓铁穆迹，生而敏悟，才器异常，幼多疾，忠襄以母舅氏，视之如己子，遂养于家。蚤从忠襄，历戎马间，事必属之，所向皆如志。忠襄薨，诏命总其师。"次脱因帖木儿，次耐驴。"幼女一人，观音奴，在室。"④ 忠襄王即察罕帖木儿，扩廓帖木儿的母亲佛儿是乃蛮人，则察罕帖木儿是乃蛮人，《元史·察罕帖木儿传》称其系出北庭，却未记其族氏，此碑可补其传之漏。

墓志述赛因赤答忽之次子"脱因帖木儿，性温厚寡欲，见知皇上、皇太子。特授中奉大夫、河南省参政。"脱因帖木儿也见于《元史》。至正二十六年（1366 年）冬十月，"扩廓帖木儿遣其弟脱因帖木儿及貂高、完哲等驻兵济南，以控制山东。"二十七年冬十月，顺帝罢去扩廓帖木儿之官职，"其弟脱因帖木儿以集贤学士同扩廓帖木儿于河南府居。"⑤ 此与《元史·察

---

①　《元史》卷 45《顺帝本纪》九，第 942 页。

②　1990 年冬，在洛阳东郊邙山南麓帽郭村附近，考古工作者发掘出土了扩廓帖木儿之父赛因赤答忽墓，发现了《赛因赤答忽墓志》，云："公讳赛因赤答忽，系出蒙古伯也台氏。"见赵振华：《元〈赛因赤答忽墓志〉考》，《内蒙古社会科学》1994 年第 2 期。

③　《元史》卷 45《顺帝本纪》，第 943 页。

④　1990 年冬，在洛阳东郊邙山南麓帽郭村附近，考古工作者发掘出土了扩廓帖木儿之父赛因赤答忽墓，发现了《赛因赤答忽墓志》，云："公讳赛因赤答忽，系出蒙古伯也台氏。"见赵振华：《元〈赛因赤答忽墓志〉考》，《内蒙古社会科学》1994 年第 2 期。

⑤　《元史》卷 46《顺帝本纪》十，第 977、981 页。

罕帖木儿传》所载相同。《北巡私记》记其于至正二十八年十一月二十一日
入觐元帝时职衔为"陕西行省平章政事"。钱谦益《国初群雄事略》卷十一
《河南扩廓帖木儿》征引《庚申外史》《太祖洪武实录》等文献，屡述其战
绩。随帝从赴漠北有年，官至"詹事院同知"。洪武二十一年（1388
年）卒。①

　　赛因赤答忽之幼女观音奴，至正二十五年尚未嫁人。当时，朱元璋欲使
扩廓帖木儿归附明朝，乃设法拉拢扩廓，"竟册其妹为秦王妃。"②《明太祖
实录》记载："（洪武四年九月）丙辰，册故元太傅、中书右承相、河南王
保保女弟为秦王樉妃。……册曰：'朕君天下，封诸子为王，必选名家贤女
为之妃。今朕第二子秦王樉年已长成，选尔王氏，昔元太傅、中书右承相、
河南王之妹，授以金册，为王之妃。尔其谨遵妇道，以助我邦家。
敬哉。'"③

　　扩廓帖木儿镇压山东红巾军　（？—1375 年），据上文，扩廓帖木儿是
蒙古伯岳吾台氏，光州固始县蒙古军户，扩廓帖木儿是其本名，采用过汉姓
王，保保是其异称。④ 扩廓帖木儿因"幼多疾"，母舅察罕帖木儿"视之如
己子，遂养于家"。元末农民大起义爆发后，察罕帖木儿组织地主武装义兵
镇压农民军，自至正十二年（1352 年）始，察罕军屡次战胜北方红巾军，
累官至中书平章政事、知河南山东行枢密院事、陕西行台中丞，其势力达到
了豫、晋、陕、鲁等地，逐步成为元末的一大军阀。扩廓帖木儿"蚤从忠
襄，历戎马间，事必属之，所向皆如志。""忠襄"，即察罕帖木儿。至正二
十二年遇刺身亡后，被追封忠襄王，谥献武，后改谥"忠襄"。至正二十一
年四月，扩廓奉察罕帖木儿之命，以皇太子副詹事身份贡粮至京师，皇太子
爱猷识理达腊亲与订约，朝廷对察罕帖木儿不再存疑。⑤ 八月，察罕帖木儿
总兵进攻山东红巾军，命扩廓帖木儿与阎思孝、关保、虎林赤诸将率精兵 5
万攻东平，迫使山东红巾军将领田丰、王士诚投降。扩廓帖木儿后随其养父

---

　　① 参见赵振华：《元〈赛因赤答忽墓志〉考》，《内蒙古社会科学》1994 年第 2 期。
　　② 《明史》卷 124《扩廓帖木儿传》。
　　③ 《明太祖实录》卷 68，第 1278 页。
　　④ 参见党宝海：《扩廓帖木儿的族源、本名与汉姓》，《西北史地》1997 年第 1 期。
　　⑤ 《元史》卷 46《顺帝本纪》九，第 956 页。

破济南、围益都。① 二十二年六月，察罕帖木儿被田丰诱至军营，王士诚将其刺杀，诸将校惶惑不知所从，军中亦颇有异论。察罕帖木儿旧将、同金白琐住遂倡言曰："总兵奉朝廷命讨逆寇，总兵虽死，朝命不可中止，况今总制官王保保曾为总兵养子，朝廷又赐其名扩廓，若立以为主，总兵虽犹不死也。于是率先下拜，众亦皆拜，人心始定。"② 元廷于是正式起用扩廓帖木儿为总兵官，"扩廓帖木儿授光禄大夫、中书平章政事，兼知河南山东等处行枢密院事、同知詹事院事，一应军马，并听节制。"③ 扩廓帖木儿领兵柄后，"衔哀以讨贼，攻城益急，而城守益固，乃穴地通道以入。"④ 十一月，益都城破，红巾军首领 200 余人被俘，扩廓帖木儿取田丰、王士诚之心以祭察罕帖木儿，余众皆被诛杀。接着，遣关保取莒州，于是山东红巾军全部被镇压。当是时，东至于淄、沂、西逾关陕，已无起义农民，北方红巾军宋政权失去汴梁后，退守安丰（今安徽寿县），既无兵力，又失去号召力。扩廓帖木儿乃驻兵于汴、洛，朝廷倚之为安。

扩廓帖木儿与孛罗帖木儿的权力之争　扩廓帖木儿与孛罗帖木儿之间的斗争既是军阀之间的争斗，又是宫廷内部争权的一种反映。扩廓与孛罗之争起源于争夺冀宁等地。孛罗帖木儿之父答失八都鲁也是镇压红巾军的主将之一，因其作战失利，失去朝廷信任，于至正十七年（1357 年）十二月忧愤而死，子孛罗帖木儿继统其兵。孛罗帖木儿乃与察罕帖木儿争夺冀宁等地，朝廷调解后双方各还本镇。二十二年六月，察罕帖木儿死时，孛罗帖木儿正戍守大同，屡次派兵争夺晋、冀地盘，并与陕西军阀张思道（又名良弼）相联结。二十三年十月，孛罗帖木儿又南侵扩廓帖木儿所守之地，占据真定。二十三年六月，孛罗乘扩廓战事方休，移兵汴、洛之机，南下侵扩廓守地，遣其将竹贞袭据陕西。扩廓遣部将貊高合李思齐兵攻之，竹贞战败投降。⑤

<hr>

① 扩廓帖木儿镇压山东红巾军事，参见《元史》卷 46《顺帝本纪》与卷 141《扩廓帖木儿传》。
② 参见《庚申外史笺证》卷下，第 113 页。《庚申外史》这段话中的"朝廷又赐其名扩廓"不准确。
③ 《元史》卷 46《顺帝本纪》九，第 960 页。
④ 《元史》卷 141《扩廓帖木儿传》，第 3389 页，下文凡引文未注出处者即出自此传。
⑤ 参见白寿彝主编：《中国通史》第 8 卷《中古时代·元时期》下册丁编《传记》第 13 章第 3 节《察罕帖木儿、扩廓帖木儿传》。

扩廓帖木儿为集中力量对付孛罗帖木儿，乃与据有江淮的朱元璋主动修好。至正二十二年十二月，扩廓帖木儿派尹焕章送还了以前朱元璋派来的使者，自海道南下献马。而朱元璋东有平江（今江苏苏州）张士诚，西有武昌陈友谅，也同样需要与扩廓帖木儿暂时修好，免得四面树敌。遂于次年正月，遣汪河送尹焕章归汴，致书扩廓曰："不意先王捐馆，阁下意气相期，遣送使者涉海而来，深有推结之意，加之厚贶，何慰如之。薄以文绮若干，用酬雅意。自今以往，信使继踵，商贾不绝，无有彼此，是所愿也。"① 显然这是一种相互利用的关系。

扩廓帖木儿卷入宫廷内争　元朝末年，宫廷内部的斗争也日益尖锐，皇太子及其母奇皇后逼顺帝禅位于太子，并结右丞相搠思监、军阀扩廓帖木儿外援。而顺帝则倚重其母舅、御史大夫老的沙及孛罗帖木儿。老的沙因此为奇皇后和皇太子所恶，逼迫顺帝将老的沙遣回。老的沙乃避于大同孛罗帖木儿军中。皇太子屡次向孛罗索要老的沙，孛罗不遣。二十四年三月，搠思监、朴不花诬称孛罗与老的沙图谋不轨，顺帝下诏削孛罗兵权、官职，令其归四川。孛罗拒不从命。朝廷下令扩廓出兵讨孛罗。这时豳王不颜帖木儿等出面上书替孛罗说情，并与孛罗会师。顺帝迫于局势，急忙下诏，贬斥搠思监、朴不花，孛罗官复原职。然而，诏书虽下，搠思监、朴不花依然留居大都。孛罗帖木儿以此为由，遣前知枢密事秃坚帖木儿率军进攻大都。秃坚帖木儿兵入居庸关，知院也先、詹事不兰奚奉命迎战，失败，皇太子仓皇出逃，由古北口，趋兴州、松州。秃坚帖木儿进至清河，京师震动。顺帝被迫交出搠思监、朴不花，孛罗杀之。

秃坚帖木儿率军自健德门进入京师，顺帝被迫下诏仍以孛罗帖木儿为太保、中书平章政事，兼知枢密院事，守御大同。命秃坚帖木儿为中书平章政事，秃坚军退出京师。皇太子出奔至路儿岭时，知孛罗、秃坚复职，愤怒不已。遂命扩廓帖木儿调分道进攻孛罗。扩廓乐于趁此机会夺取孛罗所占的地盘，乃命白琐住领兵3万守御京师，以貊高、竹贞为中道领兵4万，以关保为西道领兵5万，合击孛罗于大同，扩廓自己则至太原，调督诸军。七月，孛罗留兵守大同，而自率兵与秃坚帖木儿、老的沙以"清君侧"名义再次

---

① 《明太祖实录》卷12，第147页。

攻京师，前锋抵居庸关，皇太子统军迎战于清河失利，再次出走，白琐住扈送皇太子由雄、霸、河间，直奔太原。孛罗止军于健德门外，与秃坚帖木儿、老的沙入见顺帝。顺帝分别命孛罗为太保、中书左丞相，未几进右丞相，节制天下军马；老的沙为平章政事；秃坚帖木儿为御史大夫。孛罗主政后，多次遣使请皇太子还朝，皇太子拒不还朝。二十五年三月，皇太子在扩廓帖木儿军中下令："孛罗帖木儿袭据京师，余既受命总督天下诸军，恭行显罚，少保、中书平章政事扩廓帖木儿，躬勒将士，分道进兵，诸王、驸马及陕西平章政事李思齐等，各统军马，尚其奋义戮力，克期恢复。"① 于是，调岭北、甘肃、辽阳、陕西各地军队，共讨孛罗。扩廓帖木儿并不想卷入宫廷之争，原先皇太子投奔太原时，就想用唐肃宗在灵武称帝的故事自立，扩廓与不兰奚等不从。此次，受太子之诏，他率军到大都后，将兵分为三支，驻在大都城外，遥制孛罗，而不与孛罗作战。② 七月二十九日，孛罗被顺帝指使人袭杀于大都延春阁。不久，老的沙与秃坚帖木儿也被抓处死。

扩廓帖木儿与各路军阀混战 孛罗被杀后，顺帝诏皇太子还京，奇皇后传令扩廓以重兵拥皇太子入城，以胁迫顺帝让位。扩廓知其用意，兵至京师30里处，即下令分散，不入京师。皇太子怨恨在心。既入京，顺帝命老臣伯撒里为右丞相，扩廓为左丞相。然扩廓帖木儿习惯了军中生活，居朝怏怏不乐，"朝士往往轻之，谓其非根脚官人。"③ 居两月，扩廓请南还视师。闰十月，顺帝诏封扩廓为河南王，代皇太子亲征，"总制关陕、晋冀、山东等处并迤南一应军马，诸王各路军马及总兵、统兵、领兵等官，凡军民一切机务、钱粮、名爵、黜陟、予夺，悉听便宜行事。""扩廓帖木儿于是分省以自随，官属之盛，几与朝廷等，而用孙翥、赵恒等为谋主。"④

二十六年二月，扩廓抵河南，本欲调度关中的李思齐、脱列伯、孔兴、张思道四军南下进剿红巾军，但各路军阀根本不服扩廓调遣。李思齐与察罕帖木儿同起义兵，为扩廓前辈，得调兵札后大怒，骂扩廓帖木儿是"乳臭

---

① 《元史》卷47《顺帝本纪》十，第978页。
② 参见《庚申外史笺证》卷下，第129页。
③ 参见权衡著，任崇岳笺证：《庚申外史笺证》卷下，第133页。
④ 《元史》卷46《顺帝本记》九，第856页。

儿，黄发犹未退，而反调我耶！我与尔父同乡里，尔父进酒，犹三拜我然后饮，汝于我前，无立地处，而今日公然称总兵调我耶!"张思道曾与孛罗结盟，也拒不受命；孔兴、脱列伯等皆以功自恃，要求别为一军，也不受调遣。四将各令本部说："一戈一甲，不可出武关，王保保来，则整兵杀之!"①他们共推李思齐为盟主。扩廓遣关保、虎林赤西攻张思道于鹿台，而李思齐与张思道合兵抗之。双方相持一年，前后百战，胜负未决。而此时，朱元璋削平群雄、统一南方，至正二十四年灭陈理，称吴王，建百官，拓地江北、淮东，并准备灭张士诚。

二十六年五月，扩廓军与诸军阀相持于关中，自率中军由怀庆（今河南沁阳）屯彰德（今河南安阳）。彰德积粮草达 10 万石，顺帝颇疑扩廓有异志，因屡催扩廓发兵攻江淮。扩廓遣将攻徐州，被徐达击退。当时朱元璋正征张士诚，为避免与扩廓交兵，七月又遣使致书扩廓，分析形势，陈述利害关系。扩廓面对关中诸军阀，不敢寻衅江淮，因而于十月遣其弟脱因帖木儿及貊高、完仲宜驻兵济宁、邹县等地，名为保障山东，实为防朱元璋之部北上。因此，双方未形成较大规模的交战。二十七年，扩廓继续增兵关中，誓与李思齐、张思道等一决雌雄，李、张求助于朝廷。朝廷因命左丞袁焕、知院安定臣、中丞明安帖木儿传旨，令两家罢兵。孙翥进计于扩廓说："我西事垂成，不可误听息兵之旨。且袁焕贪人也，此非其本意。可令在京藏吏，私贿其家，则袁必助我。"袁焕受贿后，果对扩廓说："不除张、李，终为丞相后患。"于是，扩廓攻张、李益急。七月，胜负犹未决，扩廓问计于孙翥、赵恒，二人又进计说：关中四军，李思齐最强，李思齐破，则其他三军自下。宜急抽貊高一军，疾趋河中，自河中渡河驰凤翔，覆思齐巢穴，则渭北之军可降。扩廓即日从此计。②而貊高部众多为原孛罗帖木儿部属，他们认为"用我敌南军犹云可也"，而要去攻打同属于官军的李思齐则不可，因而在八月六日，貊高等人杀扩廓在卫辉的守将而自立，貊高遣使上奏扩廓罪状。与此同时，关保也宣布脱离扩廓，上书朝廷，列扩廓罪状以闻。关保、貊高皆察罕帖木儿老部将，关保勇冠诸军，功最高；貊高善论兵，为

①　权衡著，任崇岳笺证：《庚申外史笺证》卷下，第 135 页。
②　权衡著，任崇岳笺证：《庚申外史笺证》卷下，第 138 页。

察罕所信任。两将的背离，扩廓军势一挫。

　　顺帝本就猜疑扩廓，至此有了削弱扩廓兵权的借口，乃命皇太子总天下
兵马，动员所有兵力，南下剿杀各地反元武装。诏书命扩廓帖木儿总领本部
军马，自潼关以东，肃清江淮；李思齐总领本部军马，自凤翔以西，与侯伯
颜达世进取川蜀；以少保秃鲁为陕西行中书省左丞相，驻扎本省，总本部及
张良弼、孔兴、脱列伯各支军马，进取襄樊；王信本部军马，固守驻地，别
听调遣。十月，顺帝以扩廓帖木儿不受调遣、构兵仇杀，免其太傅、中书左
丞相职，以河南王食邑汝州（今河南汝南），与其弟脱因帖木儿同居河南府
（今河南洛阳），所有从行官属悉令还朝。凡扩廓所总诸军，其主帐由白琐
住、虎林赤领之；在河南者由李克彝领之；在山东者由也速领之；在山西者
由沙蓝答儿领之；在河北者由貊高领之。又命秃鲁、李思齐、张良弼、孔
兴、脱列伯率兵东来，准备南讨。扩廓帖木儿被迫交出兵权后，退军屯泽州
（今山西晋城）。

　　正当元廷内部倾轧之时，朱元璋在消灭劲敌张士诚后，开始了统一全国
的战争。十月二十一日，朱元璋正式下令，命中书右丞相徐达为征虏大将
军、中书平章常遇春为副将军，率军25万，由淮水入黄河，北取中原。十
一月，徐达陆续占领山东州郡。十二月，徐达军至济南，元平章忽林台等遁
去，守将以城降。戊申年（1368年）正月，朱元璋即皇帝位，定国号为明，
建元洪武。而此时，扩廓帖木儿仍着眼于争地盘的军阀战争，元廷命左丞孙
景益分省太原，关保领兵守城。扩廓帖木儿立即遣兵进据太原，尽杀朝廷所
置官。二月，皇太子命魏赛因不花及关保与李思齐、张良弼诸军夹攻泽州，
顺帝下诏削夺扩廓爵邑，令诸军共诛之。扩廓自泽州退守晋宁（今山西临
汾），关保据泽、潞二州，与貊高合军。三月，明兵已至河南，汴梁守将李
克彝遁走洛阳。至五月，明兵尽取河南，察罕帖木儿之父阿鲁温，以梁王金
印出降。闰七月，貊高、关保以兵攻扩廓于晋宁，大败，被俘。对此，“顺
帝大恐，”① 乃转而依靠扩廓，下诏称：“关保、貊高，间谍构兵，可依军法
处治，”② 于是两人皆被杀。是月十九日，元顺帝诏罢大抚军院，重新作了

---

　　① 《明史》卷124《扩廓帖木儿传》，第3711页。
　　② 《元史》卷47《顺帝本纪》十，第985页。

军事部署："命扩廓帖木儿仍前河南王、太傅、中书左丞相,统领见部军马,由中道直抵彰德、卫辉;太保、中书右丞相也速统率大军,经由东道,水陆并进;"① 陕西行省左丞相秃鲁统率关陕诸军,东出潼关,攻取河、洛;平章政事李思齐统率军马,南出七盘、金、商,克服汴、洛。仍以皇太子爱猷识理达腊悉总天下兵马,裁决庶务。接着,顺帝即差哈完太子来扩廓处督军,命其出援京师、勤王御敌,扩廓得诏,提军由晋宁向大同。有人劝阻曰:"丞相率师勤王宜出井陉口,向真定(今河北正定),与河间也速军合,势可以遮截南军。若入云中(今山西大同),至燕京(即大都)沿途千里,无乃不可乎!"② 当时,大都已危在旦夕,扩廓依然抱着观望态度,拒不勤王。至二十八日,明军势如破竹,兵临大都城下,当日夜半,顺帝率三宫后妃、皇太子、皇太子妃及扈从官员,开健德门北奔上都。八月初二,明军入大都,元亡。

　　拥兵抗明,退据漠北　顺帝逃奔上都后,元朝残余势力仍不可忽视。扩廓帖木儿拥兵数十万屯驻山西,李思齐、张思道等盘踞陕西,辽阳有兵10余万,梁王把匝剌瓦尔密守云南。山西的扩廓帖木儿对明廷威胁极大,因恐其乘虚取北平(明朝改大都为北平),明朝不敢出师追击顺帝。于是,朱元璋在八月里命徐达、常遇春率师取山西。未几,又派偏将军汤和、右副将军冯宗异(即冯国胜)增援。扩廓部将韩札儿、毛义败明军于韩店。接下来的两个月内,明军攻下了潞州(今山西长治)、保定、真定,对太原形成夹击态势。在上都的元惠宗,企图恢复大都,命皇太子出屯红罗山(今辽宁兴城北),觊觎关内;为拉拢扩廓,改封其为梁王,仍为中书左丞相,命其速出兵攻大都。扩廓北出雁门,拟由保安经居庸,乘虚收复京城。徐达、常遇春得知扩廓出兵,先乘虚直捣太原,扩廓还救。双方对垒,列营20余里,相持3日,明兵以扩廓部将豁鼻马为内应,夜劫军营,扩廓军惊溃。扩廓仓促以十八骑北走大同。明军乘胜追击,猗氏、平阳、榆次、平遥、介休、大同等地都被明军攻占,山西尽为明军所有。扩廓遂奔甘肃。洪武二年(1369年)正月,元顺帝命也速屯全宁,拜扩廓为中书右丞相。四月,明军

---

① 《元史》卷47《顺帝本纪》十,第985页。
② 权衡著,任崇岳笺证:《庚申外史笺证》卷下,第147页。

主力攻陕甘，顺帝命也速等趁机南下攻大都，被常遇春、李文忠所败。六月，顺帝逃奔应昌。与此同时，西线的明军也取得节节胜利。是年三月，明军攻陕西，元陕西守将李思齐、许国英、穆薛英、张思道、孔兴、脱列伯、金牌张、龙济民、李景春等非溃即降，明军取奉元、下凤翔、克临洮、兰州等地，甘肃大部分州县为明所有。五月，徐达入萧关，下平凉，会攻庆阳。七月，扩廓部将韩札儿破原州（今甘肃镇原）、泾州，援庆阳。八月，故元将贺宗哲攻凤翔，脱列伯、孔兴攻大同，以牵制明军，脱列伯被擒，孔兴逃绥德。庆阳亦被明军攻破。庆阳之役后，顺帝在应昌势孤力薄，遂征扩廓帖木儿来援。十一月，扩廓帖木儿上奏，请顺帝速移至和林，勿以应昌为可恃之地。以后又多次催促，但顺帝仍寄托希望于扩廓，故迟疑不定。扩廓自己则并未北上，而是于十二月围攻兰州，然而，久攻不克。洪武三年（1370年）正月，朱元璋命徐达为征虏大将军，李文忠为左副将军再征西北。他说："王保保方以兵临边，今舍彼而取元主，失缓急之宜。吾欲分兵二道：大将军自潼关出西安，攻定西，以取王保保；左副将军出居庸，入沙漠，以追元主。使其彼此自救，不暇应援。元主远居沙漠，不意我师之至，如孤豚之遇猛虎，取之必矣。"① 三月，徐达兵至定西沈儿峪，与扩廓隔深沟而垒，立栅以逼之。明军粮储充足，扩廓军粮乏。四月初七夜，明军偷袭扩廓军营，擒获故元郯王、文济王及国公阎思孝、平章韩札儿、虎林赤、严奉先、李景昌、察罕不花等官 1 865 人，将校士卒 84 500 余人，获马 15 280 余匹，驼骡驴杂畜无算。扩廓与其妻、子数人遁走，至黄河得流木而渡，入宁夏奔和林。至此，元朝残余势力基本上退至漠北。同年四月二十八日，元顺帝卒于应昌，皇太子爱猷识理达腊继位。五月，明军兼程攻应昌，爱猷识理达腊匆匆北奔和林。洪武五年（1372年）正月，朱元璋出师漠北，欲肃清沙漠。以徐达为征虏大将军，由中路出雁门，趋和林；李文忠为左副将军，由东自居庸出应昌；冯宗异为征西将军，由西路出金、兰，取甘肃。三路并发，共 15 万人。二月，徐达命都督蓝玉先出雁门，深入至漠北土拉河，与扩廓帖木儿军相遇，击败其众，扩廓遁去。五月，徐达大败，死伤数万人。六月，冯宗异等西路军平甘肃，扫除残元军

---

① 《明太祖实录》卷48，第947、948 页。

事势力。此役，双方各有胜负。洪武六年六月，扩廓遣兵寇雁门，被击退。十一月，扩廓犯大同，徐达击之，擒其武平章、康同金，获马 8 000 余匹。明军深入漠北不能取胜，扩廓又屡屡犯边，朱元璋开始争取北元归降。洪武七年夏，特遣李思齐至漠北劝谕扩廓帖木儿。扩廓待之以礼，留数日，遣归，骑士送之至界上，对李思齐说："总兵有旨，请留物以作遗念。"李思齐说："我为公差远来，无以留赠。"骑士说："请留一臂。"李思齐被断一臂，还京而死。① 洪武八年八月，扩廓帖木儿病"卒于哈剌那海之衙庭，其妻毛氏亦自经死"。②

扩廓帖木儿少年即随其养父察罕帖木儿征战，后袭统养父军剿灭山东红巾军。此后即成为军阀混斗的主角，又卷入元宫廷内部纷争，耗时达五六年，元之速亡与其不无关系。《明史》说："扩郭入援不及，大都遂陷，距察罕死时仅六年云。"③ 然而，元亡后，其臣拥兵不降者，惟扩廓帖木儿。明军所向披靡，徐达智勇双全，独兵败漠北。朱元璋对扩廓也多方拉拢，然扩廓终不降。故高岱论曰：扩廓"勇略善用兵，以遗播垂尽之势，犹能转斗千里，屡挫不衰。徐达自入中原，未尝少衄，独陇右之克甚艰，至多斩杀其部曲，则扩廓之故也。暨其祚终运迄，卒遁沙漠，而不为亡国之俘，此亦难能哉！我圣祖激励诸将，尝曰：'王保保，天下奇男子也！'岂非深羡之耶。"④

（宝音德力根　撰稿）

倒剌沙

倒剌沙，西域回回人。倒剌沙为波斯语 Dault shāh 之音译，倒剌沙当出自于中亚操波斯语之部族，初为晋王也孙帖木儿的王府内史。⑤

---

①　《国初群雄事略》卷 10《汝宁李思齐》引俞本《皇明纪事录》。

②　《明史》卷 124《扩廓帖木儿传》，第 3712 页。

③　《明史》卷 124《扩廓帖木儿传》，第 3711 页。

④　《国初群雄事略》卷 11《河南扩廓帖木儿》引俞本《皇明纪事录》。

⑤　本文"倒剌沙"一目主要参考马娟：《元代回回人倒剌沙史事钩沉》（《回族研究》2002 年第 4 期，第 51—56 页）写成，下文不再一一注出。

元英宗登基后锐意改革，起用拜住为相，广招儒臣，汰冗官，行"助役法"以减轻人民徭役赋税，他的改革触犯了蒙古贵族与色目贵族集团的利益，他们怀恨在心，当英宗至治三年八月从上都回驾大都，顿宿在上都南面的南坡店时，铁失等逆党弑英宗于行帐。铁失等人在发动政变前，暗中联络晋王也孙帖木儿，企图以奉也孙帖木儿为帝作为条件来开脱弑君之罪，而充当政变者与也孙帖木儿之间桥梁的就是倒剌沙。史称："王府内史倒剌沙得幸于帝，常侦伺朝廷事机，以其子哈散事丞相拜住，且入宿卫。久之，哈散归，言御史大夫铁失与拜住意相忤，欲倾害之。至治三年三月，宣徽使探贰来王邸，为倒剌沙言'汝与马速忽知之，勿令旭迈杰得闻也。'"① "未几，铁失与倒剌沙构谋，英宗遇弑……"② 说明倒剌沙与泰定帝和政变者有联系。

泰定帝上台后，立即答谢帮其谋取汗位的倒剌沙，至治三年九月"甲午，以内史倒剌沙为中书平章政事"，"丁亥，议赏讨逆功……倒剌沙为中书左丞相，知枢密院事马某沙、御史大夫纽泽、宣政院使锁秃并加授光禄大夫……"③ "南坡之变"后倒剌沙由原来的正二品内史升为从一品中书平章政事，进而升至正一品中书左丞相。色目人倒剌沙官至中书左丞相，并加封开府仪同三司、录军国重事等荣誉性称号。倒剌沙成为非常罕见的元代色目人中书左丞相。这期间倒剌沙一度降为御史大夫，但不久即复职左丞相。据《元史·宰相年表》，终泰定朝，倒剌沙都在左丞相任上。泰定帝先后以旭迈杰、塔失帖木儿为右丞相，而以倒剌沙为左丞相。这是因为元代惯例通常任用蒙古人出任右丞相，倒剌沙不是蒙古人，所以只能任左丞相。

倒剌沙作为回回人信奉伊斯兰教，他的信仰影响到了泰定帝的宗教政策。1324年，泰定帝敕赐："作礼拜寺于上都及大同路"，并给"钞四万锭"。④ 倒剌沙为了解决上都经费不足还滥发纸钞。1328年，在倒剌沙被下

① 《元史》卷29《泰定帝本纪》一，第637页。
② 《元史》卷184《任速哥传》，第4236页。
③ 《元史》卷29《泰定帝本纪》一，第639、642页。
④ 《元史》卷29《泰定帝本纪》一，第648页。

狱之时，监察御史上书称"户部钞法，岁会其数，易故以新，期于流通，不出其数。迩者倒剌沙以上都经费不足，命有司刻板印钞，今事既定，宜急收毁。"①

戊辰年（1328 年）七月，泰定帝死于上都，九月，倒剌沙等在上都立泰定帝子阿吉只八为帝，是为天顺帝。但是钦察人燕帖木儿在大都策动政变，扶持武宗之子来夺取帝位。倒剌沙在上都调遣军队分路进攻大都，自己与辽王脱脱、诸王孛罗帖木儿、太师朵带、知枢密院事铁木儿脱居守上都。② 无疑，在上都与大都之争中，倒剌沙是上都也即泰定帝集团的核心人物，但是燕帖木儿智勇双全，指挥大都军队各个击破了上都的军队，最终上都、大都的争位战争中，上都军队不敌燕帖木儿。

戊辰年（1328 年）十月"齐王月鲁帖木儿、东路蒙古元帅不花帖木儿等兵围上都，倒剌沙等奉皇帝宝出降，两京道路始通"③。失利后的倒剌沙被押送大都入狱，十一月"癸未，倒剌沙伏诛，磔其尸于市。"④ 这场皇位之争至此以上都派的彻底失败而告终。

（宝音德力根　撰稿）

贺仁杰、贺胜、贺惟一

贺仁杰，字宽甫，京兆人。忽必烈征云南，驻军于六盘山，其父贺贲向忽必烈献银 5 000 两，并将子仁杰推荐给忽必烈。贺仁杰从忽必烈南征云南，北征乃颜，皆有劳绩，深得忽必烈器重。

1280 年，忽必烈钦命贺仁杰为上都留守，兼本路总管、开平府尹。次年，贺仁杰被赐三珠虎符，晋资德大夫，兼虎贲亲军都指挥使。不久又加荣禄大夫、中书右丞，仍兼上都留守。"仁杰在官五十余年，为留守者居半，车驾春秋行幸，出入供亿，未尝致上怒。"⑤ 1305 年，贺仁杰 72 岁，以老辞

---

① 《元史》卷 32《文宗本纪》一，第 719 页。
② 《元史》卷 32《文宗本纪》一，第 706 页。
③ 《元史》卷 31《明宗本纪》，第 695 页。
④ 《元史》卷 32《文宗本纪》一，第 721 页。
⑤ 《元史》卷 169《贺仁杰传》。

官，以子胜袭上都留守、虎贲指挥使。

贺胜，字贞卿，一字举安，小字伯颜，以小字行。贺胜 16 岁入宿卫，得到元世祖器重。1287 年，乃颜叛乱时，忽必烈亲征，贺胜为忽必烈贴身卫士，深得忽必烈的信用。

1291 年，尚书省平章政事桑哥以罪被免，忽必烈罢尚书省。忽必烈用贺胜之言，以完泽为宰相，又以贺胜为参知政事。1293 年，贺胜任金枢密院事，又迁大都护。

1305 年，贺胜父仁杰请老，贺胜遂袭任上都留守，兼本路都总管、开平府尹、虎贲亲军都指挥使。贺胜在上都，"通商贾，抑豪纵，出纳有法，裁量有度，供亿不匮，民赖以安。诸权贵子弟奴隶有暴横骄纵者，悉绳以法。"[1]

1310 年，贺胜晋光禄大夫、左丞相，行上都留守，兼本路总管府达鲁花赤。贺胜任上都留守期间，上都富民张弼因杀人被囚，铁木迭儿收受张弼的贿赂，派家人到上都逼迫当时任上都留守的贺胜将张弼"放之"，贺胜未从。不但如此，他后来还和当时的平章政事萧拜住及御史中丞杨朵儿只等共同奏劾铁木迭儿，铁木迭儿被罢去相位。仁宗逝后第四天，铁木迭儿以皇太后答己懿旨，复入中书为右丞相。铁木迭儿进行报复，以太后旨意杀萧拜住、杨朵儿只。贺胜也没有逃脱被报复的命运，英宗刚即位两个月，铁木迭儿"且复诬胜乘赐车迎诏，不敬，并杀之。"泰定帝时，为贺胜昭雪平反。

贺胜之子贺惟一也曾任同知上都留守。"贺氏受命世祖之世，至今六七十年，祖子孙世守其官。"[2] 贺惟一，字允中，后赐姓蒙古氏，名太平。太平开始时袭父职为虎贲亲军都指挥使，不久擢陕西汉中道廉访副使。文宗朝召为工部尚书，都主管奎章阁工事，又任上都留守同知。1346 年，拜御史大夫。"故事，台端非国姓不以授，太平因辞，诏特赐姓而改其名。"[3] 后历任中书平章政事、左丞相、同监修国史。至正九年（1349 年）七月，因谗言罢为翰林学士承旨，后遂还奉元，闭门读书，1355 年，红巾起义爆发后，诏太平为淮南行省左丞相，兼知行枢密院事，总制诸军。至正十七年（1357 年）五月，升中书左丞相。此

---

① 《元史》卷 179《贺胜传》。
② 虞集：《上都留守贺惠愍（贺胜）公庙碑》，《道园学古录》，卷 13，四部丛刊本。
③ 《元史》卷 140《太平传》，第 3366 页。

时顺帝的奇皇后与太子爱猷识理达腊欲逼顺帝退位，遣宦官资正院使朴不花联络于太平，太平不答。奇皇后又召太平至宫中，"举酒申前意"，[①] 太平依违而已。太平之子也先忽都也被卷入了这场宫廷斗争，得罪了皇太子。太平被迫辞官，居家养病。1362 年，阳翟王阿鲁辉铁木儿在其分地发动叛乱，势逼上都，"皇太子乃言于帝，命太平留守上都，实欲置之死地。太平遂往。"[②] 太平还未出征，阳翟王已被俘。次年，皇太子授意御史大夫普化弹劾太平故意违抗皇上命令，放逐太平，又令太平自裁，太平至东胜，赋诗一篇，乃自杀。年 63。

太平之子也先忽都，1359 年，受命以知枢密院事兼太子詹事身份率师讨伐从开平逃往辽阳的农民起义军，也先忽都因"朝廷谗构日甚，罢为上都留守"。后皇太子诬其不轨，被杖死。

（宝音德力根　撰稿）

也　速

也速之父月阔察儿　也速（Yisü），《元史》卷一四二有传。也速本传称其为蒙古人，父月阔察儿（Ököčer），未著其氏族。柯劭忞认为月阔察儿是元惠宗怯薛，因参与废黜伯颜有功而日见亲信。[③] 然而《元史·伯颜传》载至元"六年（1340 年）二月，伯颜自领兵卫，请帝出田。脱脱告帝托疾不往。伯颜固请太子燕帖古思出次柳林。脱脱欲有所为，遂与世杰班、阿鲁合议，白于帝。戊戌，脱脱悉拘门钥，受密旨领军，阿鲁、世杰班侍帝侧传命。是夜，帝御玉德殿，主符檄，发号令，详见脱脱传。中夜二鼓，遣太子怯薛月可察儿率三十骑抵太子营，取之入城，夜半见帝。"[④] 如此，则"月可察儿"（月阔察儿）是文宗之子燕帖古思的怯薛，其番值在戌日，则属第一怯薛。据《元史·脱脱传》，脱脱与元惠宗倒伯颜是在极为机密的情况下进行的，如果月阔察儿不是惠宗的亲信怯薛，元惠宗如何敢派他去取燕帖古思？而且，月阔察儿将燕帖

---

① 《元史》卷 140《太平传》，第 3367 页。
② 《元史》卷 140《太平传》，第 3369 页。
③ 参见柯劭忞：《新元史》卷 208《也速传》，台湾开明书局 1962 年版，第 1167 页；《元史》卷三十六《文宗本纪》五，中华书局点校本，第 806 页。
④ 《元史》卷 138《伯颜传》，中华书局点校本，第 3337 页。

古思杀害于流放高丽的路上，说明月阔察儿背叛了燕帖古思，投靠了元惠宗。至正十二年（1352 年），"知枢密院事"月阔察儿讨伐徐州农民起义军芝麻李；① 至正十四年九月，月阔察儿迁中书省平章政事，奉命征淮西、淮东；十二月，征高邮的中书右丞相脱脱被夺兵权，月阔察儿加太尉称号，与河南行省左丞相太不花、枢密院知院雪雪代脱脱将兵。② 至正十六年（1356 年），月阔察儿军中受伤，请求罢职，元惠宗不允，③ 可能不久死去，此后未见踪迹。

按元朝制度，全国军队由枢密院调度；全国军队分为镇戍军与卫戍军，镇戍军在外，卫戍军在内；战争时期中书省丞相有权调度兵马。枢密院能迅速有效提调的军队是诸卫军。但是自阿速卫军参与南坡之变后，泰定帝开始命中书右丞相旭杰兼领阿速卫军，枢密院统辖诸卫军的权力更多地转移到了中书省。此后，权臣燕帖木儿、④ 伯颜⑤为中书右丞相时都领钦察、阿速等卫军。伯颜败后，脱脱之父马札儿台为中书右丞相，脱脱知枢密院事。脱脱为中书右丞相时，虽然其出外征讨时总领过兵马，但脱脱之弟也先帖木儿时为知枢密院事，并领诸卫兵十多万南伐过红巾军。⑥ 脱脱之后的中书右丞相以搠思监在位最久，仅见到至正十五年（1355 年）九月"命搠思监提调武卫。"⑦ 可能伯颜罢相之后，卫军的统辖权又基本上回到了枢密院，当然，丞相与其他中书省官员外出征讨可以掌兵权。

月阔察儿自至正十二年知枢密院事，至正十四年平迁中书省平章政事，但月阔察儿仍在淮南战场，直到至正十六年仍在军中。经过这五年，月阔察儿家族与诸卫军建立了联系，可能掌握了部分卫军，这应当是也速能从内朝官迅速出职到淮南行枢密院副使的重要原因。

---

① 《元史》卷 42《顺帝本纪》卷 5，第 895 页。

② 《元史》卷 43《顺帝本纪》卷 6，第 916、917 页；参见《元史》卷 138《脱脱传》，第 3347 页；卷 141《太不花传》，第 3381 页。

③ 《元史》卷 44《顺帝本纪》七，第 929 页。

④ 参见《元史》卷 138《燕铁木儿传》，第 3326 页。

⑤ 《元史》卷 37《宁宗本纪》，第 812 页：至顺三年十月"庚申，告祭社稷。以伯颜为徽政使，依前开府仪同三司、浚宁王、太保、录军国重事、知枢密院事。提调都指挥使常不兰奚，并为徽政使卫亲军都指挥使司事伯撒里、右都威卫忠翊侍"；卷 35《文宗本纪》四，第 782 页：至顺二年五月"辛丑，太白经天。改阿速万户府为宣毅万户府，赐银印，命伯颜领之"。

⑥ 《元史》卷 138《脱脱传》，第 3347 页。

⑦ 《元史》卷 44《顺帝本纪》卷 7，第 927 页。

大汗的怯薛　据也速本传，也速以宿卫起家，"历尚乘寺提点，迁宣政院参议。"尚乘寺掌"上御鞍辔舆辇"，但尚乘寺无提点一职，尚乘寺属下的资乘库有提点四员，从五品，"掌收支鞍辔等物"。① 怯薛执事中，"典车马者，曰兀剌赤、莫伦赤。"② 怯薛执事是世袭的，因此，也速家族是世袭怯薛执事中的"兀剌赤"或"莫伦赤"。"兀剌"，旧蒙古语 ulaḥa，驿马；"兀剌赤"，ulaḥači，是掌驿马的马夫；"莫伦赤"，morinči，养马人，应当是掌驿马之外的马的马夫。尚乘寺既掌"上御鞍辔舆辇"，则也速家族更有可能是世袭兀剌赤。宣政院"掌释教僧徒，及吐蕃之境而隶治之"，③ 设有参议二员，正五品。因此，也速也是元惠宗的怯薛，由怯薛出职宣政院，开始仕途。按照元朝规定，怯薛"久侍禁闼、门地崇高者，初受朝命散官，减职事一等，否则量减二等。至大四年（1311 年），诏蒙古人降一等，色目人降二等，汉人降三等。"④ 也速可能在尚乘寺提点之后再升迁了，然后出职宣政院，否则以从五品的内朝官出任宣政院的正五品参议不符合元朝关于怯薛从执事出职散官的规定，当然，也许也速是一个特例。

讨伐红巾军发迹　也速之父月阔察儿与中书省右丞相脱脱征徐州芝麻李、征两淮时，也速从行。攻徐州时，"徐州城坚不可猝拔，脱脱用也速计，以巨石为炮，昼夜攻之不息，贼困莫能支。也速又攻破其南关外城，贼遂遁走。以功除同知中政院事。"⑤ 中政院掌皇后位下财赋、营造、供给、番卫诸事，同知秩正三品。接着，也速从月阔察儿征淮西安丰、濠州，以功升将作院使。将作院掌宫内"成造金玉珠翠、犀象宝贝、冠佩器皿，织造刺绣、缎匹纱罗，异样百色造作。"⑥ 将作院设院使七名，院使为本机构的最高长官，正二品。也速"复从太尉征淮东，取盱眙。迁淮南行枢密院副使，升同知枢密院事。"淮南行枢密院于至正十五年冬十月立于扬州，⑦ 枢

---

① 《元史》卷 90《百官志》六，第 2289 页。
② 《元史》卷 99《兵志》二，第 2524 页。
③ 《元史》卷 87《百官志》三，第 2193 页。
④ 《元史》卷 82《选举志》二，第 2037 页。
⑤ 《元史》卷 142《也速传》，第 3400—3401 页。
⑥ 《元史》卷 88《百官志》四，第 2225 页。
⑦ 《元史》卷 44《顺帝本纪》七，第 927 页。

密院副使从二品，同知枢密院事，正二品。也速由正二品的将作院使到从二品的行枢密院副使，符合至大以后关于怯薛执事出职散官蒙古人降一等的规定，由此也可以佐证也速是蒙古人而非色目人。也速在两淮战场上表现出色，由淮南行枢密院副使很快升为同知枢密院事，此后，也速主要是以军政首领的身份进行活动。接着，也速转战山东，本传称其"升知枢密院事"，从上下文看是淮南行枢密院的知枢密院事，也是从一品。本传又称也速"拜中书平章政事，改行省淮南。"也速的中书省平章政事在《元史·宰相年表》中没有记载，或者是刚受宣命即改为淮南行省官了。也速本传载："雄州、蔚州贼继起，也速悉平之。知枢密院事刘哈剌不花所部卒掠怀来、云州，欲为乱，也速以轻骑击灭其首祸者，降其众隶麾下。"据《顺帝本纪》，至正十八年（1358年）三月红巾军毛贵部攻至漷州、枣林、柳林，"同知枢密院事刘哈剌不花以兵败之，"① 毛贵退至济南，大都遂安。则也速平刘哈剌不花之兵在至正十八年，其时也速可能平雄州、蔚州义军后正驻军于大都近郊。

刘哈剌不花在血战毛贵、保卫大都后为何要"欲为乱？"第一个问题，或者可以从两个方面考察。一、丁丙在《善本书室藏书志》中介绍元翰林学士承旨河南人李士瞻时提到：李士瞻，"至正初，度支监卿柳嘉荐为知印。旧例，凡大都有恒产，住经年深者，听就试。因中大都路进士，辟中书省掾，除刑部主事，出赞总戎。时兵犯右卫，京师震恐。刘哈剌不花兵甫交，母凶问至。上遣使军中慰吊，士瞻曰：'兵势方振，遽宣诏旨，彼将哀毁，不暇枭足御敌。若少缓，方两全。'从之。兵果大捷，京师无虞。"② 刘哈剌不花是否因为奔母丧不及愤而抢劫为乱？二、士兵乏食。《元史·列女传》载："李仲义妻刘氏，名翠哥，房山人。至正二十年（1360年），县大饥，平章刘哈剌不花兵乏食，执仲义欲烹之。仲义弟马儿走报刘氏，刘氏遽往救之，涕泣伏地，告于兵曰：'所执者是吾夫也，乞矜怜之，贷其生，吾家有酱一瓮、米一斗五升，窖于地中，可掘取之，以代吾夫。'兵不从，刘氏曰：'吾夫瘦小，不可食。吾闻妇人肥黑者味美，吾肥且黑，愿就烹以代

---

① 《元史》卷45《顺帝本纪》八，第942页。
② 丁丙撰：《善本书室藏书志》卷34，《续修四库全书》，第921册，第567页。

夫死。'兵遂释其夫而烹刘氏。"①《元史·太不花传》云：太不花在至正十四年总兵山东、河南时，"以军士乏粮之故，颇骄傲不遵朝廷命令，军士又往往剽掠为民患。"② 刘哈剌不花是太不花亲自提拔的部下，看来太不花这支军队的纪律败坏。可能正是因为事出有因，朝廷并未深究刘哈剌不花，故其日后能官至河南行省平章政事。③

至正十八年十二月，红巾军攻陷上都，焚烧宫阙，抄走大汗玉玺、金宝、金银铜印、牌符等，然后，东经虎贲司，克大宁，下全宁，占应昌，烧毁鲁王府。④ 至正十九年（1359 年）十二月，部分红巾军攻入高丽，占领西京（今朝鲜平壤），转战于高丽西北沿海诸州，次年正月，农民军被高丽军队赶出西京，逐回中国境内。《元季伏莽志》载："至正二十年正月……贼陷大宁，诏也速往讨之。贼兵攻侯家店……也速遇贼，即前与战，自昏抵曙，散而复合，也速遣别将绕出贼后，贼腹背受敌，大败，遂拔大宁。擒贼首汤通、周成等三十五人磔于都市。"⑤ 这是也速镇压红巾军中功绩最显的一战。八月，雷帖木儿不花、程思忠"陷永平，坚守不可下。也速外筑大营，绝其樵采，数与贼战，获伪将二百余人，擒雷帖木儿不花送京师，思忠弃城遁去。追至瑞州，贼遂东走金复州。"⑥ 也速本传记载了其在大宁与永平讨红巾军事，但未系年月，据此可补年月。至正二十二年（1362 年）九月，朝廷"以也速为辽阳行省左丞相，依前总兵，抚安迤东郡县。"⑦ 所谓"依前总兵"，据也速本传是"知行枢密院事，抚安迤东兵农，委以便宜，开省于永平，总兵如故。"开省于永平，一是为了就近求援大都，二是当时"辽东郡县惟永平不被兵，储粟十万，刍藁山积，居民殷富。"⑧ 也速在永平建立了据点，成为元亡后与明军对峙的堡垒。也速在辽阳行省左丞相任上，

①　《元史》卷 201《列女传》二，第 4510 页。

②　《元史》卷 141《太不花》，第 3383 页。

③　《元史》卷 188《刘哈剌不花》，第 4306 页。

④　参见《元史》卷 45《顺帝本纪》八，第 945、946 页。

⑤　周昂：《元季伏莽志》卷 2《盗臣传·韩林儿》，中国基本古籍库录存南京图书馆藏稿本，古籍库电子版第 15 页。

⑥　周昂：《元季伏莽志》卷 2《盗臣传·雷帖木儿不花、程思忠》，中国基本古籍库录存南京图书馆藏稿本，古籍库电子版第 24 页。

⑦　《元史》卷 46《顺帝本纪》九，第 960 页。

⑧　《元史》卷 142《也速传》，第 3400—3401 页。

基本肃清了红巾军在辽东的势力。

摘取兵柄　至正末年，皇太子爱猷识理达腊与奇皇后勾结中书右丞相搠思监、宦者朴不花，并极力拉拢扩廓帖木儿，逼元惠宗禅让汗位；而元惠宗依靠其母舅老的沙及军阀孛罗帖木儿对抗皇太子一党。至正二十四年（1364年）四月，朝廷命扩廓帖木儿讨伐孛罗帖木儿，"孛罗帖木儿悉知诏令调遣之事非出帝意，皆右丞相搠思监所为，遂令秃坚帖木儿举兵向阙。壬寅，秃坚帖木儿兵入居庸关。癸卯，知枢密院事也速、詹事不兰奚迎战于皇后店。不兰奚力战，也速不援而退，不兰奚几为所获，脱身东走。"皇太子战败出逃。也速官至知枢密院事，掌握了兵权。元惠宗迫于孛罗帖木儿的武力威胁，"诏屏搠思监于岭北、窜朴不花于甘肃，执而与之。复孛罗帖木儿前官，[①] 仍总兵。以也速为左丞相。"[②] 七月，孛罗帖木儿从大同亲自率兵向阙，"前锋军入居庸关，皇太子亲率军御于清河，也速军于昌平，军士皆无斗志。"皇太子不得已出逃冀宁。"孛罗帖木儿驻兵健德门外，与秃坚帖木儿、老的沙入见帝于宣文阁，诉其非罪，皆泣，帝亦泣，乃赐宴。"元惠宗被迫"诏以孛罗帖木儿为中书左丞相，老的沙为中书平章政事，秃坚帖木儿为御史大夫，其部属布列省台百司。以也速知枢密院事。"十月，"诏皇太子还京师。命也速、老的沙分道总兵。"[③] 次年，皇太子在冀宁，依靠扩廓帖木儿，并调集"甘肃、岭北、辽阳、陕西诸省诸王兵入讨孛罗帖木儿。孛罗帖木儿乃遣御史大夫秃坚帖木儿率兵攻上都附皇太子者，且以御岭北之兵，又调也速率兵南御扩廓帖木儿部将竹贞、貊高等。也速军次良乡不进，谋之于众，皆以谓孛罗帖木儿所行狂悖，图危宗社，中外同愤。遂勒兵归永平，西连太原扩廓帖木儿，东连辽阳也先不花国王，军声大振。孛罗帖木儿患之，遣其将同知枢密院事姚伯颜不花以兵往讨。军过通州，白河水溢不能进，驻虹桥，筑垒以待。姚伯颜不花素轻也速无谋，不设备。也速觇知之，袭破其军，擒姚伯颜不花。孛罗帖木儿大恐，自将讨也速，至通州，大

---

① 《元史》卷46《顺帝本纪》九，第959页：至正二十二年三月，"命孛罗帖木儿为中书平章政事，位第一，加太尉。"

② 《元史》卷46《顺帝本纪》九，第966页。

③ 《元史》卷46《顺帝本纪》九，第966、967、968页。

雨三日，乃还。"① 也速成为倒孛罗帖木儿联盟的盟主。

也速在元惠宗与太子的权力之争中的作为及元惠宗对也速的态度是耐人寻味的。也速在秃坚帖木儿的军队攻入居庸关，奉命督师于皇后店时，不战而退，尔后元惠宗居然没有追究其责任，还命其为中书左丞相。孛罗帖木儿攻入大都，元惠宗被迫授其中书左丞相，却仍以也速知枢密院事，元惠宗授命的总兵人物是老的沙与也速。至正二十五年（1365 年），皇太子反攻大都，孛罗帖木儿调也速南御扩廓帖木儿，也速却不仅不进兵，反而联络了扩郭帖木儿与札剌亦儿氏国王也先不花。这说明，也速作为元惠宗的心腹怯薛，即使其出仕为高官，他的第一职责与信念里仍是保护大汗，而大汗对也速也很信任。所以当皇太子胁迫元惠宗逊位时，也速对有利于维持元惠宗汗位的孛罗帖木儿的第一次进攻是不战而退，也速的盘算可能是想趁此打倒太子党。而元惠宗无疑是清楚这次战争对于其汗位的作用的，当然更清楚孛罗帖木儿是跋扈之臣，所以命孛罗帖木儿为中书平章政事，而以也速担任左丞相，以也速与母舅老的沙分道总兵，以此来牵制孛罗帖木儿的势力。当孛罗帖木儿提兵入大都，挟持惠宗、把持朝政后，孛罗帖木儿的权臣面目暴露无遗。于是当也速得到了调动军队的机会后，趁机回到了他曾开省的永平，回到他的大本营。在这里，他联合辽阳的也先不花国王与扩廓帖木儿。也先不花国王是木华黎之后，他们是成吉思汗家的世袭奴隶，骨子里的信念是不能背叛自己主人的。札剌亦儿氏国王还是五投下的首领，联络了也先不花国王，基本意味着弘吉剌、亦乞列思、兀鲁、忙兀诸部也站到了倒孛罗帖木儿的阵线里。扩廓帖木儿虽然桀骜不驯，但头脑清醒，不肯卷入皇家内争，而且他与孛罗帖木儿争地盘，早在冀宁一带屡有火并，所以在倒孛罗帖木儿这件事上与也速站在同一立场。此外，也速可能与扩廓帖木儿的私交不错，据至正二十八年（1368 年）正月元惠宗的诏书透露，扩廓被削职后，也速曾为之在元惠宗跟前说项。② 也速组织的这个联盟，加上皇太子调集的诸王部队，因此军声大振，孛罗帖木儿"大恐"，自知已陷入了蒙古传统势力的包围中，离灭亡

---

① 《元史》卷 142 《也速传》，第 3400—3401 页。

② 《元史》卷 47 《顺帝本纪》十，第 983 页："诏谕扩廓帖木儿曰：'比者也速上奏，卿以书陈情，深自悔悟，及省来意，良用恻然。'"

的日子不远了，果然不久被诛。太子爱猷识理达腊不能成功逼迫其父禅位，其重要原因之一是没有掌握诸卫军，而掌握卫军的也速则捍卫元惠宗。

也速自至正二十四年为知枢密院事起，后来又官至中书右丞相，约算上北元初年，也速掌握元朝兵权近十年。但也速并无将帅、宰相之才，除了在对付起自草莽的红巾军时打了几次胜仗，也速在随后与明军的对阵中总是一败再败。元惠宗逃到上都后，监察御史徐敬熙条陈十事，首要的就是："一、选将；二、宰相非人，请择贤者、能者；……"① 又前揭史料中"姚伯颜不花素轻也速无谋，"是知，也速不才为当时朝野所共知。当时元朝比也速有能力的将领、官僚还是有的，如扩廓帖木儿等人。元惠宗何以要重用也速掌兵权？可能的原因大约有两点。其一，他原来是大汗的怯薛，对大汗非常忠诚。其二，可能是元惠宗的身世、经历让其对宗室诸王、大臣充满了戒心。惠宗即位之初权臣燕帖木儿与伯颜相继擅权，惠宗对权臣的顾忌是可想而知的。惠宗之父明宗死于文宗的毒害，文宗之子燕帖古思又被惠宗授意除掉。刘福通起义后，元惠宗号召宗王领兵南征，窝阔台后王阿鲁辉帖木儿聚兵数万于木儿古兀彻之地（其地当在称海西北），与诸王襄加、玉枢虎儿吐华等合谋起兵，并遣使责问元惠宗："祖宗以天下付汝，汝何故失其太半？盍以国玺授我，我当自为之。"② 阿鲁辉帖木儿将兵南下攻击两都，夺取政权。至正二十一年，元朝命少保、知枢密院事老章发兵 10 万征讨阿鲁辉帖木儿，阿鲁辉帖木儿被部将脱欢等擒送阙下，被诛。洪武元年（1368年）正月，知枢密院事哈剌章在上都与刘佶谈及为何不能依靠西北诸藩图谋恢复，哈剌章说："子独不见阿鲁辉王之事乎？"③ 跋扈的权臣、觊觎汗位的宗室、太子，使元惠宗不能信任宗室诸王与干臣，唯有也速这种可以驾驭得了的庸才，元惠宗才敢任用。

至正二十七年（1367 年）八月元廷命"也速仍前太保、中书右丞相"，④ 其时明军已将北伐中原，山东成为双方争夺的重点。九月，"命右丞

---

① 刘佶：《北巡私记》，王雄编辑点校本：《明代蒙古汉籍史料汇编》第 1 辑，第 4 页。
② 《元史》卷 206《阿鲁辉帖木儿传》，第 4597 页。
③ 刘佶：《北巡私记》，王雄编辑点校本：《明代蒙古汉籍史料汇编》第 1 辑，第 4 页。
④ 《元史》卷 47《顺帝本纪》十，第 980 页。

相也速以兵往山东，命参知政事法都忽剌分户部官，一同供给。"又"诏也速以中书右丞相分省山东，沙蓝答里以中书左丞相分省大同。"① 也速似未来得及到山东。十月又"诏也速自河间以兵会貊高取真定，已而不克，命也速还河间，貊高还彰德。"是时，明军方面，朱元璋命徐达为征虏大将军，常遇春为副将军，率领二十五万大军，由淮河进入河北，开始了夺取中原的北伐。面对明军的攻势，元朝试图全面抵抗："山东诸军，命太保、中书右丞相也速统之。山西诸军，命少保、中书左丞相沙蓝答里统之。河北诸军，命知枢密院事貊高统之。"② 十二月，明军取般阳路、济宁路、莱州、济南及东平路。旋即，明军入杉关，取邵武路，元廷犹"命右丞相也速，太尉知院脱火赤，中书平章政事忽林台，平章政事貊高，知枢密院事小章、典坚帖木儿、江文清、驴儿等会杨诚、陈秉直、伯颜不花、俞胜各部诸军同守御山东，又命关保往援山东。"③ 元朝企图守住山东，但明军势如破竹，元军一路溃败。至正二十八年（1368 年）正月，明军取卫辉、彰德路、广平路，元惠宗作最后挣扎，下诏恢复扩廓帖木儿的中书左丞相等被夺的一切职务，让其统领现部人马由中道直抵彰德、卫辉；让也速领军经由东道，水陆并进；陕西行省左丞相秃鲁统率关陕诸军，东出潼关，攻取河洛；平章政事李思齐统率军马，南出七盘、金、商，克复汴洛；辽阳左丞相也先不花，郡王、知院厚孙等军，捍御海口，藩屏畿辅。④ 也速在山东战场一败再败，同月，徐达"与副将军遇春兵合取东昌，所属州邑皆下，败元少保也速兵，追奔八十余里，擒其大将。"⑤ 山东全部落入明军手中。闰七月二十日，明军克长芦，趋清州。二十三日，徐达兵抵直沽，水陆两路向大都进发。也速捍御海口却望风逃遁，奔至河西务，⑥ 元都大震。二十八日夜半，元惠宗率三宫后妃、皇太子等，开健德门北奔上都，左丞相失列门等扈从，右丞相也

---

① 《元史》卷47《顺帝本纪》十，第981页。
② 《元史》卷47《顺帝本纪》十，第981页。
③ 《元史》卷47《顺帝本纪》十，第982页。
④ 《元史》卷47《顺帝本纪》十，第985页。
⑤ 王世贞撰、（明）董复表辑《弇州史料》前集卷19《徐中山世家》，中国基本古籍库录存南京大学图书馆藏明万历四十二年杨鹤等刻本，古籍库电子版第249页。
⑥ 参见陈建撰、高汝栻订、吴祯增删：《皇明通纪法传全录》卷4，中国基本古籍库录存上海图书馆藏明崇祯九年刻本，古籍库电子版第72页。

速将兵殿其后。"时王师竞进，锋不可当，元将帅俱各奔窜，惟也速将所部殿元主之后，防卫甚严。"① 也速从直沽"望风"逃奔京师或许有赴京护驾的用意。

北元封王　元惠宗一行于二十九日至居庸关，"诏也速率本部兵趋行在。"② 八月初五日，也速赶至元惠宗行在，"奏京师失守，淮王及丞相庆童死事。"③ 十月初一日，封也速为梁王，加太保。

元惠宗虽然退出大都，但元朝当时还很有实力，扩廓帖木儿拥数十万军屯驻山西，李思齐、张思道等盘踞陕西，辽阳有兵10万，梁王把匝剌瓦尔密守云南。但这些力量，除也速军得以退入草原外，扩廓帖木儿之军全部在定西覆灭，陕西李思齐战败降明。北元初期所依靠的主要是随大汗退入草原的宫廷怯薛、大汗直属部众、诸王部属、辽东五投下，也速所部主要是诸卫军，这就是说元朝的镇戍军都已覆没。大汗的直属部众应是大汗及太子爱猷识理达腊所领军队，诸王的部属本质上诸王私产，五投下的部属本质上虽然是大汗的属民，但经历元朝近百年的演变，他们与大汗的隶属关系也远不如大汗与诸卫军关系紧密，所以也速所领的诸卫军是北元政权的一支核心武装，因此，元惠宗器重也速是有其实际原因的。

元惠宗在上都欲凭借尚存的力量恢复大都，为此调兵遣将。洪武二年（1369年）正月二十一日"诏也速丞相屯全宁州。"④ "全宁州"有误，应是屯全宁路，金、元、明三代都无全宁州，元初有全州，大德元年（1297年）升为府，大德七年升为路。二月十五日，"也速丞相率精骑四万抵通州，贼固守不下。诏也速公勿深入，恐贼乘虚内犯。"⑤ 《皇明通纪法传全录》载："元将也速兵侵通州。时城中守兵仅千人。也速将万余骑营于白河，守将曹良臣谓其部下曰：'吾兵少，不可与战，彼众虽多，然亡国之后，屡挫之

---

①　佚名《秘阁元龟政要》卷四，中国基本古籍库录存北京图书馆藏明抄本，古籍库电子版第143页。

②　刘佶：《北巡私记》，《云窗丛刻》本；薄音湖、王雄编辑点校本：《明代蒙古汉籍史料汇编》第1辑，第4页。

③　刘佶：《北巡私记》，薄音湖、王雄编辑点校本：《明代蒙古汉籍史料汇编》第1辑，第5页。

④　刘佶：《北巡私记》，薄音湖、王雄编辑点校本：《明代蒙古汉籍史料汇编》第1辑，第5页。

⑤　刘佶：《北巡私记》，薄音湖、王雄编辑点校本：《明代蒙古汉籍史料汇编》第1辑，第5页。

兵，可以计破。'乃密遣指挥许勇等，于沿河舟中各树赤帜，亘三十余里，钲鼓之声相闻。也速望之惊骇，遂引众遁去。城中出精骑渡白河追之，不及而还。"① 也速不战而退，可能与元惠宗的诏令有关，也速可能退回到了全宁。趁着明军主力西征陕西之机，四月初一日，元惠宗"诏晃火帖木儿、也速分道讨贼，恢复京师。"《北巡私记》载也速四月初一出师，初六日即败绩于滦州。② 《明太祖实录》洪武二年（1369 年）四月丙寅（初二日）"上遣使即军中命副将军常遇春率师赴北平。先是，元将也速以兵寇通州，至白河遁云。至是有报，胡兵复□入□故遣使驰报遇春等，令率所部兵还北平，取迤北余寇。"③ 也速四月初六败迹于滦州之事，笔者仅见于《北巡私记》，考之于《太祖实录》，应实有其事。也速曾分省于永平，在此建立了据点，也速在滦州败退后可能是回到了永平据点。《秘阁元龟政要》称洪武二年夏秋时："中原虽为我有，然也速拥永平大军等兵；扩廓王保保在定西；俞宝屯亦集乃，劲兵健马，皆萃且经百战精良者。庆阳未下，大同受围，元主屯盖里，以击诸虏之望。"④ 也速自滦州退回永平后，可能再度逼近通州，故明代的史书多记载为"也速复侵通州"。也速等人的再次入关，坚定了明太祖要彻底解决残元势力的决心，因此从陕西战场调回常遇春，攻击在上都的元朝残余力量。

关于明军洪武二年的进攻路线有以下记载。

《明太祖实录》记载明军洪武二年进攻上都：（洪武二年六月）"己卯，常遇春等克开平。初，上命遇春自凤翔赴北平征迤北余寇，以平章李文忠辅之。遇春、文忠率步卒八万、骑士一万，自北平往取开平。道三河，经鹿儿岭⑤，过惠州，败故元将江文清兵于锦川，得士马以千计。次全宁，故元丞相也速复以兵迎战，又败之，也速遁去。进攻大兴州，文忠谓遇春曰：'元

---

① 陈建撰、高汝栻订、吴祯增删：《皇明通纪法传全録》卷四，中国基本古籍库录存上海图书馆藏明崇祯九年刻本，古籍库电子版第 78 页。

② 刘佶：《北巡私记》，薄音湖、王雄编辑点校本：《明代蒙古汉籍史料汇编》第 1 辑，第 6 页。

③ 《明太祖实录》卷 41，台湾史语所本，第 816 页。

④ 佚名：《秘阁元龟政要》卷 5，中国基本古籍库录存北京图书馆藏明抄本，古籍库电子版第 174 页。

⑤ 顾祖禹：《读史方舆纪要》卷 18《北直九·附见·废开平卫》，中华书局 2005 年版，古代地理志丛刊本，第 823 页载：鹿儿岭在永平府迁安县之景山北，或说鹿儿岭即路儿岭，路儿岭在兴州东。

兵必走。’乃分兵千余为八屯，伏其归路。虏果夜遁，遇伏，大破之，遂率兵道新开岭，进攻开平。元主先北奔，追北数百里，俘其宗王庆生及平章鼎住斩之。凡得将士万人，车万辆，马三千匹，牛五万头，蓟北悉平。”①

董伦撰《岐阳王李文忠碑铭》也记载李文忠部的进攻路线。“（洪武）二年春，以王为偏将军，副开平王常遇春征迤北，由遵化度鹿儿岭，败江文清于锦川。次全宁，元将也速逆战，一鼓败之，追至滦河，斩其宗王庆生，遂进攻大兴。王度其必走，乃分兵千余伏其归路，虏果夜遁，遇伏，大破之，斩其将鼎住，进克上都。”董伦撰《岐阳王李文忠碑铭》见于《（成化）中都志》。② 以董碑补充实录，明军从遵化而东，过惠州、克锦川、战全宁，转滦河、大兴州、新开岭，克开平，然后乘胜北追元兵，据《皇明从信录》，明军将元兵追到了“北河”：“至大宁，也速逆战，败走，进破开平。元君又北奔，追至北河，俘斩其宗王庆生等。”③

前揭三段史料中的锦川、大兴州是明初出现的地名，有学者予以了研究。和田清据明中期《辽东志》考证，锦川是小凌河支流，地点在锦州附近；据《大清一统志》，大兴州位于古北口外滦河上。④ 考之于战争进程，和田清关于锦川、大兴州的位置，似有疑义。李新峰根据《明太祖实录》记载的锦川与宜兴、大宁的关系推断明初的锦川当指宜兴以东、大宁以南的某处要地，似有道理。⑤ 顾祖禹认为大兴州的前身是辽北安州，城址在开平故卫东二百里，并引《山水记》：“大兴州，直隶密云县曹家砦东北，距古北口可三日程。”⑥ 此“大兴州”与元代滦河沿岸的兴州不是一回事。

关于北河。《秘阁元龟政要》记载洪武二年常遇春、李文忠北征：“次

① 《明太祖实录》卷43，第846页。

② 柳瑛纂修：《（成化）中都志》卷9，中国基本古籍库录存南京图书馆藏明弘治刻本，古籍库电子版第361页。

③ 陈建、陈国元订补：《皇明从信录》卷4，中国基本古籍库录存南京大学图书馆藏明末刻本，古籍库电子版第76页。

④ 和田清：《兀良哈三卫に关する研究》，载氏著：《东亚史研究（蒙古篇）》，东洋文库，昭和三十四年，第173页。

⑤ 李新峰：《红罗山与元明战争》，《历史地理》2002年第18辑。

⑥ 顾祖禹：《读史方舆纪要》卷18《北直九·附见·万全都指挥使司·废开平卫·骆驼山》，第822页；另参见李新峰《红罗山与元明战争》，《历史地理》2002年第18辑。

全宁，也速迎战，一鼓破之。也速遁，追至滦河，斩庆生，浮宗王三人。显
（按：指明将周显）于北黄河获马五十六、橐驼九只、人户三百二十、牛四
百八十、车百二十辆。"① 据《明太祖实录》，周显所部是追击元军至北黄河
的明军。陈建的"北河"应是"北黄河"之误。"北黄河"即饶乐河。《读
史方舆纪要》云："饶乐河在卫（按：指明朝大宁卫）北，源亦出马盂山，
其下流东北入于潢河。"饶乐水在魏晋南北朝时称为浇水，又称饶乐水、浇
落水，亦曰弱落水，唐朝置饶乐都督府。饶乐水"亦谓之黄河，以其下流
入于潢水也。《北边事实》：'黄河离蓟门　边约千三百里，水不甚深，广俗
多驻牧于此，亦曰北黄河。'"译名哈剌母林，或谓之乌龙江②。而"灰山在
卫［按：指明朝大宁卫］东北。明初，元人屯聚于此。洪武八年（1375
年）。徐达出塞，讨乃颜不花至北黄河，敌骑骇遁，傅友德选轻骑夜袭灰
山，克之。"③ 陈建移录史料时将"北黄河"脱字成"北河"。

　　常遇春这次进攻的战略意图，显然是将也速视为主要对手，而目标是元
上都的元惠宗集团。所以明军先东攻，过遵化鹿儿岭，取锦川，追击也速到
全宁，与也速决战，也速战败，《北巡私记》载其逃到大帽山（今内蒙古翁
牛特旗乌丹镇鸭鸡山，实为丫髻山之误写）。

　　上都被明军攻克，北元遭受了第一次重创；八月初，脱列伯、孔兴攻大
同失败，至此，元惠宗恢复"京师"的计划完全失败，只能再逃往应昌。
《北巡私记》载"九月初七日，郡王阿怜歹入觐。诏郡王统五投下之众屯于
会州。二十五日，也速丞相退保红罗山。"④ 郡王阿怜歹应是札剌亦儿氏，
木华黎之后，辽阳行省的木华家族势力及其所统领的五投下是北元主要依靠
的力量。红罗山，李新峰结合文献资料与当时的军事形势分析后，认为元明
之际在战争中举足轻重的红罗山，不是金末和明中后期以来锦州以西的红螺
山，而是位于元上都以东、全宁路以南的要隘大宁虹螺山。⑤

---

　　① 《秘阁元龟政要》卷5，中国基本古籍库录存北京图书馆藏明抄本，电子版第169页。
　　② 按：合剌母林，蒙古语 qara müren，意即"黑江"。
　　③ 顾祖禹：《读史方舆纪要》卷18《北直九·附见·大宁卫》，第841页。
　　④ 刘佶：《北巡私记》，薄音湖、王雄编辑点校本：《明代蒙古汉籍史料汇编》第1辑，第6—7页。
　　⑤ 李新峰：《红罗山与元明战争》，《历史地理》2002年第18辑。

元惠宗退据应昌，也速驻守全宁以南的要塞虹螺山，攘扰明边。十二月十四日，元惠宗"封也速为威定王"。相对于"梁王"，"威定王"由一字王降为二字王。虽然元朝王爵高低主要由印章等级决定，而不是由爵名字数多少来确定，但是为何在此时将也速重新封为威定王，是也速败绩连连而致，还是元惠宗已经获悉梁王孛罗于至正二十八年七月战死通州后，其在云南的后人把匝剌瓦尔密仍在抵抗明军，于是将梁王爵授予了把匝剌瓦尔密，因此重新授予也速一个新王爵？尽管如此，也速在明朝人的心中仍然被视为是仅次于元惠宗的人物，明朝竭力想招降也速。洪武二年十二月，明太祖遣元朝降官赍书谕也速说："将军，元之故家，父子出将入相，宣力王室，积有年矣。比者天下多故，诸将擅兵，颇多跋扈，往往不善其终。独将军恪守臣职，坚如金石，虽当颠沛之际，力奋孤忠，志安社稷。及元主遁去沙漠，将军独能以孤军殿后，义气不衰。……近闻在外遁逃之众，犹逞蜂虿之毒，扰我边陲，岂将军不能辑士而致然欤？今军已集幽蓟，待衅而动，将军宜深思之，上以图存其君之宗祀，下以保全其人民。岂非识时务之俊杰哉？今遣长寿、笃马二平章赍书往达朕意，将军其审之。"① 明太祖的诏书对也速的评价是比较中肯的，也速并未立即投降。

洪武三年（1370年），明军再度发军北征，兵分两路：大将军徐达出兵甘肃、为西路。右副将军李文忠出兵上都、应昌，为东路。四月，徐达在定西沈儿峪与扩廓帖木儿决战，扩廓大败，诸王、将卒人马五千余人被俘，扩廓仅以数骑奔赴岭北。李文忠出兴和，五月复取上都，在此获悉元惠宗已于四月二十八日病故于应昌，皇太子爱猷识理达腊即位。李文忠急袭应昌，爱猷识理达腊等逃往岭北。也速无疑也随着北逃，退入了开元纳哈出的地盘，与纳哈出相互构兵。《辽东志》载广宁卫"元末，也速、纳哈出往来互掠其地。"② 又云："太祖龙飞，剪除群雄，扫清六合，大兵方下幽冀，元丞相也速以余兵遁栖大宁，辽阳行省丞相也先不花驻兵开原，洪保保据辽阳，王哈剌不花团结民兵于复州，刘益亦以兵屯得利嬴城，高家奴聚平顶山，各置部

---

① 佚名：《秘阁元龟政要》卷5，中国基本古籍库录存北京图书馆藏明抄本，电子版第184页。

② 毕恭等纂修，任洛等重修：《（嘉靖）辽东志》卷1《地理志·沿革》，《辽海丛书》第1册，辽沈书社据民国二十三年铅印《辽海丛书》本1984年影印，第353页。

众多，至万余人，少不下数千，互相雄长，无所统属。于是，也先不花与高家奴、纳哈出、刘益等合兵趋辽阳，洪保保拒而不纳，诸军攻破之，虏掠男女畜产，城为一空。也先不花等遂执洪保保以归，既而释之。洪武三年春，高丽王颛由海道遣使称藩修贡。秋朝廷命断事黄俦赍诏宣谕辽阳等处官民。是年冬，元平章刘益等奉表来归。洪武辛亥，大都督府断事吴立承诏赍币至辽东赏赉新附官民，以刘益为辽东卫指挥同知。初，洪保保既得释，复收所部兵驻得利嬴城，至是以爵赏不连，怨益卖己，遂谋杀益而奔开原。益军惊乱，其部下、前元侍郎房暠、右丞张良佐诛讨洪保保，不获，悉捕其党马彦辉等斩之，众遂定。时吴立在金州。于是暠与良佐率众迎立，总摄卫事。事闻以吴立房暠张良佐为指挥，既而命马云叶旺为龙虎将军，定辽都卫指挥使，领兵由登莱海道而进歉，附书者相继。檄招高家奴，不从。进军平顶山，攻破高家奴于老鸦山寨，走之。未几来降。壬子复设辽阳府州县，以千户徐便统署府事，安辑人民，柔来绥附，众咸得所已，而罢州县籍所集民为兵。也速、也先不花众各溃散。时纳哈出窜伏金山，窥伺边衅，尝□盖州城，都指挥叶旺设伏于青石山，大败其众，纳哈出夜遁，仅以身免。丁卯，大军征之，直抵金山，破其巢窟，纳哈出势殚力屈而降，遂并其部落，送京师，边境悉宁。"[1] 洪武二十年（1387 年），纳哈出降明，辽东平定。也速应当已死，他作为元朝末代右丞相，如果活着降明，应当有所记载。

也速的子孙投降了明朝，像多数元朝降官一样受到明朝的优待，可以荫序出仕。元末明初人杨维祯撰《送经理官黄侯还京序》云："今天子龙飞金陵，奄有四海，版图归职方者过唐越汉。兵兴以来，土田阡陌无定籍可稽，由是五大司农，堂［按：当为'掌'，《全元文》已校[2]］庶土九赋九贡，又遣使行天下，以经界为重务也。而北庭黄侯万里氏在选中，分披华亭，履出事，事毕还京。邑士朱辉为绘田间竿尺图以见侯勤於王事而敏有成功也。持其卷来谒东维先生于草玄阁，求一言以重其行。先生器其人品才气，为相

① 毕恭等纂修，任洛等重修：《（嘉靖）辽东志》卷 8《杂志·三遼长编》，《辽海丛书》第 1 册，辽沈书社据民国二十三年铅印《辽海丛书》本 1984 年影印，第 464 页。

② 李修生主编：《全元文》卷 1296，杨维桢：《送经理官黄侯还京序》，凤凰出版集团 2004 年版，第 41 册第 176 页。

门之后。辞不获，为叙其事于图尾，又采民谣为诗一章，章八句。侯，前朝中书右相国孙，大参也速公之嗣也，让门荫子［按：当为"于"，《全元文》已校］弟，自起身儌直，历太和县监、济宁行垣官勾，皆有休誉。"①

综观也速一生，起自世袭怯薛执事兀剌赤，在元末的大动荡中，也速依靠其父月阔察尔奠定的在军队中的地位，利用大汗怯薛的特殊身份，在宫廷斗争与镇压红巾军、对抗明军的各种较量中迅速崛起，从从五品的怯薛官资乘库提点升迁到知枢密院事、正一品的中书右丞相，掌握元末兵权十多军。从也速的行迹看，元末自脱脱罢相后，卫军的控制权发生了又一次变化：自权相燕帖木儿以降至脱脱任相，卫军主要由中书右丞相控制；到也带父子发迹，诸卫军的控制权又主要由知枢密院事掌握。也速还是支撑北元前期政权的核心力量，当元朝的镇戍军被明军消灭后，唯有也速统领的卫军与部族军得以退入草原，成为抵御明军追歼的主力，在北元最初近十年的艰难生存中，也速的军队成为蒙古政权退出中原，在草原重新站稳脚跟，获得重生的重要的缓冲力量。但是也速个人的才具尚显不足，是以其地位虽崇，功业却有限。

（张岱玉　撰稿）

---

① 杨维桢：《东维子文集》卷之3《送经理官黄侯还京序》，四部丛刊本初编本。

主要参考文献

1. 巴雅尔：《蒙古秘史》，内蒙古人民出版社 1980 年版。

2. 孛兰肹、岳铉等撰，赵万里辑：《元一统志》，中华书局 1966 年版。

3. 毕恭：《辽东志》，《辽海丛书》本，辽沈书社 1984 年版。

4. 陈寿：《三国志》，中华书局点校本 1982 年版。

5. 陈垣：《元西域人华化考》，上海古籍出版社 2000 年版。

6. 陈旅：《安雅堂集》，北京图书馆藏元至正刊本。

7. 程钜夫：《雪楼集》，景刊洪武本，阳湖陶氏涉园影印 1910 年版。

8. 《大元马政记》，《广仓学窘丛书》本，上海仓圣明智大学 1916 年排印本。

9. 《大元毡罽工物记》，《广仓学窘丛书》本，上海仓圣明智大学 1916 年排印本。

10. 额尔登泰、乌云达赉校勘本：《蒙古秘史》，内蒙古人民出版社 1980 年版。

11. 范梈：《范德机诗集》，四部丛刊初编本 1929 年出版。

12. 范晔：《后汉书》，中华书局点校本 1965 年版。

13. 贡师泰：《玩斋集》，《文渊阁四库全书》本。

14. 国家图书馆善本金石组编：《历代石刻史料汇编》，北京图书馆出版社 2000 年版。

15. 顾嗣立：《元诗选》，中华书局 2002 年版。

16. 郭成伟点校：《大元通制条格》，法律出版社 1998 年版。

17. 郝经：《陵川集》，《文渊阁四库全书》本。

18. 何乔远：《名山藏》，中华书局点校本。

19. 胡祗遹：《紫山大全集》，《文渊阁四库全书》本。

20. 胡聘之编撰：《山右石刻丛编》，山西人民出版社 1988 年版。

21. 胡助：《京华杂兴诗》，《金华丛书》本。

22. 黄溍：《金华黄先生文集》，四部丛刊初编本。

23. 黄淮、杨士奇编：《历代名臣奏议》，上海古籍出版社 1989 年版。

24. 哈达清格：《塔子沟纪略》，辽海丛书本。

25. 金幼孜：《北征录》，薄音湖、王雄编辑点校本（《明代蒙古汉籍史料汇编》第一辑），内蒙古大学出版社 1994 年版。

26. 孔齐：《至正直记》，上海古籍出版社 1987 年版。

27. 柯劭忞：《新元史》，中国书店出版社 1988 年版。

28. 李延寿：《北史》，中华书局点校本 1974 年版。

29. 李庭：《寓庵集》，缪全孙编辑：《藕香零拾》，中华书局 1999 年版。

30. 李志常：《长春真人西游记》，《王国维遗书》本，上海古籍出版社 1983 年版。

31. 《李朝实录》，日本学习院东洋文化研究所刊行 1954 年版。

32. 李吉甫撰：《元和郡县志》，台北商务印书馆 1983 年版。

33. 李鸿章等：《（光绪）畿辅通志》，商务印书馆影印本 1934 年版。

34. 李修生主编：《全元文》，江苏凤凰出版传媒集团、凤凰出版社（原江苏古籍出版社）1997—2005 年版。

35. 刘秉忠：《藏春集》，《北京图书馆古籍珍本丛刊》本。

36. 刘昫等：《旧唐书》，中华书局点校本 1975 年版。

37. 刘仁本：《羽庭集》，《文渊阁四库全书》本，台北商务印书馆 1983 年版。

38. 刘敏中：《中庵集》，《文渊阁四库全书》本。

39. 刘佶：《北巡私记》，薄音湖、王雄编辑点校本（《明代蒙古汉籍史料汇编》第 1 辑），内蒙古大学出版社 1994 年版。

40. 刘铣：《桂隐诗集》，《文渊阁四库全书》本，台北商务印书馆 1983 年版。

41. 刘基：《诚意伯文集》，上海商务印书馆 1936 年版。

42. 刘埙：《水云村泯稿》，清道光十八年版本。

43. 柳贯：《柳待制集》，四部丛刊初编本。

44. 罗福颐编辑：《满洲金石志》，《历代石刻史料汇编》本，北京图书馆出版社 2000 年版。

45. 马祖常：《马石田集》，《元人文集珍本丛刊》集本。

46. 《明太祖实录》，中央研究院历史语言研究所校印本。

47. 欧阳修、宋祁：《新唐书》，中华书局点校本 1974 年版。

48. 欧阳修：《新五代史》，中华书局点校本 1974 年版。

49. 欧阳玄：《圭斋集》，四部丛刊初编本。

50. 彭大雅、徐霆：《黑鞑事略》，《王国维遗书》本，上海古籍出版社 1983 年版。

51. 权衡著、任崇岳笺证：《庚申外史笺证》，中州古籍出版社 1991 年版。

52. 萨都剌：《雁门集》，上海古籍出版社 1982 年版。

53. 萨都剌：《萨天锡诗集》，四部丛刊初编本。

54. 《圣武亲征录》，《王国维遗书》本，上海古籍出版社 1983 年版。

55. 司马迁：《史记》，中华书局点校本 1982 年版。

56. 司马光主编：《资治通鉴》，中华书局 1956 年版。

57. 释念常：《历代佛祖通载》，《大正藏》本。

58. 宋濂等：《元史》，中华书局点校本 1976 年版。

59. 苏天爵编辑：《国朝文类》，四部丛刊初编本。

60. 苏天爵：《元朝名臣事略》，中华书局 1996 年版。

61. 苏天爵：《滋溪文稿》，适园丛书本。

62. 隋树森：《全元散曲》，中华书局 1981 年版。

63. 陶宗仪：《书史会要》，武进陶氏逸园影刊洪武本，1929 年版。

64. 陶宗仪：《南村辍耕录》，《历代笔记史料丛刊》本，中华书局 2006 年版。

65．陶安：《陶学士文集》，文渊阁四库全书本。

66．脱脱等：《辽史》，中华书局点校本1974年版。

67．脱脱等：《金史》，中华书局点校本1974年版。

68．魏收：《魏书》，中华书局点校本1974年版。

69．魏徵等：《隋书》，中华书局点校本1973年版。

70．危素：《危太朴集》续集，吴兴刘氏嘉业堂1914年刊本。

71．王溥等：《唐会要》，上海古籍出版社1991年版。

72．王钦若等：《册府元龟》，中华书局1960年明刻本影印本。

73．王恽：《秋涧先生大全集》，四部丛刊初编本。

74．王颋点校：《庙学典礼》，《元代史料丛刊》本，浙江古籍出版社1992年版。

75．祥迈：《大元至元辨伪录》，《北京图书馆古籍珍本丛刊》本，书目文献出版社1988年版。

76．萧洵：《故宫遗录》，《北平考——故宫遗录》本，北京古籍出版社1980年版。

77．解缙、姚广孝等：《永乐大典》，中华书局影印本1986年版。

78．熊梦祥著、北京图书馆善本组辑：《析津志辑佚》，北京古籍出版社1983年版。

79．薛居正等：《旧五代史》，中华书局点校本1974年版。

80．许有壬：《至正集》，《元人文集珍本丛刊》本，台湾新文丰出版公司1985年版。

81．许有壬：《圭塘小稿》，三怡堂丛书本。

82．徐元瑞：《习吏幼学指南》，《北京图书馆古籍珍本丛刊》本，书目文献出版社。

83．阎复：《静轩集》，《藕香零拾》丛书本。

84．杨允孚：《滦京杂咏》，《知不足斋丛书》本。

85．杨瑀撰、余大钧点校：《山居新话》，《历代史料笔记丛刊》本，中华书局2006年版。

86．杨讷、陈高华：《元代农民战争史料汇编》，中华书局1985年版。

87．叶子奇：《草木子》，《历代笔记史料丛刊》本，中华书局2006

年版。

88. 叶隆礼：《契丹国志》，上海古籍出版社 1985 年版。

89. 姚燧：《牧庵集》，四部丛刊初编本。

90. 虞集：《道园类稿》，《元人文集珍本丛刊》本，台湾新文丰出版股份有限公司 1985 年版。

91. 余阙：《青阳先生文集》，四部丛刊续编本。

92. 余大钧译注：《蒙古秘史》，河北人民出版社 2001 年版。

93. 元好问：《遗山先生文集》，四部丛刊初编本。

94. 《元代画塑记》，《广仓学窘丛书》本，上海仓圣明智大学 1916 年排印本。

95. 阮元编辑：《两浙金石志》，《历代石刻史料汇编》本，北京图书馆出版社 2000 年版。

96. 袁桷：《清容居士集》，四部丛刊初编本。

97. 曾公亮、丁度：《武经总要》，《中国兵书集成》本，解放军出版社、辽沈书社 1988 年版。

98. 张德辉：《秋涧先生大全集》，四部丛刊初编本。

99. 张之翰：《西岩集》，《四库全书珍本初集》本，沈阳出版社影印出版 1998 年版。

100. 张维编辑：《陇右金石录》，《中国西北文献丛书·西北考古文献》本，兰州古籍书店影印，1990 年版。

101. 张羽：《静居集》，《北京图书馆古籍珍本丛刊》本，书目文献出版社 1988 年版。

102. 张养浩：《归田类稿》，乾隆五十五年（1790 年）周氏刻本。

103. 张廷玉等：《明史》，中华书局 1992 年版。

104. 张昱：《张光弼诗集》，四部丛刊续编本。

105. 赵珙：《蒙鞑备录》，《王国维遗书》本，上海古籍出版社 1983 年版。

106. ［朝鲜］郑麟趾编：《高丽史》，《四库全书存目丛书》。台南庄严文化事业有限公司 1996 年版。

107. 周伯琦：《近光集》，内蒙古大学馆藏抄本。

108. 周家齐、鞠建章纂修：《高唐州志》，清光绪三十三年刻本。

109. Abu al-Ghazi, Shajara-i Turki（阿布尔·哈齐·把阿秃儿汗著：《突厥世系》）；Baron Desmaisons 法译；罗贤佑转译：《突厥世系》，中华书局 2005 年版。

110. Ala-al-Dīn 'Ata-Malik Juwainī/Tārīkh-i-Jahāngushā（志费尼著：《世界征服者传》）；John Andrew Boyle, The History of the World Conqueror, Manchester University Press，1958（波义耳英译：《世界征服者史》，曼彻斯特大学出版社 1958 年版）；何高济转译：《世界征服者史》，内蒙古人民出版社 1981 年版。

111. Igor de Rachewiltz, The Secret History of the Mongols：A Mongolian Epic Chronicle of the Thirteenth Century，Koninklijke Brill NV，Leiden，2006（罗依果：《蒙古秘史译注——蒙古十三世纪的叙事史》，来顿 2006 年版）。

112. Jean de Plan Carpin；traduit et annote par Dom Jean Becquet et par Louis Hambis/Histoire des Mongols，Librairie d'Amerique et d'Orient，Paris，1965（［意］柏朗嘉宾著，［法］贝凯、韩百诗译注：《蒙古史》，巴黎美洲和东方书店 1965 年版）；耿昇转译：《蒙古行纪》，《中外关系史名著译丛》本，中华书局 1985 年版。

113. Marco Polo（［意］马可·波罗著），A. H Charigon（［法］沙海昂）译/冯承钧转译：《马可波罗行纪》，上海世纪出版集团 2006 年版。

114. Rashīd al-Dīn Fadl Allāh/Jāmi 'al-Tawārīkh，［波斯］拉施特丁著，余大钧、周建奇译：《史集》1—3 卷，商务印书馆 1997 年版。

115. R. Dankoff/J. Kelly trans. Mahmūd al-Kāšrarī Compendium of the Turkic Dialects，Harvard University Press，1982（麻赫穆德·喀什葛里著/［苏］拉德罗夫译注：《突厥语方言词典》，哈佛大学出版社 1982 年版）。

116. The Mongol Missions，tr. ed. by C. Dawson，London，1955（［英］道生英译本：《出使蒙古记》，伦敦 1955 年版）；吕浦译，周良霄译注：《出使蒙古记》，中国社会科学出版社 1983 年版。

117. W·W·Rockhill：The Journey of Willam of Rubruk to the Eastern Parts，1253–1255，Hakluyt Society，London，1900（柔义克《鲁布鲁克东行纪》，伦敦 1900 年版）。何高济据柔义克译注本译：《鲁布鲁克东行纪》，中

华书局 1985 年版。

118．白寿彝主编：《中国通史》第八卷《中古时代——元时期》，上海人民出版社 1999 年版。

119．白拉都格其：《元代东道诸王勋臣封地概述》，《东北地方史研究》1989 年第 2 期。

120．宝音德力根：《往流、阿巴噶、阿鲁蒙古》，《内蒙古大学学报》（哲社版）1998 年第 4 期。

121．宝音德力根：《金莲川畔元上都》，《人与生物圈》2003 年第 5 期。

122．蔡美彪：《元代白话碑集录》，科学出版社 1955 年版。

123．蔡美彪：《脱列哥那后史事考辨》，《蒙古史研究》第 3 辑，内蒙古大学出版社 1989 年版。

124．范文澜、蔡美彪主编：《中国通史》第 6 册，人民出版社 1995 年版。

125．陈得芝：《蒙元史研究丛稿》，人民出版社 2005 年版。

126．陈得芝、王颋：《忽必烈与蒙哥的一场斗争》，见《元史论丛》第 1 辑。

127．陈高华：《中国古代史史学》，北京出版社 1983 年版。

128．陈高华、史卫民：《中国经济通史·元代经济卷》，经济日报出版社 2000 年版。

129．陈永志：《内蒙古察右前旗集宁路遗址发现大量文物》，《内蒙古大学学报》（人文·社会科学版）2003 年第 1 期。

130．陈寅恪：《灵州宁夏榆林三城译名考》，《历史语言研究所集刊》第 2 本第 1 分册，1930 年版。

131．陈育宁、汤晓芳：《成吉思汗与西夏》，中国蒙古史学会编《蒙古史研究》第 8 辑，内蒙古大学出版社 2005 年版。

132．陈元煦：《何秋涛与〈朔方备乘〉》，《北方文物》1987 年第 3 期。

133．陈永志主编：《内蒙古集宁路古城遗址出土瓷器》，文物出版社 2004 年版。

134．程民生：《试论金元时期的北方经济》，《史学月刊》2003 年第 3 期。

135．达力扎布：《北元初期的疆域和汗斡耳朵地望》，《蒙古史研究》第 3 期，内蒙古大学出版社 1989 年版。

136．董向英：《元中都概述》，《文物春秋》1998 年第 3 期。

137．丁学芸：《监国公主铜印考释》，中国蒙古史学会编：《中国蒙古史学会成立大会纪念集刊》，1979 年版。

138．冯承钧译：《吐火罗语考》，中华书局 1957 年版。

139．冯承钧：《辽金北边部族考》，载《辅仁学志》卷 8 第 1 期。

140．樊文礼：《沙陀的族源及其早期历史》，《民族研究》1999 年第 6 期。

141．高荣盛：《元代畜牧业概观》，《元史论丛》第 6 辑，中国社会科学出版社 1986 年版。

142．盖山林：《阴山汪古》，内蒙古人民出版社 1991 年版。

143．盖山林：《中国北方草原地带的元代基督教遗迹》，《世界宗教研究》1995 年第 3 期。

144．盖山林：《蒙古族文物与考古研究》，辽宁民族出版社 1999 年版。

145．韩儒林：《元代诈马宴新探》，《历史研究》1981 年第 1 期。

146．韩儒林：《穹庐集》，上海人民出版社 1982 年版。

147．韩儒林主编：《元朝史》，人民出版社 1986 年版。

148．韩儒林：《韩儒林先生遗稿：读〈史集·部族志〉札记（部分）》，《元史论丛》第 3 辑，中华书局 1986 年版。

149．郝维彬：《科左中旗腰伯吐元代古城调查记》，《内蒙古文物考古文集》第 1 辑，中国大百科全书出版社 1994 年版。

150．何高济、陆峻岭：《元代回教人物牙老瓦赤与赛典赤》，《元史论丛》第 2 辑，元史研究会编，中华书局 1983 年版。

151．陆峻岭、何高济：《元代的阿速、钦察、康里人》注第 32，《文史》第 16 辑，1982 年版。

152．何兆吉：《元政权中的显赫家族——〈康里氏先茔碑〉考略》，《西北第二民族学院学报》（哲学社会科学版）1994 年第 2 期。

153．胡小鹏：《元代西北历史与民放研究》，甘肃文化出版社 1999 年版。

154．霍有孚：《岭北省右丞郎中总管收税记》，《和林金石录》。

155．贾敬颜：《五代宋金元人边疆行记十三种疏证稿》，中华书局 2004 年版。

156．贾洲杰：《金代长城初议》，《内蒙古大学学报》1979 年第 3、4 期。

157．贾洲杰：《元上都考古报告》，见叶新民、齐木德道尔吉编著：《元上都研究丛书·元上都研究文集》，中央民族大学出版社 2003 年版。

158．李并成：《元代河西走廊的农业开发》，《西北师大学报》1990 年第 3 期。

159．李惠生、赵桂香：《元中都遗址及其周围村庄出土的元代文物》，《文物春秋》1998 年第 3 期。

160．李俊义：《元代大长公主祥哥刺吉及其书画收藏》，《北方文物》2000 年第 4 期。

161．李锦萍、王金令：《金代曷苏馆路治所的考辨》，《北方文物》2009 年第 1 期。

162．李雅丽：《赤峰市内蒙古自治区区级、县市级重点文物保护单位一览表》，见内蒙古文物考古研究所（webmaster@ nmkgyjs. nm. cn）信息中心网页，2007 - 09 - 29 15：32：02 发布。赤峰市敖汉旗博物馆（htt 第：//www. bowugu. und. com. cn/）网页介绍。

163．李宇峰：《从考古发现略述元代在东北的屯田》，《辽海文物学刊》1995 年 1 期。

164．李治安：《元代分封制度研究》，天津古籍出版社 1992 年版。

165．李治安：《元代行省制起源与演化述论》，《南开学报》（哲社版）1997 年第 2 期。

166．李治安：《行省制度研究》，南开大学出版社 2000 年版。

167．李治安：《元代上都分省考述》，《文史》第 60 辑，中华书局 2002 年版。

168．李好文：《长安志图·奉元城图》，台北商务印书馆 1969 年版。

169．李逸友：《元应昌路故城调查记》，《考古》1961 年第 10 期。

170．李逸友：《呼和浩特市万部华严经塔的金元明各代题记》，《内蒙古大学学报丛刊》之《蒙古史论文选集》第 2 辑，1983 年版。

　　171．李逸友：《内蒙古元代城址概说》，《内蒙古文物考古》1986 年第 4 期，后收入叶新民、齐木德道尔吉编：《元上都研究丛书》之《元上都研究丛书·元上都研究文集》，中央民族大学出版社 2003 年版。

　　172．李逸友：《黑城出土文书（汉文文书卷)》，科学出版社 1991 年版。

　　173．梁万龙：《〈大契丹国东京太傅相公墓志铭并序〉考释》，《内蒙古大学学报》（人文·社会科学版）2002 年第 3 期。

　　174．刘景文：《从考古资料看金代农业的迅速发展》，《农业考古》1983 年第 2 期。

　　175．刘浦江：《辽朝的头下制度与头下军州》，《中国史研究》2000 年第 3 期。

　　176．刘浦江：《再论阻卜与鞑靼》，《历史研究》2005 年第 2 期。

　　177．刘迎胜：《元代曲先塔林考》，《中亚学刊》第 1 辑，中华书局 1983 年版。

　　178．刘迎胜：《失必儿与亦必儿》，见《历史地理》第 4 辑，上海人民出版社 1986 年版。

　　179．刘迎胜（皮路思）：《〈史集·部族志·札剌亦儿传〉研究》，《蒙古史研究》第 4 辑，内蒙古大学出版社 1993 年版。

　　180．刘迎胜：《察合台汗国史研究》，上海古籍出版社 2006 年版。

　　181．刘晓：《〈全元文〉整理质疑》，《文献》2002 年第 1 期。

　　182．刘志一：《元应昌路遗址》，《内蒙古文物考古》1984 年第 3 期。

　　183．内蒙古文物工作队编写组：《元代集宁路遗址清理记》，《文物》1961 年第 9 期。

　　184．内蒙古博物馆编写组：《罕见的元代丝织品》，《内蒙古社会科学》（汉文版）1985 年第 2 期。

　　185．内蒙古社会科学院历史所编写组：《蒙古族通史》，民族出版社 1991 年版。

　　186．《内蒙古文物考古文集》第 2 辑，中国大百科全书出版社 1997 年版。

187．内蒙古文物考古研究所、鄂尔多斯博物馆等：《乌审旗三岔河古城与墓葬》，《内蒙古文物考古文集》第 2 辑，中国大百科全书出版社 1997 年版。

188．内蒙古文物考古研究所撰写组：《和林格尔县土城子古城考古发掘主要收获》，《内蒙古文物考古》2006 年第 1 期。

189．内蒙古文物考古研究所、阿拉善盟文物工作站撰写组：《内蒙古黑城考古发掘纪要》，《文物》1987 年第 7 期。

190．马建春：《钦察、阿速·斡罗思人在元朝的活动》，《西北民族研究》2002 年第 4 期。

191．马建春：《蒙元时期回回等西域族类东迁过程疏证》，《回族研究》2006 年第 2 期。

192．马娟：《元代回回人倒剌沙史事钩沉》，《回族研究》2002 年第 4 期。

193．马娟：《元代钦察人燕帖木儿事迹考论》，《元史论丛》第 2 辑，中国广播电视出版社 2005 年版。

194．孟繁清：《试论忽必烈与阿里不哥之争》，《元史论丛》第 2 辑，中国广播电视出版社 2005 年版。

195．孟古托力：《蒙古族早期人口的若干问题探索》，《黑龙江民族丛刊》1994 年第 4 期。

196．米文平、冯永谦等：《岭北长城考》，《辽海文物学刊》1990 年第 1 期。

197．丘树森、王颋：《元代户口问题刍议》，《元史论丛》第 2 辑，元史研究会编，中华书局 1983 年版。

198．丘树森：《中国回族史》，宁夏人民出版社 1998 年版。

199．丘树森：《读陈垣〈元西域人华化考〉——纪念陈垣先生诞生 120 周年》，《回族研究》2000 年第 3 期。

200．瞿大风：《元代山西地区的农业发展》，《内蒙古大学学报》（人文社会科学版）2004 年第 1 期。

201．瞿大风：《元朝时期的山西地区》，辽宁民族出版社 2005 年版。

202．瞿大风：《元代山西的畜禽饲养与捕鱼狩猎》，《内蒙古大学学报》

（人文社科版）2005 年第 9 期。

　　203．申万里：《元代应昌古城新探》，《内蒙古大学学报》（人文社科版）2006 年第 5 期。

　　204．史卫民、晓克、王湘云：《〈元朝秘史〉"九十五千户"考》，《元史及北方民族史集刊》第 9 期，南京大学历史系元史研究室 1985 年版。

　　205．史卫民：《元朝前期的宣抚司与宣慰司》，《元史论丛》第 5 辑，中国社会科学出版社 1993 年版。

　　206．史仲文、胡晓林主编：《中国全史》，人民出版社 1994 年版。

　　207．孙秀仁：《黑龙江肇东八里城为元代肇州古城考》，《北方论丛》1980 年第 3 期。

　　208．塔拉、张海斌、张红星：《内蒙古包头燕家梁元代遗址考古取得重要收获》，《中国文物报》2006 年 10 月 18 日。

　　209．谭其骧：《元代的水达达路和开元路》，《历史地理》（创刊号），上海人民出版社 1981 年版。

　　210．王国维：《观堂集林》，《王国维遗书》本，上海古籍出版社 1983 年版。

　　211．王雄：《古代蒙古及北方民族史史料概述》，内蒙古大学出版社 2008 年版。

　　212．王颋：《大蒙古国的行尚书省和札鲁花赤》，《历史地理》第 17 辑，2001 年。

　　213．王增新：《辽宁绥中县城后村金元遗址》，《考古》1960 年第 2 期。

　　214．王增新：《辽宁新民县前当铺金元遗址》，《考古》1960 年第 2 期。

　　215．王风雷：《元上都教育考》，《内蒙古师大学报》（哲社版）2000 年第 4 期。

　　216．王龙耿、沈斌华：《蒙古族历史人口初探》（11 世纪—17 世纪中叶），《内蒙古大学学报》（哲学社会科学版）1996 年第 5 期。

　　217．王大方：《论草原丝绸之路》，《前沿》2005 年第 9 期。

　　218．王德恒：《2003 年全国十大考古新发现之五——集宁路的元代瓷器大发现》，《知识就是力量》2004 年第 11 期。

　　219．魏坚：《元上都及周围地区考古发现与研究》，《内蒙古文物考古》，1999 年第 2 期，又收入《元上都研究丛书·元上都研究文集》，中央民族大学出版社 2003 年版。

220．温岭：《元上都的粮食来源》，叶新民、齐木德道尔吉编著：《元上都研究丛书·元上都研究文集》，中央民族大学出版社 2003 年版。

221．吴荣曾：《和林格尔汉墓壁画中反映的东汉社会生活》，《文物》1974 年第 1 期。

222．吴廷燮：《元行省丞相平章政事年表序》，《二十五史补编》本。

223．萧功秦：《英宗新政与"南坡之变"》，《元上都研究丛书·元上都研究文集》，中央民族大学出版社 2003 年版。

224．萧启庆：《姚从吾教授对辽金元史研究的贡献》，《元代史新探》，台北新文丰出版公司 1983 年版。

225．萧启庆：《元代的镇戍制度》，见《内北国而外中国：蒙元史研究》，中华书局 2007 年版。

226．夏鼐：《元安西王府址和阿拉伯数码幻方》，《考古》1960 年第 5 期。

227．夏鼐：《综合中国出土的波斯萨珊朝银币》，《考古学报》1974 年第 1 期。

228．辛玉璞：《西安地区元代遗址的几个问题》，《考古与文物》1999 年第 3 期。

229．许凡：《元代的首领官》，《西北师院学报》1983 年第 2 期。

230．薛磊：《元代开元路建置新考》，见《元史论丛》第 10 辑，中国广播电视出版社 2005 年版。

231．薛正昌：《固原历史地理与文化》，甘肃文化出版社 1998 年版。

232．杨富学：《畏兀儿与蒙古历史文化关系研究》，《兰州学刊》2006 年第 1 期。

233．姚大力：《曲出律败亡地点考》，载《元史及北方民族史研究集刊》1981 年第 5 期。

234．姚大力：《乃颜之乱杂考》，南京大学历史系元史组编：《元史及北方民族史研究集刊》1983 年版第 7 辑。

235．叶新民：《弘吉剌部的封建领地制度》，《内蒙古大学纪念校庆二十五周年学术论文集》，内蒙古大学出版社 1982 年版。

236．叶新民：《关于元代的"四怯薛"》，《元史论丛》第 2 辑，中华书局 1983 年版。

237．叶新民：《元代的钦察、康里、阿速、唐兀卫军》，《内蒙古社会科学》1983 年第 6 期。

238．叶新民：《元上都研究》，内蒙古大学出版社 1998 年版。

239．叶新民、宝音德力根、赵琦、白晓霞：《元代的兴和路与中都》，《文物春秋》1998 年第 3 期。

240．叶新民、齐木德道尔吉编著：《元上都研究丛书》，中央民族大学出版社 2003 年版。

241．亦邻真：《蒙古学文集》，内蒙古大学出版社 2001 年版。

242．伊克昭盟（鄂尔多斯市）《蒙古民族通史编委会》编撰：《蒙古民族通史》，内蒙古大学出版社 2002 年版。

243．于宝东：《故建威都尉夫人王氏墓志及相关问题》，《蒙古史研究》第 8 辑，中国蒙古史学会编印，内蒙古大学出版社 2005 年版。

244．余大钧：《最早来到蒙古高原的罗马教皇使节普兰·迦儿宾和他所写的〈蒙古史〉》，《内蒙古大学学报》1981 年第 1 期。

245．余大钧：《蒙古朵儿边氏孛罗事辑》，《元史论丛》第 1 辑，元史研究会编，中华书局 1981 年版。

246．余大钧：《论屠寄的〈蒙兀儿史记〉》，《元史论丛》第 3 辑，中华书局 1986 年版。

247．玉芝：《蒙元东道诸王及其后裔所属部众历史研究》，内蒙古大学 2006 年版。

248．藏励龢等：《中国古今地名大辞典》，香港商务印书馆 1982 年版。

249．张金铣：《元代地方行政制度研究》，安徽大学出版社 2001 年版。

250．赵琦：《大蒙古国时期十路征收课税所考》，见《蒙古史研究》第 6 辑，中国蒙古史学会编印，内蒙古大学出版社 2000 年版。

251．赵琦：《金元之际的儒士与汉文化》，人民出版社 2004 年版。

252．赵振华：《元〈赛因赤答忽墓志〉考》，《内蒙古社会科学》1994 年第 2 期。

253．郑绍宗：《考古学所见之元察罕脑儿行宫》，《历史地理》第 3 辑，1983 年版。

254．郑绍宗：《考古学上所见之元中都——旺儿察都行宫》，《文物春秋》1998 年第 3 期。

255．郑水川：《元代辽河流域农业经济开发述论》，《辽宁大学学报》1991 年第 5 期。

256．《中国地方志集成》，江苏古籍出版社 2001 年版。

257．周良霄：《李璮之乱与元初政治》，见《元史及北方民族史研究集刊》第 4 辑，1980 年版。

258．周良霄：《元代投下分封制度初探》，元史研究会编：《元史论丛》第 2 辑，中华书局 1983 年版。

259．周清澍：《蒙元时期的中西陆路交通》，《元史论丛》第 4 辑，1992 年版。

260．周清澍主编：《内蒙古历史地理》，内蒙古大学出版社 1994 年版。

261．周清澍：《元蒙史札》，内蒙古大学出版社 2001 年版。

262．张岱玉：《漠南弘吉剌首领家族考论——特薛禅、按陈、纳陈及其诸子》，《内蒙古社会科学》2006 年第 6 期。

263．张岱玉：《元代章吉驸马族属世系考释》，《中国蒙古学国际学术讨论会论文集》，内蒙古教育出版社 2008 年版。

264．张岱玉：《亦乞列思部封建领地制度探讨》，《内蒙古社会科学》2008 年第 2 期。

265．张帆：《元朝的特性——蒙元史若干问题的思考》，《学术思想评论》第 1 辑，1997 年版。

266．张帆：《论蒙元王朝的"家天下"政治特征》，《北大史学》第 8 辑，北京大学出版社 2001 年版。

267．张鸿智、韩孔乐：《元代开城政区建置及官制》，《固原师专学报》1991 年第 2 期。

268．张久和：《北朝至唐末五代室韦部落的构成与演替》，《内蒙古社会科学》1997 年第 5 期。

269．张久和：《室韦的经济和社会状况》，《内蒙古社会科学》1998 年第 1 期。

270．张久和：《九姓达怛考索》，《内蒙古大学学报》（人文社科版）1998 年第 4 期。

271．张松柏、任学军：《辽高州调查记》，《内蒙古文物考古》1992 年第 1、2 期。

272．张郁：《呼和浩特西白塔古城》，《内蒙古文物考古》1984 年第 3 期。

273．张英：《出河店与鸭子河北》，《北方文物》1992 年第 1 期。

274．张文平：《内蒙古地区元代城址的初步研究》，2004 年内蒙古大学硕士学位论文。

275．〔日〕白石典之：《チンギスニカンの考古学》，东京同成社 2001 年版。

276．〔日〕白石典之著、魏坚译：《窝阔台的哈剌和林》，《文物天地》2003 年第 10 期。

277．〔日〕村上正树：《蒙古统治时期的分封制的起源》，《东洋学报》1961 年 44 卷第 3 号。

278．〔日〕海老泽哲雄：《蒙古帝国东方三王家诸问题》，《蒙古学资料与情报》1987 年第 2 期。

279．〔日〕和田清：《明代蒙古史论集》，商务印书馆 1984 年版。

280．〔日〕加藤和秀：《察合台汗国的成立》，《足利惇氏博士喜寿纪念东方学印度学论集》1978 年。

281．〔日〕加藤晋平、白石典之编：《阿布拉嘎 1：成吉思汗宫殿遗址发掘的初步报告》（英文版），东京同成社 2005 年版。

282．〔日〕箭内亘：《蒙古史研究》，刀江书院 1930 年版。

283．〔日〕堀江雅明：《关于“宣威军”与宣威军城堡》，载《一九八六年国际元史学术讨论会论文提要》（南京）。

284．〔日〕杉山正明：《蒙古帝国的原始形象——关于成吉思汗分封家族的研究》，《东洋史研究》1980 年第 37 卷第 1 号。

285．〔日〕杉山正明：《忽必烈政权与东方三王家——鄂州战役前后再论》，《东方学报》1982 年第 54 册。

286．［日］松田孝一：《海山出镇西北蒙古》，见内蒙古社会科学院情报研究所编：《蒙古学译文选》（内部资料），1984 年版。

287．V．V Barthold Turkestan down to the Mkngol Invasion，London，1970（巴托尔德：《蒙古侵寇前的突厥斯坦》，伦敦 1970 年版）。

288．［苏］C．B．吉谢列夫《位于贝加尔地区黑尔河畔的蒙古移相哥城堡》，见《内蒙古大学》《蒙古史研究参考资料》1965 年第 19 辑。

289．［苏］Л．A．叶甫丘霍娃：《哈剌和林出土的中国古代陶瓷》，《苏联考古学》1959 年第 3 期；陈健康译文，见内蒙古大学历史系蒙古史研究室编印：《蒙古史研究参考资料》第 19 辑。

教育部人文社会科学百所重点研究基地
内蒙古大学蒙古学研究中心学术著作系列
TOMUS 23

国家社科基金成果文库

SELECTED WORKS OF THE CHINA
NATIONAL FUND FOR SOCIAL SCIENCES

内蒙古通史 第四卷

明朝时期的内蒙古地区

总 主 编　郝维民　齐木德道尔吉
本卷主编　乌云毕力格

人民出版社

策划编辑:陈寒节
编辑统筹:侯俊智
责任编辑:邵永忠
装帧设计:肖　辉
责任校对:周　昕　湖　催

图书在版编目(CIP)数据

内蒙古通史.第四卷/乌云毕力格 主编.
　-北京:人民出版社,2011.12
ISBN 978 - 7 - 01 - 009411 - 3

Ⅰ.①内…　Ⅱ.①乌…　Ⅲ.①内蒙古-地方史-明代　Ⅳ.①K292.6

中国版本图书馆 CIP 数据核字(2010)第 214150 号

内蒙古通史(第四卷)
NEIMENGGU TONGSHI DISIJUAN
明朝时期的内蒙古地区
主编　乌云毕力格

人民出版社 出版发行
(100706　北京市东城区隆福寺街 99 号)

北京中科印刷有限公司印刷　新华书店经销

2011 年 12 月第 1 版　2012 年 10 月北京第 2 次印刷
开本:710 毫米×1000 毫米 1/16　插页:4
印张:37.5　字数:592 千字

ISBN 978 - 7 - 01 - 009411 - 3　定价:110.00 元

邮购地址 100706　北京市东城区隆福寺街 99 号
人民东方图书销售中心　电话 (010)65250042　65289539

《国家社科基金成果文库》
出版说明

国家社科基金研究项目优秀成果代表国家社科研究的最高水平。为集中展示这些优秀成果，全国哲学社会科学规划领导小组决定编辑出版《国家社科基金成果文库》。《文库》将按照"高质量的成果、高水平的编辑、高标准的印刷"和"统一标识、统一版式、统一封面设计"的总体要求陆续出版。

全国哲学社会科学规划领导小组办公室
2005 年 6 月

俺达汗赠给三世达赖喇嘛的印

明代蒙古贵族（美岱召壁画局部，选自张海斌主编：《美岱召壁画与彩绘》，文物出版社 2010 年版，第98 页）

大召寺

明代蒙古喇嘛（美岱召壁画局部，选自张海斌主编：《美岱召壁画与彩绘》，文物出版社2010年版，第99页）

明代蒙古人（美岱召壁画局部，选自张海斌主编：《美岱召壁画与彩绘》，文物出版社2010年版，第111页）

顺义王帐房图

三娘子画像

明代蒙古贵族妇女
（美岱召壁画局部，选自
张海斌主编:《美岱召壁
画与彩绘》，文物出版社
2010 年版，第 106 页）

北元时期翻译的《五部大乘经》

北元时期翻译的《智慧到彼岸十万颂》

乌素图召

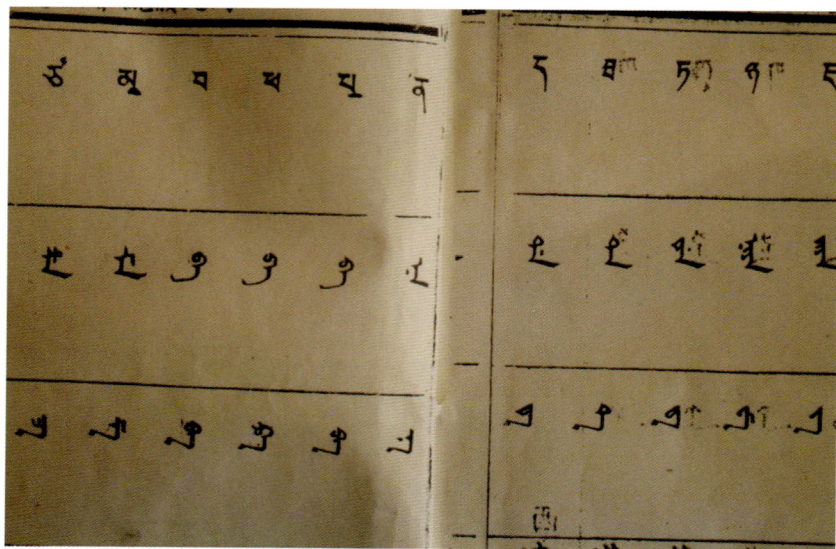

阿里嘎里字母

博格多察罕喇嘛碑

太公大元固什碑

明代蒙古妇女（美岱召壁画局部，选自张海斌主编：《美岱召壁画与彩绘》，文物出版社2010年版，第107页）

题　　记

一、本卷主旨

本卷是写 1368 年元朝灭亡到 1636 年清朝建立期间的内蒙古地区的历史。

1368 年明军攻陷元大都，元廷北迁蒙古高原，史称北元。有明一代，明朝和蒙古时战时和，形成南北对峙的局面。北元内部，经过昭宗"中兴"，北元政权稳定一时；昭宗死后，北元政局动乱，纳哈出降明，辽阳行省失陷，捕鱼儿海战役失利，脱古思帖木儿汗权旁落，蒙古内部分裂，形成东西蒙古两大集团分立对抗，内战不断。明朝设置羁縻卫所与封王，设卫屯兵，封王立藩，修筑长城，承认南北分治，形成明朝与北元的疆界。14 世纪末 15 世纪初，东蒙古部众在内蒙古地区活动，到 15 世纪中叶，内蒙古地区短暂统一。16 世纪初，达延汗在与异姓贵族的斗争中取胜，在东蒙古建立蒙古黄金家族的直接统治。16 世纪中叶，蒙古大汗和蒙古左翼诸部南下，形成了东南蒙古各部。漠南蒙古右翼三万户势力发展，土默特部首领俺答汗改善与明朝的关系，并引进藏传佛教格鲁派到漠南蒙古。17 世纪初，女真势力强大，努尔哈赤建立爱新国，终于在 1635 年征服了漠南蒙古。在爱新国时期，今内蒙古各部及其分布局面的雏形基本形成。

在北元时期，明朝取代元朝统治中国，但是多次北征蒙古未果，只好设置卫所，修筑长城，防御北元南犯，阻断南北经济往来，破坏了元朝形成的统一多民族国家的大一统局面。蒙古贵族失去对全中国的统治以后，仍然以北元政权固守蒙古草原，与明朝对峙统治中国的半壁江山。北元与明朝不管是抗争，还是修好，都说明蒙古高原和蒙古民族与中原地区的密切联系。达延汗诸子分封以后，蒙古各部"画地而牧"，游牧地界基本固定。北元后期，今日内蒙古各部分布局面基本形成。内蒙古地区经济文化进一步多样化、进一步发展。

二、本卷编著者介绍

乌云毕力格（Borjigidai Oyunbilig）　孛儿只斤氏，蒙古族，内蒙古自治区赤峰市巴林右旗人，1963 年 2 月生。中国人民大学国学院西域历史语言研究所教授，哲学博士、博士生导师。1984 年内蒙古大学历史学系毕业，1987 年获内蒙古大学蒙古史研究所历史学硕士学位，并留校任教。1994 年1 月至 1998 年 10 月在德国波恩大学中亚语言文化研究所任蒙古语教师，并获哲学博士学位。同年回国，在内蒙古大学蒙古学学院任教，任蒙古学学院副院长。2002 年 11 月，赴日本东京外国语大学访问研究。2004 年 11 月回国，任内蒙古大学蒙古学研究中心副主任兼蒙古史研究所所长。2006 年调中国人民大学任教，2010 年 10 月任德国波恩大学东方学与亚洲研究学院教授。2011 年 10 月回国。兼任中国史学会理事、中国蒙古史学会理事、内蒙古史学会会长、中国民族史学会理事。

出版专著《和硕特蒙古史纲要》（蒙古文）、*Überlieferungsgeschichte des Berichts über den persöenlichen Feldzugs des Kangxi Kaisers gegen Galdan*（1696—1697 年）（德文）、《喀喇沁万户研究》、《〈阿萨喇克其史〉研究》；主编、合著《蒙古史纲要》、《蒙古民族通史》（第四卷）、《卫拉特蒙古史纲》、《土谢图汗奥巴评传》、《内蒙古通史纲要》、《蒙古史研究 211 丛书》、《西域历史语言研究丛书——蒙古学篇》、《丰碑——札奇斯钦教授诞辰八十周年蒙古学论文集》、《亦邻真蒙古学文集》、《明清档案与蒙古史研究》等专著、论文集和《清朝前期理藩院满蒙文题本》、《清内阁蒙古堂档》等档案汇编。发表蒙、汉、日、英文学术论文 50 余篇。现任日本国际蒙古文化研究协会会刊《蒙古学问题与争论》主编。主持完成国家社科基金青年项目《十七世纪前半期蒙古喀喇沁部与后金（清）》、日本学术振兴会自主项目

《17 世纪前半期南蒙古政治史研究》及国家清史编纂委员会项目《史表·议政王大臣表》，参加完成中日合作项目《元代黑城出土畏吾体蒙古文文书研究》等。获内蒙古自治区哲学社会科学优秀成果政府奖二等奖 2 项。

本卷主编；撰写：

第一编　史料及研究概况　第一章　史料概况　第二章　研究概况　第二节　国外研究概况

第二编　概述　第九章　满洲爱新国的兴起与内蒙古各部的初步形成

第三编　专题　第十一章　内蒙古地区的成吉思汗诸弟后裔所属各部及其牧地

第四编　人物撰写爱猷识理达腊等 20 个历史人物传略

达力扎布（Darijab）　孛儿只斤氏，汉姓包，蒙古族，科尔沁左翼后旗人，1955 年 2 月生。中央民族大学历史系教授、历史学博士、博士生导师。1982 年中央民族学院历史系毕业，1988 年获南京大学历史系历史学硕士，1996 年获中央民族大学历史学博士。1988 年在中央民族大学历史系任教，历任历史系主任、"985 工程"中央民族大学少数民族语言文化教育与边疆史地研究哲学社会科学创新基地中国边疆民族地区历史与地理研究中心首席专家、北京大学明清研究中心和中央民族大学阿尔泰学研究中心兼职研究员，兼任中国蒙古史学会副理事长等职。

出版《明代漠南蒙古历史研究》、《蒙古史纲要》、*Manchu-Mongol Relation on the Eve of the Qing Conquest：A documentary History.*（Brill Academic Publishers，2003，Leiden Netherlands. By Nicola Di Cosmo & Dalizhabu Bao）等专著和《明清蒙古史论稿》；参编《中国民族史概要》、《中国民族史纲要》、《内蒙古通史纲要》和乌云毕力格等主编的《蒙古史纲要》。发表学术论文 30 余篇。主持国家社会科学基金资助项目《漠南蒙古历史研究》、《清康熙朝蒙古法律文献研究》以及高等学校全国优秀博士学位论文作者专项资金资助项目《清代蒙古史研究》。论著获省部级奖 3 项，是享受中华人民共和国政府特殊津贴专家、北京市名师奖获得者。

本卷副主编；撰写：

第二编　概述　第三章　元廷北迁与明蒙对峙局面的形成　第四章　蒙

古内讧与短暂统一　第六章　蒙古各部南迁和在内蒙古地区的分布　第八章打来孙汗时期蒙古左翼各部南迁内蒙古地区

第三编　专题　第十二章　北元时期蒙古社会政治制度

宝音德力根　介绍详见本通史第三卷题记

本卷副主编；撰写：

第二编　概述　第五章　达延汗的事业及其对内蒙古历史的影响

第三编　专题　第十章　内蒙古地区达延汗后裔所述各部及其牧地

乔吉（Choiji）　蒙古族。内蒙古社会科学院历史研究所研究员，中国蒙古史学会副会长。校注、整理出版蒙古文《恒河之流》、《黄金史》等史籍多部，合著《蒙古文历史文献概述》、《内蒙古寺庙》等。主编国家社会科学基金项目《蒙古学百科全书·文献卷》。发表学术论文60余篇。

本卷撰写：

第三编　专题　第十三章　北元时期蒙古地区的藏传佛教

第四编　人物撰写东科尔呼图克图永丹嘉措等8篇人物传略

希都日古（Shidurgu）　蒙古族。内蒙古大学蒙古学学院蒙古史研究所研究员，历史学博士。主要从事蒙古历史编纂学、文献学及专门史研究与教学。出版专著《十七世纪蒙古编年史与蒙古文文书档案研究》，发表学术论文20余篇。

本卷撰写：

第二编　概述　第七章　俺答汗与西部内蒙古

第三编　专题　第十四章　北元时期蒙古宗教、历史与法律文献　第一节　北元时期宗教与历史文献第二目"史书"

张双福　蒙古族。内蒙古社会科学院研究员、编审，语文学硕士。历任内蒙古社会科学院杂志社总编室副主任、副总编辑；蒙编部副主任、《内蒙古社会科学》（蒙文版）副主编、主编等职务，主编《蒙古学研究年鉴》。

本卷撰写：第三编　专题　第十五章　北元时期内蒙古文学

　　鲍音（Buyan）　蒙古族。内蒙古赤峰学院副教授。主要研究古代蒙古史，出版《北元史》（蒙文）、《赤峰蒙古史》、《白史译注》等，发表学术论文 60 余篇。

　　本卷撰写：第三编　专题　第十四章　第一节　北元时期蒙古宗教与历史文献（宗教典籍部分）

　　第四编　人物撰写索南嘉措等 5 篇人物稿　并为本卷提供了部分初稿

　　胡日查（Hurcha）　蒙古族。内蒙古师范大学蒙古学学院蒙古史研究所教授，历史学博士。主要研究领域明清蒙古史，出版专著《科尔沁蒙古史略》，发表学术论文 40 多篇。

　　本卷撰写：第一编　史料与研究概况　第二章　研究概况　第一节　国内研究概况

　　内蒙古大学蒙古学学院蒙古史研究所玉芝博士提供了专题第二章部分初稿；内蒙古大学博士研究生图雅、巴根那、姑茹玛、宝音特古斯等提供了第四编人物的部分初稿。

　　参加本卷撰写的 7 人，均具有高级职称，其中博士 5 位。

郝维民

2009 年 12 月

目　　录

第三编　专　题

第四编　人　物

A General History of Inner Mongolia

Volume Ⅳ
The Inner Mongolian Region
during the Ming

CONTENTS

Division Ⅲ   The Subject Studies

Division IV　Historical Figures

(English Translation by Tergel, Nasan Bayar and Baohua, Revision by Irene Nain)

第一编

史料及研究概况

第 一 章

史 料 概 况

北元时期内蒙古地区历史的史料，在史料性质上分，有"遗留性史料"和"记述性史料"两种；在语言文字上分，有蒙古文、汉文、满文和藏文几种；在种类上分，有文书、档案、金石碑铭、明清官修史书、编年史、方志、人物传记等等。在这些史料中，文书档案资料（含汉文、蒙古文、满文）价值弥足珍贵，但现有的这类资料在时间上主要涉及明代后期。蒙古文史料是构建这段历史的最主要的史料骨架。汉文史书是对蒙古文史料的扩充和佐证。为了叙述方便，下面将这些资料分"遗留性史料"和"记述性史料"两类介绍。

第一节 "遗留性史料"

原属过去历史事物的一部分而遗留至今的、从其最初形成就不以讲授历史为目的，而是因其他目的或原因形成的、无意中给人们提供可靠历史信息和知识的史料，我们称之为"遗留性史料"。这些史料本身就是历史事件（物），属于过去的"历史"，而不属于"历史记述"。它们或有形或无形地保留到现在，但都是从当时的历史事件中直接流传下来，在其流传中没有第三者的"报道"、"描述"、"塑造"等中介行为。这类史料的最大特点在于，它们的形成各有原因，但都不是以讲授历史、为当代或后世留下历史根据为其目的。所以，它们作为史料是被动的、无意识的，没有受到作者的

"史学"思想即"史学"倾向性的影响。它们是历史的遗留，是较为可靠的史料。①

一、《明朝兵部档案》

在研究明代内蒙古历史的"遗留性史料"中，时间较早的当推明朝兵部档案，它对研究内蒙古各游牧集团的历史具有重要意义。流传至今的明朝档案（以下简称《明档》）为数不多。在明清改朝换代之际，大部分档案毁于兵燹。在清朝顺治、康熙年间，为了编纂《明史》，官方搜集到了部分《明档》，并将其保存在内阁大库。后来，历经清末农民战争、民国初年动乱和国民党迁往台湾等多次事件，损失严重。最后，中国大陆的《明档》大宗（3 600 余件）集中保存在中国第一历史档案馆，一小部分（580 余件）藏在辽宁省档案馆。此外，国民党当局带到台湾的《明档》，保存在"中央研究院"历史语言研究所，这部分据称有 6 000 余件。

在《明档》中，与蒙古关系最为直接的是《明朝兵部题行档》。其中有不少是关于 17 世纪前半期蒙古各集团的珍贵文书资料，堪称是对蒙古文史料和满文史料的补充和佐证。

《明朝兵部题行档》中，明天启（1621—1627 年）、崇祯（1628—1644年）两朝档案占绝大多数。据初步统计，《明档》中，直接与蒙古有关的文书在中国第一历史档案馆的约有 160 余件，在台北的约有 80 余件。其中，最早的文书为天启四年八月十二日（1624 年 9 月 24 日）兵部主事李祯宁的呈文，最晚的是崇祯十七年三月二日（1644 年 4 月 8 日）钦差巡抚宣府右金都御史朱氏的塘报。文书种类有：兵部题稿、题行稿、行稿和兵科抄出题稿、题行稿、行稿、塘报等。这些文书的原作者大体有三种人：一是钦差大臣；二是宣府、大同等地将军、地方大臣等；三是监视边疆军务的太监。兵部题行档中，宣大总督、宣大巡抚、宣大总兵、宣府总兵等人的题本和塘报占多数。

作为史料，《明朝兵部题行档》具有很强的可信性和很高的价值。就文书的结构而言，一个文书中往往含有很多份多层面的文书。大体说来，最底

---

① 乌云毕力格：《喀喇沁万户研究》，内蒙古人民出版社 2005 年版，第 2 页。

层的士兵、特务、翻译、下级官吏等人将所掌握的军事情报口报给自己的顶头上司，这些上司再将其写成书面材料禀报自己的上司，依次逐级上呈，最后报到皇帝面前。每一级官员在撰写呈文时均要转述下级的呈报内容，而且必须逐字抄录。若需要发表自己的意见，在下级报告内容后须另加"据此看得"等字样，而后再发表议论。从文书内容的来源来看，有关蒙古人的情报信息，基本上来自蒙古贵族的使者、守边蒙古人、投降者、蒙古特务、买卖人以及明朝的巡逻兵、特务及归乡人（被蒙古抢去后再逃回家乡的汉人）的呈报、口供等等。总之，情报出自蒙古人和亲自去过蒙古地方的明朝人员。

到 2001 年，《明朝兵部档案》基本上全部出版发行。20 世纪二三十年代，"中央研究院"历史语言研究所整理了内阁大库明清档案，1930 年和 1936 年出版了《明清史料》二辑。国民党逃到台湾以后，在 1953 年到 1975 年之间，历史语言研究所继续整理带到台湾的明清档案，同样以《明清史料》为书名，出版了明清档案。以 30 年代的第一辑为甲编，陆续编了乙编至壬编，共十编，每编十本，每本百页，铅印。其中大多数是清朝初年的档案，但也夹杂着相当数量的《明档》。中国大陆的《明档》，于 2001 年由中国第一历史档案馆和辽宁省档案馆编辑，以《中国明朝档案总汇》为名，由广西师范大学出版社出版，全部 101 册①。《中国明朝档案总汇》影印本，就其文献价值来讲，比台湾的铅印《明清史料》高得多。比如，影印文书的外部特征，就足以提供研究明代文书和文书制度的丰富资料。

二、《十七世纪蒙古文文书档案（1600—1650 年）》

17 世纪前期的蒙古文文书具有很高的史料价值。这些文书至今收藏在北京中国第一历史档案馆。1997 年，该馆的李保文编辑、整理和影印了这些珍贵文书，定书名为《十七世纪蒙古文文书档案（1600—1650 年）》（Arban doloduγar jaγun-u emün-e qaγas-tu qolbuγdaqu mongγol üsüg-ün bičig

---

① 2000 年，作者曾和宝音德力根博士去中国第一历史档案馆对有关蒙古和女真的史料进行整理，并请该档案馆制作 8 盒缩微胶卷，名为《明档蒙古满洲史料》。本书引用的是这些缩微胶卷。

debter（1600—1650 年），以下简称《蒙古文档》）。《蒙古文档》分为上下两卷。上卷为"有关满蒙关系史的文书"，包括 61 份蒙古文书。下卷为"清朝理藩院记录档"，收录了 1637—1647 年间的 50 份理藩院蒙古文档案。上卷 61 份文书，是 17 世纪 20—30 年代的南蒙古与女真—满洲爱新国之间的官方书信往来。内容涉及蒙古嫩科尔沁、喀喇沁、东土默特、山阳诸塔布囊、敖汉、奈曼、察哈尔、阿巴噶、阿巴哈纳尔、阿速特、阿鲁蒙古、巴林、扎鲁特等诸集团的政治、经济、军事、社会各个方面以及爱新国与这些集团之间的关系。这些文书中，只有 6 份在清代文献中经过不同程度和不同性质的改变后流传下来，其余均不见于史乘。《蒙古文档》的影印出版，不仅展现了 17 世纪前半期蒙古文字原貌和蒙古文书格式，而且再现了文书外部特征（包括提写、留空格、使用表示敬意的特殊符号、涂改、插入、收件人和发信人的附注等等），具有极高的文献学价值。

在《蒙古文档》中的 61 份文书，基本上都是叫做"书"的文书。"书"（蒙古文称 Bičig，满文作 Bithe），是当时蒙古贵族和爱新国朝廷所用的文书形式。蒙古和满洲的"书"，在格式上的唯一区别是蒙古人一般情况下都以意为"愿吉祥"的一句梵文祷告语开头（也有不用该祷告语的极个别的简短的书信），而满洲天聪汗的书从来不用这个套语。除此之外，双方文书的发信人、收件人、正文、写成时间（极个别情况）这样的结构顺序，是完全一样的。很明显，满洲人是在同蒙古人的交往中学会了使用"书"这个文书形式的。这些文书产生的原因或目的，是蒙古—满洲双方为了向对方通知、说明或陈述当时的某一项具体事务。这些文件，不是出自史家之手，不是"当代史"的记述，而是当时发生的历史事件的一部分，无疑都是名副其实的"文字遗留"。

《蒙古文档》是研究北元末期历史的弥足珍贵的第一手资料。这是因为，它直接反映了蒙古社会的内部动态，这一点是其他任何外部的史料所无法替代的。在这些文书中，有一些在清代史书中不同程度地流传了下来。这一部分史料，可作相互比较，通过对原始史料流传过程的分析，澄清历史事实，复原历史本来面貌，揭露史书对史实的歪曲。还有相当多的文书，根本没被清代文献采用。这些文件，在一定程度上填补了前人所不知的历史空白。

从 17 世纪流传下来的蒙古文书，每份都是"孤本文书"。"孤本文书"的特点是，它的成书背景、写作人、时间、地点、成书原因、文书内容与其他史实的关系，以及文书被处理的结果等等，都没有附带说明文字。以上诸问题，只有通过研究才能得以解决。

三、《旧满洲档》

研究 17 世纪初期内蒙古史的另外一份重要史料是《旧满洲档》。满文分为两种：一种是"无圈点字"（Tongki fuka sindahakū hergen），俗称"旧满文"，使用于 1599—1632 年之间。另一种是"加圈点字"（Tongki fuka sindaha hergen），俗称"新满文"，1632 年以降一直使用到清末。所谓的《旧满洲档》，指的是爱新国朝廷以编年体形式逐年、逐月、逐日记录 1607—1636 年间女真—满洲历史的档案，1632 年以前的部分是用旧满文书写，1632 年以后的部分是用新满文书写。其中，还夹杂着不少蒙古文原文文书。清朝乾隆年间，对用无圈点满文写的档案进行裱糊整理，共得 37 册，后一直保存在北京故宫。20 世纪 40 年代，国民党把它们带到了台湾。1969 年，台湾故宫博物院将这部由 37 册构成的满文档册，再加上 1935 年在内阁大库残档中发现的同类满文档案 3 册（1635/1636 年档），影印出版，定名《旧满洲档》，共 10 大本。

《旧满洲档》与《蒙古文档》不同，是经过史臣编辑的档案集。尽管如此，它是爱新国最早的档案记录，是与爱新国的历史进程同步产生的。《旧满洲档》的一个重要内容，就是满蒙关系。在该书中，有大量的有关蒙古各部的史料。这些史料，不仅对蒙古史研究提供了丰富的资料，而且还不失为一把解释 17 世纪初蒙古文"孤本文书"的钥匙。《旧满洲档》中的蒙古文原文文书档案资料中，有不少涉及喀喇沁的内容，其史料价值非常高。因为前人研究中有不少介绍《旧满洲档》的内容，所以本书在此从略。

必须指出，《旧满洲档》与《满文老档》绝不能混为一谈，两者有质的区别。诚然，后者源于前者。后来被台湾命名为《旧满洲档》的那些古老的档册，到了清乾隆年间，因年久糟旧，以致残破。经奏准，在裱糊妥善保存原档之余，还用旧满文和新满文将它各抄写两份，分别定名为《无圈点字档》和《加圈点字档》，分别保存在北京和盛京（沈阳）。另外又抄写一份《加圈点字档》，专供皇帝阅览。所谓的《满文老档》就是盛京崇谟阁所藏《加圈点字档》。1905 年，日本人内藤氏发现了该档册，并于 1912 年翻拍后带到日本，命名为《满文老档》。1955—1962 年间，日本学者神田信夫等人成立"满文老档研究会"，用拉丁文转写了《满文老档》，并附日文旁译、总译及索引。

特别值得注意的是，这些抄本，无论是旧满文本还是新满文本，都不是照抄，而是编抄。第一，抄本偷换了旧档的不少概念。比如，将"女真"换称"满洲"，将"爱新国（金国）"改为"满洲国"，将"大明"改称"明国"，将"遣送之书"改称"诏书"等等，举不胜举。第二，编抄本删掉了原档中相当多的内容。有的地方是整段删除，有的地方是删除个别句子或个别词语。在原档上，到处写着"不要（写）"（ume）、"要写"（ara）等字样，是对原文取舍的表示。第三，抄录时增补了不少内容。这些新内容，是根据晚于原档册的其他史料补充的。第四，有很多改写之处。第五，《加圈点字档》将原档册中的蒙古文原文文书通通译成了满文。此外，还有其他类型的改动，这里就不一一列举了。总之，与《旧满洲档》相比，《满文老档》无论在文字上还是内容上，都不再是原始资料，而是乾隆朝廷"天朝史学"的一部新作。

四、《满文内国史院档案》

另外一个重要的满文档案集是《满文内国史院档案》。内国史院，成立于 1636 年，是从原设于 1629 年的文馆中分离出来的。内国史院的主要职责是为篡修国史作积累和准备，因此，国史院的档案，是从各类档案文书中摘抄汇集，最后按年月日顺序编辑而成。这些档册现藏北京中国第一历史档案馆。满文国史院档案，上自爱新国天聪元年（1627 年），下迄清崇德八年（1643/1644 年），其中，天聪七年档案不见于《旧满洲档》。新近，日本东洋文库清代史研究室将天聪七年档译成日文，并连同复印件一并刊行。

第二节　"记述性史料"

"记述性史料"指专门以给世人讲授历史为目的，由一个或若干个有明确目的的作者（编者）创作的文献。它们在对历史的记述中，贯穿着作者的目的、立场、观点、感情，受着作者编撰水平等诸多的主观和客观因素的影响。这类史料是人类有意识地记述历史活动的产物，作者的目的就是让当代和后世人了解历史，所以他的报道是有着强烈的主观意识的。由于作者属于一定的时代、一定的民族、一定的阶层，受到过不同的教育，具有不同的道德和文化水平，因此他报道历史的目的和动机都不尽相同，对历史的认识、表达的能力也都不尽相同。最终，历史记述和历史本貌不完全一致，甚至会大相径庭。所以，对这类史料不仅要审慎地进行真伪评判，还要进行正误评判。①

有关明代蒙古史的"记述性史料"不在少数。按其语言文字分类，有蒙古文、汉文、满文的；按其作者分类，有明清两朝官修的，有明清两代私人撰修的；按其史书种类分类，有正史、实录、编年体史书、表传世谱、方略、地志等等。兹介绍其中较为重要的几部：

一、蒙古文史书

1. 蒙古文编年史。成书于 17 世纪的蒙古文编年体史书，诸如两《黄金史》、《大黄史》和《蒙古源流》。

《黄金史》，蒙古文原文书名为 Qad-un Ündüsün-ü Quriyangɣui Altan Tobči，音译作《阿勒坦托卜赤》，俗称《小黄金史》，成书于 17 世纪初。佚名《黄金史》记事的起止年代大约为蒙古人古老传说中的始祖孛儿帖赤那至蒙古末代大汗林丹汗。全书由三个部分组成，第一部分为印度、西藏王统史，第二部分为孛儿帖赤那至元惠宗乌哈笃汗妥懽贴睦尔的蒙古史，第三部分为元惠宗乌哈笃汗妥懽贴睦尔退回蒙古本土草原建立北元汗廷到蒙古末代大汗林丹汗即位的蒙古史。

另一部《黄金史》，作者罗桑丹津，故俗称罗《黄金史》，蒙古文原文书名为 Erten-ü Qad-un Ündüsülegsen Törö Yosun-u jokiyal-i Tobčilan Quriyaɣsan Altan Tobči（《简述古昔诸汗政治黄金史》）。作者罗桑丹津具有固什（国师）衔号，但其生平、籍贯均不详。大约成书于 17 世纪末 18 世纪初。记事

① 乌云毕力格：《喀喇沁万户研究》，内蒙古人民出版社 2005 年版，第 3 页。

的起止年代与佚名《黄金史》略同，大约自蒙古人古老传说中的始祖孛儿帖赤那至末代大汗林丹汗。但其内容要比佚名《黄金史》庞杂得多。它不仅包括佚名《黄金史》的几乎所有内容，而且还收录了《元朝秘史》约2/3的内容（《元朝秘史》共282节的233节已被罗氏《黄金史》所迻录），另外还有不少12、13世纪的蒙古古老资料以及西藏佛教方面的资料。北元蒙古部分的内容主要录自佚名《黄金史》，但有些内容与佚名《黄金史》不尽相同。比如，对北元汗系，佚名《黄金史》只记卓里克图汗（Joriγtu qaγan，即汉籍的也速迭儿），而不记恩克汗（Engke qaγan）。然而，罗氏《黄金史》则载卓里克图汗与恩克汗父子两代。又如，对达延汗十一子的后裔，佚名《黄金史》所记不多，仅对其图鲁孛罗一系记载较清楚。另外，还简单提到了达延汗三子巴儿速孛罗的二子衮必里克麦力艮吉囊与俺答汗的一些子孙。而罗氏《黄金史》对达延汗诸子后裔所记甚详。又如，该书所记哈剌嗔（喀喇沁）部的叛变及其与满洲结盟之事，佚名《黄金史》均无载。

《大黄史》，蒙古文原文书名为 Erten-ü Mongγol-un Qad-un Ündüsün-ü Yeke Šira Tuγuji Orošiba，意即《古昔蒙古诸汗源流之大黄史》，音译作《沙刺图济》。成书于17世纪中。该书先叙述佛教的宇宙观、人类的起源及印度、西藏王统史，然后记述成吉思汗祖先至成吉思汗及其继承者元朝诸帝、北元蒙古诸汗、达延汗十一子及其后裔（对其中第十一子格埒森札的后裔的记载尤为详细），再记成吉思汗之子术赤、察合台后裔的兀鲁思及合撒儿、别里古台等诸弟兀鲁思及后裔等等。另外，还记述了达延汗时期蒙古六万户及四瓦剌（卫拉特）部的有关情况等。

《蒙古源流》，蒙古文原文书名为 Qad-un Ündüsün-ü Erdeni-yin Tobči（《诸汗源流之宝史纲》，汉语音译作《额尔德尼托卜赤》）。作者萨冈彻辰。成书于1662年。《蒙古源流》的内容可分为七大部分：前三个部分包括宇宙人类起源及印、藏王统史；第四部分为蒙古汗统史（包括从孛儿帖赤那至也速该把都儿的历史，成吉思汗的一生，窝阔台合罕至元惠宗妥懽帖睦尔的历史，元惠宗妥懽帖睦尔退回蒙古草原至末代大汗林丹汗败亡的汗统史，达延汗诸子的分封，巴儿速孛罗一系的历史）；第五部分是满洲皇统史；第六部分是跋文；第七部分为79节格言诗。另外，书中还插有汉代至金末的皇统简史和明朝的皇统简史。①

以上四部史书的版本与研究情况详见本卷"专题"部分。诚然，这些蒙古史书在性质上均属"记述性史料"，但与汉文史书相比，就可显示其独特的价值。这些蒙古文史书提供了有关蒙古各部的演变、统治家族的更替和世系、蒙古人各集团的内部关系，政治、社会制度，文化、道德观念，风俗习惯等方面的重要史料。

2. 传记史料与世系谱。蒙古文《俺答汗传》（蒙古文为 Erdeni Tunumal Neretü Sudur Orušiba），作者佚名，约成书于 1607 年。按编年顺序以韵文体写成。该书详细叙述了俺答汗的生平事迹和藏传佛教在蒙古地区的传播史。这是研究明代漠南蒙古右翼三万户史、俺答汗等重要政治人物史、蒙藏关系史和藏传佛教在内蒙古地区传播史的重要史料。该书只有一部手抄本传世。

在蒙古史学史上，传记体裁的史书在全部史书中占重要地位。系谱，有家谱、族谱、王公功臣世系等多种。这类资料除散见于蒙古各种体裁的史书外，还有专门的族谱和家谱。涉及蒙古世系的专门的世谱类著作不多，主要散见于蒙汉文史料相关部分。上述两《黄金史》、《大黄史》和《蒙古源流》中均见黄金家族系谱记载。此外，喀尔喀人善巴所撰《阿萨喇克其史》（1677 年）、八旗蒙古人罗密所著《蒙古博尔济吉忒氏族谱》（1735 年）和扎鲁特高僧答里麻固什所著《金轮千辐》（1739 年）中也保存了大量的蒙古黄金家族的系谱资料。

二、汉文和满文史书

1. 明清官修史书。首先是《明实录》和《清实录》。"实录"是当朝皇帝为其前朝皇帝所修的编年体史书。"实录"一般取材于前朝的文书档案，也借鉴其他资料。但是，"实录"绝不是一朝文书档案总汇，而是一部史书。这种史书为了捍卫王朝利益，维护皇帝尊严，编写史事有既定的原则，选择史料时有严格的取舍标准。"实录"虽然收录大量文书档案，但也时有增减和篡改。如将"实录"每条记载都视为信史，是非常错误的。

---

① 以上四本书的情况，详见希都日古：《17 世纪蒙古编年史与蒙古文文书档案研究·导言》，辽宁民族出版社 2006 年版。

　　《明实录》，2 909 卷。因为流传至今的明朝档案为数不多，于是《明实录》就成了研究明代史的基本史料。由于明朝的灭亡，明毅宗崇祯皇帝就没有正式的官方实录，佚名《崇祯实录》（记事自崇祯元年到崇祯十七年）和《明□宗□皇帝实录》（记事自崇祯皇帝即位的天启七年七月至崇祯元年十二月，共记载仅一年半的事)①，都是出自私人手笔，可信性极成问题。该书内容主要涉及明朝和蒙古的关系，对了解和探讨明蒙对峙局面的形成、明朝对蒙古政策的形成和实施、明蒙战争、明代蒙古某些首领及其所领游牧集团的活动，均有相当高的史料价值。对蒙古史研究而言，《明实录》最大的缺陷就是很少有内容涉及蒙古社会内部情况的记载。

　　《清实录》，与本书有关的主要是《清太祖实录》和《清太宗实录》，有满蒙汉文版本。该两朝实录的编纂主要利用了《旧满洲档》、《内国史院档》和其他相关资料，而这些满文档册如今均能见到，因此利用这些原始档案对《实录》进行史料学批判，辨别《实录》记载的真伪正误，就显得十分重要。明清《实录》对研究蒙古文史书，蒙古文文书档案以及满文档案史料，都具有很重要的"互相解释"作用。

　　其次是《明史》和《清史稿》。清乾隆以纪传体为正史并诏定《史记》至《明史》二十四种为正史，自此正史遂为二十四史专有之名称。后来，有人把《清史稿》也看做正史，故亦有"二十五史"之称。与本书内容有关的正史，有《明史》和《清史稿》。

　　《明史》，张廷玉等撰，332 卷，另有目录 4 卷。清朝于 1645 年设明史馆，1697 年开始修撰《明史》，1735 年定稿，1739 年刊行，共历时 90 余载。《明史》的编撰主要利用了《明实录》、《明史稿》和明代其他史书、文集、方志等资料，但由于明代最珍贵的"文字遗留"——档案文书资料在明清接替之际大部分毁于兵燹，因此明史馆虽然搜集到了一部分明朝档案，但是搁置在库，并未利用。有关蒙古的史料，主要见于"鞑靼"、"瓦刺"和"朵颜"三传，以及其他相关的人物传。

　　《清史稿》，赵尔巽等撰，536 卷。1914 年设立清史馆，开始修《清

　　① 《崇祯实录》有吴兴嘉业堂旧藏抄本，现存台湾"中央研究院"史语所，作为附录二被收录在台湾校印本《明实录》里。《明□宗□皇帝实录》也作为附录一被收录在同一本书里。

史》，到 1927 年完成初稿，因为不是定稿，故称为《清史稿》。该书编者在撰写过程中，主要是利用了《清实录》、《国史列传》、《大清会典》等第二手资料，而对清代堆积如山的档案史料几乎不闻不问。《清史稿》是一部未定稿，存在着体例、结构、内容各方面的诸多问题。但此书较全面地记述了清代历史的方方面面，所以对系统了解清代史当然具有一定作用。其中有关清代藩部内容，对研究明末满蒙关系史，具有一定的参考价值且能提供便利。

《明会典》。《明会典》是明朝官修的本朝典章制度全集，其中不乏有关明代蒙古的内容，特别是兵部和礼部卷中留下了明蒙关系方面的大量记载。

《皇清开国方略》，清人阿桂等奉敕撰修，实为官修史书。有满蒙汉文版本。1773—1789 年间编纂，32 卷。该书编写了自满洲兴起到入关定鼎的清朝开国史，参考利用了旧满洲档册、国家档案文书、历朝实录等最重要、最珍贵的资料，从理论上讲，应该是非常可靠的史料。但《开国方略》实际上是一本最不可靠的史书，是改写清朝开国史的"典范"，反映了乾隆朝对清初历史的认识。该书对研究乾隆朝历史编纂学有"遗留性史料"的价值，但就研究清代开国史和当时各政治、民族集团的历史而言，便没有多少价值。在研究漠南蒙古与满洲关系史时，基本上不能把它当作史料引用。

《王公表传》。全称《钦定蒙古回部王公功绩表传》，120 卷，祁韵士等著，性质上仍属官修史书。有满汉蒙古文版本。成书于 1789 年。该书记述了蒙古各部源流、各部王公承袭世谱、功过事迹及大事年月。据祁韵士自称，该书是利用了蒙古各地抄送的"旗册"、内阁大库所藏"红本"、"实录"以及理藩院所藏蒙古各部的"世谱"撰成的。这是一部带有乾隆时期"天朝史学"最深烙印的史学著作。该书除对蒙古各部名称的起源，蒙古早期世谱等的记载存在不少问题外，对爱新国和清初的满蒙关系，也做了大量和系统的篡改。此外，也有不少地方以乾隆时期的历史认识和知识编写清初历史。

《八旗通志》（初集），清代鄂尔泰等编撰，也是官修史书性质的书籍。有满汉文版本。250 卷，于 1727—1739 年间编纂成书。由志、表、传三部分构成。作者主要利用清三朝实录、康熙会典、六科史书、八旗档案和地方文书、八旗将军都统来文来册、上谕八旗、八旗奏疏，以及八旗册档等编撰的，是一部有关清代八旗制度的重要文献。其中在《旗分志》、《名臣传》、《勋臣传》等志传部分，仍保存着划入满洲、蒙古八旗的蒙古人原部落、姓氏、世系、事迹等重要资料，这对研究明末内蒙古历史有一定的参考价值。

2. 明清两代私修汉文史书。明人留下了大量的有关蒙古史汉文资料。值得一提的是，从20世纪90年代以来，薄音湖、王雄以《明代蒙古汉籍史料汇编》为书名，整理、标点和辑录了其中主要史籍，并公开出版。该书第一辑收录了《北巡私记》、《北平录》、《北征录》、《北使录》、《北征事迹》、《北虏纪略》、《皇明北虏考》、《译语》、《九边考》、《洪猷录》、《殊域周咨录》等36种，第二辑辑录了《北虏始末志》、《三卫志》、《四夷考》、《王享记》、《云中处降录》、《俺答前志》、《俺答后志》、《抚夷纪略》、《两朝平攘录》、《三娘子》、《辽夷略》、《北虏风俗》、《大宁考》、《九边图说》、《登坛必究》、《宣大山西三镇图说》、《卢龙塞略》、《三云筹俎考》、《开原图说》、《武备志》、《蓟门考》、《蓟镇边防》、《北狄顺义王俺答谢表》、《赵全谳牍》等34种，第三辑整理了《全边略记》全文。① 这套丛书基本涵盖了有关蒙古的明代大部分私人著作。整理者对各书的作者、成书年代和背景、主要内容、版本等方面都做了交代，因此本书不再赘述。

这里再补充本书所用的其他几本史书。

一为《万历武功录》，瞿九思编著，176卷，1612年成书。瞿九思利用在北京搜集到的有关边事史书、部分邸抄和六科存案记录等资料编写了该书。书中比较全面地记载了明代蒙古和女真史实，为许多有名的蒙古汗王贵族立了传。但是，瞿氏生平与蒙古素无关系，也没有机会直接掌握边务机要文档，故瞿书在资料的可信性方面存在很大问题，不能因它内容丰富而全部盲目信从。

二为《国榷》，明末清初人谈迁（1593—1657年）撰，104卷。1653年成书，为有明一代的断代史。谈迁利用了"起居注"等重要史料，类似于明代实录。因为崇祯一朝没有实录，所以该书关于崇祯朝的记载具有特殊的

---

① 薄音湖、王雄：《明代蒙古汉籍史料汇编》第1辑，内蒙古大学出版社1993年版；薄音湖、王雄：《明代蒙古汉籍史料汇编》第2辑，内蒙古大学出版社2000年版；王雄：《明代蒙古汉籍史料汇编》，第3辑，内蒙古大学出版社2006年版。

价值。

三为《北虏世代》，作者佚名，成书于 16 世纪末。记载了蒙古达延汗子孙七代人的世系和驻牧地。

清代私修汉文史书中应该提到《皇朝藩部要略》。祁韵士撰，张穆改定，成书于 1846 年，是一部有关清朝外藩——蒙古、回部与西藏历史的编年体史书。过去，该书曾与《清实录》、《王公表传》和《蒙古游牧记》一起，成为国内学者研究清代蒙古史的最基本的史料。其实，《藩部要略》是在祁韵士纂修《王公表传》时积累的资料长编的基础上整理而成的，就史料价值来说，并没超过前人的新内容。将张穆改定本与祁韵士原稿相比较，将《藩部要略》与《清实录》以及与满蒙原始档案相比较，对清代史学史的研究具有重要意义。《藩部要略》有很高的史料学价值，却没有什么史料价值可言。关于明代末期蒙古与满洲关系的记述，有不少错误和杜撰。

关于明代内蒙古史的"记述性史料"，有必要指出以下几个问题。一、蒙古系谱资料的问题。明人著作中的蒙古世系谱大多数是为了把握蒙古各集团的兵力或者确认蒙古进贡、领赏、贸易的贵族家庭而编写的。清代官修史书中载有的蒙古王公贵族的世系，均以蒙古贵族的世谱为原始资料。世谱类史料，按理应归入"遗留性史料"，但从蒙古世谱资料的现状来看，其中很大一部分是根据后人的追忆补写的，而不是流传下来的原始文字资料，所以时有遗漏或错讹。清代蒙古世谱资料，主要来自藩部档案，除了清代同时期的资料外，其中追述部分仍有不少问题。至于明人留下的相关资料，一是不够全面，二是资料来源并非全都可靠。因此，严格考订世谱资料显得特别重要。二、历史地理方面的资料问题。历史地理是内蒙古地区史研究中的一项重要内容。有明一代，明蒙对立，各为国家，明人当然没有机会修长城以北的地理志。但由于蒙古始终是明朝北边的劲敌，明朝从辽东到甘肃修筑了九个军事重镇，还通过各种手段不断搜集九边外蒙古各集团的种种情报。其中，蒙古人的分布与活动地域，是明朝特别注意的信息内容。明朝的一些封疆大吏、驻防将领和有识之士，先后撰写书籍，详述九边山川形势、关口要害、边防情况以及边外蒙古游牧、部落、世系等状况。这些作者本身或是督抚军门，或是朝廷幕僚，或是与朝廷关系密切者，掌握着大量的第一手资料。阅读明朝兵部档案可以发现，明廷通过军队和民间两种途径，运用各种手段，通过多种渠道，搜集了大量有关蒙古（包括他们的地理位置）的情报。这些情报都会经过督抚、总兵等人之手，最后以"题本"或"塘报"的形式呈递兵部和皇帝手里。这些情报可能在可靠性和准确性方面存在问题，但不太可能存在有意篡改、杜撰和歪曲的问题。因此，当时成书的有关边防边政著作的部分内容，是研究蒙古史很好的史料。

第 二 章

研 究 概 况

第一节　国内研究概况

明代内蒙古地区历史的时间跨度为 1368—1636 年之间的 267 年，空间幅度相当于清代的内扎萨克六盟、套西二旗、归化城土默特、察哈尔八旗和呼伦贝尔地区以及辽宁、河北等邻近省份的部分地方。国内外蒙古史学界把这一时期的蒙古史称之为"北元蒙古史"，或称"明代蒙古史"，又称"东西蒙古分裂割据时期"。蒙古国学者又将其称为"蒙古割据时期"，或称"蒙古黑暗时期"。1368—1636 年之间的内蒙古史上承蒙元，下启清代，在古代内蒙古地区史上占有举足轻重的地位。

1368—1636 年间的内蒙古地区史研究在国内长期处于落后状态，日本和苏联，尤其是日本学者在这方面一直处于领先地位。但是他们的研究工作，由于时代和个人学术条件的限制，或单以汉文史料，或单以蒙古文史料为主进行研究，未能将丰富的汉文及满、蒙古文史料比较利用，所以未能解决许多具体问题。辛亥革命至新中国成立前，国内学者大多从明蒙关系、东北和西北卫所建置、北部边政图籍等方面进行研究，在发表的 50 余篇论文中，涉及蒙古本身情况的很少。19 世纪 30 年代，沈曾植等对《蒙古源流》作了校勘、考证，陈寅恪、韩儒林等也对《蒙古源流》、《蒙古世系谱》作了首创性的研究。

1949 年以后，国内学者对这一时期内蒙古地区历史研究有了较大进展。

自 1949—1978 年，发表论著 30 余种。其中蒙古史专著五种：《内蒙古发展概述》（上）（陶克涛，1957 年），《内蒙古历史概要》（余元盦，1958 年），《蒙古族简史》（中国社会科学院民族研究所等编，内部刊行，1964 年），《蒙古族略》（内蒙古历史研究所，1973 年），《蒙古族简史》（内蒙古历史研究所，1977 年）。这些书都有关于明代蒙古的章节。赖家度、李光璧合著的《明朝对瓦剌的战争》（1954 年），则是论述瓦剌与明朝关系的一部通俗读物。专题论文方面，有胡钟达《呼和浩特旧城（归化）建成年代初探》（1959 年）、《丰州滩上出现了青色的城》（1962 年），前者探讨呼和浩特这座塞外名城的修建始末，后者论述了明代蒙古俺答汗与明朝的关系，以及双方和平交往促进蒙古经济文化发展的情况。阿萨拉图《明代蒙古地区和中原间的贸易关系》（1964 年），则较为全面系统地论述了明代蒙古与中原地区的经济交流。

20 世纪 80 年代，我国学者对这一时期蒙古史的研究呈现蓬勃发展的景象。在短短的八九年中，从事北元时期蒙古史研究的专业人员由两三人发展到十余人，论文数量达 160 余篇。几乎等于辛亥革命至 1978 年间论文数量的两倍。《蒙古族简史》（中国社会科学院民族研究所和内蒙古大学部分同志编著，1986 年）、《北方民族关系史》（内蒙古与北京等地学者编著）等相继问世，其中均有专章或专编述明代蒙古的历史相继与周围诸族的关系。

自 20 世纪 90 年代到现在，国内学者编纂的通史类著作有叶新民、薄音湖、宝日吉根著《简明古代蒙古史》（内蒙古大学出版社 1993 年版）、伊克昭盟《蒙古民族通史》编委会编五卷本《蒙古民族通史》（内蒙古大学出版社 2002 年版）、内蒙古社会科学院历史所编三卷本《蒙古通史》（民族出版社 1999 年版）、乌云毕力格、白拉都格齐主编《蒙古史纲要》（内蒙古人民出版社 2006 年版）、达力扎布编著《蒙古史纲要》（中央民族大学出版社 2006 年版）等。这些通史类著作中，有的以专卷（如《蒙古民族通史》第三卷就是一部明代蒙古史，由曹永年撰写），有的以专章或专编论及 1368—1636 年间的蒙古历史及其与周围诸族的关系。

20 世纪 90 年代以来，国内明代蒙古史研究取得了前所未有的成就，在对蒙古政局、部落、社会结构、牧地变迁、满蒙关系等许多问题的研究上有了重大突破。可以说，达力扎布《明代漠南蒙古历史研究》、宝音德力根

《十五世纪前后蒙古政局部落诸问题研究》、乌兰《〈蒙古源流〉研究》、乌云毕力格《喀喇沁万户研究》和胡日查、长命《科尔沁蒙古史略》为代表的学术成果完全改变了以往明代蒙古史研究的滞后面貌，标志着国内明代蒙古史研究已经占据了国际学术研究的前沿。

国内外学界对1368—1636年间的内蒙古地区历史的研究成果，可分为文献整理校注与研究、编著、专著、论文等四大类，而从其内容上可分为以下八大类。

一、文献整理、校注与研究

文献学研究是历史研究的基础。在国内蒙古文文献的整理、校注方面，内蒙古的专家、学者作出了不懈的努力，可谓功德无量。留金锁、珠荣嘎、乔吉等老一辈研究员通过自己的辛勤劳动，整理出版了不少珍贵的文献。其中，留金锁整理、校注出版的文献有：无名氏《黄金史》（内蒙古人民出版社1980年版）、《十善福白史》（内蒙古人民出版社1981年版）、金巴道尔济著《水晶鉴》（民族出版社1984年版）。珠荣嘎整理、校注出版了《阿拉坦汗传》（即蒙古文《俺答汗传》，民族出版社1984年版）。乔吉整理、校注出版的文献有：衮布扎布著《恒河之流》（内蒙古人民出版社1981年版）、罗藏丹津著《黄金史》（内蒙古人民出版社1983年版）、答里麻著《金轮千辐》（内蒙古人民出版社1987年版）、纳塔著《金鬘》（内蒙古人民出版社1989年版）。另外，内蒙古社会科学院的胡和温都尔整理、校注出版了拉喜朋斯克著《水晶珠》（内蒙古人民出版社1985年版），乌力吉图校注出版了无名氏《大黄册》（即《大黄史》，内蒙古人民出版社1985年版）。

金峰教授先后整理出版了《卫拉特历史文献》（内蒙古文化出版社1985年版）、《卫拉特史迹》（内蒙古文化出版社1992年版）、《蒙古文献史料九种》（内蒙古文化出版社1983年版）、《呼和浩特史蒙古文献资料汇编（共六辑）》（内蒙古文化出版社1989年版）。金峰整理出版的这些文献在内容上虽然更多地侧重于卫拉特蒙古历史文化，但其中编入的不少文献或多或少地反映了1368—1636年期间的内蒙古历史。内蒙古师范大学蒙古史研究所的宝力高校注出版了《诸汗源流黄金史纲》（内蒙古教育出版社1989年版）、《青史》（内蒙古人民出版社1992年版）。巴根刊布了《阿萨喇克其史》校注本（民族出版社 1984 年版）。

以上提到的专家在校注蒙古文文献时，对文献中出现的年代、人名、地名、疑难词语等作了考订，有的则加了大量的文献学和历史学注释。

国内专家学者不仅整理出版了大量的蒙古文文献，还汉译校注或拉丁文转写了部分蒙古文文献。如：朱风与贾敬颜合作汉译了无名氏《黄金史》（内蒙古人民出版社 1985 年版）；道润梯步汉译校注了萨冈彻辰著《蒙古源流》（内蒙古人民出版社 1981 年版）；格日乐汉译、齐木德道尔吉与孟和宝音拉丁文转写罗布桑丹毕坚赞著《黄金史》（内蒙古文化出版社 1998 年版）。

到目前为止，在国内整理、翻译和研究蒙古文文献方面有里程碑意义的著作是乌兰的《〈蒙古源流〉研究》（辽宁民族出版社 2000 年版）。该成果对蒙古文文献的整理采取了原文校勘、拉丁文音写、译文、注释等最科学的态度和做法。著名蒙古史学家周清澍对该书作了如下评价："首先是校勘。《蒙古源流》入藏宫廷，译成满、汉文和刊行，已距成书百余年，此前全靠辗转传抄，讹舛衍脱愈晚愈多，加上抄写整理者的主观增删篡改，已失原貌，出版和转译前有必要先进行校勘。校勘时就有选择底本和参校本的问题，国内外图书馆收藏的《蒙古源流》版本甚多，作者首先进行了认真的版本鉴定。她查阅了北京、呼和浩特各图书馆所藏各种抄本、刻本，收集了蒙古、俄、德、美、日铅印、影印的各种《蒙古源流》版本，逐一审查，理清它们之间相互的传承关系，认定此书在长期的流传过程中形成了两大系统，一类以库伦本为代表，另一类以殿本为代表。通过比较，认定库伦本较殿本系统更接近于作者的原书，具有内容完整、用字古老，字迹工整清晰、保存完好等优点，是国内外学者公认的最佳版本，故选定它为校勘的底本。她从大量的传本中筛选十余种有版本特色和有价值的版本作为参校本，进行各版本的对校和本书前后文的本校；又选《阿勒坦汗传》、《黄金史》等 17 世纪的蒙古文史籍进行他校。校勘的范围涉及语词、文句、专名等，改正删补原书中的讹舛衍脱，力求最完整、最正确地恢复底本的原貌，又根据文意和史实对校勘过的原文添加现代标点符号并进行分段，这就保证了译文的准确性，也为研究者参考引用或译成其他文字提供了一部文字通畅又可以信赖的标准本。畏兀儿体蒙古文由于书写形式的特点，古今蒙古文正字法的变化，常导致识读的困难和错误，因此，本书将经过校勘的原文转为拉丁字母写，这是国际学术界整理各民族拼音文字文献通常采用的办法，有助于读者正确掌握原文的书面语读音。这种音写，是音形兼顾的，既可恢复原文的书面形式，也可掌握它的正确读音。如本书作者的名字，殿本系列原抄本因抄写者看漏了一个齿形符号，又由于蒙古文中辅音 n 识点常被省略，清代汉译本为'萨囊'或'萨纳囊'，其他蒙古文本可读为 saqang 或 saqan，作者根据《清太宗实录》出现的'萨甘'或'萨干'及前辈学者和本人耳闻当地人的读音，确定应音写为 Saɣang。又如根据明代汉文史籍中蒙古人名的译音，纠正了中外译本的一些误读，改 Alčubolod 为 Nalčubolod（纳勒出孛罗），改 Amudai 为 Namudai（那木大）。作者用现代汉语将全书译成汉文，译文按原著内容分段、标点，较清译本更明白易懂。书中的专有名词和术语，尽量与当时的汉文记载取得一致，使蒙汉史料得以相互照应，互相补充，既便于专业研究者参考利用，也便于各族人民对蒙古族文化遗产的了解。为了忠实于原文，译文尽量保持原文原貌。蒙古文中有若干段押头韵的诗，皆用汉文新诗体裁译出，并按原韵分行，有助于读者对蒙古文学的研究和欣赏。作者在大学本科就读于蒙古语文专业，20 年来沉浸于蒙古文古籍之中，蒙古文（特别是古蒙古文）造诣甚深，又能勤检各种辞书，搜集多种论著、译著的成果，原文涉及来源于梵文、藏文、突厥语、满语等的借词，多能解释清楚，正确译出。清译本是间接从满译本译出，由于作者通晓满文，不仅能参考满译本进行校勘，而且在译注中揭示出因满译本误译所导致汉译本的错误。译文的注释超过全书篇幅之半。一部分是语文训诂，包括译音勘同，阐明语音变化规律，疑难词语的解读释义，词源探讨，分辨出外来词并指明借自哪种外来语，以及正字法的比较等。其次是史实的考订，包括对历史年代、事件、人物活动和世袭、地理、部落沿革等的考证和阐述，至为透彻；前人说法有分歧，能通过辨析采用正确的说法；尚未得解的，时有个人创见。由于作者能广泛涉猎有关史料，又不同程度地掌握日、英、德、俄文，故能广泛吸取国内外的研究成果，这也是她胜任这项工作并取得如此瞩目成就的原因。全书共有 629 个注，可以说是 629 篇论文，其中部分是个人心得，部分可称为有关史料和前人研究成果的汇编，今后蒙古史的研究和蒙古文籍的整理，皆可借此书为线索，获得有关的知识并得到合理的解释。本书的开头是约 5 万字的'导论'，是一篇全面的、详尽的关于《蒙古源流》的长篇研究论文，从历史背景、作者、书名、内容结构、成书年代、史源文献、史学价值、特点和缺陷、版本流传及研究等多方面进行讨论，其中对各个问题的论述，或有进展和深入，或有独到的创见。如讨论作者的身世、家世、本名和全部称号，成书年代的藏历换算，史源文献的分析，反映出作者的研究深入和知识全面；版本的流传及研究部分之详略，从正文和参考文献中，可看出作者为此项研究过目的版本和前人论著之多，几乎是做了竭泽而渔的基础工作；归纳蒙古文版本为两个系统，符合实际，令人信服。"① 乌兰这部著作成为国内蒙古文文献整理、翻译和研究的典范，是国内北元时期蒙古史研究的具有划时代意义的代表作之一。

　　明代汉籍史料中有关蒙古史资料十分丰富。沈曾植、张尔田曾使用大量明人著述，对《蒙古源流》进行过校勘考证。台湾影印出版了《明实录》。国内学者在点校明代蒙古史汉籍史料方面也做了不少工作。中华书局点校出版了《明史》。吴晗从朝鲜《李朝实录》中辑出了《朝鲜李朝实录中的中国史料》。中国第一历史档案馆和辽宁省档案馆编辑并影印出版了《中国明朝档案总汇》（广西师范大学出版社 2001 年版）。

　　薄音湖、王雄编辑点校了明代私修汉文史书，以《明代蒙古汉籍史料汇编》为名出版了三辑，可谓是近年来问世的这方面大型史料汇编。《明代蒙古汉籍史料汇编》第一辑（内蒙古大学出版社 1993 年版）编入了《北巡私记》、《北平录》、《北征录》、《北使录》、《北征事迹》、《北虏纪略》、《皇明北虏考》、《译语》、《九边考》、《洪猷录》、《殊域周咨录》等 36 种研究这一时期蒙古史的常用史料。值得一提的是，每一种史料的正文之前皆附有编辑点校者所撰"题解"。"题解"介绍该史料的作者、内容、成书年代等相关信息。《明代蒙古汉籍史料汇编》第二辑（内蒙古大学出版社 1993 年版）汇辑了自隆庆至明末明人以汉文所著有关蒙古的史料 34 种，时间上大体与第一辑相连接。从内容看大体可以分为以下几类：通记明代蒙古历史的，如王世贞《北虏始末志》、《三卫志》，王圻《续文献通考》，叶向文《四夷考》，何远乔《王享记》。专记某事、某人始末的，如高拱《防边纪

---

① 乌兰：《〈蒙古源流〉研究》，辽宁民族出版社 2000 年版，第 2—4 页。

事》、《伏戎纪事》、《挞虏纪事》，方逢时《云中处降录》，刘应箕《款贡始末》，刘绍恤《云中降虏传》，冯时可《俺答前志》，郑洛《抚夷纪略》，诸葛元声《两朝平攘录》，吴元震《三娘子》，张鼐《辽夷略》等。专记明代蒙古社会风俗习惯的萧大亨《北虏风俗》（附"北虏世系"）。记明朝边防而旁及蒙古部落、世系、社会状况和明蒙关系的，如杨守谦《大宁考》、霍冀《九边图说》、王鸣鹤《登坛必究》、杨时宁《宣大山西三镇图说》、郭造卿《卢龙塞略》、王士琦《三云筹俎考》、冯瑗《开原图说》、茅元仪《武备志》、米万春《蓟门考》、戚继光《蓟镇边防》。还有原始文献及典章汇编，如《北狄顺义王俺答谢表》、《赵全谳牍》、三娘子《与经略尚书郑洛书》及《明会典》。《明代蒙古汉籍史料汇编》第三辑（内蒙古大学出版社1993年版）编入了《全边略记》一种。因为该书是一部包含有大量明代蒙古史史料的专门著作，篇幅较大。编辑点校者在前言里详细介绍作者一生经历的同时，就该书版本源流、史料价值进行了学术评价。总之，《明代蒙古汉籍史料汇编》所录著述皆为明代蒙古史的基本汉文文献，大多难得一见，有较高的史料价值。

　　蒙汉文文献整理校注工作取得了丰硕成果，同时，也不乏专门研究文献的成果。其中代表性论著主要有以下几部。

　　留金锁不仅整理校注出版了多部蒙古文文献，还撰写了《十三世纪——十七世纪蒙古历史编纂学》。他认为，至今我们尚未发现14—15世纪编写的蒙古文历史文献，但如果详细遍览16世纪末17世纪初成书的蒙古文历史文献，14—15世纪的蒙古人仍有编纂祖先历史的习惯。尤其是17世纪70年代元朝灭亡到其后近100年之间的蒙古内部封建混战割据局面下，蒙古人从未间断过编纂历史的习惯。正如苏联著名蒙古学家符拉基米尔佐夫所言，"现在明确显示，蒙古人在黑暗年代丰富的传承其文化遗产，这正如有元一代没有间断自己的文化习俗，他们又从未忘记自己的文化和文字"。16世纪末17世纪初成书的蒙古文历史文献是在13—15世纪的历史文献基础上增加编纂重要历史事件或从佛教世界观解释历史事件的。历史编纂学是反映当时社会经济发展和政治、文化的镜子，又是直接或间接反映作者的思想、理念。16世纪末17世纪初蒙古历史编纂学的发展，与当时蒙古社会背景息息相关。16世纪末17世纪的蒙古文历史文献有以下几个特点：一、这些文献均在黄教传入蒙古地区时撰写的，所以深受其影响。这种影响在一方面把佛教传说写入历史文献当中，以佛教思想解释历史；另一方面把佛教的呼图克图、活佛宣扬为超群之才，认为呼图克图、活佛是佛圣之化身；另外，较为详细记述佛教在蒙古地区传播的历史，宣扬自古以来蒙古各汗实行政教二道并行的政策。二、坚持封建正统观念，认为成吉思汗孛儿只斤黄金家族的汗位是不可侵犯的。这些文献中，详细记述成吉思汗子孙后代，以诸汗的历史维系蒙古历史。三、17世纪成书的蒙古文历史文献编纂于蒙古汗廷衰落，清政府征服蒙古时期。所以，作者们把主要注意力放在蒙古汗廷为何衰落的问题上。他们一致的观点是，汗权旁落，众蒙古分裂致使汗廷衰落。更有趣的是，这些历史学家从未提及1636年内蒙古各封建主奉清朝皇帝为可汗这种重大历史事件。其实，这反映了他们不承认清朝皇帝是蒙古可汗之心情。

希都日古著《17世纪蒙古编年史与蒙古文文书档案研究》于2006年由辽宁民族出版社出版。该书的17世纪蒙古编年史研究部分以佚名《黄金史》等四部编年史为主，深入系统地考察了四部编年史的内容、体裁及撰述特点，运用编纂学批判和文献比勘、考订的方法，辨别史实的真伪和错误之处；对诸编年史书作者所处时代的社会文化背景以及对他们的政治立场、倾向和历史观作了很好的分析；通过蒙汉文史料的比较研究，正确评估了蒙古文编年史的史料价值。该书代表着蒙古文编年史研究的新水平。

有关明朝兵部档案的研究有乌云毕力格著《明朝兵部档案中有关林丹汗与察哈尔的史料》（*Reserching Archival Documents on Mongolian History*，Tokyo，2004），从明朝档案中编辑出有关蒙古察哈尔部和林丹汗的史料，并加有详细的注释，是国内利用明朝兵部档案撰写的第一篇长篇论文。他所著《明朝兵部档中的17世纪前期蒙古史资料》（日文，《史资料丛刊》，No. 2，东京外国语大学，2003），系统考察了明朝兵部档案的性质、类别、情报来源、价值和所涉及范围。

有关研究这一时期内蒙古历史的明代汉文文献的学术论文有王雄、薄音湖著《明代蒙古史汉籍史料述略》。该文在综述国内外学者对明代汉文史料的研究与整理工作的基础上，把这一时期有关蒙古史汉文史料分为实录、政书、正史等官方文献、私修史书、当事者的纪实之作、方志和边疆图籍、奏议、书牍、笔记杂说、汇编汇纂等七种，并对这些史料的存佚及其史料特点进行了论述。认为，明代蒙古史汉籍史料是和整个明王朝的文献史料融合在一起的，是明代史籍的重要组成部分；这些史料中，第一手资料是很多的，与晚出的有关蒙古文史料相比，这些史料在时间地点、事件等方面具有更高的准确性；明代为蒙古撰史盛于嘉、隆、万三朝；明代蒙古史汉籍史料特别分散；明代蒙古史汉籍史料多有因袭重复者；从藏储来看，明代蒙古史汉籍史料，除了已整理印行者外，大部分殊不易得。

有关反映这一时期内蒙古历史的蒙古文文献的研究论文有希都日古《17 世纪蒙古史家笔下的成吉思汗诸弟及其后裔》（《内蒙古大学学报》2005 年第 2 期）。他认为，17 世纪蒙古史家以成吉思汗—忽必烈为正统，而否定成吉思汗其他子孙和成吉思汗诸弟后裔。希都日古的另一文《〈蒙古秘史〉和 17 世纪蒙古编年史的渊源初探》（《蒙古史研究》，第八辑）主要研究了 17 世纪蒙古编年史与《蒙古秘史》之间的继承关系。作者举例说明了这些编年史在继承了《蒙古秘史》的内容、体例以及具体史实的描述的同时，又增加了《蒙古秘史》所没有的史料，指出 17 世纪蒙古编年史仍然保持着蒙古史学中的口头历史传统和文字历史传统的特点。

二、部落变迁研究

内蒙古各部形成、其内部构成以及各部之间的关系等问题一直是 1368—1636 年时期内蒙古历史研究领域之薄弱环节。以往国内研究者主要是在日本学者和田清著《东亚史研究·蒙古篇》基础上，对这一时期内蒙古各部的历史变迁加以论述的。

20 世纪 80 年代，这方面的成果有奥登《十六世纪蒙古土默特万户十二部考》（1984 年），通过对蒙古右翼三万户之一的满官真及土默特兼并满官真万户历史过程的分析，认为土默特万户十二部是由多罗土蛮、委兀儿慎、兀慎、摆腰、五路、黄台吉、大成台吉等七部，连同把林台吉、哥力各台吉、哈木把都儿台吉、松木儿台吉和段奈台吉等五部台吉组成。奥登《喀尔喀五部考述》（1986 年），认为札鲁特、巴岳特、弘吉剌特和乌齐业特构成内喀尔喀五部。16 世纪中叶以后，其势力逐渐壮大，开始进入西拉木伦河以北和辽河套一带游牧。后巴林和乌齐业特二部的牧地深入西辽河以南，其他三部驻牧地远离稳定于西辽河南北一带。晓克《明代土默特万户出现的历史过程》（1986 年）指出，在 15 世纪 70 年代脱罗干时，"土默特"和"蒙郭勒津"两个名称可相互通用。蒙郭勒津部落集团中土默特部的势力已经相当强大，对蒙郭勒津部在该部落集团中所占据的主导地位已构成威胁。1508 年，该集团受到达延汗打击后，"土默特"一名越来越多地被人们用以称呼该部落集团，不久就取代了"蒙郭勒津"一词。1508 年，达延汗挥师亲征东蒙古右翼，武力统一各部，建立六万户，右翼三万户之一就是在土默特部落集团基础上建立的土默特万户。晓克《土默特万户弘吉剌部述略》（1988 年）、《蒙古土默特万户的部落构成及其驻地分布》（1988 年）等论文，侧重研究了明代蒙古土默特万户的部落构成情况、部落的演进、驻地、领主等情况。留金锁、纪民《斡赤斤的领地及其后裔——关于翁牛特部的异议》，晓丹《翁牛特部源流浅说》，魏昌友《对翁牛特部几个历史问题的探讨》谈到了关于翁牛特部的历史。

蒋秀松《〈李朝实录〉中的兀良哈》（1983 年）、奥登《蒙古兀良哈部落的变迁》（1986 年）、贾敬颜《明成祖割地兀良哈考辨》（1985 年）、李健才《明代的兀良哈》（1985 年）等，从不同角度论述了兀良哈部落的变迁及与明廷、周围诸族的关系。陈育宁《明代蒙古之入居河套》（1984 年），则对活动在河套及陕、甘、青一带的蒙古族进行了探讨。此外，留金锁也有《科尔沁部东迁小议》（1988 年）、《永谢布部考》（1989 年）等文章发表。贾敬颜的《阿禄蒙古考》（《蒙古史研究》第三辑）一文利用《蒙古游牧记》、《太宗实录》及《老档》的有关史料，对阿禄蒙古进行了探讨。

20 世纪 90 年代以来发表的内蒙古各部起源、其内部构成以及牧地变迁等方面的论文主要有：宝音德力根的《满官嗔—土默特部的变迁》（1997 年）一文，首先考订土默特部的源起，认为其从明代兀良哈三卫之一的福余卫属卫卜剌罕卫而来，而卜剌罕卫被蒙古多罗土蛮部征服成为其属部，因其蒙古化被称为满官嗔部。15 世纪中叶时，多罗土蛮部被满都鲁征服与卜剌罕卫合称为满官嗔—土默特部，在 15 世纪中期至 16 世纪中期时，作为一个强大政治势力对东蒙古乃至整个蒙古局势产生重要影响，最后对"满官嗔"和"土默特"两词从史料、音韵学方面作了较详细的解释。同氏《关于兀良哈》（1996 年）和《往流和往流四万户》（1997 年），对兀良哈部的起源、兀良哈万户的瓜分以及往流四部的发展和四万户的名称等问题进行了详尽的论述。薄音湖的《关于察哈尔史的若干问题》（1997 年）一文中，利用史料考证了察哈尔部落的起源；采用音韵学的方法又考证了察哈尔一词的来源；在察哈尔诸部中论述了鄂托克数量的变化及着重阐述了几个重要部落的脉络；察哈尔的统治机构主要论证了达延汗以后的历代蒙古大汗采用何种形式对草原实行统治，重点是林丹汗时期的统治机构，这里包括当时林丹汗的军事力量，各种职官设置及统治者的称号。乌云毕力格《17 世纪 20—30 年代喀喇沁部的台吉和塔布囊》（2000 年）一文利用中国第一历史档案馆李保文影印出版的《17 世纪蒙古文文书档案（1600—1650 年）》中的两份蒙古文文书史料，探讨 17 世纪 20—30 年代喀喇沁部内部的喀喇沁黄金家族（诺颜、台吉）和原朵颜卫兀良哈贵族（塔布囊）之间的矛盾和斗争。认为，这些“遗留性”档案有力地证明了林丹汗西征后，喀喇沁黄金家族受重创，一蹶不振，成为让人任意宰割的对象，而兀良哈塔布囊则成为喀喇沁实际上的统治者。乌云毕力格《论东土默特部蒙古》（2005 年）一文，详细考察了东土默特部的起源、演变、与喀喇沁万户的关系、其牧地变迁和结局。乌云毕力格《有关蒙古阿苏特部》（2008 年）论述了蒙古阿苏特部的起源、发展演变、牧地分布、与爱新国的关系和最终结局。

特木勒的《十六世纪后半叶的朵颜卫》一文认为，1550 年“庚戌之变”以后，朵颜卫主干部众被蒙古右翼武力征服，形成了属部与领主的关系。喀喇沁万户首领所“征诸酋岁献”，就是朵颜卫诸部作为“阿勒巴图”所承担的“阿勒巴”。关于“庄浪恰”的记录证明，长昂从领主喀喇沁部获得“恰”的官职，代领主万户行使“主本部大小事情断事好人”的职权，这是喀喇沁万户统治其朵颜卫阿勒巴图的另一种方式。朵颜卫与喀喇沁万户及右翼其他集团的双向联姻导致大量人口内流，朵颜卫阿勒巴图与其领主的关系更加紧密，这就是为什么朵颜卫诸部中属于喀喇沁的阿勒巴图以领主的名义归附爱新国的原因。

张永江《从顺治五年蒙古文档案看明末清初翁牛特、喀喇车里克部的若干问题》（2003 年）一文研究了喀喇车里克部的名称来历、统治家族、社会组织、归清后的主要活动、与翁牛特的关系等问题。该论文是第一个专门论述喀喇车里克部历史的论文。

李艳洁《明代泰宁卫地域的变迁》（2005 年）一文认为，明代泰宁部落经历了由盛至衰的过程，地域也因此发生了一系列变化。该部落自永乐再封开始，向往中原，以战或贡的方式渐次南下，大规模南下是在宣德时期。正统年间，其中心地域基本稳定在明边境。后期，泰宁卫的四至，大体上是西起锦义，东越辽河，北抵洮河，南及明边。李艳洁《明代泰宁卫首领世系变迁》（2006 年）一文认为，明代泰宁卫首领世系变迁大致可分为四个阶段，洪武年间的辽王阿札失里时期；永乐初期的忽剌班胡时期；永乐到正统时期的阿只罕一系；正统至万历初年的革干帖木儿和兀南帖木儿一系。其世系断层和缺失反映了明代和蒙古部落的关系变化，尤其是蒙古部落的势力消长。李文君《西海蒙古中的永谢布》（2005 年）一文认为，永谢布是蒙古右翼三万户之一，它的一部分部众在明朝中期移居西海。永邵卜大成台吉、把尔户台吉、瓦剌他卜囊等人成为永谢布在西海的首领。永谢布一度是西海最强盛的蒙古部落，后因与火落赤的内讧而衰落，最终被固始汗收编。

近年来，随着明末清初满蒙汉文档案史料的大量发掘，有关这一时期部落变迁研究专著不断问世。其中代表性著作有以下几部。

达力扎布著《明代漠南蒙古历史研究》于 1997 年由内蒙古文化出版社出版。本书是他对自己博士学位论文进行整理的基础上出版的，他的博士学位论文获得了全国百篇优秀博士论文奖。该书在前人研究的基础上，充分利用汉、蒙和满文史料，以明代蒙古各部南迁漠南的历史活动为线索，紧紧围绕我国古代北方游牧民族与中原之间在政治经济上的相互依存关系，对蒙古各部的南迁和形成漠南蒙古（内蒙古）的过程、原因，南迁之后与明朝、爱新国的关系，以及蒙古社会政治制度的演变和归附爱新国之后统治管理制度的建立等问题都有了比较深入系统的研究。该书第一章专门考订了这一时期漠南蒙古的形成。以往史学界对这个问题注意不够，本章通过对汉、蒙古文史料的认真比勘研究，第一次对蒙古各部从明宣德年间开始南迁漠南形成漠南蒙古的过程进行了全面系统的研究，把蒙古南迁的过程分为兀良哈三卫南移、右翼蒙古部入居河套、左翼蒙古诸部南迁等三个阶段，结合当时蒙古与明朝的政治经济关系及蒙古内部的矛盾，对蒙古南下的过程和分布地点等问题都作了详细的讨论。在论述兀良哈三卫和右翼蒙古南迁过程的同时，对所谓明成祖"弃大宁予兀良哈"之说，依据史料予以批驳，对前人的否定之说作了有力的补充论证。认为放弃大宁卫的根本原因，除明成祖欲控制藩王的考虑外，是当时大宁城池已残破，又孤悬边外，在明朝处于守势的情况下无法屯田，后勤供给困难，这与后来内撤开平卫的情形基本相同。并考证东胜卫城早在洪武五年就已放弃，洪武末年所筑东胜城已内移，非元代旧址，所谓明成祖"弃东胜"河套被虏所据的说法是不正确的，北虏入河套主要是由于明廷采取消极防御政策的结果。还考察了右翼蒙古进入青海的活动，澄清了一些史实，对蒙古迁入青海的原因也提出了自己的看法。在讨论左翼蒙古各部南迁时，通过对汉、蒙古文史料的认真比勘研究，对日本学者和田清主张的"察哈尔东迁"说提出异议，认为蒙古大汗的斡耳朵（宫帐）自退处漠北以来，一直游牧于克鲁伦河中下游、南至西拉木伦河一带。达延汗分封诸子后，蒙古大汗所率的察哈尔等左翼部落仍在东部，不在宣府、大同近边，所以察哈尔的这次迁移不是东迁，而是一次南迁活动，而且是整个左翼蒙古的南迁。并对左翼蒙古察哈尔、喀尔喀和科尔沁等部南迁的具体时间、过程及其分布地点作了详细的考证，从而勾画出了明代蒙古南迁活动的清晰轨迹和各部落起源与分合的大体轮廓。该书第三章《明代漠南蒙古归附爱新国和内扎萨克蒙古的形成》中，还对明末察哈尔部西迁的时间、原因等问题与其他学者进行商榷，指出察哈尔西迁时间是在奈曼、敖汉两部降附爱新国之后，主要是为躲避爱新国攻击，同时为保持与明朝的贸易市口。对察哈尔部西迁过程中发生的两次战役重新考证，认为旱落兀素之役与赵城战役不是同一战役，汉籍中所记旱落兀素之役是对爱新国攻打岭南察哈尔部的误传和误记。通过对清朝征服察哈尔部过程的考察指出，八旗察哈尔很早就与察哈尔扎萨克旗并存，并不是清朝在康熙年间平定布尔尼之乱后才建立的，从而纠正了清后期史籍记载的错误。总之，该书最突出的优点表现在史料考订方面。作者极充分地利用了丰富的汉文史料以及蒙古文、满文史料，对史料产生的时间、来源、可靠程度进行认真辨析，从而能就史料中的模糊不清或讹误，歧义之处在比勘研究的基础上做出准确判断，解决了许多前人未能弄清或以讹传讹的问题。某种意义上可以说，该书是国内明代蒙古史学家开创自己新时代的开端。

宝音德力根《十五世纪前后蒙古政局部落诸问题研究》（内蒙古大学博士学位论文，获首届全国百篇优秀博士学位论文奖），1997 年成稿，至今尚未公开出版。本书共分三章：第一章，从元朝灭亡到达延汗时代的蒙古政局；第二章，蒙古六万户的起源和达延汗以后蒙古各部的发展；第三章，往流和往流四万户。该书的特点在于，不是简单利用蒙古文史书，而是对它进行科学分析，在充分掌握蒙古文史书的记事特点和规律的基础上，发现它所包含的人们视而不见的丰富的史料信息，并与明代汉籍相结合，揭示了该时期前所不知的大量史实。该书对15世纪前的蒙古政局、蒙古各部的起源与构成、演变、重要历史人物的出身与事迹等多有开创性的论述，纠正了前人的不少错误说法，填补了很多方面的研究空白。本书对近年北元时期蒙古史研究影响巨大。其与达力扎布上述专著一样，也是中国明代蒙古史研究新纪元的标志之一。

乌云毕力格《喀喇沁万户研究》于2005年9月由内蒙古人民出版社出版。该书选择学界缺少深入、系统研究的喀喇沁万户为探讨对象，对其成立、各个成员及其融入万户的过程、各集团的游牧地的分布、林丹汗西迁时期喀喇沁万户各集团的动向、与满洲和明朝的关系，以及各集团的最后结局等重大问题进行全面、系统的研究和探讨。全书由九章构成，第一章介绍史料；第二章考证喀喇沁的起源；第三章探讨喀喇沁万户的形成过程；第四章分析山阳万户的解体与东土默特人；第五章阐述喀喇沁万户中"诺颜—塔布囊"体系的形成的经过；第六、七章集中深入探讨喀喇沁万户与爱新国的关系；第八章探讨了喀喇沁、土默特与爱新国同明朝、察哈尔的对外关系；第九章讨论了喀喇沁万户各集团的结局。该书运用传统考据方法和西方文本研究法相结合的研究方法，充分利用了满、蒙、汉三种文字的明清档案等"遗留性史料"，通过对各种文献资料进行对比考证、辨析真伪，澄清了学界一些模糊认识和某些错误的观点，理清了喀喇沁部在17世纪活动的基本事实，并对当时蒙古各部的关系和巨大变化做出了进一步的阐述和分析，有力推动了学术界对明末清初蒙古史的研究。该书首次发现了构成喀喇沁万户的各个成员集体，指出它是原应绍卜万户、山阳万户和满官嗔—土默特万户部分成员的重新组合，是达延汗后裔黄金家族和成吉思汗名将者勒蔑后裔统治下的兀鲁思。其中，喀喇沁万户的各鄂托克及其融入万户的过程、各鄂托克的游牧地、万户解体的具体过程和各个成员的最终结局等内容都是该书新的发现。该书在研究蒙古部落史和古代社会史方面开创了新局面，是国内明代蒙古史研究新时代的又一个代表作。

胡日查和长命合著《科尔沁蒙古史略》于2001年4月由民族出版社出

版。本书第一章论述了合撒儿生平、分封领地范围、合撒儿诸子及其后王的史实以及被元朝皇室封为"齐王"的过程等。第二章通过分析元朝灭亡后的蒙古政局、科尔沁部小失的王、齐王孛罗乃、兀讷博罗特王、阿儿脱歹王的史实，阐述了"科尔沁"一名的来源、15—16世纪科尔沁万户形成壮大的过程、科尔沁万户内部鄂托克构成、驻牧地望。第三章专门考述了合撒儿后裔及其所属部分科尔沁人和福余卫部分乌济叶特人迁至卫拉特，成为和硕特部的原因。第四章主要探讨了从科尔沁万户中分离出来形成的茂明安、乌喇特、阿鲁科尔沁、四子部落的历史。第五章专门考述了嫩科尔沁部形成的历史。作者认为，科尔沁部从合撒儿初封领地迁徙至嫩江流域的时间非清人所谓的明洪熙年间，而是16世纪三四十年代。合撒儿第十四孙奎猛克塔斯哈喇带领所属科尔沁万户部分部众迁至嫩江流域后，拥有扎赉特、杜尔伯特、郭尔罗斯、土默特以及锡伯、卦尔察等部落，到16世纪70年代南下明辽东边外，吞并福余卫部分人口，势力大增，成为明末辽东边外重要的军事集团。蒙古文文献和文书档案称嫩科尔沁为"乌济叶特科尔沁"或"博罗科尔沁"。嫩科尔沁部诸诺颜活动范围较广，最初曾活动于明朝东胜边外蛤蜊河一带，后又活动于明开原、铁岭西北边外，与内喀尔喀五部一同经常到新安关、庆云堡讨赏或进行贸易。16世纪80年代，恍惚太（清译翁阿岱）、土门儿（清译图美）等科尔沁部首领被内喀尔喀诸部封建主打败后，嫩科尔沁部不仅失去了近边驻牧地和同明朝进行贸易的机会，而且，其主力退居离开原边外千余里的混同江江口一带。从此，嫩科尔沁部与察哈尔部大汗的关系逐渐疏远，而与女真诸部之间的关系却密切起来。第六章论述了嫩科尔沁部与满洲的关系。其中，作者把科尔沁部与满洲的关系分为三个不同阶段，剖析科尔沁部归入爱新国的原因，并通过分析17世纪蒙古文文书档案相关内容，纠正了《清实录》等清代官方史书中歪曲史实的若干记载。可以说，《科尔沁蒙古史略》是国内外学术界首次系统论述合撒儿家族与科尔沁部的学术著作，是研究蒙古部族史方面的重要成果。

特木勒的博士学位论文《多颜卫研究——以十六世纪为中心》是研究明代兀良哈三卫之一多颜卫的一部不可多得的佳作。多颜卫是明朝在蒙古地区设立的羁縻卫所兀良哈三卫之一。三卫游牧于明长城以外，大兴安岭以东的草原，是相对独立于明蒙两大政权之外的第三股势力。在长达二百余年的明蒙南北对峙的夹缝中，三卫随着明蒙政局的变化而变化，"随盛衰以为向背"。宣德以后，三卫逐渐南迁，占据了明蓟辽边外的牧地。由于泰宁、福余二卫无险可依，容易受到蒙古本部的经略，势力逐渐衰落，到嘉靖二十五年（1546 年）前后，察哈尔东迁，内喀尔喀南下，泰宁、福余二卫被蒙古本部吞并。多颜卫是兀良哈三卫之一，三卫中比较特殊的部落。明人习惯称三卫为"兀良哈三卫"，实际上只有多颜卫的上层统治者是兀良哈人。南迁以后，多颜卫占据蓟州镇边外燕山山区，势力壮大，长期保持了相对独立的存在，曾一度控制泰宁和福余卫。察哈尔东迁以后，多颜卫虽然在北部边缘小有损失，仍旧岿然不动。到嘉靖二十九年以后，蒙古本部的左右翼才进入多颜卫的牧地，多颜卫逐渐被征服为蒙古本部各万户的"阿勒巴图"，开始处于蒙古本部控制下的松散的半独立状态。作为蒙古右翼喀喇沁万户、土默特万户的阿勒巴图，朵颜卫部落逐渐在部属认同观方面失去自我意识，逐渐认同于喀喇沁和土默特。到崇祯年间，当领主部落喀喇沁和土默特被西迁的察哈尔击溃，朵颜卫阿勒巴图即以领主部落的名义归附爱新国，成为清初喀喇沁三旗和土默特左旗的始祖。

玉芝博士学位论文《蒙元东道诸王及其后裔所属部众历史研究》（2006年）是研究明代往流各部及其与爱新国关系的重要成果。作者根据蒙汉文史书和明末清初满蒙古文档案文献，系统考察了成吉思汗诸弟各部的统治家族、各部牧地变迁、与爱新国的关系等问题，勾勒出元代东道诸王后裔各兀鲁思在北元时期的基本轮廓，并详细探讨了阿鲁各部与爱新国的关系。其中，对嫩科尔沁牧地变迁、奥巴称巴图鲁汗、七台吉部—扎赉特事件等问题的论述，令人耳目一新，是近年来科尔沁部研究的力作。

三、政治史研究

关于 1368—1636 年之间的蒙古社会制度问题，由于资料分散、贫乏，过去国内几乎无人专门研究，在著述中大都沿袭苏联蒙古史学家符拉基米尔佐夫《蒙古社会制度史》之观点。20 世纪 80 年代，我国学者利用汉蒙古文史籍，结合对《俺答汗律令》、《图们汗大法》、《桦树皮律令》、《喀尔喀—卫拉特大律》等研究，对明代蒙古社会内部组织结构、典章制度和阶级关系进行了探讨。奇格《一部珍贵的古代蒙古法律文献》（1983 年）、《图们汗法典初探》（1985 年），潘世宪《蒙古民族地方法制史概要》（1981 年油印本）等，从介绍和分析法典的主要内容着手，对 16 世纪中期至 17 世纪初蒙古社会的政治经济、阶级关系、风俗习惯等进行探讨。他们主要从蒙古统治者以严禁言语和行动侮辱僧侣；规定土地、牧场归领主占有和支配，严禁阿拉特牧民离开所属封建领主而自由迁徙，重惩逃亡和盗窃，极力保护封建领主所有制；规定王公和高级僧侣的各种特权，贵族与平民间上、中、下三个阶层的严格区分等方面，来探索蒙古社会组织和阶级关系。杨绍猷《明代蒙古族婚姻和家庭的特点》（1984 年）。从在婚姻和家庭上的领属关系、等级制度、浓厚的政治色彩、氏族制度的残存及其实质变化、黄教影响等方面，论述了明代蒙古族婚姻和家庭的特点是封建领主制的产物，其婚姻和家庭制度产生的一些变化，说明了封建制度的深化和发展。李漪云《"大明金国"考》（1982 年）对有关政治制度作了考证研究。

近年来研究这一时期蒙古社会制度史方面，达力扎布著《明代漠南蒙古历史研究》第二章《明代漠南蒙古的社会制度及其与明朝的经济关系》专门探讨了明代蒙古社会政治制度的演变过程和蒙古与明朝之间的政治经济关系。作者首先利用丰富的汉、蒙古文史料和文物，考证了元亡后蒙古政权从传统的中原王朝制度向蒙古游牧政权制度转变的具体过程和原因，认为达延汗最终抛弃元朝制度，是为防止权臣专权和维护黄金家族的利益。其次通过蒙、汉文史料的比勘研究，对苏联学者符拉基米尔佐夫有关明代蒙古社会组织的观点提出了异议。指出漠南蒙古的爱马克并不是纯血缘组织，鄂托克也不是纯地缘组织，它们都是指由一个统治家族管辖的大小不等的封建领地（包括属民和牧地），称之为鄂托克，是从其牧地而言，称之为爱马克，则是从其统治家族成员间的血缘关系而言。和硕（旗）作为蒙古的军事和行政单位出现于清初内扎萨克旗建立之后，而不是在明代。蒙古的六万户（兀鲁思）的形成是在达延汗死后，万户内各鄂托克的首领间都有血缘关系，实际上是一个扩大了的爱马克。

20 世纪 80 年代研究这一时期蒙古政局方面的论文有：奥登《达延汗即位前夕蒙古社会的政治形势》（1989 年）一文对 15 世纪中叶至 16 世纪初蒙古社会纷繁跌宕的政治斗争进行了研究，认为一直到达延汗即位，蒙古社会才又稳定地转入正统权力的统治之下。乌日娜《14 世纪末至 15 世纪初蒙古上层的内部斗争及汗权的衰退》（1988 年）分析了这一时期蒙古统治层中的斗争。

近年来发表出版的这方面的论著，不论在利用史料上，还是在提出的观点上均有新的突破。如宝音德力根的《15 世纪中叶前的北元可汗世系及政局》（2000 年）一文对 14 世纪末至 16 世纪中叶，即从天元帝脱古思帖木儿到不地汗时期的北元可汗世系及政局问题进行了突破性探讨，涉及内容有脱古思帖木儿不是买的里八剌，额勒伯克尼古埒苏克齐可汗才是买的里八剌，鬼力赤、阿台父子不是斡赤斤或合撒儿后裔，本雅失里当是额勒伯克尼古埒苏克齐可汗之子，坤帖木儿的年代，阿鲁台弑主阿寨台吉说质疑，斡亦剌歹可汗不是额色库，阿台可汗的即位，脱脱不花可汗，脱脱不花王及百户脱脱不花，从蒙古汗位的更替看早期蒙古与瓦剌内部的斗争，蒙古文史书中马儿苦儿吉思，摩伦的纪年，孛罗忽吉囊"即大位"是指即吉囊之位，达延汗的传承世代，不地可汗不是图鲁孛罗之子等诸多问题。

胡日查《16 世纪末 17 世纪初蒙古诸小汗及其统治》（2004 年）一文根据蒙古文文献记载，对该时期蒙古诸小汗及其统治作了分析，认为，随着达延汗以后蒙古大汗权威的衰落，蒙古喀喇沁部巴雅斯哈勒昆都伦汗（明译"昆都力哈"）及其子孙、外喀尔喀部格勒森哲孙阿巴岱瓦齐尔汗以及后来的土谢图汗、车臣汗、扎萨克图汗、内喀尔喀部扎鲁特之壮图汗、内齐汗、合撒儿后裔科尔沁部土谢图锡喇汗及其子孙、别里古台后裔阿巴噶部淖木特么克图汗等模仿土默特部俺答汗相继称汗，致使蒙古封建领主经济制度得到进一步加强。

四、历史人物研究

对这一时期蒙古族重要历史人物研究主要集中在达延汗、俺答汗、三娘子以及林丹汗等人身上，其中 20 世纪 80 年代有关论文就达 40 余篇。

关于对达延汗论述文章主要有乌兰《关于达延汗史实方面几个有争论的问题》（1983 年），此文根据《蒙古源流》等资料，认为达延汗生于 1473 年，死于 1416 年，本名为把秃猛可。并对其征卫拉特、消灭亦思满、收复右翼、分封诸子、讨平兀良哈等问题进行考述，指出达延汗经过多年努力，逐一剪除自己劲敌，客观上使分裂混乱的蒙古地区得到相对的统一，有利于人民生活的安定和生产的发展。薄音湖《达延汗生卒即位年考》（1982

年），根据《俺答汗传》等新史料，对其生卒年代，毕生事业进行考证论述。认为达延汗 1474 年生，1480 年即位，1517 年卒。珠荣嘎《达延汗西征命令新释》（1982 年）认为达延汗的命令，根据《蒙古源流》蒙古文八卷本应汉译为"鄂尔多斯是守护君汗的八白室的大有福者，要与叔部科尔沁共同抗击鄂尔多斯。十二鄂托克喀尔喀要抗击十二土默特。八鄂拓克察哈尔要抗击大永谢布"。从而纠正了过去有些译本不准确之处。松布尔连续发表了《巴图猛克汗生平》（1983 年）、《简述达延汗生平事迹》（1984 年）两篇文章，介绍了达延汗的生平。胡日查毕力格也发表《巴图孟克达延汗生卒即位诸说评议》（1987 年）对此前的研究作了评说总结。

关于俺答汗的论述文章最多，尤其是《俺答汗传》的整理和出版，更是将研究推向新的深度。杨绍猷《试论俺答汗》（1981 年），认为俺答汗是明代中晚期蒙古杰出的领袖，对蒙古社会经济、文化发展产生重大影响，促进了蒙藏汉各民族的经济文化交流。杨建新《蒙古族历史上杰出的政治家阿勒坦汗》（1981 年），从蒙古地区与中原联系，促使蒙古地区的经济发展，喇嘛教在蒙古的兴起等方面，论述了阿勒坦汗在蒙古历史上的作用和贡献。荣丽贞《略述阿勒坦汗》（1981 年），也对俺答汗致力于蒙明友好、促进蒙古社会发展等方面作了肯定。而曹永年《阿勒坦汗和丰州川的再度半农半牧化》（1981 年）指出"一位政治势力局限于内外蒙草原的少数民族领袖，依靠自己的政治才干，巧妙地利用当时政治局势所提供的客观条件，经过十余年经营，招集十多万人口，把丰州川这么大的地方建设成为一个繁荣的半农半牧经济区，这在我国古代北方少数民族历史上是很罕见的"。薄音湖《俺答汗征卫郭特和撒拉卫郭尔史实》（1982 年）、《俺答汗征兀良哈史实》（1982 年），考述了俺答汗向漠北、西北以及青海地区的军事行动，颇有新意。纳古单夫《土默特部阿拉坦汗的尊号探讨》（1991 年）对阿勒坦汗的名字及汗号进行了考证。孟和德力格尔的《俺答汗碑再考》（2006 年）一文对失而复得的俺答汗碑进行了考证，作者利用我国考古学家黄文弼的考察报告（考察是 1927年进行的）和日本考古学家江上波夫的考察报告（考察是 1935 年进行的），确认了 2004 年作者找到的俺答汗碑，并对俺答汗陵进行了考证。

20 世纪 80 年代对三娘子的讨论较为活跃。珠荣嘎《三娘子考》（1981年）通过考证指出，明末蒙明关系上的重要人物三娘子，即《俺答汗传》

中的钟金哈屯，是卫拉特蒙古奇喇古特部首领哲哈之女，既不是俺答汗外孙女，也不是俺答汗孙媳妇，更不是宣大妓。贾敬颜《三娘子画像考实》（1985 年）则对三娘子画像及有关问题进行了考释探讨。此外，如薄音湖《三娘子在明代蒙汉关系中的作用》（1981 年）、李西樵《敢从边塞争芳烈——谈三娘子致力于民族友好的功绩》（1981 年）等，则对三娘子在明代蒙汉关系中的作用进行评述。李漪云《三娘子史实证误》（1983 年）也对三娘子有关史实作了探讨。

纳古单夫《论蒙古末代可汗——林丹汗》（1991 年）论述了林丹汗身处纷攘末世，奋起抗击爱新国的悲壮经历。希都日古的《试论林丹汗西征的后果及其败亡》（1999 年）一文对林丹汗西迁之原因和经过作了简单的论述并总结出林丹汗西迁严重削弱了右翼，也失去了明朝方面的支援，战略上三方相持的局面被打破，因此，爱新国掌握了整个战局的主动权。随之在 1632 年皇太极率领大军远征察哈尔时林丹汗以败退而告终，除了林丹汗之子额哲为中心的汗室以外，察哈尔几乎举国归附爱新国。王雄的《关于阿台汗》（1997 年）一文首先通过比较《蒙古黄金史纲》、《黄金史》、《蒙古源流》及《蒙古世系谱》中所记载的阿台汗生卒年代、即位时间，辅之以明代文献作为佐证，推断出比较准确的年代。然后根据明代的《实录》、《明史》以及其他的汉文资料，较详细地描述了阿台汗的政治活动及败亡过程。曹永年的《也先与"大元"》（1997 年）一文对也先的王号"淮王"、年号"添元"与汗号"大元田盛大可汗"作了详细的历史溯源考察，阐明了也先以恢复大元的统治为借口，以期获得蒙古贵族及普通民众的支持认可，在激烈的政治斗争中最终取得至高权利，结果反而使衰落的黄金家族获得了重新兴盛的机遇。

乔吉《锡哷图·固什·绰尔济生平补叙》（1985 年）在国外学者研究的基础上，利用新发现的蒙古文史料对锡哷图·固什·绰尔济进行了补充研究。此后，他又在联邦德国《中亚研究》杂志上发表了《锡哷图·固什·绰尔济研究》（1989 年）。

五、民族关系研究

蒙明关系历来是史学界争论较多的一个问题。20 世纪 80 年代涉及这方面的文章有二十余篇。胡钟达《明与北元—蒙古关系之探讨》（1984 年）

一文，提出明朝和北元—蒙古的对峙，是我国历史上的第三次南北朝，但不能把明朝与北元—蒙古的关系说成是中国与外国关系，而是元朝遗留下来的中国领土上并存的两个政权。双方既有和平相处、友好往来，在经济、文化等方面的相互交流、相互影响的积极一面，也有剑拔弩张，兵戎相见，给蒙汉人民带来灾难和悲戚的消极一面。其他如陈守实《明初与蒙古关系》（1980年）、白翠琴《大同马市与蒙汉关系刍议》（1985年）、《土木之役与景泰和议》（1986年）、李漪云《从马市中几类商品看明中后期江南与塞北的经济联系及作用》（1984年）、薄音湖及洪俊《论俺答求贡》（1982年）、谢玉杰《明代的"套寇"与明王朝的河套防务——兼论明王朝和蒙古的关系》（1984年）、王复兴《论明成祖对蒙古的和平政策》（1985年）、蔡志纯《明朝前期对蒙古的和平政策》（1985年）、蔡志纯《明朝前期对蒙古的民族政策》（1985年）、乌云宝（即乌云毕力格）《论"庚戌之变"发生的原因及其意义》（1986年）、洪用斌及张泽凡《抽刀断水水更流——略述明代的蒙汉关系》（1984年）。张天周《景泰元年蒙汉和议浅论》（1982年）、高树林《明朝隆庆年间与蒙古右翼的封贡互市》（1982年）、赵循《论明代张居正改革在改善蒙汉中的贡献》（1979年）、许振兴《论明成祖对北边蒙古民族的备御政策》（1986年）、宝日吉根《论述明朝对所辖境内蒙古人的政策》（1984年）等文章，都从不同侧面对明代蒙汉关系进行论述。魏鉴勋及袁闾琨《试论清人入关前满蒙关系》（1982年）、腾绍藏《试论明代女真与蒙古的关系》（1983年）及《浅论明代女真与蒙古关系演变中的经济问题》（1986年）、白翠琴《明前期蒙古与女真关系》（1986年）等文章则探讨了蒙古与女真族之间的关系。

洪用斌、阿勇、雪岩等人撰文论述了明蒙之间的关系。其中雪岩《朱元璋对北元政策管窥》（1994年）详细分析了明朝初期明朝政府所面临的内外形势，认为迫于形势的压力，明太祖朱元璋对北元采取了和解的政策，为明朝的发展奠定了基础。

达力扎布著《明代漠南蒙古历史研究》第三章《明代漠南蒙古归附爱新国和内扎萨克蒙古的形成》，讨论了内扎萨克蒙古（内蒙古）最终形成的几个问题。作者认为，有关明末清初蒙古历史的研究，涉及面较广，断代史中的明、清两朝、民族史中的满、蒙两个民族史都涉及这个问题。由于每个专业各有侧重，所以缺少全面系统的研究，以致出现对蒙古部落和人名不能深考，以讹传讹，或忽略明、清之间的政治经济关系对蒙古的影响等情况。作者把漠南蒙古历史置于明、爱新国和蒙古三方鼎立的关系之中，围绕满、蒙在经济上对明朝的依赖关系，对各方之间的矛盾冲突以及蒙古各部次第归附爱新国的过程作了一次比较系统的考察。利用汉、满和蒙古文史料，尽可能地澄清了已往在蒙古人名、部落方面的讹误。作者通过大量史实论证了爱新国对右翼蒙古的政策及其背景，提出了爱新国剥夺右翼喀喇沁和归化城土默特部台吉对原属民的统辖权，其内在动力主要是经济原因，即直接控制明朝在宣府、大同边外为这两部开设的贸易市场的新看法。

薄音湖《明美岱召泰和门石刻考》一文（2005 年）认为，明代蒙古土默特地区的美岱召泰和门石刻文字，涉及当时蒙古人的政治观念、数位著名人物，以及明蒙关系等重要问题，但对其文字的释读和理解长期以来均有分歧。他依据更为充分的史料和更广阔的视角，对"元后"、"敕封"、"大成台吉"、"五兰姚吉"、"大明金国"等词语和人物做了进一步的研究，提出了自己的看法，旨在使这份弥足珍贵的石刻文字在明代蒙古史研究中起到更大的作用。

巴根那的硕士学位论文《科尔沁部与爱新国联盟的原始记载及其在〈清实录〉中的流传》（2000 年）利用 17 世纪蒙古文原文文书和清太祖、太宗时期的满文原文档案研究了 1624—1629 年间的科尔沁与爱新国联盟形成的背景、经过和联盟的性质等问题。通过满蒙文文书档案和《清实录》的比较，分析这些史料在清朝官修史书中的流传，以此评判了封建官修史籍的价值。孟根娜布其的硕士学位论文《有关奥巴洪台吉的十份蒙古文文书》（2004 年）利用 17 世纪蒙古文档案文书，研究科尔沁首领奥巴台吉与爱新国的关系，分析其关系的性质，从而展现了奥巴台吉与爱新国关系的本来面目。与此同时，通过蒙古文文书档案的分析，评价"遗留性"史料的价值。

六、社会经济研究

1368—1636 年时期的内蒙古地区社会经济问题虽然引起学术界的注意，但由于相关资料缺乏，难以窥其全貌。杨绍猷《明代蒙古经济述略》（《民族研究》1985 年第 5 期），对明代蒙古地区畜牧业、狩猎、捕鱼和其他副业、手工业、农业进行了论述，指出："明代蒙古地区的经济，因政治、历史、地理环境等各方面的原因，发展是不平衡的，但都以畜牧业为主，辅之以狩猎、手工业和其他副业，部分地区有农业，对外交往则是每个地区所不可少的"。至于明蒙互市，很多文章谈到明蒙关系时都有所涉及。曹永年《嘉靖隆庆间板升自然灾害及其与"俺答汗"的关系——呼和浩特白塔明代题记探讨之二》（1986 年），从呼和浩特市万部华严经塔（白塔）题记第220 条关于嘉靖四十五年至隆庆二年间板升自然灾害说起，论证板升之经营，是俺答汗一生事业之基石。嘉靖隆庆间，板升的粮食收获，已经是漠南西部广大蒙古牧民的生活必需品之一。对于俺答汗来说，板升不仅是驻牧分地，而且还是他能够大体上维持漠南西部的统一，东与察哈尔汗争雄长，西向青海、瓦剌扩张的强大物质基础。由于板升的自然灾害，促使板升内各种矛盾激化，汉民思南归，赵全、李自馨等密谋投降，这都促使俺答汗下决心通贡。

另外，上述有关俺答汗及明蒙关系的文章几乎都涉及明代蒙古地区的经济问题。不少作者指出，随着南北经济交流的加强，特别俺答封贡后，社会较为安定，牧业生产有了发展，农业经济开始出现，手工业也有较大进步。不过，对明代蒙古社会经济的研究，目前尚为薄弱，有待于新史料的挖掘使用以及相关学科研究的进展。

达力扎布著《明代漠南蒙古历史研究》第二章《明代漠南蒙古的社会制度及其与明朝的经济关系》专门探讨了蒙古与明朝之间的政治经济关系。围绕"求贡"和"拒贡"等问题，从中国古代北方游牧民族单一的游牧经济与中原农业和手工业综合经济间的分工交换关系，阐明了蒙古与明朝之间在政治和经济上密不可分的相互依存关系，认为这是我国形成统一多民族国家的经济基础，同时也是蒙古南迁的内在原因，从较高的视角阐述了明、蒙以及明与爱新国之间的关系问题。在以上研究中尽可能注意到了明蒙双方内部的政治经济状况，如对明世宗的"闭关拒贡"政策和明朝对蒙古政策的转变原因进行研究后指出，明世宗改变明朝历代皇帝与蒙古通贡贸易的惯例，采取了"闭关拒贡"的政策，使双方之间长期处于战争状态，明、蒙双方两败俱伤，蒙古穷困的同时明朝经济也近于崩溃。并认为明穆宗改变"闭关拒贡"政策也正是鉴于此，而明朝在万历初年的一度兴盛与明蒙关系的正常化是分不开的。过去对明洪武年间蒙古与外界的经济联系以及"隆庆和议"之后左翼蒙古各部与明朝的贸易关系没有充分注意和研究，本章对此详细考证，揭示了当时的历史真相。

七、历史地理研究

20 世纪 80 年代的这方面研究主要集中于对呼和浩特城的考证。李靖云《呼和浩特建城命名年代考》（1982 年），根据《俺答汗传》所载，认为是隆庆六年（1572 年）建城，明廷正式命名"归化"为万历三年（1575 年）。孙秀川《呼和浩特建城于万历三年》（1982 年），认为是从隆庆六年动工，至万历三年建成。薄音湖《呼和浩特（归化）建城年代重考》（1985 年），依据郑洛的《抚夷纪略》记载，认为万历九年俺答汗确有筑城之举，但并非新建归化城，而是扩建外城方二十里；归化城的建城与赐名应在万历三年，当时已具备规模；在归化城之外应该还有一座福化城，可能就是今土默特右旗萨拉齐东的美岱召。弘兹寺（银佛寺）建于万历八年，三尊银佛于万历九年五月才完成。此外，随着各盟旗地方志的编纂，明代蒙古地方志的研究也必然得到推进。

达力扎布的《北元初期的疆域和汗斡耳朵地望》（1989 年）一文试就北元初期（即北元统一时期）的疆域和汗斡耳朵的地望作了探索，认为北元初期的大致疆界，东面自双城（朝鲜永兴）向西北经鸭绿江中游与婆猪江（浑江）汇流处一带，再西北以辉发河、浑河为界。在浑河汇入辽河处以南的辽河下游以西，则在小凌河上游到大宁（宁城县境）、上都（滦河上游）一线之北。由此向西，在大青山、阴山、黄河河套以北。又沿黄河至贺兰山北，西经亦集乃（额济纳旗）南到嘉峪关以外。北元初期的汗斡耳朵，自昭宗从应昌北走后，即没有远徙金山北，也没有至和林，而是一直活动于东部克鲁伦河中下游，南至大兴安岭一带地区。其大致范围：东至今呼伦贝尔东部大兴安岭，西至克鲁伦河中上游，南至兴安岭及西拉木伦河，北至斡难河一带。巴尔斯城是其经常驻跸处之一，该城可能是原广宁王府。

乌云毕力格《喀喇沁万户研究》（2005 年）一书，对 16 世纪以后喀喇沁万户所属兀良哈塔布囊部、阿苏特部、永谢布鄂托克、东土默特部等的牧地分布进行了详尽的考订。该氏《清初"察哈尔国"游牧地考》（2007 年）

利用蒙古文档案记载，考证了林丹汗之子额哲及其后人的游牧封地，认为该封地在以今天内蒙古库伦旗为中心的地方。

宝音德力根《兀良哈牧地考》（2000年）纠正了和田清等人的错误说法，在正确解读蒙古文《俺答汗传》相关记载的基础上，通过严密的考证，指出了兀良哈万户牧地范围。

那仁朝克图和金峰的《蒙古汗国最后都城林丹汗察罕浩特考》（2005年）一文通过实地考察，并综合蒙汉文献记载、历史地理、古代交通、蒙古民间传说，对蒙古汗国最后都城，即林丹汗所建察罕浩特（金刚白城）的地理位置进行了考证，认为今内蒙古赤峰市阿鲁科尔沁旗汗庙苏木境内的故城就是蒙古林丹汗察罕浩特遗址。

八、宗教信仰研究

宗教信仰方面的论著主要集中在藏传佛教再度传入蒙古地区的研究上。其中，20世纪80年代的主要成果有杨绍猷《喇嘛教在蒙古中的传播》（1981年），认为喇嘛教最早与蒙古发生关系是从阔端皇子开始的，到元世祖推崇喇嘛教才拜八思巴为帝师。并进而叙述了喇嘛教在蒙古的传播，黄教兴起后对蒙古社会的影响。金峰《喇嘛教与蒙古封建政治》（1980年）指出，俺答汗占据青海、西藏一些地方，意识到对藏族人民单纯以武力统治是不够的，需要利用黄教，而黄教的僧侣也想借助蒙古封建主的势力进行传教，互相利用与依赖。薄音湖《关于喇嘛教传入蒙古的几个问题》（1982年），探讨了喇嘛教传入蒙古的原因，认为一个基本原因，是蒙古社会发展到一定阶段时对于外部文化的需要，是处于蒙古寻求更高的文化以适应新的经济情况的需要。在谈到喇嘛教的消极影响之后，指出喇嘛教除了刺激蒙古文化的兴盛之外，还改变了一些落后的社会习俗，一度起过不可忽视的积极作用。薄音湖《十六世纪末叶西藏喇嘛教在蒙古地区的传播》（1984年），更为详细地论述了俺答汗与喇嘛教的初次接触、三次迎佛、仰华寺大会及喇嘛教在蒙古地区的巩固和影响等问题。蔡志纯《试论黄教在蒙古地区的传播和影响》（1985年），探讨了黄教在东西蒙古传播的原因和过程以及对整个社会的影响。邢洁晨《论黄教传入蒙古地区的原因》（1985年）、李漪云《从蒙古与西藏的关系看蒙古封建主引进黄教的原因》（1984年），则从不同角度分析了黄教传入蒙古地区的原因。

20 世纪 90 年代以来的主要成果有乔吉的《阿勒坦汗与明朝之间的佛教关系》（2005 年），主要通过考察宣大总督王崇古的《少保鉴川王公督府奏议》，得出了明隆庆年间蒙古与明廷已有佛教关系的结论。同时考证了阿勒坦汗时代在蒙古地区建立的第一座佛寺的年代、特点，指出阿勒坦汗时代隆庆六年（1572 年）所建第一座有寺庙又有围墙的，明人所称之"城寺"并非"归化城"，而是呼和浩特，即现在的美岱召。

曹永年《四世达赖喇嘛云丹嘉措生地考》（2005 年）根据肖大亨《北虏风俗》附《北虏世系》，认为松木儿台吉的领地在今商都境内察罕淖尔地区，而四世达赖云丹嘉措就出身于他父亲的这块领地之上，并在这里生活了 3 年。

有关研究这一时期藏传佛教再度传入蒙古地区的专著有乔吉的《蒙古佛教史——北元时期（1368—1634 年）》（内蒙古人民出版社 2007 年版）。该书共分七章。第一章"西藏佛教再度传入蒙古"主要探讨了土默特人向青海地区的扩张、俺答汗的佛教信仰起因及其影响和关于"佐格阿兴喇嘛"等问题。第二章"蒙古与明朝之间的佛教关系"主要叙述了俺答汗向明朝请求佛经及佛像以及他建立第一座佛寺等问题。第三章"蒙古人再度皈依佛教"通过重点介绍关于格鲁派传入蒙古地区的《俺答汗传》、《三世达赖喇嘛传》、《安多政教史》等蒙、藏、汉历史文献，分析探讨了俺答汗迎佛的主动性与三世达赖的神圣性以及土默特人为迎接三世达赖喇嘛在青海恰布恰地方建寺庙及 200 余年后蒙藏关系的新开端——恰布恰庙大会；库图克台彻辰洪台吉发表了蒙古草原上的第一部"和平宣言"（讲演）；蒙古人第一次出家当僧人；三世达赖喇嘛颁布僧人戒律；制定"政教二道"等重大宗教事件。第四章"蒙古诸部皈依格鲁派及对其保护"主要论述了西藏达赖喇嘛再次蒙古地区之行及其成果、"黄金家族"出身的四世达赖喇嘛、在蒙古人武力保护下的黄帽僧人等。第五章"格鲁派的诸弘法者和译经师在蒙古地区"详细论述了从雪域来的弘法者，即四世达赖喇嘛派往蒙古地区的三位高僧——东科尔呼图、迈达里呼图克图、夏尔巴呼图克图和两位神秘而颇负盛名的译经师即四世达赖喇嘛的经师——呼和浩特锡埒图·固什·绰尔济、萨迦寺喇嘛出身的萨迦·端都布和弘扬佛教活动的重要人物——库图克台彻辰洪台吉等人的宗教活动及其影响。第六章"西藏佛教对蒙古社会的影响力"运用比较研究方法探讨了被遗忘的中世纪蒙古人的宗教平等政策与俺答汗的宗教政策的不同点及其对蒙古一般社会的不同影响问题和佛教对不同时期蒙古地区政权思想的影响。其中重点论述了恢复"政教二道"思想根源；"政教二道"与蒙古政权的关系；蒙古地区的"佛教政权"概念；西藏的"政教合一制度"与蒙古的"政教并行"之不同等诸问题。第七章"佛教对蒙古地区思想文化的影响"主要研究元代佛教文化的余辉及其影响、蒙古人精神文化的新变化及佛学研究的新开端、图们、林丹二汗时期的佛教与佛教文化继承元代译经传统——土默特人的佛经翻译高潮、文化教育的影响、蒙古地区出现格鲁派僧侣阶级——贵族僧侣和僧侣贵族的出现以及他们的特权、佛教信仰在蒙古民间的普及及其所带来的影响、家庭学校的出现和文化修养较高的人才队伍形成、阿尤希固什对佛学研究的贡献及阿礼嘎礼字母的创制等问题。通过诸多问题的分析和研究，提出图们汗时期，西藏佛教的另一支即与当时的格鲁派竞争甚烈的噶玛噶举派再度传入蒙古地区的特殊问题。文中还探讨了林丹汗即位后从在蒙古地方掌管教法的"大慈法王"迈达里呼图克图和"瓦齐尔达喇呼图克图"卓尼绰尔济等格鲁派高僧接受格鲁派的法戒；从西藏萨迦派首领的嫡系后裔夏尔巴呼图克图承受精深秘乘灌顶；修建了宏伟的殿宇和金刚白城，在城中兴建了供奉释迦牟尼像的众多庙宇；林丹汗金字《甘珠尔经》的来历及其对整个蒙古人的文化，尤其对书面文化的发展带来的历史性影响等相关问题。

第二节　国外研究概况

一、日本的内蒙古史研究[1]

关于这一时期的蒙古史研究的早期有影响的日本学者是原田淑人。他撰写的《明代蒙古》（《东亚同文会报告》108、109、111、112，1908—1909

---

[1]　本目内容主要参考了吉田顺一著，包国庆译：《日本蒙古学研究史》（蒙古文），内蒙古人民出版社 2007 年版。

年）一书，共十章，论述了从元朝退出中原到俺答汗时代的蒙古史。现在看来这本书早已过时，但它毕竟是日本明代蒙古史研究的开山之作。

1917 年以后，和田清崭露头角，并成为 20 世纪日本明代蒙古史研究领域的代表人物。1959 年，和田清出版了《东亚史研究·蒙古篇》，该书收进了他 40 余年来的研究成果，涉及明洪武、永乐朝明军北征地理，北元帝系，兀良哈三卫的变迁，达延汗及其子孙以及蒙古六万户，明末清初蒙古族的西征以及其他相关问题。该书收入的论文包括《明初的蒙古经略——特别是它的地理研究》、《兀良哈三卫的根据地》、《兀良哈三卫研究》（上）、《兀良哈三卫研究》（下）、《论达延汗》、《察哈尔布的变迁》、《中三边和西三边的王公》、《俺答汗的霸业》、《明代的北边防务》等。和田是该时期日本蒙古史研究的奠基者，对中国蒙古史学界的影响也很巨大。和田的研究基本上属于基于纯汉文史料的研究。

青木富太郎的研究也很引人注目。他研究归化城，著有《归化城的发展》（1972 年）。他的《万里长城》（1972 年）一书是基于他关于板升、归化城、顺义王等的系列研究形成的较为优秀的综合性研究。关于归化城土默特，青木富太郎发表了系列论文：《论僧格承袭顺义王》（1957 年）一文认为，俺答汗死后，直到僧格与三娘子结婚为止，对明交涉时代表顺义王家族的仍是三娘子。结婚后由僧格代表，并以家族继承者身份继承了作为俺答汗与三娘子遗产的旧牧地，即说明顺义王家实行的是长子守灶制。在其《论扯力克承袭顺义王》（1957 年）一文中，论述了扯力克与三娘子结婚到继承王位为止的经纬，通过与三娘子的婚姻，收回了亡父的人民、牧地和妻妾而成为顺义王家的继承者的事实。《论博硕克图承袭顺义王》（1966 年）一文，则对博硕克图承袭第四代顺义王的经纬，围绕三娘子遗产博硕克图与三娘子孙索诺木之间的争斗进行了论述。他还在《明代蒙古长子守灶制》（1967 年）一文中，以土默特的顺义王家为例，考察了蒙古继承制从古代的幼子继承制转向了长子继承制的原因等。青木还在《关于蒙古称号塔布囊》（1961 年）一文中，论述了塔布囊的地位和势力；达延汗统一东蒙古后塔布囊异常盛行的原因；在清代的蒙古只有喀喇沁部和土默特左翼旗保留了具有塔布囊称号的贵族的经纬等。在《关于明末蒙古的女酋把汉比妓》（1965 年）一文中，详细探讨了 16 世纪末至 17 世纪初期，土默特具有重大影响力的把汉比妓。此外，青木还有《关于明末朵颜女酋》（1964 年），《朵颜诸酋间的妻妾继承》（1968 年），《关于鄂尔多斯博硕克图济农的承袭》（1963 年），《明代蒙古家庭内妇人的地位和权力》（1976 年）和《论明代漠南蒙古的斡儿朵》（1971 年）等论文。

萩原淳平的代表作为《明代蒙古史研究》。他总结自己多年研究成果，并增加关于林丹汗研究的内容，1980 年出版了该书。该书内容涉及也先、达延汗、俺答汗和林丹汗时期的蒙古史。本书从经济角度探讨了土木之变的原因和也先的国家性质；又考证了达延汗的生卒年代和主要业绩，认为达延汗本名 Bayamungke，生于 1464 年、于 1488 年即位、卒于 1519 年，其事迹则仅仅是灭火筛、驱逐亦卜剌、镇压右翼蒙古而已；并论述了俺答汗与板升汉人定居农民集团之间的关系及其变化；认为林丹汗西走不是因为被满洲势力所压倒，而是主体性的和积极性的行为，高度评价了林丹汗。

冈田英弘的研究对明代蒙古史许多问题都有所涉及。他在《达延汗的祖先》（1966 年）一文中，探讨了到达延汗为止的北元大汗事迹以及与之有关的蒙古文纪年史的记述，认为达延汗更有可能是阿里不哥后裔，而非忽必烈后裔；《黄金史》中关于达延汗祖先的记述，有从古老叙事诗中截取的痕迹；《蒙古源流》中加入了本来与达延汗无关的传说，而有意延长达延汗系谱等史实。关于被认为达延汗分封而形成的六万户的起源，冈田英弘在其《达延汗六万户的起源》（1975 年）一文中进行了推测。他认为，察哈尔万户源于安西王国、喀尔喀万户源于札赉儿、兀良哈万户源于为成吉思汗守陵的兀良哈万户、鄂尔多斯万户源于四大斡耳朵、永谢布万户源于凉州的阔端和 Jibigtemur 父子的王国，而喀喇沁和阿苏特则分别是钦察军团和哈兰军团的子孙。冈田英弘发表《达延汗的年代》（1965—1966 年）一文，在对《蒙古源流》及其他各种蒙古文编年体史书后进行比较后，得出了达延汗生于天顺八年、于成化二十三年即位、卒于嘉靖三年的结论。关于俺答汗时代解体和消亡的兀良哈，冈田英弘在《兀良哈蒙古的灭亡》（1988 年）中明确了其灭亡的始末。他认为，兀良哈是蒙古帝国以前就居住在溪谷，赐予成吉思汗祖先的部众。成吉思汗去世后，其部落便成为守陵者，而 15、16 世纪名震一时的兀良哈万户正是其后裔。冈田英弘在《蒙古史史料中所见初期的蒙藏关系》（1962 年）中分析了蒙古文史料所载的初期蒙古与西藏的关系。

　　森川哲雄的明代蒙古史研究成就非常突出。其《围绕 17 世纪前半叶的归化城》（1962 年）研究 17 世纪前半叶的归化城的样貌和归化城土默特旗的成立。关于达延汗三子巴儿斯孛罗，森川哲雄在《Barsu bolud 的事迹》（1988 年）一文中指出，其生于 1490 年、1512 年成为济农、达延汗死后的 1519 年弑卜迪即汗位，随即卒于同年，而其事迹则仅仅是参加远征右翼蒙古和向明入贡。有关蒙古与明朝间的关系，森川哲雄在《关于把汉那吉降明事件》（1986 年）一文中，论述了成为隆庆议和直接契机的俺答汗孙把汉那吉降明事件，探讨朱荣嘎的说法。他同意《明实录》中俺答汗强娶其孙把汉那吉的婚约人（三娘子）的记载，认为把汉那吉降明不仅仅是因为祖父俺答汗强娶了婚约人，而是俺答汗和三娘子间生下布达习礼后，自己害怕失去俺答汗的宠爱而降明的。森川哲雄在《论 17 世纪初期内蒙古的三大佛教宣扬者》（1985 年）一文，澄清了那穆岱彻辰汗不是鄂尔多斯博硕克图济农，而是第三代顺义王扯力克；鄂木布洪台吉不是第四代顺义王博硕克图汗之子俄木布，而是俺答汗孙布达习礼之子，即汉文史料中的素囊黄台吉，而该人物则与《俺答汗传》的编纂有关等一系列事实。森川在其《关于中期蒙古的万户——特别是通过与兀鲁思的关系》（1972 年）一文中，反驳符拉基米尔佐夫以来认为万户（军事集团的称呼）等于兀鲁思（社会集团的称呼）的观点，认为当初万户是社会集团，曾是军事集团，构成了蒙古帝国的一要素；随着蒙古帝国的分裂和各万户的独立（万户的兀鲁思化），由于鄂托克的概念开始出现，所以开始与连同在内的鄂托克一起称呼万户。《中期蒙古的汗和大臣（sayid）的关系》（1973 年）中认为，达延汗即位依靠了以土默特部为中心的有力大臣之力，从而巩固了黄金家族的根基。森川对明代蒙古部族史的研究别具特色。他在《关于喀尔喀万户及其形成》（1972 年）一文中，探究了喀尔喀万户在原有左右翼基础上被分为内和外，而其中不乏诸多的鄂托克，内喀尔喀部中弘吉剌部具有势力，后来扎鲁特部更为强大；而外喀尔喀部内札赉儿部最具势力；喀尔喀的渊源来自元代东道五部族投下集团；从东道五部族投下集团向喀尔喀集团转移时札赉儿部起到了核心作用等一系列史事。《鄂尔多斯十二鄂托克考》（1973 年）一文中，对鄂尔多斯十二鄂托克进行考察。他认为，右翼有 Kegüd、Sibaɣučin；Urad、

Tanggud；Dalad、Qanglin；Merkid、Baqanas；Besüd、Ügüsin；Qatagin、Qaliγučin（两个集团形成一个鄂托克）；左翼有 Aučid、Keriyes、Caqad、Minggad、Qoničin、Quyagučin 各六个鄂托克。《察哈尔八鄂托克及其分封》（1976 年）一文中认为，察哈尔八鄂托克由右翼的 Qaγučid、Kemjiγüd、Sönid、Üjümüčin 四鄂托克和左翼的 Alaγčud、Auqan、Naiman；Kesigten；Tatar 等四鄂托克构成，鄂托克有诸多的小集团形成，以后被分封为更多的小鄂托克。在《土默特十二鄂托克考》（1977 年）一文里认为，土默特左右两翼分别由六鄂托克组成，统辖左翼和右翼的最有力的集团分别是俺答汗长子的长孙们所继承的 Uyiγurčin、大成台吉（把汉那吉）及其子孙所支配的 Mongγoljin；左翼除了 Uyiγurcin 之外还有 Üsin（Ügüsin），Bayad（Bayaγud），Urud，Maγu Mingγan，Qonggirad，Doloγan Tümed 等鄂托克，右翼除了 mongγoljin 之外还有 Čegüd，dalad 等鄂托克。森川哲雄在《〈俺答汗传〉的研究》一文中，对于该史料的编者、成书年代、标题等谈了自己的见解，进行了日译和注释。

本田实信的"On the genealogy of the early Northern Yüan"（1991 年）是对波斯语史料、蒙古语史料和汉语史料的记述进行比较，就北元初期的汗系进行了考证。

田中克己在《喀尔喀五部的形成和住地》（1958 年）一文中，认为喀尔喀五鄂托克是由达延汗子安出孛罗子虎喇哈赤分封其五子时形成的，并对各个驻地进行了探讨。

岛田正郎在《明代蒙古的习惯法——北虏风俗的法制史料》（1971 年）一文中，从《北虏风俗》所载的法制史料中解释了与杀人、奸淫、盗犯等有关的法制史料。另在《16 世纪东蒙古习惯法中的家——围绕作为成员的女性》（1981 年）中则解释了与婚姻、家庭财产的承受、妻子地位有关的史料。在其《俺答汗法典》（1986 年）一文中对所谓的《俺答汗法典》进行了日译和解释，探讨了该法典在蒙古法史上的地位。

吉田顺一得到贺希格陶克陶的协助，与柳泽明、石滨裕美子、井上治、永井匠、冈洋树等以共同研究成果的形式影印出版了带有拉丁文转写、日译和详细注释及索引的《〈俺答汗传〉译注》（1998 年）。

山口瑞凤的《17 世纪初期的青海土默特部》（1985 年）一文，利用藏文史料，考察了青海土默特部的火落赤父子的活动和其在青海的据点。另在《17 世纪初期对西藏的抗争和青海蒙古》（1993 年）一文中，考察了关于 17 世纪初期围绕参加西藏抗争的青海蒙古诸诺颜。

江国真美的《青海蒙古史考察》（1986 年）一文，考察了俺答汗所率领的右翼蒙古在 16 世纪中叶控制青海，又于 17 世纪前半失去青海为止的青海蒙古史，期间在青海几乎都有多罗土默特的有力者在活动，随后其势力似乎也遗留下来的事实，澄清活跃在青海的"永邵卜"并非永谢布本部首领，而是其鄂托克的巴尔虎部首领，青海的强大势力者霍儿赤就是多罗土默特的达延台吉之弟的事实。

宫胁淳子的《最后的游牧帝国——准噶尔部的兴亡》（1995 年）的第三章"蒙古与卫拉特的抗争"、第四章"卫拉特部族联合体与新的蒙古"和她著《蒙古历史》（2002 年）的第七章"新的蒙古民族的形成"、第八章"俄罗斯和清朝的抬头"等均是关于这一时期蒙古史的概述。

石滨裕美子《看〈俺答汗传〉所载 17 世纪蒙古史的认识》（1995 年）一文，分析了《俺答汗传》所描述的俺答汗宗教活动，认为他的宗教活动是对曾被称为转轮圣王的过去人物的再演。

井上治在《库图克台彻辰鸿台吉的活动与政治立场》（1994 年）和《库图克台彻辰鸿台吉研究》（2002 年）中，对库图克台彻辰鸿台吉进行研究，追溯其事迹，探讨其政治立场后认为，他就是在俺答汗、明、青海之间的关系等对外活动中非常活跃的鄂尔多斯诸诺颜的典型，并对这一时期的右翼蒙古重要历史问题进行了深入探索。井上治在《〈少保鉴川王公督府奏议〉所见俺答与佛教》（1998 年）一文中利用《少保鉴川王公督府奏议》，围绕佛教详细追踪俺答汗与明朝的关系，探究了俺答汗方面接受佛教的情况、甘肃地区蒙古语经书的存在和流入等问题。在《俺答汗与索南嘉措在恰布恰的会见及其意义》（2000 年）一文中，详细比较了关于恰布恰会见的基本资料，即《蒙古源流》、《三世达赖喇嘛传》和《俺答汗传》，明确了此次会见所取得的进展和意义。关于《白史》，井上治在《关于〈白史〉写本评价》（1992 年）和《〈白史〉的两个版本》（1992 年）中对留金锁先生刊本（α 本）和 Heissig 影印本（B 本）进行比较后，提出了 α 本为脱落较少的良好版本，白史的原本应出自于 α 本系写本的见解。

永井匠在《鄂尔多斯、土默特与火筛塔布囊——以〈蒙古源流〉记述为中心》（1997 年）中明确了达延汗时代东蒙古实力派、通过婚姻关系与汗族结为强大联盟的火筛的血统，为后来的右翼发挥了重要的作用。他在《关于俺答汗的汗号》（1992 年）中考察了最初授予俺答汗的汗号具有土谢图彻辰汗的意义。另外，在《〈俺答汗传〉中的俺答汗形象》（1998 年）中考察了《俺答汗传》中所描述的俺答汗形象。永井匠的《恰台吉事迹——特别是关于对明关系中与维持右翼蒙古秩序有关的活动》（1999 年）一文，认为俺答汗身边的恰台吉位于对明交涉的最前线，为了从互市中获取更大的利益及保持互市的安定，曾致力于维持右翼蒙古秩序的史实。他在《隆庆议和和右翼蒙古的汉人》（2001 年）中论述了隆庆议和后，右翼蒙古内的汉人以右翼蒙古诸诺颜所握有的朝贡权和贸易权以及与之相伴的获赏权力为背景而贪图自己利益的同时，右翼蒙古诸诺颜也利用这些汉人们书写、翻译、同事的能力，努力从明朝方面获利的史实。在其《围绕隆庆议和的俺答汗与右翼蒙古诸诺颜间的关系》（2003 年）一文中，通过对隆庆议和中王崇古的作用、俺答汗对议和的认识、违反议和的右翼蒙古诸诺颜的处罚等的分析，考察了隆庆议和后俺答汗对右翼诸诺颜的影响力。

二、其他国家研究概况

在蒙古国和欧美国家，明代内蒙古史的研究比较薄弱。除了个别学者的研究，这些国家的内蒙古历史研究的成果主要集中在蒙古文编年史的译注方面。

蒙古国的研究 在蒙古国，这一时期蒙古史的研究成果主要集中在文献整理和历史编纂学研究方面。20 世纪初，扎木彦公向学界公开了罗藏丹津《黄金史》的抄本。50 年代，Sh. 那楚克多尔济发表了论文《论〈黄金史〉的作者》（1958 年），出版了《论〈白史〉》一书（1958 年）。Kh. 丕尔赉出版了《略论革命前蒙古历史编纂学》（1958 年）。接着，Sh. 毕拉出版了《十三——十七世纪的蒙古历史编纂学》（俄文，莫斯科，1978 年），这是比较全面和系统论述古代蒙古历史编纂学的著作。该书的第二部封建主义发展和封建割据时期的蒙古历史编纂学（15—17 世纪下半叶）论述了北元时期蒙古历史文献。1990 年，蒙古国家出版社影印出版了罗藏丹津《黄金史》，Sh. 毕拉院士作序，该书的影印出版对北元时期蒙古史的研究意义重大。2002 年，Sh. 乔玛出版了《〈蒙古秘史〉与罗藏丹津〈黄金史〉文本对照研究》，同年他又根据自己新发现的佚名《黄金史》抄本，出版了《〈黄金史〉文本研究》。

蒙古国学者的蒙古史研究成果主要在喀尔喀古代史研究和蒙古近现代史研究方面，对内蒙古历史涉猎不多。在《蒙古人民共和国史》（1955 年）和《蒙古国史》（2003 年）北元时期内容中的相关章节或多或少论及了内蒙古地区的蒙古历史。

俄国（**苏联**）　1829 年，俄国学者施密特把《蒙古源流》译成了德文。1858 年，俄国布里雅特蒙古族学者贡布耶夫在彼得堡首次出版了佚名《黄金史》原文及俄文译文。1893 年，波格齐洛夫的明代蒙古史专著《明代蒙古史：1368—1634》（1893 年，圣彼得堡）问世。这是俄罗斯早期研究明代蒙古史的重要成果，该书引用了《明史》等汉文资料和《蒙古源流》等蒙古文史料，较系统地阐述了这一时期的蒙古历史。1910 年，札木察拉诺从鄂尔多斯发现了一本《白史》。符拉基米尔佐夫《蒙古社会制度史》（列宁格勒，1934 年）是研究蒙古游牧社会的经典著作。该书第二编涉及 14—17 世纪蒙古社会制度，集中论述了游牧经济、社会组织和阶级构成，对万户（土绵）、兀鲁思、鄂托克、和硕等社会组织进行了精辟的论述。1936 年，他在《17 世纪蒙古编年史》中首次介绍了《白史》。1936 年苏联布里雅特蒙古族学者扎姆察拉诺在其《17 世纪蒙古编年史》一书中全面论述了佚名《黄金史》、《大黄史》和罗藏丹津《黄金史》。苏联学者普齐科夫斯基在其《13—17 世纪蒙古封建时期史学》（1953 年）和《东方学研究所藏蒙文手抄本与刊本集》（1957 年）中专题介绍和论述了 17 世纪蒙古编年史。1957 年沙斯提娜的《大黄史》俄文译注本在莫斯科出版。

美国　田清波研究了鄂尔多斯蒙古人的语言和风俗习惯，出版了《鄂尔多斯方言辞典》（1941—1944，北京；1968 年，纽约）、《鄂尔多斯民间故事》（1947 年，北京）等著作。柯立甫翻译了罗藏丹津《黄金史》，1953 年出版。亨利·赛瑞斯是西方研究明代蒙古史的最主要的人物。他先后出版了《萧大亨的〈北虏风俗〉研究及其法译本》、《达延汗后裔谱系表》、《明代汉蒙关系·第一卷·洪武时期中国蒙古人》（1959 年，布鲁塞尔）、《明代汉蒙关系·第二卷·纳贡与外交使团（1400—1600）》（1967 年，布鲁塞尔）、《明代汉蒙关系·第三卷·贸易关系、马市（1400—1600）》（1975年，布鲁塞尔）以及其他论文。他利用蒙古文和汉文史料，对《北虏风俗》所载达延汗后裔各部台吉逐一进行考订，并全面论述了明代蒙古和明朝的政治、经济、军事关系，是西方研究明代蒙古史的一部力作。1979 年，札奇斯钦出版了《黄金史译注》，是罗藏丹津《黄金史》的第一部汉译本。同年，该氏和保尔·海尔合著《蒙古文化与社会》出版，内容涉及内蒙古地区的游牧文化、宗教、语言文字、政治、经济等方面。近年，艾鸿章（Johan Elverskog）从事明代蒙古史研究，于 2003 年出版了他的专著《Erdeni tunumal neretü sudur orusiba：俺答汗及十六世纪的蒙古》一书。该书是对蒙古文《俺答汗传》的英译和注释，是一部有关俺答汗传记和明代漠南蒙古史研究的重要成果。

英、德、法等国的研究　1876—1888 年间，英国著名蒙古学家霍渥斯撰写了四卷本巨著《蒙古史》，叙述了 9 至 19 世纪的蒙古史，奠定了英国蒙古学研究的基础。1955 年，鲍登出版了佚名《黄金史》的拉丁文撰写与英语译注。在德国，1904 年，海涅什以《萨冈彻辰〈东蒙古史〉的汉文本》一文取得博士学位。后来又发表了《北京故宫木刻版萨冈彻辰〈蒙古史〉满文本的转写》、《萨冈彻辰〈蒙古史〉的一种库仑抄本》、《萨冈彻辰蒙古史著作〈宝贝史纲〉的乾隆刻本》等文章。海西希对德国和国际蒙古学贡献巨大。他的研究中涉及北元时期蒙古史的论著主要有以下几部：《内蒙古鄂伦苏木蒙古写本残卷（16—17 世纪）》、《蒙古家族与寺院的历史编纂》、《蒙古的宗教》、《蒙古佛经翻译史研究》、《变化的神祇：关于蒙古民间宗教融合的论文集》、《蒙古文学史》等。萨加斯特著有《白史：一部关于两种制度学说的蒙古历史文献》。魏弥贤的《蒙古史》有专章叙述明代蒙古史，他主编的《蒙古人：关于他们的历史与文化》也涉及了该时期蒙古史内容。在法国，著名的东方学家和汉学家伯希和 1960 年出版了《卡尔梅克史译注》。他的学生韩百诗于 1969 年出版了《明代蒙古人的历史文献》。

第二编

概　　述

第 三 章

元廷北迁与明蒙对峙局面的形成

第一节　明军北伐与元廷北迁

一、元廷北迁上都

元正二十八年（1368 年）闰七月，明征虏大将军徐达统率北伐明军攻克通州，进逼大都，元惠宗（即元顺帝）命淮王帖木儿不花监国，以庆童为左丞相，留守京城。二十八日夜，元惠宗率皇后嫔妃及大臣出健德门北走，经居庸关往上都避兵。八月二日，明军攻克大都城，杀淮王帖木儿不花、左丞相庆童等，俘获元宣让王、镇南王和威顺王等王之子六人。明朝改大都为北平府。

徐达以三万余兵设立燕山、大兴、永清等六卫，命都督孙兴祖统领留守北平。又派遣部分明军出击北平附近的永平、河间等处，自己率领明军主力取道真定，直趋今山西太原地区，出击扩廓帖木儿。

元惠宗一行离开大都后，仓皇向上都行进，辽阳行省左丞相也先不花派遣辽东参政赛因帖木儿率五千骑于途中接应，并扈从元惠宗一行来到上都。元惠宗已多年不赴上都，上都宫阙早在至正十八年（1358 年）就被北伐红巾军焚毁，此时只余少量民居，亦无粮秣。辽阳行省左丞相也先不花及时派人送来布帛二万匹，粮食五千石，使元廷得以暂时立足上都。此时元朝在北方仍有一定的军事力量，除元朝直属的军队外，还有大量地主武装分散于各地，山西有扩廓帖木儿，陕西有李思齐，各拥兵数十万；陕、甘地区还有张良弼、孔兴、脱列伯等将领，各拥兵不下万人。辽阳行省左丞相也先不花、太尉纳哈出、平章政事刘益等在辽阳行省各守城寨，割据一方。自明军北征以来双方未经大战，胜负未决。另外，元朝在中原还有一定的社会基础和影响力，有些汉族封建上层和知识分子仍视元朝为中原正统王朝，念念不忘故国。因此，元惠宗逃出大都后，仍不甘心失败，试图恢复旧疆，重返中原。

元惠宗至上都后，任命辽阳行省左丞相也先不花为中书左丞相，替代病逝的失列门，又以木华黎后裔纳哈出为辽阳行省左丞相，封扩廓帖木儿为齐王，也速为梁王，封官赐爵鼓舞士气。九月初，元惠宗召见群臣商议恢复中原之计，元惠宗下诏征兵于高丽，以壮声势，为保持上都与辽阳行省及高丽的军事联系，派遣皇太子率军屯守红罗山（今小凌河上游），与辽东、大宁之兵互为犄角，以牵制明军，保障上都安全。

二、太原之役

元大都的失守，宣告了元朝的崩溃，在政治上产生了很大影响，因此元惠宗急于恢复大都，他命令退守冀宁路（今山西太原）一带的扩廓帖木儿率兵东来夺取大都。扩廓帖木儿率兵出雁门关直趋保安州（今河北新保安），准备经居庸关南攻大都。此时明军主力已离开北平府南下，准备与河南明军夹击山西一带的元军，只留三万余人坚守大都。大将军徐达获悉扩廓帖木儿北上攻打大都的消息后，没有回兵救援，而是率军乘虚进攻扩廓帖木儿的老巢太原，扩廓帖木儿被迫率军自保安州回援。十二月，两军相遇于太原，明军以逸待劳，并约降扩廓帖木儿部将豁鼻马为内应，夜劫扩廓帖木儿营帐，元军惊散，扩廓帖木儿西逃甘肃，损失人马各四万，明军乘胜攻占了今山西省一带。

三、上都破袭和庆阳会战

至正二十九年（1369 年）正月，元惠宗封扩廓帖木儿为中书右丞相，以争取其支持，又命令左丞相也速屯兵全宁路（治所在今内蒙古翁牛特旗乌丹镇），以防明军出击。二月，明军主力向陕西进发，出征李思齐为首的汉族地主武装。元惠宗为牵制明军配合西部战事，又命丞相也速率骑兵四万南下攻打通州（今北京市通州区），扬言收复大都。由于留守明军防备严密不知其虚实，元惠宗命令也速虚张声势不要深入。三月，明军进入陕西，张良弼逃往庆阳（今甘肃庆阳），明军攻克奉元路（今陕西省西安市），直趋凤翔，李思齐率部众十余万人西逃临洮（今甘肃临洮）。四月，明太祖获悉北元军攻打通州，急令常遇春和李文忠率步卒八万、骑兵一万，由陕西带重兵火速回援北平。常遇春率军至北平时，也速已退军。常遇春率明军发动北征元廷的攻势，攻克上都，俘获北元将士万余人，斩元宗王庆生及平章鼎住（定住）等人。北元朝廷在明军到来之前再次北迁应昌府躲避，明军北征至全宁（治今内蒙古翁牛特旗乌丹镇）一带班师，没有深入。

四月，明军西至临洮，李思齐率其十余万人投降。张良弼退至宁夏与扩廓帖木儿合兵，其弟张良臣则以庆阳降明。六月，张良臣复叛，击败了前来受降的明军，明军出击张良臣，以重兵围困庆阳。北元遣兵援救张良臣，七月，扩廓帖木儿部将韩札儿攻破原州（今甘肃镇原）、泾州（今甘肃泾川），从西南逼近庆阳，徐达派遣右副将军冯胜（冯宗异）等坚守驿马关一带（今甘肃庆阳西南），阻击援兵。八月，元将贺宗哲率兵攻凤翔。元惠宗派遣孔兴、脱列伯等率军南来攻击山西的大同，以牵制明军，于是形成了以庆阳为中心，争夺陕甘地区的大会战。但是，北元的增援相继失败，韩札儿部被明军阻击于驿马关，贺宗哲久攻凤翔不克，孔兴、脱列伯率兵围攻大同，南下至马邑（今山西朔县东），恰遇前往增援陕西的明将李文忠部，脱列伯战败被擒，孔兴逃至绥德后被部将杀死。庆阳被明军围困日久，粮饷断绝，外援不至。张良臣部将姚晖等献城门投降，张良臣投井而死。庆阳失守后，贺宗哲、韩札儿等率兵北撤。庆阳之役是明军北征以来，北元诸路军队第一次配合作战，最终因实力悬殊而失败，明军攻取了元陕西行省大部分地区。

四、沈儿峪决战和明军奔袭应昌

庆阳之役后，明军主力南撤，北元的几支地主武装或投降明朝，或被打散，扩廓帖木儿率其部属及元军溃兵盘踞甘肃行省。至正二十九年（1369年）底，扩廓帖木儿率军南下陕西行省围攻兰州，明巩昌守将于光率军支援兰州，被元军击败俘获。① 至正三十年（1370 年）正月，扩廓帖木儿又率军越过兰州至定西州（今甘肃定西县）。明朝决定再次北征，一路由大将军徐达率领自潼关出西安捣定西，与扩廓帖木儿决战，一路由左副将军李文忠率领出居庸关，趋上都，掩袭北元朝廷，使其君臣不能相应援。②

三月，徐达率军至定西，王保保退屯车道岘（今甘肃安西县西北），徐达进兵沈儿峪口与王保保隔深沟筑垒相拒。初战，北元军占据一定优势，小挫明军。四月，经过一段时间对峙，没有巩固后方的北元军开始动摇，明军乘势出击大败北元军，俘元剡王、文济王及国公阎思孝、平章韩札儿、虎林赤、严奉先、李景昌、察罕不花等将校军卒八万多人。扩廓帖木儿率少数人经宁夏逃往岭北行省。③ 东路军由李文忠率领出居庸关，连克兴和（今河北张北县境内）、察罕脑儿（今河北沽源县东北西岸小红城子），在察罕脑儿擒获元将竹贞。至开平（即元上都），北元守军投降。与此同时李文忠所遣两支偏师至三不剌川、落马河一带受挫，都督孙兴祖等几位将领败没。④ 李文忠在上都俘获北元报丧信使，获悉元惠宗已于四月二十八日病逝于应昌，于是率军急袭应昌，明军到来时被元军发现，皇太子爱猷识理达腊等少数人北逃。明军攻克应昌城，俘获爱猷识理达腊之子买的里八剌及后妃，还有省院官员及士卒。李文忠回师至兴州（今河北滦平县西南），北元知院江文清等率领军民 3600 余人投降。再至红罗山，杨思祖等率 1500 多人投降。⑤ 至此，经过几番较量，北元先后丧师几十万人，再也无力与明朝争夺，元惠宗试图恢复旧疆的企图彻底失败。

第二节　"宣光中兴"与北元政权的稳定

一、爱猷识理达腊即位

元惠宗死后，皇太子爱猷识理达腊即位于应昌，即昭宗。明军袭击应昌

---

① 《明太祖实录》，洪武二年十二月庚寅条。
② 《明太祖实录》，洪武三年正月癸巳条。
③ 《明太祖实录》，洪武三年二月乙酉条，洪武三年四月丙寅条。
④ 《明太祖实录》，洪武三年五月丁酉条。
⑤ 《明太祖实录》，洪武三年五月辛丑条。

时爱猷识理达腊退居岭北行省。定第二年为宣光元年（1371 年），取杜甫《北征诗》"周汉获再兴，宣光果明哲"之义①，立意中兴大元，恢复元朝在中原的统治。朝鲜《高丽史》中从洪武四年始称北徙的蒙古政权为"北元"，虽然不是其自称，但是，区别了北徙前统治中原的大元和北徙以后仍自称大元的蒙古政权。② 北元昭宗及其斡耳朵往来驻牧于今西拉木伦河北至克鲁伦河中下游一带，积蓄力量以图再举。朝廷中有扩廓帖木儿、也速、哈刺章、蛮子、纳哈出、驴儿等重臣，扩廓帖木儿为中书右丞相。昭宗身边还有一些汉官和儒臣随其游牧。

　　昭宗即位之初，形势极为险恶，明朝占据了元陕西行省、甘肃行省、辽阳行省以及中书省（腹里）的大部分地区。明军扫荡了东至小凌河流域的红罗山、西至兰州的沿边地区，北面的上都、应昌等地都被攻破。在明朝强大军事压力及招抚下，居地或封地在元陕西行省、甘肃行省南部、腹里所属上都路、兴和路、德宁路、净州路、集宁路、应昌路、全宁路、沙井总管府、大同路及辽阳行省大宁路、辽东半岛等地的诸王、军民大部分投降明朝。洪武三年（1370 年）六至八月间，陕西行省吐蕃宣慰司使何锁南普奇、镇西武靖王卜纳剌（元西平王奥鲁赤后裔，封地在今甘肃及青海东部一带）、驸马畏兀儿高昌王和尚（在甘肃行省永昌一带）、岐王桑哥朵儿只（今甘肃湟水下游及庄浪河一带）等以所部降明。明设武靖、岐山、高昌三卫，以卜刺纳、桑哥朵儿只、和尚等分别担任各卫指挥同知，命何锁南普奇为河州卫指挥同知。③ 北元参政脱火赤率众自忙忽滩投降，明朝设立忙忽军千户所，以脱火赤为副千户，隶绥德卫（今陕西绥德）。④ 九月，元宗王扎木赤、指挥把都、千户赛因不花等十一人自官山（今内蒙古卓资县北）来降，明朝设立官山等处军民千户所，以把都等人为千户、百户。⑤ 十二月，

① 缪荃孙：《艺风堂文集》卷 3 页 31，辛丑（1901 年）刊本。有关宣光年号之起始时间，请参见方龄贵：《北元宣光年号考证》一文，《元史论集》，人民出版社 1984 年版，第 730 页。

② 郑麟趾：《高丽史·恭愍王世家》，辛亥二十年三月己未条，吴含辑：《朝鲜李朝实录中的中国史料》，中华书局 1980 年版，第 22 页。

③ 《明太祖实录》，洪武三年六月乙酉条；卷 55，洪武三年八月丙寅条；卷 60，洪武四年正月庚寅条。

④ 《明太祖实录》，洪武三年七月丙申条。

⑤ 《明太祖实录》，洪武三年九月己丑条。

故元主之子失笃儿、国舅阿里麻思海牙、驸马忙哥剌失等来降。① 洪武四年正月，北元枢密都连帖木儿等官员率部自东胜州（治今内蒙古托克托县）投降，明朝设立了失宝赤、五花城、斡鲁忽奴、燕只、翁吉剌（即弘吉剌）五个千户所，命都连帖木儿等为千户、百户。② 二月，元辽阳行省平章刘益以辽东金、复、海、盖诸州之地投降，明朝设立了辽东卫，以刘益为指挥同知。四月，汪古部赵王汪古图（驻地在今内蒙古达尔罕茂明安旗境内）投降。五月，元平章魁斤等率部属千余人自东胜塔滩来降。③ 沿边诸王、军民遣使投降明朝之后，接受明朝官职，于原地驻牧。洪武三年，高丽也归附明朝，始行洪武年号。

北元政权虽然面临严峻形势，但是，仍据有元岭北行省、甘肃行省及辽阳行省北部，云南行省遥奉其正朔，北元还有辽阔的疆土及一定的军事实力。沿边军民虽然遣使投降明朝，仍在原地观望形势。此外，元朝统治中原近百年，有一定的社会基础和影响力，内地一些官吏和知识分子心怀旧朝，寄希望于昭宗中兴，蔡子英、王逢、丁鹤年、戴良等就是其中的典型代表，他们或北投故主，或隐于乡间。内地还有些诸王、军民坚守山寨负隅顽抗。如“元四大王”在山西守岢岚山寨，骚扰明武、朔等州。④ 总之，中原人心未定，明朝的统治还没有巩固。明朝遣使劝元太子投降一直得不到回应。明太祖与众将议北征时说：“今天下一家，尚有三事未了，其一，历代传国玉玺未获，其二，统兵王保保未擒，其三，有前元太子不知音问。”⑤ 北元的存在对明朝仍然构成很大的威胁，明太祖为了彻底摧毁北元政权，“永清沙漠”，决意大举北征。

二、岭北之役

1372 年（洪武五年），明朝以徐达为征虏大将军，遣兵 15 万，分三路

① 《明太祖实录》，洪武三年十二月戊午条。
② 《明太祖实录》，洪武四年正月壬寅条。
③ 《明太祖实录》，洪武四年五月丙寅条。
④ 《明太祖实录》，洪武三年六月戊寅条。
⑤ （明）陈建：《皇明资治通纪》卷 3《皇明资治通纪三种》（上），《中国公共图书馆古籍文献珍本汇刊·史部》，洪武五年正月条，第 76 页。中华全国图书馆文献缩微复制中心。

北征。明军的战略意图是大将军徐达率领明军主力由雁门关出边，扬言出征和林而缓进，引诱扩廓帖木儿所率北元军主力来近边决战；左副将军李文忠率领东路军出居庸关趋应昌，乘其不备袭击北元朝廷；征西将军冯胜率领西路军进兵甘肃行省，以迷惑和牵制西北蒙古诸王军队，配合中路军作战。

　　二月，明朝中路军由山西出境，明军先锋蓝玉率军出雁门关后，进至野马川（今蒙古国乌兰巴托市以南），击败了遭遇的北元少量军队。三月，蓝玉率兵至土剌河与王保保军相遇，双方交战后北元军主动撤走。明军以常胜之师，迅速深入。北元军没有立即来迎敌，而是引诱明军深入。五月，大将军徐达率领明军主力深入至岭北行省境内，明军战败撤兵。明代史籍为大将军隐讳，没有记载具体战况，只是含糊地记载大将军兵至岭北与元军交战失利，"敛兵守塞"①，或称饷匮而返，对其他两路明军的记载则较详细。李文忠率领东路军出居庸关，经口温（今内蒙古苏尼特旗境内的口温脑儿），至哈剌莽来（清代达里岗牧场境内的哈剌莽来哈必儿干），击败途遇的少量北元军，直抵克鲁伦河上游，没有发现北元汗廷的踪迹。于是留粮秣辎重于克鲁伦河畔，留兵看守，率轻骑兼程西进至土剌河。元臣蛮子、哈剌章等率兵渡河列阵以待，双方交战后北元军稍退。东路军继续西进，在鄂尔浑河与北元军激战，又进至称海（此地在鄂尔浑河西，可能不是在今蒙古国科布多之东的元称海宣尉司）。由于中路军早已退回，东路军成为孤军。明军设疑兵夜行军，摆脱了北元军的追击，途中迷失道路，使许多士兵饥渴而死。李文忠带回了出征俘获的"故元官属子孙、军士家属"一千八百多人。② 东路军在交战中丧失了宣宁侯曹良臣及周显、常荣、张耀等数员将领，损失很大。西路军由兰州出境，以傅友德为先锋，率五千骑直趋西凉。至永昌（今甘肃永昌县）败元太尉朵儿只巴，至甘肃行省山丹，守将上都驴等率所属吏民八百余户投降。进至亦集乃（今内蒙古额济纳旗黑城），守将卜颜帖木儿以城降。至别笃山，元岐王朵儿只班逃走，追获其平章长加奴等二十七人及驼马羊十余万。西至瓜州、沙州，又击走元军，获马驼牛羊二万而还。

---

① 《明太祖实录》，洪武五年五月壬子条。
② 《明太祖实录》，洪武五年六月甲辰条。

西路军扫荡了甘肃行省全境，俘获了一些居民牲畜而还。① 明军深入漠北的两路军都失败了，只有牵制西北诸王的偏师有所斩获，未能达到消灭北元政权，"永清沙漠"的战略目的。

明军撤回后，北元军立即尾随南来，迫临明朝北边。七月，中山侯汤和率兵到北边断头山与北元军遭遇战败，平阳左卫指挥同知章存道战死。十一月，元辽阳行省左丞相纳哈出率兵攻击明朝辽东地区，袭击了明军粮饷集散地牛家庄码头（今辽宁海城附近），烧毁仓粮十万余石，明军损失官兵五千余人。② 第二年，北元军队多次出击明朝北部边境，东面于今河北省境内进攻明朝永平（今河北卢龙），深入迁安（今河北迁安）、抚宁（今河北抚宁）及瑞州（今辽宁绥中西南）等地；向正南接连进攻明朝在今山西省境内的武州（今神池东北）、朔州（今朔县）、岢岚、雁门（今代县西北）、忻州（今忻县）、今河北省境内的蔚州（今蔚县）、弘州（今阳原）、今北京市境内的怀柔等地；西面进攻明朝在今甘肃省境内的庆阳（今庆阳）、会宁（今会宁）、河州（今临夏）、兰州（今兰州），以及在今陕西省境内的保安（今志丹）等地，重新占据兴和（今河北张北）、亦集乃（今内蒙古阿拉善盟额济纳旗境内）和甘肃省的西北部地区。③ 明朝原在北边以北元降众所设的诸卫所或反叛，或迁入内地。明朝派遣徐达、李文忠、冯胜等将领分别前往北平、山西等处练兵备边，在沿边要隘修筑堡塞，将边民迁入内地。

岭北之役的胜利，是北元初期的一个重要转折点，使北元转危为安，此役迫使明太祖暂时停止了统一北方草原的军事行动。洪武五年十二月，明太祖遣使赍书爱猷识理达腊，劝其知顺天命，与明朝和平共处，并劝其遣人取回在应昌弃下的儿子买的里八剌。另给北元儒臣刘仲德、朱彦德等人去信，让他们规劝昭宗遣使取回皇子。④ 尽管明太祖做出了和平姿态，北元军继续侵犯明境。洪武七年九月，明太祖主动遣使送还买的里八剌，并致书爱猷识

①　《明太祖实录》，洪武五年六月戊寅条。

②　《明太祖实录》，洪武五年九月壬申条。

③　参见《明太祖实录》，洪武六年二月壬辰、壬寅条；洪武六年五月庚申条；洪武六年六月壬辰条、七月乙卯条；洪武六年八月丙子条；洪武六年十月丙子条；洪武六年十一月壬子条、闰十一月壬辰条；洪武六年十二月癸卯条；洪武七年二月癸亥条；洪武七年四月甲辰条；洪武七年四月己亥条；洪武七年四月甲寅、戊午条。

④　《明太祖实录》，洪武五年十二月壬寅条。

理达腊，劝其承认天命，打消中兴之念，与明朝和平共处，同时承认了昭宗对漠北地区的统治。[①] 这时期明太祖多次遣使招抚北元大臣驴儿、秃鲁、纳哈出等人，争取他们投降的同时缓和局势。由于双方暂时都无力大举征伐，南北对峙的局面开始稳定。

三、北元联络云南和招抚高丽

北元立足漠北之后，立即遣使联络南方的云南和东面的高丽，以恢复对这些地区的统治和增强其军事经济实力。北元初期，在云南主要有元梁王把匝剌瓦尔密和原大理国后裔段宝两大势力。元惠宗北徙后，元梁王仍坚守云南，每年遣使至北元朝廷。元惠宗死后，北元与云南的联系一度中断，至宣光二年恢复（1372 年）。

洪武五年正月，明北平守将俘获元梁王遣往漠北的使臣苏成，明太祖派遣待制王祎带着诏书与苏成往云南招降梁王，梁王以礼接待王祎。不久元昭宗遣使臣脱脱来云南，发现明朝使臣王祎之后，脱脱逼迫梁王杀死了王祎。脱脱至云南的使命就是敦促云南支持北元的恢复之举。洪武八年，明太祖又派遣湖广参政吴云往云南招降元梁王，令其同明军俘获的云南派往北元使臣铁知院同往，铁知院害怕回云南后被俘之事败露，在途中杀死了吴云。

明朝极力争取云南归附，除派遣王祎、吴云外，洪武七年八月还派遣明军在大都俘获的元威顺王子伯伯为使臣，招降云南。后又遣故元官员赵元佑等使大理，封段宝为大理国王，以离间大理段氏与梁王的关系，不过段宝始终奉北元正朔。宣光八年（1378 年）以后，北元与云南的联系再度中断，天元三年（1381 年），明朝统一云南之前北元再次与云南建立了联系。

高丽于洪武三年七月遣使归附明朝，始行洪武年号，但与毗邻的北元辽东将领纳哈出往来密切。宣光三年二月，昭宗遣使至高丽，高丽国王慑于明朝的威胁，假托患眼疾，夜里会见使臣，没有公开表示归附北元。宣光四年，高丽恭愍王死，辛禑（牟尼奴）立。由于北元封立在辽阳行省境内的沈王孙脱脱不花为高丽国王，双方关系趋于紧张。宣光六年，北元右丞相扩廓帖木儿亲自给辛禑去信招抚和解释，第二年改封辛禑为高丽国王，高丽也

---

① 《明太祖实录》，洪武七年九月丁丑条。

正式表示奉北元正朔，"始行'宣光'年号，中外决狱，一遵至正条格"①。不过高丽没有公开叛明，阴持两端。明朝对高丽与北元往来关系有所察觉，朱元璋多次训斥其使臣，为防范高丽使臣泄露军事秘密，明朝不准高丽使臣经明朝辽东地区陆路来入贡②，改令其走海路直达应天府（今江苏南京市）。

　　岭北之役后，北元与明朝南北割据形势形成，虽然互有攻伐，疆界逐渐稳定，以洪武十年为标准年代，北元的疆域大体如下：东部与高丽接壤，稍向西则隔浑河和辽河与明朝辽东都司接界，再向西，大致在小凌河上游至大宁（今内蒙古宁城大明镇）、上都一线与明朝分界，正南约以阴山及黄河河套之北为界，西南的亦集乃及明甘肃边外都是北元的领地。对北元汗斡耳朵的位置、行政区划及各部落的分布情况，由于资料缺乏已无法确知，从明代蒙、汉文资料的零散记载来看，昭宗汗斡耳朵大体游牧于西拉木伦河至克鲁伦河中下游一带，巴尔斯城（今蒙古国东方省境内克鲁伦河北）是其经常朝会和度夏之所。中书右丞相扩廓帖木儿最初似乎驻守岭北行省，辽阳行省左丞相纳哈出镇守辽阳行省，统御女真诸部，丞相驴儿在应昌一带，平章乃尔不花和扩廓帖木儿弟脱因帖木儿等活动于山西以北，也速丞相在陕西以北。甘肃南部的瓜、沙等州及哈密地区仍属察合台系诸王管辖，自元初以来察合台系诸王阿鲁忽的儿子合班和出伯、合剌旭烈之子阿只吉家族世守此地，脱古思帖木儿汗败死后，他们仍居于此，控制着中西交通。也就是说北元的疆域，东至高丽，西至中亚，据有元朝岭北行省全境，辽阳行省和甘肃行省的部分地区。除了南面与明朝形成了新的疆界外，在北、西、东三面基本保持着元朝的疆域，仍是一个地域广大的游牧王朝。因此，宣光二年（1372年），北元昭宗给高丽国王的诏书中称"顷因兵乱，播迁于北，今以扩廓帖木儿为相，几于中兴"③。昭宗时虽未能"中兴"大元，的确也是元廷北徙后最兴盛时期。

---

　　① 《高丽史》卷733《辛祦世家》，1957—1958年朝鲜铅印本，第690页。
　　② 洪武初，高丽使臣由陆路至辽东都司，再由辽东乘船至山东登州，从山东走陆路至应天府，这就是所谓的陆路，海路是指从高丽乘船航海至达应天府。
　　③ 《高丽史》卷44《恭愍王世家》，1957—1958年朝鲜铅印本，第652页。

第三节　岭北之役后北元与明朝的战争

洪武五年（1372 年），岭北之役后，北元军不断骚扰和进攻明朝边境。洪武六年三月，明朝派大将军徐达及李文忠、冯胜、邓愈、汤和诸将往北平、山西等处备边。徐达等率兵在沿边各隘口要冲修筑堡塞，同时徙沿边州县之民于内地，以断绝"携贰之民"与北元的联系。此后，明军在今明长城沿线修筑边墙、堡垒，巩固内线防御的同时，不断出击近边一带地区，扩大了在漠南地区的控制范围。

一、北元与明朝在辽阳行省至上都一带的争战

北元初，明军先后两次大规模出击上都、应昌等地，北至潢水（今西拉木伦河）、东至小凌河一带，扫荡了元中书省的德宁、大同、兴和、上都、全宁等路及辽阳行省的大宁路。洪武四年，刘益以辽东降明后，明军东渡渤海建立辽东卫（同年改置定辽都卫），占有了辽阳行省南部地区。定辽都卫的西界不逾辽河下游以西，与北平无陆路联系，辽东明军所需粮饷全部自山东、江浙地区海运。辽河下游的辽河迤西地区是北元势力所及之地，因此，北元与明朝经常在永平（今河北卢龙）一带发生冲突。洪武二十一年，捕鱼儿海子之役后，明朝控制了整个辽河东西地区，在辽西沿海设立驿站，置广宁诸卫屯守，开通了由北平经渤海沿岸直达辽东的陆路交通。

明朝为防备北元的攻击，自岭北之役后，加强在北边设防，在沿边险要关隘构筑要塞，设卫所驻兵防守。明初永平至北平一线是明朝防守的重点地区，洪武六年，镇守北平的淮安侯华云龙奏请在这一带设防时说：北面边塞诸关，东自永平、蓟州、密云，西至五灰岭外，有隘口一百二十一处，相去约二千二百余里，自王平口至官座岭口有九个关隘，约有五百里，以上均为冲要之地，宜设兵防守。而紫荆关及芦花山岭，尤为要路，宜设千户所守御。[①] 其奏请得到明朝廷的同意，于是派兵戍守这些关隘。洪武九年八月，明太祖命燕山前卫、后卫，永清左卫、右卫，以及蓟州、永平、密云、彭

---

① 《明太祖实录》，洪武六年四月辛丑条。

城、济阳、济州、大兴等共十一卫，分兵戍守北边关隘，重要关隘有四个，即古北口、居庸关、喜峰口、松亭关，而烽堠相望的其他关隘有一百九十六处，设巡逻防备的将士六千三百八十四人，最初都由北方军人担任，至此参用江淮军士①。至洪武十五年，经数年经营，边防设施初具规模，九月，北平都司所辖关隘由东向西，自一片石经居庸关到金水口（今山西边界）共计二百处，以各卫校卒戍守其地。② 这些关隘多见于明中后期的边防图录，是明军长期守御之地。由于北元军队不断从永平卫防守地域侵入明境，明朝于洪武十四年九月在永平卫东面设山海卫，以加强防卫，成为当时明长城的东端。以上关隘之内是明朝边防的内线，明军固守之地。

　　自岭北之役后，北元又开始在大宁、高州、红罗山一带居住和活动，而且不断从这里发动对明朝边境的袭击。洪武六年二月，北元军进攻永平迁安县，杀死知县唐某，抢掠居民和牲畜，永平卫指挥杨某督兵出战，兵败战死。指挥樊某又领兵来援，北元军退去，明军追至董家口，北元军回击，樊某亦死。③ 同月，北元国公驴儿等又率兵攻迁安县。④ 同年十二月，北元军袭击永平之抚宁县及瑞州，大肆剽掠而去。因瑞州距北元之境很近，明太祖下诏罢州治，将其民迁往滦州，徙抚宁县治于洋河（今同名）西，把近边居住的百姓都迁往内地。⑤ 北元不断袭击明朝可能由陆路通往辽东的咽喉之地永平一带，与前述纳哈出袭击辽东明军粮饷集散地和码头一样，其战略意图在于遏止明朝与辽东建立陆路联系，破坏或切断辽东的海路粮饷运输，从而达到迫使明军退出辽东的目的。纳哈出于洪武七年和八年两次遣兵袭击定辽都卫守地，都被击退。⑥ 由于北元军不断南下袭扰，明军开始反击。

　　洪武七年、十年、十四年，明军数次出击大宁、全宁、红罗山等地区。洪武七年正月，燕山卫指挥朱杲于大宁锦川县（在今小凌河一带）俘获故

<hr>

　　① 《明太祖实录》，洪武九年八月戊子条。
　　② 《明太祖实录》，洪武十五年九月丁卯条。
　　③ 《明太祖实录》，洪武六年二月壬辰条。
　　④ 《明太祖实录》，洪武六年二月壬寅条。
　　⑤ 《明太祖实录》，洪武六年十二月癸卯条。
　　⑥ 《明太祖实录》，洪武七年十一月壬戌条；卷102，洪武八年十二月乙卯条。

元达鲁花赤王歹都等三十余人及其部民三千余口。① 七月，左副将军李文忠率师攻大宁、高州（今内蒙古赤峰东南）、大石崖（今内蒙古赤峰）等地，杀故元宗王朵朵失里，擒北元翰林学士承旨百家奴，国公驴儿等败走漠北。李文忠复遣指挥唐某追击，至毡帽山，遇元驸马弘吉剌部鲁王的营地于山下，杀鲁王及司徒答海俊、平章把剌、知院忽都，俘获鲁王妃蒙哥颓，获金印一，玉图书一。② 同月，永平卫百户毕胜率兵至红罗山巡逻，获故元同知杨普贤奴，进至八角山，击斩北元田院判。③ 但是，事隔不及两月，北元又发动反击。九月，明燕山都卫指挥使朱杲、通州卫指挥佥事郑洽、汝宁卫指挥佥事冯俊、密云卫指挥佥事张斌等率军出古北口防秋，突遇北元军，皆力战死。此后双方的冲突不断加剧，相互攻伐。

洪武十年十二月，明永平卫指挥刘广巡边，兵至中兴州，北元军三百余骑至，刘广率兵出击，斩其骑士百余人，擒平章安童而归。④ 十三年十一月，北元平章完者不花、乃尔不花率骑数千人入明朝挑林口，攻永平，掠民财畜。明永平卫指挥刘广率兵抵御，战死。⑤ 第二年四月，明军调集数万军队分路北征。大将军徐达率诸将出塞，右副将军傅友德率兵至北潢水（今内蒙古境内西拉木伦河），北元军逃走。傅友德选轻骑夜袭灰山（辽代怀陵所在的怀山），败北元军，俘获北元部落人畜甚众。西平侯沐英等攻公主山长寨（今内蒙古翁牛特旗乌丹城方向），歼灭北元戍卒，俘获全宁路的弘吉剌、亦乞列思、兀鲁兀、忙兀四诸侯部落而归。⑥

在今东北地区，元辽阳行省南部的辽东地区，元末诸将割据，后来木华黎后裔元辽阳行省左丞相也先不花控制了这一地区。至正二十八年（1368年）末，北元任命也先不花为中书省左丞相，坐镇开元（今辽宁开原老城镇）。木华黎后裔太尉纳哈出居金山（今吉林怀德一带），知院哈剌章屯驻沈阳古城（今辽宁沈阳市），行省平章高家奴守辽阳山寨（在辽阳东北浑河

---

　　① 《明太祖实录》，洪武七年二月乙巳条。

　　② 《明太祖实录》，洪武七年七月甲子条；《明史》卷130《华云龙传》，中华书局1974年版，第3825页。

　　③ 《明太祖实录》，洪武七年七月辛未条。

　　④ 《明太祖实录》，洪武十年十二月是月条条。

　　⑤ 《明太祖实录》，洪武十三年十一月丙午条。

　　⑥ 《明太祖实录》，洪武十四年四月庚午条。

一带），行省平章刘益与洪保保等驻守辽东半岛的金州（今金县）、复州（今复县）、海州（今海城）、盖州（今盖县）一带。洪武四年二月，刘益遣使降明。六月，洪保保杀刘益，被刘益部将张良佐等人赶走。七月，明朝应张良佐等人的请求，派遣叶旺、马云率明军东渡渤海，设定辽都卫于辽东半岛。不久，明军又逼降高家奴，占据了辽阳一带。

岭北之役后，辽阳行省左丞相纳哈出为收复辽东半岛，分别于洪武五年末、七年、八年三次率兵南下，袭击辽东明军的据点、粮饷集散地和码头，兵锋南至辽东半岛的海州、金州、复州一带。辽东明军也数度反击，向北达到浑河及三角山（今沈阳市东南），向东至鸭绿江下游一带。北元辽阳行省与明辽东都司的疆界，南面大体以浑河、辉发河为界，东南，洪武十年前（含十年）北元控制着今浑河上游至辉发河一线迤北地区，东北的大部分女真部落仍在北元管辖之下。后来明朝通过出征和招抚女真诸部，使原在北元和高丽之间的女真各部纷纷降明，洪武十七年，明朝经过数年经营，控制了鸭绿江北的女真地区，切断了北元与高丽之间的交通，高丽完全臣服于明朝。

二、北元与明朝在上都至河套地区的争战

岭北之役后，北元军队占领兴和等沿边城镇，并攻击武州、朔州、岢岚、蔚州、弘州、云内、丰州、怀柔等地，不断向南压迫，迫使明军放弃了平旷地带的城镇，向南撤至有山险可依之处防守。洪武六年五月，明太祖朱元璋诏山西都卫，于雁门关、太和岭并武、朔等县境内七十三个山谷冲要之处设兵把守。同年十月，徙山西弘州、蔚州、安定、武、朔、天成、白登、东胜、丰州、云内等州县之民于中立府（今安徽凤阳）。[①] 明朝在东胜及河套内所设卫所、千户等也随之南迁。明军在稳固防守近边的同时，不断小规模出击。洪武七年四月，明将蓝玉率军攻占兴和，明军出击白登等处，俘获王保行省和枢密院官吏买纳等四十三人。五月，大同都卫遣兵出丰州（今内蒙古呼和浩特市一带）、云内（今内蒙古土默特左旗境内）等处，"捕

---

① 《明太祖实录》，洪武六年十月丙子条。

駞靶六百九十五户，计一千九百九十三人"①。九月，李文忠率师出击至丰州一带，擒北元官兵二百多人，获马驼牛羊甚多。② 八年九月，北元将领张致道纠集部属万余人攻朔州，不克，又攻击雁门、应州等地，杀掠人畜甚众，明大同卫发兵，捕杀张致道。③ 洪武八年三月，明朝以来降元国公乃儿不花为官山卫都指挥同知，置官山卫（内蒙古卓资县北）。④ 明军控制了今山西北面及内蒙古部分地区。

在黄河河套及甘肃边外地区，明朝于洪武二年至十年期间，在今陕西境内先后设立了绥德卫（今绥德）、延安卫（今延安）、塞山守御千户所（今安定县西南）、保安守御百户所（今志丹县治南）。往西，有庆阳卫（今甘肃庆阳）、宁夏中护卫（约在今宁夏银川一带）、灵州千户所（今宁夏灵武）。洪武八年三月，明朝设立察罕脑儿卫（今内蒙古乌审旗境内古城），以北元国公卜颜帖木儿为察罕脑儿卫指挥佥事,⑤ 令其原地驻牧。明朝设防地区比较靠南。岭北之役后，北元军曾数次南攻庆阳、延安等处。

沈儿峪之役后，明朝占据了元陕西行省，北元据有甘肃行省。岭北之役，明将冯胜所率右路军扫荡了甘肃行省全境，其兵锋至亦集乃及瓜州（今甘肃安西西南）、沙州（今甘肃敦煌）一带。战后，明军回至肃州（今甘肃酒泉）以南地区、洪武十年之前，在今甘肃境内设置了兰州卫（今兰州），又沿河西走廊向西北分设庄浪卫（今永登）、镇番卫（今民勤）、镇夷守御千户所（张掖西北）等卫所。洪武十三年后，明军数次出肃州，征进北元赤斤（今甘肃玉门市西北）、苦峪（今甘肃安西以东）等地。哈密、瓜州和沙州一带，自元代察合台系诸王出伯及其兄合班等镇守此地，应为其封地。元世祖命出伯及其后裔一直负责甘肃及其以西的军事。北元脱古思帖木儿汗败亡后，出伯后裔仍居于此，因此，北元初期该地区仍受北元管辖。

元亦集乃路，即今内蒙古额济纳旗一带，岭北之役时右路明军扫荡了这里。不久，北元又恢复了对此地的控制，派兵镇守。洪武十三年三月，明朝

① 《明太祖实录》，洪武七年五月辛未条。
② 《明太祖实录》，洪武七年九月丙辰条。
③ 《明太祖实录》，洪武八年九月丙子条。
④ 《明太祖实录》，洪武八年三月戊子条。
⑤ 《明太祖实录》，洪武八年三月壬戌条。

派西平侯沐英率军袭击亦集乃，擒元国公脱火赤、知院爱足及其部属。① 洪武十七年五月，明凉州卫指挥使宋晟率兵至亦集乃路，擒故元海道千户也先帖木儿、国公吴伯都剌赤、平章阿来等及部属 18 700 余人。② 近年在元亦集乃路总管府所在的黑城遗址发现了大量元代遗物，其中还有北元宣光纪年的文契和天元元年铸造的铜印等北元遗物，说明这里是北元军民长期居住的城镇。

第四节　北元汗廷的衰落与蒙古的分裂

一、脱古思帖木儿即位

宣光八年（1378 年）昭宗死，脱古思帖木儿即位，第二年改元"天元"，王世贞等人的著述记其为昭宗弟，与蒙古史籍记载一致。③

脱古思帖木儿即位之初，明朝遣使祭吊昭宗，欲在新君初立时与北元和解，奉劝其承认天命，以小事大，承认明朝的正统地位，北元没有回应。脱古思帖木儿汗时，朝廷中由哈剌章、蛮子、驴儿、纳哈出、阿纳失里等老臣主持军政事务。但是，自北徙以来，迫于草原游牧生活条件的限制，人众分散，北元君臣异处，大臣诸王各分守一方。再者扩廓帖木儿等足以服众的大臣先后死去，新君手中又没掌握足以威慑诸王大臣的军队和笼络蒙古贵族的财富，所以，北元中央集权统治制度日趋衰落。诸王、权臣拥兵自重，政令不一。北元的这种衰败情况，使许多随元廷北徙的军民感到恢复中原无望，纷纷寻机南来投降明朝。明朝又从来降人员那里得知了其内部的危机情况，乘势加紧经营。明廷接受以往教训，不再长驱直入攻打漠北地区，而是采用先去其羽翼，后袭击元廷的策略，稳步经营。明朝先派兵攻取南面孤立的云南，而后出击北元的东西两翼，切断北元与高丽和西域的联系，最后出兵袭击北元汗廷。

---

① 《明太祖实录》，洪武十三年三月壬子条。

② 《明太祖实录》，洪武十七年五月丙寅条。

③ （明）王世贞：《弇州史料前集》卷 18《北虏始末志》。《明太宗实录》，永乐六年三月辛酉条记：妥古思帖木儿（脱古思帖木儿）即买的里八剌，误。

二、明朝统一云南

洪武十三年（1380 年），明朝先后出兵攻击北元西部的亦集乃及明肃州边外的赤斥、苦峪等地，以威慑西北蒙古诸王，同时切断北元与云南联系的孔道。洪武十三年四月，都督濮英西征，至西凉袭故元柳城王，获一千三百余人，五月，濮英请略地，开哈梅里之路通商旅，兵至白城获元平章忽都帖木儿，进至赤斥站之地，获故元幽王亦怜真及其部属一千四百人，金印一。① 七月，兵至苦峪，获故元省哥失里王、阿者失里王之母妻及家属。② 洪武十四年四月，大将军徐达率诸将统军出击全宁（内蒙古翁牛特旗乌丹镇）一带，北至潢水，获全宁四部人众，迫使北元军后撤，不敢近边。③

洪武十三年八月，明太祖命颍川侯傅友德及蓝玉、沐英诸将率军三十万出征云南。明军首先出击云南东部的梁王辖地，傅友德至元湖广行省后，分遣胡海率兵五万自永宁（四川叙永一带）南攻乌撒宣慰司地，明军主力经今湖南、贵州，与贵州土司兵一道从东北面出击云南。④ 十二月，明军进兵曲靖，元梁王派遣平章达里麻率军十万迎战，双方在白石江（今南盘江上游）交战，达里麻兵败被擒。⑤ 傅友德命蓝玉、沐英率一支明军进攻云南，自率一支明军北上与胡海军夹击乌撒。明军南下中庆（昆明）后，云南元军无力抵御，纷纷投降。元梁王退入普宁州，兵败自尽。⑥ 明军逐次攻取乌撒、大理等地，统一了云南行省。

三、纳哈出降明与辽阳行省的丧失

明朝为了扼制北元势力在东部的发展，逐渐增加在辽东的兵力，保证粮饷的海上运输，辽东都司派兵由辽东半岛逐步向东北女真地区经营，出征和招抚女真诸部，以便切断北元与高丽的联系，孤立纳哈出。明军的经营很快

① 《明太祖实录》，洪武十三年四月甲申条、五月壬寅条。
② 《明太祖实录》，洪武十三年六月癸亥条。
③ 《明太祖实录》，洪武十四年四月庚午条。
④ 《明太祖实录》，洪武十四年九月壬午、丁未条；卷140，十二月辛酉条。
⑤ 《明太祖实录》，洪武十四年十二月戊辰条。
⑥ 《明太祖实录》，洪武十四年十二月壬申条。

获得实效，随着女真部落的归附，明军势力的北进，迫使北元与高丽之间的交通线向北移动，最后由鸭绿江下游北移至上游一带。至洪武十七年，女真部落大量归附后，完全切断了北元与高丽之间的交通联系。高丽也彻底降附明朝，保证了明朝辽东都司侧翼的安全，明军也得以从高丽购买急需的马匹等物资。

辽阳行省地区是元末北徙军民最多的地区，有大量的元朝官吏、军卒及家属居于此地。明初，北元在辽阳行省地区一直占据军事上的优势，明军固守辽东半岛地区，处于守势，因此纳哈出管辖之下的北元地区没有受到明军大规模攻击。这里土地肥沃，适于耕牧，离北面的北元汗廷又不远，因此，成为北元境内人口集中，经济比较繁盛的地方。脱古思帖木儿汗时期，由于北元政权的衰落，各族军民开始利用各种机会南来归附明朝。来降者中辽阳行省的人最多。由于大量军民南归，辽阳行省人心动摇，形势不稳。明太祖从降人了解到北元内部情况后，更加密切关注辽阳行省形势的变化。纳哈出依仗其属下人多势众，非常跋扈，不服从北元朝廷，高丽又完全投靠明朝，给明朝发兵攻击提供了可乘之机。但是，明太祖很谨慎，并没有立即出兵，仍然静观形势变化。又等待几年之后，决定出兵辽阳行省。

洪武二十年（1387年）正月，明太祖命宋国公冯胜为征虏大将军，以傅友德、蓝玉为副将军，率二十万人北伐。二月，明军先出兵庆州（今内蒙古巴林右旗境内的察罕城）探北元虚实，北元军没有反击。三月，明军出松亭关（在今河北喜峰口外），筑大宁（老哈河上游河源一带的青城）、富峪（今河北平泉县北）、会州（河北平泉县南的察罕城）、宽河（河北宽城）等四城。此前于十九年底已发役夫二十余万，运米一百二十三万余石至关外四城囤积粮饷，作为出征北元的前哨阵地。北元辽阳行省左丞相纳哈出在大宁明军的威胁下，放弃金山（今吉林怀德一带）一带的根据地向东北撤退。五月，明军主力向金山征进，辽东都司的明军也向北推进。明朝还派遣原纳哈出部降将乃剌吾前去劝降，纳哈出将乃剌吾送至在今呼伦贝尔地区的元朝廷，转达明朝出征的信息。六月，北元守一秃河（今伊通河）将领高八思帖木儿向明军投降。在大军压境之下纳哈出被迫遣使至明军营中约和，欲迟滞明军的行动，明军不予理会，继续前进。明军主力过金山至女真苦屯之地，纳哈出部将国公观童投降。在明军的步步紧逼之下，纳哈出被迫亲自至明军营中议和。双方谈判破裂，纳哈出试图脱身时被明军劫持受伤。"纳哈出所部妻子将士凡十余万在松花河北，闻纳哈出被伤遂惊溃，余众欲来追，胜遣前锋（降）将国公观童往谕之，于是其余亦降，凡四万余，并得其各爱马所部二十余万人，羊马驴驼辎重亘百余里……"① 大将军冯胜迫降纳哈出之后没能妥当安抚降众，还强娶降人妻女，因此在押解南来时，北元部分降众复叛，明军殿后的将领濮英及三千士卒败没，此役未能使北元辽阳行省北部地区军民全部归附。纳哈出降明和辽阳行省的丧失，使北元在经济、军事上都受到很大损失，在今呼伦贝尔一带的北元汗廷失去了东部屏藩，直接暴露在明朝大宁诸卫的兵锋之下。

四、捕鱼儿海子之役

纳哈出投降后，明朝罢冯胜征虏大将军职务，由蓝玉接任，明军继续屯驻大宁，随时准备出击。北元政权此时已岌岌可危，由于北元汗廷与西部诸王的关系仍无改善，脱古思帖木儿汗没有西走避兵，继续在克鲁伦河中下游一带游牧。第二年，明太祖从降人得知北元内部已陷于混乱，元廷仍游牧于捕鱼儿海与大兴安岭之间，于是命令蓝玉继续屯兵大宁，寻机出击北元汗廷。三月，蓝玉趁北元汗斡耳朵未及北移之际，率军十五万发动了突然袭击。明军自大宁进至庆州，从俘虏获悉北元汗斡耳朵在捕鱼儿海子（今内蒙古呼伦贝尔市贝尔湖）一带，兼程急袭。四月，明军至捕鱼儿海子南。侦察到脱古思帖木儿汗斡耳朵在捕鱼儿海子东北八十余里，蓝玉以部将王弼为先锋，直取其斡耳朵。北元君臣以为春季水草未丰，明军不会远袭，毫无防备，当日恰逢大风扬沙，狂风呼啸，遮掩了明军数万骑兵急行军时的巨大马蹄声及扬起的漫天尘土。脱古思帖木儿汗整顿车马正要北迁时，明军突然袭来。北元方面猝不及防，太尉蛮子率兵相拒，被击败，蛮子及其军士数十人被杀，余众投降。脱古思帖木儿汗与其太子天保奴、知院捏怯来、丞相失烈门等数十人乘机逃去，蓝玉率精骑追千余里，不及而还。明军俘获脱古思帖木儿汗妻子及次子地保奴等64人，另必里克秃汗妻并公主等59人。明军又追获北元吴王朵儿只、代王达里麻、平章八阑等2 994人，军士男女

---

① 《明太祖实录》，洪武二十年六月丁未条。

77 037 口。得宝玺、图书、牌面 149，宣敕、照会 3 390 道，金印一，银印三。马 47 000 匹，驼 4 804 头，牛羊 102 452 头、车 3 000 余辆。① 随后明军攻击了在哈剌哈河（今哈拉哈河）一带的哈剌章营，获其部下军士 15 803 户，马驼 48 150 余匹②。明军扫荡了北元在克鲁伦河中下游一带的游牧根据地。

脱古思帖木儿汗逃出后，为躲避明军追击，被迫向西迁移，试图往哈剌和林一带依靠丞相咬住，行至西部诸王控制的土剌河一带，遭到阿里不哥后裔也速迭儿王的袭击，与知院捏怯来等数人逃出，途中遇丞相咬住和太尉马儿哈咱领三千人来迎，以阔阔帖木儿人马众多，欲前往依靠，适逢大雪未有立即出发，也速迭儿派大王火儿忽答孙、王府官孛罗追来，杀死了脱古思帖木儿及其子天保奴。也速迭儿在瓦剌贵族支持下称汗，北元汗位从忽必烈家族转入其弟阿里不哥家族，这也是蒙古历史上的一次戏剧性变化。随着也速迭儿篡位和瓦剌的兴起，北元的历史也进入长期分裂割据阶段。

第五节　蒙古各部的分布与明朝的卫所

也速迭儿篡位称汗之后，许多蒙古贵族和大臣不承认其合法性，随脱古思帖木儿汗西逃的北元大臣，以及东部地区的诸王军民多不服从也速迭儿，有些人率部属至漠南驻牧，同时为防明军袭击，遣使与明朝通好，少数人则直接南下投降明朝。

一、全宁卫的立废

洪武二十一年（1388 年）十月，北元国公老撒、知院捏怯来、丞相失烈门等不承认也速迭儿即位的合法性，率领部属至漠南躲避，驻牧于全宁、应昌一带。为防止明朝袭击，遣使与明朝通好。明太祖派遣使臣命其上报人口数字，允许他们在口温、全宁、应昌一带驻牧，并答应运粮接济。明朝封捏怯来为全宁卫指挥使、失烈门为应昌卫指挥使，但是，失烈门拒不接受明

---

① 《明太祖实录》，洪武二十一年四月乙卯条。
② 《明太祖实录》，洪武二十一年四月癸酉条。

朝封授的官职。第二年八月，失烈门等人劫持捏怯来，归附也速迭儿汗，全宁卫亡。

二、兀良哈三卫的设立

洪武二十一年（1388 年）十一月，元辽王阿扎失里（铁木哥斡赤斤后裔）及会宁王塔宾帖木儿遣人投降，献上北元脱古思帖木儿汗原颁诏书，表示臣服。洪武二十二年（1389 年）五月，明太祖命置泰宁、福余、朵颜三卫，以辽王阿扎失里为泰宁卫指挥使，会宁王塔宾帖木儿为指挥同知，泰宁卫即元代台州等处怯怜口千户所，泰宁卫之地在元泰州（今吉林洮南）；以海撒男答溪为福余卫指挥同知，即元代灰亦儿等处怯怜口千户所，驻地在福余（今黑龙江齐齐哈尔市瑚裕尔河一带）；以脱鲁忽察儿为朵颜卫指挥同知。① 朵颜卫是元代的朵因温都儿兀良哈千户，元末已由千户所升为朵颜元帅府，居捌儿河（今内蒙古兴安盟境内嫩江支流绰尔河）一带。泰宁等三卫的驻地基本都在元辽王的封地内，应受辽王的控制。明廷令三卫"各领所部，以安畜牧"。但是，泰宁等三卫受到也速迭儿汗的威胁，很快依附于北元新汗，洪武二十四年（1391 年）四月，明朝派遣傅友德、郭英率军讨伐辽王阿扎失里于洮儿河一带，这样三卫与明朝的关系中断。②

明成祖即位之后，于建文四年（1402 年）十一月、永乐元年（1403年）五月两次遣使招抚原三卫之人，永乐元年（1403 年）十一月，三卫遣使来朝。永乐二年（1404 年）四月，明朝封脱儿火察为左军都督府都督佥事，哈儿兀歹为都指挥同知掌朵颜卫事；安出及土不申俱为都指挥佥事，掌福余卫事；忽剌班胡为都指挥佥事，掌泰宁卫事。其余来朝和未至者三百五十七人各授指挥、千户、百户等官。③ 兀良哈三卫在原地驻牧如故。永乐朝重建三卫，以朵颜为首，朵颜是蒙古兀良哈部落，故明人以朵颜卫首领的族称来统称朵颜等三卫为兀良哈三卫。实际上，兀良哈三卫仍附属于北元，只

---

① 《明太祖实录》，洪武二十二年五月辛卯、癸巳条。

② 和田清著，潘世宪译：《明代蒙古史论集》（以下简称和田清：《明代蒙古史论集》）上册，商务印书馆 1984 年版，第 90—124 页。

③ 《明太宗实录》，永乐二年四月己丑条。

是接受明朝官号而已。

三、哈密归附明朝

哈密一带在元代是投附元朝的察合台诸王的驻地。察合台子拜答儿是支持忽必烈即位的西道诸王，其子阿鲁忽曾受阿里不哥派遣任察合台汗国的汗，后来与阿里不哥反目，转而支持忽必烈。阿鲁忽的儿子合班和出伯、合剌旭烈之子阿只吉投附于元朝，元代驻守别失八里、赤斤（今甘肃玉门市西北）、哈密等地，其封地在哈密及瓜州（今甘肃安西西南）、沙州（今甘肃敦煌）一带。北元脱古思帖木儿汗败亡之后，察合台后王仍然控制着哈密和中西交通要道。1380 年（洪武十三年），明朝出兵云南之前，遣兵袭击过哈密，俘获元豳王亦怜真。洪武二十四年（1391 年）初，沙州王子阿鲁哥失里和兀纳失里先后遣使明朝，请求通贡贸易。八月，明朝以哈密阻断中西交通和贸易为由，遣兵出肃州，袭击哈密、瓜州、沙州一带。威武王兀纳失里逃，豳王列儿怯帖木儿被杀，明军获其部属七百三十人还。明军撤回之后，豳王后裔重新控制哈密等地。永乐元年（1403 年）十月，哈密王兀（忽）纳失里弟安克帖木儿遣使明朝贡马，第二年六月，明廷封安克帖木儿为忠顺王，自此贡使往来不绝。明朝在其南面设立了赤斤蒙古卫、罕东左卫、罕东卫，在撒里畏兀儿之地设立了安定、曲先、阿端等卫。这些卫所是由居住在这里的蒙古人、撒里畏兀儿人、藏族人组成。

四、朝鲜与女真归附明朝

明初，高丽王朝衰落，大臣李成桂于 1392 年篡位，改国名朝鲜，附属于明朝。洪武年间，明军经营女真地区，女真人一部分降明，一部分迁入朝鲜境内。永乐初年，明朝在女真地区建立了数百个卫所，并设立奴儿干都司进行统辖和管理。明朝在辽东的羁縻卫所至成化年间达到 200 多个，万历年间有 384 个。

五、留居中原的蒙古人

元朝崩溃时许多蒙古官员和士兵滞留于内地，在明朝与北元的战争中，又有蒙古贵族、官员率部属投降，加上战争中被俘官兵、家属达数十万人，这些官兵都被编入卫所戍边或镇守内地，家属被分散安置于内地。朱元璋封其诸子为王，分别统军驻守北部边境重镇，守边诸王幕下有大量蒙古人担任护卫和家丁。明太祖下令内地蒙古人不得讲胡语、穿胡服，不准自相嫁娶，实行强迫同化政策，使进入中原的蒙古人很快汉化。脱古思帖木儿汗败亡之后，哈密和兀良哈三卫都附属于明朝，瓦剌贵族在漠北扶立西部蒙古诸王子孙为汗，并与东部蒙古贵族拥立的可汗分庭抗礼，争夺最高领导权，双方争战不休。

六、漠北蒙古

自 1388 年脱古思帖木儿汗被杀至 1403 年明成祖即位前的 20 年中，北元有四位可汗在位。即也速迭儿（其尊号清代汉译为卓里克图汗，1389—1391 年在位）、恩克汗（清代汉译尊号为恩克汗，名字不详，1392—1394 年在位）、额勒伯克汗（清代汉译尊号额勒伯克尼古列速克齐汗，简称额勒伯克汗，名字买的里八剌，1395—1399 年在位）、坤帖木儿汗（清代汉译为琨特穆尔汗 1400—1402 年在位，名坤帖木儿，尊号不详）其中额勒伯克汗被瓦剌贵族忽格赤哈什哈和巴图拉杀死，这几位可汗都是由瓦剌贵族拥立，但是，他们之间的血缘关系，以及分别属于成吉思汗子孙何人后裔都缺少准确记载。瓦剌部原居于今叶尼塞河上游一带，靠近阿里不哥的领地，与阿里不哥家族有密切的婚姻关系。在东部蒙古地区受到明朝征伐而分散流徙之际，远在西北没有受到损失的瓦剌部成为漠北的一支重要力量。瓦剌贵族拥立也速迭儿为可汗之后，聚集各部蒙古人于其麾下，迅速向东扩展其势力，一度统治整个漠北地区。明建文二年（1400 年），明成祖谕坤帖木儿汗，并瓦剌猛哥帖木儿王。永乐元年（1403 年），鬼力赤替代了坤帖木儿为汗。

七、明朝的边防与卫所

洪武二十年，明军出征纳哈出时，在松亭关（在今喜峰口外）建大宁（今内蒙古老哈河河源一带的青城）、富峪（今河北平泉县北）、会州（今河北平泉县南的察罕城）、宽河（今河北喜峰口外宽城）等四城。同年置大宁都指挥使司，城于可苟河套（今内蒙古宁城县大明镇）。北元脱古思帖木儿汗败亡之后，明朝又在从辽东至甘肃的北部沿边设置了许多卫所。其中有许多军屯卫。为了加强北部的防御，朱元璋派遣诸子出镇北边。他派遣秦王樉于西安，晋王枫于太原，燕王棣于北平，镇守边境，洪武二十一年后封庆王（宁夏）、宁王权（大宁）、岷王楩（岷州）、谷王橞（宣府）、韩王松（开原）、安王楹（平凉）等，各出镇北边要地。又把豫王桂改封代王镇守大同、汉王英改封肃王镇守甘州、卫王植改封辽王镇守广宁①这是明朝防线向北扩展的最盛时期。洪武三十年正月，明太祖"以宁、辽诸王各据沿边草场牧放孳畜，乃图西北沿边地里示之，敕之曰：'自东胜以西至宁夏，河西察罕脑儿；东胜以东至大同、宣府、开平，又东南至大宁，又东至辽东，又东至鸭绿江，又北去不止几千里；而南至各卫分守地，又自雁门关外西抵黄河，渡河至察罕脑儿，又东至紫荆关，又东至居庸关及古北口北，又东至山海卫外，凡军民屯种田地，不许牧放孳畜'……"② 这是明军防线向北推进后形成的内外两道防线。在两道防线之间军民屯种，不准随意牧放牲畜，漠南大部分地区都处于明军控制之下。但是，好景不长，靖难之役使明朝北边卫所的军卒被调离，军屯停废，防御设施受到严重破坏。与此同时，北元势力逐渐恢复，对明朝构成很大威胁。明洪武末年所设外线卫所，多孤悬于边外，粮饷转运困难，无险可守，于是明朝收缩防线，退回到有山险可依的内线防守区域。因此，明朝中后期出现了弃大宁界兀良哈之说，将大宁、开平、东胜等外线卫所的丢失归咎于永乐皇帝，其实兀良哈三卫南来明朝近边游牧是宣德以后之事，并非永乐初期即把大宁卫地给予兀良哈游牧的。燕王朱棣为夺取皇位发动的靖难之役及其即位后对守边诸王的限制，虽然削弱了明朝的防御力量，但是放弃以上卫所的主要原因还是这些卫所难于防守。否则，很难解释明成祖时具有五出（沙漠）、三犁（虏庭）的军事力量，而不能守区区几个边境卫所。从永乐朝开始，明朝的防区逐渐收缩到洪武初期固守的诸关隘内，并继续修筑边墙，逐渐形成了自山海关至甘肃嘉峪关的明代长城。明军除了永乐时期的几次大规模征伐外，几乎没有再深入过漠南腹地，宣德以后，漠南地区逐渐成为蒙古部落往来驻牧的地区。

---

① 和田清：《明代蒙古史论集》，第45—46页。
② 《明太祖实录》，洪武三十年正月庚辰条。

第　四　章

蒙古内讧与短暂统一

第一节　阿鲁台、马哈木时期蒙古内讧及明朝的征伐

1403 年，北元政权已经分裂为两个对立的政治势力，即鬼力赤汗为首的东部蒙古和瓦剌贵族马哈木、太平、把秃孛罗等为首的西部蒙古。明朝人称东部为鞑靼，西部为瓦剌。这种划分只是从其首领的族属划分的，实际上称作瓦剌的西部蒙古也是由蒙古各部组成，并非仅瓦剌一个部。明成祖即位之后，于永乐元年二月和四月分别遣使鬼力赤汗和瓦剌马哈木等首领，宣告自己即位，并提出遣使往来，和平共处。鬼力赤汗（大约 1403—1407 年在位），不见于蒙古文史籍记载，汉文史籍中称其非元裔，似为元代宗王后裔，有些学者认为是窝阔台后人。其属下有太师右丞相马儿哈咱，太傅左丞相也孙台，太保枢密院知院阿鲁台等人。马儿哈咱在脱古思帖木儿汗时有太尉之号，在鬼力赤朝已出任右丞相，辅佐可汗。① 此后，鬼力赤汗为统一各部，率军出征不服从其号令的瓦剌马哈木、太平、把秃孛罗等，东西部蒙古互相攻伐，争夺北元的最高统治权。

永乐四年（1406 年）十月，北元内讧，鬼力赤汗被废黜，也孙台被杀，鬼力赤属下大臣各奔东西，马儿哈咱去往瓦剌，阿鲁台去往海剌儿河之地。

① 《明太祖实录》，洪武二十一年十月丙午条。

永乐五年五月，明廷从来降者听说北元已废黜鬼力赤汗，欲立本雅失里。①
立即遣使臣往谕西部瓦剌贵族马哈木、太平、把秃孛罗等人以天命祸福，并
赐以金织文绮，预防其归附本雅失里。永乐六年，阿鲁台拥立本雅失里为汗
（1408—1410 年在位），尊号"完者秃"，清代译为额勒锥特穆尔。② 完者秃
汗是元朝皇帝后裔，原居撒马儿罕，被选为可汗继承人之后，经别失八里
（即东察合台汗国）东来即位。本雅失里很有可能是元末去察合台汗国的忽
必烈后人，或是明朝遣送撒马儿罕的元朝皇族。③ 明初曾遣使帖木儿帝国的
撒马儿罕和哈烈，帖木儿扣留明使久不遣回，还试图东侵明朝。④ 因此，自
撒马儿罕来的完者秃汗引起明廷高度重视。第二年，完者秃汗遣使招抚兀良
哈三卫，兀良哈三卫迅速归附。完者秃汗和阿鲁台为统一整个漠北，出兵征
伐瓦剌，双方互有胜负。完者秃汗在阿鲁台扶持下，建立汗廷于今克鲁伦河
下游一带，大有统一漠北之势。永乐七年（1409 年）四月，明成祖遣使郭
骥等往谕完者秃汗，大意为"可汗诚能上顺天下，下察人事，使命往来，
相与和好，朕主中国，可汗主朔漠，彼此相安于无事，岂不美哉？"⑤ 五月，
明朝封瓦剌首领马哈木为顺宁王、太平为贤义王，把秃孛罗为安乐王，并允
许他们与明朝通贡贸易，意在分化东西蒙古，阻止完者秃汗统一整个漠北。
六月，明廷获悉完者秃汗和阿鲁台与瓦剌战不利，已败退至克鲁伦河畔，便
以北元杀使臣郭骥为由，⑥ 决定遣兵出征北元汗廷，趁其衰弱加以消灭。

　　永乐七年（1409 年）七月，明成祖以淇国公丘福为征虏大将军、总兵
官武城侯王聪为左副将军，同安侯火真为右副将军，靖安侯王忠为左参将，
安平侯李远为右参将，率精骑十万，奔袭北元汗廷。明军经过"靖难之役"
的锻炼，具有很强的战斗力，因此明成祖决定一举摧毁北元政权。明军出征
势在必得，而北元军则采取了诱敌深入，设伏歼灭的战术。丘福率千余明军
骑兵先至克鲁伦河，北元派人诈降，引诱其深入。丘福轻敌中计，不听从其

①　《明太宗实录》，永乐五年五月丙寅。

②　《明太宗实录》，永乐四年十月癸巳；卷53，永乐五年十月壬辰。

③　《明太祖实录》，洪武二十三年十一月癸丑条记：遣达达亲王六十七户往居撒马儿罕之地。

④　《明史》卷232《西域传四·撒马儿罕》、《西域传四·哈烈》，中华书局 1974 年版。

⑤　《明太宗实录》，永乐七年四月丁丑。

⑥　《明太宗实录》，永乐七年六月丁卯。

他将领等待后队的意见，贸然率兵深入，遭遇北元军伏击，五将军俱败死，导致全军覆没。① 消息传来明成祖震怒，决定于第二年亲征。

永乐八年二月，明成祖亲自率军北征，大军号称五十万。明军远渡大漠作战，行进于荒无人烟之地，粮秣运输极其艰难。明成祖计算从明边至克鲁伦河约需二十日程，令明军出征时每行十日程即掘壕为营垒，修建平胡、杀胡两城，令随军民夫于两城内贮运粮秣，留兵看守，以便于大军在往返途中取用。② 为防止完者秃汗西逃，明军先插向克鲁伦河中上游一带，而后东进。北元完者秃汗和阿鲁台二人在如何应敌方面出现意见分歧，完者秃汗率一部分人北走鄂嫩河，由此再向西逃去。③ 明军至克鲁伦河后向北追击完者秃汗至鄂嫩河，得知完者秃汗由此西走已远，停止了追击，返回克鲁伦河畔的杀胡城，并由此顺河向东进发，出征在阔连海子（今呼伦湖）、捕鱼儿海子（今贝尔湖）一带的阿鲁台部落。明军至阔连海子一带与阿鲁台军相遇，双方交战后阿鲁台率众北走，明军追击百余里，获其牛羊辎重，决定班师。④ 明成祖率明军经哈剌哈河（今哈拉哈河）南越兴安岭，在大兴安岭南面袭击了少数兀良哈三卫之人，然后沿大兴安岭南麓返回明境。另遣王友等率一路明军自克鲁伦河由大兴安岭北麓按原路返回应昌，经平胡城接济粮食，接应守城明军返回。王友在途中为躲避北元失乃干部，率兵绕远至应昌，使很多士卒因缺粮饿毙。⑤ 明军这次出征几乎未与北元军交锋，没有取得很大战果。不过迫使完者秃汗西走避敌，逃至西部蒙古地区后被瓦剌贵族杀死。瓦剌贵族杀死完者秃汗之后，拥立答里巴汗（1411—1415 年在位，答里巴汗见于《明太宗实录》和佚名《黄金史》等蒙古文史籍，其家世不清楚），以号令蒙古各部，势力渐盛，阿鲁台开始处于劣势。阿鲁台遣使与明朝通好，报告了瓦剌贵族杀死完者秃汗，另立答里巴汗的情况。明成祖又从来朝的蒙古使臣得知马哈木立答里巴汗之后，欲与中国抗衡，又转而扶持处于劣势的阿鲁台。永乐十一年（1413 年）七月，明朝封阿鲁台为"特进

---

① 《明太宗实录》，永乐七年七月癸酉，八月甲寅。
② 《明太宗实录》，永乐七年十月己亥。
③ 《明太宗实录》，永乐八年五月甲戌。
④ 《明太宗实录》，永乐八年六月甲辰。
⑤ 《明太宗实录》，永乐八年六月庚申、辛酉。

光禄大夫、太师、和宁王"，并命其统领本处军民，允许与明朝通贡贸易①，把打击的重点转移到答里巴汗及扶持他的西部瓦剌贵族。

永乐十二年（1414 年）三月，明成祖率军亲征答里巴汗和瓦剌马哈木。明军出宣府（今河北宣化）境后直捣今克鲁伦河上游一带。六月，明军至克鲁伦河和土剌河上游之间的忽兰忽失温之地与答里巴汗和马哈木率领的西部蒙古军相遇，答里巴汗和马哈木率军迎战。双方交战后，明军以神机铳炮轰击，蒙古军在明军强大火力攻击下败退，明军追至土剌河，明方称杀其王子十余人，"斩虏首数千级"。② 明军班师。第二年，答里巴汗死，瓦剌贵族另立斡亦剌岱汗（1416—1425 年在位）。

明军征伐瓦剌，使东部的阿鲁台得以喘息，他在瓦剌贵族立答里巴汗不久后，另立成吉思汗后裔阿台汗（1413—1438 年在位，清代译为阿岱汗）与控制西部蒙古的瓦剌贵族分庭抗礼。③ 他通过与明朝的贸易吸引来了许多部众，逐渐强大起来。永乐十三年正月，顺宁王马哈木、贤义王太平、安乐王把秃孛罗遣使与明朝和好。蒙古东西部各自为政，分别与明朝通使贸易，明朝没有出击蒙古，而蒙古东西部之间开始互相攻伐。永乐十四年（1416年），七月，瓦剌马哈木率兵至斡难河北，欲趁冬季攻阿鲁台，被阿鲁台击败，瓦剌顺宁王马哈木死。1417 年（永乐十五年）瓦剌贤义王等发动反击，率兵至兀古者河（今蒙古国境内乌勒吉河）被阿鲁台击败。1419 年（永乐十七年），阿鲁台又大败瓦剌贤义王为首的西部蒙古军队，并且通过招抚和军事威胁，控制了岭南兀良哈三卫。

1416 年，瓦剌顺宁王马哈木子脱欢（清代译为托欢）管领其部落，1418 年，明朝命脱欢袭其父顺宁王爵号。1420 年，瓦剌贤义王太平等与东察合台汗国的亦力八里王歪思构兵，互有胜负。在各自拥立可汗的蒙古东西部之中，阿鲁台为首的东部蒙古的位置比较靠近明朝北部边境，又在东西部的争战中占据优势，因此，明廷认为其威胁更大。明成祖遣使安抚瓦剌首领

---

① 《明太宗实录》，永乐十一年七月戊寅条。
② 《明太宗实录》，永乐十二年六月戊申条。
③ 对阿台汗的出身史籍有多种记载，如成吉思汗弟斡赤斤、窝阔台后裔等说法。见乌兰：《〈蒙古源流〉研究》，第 269 页及注㉙。

贤义王太平及安乐王把秃孛罗①，并准备出击阿鲁台，以扼制其势力的增长。永乐十九年（1421 年）正月，明朝制止阿鲁台使臣劫夺行旅，并遣使谕诚阿鲁台，阿鲁台停止朝贡。② 明成祖欲立即出征，因得知阿鲁台远徙躲避而止。明成祖准备次年出征，因以北征阿鲁台命户部尚书夏原吉等商议，朝廷大臣多反对北征，以为劳民伤财。户部尚书夏原吉、兵部尚书方宾等人共议，不宜出征，应休养兵民，令边将严加备御边境。未及上奏，明成祖召方宾，方宾称出征粮储不足，又问夏原吉，亦曰粮储仅足将士备御之用，又派人查验开平粮储，确如其言，成祖不悦，拘系夏原吉等人，方宾惧怕自杀。③ 明成祖强令备粮北征，于是征壮丁和牲畜随军运粮，分前后两队运输，共用驴 340 000 头，车 117 573 辆，挽车民丁 235 146 人，运粮 370 000 石，护送粮饷步骑官兵 6 000 人。④ 永乐二十年（1422 年）三月，明军自北京出发，沿大兴安岭北麓至今呼伦贝尔一带，阿鲁台见明军出征，弃牲畜辎重于阔栾海（即阔连海子，今呼伦湖）之侧，率领部众移营北去。⑤ 明军粮秣有限，无法远追，明成祖决定回师攻击兀良哈人。明军至兴安岭南面后，步骑二万，分五道袭击兀良哈。明军至屈裂儿河（今洮儿河上游归流河），遇兀良哈数万人驱牲畜车辆迁移，明军发动袭击，兀良哈人仓促逃走，杀数百人，夺获辎重和牲畜。⑥ 此次出征没有达到战略目的，袭击了正常朝贡没有侵扰明朝边境的兀良哈人，以示出征并非徒劳。

永乐二十一年（1423 年）六月，明成祖再次亲征阿鲁台，明朝抽调几十万军人和役夫，组成远征军及运粮队伍。明军行至宣府，从降人获悉阿鲁台已被瓦剌击败，而且知道明军要出征已率部远逃，明成祖陷入进退两难的境地，此时恰好有阿鲁台部下头目也先土干被瓦剌击败后南来投降明朝，于是明成祖在大同镇的天城接见也先土干，封其为忠勇王，赐名金忠，下诏班师。⑦

---

① 《明太宗实录》，永乐十七年十一月己酉条；卷119，永乐十九年三月丁亥条。
② 《明太宗实录》，永乐十九年正月己巳条。
③ 《明太宗实录》，永乐十九年十一月丙子条。
④ 《明太宗实录》，永乐二十年二月乙巳条。
⑤ 《明太宗实录》，永乐二十年七月己未条。
⑥ 《明太宗实录》，永乐二十年七月庚午条。
⑦ 《明太宗实录》，永乐二十一年十月甲寅、己巳条。

永乐二十二年（1424 年）五月，明成祖第三次亲征阿鲁台，明军未出境，得知阿鲁台已渡哈拉哈河上游的答阑捏木儿河北去。但是，明成祖没有罢兵，仍然率军出发，至答阑捏木儿河，阿鲁台早已移营北走，明成祖只好班师。在返回途中明成祖病死于榆木川。① 明成祖三征阿鲁台，主要目标是阿鲁台在克鲁伦河下游一带建立的北元汗廷。阿鲁台通过远避驻牧瓦解了明成祖的出征计划，使庞大的明军及后勤队伍徒劳往返，劳民伤财。史称明成祖"五出朔漠，三犁虏庭"，远征漠北的次数和规模都超过了其父朱元璋，其征伐虽然未能达到彻底摧毁北元政权的目的，但是，对北元政权形成了很大压力，加剧了其内部分裂，削弱了北元的力量。

第二节　明初对蒙古政策

明太祖、明成祖两朝都致力于统一蒙古地区，采取了招抚和武力征服两种策略，通过大规模的征伐，削弱了北元的力量。

明太祖时期，明朝军事力量强大，因此试图一鼓作气消灭北元政权，统一漠北。但是，岭北之役受挫后，明太祖认识到远渡大漠，以武力消灭北元政权比较困难，于是决定暂缓出征漠北，分别遣使招抚北元君臣，缓和双方的关系，保证边境安定。明太祖在尝试通过劝谕北元君臣归服来实现对漠北政治统一的同时，采取了稳固经营的方针，在漠南地区多次出兵突袭北元近边，攻掠其部众，对北元形成威慑，将漠南大部分地区置于明军的控制之下，以保证明朝边境安全。同时采用各个击破，先遣兵出击北元两翼，最后孤立和消灭北元汗廷的战略。明朝在东面逐步经营女真地区，切断了北元与高丽的联系，迫降辽阳行省的纳哈出。西面出击今亦集乃、甘肃西部、哈密等地，切断北元与西北蒙古诸藩王的联系，南面，遣兵攻取云南，孤立北元汗廷之后，最后发兵袭击了漠北的北元汗廷。

相对于明朝有计划有步骤的经营和咄咄逼人的攻击，北元内部矛盾重重，君臣不和，诸王跋扈，日益衰落。由于重返中原无望，原来跟随元惠宗北徙和避兵的许多汉人、色目人官吏军民纷纷寻机投降明朝；明朝也积极争取北

---

① 《明太宗实录》，永乐二十二年七月庚寅、辛卯条。

元官兵投降，并乘机用兵，颠覆了北元政权，使北元陷入分裂割据状态。

明成祖继位之后，着手恢复因"靖难之役"被破坏的北方防御体系，调整卫所，构筑城堡烽燧。特别注意对女真地区的经营，在女真地区设立了很多羁縻卫所来管理，进一步加强了对东北地区的统治。特别注意对北方蒙古地区的经营，试图采用武力统一整个蒙古地区。征虏大将军丘福兵败克鲁伦河之后，明成祖一面进行军事征伐，一面采用分化政策，防止东、西部蒙古统一。明朝重点打击东、西部蒙古中扶立可汗的一方，并拉拢和扶持其对立一方，通过给予封号，允许通贡贸易等手段给予支持。明朝通过其强大的军事、经济实力，极力阻止蒙古建立统一政权。明朝始终允许兀良哈三卫与明朝通贡贸易，作为其藩篱和耳目。明成祖没有专门征伐过兀良哈三卫，只在出征北元无所获时偶尔袭击了部分兀良哈部众。明朝在喜峰口、广宁、开原与兀良哈三卫互市，允许其至北京贡市，使邻近明朝蓟、辽边境的兀良哈三卫地区成为北元与明朝之间的一个缓冲地带，减少了北元对蓟、辽一带的侵袭，在明前期一直保持了相对的安定。

明成祖"以夷制夷"和分化打击政策，加剧了蒙古内部的分裂割据局面，多次的北征又削弱了北元的政治和军事实力，但是，始终未能统一蒙古地区。明朝频繁发动对北元征伐，在军事和经济方面也付出了很大的代价，给明朝的社会经济造成了很大负担，明朝廷内许多大臣认为大规模远征得不偿失。明宣宗以后鉴于永乐朝的教训不再派兵远征，而是采取了画地为牢的保守防御政策，不断修筑边墙（长城），加强对近边关隘的防御，对蒙古内讧也不再积极干预，任其自生自灭。明朝的这种消极防御政策，减轻了对蒙古各部的军事压力，使蒙古各部得以逐渐南下进入漠南地区驻牧，活动范围扩大到了明朝近边，也为蒙古各部的统一创造了条件。

第三节　脱欢、也先的统一

永乐末年，在明成祖连年出征阿台汗和阿鲁台之际，西部蒙古势力迅速发展。宣德年间，瓦剌顺宁王马哈木子脱欢兼并贤义王捏烈忽（太平子）[1]

---

[1]　《明宣宗实录》，宣德元年正月丙午条，明朝遣使封贤义王太平子捏烈忽承袭贤义王爵。

和安乐王把秃孛罗部，统一了西部蒙古及乞儿吉思地区。还乘阿鲁台被明军攻击势力遭到削弱之际，多次出击阿鲁台。宣德五年（1430 年），脱欢打败阿鲁台，阿鲁台与其部众南逃，分散驻牧于从辽东至甘肃边外的漠南地区，一些部众投降了明朝。

脱欢打败阿鲁台之后，扶立脱脱不花为汗（1433—1452 年），其尊号清代汉译为岱总汗（今译太松汗，是太宗汗的异译），自任太师、淮王、右丞相，实掌大权。脱脱不花是成吉思汗后裔台吉，据《蒙古源流》记载，额勒别克汗弟哈儿忽出黑有遗腹子阿赛台吉，阿赛台吉有三子，长子脱脱不花，次子阿噶巴尔津（阿黑巴儿只）、幼子满都鲁。① 脱脱不花是额勒别克汗的侄孙。宣德九年（1434 年）二月，脱脱不花汗在哈海兀良之地袭击阿鲁台，杀其妻子部属，阿鲁台与失捏干率一万多人逃至母纳山（今内蒙古包头市穆尼乌拉山）、察罕脑刺（即插汉泉）一带。② 七月，脱欢太师袭杀阿鲁台，阿鲁台和失捏干部众溃散，阿台汗、丞相朵儿只伯等率少数部众逃至明朝甘肃边外躲避，因缺食入明边劫掠。宣德十年（1435 年），明军出征黑山一带，阿台汗和丞相朵儿只伯逃往亦集乃（今内蒙古额济纳旗）和亦不剌山（今雅布赖山）一带躲避③，遣使与明朝议和。从正统元年（1436 年）开始，明英宗几次书谕瓦剌，以避免双方军队在围剿阿台汗时发生误会。④ 正统二年十月，明朝准备出击阿台汗和朵儿只伯。正统三年正月，瓦剌遣使明朝请求合兵夹击阿台、朵儿只伯，明英宗敕谕其自便，但不要遣部属来明朝近边。⑤ 四月，明军出边袭击阿台汗和朵儿只伯于兀鲁乃、亦集乃等地，迫使阿台汗和丞相朵儿只伯北逃。⑥ 不久，北元脱脱不花汗率军杀死了阿台汗和丞相朵儿只伯。脱欢太师统一蒙古诸部之后，让脱脱不花汗统领阿鲁台原部属，仍驻牧于漠北东部地区。

---

① 乌兰：《〈蒙古源流〉研究》，第 265、267、272 页。《蒙古源流》记额勒别克汗是兀思哈勒汗（脱古思帖木儿）的儿子，同前第 265 页，我们没有其他史料可以明确其为忽必烈后裔还是阿里不哥后裔，但是成吉思汗后裔无疑。

② 《明宣宗实录》，宣德九年十月乙卯条。见和田清：《明代蒙古史论集》，第 204—205 页。

③ 《明英宗实录》，正统元年二月丁巳条。

④ 《明英宗实录》，正统元年八月戊寅条。

⑤ 《明英宗实录》，正统三年正月丁未条。

⑥ 《明英宗实录》，正统三年四月乙卯条。

1439 年（明英宗正统四年），脱欢太师死，其子也先（清代汉译额森）袭位，称"都总兵、答剌罕、太师、淮王、大头目（也可诺颜）、右丞相"。① 他率部打败东察合台汗国，使吐鲁番、哈密等地都臣服，势力西达楚河、塔拉斯河一带，一度达锡尔河，控制了中亚一部分地区。1443 年（正统八年），又征服沙州、赤斤等卫，设立甘肃行省，任命沙州、赤斤两卫头目为平章政事等官。脱脱不花汗出征兀良哈三卫，迫使其臣服，又出兵经略东部的女真地区，迫使海西女真首领投降，建州女真部远逃朝鲜近边躲避。脱脱不花汗以蒙古皇帝的名义，派遣朵颜卫人笃吐兀王及海西女真人波伊叱间等为使臣，前往诏谕朝鲜国王，自称已即位十年，命朝鲜遣使往来，使朝鲜国王震惊，上报明廷。② 也先太师和脱脱不花汗时期，不仅控制着整个蒙古地区，其势力西至中亚，东达朝鲜边境。脱脱不花汗的驻地在东部克鲁伦河中下游昭宗时期的游牧地。

第四节　15 世纪中叶明蒙关系与土木堡之变

一、15 世纪中叶明蒙关系

正统初年，也先与脱脱不花汗各自向明朝遣使朝贡和贸易，明朝也向他们分派使团回访。明朝在大同设立马市，允许来朝的蒙古使臣、商人在马市进行贸易。蒙古使臣在明朝军队的陪伴下经大同来京师朝贡，在沿途和在京师住所会同馆进行贸易，双方的经济联系得到进一步增强。但是，随着蒙古地区的暂时统一，明蒙双方在政治上的对立加剧，也先和脱脱不花汗以"大元"君臣的名义③，用武力胁迫明朝所属兀良哈三卫、海西女真各卫，西北的哈密、沙州、罕东、赤斤等卫首领接受其官号，服从其统治。也先在沙州、赤斤蒙古等卫设立甘肃行省，任命官员，并与沙州卫左都督困即来、

① 《明英宗实录》，景泰元年十一月甲寅条。

② 朝鲜李朝：《世宗实录三》，壬戌二十四年五月癸亥。见吴含辑：《朝鲜李朝实录中的中国史料》第二册，第428—429 页，中华书局 1980 年版。《明英宗实录》，正统七年六月丁巳条。

③ 《明英宗实录》，正统十四年正月己酉条。

赤斤蒙古卫都督同知且旺失加结姻，使明朝感受到了严重的威胁。明朝一方面加强边境防务，另一方面遣使敕谕藩属各卫遵守臣节，不要受也先和脱脱不花汗的诱惑。明朝还趁沙州卫内讧，派兵迁沙州卫于边内，安置在甘肃南山一带居住。①

明成祖时期，采取分化措施，严格限制明蒙之间的贸易，只允许接受明朝官号的蒙古部落来朝贡和贸易。蒙古使臣和商人来京师（北京）贡马及土产之后，明廷给予回赐，允许其住会同馆，并在此进行交易，这也是明蒙贸易的主要方式；同时严禁民间私市。宣德以后，明廷允许北元可汗、太师遣使贸易，还给予北元可汗、妃子、大臣丰厚的赏赐，给其正、副使封以明朝官职，蒙古使臣每人都有定额赏物，如衣服和银两等，对所贡马匹物品都给予回赐，偿其价值。对蒙古使臣的赏赐物品、交易的货物都由明朝官方采办。最初蒙古使臣人数不多，明朝不太计较花费，厚往薄来，以显示天朝的繁荣和强大，为笼络人心赏赐很优厚。

脱欢和也先统一漠北蒙古各部之后，使原来局部和分散的贸易扩大为整个蒙古地区与明朝的贸易，由于蒙古地区统一和社会安定，经济上的需求增加，蒙古各部都派人来与明朝贸易，因此使臣人数越来越多。明正统年间，北元可汗和太师遣使动辄几千人，其中除正使之外多为来明朝贸易的商人。明正统、景泰年间，明廷给蒙古可汗及其使臣的赏额为"脱脱不花王并也先彩缎十五表里，绢十匹。王妃彩缎八表里，也先妻彩缎五表里。一等头目彩缎十表里，二等头目减十之二，三等头目减十之七，从人减十之八。马直每匹彩缎二表里，阿鲁骨马倍其直。② 使臣初到正赏各织金纻丝衣一袭，毡帽、靴袜各一，一等正副使各彩缎六表里，绢五匹。二等使臣彩缎减六之二，绢减五之二，三等使臣彩缎绢俱减五之三，从人各纻丝一袭，彩缎一表里，绢一匹，帽靴袜亦各一。正副使妻各织金衣一袭，彩缎二表里，绢二匹，靴袜各一。其余使臣妻女各绢衣一套，绢及靴袜与使臣妻同。"③ 马价

---

① 《明英宗实录》，正统十一年九月壬午条。
② 阿鲁骨马，似指额头及蹄子有白色斑纹的西域良种马。
③ 《明英宗实录》，景泰六年五月戊申条。

"自进马直，每匹纻丝一匹，绢八匹，折钞绢一匹"①。景泰二年马价为"上等马每匹给彩缎四表里，绢八匹；中等马每匹彩缎二表里，折钞绢二匹；下等马每匹纻丝一匹、绢八匹，折钞绢一匹；下下等马每匹绢六匹，折钞绢一匹"②。正统年间的马价应当与此相近。贸易量比较大，每次来朝贡都易马几千匹，各种兽皮几千张，甚至几万张。如正统四年十月，"瓦剌等处脱脱不花王等遣都督阿都赤等千余人来朝，贡马二千七百二十五匹，驼一十三只，貂鼠皮三千四百，银鼠皮三百。"③ 六年十月，"迤北瓦剌等处脱脱不花王遣使臣阿督赤等贡马二千五百三十七匹，貂鼠、银鼠等皮二万一千二百个。"④ 正统十年十二月，"瓦剌使臣皮儿马黑麻等贡马八百匹，青鼠皮十三万，银鼠皮一万六千，貂鼠皮二百。上以其过多，命马收其良者，青银鼠皮各收一万，惟貂鼠皮全收之，余悉令其使臣自鬻。"⑤

由于赏赐可汗及各级官员，接待来使所需财物数额巨大，再加贡市贸易额很大，给明朝财政经济造成很大的压力。所以明廷不断要求北元减少使臣数额，限入境三百人。⑥ 蒙古方面因各部都欲入贡获取赏赐，使臣有增无减，再加前述北元对明朝边疆藩属卫所的争夺，引起了明朝的强烈不满。明廷迫于经济压力，采取了固定赏赐数额的措施，即增人不增赏，这样蒙古使臣的赏赐比过去减少，赏物也因供应不足，以次充好。同时由于民间互市不断有违禁出售铁器、兵器者，明廷开始严禁出售铁器，使贸易的范围受到很大限制，品种仅限于布帛等少数物资，切断了蒙古获取所需铁锅等日常生活用品的渠道，这些措施又激起北元不满。正统十四年（1449 年）也先召集在瓦剌的明朝使臣说："你每（们）为大道理来，不曾来作反，有我这里差去买卖回回，把我的大明皇帝前去的使臣数内留下了，我每奏讨物件也不肯与，我每的使臣故买卖的锅、鞍子等物都不肯着买了，即两家做一家，好好的往来，把赏赐也减了，因这等上我告天，会同脱脱不花王、众头目每，将

---

① 《明英宗实录》，景泰六年五月戊申条。
② 《明英宗实录》，景泰二年十二月丙子条。
③ 《明英宗实录》，正统四年十月丁亥条。
④ 《明英宗实录》，正统六年十月甲申条。
⑤ 《明英宗实录》，正统十年十二月丙辰条。
⑥ 《明英宗实录》，正统七年正月戊寅、癸未条。

你每使臣存留，分散各爱马养活着，我领人马到边上着一看，比先大元皇帝一统天下，人民都是大元皇帝的来，我到边上看了，大明皇帝知道。我回来打发你每回去"①。也先以明朝减赏、限制贸易及扣留其使臣为由，组织发动了对明朝边境的大规模进攻。

二、土木堡之变

正统十四年（1449 年）七月，太师也先和脱脱不花汗发动了对明朝的攻伐，也先率军进攻大同，阿剌知院率兵进攻宣府，脱脱不花汗率军进攻辽东，另派一部分人去攻打甘肃。明军各边镇固守城池，抵御蒙古入侵。大同总督军务西宁侯宋瑛、总兵官武进伯朱冕、左参将都督石亨率兵出城，迎战于阳和后口，由于太监郭敬指挥不当，全军覆没，宋瑛、朱冕战死。但是，蒙古军对固守城池的明军，除围城外毫无办法。八月，明英宗在太监王振的怂恿之下仓促出征，亲率五十万大军由京师北上。明军行至大同镇，见阳和城外横尸遍野，军心动摇，立即停止出边撤军南返。也先闻讯，率轻骑二万追击，殿后明军数万人被蒙古军击败。明朝大军回撤途中驻营于无水源的土木堡驿（今河北怀来东南），其南十五里的河流被追来的蒙古军控制，明军人马饥渴难忍。蒙古军追至后双方对垒，次日未及交战，王振令明军往河边移营就水，阵脚大乱。瓦剌乘势冲击，明军溃散，自相践踏死伤数十万，明英宗被俘。明军临阵逃避，又无实战经验都是明军失败的重要原因，明军出征给蒙古骑兵发挥其野战优势提供了机会。该年是己巳年，故明人称此次事变为"己巳虏变"，现称"土木堡之变"。也先俘获明英宗后感到很意外，自土木驿携明英宗北归，行至宣府城下喊话，明军不理，至大同城下遣人传英宗圣旨，索取赏赍，得银二万两。蒙古军出边之后，也先将明英宗安置于得知院（或迭知院，即第二知院）伯颜帖木儿营（爱马）中，驻牧九十九泉（今内蒙古卓资县）、黑河（今内蒙古呼和浩特市境内黑河）一带。脱脱不花与阿剌知院人马也在开平、环州、威虏、敏安、赤城、八都、西凉亭等处屯驻，离明边不远。②

---

①　杨铭：《正统临戎录》，纪录汇编本。
②　《明英宗实录》，正统十四年十二月辛未条。

土木堡之变后，邻近土木堡的明朝宣府所属独石、龙门、马营、雕鹗、永宁等十一城尽弃，仅存宣府一城，北面边防已名存实亡。① 明朝内部出现了主战与主和两种不同意见，兵部尚书于谦等人坚决反对妥协，积极主战，他们首先立皇弟朱祁钰为新君（即明代宗）稳定人心，阻止也先以明英宗为人质索要岁币。其次，组织军民坚守京师，诏令各地兵马迅速来援。九月，也先得知明代宗即位，遣使明朝要求送明英宗回京复位。明廷回信表示愿意和好如旧②，随后由明代宗给明英宗和也先分别回信。代宗在给明英宗的信中首先告知自己即位，然后说："近得赐书捧读再三，且喜且痛，若太师也先果欲送大兄回，是能上顺天道，下顺人心，真大丈夫所为，岂不扬名千古，大兄弟到京之日，君位之事诚如所言另再筹划，兄弟之间无有不可，亦何分彼此，但恐降尊就卑，有违天道。望大兄弟与也先太师言之，送兄回国不必多遣人马，恐各王人马在京众大，势有相犯不能自已，非弟所能保无恙也，只宜用五七骑送来即可，以全和好。伏望大兄深念祖宗社稷生灵为重，善为一辞，天地鬼神必有加保佑。临楮倦倦，不胜痛恨，伏惟大兄谅之。"③ 给也先太师的信内容大体相同，称"迩因太师遣使致书欲送大兄太上皇帝回京，足见太师上顺天道，下顺人心"。随后称"降尊就卑，有违天道"，委婉地表示自己不能给英宗让位的立场，称各处军马已聚集京师，也先若送还英宗，宜派遣数十人送至。

正统十四年十月，也先拥明英宗来京师，由紫荆关入境。明英宗至良乡，父老进茶果，次卢沟桥果园，署官进果品。也先至京师西直门外，奉明英宗登土城，遣使要求明廷派大臣出城迎接明英宗。明朝以二十二万重兵列阵于京师九门，遣中书舍人王复等给明英宗进羊酒，也先要求于谦、石亨、王直等大臣出见，明廷不遣。④ 也先见明军防守严密，没有攻城，瓦剌零骑在城外抢掠和骚扰被明军击退。也先本来想通过送还明英宗与明朝议和恢复贡市，索取更多的财帛，由于明朝没有接纳明英宗诚意，无法与明朝议和勒

---

① 《明英宗实录》，正统十四年十一月辛卯条；景泰元年四月甲戌条。
② 《明英宗实录》，正统十四年九月壬午条。
③ 《明英宗实录》，正统十四年九月乙巳条。
④ 《明英宗实录》，正统十四年十月乙卯、己未条。

贡，于是拥明英宗北还。同月，脱脱不花遣使至，明朝接待如旧例。① 景泰元年五月，阿剌知院遣使臣来言，"欲明廷差大头目去阿剌及也先、脱脱不花处讲和退军，如欲迎上皇，就奉还京，若不讲和，我三家尽起人马来围大都，彼时毋悔，且言此非特阿拉意，凡我下人皆欲讲和。"② 此后也先数次遣使来，欲送还明英宗讲和。③

明英宗随伯颜帖木儿营游动于丰州（今内蒙古呼和浩特市）、官山（今内蒙古卓资县北）、集宁海子（今黄旗海）一带。景泰元年，也先又遣使催促明朝派人来接，否则将出征明朝。明朝派遣礼部右侍郎李实为首的使团来也先营中商谈。八月，明廷又遣都察院右都御使杨善等随也先使臣前往，也先急于议和，立即派遣使臣和卫士护送明英宗随杨善还京师，瓦剌使臣和卫士把明英宗一直送至京师南宫才返回。④ 明英宗返回后，蒙古立即遣使来朝贡贸易。九月，脱脱不花汗遣使一百多人来贡马，十月，也先遣使三千人贡马⑤，明蒙双方恢复了正常的通贡互市关系。景泰二年正月，明朝给脱脱不花汗信中仍要求其减少使臣人数。⑥ 也先此后多次请明朝如正统时派遣使臣至蒙古，明代宗坚决不遣。⑦ 景泰四年，也先太师先后派遣三千多人来朝贡，明廷在回信中又要求其减少贡使人数，同时告知"……其三千余人所贡马及貂鼠皮，通赏各色织金彩素纻丝二万六千四百三十二匹，本色并各色阔绢九万一百二十七匹，衣服三千八十八袭，鞋袜毡帽等件全……"⑧ 从这个数字也可以看出北元使臣数额很多，明蒙之间的官方贸易额非常高。

第五节　也先败亡与东部蒙古的复兴

北元与明朝和好之后，内部矛盾开始激化。脱脱不花汗试图摆脱傀儡地

---

①　《明英宗实录》，正统十四年十月丁卯条。
②　《明英宗实录》，景泰元年五月辛未条。
③　《明英宗实录》，景泰元年六月己丑、辛丑、壬寅条，景泰元年七月癸卯条。
④　《明英宗实录》，景泰元年八月丙戌、癸巳、甲午条。
⑤　《明英宗实录》，景泰元年九月壬子，景泰元年十月癸酉条。
⑥　《明英宗实录》，景泰二年正月乙丑条。
⑦　《明英宗实录》，景泰二年三月乙巳、壬子条。
⑧　《明英宗实录》，景泰四年正月丙戌条。

位，他不立与也先姐所生的儿子为太子，另立他子。脱脱不花汗与也先之间的矛盾激化。也先拉拢和利用脱脱不花汗弟阿噶巴尔津济农①，向他许诺打败脱脱不花汗后让其即位，邀其共击脱脱不花汗。景泰二年底，脱脱不花汗率先出兵征讨也先，中途而返，也先和阿噶巴尔津济农追击，打败脱脱不花汗，脱脱不花汗率数十人逃走，也先尽收其妻妾、太子及部属。② 脱脱不花汗逃至兀良哈地方，被其已休前妻之父沙不丹（清代译为彻卜登）擒杀。③也先随后诱杀阿噶巴尔津济农，凡故元头目苗裔无不见杀。④

1453 年（明代宗景泰四年），也先自称"大元田盛（天圣）大可汗"，建年号"添元"，蒙古文史籍中称作也先汗（1453—1454 年在位）。景泰四年十月，也先遣使向明廷告知自己即位称汗。明廷拒不承认其为北元正统可汗，回书中称作瓦剌可汗。⑤ 也先本非元裔，他的篡位得不到各地蒙古封建主的承认和拥护，景泰五年，瓦剌贵族为争夺权力发生内讧，阿剌知院杀死也先及其弟赛罕王，也先弟歹都王率其部属西走。也先长子火儿忽答孙楚王、伯颜帖木儿得知院以及也先妻者密失哈屯率一万人马，居于干（干）河。⑥

也先父子兼并瓦剌各部，加强了对西部蒙古的管理，并得到明朝的支持，从而打败阿鲁台，统一了东蒙古，实现了整个蒙古地区的短暂统一。东面控制了女真各部，西面势力扩展至中亚，形成了空前庞大的游牧帝国。土木堡之变一度威胁到明朝的安危，由于也先发动战争只是为互市贸易，一旦恢复与明朝的通贡互市，双方很快就相安无事了。土木堡之变后，也先势力增强，野心进一步膨胀，击败脱脱不花汗之后，公然违背只有成吉思汗家族成员才能担任可汗的蒙古传统观念，自立为可汗，失去了蒙古贵族的支持，引起内讧，最终败死。也先汗死后，瓦剌贵族为首的西部封建主内部分裂，

① 阿噶巴尔津，阿拉伯语名字，意为"最伟大的宗教"，参见希都日古《关于明代蒙古人的宗教信仰》一文，《中国边疆史地研究》2006 年第 3 期。
② 《明英宗实录》，景泰三年二月己巳条，景泰三年九月庚子条。
③ 《明英宗实录》，景泰四年八月甲午条。
④ 《明英宗实录》，景泰四年八月甲午条。
⑤ 《明英宗实录》，景泰五年二月癸未条。
⑥ 《明英宗实录》，景泰六年五月己酉条。

势力迅速衰落，而东部蒙古封建主的势力逐渐恢复，西部蒙古各部在东部蒙古贵族势力的不断打击下开始向西迁移，东部蒙古势力逐渐占据大漠南北地区，瓦剌与中原的关系也逐渐被阻断。

景泰六年，喀喇沁部首领孛罗（孛来）率兵击杀阿剌知院，俘其母妻，夺得玉玺，并扶立脱脱不花汗幼子为汗。脱脱不花汗死后，留有二子，一为小哈屯撒木儿太后所生幼子马儿苦儿吉思，一为沙不丹女阿勒塔哈勒真哈屯所生莫兰台吉（清代译为摩伦台吉）。① 孛来立马儿苦儿吉思（麻儿可儿）为汗，其尊号清代译为乌珂图汗（1455—1465 年在位），由于其年幼明人称作"小王子"。此后明人把北元可汗都称作"小王子"。孛来自称淮王、太师、右丞相，操纵朝政。孛来太师与可汗共同遣使与明朝通贡贸易，并南下到黄河河套，冬入春出，往来驻牧。1465 年（成化元年），孛来太师与可汗发生矛盾，杀死了马儿苦儿吉思汗。成吉思汗弟别力古台后裔毛里孩王又杀孛来太师②，另立马儿苦儿吉思汗之兄莫兰台吉为汗（1466—1467 年在位），不久毛里孩王又杀莫兰汗。此后群雄混战，汗位空缺多年。

1475 年（成化十一年），应绍卜（永谢布）部首领维吾特人癿加思兰立脱脱不花汗幼弟满都鲁为汗（1475—1479 年在位），自称太师。癿加思兰于天顺初年原在哈密一带活动，后来与满都鲁等会合，率部众往来驻牧于河套。③ 也先诱杀阿噶巴尔津济农时，济农的儿子哈尔固楚克在逃跑途中也被杀害，其妻生下遗腹子伯颜猛克，后来被送至兀良哈斡罗出少师处，斡罗出少师将女儿失吉儿嫁给伯颜猛克，并把伯颜猛克夫妻送至其叔祖父满都鲁汗处。满都鲁汗封伯颜猛克为孛罗忽济农（汉文史籍称其为满都鲁汗之侄），命其统领一部分部众。1479 年（成化十五年），癿加思兰太师的族弟亦思马因和脱罗干合谋杀死了癿加思兰，由亦思马因继任太师。

亦思马因任太师后，挑拨满都鲁汗与孛罗忽济农之间的关系，诬陷孛罗忽济农欲夺取汗位，满都鲁汗信以为真，命亦思马因太师率兵征讨孛罗忽济

---

① 乌兰：《〈蒙古源流〉研究》，第 279 页。
② 景泰六年，据来降蒙古人说，卯里海立脱脱不花幼子，升为太师。这也许是对毛里海王的误传，既然是王，就不可能当太师。见《明英宗实录》，景泰六年八月乙巳条。
③ 《明英宗实录》，天顺三年正月丁未条，天顺四年十月己未条。

农，孛罗忽济农兵败逃走，其部落、妻子被掳。孛罗忽济农逃出不久，被永谢布人杀死，亦思马因收娶其妻失吉儿太后。孛罗忽济农与失吉儿太后所生的儿子把秃猛可原寄养于其臣下的家里，因此侥幸活下来。失吉儿太后被亦思马因强娶之后，为其生下了巴不歹、卜儿孩两个孩子，而把秃猛可后来被辗转送至满都鲁汗的满都海扯臣哈屯手中，她精心抚养把秃猛可。

北元中期的政治特点是可汗和台吉的权威衰落，异姓大臣专权，可汗成为这些权臣（赛特）手中的傀儡，任意废立。在异姓大臣中，瓦剌贵族马哈木家族和阿速特贵族阿鲁台专权时间最长，他们分别拥立可汗，各自为政。由于蒙古内部正统观念很强，这些异姓大臣无论势力多大，都不能称汗，即使称汗，也不能得到蒙古人支持，难以持久，所以，他们虽然实掌政权，仍然要扶立成吉思汗家族的后人为傀儡汗，这样使得元朝的汗统一直延续了下来，自也速迭儿篡位至达延汗统一之前近百年中，传十四位可汗。

第　五　章

达延汗的事业及其对内蒙古历史的影响

第一节　达延汗身世及主要事迹

　　蒙古可汗达延汗（1473—1516 年在世，1479—1516 年在位），名把秃猛可，系出元世祖忽必烈、元惠宗妥懽帖睦尔。妥懽帖睦尔嫡孙买的里八剌，1394 年被瓦剌贵族推举为蒙古可汗，1399 年被瓦剌柯儿剌（吉利吉思）氏贵族忽哥赤哈什哈杀害，他就是蒙古文史书所见额勒伯克尼古埒苏克齐可汗。[①] 买的里八剌孙阿寨台吉生三子，长脱脱不花（1433—1452 年间为蒙古可汗）、次阿噶巴尔津（阿巴丁）、幼满都鲁（1475—1479 年间为蒙古可汗）。其中阿噶巴尔津就是达延汗曾祖父。脱脱不花为蒙古可汗时，阿噶巴尔津以脱脱不花胞弟身份受封晋王，统领成吉思汗大斡耳朵及其属民——鄂尔多斯（明代译作“阿儿秃斯”）万户，因此，蒙古文史书称他为阿噶巴尔津济农（即“阿巴丁晋王”）。1452 年阿噶巴尔津与其兄脱脱不花相继死去。阿噶巴尔津孙伯颜猛可，在蒙古可汗马儿古儿吉思（脱脱不花幼子，1454—1465 年在位）、满剌（又译“摩伦”，1465—1466 年在位）时代，继承其父晋王位，继续统领鄂尔多斯部众，号孛罗忽济农，是为达延汗生父。1476 年，孛罗忽济农被蒙古可汗满都鲁、应邵不（清代译作“永谢布”）

---

　　① 详见宝音德力根：《15 世纪中叶前的北元可汗世系政局》，《蒙古史研究》第 6 辑，内蒙古大学出版社 2000 年版。

万户首领太师乩加思兰杀害，部众被吞并。期间把秃猛可生母被乩加思兰族弟亦思马因强娶，把秃猛可流落应邵不万户当喇儿罕鄂托克。1479 年，满都鲁在杀死专权跋扈的太师乩加思兰后病故。因满都鲁无男嗣，新太师亦思马因、第一知院脱罗干等与满都鲁遗孀满都海商议，立把秃猛可为蒙古可汗，满都海成为其皇后。

自 1402 年蒙古分裂为东西两大部后，异姓贵族为争夺蒙古高原霸权征战不休。1433—1452 年，蒙古实现短暂统一，忽必烈后裔脱脱不花被瓦剌贵族脱欢立为蒙古可汗，统治原东蒙古部众，脱欢、也先父子统领西蒙古瓦剌部众并把持朝政。1452 年，脱脱不花与也先反目，脱脱不花兵败被杀，也先夺取蒙古可汗位。1454 年，也先死于瓦剌内乱，东西蒙古再度分裂。在东蒙古，异姓贵族和黄金家族旁支（成吉思汗诸弟后裔）为执掌朝政大权而争斗，东蒙古陷入"黑暗时代"，可汗权威空前削弱，甚至出现 1466—1475 年十年间蒙古可汗之位长期空闲的局面。1475 年，把持东蒙古朝政的太师乩加思兰拥立满都鲁为可汗。为恢复可汗权威，满都鲁东征西讨，先后杀死侄孙孛罗忽济农、成吉思汗弟哈赤温后裔癞太子，最后消灭专权跋扈的太师乩加思兰，给异姓贵族和黄金家族旁支以沉重打击，大大加强了蒙古可汗的权威。

达延汗即位后，继承满都鲁遗志，继续打击异姓贵族势力，极力加强汗权。

达延汗一生成就了两件密切相关的大事，一是与异姓贵族进行了长期的斗争，结束了东蒙古历史上异姓贵族把持朝政的局面，在剥夺异姓贵族对各部的世袭统治权的同时，取消了异姓贵族拥有的元朝官衔。二是将自己的子孙分封到北元可汗直属部众，在东蒙古确立了孛儿只斤黄金家族的直接统治。两件大事有因果关系。达延汗对蒙古封建秩序所作的调整，对以后蒙古历史的发展和整个蒙古民族命运都产生了深远的影响。

一、消灭亦思马因、降服亦不剌

达延汗即位后，身为达延汗继父和太师的亦思马因把持着东蒙古朝政。但是经过满都鲁的吞并，蒙古可汗汗帐所在的察哈尔（明代汉籍作"察罕儿"）万户实力大增，而遭打击的太师亦思马因属部应绍不万户的力量却有所削弱。达延汗拥有雄厚的实力，并从小具有出群超凡的智慧和才能（高丽人称十三岁时的达延汗"为人贤智卓越"），他不可能长期受制于亦思马因。

成化十六年二月，明将王越在威宁海子袭击长途迁移的达延汗汗帐，险些使达延汗丧命。同年，亦思马因率众东掠山阳万户泰宁、福余二卫。1481年明朝得报："虏酋亦思马因等窃议，与小王子连兵，欲寇大同等边"，显然这是要报前一年威宁海之仇。但是到了1483年（成化十九年），情况发生了巨变："亦思马因为迤北小王子败走"，西逃至"甘肃以北亦集乃等处"。亦集乃等处正是乜克力部亦思马因的老巢，但此时已经成为瓦剌新太师、也先子克舍的势力范围。克舍在也先死后来到哈密附近，投靠了哈密。成化初年瓦剌在也先次子阿失帖木儿率领下一度颇为强大，他曾多次打败东蒙古毛里孩、孛罗乃，出入漠北腹地。但是1469年阿失帖木儿部下拜亦撒哈等"作乱"，迁居哈密附近，使阿失帖木儿势力迅速衰退。1478年阿失帖木儿死，牧地在哈密附近的克舍继任瓦剌太师，也先子孙大都聚集在亦集乃、哈密北山及其以北地区。在这种背景下，被迫来到故土的亦思马因及其乜克力部众，很快就被克舍控制。

1486年，达延汗派山阳万朵颜卫首领脱火赤为首的多名战将率兵出征瓦剌克舍和亦思马因。关于这次战事的结果，明朝得到的报告是："虏酋瓦剌克舍并亦思马因已死，两部人马散处塞下。"很显然，克舍和亦思马因的联军被达延汗部下打败，二人被杀。据蒙古文史书记载，亦思马因被杀后，其妻亦即达延汗生母失乞儿太后和她与亦思马因所生两个儿子卜儿孩、巴不歹被脱火赤带回达延汗处。

克舍死后也先另一个儿子阿沙赤继任太师，但也先幼子阿里吉多兀与之不合，相互征战。1492年（明弘治五年），瓦剌也先之孙亦不剌、亦剌思从东察合台汗国回到蒙古，很快控制了亦集乃一带的原亦思马因部众。亦不剌和亦剌思是也先子兀麻舍的儿子，母为东察合台汗国汗王之女。二人因母亲之故皈依伊斯兰教并在东察合台汗国生活。这时因与舅家的矛盾，回到瓦剌。

次年达延汗携皇后满都海出征瓦剌亦不剌、亦剌思及其控制下的原亦思马因部众。但因遭瓦剌突袭而败北，退兵途中满都海坠马，达延汗双生子因此而早产。但是，达延汗并没有因暂时的挫折而气馁，当时达延汗率七万之众，长期"潜住贺兰山后"，对亦不剌、亦剌思部众进行了不懈的征讨。1495 年达延汗大兵压境，亦不剌、亦剌思等被迫投降。

二、取消太师等职位

元廷北迁后，一方面是因为自忽必烈"附会汉法"，汉式官僚制度和礼仪制度逐渐被蒙古人接受，另一方面则是因为北元仍以中原正统自居，出于同明朝在政治上抗衡的需要，在很长一段时间内仍实行元朝汉式官制和司法、礼仪制度。

妥懽帖睦尔、爱猷识理达腊、脱古思帖木儿都有汉语年号，分别是至正、宣光、天元。在他们死后都应有汉语谥号和庙号，我们只知前两位的庙号分别为惠宗和昭宗。北元还曾向高丽颁布新历。昭宗时，高丽行"宣光年号，中外决狱，一遵《至正条格》"。

在官僚制度方面，元朝的行政和司法、军事、监察几大体系仍很完备，仅从蒙古各部首领拥有各机构官职、官衔的情况我们就可以作出这样的判断。见于蒙、汉文文献中的北元前期官职、官衔有：中书省：右左丞相、平章政事（简称平章，第一至第四，有严格的排位）、左右丞、参知政事（简称参政）、中书右左司郎中以及六部尚书等；枢密院：知枢密院事（简称知院，第一至第四，有严格的排位）、枢密副使（简称副枢）、同知枢密院事（简称同知）、金枢密院事（简称金院）等；御史台：御史大夫、御史中丞、侍御史、监察御史。三大系统高级长官还拥有太师、太傅、太保、太尉、少师、少保等师保官衔。

但是，随着北元政权的游牧化，元朝汉式官僚制度和司法、礼仪制度因不适应单纯游牧社会而失去效应，元朝旧官职和官衔也随之失去了原有的意义，成为异姓贵族大臣地位和身份的象征。于是像阿鲁台这样的权臣就能将"太师、右丞相、枢密院为头知院（阿哈剌忽即第一知院）、御史大夫"等官衔集于一身。一般说来，拥有太师（右丞相）、太傅（左丞相）、太保（第一知院）以及知院、平章等官衔的都是大游牧集团（万户—兀鲁思、鄂托克—爱马）首领，地位很高，权势也大。

长期以来，异姓贵族大臣专权跋扈，随意废杀黄金家族可汗和成员，这些给达延汗心灵深处留下了难以磨灭的创伤。特别是"太师"这个官衔，几乎成了异姓贵族专权跋扈的代名词。当达延汗消灭太师亦思马因后，第一个想到的就是永远取消作为北元政权最高行政、司法、军事长官的太师官衔。这就是明人所描述的消灭亦思马因之后的蒙古政局："虏中太师官最尊。诸酋以王（指达延汗——引者）幼，恐太师专权，不复设太师。"

果然，继亦思马因之后，虽然有权势仅次于亦思马因的满官嗔—土默特部主脱罗干取代其位，成为达延汗麾下领兵打仗的第一大首领，但脱罗干的官称仍旧是阿哈剌忽知院。继脱罗干为满官嗔—土默特部主的火筛，仍无太师官衔，只称"塔不囊"（驸马）。可见，亦思马因的确是东蒙古最后一位把持朝政的太师。

需要说明的是，蒙古文史书也称后来的亦不剌为太师，这是因为亦不剌是瓦剌也先孙，而也先子孙大多都有太师称号之缘故，与把持东蒙古朝政的太师官衔不同。

后来，随着达延汗进一步削弱异姓贵族权力，分封子孙到北元可汗直属部众，较太师低一些的太傅、太保、知院、平章等元朝官衔也逐渐消失了，代之而起的是汗、皇太子、济农、太子等尊号了。

三、平定右翼叛乱

打败亦思马因、取消太师一职后，达延汗的统治日渐稳固，可汗权威得到了恢复。在此基础上，他为了进一步削夺异姓贵族的权力，派自己的儿子兀鲁思孛罗到右翼鄂尔多斯部担任济农。同时派三子巴儿速孛罗到满官嗔—土默特部。这可能是达延汗分封诸子的最初尝试。鄂尔多斯部本是达延汗之父孛罗忽济农及其祖先的部众。孛罗忽被满都鲁、乜加思兰等人杀死，其部众被吞并，从此鄂尔多斯部统治权就落入异姓贵族之手并成了乜加思兰、亦思马因等统治下的应绍不万户的附庸。达延汗时代该部首领为勒古失阿哈剌忽，与亦不剌、火筛同为右翼三万户首领。达延汗对其父被杀，部众被夺一事始终耿耿于怀，因此，在可汗权威有所加强之后，首先从鄂尔多斯部"开始"，派自己的儿子到该部，恢复其家族统治。

据蒙古文编年史书《黄金史》记载，应绍不万户新首领亦不剌部下曾偷窃兀良哈万户把颜脱脱的马群，未曾治罪。后来亦不剌部下又将前来争夺马群的把颜脱脱杀死，犯下大罪。因为涉及左右翼两大万户的诉讼，达延汗派自己的长子兀鲁思孛罗等前去断案。恰巧，兀鲁思孛罗的一个近侍欠亦不剌族人一匹马，因索要马匹，二人发生争执。兀鲁思孛罗偏祖自己的近侍，杀死了亦不剌的族人。亦不剌、勒古失、火筛等不满，杀死了达延汗子兀鲁思孛罗及其随从。此时，达延汗第三子巴儿速孛罗在满官嗔—土默特部首领火筛家入赘为婿，因惧怕其岳丈加害，将幼小的次子俺答弃于火筛家，带着自己的长子衮别里哥及其侍从逃回达延汗处。

达延汗闻讯，于1508年（明正德三年）率部征讨右翼，结果在土儿根河（今呼和浩特附近的大黑河）被火筛打败，火筛率部追击达延汗至哈海额列速（今西乌珠穆沁旗境的噶海额列苏），大掠察哈尔克什旦、克木齐兀（谦州）二鄂托克而还。1509年，达延汗重整旗鼓，率左翼察哈尔、喀尔喀（明代汉籍作"罕哈"）、兀良哈三万户以及合撒儿后裔所属科尔沁万户的兵马，在达兰特哩衮（今鄂托克旗东北达楞图如湖）与右翼三万户之军决战，大败右翼，取得了决定性胜利。1510年，火筛带着达延汗孙俺答来降，亦不剌、勒古失以及亦思马因子卜儿孩（达延汗同母异父弟）等人则逃往青海。达兰特哩衮之战的胜利，为以后达延汗分封诸子、取消各万户、各鄂托克异姓贵族世袭统治权打下了基础。

第二节 达延汗诸子的初封

达延汗一生事业的第二个成就是将自己的子孙分封到北元可汗直属部众，在东蒙古确立了孛儿只斤黄金家族的直接统治。

达延汗共有十一子一女，皇后满都海生有七男一女，另外两个妃子兀鲁氏和巴儿虎氏各生二男。十一子中，皇后满都海所生长子铁力摆户（又名图鲁孛罗，清代汉译图噜博罗特）和巴儿虎氏妃子所生第八子克列兔早卒，没有留下后代。[①] 其余九子被分封到北元可汗直属六万户中除兀良哈万户[②]

———————

① 对达延汗皇后所生夭折的儿子，文献记载有矛盾。有的说是长子铁力摆户，有的则说是次子兀鲁思摆户。有关考证参见宝音德力根：《15世纪中叶前的北元可汗世系政局》。

② 兀良哈万户驻牧肯特山一带，为成吉思汗等蒙古可汗守陵。16世纪20—30年代，以不地为首的达延汗祖孙多次对兀良哈万户用兵，最后将其瓜分。

以外的其他五万户。对达延汗诸子诸孙及其受封情况，佚名《俺答汗传》、《黄金史》、罗桑丹津《黄金史》、《大黄史》、《蒙古源流》等蒙古文史书和汉文史籍《九边考》、《北虏考》、《北虏世代》、《夷俗记·北虏世系》等均有繁简不同的记载。① 其中有些记载反映了达延汗时代其子孙首次分封的情况，有些则反映了达延汗子孙相互侵夺属民和部众后形成的新格局。让我们首先考证达延汗诸子初封情况。

由于达延汗长子铁力摆户夭折，同胞双生次子兀鲁思摆户实际成为达延汗长子。兀鲁思摆户小名阿尔伦，汉籍有时简称五路士，蒙古文史书又称他为兀鲁思孛罗，有时只尊称阿巴海。兀鲁思摆户大约出生在 1488 年②，1507—1508 年被蒙古右翼异姓贵族亦不刺等人杀害，遗年幼二子长不地、次也密力（又译"乜明"，"乜"为"也"之误）。达延汗去世前，指定不地为蒙古可汗之位的继承人。按照蒙古可汗斡耳朵驻察哈尔万户、蒙古可汗直接统领察哈尔万户的传统，不地（还有他的弟弟也密力）被分封到察哈尔万户。16 世纪中叶，察哈尔万户一部分在蒙古可汗打来孙率领下南下大兴安岭驻牧，征服了成吉思汗幼弟斡赤斤后裔所属山阳万户即明人所谓的泰宁等三卫。同时，打来孙对旧部和新征服的部众进行第二次分封。这样，不地、也密力后裔统治下的察哈尔万户形成了可汗斡耳朵直属部众和左右翼八鄂托克。③

达延汗三子巴儿速孛罗（清代译作"巴尔斯博罗特"），小名阿着，1517—1519 年间，乘不地年幼曾一度夺取蒙古可汗之位，因此有赛那剌汗的汗号。1519 年不地兴师问罪，巴儿速孛罗让位于不地并于同年在忧郁中

---

①　历来被蒙古史学界所推崇的《蒙古源流》，特别记载了达延汗子孙受封情况。但所记多是达延汗子孙相互侵夺属民后的情况，而且错讹很多。国内学界直到现在仍不加考辨地引用《蒙古源流》的有关记载来叙述达延汗诸子初封情况，如 2002 年出版的义都和希格主编、曹永年主笔：《蒙古民族通史》第 3 卷，内蒙古大学出版社 2002 年版，第 208—209 页。

②　据《俺答汗传》，达延汗三子巴儿速孛罗 30 岁时继承蒙古可汗位。巴儿速孛罗即位年为 1517 年，由此推算，其生年为 1490 年。巴儿速孛罗同母兄达延汗长子铁力摆户和次子兀鲁思摆户为双生，因此其生年应在 1488 年前后。当时达延汗 16 岁左右，皇后满都海 42 岁左右。吉田顺一等译注：《俺答汗传》附原文影印件，东京风间书屋 1998 年版。

③　宝音德力根：《好趁察罕儿、五鄂托克察罕儿和察哈尔八大营》，《内蒙古大学学报》（蒙古文版）1998 年第 3 期。

死去。在镇压蒙古右翼异姓封建主叛乱后不久，达延汗便派巴儿速孛罗到鄂尔多斯万户担任济农。巴儿速孛罗死后其长子墨尔根（明译麦力艮）继承济农称号，继续统领鄂尔多斯万户。墨尔根死后，其九子析产，形成鄂尔多斯八鄂托克（麦力艮第七子早死无后，部众被同母弟第六子之长子继承）。①

需要指出的是，自达延汗曾祖父阿噶巴尔津济农开始，鄂尔多斯万户就已经成为达延汗家族的领民。因此，达延汗派次子兀鲁思孛罗到鄂尔多斯万户，实际上是在恢复其家族对鄂尔多斯万户的统治权，也是达延汗分封子孙的最初尝试。

达延汗第四子名阿儿速孛罗，与三子巴儿速孛罗同胞双生。《九边考》、《北虏考》等汉籍中其名作"满官嗔"，而《北虏世代》、《夷俗记·北虏世系》则作"我角黄台吉"、"我折黄台吉"。满官嗔、我折（我角）都不是阿儿速孛罗的真名，它表示阿儿速孛罗领有满官嗔或我折部众，是满官嗔或我折部的"黄台吉"。"我角"、"我折"是"兀者"的异译。"兀者"是女真语，意为"林木中人"，原指居住在森林中的开化程度较低的女真人，因此，明代汉译"野人女真"。"满官嗔"意为"类蒙古"，是蒙古人对那些蒙古化的兀者人的称呼。满官嗔—土默特部的原统治者脱罗干、火筛父子及其属民大多是蒙古化的兀者人，因此其部众才也被称作"满官嗔"或"我折"。② 从阿儿速孛罗拥有的"满官嗔"或"我折黄台吉"的称号我们就可以知道，他最初被分封到整个满官嗔—土默特万户，是该万户最高统治者。阿儿速孛罗的身份、地位与巴儿速孛罗完全相等，因此和胞兄一样统领蒙古右翼一个万户。

达延汗第五子名阿赤赖孛罗（清代译作"斡齐尔博罗特"），其名在蒙古文《俺答汗传》作乌达孛罗，他被分封到察哈尔万户的克失旦（清代译作"克什克腾"）。《九边考》、《北虏考》记载了蒙古可汗不地所直辖的察哈尔五大营（即五大鄂托克），其中"克失旦"就是阿赤赖孛罗所领。

---

① 宝音德力根：《15—16世纪鄂尔多斯历史的几个问题》，《内蒙古大学学报》（蒙古文版），1998年第1期。

② 参见宝音德力根：《满官嗔—土默特部的变迁》，《蒙古史研究》第5辑，内蒙古大学出版社1997年版。

　　达延汗第六子名安出孛罗（清代汉译"阿勒楚博罗特"），他被分封到喀尔喀万户左翼。《俺答汗传》将安出孛罗之名误记为"Nelbuɣura"（字形为"ALBOKORA"，也可读 Elbuɣura），这可能是因为与后一个记载的达延汗第七子 Nelbuɣura 相混淆的结果。史料来源与《俺答汗传》相同的明末汉籍《北虏世代》、《夷俗记·北虏世系》的记载与之相同，为了区别，只好用不同汉字，分别译作"纳力不剌"和"那力不剌"。这样，达延汗就有了名字完全相同的两个儿子了。此外，《九边考》、《北虏考》都记载，在蒙古可汗不地时代"罕哈部下为营者三，大酋猛可不朗领之。"安出孛罗子虎喇哈赤，随蒙古可汗打来孙南下大兴安岭驻牧，所部号称山阳喀尔喀（清代译作"内喀尔喀"，不确）。虎喇哈赤死后五子析产，形成所谓"内喀尔喀五部"。

　　达延汗第七子名那力不剌①，他是皇后满都海所生幼子，是真正意义上的幼子，地位与身份远高于妃子所生幼子即第十一子格埒森札。按照蒙古传统，他分得的部众当与事实上的长子兀鲁思孛罗相当。② 结合那力不剌子孙后来仍统治着部分应邵不万户部分属民的事实，我们有理由认为，他最初是被分封到北元历蒙古太师所领强大的应邵不万户，至少包括其主体阿速、哈剌陈（清代译作"喀喇沁"）等鄂托克。

　　达延汗第十子五八山只称台吉，"五八山只"是其名，"称台吉"为其号。《北虏世代》和《夷俗记·北虏世系》误将五八山只称台吉的名号割裂，分别列为第十子五八山只、第八子称台吉。由此，自然就漏记了达延汗第九子革儿孛罗。五八山只舅家为瓦剌四万户之一的巴图特万户首领巴儿虎氏阿剌知院之子。1454 年阿剌杀死篡夺蒙古可汗之位的也先。后来，也先子孙强大，阿剌子不能在瓦剌立足，南下投靠哈密北山一带的乩加思兰，成为乩加思兰及其继任太师伊思马因以及亦不剌等人的属民。右翼叛乱被镇压

---

　　①　其名在蒙古文史书中有不同记载，佚名：《黄金史》和罗藏丹津：《黄金史》的记载与《俺答汗传》同，均作那里不剌（Nelbu ɣura）；《大黄史》作那里孛罗（Nelbolad）。只有《蒙古源流》作那儿孛罗（Narbold），显然将名字的前半"Nel"误为"Nar"或"Ner"了。

　　②　萧大亨：《夷俗记》载："夷人分析家产，大都厚于长子及幼子。如人有四子，伯与季各得其二，仲与叔各得其一。"

后，这部分巴儿虎人被五八山只占据。①

达延汗第九子名革儿孛罗，《俺答汗传》作革根猛可。革儿孛罗舅家是阿老出之子。阿老出出身五投下兀鲁贵族，曾是哈剌陈氏贵族太师孛来部下。后来，阿老出部众被乱加思兰吞并，成为应邵不万户下的塔不乃麻（意为"五部"、"五投下"）鄂托克。阿老出女为达延汗母，孙女为达延汗妃子，生革儿孛罗。身为兀鲁贵族外甥的革儿孛罗被分封到其舅家，统领兀鲁或塔不乃麻鄂托克。应该注意的是，革儿孛罗所属兀鲁部已经脱离其主体应邵不万户，转而附属察哈尔万户左翼，与察哈尔左翼敖汉、奈曼等部为邻，因此《蒙古源流》误认为革儿孛罗及其后裔统治的是敖汉、奈曼部。关于革儿孛罗及其后裔统治兀鲁部的情况，日本学者森川哲雄有专门的考证。②

达延汗第十一子名格埒森札，与革儿孛罗同母，他统治了喀尔喀万户的右翼。喀尔喀万户的主体由扎剌亦儿等五投下贵族后裔属民组成，因此，格埒森札号"扎剌亦儿黄台吉"。对于兀鲁氏所生格埒森札而言，喀尔喀同样是其舅家。格埒森札死后，其七子析产，形成阿鲁喀尔喀（清代译作"外喀尔喀"，不确）七鄂托克。

以上是达延汗子孙初封情况。其中分封到左翼察哈尔万户的是次子和五子，喀尔喀万户的是六子和十一子。分封到右翼鄂尔多斯万户的是三子，满官嗔—土默特万户的是四子，应邵不万户的则有七子、九子和第十子等三个儿子。

第三节　达延汗子孙相互侵夺属民
以及诸子初封格局的改变

达延汗死后，由于其子孙相互侵夺属民，使达延汗最初分封诸子的格局很快发生很大变化，东蒙古社会也随之陷入黄金家族后裔割据的分裂局面。

---

① 宝音德力根：《"喀尔喀·巴儿虎"的起源》，载宝音德力根等主编：《明清档案与蒙古史研究》第 2 辑，内蒙古人民出版社 2002 年版。
② 森川哲雄：《察哈尔八鄂托克及其分封》，《东洋学报》第 58 卷第 1—2 期，1976 年版。

在右翼，由于巴儿速孛罗曾经一度窃取蒙古可汗之位，使其子孙在全体达延汗子孙中的地位陡然提高。凭借这些，巴儿速孛罗子孙在不断侵夺被分封到蒙古右翼的达延汗其他子孙属民。

统治整个满官嗔—土默特万户的达延汗四子阿儿速孛罗势力强大，他曾在巴儿速孛罗死后觊觎蒙古可汗之位。[①] 但是，他可能不久就去世了。因为在 16 世纪 20 年代中期，满官嗔—土默特万户的最高统治权已经落入巴儿速孛罗次子俺答手中。这是俺答侵夺阿儿速孛罗子孙属民的结果。此后，原来满官嗔—土默特万户最高统治者阿儿速孛罗子孙就变成了俺答的附庸，只能统领该万户下的一个鄂托克—多罗土蛮。

继阿儿速孛罗子孙后，统治阿速、哈剌陈等原应邵不万户主体的达延汗真正幼子那力不剌子孙的属民也遭巴儿速孛罗子孙侵夺，最强大的哈剌嗔部的统治权归了巴儿速孛罗第四子伯思哈儿。《九边考》和《北虏考》提到 16 世纪 20—30 年代驻牧于大同镇边外的"哈连、哈喇嗔"二部时说："北虏哈喇嗔、哈连二部常在此边驻牧。哈喇嗔部下为营者一，大酋把答罕奈领之，兵约三万；哈连部下为营者一，大酋失喇台吉领之，兵约二万。入寇无常。"引文中的"哈喇嗔"即"哈剌陈"；"哈连"为"哈速"之误，而"哈速"就是"阿速"之异译。统领哈剌嗔的大酋"把答罕奈"当指伯思哈儿。[②] 与伯思哈儿一同驻牧于大同边外并统领阿速部的失喇台吉就是原整个应绍不万户的统帅那力不剌的长子。从以上记载我们可以看到，由于哈剌陈部落入伯思哈儿之手，那力不剌家族失去了对整个应绍不—哈剌陈万户的统治权。但是，至少在不地汗时代，作为那力不剌长子的失喇台吉，还能够统领有"兵约二万"的阿速部，势力仍十分强大。

不幸的是，这种局面并未能维持多久。大约在不地汗晚年或打来孙汗初年，随着巴儿速孛罗子孙进一步侵夺，那力不剌家族对阿速部的统治权也被剥夺。《蒙古源流》记载：

---

① 拉喜彭斯克：《水晶念珠》，内蒙古人民出版社 1985 年版，第 849 页。

② 和田清：《明代蒙古史论集》，第 526 页。伯思哈儿年轻时英勇善战，故有"把都［儿］"（Bagatur，意为"勇士"）称号，年迈后被称作"老把都"（这是汉籍对伯思哈儿最常见的称呼）。他在很早就取得了汗号，称 Kyndülen Qagan（汉译"昆都力哈"）。"把答罕奈"一名中"把答"可能是"把都"的异译，"哈奈"则应是 Qagan（汗、可汗）的音译。

巴儿速孛罗之子……卜只达剌，甲戌年出生。他在幼年玩耍时曾唱道："愿阿著、失喇二人相互残杀，好让我占有阿速、应绍不。"后来，五八山只称台吉之子名为阿著、失喇的兄弟二人［果然］相残。因为阿著杀死了弟弟，［属民］被瓜分，［又］因为失喇被害无嗣，［众人］谓应了［卜只达剌］的话，就让卜只达剌占据了阿速、应绍不两部。

阿著，明人误译为那出，失喇即失喇台吉。失喇为兄，阿著为弟，二人是那力不剌之子，而非五八山只称台吉之子。《蒙古源流》这段源自口头传说的记载有不少错误，对此日本学者森川哲雄已有考证。[①] 此外，说失喇无嗣也是《蒙古源流》的遁词，《北虏世代》记载了失剌子孙多人。

从《北虏世代》和《夷俗记·北虏世系》所记赛那剌（即巴儿速孛罗）幼子我托汉卜只达剌（我托汉即"幼子"）的世系可知，其长子恩克跌儿，营名永邵卜，又称"永邵卜大成台吉"；幼子火落赤又称"哑速火落赤把都儿台吉"。"永邵卜"与"应绍不"是同名异译，"哑速"即阿速。这说明卜只达剌子恩克跌儿和火落赤分别占据了应绍不和阿速两部。[②] 其中，应绍不鄂托克主要由被蒙古人称作委兀儿慎的乜克力人即原亦思马因、亦不剌部众组成。16世纪30—40年代，俺答长期用兵青海，征服逃往那里的亦不剌、卜儿孩（亦思马因子、达延汗同母弟）所属委兀儿慎部众后，将其交给侄儿大成台吉即恩克跌儿大成台吉统治。[③]《北虏世代》和《夷俗记·北虏世系》同时还记载了那力不剌子失喇、那出、不克、莫蓝四子营名及其世系，正好反映被卜只达剌子孙侵夺后的窘境：他们分别统领哈不慎、委兀儿慎、打喇明暗（意为"次千户"），完全受制于伯思哈儿和卜只达剌后代。其中营名"哈不慎"应是"哈兀慎"的笔误。"哈兀慎"（又译"好陈""好趁"）意为"旧的、老的"，罗桑丹津《黄金史》称"阿速、哈剌陈、Širanud"三部为好陈哈剌陈（即老哈剌陈、旧哈剌陈）。因此《蒙古源

① 森川哲雄：《察哈尔八鄂托克及其分封》，《东洋学报》第58卷第1—2期，1976年。

② 和田清：《明代蒙古史论集》，第393页。此外，也辛跌儿子"把儿勿"台吉和哑速火落赤把都儿子"唐兀"台吉的名字当与原应绍不万户的把儿虎、唐兀当剌儿罕鄂托克有关。

③ 《俺答汗传》，叶8b，吉田顺一等译注：《俺答汗传》附原文影印件，风间书屋1998年版。

流》所说那力不剌后代占据察哈尔的浩齐特（即哈兀慎的复数）鄂托克的说法不可信，是把表示"老察哈尔"之意的"好陈察哈尔"（"省称为 Qaγučid—浩齐特"）与表示"老哈剌陈"之意的"哈兀慎哈剌陈"（省称即为"Qaγučin—哈兀慎"或"Qaγučid—浩齐特"）相混同了。

在左翼，达延汗子孙相互侵夺部众的情况也存在。达延汗第八子五八山只称台吉统领巴儿虎部，其牧地临近格埒森札所属喀尔喀万户右翼。《北虏世代》记载格埒森札后代时说："格埒森札台吉七子，只一存，其名余无可考。哑叭太台吉系格埒森札台吉长子，营名罕合，众与称台吉子孙居住西塞嘉峪外黄河脑儿等处，其后无考。""罕合"即喀尔喀，"哑吧太"就是喀尔喀汗国的创始人阿巴泰汗，是格埒森札孙。黄河脑儿是色楞格河流域的一个湖泊。后来，我们看到的巴儿虎都冠有"喀尔喀"之名，称"喀尔喀·巴儿虎"，并属喀尔喀车臣汗家族统领。看来，因牧地相邻等缘故，五八山只称台吉所属巴儿虎部众后来被格埒森札后代吞并了。①

明嘉靖初年，在可汗直辖地区，形成了六个兀鲁思，即六万户，其中五个万户由达延汗子孙直接管领。右翼万户：鄂尔多斯万户，居河套；土默特万户，居山西大同北，以今呼和浩特为中心，分布于大青山南北；应绍卜万户包括喀喇沁和阿速特等分支，在宣府（今河北宣化）北，北面直到大漠。左翼万户，察哈尔万户原在今克鲁伦河中下游一带，与喀尔喀部为近邻，具体疆界缺乏记载，后来南迁西拉木伦河流域；喀尔喀万户初在今哈拉哈河一带，后来一部分南迁辽河流域，称为内喀尔喀，一部分向西扩张至今杭爱山，被称作外喀尔喀；兀良哈万户，最初活动于漠北，与瓦剌为邻，后被不地汗、吉囊和俺答屡次征伐，最终被兼并，部众被其他五万户瓜分。可汗直接管辖左翼三个万户，济农管辖右翼三个万户，这六万户是达延汗及其子孙直接管辖的部落。

除这六万户之外，还有成吉思汗诸弟，即元代东道诸王子孙的封地封民。如合撒儿的后人统领科尔沁、郭尔罗斯、杜尔伯特、扎赉特等部。哈赤温后裔统辖翁牛特部、喀喇车里克部。别里古台后裔管辖阿巴噶和阿巴哈纳

---

① 参见宝音德力根：《"喀尔喀·巴儿虎"的起源》，《明清档案与蒙古史研究》第 2 辑，内蒙古人民出版社 2002 年版。

尔部等。西部以瓦剌为首的蒙古诸部西迁至额尔齐斯河、伊犁河一带，东至杭爱山，南至哈密以北，独立发展。科尔沁等元代东道诸王后裔部落在北元历史上发挥了重要作用，是可汗统辖之下的东部蒙古重要部落，几乎参与了明代蒙古历史上所有的重大事件，是可汗的重要支持者，同时也是威胁者。此外，名义上附属于明朝的朵颜等三卫（即兀良哈三卫）也臣服于蒙古可汗，蒙古人称作"山阳万户"。山阳万户最初由铁木哥斡赤斤后裔诸王统辖，即泰宁卫首领辽王阿扎失里及其后裔。永乐初，重建三卫之后，朵颜卫势力渐强，但是，辽王阿扎失里后裔泰宁卫首领仍是三卫的实际统治者。成化元年（1465 年），明朝派遣使臣指责三卫犯边，泰宁卫大头目兀喃帖木儿回答说："我三卫人自祖宗以来受朝廷大职事，金衣美食，自合出力补报岂敢犯边？此盖迤北毛里孩与孛来相仇杀，其人马分散在边搅扰。且三卫是我一人把总，其朵颜卫都督朵罗干往开平围猎，福余卫大头目可台往海西趁食，今雪大难行，请以敕与我，转差二头目赍付朵罗干等"[1]。从明弘治末年开始朵颜卫首领阿儿乞蛮、花当与小王子结姻，称雄三卫，兀良哈氏成为山阳万户的统治者。

达延汗消灭亦思马因太师之后，废除了自元代保留下来的太师、平章、知院等官职，不复设太师、丞相等职，把异姓大臣——赛特及其属民皆置于其诸子的管辖之下，结束了异姓封建主各自为政的局面，确立了可汗及其家族成员在东部蒙古各部的绝对统治地位，自此东部蒙古的百姓都成为汗、台吉的臣民。

可汗家族成员有洪台吉（皇太子）、台吉（太子）的称号，他们是贵族，只有他们才有资格领有百姓，原有太师、丞相、知院、平章等官职的异姓封建主，现在都成为可汗家族的臣仆，只能辅佐和管理具体事务。他们有赛特、扎萨古尔、恰等名称，他们中的一些人与可汗、台吉联姻，成为女婿，称之为塔布囊（驸马）。

达延汗通过分封诸子进行了一次大规模的权力再分配，重建了封建秩序。他剥夺了许多异姓封建领主的领地和属民，转交给自己的子孙，加深了蒙古牧民对汗、台吉的依附程度。这种权力再分配，使各部封建领主之间增

---

① 《明宪宗实录》，成化元年十一月辛未条。

加了一层血缘关系，虽不能改变封建领主制度的割据性，但是在很大程度上减少了相互间的战争，结束了绵延百余年的内讧和战乱，使蒙古各部有了比较安定的生产生活环境，对蒙古社会的发展起到了一定的积极作用。

　　达延汗虽巩固了东部蒙古地区的统一，但是，受蒙古游牧经济和分封制度的制约，无法建立起中央集权的统治。达延汗死后，诸子各有分地分民，形成各自为政的小王国，蒙古可汗不能直接管理这些诸王的属民和领地，诸王在名义上尊可汗为宗主，实际上各行其政，相对独立。可汗通过召集诸王参加的"楚固兰"（会盟），来发布诏令，实现对各部的管理。在"楚固兰"商议诸如可汗即位、出征、制定法规、协调各部关系等重大事情。诸王必须履行随可汗出征、向可汗纳贡的义务。"楚固兰"通常不定期进行，因事召集，因此各万户间的关系很松散。各万户、鄂托克或爱马内也通过"楚固兰"来商议决定重大事务。

第　六　章

蒙古各部南迁和在内蒙古地区的分布

第一节　兀良哈三卫南迁

洪武二十二年（1389 年）五月，明朝设立泰宁、福余、朵颜三卫，第二年叛归北元。建文四年（1402 年），明成祖即位后派遣使者招抚泰宁等三卫，永乐二年（1404 年）重建三卫，朵颜卫为首，明人始称兀良哈三卫。永乐年间，三卫的游牧地仍在潢水（今西辽河上游西拉木伦河）之北，其中泰宁卫牧地在元泰州（今吉林洮南）一带；朵颜卫在额克多延温都儿（今内蒙古扎赉特旗北），搠儿河（今内蒙古兴安盟境内绰尔河，和田清认为即今洮儿河上游支流乌兰灰河）一带；福余卫在今黑龙江省齐齐哈尔市附近的瑚裕尔河流域。

永乐初年（1403 年），明成祖迁大宁卫于保定（今河北保定），放弃了原大宁卫（治今内蒙古赤峰市宁城县大明镇）地区。明初，朵颜等三卫及女真各卫朝贡时，使者经辽东半岛乘船过海到山东登州，再由山东赴应天府（今江苏南京）朝贡。由于道路遥远，气候炎热，三卫请求到大都（北平）贡马。永乐三年（1405 年），明廷在辽东广宁、开原为三卫开设马市二处，并规定了辽东互市马价。[1] 从开市地点来看，当时兀良哈三卫的驻地仍在北边，即东、西辽河之北，所以他们分别至广宁、开原互市。明永乐年间都城

---

[1]　《明太宗实录》，永乐三年三月癸卯、甲寅条。

迁北平（今北京市）后，朵颜等卫至北平朝贡，其贡道经过原大宁卫地方，但是其游牧地还在北面，永乐二十年（1422年）时，仍在屈裂儿河（今内蒙古境内洮儿河支流归流河）一带游牧。

永乐二十二年（1424年）八月，明仁宗即位后，遣使诏谕兀良哈三卫，允许其如前朝贡。第二年，兀良哈三卫遣人来贡马，恢复了与明朝的正常关系，同时开始向西南迁移，来明朝近边游牧。

宣德元年（1426年）七月，明镇守蓟州山海等处都督佥事陈景先奏报，明军袭击了在边外的兀良哈人，朵颜等三卫开始在明朝近边活动。由于兀良哈三卫南下驻牧近边，对明朝边境构成威胁，开平卫更显孤远难守，明朝准备放弃开平，移开平卫于独石。宣德二年（1427年）七月，镇朔大将军阳武侯薛禄奉命率军护送粮饷至开平，在距开平城（元上都）东南三百里处，率军袭击了在这一带游牧的兀良哈三卫部落，俘获一些人畜，被擒者有明朝授予的官职。宣德三年（1428年）九月，明宣宗亲率三千骑，以巡边的名义出喜峰口，袭击了在明朝近边游牧的兀良哈部落，有所斩获，随后派兵分几路出击，其中一路明军大约到了老哈河上游一带，俘获了一些人口牲畜。这几次都是明军对近边驻牧兀良哈部落发动的突然袭击，兀良哈部落虽然在近边活动，但是没有侵犯明朝边境，因此，明军刚刚班师，兀良哈人随后就来报复。十月，袭击卢龙陈家庄，劫掠人口、马牛；十一月，入广宁后屯卫杀掠；十二月，先后入广宁、义州等处杀掳人畜。① 第二年六月，兀良哈人先后袭击开平境内的赤城、独石等处，杀掠人口。七月，又入宣府境内，杀守宣府神铳内官王冠，并杀千户陈琼等，掠牛马而去。八月，又杀宣府前卫出境采木军士，掠其所乘官马。十月，入雕鹗堡，杀官军掠人，又犯古北口东砖垛子口。由于兀良哈部的报复和侵扰，明廷不得不加强对蓟、辽边境的防守。为保护蓟、辽间的陆路通道，宣德五年（1430年）正月，在辽西设置宁远和广宁诸卫，于汤池（今辽宁兴城一带）设宁远卫，于山海关东至高岭驿设广宁前屯卫，中前所沙河驿至东关驿设广宁中后所，杏山驿至小凌河驿设广宁中屯卫中左所，凌河驿至十三山驿设广宁左屯卫中左所，东关驿

---

① 《明宣宗实录》，宣德三年十月丙午条；宣德三年十一月壬戌条；宣德三年十二月甲辰、甲子条。

至曹庄驿设宁远卫中左所①。这些卫所的位置在今山海关外至锦州的渤海沿岸一带。六月，明朝将开平卫内移于其南面的独石。宣德六年（1431 年）正月，明宣宗颁诏"宥三卫剽窃之罪"②，遣使招抚以求和解，兀良哈三卫与明朝的冲突才告一段落。这时朵颜、泰宁等卫已南来驻牧于明蓟辽边外的潢水、老哈河一带。

宣德五年（1430 年）末，北元太师阿鲁台与阿台汗被瓦剌脱欢击败，率众由克鲁伦河中下游一带越大兴安岭南奔，进入漠南地区，其部众分散躲避于自辽东至大同的明朝边外，还有一些部众直接归附了明朝。由于阿鲁台的衰败，兀良哈三卫背叛阿台汗，投靠瓦剌脱欢太师，受其指使参与围剿阿鲁台和阿台汗。

宣德七年（1432 年）九月，福余等三卫受瓦剌脱欢的指令，前往掠杀阿鲁台，被阿鲁台军击败，逃往海西女真地区及明辽东境外。十一月，阿鲁台率部众东行攻击兀良哈，一部分兀良哈三卫人逃往东北。宣德八年（1433 年）二月，阿鲁台遣使自辽东入贡明朝。九年二月，阿鲁台再次被瓦剌脱欢击败，向西逃至今包头一带。八月，脱欢太师杀阿鲁台，阿台汗和朵儿只伯等逃至河套以西地区。兀良哈三卫奉北元新汗之命频频出入河套，追剿阿台汗和阿鲁台余部，并侵扰明朝延绥边境，明军在宣府边外多次截获其东西往来人员，兀良哈在东面侵犯明朝蓟、辽边境，正统七年（1442 年）先后入永平、广宁前屯等处杀掠。正统九年（1444 年）正月，明廷因兀良哈三卫屡犯辽东、延安一带边境，命诸将统兵出边征剿。成国公朱勇同太监僧保出喜峰口，恭顺侯吴克忠佐之；兴安伯徐亨同太监曹吉祥出界岭口；都督马亮同太监刘永诚出刘家口；陈怀同太监但住出古北口。各将领兵万人，约定在黄河、土河两叉口等处会合。③ 但是，出征将领畏缩怯懦，未能按计划捣巢，两路明军未至土河（今老哈河上游）就各自返回，只有徐亨所率一支明军抵达土河，有所俘获。从明军出击的计划来看，三卫的驻地在土河和潢水一带。

---

① 《明宣宗实录》，宣德五年正月己巳条。
② 《明宣宗实录》，宣德六年正月己丑条。
③ 《明英宗实录》，正统九年正月辛未，三月甲子条。

　　景泰五年（1454 年）六月，朵颜卫都指挥阿儿乞蛮遣人来朝贡，声称被瓦剌也先所逼，徙其部落于黄河母纳（今内蒙古包头市西穆尼乌拉山）之地，后逃归白城（似为今内蒙古巴林右旗境内的察罕城）。① 泰宁卫向明廷请求驻牧于大宁废城，明廷令其距明边二百里外驻牧。② 朵颜卫另一首领朵罗干也请求将家小移明边二百里外居住，并得到明廷允许。③ 总之，兀良哈三卫的南下始于明宣德年间，正统初年已驻牧于明蓟、辽边外的潢水、老河一带，活跃于整个漠南地区。

第二节　兀良哈三卫南迁后的分布

　　明宣德、正统年间，泰宁、朵颜二卫常在明蓟镇边外的老哈河一带活动，这里可能是其驻牧地的南端，福余卫驻地在明朝开原西北一带。明英宗天顺年间编撰的《大明一统志》记兀良哈三卫的牧地：“其地东至海西，西至开平界，北至北海。”④ 明人对其北界的判断显然有误，北界应为大兴安岭山脉，与山北的“北虏”相邻，故蒙古文史籍中称他们为“山阳万户”。弘治年间，马文升在《抚安东夷记》中记：“自古北口至山海关，立朵颜卫；自广宁前屯至广宁迤东白云山，立大宁卫；自白云山迤东至开原，立福余卫，处虏之附近者。”⑤ 他误以为这是永乐初年的安排，实际上是明成化、弘治年间兀良哈三卫的分布状况。嘉靖十六年（1537 年）重修《辽东志》记：“自宁前抵喜峰近宣府曰朵颜，自锦义历广宁至辽河曰泰宁，曰（自）黄泥洼逾辽阳、铁岭至开原曰福余，皆逐水草，无恒居，部落以千计，而强则朵颜为最焉”⑥。朵颜卫从弘治年间开始强盛，因此《辽东志》的记载无疑是弘治以后的情况，与马文升的记载基本相同，但是地点更为具体了。嘉

---

　　① 《明英宗实录》，景泰五年六月丙申条。

　　② 《明英宗实录》，景泰五年六月辛丑条。

　　③ 《明英宗实录》，景泰五年七月乙卯条。

　　④ 天顺朝《大明一统志》卷90。

　　⑤ 《抚安东夷记》是古籍。一、记录汇编本。（明）沈节甫辑，民国二十七年（1938 年）据明万历本影印。二、薄音湖、王雄点校：《明代蒙古汉籍史料汇编》第 1 辑，内蒙古大学出版社 2006 年版，第 125 页（此书中“大宁卫”即“太宁卫”）。

　　⑥ 《辽东志》卷9《外志》，《辽海丛书》第 1 册，辽沈书社 1985 年版，第 470—471 页。

靖四十四年（1565年）修撰的《全辽志》记载："福余、泰宁二卫鞑靼在开原迤西古城堡境外，住牧旧开原一带地方，到古城堡八、九十里，至开原一百十余里。若移营，在辽阳迤西长勇、长安二堡境外，顺辽河、林泊住牧。……此鞑靼原与朵颜卫鞑靼一种，分别三部，我成祖皇帝定为朵颜等三卫，俗号散卫。在山海关迤西建昌地方喜峰口朝贡，后因朵颜鞑靼强盛，将福余、泰宁二卫鞑靼以广宁为界，不容往来住牧，所以止在辽阳、开原二处地方边堡为患。朵颜鞑靼专在宁远迤西境外虹缧山、旧大宁城一带住牧，北至广宁迤西细河堡三百余里，至广宁城三百四十余里，东至锦州大兴堡三十余里，至锦州城九十里，南至宁远迤西仙灵寺等堡九十里，至宁远城一百二十里，西至前屯迤北瑞昌等堡二百余里，至前屯城二百二十里。此一种鞑靼富强者朝京不乞，计部内贫穷者专结构鼠窃广宁"，以及义州、锦州、宁远等所属地方。[①] 这是嘉靖末年兀良哈三卫的分布情况。至嘉靖末年时，蒙古大部落已南下明边外驻牧，明朝蓟、辽两镇边外已不只是三卫部落了。兀良哈三卫南下漠南之后，曾一度向西发展，自正统元年开始出入河套地区，在那里活动了很长一段时期。最初，兀良哈三卫因参与对阿台汗的围剿而进入河套，三卫在西行往返途中侵掠明朝延安、绥德一带边境，引起了明人的愤恨。宣府镇明军于西凉亭（今内蒙古克什克腾旗境内元上都遗址之南）曾截获西去的部分兀良哈人。正统三年（1438年）正月，明军又在宣府边外擒获福余卫数人。同年九月，脱脱不花汗杀死了阿台汗和丞相朵儿只伯，但是兀良哈三卫仍在河套一带驻牧和游猎。正统四年（1439年）至十四年（1449年），兀良哈三卫人出入黄河河套，经常途经明宣府边外至延安、绥德、宁夏边外活动。

正统十四年（1449年）"土木堡之变"中，兀良哈三卫随脱脱不花汗攻打了明蓟、辽一带边境。1453年明代宗景泰四年（1453年）也先称汗之后，曾安排兀良哈三卫在漠南西部小黄河（即今内蒙古四子王旗境内的西拉木伦河）驻牧。朵颜卫也被也先逼至黄河母纳之地居住，后来率部逃回白城一带，并请求在明朝近边居住。明景泰末年（1456年），"北虏"入套之后，兀良哈三卫才在河套绝迹。

---

① 《全辽志》卷6《外志·兀良哈》，《辽海丛书》第1册，第683页。

第三节　东部蒙古各部南下进驻河套

北元可汗直接统辖的蒙古各部居于蒙古高原东部。自称"野克莽官儿"（大蒙古），明人译称"北虏"，除有蔑视的成分之外，很大程度上是相对于其以南的兀良哈三卫而言。东部蒙古早在宣德年间就显露出了南来游牧的趋势，首先是阿鲁台、阿台汗、朵儿只伯被瓦剌击败后逃入漠南地区，分散驻牧，后来阿台汗驻牧于明朝甘州、凉州边外。但是当他们败亡之后，其部落或被脱脱不花汗和瓦剌也先所收，或南下投降明朝，都未能立足于漠南。正统十四年（1449 年）"土木堡之变"后，也先和脱脱不花汗率军南来，一度游牧于漠南，不过也没留居于此。明景泰元年（1450 年），有数千蒙古人进入黄河河套，因冰解而留驻于河套内，未能北去。① 不久北元内部分裂，也先杀死脱脱不花汗，随后阿剌知院杀也先，孛来又杀阿剌知院，在内讧中孛来等先后率部南下，进入黄河河套及其迤西一带驻牧。由于兀良哈三卫已分布于明朝宣府镇至辽东镇边外地方，漠北蒙古部落向西南迁移。

明景泰末年（1450 年），漠北蒙古部落开始出入黄河河套，至成化末年已比较稳定地居住于河套及其周围地区，从而在漠南站稳了脚跟。当时蒙古部落进出河套多经明朝山西、大同边外，由偏头关北面的原元朝东胜（今内蒙古托克托县）一带踏冰过河往来。因此明后期人多认为永乐时弃东胜而使北虏进入河套，其实这是一个误解。明初曾在元东胜州一带安置蒙古降众，设千、百户所，令其仍在原地居住，但是，洪武五年（1372 年），岭北之役后北元军南下明边，原在东胜州设立的蒙古千百户所之众内迁于临濠（今安徽凤阳县）② 一带。洪武、永乐年间设立的东胜卫，其位置都不在元东胜旧址，而是在大同的东面，因此东胜卫（元东胜州一带）不是永乐朝放弃的。明朝不在东胜一带设防，便利了蒙古各部南迁黄河河套，不设防的重要原因是这一带无险可守，明朝采取消极防御政策，使整个防线内缩到了有山险可守的今山西沿边一带，这里自然就放弃了。瓦剌西迁之后，东部蒙

---

① 《明英宗实录》，景泰元年五月壬戌条。
② 《明太祖实录》，洪武五年十月丁酉条。

古部落有机会南下，于是进入了水草丰美的黄河河套内游牧。

明景泰五年（1454年），也先被杀后，兀良哈三卫向明朝要求至近边驻牧，漠北各部也纷纷南来。北元太师孛来于景泰七年率部进入黄河河套游牧。天顺元年（1457年），孛来太师率部众驻牧河套，并先后南侵明朝的延绥、宁夏等镇边境。同年三月，明朝廷内有人提议出兵搜索河套，驱逐套内的蒙古部落，而未能施行。此后孛来、阿罗出部常出入河套，进入河套之后屡屡侵犯邻近的明宁夏、延绥、凉州、永昌、古浪、庄浪、山丹、甘州、镇番等边境地区。天顺二年（1458年）、五年（1461年），孛来遣使臣先后至宁夏和甘肃凉州向明朝请求通贡市①，蒙古部落在黄河河套以及河套以西一带游牧。天顺六年（1462年），明廷为阻止孛来部继续驻牧黄河河套，令其仍依旧例从大同入贡，孛来率部出套遣使从大同入贡，而后向东北方向移牧而去。成化元年（1465年）毛里孩进入黄河河套。成化三年（1467年）正月，毛里孩遣使明朝求入贡，并称："孛来太师近杀死马儿苦儿吉思可汗，毛里孩又杀死孛来，后又新立一可汗。有斡罗出少师者与毛里孩相仇杀，毛里孩又杀死新立可汗，逐斡罗出。今国中无事，欲求通好。"②毛里孩击败孛来后，也驻牧于黄河河套内，黄河结冰后踏冰入套，冰解之前东行出河套，往漠北驻牧。不久毛里孩被孛罗忽等逐杀。自成化六年（1470年）始，癿加思兰、孛罗忽和满都鲁等出入河套，也是冰封后入套，河冰解前出套。每年春季出套之后，癿加思兰率其部属西过贺兰山，往明朝甘、凉等州边外驻牧，孛罗忽等则率部属由东胜一带东渡黄河，经明朝大同、宣府边外向东北行，可能是到漠北地区驻牧。

蒙古部落进入黄河河套居住，对明朝西北边境构成很大威胁，明廷担心蒙古部会长期占据河套，因此试图收复河套，阻止蒙古各部往来驻牧。成化九年（1473年）十月，明将王越率军出边，捣巢于陕西红盐池，袭击了驻牧河套内的满都鲁、孛罗忽、癿加思兰等人的老营，杀死三百五十余人，获大量辎重和牲畜。③1474年（明成化十年），满都鲁称汗，第二年遣使自大

---

① 《明英宗实录》，天顺二年十一月戊申条；卷331，天顺五年八月己巳条。

② 《明宪宗实录》，成化三年正月丙子条。

③ 《明宪宗实录》，成化九年十月壬申条。

同入贡。明成化十三年（1477年），满都鲁再次遣使入贡，明蒙关系得到改善。自明成化十一年至十五年（1475—1479年），满都鲁汗在位期间，明河套沿边诸镇无警。显然是满都鲁汗与明朝建立了通贡互市关系，因此约束诸部的原因。1479年（明成化十五年），满都鲁汗和乩加思兰二人皆死，达延汗即位。满都海夫人摄政，蒙古可汗斡耳朵仍出入黄河河套。

达延汗时期（1479—1517年），可汗斡耳朵通常于每年九月进入河套，第二年正月左右出河套向东北行，至大同、宣府边外，缓慢游牧移营。在此期间遣使至大同入贡，通贡贸易毕再北行，至克鲁伦河畔度夏。其实蒙古部南下分布的范围不仅限于河套，还包括套西的甘肃边外地区。成化年间明朝廷内部几次商议搜查河套，驱逐蒙古部落，都因将帅怯懦，无人敢任事而未施行。这样黄河河套以及河套迤西地区成为蒙古右翼各部的游牧地。至明嘉靖年间，明陕西三边总督曾铣又提议收复河套，结果不仅未能实行，反而招致杀身之祸。

第四节　亦卜剌入西海与蒙古右翼部落的分布

一、亦卜剌入西海

东部蒙古的南下并未就此止步，明正德年间开始，又向西南进入西海（今青海）一带，拉开了蒙古进军青藏高原的帷幕。明正德年间北元发生内讧，蒙古右翼永谢布部首领亦卜剌、鄂尔多斯部首领满都赉阿哈剌忽杀死达延汗派去管理右翼诸部的济农，即达延汗第二子乌鲁斯博罗特，率部发动叛乱。右翼另一首领火筛他卜囊没有参与，率部归附达延汗。不久达延汗率左翼诸部兵击败右翼叛部，正德四年冬黄河冰冻后，亦卜剌和满都赉阿哈剌忽率部出河套西迁，于五年六、七月迁移至明甘肃边外。亦卜剌等为避开达延汗的追击，向西绕道明朝嘉峪关外，进入了明朝安定、曲先、罕东、阿端四卫之地，即今青海省东北部及甘肃西部一带，臣服安定等四卫人众。正德六年（1511年），明甘肃各边明军出击流落于明朝边外的零散部落，虚报斩获。七年七月，亦卜剌又受到达延汗威胁，准备南入明朝边墙之内，为避免明军袭击遣人至甘肃求速剌、讨来之地居住。讨来即今甘肃南部的托来河一带。同年九月，亦卜剌率部绕过嘉峪关，躲入明长城南面。侵扰西宁北川，进入了西海（青海湖）地区。南渡上游黄河深入到了今青海贵德南部黄河小套内驻牧。亦卜剌躲入明朝河西走廊南面之后，向东侵扰明朝洮州、岷州等卫，向北游牧时侵犯明朝临洮府、甘州中护卫、西宁、庄浪、凉州等卫所边境，嘉靖初年（1521年）仍"率其余党假息西宁，春夏逐水草住牧，冬踏河冰掠洮、岷。"① 明人最担心的是亦卜剌与北面的"套房"南北合势侵犯明边。后来达延汗的孙子吉囊和俺答多次率兵出征青海地区，最终征服了逃至这里的右翼叛部，将其部众收归己有。在西征青海的过程中，漠南蒙古的势力逐渐扩展到了青藏高原地区，沟通了蒙古草原与青藏高原之间的联系，使蒙藏民族间在政治、经济、文化等方面得到交流，右翼有一部分人长期在青海居住，被明人称为"海房"。藏传佛教通过进入西海的蒙古人进一步影响到蒙古本土，在蒙古地区迅速传播。

二、右翼蒙古各部的分布

达延汗击败右翼反叛者，收服其大半部众之后，封第三子巴儿速孛罗为"济农"，即汉籍中的吉囊或吉能，掌管右翼鄂尔多斯等部，自己直接掌管左翼各部。随着达延汗诸子的逐渐分封，左、右两翼各部的游牧地范围也逐渐确定。达延汗死后巴儿速孛罗济农即汗位，称赛那剌汗。他在位时间不长，但是大大加强了右翼部落的地位。

赛那剌汗即位时左、右翼的游牧地已确定，赛那剌汗一直在右翼驻牧，已不北牧克鲁伦河一带了。由于赛那剌汗即位引起的左右两翼的矛盾，自不地汗开始，北元可汗也不再南来黄河河套中驻牧，我们在明人记载里几乎见不到有关北元可汗的活动情况，明人始称济农所辖右翼部落为"套房"。在明嘉靖初年（1521年），蒙古右翼西近瓦剌，东邻兀良哈，东北面与左翼部落交界。右翼各部的具体分布大致为：明宣府边外是喀喇沁部，大同边外是土默特部，河套内及河套以西为鄂尔多斯部。嘉靖三十年（1551年），明朝为右翼开马市时，把都儿（喀喇沁部）、俺答（土默特部）、吉能（即诺延达喇济农，鄂尔多斯部）等分别率部属从宣府、大同、延绥等地就近入市，

---

① 《明世宗实录》，嘉靖四年八月戊子条。

其中永邵卜（永谢布）地邻漠北，去明边为远。当时各部冬春南牧明朝近边，夏季北上避暑，其北界没有明确的记载，至少到大漠的南缘。

第五节　明朝军事战略的变化与九边镇的形成

一、明朝军事战略的变化

明洪武、永乐年间，明廷曾试图一举消灭北元政权，统一大漠南北地区，而始终未能达到目的。但是，明朝大规模北征，扫荡大漠南北，使蒙古部落不敢南下驻牧，漠南地区成为双方的中间地带，减少了北元对明朝边境的直接侵扰。

明宣宗时，鉴于明成祖北伐代价过高，不再出征蒙古地区和干预蒙古内部事务，采取了消极防御政策，努力增强对边境地区的防备。自明初以来明朝就在北部沿边关隘修筑边墙，驻兵戍守。洪武末年，明朝取得捕鱼儿海子之役胜利后，为长远计，在沿边大量修筑城垒，明太祖分别派遣诸子出镇开原、大宁、宣府、北平、太原、宁夏、平凉、甘州等地，形成了比较完备的防御体系。当时最北面的是大宁卫（今内蒙古宁城县大明城）、开平卫（今内蒙古正蓝旗境内元上都旧址）及大同边外云川、玉林等卫。

明成祖与侄子建文帝之间争夺皇位的靖难之役，使北边防御体系受到严重破坏。永乐初，明成祖重新部署明军在北部边境戍守的卫所，内移大宁卫于保定，以京师（北平）作为设防的中心，在京师北面的大同、宣府、开平等地设立卫所。明宣德年间，又南移开平卫于独石，再次收缩防线，基本上退缩至明洪武初年建立的防区内线。

二、明朝九边镇的形成与边墙

宣德以后明朝不再远征，为防蒙古军南邻边境驻牧及侵扰，每年遣兵出边外烧荒，烧荒最远处不过二百里，因此逐渐失去了对漠南地区的控制，蒙古各部开始迁入漠南地区居住。由于兀良哈三卫南迁驻牧明朝近边，蒙古大部落向西进驻黄河河套，这种蒙古不断南下的局面迫使明朝不断加强对边境防御体系的建设。为北方边境防御的需要，明朝陆续设立了辽东、宣府、大同、延绥、甘肃等镇，天顺年间开始，蒙古部进驻黄河河套之后，又在邻近河套地区增设了山西、宁夏、固原等镇，为增强对京师北平的防卫，在北平之北增设了蓟州镇，形成了九个重要的边镇，即所谓的"九边"。

明朝为防止蒙古诸部的侵扰，在洪武、永乐朝原建关隘的基础上，不断增修边墙，逐渐形成了东自鸭绿江，西至嘉峪关的明代边墙（长城）。这些边墙多数是因山川之险修筑，配以城堡烽燧，在重要隘口处建筑城镇，驻军设防。陕西、宁夏、甘肃一带由于地势平旷，无山水之险，以黄土干打垒的方式修筑了边墙。这些土石修筑的边墙起到了防止人畜越境，限隔内外的作用，但是，未能阻挡住蒙古军的进攻，后来这些边墙成为明蒙边界的标志。①

1. 辽东镇边墙　明初在辽东半岛设立辽东都司防守，后设辽东镇，总兵官驻广宁（今辽宁北镇）。宣德年间开始，兀良哈三卫南来游牧，原属奴儿干都司的建州、海西诸部也逐渐南下到明朝近边居住。为了保证明朝辽河东西各卫所和辽东经陆路至北京、由辽东至朝鲜驿路的安全，明朝不断修筑边墙、城堡、烽燧。逐渐形成了自朝鲜义州鸭绿江边至开原（卫治今开原老城镇）、由开原向西南，经辽河东岸至海州卫永昌堡（今辽宁海城西北），再向西北过辽河西岸至广宁卫（卫治今辽宁北镇），由广宁向西南经宁远卫（卫治今辽宁兴城）到山海关的边墙。

2. 蓟州镇边墙　洪武年间，明军已在居庸关至山海关一带二百多处关隘修筑城垒及边墙，兀良哈三卫南下大宁一带后，蓟州成为屏障京师的重要边镇，镇治三屯营（今河北遵化县境）。蓟州边墙东自山海关，接辽东镇边墙，西至一片石、董家口、界岭口、桃林口、冷口、青山口、喜峰口、罗文峪、马兰峪、黄崖峪、将军石、墙子岭、古北口、白马关、黄崖口、慕田峪、四海冶（今北京延庆县境内）等诸多关口，与宣府镇边墙相接，成为北京东北面的重要屏障。蓟镇的喜峰口是明代兀良哈三卫入贡的通道，每年朝贡二次，每卫每次各百人由喜峰口入关，至北京朝贡贸易。喜峰口关是明蒙双方经常接触的地方，时常发生摩擦，也是蓟镇的重要防区。

3. 宣府镇边墙　宣府镇治今河北宣化，是京师北面的屏障。开平诸卫

① 明边墙请参见周清澍主编：《内蒙古历史地理》，内蒙古大学出版社1994年版，第148—151页。谭其骧主编：《中国历史地图集》第7册，相关图幅，地图出版社1975年版。

内徙之后，明军防线后撤，在近边险要地方沿山势修筑边墙。宣府镇边墙东起四海冶，接蓟州镇边墙，向北至独石口，西南至龙门关堡、西至青边口堡、张家口堡（今河北张家口）、膳房堡、洗马林堡、柴沟堡，与大同镇镇虏卫边口相接。隆庆和议之后，张家口堡是喀喇沁部朝贡贸易的关口，由于这一带交通便利，又近邻左翼部落，成为大漠南北蒙古各部与明朝进行间接贸易的重要市口。

4. 大同镇边墙　大同镇治今山西大同，大同是明代蒙古与明朝通使贸易的重要通道，天顺以后，东胜（今托克托）一带是蒙古出入河套的往来路线，又近邻河套地区，因此，大同镇是明蒙发生冲突最多的地区之一。大同镇边墙东接宣府边墙，经新平堡、瓦窑口堡、守口堡至阳和卫（山西阳高），再向西经得胜、弘赐、镇羌等堡至大同右卫（右玉），经杀虎口向西南至平虏卫诸堡，由此西接山西镇老营堡。隆庆五年（1571年）后，明廷在大同镇沿边开设了新平堡（在今山西天镇县北境）、守口堡（在今山西阳高县北境）、得胜堡（在今大同市北境）三处市口。俺答汗属下的土默特部在以上市口与明朝通贡贸易。

5. 山西镇（三关镇）边墙　山西镇治今山西宁武。山西边墙东面起自大同镇南平型关，西至雁门、宁武、老营堡、水泉营、偏头关、至黄河岸边的灰沟营堡（今河曲境内），与河套隔河相望。因有偏头、雁门、宁武三关故亦称三关镇。其中宁武、雁门、平型等关为内边。近临黄河的偏头关正在蒙古出入黄河河套的渡口以南，也是明蒙冲突较多的边关。隆庆和议之后，在山西开设了水泉营（山西偏关县境内）一处市口，土默特部由此入市。

6. 延绥镇（榆林镇）边墙　延绥镇治今陕西榆林。明初在河套东面的东胜和河套内以蒙古降众设立了五个千户所，岭北之役后，明朝将这些部众迁至内地。明初没有派兵固守黄河河套，只在其南面的察罕脑儿（今内蒙古乌审旗境内白城子古城）、绥德、神木、宁夏一带设防，由于明朝的军事力量强大，蒙古部落不敢渡黄河进入河套地区。天顺年间，冬季河冻冰封后，蒙古部落开始踏冰进入黄河河套内驻牧，成化年间已长期驻牧。明朝始设延绥镇，河套以南地区无山险可依，皆采用黄土干打垒方式筑墙。延绥边墙东起清水营（今陕西府谷县境），与山西镇边墙相接，向西经镇羌所（今陕西神木），榆林卫（今陕西榆林）至花马池（今宁夏盐池县）。这个边墙至今是内蒙古东胜市与陕西省的边界。隆庆五年后，在榆林城北红山寺堡设立市场，与蒙古鄂尔多斯诸部互市。

7. 宁夏边墙　宁夏镇治今银川市，东临黄河，西依贺兰山，是明朝西北边境要冲。宁夏边墙东自花马池，与延绥镇边墙相接，经黄沙嘴（今宁夏陶乐县）至黄河。在河西由赤木口沿贺兰山南至宁夏中卫（治今宁夏中卫），南面边墙与固原靖虏卫（今甘肃靖远县）、镇戎所边墙相接。除贺兰山一带用石垒筑外，边墙多为黄土夯筑。隆庆五年后，在清水营（今宁夏银川市东境）、宁夏中卫、平虏所（今宁夏平罗）三处开市场，与鄂尔多斯诸部互市。

8. 固原镇边墙　固原镇治固原（今宁夏回族自治区固原）。弘治年间设固原镇，以防黄河河套及套西的蒙古部落。固原镇在宁夏卫南面的边墙为内边，自东面的下马关经镇戎所的半个城、打剌赤堡至西面的靖虏卫。再由靖虏卫向西有金家台、一条城堡、十字川堡、安宁堡（在甘肃兰州北）至苦水湾驿与甘肃庄浪卫相接，此段墙为外边。明万历年间，明朝出兵攻取兰州北面的大、小松山，驱逐鄂尔多斯宾兔部，并在大小松山北面修筑了边墙，自宁夏中卫西北边向西径直与凉州卫边墙相接，使大、小松山迤南的古浪所、庄浪卫、甘州中护卫（兰州）、靖虏卫之地成为内地卫所，这一带的边墙成为内边。

9. 甘肃镇边墙　甘肃镇治甘州（今甘肃张掖）。明朝初在肃州、兰州一线设卫防守，以后修筑边墙。东自苦水驿接固原镇边墙，向西经庄浪卫、凉州卫（今甘肃武威）、镇番卫（甘肃民勤）、永昌卫、山丹卫、甘州卫（甘肃张掖）、肃州卫（甘肃酒泉）、直至嘉峪关。隆庆五年后，明朝在洪水堡扁都口（今甘肃民乐县南境）、高沟寨（今甘肃武威市境内）开市口，与驻牧于西海、松山的蒙古诸部互市。

明朝边墙内是农耕区，边墙以北是蒙古部落往来游牧的地方，后来这道边墙就成为人为划定的我国农牧经济区的分界线。许多地方也是今天内蒙古自治区与其他省市的行政边界。

第 七 章

俺答汗与西部内蒙古

第一节 吉囊、俺答汗时期东部蒙古右翼的扩张

在整个 16 世纪蒙古封建割据中，以右翼蒙古土默特万户封建主俺答汗（阿勒坦汗）的势力为最强，对蒙古地区的政治、经济和文化，尤其对漠南地区的发展有较大的影响，在一定程度上促进了蒙、藏、汉等民族的经济文化交流。

达延汗三子巴儿速孛罗卒，长子衮必里克墨尔根济农即位（即汉籍所谓吉囊），次子俺答辅助其兄济农统率右翼三万户。衮必里克墨尔根济农去世后，俺答汗利用右翼蒙古土默特地区的地理环境，发展了政治和经济实力。他在几次出征漠北兀良哈万户的行动（共六次出征）中，充分显示了他的真正实力和非凡的军事才干，并从蒙古可汗那里取得"索多汗"（蒙古语，意为聪慧英明）的称号。1542 年，俺答汗又以兄长的身份和地位统率了诸兄弟，并凭其威势和"阿不亥"（叔父）的地位，将鄂尔多斯济农的九子也置于自己的控制之下。俺答汗名义上是察哈尔可汗的别部，实际上不听其节制。俺答汗的强大实力不仅震动了蒙古可汗，而且在一定程度上对明朝也构成威胁，其势力东抵辽西、蓟镇，西讫甘肃、青海以西，经常深入宣府、大同等各地。他还进一步向西发展，征服瓦剌（卫拉特）各部，同时又移兵于西南，打开了通往西藏的道路。俺答汗北破兀良哈万户，东迫察哈尔部东迁，西击瓦剌（卫拉特），行兵甘肃、青海，占据青海，南与明朝和

好，整个蒙古"俺答最雄，自上谷（今河北承德东）抵甘、凉（甘州、凉州），穹庐万里，东服土、速（指察哈尔部的土蛮汗和内喀尔喀部的速巴亥），西奴吉、丙（指鄂尔多斯的吉农和丙兔）"①，成为北方草原的真正霸主。

在北部俺答汗六征兀良哈万户，通过二十多年的战争基本上征服了兀良哈万户，名声大振，实力增强，成为一位名副其实的草原霸主。"俺答阿不亥东婚三卫，西和套虏（指鄂尔多斯部），黄毛诸部（指兀良哈万户）悉皆兼并，中国俘民尽为先驱，控弦之士四十余万。"②

达延汗去世后，原属于左翼万户中的北部兀良哈万户与左右翼其他万户发生了冲突，互相攻掠。蒙古文史籍称他们为"叛乱"，因而遭到左右翼蒙古的联合征讨。俺答汗出征兀良哈，正是打击这部分兀良哈人。据有的学者考证，兀良哈万户的驻牧地位于蒙古国肯特山、克鲁伦河一带，关于兀良哈万户的驻牧地，长期以来学界所认为的旧说"内蒙古说"和"蒙古国杭爱山说"是错误的③。此说甚是。这里简要叙述俺答汗六征兀良哈的历史过程。

1524 年，兀良哈万户的图类诺颜的格哷博罗特丞相与外七鄂托克喀尔喀发生冲突，他们杀死了喀尔喀伯苏特（别速惕）部的乌林岱，并围攻古里业兀鲁思。俺答汗伙同图古凯诺颜和博迪乌尔鲁克（卜赤），率兵征讨，击败兀良哈并乘胜追击。在巴勒吉地方掠获大量战利品后旋师。此处的巴勒吉地方，应指斡难河与巴勒吉河的汇流处，斡难河上游支流巴勒吉河或该河与斡难河汇流处的三角洲（假岛），即《元朝秘史》所提到的巴勒谆阿剌④。这是《俺答汗传》所记俺答汗第一次征讨兀良哈之战，也是俺答汗第一次率兵征战。

这次战役虽然取得了胜利，并大有掳获，但未能给予兀良哈万户致命打击，未解除其威胁，因此过了几年，又不得不出征兀良哈万户。

① 瞿九思：《万历武功录》卷 8《俺答列传》（下）；《俺答后志》，《明经世文编》卷 434。
② 胡宗宪：《题为陈愚见以裨边务疏》，《明经世文编》卷 295。
③ 宝音德力根：《兀良哈万户牧地考》，《内蒙古大学学报》2000 年第 5 期。
④ 宝音德力根：《兀良哈万户牧地考》，《内蒙古大学学报》2000 年第 5 期。

几年后兀良哈万户又南下，其前锋已越过戈壁，临近漠南，对鄂尔多斯和土默特等诸部构成了威胁。1531年，俺答同其兄衮必里克墨尔根济农率右翼蒙古兵出征兀良哈。到达布尔哈图山，袭击兀良哈人的驻地，击溃了他们。这时，由图类诺颜和格呼博罗特丞相带领兀良哈主力前来增援其前锋，双方经过激烈战斗，兀良哈人溃逃了。衮必里克墨尔根济农（吉囊）和俺答汗追至卓尔噶勒山（勺而合勒），平定了兀良哈万户，图类诺颜等二人率残部逃脱。凯旋以后，右翼蒙古诸部在著名的八白室之前举行庆典，告奠祖先。这里的布尔哈图山和卓尔噶勒（勺而合勒）山，据有的学者考证前者布尔哈图山是《元朝秘史》及其他蒙古编年史中经常出现的不儿汗山即肯特山，而后者卓尔噶勒（勺而合勒）是肯特山中相连的几个小山丘①。这是《俺答汗传》所记俺答汗第二次征讨兀良哈万户之战。

但这次平定兀良哈万户充其量也不过是击溃而已，兀良哈人虽然北撤了，其实力并未遭到多大削弱，因此衮必里克墨尔根济农、俺答兄弟又不得不第三次进行北伐。

1533年，衮必里克墨尔根济农、俺答兄弟率兵出征青海，兀良哈人又趁机南下了。于是在这年十二月，兄弟二人率兵出河套，越过杭爱山，袭击兀良哈，夺得大量战利品，满载而归。这里的杭爱山是阴山山脉西段的蒙古语名，而不是在蒙古国境内的杭爱山。

关于这次出征，蒙古文《俺答汗传》和《万历武功录·俺答列传（上）》都作了比较详尽的记载，但战争发生地却失载，现已经无从考证。一言以蔽之，这次出征的目的有二：一是击退南下的兀良哈人，二是掠夺兀良哈人的财产，实际上仅靠右翼蒙古的兵力还不能完全制服强悍的兀良哈万户。

几年后，兀良哈人又南下了，图类诺颜和格呼博罗特丞相所率的主力已进入漠南，靠近了卜赤可汗的大本营，对察哈尔部纵掠之后遁去。这一事态极大地震动了蒙古左右翼各部。以卜赤可汗为首的领主们联合聚会于成吉思汗八白室之前，一致赞同于1538年共同发兵出征兀良哈万户。为显示这次讨伐的神圣和隆重，由衮必里克墨尔根济农、俺答兄弟率的右翼蒙古携带着

---

① 宝音德力根：《兀良哈万户牧地考》，《内蒙古大学学报》2000年第5期。

成吉思汗的八白室，驻扎在杭爱山（阴山山脉西段）的南面；由可汗不地（卜赤）率领的左翼蒙古携带着也失哈屯的灵位驻扎在杭爱山的北面，厉兵秣马，准备与兀良哈万户进行大决战。

一切就绪以后，左右翼蒙古的大军同时向兀良哈万户发动猛烈的攻击，兀良哈万户在强大的威力面前屈服了，其首领图类诺颜和格呼博罗特丞相、额勒都奈等被迫投降了。

这次大规模的征讨，俺答汗出动了左翼的众多领主和大量兵力，对兀良哈人进行了残酷的屠杀。他们最后肢解了兀良哈万户，将其并入五万户以内，"将兀良哈作为掠获物，犹如我物之为我所有，将其众多之民分拨之各户为奴"①。这是《俺答汗传》所记俺答汗第四次征讨兀良哈万户之战。

凯旋的左右翼万户欢聚于成吉思汗八白室之前，举行胜利庆典，他们给蒙古可汗不地汗上了"库登汗"称号，再次尊衮必里克墨尔根济农为"墨尔根济农"。由于俺答汗在这次战斗中骁勇善战，极大地削弱了敌人，又能和兄长们和睦相处，协同作战，取得了众人的信赖，因此不地汗授予"索多"（英明之意）的称号，大大提高了俺答汗的地位和影响。

值得一提的是，兀良哈万户的大部分人或死或降，被瓜分了，但仍有部分人未遭大难，在他们的故土上生存下来，仍然是左右翼蒙古各部的心头大患。1541 年俺答汗与衮必里克墨尔根济农率兵出击明朝的山西境，深入至太原。这一年衮必里克墨尔根济农患了重病，于是俺答汗为了消灭这部残敌，单独率兵出征兀良哈万户，蒙古文《俺答汗传》记载："心服以翁古察为首的部分百姓。"次年，衮必里克墨尔根济农病逝，俺答汗以赫赫战功和威望，统率了右翼蒙古，其弟老把都儿以及鄂尔多斯部的济农的九子都听从他的指挥。这是《俺答汗传》所记俺答汗第五次征讨兀良哈万户之战。

1544 年，俺答汗再次出征兀良哈万户，"收服莽吉尔丞相、莽海锡格津、波尔赫布克等"②，并命莽海锡格津守护成吉思汗的八白室，然后于次年返回土默特本部的驻地。这是《俺答汗传》所记俺答汗第六次征讨兀良哈万户之战，也是最后一次远征兀良哈万户。俺答汗命兀良哈人再次守成吉

---

① 珠荣嘎译注：《俺答汗传》，内蒙古人民出版社 1991 年版，第 206 页。
② 珠荣嘎译注：《俺答汗传》，内蒙古人民出版社 1991 年版，第 47—48 页。

思汗的白室，即充当成吉思汗的斡耳朵的守护者。至此，俺答汗对兀良哈万户的征服宣告结束。

强悍的兀良哈人遭到六次征伐后，残余势力再也不敢南下了，他们逐渐向西迁，活动于唐努山和阿尔泰山一带，俺答汗也停止了对他们的远征。征讨兀良哈万户最初是俺答汗与不地汗（博迪阿拉克汗）及其兄衮必里克墨尔根济农联合进行的。后来由俺答汗独立完成了彻底降服兀良哈万户的军事行动。漠北兀良哈万户发动叛乱，曾经是漠北和漠南蒙古共同的敌人，为了解除后顾之忧，俺答汗等前后组织六次远征。远征的结果是，肢解了兀良哈万户，使之并入其余五万户之内，并迫使他们守护成吉思汗的斡耳朵①。

俺答汗六征兀良哈，收服兀良哈万户之后，其注意力随之转向远离漠南蒙古的甘肃、青海地区。早在俺答汗之兄衮必里克墨尔根济农在世时，俺答汗等已经开始经营青海地区。甘肃、青海地区有水草丰美的天然牧场，这对人口增长相对过快，牧场、水源逐渐开始紧张的右翼蒙古来说有很大的吸引力。明代，甘肃的大部分被划入明朝的陕西行省。青海被称为西海。在万里长城的西段嘉峪关外及青海北部先后设立了安定、阿端、罕东、沙州、曲先、赤斤蒙古和罕东左卫共七个羁縻卫所，任命当地头领统治所属的撒里畏兀儿（黄头畏兀儿）、蒙古诸部落。青海湖周围主要是藏族的牧地。明初建立的军事卫所和羁縻卫所阻断了东、西蒙古进入西海的通道。历史上甘肃、青海地区一直多民族杂居，民族关系复杂，各民族语言文化不同，生活习俗及宗教信仰各异，是由蒙古通往西藏的必经之咽喉，其战略地位十分重要。

大约 1510 年左右，右翼蒙古首领亦不剌、满都赉阿哈剌忽（一说勒古失失阿哈剌忽）二人为达延汗所败，率领永谢布、鄂尔多斯等残部西逃至甘凉边外，辗转迁徙，1515 年才立足于青海湖畔。右翼领主亦不剌、满都赉阿哈剌忽等率其残部西逃，攻破安定、曲先、赤斤、罕东等卫，复入西海，并与周围卫所的明朝守军发生激烈的冲突。此为首批进入西海（这里应包括甘肃、青海地区）的蒙古右翼部落。1514 年，右翼另一领主卜儿孩亦遭到达延汗的攻击，率众逃奔甘肃、青海，成为亦不剌的同盟。即所谓原

---

　　①　参见薄音湖：《俺答汗征兀良哈史实》，载《内蒙古大学纪念校庆二十五周年学术论文集》，1982 年。

属小王子（蒙古可汗）部落卜儿孩因内变逃据海西，与亦不剌联营。他们都是在 1510 年达延汗平定右翼叛乱的那次战役中，兵败之后不久迁到西海去的。卜儿孩有可能就是亦思马因与失吉儿太后（又写作失乞儿，达延汗之母）所生之子①。从此，水草丰美的青海湖畔，成为蒙古右翼部落分支的另一块重要牧场。卜儿孩与亦不剌同属西部部落野乜克力部人，蒙古文史书称他们为应绍卜（永谢布）或卫拉特人，或一概称为畏兀特人。亦不剌等西逃至青海后，夺占明朝原设安定、阿端、曲先诸卫的撒里畏兀儿（黄头畏兀儿）之地，控制了包括当地土著藏族在内的撒里畏兀儿人。他们在甘肃、青海地区的频繁活动，虽然给衮必里克墨尔根济农和俺答汗的右翼蒙古造成了一定的威胁，但更主要的是阻碍了右翼三万户向甘肃、青海地区的发展。于是衮必里克墨尔根济农和俺答汗便寻机向亦不剌和卜儿孩发动进攻。他们的目的是为了向西扩张，夺取牧场、牲畜、人口和财产。

1532 年，衮必里克墨尔根济农和俺答汗率兵攻入西海，越过星胡拉，到达布哈河（在青海省东北部，向东南流入青海），袭破亦不剌营，收其部落大半。亦不剌只身逃入哈密，被当地人杀死，部众溃散，大部被衮必里克墨尔根济农和俺答汗俘获。唯卜儿孩将女儿奉献给济农后率众脱走。从此，亦不剌一蹶不振，卜儿孩也衰败远遁。亦不剌的溃败，极大地削弱了甘肃、青海地区畏兀特的势力。1534 年，衮必里克墨尔根济农和俺答汗再次出征青海畏兀特，凯旋而还。衮必里克默尔根济农和俺答汗再次率右翼大军，又越过星胡拉，在郭尔伯勒津打败了畏兀特人。卜儿孩在衮必里克默尔根济农和俺答汗的威逼下，向明朝表示愿献金牌、良马归附，借助明朝保全自己。据前人学者考证，此处的星胡拉是贺兰山的蒙古语名②。

1542 年，衮必里克墨尔根济农去世后，俺答汗成为号令右翼蒙古三万户的首领。据蒙古文《俺答汗传》记载，俺答汗于 1542—1544 年之间再征卜儿孩，将其降伏后，赐与侄子永邵卜大成台吉。俺答汗率领右翼蒙古三万户在合鲁勒哈雅之地彻底击败并降服了卜儿孩。俺答汗又进兵青海，最终在乌兰木伦地方（今青海东北之大通河上游）彻底征服撒里畏兀儿部落。一

---

①　乌兰：《〈蒙古源流〉研究》，辽宁民族出版社 2000 年版，第 347 页。

②　宝音德力根：《兀良哈万户牧地考》，《内蒙古大学学报》2000 年第 5 期。

些撒里畏兀儿降人，则成为纳贡承担"阿勒班"的属民。由于征服卜儿孩，俺答汗声威大震，不地汗被迫授予"土谢图彻辰汗"（蒙古语，意为可依靠的聪睿之汗）称号。这就大大提高了俺答汗在右翼蒙古中的威望和号召力。

1558 年，俺答汗再次用兵西海，越过星胡拉，攻明永昌、凉州（今甘肃武威），围甘州（今甘肃张掖）达 14 天之久，其真实意图显然欲入青海。不久，俺答汗率其子丙兔、侄孙宾兔进入青海，再次征服畏兀特残部和撒里畏兀儿部，向他们征收了大量的财物。俺答汗居青海年余，不幸得了肿症，部下也多有病死，加之明大同总兵刘汉率兵 3000 骑兵袭击丰州，因此俺答汗不得不率兵东返，留丙兔居青海，留宾兔守松山（今甘肃天祝藏族自治县东松山），成为河套经松山进入青海的捷径。

这一年，俺答汗在青海途遇当地"图伯特商人"，即青海的藏族，经战斗征服了他们，后释放被掳喇嘛 1000 多人。接着又收服卜儿孩等残部，向撒里畏兀儿百姓收取田赋。此时，俺答汗的目标是占领青海水草丰美的天然牧场，并进一步控制土著藏人。1560 年，俺答汗离开青海时留下其子丙兔和侄孙宾兔，丙兔驻牧青海收编原属于亦不刺、卜儿孩等的畏兀特部或撒里畏兀儿部的残部，而宾兔则驻大小松山（今甘肃永登县北和天祝藏族自治县东），不仅扩大了牧场，还在河套与青海之间架起一块跳板。这样，俺答汗出入青海地区更加便捷了。

1570 年，俺答汗再次西掠图伯特，进入青海，因突然发生把汉那吉降明事件，匆匆引还。俺答汗向西扩张，兼并亦不刺、卜儿孩诸部，迫降周边的藏族部落，进而逐步控制青海地区。右翼蒙古势力渗入青海，与当地藏族杂处，成为藏传佛教格鲁派（黄教）传入蒙古的契机，对蒙古族和藏族的历史发展产生了深远的影响。其意义可归纳为以下几点：一是征服了畏兀特、撒里畏兀儿及一些藏族部落，将右翼蒙古势力扩展到甘肃、青海地区，并在青海湖周围站稳了脚跟，占据了广阔肥美的牧场。二是开通了蒙古至青海的道路，此后蒙古各部不断进入青海地区，成为左右青海地区的一股强大经济、军事势力。三是重新沟通了蒙古与西藏中断 200 年的直接关系，藏传佛教格鲁派循此弘播蒙古地区，征服蒙古人的思想意识，藏传佛教格鲁派的传播在蒙古社会产生了巨大而深远的影响。紧接着俺答汗的下一个目标就是征伐西蒙古瓦剌，为东蒙古可汗复仇。

自达延汗统一东蒙古以来，瓦剌衰弱无法与强大的蒙古本部抗衡，逐渐西徙，其东界撤出蒙古帝国故都哈剌和林，哈剌和林已经归于达延汗六万户之一兀良哈万户。

俺答汗为了向西北地区扩张，由他和侄孙库图克台彻辰洪台吉（明代汉籍作"切尽黄台吉"，鄂尔多斯部领主）联合，分别进攻瓦剌（卫拉特），继续向西扩张。

俺答汗第一次进攻瓦剌的具体时间大约在1558—1567年。俺答汗进军扎拉满罕山（清代称雅尔玛罕山，在今新疆哈密东北百余里处），遣使向白帽沙汗讲说长辈察合台以来互为亲族的历史，速檀沙十分欣喜，赠送当地有名的骏马、宝石。白帽沙汗即1546—1570年在位的吐鲁番速勒坛（君主）名沙。沙汗是察合台后裔，所以拖雷后裔俺答汗遣使与他叙谈祖上的兄弟情谊，笼络吐鲁番，借道征伐瓦剌。紧接着俺答汗越过库凯罕山、扎卜罕（今蒙古国乌布苏诺尔省，山南有控奎河），袭掠瓦剌属部厄鲁特、巴阿图特，掳获大批财富，击退了博图海太师、翁惠丞相。大兵驻扎扎拉满罕山，俺答汗又遣使奈曼明安辉特部（八千辉特部）领主之妻吉格肯阿噶、扎拉满图类，提议按古来的成规结亲。吉格肯阿噶献女儿给俺答汗，同时也娶俺答汗女做自己的儿媳。俺答汗并将瓦剌部众迁离哈剌和林。

1562年，年仅23岁的库图克台彻辰洪台吉率鄂尔多斯部的兵马出征瓦剌，行至额尔齐斯河（其上游在新疆北部，向北注入鄂毕河）征服锡木毕斯、土尔扈特二部后撤兵。

1568年，俺答汗携乌纳楚钟根哈屯（三娘子）同行，直趋阿勒泰罕山（阿尔泰山），抵奥达陶图木，由于已经结成姻亲，吉格肯阿噶等率其诸子部众归附可汗。归途，乌纳楚钟根哈屯，即著名的三娘子，生子不他失礼，使领有瓦剌的百姓。俺答汗仿成吉思汗与斡亦剌忽都合别乞联姻之例，封吉格肯阿噶长子奥巴岱为太师，将亲女二人嫁给吉格肯阿噶的其他两个儿子，借以巩固对瓦剌的控制。

接受俺答汗调遣的鄂尔多斯领主们也曾经数次出征瓦剌。这些战役的主要领导人之一是库图克台彻辰洪台吉。

1572年，库图克台彻辰洪台吉之弟布延达喇古拉齐巴图尔、赛音达喇青巴图尔、长子鄂勒哲伊勒都齐等率鄂尔多斯之兵马远征哈萨克部的阿克萨尔汗，在实喇摩楞（锡尔河或楚河）打败哈萨克，但在撤兵途中，遭到阿克萨尔汗追击大败，损失惨重，死者千余人，而且布延达喇古拉齐巴图尔、赛音达喇青巴图尔二人均亡于战阵。第二年，库图克台彻辰洪台吉亲自率兵再次远征哈萨克，为其二弟报仇。

俺答汗族孙库图克台彻辰洪台吉行兵瓦剌，于额尔齐斯河流域征剿土尔扈特部，击杀其头目喀喇博郭罗。众所周知，额尔齐斯河源出阿尔泰山，上游在我国新疆北部，西北流入鄂毕河，当时是瓦剌土尔扈特部之牧地。库图克台彻辰洪台吉征服土尔扈特部，说明蒙古右翼的势力已经远远深入到额尔齐斯河及其以北地区。

1574年，库图克台彻辰洪台吉远征托克马克（当即古碎叶城所在地的Tokmak，在吉尔吉斯坦境内，汉译托克玛克），击败哈萨克的阿克萨尔汗，凯旋途中获知从兄布延巴图尔洪台吉（把都儿黄台吉）兄弟出征瓦剌，遂留辎重于巴里坤湖，领兵助战。布延巴图尔洪台吉兄弟于哈儿盖山（杭盖山）之阳尽降额色勒贝侍卫为首的八千辉特部人。库图克台彻辰洪台吉则在扎拉满罕山阴收服喀木苏、都哩图为首的巴图特部，他的儿子鄂勒哲伊勒都齐紧追三月，在图巴罕山（今唐努兀梁海地区的都播山）之阴收服以绰罗斯的必齐呼锡格沁为首的四鄂托克而回。但由于布延巴图尔洪台吉没有听从库图克台彻辰洪台吉的忠告，过分宠信额色勒贝侍卫。结果在归途中，被额色勒贝侍卫所率领的武士杀死于克尔齐逊河，鄂尔多斯士兵也大量被杀伤，鄂尔多斯的士兵经惨败之后被迫撤退了。

1577年，库图克台彻辰洪台吉为了复仇，约请俺答汗西掠瓦剌。由于明朝兵部尚书王崇古、宣大总督吴兑等出卖了俺答汗等，"阴泄其谋于瓦剌"，致使俺答汗、库图克台彻辰洪台吉战败而归。

俺答汗晚年，右翼蒙古虽几次在哈萨克、瓦剌打了败仗，但由于俺答汗等与明朝达成和议，得到大量通贡互市之利，在经济、军事上仍优于其他蒙古各部，使瓦剌诸部不敢贸然东侵，而此时的俺答汗岁数也老，已沉迷于佛事，无暇西顾，未再大举西征瓦剌。

此后十余年间俺答汗的后继者和三娘子虽多次用兵西行，声称与瓦剌仇杀，但都没什么重大战果。总而言之，俺答汗、库图克台彻辰洪台吉等右翼蒙古贵族，几次出征瓦剌的结果，迫使瓦剌西迁，使其所有活动均局限于漠西地区，而包括蒙古故都哈剌和林在内的漠北地区重新回到东蒙古的手中，逐渐成了外喀尔喀七鄂托克的领地。

第二节　"俺答封贡"——东蒙古右翼 与明朝贡市关系的建立

一、庚戌之变

自达延汗以后，蒙古社会内部相对稳定，社会生产有了较大的发展，各部封建主都积累了相当数量的财富。特别是畜牧业经济的发展，牲畜头数增加，使蒙古封建主迫切地产生了希望同邻近地区进行和平互市的愿望。他们理所当然的将南邻明朝视为满足其物质交换要求的对象。粗放而且单一的畜牧业经济很脆弱，经不起自然灾害的打击，往往不得不转求于中原地区的农产品及手工业品以为补充。由于手工业不够发达，大量日用必需品不能自给自足。明、蒙古长期对峙，战争连绵不断，给蒙、汉双方人民造成极大的痛苦。蒙古骑兵长驱直入明朝境内抢掠人口财物，付出的代价十分高昂。明朝为了阻止蒙古南下，经常深入草原"烧荒"、"捣巢"，蒙古人民的生命财产遭到严重的损失。人民厌恶战争，要求和平并解决经济困难。停止明、蒙双方的战争，建立和平通贡贸易关系已经成为广大蒙古族人民的最迫切的要求和愿望。因此，与明朝实现正常平等的经济交流是蒙古社会的一种正当要求。有学者指出，俺答汗为首的右翼蒙古当时面临着严重的经济困难。第一是灾荒疾疫，人畜死亡。游牧经济十分脆弱，一遭遇天灾，所赖以生活的牛马羊驼立遭损害，人民啼饥号寒，至为狼狈。二是手工业极不发达，日用必需品必资内地以为用。当时蒙古地区的手工业，只能生产简单的器具用物。布帛绢缎、锅釜炊具等都必须取自内地。三是生齿日繁，用度日增，经济上对内地的依赖性正在增强①。

俺答汗为了解决严重的经济困难，有意收留和安排内地汉民在丰州滩耕田筑屋，开发"板升"。所谓"板升"，即泛指定居的农业据点。其最初含

---

① 薄音湖、洪俊：《论俺答求贡》，《历史教学》1982 年第 8 期。

义，正如美国学者赛瑞斯所引焦竑《通贡传》"升板筑垣，遂号板升"那样，是指蒙古地区早期筑墙盖房子的一种方式，即以泥土填入夹板，逐层夯实而成墙壁。在这里居住着内地汉民，从事农业生产。这些汉人聚集的农业村落被蒙古人称之为"板升"。《俺答汗传》记载：俺答汗"倡修五塔与八大板升，令种谷薯与诸多果木，种樲美味食物于蒙古地方"①。

"土木之变"以来，明朝对蒙古一直采取极为保守的政策，经济方面实行严格的封锁，闭关拒贡。这样，一方要求开放市场，互市贸易，另一方则关闭封锁，拒绝贸易。从而导致了双方的矛盾不断升级，始以兵戎相见。

随着右翼蒙古对兀良哈万户不断用兵，从背后牵制的力量被削弱和被肢解瓜分，俺答汗等人彻底解除了后顾之忧，可以把战争的有生力量转移到对明朝的进攻方面。冯时可《俺答前志》说："击降下黄毛，始并力伺我边，以求大逞。每入大辈十万，中辈万余，少者数千。己丑以后，十犯上谷，七犯云中、晋阳。"② 这里的黄毛是指驻牧在漠北的兀良哈万户部落的人。清朝人谷应泰《明史纪事本末》则曰："自是无岁不入寇，前后杀掠吏民，剽人畜以亿万计。"

1532 年，左翼蒙古察哈尔可汗不地汗由明朝延绥求通贡互市，遭到拒绝。同年吉囊从明朝延绥地方正式向明廷提出建立互市的请求，但是明世宗谕总制唐龙各使远近兵力，相机剿杀，坚决拒绝蒙古互市的请求③。由此可见，俺答汗实现通贡的道路显然是曲折而漫长的。明嘉靖十三年（1534年），"其四月，俺答挟众欲入贡"。据有的学者研究，这是文献记载中俺答最早提出的入贡要求，也就是俺答汗想恢复中断多年的通贡关系④。嘉靖十三年六月戊戌"二月间，虏酋吉囊、俺答入边延绥"⑤。这里的吉囊即俺答汗之兄衮必里克墨尔根济农。

嘉靖二十年（1541 年）七月丁酉，俺答汗再次提出通贡。这是俺答汗第二次出面求贡。俺答汗遣使石天爵、肯切至大同阳和塞言："其父谍阿郎

①　珠荣嘎译注：《俺答汗传》，内蒙古人民出版社 1991 年版，第 55 页。

②　冯时可：《俺答前志》，《明经世文编》卷 434。

③　《明世宗实录》，嘉靖十一年三月癸亥。

④　杨绍猷：《俺答汗评传》，第 47 页。

⑤　《明世宗实录》，嘉靖十三年六月戊戌条。

在先朝常入贡蒙赏赉，且许市易，汉达两利。近以贡道不通，每岁入掠。困人畜多灾疾，卜之神官，谓入贡吉。天爵原中国人，掠居虏中者，肯切系真夷，遣之同来，果许贡，当趣令一人归报，伊即约束其下，令边民垦田塞中，夷众牧马塞外，永不相犯，当饮血为盟誓，否即徙徙北鄙，而纵精骑南掠去。"①《明世宗实录》同条又云："大同都御史史道疏闻其事，因言虏自弘治后不入贡且四十年，而我边岁苦侵暴，今果诚心归款，其为中利殆不可言。第虏势方炽，戎心叵测，防御机宜臣等未敢少懈，乞亟下廷臣议所以待之者。诏兵部议集闻。虏待命边外屡向墩哨卒调进止，一日邀墩守百户李实下墩以虏酒席饮之，载以一马拥入俺答营与欢宴。虏众有执掠哨卒，劫其衣粮者。俺酋闻则痛惩之，遣夷使送哨卒给衣粮还。'虏虽诡秘之情难信而恭顺之迹有征，准贡则后虞当防，不准则近害立至，且请多发兵粮，遣知兵大臣趣临调度，相机抚剿。兵部议，虏方强肆遽尔求息，恐其有谋，宣令镇巡官史道等悉心协议，果虏酋乞贡出自诚心，别无黠诈，宜留肯切，令石天爵回营省谕，须索小王子真正番文保无后艰，星驰具奏。如其阳顺阴逆著有迹显，亦当具实直陈，一意防守。仍置如谭学议，简明谙练边事大臣二人总督宣、大军务粮饷，并以通贡事情责之便宜处置。得旨，虏侵扰各边猖獗已甚，突来求贡夫岂其情，兵部仍即日会官定计以闻，并会推忠诚有将略大臣一人总督宣、大军务兼理粮饷。石天爵虽我边民在虏目久，恐为虏间，趣令抚按官究明驰奏。于是兵部会五部九卿议会，虏多诈其请贡不可信，或示以缓我师，或乘隙以扰我边疆，诡秘难凭，声击靡定，惟以大义拒绝之则彼奸谋自诅。今日之计惟在内修，选将帅，足兵足食乃第一义，故臣初议拟添设总督大臣处置兵饷盖为是也。今宜责令总督大臣趣行赴镇，长顾却虑大振天声，使之畏威远遁，言为得策。因条上便宜六事。上曰：丑虏绎骚迄无宁岁，各镇总兵巡抚官殊负委任，宣、大近畿重镇，尤宜谨备，乃往往失事，大启戎心，令却假词求贡。虏情叵测，差去大臣不许循习常格虚文塞责，务选将练兵出边追剿，数其侵犯大罪，绝彼通贡，果能擒斩俺答阿不孩者总兵、总督官俱加异擢，部下获功将士升五级，赏银五百两。"巡抚大同右侍郎史道言："俺答阿不孩以求贡不允，纠合诸部将入犯山西。"嘉靖二十年

---

① 《明世宗实录》，嘉靖二十年七月丁酉条。

（1541 年）七月，虏酋小王子（这里指不地汗）以石天爵延期不返，拥众并塞而南遣谍来告，若贡事不谐，必三道并入，尽躁秋稼。俺答汗虽然再三表示求贡的诚意，但明世宗为首的顽固派却不相信俺答汗求贡的诚意。明朝扣留蒙古使者肯切，并高价悬赏俺答汗兄弟的首级，这些做法激怒了俺答汗等人，他们率兵南下，攻击明朝的朔州（今朔县）、石州（今离石）一带，大掠三关而去。

嘉靖二十一年（1542 年）闰五月，俺答汗等复遣石天爵、满受秃（肯切之子）等至大同镇边堡求贡。大同巡抚龙大有大胆妄为，令边民诱捕石天爵、满受秃等二人，并把二人杀害后传首九边，另外又杀死了长期扣留在明朝一方的俺答汗使者肯切①。明廷升龙大有为兵部侍郎兼右副都御史。《明世宗实录》记载："天爵之来也，其言虏情甚详，谓虏酋小王子等九部咸住牧青山，艳中国纱缎。计所以得之者唯抢掠与市贡二端，抢掠虽获有人畜，而纱缎绝少，且亦自有损失，计不如贡市完。因遣天爵等持令箭二枝，牌一面为信，誓请贡市。一请不得则再请，再请不得则三请，三请不得则纠众三十万，一循黄河东壖南下，一自太原向东南大城无堡塞地方，而以劲兵屯大同、三关待战，盖虏之真情也。于时当事者即欲勿许，亦宜有以待之，乃不为长虑，却顾遽杀信使，夸张功伐，苟荒目前。虏闻则大愤怒，遂不待秋期即以六月悉众入寇……每攻克村堡屠戮极惨，辄以执杀天爵等为词。"②由于明廷拒绝贡市贸易，俺答汗以入边抢掠杀戮施加压力，明廷因此拒贡的打算愈来愈坚定，俺答汗企图实现双方之间和平贸易的愿望也随即成为泡影。

嘉靖二十、二十一年（1541—1542 年），蒙古接连几次派遣石天爵等人为使臣出使明朝，要求同明朝进行互市贸易。明朝不但拒绝了蒙古的互市要求，而且杀害了全部蒙古使臣，并以朝廷的名义宣布重金悬购俺答汗等右翼蒙古首领的首级。明朝这一举动激起蒙古封建主的极大的愤慨。因而蒙古封建主对明朝采取了报复行为。俺答汗等人率领蒙古骑兵长驱直入明朝境内，由大同南下，越过雁门关直捣太原，攻破沁州（今山西太原南）、汾州（今

---

① 《明实宗实录》，嘉靖二十一年闰五月戊辰条。

② 《明实宗实录》，嘉靖二十一年闰五月戊辰条。

山西汾阳县）、襄垣（今山西襄垣县）、长子（今山西长子县）等 38 个州县，后经忻州（今山西忻县）、崞县（今山西崞县）、代州（今山西代县）出雁门关返回蒙古，历时月余。蒙古军所过之处任意劫掠，所获人畜、财物、器械等不可胜计。后来，明朝亦对蒙古采取"烧荒"、"捣巢"、"赶马"等报复手段。蒙古、明朝双方人员和财产损失都相当严重。时隔四年以后的嘉靖二十五年（1546 年）五月，右翼蒙古再次向明朝派遣使臣，并向明廷赠送白骆驼九峰、白马九匹、白牛九头，还有金银锅各一口，但明廷对此无动于衷。此后数年俺答汗求贡不得，接连发兵袭击明朝的延绥、宣府和大同等地，使明朝损兵折将，损失惨重，俺答汗等有时也遭到明兵民的有力抵抗而多有损失。

嘉靖二十五年（1546 年）五月，俺答汗仍不放弃和平通贡互市的要求，又派出堡儿塞等三人至大同左卫传递蒙古文，"投番文言，俺答选有白骆驼九头、白马九匹、白牛九只及金银锅各一，求进贡讲和，自后民种田塞内，虏牧马塞外，各守信誓，不许出入行窃。"① 同条又云："大段如曩时石天爵所称者，墩卒纳之。会部兵官巡边家丁董宝等狃石天爵前事，遂杀三人者以首功报。"这种进九位数大贡，乃蒙古族最隆重的礼节，但结果三位使者又被大同总兵的巡边家丁董宝等杀害冒功。明宣、大总督翁万达痛斥这种做法说："北虏在弘治前岁入贡，于时疆圉稍宁。自宣府虞台岭之战，我师覆没，自始虏轻中国，贡道不通，侵犯日棘，盖已四十余年矣。嘉靖壬辰自小王子复自致书求贡方物竟疑沮中止。迩年石天爵之事，彼以好来所当善应。始既漫然答之，终复诈诱斩之，大失夷心，横挑巨衅。臣常痛恨，当时边臣之失计，乃今彼酋复遣使叩边卑词求贡，虽夷情诡秘……在我当谨备之而已……董宝等么麽贼卒，乃敢玩法贪贡，戕彼信使……乃置夷使于墩台，纳人于境内，又从诱而杀之，此何理也？曲既在我，必且虏怒……宝等滔天之恶，真不容诛。"② 翁万达认为无论答应其通贡与否都不应该滥杀无辜的使臣，前已杀石天爵等人其曲已在我，今又无故滥杀，请严惩董宝等人，并向蒙古方面解释，以免挑起更大的衅端。与此同时，翁万达向明世宗上疏，认

① 《明世宗实录》，嘉靖二十五年五月戊辰条。

② 《明世宗实录》，嘉靖二十五年五月戊辰条。

为"王者之待夷狄，来则勿拒"，应接纳俺答的贡使。但"朝议疑之，严旨戒边臣"，拒绝了俺答汗的合理要求。边臣只好巧为周旋，私下以好言答之。俺答汗等便认为"既通中国好，遂散处其众，不复设备，遇明哨探卒亦不杀"，以实际的友善行动表明其诚意。七月，俺答汗又遣使递上"有印番文一纸"，继续求贡并禁所部不得抢边，以示信于明朝。翁万达上报后，明廷"令万达申饬所部严备，相机出塞剿杀。"同年秋，俺答汗又派遣使臣至边塞请求入贡，翁万达再次上疏，又被顽固不化的明世宗拒绝了。

俺答汗约束部落停止犯边，并不断遣使求贡。嘉靖二十六年（1547年）二月至四月，蒙古第四次向明廷派遣使臣李天爵。"俺答言其祖父俱进贡，今虏中大神言羊年利于取和，俺答会集保只王子、吉囊台吉、把都台吉四大头目商议求贡。若准，彼进黑头马一匹，白骆驼七只，骟马直千匹，求朝贡白缎一匹，与大神、卦袍、麒麟蟒缎等件，各头目穿用。边内种田，边外牧马，夷汉不相害，东起辽东，西至甘凉，俱不入犯。今与中国约，若达子入边墙作贼，中国执以付彼，尽夺其人所蓄马以偿中国，不服则杀之。若汉人出草地作贼，彼执以付中国治罪，不服亦杀之，永远和好，递年一、二次入贡，若太师每许代奏，即传谕部落禁其生事云。"① 这里的保只王子即蒙古可汗不地汗。俺答汗的使臣李天爵向明边臣递交了蒙古致明廷的信，信中说蒙古的不地汗召集了鄂尔多斯部的济农那言大儿（又写作诺延达喇）、土默特部的俺答汗、喀喇沁的巴雅思哈勒昆都楞汗（即明代汉籍中的老把都儿）等大封建主会议，决定向明廷赠送黑头白马一匹、白骆驼七峰、骟马三千匹，希望明廷回赠蒙古白缎和大神卦袍、麒麟蟒缎等物。蒙古向明廷表示，双方进行和谈、休战。蒙古还保证对东起辽东、西至甘肃的明朝边界不进行任何入侵和骚扰，要求明朝也不得超过长城烧荒捣巢。四大首领共议，派李天爵为使，要求入贡，并提出切实可行的合理建议："边内种田，边外牧马，夷汉不相害，东起辽东，西至甘凉，俱不入犯"，如有违约者，交所属官方治罪，"永远为好，递年一二次入贡。若太师每许代奏，即传谕部落禁其生事云。"② 右翼蒙古要求"汉人八十八万，达子四十四万"，蒙、汉两家

① 《明世宗实录》，嘉靖二十六年四月己酉条。
② 《明世宗实录》，嘉靖二十六年四月己酉条。

永世和好，实现通贡贸易①。这里的所谓"达子四十四万"是指全体蒙古人，即十七世纪蒙古文史书如佚名《黄金史》、罗藏丹津《黄金史》、佚名《大黄史》（大黄册）、萨冈彻辰《蒙古源流》通常所说的"杜沁·杜尔本二者"，也就是四十万蒙古（东蒙古）和四万户瓦剌（卫拉特）。总督翁万达、巡抚詹荣、总兵周尚文等向明世宗上书说，俺答汗等"自冬春以来游骑信使款塞求贡不下数十次，词颇恭顺。臣等以夷情叵测，未敢轻议也，已将原来夷使省谕回营，责取印信封诰，期以今秋西不犯延、宁、甘、固，东不犯辽蓟，以取信中国，待守约有成，方敢代为请贡，然我之所以责彼取信者不难于印信番文之必来，而难于东西备边之犯，设虏果如约而至，而犹复终绝之则彼之构怨可待而鼓其众也有词。其报我也必专而力，即我中彼诈而中变焉，则虏负不义之名而举无名之寇，其为患亦终弱，且缓此曲直老壮之所攸分也……兵部覆言：虏节年侵犯九边，横被其毒，凡在朝臣工议当殄奸丑类，以雪积愤，况自石天爵倡为进贡之词，节年踵行前诈，岂可轻信以堕虏计，请行部镇诸臣严兵饬备，无失事机。如虏使再至，省令传谕俺答，约会诸酋，禁辑部落，毋侵犯各边，果九边晏然，革有恭顺事迹，另行具奏，其遮杀结款等弊悉严禁如御史请。"② 他们认为可以答应他的请求，但明兵部不敢自作主张，一切顺从明世宗的意旨行事。明世宗不仅拒绝了俺答汗的要求，还严厉斥责边臣说："黠虏节年寇边，罪逆深重，边臣未能除凶报国，乃敢听信求贡诡言，辄骋浮词代为奏闻，殊为渎罔，其令总督官申饬镇巡诸臣协心殚力，通事人役违法启衅者处以重典。"③ 并威胁说，"如有执异，处以极典"。

嘉靖二十七年（1548 年）三月，俺答汗又投书求贡，翁万达婉言上疏，明世宗再次痛责之曰："朕以边围重寄万达等，自宜并力防御胡，乃屡次求贡为言，其令遵前旨一意拒绝，严加提备，违误者重治不贷。"明世宗仍命边臣拒之。

当时，明朝宣大总督翁万达多次上疏明廷，建议接受蒙古提出的通贡互

①　《明经世文编》，何中丞九愚山房集：《套虏输款求贡疏》。

②　《明世宗实录》，嘉靖二十六年四月己酉条。

③　《明世宗实录》，嘉靖二十六年四月己酉条。

市要求，对蒙古实行羁縻政策。但明廷仍然坚持闭关拒贡的政策，拒不采纳他的建议。

嘉靖二十八年（1549 年），俺答汗派兵到宣府镇外，与明朝军队激战，并要求入贡。俺答汗从多次被明廷拒贡、使臣被杀吸取教训，为避免使者再次被扣杀，令军士将一封最后通牒式的信射入明朝兵营。为表明诚意，归还所掠人丁。在信中威胁说，"以求贡不得，故屡抢。许贡，当约束部落不犯边"，鉴于明朝多次蛮横拒绝，故书中明言警告明朝，如不答应入贡，"秋且复入，过关抢京辅。"① 一向一意孤行的明世宗不顾俺答汗的警告，仍然拒绝了他的请求。虽然蒙古一再表明，若明朝仍将顽固拒绝互市要求，蒙古将挥师南下，兵临京师北京抢掠。但明廷仍对此不予理睬。明朝大小臣僚对明世宗的一贯错误的做法视而不见，不敢直言进谏。明廷堵塞了和平通贡互市之路，结果酿成了大祸。

多年来，俺答汗向明朝提出了成百次的入贡要求，提出了许多合理建议，也做出了许多友好行动表明他的诚意。在他的要求多次被无理拒绝之后，他也无数次地向明军发动进攻，无情地杀戮和抢掠，给明朝以沉重的打击，在军事上占据着较大优势。尽管如此，他仍然没有改变走和平通贡互市之路的初衷，"庚戌之变"是他以战求和的一次大规模的军事和政治攻势。嘉靖二十九年（1550 年），俺答汗率领十余万大军攻至明朝京师北京，全国震惊，史称"庚戌之变"。

二月，俺答汗驻兵于大同塞北的威宁海子（今内蒙古兴和附近），其他蒙古部也在向南移动。右翼蒙古大军临近，明边境频频告急，但不知俺答汗等将攻击何处，只好仓促将重兵设防于拱卫京师的蓟州镇。然而明兵营严重缺额，且军卒缺乏操练，缺乏粮饷，士气低落，仓促起变，无以应对，面对虎视眈眈的蒙古大军，一下子措手不及，陷入一片混乱之中。六月，俺答汗率领数万蒙古军队，毁城墙入塞内，先派兵进攻大同进行试探，同时将精兵健马埋伏于山沟之中，另以百余骑老弱骑兵往来诱惑明军。大同总兵张达出城追击，蒙古伏兵四起，箭矢如雨，张达及其部下副总兵林椿等均被击毙。八月，蒙古大军集结于滦河、以马吐河流域，顺潮河川南下，直逼古北口。

---

① 《明世宗实录》，嘉靖二十八年四月丁巳条。

明将王汝孝前来迎战，蒙古骑兵佯为退却，诱其军队追击。俺答汗率领精骑从防御薄弱的黄榆沟破墙而入，从背后攻击王汝孝，明军大败。蒙古军队顺利南下，经怀柔、顺义抵达通州，分兵四掠，明京师震动，一片恐慌。不久，又从通州渡河而西，前锋七百余骑抵达北京城安定门北面的校场驻扎①，分别掳掠了北京近郊的西山、黄村、沙河等处。

在蒙古大军到达通州的紧急时刻，明世宗下诏调集各地驻兵保卫北京。仇鸾等各路援军先后抵达北京。顽固不化的明世宗任命仇鸾为"平虏大将军"，统帅明军，分别把守北京城的各门。狡诈的仇鸾向大学士严嵩请教战守之策，大奸臣严嵩密授与计："败于边可隐，败于（京）郊不可隐。（敌）饱将自去，惟坚壁为上策。"② 意思是如果出城迎战，打了败仗，不像在边关那样隐瞒得住，皇帝一旦怪罪下来，就会身家难保。结果，听任俺答汗的大军在城外肆意焚掠。明朝大将仇鸾一面假称几次率兵往击蒙古大获全胜以蒙骗皇帝，一面密遣亲信到城外去见俺答汗，假意允许通贡互市，请求俺答汗退兵解围。

俺答汗此次率领大军南下的主要目的之一是想"以战求和"，迫使明朝答应能贡互市。蒙古兵在东直门外捉到一名御厩内官杨增。俺答汗将杨增等八人释放，并让杨增进城向明廷递交一封信求贡市。信中要求明廷答应同蒙古进行互市贸易，就可以撤兵班师。明世宗览书后一时不知所措，遂召集大学士严嵩、李本、礼部尚书徐阶等大臣诏对于西苑会议，听取意见，商量对策，君臣却互相推诿。③ 朝廷大臣对此争议很大，有的主张暂时答应蒙古的要求，开设互市；有的则坚决反对同蒙古进行和平互市。《明世宗实录》嘉靖二十九年八月壬午条云："阶请于计款之，言：其书皆汉文，朝廷疑而不信，且无临城胁贡之理。可退出大边外，另遣使赍番文因大同守臣为奏，事乃可从。如此往回之间四方援兵皆至，我战守有备矣。上首肯曰：卿言是。"徐阶主张答应俺答汗的要求，但又担心对方乘胜要价太高，一向顽固不化的明世宗竟脱口而出说："苟利社稷，皮币珠玉皆非所爱"④，不惜一切

---

① 《明世宗实录》，嘉靖二十九年八月辛巳条。

② 谷应泰：《明史纪事本末》卷59《庚戌之变》，中华书局1979年版。

③ 《明世宗实录》，嘉靖二十九年八月壬午条。

④ 谷应泰：《明史纪事本末》卷59《庚戌之变》，中华书局1979年版。

代价保全自己的性命，想以缓兵之计，等待各地援兵，逼迫俺答汗解围撤兵。以后数日，群臣意见分歧仍很大，或战或和，莫衷一是，明世宗犹豫不决，只是以责骂臣下出气。这样明廷一味拖延不作答复。掌握兵权的大将军仇鸾和兵部尚书丁汝夔奉行大学士严嵩的"饱将自去"方针。《明世宗实录》嘉靖二十九年八月甲申条云："徐阶集廷臣上：俺答求贡议略言……今虽称臣求贡，然信使不入，表文不具，其文书皆汉字，真伪不可知，臣等以为求贡必不可许。宜且遣通事赍敕谕虏酋，如果悔罪求贡则当敛兵出境，具表款塞，听朝廷处分。如驻兵境内要求讨赏则惟有……以大兵征讨。……彼以兵胁而求我以计穷而应城下之盟，岂不辱哉！是日虏退趋白羊口。"明廷迫于俺答汗的军事威胁，最终还是采纳了徐阶之策。俺答汗这次南下围攻北京城只为胁贡，并无夺取明朝江山社稷之意，因此得到明朝的明确答复后立即撤兵，俺答汗出入内地如入无人之境，明军不敢抵抗，返回时又沿途纵掠而去。有学者指出，《俺答汗传》证实，当时明朝最高统治集团的确派过密使，去俺答汗帐谈判。自动撤退说，无非是轻信了明朝方面的烟幕，双方谈判结果，那就是第二年的大同马市①。蒙古大军已掠夺了大量人畜和财物，便从古北口、白杨口撤退。明世宗十分恼怒，下令斩兵部尚书丁汝夔、侍郎杨守谦。1550 年是干支纪年法的庚戌年。所以，历史上将这一次蒙古与明朝的战争称为"庚戌之变"。

俺答汗围京三日，纵兵掳掠京城城郊，虽未能签订"城下之盟"，但已给明朝沉重打击，并获得大量资财、牲口，经济上的目的已部分得到了满足，不想在攻城战役中付出更大的牺牲，遂从容撤军退回到塞外驻牧地。

17 世纪初成书的蒙古文《俺答汗传》，也记载了这次战役，并补充了若干明朝人失载的材料。该书载："右翼三万户聚集于上都之察罕格尔台地方，阿勒坦汗、诺延达喇济农、昆都楞汗三人，使勇士都古楞僧格诺延领兵先行，右翼三万户入希喇塔拉沟向汉国进军。闻讯外敌来犯之后，汉国守军出而堵截沟口，刚强力大之僧格诺延身先破阵，携带奇迹般大量掳获之物而还营。复至大明皇城外将其围攻，将来战之军消耗殆尽，大国之众又欢然掳

————————

①　义都和希格主编：《蒙古民族通史》第 3 卷（曹永年执笔），内蒙古大学出版社 2003 年版，第 313 页。

掠后，勒紧金缰敛兵各回本营。其后汉国大明汗慑于普尊阿勒坦汗之威名，派来名为杨兀扎克之人，谓'相互为害不能杀绝斩尽，故不如和好往来买卖通贡。'派名阿都兀齐者偕同来使前往，将大军撤至墙外开始会谈，以三万户分别进兵逼和，取得极多之田赋之后而回还。"①

这次出兵的除了俺答汗，还有鄂尔多斯部的那言大儿吉能（衮必里克墨尔根之子，明人所称吉囊），还有俺答汗的弟弟昆都楞汗，即明代汉籍所称的老把都儿。据学者考证蒙古文史籍《俺答汗传》中提到的杨兀扎克即明朝使者杨增②。他携来了俺答汗的书信，明世宗、徐阶等决策以后，赍金宝珠玉回报俺答，使者自然非他莫属③。

《明世宗实录》嘉靖二十九年八月甲申条评论"庚戌之变"这一事件时写道："虏自壬寅以来无岁不求贡市，其欲罢兵息兵意颇诚恳。当时边臣通古今知大计，如总督翁万达辈，亦计以为宜因其款，顺而纳之，以为制御之策，乃庙堂不为之主议。既大言闭关以绝其意，又不修明战守之实而为之备，反戮其使以挑之，至于戎马饮于郊圻，腥膻闻于城阙，乃诏廷臣议其许否，则彼以兵胁而求，我以计穷而应城下之盟，岂不辱哉！自此之后，议募兵，议增饷，辎轩使者旁午于道，又调各镇之卒以戍蓟镇而兵愈弱，为一切苟且之政以敛财供费，而民愈困。乃执政者不深惟主辱臣死之义，犹泄泄沓沓，以恣其私，政以贿成，士由倖进，十余年间海内骚动，愁叹之声盈于闾里。犹事赖主上威明，总揽乾纲，未至失坠，祖宗德泽，固结民心，幸靡有他，不然天下之祸可胜讳言哉！语曰：安危在出令，存亡在所任，非虚言也。"《明世宗实录》的撰者这番议论对于"庚戌之变"的酿成和严重影响可以说是一语中的，切中要害。由此可见，明世宗是闭关拒贡错误政策的主要责任者，他既无定见又反复无常，使其臣下无人敢主议，只能察言观色，随其所愿。"庚戌之变"是明朝对蒙古一贯实行闭关政策，一再拒绝蒙古一方和平互市的要求而引起的一次历史事件，俺答汗率兵攻打北京，企图以武力迫使明廷答应通商，使明朝畿甸大震。"庚戌之变"极大地震撼了明朝最

---

① 珠荣嘎译注：《俺答汗传》，第48—51页。
② 珠荣嘎译注：《俺答汗传》，第50—51页。
③ 义都和希格主编：《蒙古民族通史》第3卷（曹永年执笔），第312页。

高统治者。

俺答汗归故地后，即于是年十二月派人至宣府要求通贡。明世宗及大学士严嵩、大将军仇鸾、赵锦等人心有余悸，慑于俺答汗的兵威，被迫同意开放马市。嘉靖三十年明朝在大同、宣府、延绥等镇先后开三处马市，右翼三部（1551 年）分别入市。嘉靖三十年四月开马市于镇羌堡。

《明世宗实录》嘉靖三十年（1551 年）六月壬戌条记载："初大同马市甫毕，随有虏骑犯左卫者，侍郎史道遣使诘虏则误谓：中国妖逆小芹、乔源等实诱致之。芹、源皆持白莲教邪术出入虏地为奸，其党无虑百十人，散处诸营帐，恐虏与中国通为己不利，乃赂俺答左右言：芹等有术，咒人人死，喝城城颓。俺答汗为所恐动。于是道密踪迹，白莲教诸妖张攀龙等五十余人执之，并执芹、源等妻子。索芹、源于虏，虏请试芹、源使喝城不效则执以予我。"① 俺答汗为表示诚意并使马市继续下去，将叛入草原的白莲教徒肖芹等三十余人械送至明朝一方处治。明廷深知俺答汗在右翼蒙古中的核心地位，因此特别注意重点笼络。上引《明世宗实录》同条又云："脱脱告通事曰：某日将自右卫以千骑随芹等入试喝城，毋敢掠也。会有旨命道遍历延宁经理市事，道以其事闻。因言：俺酋前赴市甚恭，中怵于邪党奸计。料此虏虽未可要其所终而调停曲处得宜尚可挽之以就我笼络。且虏酋唯俺答为雄，其分驻宣府境外把都儿、辛爱等五部皆其亲枝子弟。一有煽动，即为门庭燃眉之灾，视吉囊三子处河西僻隅者不可同日而语，臣多方操纵已得要领……"② 边境因此安宁，百姓均称百余年来所未有过的和平景象终于出现。但是这种和平景象只是维持短暂的一年而已。由于明朝在大同、宣府、延绥三处所设马市时间仓促准备不足，只以马易缎，后来蒙古方面又提出"富虏能以马易缎，贫者唯有牛羊，请易菽粟。朝议则复难之。"

俺答汗为了扩大"以马易帛"的范围和规模，满足一般牧民的需要，向明朝一方提出富裕牧民有马可以易布帛，而贫苦者唯有牛羊，希望明方准许以牛羊易粟豆米麦等粮食。嘉靖三十年（1551 年）七月告知明朝边臣："富虏能以马易缎，贫者唯有牛羊，请易菽粟。"嘉靖三十年十一月，"自大

---

① 《明世宗实录》，嘉靖三十年六月壬戌条。
② 《明世宗实录》，嘉靖三十年六月壬戌条。

同尚书史道回京，虏欲以牛羊易穀豆者，候命不得，遂分散为盗，无虚日。十一月间大入边三次，抢掳其众。督抚官遣使责问，俺答则漫应曰：诸贫虏无以得食，禁不能止，如中国法虽严，民间岂无寇窃邪？我能自不入犯，不能禁渐下之不盗也。"① 朝廷中一些大臣责难虏欲无厌，边吏不敢再请求照原议以粟牛羊。

　　显然，右翼蒙古这一合理要求对双方的需要、安定边境有积极意义。蒙古方面要求的是广泛地进行物资交流，获取日常生活必需品，而不仅仅是为交换布帛和绸缎。主持马市的史道也认为可以同意，并报请朝廷批准。侍郎史道疏言："兹虏求互市与中国以有无相易，马匹牛羊彼之有也，菽粟布帛我之有也。各以所有余资所不足，使虏大小贫富皆沾我之有而我边镇之人亦无不受之利……今以坐谈以败成事者其说不过有二，一曰：虏不粒食，其易粟将以之食我逋逃；一曰：虏马且壮，将乘市深入。夫虏以牛羊来市得粟几何？安能供逋逃之众？且又何爱此奸孽而舍牛羊之需食也。其岁时侵犯未尝欲入而不能而又何借市以乘便。即使以马缎之易，虏之富者利之，贫虏畜唯牛羊而已尔。虏富者十二，而贫者十八，今不一为通融，恐为饥寒所迫，冲决约束，有妨大计。乞庙谟早断。"② 同条又云："臣于三月临边，俺答即传谕各部，禁其南牧，是以西起西宁，东尽宣大环境数千里，由三月以迄七月自妖逆萧芹等诱入二次外，更无三五零骑侵扰近边者。臣道质之边境父老，咸谓百余年来所未有此。不独见其尊奉朝廷，遵守信义，即其威令之行于各部亦足征矣……今俺答恳请以牛羊易粟豆，盖欲借是以定诸部落之心。诸部定心则俺答内向守约之心益专一矣。乃自八月临边整备牛羊候旨交易而命久不下。且粟豆与缎布随在有之，即有缺乏转输亦易。"由于明方只以帛易马，没有满足蒙古进行更广泛贸易的要求，蒙古方面认为明朝失信，有零骑犯边，于是大同马市首先关闭，而宣府、延绥仍平静无事，继续互市。朝中兵部员外郎杨继盛等顽固派起先就反对开放马市，上疏提出开市有"十不可"、"五谬"荒唐言论。这时一些大臣竟借口"虏欲无厌，既易缎布，复

---

① 《明世宗实录》，嘉靖三十年十一月丁亥条。
② 徐日久：《五边典则》卷9，嘉靖三十年五月。

请荻粟，恐将有难从之请。"① 杨继盛还上奏："乞罢马市，以全国威，以绝边患。"又说："夫开马市者，和议之别名也，……以堂堂天朝而下与犬羊为市，冠履倒置，损国家之大威。"此时，大奸臣大学士严嵩也转而反对开市，于是明世宗以史道"不思处置边备，乃为渎奏"为由，将其召还。由于明朝一方只以帛易马，没有满足蒙古进行更广泛贸易的要求，俺答汗等认为明朝不足信，又开始剽掠境上，明世宗诏罢大同马市。嘉靖三十一年（1552 年）二月，俺答汗遣丫头智至大同要求开市，又被明朝总督侍郎苏祐擒杀。丫头智临死时警告："杀我易耳，第恐中国自是无宁期矣！"② 俺答汗使者丫头智被明朝擒杀的详情在徐日久《五边典则》中这样记载："大同自弘赐堡拒虏市后日苦侵暴。虏屡传言求开市如初，无敢应者。至是复遣夷使丫头智来求市，且云：不允则大举入寇。通事官林丛兰者与丫头智善，乃诱入境缚之。智曰：杀我易耳，第恐中国自是无宁期矣！于是总督侍郎苏祐以擒获功闻。丛兰时以他事充军，诏释其罪，斩丫头智于大同市，枭首各镇。"③

　　蒙古的使者丫头智被杀害，明、蒙双方关系再度恶化。同年九月，明世宗下诏"罢各边马市"，双方和平贸易断绝，又开始了长达二十年的战争。明朝数十万边兵败多胜少，损失惨重，从嘉靖三十二年至四十五年（1553—1566 年），明朝一方仅边官大将总兵、副总兵战死者就有十余人，军卒死伤更无从计数。明世宗盲目坚持闭关拒贡政策，使明朝虚耗国力，付出了沉痛的代价，造成了许多人力、财力的无谓的损失。军费每年增加，仅京师及长城各要塞就需要四五百万两，财政空虚，岁入不能充岁出之半，明世宗为此"终夜床，不能安寝"④。明朝统治者沿北部边境长期修筑耗资巨大的万里长城，尽管耗费大量的人力物力，并未能挡住蒙古的南下抢掠。对明世宗的错误政策，据《明穆宗实录》隆庆五年七月戊寅条记载，隆庆五年大学士高拱等在议俺答汗求贡时批评道："……昔，嘉靖十九年北虏遣使求贡，不过贪赏赍与互市面上之利耳，而边臣仓促不知所策，庙堂当事之臣

---

① 《明世宗实录》，嘉靖三十年八月壬戌条。

② 《明世宗实录》，嘉靖三十一年二月庚辰条。

③ 徐日久：《五边典则》卷9，嘉靖三十年五月。

④ 沈一贯：《请许套虏求款揭帖》，《明经世文编》卷435。

惮于和计，直却其情，斩使绝之，以致黠虏怨愤。自此大举入犯，或在宣、大，或在山西，或在蓟镇，或抵京畿。三十余年迄无宁日，遂使边境之民肝脑涂地，父子夫妻不能相报，膏腴之地弃而不耕，屯田荒芜，盐法阻坏，不止边方之臣重苦莫支，而帑储竭于供亿，士马罢于调遣，中原亦且敝矣。此则往岁失计之明验也。"

俺答汗发动的"庚戌之变"，以武力迫使明朝答应开设马市，实现和平贸易使边境得以安宁，双方均获利益。然而由于没有订立有关互市的次数和日期，也没有规定马匹的等级和价值，故在双方发生争执时，不能妥善处理。明朝怀"庚戌之耻"而不答应对方的合理要求，俺答汗挟"庚戌之变"而时时以武力相威胁，不能严格约束部众的掳掠，故使互市破裂，均大受损失，也给了双方更深刻的教训。接二连三的损失和教训又使双方进行反省，寻求妥善的解决办法。虽然时机成熟了，只是由于以明世宗为首的顽固派的百般阻挠，俺答汗梦寐以求的目标未能实现。

二、蒙古右翼同明朝互市关系的建立

嘉靖四十一年（1562 年），明朝大奸臣内阁大学士严嵩被弹劾下台；隆庆元年（1567 年）正月，迷信道教妄想成仙的顽固派的代表明世宗服所谓仙丹中毒身亡，明穆宗即位，改元隆庆。开明派高拱、张居正先后入阁担任首辅，终于促成了与俺答汗的封王、通贡和互市协议，开创了明、蒙和平友好的新纪元，故史称"隆庆封贡"或"俺答封贡"。

明隆庆元年，明朝思想较为开明的高拱、张居正等人执政后，开始推行改革，整顿吏治，消除嘉靖时的腐败政治和积弊；他们对以往拒绝俺答汗要求通贡的错误做法，作了较深刻的反省，首辅高拱说，俺答汗遣使求贡"边臣仓卒不知所策，庙堂当事之臣惮于主计，直却其请，斩使绝之"，致使俺答汗"拥众大举入犯，或在宣大，或在山西，或在蓟镇，或直抵京畿。三十余年，迄无宁日，虽使边境之民肝脑涂地，父子夫妻不能相保。膏腴之地弃而不耕，屯田荒芜，盐法阻坏，不止边方之臣重苦莫支，而帑储竭于代亿，士马罢于调遣，中原亦且蔽矣。此则往岁失计之明验也。"① 因而主张

---

① 《明穆宗实录》，隆庆五年七月戊寅条。

与蒙古通贡互市，满足俺答汗等蒙古右翼封建领主的要求。同时切实加强边防，变消极防御为积极防御，调动抗倭名将戚继光任蓟州镇总兵，镇守蓟州、永平、山海诸处。戚继光运用当年平倭寇的丰富经验，结合北部边防的实际情况进行一系列的边政建设。为了对付蒙古骑兵的长途奔袭，他首先主持修缮和加固辖区的两千余里长城（明朝人叫做边墙），新筑二千二百多座敌台（碉堡），"精坚雄壮，二千里声势联接"。又建车营，"车一辆用四人推挽，战则结方阵，而马步军处其中。又制拒马器，体轻便利，遏寇骑冲突。寇至，火器先发，稍近则步军持拒马器排列而前，间以长枪、筤筅。寇奔，则骑军逐北。"又严格训练士兵，征调三千训练有素的抗倭浙兵作表率，使边军大骇，自是始知军令。经过戚继光的一番苦心经营建设、部署和训练，使这一带的边防"节制精明，器械犀利"，"敌人无入"，成为明朝北部诸边之典范。其他诸边边防重镇也相继得到加强，富有军事谋略的各镇督抚如王崇古、方逢时、谭纶等和勇敢善战的总兵景汉、马芳等都得到信任和重用，朝臣支持边将，边将肯为朝廷效力。明朝边防得到了空前的巩固。

嘉靖三十年（1551年）四月二十五日至二十八日，开大同马市于镇羌堡，易马2 700余匹，俺答汗进谢恩贡上马九匹，番表一通。随后，宣府设马市于新开口堡，陕西三边也开设延宁马市。但是好景不长，1551年的马市仅仅维持了一年之后即很快宣告流产。一些反抗明朝统治失败后逃亡草地的白莲教徒汉人头目，用迷信手段获取俺答汗的信任，他们出于对自身安全的考虑，唯恐贡市成功于自己不利，不愿意明、蒙和解。因此，他们千方百计煽动俺答汗入塞剽掠，破坏贡市贸易。其中著名的有赵全、李自馨、肖芹、乔源、丘富、吕老祖等人。赵全、肖芹等人的行径遭到许多蒙古封建主的反对。同年七月，俺答汗执送肖芹，再次表明了对贡市的诚意。

当时，富有的蒙古人已用马匹交换到绸缎等物，贫穷的蒙古人则拥有的马匹很少，他们希望用牛羊等牲畜交换一些谷物、杂粮及日常用品等。明廷以蒙古人用心狡诈，贪得无厌而下令关闭大同马市。大同马市遭到破坏后，明、蒙双方的战争又持续了二十年。

"庚戌之变"之后大同马市的昙花一现，明、蒙又陷入了长期的战争漩涡，使俺答汗一直梦寐以求的通贡互市目标面临很大的困境和挑战。明朝边防的巩固和军备的加强，又使俺答汗失去了军事上的优势，导致入边抢掠付出更大的代价，右翼蒙古南下往往损失惨重，得不偿失。俺答汗虽在丰州滩兴办农业、手工业，对解决地区的生产、生活需要起了相当大的作用，但自嘉靖末年起，丰州滩地区"板升"连年发生严重的自然灾害，农、牧业生产遭受损失特别严重。"板升"农业歉收，汉人头目"李自馨等叩边请率众归降"①，要求南归降明朝。嘉靖、隆庆间"板升"自然灾害史不绝书，风旱雪霜频繁袭击华北地区，右翼蒙古各部生产、生活遭受巨大损失，生计艰难，经济上陷入困境。在接连不断的自然灾害袭击下，牲畜大批死亡，农田大面积歉收，俺答汗等被迫远走避灾，连"板升"地区最富有的汉人头目赵全、李自馨等也于隆庆四年（1570年）向大同巡抚方逢时秘密投书，"具言悔祸思归愿如约"②。

"隆庆和议"实现的主要原因在于明朝态度的改变。能否实现明、蒙之间的互市，主动权始终掌握在明廷手中，而不在俺答汗手里。对俺答汗来讲通贡互市是他采用了所能采取的一切手段而未能实现的目标，因此不存在俺答汗态度转变和矛盾促使的问题，这次实现通贡完全是明朝政策转变的结果③。土默特地区的"板升"，只是蒙古贵族俘掠大量汉人后，由于在畜牧业经济中无法完全容纳而形成的半农、半牧的村落。"板升"出现后，并未能改变蒙古"爨无釜，衣无帛"的状况，更没有解决蒙古地区单一畜牧业经济寻求与农业、手工业综合经济相结合这个主要矛盾。反而由于大量汉族农民的迁入使这种需求变得更为迫切了。嘉靖三十年（1551年）明朝不准蒙古以牛羊易粟，主要担心的是怕蒙古人以此养活叛人，使更多的叛人为"虏"所用。俺答汗缚献"板升"汉人头目，并不一定就是蒙古贵族与他们的矛盾不可调和的结果，投奔蒙古的汉人不过是蒙古贵族的奴仆而已，杀伐任用之权操在蒙古贵族手中，不必假明朝之手。缚献本身已经说明了汉人"板升"头目在蒙古的身份地位之低下。正如嘉靖三十年开马市时俺答汗曾执送汉人当时的主要头目肖芹父子和吕明镇等人一样，蒙古贵族为实现其政治、经济目的，是不惜牺牲一些外民族奴仆的。蒙古贵族将其缚献之后，把

① 《明世宗实录》卷6，嘉靖四十四年五月乙卯条。
② 方逢时：《大隐楼集》卷16《云中处降录》。
③ 达力扎布：《明代漠南蒙古历史研究》，内蒙古文化出版社1997年版，第225页。

侵边抢掠的一切罪过都归之于他们的教唆，把他们当作替罪羊。而明朝也通过索叛和杀叛祭庙，以示国威尚存，在与蒙古议和时有台阶可下，方逢时等人向俺答汗离间，说赵全等人谋叛俺答汗，并"增饰其说"，只不过是采取离间手段来达到索叛的目的。赵全等人是明朝悬赏捉拿的叛人，未必真有叛俺答之心。何况明朝当时并没有把归遣整个"板升"汉人作为与蒙古议和的先决条件。封贡时明朝规定，以后真夷来归者一律不准收纳，"其华人被虏（掳）年月、籍贯、虏中主家；骑来马匹，收住边堡。如有虏骑来追，即以原马给去，人量与绸一匹，布二匹，无事不得招降以启边衅"。而且"板升"汉人分属各个台吉，并不是一个独立的整体。俺答汗为换取其孙把汉那吉，送回了一部分明朝索取的"板升"汉人头目，而"板升"汉人仍留在蒙古，通贡后有些人南归明朝，同时也有一些明朝人北去。如果说嘉靖三十年（1551 年）的马市是蒙古主动请求，明朝是被动而开，那么，隆庆五年（1571 年）的贡市则完全是明方主动寻机来实现的。由于明朝改变闭关拒贡的政策，主动寻机与蒙古和解，双方达成了"隆庆和议"。

明隆庆四年（1570 年）九月十三日，发生了俺答汗的孙子把汉那吉投明事件，这一事件的圆满解决，正好促成了明、蒙古和议和隆庆封贡。把汉那吉是俺答汗第三子铁背台吉之子，自幼丧父母，由俺答汗妻一克哈屯抚养成人，聪慧机警，俺答汗很宠爱。把汉那吉已娶把汉比吉为妻，复聘兔扯金女为妾，但聘妾被俺答汗夺去配与鄂尔多斯部，把汉那吉极为恼怒，与奶公阿力哥官谋说："我大你（指俺答汗）妻外孙女，又夺孙妇予人，天怒人怨，吾不能为若孙矣。吾天朝上下有序，尊卑有礼，男女不渎，其俗先礼让而后刑杀，吾今往归之。"[①] 于是把汉那吉（大成台吉）率妻子把汉比吉和奴仆阿力格等十余人至大同镇所属平鲁卫败壶堡（亦作平虏卫败胡堡，在今山西平鲁县境）投奔明朝。把汉那吉等得到大同总督王崇古等人的接纳。二人计议，认为这是千载难逢的好机会，将把汉那吉作为人质，奇货可居，以此可以挟制俺答汗。总督王崇古和巡抚方逢时将这一消息迅速奏报了明廷。同时，他们还提出了解决这一事件的建议，利用大成台吉的来降，同俺答汗讲和，结束明、蒙几十年的战争状态。王崇古上奏朝廷："把汉来归，

---

① 瞿九思：《万历武功录》卷 8《俺答列传》（下）。

非拥众内附者比，宜给官爵，丰馆饩，饬舆马，以示俺答。俺答急，则使缚送板升诸叛人；不听，即胁诛把汉牵沮之；又不然，因而抚纳，如汉置属国居乌桓故事，使招其故部，徙近塞。俺答老且死，黄台吉立，则令把汉还，以其众与台吉抗，我按兵助之。"① 此时，朝内闻奏，各持己见，莫衷一是，但在大学士高拱和张居正的积极支持下，同意了王崇古的建议，诏封把汉那吉为指挥使，阿力格为正千户，并给予优厚待遇，妥善安置。

把汉那吉事件发生时，俺答汗正苦于连年灾荒，生计艰难，迫不得已拟西掠甘肃、青海地区吐蕃以弥补其经济上所遭受的损失，在西征途中闻报，忙率兵东返，约诸部南下，想以武力夺回爱孙。当时赵全等白莲教头目也极力唆使俺答汗诉诸武力，迫使明朝归还把汉那吉。此时，一克哈屯闻赵全之谋，痛哭流涕大骂俺答汗曰："老悖不遄死，信汉叛儿（指赵全）反覆，乃欲侵汉，汉士马强，安能必得志，是速杀吾孙也！"② 俺答汗失去爱孙，也极伤心，"哭泣，目尽肿"③。俺答汗一面遣其黄台吉为先锋，挥兵南下，攻入明塞，"计欲捕一偏将军，而与汉请易（把汉那吉）"，但时值隆冬季节，蒙古马匹饥瘦，前锋受挫，初战失利。俺答汗又担心双方之战争将会危及孙子性命，这时方逢时派先前与俺答汗的部众熟识的通事（译者）鲍崇德前往俺答汗营中，劝俺答汗息兵，交出赵全等，以换取把汉那吉。俺答汗也派出使者前往明朝军营探视把汉那吉，得知其安然无恙，才放下心来非常高兴。方逢时又将赵全、李自馨等人的投降禀揭交付鲍崇德，"令其出诘俺答，并告以揭中事"。鲍崇德告别再至俺答汗营，秘密告知赵全等白莲教头目欲南归投明的内幕，俺答汗得知情况大为吃惊，遂决定执送赵全、李自馨等板升汉人头目，以换回爱孙把汉那吉。方逢时为表明诚意，将守备苑宗儒的儿子和两个弟弟作人质，送入俺答汗营中，使俺答汗消除了疑心。

明廷要求俺答汗交出逃往右翼蒙古土默特地区的白莲教领袖赵全等人，要求俺答汗停止对明朝的进攻；明廷送回大成台吉，并且答应俺答汗等人多年来通贡互市的要求。俺答汗本来想以武力夺回大成台吉，但得知明朝方面

① 《明史》卷327《鞑靼传》。
② 王士琦：《三云筹俎考》。
③ 瞿九思：《万历武功录》卷8《俺答列传》（下）。

给予其孙以丰厚的款待，于是罢兵与明朝边臣谈判。俺答汗同意明朝一方提出的讲和条件，索回孙子。王崇古等人的建议得到了明朝较有远见的大臣高拱、张居正等人的赞同。隆庆四年（1570 年）十一月丙寅条，"先是虏酋黄台吉之薄大同也，适田世威营中。世威让之曰：尔来求和，此兵何为者？使者归报俺答。俺答乃令黄台吉罢兵而以好言来谢。总督王崇古遣译者鲍崇德偕其使入俺答营言：朝廷待把汉那吉不薄，若赵全等旦至，那吉夕返矣。俺答大喜，屏人语曰：我不为乱，乱由全（指赵全）等。吾孙降汉，此天遣合华夷之好也。若天子幸封我为王，藉威灵长北方诸酋，谁敢不听。誓永守北边，毋敢为患。即不幸死，吾孙当袭封，彼衣食中国，其忍倍（背）德乎？遂益发使五人与崇德来乞封，又为黄台吉乞官，求输马与中国铁锅布帛互市。"① 前引《明穆宗实录》卷 51 同条又载："王崇古上疏曰：俺答雄居漠北，保我叛人，掠彼番部，人众十余万矣。东结朵颜三卫为向导，而吉囊子孙为羽翼，常首祸谋。今把汉那吉激小忿而来降，黄台吉谋内向而受挫，老酋悔祸投诚纳款，此天时也。臣闻国初时尝封虏为忠顺王，近事则西番诸国亦各有封。请得许俺答比诸国为外藩，定其岁贡之额，示以赏赉之等，长率众酋以昭圣朝一统之盛，官黄台吉等以结其父子、祖孙之心，归我叛人，剪其羽翼，亦中国之利也。今虏中布帛锅釜，皆仰中国，每入寇则寸铁尺布皆其所取，通贡之后不可复得，将不无鼠窃之忧。若许通市则和好可久而华夷兼利也。他边如辽东开原、建昌、肃州、西番诸夷皆有市，乞仿其制，刻日平价，申禁防奸，以私其交事，宜无不就者，惟上赐裁决以安疆场。兵部覆议：请候虏众远遁，执献板升诸逆则遣归那吉以结其心，其封锡大典，俟彼称臣稽首，然后更议。上曰：虏酋既输诚哀恳且愿执叛来献，具凤恭顺，其赏把汉那吉彩缎四表里，布百匹，遣之归。封贡事令总督、镇巡官详议覆奏。"俺答汗派使者随鲍崇德至明朝，要求封号，并进行互币贸易。同年十一月十九日，俺答汗把白莲教徒头目赵全、李自馨、王廷辅、赵龙、马西川、吕西川、吕小老、张彦文、刘天麒、刘四等九人械送大同左卫交给了明廷②。宣大总督王崇古又言："俺答孙把汉那吉遣使来谢，且乞表式请封。

---

① 《明穆宗实录》，隆庆四年十一月丙寅条。

② 《明穆宗实录》，隆庆四年十二月丁酉条。

但言右囊、大把都（老把都儿）未与盟，疑有诈，臣未之许。盖老把都儿俺答之亲弟，吉囊之子吉农等皆亲弟侄而兀慎、摆腰、永邵卜、哆啰土蛮等酋又多其本统亲枝也。俺答于诸房为尊，行力能合之，必同心内附，然后可以假以王封，官诸酋长，比三卫示羁縻焉。第俺答以为土蛮故主也，力不能致。臣闻老把都儿与土蛮善而内亲黄台吉，适黄台吉使来，臣令其约老把都儿以招土蛮。如其来也，可以挫三卫交搆之私，即不来则失俺答诸酋之助，其势自孤。即今秋入寇，但能蝥辽左，不敢南寇矣。今俺答与老把都儿、吉农、永邵卜诸酋各遣使十八人，持番文来言：诸酋感圣朝旷恩，愿相戒不犯边，专通贡开市以息边民，弟诸边将士习烧荒，工捣巢恐妨大信，愿明禁以结盟好，惟陛下与诸臣计之。且发译字生一人赴臣所，俟其表至译之，无触记讳，敢奏之。"①

隆庆五年（1571 年）二月，宣大总督王崇古将俺答汗的封贡要求上奏朝廷，其奏疏主要内容下面详谈。他针对朝中有不少人对"封贡"心存疑虑，担心会松懈战备，因而指出："朝廷若允许俺答封贡，诸边有数年之安，可乘时修备。设敌背盟，吾以数年蓄养之财力，从事战守，俞于终岁奔命，自救不暇者矣。"并提出切实可行的八条建议：议赐封官号及官职、定贡额、议贡期贡道、立互市、议抚赏及抚赏之费、议归降、审经权、戒狡师②。八条中包括了具体的细则，审经权指制御羁縻之策，戒狡师指边防兵贪冒。隆庆五年三月甲子，明朝诸臣廷议房酋封贡互市事，"定国公徐文璧、吏部左侍郎张四维等二十二人皆以为可许。工部尚书朱衡等五人以为封贡便，互市不便。兵部尚书郭乾不知所裁……皆持两端。独都察院右都御史李棠极言宜许状。"③ 明廷根据王崇古的《确议封贡事宜疏》条陈，制定了有关封号官爵、贡额、贡期、贡道、互市、抚赏及归降等方面的具体政策④。

三月己丑，明穆宗诏封俺答汗为"顺义王"。明穆宗命朝臣进行审议，

① 《明穆宗实录》，隆庆四年十二月甲寅条。
② 《明穆宗实录》，隆庆五年二月庚子条。
③ 《明穆宗实录》，隆庆五年三月甲子条。
④ 王崇古：《确议封贡事宜疏》，《明经世文编》卷 317。

经几次反复议论"廷臣言利者十三，害者十七，相持不决。"① 意思是封贡利少弊多，理应拒绝。此时，思想较为开明的大臣高拱和张居正力排众议，全力支持王崇古的建议，主张允许封贡，同时加强防备，以防不测。明穆宗登位后，一改其父的顽劣态度，同意了高拱和张居正及王崇古等人的意见。五月二十一日，俺答汗召集右翼三万户诸台吉、官员及部众大会，在大同得胜堡外举行隆重的册封仪式，俺答汗接受了明廷所封的"顺义王"的称号，另外还有六十五人分别被授予都督、指挥使、指挥同知、指挥金事、千户、百户等官，授俺答汗以镀金银印，其余分别给敕书，按官秩分等级给予丰厚的赏赐，一百一十二人授予军职。册封仪式结束后，俺答汗将鄂尔多斯部库图克台彻辰洪台吉（切尽黄台吉）撰写的蒙古文谢表即《北狄顺义王俺答等臣谢表》遣使赍至明朝廷②。这一次贡马 509 匹，其中上等马 30 匹，另外银鞍一副。明穆宗对俺答汗本人以及各部首领也厚加赏赍。俺答汗宣布了十三条和平条款即《俺答初受顺义王封立下规矩条约》，表示蒙、汉双方世世友好，永不相犯。

　　四月，明廷还"命授虏酋昆都力哈、黄台吉为都督同知，各赐大红狮子衣一袭、彩币四表里，宾兔台吉等十人为指挥同知，那木儿台吉等十九人为指挥金事，打儿汉台吉等十八人为正千户，阿拜台吉等十二人为副千户，恰台吉等二人为百户。昆都力哈即俺答弟老把都儿也。"③ 同年六月，明廷"授套虏吉农都督同知，其部下头目四十九人各授指挥千百户有差。仍赏吉农大红狮子絟丝一袭、彩缎四表里，赐之敕。"④

　　俺答汗为了进一步向明廷表示其维持双方和平贸易的诚意，仍然执送赵全等白莲教头目的余党。譬如，同年六月丙辰"虏酋俺答等使恰台吉、打儿汉执赵全余党赵宗山、穆教清、张永宝（保）、孙大臣及妖人李孟阳等来献，先后十三人。上嘉俺答诚顺，命赏银三十两、彩币四表里，恰台吉等各十两、一表里。诏宣大巡按御史磔宗山等传首九边。"⑤

---

① 王士琦：《三云筹俎考》，《国立北平图书馆善本丛书》第一集。
② 《北狄顺义王俺答等臣贡表文》，《玄览堂丛书》本。
③ 《明穆宗实录》，隆庆五年四月辛亥条。
④ 《明穆宗实录》，隆庆五年六月甲辰条。
⑤ 《明穆宗实录》，隆庆五年六月丙辰条。

双方商定右翼蒙古每岁一贡，俺答汗派遣贡使 10 人，贡马 10 匹，哈喇嗔的把都儿、袄儿都司部的吉能、俺答汗长子辛爱黄台吉各遣使者 4 人，贡马 8 匹，其余各台吉依其部落大小递减，岁贡马总共不得超过 500 匹，马分三等，以上等晋献皇帝，其余马匹按等给价。贡使总共不得超过 150 人，一律不得至京师。春月马瘦时来贡，贡使和上贡马匹及表文都由大同左卫审验入关，给予犒赏。

双方对和议及封贡都很满意，佚名《俺答汗传》赞颂说："其后汉蒙之和平大局稳定，两大国之间太平相安……以阿勒坦汗为首的三万户诺延，约束部众缔结和平于汉蒙间，在贡市中取得无数所好之物……此为汉蒙之间富丽和平，两大国各个角落之民休养生息，大元国普享幸福与安宁，形成太平盛世之情景。"双方各自对促进和议有功人员作了升赏，俺答汗给部下有力人员授予"宰相"或"岱达尔罕"名号，明穆宗也擢升王崇古为兵部尚书，方逢时为兵部右侍郎。

"俺答封贡"时，明方为解决俺答汗不以臣属的名义朝贡的矛盾，首先不准其使臣入京朝贡，这样就避免了此类麻烦，又节省了费用。其次，王崇古请求朝廷派译字生一人，将俺答汗所上表文重新抄写，"无触忌讳乃敢奏"。顺义王俺答汗来信后，由明方遣人持空纸到蒙古，请顺义王盖印，回来后由译字生员据原信内容再按明朝表文格式用蒙汉两体文改写在有印纸上，然后上呈朝廷。俺答汗做出了让步，接受明朝的王封，明廷通过译字生改写"番字表文"保住天朝的尊严。双方均已达到了各自要达到的目的。明、蒙双方相互让步的结果，封贡终于告成，这样无论俺答汗的蒙古一方所主张的经济利益至上还是明廷维护所谓天朝的威严，都不同程度地得以实现①。

封贡告成后不久开设的有大同得胜堡、新平堡、宣府张家口堡、山西水泉营、红山墩、清水营共六个互市场所，这些互市主要是与顺义王俺答汗的土默特部和喀喇沁、永谢布等部进行的官市和私市。在这一年，仅得胜堡、新平堡、张家口、水泉营四处的官市、民市，蒙古人共出售马、骡、驴、牛、羊等牲畜共 28 654 头。同时购回了大量的绸缎、布匹、米、豆、盐以

---

① 达力扎布：《明代漠南蒙古历史研究》，内蒙古文化出版社 1997 年版，第 235—236 页。

及其他日用必需品。此后，蒙古与明朝商定了东起宣府，西讫甘肃的十一处互市市场。

在互市方面明朝规定，在指定的互市地点蒙古以金、银、牛、马、皮张、马尾等物，商贩以缎、绸、布匹、釜锅等物进行贸易，择日开市，为期一月。互市中有官市和私市，双方各派兵维持秩序，明方给守市蒙古兵抚赏，每人布二匹，酋长缎二匹、绸二匹。

明朝与右翼蒙古双方还就相互关系和边界问题进行协商，订立了一些规定，如蒙古不犯边抢掠杀戮，明朝人不赶马、捣巢、烧荒；双方从此不再收留新来逃人；对蒙、汉人越境犯罪，或抢劫偷盗进行严厉的处罚等等。

这样，明朝自宣府至甘肃一带的北部边镇与右翼蒙古建立了和平共处关系，定期互市，互通有无。这种关系维持了长达近半个世纪，直到明朝灭亡。尽管封贡告成后，明朝只是允许右翼蒙古部落贸易，但是大漠南北部落也都通过右翼蒙古部落间接地与中原恢复了经济联系，促进了整个蒙古地区社会经济的发展。

俺答汗经过将近四十年的努力，终于使蒙汉和平的愿望成为现实。俺答封贡，蒙古和明朝之间建立了比较紧密的封建隶属关系。每年冬至，明循例遣使颁大统历，这是所谓奉正朔的标志。顺义王的承袭亦须经明朝的册封。俺答汗所建"金国"被称为"大明金国"。从16世纪中叶起，俺答汗凭借其强大的政治和军事实力，促进漠南地区经济的发展，把土默特地区建设成为巩固的基地，把库库河屯城建设成为蒙古地区的政治、经济和文化中心。从此，蒙古右翼与明朝建立了长期的和平贸易关系，促进了蒙汉之间的经济文化交流，为蒙古地区的社会稳定和经济文化的迅速发展创造了条件。

第三节　俺答汗引进藏传佛教格鲁派

14世纪末叶，青海藏族喇嘛宗喀巴，鉴于喇嘛教中的腐败现象，在西藏一些农奴主的支持下，发起改革，创立了著名的格鲁派。这一派主张僧侣严守戒律，着黄色衣帽，被称为黄帽派，简称黄教。黄教创立之初，在政治上处于劣势，常受其他教派的压制和打击。为使黄教能在西藏站稳脚跟，并进一步取得西藏的统治地位，宗喀巴的弟子们力图争取其他民族统治者在政治上、经济上和军事上的支持，尤其是明朝和蒙古封建主的支持。黄教就是在这种背景下向蒙古地区伸张的。

16 世纪后半期，俺答汗的势力占据青海，进入藏族地区，黄教由西藏经青海传入蒙古。1588 年，俺答汗出征撒里畏兀儿（黄头回鹘），在途中遇上了许多藏族商人和一千多个喇嘛。1566 年，俺答汗的从孙鄂尔多斯部的切尽黄台吉（库图克台彻辰洪台吉）进兵藏族地区，与当地喇嘛首领达成协议，收复了藏族三个部落。切尽黄台吉本人出于军事上的需要首先皈依了喇嘛教。1571 年，俺答汗接触到喇嘛教后，打算仿照忽必烈和八思巴建立经教之朝的故事，邀请黄教高僧索南嘉错前来蒙古传教。是年恰遇索南嘉措派来的高僧阿兴喇嘛，向俺答汗讲佛传经，劝导他发展佛教，皈依三宝。俺答汗接受了阿兴喇嘛的建议，准备在蒙古兴建佛寺，迎请索南嘉措和佛教经典《甘珠尔》和《丹珠尔》。从 1574 年起俺答汗多次派出使者邀请索南嘉措来蒙古传教。为了迎请索南嘉措，俺答汗征得明朝同意，在青海建寺，由明朝万历帝命名为"仰华寺"。1578 年，俺答汗和索南嘉措在仰华寺会面，召开法会，举行了隆重的入教仪式，蒙古受戒者多达千人，仅土默特就有108 人出家为僧。在法会上，索南嘉措被俺答汗等尊之为"圣识一切瓦齐尔达喇达赖喇嘛"（即第三世达赖喇嘛），达赖喇嘛的称号就是由此而来。索南嘉措也给俺答汗上了"转千金法轮咱克喇瓦尔第彻辰汗"的称号。俺答汗许于归化城立庙，以八宝装饰佛经，鄂尔多斯部博硕克图济农许将 108 函《甘珠尔经》用宝石金银装饰，萨勒扎勒彻辰台青许建三世佛之庙。此后黄寺院纷纷建立，仅归化城一带，就修筑了大召（弘慈寺）、席力图召（延寿寺）、美岱召（寿灵寺）等。

1581 年，俺答汗卒，他的后裔邀请蒙古各部汗王以及第三世达赖喇嘛为俺答汗会葬，索南嘉措应邀前往，沿途对蒙古各部宣传黄教，得到各部汗王的崇奉，有的还出了家。1585 年，索南嘉措到达归化城，为俺答汗举行葬礼，按照佛教的礼仪，将俺答汗的遗骨火化。索南嘉措趁此向蒙古各部首领宣扬黄教，各部首领一一皈依。

喀尔喀的阿巴泰前来拜见，察哈尔的阿穆岱洪台吉代表图门汗邀请索南嘉措前去传教。为了便于在蒙古地区传播黄教，索南嘉措有意安排栋科尔呼图克图作为自己的代理人常驻蒙古，此人对黄教在东西蒙古的传播起了很大的作用。索南嘉措为了进一步争取蒙古封建主的支持，巩固黄教在蒙古的影响，还采取了一个极不寻常的行动，即他在临终之前留下遗言，说他将转世在俺答汗的家族中，于是俺答汗的曾孙就成了第四世达赖喇嘛，并立即得到西藏格鲁派的承认，命名为云丹嘉错。宗教权威与蒙古汗权相结合，更有利于喇嘛教的推行。

1586 年，喀尔喀的阿巴泰汗在蒙古帝国故都哈剌和林的废墟上，建起喀尔喀地区第一座黄教寺额尔德尼召。后来又赴拉萨取回圣物和经书，并邀请土默特的迈达里呼图克图到喀尔喀传教。17 世纪初，察哈尔林丹汗继图门汗之后，组织大批人力将 108 函的《甘珠尔经》译成蒙古文。同期，西部蒙古和硕特部首领拜巴噶斯迎请栋科尔呼图克图到西蒙古传教。在拜巴噶斯的影响下，各部领主纷纷入教，32 个首领各派一子出家当喇嘛，拜巴噶斯也令其义子出家，这就是著名的咱雅班第达。至此，黄教风靡全蒙古。

黄教之所以在蒙古地区迅速广泛传播，首先是由于蒙古封建主的极力提倡。北元蒙古长达 200 年的封建战争，导致了内部经济的枯竭，使人民群众陷于贫困饥饿状态，以至"爨无釜，衣无帛"，"冬春人畜难过"。在战争中人民大批伤亡，生活朝不保夕，引起群众对封建主的不满和反对，属民不断逃亡，阶级斗争日趋尖锐。封建主感到萨满教不足以巩固他们的统治。萨满教的杀牲祭祀，用人、畜殉葬等做法不仅进一步破坏了疲软不堪的生产力，而且加剧了人民的对抗，封建主需要用一种新的精神力量来麻痹人民的意志，巩固自己的统治。而经过改革的黄教正是适应了他们的需要。有些封建主还企图利用喇嘛教来支持他们结束割据状态，恢复蒙古的统一。喇嘛教宣称：所有可汗、济农、台吉以及富裕显贵的人们，他们现世的荣誉地位都是本人前世修行的"善果"，他们都是古印度传说中的大皇帝和元世祖忽必烈的转世，生来就有统治全蒙古的权力。这种宣传巩固了蒙古可汗们的统治。对于下层人民，喇嘛教则宣传说，他们受苦受难处于无权地位，都是他们前世的"罪孽"所造成的，应当归咎于自己。要听天由命，放弃斗争，安分守己，忍受一切苦难，以"偿清"前世的"孽债"，换取来世的美好生活。黄教的传播者一方面以生死轮回的教义磨灭人民的反抗意志，另一方面劝喻大封建主们"好生戒杀"，停止用人畜殉葬和滥杀牲畜的做法，使下层人民对和平环境产生希望，赢得人民的好感。喇嘛教为了改变蒙古大众的信仰，除了依靠大封建主强制取缔萨满教外，还将萨满教的一些内容和仪式如祭敖包、祭火等纳入喇嘛教中，改变萨满教的唱词，注入佛教的内容，以迎合蒙古人的心理，使他们接受喇嘛教的宣传。

明朝推行扶植喇嘛教的政策，对喇嘛教在蒙古的传播，也起了相当的作用。明朝为蒙古封建主的侵扰所苦，认为佛教教义可以束缚他们的思想和行为，对"出塞传经颇效勤劳"的喇嘛加以封赏。对于蒙古封建主每一次迎送达赖喇嘛都给予各种支持，允许他们经过明地到西藏，给予大量的经济帮助，在边境的适当地点，开设临时市场，供应各种物资。还在北京印刷金字藏经，制造各种法器，送往蒙古地区。在修建寺庙时，又派去各种工匠，提供建筑器材。

黄教传入蒙古的因由，蒙古学界专家学者已多所论及，这里仅举些具有代表性的观点有：杨绍猷先生认为黄教之所以传入蒙古的因由是内外因素结合造成的。内部的因素：第一，佛教教义适合当时蒙古领主们的政治需要。俺答汗寻找一种思想武器来打破蒙古人的传统意识，他要居于全蒙古的主宰地位，而对察哈尔可汗不屑一顾。第二，民间的因素。长期的战乱使人们十分厌恶战争，幻想和平与安宁的生活。人畜殉葬这一残忍旧习不得人心。穷苦人民出家为僧或进入寺院，以此可以逃避世俗领主的封建剥削和压迫，因此黄教信徒众多，在下层民众中广泛传播。第三，蒙古族和藏族的生产环境均处于高寒地区和草原，心理状态和生活习俗有许多共同之处，这些共同点又使他们彼此有一种亲近感。因此，黄教比较容易为蒙古族所接受。外部的四因素：第一，格鲁派（黄教）寻求蒙古领主政治上和经济上的支持，以对抗西藏其他教派的压制。第二，黄教的传教者为了改变蒙古大众原有的萨满教信仰，采取了灵活的手段，使蒙古人易于接受黄教。第三，黄教在蒙古的传播得到明朝的鼓励和支持。[①]

就黄教僧侣集团之所以选择蒙古封建主作为政治"檀越"的原因，邢洁晨认为：一、元朝比较明朝的对藏政策策略不同。黄教要借助明朝来达到自己的政治目的是不可能的。二、蒙古的形势和蒙藏历史关系。基于明朝的对藏策略，权衡明、蒙古力量对比，借鉴于历史上藏蒙僧俗封建主的密切合

①　杨绍猷：《俺答汗评传》，中国社会科学出版社1992年版，第105—112页。

作，黄教僧侣集团决策选定蒙古封建主势力为靠山，以夺取全藏政教大权，于是积极东来弘法。黄教僧侣集团与以俺答汗为首的右翼封建主一拍即合，也决非偶然：首先是右翼的强大。其次是有利的地理条件。再次是右翼封建主对僧侣的优待。①

黄教的传入，是北元蒙古时期的一件大事，它对蒙古族的社会、政治、经济和思想文化都产生了极重大的影响。

蒙古封建主既然以喇嘛教作为自己的思想武器，自然就力求巩固喇嘛寺庙的地位，树立高级喇嘛们的威信，赋予喇嘛各种特权。俺答汗和索南嘉措共同规定了各级僧徒的政治地位：绰尔济等于洪台台；喇木札木巴、噶不楚等等于台吉；格隆等于塔布囊、欢津、太师和宰桑；托音、齐巴噶察、乌巴什、乌巴三察等等于官员。1640 年《蒙古—卫拉特律》和《喀尔喀律令》则更详细地规定了各级喇嘛的种种政治特权。这就使寺庙和喇嘛在社会上形成了一个强大的政治势力，并逐步参与和左右蒙古的政治。

蒙古封建主们为了表现自己对喇嘛教的虔诚，争相把自己的土地、牲畜、金银财宝和"阿勒巴图"施舍给寺庙。封建主们还规定，免除喇嘛们的兵役、赋税和其他封建差役。因此喇嘛寺庙占有越来越多的土地、牲畜和属民，逐渐形成了一种新的封建领地。上层喇嘛将土地和牲畜交与属民和寺院奴隶——沙比纳尔去耕种和放牧，残酷地剥削他们。一般平民也向寺庙布施，故寺庙的财产有增无减，在蒙古经济中拥有雄厚的势力，高级喇嘛实际上已成为领主。而寺院的丰富财产以活佛转世的形式加以继承，紧紧地控制在寺庙封建主的手中。喇嘛内分作两个阶层，高级喇嘛是上层，大部分是领主阶级出身。普通喇嘛是下层，基本上属于原来的阿勒巴图，他们出家后，按其政治、经济地位，仍属于被剥削被压迫的阿勒巴图。

由于封建主采取免除赋役，给予赏赐等方式鼓励人们信教、当喇嘛，在社会上产生了一大批不事生产的喇嘛阶层，整个社会负担都加在平民身上，因此越来越贫困的平民，为了摆脱封建主的重压，就投奔到寺庙里去当喇嘛，这样喇嘛的数目就更加急剧增长。由于喇嘛不事生育，遂使蒙古人口总数逐年下降。

---

① 邢洁晨：《论黄教传入蒙古地区的原因》，《内蒙古师范大学学报》1985 年第 1 期。

黄教无孔不入地渗入蒙古人民的思想和生活，使得蒙古的风俗习惯和史学、文学、艺术都打上了喇嘛教的烙印。"从前蒙古人等死后，则尽力宰杀驼马殉葬以为盘费，自此力改，竭力奉行经教，按年逐月，并按八节持戒诵经。""每月持斋三日，禁止杀生渔猎。"许多文学、历史著作均受佛教的影响，如著名的《蒙古黄金史》、《蒙古源流》等均以佛教思想贯穿全书，甚至一些人篡改历史事实以适应佛教理论。虽然黄教对于蒙、藏、汉思想文化交流方面起过一定作用，但它是封建统治阶级愚弄人民的思想工具，对蒙古社会的发展起了很大的阻碍作用。

第四节　库库河屯城的建立与汉族农民的定居

呼和浩特地区在明代称丰州川，或丰州滩，这是因为辽金元三代这里是丰州的治所。丰州川背枕大青山，前依蛮汉山，大小黑河自东向流入黄河，是一块冲积平原。这里气候适宜，土壤肥沃，早在石器时代就有我们的先民生息。明初在一个不长的时期里曾设治管辖，元朝在这里发展起来的半农半牧经济似乎延续下来。明正统以后为蒙古所有，复又成为草地。到明嘉靖初为止，丰州川尚无经营农业的痕迹。

土默特地区在辽、金、元时代曾经有过丰州城，地点在今呼和浩特市东20公里处的万部华严经塔（白塔）周围，至今仍有遗址作证，元末明前期的战乱使丰州城变成了残垣断壁。随着经济的发展，特别是工商业的发展，必然导致城镇的兴起；大批汉族进入土默特地区，促进了当地经济的发展，加速了城镇的建设；右翼蒙古土默特部的首领俺答汗的提倡和支持为城镇的兴起和发展提供了保证。隆庆五年（1571年），俺答封贡告成，蒙古社会的安定为进一步修建城市提供了和平环境。明、蒙古和平贸易关系的确立，为修建城市提供了良好的物质条件。俺答汗是现今作为内蒙古自治区的政治、经济、文化中心的首府呼和浩特市这一塞外名城的奠基人。

但俺答汗最初建立的城镇并不是库库河屯城，而是大板升城，也是他的政治中心，地点在丰州滩西部，大约在今土默特右旗一带。①

---

① 王士琦：《三云筹俎考》，《国立北平图书馆善本丛书》第一集。

昙花一现的大同等三处马市流产后，俺答汗为了实现与明朝的和平通贡贸易关系又继续了二十年的战争。在长期的求贡接连遭到明廷拒绝的艰难险阻的情况下，俺答汗决心把古丰州地区恢复成为一个半农半牧并有相当发展的手工业的地区。俺答汗特别重视发展古丰州地区的农业生产和手工业生产。

明嘉靖二十五年（1546年），俺答汗亲以牛犋耕种砖塔城，表示重新开发丰州川，发展半农半牧经济的意向。俺答汗在耕种砖塔城的同时，着手在这里安置一部分被掳掠的汉人从事农业生产。丰州川的第一个土堡，即所谓"板升"，为白莲教头目丘富所建。俺答汗对于山西地区逃亡出来的大批汉人一律加以收容，并把他们集中安置在古丰州地区，并让他们从事农业生产和手工业生产。

擅长于传统畜牧业为生的蒙古民族单靠自身的力量，很难兴办农业，因此需要有农业传统的汉民的帮助。嘉靖初年，明朝大同守兵几次哗变，失败后不少人逃到土默特地区；嘉靖三十年（1551年）白莲教起事败露，众多的教徒逃亡出塞；此外还有相当数量的汉人因逃避内地的剥削压迫，或因战争掳掠，也相继涌入草原。俺答汗把这些汉人劳动力加以收容，集中安置于丰州川。这些汉族农民成为开发丰州滩的主要劳动力，1550—1571年的这二十年左右的时间，迁移到这个地区的汉人总数大约有五万左右，其中白莲教徒有一万人左右。他们在古丰州地区用极其简单的生产工具开垦大片土地，开辟了良田万顷。随着丰州地区的开发，经济得到迅速的发展，出现了一定规模的半农半牧经济类型，手工业也从无到有，并很快粗具规模。

嘉靖二十五年（1546年），俺答汗在发展农业的同时，派人到大同塞下，要求明朝给予"木工、画工、铁工，往丰州盖城"，由于遭到明朝的拒绝，这一愿望未能实现。嘉靖三十三年（1554年），随着大批汉族兵民进入土默特地区，丘富等为俺答汗"造起楼房三区"。至嘉靖三十六年（1557年），在俺答汗主持下，"起造五塔和八座大板升"，这就是初修的"大板升城"。嘉靖三十九年（1560年），明大同总兵刘汉率领三千骑兵，袭击丰州，焚板升略尽，大板升城遭到明军破坏。嘉靖四十四年（1565年）至四十五年（1566年），赵全、李自馨等白莲教首领为俺答汗重建大板升城，创起长朝殿九重，因大风，殿梁折断。翌年，赵全、李自馨等又大规模地重修和扩建了大板升城的建筑和宫殿。这是规模相当巨大的工程。重修后的"大板升城"规模宏大、金碧辉煌、雄伟壮丽。隆庆五年（1571 年），明蒙和议以后，俺答汗把这座号令土默特部的政治中心授予其爱孙把汉那吉（大成台吉）主管，作为他的领地，其目的是为了加强把汉那吉的势力和地位。正如他对明朝的使者鲍崇德所说："吾即死，吾孙当袭封。"

俺答汗把大量汉人劳动力用于开发丰州川后，按照封建剥削关系把他们安置在这里从事劳动，给予一定的土地、牲畜，并使之承担相应的租税和劳役。为了具体管理丰州川的开发，俺答汗主要在投效的汉人中间选择一些有各种才能的人作头目。他开发丰州川主要依靠丘富。以后赵全、李自馨、王延辅等纷纷来降，均授为酋长。在俺答汗保持最高领导权的前提下，把板升汉人交给他所委托的头目统治。最初似由丘富独当此任，丘富暴死后，赵全、李自馨、周元等为大头目。赵全有众万人，李自馨有六千，周元三千，其余王延辅、张彦文等各千人。赵全等人似又将部众割为大板升十二部，小板升三十二部，多者八九百人，少者六七百人，各有头领。板升汉人与蒙古封建主之间，存在着一定的人身依附关系。

当"板升"刚刚出现的时候，在这里从事农牧业生产的汉人，主要是丘富、赵全等因白莲教事件逃亡到草地来的上千人。经过十五六年，丰州川已经有汉人五万余人，蒙古二千余人。俺答封贡以后一部分俘虏通过各种渠道回到内地，但是草地自在好过，仍吸引着内地许多贫苦农民，他们以更大规模自愿地迁移到这里。再过十年丰州川的汉人发展到十万。这里人烟稠密，经济繁荣。"板升"经济以农业为主，同时经营一定规模的手工业和畜牧业。

开发丰州川，手工业是不可缺少的。嘉靖三十年（1551 年）以前，随同丘富来到草地的其弟丘同，是一位木匠。他最早为俺答汗"造起楼房三区，极其壮丽，造舳舻一艘，得渡河西兵而东"。当赵全等纷纷来到以后，为了装饰已有建筑，建造新的城堡宫室，并发展其他一些手工业，已有手工业工人显然已不敷用，俺答汗遣赵全等入边，与吕鹤联系，向明廷索要手工业工匠。有许多一技之长的诸色手工业工匠，或自愿，或被俘，纷纷来到丰州川。嘉靖二十五年（1546 年），俺答汗求贡，贡品除驼马等牲畜外，手工艺品只是金银锅各一口；用金银作锅诚然贵重，但工艺水平之原始粗拙，于此可见。封贡以后，则工艺品有镀银鞍辔、镀金撒袋。二十多年间，金银制品手工业的长足进步令人瞩目。

丰州川在开发进程中，先后出现大板升、福化城、归化城。归化城始建于隆庆六年（1572 年），万历三年（1575 年）建成，明朝赐名归化城，万历九年（1581 年）又修罗城方二十里，成为方圆达二十里的草原名城。但当时主要是作为政治和军事的据点而存在，在库库河屯建城初期，商业似乎并不发达。

古代单一的游牧经济满足不了广大牧民的生活需要。在这种情况下蒙古高原的某个地区，在自然条件允许的程度内，发展农业或半农半牧业，作为游牧经济的补充，不能不说是一个进步。这是值得肯定的历史现象。应该说，俺答汗开发丰州川及库库河屯城的建立，极大地促进了蒙古右翼地区的经济发展，同时改善了蒙汉民族关系，对明代蒙古史上产生了深远的影响。

为了便于同明朝的和平交往，也为了便于控制漠南蒙古各部，俺答汗另谋更靠近明朝大同而且交通便利的地方建筑新的城堡，主张为款贡大事筑城，意在久远，也希望把新建的城镇作为蒙、汉之间贸易的中心，每春秋二季，军民出边，交易粮食及其他日用品。

库库河屯城始建军于明隆庆六年（1572 年）。据蒙古文抄本《俺答汗传》载："在公水猴年，闻名于世的圣主俺答汗，仿照失去的大都筹建库库河屯。收聚统辖十二土默特大众，决意建造得无比精巧。在哈尔古纳山之阳、哈屯河之滨，有风水的吉祥之地，精建了有八座楼宇的玉宫殿阁。"[1]这是目前所知关于库库河屯始建时间的唯一记载。这一点早已有学者曾论及，兹不复赘[2]。同年，俺答汗聚集十二土默特的蒙汉人民，模仿失陷之元大都起造库库河屯城，共议以无比精工修筑此城。地点选在水草丰美，气候宜人的大青山之南，黄河支流大小黑河之滨，即今呼和浩特旧城的所在地。经过四年的营造，于万历三年（1575 年）建成。当时蒙古人把这座城堡叫

---

[1]　珠荣嘎译注：《俺答汗传》，内蒙古人民出版社 1991 年版，第 19 页。
[2]　参见薄音湖：《从板升到库库河屯的建立》，《中国民族史研究》，中国社会科学出版社 1987 年版。

做"库库河屯"，意为"青色的城"。俺答汗为加强明蒙民族之间的关系，特报请明神宗皇帝命名，被明廷赐名为"归化"。《明神宗实录》万历三年十月丙子条载："顺义王俺答遣夷使乞佛像、经文、蟒缎等物，所盖城寺乞赐城名。镇臣以闻。部复谓……所请勿拒也。上然之，赐城名归化……。"与此记载相同的还有瞿九思《万历武功录》、谈迁《国榷》等。关于库库河屯城的建城年代方面，目前学术界倾向于 1572—1575 年，并且一致认为1581 年扩建归化城。1581 年，俺答汗大兴土木，扩建归化城方二十里①。

万历三四年间（1575—1576 年），俺答汗在给明宣大总督郑洛的信中，要求变更旧例，移边境互市地点至新城之内。郑洛虽拒绝了俺答汗将互市地点改至新城的要求，但库库河屯作为漠南蒙古地区经济中心的重要城市地位，已经显现出来了。

万历九年（1581 年），俺答汗计划于归化城外修罗城周围二十里，并致书明宣大总督郑洛，要求助夫五千名，车五百辆，匠役三百名，各色颜料、钢铁、夫匠、食米等。但明朝首辅张居正及郑洛等对此没有给予积极协助，只是给了一些材料。因此，俺答汗的计划未能实现。

归化城是俺答汗顺义王府的所在地，其华丽程度在大板升城之上，具有奇丽八座楼阁之城，有精工修造玉宇宫殿，如诗人的赞美："筑城绝塞跨岗陵，门启重关殿百层；宴罢白沉千里雪，猎回红上六街灯。"其宏伟壮丽可见一斑。清初俄国巴依可夫的《出使报告》、清使张鹏翮的《奉使俄罗斯日记》以及《大清一统志·归化城六厅》等所载，归化城周围二里，并不是俺答汗修建的归化城。因为这座金碧辉煌的城市在明末遭到两次战火的破坏，第一次是崇祯元年（1628 年），察哈尔部的林丹汗西征，攻占归化，以武力征服土默特部；第二次是崇祯五年（1632 年），爱新国的皇太极击败林丹汗并远征察哈尔，以日行七百里的速度，追至归化，并在城中纵火，即所谓"东人烧绝板升"，城中宫殿、民房几乎全部烧光夷平，只有弘慈寺等几处庙宇幸存。

① 薄音湖：《呼和浩特（归化）建城年代考》，《内蒙古大学学报》1985 年第 2 期。

第 八 章

打来孙汗时期蒙古左翼各部南迁内蒙古地区

第一节　察哈尔、喀尔喀、科尔沁三部的南迁及其分布

一、察哈尔部南迁之前的游牧地

察哈尔部是元廷北徙后，由可汗直属人众构成的一个游牧集团，由于史料缺乏，目前已难以知道察哈尔部形成的确切时间。据蒙汉文史料记载，至少达延汗时期已经形成。察哈尔作为可汗的直辖部众原来随可汗斡耳朵游牧于漠北，因此我们从北元可汗斡耳朵的活动情况，可以大体了解察哈尔部初期的游牧活动范围。

洪武三年（1370 年）五月，明军袭击元廷于应昌，皇太子爱猷识理达腊向东北方向逃去，明军追至庆州（今内蒙古巴林右旗白塔子）不及而还。洪武七年明朝遣还爱猷识理达腊子买的礼八喇，在给他的信中说：“今闻奥鲁去全宁不远。”① 再从北元与高丽的交通往来及后来汗廷的游牧情况来看，元昭宗爱猷识理达腊子即位后，其游牧范围大致自西拉木伦河北到今克鲁伦河中下游一带地区。约相当于今蒙古国东方省、苏和巴特尔省、内蒙古呼伦

---

① 《明太祖实录》，洪武七年九月丁丑条。

贝尔盟、锡林郭勒盟及赤峰市的一部分地区。① 在这一带原有其他蒙古贵族的封地，由于资料的缺乏，我们已经很难确知可汗斡耳朵和其他蒙古部落游牧地的详细分布情况了。昭宗死后，脱古思帖木儿即位，可汗斡耳朵的游牧地范围没有多大变化。

　　洪武二十一年（1388 年），明将蓝玉率军袭击北元汗廷于捕鱼儿海子（今内蒙古呼伦贝尔盟贝尔湖），脱古思帖木儿汗西逃土剌河（今蒙古国境内土拉河），被也速迭儿杀死，也速迭儿篡位称汗。北元分裂后西部的也速迭儿（卓里克图汗）、恩克汗、额勒伯克、坤帖木儿等四汗的可汗斡耳朵大约在漠北的中心地区，即今克鲁伦河、土拉河、鄂嫩三河之源地区。鬼力赤汗时北元汗廷在西部，多次与瓦剌贵族争战。阿鲁台扶立的完者秃汗（本雅失里）来自撒马儿罕地区，但是其汗廷的驻牧地在东部，还是在今呼伦贝尔为中心的地区，与元昭宗时期大体相同。明永乐八年（1410 年），完者秃汗在明军的追击下西逃，被瓦剌贵族杀死。脱脱不花汗即位后据有阿鲁台的部众和游牧地，还是在呼伦贝尔为中心的克鲁伦河下游地区。

　　明景泰五年（1454 年），也先死后，西部蒙古政权衰落，在东部蒙古的压迫下逐渐西迁驻牧。明天顺年间，东部蒙古的孛来太师与毛里孩王相继专权，所立可汗随他们向南进入黄河河套过冬，冬初河水结冰后踏冰入河套，春季冰解前出河套东北行，主要游牧地仍在北边克鲁伦河地区。明成化年间，满都鲁汗也常入河套居住。达延汗时期，随着可汗统治地域的扩大，可汗斡耳朵有规律地移牧于今呼伦贝尔至黄河河套地区。冬季南下驻牧于气候相对温暖，水草丰美的黄河河套及漠南地区，春季北去大兴安岭西北克鲁伦河一带凉爽地区度夏。可汗斡耳朵的移牧路线大致由明山西偏头关外渡黄河出河套，在大同边外威宁海等处驻牧一段时间。明廷规定，蒙古部只许经大同来朝贡贸易，其他边境关口一律不予接待。兀良哈三卫由喜峰口来朝贡贸易，还可以在广宁、开原入市贸易，蒙古和兀良哈各有入贡关口，不得相混淆。因此，可汗在大同边外驻牧期间派遣使臣至大同进行朝贡贸易，其使臣返回后，起营向东北移牧，经宣府边外开平（即元上都）一带，沿大兴安

---

　　① 参见达力扎布：《北元初期的疆域和汗斡耳朵地望》，《明清蒙古史论稿》，民族出版社 2003年版。

岭西北向克鲁伦河中下游地区移营。返回时也大体沿此路线逆行进入河套。开平以东，大兴安岭东南是兀良哈三卫（山阳万户）的游牧地。蒙古可汗及所属部落往来逐水草移牧，都走大兴安岭北麓，不经岭南的兀良哈地区。

达延汗死后，赛那剌汗即位，此时达延汗诸子都已分封，左、右两翼各部的牧地已经固定，察哈尔部游牧地在漠北，不再南牧。赛那剌汗即位后没有继承原直属达延汗的左翼属民，继续管领其右翼部落，其游牧地在黄河河套及其北部，往来河套游牧。明魏焕《皇明九边考·九边图》中的《榆林图》在河套北偏东处标示了小王子的驻牧地，这是其驻地的大体方位。赛那剌汗死后，右翼部落散处于从明宣府至甘肃边外的广大地区游牧。

二、察哈尔部的南迁

不地即位后，直接统领左翼各部，实际上不能完全支配济农统领的右翼各部。达延汗末年左、右两翼封地已确定，互相不再越境游牧，再加赛那剌篡位引起的左右翼之间的矛盾，不地汗斡耳朵已不南来黄河河套游牧，其直属的察哈尔部以及整个左翼各部也不再到右翼部落南面的明朝大同贡关了。另外，自达延汗后期以来，蒙古与明朝的贡市贸易中断，大同贡关已无利可图，可汗及左翼诸部主要通过兀良哈三卫在明蓟、辽两镇边境市口与明朝间接贸易。而右翼蒙古部落则借其牧地邻近大同，掌握了向明朝求贡的主动权。明嘉靖十一年（1532 年），吉囊从明延绥镇遣使请求通贡互市，遭到明廷拒绝。[①] 嘉靖二十年（1541 年），俺答求贡不得，开始以武力向明朝施压，频频侵犯明朝边境。

在俺答求贡的同时，远在大兴安岭迤北的左翼察哈尔、喀尔喀、科尔沁等部也不甘心于仅通过兀良哈三卫与明朝间接互市，开始直接进入漠南兀良哈三卫地方，瓜分三卫部落，冒名入市获利。对察哈尔部迁徙时间，明代汉文史籍记载各异，比较接近当时而且又较为可靠的记录均见于《明世宗实录》，主要有以下两种说法：其一，嘉靖三十年（1551 年），总督蓟辽侍郎何栋等集议咸宁侯仇鸾所奏："泰宁、福余二卫夷人畏虏徙避夹墙，宜抚回原卫住牧"一事，并奏报曰："朵颜、泰宁、福余三卫夷人，国初各有分

---

① 《明世宗实录》，嘉靖十一年三月癸亥条。

地，朵颜在山海关以西，古北口以东，蓟州边外住牧；泰宁在广宁境外；福余在开原境外辽河左右住牧。数年前北虏小王子打来孙一部侵驻三岔河，泰宁夷人屡与仇杀，间避夹墙，今已久复故地，三卫头目都督等官每岁自喜峰口入贡如常，初未告急。其辽东属夷苦虏患者多系二卫部落，夷性随水草迁徙无常，非可安插，第年节遭虏屠掠终不外附，宜加抚处，今其奏请升赏"。① 这里说是在数年前，并没有指出具体的时间。其二，嘉靖三十七年（1558 年），兵部郎中唐顺之条陈蓟镇兵食九事时言："陛下于贡马赏赐之外，发银三万于蓟镇，为抚三卫之费，然北虏信使无日不在三卫，盖自嘉靖二十九年以后，迤北老把都儿、打来孙二虏收属东夷而居其地，遂巢辽蓟之间，故往时虏止寇秋，今则兼寇春，皆诸夷阴为之向导耳。" ② 唐顺之于八年后议此事，所以说"盖自嘉靖二十九年以后"，即以"庚戌之变"作为界限，时间不一定准确。

米万春《蓟门考》记："东虏酋首土蛮，系元遗孽小王子苗裔也，其父打来孙同弟阿牙台皮、卜以麻等存日，原在宣镇正北大漠地名客列木母一带住牧。嘉靖三十年间，因与安滩有隙，打来孙惧为所并，举部东移，乃与安滩互相偷马仇杀。后于三十六年春收服三卫夷人为彼向导，始犯蓟镇冷口地方，繇是分为东西二虏。" ③ 冯瑗《开原图说》记："按辽镇之有虏患，自嘉靖二十五年元小王子苗裔打来孙者收复三卫属夷举部东移，驻潢水之北，西南犯蓟门，东北犯辽左，而辽左始有虏患。以与宣大虏东西分部，故谓东虏。"这些著作多成书于明万历末年或者崇祯年间，距当时已六七十年，实际上还是利用《实录》资料来编写的。④ 冯瑗的嘉靖二十五年之说与何栋的"数年前"相近，而米万春的嘉靖三十年之说显然来自唐顺之报告中的"二十九年以后"。因此我们认为当事人何栋的报告最为可靠。所谓分为东、西虏，是因为东面，即蓟、辽边外原为兀良哈居住，并无"北虏"，左翼各部南下后东面也有了蒙古大部落，所以，出现所谓打来孙率部东移分为东、西

---

① 《明世宗实录》，嘉靖三十年二月甲戌条。
② 《明世宗实录》，嘉靖三十七年九月辛丑条。
③ 米万春：《蓟门考》，陈仁锡：《皇明世法录》卷 57，台湾商务印书馆 1965 年影印本。
④ 冯瑗：《开原图说》卷下，《玄览堂丛书》本。

虏的错误说法。何栋报告中说："数年前北虏小王子打来孙一部侵住三岔河，泰宁夷人屡与仇杀，间避夹墙，今已久复故地"。此时兀良哈三卫降附"北虏"，事态已平息。《万历武功录》记载，内喀尔喀首领速巴亥于"嘉靖丙午（二十五年，1546 年）岁，以三卫故，迁徙旧辽阳迤北沙堝之间"。①苏巴亥即虎喇哈赤长子，喀尔喀巴林部首领，他是与察哈尔汗一道率部众南迁，进入辽河河套的。"北虏"征服三卫之后，不仅右翼蒙古大肆侵扰明宣、大、山西各边，左翼诸部也开始直接侵犯明蓟、辽等边。嘉靖二十六年（1547 年）俺答遣人求贡时说"保只王子"（即不地汗）也参与了谋划求贡，也许是因为明朝边吏屡次向俺答索要"小王子真正番书"因此提到小王子。同年六月，宣大总督翁万达在奏文中说"小王子欲寇辽东，俺酋以其谋来告"。② 二十七年（1548 年）二月，辽东谍报"虏谋犯广宁"。③ 二十八年九月，"三卫夷人及花当部落导虏寇辽东沙河堡"。④ 显然，此时以小王子为首的左翼蒙古已开始进入漠南地区，随时都会侵扰明蓟、辽边境。据明人观察，察哈尔等左翼部落的南下始于明嘉靖二十五年左右，但是各部的南迁不是一次完成，而是逐步进行的。

明天顺年间，在蒙古大部落进入黄河河套之前，漠南只有兀良哈三卫驻牧。右翼蒙古入居河套之后，兀良哈三卫驻牧于西自开平，东至海西的明朝蓟、辽边外。蒙古史籍中称其为"山阳万户"（山南万户）。东北、西南走向的大兴安岭山脉，是蒙古高原与松辽平原的天然分界线，也是"山阳万户"与"北虏"或"迤北鞑靼（阿噜蒙古）"的分界线。从明永乐朝开始兀良哈三卫与明朝建立了贡市贸易关系，明朝给予兀良哈三卫一定经济利益，使其成为明朝的耳目和藩篱。兀良哈三卫又转市明朝产品于漠北蒙古各部，使他们也从兀良哈三卫与明朝的贡市中受益，所以，兀良哈三卫成为北元与明朝之间的缓冲地带和经济交流的中介，也因此幸免于被蒙古其他部落吞并，始终保持着相对的独立性。兀良哈三卫虽然受北元汗廷的制约，但是

---

① 瞿九思：《万历武功录》卷 12《速巴亥列传》，中华书局影印本 1962 年版。

② 《明世宗实录》，嘉靖二十六年六月癸巳条。

③ 《明世宗实录》，嘉靖二十七年二月丁未、辛未条。

④ 《明世宗实录》，嘉靖二十八年十一月壬午条。

很少侵犯明朝边境，偶尔发生冲突也是由于贸易纠纷或明朝边将滥杀引起的。漠北蒙古部落也很少越过兀良哈三卫之境侵犯明朝边境，因此直到明嘉靖中期左翼蒙古南下之前，明蓟、辽边外无"北虏"之患。嘉靖年间明世宗坚持闭关拒贡政策，中断了大漠南北蒙古各部与中原的经济联系，导致了邻近明边的右翼蒙古部落首先在大同求贡。

大约嘉靖二十三年至二十七年间，左、右翼蒙古瓜分了兀良哈三卫。此前已述，明人已观察到了泰宁和福余卫被"北虏"兼并的情况，而朵颜卫是主动投降，没有发生争战，所以没有引起明人的特别注意。蒙古文史籍《俺答汗传》记载："久为外敌的乌济业特兀鲁斯，以其恩克丞相为首之诸诺延，（慕名）举族携带尊乌格仑哈敦之宫室来降，山阳万户自行降为阿勒巴图之情由如是这般。将恩克丞相赐予其弟昆都楞汗，将其（恩克）弟兄分别占为己有，将其收为阿勒巴图之情由如此这般。"① 昆都楞汗即俺答（阿勒坦汗）弟，喀喇沁部首领，汉文中记作老把都或昆都力哈。恩克，即汉文史籍中的影克，花当的曾孙。俺答汗把朵颜卫影克及其属人赐予了其弟昆都楞汗。该书将此事系于青龙年（甲辰）之前，即嘉靖二十三年之前。郭造卿《卢龙塞略》记载了三卫被"北虏"瓜分后的情况，朵颜卫花当十一子中，承袭都督职务的嫡系长子革儿孛罗子孙及其部落附属西虏，即右翼的俺答兄弟子侄，其庶生十子及其子孙、部落俱附东虏，即左翼的打来孙汗兄弟子侄。在附属西虏的部分中，以都督影克为首的朵颜卫嫡系属于昆都楞汗，影克的兄弟分属俺答及其弟纳林、子辛爱等人②，这与前引《俺答汗传》所记相合。

在附属西虏的部分中，昆都楞汗占有部落十四支，4 390 余人；安滩（俺答，即阿勒坦汗）占有二支，1 100 人；辛爱（俺答长子）占有三支，950 余人；纳林（俺答弟）占有二支，700 余人；纳孙（待考）占有二支，300 余人；伯要（俺答第二子摆腰台吉）占有一支，500 余人。

在附属东虏的部分中，土蛮（打来孙长子）占有五支，600 余人；长秃（即崑都力庄兔台吉，土蛮弟）占有二支，600 余人；黑失炭（打来孙弟）

① 珠荣嘎译注：《俺答汗传》，内蒙古人民出版社 1991 年版，第 46—47 页。
② 郭造卿：《卢龙塞略》卷 15《贡酋考》（下）。

占有三支，900 余人；委正（打来孙第四子）占有二支，1 100 余人；伯彦
兀（不地弟纳密克之孙，即卜彦兀，土蛮汗堂兄弟），占有一支 900 余人；
阿牙他皮（亦写作瑷塔必，打来孙堂兄弟，不地弟也密力台吉子）占有三
支，980 余人；那彦兀（待考）占有三支，600 余人。①

　　总计西房（右翼）昆都楞汗等六大首领，占有部落 23 支，7 840 余人；
东房（左翼）土蛮汗等七大首领占有 19 支，6 680 余人，大体上平分了朵颜
卫，右翼略多些。这里的人数是指丁数即兵数。以上是朵颜卫的主体部分，
此外还有另二支都督系统故绝，部落几不存。此外，在辽东边外的兀良哈三
卫之人分别附属于左翼各部首领。

　　辽东边外的朵颜卫大一千（yeke mingyan）的花当第三子把班（把伴）
一系子孙部落附属速巴亥（虎喇哈赤次子，喀尔喀五部之一巴林部始祖）。
把班长子花大为速巴亥亲妹夫。② 朵颜卫花当第四子叟四根一系分属勺哈和
塔捕。勺哈即炒花，虎喇哈赤第五子，内喀尔喀五部之一乌济叶特部首领；
塔捕，炒花兄，虎喇哈赤第四子，内喀尔喀五部之一巴岳特部首领③。

　　朵颜卫小一千（baγ-a mingyan）的一支脱磕及其子孙部落附属速巴亥，
而另一支哈哈赤子孙部落分属土蛮汗、卜言兀、炒忽儿三首领④。方孔炤
《全边略记》称小一千夷为"把汉哈刺慎"，《满文老档》称作"小喀喇
沁"⑤。

　　泰宁卫，据《卢龙塞略》等书记载⑥：都督兀捏帖木儿，即刘王兀喃帖
木儿一系后人仍存，其中字来罕（字来汉）一支在辽东，附属于炒花⑦。右
都督革干帖木一系继只儿挨之后，由炒秃任都督⑧，最后一次出现是在万历
三十七年，是泰宁卫保存下来的唯一都督系统。两都督子孙及掌卫印始祖阿

---

　　① 郭造卿：《卢龙塞略》卷 15《贡酋考》（下）。
　　② 瞿九思：《万历武功录》卷 12《速巴亥列传》；张鼐：《辽夷略》，玄览堂丛书本。
　　③ 奥登：《喀尔喀五部考述》，《蒙古史研究》第 2 辑，内蒙古人民出版社 1986 年版。
　　④ 王鸣鹤：《登坛必究》卷 23《胡名》，明万历二十七年刻本。
　　⑤ 方孔炤：《全边略记》卷 3，国立北平图书馆印行本；《宣府略》，《满文老档》下册，中华书局
1990 年版，第 1102 页。
　　⑥ 郭造卿：《卢龙塞略》卷 15《贡酋考》。
　　⑦ 王鸣鹤：《登坛必究》卷 23《胡名》。
　　⑧ 《明神宗实录》，万历三十七年三月丙戌条。

巴亥的子孙部落都附属俺答长子辛爱，唯有都督革干帖木儿孙火勺儿罕及其子孙附属俺答弟纳林台吉。另外，泰宁卫在辽东附属于内喀尔喀的一部分人，除前述孛来罕一支外，还有把儿孙一支附属于炒花，蒲满一支分属炒花和兀班妻①。兀班是炒花兄，虎喇哈赤第三子，内喀尔喀五部之一弘吉剌部首领。可见泰宁卫的主要部分被俺答子辛爱（僧格都楞汗）、弟纳林台吉占有，余下的分属虎喇哈赤子兀班和炒花。

　　福余卫，据《卢龙塞略·贡酋考》；福余卫两个都指挥、掌卫印指挥及其属部都附属于俺答子辛爱。辽东还有一部分福余卫斫斤孙把当亥附属于东房扯赤揩，额儿的泥附属于东房者儿得。扯赤揩（Čečeki）是科尔沁部孛只答尔（Bodidara）长子，其祖父是魁猛可（Küimüngke），其长子是翁阿岱（Ungγudai）洪台吉；者儿得（Jegerde）是魁猛磕次子那木答儿（Namadara）之子②。这两支福余卫人显然附属于科尔沁（Qorčin，明译好儿趁）。孛爱一支附属于东房已故兀班妻③，即附属于内喀尔喀翁吉剌部。

　　明嘉靖二十九年（1550年）"庚戌之变"后，明廷于第二年为右翼各部开马市，更进一步刺激了察哈尔及左翼各部，开始效仿右翼求贡，南侵明朝的蓟、辽两镇边境城堡，求贡和挟赏。嘉靖三十一年四月，"房二万余骑犯辽东前屯，自新兴堡入，……战于剌黎山，……。"④ 犯剌黎山者为魁猛磕（即科尔沁部首领奎蒙克）。⑤ 同年八月，蓟镇谍报："北房俺答、把都儿、打来孙等聚众边外，谋犯喜峰、古北诸口……"。⑥ 十月，"房酋小王子打来孙等率众数万寇辽东锦州地方杀房千余人，总兵赵国忠督储（诸）将率兵御之，房引去。"⑦ 第二年，俺答、把都儿率众分道由大同深入抢掠，而小王子率众由宣府、独石入犯赤城，吉能等则入掠延绥。⑧ 嘉靖三十三年

　　① 王鸣鹤：《登坛必究》卷23《胡名》。

　　② 《登坛必究》卷23《胡名》中《东房夷酋号名哈儿宗派》；答里麻：《金轮千辐》，内蒙古人民出版社1987年版，第278、294页。

　　③ 王鸣鹤：《登坛必究》卷23《胡名》。

　　④ 《明世宗实录》，嘉靖三十一年四月丙寅条。

　　⑤ 瞿九思：《万历武功录》卷12《速巴亥列传》。

　　⑥ 《明世宗实录》，嘉靖三十一年八月甲寅条。

　　⑦ 《明世宗实录》，嘉靖三十一年十月己巳条。

　　⑧ 《明世宗实录》，嘉靖三十二年七月己巳、戊午、乙丑条，八月丙子条，九月丙午条。

九月，"东西房酋把都儿、打来孙等拥众数万自虎头山突犯潮河川……"。①
嘉靖三十四年四月，"先是北房虎喇哈赤及魁猛磕、打来孙等欲假道东夷内
侵不遂，魁猛磕乃率所部攻打哈寨，夷酋孙宾等与战，斩房首十级，生擒二
人……"。② 可见自"庚戌之变"后，察哈尔、喀尔喀、科尔沁等部都南来
直接侵扰明朝边境。嘉靖三十五年十一月，"北房打来孙等率众十余万骑深
入辽东广宁等处，总兵官殷尚质率游击阎懋官等御之，房众不敌，尚质等死
之，亡其卒千余人……"。③ 同月，"房酋打来孙拥众十万屯青城，分遣精骑
犯一片石，三道关等处……"。④ 嘉靖三十七年十月，"北房土蛮十万骑薄界
岭口，建昌副总兵马方御之，房不得进，……"。⑤ 此时打来孙已死，其子
土蛮率部向明朝挟贡。嘉靖四十一年二月，明兵部尚书杨博等言："今西北
之房，宣、大、蓟镇有俺答、辛爱、把都儿、土蛮，辽东有虎喇哈赤，陕西
有吉能及诸小酋老撒、秃脱等，比乘春扰古北、燕、石之间……"。⑥ 至此
左翼诸部的南迁和分布大体完成。这里未提及科尔沁部，因为科尔沁部驻牧
于今嫩江流域，与明朝不接界。察哈尔为首的左翼诸部的南迁从明嘉靖中期
开始，至嘉靖末年大体完成。明世宗的闭关拒贡政策和军事上的消极防御战
略，使蒙古各部在南来"求贡"的过程中大量进入漠南地区驻牧。

三、察哈尔部南迁后的分布

察哈尔部南迁之后，明人认为小王子的驻牧地在潢水（今西拉木伦河）
之北，或言"在宣镇东北驻牧，与蓟镇相连，离边约一月程"。据张鼐《辽
夷略》记载，万历年间察哈尔汗的驻牧地在明广宁、锦州、义州边外，察
哈尔汗驻地去塞千余里，在潢水之北。据《辽夷略》等史籍的记载，万历
年间察哈尔各部的驻牧地大体如下：

阿剌克绰特部和多罗特部　驻牧地在广宁西北，离明边约七百余里，在

---

① 《明世宗实录》，嘉靖三十三年九月乙丑条。
② 《明世宗实录》，嘉靖三十四年四月丙子条。
③ 《明世宗实录》，嘉靖三十五年十一月戊午条。
④ 《明世宗实录》，嘉靖三十五年十一月辛巳条。
⑤ 《明世宗实录》，嘉靖三十七年十月壬申条。
⑥ 《明世宗实录》，嘉靖四十年二月乙卯条。

镇远关入市领赏。这两部首领都是瑷塔必之子，瑷塔必又汉译为阿牙他皮，是不地弟也密力台吉的长子。瑷塔必长子脑毛大黄台吉，即土蛮汗所封的五个执政扎萨克之一，其部落在潢水迤北游牧，似为清人所说的多罗特部。瑷塔必幼子拱兔部在明锦州西北边五百里驻牧，大约在今大凌河北面一带，是察哈尔靠南面的部落。拱兔之子色令明人又称作青把都，清人称作色楞青巴图鲁，其部名是阿剌克绰特部。

浩齐特部　首领大委正，即打来孙汗第二子忠图图喇勒，其子德格类额尔德尼，生扎罕杜棱、博罗特额尔德尼王、巴绷土谢图三子。扎罕杜棱之后裔为右翼浩齐特的诺颜们，博罗特额尔德尼王之后裔是左翼浩齐特的诺颜们。浩齐特部牧地在明广宁镇西北约八百余里，应在西拉木伦河北，从镇远关获市赏。

克什克腾部　明人称作克石炭或打来汉。克石炭是克什克腾部名的异译；打来汉是其当时首领的名字。打来汉是达延汗第六子阿赤赖台吉（鄂齐尔博罗特）之子，亦译为打赖台吉，其后裔统辖克什克腾部。牧地在明义州正北千余里，由镇远关互市获赏。《北虏世系表》记阿赤赖台吉驻牧地"在蓟镇边外与土蛮相连，离边二千五六百里，不贡不市"。[1]《万历武功录》记克石炭，"逐舍喇母林、哈喇母林及舍伯兔水草为雄"。[2] 舍喇母林即西拉木伦，哈喇母林是西拉木伦上游支流，可知其游牧地在西拉木伦河上游迤北地区，距明边很远。

敖汉部和奈曼部　敖汉部首领都令小歹青，牧地在明义州大康等堡边外约四百里，从大康堡领市赏。奈曼部（乃蛮部）首领额参委正，牧地在义州西北约五百里，从镇远堡领市赏。一部分奈曼部人在戚家路大定、大茂等堡边外四百里驻牧，也从大康堡领市赏，两部皆受虎墩兔憨（林丹汗）约束。敖汉和奈曼部的牧地大体上相当于今敖汉旗和奈曼旗一带，都在老哈河中下游偏东。敖汉和奈曼部是察哈尔的岭南部落。

兀鲁特部　明人称作五路，牧地离广宁镇静、镇边、镇远等堡三百余里，其市赏仍由镇远堡，首领郎台吉，有兵万人。兀鲁特部驻地大约在今内

---

①　萧大亨：《夷俗记》，《世系表》。
②　瞿九思：《万历武功录》卷13《黑石炭列传》。

蒙古库伦旗一带，位于察哈尔的敖汉、奈曼两部东面，与辽河河套内的喀尔喀巴林部相邻。

乌珠穆沁部　首领是翁衮都喇尔，不地第三子，汉译其名为汪兀都剌台吉或王文打来。他曾与土蛮等聚兵于潢水北，多次攻击明朝蓟州和辽东边境城堡，其牧地离明朝边境很远，在西拉木伦河之北，是察哈尔靠北面的部落，约在今乌珠穆沁旗一带，可能与漠北喀尔喀相邻。

蒙古可汗直属的察哈尔部，原驻牧地在今内蒙古呼伦贝尔盟、锡林郭勒盟、蒙古国东方省及苏和巴托省的范围。明嘉靖中期，察哈尔及左翼诸部开始南迁，逐渐移牧于明朝蓟、辽边外，嘉靖末年形成了漠南蒙古各部新的分布格局。

四、山阳喀尔喀的南迁及其分布

喀尔喀是达延汗时期左翼三部之一，受达延汗直接统辖。当时可汗斡耳朵虽往来游牧于漠南，其主要游牧地还是在克鲁伦河中下游一带。喀尔喀部与察哈尔部是近邻，两部的具体分布情况史籍缺载。达延汗将喀尔喀部人分别封授了其第六子安出孛罗和第十一子格埒森札二子。明嘉靖中期，安出孛罗子虎喇哈赤率领所部随打来孙汗南下游牧，来到漠南，把自己的属民分封给其五子，后来形成了五个鄂托克；格埒森札率部留居漠北，瓦剌势力衰落之后，喀尔喀牧地逐渐向西扩展，据有了今杭爱山一带。格埒森札把属民分封给七个儿子，后来形成了七个鄂托克。蒙古文史籍中统称喀尔喀为十二鄂托克喀尔喀，包括漠北喀尔喀七鄂托克和漠南喀尔喀（山阳喀尔喀）五鄂托克。明嘉靖中期，山阳喀尔喀首领虎喇哈赤与打来孙、魁猛可等一道南下明边，进入辽河流域驻牧。

虎喇哈赤生五子，速巴亥、炒花、歹青、委正、兀班[1]。虎喇哈赤把属民分封给这五个儿子，后来形成了喀尔喀五鄂托克或五部，各部的游牧地，据《辽夷略》的记载，由西向东大致为巴林、乌济叶特、巴约特、弘吉剌、扎鲁特。

巴林部　牧地在明广宁镇所属镇远、镇宁、镇武、西平、海州、东昌、

---

① 张鼐：《辽夷略》，玄览堂丛书本。

东胜等堡边外，牧地距离明朝边境约四百里，由明镇远堡领取市赏。广宁镇即今辽宁北镇，自镇远至东胜各堡，相当于今辽宁北镇至海城一带。巴林部首领速巴亥，清代汉译苏巴海或速巴亥达尔汉，是五喀尔喀最西边的部落。巴林部的牧地与察哈尔兀鲁特部相邻，南界在今内蒙古库伦旗一带，北面可能越西拉木伦河，直到大兴安岭。

乌济叶特部　牧地在广宁镇的镇武、西平、东昌、东胜、长静、长宁、长勇、平虏诸堡边外，从镇远关入市赏。首领炒花，即蒙古文史籍中的舒哈卓哩克图洪巴图尔。乌济叶特部牧地在广宁东北的辽河河套，西邻巴林部，南面可可母林，距明朝边境三百里，可可母林即养息牧河上游分支库昆河（今内蒙古库伦旗南新开河）。东接巴约特部，其北界应在西拉木伦河以北。

巴约特部　牧地距辽东平虏堡正北四百里，明代译称"伯要儿"即巴约特的不同译音。首领是虎喇哈赤第三子歹青，即索宁歹青，牧地在猪儿苦周一带。该部游牧地西面与乌济叶特部为邻，东邻弘吉剌部，其南界在养息牧河汇入辽河处的猪儿苦周（巨流河）一带。一部分游牧地处于铁岭西南的辽河河套内，北界在西辽河（即西拉木伦河下游）迤北，牧地跨西辽河南北。

弘吉剌部　牧地距明开原、铁岭西北七百余里，仍入新安关市赏，首领是虎喇哈赤第五子兀班（兀班贝穆多克新），兀班死后诸子掌管部落，驻地是古路半升户儿，大汉把都楼子。弘吉剌部游牧地东邻扎鲁特部，南面至辽河河套内，西面为巴约特部游牧地，牧地在西辽河之北。

扎鲁特部　在沈阳、铁岭边外六百余里驻牧，市赏仍入开原新安关，首领为虎喇哈赤第四子委正（乌巴什卫征），牧地在岳落一带。岳落是扎鲁特板升所在地和游牧中心。扎鲁特部的大部分牧地在东辽河之北，东南与海西为邻，东北与科尔沁交界，西南与弘吉剌部相接，其中脱卜户、小老厮二营又在弘吉剌部之西南面，其西北的界限不清楚。

扎鲁特和弘吉剌两部的游牧中心距明边境较远，分别是六百里、七百里。巴约特部牧地距明边四百里，又被称作南头子营，位置最靠南。各部在春季贡市时南牧明朝边外，五六月份北去，八月后又南来驻牧，十月入冬后再北去。各部的主要游牧地都距离明边较远，来明朝边堡入市时才到明朝近边驻牧。

　　喀尔喀五部总的分布大体上自西南向东北分别为巴林、乌济叶特、巴约特、弘吉剌、扎鲁特诸部。明人说喀尔喀五部"今在广宁两枝，每假托泰宁卫夷人，在开原三枝又假托福余卫夷人，虏亦狡矣。"① 这也反映了其居地的大体位置，这种分布局面约形成于万历初年。

　　在明广宁边外还有察哈尔兀鲁特部，其东北是巴林等部。喀尔喀五部在西辽河以南都有游牧地，或入市时的驻地，其南界直至明边。五部中巴林、乌济叶特、巴约特三部在辽河河套内的牧地多一些，巴林、乌济叶特部牧地西北有大兴安岭山脉阻隔，在西辽河北面的牧地较少，位置比较偏南。东面的弘吉剌、扎鲁特部的位置则比较偏北，主要牧地在东、西辽河以北。

五、科尔沁部的南迁及其分布

　　科尔沁诸部是元太祖弟合撒儿后裔诸王所统部落，元代合撒儿的游牧地在今额尔古纳河流域，其家族在今内蒙古额尔古纳市境内额尔古纳河与根河汇流处的东岸黑山头、今俄罗斯后贝加尔州境内额尔古纳河支流乌卢龙桂河畔及昆兑河畔都曾营建宫室、城池，其牧地向南至今海拉尔河一带。由于其牧地远在东北面，在元末的动乱中受影响较少，洪武、永乐时期明军几次出征今呼伦贝尔地区也都未能至其中心地区。达延汗时期，科尔沁部的驻牧地仍在左翼三万户之东，黑龙江上游的额尔古纳河，以及西边的鄂嫩河一带游牧。明末仍然役属着达固尔、锡伯等部落活动于东北，其势力远至黑龙江上游一带。

　　在前述左翼诸部南下的高潮中，科尔沁部也有一部分南下游牧，来到嫩江流域，后来被称作嫩科尔沁，活跃于明朝边外。嫩科尔沁南下后，合撒儿后裔诸王统领其他部落仍在大兴安岭以北驻牧，茂明安在鄂嫩河和尼布楚一带游牧②，阿鲁科尔沁部、四子部、乌喇特部等部在今呼伦贝尔地区游牧。南下的科尔沁部首领魁猛磕与打来孙、虎喇哈赤一起出现于明人记载中，但是，科尔沁部未能进入辽河河套驻牧，远在内喀尔喀五部东北的嫩江流域。

　　① 冯瑗：《开原图说·福余卫恍惚太等二营枝派图考》，玄览堂丛书本。
　　② 中国第一历史档案馆、中国社会科学院历史所汉译：《满文老档》下册，中华书局1990年版，第1457、1397页；《清圣祖实录》卷143，康熙二十八年十一月丙子条。

他们控制着松花江和黑龙江上游一带的女真人，向他们收取贡物，分享其贡市之利。由于嫩科尔沁兼并了一部分福余卫人，并以他们的名义在开原入市贸易，明人把嫩科尔沁部误认为是福余卫人。

嫩科尔沁部南下之后，合撒儿后裔所属其他部落仍在岭北，他们与岭北其他部落一起被统称为阿鲁部，嫩科尔沁牧地西与扎鲁特、弘吉刺部相邻，东面和南面与海西诸部交界，北面则与阿鲁科尔沁部相接，离明边较远。

第二节 东部蒙古左翼各部与明朝的经济关系

"隆庆和议"之后，右翼蒙古与明朝建立了贸易关系，左翼诸部与明朝官方没有直接的关系，也不准参与贡市。实际上在"俺答封贡"之前，左翼诸部已南下吞并三卫，占据了有利地理位置，以三卫的名义在蓟州镇的喜峰口、辽东的开原、广宁等地与明朝贸易。当时明朝允许蒙古互市的地点只有这三处，因此在"俺答封贡"之前，可汗直辖的左翼诸部在与明朝贸易方面比右翼部落还处于有利的地位。在蓟镇喜峰口，他们以自己所属那部分朵颜卫人的名义入市。如察哈尔的脑毛大黄台吉最初在蓟州镇入市，后来又至广宁互市。隆庆元年（1567年）八月，明辽东镇城计擒逃入喀尔喀巴林部的汉人黄勇，当时黄勇作为巴林部的通事冒名泰宁卫来明朝入市贸易。明边镇官吏为减少边患，对冒名入市者一般都采取睁一只眼闭一只眼的态度，捉拿黄勇是个例外。

"俺答封贡"后，明朝采取分化政策，拒不答应察哈尔汗的求贡。这是因为蒙古可汗从未接受过明朝的封号，土蛮汗也不可能向俺答接受明朝的王封，这样双方要直接建立贡市关系比较困难。另外，明朝也考虑到"俺答封贡"后，土蛮失去右翼俺答之助，不能西来威胁明朝宣府迤西的城镇，再加兀良哈三卫贡关在蓟州镇，土蛮只能威胁辽东镇，对北京和中原腹地构不成太大的威胁，通过"俺答封贡"还可以分化蒙古左、右翼，所以对左翼蒙古采取坚决拒贡的态度。但是，隆庆五年"俺答封贡"之后，明辽东边境立即受到蒙古左翼巨大的军事压力。巡抚辽东右佥都御史张学颜立即条奏边务事宜，提出蒙古各部首领频年乞赏，请求在宁远按广宁例互市给赏。宁前一带正是察哈尔的敖汉、奈曼等部，实际是请求允许明辽东各边与蒙古左翼诸部互市，使辽东广宁、开原等市口与左翼蒙古的贸易合法化，以减轻守边的压力。张学颜随后筹款进行互市，并得到明廷批准。这样右翼俺答的封贡也促成了明朝辽东地区对左翼蒙古的部分开禁。但是，在辽东明蒙双方并未达成任何协议，所以，相互之间也没有任何约束力，蒙古左翼各部一面冒名入市，一面攻打明朝边境求贡和挟赏，明朝也派军队出边几百里袭击蒙古部落，赶马捣巢，双方一直处于战争状态。明朝辽东边吏给左翼部落市赏之后，使双方之间的战争规模变小，次数也越来越少，明朝在辽东始终未完全关闭互市市场。

明开原新安关市口，原为兀良哈三卫而开，这时也是左翼诸部贸易的主要市口之一，科尔沁部恍惚太（即翁阿岱）；弘吉剌部暖兔（巴噶达尔汉）、伯言儿（宰寨父）；巴约特部卜尔亥（恩格德尔额驸之父）、老思（卜尔亥弟）等人派遣的商队经常往来新安贸易。在开原一带新安关是明朝专为兀良哈三卫设立的入市关口，镇北关是专为海西女真而设的，这两关互不相混。从现存辽东残档万历四年至六年及十二年的有关记载来看，科尔沁和喀尔喀诸部商队入市买卖时，每次前来人数少则百余，多则二三百，每年入关贸易的商队有数十起，共约几千人①。除以上部落外，扎鲁特部显然也从新安关入市。商队入市后，以马、牛及各种皮张、土特产品易换各种绸缎、布帛（种类包括大、小红布、蓝布、白布）、衣服、铁锅及各种日常生活用品。入市的"夷人"多为被掳或逃入蒙古地区的汉人。由于他们通汉语，会做买卖，所以受蒙古贵族派遣入市贸易。

万历初年，左翼部落就已在辽东各边入市贸易，并获得市赏，但是在明朝档案和史籍中都不直接记载其为蒙古左翼诸部，而是称在广宁入市者为泰宁卫，开原入市者为福余卫，蓟州镇喜峰口入市者为朵颜卫。其实察哈尔奢臣憨（即布延彻辰汗），小歹青（察哈尔属下敖汉部首领岱青都楞）都在广宁入市有市赏，喀尔喀五部中的三部在开原入市，两部在广宁入市，他们冒名三卫入市，明朝边吏亦不深究。察哈尔和喀尔喀两部贵族不仅在广宁入市，还动辄比照宣府、大同贡市之例以武力要挟索赏。明辽东边将为保持边

---

① 辽宁省档案馆、辽宁社会科学院历史所编：《明代辽东档案汇编》下册，辽沈书社 1985 年版，第 788、796 页。

境安定，经常姑息迁就。乌济叶特部炒花，市赏最初仅有千余两，后来要挟加赏，至万历三十九年增至四千三百余两。① 万历三十九（1611 年）年九月，蓟辽总督王象乾称自万历二十二年（1594 年）后，左翼蒙古不断在辽东挟赏，广宁市赏"遂至数万，外库不敷，仰给中帑"②。万历末年左翼各部在辽东边境的市赏地点由西向东如下：察哈尔部在广宁镇入市，其中由义州边外大康堡入市者有也密力台吉（不地汗弟）长子阿牙他皮第十子拱兔，也密力台吉次子卑麻二子，即长小歹青（敖汉部）、次额森卫征（乃蛮部）；由镇远关入市者有察哈尔汗、也密力长子阿牙他皮的其余诸子、打来孙汗第二子大委正（浩齐特部）、黑石炭（克什克腾部）、五路（兀鲁特部）、喀尔喀的速巴亥（巴林部）、炒花（乌济叶特部）等。从开原新安关入市者有伯要儿诸子（巴约特部）、兀班诸子（弘吉剌部）、委正诸子（扎鲁特部）。万历末年，科尔沁部与察哈尔部、喀尔喀部的矛盾加深，被排挤出了新安关市场。

"俺答封贡"之后，北面交通便利的大同、宣府两地成为蒙古各部与明朝互市贸易的中心市场。隆庆五年（1571 年），明朝第一批开设的马市有大同得胜堡、新平堡、宣府张家口堡、山西水泉营、延绥红山边墙暗门外、宁夏清水营旧场等，右翼三部每年分别入市。后来明朝为蒙古在甘肃、青海开市，沿边市口增加，贸易次数也增加，除一年一度的大市外，又设立每月一次的小市，这是纯粹的民市。后来小市越来越多，方便了物资交流，货物品种也日渐繁多，来自大江南北的日常生产、生活用品应有尽有。

万历二年（1574 年）九月，开市仅过两年时间，大同、宣府、山西等三镇的互市易马数量从隆庆五六年的七八千余匹增至三万余匹③。万历三年七月，明朝规定宣府、大同、山西三镇市马之数及马价为：宣府一万八千匹，马价银一十二万两，大同一万匹，马价银七万两，山西六千匹，马价银四万两。④ 总数在三万四千匹左右。延绥、宁夏二镇万历三年易马数为，

---

①　《明神宗实录》，万历三十九年九月丁酉条。
②　《明神宗实录》，万历三十九年九月丁酉条。
③　《明神宗实录》，万历二年九月甲申条。
④　《明神宗实录》，万历三年七月丁酉条。

"官易马二千一百四匹，牛羊五十八只，商民易过马骡牛羊共二万二千有余。"① 这两镇的市口基本上由鄂尔多斯部入市交易，马匹数量增加不明显，而大同、宣府、山西三镇的易马数则成倍增长。显然宣、大、山西三镇开市不久蒙古其他部落也纷纷前来入市，间接与明朝进行贸易，后来增加的马匹，多为其他部落来易马而增加的，其中宣府镇马数增加尤多。

明嘉靖、万历年间，在明朝宣府边外居住的是蒙古右翼喀喇沁部老把都儿子孙及俺答长子辛爱黄台吉等，他们与察哈尔部关系融洽，土蛮汗攻打明蓟、辽一带，常调此二部兵，通市后他们也经常暗自出兵相助，因此，明人说他们入则为市，出则为寇，后来明朝对哈不慎（把都儿第三子来三兀儿）等首领采取革赏绝贡的惩罚。宣府张家口堡市场距左翼诸部很近，这里就成为察哈尔等部前来贸易的市口，附属于喀喇沁等部的兀良哈三卫也入市贸易，由于这种关系，三镇之中宣府的马数骤增。明朝一些官吏题请设限，防止马数不断增加。宣府镇的张家口后来成为塞北商业重镇，大概兴起于此时。

明廷为避免引起事端，对蒙古各部在宣府的贡马数额采取了比较灵活的限制措施。万历七年（1579年）正月题准，马数不过三万匹。万历十六年（1588年），总督郑雒奏上五事，其一曰定马市以节市费。他说："大都宣府马数以二万匹上下，不得逾三万；大同一万四千，山西六千，如数则市，不如数则闭关绝之。"② 明廷后来将市马数基本限制在五万匹以内。大同、山西二镇的易马数也比开市初期增加不少，这是由于左翼诸部和北方的喀尔喀、瓦剌等部人前来入市贸易引起的。张家口、大同得胜堡等市口不仅是右翼蒙古诸部的市口，也成为左翼及岭北诸部与明朝贸易的市口。"隆庆和议"之后，整个蒙古地区都直接或间接地与中原地区进行物资交流，丰富和改善了他们的经济生活，受益者绝非仅仅是右翼部落。但是，与宣府、大同、山西相比，延绥、宁夏二市口并不景气。自万历初年俺答入青海迎佛开始，蒙古各部往来青海朝佛，都经甘肃边外的大、小松山一带往来，明朝为阻止大量蒙古部落进入青海，出兵驱逐驻牧于大、小松山一带的鄂尔多斯部

---

① 《明神宗实录》，万历三年十二月丙子条。
② 《明神宗实录》，万历十六年闰六月甲午条。

宾兔等，使明朝与鄂尔多斯部的关系恶化，由于双方间的征战及明朝采取的绝市等制裁措施，延绥、宁夏的互市很长时期内不能正常进行。鄂尔多斯有黄河河套相隔，交通相对闭塞，北部和东部的蒙古部落也很少从延绥、宁夏入市，正因为如此，明人对其制裁比较严厉，不会影响与其他蒙古部落的关系，鄂尔多斯部还受顺义王的牵制不能大规模侵袭明朝的边境。

　　明穆宗时改变世宗朝的闭关拒贡政策，主动寻机与蒙古和解，使明蒙双方达成了和平协议，结束了数十年的战乱。"隆庆和议"之后，明朝与蒙古右翼诸部之间实现了政治、经济关系正常化，右翼蒙古接受明朝封号，使双方间的经济交流得以正常进行。由于右翼蒙古与明朝贡市贸易的建立，使那些与明朝没有建立正常政治关系的左翼诸部以及整个北方蒙古草原各部也实现了与明朝的经济交流，这对促进明代蒙古地区社会经济和文化的发展都起到了重要的作用。

第　九　章

满洲爱新国的兴起与内蒙古各部的初步形成

第一节　科尔沁部与爱新国

　　嫩科尔沁首领魁猛磕与喀尔喀左翼首领虎喇哈赤二人率众随同蒙古可汗打来孙南下之后打破了兴安岭以南只有兀良哈三卫游牧的传统局面，并同右翼喀喇沁万户一起瓜分山阳万户，形成了以打来孙为首的蒙古本部统治下的漠南新的游牧集团。直到土蛮汗统治时期（1557—1592年），蒙古可汗都控制着嫩科尔沁、内喀尔喀等部，并率嫩科尔沁和内喀尔喀等部对明朝用兵，给明朝带来了一定的威胁。但由于游牧地邻近，他们之间也存在着矛盾和争执。首先是明朝贸易关口的争夺。尤其是嫩科尔沁与内喀尔喀之间的冲突更为突出。据明代文献记载，嫩科尔沁之开原、铁岭边外的同明朝贸易的关口庆云堡等被内喀尔喀夺走之后，嫩科尔沁"避居江上，不敢入庆云市讨赏"。[①] 其次，嫩科尔沁与蒙古可汗土蛮汗之间因争夺达斡尔、索伦诸部产生了矛盾。《蒙古源流》记载，土蛮扎萨克图汗从女真、讷里古特、达斡尔三种部族收取贡赋。[②] 土蛮汗从这三部收取贡赋，其实就是在剥夺原来属于嫩科尔沁的这些部众。《旧满洲档》中的一段记载足以证明土蛮汗、林丹汗时代察哈尔、喀尔喀与嫩科尔沁的矛盾与斗争。天命十一年（1626年）六

---

　　① 冯瑗：《开原图说》，福余卫恍惚太等二营枝派图考。
　　② 乌兰：《〈蒙古源流〉研究》，第188页。

月六日嫩科尔沁首领奥巴同爱新国汗努尔哈赤盟誓的誓词中曰："……自扎萨克图汗以来,我等科尔沁部诸诺颜,欲与〔察哈尔、喀尔喀〕为善,诚心顺从,〔彼等〕不肯,不断地杀掠〔我等〕,毁灭了我们博罗科尔沁。此后,我们没有罪过,〔他们〕却杀死了达赖台吉。之后,宰赛来,杀害了六位诺颜。我等欲和善而不得,无罪而遭杀掠,为此我等抗拒了。因〔我等〕抗拒,察哈尔、喀尔喀怪恨我等,发兵来杀掠。蒙上天保佑,救了我们。亦大得满洲之汗保护……"①

　　1604 年,13 岁的林丹继承蒙古可汗之位,称呼图克图汗(1604—1634年在位)。他即位于多事之秋。在东蒙古内部,达延汗实行的黄金家族分封制和黄金家族统治者的血缘纽带没有能够维系可汗的权威和中央集权,新的黄金家族的封建割据早已形成。这些割据势力藐视年幼的林丹可汗,不承认他的可汗地位,蔑称他为"察哈尔汗"(意为只是察哈尔万户之汗),就连象征性的贡赋也拒不向他缴纳。林丹汗不甘于这种局面,力图重振蒙古可汗权威。他声称"南朝只一大明皇帝,北边只我一人,何得处处称王",用以表达加强蒙古可汗权威的政治理想。经林丹汗在内政外交上的一番努力,可汗权威有所加强。

　　17 世纪初,蒙古外部的形势也发生了重大变化。兴起于东北一隅的女真族迅速强大,改变了蒙古附庸的地位,成为蒙古的新的、强大的政敌。在努尔哈赤的经营下,女真实力壮大,1616 年建立爱新国(满语称 Aisin gurun,意为金国,为了和历史上的女真金朝相区别,学界称爱新国)。1619年,爱新国取得反击明朝的萨尔浒大捷。1621 年攻陷辽阳、沈阳,连下明辽东 70 余城。与此同时,爱新国千方百计与林丹汗争夺嫩科尔沁和内喀尔喀五部,甚至向察哈尔左翼属部渗透,利用各部与林丹汗的矛盾,积极与之联姻、结盟,孤立林丹汗。蒙古的老对手明朝则觑准时机,恢复林丹汗市赏,冀图造成明蒙联合呼应的态势,制约爱新国。在这种形势下,林丹汗决定武力征讨游离不定的右翼蒙古各部,实现其先统一蒙古,再与爱新国、明朝争锋的所谓"先处里,后处外"政治方针。由此,蒙古和爱新国之间的关系日趋复杂。

---

　　① 《旧满洲档》,台湾故宫博物院 1969 年影印本,第 2081 页。

蒙古各部中，嫩科尔沁部首先与爱新国发生关系。16世纪30年代，嫩科尔沁迁居嫩江流域，成为女真最强大的近邻。16世纪末，努尔哈赤统一建州女真五部，开始向东海三部以及扈伦四部用兵。女真诸部西南北三面毗邻蒙古各部之地，与蒙古人有着久远的历史关系。尤其哈达、辉发、乌喇部的祖先，与蒙古有血缘亲属关系。所以，努尔哈赤统一女真诸部的行动，引起了游牧于嫩江流域的嫩科尔沁首领翁果岱、莽古思、明安等人的强烈不满。当努尔哈赤征伐海西女真诸部时，蒙古诸部与建州女真的武装冲突便于1593年开始了。

在女真诸部中，海西女真叶赫部的实力也比较雄厚，该部首领难以容忍努尔哈赤统一女真诸部的活动，为了一举荡平建州女真努尔哈赤部，以叶赫部首领布寨为首的扈伦四部与蒙古科尔沁等诸部结成九部联军，于明万历二十一年（1593年）九月主动向以努尔哈赤为首的建州女真部发起攻击。当时，联军3万人，分三路进军，企图彻底消灭努尔哈赤。努尔哈赤英勇果断，亲督大军，迎敌于浑河岸古埒山。结果，古埒山一战，努尔哈赤打败九部联军，建立了对女真诸部的霸权。此役，联军方面的科尔沁部翁果岱、明安、莽古斯等诸首领，率1万兵来会战，战败逃归。① 这样，在努尔哈赤时期蒙古与爱新国第一次武力较量，便以蒙古的惨败而告终。万历三十六年（1608年）三月，努尔哈赤长子褚英、侄阿敏贝勒率领五千兵征乌喇部。翁果岱、奥巴父子援乌喇部，因见爱新国兵势强盛不战而退。②

在击败科尔沁攻击的同时，努尔哈赤充分利用蒙古与女真地理毗邻、风俗文化相近等特点，以和亲等手段拉拢内喀尔喀与科尔沁诸台吉。古埒山之战后的第二年，即甲午年（1594年）正月，蒙古科尔沁部明安及巴约特部老萨开始遣使与努尔哈赤通好，于是蒙古各部长遣使往来不绝。③ 为了借助成吉思汗黄金家族的血统提高在女真各部的威望，亦为建立女真族与蒙古的亲善关系，努尔哈赤首先向科尔沁提出聘女为妃，结为姻戚。1612年，科

---

① 《清太祖实录》，癸巳年九月壬子条。
② 《清太祖实录》，戊申年三月戊子条。
③ 《清太祖实录》，甲午年正月庚辰条。

尔沁部明安将女儿嫁给努尔哈赤为妻①；次年，努尔哈赤之子皇太极娶科尔沁部莽古思之女为妻②。随后，1615 年，科尔沁部洪果尔送女与努尔哈赤为妻。③ 与此同时，努尔哈赤以女真贵族之女妻蒙古各部酋长，如以皇弟舒尔哈齐女妻巴约特部落台吉恩格德尔。可见，努尔哈赤把笼络婚嫁的重点放在科尔沁、内喀尔喀五部等邻近的蒙古部落上。

乙卯年（1615 年）九月"蒙古科尔沁贝勒明安之第四子桑噶尔寨台吉送马三十匹，前来叩见。赐甲十副，厚赏缎绸、布匹遣之。"十月，明安长子伊勒都齐台吉送马四十匹，"赐甲十五副，厚赏缎绸、布帛遣之"。④ 次年十二月，明安次子哈丹巴图鲁台吉来，"按其兄之例赐物遣之"。⑤ 天命二年（1617 年）正月，明安亲自前往爱新国，得到努尔哈赤的隆重款待。⑥ 但他们的关系不是发展得很顺利。1617 年以后，明安"废止台吉等亲行"爱新国之礼。⑦ 天命四年，明安之子多尔济伊勒登又"分取"被爱新国打败而逃亡到科尔沁部的叶赫部人畜。爱新国"遂两次遣使往曰：'我等本非仇敌，何以纳我所灭国之牧群哉！宜退还之。'仍未给还。第三次遣使索取时，仅还牧群一百六十，而其余一百四十牧群，仍未给还。"⑧ 同年，明安子小桑噶尔寨等为了从爱新国手中夺回与明朝互市的关口开原、铁岭两城，同弘吉剌部首领宰赛及扎鲁特部台吉巴克、色本等人一起袭击占领铁岭的爱新国之军。结果惨败，小桑噶尔寨等人被俘。铁岭之役之次年，努尔哈赤致书洪果尔，向他提出极其苛刻的要求。即以被俘之小桑噶尔寨作为人质，逼迫科尔沁部洪果尔嫁女于爱新国。⑨ 天命八年（1625 年）五月，洪果尔终于嫁女于努尔哈赤十二子阿济格。⑩ 爱新国与嫩科尔沁左翼之关系逐渐好转。在通

① 《清太祖实录》，壬子年正月丙申条。

② 《清太祖实录》，癸丑年九月丁酉条。

③ 《清太祖实录》，乙卯年正月戊申条。

④ 中国第一历史档案馆、中国社会科学院历史所译：《满文老档》上册，中华书局 1990 年版，第 32、33 页。

⑤ 中国第一历史档案馆、中国社会科学院历史所译：《满文老档》上册，第 49 页。

⑥ 中国第一历史档案馆、中国社会科学院历史所译：《满文老档》上册，第 49、50 页。

⑦ 中国第一历史档案馆、中国社会科学院历史所译：《满文老档》上册，第 393—394 页。

⑧ 中国第一历史档案馆、中国社会科学院历史所译：《满文老档》上册，第 117 页。

⑨ 《旧满洲档》，第 549—550 页。

⑩ 《清太祖实录》，天命八年五月丙午条。

婚的同时，努尔哈赤还利用军事手段施压。天命六年，爱新国攻占沈阳、辽阳。次年攻占察哈尔与明朝间通商关口广宁，乘此大捷，继续加强对科尔沁和内喀尔喀的威胁与利诱，甚至与察哈尔属部敖汉、奈曼二部暗中交往。

爱新国和东部蒙古诸部的交往，对林丹汗构成了直接的威胁。癸亥年（1623 年）正月，林丹汗走上了用兵科尔沁部的道路。此时，科尔沁部被夹在两大强敌之间，处于自身难保的境地。如何对付察哈尔林丹汗的讨伐，是科尔沁部首领奥巴面临的最大问题。他不得已向爱新国遣使求购弓箭。努尔哈赤借此机会极力挑拨嫩科尔沁与察哈尔之间的关系。同年五月三十日，努尔哈赤致书奥巴及嫩科尔沁之诸台吉，劝说"可推举一人为汗"，公然向主张"何得处处称汗"的林丹汗挑衅。① 奥巴接到努尔哈赤称汗的建议后，便自称为汗。②

同年，努尔哈赤派使者去科尔沁部，提出了建立反察哈尔联盟的建议。五月，奥巴致书努尔哈赤，表示愿意建立联盟。努尔哈赤便于天命九年（1624 年）二月派遣榜式希福、库尔缠二人到科尔沁部，与科尔沁奥巴、阿都齐达尔汉台吉、戴青蒙果台吉等会盟。双方刑乌牛白马，向天地发誓结盟。参加会盟的科尔沁三首领都是博第达喇之孙，是嫩科尔沁部的实力人物。爱新国方面的希福、库尔缠二人，具有"榜式"称号，也都是地位显赫的人物。天命十年三月，奥巴派使臣与努尔哈赤约定相会地点，欲与努尔哈赤向天发誓（只有双方最高首领一同发誓，联盟才算正式生效）。但是，这年六月，当努尔哈赤率领爱新国众贝子到达相会地点开原时，奥巴派使者前来说，因自己娶了察哈尔之女而不能前来。③

奥巴称汗以及与爱新国建立政治军事联盟的行为引起了林丹汗的强烈不满。此时恰有林丹汗叔祖莽古尔泰歹青（布延车辰汗之弟）因与林丹汗不和，率六子扎儿布、色冷、功革、石答答、刚里马、兀里占"叛归"奥巴。嫩科尔沁收留他们，并于天命十年八月派遣扎儿布于爱新国。奥巴收留莽古尔泰歹青，直接导致林丹汗用兵嫩科尔沁。天命十年（1625 年）八月，亲

---

① 《旧满洲档》，第 1588—1590 页。
② 中国第一历史档案馆所藏档案，抄件由内蒙古大学蒙古史研究所宝音德力根研究员提供。
③ 《旧满洲档》，第 1873、1891、1892 页。

近科尔沁的内喀尔喀乌济叶特部首领洪巴图鲁炒花遣温吉哲依扎尔固齐向奥巴泄露了下月十五日察哈尔要用兵科尔沁的秘密。科尔沁内部人心惶惶，囊苏喇嘛带徒众投附爱新国，阿都齐达尔汉台吉等头目率部仓皇东避，奥巴急忙向爱新国求援，求援兵及"炮手千名"。而努尔哈赤只派八名汉人炮手，并遣使致书奥巴，称"……（军队的）多寡不是原因，（而是）天的原因。"① 十月份，奥巴遣书努尔哈赤称，察哈尔绰尔济喇嘛来奥巴处，"欲使科尔沁与察哈尔和好"。因科尔沁与爱新国有盟誓在先，未与答应。今复有兵报云云。② 察哈尔与科尔沁之间曾经进行过一次秘密谈判。也许因林丹汗没有放弃吞并科尔沁的政策，奥巴难以接受，不得不联合爱新国对付察哈尔。③ 十一月，林丹汗果然亲率大军攻打嫩科尔沁，围奥巴所居城格勒珠儿根城。响应林丹汗的有内喀尔喀首领宰赛和巴噶达尔汉（即暖兔）等台吉。初五日，奥巴遣使努尔哈赤说："察哈尔兵前来是真，能看见其影状。"次日，努尔哈赤令每八旗出二十个人，让孟格图带领，遣往科尔沁。④ 十一日，努尔哈赤亲率众贝子、大臣从盛京出发，至开原镇北堡，努尔哈赤返回，命莽古尔泰贝勒、皇太极、阿巴泰台吉等人率精兵五千前往。并对出征诸王说"阿拉盖、喀拉珠处虽有放炮声，不得前往。至农安塔处，探听彼处情报，若能前往彼处，则先滞留于农安塔处，遣还彼处蒙古使者。对他们的使者说：'来时一昼夜，去时一昼夜，仅仅如此。时多我军不等。'若不能得到彼处可靠消息，待我方去彼处之哨探兵士来后即返回。"⑤ 即爱新国只是作了个出援的姿态。奥巴无奈将扎儿布台吉等人执送察哈尔部，林丹汗随之撤兵。后来，关于这次战役嫩科尔沁和爱新国方面都传出不同说法。奥巴以执扎儿布与林丹汗为耻，从而隐瞒事实。1626 年奥巴在誓词中诡称"蒙上天保佑，救了我们。亦大得满洲之汗保护"。爱新国天聪汗也大大吹捧其功绩，如，在致奥巴的书中称"其后，察哈尔汗欲杀尔，兴兵来侵，

---

① 《旧满洲档》，第 1909—1911、1913、1914 页。

② 《旧满洲档》，第 1941—1942 页。

③ 参见巴根那：《天命十年八月至天聪三年二月科尔沁部与爱新国联盟》，《明清档案与蒙古史研究》第 1 辑，内蒙古人民出版社 2000 年版。

④ 《旧满洲档》，第 1944—1945 页。

⑤ 《旧满洲档》，第 1946—1949 页。

我等闻之，不惜身受劳苦，马匹倒毙，即发兵抵达农安，察哈尔闻讯，遂弃将克之城而退。我等若未出兵，尔岂有今日乎？"

努尔哈赤则以援救嫩科尔沁为契机，加紧巩固与奥巴的政治军事联盟。天命十一年五月，奥巴亲自前往爱新国谢恩，努尔哈赤厚赐奥巴等人。六月六日，在爱新国都城的南河岸上，奥巴同努尔哈赤一道，刑白马乌牛，向天地发誓，宣读双方永世反察哈尔反喀尔喀的誓言，随后将誓书当众焚毁，以视让苍天作证。爱新国与嫩科尔沁最高首领之间的这次盟誓，标志着双方于天命九年达成的反察哈尔联盟的正式生效。次日，努尔哈赤改赐奥巴以"土谢图汗"名号，以舒尔哈赤之子图伦台吉女肫姐（敦哲）嫁奥巴。并授奥巴从叔图美以"代达尔汉"号；奥巴弟布达齐以"扎萨克图杜棱"号，还赐扎赖特部阿敏之子贺尔禾代以青卓礼克图号。

嫩科尔沁虽然暂时摆脱了被林丹汗灭亡的厄运，但仍受强大的察哈尔、喀尔喀之军事威胁。天命十一年（1626年）七月，乌济叶特部的炒花向奥巴通报喀尔喀五部派代表前往察哈尔与林丹汗会盟的消息。于是奥巴火速将这一消息传给了努尔哈赤。又过几天，滞留炒花处之使臣乌巴什带回了这次会盟的确切消息。察哈尔与喀尔喀会盟，商讨的是如何征讨嫩科尔沁和爱新国之事。奥巴从炒花处得到这一消息之后急忙遣使通报。同时向努尔哈赤承诺，与爱新国一道对付察哈尔与喀尔喀。① 但不知为何，察哈尔与喀尔喀之联军始终未征讨嫩科尔沁和爱新国。

努尔哈赤、奥巴所建立的反察哈尔、喀尔喀政治军事联盟是以爱新国汗为盟主、以嫩科尔沁汗（先是"巴图鲁汗"，后改称土谢图汗）为唯一结盟伙伴的近乎平等的关系。但是，两个多月之后努尔哈赤去世，皇太极即位。这位权力欲望极强的爱新国新汗在内加强中央集权，对外则不愿承认与嫩科尔沁等蒙古部落间的近乎平等的联盟关系。②

天聪元年（1627年）冬，察哈尔部开始西迁。③ 对嫩科尔沁的威胁减

---

　① 《旧满洲档》，第 2153、2155—2157 页。

　② 参见［日］楠木贤道：《天聪年间爱新国对蒙古诸部的法律支配进程》，原文载日本社会文化史学会 1999 年 10 月编：《社会文化史学》第 40 号，第 20—37 页；译文见《蒙古史研究》第 7 辑。

　③ 参见达力扎布：《明代漠南蒙古历史研究》，第 294—297 页。

弱。天聪二年（1628 年）二月，皇太极征讨漠南察哈尔多罗特部，为了确保此次征战的胜利，皇太极向奥巴为首的嫩科尔沁六位首领致书，要他们出征察哈尔汗城，分散林丹汗的注意力。但是，奥巴并没有按皇太极的旨意出兵。① 同年四月，奥巴还致书皇太极，委婉地索要由科尔沁转投爱新国的巴林、扎鲁特部众。②

天聪元年底，喀喇沁部台吉、塔布囊致书皇太极，诡称右翼三万户和阿鲁蒙古之联军在昭之城（可可和屯，今呼和浩特）消灭了林丹汗四万军队，林丹汗根基动摇，并煽动爱新国乘此机会出兵察哈尔。③ 次年九月，皇太极决定亲率爱新国军队和蒙古各部军队出征察哈尔。与爱新国有联盟关系的敖汉、奈曼、内喀尔喀、喀喇沁等部军队先后来会师。而奥巴等人则没有与爱新国军队会师，自为一路袭击察哈尔边境数家后返回。在奥巴看来，只要出征了察哈尔就兑现了联盟中承诺的义务，不一定非得与爱新国会师一同出征。由于人马众多的奥巴没有前来会师，皇太极感到没有把握取胜察哈尔，只好退兵。皇太极精心组织的一次远征就这样流产了。科尔沁部只有莽古斯之孙满珠习礼及洪果尔子巴敦掠察哈尔后前来。其余台吉自行回军。

奥巴的所为让皇太极恼羞成怒。此时爱新国已基本控制了敖汉、奈曼、内喀尔喀、喀喇沁和东土默特诸部，其实力地位日益加强。皇太极再不能容忍奥巴与之分庭抗礼。天聪二年十二月，皇太极派索尼、阿朱户往奥巴处，致书谴责奥巴对爱新国的种种"背信弃义"行为，罗列其十条"罪状"④（详见《奥巴传》）。

当时，由于察哈尔西迁和内喀尔喀的溃散，爱新国再也没有必要姑息和牵就奥巴，奥巴深感来自爱新国的强大压力。天聪三年（1629 年）正月，没有退路的奥巴只好亲至爱新国"认罪"，修复双边关系。同年三月奉天聪汗之命，爱新国与嫩科尔沁重新"商定"律令，迫使嫩科尔沁接受与爱新

---

① 《十七世纪蒙古文文书档案》第 1 和第 13 份文书，内蒙古少年儿童出版社 1997 年版，第 3—4、35—41 页。

② 《十七世纪蒙古文文书档案》第 46 份文书，第 350—351 页。

③ 参见乌云毕力格：《从 17 世纪蒙古文和满文"遗留性史料"看内蒙古历史的若干问题，（一）昭之战》，《内蒙古大学学报》（蒙古文）1999 年第 3 期。

④ 《十七世纪蒙古文文书档案》第 13 份文书，第 35—41 页。

国一同出征明朝的义务。① 这就是《清太宗实录》所谓"上颁敕谕于科尔
沁、敖汉、奈曼、喀尔喀、喀喇沁五部落，令悉遵我朝制度"。② 同年十月，
奥巴不敢违背皇太极指令，率部首次参加爱新国对明朝战争。从此嫩科尔沁
等蒙古诸部逐渐成为爱新国之附庸。在此前与爱新国建立联盟关系的蒙古诸
部并没有随爱新国出征明朝的义务。天聪元年（1627 年）七月，爱新国与
敖汉、奈曼建立反林丹汗联盟时，在誓词中甚至特别强调："若不思［敖
汉、奈曼］依附天聪汗之心，将敖汉、奈曼视若自己的百姓而带入墙（长
城）内，则天聪汗、大贝勒、阿敏贝勒、莽古尔泰贝勒、……等遭天谴折
寿。"③ 将蒙古各部捆绑在爱新国对明朝的战争机器上，这是蒙古各部与爱
新国平等或近似平等的所有联盟的终结，是蒙古被爱新国征服的标志。

　　嫩科尔沁投附爱新国之后，其牧地也逐渐向南迁移。1630 年夏，林丹
汗用兵大兴安岭北，征讨阿鲁蒙古（阿鲁蒙古指驻牧于大兴安岭北的成吉
思汗三个弟弟合撒儿、哈赤温、别里古台后裔统治下的诸游牧集团），于是
邻近阿鲁诸部的嫩科尔沁向爱新国紧急求援。但是，爱新国为进一步控制嫩
科尔沁及阿鲁部，未派兵去攻打察哈尔，而要求嫩科尔沁部的主体从嫩江流
域南迁到洮儿河和西拉木伦河流域。④ 这里本是内喀尔喀五部的牧地，1626
年，内喀尔喀五部先后遭爱新国、林丹汗攻击而崩溃，这里成了无主牧地。
奥巴在爱新国与察哈尔对立的局势下，采取了灵活多变的策略，保住了科尔
沁部的势力。在嫩科尔沁十旗中，南迁的只有奥巴、乌克善（莽古斯之
孙）、喇嘛什希（土美之子）、木寨（洪果尔之子）、栋果尔（明安之子）
五旗，而扎赉特、杜尔伯特、两郭尔罗斯、七台吉五旗并没有马上南迁。爱
新国怕这五旗成为敌对力量，天聪五年十一月，皇太极致书嫩科尔沁土谢图
汗奥巴，要求奥巴把他们的牧地向自己方向靠拢。这样就便于控制这些部，
更方便遣其壮丁随爱新国征战。

　　嫩科尔沁主体南迁后，在爱新国和嫩科尔沁的安排下，嫩科尔沁旧牧地
很快被达斡尔、女真等部占据。这是东北民族的一次较大规模的迁移。

---

① 《十七世纪蒙古文文书档案》第 16 份文书，第 253—254 页。
② 《清太宗实录》，天聪三年正月辛未。
③ 《十七世纪蒙古文文书档案》第 7 份文书。
④ 《十七世纪蒙古文文书档案》第 61 份文书。

投附爱新国不久，嫩科尔沁部内发生了所谓的"噶尔珠塞特尔叛乱"的事件。据清代文献记载，事件的原委是，天聪八年五月十一日阿希达尔汉、伊拜、诺木图等人为调兵，前往科尔沁部之后发现，七台吉和扎赉特部不在爱新国所指定的驻牧地，说是往索伦部取贡赋去了。五月二十三日，伊拜回来向皇太极报告"科尔沁部噶尔珠塞特尔、海赖、布颜代、白谷垒、塞布垒等以往征北方索伦部落取贡赋营生为词，各率其本部人民叛去"，土谢图济农、扎萨克图杜棱等人往追去的消息。皇太极遣希福、伊拜再往科尔沁，下达"欲诛则诛之，而欲不诛，尽夺其部众，以其本人为奴者听"的谕旨。六月五日，诺木图自科尔沁部回来，带来了噶尔珠塞特尔等人俱已被擒获，并被土谢图济农等人所杀的消息。①

噶尔珠塞特尔是博第达喇西宫哈屯所生子额勒济格卓里克图之幼子。海赖是额勒济格卓里克图之第四子。白谷垒、塞布垒是额勒济格卓里克图长子额墨克图哈坛巴图鲁之子。额勒济格卓里克图死后七子虽然已经析产，但仍在一起游牧，形成一个大鄂托克或旗，名称为七台吉部。七台吉部与扎赉特部一同游牧，所以关系密切。这次"叛乱"中除七台吉部之外扎赉特部色本、额古、班第等台吉也参加。色本是扎赉特部阿敏巴噶诺颜之长子额森纳琳台吉之长子。班第是阿敏巴噶诺颜之十二子。额古是阿敏巴噶诺颜之十一子多尔济岱青之长子。

1629年，爱新国天聪汗与嫩科尔沁首领奥巴、洪果尔冰图、阿都齐达尔汉等共同商定律令，首次结成对明朝的军事同盟：规定如果征伐明朝，科尔沁管旗的每位大台吉率本旗普通台吉两人，精兵百人参战。次年，爱新国利用林丹汗征讨阿鲁蒙古各部之际，下令将嫩科尔沁主体奥巴、吴克善等部从嫩江流域迁到洮儿河以西的西拉木伦河流域，同时要求牧地在更北的嫩科尔沁分支七台吉、扎赉特、杜尔伯特以及两个郭尔罗斯等五个鄂托克也将牧地向南迁移，并要求将他们所属索伦（讷里古特）、达斡尔也向南迁移。但是直到天聪六年（1632年），至少有七台吉、扎赉特等部一直没有按照爱新国命令迁移，仍旧驻牧于原牧地，统治所属的索伦、达斡尔等部民，向他们索取贡赋。噶尔珠塞特尔终究不像巴达礼（奥巴之子）、吴克善等同族那么

① 《清初内国史院满文档案译编》，光明日报出版社1989年版，第81、83—85、90—91页。

对皇太极和爱新国唯命是从。因此皇太极先礼后兵，曾经致书噶尔珠塞特尔，责怪其种种不听命之“罪”。① 此书可视为对噶尔珠塞特尔等人的最后通牒。迫于压力，七台吉、扎赉特等部大约不久也向南迁移了。但是，他们的牧地一直不稳定，更没有将所属索伦、达斡尔迁移到南边。因此，当天聪八年五月，爱新国决定征讨明宣府、大同时，正好赶上噶尔珠塞特尔等向北迁移。这样前往调兵的爱新国使臣扑空，这使皇太极恼羞成怒。再加上七台吉、扎赖特部曾多次阻挡乌喇特、茂明安部南下投附爱新国之路。皇太极以“反抗调兵”为名决定消灭七台吉部。按着 1629 年律令，如征明朝，嫩科尔沁每管旗大诺颜必须领所属旗之两名台吉和精兵百人出征。不出征或越期不致、先行掠夺者都要罚以不同数量的牲畜。② 就是说律令中只有对违律诺颜处罚牲畜的规定，并没有捉拿或处死不出征诺颜的规定。而皇太极越过律令，暗示巴达礼可将噶尔珠塞特尔等人以“叛逃”罪处死。降级继承自己父亲职位的巴达礼，此时正愁没有机会向皇太极和爱新国表忠诚，他当然领会皇太极杀一儆百、彻底将嫩科尔沁等漠南蒙古诸部捆绑在爱新国对明朝以及林丹汗战争的战车之上的用心。于是置亲情与律令不顾，处死了噶尔珠塞特尔等人，将其属民瓜分。此后，每当爱新国对明朝采取大规模军事行动时，以上诸部再也不敢像噶尔珠塞特尔等人那样违背爱新国军令，变得异常温顺了。

总之，由于扎赉特、七台吉部等部经常北牧，影响了爱新国在征讨察哈尔、明朝时的军事调动。并且多次阻挡乌喇特、茂明安部的南下之路，所以天聪八年（1634 年），爱新国终于大开杀戒，以“叛逃”罪镇压了七台吉和扎赉特部首领。

第二节 喀尔喀五部与爱新国

山阳喀尔喀五部包括弘吉剌、扎鲁特、巴约特、巴林和乌济叶特。喀尔喀五部中，巴林和乌济叶特二部为右翼，牧地靠近西边的察哈尔左翼，与明

---

① 《旧满洲档》，第 3913—3914 页。
② 《十七世纪蒙古文文书档案》第 16 份文书，第 3—4、35—41 页。

朝同在广宁镇互市。该两部最初的首领是巴林部的速巴亥，后来速巴亥在明镇夷堡挟赏时被明军杀死，其弟乌济叶特部炒花继为首领，同时由于炒花是虎喇哈赤五子中唯一在世者，自然成为五部中的长者和盟主。故明人常称喀尔喀五部为炒花五大营。扎鲁特、弘吉剌和巴约特三部为左翼，牧地在东边，与明朝互市于铁岭、开原一带。他们的驻牧地靠近女真，故与女真的交往很频繁。喀尔喀作为蒙古可汗直属的左翼部落，自明嘉靖中期开始与察哈尔部一起在明辽东边外活动，关系很密切。

　　1605 年，巴约特部索宁歹青之孙恩格德尔台吉最先去建州，并建立了贸易关系。第二年他又引喀尔喀五部使臣去建州进行驼马贸易，还给努尔哈赤上"昆都伦汗"（汉语"恭敬"之意）号①。1614 年，喀尔喀扎鲁特部贝勒钟嫩以女妻努尔哈赤子大贝勒代善，不久，该部内齐汗以妹妻莽古尔泰贝勒。扎鲁特部另一台吉额尔济格也嫁其女于努尔哈赤子德格类贝勒。1617 年，努尔哈赤又以侄女妻喀尔喀巴约特部台吉恩格德尔，他成为爱新国的第一个蒙古额驸。

　　在喀尔喀东三部中宰赛最为强悍，他还曾经率兵征伐科尔沁，使科尔沁部不敢入明开原庆云堡互市。1597 年，弘吉剌部首领宰赛娶女真叶赫部金台什原已聘努尔哈赤次子代善之女。至 1615 年，宰赛堂兄弟，暖兔长子莽古尔太又娶原聘努尔哈赤之女。努尔哈赤无奈忍气吞声，不敢面对宰赛。1619 年，努尔哈赤攻占明朝的开原后，又攻占了铁岭。开原、铁岭被爱新国占领，意味着喀尔喀左翼三部失去了与明朝互市的关口。因此，弘吉剌部首领宰赛联合扎鲁特部和科尔沁明安台吉等部，袭击并抢掠了刚刚占据铁岭的爱新国军。结果，弘吉剌等部被爱新国军队击溃，宰赛及其二子、扎鲁特部落台吉巴克、色本及明安之子等 150 多人被俘。宰赛实际是喀尔喀左翼三部的盟主，深知宰赛地位轻重的努尔哈赤，将他软禁，作为人质，迫使喀尔喀诸部就范。宰赛被俘的消息传到喀尔喀，诸部首领大为震惊。当时，喀尔喀最高首领炒花已年老，各部首领俱持观望态度，没有挺身以武力相救者。是年十月，卓礼克图洪巴图鲁炒花率喀尔喀诸台吉致书努尔哈赤说："介赛屡启衅端，诚有罪，惟上所命。但明，敌国也。如往征之，必同心合谋，直

① 《满洲实录》卷 3，天命四年十一月初一日。

抵山海关。负此言者，天与佛鉴之。倘与明和好，亦必会同定议。若明输财物厚汝国，薄我，汝国勿受。厚我，薄汝国，我亦不受。能践此言，名闻远迩，不亦善乎。"① 喀尔喀诸部这样答应了和爱新国结盟，共同伐明。十一月，双方在噶克察漠都冈干塞忒勒黑举行了隆重的会盟大会，订立了政治性、军事性的攻守同盟。受努尔哈赤之命，额克星额、绰瑚尔、雅希禅、库尔禅和希福五人代表爱新国政权和五喀尔喀贵族一道宰白马、乌牛，设酒、肉、血骨、土各一碗，对天地发誓："蒙皇天后土佑我二国同心，故满洲国主并十固山执政王等，今与喀尔喀五部贝勒等会盟，与明国修怨，务同心合谋，倘与之和，亦必同议，若毁盟而不通五部贝勒知而与之和，或明国欲败我二国之好，密遣人离间而不告，则皇天不佑，夺吾满洲国十固山执政王之算，既如此血出、土埋、暴骨而死。若明国欲与五部贝勒和，密遣人离间而五部贝勒不告满洲者，喀尔喀部执政贝勒都棱洪巴图鲁、鄂巴岱青、额森、巴拜、阿索特音莽古勒岱、额布格德依台吉、乌巴什、都棱、古尔布什、岱达尔汉、莽古勒岱岱青、毕登图叶尔登、绰瑚尔、达尔汉巴图鲁、恩格德尔、桑噶尔寨、布塔齐、都棱、桑噶尔寨、巴雅尔图、多尔济、内齐汉、魏征、谔勒哲依图、布尔哈图、额滕、额尔济格等贝勒，皇天不佑，夺其纪算，血出、土埋、暴骨亦如之。吾二国若践此盟，天地佑之，饮此酒，食此肉，寿得延长，子孙百世昌盛。二国始终如一，永享太平。"② 看来，五部有实力的贵族几乎全部到场了：乌济叶特部有都棱洪巴图鲁（即卓里克图洪巴图鲁）、其子鄂巴岱青（奥巴岱青）、额森（厄参台吉）、巴拜；巴林部有额布格德依黄台吉、都棱（都楞）、古尔布什、莽古勒岱青、乌巴什（乌巴锡台吉）；弘吉剌部有岱达尔汉、阿索特音莽古勒岱（阿索特金莽古尔岱）、毕登图叶尔登、绰瑚尔（楚胡尔）；巴约特部的达尔汉巴图鲁、恩格德尔、桑噶尔寨；扎鲁特部有内齐汉（内齐汗）、魏征（卫征）、谔勒哲依图（鄂尔哲依图）、布尔哈图（布尔噶图）、额滕（额登）、额尔济格、巴雅尔图、多尔济等。扎鲁特的忠嫩台吉（即魏征）因驻地遥远未亲至，是

---

① 《清太祖实录》，天命四年十月辛未。
② 《满洲实录》，天命四年十一月初一日。

后来补誓的①。从会盟誓词本身来看，攻守同盟的原则限于双边与明朝的关系，没有涉及对察哈尔的态度。大会上爱新国方面同时许诺，宰赛的释归日期定在双方共同夺取广宁之后。直至天命六年（1621 年）八月，在收取弘吉剌部 1 万头牲畜，留宰赛 2 子 1 女为人质的苛刻条件下，爱新国才把宰赛放回。②

　　但是，喀尔喀与爱新国盟誓之后，并没有履行其与爱新国共伐明朝的誓言，而是继续从明朝领取赏金，还断绝了与爱新国的使臣往还。天命五年（1620 年）四月，扎鲁特部忠嫩、昂阿、卓齐特扣肯堵截爱新国出使扎鲁特达雅台吉处的使臣，尽掠其马匹和财物。③ 同月，各部台吉拒不接见爱新国使者，努尔哈赤致书喀尔喀乌济叶特部杜楞洪巴图鲁、巴林部额布格德依黄台吉、巴约特部达尔汉巴图鲁卜儿亥，谴责诸贝勒背盟。努尔哈赤说："我迁至扎鲁特贝勒卫征处之使臣，其所乘之马七匹，所购之牛十八头，羊九只，尽被盗于卫征贝勒宅前，如此明抢辱我，何以倚尔遣使贸易耶？时隔不久，即毁弃誓言。二月，卓齐特扣肯之部众往袭叶赫，掠其十五人，马十匹而归。哈喇巴拜部之三台吉，亦曾再度劫掠。内齐汗曾于盟会之诸贝勒面前曰：将遣还叶赫之逃人。然又食言未还。"④ 八月，扎鲁特部钟嫩、昂阿、卓齐特扣肯三人尽数掠夺努尔哈赤使臣锡喇纳、硕洛辉等自喀尔喀诺颜宰赛处携归的马牛羊等牲畜。⑤

　　1621 年至 1622 年初，爱新国先后攻占了沈阳、辽阳和广宁，原居明广宁以北的喀尔喀部落受到直接威胁，巴林部都楞及其二子属下、巴约特部台吉恩格德尔之弟莽古尔岱及其属民、乌济叶特部首领炒花部民等纷纷投降爱新国。天命六年八月，弘吉剌部以一万头牲畜赎宰赛，爱新国以其二子为人质，在攻下广宁之前提前释放了宰赛。

　　次年二月，察哈尔部兀鲁特 10 台吉，率 1 000 男丁逃至广宁，举部投

---

① 详见达力扎布：《明代漠南蒙古历史研究》，第 278—279 页。
② 中国第一历史档案馆、中国社会科学院历史所译：《满文老档》上册，第 121—126 页。
③ 中国第一历史档案馆、中国社会科学院历史所译：《满文老档》上册，第 146 页。
④ 中国第一历史档案馆、中国社会科学院历史所译：《满文老档》上册，第 147 页。
⑤ 中国第一历史档案馆、中国社会科学院历史所译：《满文老档》上册，第 152 页。

附爱新国①。三月，弘吉剌部巴噶达尔汗属下人 50 余家来投附爱新国②。由于来降人众，爱新国把来自察哈尔的兀鲁特部和来自喀尔喀的巴约特、弘吉剌两部台吉及其属民各编为一固山。③

1624 年春，巴约特部恩格德尔及其弟莽古尔岱在爱新国军队随同下，回巴约特部住地取回属人、畜群，兄弟二人约有五百余户属民。④

1625 年夏，察哈尔征调喀尔喀诸部兵出征科尔沁部，但是只有弘吉剌部宰赛、巴克达尔汉及扎鲁特部色本响应，而巴约特部达尔汉巴图鲁、乌济叶特部的炒花及巴林部都没出兵，炒花还将察哈尔出征的消息报告给科尔沁。

1626 夏，喀尔喀部趁爱新国新败于宁远之际袭击爱新国。爱新国进行报复，分八路攻入喀尔喀境内。据明抚夷副将王牧民报："炒花男四营到堡禀讨本年春季分箭、马二赏，因称昂奴（囊努克）近东边住牧，猛有努尔哈赤兵到围住，杀伤昂奴，妻子掠去。我各头脑因马瘦弱，住的星散，特齐不上兵来，不曾追赶。今黄把都儿会同巴领、宰赛、暖兔、卜儿亥五大营在舍莫林（西拉木伦河）一处住牧，差人会虎墩兔憨助兵报仇，不知肯不肯等情。"⑤ 此次战役，巴林部囊奴克被杀，除扎鲁特以外的其他四部被迫迁出辽河套内。炒花"差人会虎墩兔憨（即林丹汗）助兵报仇"，不仅没有得到援助，相反被林丹汗所吞并。据传，林丹汗对炒花说："你是五营之主。当初宰赛被东奴掳去，你不与我说。宰赛女儿为辽东奴抢去，你又不与我说。你又与奴酋两家来往不断。囊路是你的侄子，被奴杀死，你也不顾，把他的儿子歹安儿抢去，你也不顾。难道你不是汉子，只好诓骗南朝赏物。你送东奴骆驼马匹，东奴与你鞍子撒袋，能值几何？"⑥ 林丹汗遂吞并炒花余部。

天命十一年十月，爱新国又发动了针对喀尔喀的第二次进攻，出征扎鲁

---

① 中国第一历史档案馆、中国社会科学院历史所译：《满文老档》上册，第 331—332 页。
② 中国第一历史档案馆、中国社会科学院历史所译：《满文老档》上册，第 349 页。
③ 中国第一历史档案馆、中国社会科学院历史所译：《满文老档》上册，第 369、370—371 页。
④ 中国第一历史档案馆、中国社会科学院历史所译：《满文老档》上册，第 576、582—583 页。
⑤ 《明熹宗实录》，天启六年闰六月乙卯。
⑥ 《三朝辽事实录》卷 16。

特部。大贝勒代善、阿敏，贝勒德格类、济尔哈朗、阿济格、岳讬、硕讬、萨哈廉、豪格等率精锐万人往征。爱新国出兵同时遗书扎鲁特部云："前已未年（1619年），擒贝勒介赛时曾刑白马乌牛誓告天地，云我满洲及喀尔喀协力征明，无相携贰，战与和均当共议以行。……乃尔喀尔喀五部落竟潜通于明，听其巧言利其厚赂，以后相助之，是尔之先绝我好也。又尔卓礼克图贝勒下有托克退者，犯我台站，且扰害我人民，掠取财畜，至再至三，甚至将所杀之人献首于明。畴昔盟言安在哉？昔盟誓时尔五部落执政诸贝勒及卓礼克图贝勒俱与此盟，而昂安不从。尔等因以昂安委我裁置，我是以兴师诛昂安。嗣后尔扎鲁特诸贝勒复云：昂安之罪固应诛戮，我部落仍愿修好，不似东四部落或食言败盟也，我故归桑图妻子及昂安之子。癸亥年（1623年），复申盟誓云：察哈尔我仇也，科尔沁我戚也，尔慎无与察哈尔通好，或要截我遣往科尔沁之人，致起兵端。无何，尔又背盟。于甲子年（1624年），尔扎鲁特右翼袭我使于汉察喇地方。乙丑年（1625年），又追我使于辽河畔，恣行劫夺。是年又要截我使臣顾锡，刃伤其首，尽夺其牲畜财物。尔扎鲁特何其贪利而背义也。然我犹念前好，不问尔罪，远征巴林所俘获尔使百余人悉行遣释。后桑土以狂言而来窥我，我已洞悉其奸，仍不执桑土，遣之归，以观其动静，盖我之推诚于尔不欲终弃前盟如此。丙寅年（1626年），尔扎鲁特左翼诸贝勒觇我使臣之出，屡次要截道路劫夺财畜，并行残害，是尔扎鲁特之贪诈不仁，妄加于我者，终无已时也。我之所以兴师致讨者职是故耳。"[1] 此役金军主力擒获扎鲁特部台吉巴克及其二子，还有喇什希布等十四诺颜，杀死了抗拒的鄂尔寨图台吉，尽俘其部属和牲畜[2]。

　　在喀尔喀溃败之际，林丹汗乘机出兵攻掠，使喀尔喀五部最终崩溃。1626年底，林丹汗出兵喀尔喀，扎鲁特、巴林两部的大部分人逃往嫩科尔沁，而弘吉剌、巴约特、乌济叶特三部则被兼并。

　　在察哈尔攻击中受创最重的是乌济叶特、巴约特二部，巴约特部恩格德尔额驸兄弟等部分台吉此前率部投附爱新国，其余部分被察哈尔兼并。乌济叶特部炒花死，其子孙部落溃散，分投爱新国和明朝，其余部分被察哈尔所

---

① 《清太宗实录》，天命十一年十月乙酉条。
② 《清太宗实录》，天命十一年十月甲子条。

并。其子卫征巴拜于天命十一年（1626 年）十一月携妻子数人来归爱新国①。以上两部人众后来基本都被编入满洲八旗。

弘吉剌部巴噶达尔汉于天命七年（1623 年）闰八月，随察哈尔土巴济农来降爱新国。② 其子拜浑岱、喇巴泰、满珠习礼三台吉为察哈尔所获后，旋逃入科尔沁③，后来爱新国从科尔沁索回了拜浑岱等人及其所属一百余户④，编入满洲八旗。

1626 年，巴林部和扎鲁特部遭到爱新国的攻击，接着又受到察哈尔的袭击，部落分散，只好投靠了嫩江流域的科尔沁部。1628 年，因不堪科尔沁部的欺压，巴林部和扎鲁特部转而投附爱新国。由于内喀尔喀五部中的弘吉剌和乌济叶特灭亡，巴约特部内属，爱新国为了安定扎鲁特和巴林二部，采取了保留牧地，保持完整的政策。后来，巴林、扎鲁特二部各自被编成左右翼二旗，以扎萨克领之。这样，清朝将巴林部和扎鲁特部列入外藩蒙古行列，成为日后内蒙古 49 旗成员。

当然，扎鲁特部并非悉数入扎萨克旗，其一部分仍然编入八旗。1626 年，爱新国出征扎鲁特部，捕获了巴克贝勒在内的 14 名扎鲁特部贵族及其妻子、属民和家畜。爱新国将其大部分放归牧地，但将部分与爱新国皇室有姻亲关系的贵族及其属民编入八旗。他们是扎鲁特左翼巴颜达尔伊勒登后裔喀喇巴拜一系和右翼都喇勒诺颜的子孙中的巴克系统。

第三节　喀喇沁万户与爱新国

林丹汗破喀喇沁部　如前所述，爱新国于 1619 年和 1624 年分别与蒙古东部的内喀尔喀五部和嫩科尔沁部建立了反明朝、反察哈尔的政治、军事同盟，把矛头指向了蒙古可汗——林丹汗。在这种形势下，林丹汗采取了以武力统一蒙古各部的强硬政策，讨伐内喀尔喀五部和嫩科尔沁，但均遭失败。到了 1627 年，东部的五鄂托克喀尔喀和科尔沁与爱新国结盟，连察哈尔万

---

① 《清太宗实录》，天命十一年十一月乙酉条。

② 《清太宗实录》，天聪八年六月壬午条。

③ 《清太宗实录》，天聪三年七月辛卯条。

④ 中国第一历史档案馆、中国社会科学院历史所译：《满文老档》下册，第 1098 页。

户西拉木伦河以南的兀鲁特、敖汉、奈曼等鄂托克都投附了爱新国。把左翼蒙古诸部尽数丢给爱新国后，林丹汗做出了西迁的决定，准备以右翼蒙古为根据地，再反施经营左翼诸部。这样，1627 年林丹汗西征。结果，在 1627—1628 年间，右翼诸万户随之纷纷瓦解。

林丹汗的西征始于丁卯年（1627 年）十月。《明朝兵部题行档》（以下简称《明档》）的史料为证："探问得，哈喇慎家先日原在独石口边守口夷人暖兔、根更等二十余名说称：原于天启七年十月（1627 年 11 月 8 日至 12 月 7 日）内，被察酋（指林丹汗）趁散，投奔东边奴儿哈痴（即努尔哈赤），因无盘费，又无牲畜，到于东边半路归英地方，住过三年有余，饥饿无奈，思想原住巢穴从东步行前来，到于独石边北栅口外住牧。"①

当时，喀喇沁台吉与塔布囊的牧地分布在今河北省北部和内蒙古锡林郭勒盟南部，这一地区成为察哈尔西征路上的第一个征服对象是可想而知的。根据《崇祯实录》十月二十六日（1627 年）记载："插汉西攻摆言台吉哈喇慎诸部。诸部溃散，或入边内避之"。明朝边臣王象乾于第二年回忆说，"自黄台吉与插汉内讧，去岁卜石兔西走，哈喇慎俱被掳，白台吉仅身免，东哈部今无几矣。"② 黄台吉、摆言台吉、白台吉，均指白言台吉，即喀喇沁万户的第二号大人物白言洪台吉。东哈，即喀喇沁部③。可见，1627 年 12 月初，林丹汗已经打败喀喇沁部，进入明朝宣府边外。这时的土默特部之主顺义王博硕克图汗早已逃到河套地区。十一月内（1627 年 12 月 8 日—1628 年 1 月 6 日），林丹汗乘胜西上，占领了归化城（今呼和浩特）。与博硕克图汗素有矛盾的鄂木布④之子西令投降，林丹汗与之结盟。不久，林丹汗征伐土默特万户东哨各部，即驻牧在大同边外的兀慎、摆腰、明暗等部⑤。

喀喇沁万户被林丹汗击散以后，其中一部分人东投爱新国，一部分人避

---

① 《明档》，兵部尚书梁等崇祯三年十二月二十六日题稿。
② 《崇祯实录》，天启七年十月己未条，崇祯元年九月辛未条。
③ 在明档中，"东哈"表示喀喇沁，"西哈"指外喀尔喀。
④ 俺答汗与三娘子生不他失礼，不他失礼与巴汉比姬生鄂木布。鄂木布，又名索囊。不他失礼父子为了争夺顺义王位，一直与俺答汗嫡长子一系不和。
⑤ 达力扎布：《明代漠南蒙古历史研究》，第 295—302 页。

入明朝境内。但是，喀喇沁汗和洪台吉率领兀鲁思主部向西往大同边外地方迁徙。其目的可能是为了与西土默特部会合。在林丹汗西征开始以前，右翼万户得悉察哈尔来袭后，喀喇沁与土默特两部曾经在黄旗海子备兵。所以当林丹汗从归化城再讨伐土默特东哨时，又一次遇到了喀喇沁本部主力。于是，双方发生了历史上有名的昭城之战，即所谓的"赵城之战"。

关于"昭城之战"，《旧满洲档》和《清太宗实录》记载失真。17世纪蒙古文文书中，发现了科尔沁首领奥巴洪台吉致天聪汗的一份书信①，它反映了呼和浩特战事的真实情况。奥巴的信息来自亲身经历"昭城之战"、战后逃回科尔沁的贵族们，应该是可信的。据此报道，昭城之战开始时，林丹汗军队曾包围了喀喇沁汗和洪台吉。喀喇沁汗等以800人的兵力奋战突围，往西向呼和浩特进发。当时，与林丹汗结盟的土默特鄂木布之子西令台吉在守卫呼和浩特。在呼和浩特，喀喇沁军队同鄂木布之子交战，鄂木布之子失利。喀喇沁人以2 000军队留守呼和浩特，但不久无数察哈尔军队前来进攻，并从喀喇沁人手里夺回了呼和浩特。喀喇沁汗、洪台吉等大败，一些诺颜和塔布囊被杀死。根据奥巴的报告，喀喇沁万户没有全体投入战斗。参加这次战役的只有喀喇沁汗（当时的汗为拉斯喀布）、布颜洪台吉（即汉籍所记白言台吉）以及东土默特部的鄂木布三人的部众。换句话说，是山阳诸诺颜与塔布囊集团中的诸诺颜势力（即黄金家族集团）。与诺颜们最亲近的个别塔布囊也参加了这次战役，但苏布地等大塔布囊显然没有参加。

"昭城之战"后，喀喇沁汗与洪台吉撤离昭城，退到喀喇沁塔布囊的营地。此后，他们从事联合满洲抵抗察哈尔的活动。

在昭城之战时，喀喇沁的苏布地等有势力的大塔布囊们没和汗与洪台吉在一起。《明档》记载，兵部尚书王等在崇祯二年（1629年）三月的题为《乘机先发制奴》的题本中，转引了督师尚书袁崇焕的一份塘报②，反映了当时喀喇沁大塔布囊们的活动情况。袁崇焕塘报的内容，概括起来有以下几点：其一，苏布地等被察哈尔打败以后，搬入明朝边墙内驻牧，"日里料山，夜里听静，保守边疆。"看来，他们是利用同明朝的传统关系，又当起

---

① 《十七世纪蒙古文文书档案》，第145页。
② 兵部尚书王等题本，崇祯二年三月初二日。

了"守口夷人"的角色。其二，到了 1629 年春，苏布地等离开他们的"本地方"已二年。明朝在高台堡地方开设"买卖市口"，允许他们通行，也有了二年时光。从这条史料中可以清楚地看出，苏布地等在 1627 年被察哈尔打败后，马上逃到了明朝境内避难。其三，苏布地等承认，曾经在"旧岁（指崇祯元年，1628 年）九月内"与"东夷"（指爱新国）联手"剿杀"察哈尔，并明示其目的就是为了向察哈尔"报仇"。这是指 1628 年秋天的天聪汗的第一次察哈尔远征。其四，在塔布囊等避入口内以后，牲畜不服水草，牧人只能以种地为业。结果，他们没有了吃食和庄稼，所以苏布地等决意搬出边外，回到原驻地。他一面向明朝边臣解释这次搬迁的目的，一面又向明朝乞讨赏银、盘缠等。这说明，1627 年喀喇沁被打败后，苏布地等人就马上逃到了明朝境内。

可见，林丹汗一举打败了"山阳诸诺颜与塔布囊"后，喀喇沁汗与洪台吉率众西奔，苏布地南逃明边。

喀喇沁与爱新国结盟　清代官私史书一致记载，喀喇沁塔布囊苏布地等"以察哈尔林丹汗虐其部"，偕众"乞内附"，喀喇沁因此成为满洲爱新国的臣民。这与事实不符。

喀喇沁与满洲之间早在昭城之战以前就已经开始使臣往来。喀喇沁于天聪元年十月刚被林丹汗打败，喀喇沁汗等向满洲派遣使者，欲与他们一起出征察哈尔。但因此前喀喇沁与满洲还没有过交往，所以满洲方面对此要求表示怀疑，于是要求喀喇沁汗再派信使商讨此事。[①] 天聪二年二月一日，喀喇沁的使者杜棱古英等四人致书爱新国天聪汗。分析该书蒙古文原件内容就会明白，喀喇沁统治阶层向爱新国大肆渲染昭城之战，宣称蒙古联军在呼和浩特大败林丹汗，察哈尔已经进入蒙古右翼三万户和喀尔喀万户的包围之中。如此谎报军情的目的，显然是为了鼓动天聪汗，使爱新国也卷入反察哈尔战争。在书中陈述了昭城之战的"胜利"和战后的"有利形势"后写道，如天聪汗有意和他们一起征讨察哈尔，将约定在 1628 年夏天共同行动。不难看出，喀喇沁使节来到爱新国，是为了寻找反察哈尔的同盟军。

天聪汗接到杜棱古英等人之书信后，得出了"察哈尔汗根本动摇"的

---

① 《十七世纪蒙古文文书档案》，第 132—133 页。

结论，决意与喀喇沁等蒙古各部联合远征察哈尔。于是他很快着手组织这次远征。天聪汗写给达尔汗土谢图和卫征二人的书就是将意图付诸行动之一例。同时，作为大规模察哈尔远征的准备，天聪汗制定了与喀喇沁结盟的计划。由是，以杜棱古英等人致书为契机，爱新国与喀喇沁的结盟活动拉开了序幕。

爱新国与喀喇沁联盟的行动，首先遭到了察哈尔的破坏。当爱新国与喀喇沁互派使节，准备建立联盟之际，游牧于大凌河上游的察哈尔多罗特部，不断截杀双方使臣，严重威胁爱新国与喀喇沁的外交往来。为此，爱新国曾两次出兵攻打大凌河上游的察哈尔人。因为大凌河上游的蒙古语名为敖木林，故称这两次战役为"敖木林之战"。

第一次敖木林战役仅仅在二月十五、十六日进行了两天。爱新国以2 000 兵力破多罗特大营，俘获 11 000 余人，实际上彻底消灭了该部。从此以后，喀喇沁与爱新国之间的使节往来交通基本得到安全保障，为爱新国与喀喇沁联盟的成立，打下了基础。二月二十五日（1628 年 3 月 30 日），天聪汗派遣使者赴喀喇沁，与之商谈建立军事同盟一事。① 但不久，察哈尔势力古泰塔布囊部又占据了敖木林一带。爱新国只得又一次出兵大凌河。天聪二年五月二十一日至二十三日间，济尔哈郎、豪格率领的满洲 600 名精锐部队，一举消灭了古泰塔布囊部，俘获其人畜近一万。这次战役，为爱新国与喀喇沁的交通彻底排除了障碍。使双方的建盟，步入了正常有序运行的阶段。

第二次敖木林战役结束后的第四天，天聪汗迫不及待地向喀喇沁派遣使臣，带去了爱新国方面为喀喇沁起草的"誓词"，即要求喀喇沁履行关于结盟的诺言②。喀喇沁的使团，于是年七月十九日抵达盛京。使团由包括郎素等四位喇嘛的 540 余人组成。爱新国方面非常重视他们的到来，天聪汗诸弟阿济格、硕托、萨哈廉等大人物接待了使团。八月三日，皇太极等爱新国最高统治者和拉斯喀布等喀喇沁最高执政者，以同等的身份，用同样的仪式，向天地刑白马乌牛，焚烧誓词，结为盟友。这是一个反明朝、反察哈尔的同

---

① 《旧满洲档》，第 2805 页。
② 《十七世纪蒙古文文书档案》，第 34 页。

盟。研读喀喇沁和满洲誓词就能发现，喀喇沁人在同盟中必须履行的义务，概括起来有三：一是要与满洲和好，二是不得与明朝秘密结盟，三是不得与察哈尔媾和。在明朝、蒙古、满洲三足鼎立的当时，这个誓词实际上已经明确了喀喇沁应有的政治立场，即喀喇沁必须属于满洲阵营。而爱新国许下的诺言是，满洲必须与喀喇沁保持友好关系。针对满洲与明朝及满洲与察哈尔的关系，爱新国的誓词未加任何限制。

清朝的官修史书和代表官方立场的私修史志都强调，天聪二年二月一日，喀喇沁部在大塔布囊苏布地率领下"内附"。这完全不符合事实。爱新国与喀喇沁的接触，一开始就以结盟为目的，双方是自愿自发的。结盟进程始终在满洲天聪汗与喀喇沁汗、洪台吉的倡导和主持下进行的。结盟仪式上，天聪汗等满洲统治者和拉斯喀布汗等喀喇沁统治者的地位是同等的。

自 1628 年至 1635 年，喀喇沁部和爱新国的关系是政治军事联盟。随着爱新国在军事上的节节胜利，天聪汗在满蒙联盟中的盟主地位日益巩固，并逐渐发生了质的变化。1635 年春，天聪汗尝试在蒙古人中建立八旗体制，使他们成为爱新国的子民。同年 3 月 24 日，爱新国对喀喇沁、土默特人进行清查，查出早期内附的"在内喀喇沁"和仍在蒙古诺颜、塔布囊统治下尚未并入爱新国的"在外喀喇沁"蒙古壮丁共 16 932 名。这些所谓的"内外喀喇沁"不仅仅是狭义的喀喇沁人，而且还包括东土默特人和其他被称作"喀喇沁"的人，比如阿速特人。天聪汗在这部分人中设立了三个特殊固山和一般的蒙古八旗。这三个特别固山，后来逐渐演变成了外藩蒙古旗。其中，第一个固山由大塔布囊苏布地之子固噜思奇布为首领，统治阶层是原喀喇沁万户中的塔布囊们。1636 年清朝建立后，喀喇沁旗正式成立。1648 年该旗中又分出了一个旗，分别称谓喀喇沁右翼旗和喀喇沁左翼旗。到了 1705 年，又成立了喀喇沁中旗。

原喀喇沁万户的汗和洪台吉以及黄金家族成员大部分被编入蒙古八旗。还有为数不多的依附于黄金家族的小塔布囊也被编入到蒙古八旗。

东土默特与林丹汗的战争　东土默特人是喀喇沁万户的重要成员。在明代文献中，东土默特部又被称为"兀爱营"。它的最高统治阶层是由噶尔图（或作安兔、赶兔）胞兄弟及其后裔构成的。噶尔图有子三人：长子圪他汗（又作圪炭亥或圪他海，号七庆），次子敖目（又作温布、完布或鄂木布，号楚琥尔），三子巴赖（或称毛乞炭，号莫尔根代青）。噶尔图弟朝克图也有子三人：长子召儿必太台吉（清代作卓尔毕泰台吉），次子瓦红台吉（又作阿洪、阿浑台吉），三子索那台吉（或称锁那、索诺木台吉）。

据《明实录》的记载，在噶尔图死后，他的遗孀满旦改嫁一个叫做阿晕的人，与噶尔图长子圪炭亥相仇杀。但母子矛盾似乎没有演变成为整个土默特部落的内讧。此后，满旦与鄂木布母子势力逐渐强大起来，兄弟之间很快"复与相合"，"雄心复起"，"踵赶兔之故智。"① 《明史纪事本末》称，在万历四十六（1618 年）年，"满旦母子益恣，以万骑攻白马关及高家堡"，满旦"以一妇蹢躅曹、石间，意不可制。"② 据《明档》载，天启四年（1624 年）钦差总督宣大山西等处地方军务王国祯就明朝边防和北边形势指出："今自东事以来，我以示弱，虏气遂骄，重之挑选半空，目复无我。故永邵卜挟数万之众相持数月，毛乞炭亦肆跳梁，白言拆墙拉人，以更否测。"③ "东事"指女真—满洲人对明的战争。"白言"指喀喇沁的布颜洪台吉。"毛乞炭"就是鄂木布的胞弟毛乞炭。那么，档案中说的实际上就是喀喇沁万户的三大成员——永谢布、喀喇沁和东土默特。

到了 1629 年初，噶尔图和朝克图诸子部落，已经都投附了鄂木布。据崇祯元年九月初七日题，九月二十七日李冲养奉旨在一份文书中写道："敖目、七庆与已故弟毛乞炭鼎足而立，各拥强兵，列帐山后林丛中，阴不能进，攻不能入，而时窥内地，每岁蹂躏于永宁之东，号称劲敌。"④ 又据九月二十九日的兵科抄出的李冲养题本："敖、庆兄弟三人止兵三千，不意毛酋殒后，纠结诸夷，合并六七千，大非昔日比矣。"⑤ 到了 1628 年 10 月底，鄂木布的两个兄弟都已死去，他们的兀鲁思归鄂木布（敖目）管辖，鄂木布的势力迅速壮大。入清以后，在东土默特，唯鄂木布及其后人一支独秀，

---

① 《明神宗实录》，万历四十三年六月乙未。

② 《明史纪事本末》卷 20。

③ 《明档》，天启四年八月十二日兵科抄出钦差总督宣大山西等处地方军务兼理粮饷右部右侍郎兼督察院右检都御史王国祯题本。

④ 《明档》，兵科抄出钦差巡抚宣府等处地方赞理军务兵部右侍郎兼督察院有监督御史李养忡崇祯元年九月七日题。

⑤ 《明档》，兵科抄出钦差巡抚宣府等处地方赞理军务兵部右侍郎兼督察院有监督御史李养忡题，崇祯元年九月二十九日奉旨。

其原因就在于此。

东土默特部的牧地分布在乱泉寺、白塔儿、宝山寺、天克力（即克力岭和天河流域地区）、毛哈乞儿、孤山、碱场、虎喇岭、黑河等处，以及卯镇沟、满套儿一带。也就是今北京市怀柔县北、延庆县东，河北省赤城县东部的黑河以东，以及丰宁县西南部一带。

东土默特人的命运因 1627 年林丹汗的西征而彻底改变。

林丹汗破喀喇沁部后，鄂木布参加了"昭城之战"。失败后，1628 年初避到白马关边外。是年秋，鄂木布部众又回到了龙门所边外地方。1628 年秋，林丹汗在埃不哈战役中打败了阿速特、永邵卜和西土默特部联军，此后又乘胜西上，讨伐西窜的西土默特部长博硕克图汗，并进军河套的鄂尔多斯部，所向披靡。到了次年，又挥戈东进，讨伐东土默特部。根据宣府巡抚郭的塘报，西土默特贵族宾兔台吉先是向林丹汗投降，1629 年初又叛离察哈尔，投奔了鄂木布。① 这成了攻打东土默特部的导火线。

林丹汗军队在崇祯二年（1629 年）闰四月二十日，左右攻入龙门所边外瓦房沟一带，劫掠七庆台吉的部落，抢去七庆台吉之子（鄂木布侄儿）和牲畜。鄂木布一边派哨兵侦探察哈尔，并砍树堵住山路，一边向明朝索要月米，率众渐向白马关边外撤退。是年五六月份，察哈尔和土默特之间的战争仍在进行。到了六月十二日，察哈尔军队 2 000 余人经满套儿攻打东土默特部的腹地。可见，此时察哈尔控制了喀喇沁本土和相连的满套儿地区。当时，鄂木布正在和明朝边臣进行谈判，准备次日"插刀盟誓"，与明朝议和。② 由于察哈尔的进攻，鄂木布不得不匆忙出兵迎敌。

林丹汗对东土默特的进攻持续了将近半年时间。鄂木布于九月十八日（1629 年 11 月 2 日）致满洲天聪汗的书信中这样写道："……这次派使者的缘由是，因为跟随天聪汗，［向他］纳贡的心是真切的，所以如此不断地派遣使者。我虽想亲自向你纳贡，但是我的兄弟被察哈尔杀的杀，四处逃散的逃散。就是我自身也每月在和罪孽的察哈尔交锋。如果我去了，［察哈尔］将乘虚而入，兀鲁思［也］没有了管治。因此未能成行。若想向［你］那

① 《明档》，兵部尚书王崇祯二年五月初三日题，宣府巡抚郭塘报。
② 《明清史料》，甲编第八本，第 718 页。

里迁徙，可是没有车马，所以还不能迁徙。"① 应该注意到，鄂木布虽然在崇祯二年四五月已经同满洲爱新国取得了联系，但是并没有立即东迁。只因为林丹汗的不断进攻，使东土默特的存亡成为问题，这才导致鄂木布亲往满洲投降。

清代史书对东土默特投附满洲爱新国的记载，不符合历史事实。《王公表传》载："察哈尔林丹汗恃其强，侵不已，固穆父鄂木布楚琥尔约喀喇沁部长苏布地等，击察哈尔兵四万于土默特之赵城。"② 张穆著《蒙古游牧记》记载："扎萨克郡王品级固山贝子游牧。元太祖十九世孙鄂木布楚琥尔，与归化城土默特为近祖（……）。父噶尔图，以避察哈尔侵，由归化城移居土默特（……）。林丹汗恃其强，侵不已。鄂木布楚琥尔愤甚，因约喀喇沁苏布地等，共击败之于赵城，恐不敌，天聪二年，偕苏布地上书乞援，寻来朝。九年，编所部佐领，授扎萨克，掌右翼事。"③ 两书记载完全错误。噶尔图早在 1618 年以前就已经死去，根本谈不上要避 1627 年以后的察哈尔侵略。噶尔图并非从归化城移居土默特，相反，其父僧格将宣府边外的兀鲁思留给噶尔图继承，自己回到了归化城（呼和浩特）。至于什么"鄂木布楚琥尔约喀喇沁部长苏布地等"击败察哈尔，"天聪二年偕苏布地上书乞援，寻来朝"，都是无中生有，毫无根据。

事实上，东土默特与爱新国的交往，是从 1628 年喀喇沁与满洲结盟开始的。大概就在与喀喇沁结盟的过程中，满洲人了解到了"山阳诸诺颜与塔布囊"的整体情况，知道了东土默特与喀喇沁的特殊关系，所以到了 1629 年初，满洲人开始和东土默特交往。天聪汗得知东土默特部也受到林丹汗的攻击之后，于天聪汗二年十二月初九日，派使者到东土默特鄂木布处，指责他没有参加第一次察哈尔远征。④ 鄂木布收到这封信时，正与察哈尔交战。鄂木布很快回了天聪汗的来信，其内容饶有味道。他在信中一方面叙述了自己和察哈尔交战情况，并向天聪汗提供从察哈尔那里探听到的情报；另一方面，极力表达自己对满洲人的好感和对察哈尔的怨恨，同时又暂

---

① 《十七世纪蒙古文文书档案》，第 60 页。
② 《蒙古回部王公表传》卷 25《扎萨克固山贝子固穆列传》。
③ 《蒙古游牧记》卷 3。
④ 《十七世纪蒙古文文书档案》，第 138—139 页。

不对天聪汗表态要投奔满洲。① 也就是说，他一方面在给自己留后路，在不得已的时候去投靠满洲；一方面又不愿意立即投奔满洲，因为当时他和察哈尔的战争刚刚开始。

到了 1629 年 6 月中旬，林丹汗攻入东土默特地区。鄂木布"自顾不遑，匆匆东去"，向白马关边外一带撤退。鄂木布一边抵抗察哈尔的进攻，一边和满洲爱新国进行积极联络。天聪汗利用察哈尔西迁以后的南蒙古政治形势和林丹汗军事进攻下喀喇沁万户诸贵族的心态，积极争取喀喇沁、土默特诸诺颜和塔布囊。鄂木布因为不敌察哈尔，1629 年 6 月开始向东迁移，最后在 1629 年 11 月派遣卓尔毕泰台吉抵盛京，正式表示投附天聪汗。

但是，鄂木布投靠天聪汗后，并没有直奔爱新国，而是率部东迁，其主营当时迁到了曹家路、喜峰口以北的边外地方。曹家路，在今天河北省遵化市北部的曹家堡一带。所以，曹家路边外，当在今河北省兴隆县南部临近曹家堡的地方。喜峰口在今河北省迁西县正北，喜峰口边外则是今宽城满族自治县地方。可见，鄂木布从现在北京市西北地方迁到了北京市东北，到了当时明朝蓟镇边防范围之内。这是 1629 年末 1630 年初的事情。

1635 年 3 月 24 日，爱新国对喀喇沁、土默特人进行清查，并把他们编为三个特殊固山。在三个特殊固山中，第二和第三固山是由东土默特诺颜与塔布囊及其领民组建的。其中，第二固山为鄂木布管辖的旗，称土默特右旗；第三固山是塔布囊善巴管辖的旗，被称为土默特左旗，俗称"蒙古镇旗"。土默特左旗基本相当于今辽宁省阜新县加内蒙古库伦旗东南部的地方，右旗地域相当于今辽宁省北票、朝阳二县境。

阿速特、永谢布和爱新国 喀喇沁万户的另外两个成员阿速特和永谢布的最终命运，是在林丹汗西征的第二年（1628 年）被决定的。永谢布彻底败亡，阿速特的一部分并入"阿巴嘎部"，一部分投靠了满洲人。据记载，1628 年初以来，察哈尔完全控制了宣府、大同边外地方，不断骚扰明朝北边。在阳和、大同之间，警报傍午，宣、大边上出现了"虏情万分紧急，粮草一时难供"的局面。林丹汗以呼和浩特、土默川为据点，势力迅速壮大。1628 年，在埃布哈战役中打败了喀喇沁分部阿速特和永谢布以及土默

---

① 《十七世纪蒙古文文书档案》，第 91—92 页。

特的十几万众，进而讨伐西窜的博硕克图汗和河套的鄂尔多斯部，所向披靡，"犹如拉朽"。① 到了1628年底，基本征服了右翼蒙古。当时，鄂尔多斯以外右翼蒙古各万户的实力为：喀喇沁二三万人，永邵卜（实际上是永谢布和阿速特）五六万人，西土默特七八万人，"俱为插酋（指林丹汗——引者）所败，死亡相枕，籍其生者，鸟兽散去，插（指察哈尔——引者）随并诸部之赏。"②

在埃布哈战役中，阿速特败北。此后，阿速特人向南逃往喀喇沁。因为阿速特是喀喇沁万户所属部，所以称喀喇沁为"自己的大兀鲁思"。逃往喀喇沁的原因是火落赤儿子兄弟七人在山阳（即大兴安岭以南）拥有自己的"七和硕"属民。但是，他们在途中被叫做"阿巴噶"的集团劫夺，阿速特首领火落赤之子七台吉中，五人被阿巴噶所杀，只有彻臣戴青和图巴斯克二台吉幸免。

彻臣戴青和图巴斯克虽然到达了喀喇沁，但他们在兴安岭南的属部中已经很难再维持领主地位。属部不再受控制，其大部分不再向他们缴纳赋税。于是，残存的阿速特人投附了爱新国，和喀喇沁、土默特等部来归之人一道，都被编入八旗满洲。阿速特人分别被编入镶白旗、正红旗、镶红旗和正蓝旗。③ 此外，还有一小部分阿速特人被察哈尔吞并。这样，阿速特部瓦解，不再成为一部。在后来清朝时期的内扎萨克四十九旗中没有阿速特，"阿速特"一名作为隶八旗满洲旗份的一个蒙古姓氏，只有在《八旗满洲氏族通谱》里留下了痕迹④。

关于喀喇沁万户成员之一的永谢布的最终下落，史料记载非常模糊。有学者指出，"今内蒙古自治区土默特左、右二旗中有不少'云'或'荣'姓的蒙古人，估计在明末应绍卜（即永谢布——引者）大营溃散时，不少人融入了土蛮部（即西土默特——引者）中。另外，蒙古国也有一些应绍卜人，据说还有由应绍卜人组成的村子。……说明应绍卜大营溃散时，部众流

---

① 《明档》，兵部尚书王题本（残件），崇祯二年二月二十四日。
② 《明清史料》，丁编第六本，第575页。
③ 《旧满洲档》，第3402—3404页。
④ 《八旗满洲氏族通谱》，第776页。

向不同的地方。"① 罗密《氏族谱》为永谢布人的下落提供了一些线索。他说，巴尔斯博罗特"第七子博济达剌诺颜，领有永谢布部落。其后裔在喀尔喀地方。"② 罗密的说法，得到了当今蒙古国民族学调查的证实。《蒙古人民共和国民族志》一书记载，在今天的蒙古国东方省的哈拉哈河、布拉干、莫德特，苏赫巴托省额尔顿查干，色楞格省达尔哈特、济鲁赫、阿尔坦宝里格，布尔干省敖尼图、胡图克温都尔，敦达戈壁省德里格尔杭爱，戈壁阿尔泰省巴彦乌拉、塔尔毕、胡和毛力图苏木等地方均有永谢布人③。由此可见，在埃布哈战役当时，除了部分永谢布人跟随西土默特向河套逃窜外，还有大量的永谢布人逃到了漠北地区。

第四节　阿鲁蒙古与爱新国

1630 年林丹汗出征阿鲁部　17 世纪 20 年代末，漠南嫩科尔沁、巴林、扎鲁特、敖汉、奈曼、喀喇沁、东土默特等部已经被爱新国牢牢控制，强大的蒙古可汗林丹汗也率察哈尔部西迁今内蒙古中西部地区。这时，与嫩科尔沁部隔大兴安岭相望的阿鲁蒙古各部（成吉思汗诸弟后裔部落）成为爱新国经略的主要对象。

爱新国与阿鲁部的最初往来是在天聪三年（1629 年）九月。"昂坤杜棱以事往阿禄部落，阿禄杜思噶尔济农遣使偕来通好，献马十。阿禄通好自此始。"④ 昂坤杜棱本为察哈尔部之管旗台吉，天聪元年投附爱新国。⑤ 爱新国通过利用察哈尔部与阿鲁部的特殊关系来拉拢阿鲁部。这位第一个遣使爱新国"通好"的阿鲁部首领"杜思噶尔济农"是别里古台后裔，是其家族

---

① 乌兰：《〈蒙古源流〉研究》，第 315 页。

② 《八旗满洲氏族通谱》，辽沈书社 1989 年影印本，第 352—353 页；罗密：《蒙古家谱》："七子博济达诺音在永奢布部落为主，其后现居哈尔哈之地"，《清代蒙古史料合辑》（一），全国图书馆文献缩印复制中心，第 399 页。哈尔哈，即喀尔喀。

③ 《蒙古人民共和国民族志》（一），内蒙古人民出版社 1990 年版，第 37 页。

④ 《清太宗实录》天聪三年九月丙戌。

⑤ 《清太宗实录》天聪元年十一月庚午。爱新国授他以三等梅勒章京之职，并把他编入正黄旗满州八旗里。《八旗通志初集》第 3 册，东北师范大学出版社 1985 年版，第 1661 页；《清初内国史院满文档案译编》上册，第 417 页。

最高首领。

昂坤杜棱之阿鲁蒙古之行很有效果。天聪四年（1630 年）三月一日，阿鲁诸部使臣便回访爱新国，并在辽河岸拜见皇太极。① 又同年三月二十日，皇太极率诸贝勒偕阿鲁四部贝勒使者升殿，"以议和好，奠酒盟诸天地毕，宰八羊举宴。"② 约定不为察哈尔计谋和财物所动，永世友好相处。双方建立了平等的反察哈尔联盟。参加会盟的四部是阿鲁科尔沁、翁牛特、喀喇车里克、伊苏特。会盟过几天后，爱新国又派精通蒙古语的巴克什希福率每旗兵十五人，偕阿鲁部使臣出使阿鲁部。③ 六月十六日，阿鲁部使臣前来爱新国。④ 此后，在这些部落和爱新国之间使臣往来不绝。各部首领也经常来到爱新国拜见天聪汗。

阿鲁诸部与爱新国结成反察哈尔联盟一事很快被林丹汗发觉。庚午年（1630 年）八月，林丹汗率领大军征讨阿鲁诸部，扫荡了大兴安岭北麓。林丹汗调动了自己的直属部众以及右翼蒙古各万户（至少包括鄂尔多斯、土默特万户）的军队征讨了翁牛特三部、阿鲁科尔沁诸部以及阿巴嘎、阿鲁喀尔喀等部。但是其中只有阿巴嘎和阿鲁喀尔喀与林丹汗之军交锋，翁牛特三部以及阿鲁科尔沁、四子等部望风而逃，南下投奔嫩科尔沁和爱新国。阿巴嘎以及邻近的原察哈尔右翼乌珠穆沁、苏尼特、浩齐特等部则北奔喀尔喀达赖济农硕垒，使车臣汗势力猛增，于是硕垒便在阿巴嘎、察哈尔右翼诸部首领的簇拥下称"车臣汗"。

林丹汗此次征讨阿鲁诸部时声称进驻旧牧地。自 1627 年冬林丹汗西征以来，对右翼蒙古和阿鲁诸部的战争中所向披靡。他以鄂尔多斯为根据地，控制着今内蒙古中西部广大地区。腐朽的明朝仍在玩弄"以夷制夷"的老把戏，不时给林丹汗大量的赏赐。这些增强了林丹汗的信心，所以就有了收复故土的勇气。

林丹汗这次对阿鲁诸部的征讨还引发了嫩科尔沁从嫩江流域南迁的重大

---

① 中国第一历史档案馆、中国社会科学院历史所译：《满文老档》下册，第 1004 页。
② 中国第一历史档案馆、中国社会科学院历史所译：《满文老档》下册，第 1010 页。
③ 中国第一历史档案馆、中国社会科学院历史所译：《满文老档》下册，第 1011 页。
④ 中国第一历史档案馆、中国社会科学院历史所译：《满文老档》下册，第 1064 页。

事件。当嫩科尔沁首领奥巴从阿巴嘎济农杜思噶尔那里得到林丹汗将于十月出征嫩科尔沁的消息后非常恐惧，便急忙派使臣向皇太极求援，要皇太极亲自率兵沿大兴安岭北麓急速出征。但是皇太极没有答应奥巴的请求，而令奥巴南迁到嫩江与西拉木伦河之间的高地——即今兴安盟、通辽市辽河以北地区以及邻近的吉林省西部地区，这些地区从此成为嫩科尔沁的新牧地。①

天聪五年（1631 年）三月，皇太极组织了第二次对察哈尔远征。但是，因投附蒙古各部马匹瘦弱不堪用且来兵甚少，与奥巴商议后，终止了这次远征。大约在同时，林丹汗的使臣到明朝谢罪请赏，林丹汗自身则从虎喇户（即胡喇汗）率兵南下，来到三间房（今多伦县境）一带的娘子处住下，派出 3 000 骑，分别探哈喇哈（喀尔喀，阿鲁喀尔喀）和哈巴哈（阿巴嘎，指阿鲁诸部）两家。五月，有嫩科尔沁千余户叛离爱新国，投附林丹汗。②十一月，林丹汗的军队在西拉木伦河北袭击了阿鲁科尔沁色棱阿巴海部众，大掠而去。③

阿鲁科尔沁、翁牛特等部投附爱新国　林丹汗对蒙古右翼的征讨及其对黄金家族同族的残杀使与林丹汗血缘关系更为疏远的阿鲁诸部贵族深感不安，因此，裂痕早已存在。林丹汗强化可汗权威的种种强硬措施，则是失去阿鲁诸部贵族信任和尊敬的根本原因。以翁牛特部统治者孙杜棱为例，作为哈赤温后裔的嫡系，他在阿鲁诸部拥有很高的地位。孙杜棱之父图兰有"杜棱汗"之号，是其家族的汗王。但是，作为其继承人孙杜棱却只有"济农"之号，没有能继承汗号。这与林丹汗有直接关系。每每声称"南朝只一大明皇帝，北边只我一人，何得处处称王"的林丹汗不可能让孙杜棱再拥有汗号。林丹汗的高压政策导致了蒙古各封建主的离心倾向。爱新国正好利用这一点挑拨双方关系，而双方关系果然因爱新国挑拨而恶化。大约在1629 年孙杜棱之母绰克图太后就与爱新国联络。

---

① 《十七世纪蒙古文文书档案》，第 20 份、41 份、60 份、61 份文书。

② 详见乌云毕力格：《明朝兵部档案中有关林丹汗与察哈尔的史料》（ResearchingArchival Documents on Mongolian History：Observations on the Present and Plans for the Future）东京外国语大学 2004 年版。

③ 《清太宗实录》，天聪五年十一月庚寅条。色棱阿巴海应是达赖从弟，其父是达赖叔父哈贝巴图尔。

天聪四年（1630 年）八月，林丹汗出征阿鲁诸部。阿鲁科尔沁、四子、翁牛特、喀喇车里克、伊苏特五部越大兴安岭南下，来到西拉木伦河。其中四子部诸台吉于这年十一月初九日来到盛京："阿禄四子部落诸贝勒来归。诸贝勒俱留我边境，令台吉宜尔札木、苏黑墨尔根、毕礼克、翁惠、布桑先至。命诸贝勒出城五里迎之，宴毕入城。"① 来朝的宜尔札木，是四子中的幼子。同月十七日伊苏特台吉也来到盛京："阿禄伊苏特部落贝勒为察哈尔兵所败，闻上善养人民，随我国使臣察汉喇嘛来归，留所部于西拉木伦河，先来朝见，上命诸贝勒至五里外迎之。"② 次日"阿禄班首寨桑达尔汉、噶尔马伊尔登、摆沁伊尔登三贝勒率小台吉五十六人"拜见皇太极。③ 寨桑达尔汉为伊苏特部首领，噶尔马伊尔登为喀喇车里克部首领。可见此次来投爱新国的除伊苏特部之外还有喀喇车里克部。

由于成吉思汗弟弟合撒儿、哈赤温后裔所属这些部众来归，所以天聪汗在次年正月致朝鲜的书中向朝鲜吹嘘："去年秋，成吉思汗四弟之后裔，举所部来归。"④ 这里的"四弟"意为"四个弟弟"而非成吉思汗之第四弟。⑤

天聪五年四月初六，伊苏特、喀喇车里克等部的宗长、翁牛特首领孙杜棱以及四子部的兄弟部落阿鲁科尔沁首领达赖楚呼尔随嫩科尔沁各部首领一同拜见天聪汗。⑥

次日，爱新国天聪汗为首的最高统治者又一次与阿鲁四部首脑孙杜棱、达赖楚呼尔、僧格和硕齐以及嫩科尔沁土谢图汗进行盟誓。⑦ 这次盟誓，以保证阿鲁蒙古的人畜安全，不致被侵夺为条件，要求阿鲁部落在爱新国指定的牧地范围内游牧，不得擅自离开。会盟上还制定了阿鲁蒙古游牧地界。这次盟誓是翁牛特、阿鲁科尔沁和四子等部正式投附爱新国的象征。几天后的四月十二日，皇太极又同土谢图汗奥巴、孙杜棱、达赖楚呼尔、僧格和硕齐

---

① 《清太宗实录》，天聪四年十一月丙子条。
② 《清太宗实录》，天聪四年十一月壬寅条。
③ 《清太宗实录》，天聪四年十一月癸卯条。
④ 《清太宗实录》，天聪五年正月壬寅条。
⑤ 宝音德力根：《往流和往流四万户》，《蒙古史研究》第 5 辑。
⑥ 中国第一历史档案馆、中国社会科学院历史所译：《满文老档》下册，第 1110—1111 页。
⑦ 《旧满洲档》，第 3417、3418 页。

等诸台吉商议，制定了更为具体的法律条文，详细规定蒙古诸部在征伐察哈尔及明朝时所承担的义务、责任的同时还制定了使者、逃亡者、偷窃、裁决等有关的各项条文。① 通过这些法律条文，皇太极成功地掌握了对阿鲁部的支配权和制裁权。九月，阿鲁军队奉命参加了爱新国对明朝的大凌河攻城战。接着，多次参加了对察哈尔和明朝的战争。

阿鲁科尔沁投附爱新国之后，爱新国曾在其地设立两个旗，并分别让达赖楚呼尔、穆章父子掌管旗务。后因达赖年老嗜酒，崇德元年六月免其职，将两旗合为一旗让穆章掌管。② 崇德七年（1642 年）清朝皇帝将和硕格格嫁于穆章，封他为和硕额驸。顺治元年（1644 年）又晋封穆章为阿鲁科尔沁旗的扎萨克固山贝子。

投附爱新国之前，喀喇车里克和伊苏特一直是独立的部落，并不附属于翁牛特。南下大兴安岭后，伊苏特、喀喇车里克的牧地虽然仍邻近，但爱新国仍视其为独立的实体。因此，遇有大事时，都分别遣使③。崇德元年，爱新国在漠南蒙古诸部编制牛录，喀喇车里克正式被编入孙杜棱旗，成为翁牛特右翼旗属民。

阿鲁诸部投附爱新国的过程中，伊苏特部首领寨桑古英和硕齐立有大功。因此，天聪八年爱新国封他为达尔汉和硕齐，部众被编入蒙古游牧八旗："阿禄伊苏忒部落古英和硕齐，先为两国往来议和，后阿禄济农为察哈尔所侵，率族属来归。因赐号达尔汉和硕齐，令行军居前，田猎居中。及其子孙，永照此行，赐以敕书。"④ 崇德三年八月，寨桑达尔汉和硕齐、博瑝、席讷布库、何尼齐授为三等梅勒章京，杜思噶尔、纳穆、阿拜泰巴图鲁、巴特玛塞冷、托克托会俱为三等甲喇章京，"以其自伊苏特部落来归故也。"⑤

阿鲁诸部牧地变迁　17 世纪 30 年代以前，阿鲁诸部主要分布在大兴安岭以北，呼伦贝尔草原，有的北达斡难河中游地区。

天聪四年八月，林丹汗征讨阿鲁诸部。阿鲁科尔沁、四子、翁牛特、喀

①　《旧满洲档》，第 3420—3423 页。
②　中国第一历史档案馆、中国社会科学院历史所译：《满文老档》下册，第 1490 页。
③　《旧满洲档》，第 3467、3468 页。
④　《清太宗实录》，天聪八年三月丁亥条。
⑤　《清太宗实录》，崇德三年八月己未条。

喇车里克、伊苏特等部为避北上的察哈尔兵锋而南下大兴安岭。此时，嫩科尔沁也按照皇太极的命令从嫩江流域南下嫩江与西拉木伦河之间的高地即今兴安盟、通辽市西拉木伦河（辽河）以北地区以及邻近的吉林省西部地区，刚刚南下的阿鲁诸部便毗邻嫩科尔沁新牧地而居。这样在大兴安岭以南的狭窄地区聚集了蒙古众多部众。由于驻牧狭窄，流离失所等原因，阿鲁诸部与邻近的嫩科尔沁、巴林、扎鲁特、敖汉、奈曼等部之间经常发生盗抢事件。① 于是爱新国于天聪五年（1631 年）四月，一方面与阿鲁诸部首领盟誓，要以嫩科尔沁一样对待阿鲁诸部，同时制定了类似于 1629 年与嫩科尔沁 "商定" 律令的所谓羊年律令。② 羊年律令末尾，大体划定了阿鲁诸部东西牧界。

阿鲁诸部最初驻牧于嫩科尔沁以西及西南，跨西拉木伦河中游（今天的西辽河）南北。因此，天聪五年七月皇太极致书奥巴和翁牛特孙杜棱，提醒他们：林丹汗得知翁牛特、四子两部 "住牧于西拉木伦河以北大兴安岭 ［南］ 山麓"，因此要出征他们。③

在制定羊年律令的同时，爱新国为防御察哈尔东侵，还布置了西到北边的哨所。④ 从哨所的位置看，当时的阿鲁诸部的牧地，西及西南限定在今西拉木伦河以南，东和东北则远远超出西拉木伦河中游。

因为天聪五年十一月阿鲁科尔沁色棱阿巴海在西拉木伦河北遭林丹汗袭击，损失惨重，爱新国将阿鲁诸部进一步南迁，并限制在西拉木伦河（当指今西拉木伦河，而非同样被称为西拉木伦河的今西辽河）以南。次年十月，皇太极遣济尔哈朗、萨哈廉至席喇勒济台，招集蒙古各部制定所谓猴年律令。⑤ 其中再次划定了翁牛特、巴林、敖汉、奈曼、四子、阿鲁科尔沁、扎鲁特等部的东西牧界，并明确规定若越西拉木伦河游牧则视为敌人。这次划分牧地由西向东为：翁牛特、巴林、敖汉、奈曼、四子、阿鲁科尔沁及扎鲁特。

---

① 《旧满洲档》，第 3378 页。
② 《旧满洲档》，第 3417—3418、3420—3423 页。
③ 《旧满洲档》，第 3442—3443 页。
④ 参见齐木德道尔吉：《四子部落迁徙考》，《蒙古史研究》第 7 辑。
⑤ 《旧满洲档》，第 3937—3940 页。

到了天聪八年（1634年），林丹汗去世，察哈尔对以上诸部的威胁已经不存在。因此，各部牧地已经向北拓展，远远超出了今西拉木伦河。于是爱新国于十一月遣国舅阿什达尔汉、塔布囊达雅齐往硕翁科尔地方，再一次划定牧界。① 由于蒙古游牧八旗在翁牛特、巴林、敖汉、奈曼、四子、阿鲁科尔沁、扎鲁特等部的南边游牧，这次还特意划分了这些蒙古部与蒙古游牧八旗南北牧界。划定牧地之后，阿鲁诸部在内的以上各部的牧地与后来固定下来的清代各扎萨克旗的牧地有不少差别。其中翁牛特的牧地较为稳定，可能他们在1630年从旧牧地东乌珠穆沁旗一带直接南下大兴安岭南，今西拉木伦河南北。1632年以后被限制在西拉木伦河以南，从此没有多大变化。巴林部与扎鲁特于1628年从嫩科尔沁投奔爱新国后应在一起游牧。但最晚到1632年时他们已经不在一起了。巴林大约游牧于今敖汉一带。而扎鲁特游牧于今内蒙古突泉县以及以东的吉林省白城地区。1633年，阿鲁科尔沁诸部中的乌喇特、茂明安投附爱新国，牧地被安排在同族阿鲁科尔沁、四子部附近，邻近扎鲁特驻牧。

茂明安、乌喇特部投附爱新国　1630年，当阿鲁科尔沁诸部中的阿鲁科尔沁、四子部因遭林丹汗征讨而南下大兴安岭投附爱新国时，其同族、牧地远在呼伦贝尔之北的乌喇特、茂明安部还没有与爱新国交往。

天聪五年（1631年）七月，皇太极致书投附爱新国不久的阿鲁科尔沁、四子部首领，要他们遣使乌喇特，说服他们南下投附爱新国。② 天聪六年一月三日，皇太极再次致书茂明安和乌喇特部统治者，以恐吓和离间的方法来拉拢他们。③ 但是受嫩科尔沁额勒济格诸子及扎赉特、郭尔罗斯的阻止，他们迟迟不敢南下。

在爱新国的积极拉拢之下，部分茂明安、乌喇特部众终于天聪七年（1633年）初南下投附爱新国。正月"吴喇忒（乌喇特）部落俄木布土门达尔汉台吉、杜巴、塞冷、海萨巴图鲁等朝贺元旦，贡驼马。"④ 同年五月，

---

① 《清太宗实录》，天聪八年十一月壬戌条。
② 《旧满洲档》，第3439页。
③ 《旧满洲档》，第3909、3910页。
④ 《清太宗实录》，天聪七年正月丙申条。

乌喇特土门达尔汉台吉、海萨巴图鲁、古木布、益尔格、僧格、琐尼泰等来朝，进献马匹。① 二月，茂明安部车根汗、固木巴图鲁、达尔马代衮等人率众投附爱新国。② 固木巴图鲁和达尔马代衮为车根汗之叔父。③ 次年九月又有茂明安之杨古海杜棱、巴特玛戴青及小台吉等二十余人，率众投附爱新国。④

天聪十年三月，发生了茂明安部众逃亡事件。"先是毛明安下吴巴海达尔汉巴图鲁、吴巴赛都喇尔、洪珪噶尔珠、俄布甘卜库倡首逃亡阿禄部落"，⑤ "阿赖率外藩蒙古兵五百往追，行六月，渡鄂嫩河，追至阿古地方，斩茂明安倡首叛逃贝勒四员，悉获其部众，又获语言不相同之喀木尼干部首领哲雷及百人以还。"⑥

据崇德元年统计，投附爱新国的茂明安只有 1 942 户⑦，不及嫩科尔沁十旗中的一个中等旗的户数。这显然与茂明安在全体科尔沁的宗长和汗王地位不相称。原来与车根等南下投附爱新国的只是科尔沁汗王家族所属部众的一部分，其余大多数都留在了原牧地，大部分成为阿鲁喀尔喀汗国的属民，也有一部分成为后来沙俄属民。⑧

此外，据明朝兵部档案，明崇祯六年（1633 年）二月林丹汗使臣曾对明朝边吏称说，当前一年奴酋（爱新国）进攻明朝时恰逢他们的"兵马往北去撒喇汉家"。⑨ "撒喇汉"即茂明安首领锡喇汗。如果林丹汗使臣所言为实，则 1632 年林丹汗曾用兵茂明安，这或许是茂明安于次年投附爱新国的直接原因。林丹汗用兵茂明安必然波及附近的喀尔喀，加上 1630 年林丹汗

---

① 《清太宗实录》，天聪七年五月壬辰条。

② 《清太宗实录》，天聪七年二月癸亥条。

③ 梅日更葛根：《黄金史》，第 74 页。

④ 《清太宗实录》，天聪八年九月甲寅条。杨古海杜棱为土谢图锡喇汗之子阿剌善冰图之子；巴特玛戴青为车根汗之弟罗布津之子（梅日更葛根：《黄金史》，第 74—75 页）。

⑤ 《清太宗实录》，天聪十年三月乙丑。

⑥ 中国第一历史档案馆、中国社会科学院历史所译：《满文老档》下册，第 1457 页。

⑦ 《旧满洲档》，第 5243 页。《满文老档》漏记云丹八十二户、沙里百户、公格五十户。

⑧ 约·弗·巴德利著，吴持哲、吴有刚译：《俄国·蒙古·中国》下篇，第 2 册，商务印书馆 1981 年版，第 1373 页；胡日查、长命：《科尔沁蒙古史略》（蒙古文），民族出版社 2001 年版，第 72—73 页。

⑨ 参见乌云毕力格：明朝兵部档案中有关林丹汗与察哈尔的史料。

曾经与喀尔喀交战，于是就盛传林丹汗要继续进攻喀尔喀。俄文档案中有关四十万蒙古之可汗即林丹汗要进攻喀尔喀扎萨克图汗部的谣传是有一定原因的。

投附爱新国之前，茂明安牧地中心在额尔古纳河右岸，他的南边是乌喇特，牧地应在呼伦贝尔北部地区。如今天的乌喇特人的婚礼祝词中所诵颂的"原住牧地是呼伦贝尔，出身家族是布尔海和扎萨克三公，核心牧地是呼伦贝尔，远祖是善射的合撒儿"。① 天聪七年（1633 年），茂明安部投附爱新国。最初，爱新国没有给他们划定明确的牧地，而是让他们附牧于扎鲁特、四子等部。

对于与茂明安同时投附爱新国的乌喇特的最初牧地，文献没有明确记载。天聪八年，爱新国派阿什达尔汉、塔布囊达雅齐到硕翁科尔地方划分牧地时乌喇特部也参加。但是没有指出乌喇特牧地四至。当时的乌喇特很有可能附牧于达赖达尔汉即阿鲁科尔沁旗。牧地与扎鲁特部邻近。

阿巴嘎部投附爱新国　阿巴嘎与阿巴哈纳尔二部是成吉思汗异母弟别力古台后裔统治下的集团。别里古台后裔巴雅思瑚布尔古特，其长子诺密特默克图和次子塔尔尼库同各分得父亲的一部分属民，分别号所部为阿巴哈纳尔和阿巴嘎。但是，当时两部共同的汗是长子诺密特默克图，他应是蒙古可汗不地（1504—1547 年在世，1519 年即可汗位）的同龄人。诺密特默克图死后，阿巴哈纳尔被喀尔喀瓜分，其子孙在丧失独立性之后很自然地失去了汗号。阿巴嘎始祖塔尔尼库同的长孙图扣台扎萨克图，本名"额尔德尼图扣，号扎萨克图诺颜"。② "扎萨克图"源于"扎萨克"，是掌握万户兀鲁思行政、司法大权者的称号。犹如土蛮汗所设五大扎萨克（执政）。图扣台扎萨克图长子本名布达什哩，号扎萨克图车臣济农③，继承其祖先扎萨克图称号

---

① 参见旺济勒：《三乌拉特来到阴山的准确年代》，《内蒙古社会科学》（蒙古文版）1989 年第 6 期。

② 《王公表传》卷 37《阿巴嘎部总传》；［苏］Н. П. 沙斯契娜：《〈沙剌图济〉——十七世纪的蒙古编年史》（汇纂的原文、译文和注解，以下简称沙斯契娜：《大黄史》），莫斯科—列宁格勒 1957 年出版，第 105 页。

③ 沙斯契娜：《大黄史》，第 105 页《蒙古回部王公表传》卷 37《扎萨克图多罗君王都思噶尔列传》说："布达什哩，号车臣扎萨克图"。有意删除了蒙古黄金家族拥有的高级尊号——济农。

的同时，还拥有了只有黄金家族后裔才能够获得的济农（来源于元代的
"晋王"，地位仅次于皇帝、可汗和燕王皇太子、洪台吉①）称号。布达什哩
长子都思噶尔，号巴图尔车臣济农②，蒙古文文书和清代汉文文献称他为
"扎萨克图济农"，"阿巴噶济农"或"阿鲁部济农"，有时径直称"济农"。

1630 年 8 月，林丹汗征讨阿鲁诸部。阿巴噶被林丹汗打败后转投喀尔
喀车臣汗。林丹汗并没有紧追，而是撤兵了。当时车臣汗硕垒还没有汗号，
只有"济农"称号，称"达赖济农"。阿巴噶及一同来投靠的察哈尔右翼乌
珠穆沁等部贵族共同推举硕垒为"车臣汗"，从此阿鲁喀尔喀便有了三位汗
王。③ 阿巴噶成为喀尔喀属部，丧失了原来的独立地位。

但是，在次年，投靠喀尔喀的阿巴噶济农可能一度动摇，仍想南下投附
爱新国。因为他们很早以前就有"政体合一"的约定。由于林丹汗的堵截，
或者说由于林丹汗在西拉木伦河以北地区的活动，这个想法没有能够实现。

17 世纪 30 年代初，阿鲁蒙古诸部中属于合撒儿、哈赤温后裔统治下的
阿鲁科尔沁诸部、翁牛特等为躲避林丹汗的进攻而纷纷南下大兴安岭投附爱
新国。而牧地在更北的阿鲁蒙古分支——别里古台后裔所属阿巴噶、阿巴哈
纳尔部则由于依附喀尔喀等原因仍留居漠北。

在别里古台后代中乃至整个阿鲁蒙古各部贵族中最早与爱新国发生联系
的就是阿巴噶部之济农都思噶尔。天聪三年（1629 年），都思噶尔遣使爱新
国献驼马。④ 1632 年，都思噶尔之属奇塔特楚琥尔台吉偕众五百内附。⑤ 这
是阿巴噶部投附爱新国的开端。

阿巴哈纳尔部在爱新国时期一直留在喀尔喀。迟至康熙年间，阿巴哈纳
尔部才南下。

南迁的阿鲁蒙古各部与原来驻牧于漠南并早已投附爱新国的嫩科尔沁、

---

① 参见宝音德力根：《从阿巴泰与俺答汗的关系看早期喀尔喀历史的几个问题》，《内蒙古大学学
报》（蒙古文版）1999 年第 1 期。

② 沙斯契娜：《大黄史》，第 105 页；《王公表传》卷 37《扎萨克图多罗君王都思噶尔列传》。

③ 参见宝音德力根：《从阿巴泰与俺答汗的关系看早期喀尔喀历史的几个问题》，《内蒙古大学学
报》（蒙古文版）1999 年第 1 期。

④《清太宗实录》，天聪三年十月丙戌条。

⑤《清太宗实录》，天聪六年十一月辛亥条。

巴林、扎鲁特、敖汉、奈曼、喀喇沁、东土默特、鄂尔多斯等部以及在 17
世纪 30 年代末由漠北南来投附爱新国清朝的克什克腾、乌珠穆沁、浩齐特、
苏尼特等部形成清朝的内扎萨克蒙古六盟四十九旗。因此，阿鲁蒙古各部的
南迁对内蒙古各部的形成以及今日内蒙古版图的最终形成都有重大影响。

第五节　察哈尔部与右翼蒙古投附爱新国

如前所述，1619 年内喀尔喀五部率先与爱新国建立攻守联盟，1626 年
嫩科尔沁与天聪汗建立反察哈尔同盟。这些事件的发生，都与林丹汗的武力
讨伐有关。由于林丹汗的高压政策和爱新国的不断拉拢和渗透，自 1621 年
始，察哈尔本部也出现裂痕。兀鲁特鄂托克首先和爱新国秘密往来。是年七
月，兀鲁特部达尔汉巴图鲁台吉率所属来投附爱新国。次年，该部明安等十
名台吉因对林丹汗的统治不满，率领所属一千男丁投奔女真，这是察哈尔分
裂的第一步。

继兀鲁特之后，1627 年敖汉、奈曼两部投奔爱新国。早在 1622 年，爱
新国军队在义州攻打敖汉部，擒杀五百余人。此后，敖汉、奈曼数次派使者
到爱新国，与之暗中勾通。到了 1626 年，内喀尔喀五部败亡，敖汉、奈曼
二部直接面临爱新国的威胁。为此，敖汉部长索诺木都棱和奈曼部长衮楚克
巴图鲁在察哈尔与爱新国之间斡旋，试图使林丹汗和天聪汗握手言和。但
是，这一举动遭到天聪汗的严词拒绝，也没有得到林丹汗的信任。因此，敖
汉、奈曼最终倒向爱新国。两部于天聪元年（1627 年）六月离开自己的牧
地，投附爱新国。七月六日，敖汉、奈曼诸台吉和天聪汗订立了反察哈尔联
盟，成为爱新国的附庸。

察哈尔左翼三个鄂托克投附天聪汗，科尔沁、内五喀尔喀等左翼蒙古部
落一一倒向爱新国。至此，林丹汗开始计划经营右翼蒙古，以右翼为根据
地，与爱新国周旋，伺机反扑。

右翼蒙古喀喇沁、土默特、应绍不、阿速特和鄂尔多斯各部，分布在从
今天的赤峰市西南部和河北省围场县一带到河套地区。察哈尔西迁时，首当
其冲的是喀喇沁万户。察哈尔大迁徙约在天聪元年七月开始。十月底，林丹
汗攻入喀喇沁境内，喀喇沁部溃散，其汗和洪台吉大败而逃。十一月，察哈

尔入土默特部境内，土默特部首领博什克图汗西走河套，呼和浩特被察哈尔占领。十二月底，林丹汗自呼和浩特攻打大同以北的土默特左翼诸鄂托克，在此，又一次和喀喇沁部主力交锋。喀喇沁汗和洪台吉西逃，不久和东土默特部鄂木布楚库尔主营一起攻占了呼和浩特，使察哈尔蒙受了一些损失。但是，察哈尔大军立即反扑，重新夺取了呼和浩特，赶走了喀喇沁和东土默特联军。因为呼和浩特又称"昭浩特"（意为"有庙宇的城"），史称这次战役为"赵城之战"（赵即昭）。天聪二年（1628 年）八月，林丹汗在艾不哈之役（地在今内蒙古达茂旗境内艾不盖河一带）大败土默特和应绍不右翼蒙古联军，进而西征并征服了鄂尔多斯。于是林丹汗完全控制了东起辽河，西到鄂尔多斯的广袤地区。

　　察哈尔西迁和征服右翼蒙古，对爱新国的长远利益构成了巨大的威胁。爱新国制定了两步对策。第一步，为征讨察哈尔做好了准备。天聪二年，爱新国利用察哈尔西迁后东方出现的有力局势，首先消灭在大凌河流域驻牧的阿喇克绰特部，其次使科尔沁部完全就范，紧接着和喀喇沁万户建立了同盟关系。1630 年，翁牛特、阿鲁科尔沁、四子、喀喇车里克四部投附爱新国。第二步，组织军事远征，集中力量消灭林丹汗廷。同年九月，爱新国第一次组织察哈尔远征，但因嫩科尔沁部奥巴洪台吉违约，远征半途而废。天聪五年（1631 年）四月，天聪汗又一度准备与林丹汗决战，最后在嫩科尔沁部首领奥巴洪台吉的建议下再一次推迟。十一月，察哈尔东下，攻掠投附爱新国的阿鲁科尔沁部。与此同时，明蒙关系也开始恶化。明蒙交恶，为爱新国的大举进攻察哈尔提供了有利时机。次年四月，天聪汗终于如愿地发动了对察哈尔的远征。女真军队和蒙古喀喇沁、土默特、扎鲁特、敖汉、奈曼、科尔沁及阿鲁蒙古各部军队组成联军，从西拉木伦河向西北挺进。林丹汗得报后，仓促撤退，渡黄河而西逃。爱新国军队一路尾追，但除俘获零星溃散部众外，一无所获。于是爱新国军队回师攻克呼和浩特城，收取察哈尔余众。不久察哈尔属部克什克腾投归爱新国。

　　天聪八年（1634 年），林丹汗得知爱新国和蒙古各部联军又要出征，率部向青海转移，途中病死于甘肃大草滩（今甘肃天祝藏族自治县境内）。林丹汗死后，其属下察哈尔及刚征服的蒙古各部人心离散。同年七月，天聪汗亲自率兵至明大同、宣府边外，察哈尔余部纷纷来投靠爱新国。值得一提的是，林丹汗的大喇嘛、萨迦派高僧沙尔巴胡图克图带着蒙古可汗的护法神嘛哈噶喇佛像，也来投靠了爱新国。

然而，忠于林丹汗的部分蒙古贵族携其幼子额哲（号额尔克孔果尔）东返黄河河套驻牧，不肯向爱新国投降。天聪九年，喀尔喀车臣汗硕垒向额哲遣使致书，劝其北投喀尔喀。由于察哈尔和阿巴噶等大量蒙古部众投附，并推举硕垒为汗，车臣汗试图将蒙古汗权也控制在自己的手中。此时爱新国也迅速出兵搜寻额哲。二月，爱新国派遣多尔衮等四贝勒率领精兵 1 万人寻找林丹汗子额哲，得知林丹汗妻苏泰太后（女真叶赫部人）与其子额哲在黄河河套内驻牧。四月末，爱新国军队渡过黄河，突然抵达其驻地托里（今鄂尔多斯市乌审旗境内），额哲及其母苏泰太后被迫率部投降。此间，土默特部和鄂尔多斯部都相继摆脱察哈尔的束缚，率部东返，爱新国命他们收集部众驻牧于原牧地。至此，察哈尔部和右翼蒙古各部全部降附爱新国。

第三编

专　　题

第　十　章

内蒙古地区达延汗后裔所属各部及其牧地

15 世纪中叶北元大汗直属部众经过长期不断的分化与组合形成了六大部落集团，这就是蒙古文史书所说的"六大兀鲁思"或"六万户"。最晚在北元大汗满都鲁统治时代，其直属部众六万户的格局已经形成。15 世纪初，达延汗在平定右翼蒙古异姓贵族的叛乱之后，分封子孙到除兀良哈万户以外的五万户，不久，达延汗子孙又瓜分了兀良哈万户，用另一种方式实现了对兀良哈万户的直接统治，至此，六万户格局彻底被打破，北元大汗直属部众的历史进入新的历史时期。

第一节　察哈尔万户及其牧地

在达延汗六万户中，察哈尔万户直属大汗统辖，是大汗自己的封国。1519 年达延汗长孙不地从达延汗三子巴儿速孛罗手中夺取蒙古大汗之位，成为新的蒙古大汗。此后，不地及其嫡系后代打来孙、土蛮、不彦七庆、林丹相继继承蒙古大汗位，直接统领察哈尔万户，称"亦克汗"（大可汗，即"大蒙古大可汗"或"大元大可汗"的省称）。

"察哈尔"（Čaqar）一词在明代汉籍中有多种译法，如察罕儿、察汗儿、察罕尔、擦汗儿、插汉、查汉儿、叉汗、叉罕儿等。其中"察罕儿"这种译法出现最早①，

---

① 这种译法最早出现在《九边考》、《皇明北房考》中。在《明实录》中，嘉靖二十五年十月癸巳条第一次出现了"察罕儿"。

也较为常见。清代文献一般译作"察哈尔"。"察哈尔"一词来源于波斯文 Cakar，意为"臣仆"，"家人"，在突厥语、蒙古语中变为 Čaqa、Čaqar，汉译"孩儿"。最初指草原贵族童仆，其词义与蒙元时代"怯怜口"（汉译"家中儿郎"）相同，指皇室、诸王、贵族的私属人口。察哈尔万户的全称是"好陈察哈尔"。如《成吉思汗大祝词》中称察哈尔万户为"八鄂托克好陈察哈尔"（Nayiman Otoɣ Qaɣučin Čaqar）。① 可知"察哈尔"只不过是"好陈察哈尔"的省称。据《九边考》、《皇明北虏考》等书记载，16 世纪初期察哈尔万户共有五营（鄂托克），是个大部落集团。处于支配地位、居五营之首的是"好陈察哈尔"，它的首领同时又是整个万户的首领。察哈尔万户之名就是由这一最古老、最强大的鄂托克之名演变来的。根据蒙古人的传说，好陈察哈尔鄂托克原是成吉思汗赏赐给拖雷妻唆鲁禾帖尼的属民。② 好陈察哈尔表示"老臣仆"或"旧有的家人"之意。③ 这部分百姓一直属于拖雷、唆鲁禾帖尼的后裔元朝皇帝，经二百年后成为满都鲁的属民。蒙古文史书也载，在达延汗时代，察哈尔万户下有一个名叫 Erkegüd 的鄂托克或爱马④。Erkegüd，即也里可温，指景教徒。这部分景教徒百姓当与信仰景教的唆鲁禾帖尼有某种关系。只是现在还不易搞清这个古老的好陈察哈尔百姓被满都鲁继承的过程。

作为部名，察哈尔最早出现在《黄金史》、《大黄史》1452 年左右的纪事中，据载，达延汗祖父哈剌苦出台吉被害，其妻（也先之女）生下了遗腹子字罗忽。也先派大同王阿巴把乞儿等人前去查看，并下令：若是男孩就

---

① 策·达木丁苏荣编：《蒙古文学精粹一百篇》，乌兰巴托 1959 年，第 82 页。

② 罗藏丹津：《黄金史》（第 114 页）记载了有关察哈尔万户起源的一个传说。传说言：成吉思汗与拖雷同时生病。占卜者说二人之中只有一人能活。拖雷之妻察兀儿别乞向上天祈祷说："汗主若死去，全体百姓将成为孤寡。主人拖雷若死，则只有我一人守寡"（意为宁愿自己守寡，也要让成吉思汗痊愈）。由于她的祈祷，拖雷宾天，而成吉思汗痊愈。成吉思汗为了嘉奖儿媳为国舍夫、敬重汗父之贤德，选八鄂托克察罕万户为其属民。对这个传说日本学者冈田英弘作过认真的分析。他指出，拖雷之妻名为唆鲁禾帖尼，为克烈王汗弟札合敢不之女。此说将其与王汗之女察兀儿别乞相混淆。拖雷是在窝阔台可汗时死去，而不是在成吉思汗时。察哈尔万户供俸着拖雷之妻 Eδi 哈屯之灵位，因此察哈尔万户的起源与唆鲁禾帖尼有密切的关系（冈田英弘：《北元奉祀圣母玛利亚考》，《台湾国立政法大学边政研究所年报》，1970 年版；《达延汗六万户的起源》，《榎博士还历纪念东洋史论丛》，1975 年版）。

③ 伯希和：《卡尔梅克史评注》，第 69—70 页。

④ 朱风、贾敬颜：《汉译蒙古黄金史》，内蒙古人民出版社 1985 年版，第 192、87—88 页。

杀死，若是女孩便留下。也先之女将察哈尔之 Odoi emegen（意为矮个子的老妇人，显系绰号）的幼女捆在睡车中，骗过了大同王等人，使孛罗忽免遭毒手。[①] 当时正是也先篡夺蒙古汗位，并将脱脱不花部众降服，"以其人马给赏诸部属"之时。所以，至迟在脱脱不花时代，作为万户集团的察哈尔已经存在。

在满都鲁统治下，察哈尔万户逐渐强大，势力开始超越太师直属应绍不万户。1466 年，摩伦汗被弑，蒙古陷入空前的混乱，在各种封建势力互相倾轧、吞并的过程中，黄金家族特别是元裔势力逐渐强大。满都鲁和孛罗忽济农分别成为察哈尔、鄂尔多斯的统治者。1475 年，满都鲁即蒙古大汗位。次年，他与乩加思兰灭掉孛罗忽，并其部众。差不多也是在这个时候，满都鲁又杀死了多罗土蛮部主、哈赤温后裔癞太子，并嫁女与癞太子部下脱罗干之子火筛，从而控制了多罗土蛮即满官嗔——土默特部。1479 年初，满都鲁又与脱罗干、亦思马因等人打败并杀死了应绍不部主、太师乩加思兰，使强大的应绍不万户的势力遭到削弱。察哈尔万户地位得到加强，成为可以与应绍不万户对抗的大部。北元大汗的傀儡地位也有了改变。

满都鲁可汗病逝后，察哈尔万户由其遗孀满都海统领。蒙古文史书载，科尔沁部首领兀捏孛罗王向满都海求婚，满都海征求大臣们的意见。有位夫人劝满都海说：如果嫁了兀捏孛罗王，你将失去哈屯的称号，离开察哈尔万户。如果嫁了达延汗，你将（仍旧）占有察哈尔万户的全体百姓，使哈屯之名远扬[②]。由于满都海与达延汗的婚姻，作为前任大汗臣民的察哈尔万户落入了达延汗手中。达延汗主要凭借着察哈尔万户的力量，打败亦思马因，战胜右翼异姓封建主，确立了黄金家族对蒙古百姓的直接统治权。

不地汗统治下的察哈尔有五大营即鄂托克。明人魏焕所撰《九边考》和稍晚成书的郑晓《皇明北虏考》留下了有关 15 世纪末、16 世纪初蒙古诸部力量对比及各部内鄂托克（营）数目、名称等极为珍贵的史料。根据这些记载，参之蒙古文史书，可以大体了解当时察哈尔万户的构成情况。

《九边考》卷六《三关镇（偏头、宁武、雁门）·边夷考》载："北虏

---

① 朱风、贾敬颜：《汉译蒙古黄金史》，第 76、186 页。
② 朱风、贾敬颜：《汉译蒙古黄金史》，第 84、190 页。

亦克汗（意为大汗，指不地。——引者）一部常驻牧此边，兵约五万，为营者五，曰好城察哈尔，曰克失旦，卜尔报，东营曰阿儿，西营曰把即郎阿儿，入寇无常。"《皇明北虏考》的记载与之略同："众立卜赤（即不地——引者），称亦克汗。亦克汗大营五，曰好陈察哈尔、曰召阿儿，曰把郎阿儿，曰克失旦、曰卜尔报，可五万人。卜赤居中屯牧，五营环卫之。"《九边考》中的"阿儿"是"召阿儿"的脱误，"把即郎阿儿"衍一"即"字。五营中的"召阿儿"即蒙语 Jegün γar，意为"左翼"，"把郎阿儿"即蒙语 Baraγun γar，意为"右翼"，故分别译作东营、西营。实际上，早在达延汗时代察哈尔万户就有了五营的规模。据《明孝宗实录》记载，弘治十二年（1499 年）五月乙丑，镇守大同都督金事王玺等奏："谍报，虏贼五营约数万。四营起往东行，一营欲来宣府复仇。"这个有众约数万的"虏贼五营"当指达延汗统辖的察哈尔万户。前引《九边考》和《皇明北虏考》有关察哈尔万户五营的记载则反映了明嘉靖初期察哈尔万户的规模。当时，不地汗继其祖父达延汗直辖察哈尔万户。下面分别考证一下达延汗和不地汗时代察哈尔万户的各营：

好陈察哈尔　这是五营的第一大营。达延汗帐当在此营中。左翼、右翼两个营居好陈察哈尔营之左右。好陈察哈尔这个营名后来被省称为"浩齐特"（Qaγučid，好陈之复数）。据《王公表传》卷三十五《浩齐特部总传》载，元太祖十七世孙库登汗（即打来孙汗）"号其部曰浩齐特"。可知直到打来孙汗时，尽管其他鄂托克被不断地分封，但好陈察哈尔仍旧归东蒙古大汗直接统治。

克什旦　这一营名来源于元代的怯薛丹①。达延汗分封诸子时，让第五子阿赤赖孛罗（清译斡齐尔博罗特）统领该鄂托克。直到明末，克什旦一直附属于察哈尔部，入清后成为克什克腾旗。

卜尔报　《黄金史》中此部名多次出现，作 Burbuγ，与汉译名音相同。毛里孩王杀死摩伦汗后曾俘获了卜尔报部之大将 Bayan ürmeger。毛里孩王的大臣们主张处死他。毛里孩王说："他是摩伦汗的先锋。能为可汗充当先锋的人，难道不能成为我们的先锋吗？于是将其释放。"Bayan ürmeger 还将

---

①　和田清：《明代蒙古史论集》，潘世宪译，商务印书馆 1984 年版，第 414 页。

摩伦汗安葬。孛罗忽济农被满都鲁打败后，逃到"卜儿报之地"，在那里被应绍不人瓦剌阿剌知院之子 Keriye 等人杀死。达延汗派大臣追杀亦思马因时，有卜尔报部大将猛可（Möngke）参加①。看来，卜尔报原是摩伦汗的属民，满都鲁即位后作为原大汗的属民被继承下来，成为察哈尔五营之一。

把郎阿儿　此营名见于《黄金史》。达延汗与满都海同征瓦剌，当时满都海正怀着达延汗第五子阿赤赖孛罗和第六子安出孛罗。结果达延汗被瓦剌打败，满都海坠马。当时保护满都海突出重围的几个人中有一个 Baraɣun 鄂托克的赛因·赛罕（Sayin Sayiqan）②。Baraɣun 意为右、西。Baraɣun 鄂托克无疑是指察哈尔的西营——把郎阿儿。

自不地时代开始，北元大汗直属部众大规模辗转游牧于大漠南北的局面已经结束。这是因为，达延汗在分封子孙的同时给他们重新划定了牧地，漠南中部和西部地区成为东蒙古右翼——巴儿速孛罗子孙统治下的鄂尔多斯、满官嗔—土默特以及哈剌陈（包括阿速）三万户的牧地。不地时代察哈尔万户的牧地已局限在漠北，大体保持了北元大汗漠北地区的牧地。包括克鲁伦河流域及其以南的今蒙古国东戈壁省、东方省、苏和巴托省广大地区和内蒙古锡林郭勒盟东部、呼伦贝尔市东部的部分地区。

1547 年不地去世，其长子达来孙即位。在不地晚年开始，蒙古左翼开始南越大兴安岭驻牧，瓜分山阳万户。打来孙即位后，率领察哈尔万户的大部以及达延汗第六子安出孛罗子虎剌哈赤所属原喀尔喀万户的左翼以及合撒儿后裔所属科尔沁万户的一部分彻底征服了山阳万户，开始长期驻牧在大兴安岭南地区。同时，不地子孙在察哈尔万户内进行了第二轮分封，形成了大汗汗廷和所谓的"八鄂托克察哈尔"（Nayiman Otoɣ Čaqar Tümen）或"八鄂托克好陈察哈尔"（Nayiman Otoɣ Qaɣučin Čaqar）。

察哈尔八大营又分为左右翼。蒙古文史书称其左翼为"山阳左翼四鄂托克"（Ölge-yin jegün ɣar-un dörben otoɣ），称其右翼为"山阴（阿鲁）右翼四鄂托克"（Aru-yin baraɣun ɣar-un dörben otoɣ）。《满文老档》称左翼为南察哈尔，右翼为"阿鲁察哈尔"。所谓山阳、山阴是以兴安岭为界。打来

---

①　朱风、贾敬颜：《汉译蒙古黄金史》，第 74、184 页，第 81、189 页，第 90、193 页。

②　朱风、贾敬颜：《汉译蒙古黄金史》，第 87、191 页。汉译者误读为 Baryud——巴尔虎。

孙汗以及继任大汗的斡耳朵宫帐游牧于西拉木伦河以北，牧地包括今赤峰市北部阿鲁科尔沁旗、巴林两旗、林西县等地。大汗斡耳朵常在今阿鲁科尔沁旗北部，后来林丹汗在这里建立了可汗城，遗址在该旗罕苏木苏木（"罕"即汗、可汗，前一"苏木"意为庙，系因林丹汗家庙所在而得名，后一"苏木"原意为箭，相当于满洲的牛录，如今则是乡一级行政机构）。其属民则以原来好陈察哈尔鄂托克为核心，省称浩齐特。此外，打来孙弟可可出大（清代译作库克齐图）、汪兀都剌（清代译作翁衮都喇尔）分别统治苏尼特、乌珠穆沁鄂托克；打来孙之子昆都力庄兔、威正打儿汗二人分别统治浩齐特、克木齐兀（谦州）鄂托克。打来孙叔父也密力（又译乜明、我力命，蒙古文史书作 Elmig）的两个儿子挨大笔失、卑麻的子孙统治着阿阿喇克绰特、多罗特、敖汉、奈曼四鄂托克。这样，打来孙、土蛮、不彦七庆以及林丹汗直属的北元大汗斡耳朵及其部众位于整个察哈尔万户或兀鲁思的中间，游牧于西拉木伦河以北地区；打来孙子、弟所领各鄂托克以及达延汗五子阿赤来后裔所领克什旦鄂托克形成察哈尔万户右翼，驻牧大兴安岭以北原不地汗时代的牧地（其中北部的克鲁伦河一带被新兴的阿鲁喀尔喀占据）称阿鲁察哈尔；也密力子孙所领各鄂托克以及达延汗六子安出孛罗所领兀鲁鄂托克形成察哈尔万户的左翼，驻牧于西拉木伦河以南地区，称岭南察哈尔。如果再具体些，敖汉、奈曼居北，大体在今天的敖汉、奈曼旗及其以北的翁牛特旗一带；阿喇克绰特、多罗特居南，位于大凌河流域，今辽宁省朝阳、北票、阜新一带；兀鲁则在最东，今库伦旗一带。

1604 年，林丹汗即蒙古汗位。当时，蒙古处于封建割据状态，蒙古汗的统辖权实际上仅限于其本部察哈尔。长期习惯于割据，不听蒙古大汗号令的右翼蒙古和漠北喀尔喀贵族甚至认为，林丹汗只是察哈尔汗，因此称他为察哈尔汗。察哈尔部除大汗直辖部众外，还有八大鄂托克，即右翼浩奇特、苏尼特、乌珠穆沁、克什克腾等四鄂托克和左翼阿喇克绰特、兀鲁特、敖汉和奈曼等四鄂托克。当时的察哈尔部，在内与蒙古其他各部矛盾重重，在外与明朝和爱新国也关系紧张，林丹汗为了对付明朝和爱新国，决定先统一蒙古，对游离不定的蒙古各部进行了武力征讨。林丹汗的这一举措，最终导致了众叛亲离的严重后果。

1619 年，内喀尔喀五部率先与爱新国建立攻守联盟，1626 年嫩科尔沁与努尔哈赤建立反察哈尔同盟。这些事件的发生和发展，都与林丹汗的武力讨伐有关。由于林丹汗的高压政策和爱新国的不断拉拢和渗透，自1621年始，察哈尔本部也出现裂痕。兀鲁特鄂托克首先和爱新国秘密往来。是年，兀鲁特部达尔汉巴图鲁台吉率所属来投附爱新国。次年，该部明安等十名台吉因对林丹汗的统治不满，率领所属一千男丁投奔女真。这是察哈尔分裂的第一步。

继兀鲁特之后，1627年敖汉、奈曼两部投奔爱新国。早在1622年二月，爱新国军队在义州攻打敖汉部，擒杀500余人。此后，敖汉、奈曼数次派使者到爱新国，与之暗中勾通。到了1626年，内喀尔喀五部败亡，敖汉、奈曼二部直接面临爱新国的威胁。为此，敖汉部长索诺木都棱和奈曼部长衮楚克巴图鲁在察哈尔与爱新国之间斡旋，试图使林丹汗和天聪汗握手言和。但是，这一举动遭到天聪汗的严词拒绝，也没有得到林丹汗的信任。因此，敖汉、奈曼最终倒向爱新国。两部于1627年夏离开自己的牧地，投附爱新国，和天聪汗订立了反察哈尔联盟，成为爱新国的附庸。

察哈尔左翼三鄂托克投附天聪汗，科尔沁、内五喀尔喀等左翼蒙古部落一一倒向爱新国。至此，林丹汗开始计划经营右翼蒙古，以右翼为根据地，与爱新国周旋，伺机反扑。

右翼蒙古喀喇沁、土默特、永谢布、阿速特和鄂尔多斯各部，分布在从今天的赤峰市西南部和河北省围场县一带到河套地区。林丹汗留阿喇克绰特鄂托克于大凌河一带旧牧地，率领浩齐特、苏尼特、乌珠穆沁等大汗嫡系三个鄂托克和克什克腾鄂托克向西迁徙。

察哈尔大迁徙约在天聪元年（1627年）七月开始。十月底，林丹汗攻入喀喇沁境内，喀喇沁部溃散，其汗和洪台吉大败而逃。十一月，察哈尔入土默特境内，土默特部首领卜失兔汗西走河套，呼和浩特被察哈尔占领。十二月底，林丹汗自呼和浩特攻打大同以北的土默特左翼诸鄂托克，在此，又一次和喀喇沁部主力交锋。喀喇沁汗和洪台吉西逃，不久和东土默特部鄂木布主营一起攻占了呼和浩特，使察哈尔蒙受了一些损失。但是，察哈尔大军立即反扑，重新夺取了呼和浩特，赶走了喀喇沁和东土默特联军。次年八月，林丹汗在艾不哈之役（地在今内蒙古达茂旗境内艾不盖河一带）大败土默特和永谢布右翼蒙古联军，从而完全控制了东起辽河，西到鄂尔多斯的广袤地区。

面对察哈尔西迁和征服右翼蒙古的威胁，爱新国于 1632 年发动了远征，林丹汗西逃，爱新国攻克呼和浩特。

察哈尔西迁河套后，其部众开始溃散。天聪八年（1634 年）六月，察哈尔户口一千来归爱新国。接着，察哈尔宰桑、济农等率几千户几千口来投降。1634 年初，林丹汗联合青海的绰克图洪台吉、西藏统治者藏巴汗及康区白利土司栋月多尔济建立了反格鲁派联盟，意在利用联盟的力量在青海建立根据地，以便东山再起。但是，是年八月林丹汗病故于甘肃大草滩（今甘肃天祝藏族自治县境内）。察哈尔部众分崩离析，纷纷投奔爱新国。一直关注着蒙古汗廷命运的漠北喀尔喀部车臣汗遣使来到林丹汗之子额哲额尔克孔果尔宫帐，敦促他移帐漠北，投靠自己。次年二月，爱新国以多尔衮等率精骑一万，远征林丹汗余部。五月，额哲额尔克孔果尔母子投降多尔衮。1634 年，鄂尔多斯济农额林沁和土默特部汗鄂木布投降爱新国。至此，察哈尔部和右翼蒙古各部全部投附爱新国。

在察哈尔部投附的过程中，爱新国就以率先来归的察哈尔部众建立了察哈尔八旗，其制如八旗蒙古。1635 年，林丹汗之子额哲额尔克孔果尔投附后，被安置在义州边外的孙岛、习尔哈地方。次年，天聪汗将次女嫁给额哲额尔克孔果尔，封和硕亲王，察哈尔八旗以外的察哈尔部众归其管辖，称"察哈尔国"。额哲额尔克孔果尔管辖的所谓"察哈尔国"，实际上是一个外藩扎萨克旗。

爱新国大军远征察哈尔的战争取得了全面胜利，蒙古末代汗林丹汗败亡，蒙古护法神像嘛哈噶喇佛像和传国玉玺落入女真汗室手里。天聪汗无论在军事上，还是在精神上，都彻底征服了漠南蒙古各部贵族。天聪十年（1636 年）四月，天聪汗在盛京（今沈阳）召开大会，漠南蒙古贵族同女真和汉人臣僚一道，为天聪汗共上尊号。蒙古贵族以林丹汗之子额哲额尔克孔果尔为首，察哈尔、科尔沁、扎赉特、杜尔伯特、郭尔罗斯、敖汉、奈曼、巴林、东土默特、扎鲁特、四子、阿鲁科尔沁、翁牛特、喀喇车里克、喀喇沁、乌拉特等十六部四十九名贵族参加盛典，为天聪汗上"博格达彻辰汗"（意为"圣睿汗"。相应汉文尊号为"宽温仁圣皇帝"）尊号，承认他是蒙古最高统治者。天聪汗在这次盛会上建国号"大清"，改元"崇德"，改族名女真为"满洲"。清朝的建立和它对漠南蒙古的征服，标志着内蒙古历史进入了一个新的阶段。

第二节　喀尔喀万户及其牧地

达延汗分封诸子时，将喀尔喀（明译罕哈）万户一分为二。一部分划归正室满都海哈屯所生的安出孛罗（清译阿勒楚博罗特）。另一部分即右翼，达延汗则分给了庶出幼子格列山只。安出孛罗、格埒森札及其子孙统治下走上不同的发展道路，很快就形成了两个喀尔喀万户即山南（öbür—斡不儿）喀尔喀万户和山北（Aru—阿鲁）喀尔喀万户。山北喀尔喀万户牧地在漠北草原（主要分布在今蒙古国境内），故此不述。

喀尔喀万户最初由喀尔喀河（Qalqa，今哈拉哈河）得名，在达延汗及其更早的时代他们居住在今喀尔喀河流域。喀尔喀（哈拉哈）本意为盾牌，作为河名多次出现于《元朝秘史》中。喀尔喀万户因发祥于哈拉哈河一带，故以其居地被命名为喀尔喀部或喀尔喀万户。13 世纪，哈拉哈河一带是弘吉剌部的驻地。成吉思汗分封子弟时，这一地区被分给了幼弟斡赤斤。后来，斡赤斤后代的势力向兴安岭以东发展，渐渐放弃了喀尔喀河地区。14 世纪末 15 世纪初，这一地区是蒙古大汗的驻牧地。1388 年，明军曾在哈拉哈河下游袭击了北元大汗脱古思帖木儿的斡耳朵。到 15 世纪后半期，这里兴起了喀尔喀万户。喀尔喀作为部名或万户名，在蒙古文史书中最早见于达延汗时代的有关记事中。《大黄史》说，达延汗时代有位喀尔喀赤那思氏封建主，每年都要向达延汗进野马肉①。《黄金史》则说喀尔喀万户作为达延汗的部众参加了达兰特哩衮之战。此役，喀尔喀万户的巴噶逊（Baγasun）因充当先锋立了功，达延汗将自己与满都海所生的唯一的女儿嫁给了巴噶逊。② 其实，Baγasun（巴噶逊）为伯速忒（Besüd）之误。

在汉籍中，喀尔喀作为部名出现是在 16 世纪初的有关记事中。《九边考》记载了罔留、喀尔喀、尔填三部，将它们视为三关镇（偏头、宁武、

---

① 沙斯契娜：《大黄史》，第 107 页。
② 朱风、贾敬颜：《汉译蒙古黄金史》，第 97—98、197—198 页。

雁门）"边夷"察哈尔以东的宣府镇"边夷"。《皇明北虏考》则在记述察哈尔之后说："又东有冈（当作罔）留、喀尔喀、尔填三部"。罔留即指翁牛特、喀喇车力克、伊苏特三部。尔填指阿鲁科尔沁。它们的牧地分别在今乌珠穆沁一带和呼伦湖及以北地区。而位于罔留和尔填中间的喀尔喀，其牧地当在今喀尔喀河一带。看来，《九边考》等书记载罔留等三部时，是以察哈尔为中心，由西向东（更确切地说是由西向东北）依次叙述的。因此，喀尔喀万户的牧地最初在哈拉哈一带，喀尔喀万户之名来源于哈拉哈河，这一点当无疑义。后来两个喀尔喀万户各鄂托克多以原五投下部名命名以及最初分封到喀尔喀右翼的格埒森札被称做"札剌亦儿皇太子"等实例使我们相信，最初的喀尔喀万户的核心是元代五投下后裔部众。

《九边考》又说"喀尔喀部下为营者三，大酋猛可不郎领之"。这个喀尔喀三营应指达延汗分封给安出孛罗的喀尔喀左翼，它是后来的南喀尔喀五部的前身。"猛可不郎"原文应是 Möngke bolod，应是达延汗子安出孛罗的别名。

安出孛罗子虎喇哈赤随蒙古大汗南下大兴安岭驻牧，占领辽河河套等地。虎剌哈赤之名首见于《明世宗实录》嘉靖三十四年（1555年）四月丙子条，明人说他与达来孙、魁猛可"欲假道东夷内侵"。赵时春《北虏纪略》说："泰宁、福余之地，直辽左矣。虏之特起新酋曰虎剌哈赤者，众不满千。"① 说虎喇哈赤"众不满千"，肯定是个误传。早在其父安出孛罗时代，喀尔喀与罔留、尔填三部已有六万人。虎喇哈赤死后，其部众被分为五部分，分属其五个儿子委正（兀把赛）、速把亥、兀班、歹青（名索宁、又名塔不歹）、炒花，形成了扎鲁特、巴林、巴约特、弘吉剌、乌济叶特（兀者）五鄂托克。

南喀尔喀五部牧地分布在辽河流域，大约相当于今天的通辽市全境、兴安盟以及相邻的吉林省、辽宁省部分地区。其中，巴林和乌济叶特二部为右翼，牧地靠近西边的察哈尔左翼，与明朝同在广宁镇互市。扎鲁特、弘吉剌和巴约特三部为左翼，牧地在东边，与女真各部往来频繁。

喀尔喀左翼首先和女真建立关系。1605年，巴约特部首领恩格德尔和

---

① 《北虏纪略》，记录汇编本。

建州女真建立贸易关系，次年又引喀尔喀五部使臣去建州贸易，还给努尔哈赤上"昆都伦汗"（恭敬汗之意）号。1614 年，喀尔喀扎鲁特部贝勒钟嫩以女妻努尔哈赤大贝勒代善，不久，该部内齐汗以妹妻莽古尔泰贝勒。1617年努尔哈赤又以侄女妻喀尔喀巴约特部台吉恩格德尔。至此，南喀尔喀五部中的二部首领都与努尔哈赤缔结了姻亲。

1619 年，努尔哈赤攻占明朝的开原后，又攻占了铁岭。开原、铁岭被爱新国占领，意味着喀尔喀左翼三部失去了与明朝互市的关口。因此，弘吉剌部首领宰赛联合扎鲁特部和科尔沁明安台吉等部，袭击并抢掠了刚刚占领铁岭的爱新国军。结果，弘吉剌等部被爱新国军队击溃，宰赛及其二子、扎鲁特部台吉巴克、色本及明安之子等一百五十多人被俘。努尔哈赤将宰赛软禁，作为人质。喀尔喀最高首领炒花等答应和爱新国结盟，共同伐明朝。十一月，双方在噶克察漠都冈干塞忒勒黑（今内蒙古库伦旗南境）举行了隆重的会盟大会，订立了政治性、军事性的攻守同盟。

1621 年，爱新国攻占沈阳、辽阳等地，次年又夺取广宁，直接威胁喀尔喀五部。五部所属各台吉纷纷投降爱新国。因为来归人口较多，爱新国以巴约特部降人为基础，将喀尔喀部众编立为一个"固山"，以其军事行政组织约束他们。巴约特部首领恩格德尔自 1594 年起已亲近努尔哈赤，赢得爱新国的信任。到 1624 年，恩格德尔兄弟在女真军队的随同下，回原来的游牧地，索回全部所属人畜，放弃原牧地，举部投附爱新国。此后，巴约特部渐渐被编入八旗，其首领也官僚化，出现了不少高官。

1626 年 4 月，爱新国借口喀尔喀台吉背盟通明，举兵攻打乌济叶特和巴林部，使两部遭受重创。爱新国军以代善为前锋，努尔哈赤率众贝勒为中军，兵分八路并进。激战中，炒花侄孙、巴林部贝勒囊努克被追杀。接着，努尔哈赤挥师再进，征乌济叶特部于西拉木伦河。乌济叶特部首领炒花以一万军队大战努尔哈赤，结果惨败。穷途末路的炒花只好投奔林丹汗，林丹汗乘机兼并了乌济叶特部。炒花之子卫征巴拜和其他一部分乌济叶特部众投附爱新国，后来被编入满洲八旗。这样，乌济叶特部融于察哈尔和满洲八旗中，未能保持原来的完整地位，也就没有能够形成扎萨克旗。

同年年底，林丹汗攻掠弘吉剌等部，引起混乱，各部相互掠夺人畜。弘吉剌部主要部分被察哈尔兼并，其首领宰赛辎重俱被抢掠，宰赛夫妇仅以身免，后下落不明。该部的一部分，先投奔科尔沁，旋即被爱新国索回，后编入满洲八旗。另外还有一部分依附巴林部，入清朝后变成巴林右翼旗十个苏木。

扎鲁特部和巴林部的最终命运与其他部落相同。1626 年，巴林部和扎鲁特部遭到爱新国的攻击，接着又受到察哈尔的袭击，部落分散，只好投靠了嫩江流域的科尔沁部。1628 年，因不堪科尔沁部的欺压，巴林部和扎鲁特部转而投附爱新国。由于喀尔喀五部中的弘吉剌和乌济叶特灭亡，巴约特部内属，爱新国为了安定扎鲁特和巴林二部，采取了保留牧地，保持部落完整的政策。后来，巴林、扎鲁特二部各自被编成左右翼二旗，以扎萨克领之。这样，清朝授予巴林部和扎鲁特部列入外藩蒙古行列，成为日后内蒙古四十九旗成员。

当然，扎鲁特部并非悉数入扎萨克旗，其一部分仍然编入八旗。1626 年，爱新国出征扎鲁特部，捕获了巴克贝勒在内的十四名扎鲁特部贵族及其妻子、属民和家畜。爱新国将其大部分放归牧地，但将部分与爱新国皇室有姻亲关系的贵族及其属民编入八旗。他们是扎鲁特左翼巴颜达尔伊勒登后裔喀喇巴拜一系和右翼都喇勒诺颜子孙中的巴克系统。

喀尔喀万户的右翼即分封给格埒森札的部分从喀尔喀河向西北发展。蒙古左右翼联合讨灭兀良哈万户后，兀良哈万户的原牧地肯特山周围地区被格埒森札所领喀尔喀占领。当蒙古左翼各部纷纷南下之际，格埒森札及其哑叭太（阿巴岱）相继吞并达延汗子五八山只所属巴儿虎部以及成吉思汗弟别里古台后裔所属阿巴哈纳尔等部，占据漠北中心地带迅速强大。

1543 年，格埒森札来库库和屯（呼和浩特）觐见已经称汗的俺答，并领养俺答一女①，从此阿鲁喀尔喀与满官嗔—土默特部建立了长期的、密切的政治经济联系。约在 1548 年②，格埒森札死，其后七子析产，逐渐形成了七大鄂托克。《大黄史》和《阿萨喇克其史》所记七子所属各鄂托克为：

---

① 中国第一历史档案馆、内蒙古大学蒙古学学院编辑、整理：《清内阁蒙古堂档》第 6 卷，内蒙古人民出版社 2005 年版，第 49—53 页。

② 《阿萨喇克其史》说格埒森札生于癸酉年，36 岁时卒，民族出版社 1984 年版，第 117、119 页。癸酉为 1513 年，由此可推知其卒年约在 1448 或 1449 年。

长子阿什海分得兀甚、札剌亦儿二鄂托克，次子诺颜泰分得别速惕、燕只斤（Eljigin）二鄂托克，三子诺诺和分得柯尔刻、郭尔罗斯二鄂托克，四子阿敏分得霍洛（Qoruγu）、库里叶、绰虎尔（Čoquγur）三鄂托克，五子塔尔尼分得 Kükeyid、哈答斤二鄂托克，六子德勒登分得唐兀惕、撒儿塔兀勒二鄂托克，幼子贝玛只分得兀良哈一个鄂托克①。但两书反映的已不是格埒森札死后初次分封时的情况。从蒙古文史书的有关线索分析，最早分封给格埒森札的喀尔喀各鄂托克应包括札剌亦儿、柯尔刻、别速惕、库里叶等几个鄂托克。库里叶、别速惕两个鄂托克名见于《俺答汗传》有关征讨兀良哈万户的记事中②。而札剌亦儿、柯尔刻见于《大黄史》，如前所述，是达延汗分封诸子前早已存在的强大的鄂托克。

第三节　鄂尔多斯万户及其牧地

鄂尔多斯（Ordos，明代汉籍又译作阿儿秃斯，斡耳笃思等）这个部名来源于蒙元时代的宫帐斡耳朵（Ordo），是斡耳朵一词的复数形式，表示诸斡耳朵。达延汗曾祖父阿噶巴尔津（阿八丁王）和父孛罗忽济农曾是鄂尔多斯部的统治者。1476年，孛罗忽济农被杀后，其部众被满都鲁、乱加思兰吞并，鄂尔多斯部成了应绍不部的附庸。达延汗时代，鄂尔多斯部首领是满都赉阿哈剌忽，他与亦不剌、火筛三人成为当时右翼三大部异姓贵族首领。右翼叛乱被镇压后，达延汗将自己的第三子巴儿速孛罗分封到鄂尔多斯部，巴儿速孛罗也就成为了右翼三万户的盟主。1519年，巴儿速孛罗长子麦力艮继承其父位，任鄂尔多斯万户济农，在统领鄂尔多斯万户的同时成为整个蒙古右翼的宗长和盟主。"济农（吉囊）"是元代王号"晋王"的蒙语音汉写。最早揭开济农一称的谜底的是日本学者冈田英弘。他根据鄂尔多斯万户的统治者世袭济农称号，鄂尔多斯部又供奉成吉思汗大斡耳朵的事实推论，济农一词当是元代汉语王号"晋王"一词的音译，达延汗的祖先应是

---

①　沙斯契娜：《大黄史》，第110页；《阿萨喇克其史》，第117页。

②　珠荣嘎译注：《俺答汗传》，内蒙古人民出版社1991年版，第29页。

鄂尔多斯部的领主。① 冈田此说很有道理。从语音上讲，Jinong 无疑是 jin Ong（晋王）的连读形式。1292 年，忽必烈封其长孙甘麻剌为晋王，驻守怯绿连河上游之成吉思汗大斡耳朵之地，统领成吉思汗四大斡耳朵及蒙古本土百姓②。后来，四大斡耳朵属民后裔被称作"鄂尔多斯"（意为成吉思汗诸斡耳朵属民）。晋王握有重兵，权力很大。甘麻剌子也孙帖木儿就以晋王登上皇帝宝座。泰定帝也孙帖木儿又封自己的次子八的麻亦儿间卜为晋王。1328 年，两都之战中元文宗获胜，晋王被杀。此后甘麻剌一系就失去了晋王之位，也失去了对蒙古本土的统治权。但是，晋王的崇高地位直到后来仍为蒙古人所共知。15 世纪中叶，蒙古大汗脱脱不花仿元朝制度，授予自己的弟弟阿巴丁晋王——济农称号，让他统领成吉思汗四大斡耳朵及其属民。大约在此时，作为万户集团的鄂尔多斯已经形成。当也先与脱脱不花决战时，阿噶巴尔津背叛其兄，投降瓦剌，致使脱脱不花惨败。阿噶巴尔津及其子哈拉固楚克台吉虽投靠了也先，最后还是被也先杀害。哈拉固楚克台吉死后，其妻（也先之女）生下他的遗腹子把颜猛克，是为达延汗父孛罗忽济农。他是明代蒙古史上第二位拥有济农称号的人。继阿噶巴尔津为济农、统治鄂尔多斯万户的是阿噶巴尔津孙孛罗忽济农。可能是也先死后不久，随着东蒙古与瓦剌的分裂，原阿噶巴尔津部众就拥立孛罗忽为自己的首领了。天顺三年（1459 年），孛罗忽以其本名"伯颜王"见于《明实录》③。成化六年（1470 年），孛罗忽与斡罗出进驻河套，并与明朝通贡，引起明朝的关注④。这时的孛罗忽已是一个大部落集团的首领，统治着鄂尔多斯万户。据《黄金史》等蒙古文史书记载，孛罗忽济农本名伯颜猛克，孛罗忽是其称号。如此说可信，那么，孛罗忽之名在成化六年第一次出现时他已是鄂尔多斯部的首领了。成化十一年（1475 年），在孛罗忽谦让之下，其叔祖满都鲁登上了蒙古大汗之位。蒙古文史书多次提到满都鲁无嗣男，死后其妻妾部众

---

① ［日］冈田英弘：《达延汗六万户的起源》，《榎博士还历纪念东洋史论丛》，山川出版社 1975 年版。

② 《元史》《泰定帝纪》卷 29，中华书局 1974 年版。

③ 《明英宗实录》，天顺三年正月辛卯条。

④ 《明英宗实录》，成化六年十月丙午、丁巳条，十一月甲午，成化七年三月壬午条。

将归孛罗忽①，可能当时满都鲁与孛罗忽达成了某种协议，即满都鲁死后，汗位由孛罗忽继承。成化十二年，孛罗忽以及部下丞相猛可、知院满都被满都鲁、乩加思兰杀死，从此鄂尔多斯部统治权就落入异姓贵族之手。16 世纪初鄂尔多斯万户的统治者是满都赉阿哈剌忽。"阿哈剌忽"是"阿哈剌忽知院"或"阿哈剌忽平章"的省称。从满都赉的地位看，他应是阿哈剌忽知院。他是在孛罗忽被杀后取代其位成为了鄂尔多斯万户的首领。满都赉与亦思马因、火筛三人统治着右翼三万户，是当时最有势力的异姓贵族之一。

达延汗即位后，特别是战胜权臣亦思马因之后，便着手进一步巩固大汗权威。他对当年其父被害，世袭领地——鄂尔多斯万户统治权落入异姓贵族之手—事耿耿于怀。因此在削弱异姓贵族的权力时首先从鄂尔多斯万户"开始"，派自己的儿子兀鲁思孛罗到鄂尔多斯部任济农，恢复对鄂尔多斯万户的直接统治。结果遭到右翼异姓大封建主的联合抵抗，兀鲁思孛罗被杀。1509 年答兰特哩衮之战中，鄂尔多斯万户遭重创。《黄金史》说，当时鄂尔多斯万户之士卒误将左翼兀良哈万户的旗纛认作自己万户的旗纛，结果遭到左翼各部的屠杀。战后鄂尔多斯万户的一部分投降达延汗，一部分则随亦不剌西迁。大约在嘉靖初年，鄂尔多斯万户西迁的部分也来降②。这样，鄂尔多斯万户就彻底归属于巴儿速孛罗子孙。

据《九边考》记载，鄂尔多斯万户最初有七营即七鄂托克。经过长期的战争，到墨尔根吉囊时只有四营，他们分别是偶甚、孛哈厮、叭哈思纳（"思纳"当是"纳思"的倒误）、打郎。墨尔根吉囊死后，他的九个儿子析产，于是就出现了"八鄂托克鄂尔多斯"之说。这是因为墨尔根第七子哥落哥（把图玛伞巴斡）早死无嗣，其部众归其同母兄第六子克邓威正（巴札尔卫征）长子多尔济之故。这样，九子析产后实际上形成了八大鄂托克。八子又以母系分为左右翼，右翼以麦力艮吉囊的康里—杭锦氏长妃所生长子那言大儿济农及其嫡系为首，左翼以火筛女所生花台吉及其嫡系为首。

达延汗去世后，北元大汗直属部众在大漠南北大规模迁徙游牧的历史结束，鄂尔多斯等右翼三万户的牧地开始稳定在今内蒙古中、西部地区。最

① 朱风、贾敬颜：《汉译蒙古黄金史》，第 187、79 页；乌兰：《〈蒙古源流〉研究》，第 281 页。
② 王琼：《北虏事迹》，《金声玉振集》本。

初，三万户一同游牧，冬居河套，夏天出套向北，分散驻牧于大青山、阴山以北地区。不久，右翼三万户各自的牧地形成，鄂尔多斯万户占据了河套及其以北的阴山山脉和以西的阿拉善地区以及今甘肃省东南部地区。

大约 1627 年开始察哈尔向西迁徙。1628 年，林丹汗在艾不哈之役（地在今内蒙古达茂旗境内艾不盖河一带）大败土默特和永谢布右翼蒙古联军，从而控制了鄂尔多斯部。1632 年，皇太极发动了对察哈尔的远征。林丹汗得报后，仓促撤退，渡黄河而西逃。呼和浩特又被爱新国军占领。1634 年，林丹汗得知爱新国和蒙古各部联军又要出征，率部向青海转移，途中病死于甘肃大草滩（今甘肃天祝藏族自治县境内）。林丹汗死后，其属下察哈尔及刚征服的蒙古各部人心离散。同年鄂尔多斯济农额林沁归附爱新国。皇太极命他们收集部众驻牧于原牧地。

第四节 满官嗔——土默特万户及其牧地

满官嗔—土默特万户的核心是蒙古化的兀者人。"兀者"意为森林人，明代直译为"女直野人"。蒙古文史书称"兀者"或"我着"为 Üjiyed。从语言学角度看，这完全符合蒙古语习惯。据和田清考证，兀者又作兀的改（兀的哥），"兀者"是通古斯语 Weji（森林）之音译，而"兀的改"之"兀的"（Üdi）意为森林，"改"或"哥"（kai）指人。"兀的改"就是森林人——野人。永乐十一年（1413 年）所立永宁寺碑蒙古文碑文中，兀的改（野人）一词作 Üdigen[1]。按蒙语习惯，称部族名称时用复数，因此，Üdigen 就自然地变成了 Üdiged。又，蒙语词中"di"音节往往发生音变，成为"ji"。这样，"Üdiged"就成了"Üjiged"，而"Üjiged"的口语形式就是"Üjiyed"。蒙古文史书中的"Üjiyed"就是这样从"Üdigen"、"Üdiged"演变过来的。

驻牧于嫩江流域的兀者人，很早就成为辽王家族的属民，并经历了蒙古化的过程，因此蒙古人称他们为"满官嗔"。"满官嗔"一词是由 Mongyol（蒙古）加上附加成分 jin（嗔、津）组成的。这个词早在 13 至 14 世纪就已

---

① 钟民岩、那森柏、金启孮：《明代奴儿干永宁寺碑记校释》，《考古学报》1975 年第 2 期。

出现。在《元朝秘史》中首先以女性人名出现，如"忙豁勒真豁阿"（Mongɣoljin qo-a）①。这里 Mongɣoljin 表示"忙豁勒真豁阿"来自蒙古部。在另一种场合 Mongɣoljin 一词又被当作与"蒙古"词义相近的词来使用。《元朝秘史》第 202 节在谈到成吉思汗建立蒙古国时说：成吉思汗将"众部落百姓收捕了"。蒙古文原文作"忙豁勒真兀鲁昔只卜失耶仑巴剌周"，旁译"达达百姓行整治了着"。这里"忙豁勒真"一词的意思是"类蒙古"、"蒙古式"。此外，Mongɣoljin keleten 指蒙古语族诸部。1290 年，伊利汗国阿鲁浑汗写信给天主教教皇尼古拉四世，对教皇劝其信仰天主教之事作出答复，其中提到："我们成吉思汗的子孙按自己的方式生活"。原文就作"Mongɣoljin duraber aju"②。这里的 Mongɣoljin 一词与《元朝秘史》第 202 节所见义同。Mongɣoljin 一词在 15 世纪以部名出现，其字形与读音与《元朝秘史》中的 Mongɣoljin 一词完全相同。作为部名"满官嗔"——Mongɣoljin 仍表示"类蒙古"之义，也就是说该部人本非蒙古人，而是渐已蒙古化了的异族人。兀者人属通古斯语族，与蒙古人族属不同。故称之为"满官嗔"。明人也知道他们与蒙古人的这些差别，因此在后来称火筛及其部众为"虏之别种"、"他种精兵"。③

满官嗔—土默特部的历史与卜剌罕卫密不可分。或者说，卜剌罕卫是研究满官嗔—土默特部历史变迁的一条重要线索。1389 年，元朝辽阳行省辖境内的辽王（成吉思汗幼弟斡赤斤后裔）阿札失里率部降明。明朝在其地设泰宁、朵颜、福余三卫。三卫初设不久，辽王阿札失里等便叛去，作为羁縻卫所的三卫也就名存实亡了。明成祖即位后，招抚元辽阳行省辖境内的蒙古、女真各部，永乐元年（1403 年）重设三卫。次年，任命脱儿火察为都督佥事，哈儿兀歹为都指挥同知，同掌朵颜卫事；安出及土不申俱为都指挥佥事，同掌福余卫事；忽剌班胡为都指挥佥事，掌泰宁卫事④。复设三卫

① 《元朝秘史》第 3 节。
② 《阿鲁浑致尼古拉四世之信》，道布：《回鹘式蒙古文文献汇编》，民族出版社 1983 年版，第 48 页。
③ 严从简：《殊域周咨录》卷 18 说："或曰火筛乃虏别种，号鹅掌鞑靼"。"鹅掌"就是"兀者"（或"我折"、"我角"）的异译。
④ 《明太宗实录》，永乐元年十一月辛卯条，二年四月己丑条。

后，三卫境内及附近的蒙古女真各部大小头目纷纷遣使朝贡。明朝则"来者不拒"，分别授予这些来贡的大小头目以明朝官职，同时颁发印信，根据其居地设立卫或所，致使永乐初年东北地区卫所泛滥。卜剌罕卫正是这些名目繁多的卫所之一。据《明实录》记载，1406年，"亦答鲁、能木里女直野人头目赵州不花"等来朝贡马，明朝设密陈、卜剌罕二卫，命赵州不花为指挥、千百户、镇抚等官，并赐印告。① 女直野人即兀者人。"能木里"指的是嫩江。嫩江的蒙古名为 Naun Mören，明代标准汉译"脑温江"。"能木里"中的"木里"是蒙语 Mören（江）的音译，"能"则是"脑温"即"Noun"的异译。卜剌罕卫在嫩江即能木里一带，或者说所谓的卜剌罕卫人众是指嫩江一带的居民。能木里即嫩江一带是三卫之一的福余卫的根据地。福余卫人众的故土在嫩江东岸支流瑚裕尔河一带，福余卫之名就来源于瑚裕尔河。直到正德年间，福余卫仍占据着嫩江一带。正统十一年和十二年，三卫遭瓦剌也先袭击，朵颜、泰宁二卫降也先，唯独"福余卫人马奔恼温江"②。恼温江即嫩江。可知到正统年间，三卫虽已南下，但仍未放弃其原来的根据地。

卜剌罕卫是福余卫属卫，卜剌罕卫和福余卫人众都是兀者人。前引《明实录》永乐四年（1406年）十月庚寅条称能木里等地来贡头目即卜剌罕等卫头目赵州不花等人为"女直野人"。女直野人或女真野人是明代文牍对松花江、嫩江直至黑龙江一带的兀者人的统称，也叫兀者野人或野人。兀者人是女真人的同族，与蒙古人族属不同。从卜剌罕卫头目被称作"女直野人"这一点可以肯定他们是兀者人。不但如此，整个福余卫的主体都是兀者人。据茅元仪《武备志》和王鸣鹤《登坛必究》及郭造卿《卢龙塞略》等书中北虏译语部分所载，福余卫的蒙古名为"我着"③，此"我着"即是"兀者"的异译。因为卜剌罕卫是福余卫属卫，所以它被称为"女直野人"即兀者，是情理之中的事。他们是福余卫的同族，现在要效仿福余卫，与明朝建立长期的朝贡贸易关系。

---

① 《明太宗实录》，永乐四年（1406年）十月庚寅条。

② 《明英宗实录》，正统十二年九月己酉条。

③ 《武备志》卷227，《登坛必究》卷22，《卢龙塞略》卷19。

福余卫两个掌卫事中，安出及其后裔长期保持着与明朝的交往，而土不申之名再也没有出现在明人记载中。同样，卜剌罕卫之名也经过长期沉寂后，突然在1461年出现，与朵颜卫一同遣使明朝。明朝因卜剌罕卫是"祖宗所设"，重新发给印信。此后在整个成化年间，持有卜剌罕卫印信的阿剌忽知院①脱罗干多次与明朝交往、朝贡、贸易。阿剌忽知院脱罗干就是后来蒙古大汗满都鲁、达延汗部下"大酋"脱罗干。

脱罗干之名最早见于《明宪宗实录》成化十五年（1479年）的纪事中。当时他是蒙古大汗满都鲁的部下，因与亦思马因合谋杀死了专权跋扈的太师乩加思兰而为明人所瞩目②。次年，脱罗干又与亦思马因一起作为刚刚即位的小王子达延汗手下的两个大头目出现③，其官称就是阿哈剌忽知院。此人就是卜剌罕卫头目脱罗干。脱罗干之子为火筛。④ 据蒙古文史书，满都鲁无男嗣，只有二女。其一嫁乩加思兰，另一个嫁满官嗔—土默特部主火筛⑤。火筛在蒙古文史书中称塔不囊（又译倘不浪），塔不囊"是王子家女婿即仪宾"⑥，也就是驸马，火筛因娶了满都鲁之女才有此称。《明实录》也

---

① 元朝灭亡后，北元政权长期沿袭元朝管制，蒙古各部首领仍旧拥有元代某些高级官号，如太师、知院、平章等。"阿剌忽知院"就属这类官称。知院是元代中央军事机构枢密院长官知枢密院事的简称，亦称枢密知院。"阿剌忽"又译"阿哈剌忽"，其蒙古文原文为"Aqalaqu"，意为"第一"、"为首"。元制，诸位枢密知院和中书省长官诸位平章政事（简称平章）均有位次排列，其中居知院首位者称"阿哈剌忽知院"，而居平章首位者则称"阿哈剌忽平章"。元明汉籍有时把"阿哈剌忽知院"和"阿哈剌忽平章"译为"为头知院"、"首平章"、"头平章"等。明代蒙古首领中的"阿哈剌忽知院"之称虽直接来源于元代旧制，但是随着北元政权的游牧化，知院等官称逐渐失去了原意，成为异姓贵族的尊号。一般说来，到了15世纪中叶，拥有"知院"称号者大都是一个大的部落集团（万户、兀鲁思）的统治者。特别是居"知院"之首的"阿哈剌忽知院"，其地位与权势仅次于"头等握兵大酋"——太师（有时太师兼称阿哈剌忽知院）。北元可考的第一位阿哈剌忽知院是大名鼎鼎的阿鲁台，他以太师兼称阿哈剌忽知院。阿鲁台之后称阿哈剌忽知院的是孛的打力麻（详见宝音德力根：《释明代蒙古官称"阿哈剌忽知院"和"迭知院"》，《内蒙古大学学报》1996年第2期）。而第三位知院就是这位卜剌罕卫头目"阿哈剌忽知院"。

② 《明宪宗实录》，成化十五年五月庚午条。

③ 《明宪宗实录》，成化十六年十月壬申条。

④ 马文升：《为会集廷臣计议御虏六路以绝大患事疏》，《皇明经世文编》卷64；《明孝宗实录》，弘治十二年五月乙丑。

⑤ 朱风、贾敬颜：《汉译蒙古黄金史》，第79、187页。乌兰：《〈蒙古源流〉研究》，第282—283页。

⑥ 王士琦：《三云筹俎考上·夷语解说》，《国立北平图书馆善本丛书》第一集。

说卜剌罕卫与满都鲁和亲。① 此事正是指脱罗干之子火筛娶满都鲁幼女之事。这一点可以说明卜剌罕卫头目阿剌忽知院就是满官嗔部主脱罗干。魏焕《皇明九边考》在记载当时由俺答统治的满官嗔部时曾提到："满官嗔部下为营者八，旧属火筛，今则大酋俺答阿不孩领之"②。可见火筛与其父脱罗干是满官嗔—土默特部的统治者。《黄金史》对于脱罗干的身世和事迹有明确的记载。其大意为：一日，癿加思兰太师正在凉羊汤喝。满官嗔（又称土默特）部土不申（Tübšin）之子赛音脱罗干（Sayin Tölögegen）因口渴，向癿加思兰太师求羊汤。癿加思兰恶意地将凉好的羊汤倒入另一碗中，然后盛了一碗热羊汤给了脱罗干。脱罗干不知，将热羊汤喝到了嘴里，结果烫掉了上腭皮。脱罗干发誓，此仇至死不忘，并寻机报复。后来，达延汗率领察哈尔、土默特两个万户征讨癿加思兰。癿加思兰兵败逃走，脱罗干与汉人之子兀弩骨赤（Ünügüci，意为牧山羊羔者）一同追上癿加思兰，将他杀死。③

　　这段传说中的满官嗔或土默特部赛因脱罗干，指的就是火筛之父、满官嗔部主脱罗干。"赛音"是个美称（表示对大汗或黄金家族有功），脱罗干之子火筛亦有此号，称"赛音火筛"（Sayin Qošoi）。脱罗干杀死癿加思兰一事在《明宪宗实录》中也有记载：癿加思兰专权跋扈，"满都鲁部下大头目脱罗干等不分（忿），与亦思马因谋杀之，遂立亦思马因为太师"。④ 此事发生在成化十五年（1479 年）。《黄金史》的记载来源于传说，时间有误。把满都鲁率脱罗干杀死癿加思兰一事，安到了达延汗头上。癿加思兰在达延汗即位前已死去，时间是成化十五年（1479 年）春。同年夏，满都鲁亦死，达延汗才即位。

　　《黄金史》说脱罗干之父为土不申。我们认为这个土不申就是永乐二年（1404 年）被明朝封为都指挥佥事的福余卫掌卫事土不申，从其生活年代看，土不申应是脱罗干祖父。与土不申一同被任命为福余卫掌卫事的安出及其子可台，自永乐以来一直与明朝保持着密切的联系。唯土不申却再也没有

---

① 《明宪宗实录》，成化二十三年三月癸卯条。

② 《皇明九边考》卷 7《榆林镇·边夷考》；郑晓：《皇明北虏考》的记载与之略同。

③ 朱风、贾敬颜：《汉译蒙古黄金史》，第 91—92、194—195 页；罗藏丹津：《黄金史》，第 162—163 页，乌兰巴托 1990 年影印本。朱风、贾敬颜：《汉译蒙古黄金史》将"脱罗干"译作"图鲁格根"。

④ 《明宪宗实录》，成化十五年五月庚午条。

出现在明人的记载中。这一点与卜剌罕卫从永乐初至天顺末半个多世纪不见于明人记载之事极为相似。因此，我们可以推断脱罗干之父（或祖）土不申就是福余卫第一位任掌卫事之一的土不申，他率领着包括卜剌罕卫在内的部分福余部众很早就投靠了蒙古本部。

除阿剌忽知院脱罗干以外，卜剌罕卫头目中还有一个名叫脱脱罕的"虏酋"。成化六年（1470年）卜剌罕卫入贡时，他的名字排在阿剌忽知院脱罗干之前。由此可知他才是当时包括卜剌罕卫在内的那个部落集团的最大统治者。《明宪宗实录》成化九年（1473年）十月己巳条称脱脱罕为"郑王"①。从拥有"郑王"王号这一点，我们可以断定脱脱罕是黄金家族成员，地位尊贵。从蒙汉文史料勘比中可以看出，卜剌罕卫头目郑王脱脱罕就是蒙古文史书中的多罗土蛮部主、哈赤温后裔瘸太子，也即《明宪宗实录》中的瘸太子，《皇明北虏考》中的瘸王子。"郑王"则是哈赤温家族王号"济南王"的音讹。可见在福余卫、卜剌罕卫部众在宣德初从嫩江流域南下后，一部分被临近的哈赤温后裔控制。

蒙古文史书《大黄史》和《蒙古源流》都记载了哈赤温（成吉思汗同母弟）后裔，土默特或多罗土蛮部主 Doγolang tayiji 杀死蒙古大汗马可古儿吉思一事②。Doγolang tayiji（清译为多郭朗台吉）译成汉语就是瘸太子。《皇明北虏考》在谈及也先死后的东蒙古形势时，曾提到"孛来、瘸王子为雄，孛来、瘸王子又弑其主小王子。"这个被孛来、瘸王子杀死的小王子当指马可古儿吉思，而瘸王子就是"瘸太子"。看来，蒙古文史书所载瘸太子杀死马可古儿吉思可汗之事并非无稽之谈，瘸太子确有其人，他还出现在《明宪宗实录》成化十年（1474年）七月辛巳条的记事中，曰"敕宣府、大同、居庸关、永平、山海、辽东等处镇守总兵等官，各严兵备虏，以边报虏酋乩加思兰及瘸太子等众近境也"。这个与太师乩加思兰一同活动的瘸太子当然就是蒙古文史书所说的土默特部（又称多罗土蛮部）主瘸太子，也即与孛来一起杀死马可古儿吉思可汗的瘸王子。

---

① 原文作："命卜剌罕卫使臣平章打兰帖木儿等皆进一级，余千户、镇抚冠带有差。从知院嗔伯干、郑王脱脱罕请也。"

② 沙斯契娜：《大黄史》，第68页；乌兰：《〈蒙古源流〉研究》，第279页。

《大黄史》和《蒙古源流》还交代了瘸太子及其统治的土默特或多罗土蛮部的最后结局。大意谓：由于瘸太子杀死了马可古儿吉思可汗，满都鲁即位后便为马可古儿吉思复仇，将瘸太子杀死，占据了瘸太子的多罗土蛮部。① 如将《大黄史》、《蒙古源流》这段记载与《明实录》有关卜剌罕卫与满都鲁联姻一事相比较，就会发现，二者实指同一历史事件。《明实录》所说卜剌罕卫头目脱罗干（即满官嗔—土默特部主脱罗干）与满都鲁联姻是指脱罗干为其子火筛娶蒙古大汗满都鲁之女一事。由于与满都鲁联姻，卜剌罕卫便断绝了同明朝的交往。《大黄史》和《蒙古源流》所记满都鲁杀死多罗土蛮—土默特部主哈赤温后裔瘸太子之后，占据了多罗土蛮—土默特部，即满官嗔部之事，可理解为蒙古大汗满都鲁杀死瘸太子，将原属瘸太子的脱罗干部众夺取，并将自己的女儿嫁给脱罗干之子火筛，从此以脱罗干、火筛为首的这批满官嗔人就成为北元大汗直属部众。满官嗔人一度被哈赤温后裔统治，而哈赤温后裔所部兀鲁思——万户名为多罗土蛮（意为七万户，表示该部在某一时期由七个鄂托克组成），因此满官嗔人有时也以宗主部落的名出现，称多罗土蛮，省称土蛮—土默特。对于满官嗔部早年曾被哈赤温后裔统治一事，罗桑丹津《黄金史》有记载。罗氏在叙述成吉思汗弟哈赤温及其后裔统治下的部众时说：成吉思汗之弟哈赤温之子按赤歹（Alčitai），脱罗干（Tölögen）那颜的另一圈［百姓］和两个（Ongniɣud）、喀喇车里克（Qara čerig）部的王、那颜都是他的后代②。罗氏所说脱罗干那颜的一圈子百姓指的就是早期的满官嗔—土默特部，也就是多罗土蛮部。而两个翁牛特和"喀喇车里克部"指的是清初的翁牛特和喀喇车里克部。瘸太子被杀后，多罗土蛮部由往流诸部之一变成了蒙古大汗满都鲁统治下的六大部或六万户之一，而新的万户长就是原瘸太子郑王脱脱罕部下——卜剌罕卫头目兀者人脱罗干。

成化十五年（1479 年）春，蒙古大汗满都鲁与权臣乜加思兰反目，满都鲁与脱罗干率察哈尔、满官嗔—土默特二部之兵击败并杀死乜加思兰。自脱古思帖木儿被也速迭儿杀死后，北元大汗在与权臣的斗争中从未获胜，因

---

① 沙斯契娜：《大黄史》，第 69 页；乌兰：《〈蒙古源流〉研究》，第 281—282 页。
② 罗藏丹津：《黄金史》，第 173 页。

此满都鲁战胜乩加思兰就显得意义重大，可以说这是黄金家族复兴的里程碑。后来达延汗能在政治上进行一些改革是与满都鲁的事业分不开的。

杀死专权跋扈的太师乩加思兰，然后拥立亦思马因为太师，在成化十五年（1479 年）初的这次政变中脱罗干起了关键作用，可以说是主谋。以此为契机，脱罗干、火筛父子统治下的满官嗔部开始在东蒙古政治舞台上发挥重要作用。

成化十五年（1479 年）夏，蒙古大汗满都鲁在战胜乩加思兰后不久便死去①。同年，年仅七岁的把秃猛可即位，是为达延汗。在拥立把秃猛可为大汗的过程中，起关键作用的当然是手握重兵的太师亦思马因和第一知院脱罗干等人。《黄金史》等蒙古文史书从黄金家族正统观念出发，有意贬低异姓贵族的历史作用，因此在谈到达延汗的拥立者时，只字不提亦思马因和脱罗干等人，反而拔高满都鲁遗孀满都海的地位和作用，大书特书满都海如何拥立达延汗。这些都是不可轻信的。即使满都海在拥立达延汗时起了重要作用，那也是以脱罗干为后盾的。因为满都海就来自脱罗干统治下的满官嗔——土默特部之汪古惕鄂托克②。

成化十五年（1479 年），达延汗即位。次年，脱罗干与亦思马因作为刚刚即位的小王子达延汗手下的两位"大酋"出现在《明实录》中③。当时亦思马因的官称是太师，而脱罗干的官称则是阿剌忽知院即第一知院，其地位在达延汗六万户异姓贵族中仅次于亦思马因。成化十九年（1483 年），达延汗与太师亦思马因发生冲突。亦思马因被打败，西逃至"甘肃以北亦集乃等处"④ 的老巢。此后，脱罗干及其子火筛便先后成为达延汗手下领兵打仗的第一大酋⑤。在成化末至正德初的二十多年里，脱罗干、火筛父子异常活跃，他们的名字频频出现在明人的记载中。明人记载蒙古首领，除小王子

---

① 《明宪宗实录》，明朝得到乩加思兰的死讯是在成化十五年五月庚午，而得到满都鲁的死讯是在同年七月庚辰。

② 朱风、贾敬颜：《汉译蒙古黄金史》第 75、185 页。

③ 《明宪宗实录》，成化十六年四月辛未、十月壬申条。

④ 许进：《平番始末》，纪录汇编本。

⑤ 如弘治元年达延汗用武力逼迫明朝通贡，"阿剌忽知院脱罗干引兵四万，款塞求贡"。通贡协议达成后，在遣使的各位大酋中脱罗干之名排在小王子及阿儿脱歹王、脱脱孛来进王之后，列异姓贵族大臣之首。

达延汗外，只知脱罗干、火筛父子。

取消太师一职后，位居诸位知院之首的第一知院便成了异姓贵族最尊贵的官职，因此，脱罗干作为第一知院自然成为达延汗手下第一"大酋"。打败亦思马因时，达延汗只有 11 岁。此时达延汗便能认识到太师专权的消极后果，取消太师一职，以削弱异姓贵族权力，固然证明小王子达延汗"为人贤智卓越"，撤销太师之职时作为"诸酋"之首的脱罗干肯定起了至关重要的作用。

脱罗干死后，其子火筛继为满官嗔—土默特部的统治者。火筛是个智勇双全的"大酋"。在他的统治下，满官嗔部比脱罗干时更为强大。弘治十二年（1499 年）以后，火筛的满官嗔部经常入侵明朝边境。弘治十三年正月在神木"以计诱杀"明军，二月又"以诈大败"明军于大同，十月又入大同西路①。仅二月份大同之役就杀死明军九百余人，"被伤及抢掠人畜无算"②。明边将和兵部首脑们甚至认为"火筛比之也先，枭雄尤甚"③。因此，火筛的行踪与动向就成为明朝关注的焦点。

脱罗干、火筛父子的强大反映了当时达延汗六万户之间实力对比的变化。在满都鲁时代，六万户中最为强大的是乜克力贵族乩加思兰统治下的应绍卜部。其次是直属满都鲁的察哈尔部。后来，应绍卜首领乩加思兰被满都鲁、脱罗干杀死，继为万户长的亦思马因太师又被达延汗打败西逃。从此应绍卜部发生分裂，实力遭到削弱。应绍卜部的强大地位随即被察哈尔、满官嗔部取代。满官嗔部成了仅次于察哈尔的第二大部。因此，在六万户的异姓贵族中再也无人能与脱罗干、火筛父子相比。此外，火筛的特殊身份也对其的强大产生了一定的影响。火筛是前一任大汗满都鲁的驸马，其妻是满都海所生。后来，满都海又改嫁达延汗。所以，火筛与达延汗之间政治联姻关系较为稳固，辈分关系也较为复杂④。

---

① 马文升：《为会集廷臣计议御虏六路以绝大患事疏》，《皇明经世文编》卷64。

② 《明孝宗实录》，弘治十三年四月癸卯条。

③ 马文升：《为会集廷臣计议御虏六路以绝大患事疏》。

④ 满都鲁是达延汗的曾叔祖，故满都鲁之婿火筛是达延汗的姑祖父。但另一方面，达延汗是火筛之妻的继父，因此也可以认为达延汗是火筛的岳父。在蒙古文史书中，达延汗之子巴儿速孛罗称火筛之妻为 Egeči（姑、姐），可能是以母系称呼的。因为火筛之妻与达延汗诸子均是满都海所生，为同母异父姊弟。

火筛统治时期，满官嗔—土默特万户共有八营。1508 年，火筛与应绍卜部主亦不剌（Ibarai）、鄂尔多斯部主满都赉阿哈剌忽（Mandulai aqalaqu）等人杀死了前来右翼担任吉囊的达延汗次子兀鲁思孛罗（Ulusbolod），率右翼三万户发动叛乱。汉籍对右翼叛乱也有所反映，多次提到亦不剌等人曾被小王子打败之事。但对满官嗔部火筛是否参与亦不剌等人的叛乱无明确记载。只是提到在正德三、四年火筛与小王子仇杀等事。蒙古文史书在谈到同一问题时也颇有差异。如《黄金史》说杀死兀鲁思孛罗后，右翼贵族曾商议处死巴儿速孛罗，当时就有火筛在场；达兰特哩衮之战中满官嗔部也属右翼阵营①。但《蒙古源流》却不提火筛要杀害巴儿速孛罗一事，反而说火筛极力保护巴儿速孛罗，并在达兰特哩衮之战时为达延汗通风报信②。对于火筛投降达延汗之事，《俺答汗传》放在达兰特哩衮之战前叙述，而《黄金史》则放在达兰特哩衮之战后叙述③。通过对蒙汉文史料的对比研究，我们发现，火筛不仅参加了右翼叛乱，而且在叛乱中起了关键作用。

据《明武宗实录》正德三年十月丁丑条载，原属脱罗干部的兀弩骨赤"因虏相仇杀，得隙率其家属二十一人来降"，并说"兀弩骨赤等本山西人，其父为虏所掠，属虏酋脱罗干部下酋"。脱罗干是火筛之父，所以，兀弩骨赤属火筛统治下的满官嗔部。"虏相仇杀"正指达延汗与火筛之战。《皇明北虏考》说火筛"日强跋扈，与小王子争雄长"亦指此事而言。《万历武功录·俺答列传上》载正德四年十一月"火筛与小王子相仇杀"也应指此事，只是其纪年有误，应以《明实录》为准。

同年，达延汗率部征讨右翼，结果在土儿根河（今呼和浩特附近的大黑河）被火筛打败，火筛率部追击达延汗至哈海额列速（今西乌珠穆沁旗境的噶海额列苏），大掠而还。④ 次年，达延汗重整旗鼓，率左翼察哈尔、喀尔喀、兀良哈三万户以及合撒儿后裔所属科尔沁（明译好儿趁）万户的兵马在达兰特哩衮（今鄂尔多斯市鄂托克旗东北达楞图如湖）之地击败右

---

① 朱风、贾敬颜：《汉译蒙古黄金史》，第 94、196 页。
② 乌兰：《〈蒙古源流〉研究》，第 355—356 页。
③ 珠荣嘎译注：《俺答汗传》，第 26 页；朱风、贾敬颜：《汉译蒙古黄金史》，第 98、198 页。
④ 乌兰：《〈蒙古源流〉研究》，第 356—357 页。

翼。右翼叛乱是由达延汗进一步削弱异姓贵族权力引起的。打败亦思马因、取消太师一职后，达延汗的统治日渐稳固，汗权有所加强。在此基础上，他要进一步削弱异姓贵族的权力，派自己的次子兀鲁思孛罗到鄂尔多斯部，三子巴儿速孛罗到满官嗔部，试图剥夺右翼异姓贵族对各部的世袭统治权，代之以自己的子孙。

在右翼三万户中，火筛部众最多，实力最强，地位也最尊。因此，明方更注意他的动向。汉籍将达延汗征讨右翼之战记作"火筛与小王子仇杀"等也是很自然的事情。最初，明方并不重视亦不剌等人。只是到了后来，亦不剌等人西迁甘肃边外，对明朝边境构成威胁时，明方才注意到他们。蒙古文史书在谈到右翼叛乱时，强调亦不剌等人是因为他们长期与达延汗及其子孙为敌。对火筛参加右翼叛乱之事遮遮掩掩，则是由于火筛在达兰特哩衮之战后不久即投降了达延汗，并保护了留在右翼中的达延汗之孙俺答。可能是由于火筛家族与《蒙古源流》作者萨冈彻辰家族有世代联姻关系①，所以《蒙古源流》有意美化右翼叛乱中的火筛。

镇压右翼异姓贵族叛乱后，达延汗将自己的子孙分封到各部。达延汗长子图鲁孛罗夭折，没有留下后嗣。次子兀鲁思孛罗被亦不剌等人杀害，留下两个儿子不地和也密力。不地作为达延汗长孙被确立为蒙古大汗的皇储，并直接统治原来直属满都鲁、达延汗的察哈尔万户。达延汗第三子巴儿速孛罗被分封在鄂尔多斯部任吉囊。至此，达延汗终于将原属其父孛罗忽统治的鄂尔多斯部众夺回。第四子阿儿速孛罗（Arsubolod）则被分封到了满官嗔—土默特部。

阿儿速孛罗在汉籍中被称为"满官嗔"，亦称"我折（或我角）黄台吉"。"满官嗔"是其受封的万户名。"我折"或"我角"是"兀者"或"我着"的异译。满官嗔部统治者脱罗干、火筛父子出身于卜剌罕卫兀者人，所以满官嗔部又可被称作我折或我角部。由于阿儿速孛罗领有满官嗔万户，即我折部，所以被称为满官嗔台吉、我折黄台吉。由此，我们有理由认为，达延汗最早分封诸子时，其第四子阿儿速孛罗被封到了满官嗔部，火筛

<hr>

① 萨冈彻辰之曾祖父诺木达尔尼霍阿台吉（麦力艮吉囊第四子），就是火筛之女所生。乌兰：《〈蒙古源流〉研究》，第355页。

之后满官嗔万户的最高统治者是阿儿速孛罗。但是不久满官嗔—土默特万户的最高统治权便落入了巴儿速孛罗俺答手中。《俺答汗传》说，巴儿速孛罗死时，俺答13岁，此后与其兄麦力艮吉囊等人占据着右翼三万户①。从这里可以推断，满官嗔部进入俺答统治之下是在巴儿速孛罗死前。俺答夺取满官嗔—土默特部最高统治权与其父巴儿速孛罗篡夺蒙古大汗之位密不可分。

在右翼叛乱之前，达延汗曾派次子兀鲁思孛罗到鄂尔多斯部，这是达延汗分封诸子的最初尝试。结果遭右翼异姓贵族的反抗，兀鲁思孛罗被杀。蒙古文史书均记载，当兀鲁思孛罗被害时，巴儿速孛罗住在满官嗔部首领火筛家。由此可以推测，达延汗当初有意将巴儿速孛罗分封到满官嗔部。但是，由于兀鲁思孛罗被害，达延汗在镇压完右翼叛乱后正式分封诸子时，就不得不改变原来的设想。他决定由兀鲁思孛罗之子不地继承自己的汗位，改由巴儿速孛罗到右翼鄂尔多斯部担任吉囊。派巴儿速孛罗到右翼可能有两个原因，一是巴儿速孛罗在镇压右翼叛乱时立过战功；二是他是达延汗健在的诸子中最年长者，去镇守刚刚被征服的鄂尔多斯部更为合适。巴儿速孛罗任鄂尔多斯部吉囊后，达延汗第四子阿儿速孛罗很自然地顶替其兄，被分封到了满官嗔部。这样，右翼三万户中保存下来的相对完整的鄂尔多斯部和满官嗔部就被达延汗年长的两个儿子巴儿速孛罗和阿儿速孛罗所占据。

达延汗死后，汗位并没有像他所设想的那样马上由不地继承，而是被巴儿速孛罗窃取。据《黄金史》记载，巴儿速孛罗趁不地年幼（达延汗死时不地13岁）篡夺了汗位。后来不地前来兴师问罪，巴儿速孛罗只好将汗位让给不地。② 汉文文献有关记载也证明巴儿速孛罗确实窃取了汗位。③ 总之，在从达延汗死后到不地即位的四年（1516—1519年）时间里，东蒙古汗位在巴儿速孛罗手中。巴儿速孛罗利用手中的大权，对由达延汗分封诸子而业已定型的右翼诸部最高统治权作了一些改动。剥夺达延汗四子阿儿速孛罗对满官嗔部的最高统治权，代之以自己的儿子俺答，只为阿儿速孛罗留下满官

---

① 珠荣嘎译注：《俺答汗传》，内蒙古人民出版社1991年版，第28页。

② 朱风、贾敬颜：《汉译蒙古黄金史》，第99—100、199页。

③ 《皇明北虏考》说："阿著称小王子，未几死。"但在汉籍中对巴儿速孛罗即阿著称汗一事记载最明确的是《皇明修文备史》中的《北虏世代》，称："赛那郎，一名阿著，系歹颜汗第三子，继父而立，亦称小王子，众酋尊为洒阿剌罕。""洒阿剌罕"就是巴儿速孛罗的汗号"Sayin Alay"的音译。

嗔部六鄂托克之一的多罗土蛮鄂托克。就这样，原满官嗔—土默特部万户之最大统治者沦落为附属于俺答的一个鄂托克主。阿儿速孛罗能继续统治一个鄂托克，是得益于蒙古黄金家族财产分配的原则，即大汗可以剥夺其他黄金家族成员的部分人户，但不能完全取消他们的世袭统治权。

　　值得一提的是，在巴儿速孛罗诸子中，俺答能够被派到满官嗔部，还有另一个偶然因素。兀鲁思孛罗被杀死后，巴儿速孛罗带着长子麦力艮吉囊逃回达延汗处，而将次子俺答留在满官嗔部星盖（Šingkei，《蒙古源流》作 Šinikei，锡尼凯）家。达兰特哩衮战后，火筛决定降达延汗，俺答就成了"奇货"。《俺答汗传》说，白马年即正德五年（1510 年）星盖将俺答送与达延汗，"使祖孙二人平安相见"。① 这实际上应指火筛带着俺答前来归顺达延汗之事。俺答幼年的经历，使他与火筛家族和满官嗔部结下了不解之缘。所以，当巴儿速孛罗长子墨尔根被指定为汗位或吉囊之位的继承人后（如果大汗之位能留在巴儿速孛罗家族，那么墨尔根就是汗位继承人。由于巴儿速孛罗让位于不地，麦力艮只好继承吉囊之位），次子俺答便被分封到了满官嗔—土默特部。

　　俺答汗统治初期，满官嗔—土默特万户共有六营，分别是多罗土蛮、畏吾儿、兀甚、兀鲁、王吉剌（弘吉剌）。其中多罗土蛮鄂托克归阿儿速孛罗子孙，兀甚则归俺答弟拉布台吉，因而他有"兀慎打儿汗台吉"称号。其牧地，俺答直属以今呼和浩特为中心，跨大青山南北；拉布台吉在克儿即今黄旗海子一带；多罗土蛮最初可能在今巴彦淖尔盟北部地区，后来迁居青海。

　　丁卯年（1627 年）十一月，察哈尔征讨土默特部，土默特部首领卜失兔汗西走河套，呼和浩特被察哈尔占领。十二月底，林丹汗自呼和浩特攻打大同以北的土默特左翼诸鄂托克，在此，又一次和喀喇沁部主力交锋。喀喇沁汗和洪台吉西逃，不久和东土默特部鄂木布主营一起攻占了呼和浩特，使察哈尔蒙受了一些损失。但是察哈尔大军立即反扑，重新夺取了呼和浩特，赶走了喀喇沁和东土默特联军。史称这次战役为"赵城之战"（赵即昭）。戊辰年（1628 年）八月，土默特和永谢布右翼蒙古联军在艾不哈之地（今

---

　　① 珠荣嘎译注：《俺答汗传》，内蒙古人民出版社 1991 年版，第 25 页。

内蒙古达茂旗境内艾不盖河一带）又被察哈尔部击败，林丹汗征服了土默特等右翼蒙古。

天聪六年（1632 年）四月，皇太极发动了对察哈尔的远征。林丹汗得报后，仓促撤退，渡黄河而西逃。呼和浩特又被爱新国军占领。1634 年，林丹汗得知爱新国和蒙古各部联军又要出征，率部向青海转移，途中病死于甘肃大草滩（今甘肃天祝藏族自治县境内）。林丹汗死后，其属下察哈尔及刚征服的蒙古各部人心离散。同年，土默特部汗鄂木布归附爱新国。皇太极命他们收集部众驻牧于原牧地。

第五节　应绍卜—喀喇沁万户及其牧地

16 世纪末，以原应绍卜万户的喀喇沁、阿速等部和满官嗔—土默特万户的一部分以及被他们征服的部分山阳万户属民组成了喀喇沁万户。即喀喇沁万户是达延汗第三子巴儿速孛罗后裔与成吉思汗名将者勒蔑后裔花当子孙统治下的兀鲁思。

喀喇沁是一个历史悠久的蒙古人游牧集团。"喀喇沁"一名，源于元代的"哈剌赤"。"哈剌赤"之名源于酿造黑马乳或被称作"细乳"的钦察人的职业。13 世纪上半叶蒙古帝国西征征服了高加索地区的钦察人。钦察首领归附蒙古后，世代掌管元朝皇室的马群。据《元史》记载，土土哈之父班都察"尝侍左右，掌上方马畜，岁时拥马乳以进，色清而味美，号黑马乳，因目其属曰哈剌赤。"[1] 因此，班都察之属钦察人还被称作"哈剌赤"。因为元朝的钦察人得名为"哈剌赤"，其军队也随之被称为"哈剌赤军"，哈剌赤军的精锐被编为元廷的钦察卫，世代由土土哈家族掌管。哈剌赤军队则驻防在漠北地区，仍归土土哈家族管辖。土土哈和床木儿父子率领哈剌赤军，为元廷屡建战功。元朝灭亡后，哈剌赤军和与之相关的哈剌赤牧户变成了强大的部族集团，15 世纪中叶以后归应绍卜万户。喀喇沁万户是在应绍卜万户的基础上发展壮大起来的。

应绍卜万户源远流长。应绍卜，又作"永绍卜"、"应绍不"、"雍谢

---

[1] 《元史》中华书局标点本 1983 年版，第 3132 页。

布"、"永谢布"等。应绍卜一名起源于元代云需府。云需府是云需总管府的简称，是为专门管理上都附近的元朝皇帝察罕脑儿行宫各类事务而设立的官僚机构。① 元朝皇帝来察罕脑儿行宫住夏，主要为放鹰捕猎，因此，这里由元朝怯薛执事中的昔宝赤——鹰人管理，总管府官员也由他们担任。元末这里聚集了为察罕脑儿行宫和上都服务的农耕、畜牧、手工业各色人口几十万人。在元末大动乱中，元廷官僚集团、怯薛、侍卫亲军以及大量皇室私属人口北撤，属怯薛昔宝赤管理的云需府人众也一同被迁，成为北元大汗直属部众的核心。随着北元政权的游牧化，原云需府官员和人众就以官署名称为部名，形成了新的游牧集团。北元大汗直属部众最初由忽必烈后裔北元大汗和主持日常行政、军事事务的大官僚太师等人提调。后来，由于北元汗廷的衰弱和大汗权威的下降，北元大汗直属部众大部分被异姓权臣控制，应绍卜万户也就以北元最大权臣——太师的属部出现。

应绍卜万户最早的统治者是阿速氏宫廷贵族阿鲁台。他统治着包括元朝侍卫亲军主力阿速、钦察（哈剌陈）、昔宝赤（即狭义的云需府—应绍卜）、奴母嗔（意为弓匠，是云需府的匠人后裔）等鄂托克。阿鲁台败亡后，其子伯颜帖木儿及原阿鲁台部众的核心部分投降瓦剌，成为新任大汗脱脱不花的部下。这时，伯颜帖木儿官衔是第二知院，势力虽不及当年阿鲁台，但还直接控制着阿速、哈剌陈、昔宝赤—应绍卜等鄂托克，因此他和他的儿子阿里麻在蒙古文史书中被称作"应绍卜的"。

伯颜帖木儿与也先一同被杀，其部下哈剌陈的孛来代之而起，成为长期把持东蒙古朝政的太师。孛来统治下的应绍卜万户逐渐恢复了阿鲁台世代的强大，整个应绍卜万户，其子孙势力在各鄂托克中一直最为强大，所以，应绍卜万户便有了第二个名称——哈剌陈万户。

孛来被东道诸王后裔毛里孩杀死，北元大汗直属部众势力遭到削弱。不久以哈密北山为根据地的灭克力人乜加思兰的兴起，东征吞并原孛来、斡罗出部众，成为把持东蒙古朝政的新太师。在乜加思兰、亦思马因统治时期，应绍卜万户中新增加了被蒙古人称之为"委兀慎"的灭克力以及瓦剌阿剌

---

① 参见亦邻真：《蒙古人的姓氏》（蒙古文），《亦邻真蒙古学文集》，内蒙古人民出版社2001年版。

后裔所属巴儿虎、不里雅特等部众或鄂托克。

亦思马因被达延汗打败西逃，应绍卜万户一度被瓦剌也先之孙亦不剌控制。据明人记载，亦不剌统治下的应绍卜万户包括哈剌陈、阿速、舍奴郎（舍郎奴）、当喇儿罕、荒花旦（晃豁坛）、塔不乃麻（五投下）、叭儿廠（巴儿虎）、孛来（不里雅特）、奴母嗔、失保嗔（昔宝赤）等十营。足见亦不剌统治下的应绍卜万户之强大。1508 年，亦不剌同鄂尔多斯的满都赉阿哈剌忽和满官嗔—土默特的火筛等作乱，执杀达延汗派往鄂尔多斯作济农的次子乌鲁斯博罗特。1510 年，达延汗率领左翼三万户及科尔沁万户，在达兰特哩衮与右翼三万户进行决战，平定右翼叛乱，亦不剌和满都赉阿哈剌忽逃至青海，火筛投降。

达延汗分封子孙后，以原应绍卜万户为核心，形成了巴雅斯哈勒（Bayasqal）统治下的新的喀喇沁万户。最初，没有随亦不剌西迁的哈剌陈、阿速两鄂托克相对完整地被达延汗幼子那力不剌占据。后来，应绍卜万户最高统治权被巴儿速孛罗第四子巴雅斯哈勒把持手中，巴雅斯哈勒统领原来的哈剌陈鄂托克，那力不剌子失喇台吉统领阿速鄂托克。

巴雅斯哈勒年轻时骁勇善战，故有把都（儿）称号，年迈后称老把都（这一称呼在汉籍中常见）。他大约在 15 世纪 30 年代末就从蒙古大汗不地那里获得了昆都力哈这个汗号，成为整个哈剌陈万户的汗王。处于察哈尔万户和满官嗔—土默特万户两强之间的巴雅斯哈勒，既能辅佐其野心勃勃的兄长俺答，又能与蒙古大汗达来孙、土蛮保持良好的关系。因此，在巴雅斯哈勒统治下的哈剌陈万户得以迅速发展壮大。在他统治时期，夺取失喇台吉统领的阿速鄂托克的主体，归其幼弟卜只达剌统治。接着，右翼达延汗子孙征服了迁居青海的亦不剌、卜儿孩所属瓦剌、委兀慎部众，也被划归哈剌陈万户，归卜只达剌子恩克跌儿大成台吉直辖。

喀喇沁万户的最高统治者是喀喇沁汗与洪台吉。喀喇沁的第一任汗是达延汗第三子巴儿速孛罗的第四子巴雅斯哈勒（1510—1572 年）。他在喀喇沁称汗后，自取尊号"昆都伦汗"（即汉文史料中的"昆都力哈"）。他的长子以黄把都儿著称于世，名摆三忽儿，号威正台吉。摆三忽儿在其父亲在世时就已经死去。所以喀喇沁的第二代汗是黄把都儿的长子白洪大。继白洪大成为喀喇沁汗的是其长子绰斯奇卜。绰斯奇卜长子拉斯喀布即喀喇沁末代汗。喀喇沁汗位一直由巴雅斯哈勒汗的嫡长子一系独占。洪台吉是万户中仅次于汗的大头目，相当于副汗。巴雅斯哈勒汗的嫡幼子一系担任洪台吉一职。他们的牧地在旧元上都一带，包括今锡林郭勒盟南部旗县和化德县、克什克腾旗西部以及临近这些地区的河北省沽源、崇礼、张北、保康等地。

16 世纪中叶，原山阳万户首领影克丞相就是成吉思汗功臣者勒蔑后裔、兀良哈首领花当的重孙，明人记载中的大名鼎鼎的影克。他是花当的嫡系，率领兀良哈万户的核心力量归附了俺答汗。俺答汗将其赐予喀喇沁的昆都伦汗巴雅斯哈勒。喀喇沁黄金家族和这些兀良哈贵族的联盟形成了"山阳诸诺颜和塔不囊"集团的左翼，是新的喀喇沁万户的核心。附属于哈剌陈的朵颜卫兀良哈塔不囊各部的牧地则以今宁城县、喀喇沁旗为中心，包括辽宁省喀左旗、建昌县以及河北省丰宁、滦平、平泉、承德、隆化等县境。

喀喇沁万户与爱新国交往时间较晚，是在丁卯年（1627 年）林丹汗西征时。是年十月，林丹汗攻打喀喇沁万户左翼，喀喇沁汗剌思乞卜和洪台吉布延阿海等大败，部众离散，察哈尔西攻土默特，占领呼和浩特。大致十一月末十二月初，喀喇沁和一些右翼蒙古部落联合发动了对察哈尔的一次反扑，即所谓的"赵城之战"。喀喇沁联军先胜后败。喀喇沁汗等往其塔不囊处，很快从那里派出使臣，邀爱新国共同讨伐察哈尔。

1628 年初，喀喇沁台吉和塔不囊的使臣抵达沈阳，谎称喀喇沁和右翼蒙古联军在呼和浩特消灭了察哈尔四万军队，约爱新国天聪汗与他们一起乘胜出兵，攻打察哈尔林丹汗。天聪汗得到喀喇沁方面具有诱惑力的战报后，得出了"察哈尔汗之根本已动摇"的结论，决定在这年夏末同嫩科尔沁、喀喇沁一起出兵察哈尔部。由于驻牧在敖木林（大凌河）一带的察哈尔左翼鄂托克阻碍了爱新国和喀喇沁的交通，天聪汗在戊辰年（1628 年）二月和五月两次用兵敖木林。第二次敖木林战役刚一结束，爱新国立即派使者带"誓词"（即盟约条款）到喀喇沁。喀喇沁方面修改了"誓词"的某些内容，在保留他们领受明朝市赏权利的基础上，与爱新国联盟。七月中旬喀喇沁 500 人的庞大使团抵沈阳，受到爱新国的隆重欢迎和盛情款待。戊辰年（1628 年）八月三日，皇太极等爱新国最高统治者和拉斯喀布等喀喇沁最高执政者，以同等的身份，用同样的仪式，向天地告誓，结为盟友。这是一个反明朝、反察哈尔的同盟。天聪汗等满洲统治者和拉斯喀布汗等喀喇沁统治者的地位是同等的。

满洲与喀喇沁结盟后，立即组织了一次远征察哈尔的军事行动。这次远征完全是喀喇沁人敦促成行的。喀喇沁汗与洪台吉向天聪汗建议，目前察哈尔力量单薄，在明朝与察哈尔联手之前，应迅速采取军事行动。天聪汗采纳了喀喇沁的建议。因爱新国最大的盟友蒙古科尔沁部的拒绝使这次远征半途而废。天聪六年夏四月初一日（1632 年 5 月 19 日），满蒙联军第二次远征察哈尔。参加这次远征的喀喇沁、土默特军队，主要是塔不囊军队。

在爱新国与明朝的关系中，喀喇沁、土默特人扮演了特殊的角色。满洲人不征调喀喇沁、土默特参加征明战争，是为了利用他们对明朝的"边防属国"的名分。喀喇沁、土默特的塔不囊们，自其先世以来，向明朝称臣，作明朝的"属部"，被称为"属夷"或"守口夷人"。苏布地等人累世作"朵颜卫都督都指挥"，与明朝保持稳定的贸易关系，接受明廷的抚赏。这一方面是为了避免遭到明朝的军事打击，另一方面是为了保证同明朝的传统经济贸易关系。喀喇沁万户与明廷的上述历史关系，对爱新国有其独特的利用价值。在满明对立时，天聪汗故意让喀喇沁人保持中立态度，不暴露他们和爱新国的亲密关系。然而 1631 年以后，喀喇沁和其他蒙古部一样，多次被征调参加了对明战争。

16 世纪末 17 世纪初，永谢布的首领为博迪达喇长子恩克跌儿大成台吉，继大成台吉统治永谢布的是其长子七庆台吉，驻牧大青山北苏尼特草原一带。博迪达喇次子也辛跌儿之子七庆把都儿台吉率巴儿忽鄂托克远徙青海，征服一些藏族部落。阿速特部的首领为博迪达喇幼子火落赤，继火落赤统治阿速特部的是唐兀台吉，驻牧永谢布领地东。永谢布和阿速特部统治者都奉喀喇沁首领为自己的汗。永谢布、阿速特部在喀喇沁汗的麾下，逐渐形成了强大的喀喇沁万户。

喀喇沁万户中的一个成员就是满官嗔—土默特部的一支东土默特。东土默特的成立始于俺答汗的长子僧格洪台吉。僧格的封地在土默特部的东部，分布在今河北省沽源、张北、尚义等县和内蒙古兴和县以及与这些县为邻的察哈尔南部各旗的地方。僧格与俺答的关系不睦，他在东方逐渐发展为一个较为独立的势力。1550 年，"庚戌之变"后，僧格继续向东方扩张势力，经营朵颜兀良哈的一些部落，为后来东土默特部的形成打下了坚实基础。后

来，僧格在东边的鄂托克由他的儿子噶尔图（明代史料中又称之为赶兔）
及其弟弟们继承，最终形成为东土默特部，离开满官嗔—土默特万户，归依
了喀喇沁万户。东土默特首领与兀良哈贵族联姻，形成了"诺颜—塔不囊"
体系。联姻的具体情况，大致是山阳万户的贵族向有势力的黄金家族成员
"事以子女"，男儿称"塔不囊"（即"王子家女婿"）、女子称"比只"（源
于汉语妃子，指"各台吉之妻，与宗室妃同"）。东土默特台吉以及与之联
盟的兀良哈塔不囊都被称作"喀喇沁之某某台吉或塔不囊"。东土默特与山
阳万户的联盟，是"山阳诸诺颜塔不囊"集团的右翼。山阳，指兴安岭以
南地区，诺颜相当于台吉，指喀喇沁、土默特黄金家族领主，塔不囊则指与
他们建立长期稳定的联姻关系的兀良哈贵族。东土默特诸诺颜的根据地在今
北京市怀柔县北、延庆县东，河北省赤城县东部黑河以东以及丰宁县西南
部。东土默特诸塔不囊的牧地在河北省丰宁县西部和南部，围场县、隆化县
境内的伊逊河、蚁蚂吐河一带，以及从平泉县西部到辽宁凌源县、建昌县
一带。

　　由于东土默特部地处喀喇沁部之南，和爱新国距离遥远，直到 1629 年
双方并无使节来往。天聪三年（1629 年）四月，爱新国初次派遣使者到东
土默特部首领鄂木布楚库尔（又作敖目，俺答汗玄孙赶兔之子）和其他执
政塔不囊处，劝他们和爱新国盟誓。天聪汗严厉指责敖目没有与喀喇沁一起
参加 1628 年对察哈尔的远征，威逼他们限期给爱新国送去有关察哈尔的谍
报。1629 年 6 月中旬，林丹汗大举进攻东土默特，鄂木布仓促退向白马关
边外。鄂木布一边抵抗察哈尔的进攻，一边和满洲爱新国进行积极联络。
1629 年派遣卓尔毕泰台吉抵盛京，正式表示归附天聪汗。① 之后，他并没有
直奔爱新国，而是率部东迁，到了明朝蓟镇边外游牧。1631 年 1 月，他第
一次到盛京拜见天聪汗，祝贺正旦②。

　　1635 年，爱新国在喀喇沁万户废墟上设立了十一个固山（旗）。其中，
喀喇沁黄金家族及其领民被编为八固山，与八旗满洲旧属蒙古合并，建立了
八旗蒙古。他们成为清代八旗蒙古的主要组成部分。另外还有三个特别固

---

①　参见《十七世纪蒙古文文书档案》第 19 份文书。
② 《旧满洲档》，第 3377—3378 页。

山，其第二和第三固山是由东土默特诺颜与塔不囊及其领民组建的。崇德二年以后，这三个特别固山演变成了外藩扎萨克旗。土默特的善巴一旗称为土默特左旗，俗称"蒙古镇旗"；鄂木布楚琥尔旗为土默特右旗。东土默特人是从蒙古中央六万户之一的满官嗔—土默特万户分离出来的，所以，他们自称土默特的同时，还自称做满官嗔。东土默特的塔不囊们也随之或自称土默特，或自称满官嗔，因此，满官嗔一名就保留在了东土默特塔不囊中。

关于土默特二旗的牧地，现在还没有能够直接说明的史料。但是无论如何，东土默特人绝对不是在 1636 年就被安排到至今居住的辽宁省境内的。据《蒙古游牧记》载，土默特左旗的牧地在库伦旗南，养息牧厂之西，东至岳洋河，南至什巴古图山，西至巴嘎塔布桑，北至当道斯河。土默特右旗地域在九关台、新台边门外，跨鄂木伦河（敖木林河），东至讷垿逊山，南至魏平山，西至鄂朋图山，北至什喇陀罗海①。也就是说，左旗基本相当于今辽宁省阜新县加内蒙古库伦旗东南部的地方，右旗地域相当于今辽宁省北票、朝阳二县境。但是，土默特二旗并不是清初就被安置在这里的。《蒙古游牧记》所记载的蒙古各旗牧地范围，只能反映 19 世纪当时的情况。

应绍卜与阿速在 1628 年秋抗击林丹汗的艾不哈之战中被击溃。应绍卜的大部分逃到外喀尔喀，其余融入察哈尔、土默特等其他蒙古部落中。速特部在越兴安岭奔喀喇沁的途中被"阿巴噶"劫夺。其余阿速特逃到了兴安岭南部的兀良哈旧地，被他们的原塔不囊部拒绝后，与一些溃散的喀喇沁、土默特等残部一起投奔了爱新国，同时被编入了八旗满洲，此外，还有部分阿速特人可能被察哈尔吞并。正因如此，入清以后，曾经十分强大的应绍卜、阿速两部在内蒙古历史舞台上完全销声匿迹了。

---

① 张穆：《蒙古游牧记》卷2。

第 十 一 章

内蒙古地区成吉思汗诸弟后裔属部及其牧地

成吉思汗四个弟弟合撒儿、别里古台、哈赤温和斡赤斤后裔统治下的部众被统称为往流。往流一词的蒙古文原文为 Ongliɣud，又作 Ongniɣud，是其音变形式。《黄金史》和《大黄史》称别里古台后裔毛里孩为"Ongliɣud 之毛里孩王"，而《蒙古源流》则作"Ongniɣud 之毛里孩王"就是最好的例证。清代汉文文献一般将 Ongniɣud 译为"翁牛特"。从词源上看，Ongliɣud 一词来源于汉语"王"，是在王之后附加突厥语词缀－liɣ 再加蒙语复数形式－ud 组成的（Ong+liɣ+ud 即 Ongliɣud），词义为"有王的百姓"或"王的属民"。

"王"特指元代东道诸王，以示与蒙古大汗的属民以及原阿里不哥的属民瓦剌相区别，反映了成吉思汗黄金家族的共产观念。对于忽必烈家族蒙古大汗而言，东道诸王又是他们的叔父家族，因此往流诸部又被统称为阿巴噶，意为"叔父的属民"，以此表示成吉思汗黄金家族内部的亲缘关系。直到 15 世纪后半叶，东道诸王后裔还保留着各自在元代的齐王、广宁王、济南王、辽王等王号以及固有的汗号。

第一节　合撒儿后裔属部及其牧地

15 世纪中叶，成吉思汗长弟合撒儿后裔统治下的部众以科尔沁（明代汉籍一般作"好儿趁"）这个万户——兀鲁思名称出现。"科尔沁"一词源自大蒙古国时代的怯薛执事"火儿赤"，汉译箭筒士。合撒儿封国的最高统治者均为合撒儿子移相哥后裔，因此科尔沁这个万户名与移相哥关系很大。

科尔沁万户的第一个统治者为合撒儿之十一世孙锡古锡台王（Šigüšitei ong）。锡古锡台王为汉文史料记载中出现的小失的王。① 据蒙古文史书记载：当东蒙古与瓦剌决战时，脱脱不花汗派麾下大将锡古锡台王出阵，杀死了也先手下大将鬼力赤。为此，也先称汗后杀死锡古锡台王，并将科尔沁万户的一部分人带回瓦剌，锡古锡台王长子孛罗乃也被带到瓦剌，次子兀捏孛罗（Ünebolud ong）因"住牧于斡难而逃难"，并一度成为科尔沁万户的统治者，后来孛罗乃被人护送至东蒙古，兀捏孛罗将王位让给了孛罗乃。② 此外，《黄金史》还记载了孛罗乃幼年在瓦剌历险时的一段故事③，说明此人自幼聪明伶俐。

孛罗乃（Bolunai）统治下科尔沁万户的势力进一步增强。天顺七年（1463 年）孛罗乃同北元大汗马儿古儿吉思一起遣使于明朝。④ 成化三年（1467 年），孛罗乃同毛里孩遣使于明朝。⑤ 次年，孛罗乃杀死把持东蒙古朝政的别里古台后王毛里孩之后成为东蒙古之最高统治者。但这种政局未能持久，东蒙古很快又分裂，孛罗乃部众"自相仇杀"，他只好迁往克鲁伦河一带驻牧。⑥ 成化六年（1470 年）五月，福余卫遣人向明朝奏报："孛革赞太师、孛罗乃王、孛罗丞相三人率万骑东行，又斡失帖木儿王率四万骑驻牧西北，阿罗出小石王率万骑同朵颜卫都督朵罗干男脱火赤二百骑在西。"得报后，明朝兵部尚书白圭言："孛罗乃王往年为斡失帖木儿所败，已奔卜剌罕卫。近报又云率众东来。盖此虏虽败亡之余，而部落犹多，恐实纠合丑类，收捕朵颜三卫用为向导，谋犯边境"。⑦ 成化四年或五年，孛罗乃部众

① 《明英宗实录》，正统四年正月癸卯条，八年正月壬午条，十年正月己亥等条；宝音德力根：《十五世纪前后蒙古政局部落诸问题研究》，内蒙古大学 1997 年博士学位论文，第 124 页。

② 佚名：《黄金史》，宝力高校注，内蒙古教育出版社 1989 年版，第 115—117、142—146 页。

③ 佚名：《黄金史》，宝力高校注，内蒙古教育出版社 1989 年版，第 143、144 页。

④ 《明英宗实录》，天顺七年六月丁亥条。

⑤ 《明宪宗实录》，成化三年三月乙丑条。

⑥ 《明宪宗实录》，成化五年十一月乙未条。

⑦ 《明宪宗实录》，成化六年五月乙酉条。

被当时的瓦剌太师也先之子斡失铁木儿打败，逃往卜剌罕卫，不久死去。①

孛罗乃之后，其弟兀捏孛罗继承齐王位，成为科尔沁万户的最高统治者。1479 年，满都鲁死后，兀捏孛罗向其遗孀满都海求婚，借此欲继承蒙古大汗之位。② 可见科尔沁万户势力之强大。

兀捏孛罗之后成为科尔沁万户的统治者的是孛罗乃长子阿儿脱歹王（Urtutai Ong）。阿儿脱歹王之名出现于《明实录》弘治元年（1488 年）的记载，在明朝受赏名单中位列第二，排在小王子（即达延汗）之后。③ 1508 年，阿儿脱歹王领科尔沁部众协助达延汗镇压了右翼三万户之叛乱。之后，他向达延汗提出瓜分右翼三万户的建议，遭到达延汗的拒绝。

到了 16 世纪初，阿儿脱歹王（“王”当即齐王）为首的其子孙在科尔沁万户内进行分封，形成了科尔沁右翼和左翼两大集团。右翼首领为以阿儿脱歹及其嫡系为首领。他们是整个科尔沁万户的宗长，统治着茂明安、塔本（即《译语》中塔崩）等鄂托克。④ 左翼首领是孛罗乃次子图美只雅哈齐（Tümi Jiyaqači，《王公表传》误读为图美尼雅哈齐——Tümi Niyaqači），后来其长子魁猛磕率领左翼部众的大部分南下大兴安岭驻牧于嫩江流域。原来属于左翼的魁猛磕弟巴衮和布尔海没有与其兄南下而仍留居呼伦贝尔一带。由于这里是大兴安岭山阴，因此他们被图美只雅哈齐家族长支嫩科尔沁称作“阿鲁科尔沁”。“阿鲁科尔沁”之称最初就是这样产生的，就是说“阿鲁”（山阴）“嫩［江］”或 ölge（山阳）之区别最初只限于图美只雅哈齐家族内部。⑤ 后来，这一称呼被扩大到了图美只雅哈齐兄阿儿脱歹家族茂明安等部。

到了 16 世纪末 17 世纪初，魁猛磕两个儿子博第达喇和诺扪达喇（纳木达喇）统治下嫩科尔沁万户发展为十大鄂托克或和硕（旗），并分为左右两翼。右翼以博第达喇大妃所生长子齐齐克（扯赤揩）独子翁果岱（恍惚大）

① 参见宝音德力根：《十五世纪前后蒙古政局部落诸问题研究》，第 45 页。

② 佚名：《黄金史》，第 173—180 页。

③ 《明孝宗实录》，弘治元年九月乙丑。

④ 梅日更葛根：《黄金史》，内蒙古文化出版社 1998 年版，第 74 页；《金轮千辐》，第 248 页。

⑤ 《蒙古回部王公表传》卷 30《阿鲁科尔沁部总传》，《四库全书》本；宝音德力根：《往流·阿巴嘎·阿鲁蒙古》。

和次子纳穆赛的三个儿子莽古斯、明安、洪果尔以及魁猛磕次子诺扪达来孙图美统治的五个鄂托克组成，每个鄂托克具体名称不详。左翼以博第达喇大妃所生幼子乌巴什两个儿子布颜图、莽果所属两个郭尔罗斯鄂托克和博第达喇西妃所生额勒济格·卓里克图七子所属七台吉鄂托克以及博第达喇东妃所生两个儿子爱纳噶、阿敏所属杜尔伯特、扎赉特等五个鄂托克组成。整个嫩科尔沁的最高首领为其长支齐齐克、翁果岱以及后来的奥巴等人。翁果岱有洪台吉（来源于汉语"皇太子"）号，称巴图鲁珲台吉，其子奥巴也称洪台吉。在合撒儿后裔所属整个科尔沁中，身为洪台吉的翁果岱、奥巴父子的地位仅次于其汗王塔本茂明安首领多尔济汗、车根汗等人。

同一时期的阿鲁科尔沁诸部的情况较为复杂。魁猛磕两个弟弟巴衮、布尔海留居呼伦贝尔，形成阿鲁科尔沁、乌喇特两部。至此巴衮后裔形成了阿鲁科尔沁、四子两个鄂托克，分别由巴衮长子昆都伦岱青之子达赖和幼子诺延泰之长子僧格统领。科尔沁长支、图美只雅哈齐兄阿儿脱歹系在这一时期的发展情况，因史料所限不太明朗。我们只知道阿儿脱歹长支以茂明安的名称于天聪七年（1633 年）归附爱新国。但还有更多的部众留居斡难河以及尼布楚一带。其中部分被喀尔喀汗国吞并，部分成为沙俄属民。[①]

此外，孛罗乃之弟兀捏孛罗因让位于孛罗乃而失去汗王之位，其部众没有发展成为独立的鄂托克。[②]

嫩科尔沁部　16 世纪 30 年代，嫩科尔沁首领魁猛磕与山阳喀尔喀首领虎喇哈赤二人率众随同达来孙南下大兴安岭游牧。[③] 他们南下之后打破了兴安岭以南只有兀良哈三卫游牧的传统局面，并同右翼喀喇沁万户一起瓜分山阳万户，形成了以达来孙为首的蒙古本部统治下的漠南新的游牧集团。

嫩科尔沁等三万户南迁后共同活跃于明朝边外，给明朝带来了一定的威胁。[④] 但由于游牧地邻近，他们之间也存在着矛盾和争执。首先是对明朝贸易关口的争夺。尤其是嫩科尔沁与内喀尔喀之间的冲突更为突出。据冯瑗著

①　胡日查、长命：《科尔沁蒙古史略》，第 72—73 页。

②　梅日更葛根：《黄金史》，第 72 页。

③　达力扎布：《明代漠南蒙古历史研究》，第 143 页。

④　《明世宗实录》，嘉靖三十四年四月丙子条；茅元仪：《武备志》卷 204《蓟镇》，清活字本；《万历武功录》卷 10《土蛮列传》（上）。

《开原图说》记载：嫩科尔沁之开原、铁岭边外的同明朝贸易的关口庆云堡等被内喀尔喀夺走之后，嫩科尔沁"避居江上，不敢入庆云市讨赏"。① 其次，嫩科尔沁与蒙古大汗土蛮汗之间因争夺达斡尔、索伦诸部产生了矛盾。据《蒙古源流》记载，土蛮札萨克图汗从女真、讷里古特（Neligüd，清汉译本误读为"额里古特"）、达斡尔（DaKiɣur）三种部族收取贡赋。② 土蛮汗从女真、讷里古特、达斡尔三部收取贡赋，其实就是在剥夺原来属于嫩科尔沁的这些部众。

《旧满洲档》中的一段记载足以证明土蛮汗、林丹汗时代察哈尔、喀尔喀与嫩科尔沁的矛盾与斗争。天命十一年（1626 年）六月六日嫩科尔沁首领奥巴同爱新国汗努尔哈赤盟誓的誓词中曰："……自扎萨克图汗以来，我等科尔沁部诸诺颜，欲与［察哈尔、喀尔喀］为善，诚心顺从，［彼等］不肯，不断地杀掠［我等］，毁灭了我们博罗科尔沁。此后，我们没有罪过，［他们］却杀死了达赖台吉。之后，宰赛来，杀害了六位诺颜。我等欲和善而不得，无罪而遭杀掠，为此我等抗拒了。因［我等］抗拒，察哈尔、喀尔喀怪恨我等，发兵来杀掠。蒙上天保佑，救了我们。亦大得满洲之汗保护……"③

1604 年，年少林丹继承蒙古大汗位，称呼图克图汗（1604—1634 年在位）。他曾采取了一系列措施强化汗权，但是蒙古各部封建主的离心倾向严重，各部封建主纷纷称汗，可汗大权衰落。

蒙古诸部中嫩科尔沁最先与爱新国发生关系。16 世纪 30 年代，科尔沁之一支在魁猛磕率领下迁居嫩江流域之后，统治了达斡尔、讷里古特、锡伯、卦尔察等部，并控制松花江、黑龙江一带的女真人。16 世纪末，努尔哈赤统一建州女真，开始攻打东海三部及扈伦四部。嫩科尔沁的切身利益受到损害。④

明万历二十一年（1593 年）九月，以叶赫部为首的扈伦四部与科尔沁

---

① 冯瑗：《开原图说·福余卫恍惚太等二营枝派图考》，玄览堂丛书本。
② 乌兰：《〈蒙古源流〉研究》，第 360—361 页。
③ 《旧满洲档》，第 2081 页。
④ 达力扎布：《明代漠南蒙古历史研究》，第 265、266 页。

等诸部结成的九部联军，攻击建州女真部。努尔哈赤迎战于浑河岸古埒山。这一战役以九部联军的惨败而告终。① 万历三十六年（1608 年）三月，努尔哈赤长子褚英、侄阿敏贝勒率五千兵征乌喇部。翁果岱、奥巴父子援乌喇部，因见爱新国兵势强盛不战而退。② 建州女真军的连续胜利使其在女真各部中的地位大大提高。古埒山之役的翌年（1594 年）正月，嫩科尔沁左翼首领明安、喀尔喀老萨向爱新国遣使，"自是，蒙古诸贝勒通使不绝。"③ 万历四十年（1612 年）正月，明安嫁女儿于努尔哈赤。④ 次年，明安侄莽古思又将女儿嫁给努尔哈赤第四子皇太极为妻。⑤ 1615 年，努尔哈赤娶明安弟洪果尔之女为妻。⑥ 婚姻的目的是努尔哈赤为了抬高自己在女真人各部中的威望和地位或者说强化其政权的权威，在刻意输入成吉思汗之弟的孛儿只斤氏血统。⑦ 同年九月、十月，明安之第四子桑噶尔寨、长子伊勒都齐分别前往爱新国，贡马。⑧ 次年十二月，明安次子哈丹巴图鲁也前往爱新国贡马。⑨ 天命二年（1617 年）正月，明安亲自前往爱新国，得到努尔哈赤的隆重款待。⑩ 但他们的关系不是发展得很顺利。1617 年以后，明安"废止台吉等亲行"爱新国之礼。⑪ 天命四年（1619 年）明安之子多尔济伊勒登又"分取"爱新国所虏获之叶赫部人畜。⑫ 同年，明安子小桑噶尔寨等为了从爱新国手中夺回与明朝互市的关口开原、铁岭两城，同翁吉剌特部首领宰赛及扎鲁特部台吉巴克、色本等人一起袭击占领铁岭的爱新国之军。结果惨败，小桑噶尔寨等人被俘。于是努尔哈赤致书洪果尔，向他提出极其苛刻的要求。即以

①　《清太祖实录》，癸巳年九月壬子朔条。

②　《清太祖实录》，戊申年三月戊子朔条。

③　《清太祖实录》，甲午年正月庚辰条。

④　《清太祖实录》，壬子年正月丙申条。

⑤　《清太祖实录》，癸丑年九月丁酉条。

⑥　《清太祖实录》，乙卯年正月戊申条。

⑦　参见［日］楠木贤道：《清初，入关前的汗、皇帝和科尔沁部上层之间的婚姻关系》，译文载《明清档案与蒙古史研究》第 1 辑，内蒙古人民出版社 2000 年版。

⑧　中国第一历史档案馆、中国社会科学院历史所译：《满文老档》上册，第 32、33 页。

⑨　中国第一历史档案馆、中国社会科学院历史所译：《满文老档》上册，第 49 页。

⑩　中国第一历史档案馆、中国社会科学院历史所译：《满文老档》上册，第 49、50 页。

⑪　中国第一历史档案馆、中国社会科学院历史所译：《满文老档》上册，第 393—394 页。

⑫　中国第一历史档案馆、中国社会科学院历史所译：《满文老档》上册，第 117 页。

被俘之小桑噶尔寨作为人质，逼迫嫩科尔沁部洪果尔嫁女于爱新国。① 天命八年五月，洪果尔终于嫁女于努尔哈赤十二子阿济格。② 爱新国与嫩科尔沁左翼之关系逐渐好转。天命六年，爱新国攻占沈阳、辽阳。次年，攻占察哈尔与明朝间通商关口广宁，乘此大捷，继续加强对嫩科尔沁和内喀尔喀的威胁与利诱，甚至与察哈尔属部敖汉、奈曼二部暗中交往。

天命八年正月，林丹汗走上了用兵嫩科尔沁部的道路。此时，嫩科尔沁部被夹在两大强敌之间，处于自身难保的境地。如何对付察哈尔林丹汗的讨伐，是科尔沁部首领奥巴面临的最大问题。他不得已向爱新国遣使求助。努尔哈赤借此机会极力挑拨嫩科尔沁与察哈尔之间的关系。五月三十日，努尔哈赤致书奥巴及嫩科尔沁之诸台吉，劝说"可推举一人为汗"。③ 奥巴接到努尔哈赤称汗的建议后，不久便称巴图鲁汗。④

一、天命九年二月，努尔哈赤派遣榜式希福、库尔缠二人到科尔沁，与奥巴等会盟，双方刑白马乌牛，向天地发誓结成反察哈尔、喀尔喀联盟。但是，直到次年初，察哈尔并没有对嫩科尔沁采取军事行动，因此，奥巴对爱新国的态度随之冷淡起来⑤，没有与努尔哈赤正式建盟。

二、奥巴称汗以及与爱新国建立政治军事联盟的行为引起了林丹汗的强烈不满。此时恰有林丹汗叔祖莽古尔泰歹青（布延车辰汗之弟）因与林丹汗不和率六子扎儿布、色冷、功革、石答答、刚里马、兀里占"叛归"奥巴。嫩科尔沁收留他们并于天命十年（1625 年）八月派遣扎儿布于爱新国。奥巴收留莽古尔泰歹青一事，直接导致林丹汗用兵嫩科尔沁。八月，奥巴急忙向爱新国求援，求援兵及"炮手千名"。十一月，林丹汗亲率大军攻打嫩科尔沁，围奥巴所居城格勒珠儿根城。响应林丹汗的有内喀尔喀首领宰赛和巴噶达尔汉（即暖兔）等台吉。初五日，奥巴遣使努尔哈赤说："察哈尔兵前来是真，能看见其影状。"次日，努尔哈赤令每八旗出二十个人，让孟格

---

① 《旧满洲档》，第 549—550 页，《满文老档》中没有该内容。
② 《清太祖实录》，天命八年五月丙午。
③ 《旧满洲档》，第 1588—1590 页。
④ 中国第一历史档案馆所藏档案，抄件由内蒙古大学蒙古史研究所宝音德力根研究员提供。
⑤ 参见巴根那：《科尔沁部与爱新国联盟的原始记载及其在〈清实录〉中的流传》。

图带领，遣往科尔沁。① 十一日，努尔哈赤亲命莽古尔泰贝勒、皇太极、阿巴泰台吉等人率精兵五千前往。

努尔哈赤则以援救嫩科尔沁为契机，加紧巩固与奥巴的政治军事联盟。次年五月，奥巴亲自前往爱新国谢恩，努尔哈赤厚赐奥巴等人。六月六日，在爱新国都城的南河岸上，奥巴同努尔哈赤一道，刑白马乌牛，向天地发誓，宣读双方永世反察哈尔反喀尔喀的誓言。爱新国与嫩科尔沁最高首领之间的这次盟誓，标志着双方于天命九年达成的反察哈尔联盟的正式生效。次日，努尔哈赤改赐奥巴以"土谢图汗"名号，以舒尔哈赤之子图伦台吉女肫姐（敦哲）嫁奥巴。并授奥巴从叔图美以"代达尔汉"号；奥巴弟布达齐以"扎萨克图杜棱"号，还赐扎赖特部阿敏之子贺尔禾代以青卓礼克图号。

嫩科尔沁虽然暂时摆脱了被林丹汗灭亡的厄运，但仍受强大的察哈尔、喀尔喀之军事威胁。天命十一年（1626 年）七月，乌济叶特部的炒花向奥巴通报喀尔喀五部派代表前往察哈尔与林丹汗会盟的消息。于是奥巴火速将这一消息传给了努尔哈赤。察哈尔与喀尔喀会盟，商讨的是如何征讨嫩科尔沁和爱新国之事。奥巴从炒花处得到这一消息之后急忙遣使通报。同时向努尔哈赤承诺，与爱新国一道对付察哈尔与喀尔喀。② 但不知为何，察哈尔与喀尔喀之联军始终未征讨嫩科尔沁和爱新国。

努尔哈赤、奥巴所建立的反察哈尔、喀尔喀政治、军事联盟是以爱新国汗为盟主、以嫩科尔沁汗（先是"巴图鲁汗"，后改称土谢图汗）为唯一结盟伙伴的近乎平等的关系。但是，两个多月之后努尔哈赤去世，皇太极即位。这位权力欲望极强的爱新国新汗对内加强中央集权，对外则不愿承认与嫩科尔沁等蒙古部落间的近乎平等的联盟关系。③

三、天聪元年（1627 年）冬，察哈尔部开始西迁。④ 对嫩科尔沁的威胁减弱。次年二月，皇太极征讨漠南察哈尔多罗特部，为了确保此次征战的

①　《旧满洲档》，第 1944—1945 页。

②　《旧满洲档》，第 2153、2155—2157 页。

③　参见［日］楠木贤道：《天聪年间爱新国对蒙古诸部的法律支配进程》，日本社会文化史学会 1999 年 10 月编：《社会文化史学》第 40 号，第 20—37 页；译文《蒙古史研究》第 7 辑。

④　参见达力扎布：《明代漠南蒙古历史研究》，第 294—297 页。

胜利，皇太极向奥巴为首的嫩科尔沁六位首领致书，要他们出征察哈尔汗城，分散林丹汗的注意力。但是，奥巴并没有按皇太极的旨意出兵。① 同年四月，奥巴还致书皇太极，委婉地索要由科尔沁转投爱新国的巴林、扎鲁特部众。②

四、天聪元年年底，喀喇沁部台吉、塔布囊致书皇太极，诡称右翼三万户和阿鲁蒙古之联军在昭之城（今呼和浩特）消灭了林丹汗四万军队，并煽动爱新国乘此机会出兵察哈尔。③ 次年九月，皇太极决定亲率爱新国军队和蒙古各部军队出征察哈尔。与爱新国有联盟关系的敖汉、奈曼、内喀尔喀、喀喇沁等部军队先后来会师。但是，奥巴拒绝了。由于人马众多的奥巴没有前来会师，皇太极感到没有把握取胜察哈尔，只好退兵。皇太极精心组织的一次远征就这样流产了。科尔沁部只有莽古斯之孙满珠习礼及孔果尔子巴敦掠察哈尔后前来。其余台吉自行回军。

奥巴的所为让皇太极恼羞成怒。此时爱新国已基本控制了敖汉、奈曼、内喀尔喀、喀喇沁和东土默特诸部，其实力地位日益加强。皇太极再不能容忍奥巴与之分庭抗礼。天聪二年十二月，皇太极派索尼、阿朱户往奥巴处，致书谴责奥巴对爱新国的种种"背信弃义"行为，罗列其多项"罪状"。④

五、当时，由于察哈尔西迁和内喀尔喀的溃散，爱新国再也没有必要姑息和迁就奥巴，奥巴深感来自爱新国的强大压力。天聪三年一月，没有退路的奥巴只好亲自至爱新国"认罪"，修复双边关系。同年三月奉天聪汗之命，爱新国与嫩科尔沁重新"商定"律令，迫使嫩科尔沁接受与爱新国一同出征明朝的义务。⑤ 这就是《清太宗实录》所谓"上颁敕谕于科尔沁、敖汉、奈曼、喀尔喀、喀喇沁五部落令悉遵我朝制度"。⑥ 同年十月奥巴不敢违背皇太极指令，率部首次参加爱新国对明朝战争。从此嫩科尔沁等蒙古诸

---

① 《十七世纪蒙古文文书档案》，第 1 和第 13 份文书。
② 《十七世纪蒙古文文书档案》，第 46 份文书。
③ 参见乌云毕力格：《从 17 世纪蒙古文和满文"遗留性史料"看内蒙古历史的若干问题，（一）"昭之战"》，《内蒙古大学学报》（蒙古文）1999 年第 3 期。
④ 《十七世纪蒙古文文书档案》，第 13 份文书。
⑤ 《十七世纪蒙古文文书档案》，第 16 份文书。
⑥ 《清太宗实录》，天聪三年正月辛未条。

部逐渐成为爱新国之附庸。在此前与爱新国建立联盟关系的蒙古诸部并没有随爱新国出征明朝的义务。天聪元年七月，爱新国与敖汉、奈曼建立反林丹汗联盟时，在誓词中甚至特别强调"若不思（敖汉、奈曼）依附天聪汗之心，将敖汉、奈曼视若自己的百姓而带入墙（长城）内，则天聪汗、大贝勒、阿敏贝勒、莽古尔泰贝勒、……等遭天谴折寿"①。将蒙古各部捆绑在爱新国对明朝的战争机器上，这是蒙古各部与爱新国平等或近似平等的所有联盟的终结，是蒙古被爱新国征服的标志。

六、嫩科尔沁从嫩江流域迁徙到西拉木伦河流域的时间是 17 世纪 30 年代初。天聪四年（1630 年）八月，察哈尔征讨阿鲁部，于是邻近阿鲁部的嫩科尔沁向爱新国紧急求援。但爱新国为进一步控制嫩科尔沁及阿鲁部，未派兵去攻打察哈尔，而要求嫩科尔沁迁徙到西拉木伦河流域，靠近爱新国驻牧。这里本是内喀尔喀五部的牧地，1626 年，内喀尔喀五部先后遭爱新国、林丹汗攻击而崩溃，这里成了无主牧地。②

阿鲁科尔沁、四子部　16 世纪 30 年代，合撒儿之十三世孙图美只雅哈齐之长子魁猛可从呼伦贝尔一带南下至嫩江流域之后，其次子巴衮诺颜和布尔海三子仍居原牧地呼伦贝尔地区。他的南邻是一直驻牧于今东乌珠穆沁一带的翁牛特、喀喇车里克、伊苏特三部，北邻则是阿巴噶部。邻近阿鲁诸部驻牧的还有察哈尔右翼乌珠穆沁、浩齐特、苏尼特等部，当以今蒙古国达里岗嘎一带为牧地。

魁猛可之弟，阿鲁科尔沁始祖巴衮诺颜有三子。长子昆都伦岱青，次子哈贝巴图尔，幼子为诺延泰。昆都伦岱青号所部为阿鲁科尔沁。昆都伦岱青子为达赖。次子哈贝巴图尔子孙附属于阿鲁科尔沁首领达赖。幼子诺延泰有四子，他们分别是：长子僧格，号墨尔根和硕齐；次子索诺木，号达尔汉台吉；三子鄂木布，号布库台吉；四子伊尔扎木，号墨尔根台吉。"四子分牧而处，后遂为其部称"。

天聪三年（1629 年）九月，爱新国派原察哈之管旗台吉昂坤杜棱至阿鲁部，利用察哈尔部与阿鲁部的特殊关系来拉拢阿鲁部。次年三月一日，阿

---

① 《十七世纪蒙古文文书档案》，第 7 份文书。
② 《十七世纪蒙古文文书档案》，第 61 份文书。

鲁科尔沁、四子等部使臣回访爱新国，并在辽河岸拜见皇太极，① 三月二十日，同皇太极盟誓天地，建立了反察哈尔同盟。② 阿鲁诸部与爱新国结成反察哈尔联盟一事很快被林丹汗发现。同年八月，林丹汗率领大军出征阿鲁诸部。阿鲁科尔沁、四子、翁牛特、喀喇车里克、伊苏特五部越大兴安岭南下，来到西拉木伦河。其中四子部诸台吉于这年十一月初九日来到盛京："阿禄四子部落诸贝勒来归。诸贝勒俱留我边境，令台吉宜尔札木、苏黑墨尔根、毕礼克、翁惠、布桑先至。命诸贝勒出城五里迎之，宴毕入城。"③来朝的宜尔札木，是四子中的幼子。天聪五年（1631 年）四月初六日，伊苏特、喀喇车里克等部的宗长、翁牛特首领孙杜棱以及四子部的兄弟部落阿鲁科尔沁首领达赖楚呼尔随嫩科尔沁各部首领一同拜见天聪汗。次日，皇太极同土谢图额驸奥巴、孙杜棱、达赖楚呼尔、僧格和硕齐等盟天地。④ 爱新国欲以实行于嫩科尔沁之律来制约阿鲁部的同时给他们划定驻牧地，使之不得擅自离开。很显然，这次盟誓是翁牛特、阿鲁科尔沁和四子等部正式归附爱新国的象征。

几天后，在四月十二日，皇太极又同土谢图汗奥巴、孙杜棱、达赖楚呼尔、僧格和硕齐等诸台吉商议，制定了更为具体的法律条文，详细规定蒙古诸部在征伐察哈尔及明朝时所承担的义务、责任的同时还制定了使者、逃亡者、偷窃、裁决等有关的各项条文。⑤

阿鲁科尔沁归附爱新国之后，爱新国曾在其地设立两个旗，并分别让达赖楚呼尔、穆章父子掌管旗务。后因达赖年暮，崇德元年（1636 年）六月将两旗合为一旗让穆章掌管。⑥

阿鲁科尔沁、四子等部归附爱新国后，最初驻牧于嫩科尔沁西及西南，跨西拉木伦中游（今西辽河）南北。由于天聪五年（1631 年）十一月阿鲁科尔沁色棱阿巴海在西拉木伦河北遭林丹汗袭击，损失惨重，爱新国将阿鲁

① 中国第一历史档案馆、中国社会科学院历史所译：《满文老档》下册，第 1004 页。
② 中国第一历史档案馆、中国社会科学院历史所译：《满文老档》下册，第 1010 页。
③ 《清太宗实录》，天聪四年十一月丙子。
④ 《旧满洲档》，第 3417、3418 页。
⑤ 《旧满洲档》，第 3420—3423 页。
⑥ 中国第一历史档案馆、中国社会科学院历史所译：《满文老档》下册，第 1490 页。

科尔沁、四子等部进一步南迁，并限制在西拉木伦河（当指今西拉木伦河）以南。次年十月，皇太极遣济尔哈朗、萨哈廉至席日勒济台，召集蒙古各部制定所谓猴年律令。① 阿鲁科尔沁、四子部牧地被限制在今科左中旗直至突泉县一带。天聪八年（1634 年），林丹汗去世，察哈尔对阿鲁诸部的威胁已经不存在。于是爱新国于十一月遣国舅阿什达尔汉、塔不囊达雅齐往硕翁科尔地方，再一次划定牧界。② 此次划定的阿鲁科尔沁等部的牧地与后来固定下来的清代的阿鲁科尔沁等旗的牧地有不少差别。1633 年，阿鲁科尔沁诸部中的乌喇特、茂明安归附爱新国，牧地被安排在同族阿鲁科尔沁、四子部附近。这一情况直到崇德元年（1636 年），在以上诸部编制牛录时没有改变。顺治初，清朝将四子、乌喇特、茂明安等部陆续向西迁移，稳定在阴山北麓地区。可能是随着他们的西迁，阿鲁科尔沁占据了林丹汗过去的统治中心，今天的阿鲁科尔沁一带。

茂明安、乌喇特部　茂明安部的统治者是齐王家族的嫡系，是齐王孛罗乃长子阿儿脱歹王的后裔。作为合撒儿后裔的宗长，他们在科尔沁土蛮当中掌有最高的统治权，并世代掌管着合撒儿的斡耳朵。即直到 17 世纪初，合撒儿后裔所统之几个部中只有茂明安部统治者拥有"汗"号。阿儿脱歹王死后，科尔沁部统治权可能一度落入其弟图美只雅哈齐之手。图美效仿达延汗，在科尔沁万户内进行了分封。后来，科尔沁部的绝大部分鄂托克落入图美子孙手中。阿儿脱歹有二子莽会、栋会。莽会长孙卓尔忽勒有汗号。卓尔忽勒无嗣，汗号转到栋会之子噶儿图手中，称阿剌克汗。噶儿图子锡喇、孙多尔济、曾孙车根世代拥有汗号，分别称土谢图汗、布颜图汗和斡齐儿图汗。

乌喇特部的始祖布尔海是嫩科尔沁始祖魁猛磕和阿鲁科尔沁、四子部始祖巴衮的亲弟弟。他们都是图美之子。而茂明安始祖阿儿脱歹则是布尔海的伯父。按家族而论，乌喇特统治者与嫩科尔沁、阿鲁科尔沁关系更密切。至少在同为阿鲁科尔沁的诸部中与阿鲁科尔沁、四子部的关系要密切一些。而实际上，乌喇特与茂明安的关系更近，因此当 1630 年阿鲁科尔沁、四子部

---

① 《旧满洲档》，第 3937—3940 页。

② 《清太宗实录》，天聪八年十一月壬戌条。

南下时他们并没有同来，却在 1633 年与茂明安一同归附爱新国。这里可能是因为牧地邻近等原因，乌喇特被茂明安控制。爱新国方面直接称茂明安首领为乌喇特汗的原因恐怕在此①，不是简单的误会。当然，从广义上讲，茂明安汗是整个阿鲁科尔沁乃至科尔沁的汗王。

《王公表传》在记载乌喇特部统治者世系时说"元太祖弟哈巴图哈萨尔十五世孙布尔海，游牧呼伦贝尔，号所部曰乌喇特。子五：长赖噶，次布扬武，次阿尔萨瑚，次布噜图，次巴尔赛，后分乌喇特为三。赖噶孙鄂木布，巴尔赛次子哈尼斯青台吉之孙色棱及第五子哈尼泰冰图台吉之子图巴，分领其众，统号阿鲁蒙古。"② 梅日更葛根《黄金史》所记乌喇特部统治者世系与《王公表传》的记载完全吻合。但是《金轮千辐》所记与之不同，说布尔海只有一个儿子巴尔赛，巴尔赛三子海岱、海萨、赍萨。分乌喇特为三，成为乌喇特三部首领。哪一种记载正确，还不能断定。

1630 年，当阿鲁科尔沁诸部中的阿鲁科尔沁、四子部因遭林丹汗征讨而南下大兴安岭归附爱新国时，其同族、牧地远在呼伦贝尔之北的乌喇特、茂明安部还没有与爱新国交往。

天聪五年七月，皇太极致书归附爱新国不久的阿鲁科尔沁、四子部首领，要他们遣使乌喇特，说服他们南下归附爱新国。③ 天聪六年（1632 年）一月三日，皇太极再次致书茂明安和乌喇特部统治者，以恐吓和离间的方法来拉拢他们。④

在爱新国的积极拉拢下，部分茂明安、乌喇特部众于天聪七年初南下归附爱新国。正月"吴喇忒（即乌喇特）部落俄木布土门达尔汉台吉、杜巴、塞冷、海萨巴图鲁等朝贺元旦，贡驼马。"⑤ 同年五月，乌喇特土门达尔汉台吉、海萨巴图鲁、古木布、益尔格、僧格、索尼泰等来朝，进献马匹。⑥ 二月

---

① 《旧满洲档》，第 3909—3910 页。
② 《王公表传》卷 41《乌喇特部总传》。
③ 《旧满洲档》，第 3439 页。
④ 《旧满洲档》，第 3909、3910 页。
⑤ 《清太宗实录》，天聪七年正月丙申。
⑥ 《清太宗实录》，天聪七年五月壬辰。

茂明安部车根汗、固木巴图鲁、达尔马代衮等人率众归附爱新国。[①] 固木巴图鲁和达尔马代衮为锡喇汗之子，也即车根汗之叔父。[②] 次年九月，又有茂明安之杨古海杜棱、巴特玛戴青及小台吉等二十余人，率众归附爱新国。[③]

据崇德元年统计，归附爱新国的茂明安只有 1 942 户[④]，不及嫩科尔沁十旗中的一个中等旗的户数。这显然与茂明安在全体科尔沁的宗长和汗王地位不相称。原来与车根等南下归附爱新国的只是科尔沁汗王家族所属部众的一部分，其余大多数都留在了原牧地，大部分成为阿鲁喀尔喀汗国的属民，也有一部分成为后来沙俄属民。[⑤]

归附爱新国之前，茂明安的牧地在额尔古纳河右岸，他的南边是乌喇特，牧地应在呼伦贝尔北部地区。1630 年，乌喇特、茂明安的同族阿鲁科尔沁、四子部从呼伦贝尔地区南下，乌喇特和茂明安随之向南移牧，因此《王公表传》视茂明安为呼伦贝尔部落。[⑥]

茂明安归附爱新国之初，爱新国没有给他们划定明确的牧地，而是让他们附牧于扎鲁特、四子等部。关于这一点，达力扎布早已指出。[⑦] 据《满文老档》记载，清朝于崇德元年在漠南蒙古诸部编制牛录时，茂明安车根汗之 530 家 11 牛录出现在桑阿尔掌管之扎鲁特右翼旗后；图拜色楞之 410 家 8牛录；绰博郭[⑧]之 290 家 6 牛录出现在内齐掌管之扎鲁特左翼旗后；巴特玛[⑨]之 480 家 10 牛录出现在达尔汉卓里克图掌管之四子部后。[⑩]

---

① 《清太宗实录》，天聪七年二月癸亥条。
② 梅日更葛根：《黄金史》，第 74 页。
③ 《清太宗实录》，天聪八年九月甲寅条。杨古海杜棱为土谢图锡喇汗之子阿剌善冰图（Arašan bingtu）之子；巴特玛戴青为车根汗之弟罗布津（Lubjin）之子（梅日更葛根：《黄金史》，第 74—75 页）。
④ 《旧满洲档》，第 5243 页。《满文老档》漏记云丹八十二户、沙里百户、公格五十户。
⑤ ［英］约·弗·巴德利著，吴持哲、吴有刚译：《俄国·蒙古·中国》下篇第 2 册，商务印书馆 1981 年版，第 1373 页；胡日查、长命：《科尔沁蒙古史略》，第 72—73 页。
⑥ 《王公表传》卷 40《茂明安部总传》。
⑦ 达力扎布：《明代漠南蒙古历史研究》，第 343—344 页。
⑧ 据梅日更葛根：《黄金史》第 74—75 页。噶儿图阿剌克汗（γaltu alaγ qaγan）之弟为哈布哈尔（Qabuqar），哈布哈尔之次子为博雅虎卫征（Buyaqu oyijeng），博雅虎卫征之子为斡恩齐台（Ončitai），绰博郭（Čoyibaγ-a）为斡恩齐台之子。
⑨ 据梅日更葛根：《黄金史》第 74 页。车根汗之弟为罗布津（Lubjin），罗布津之子为巴特玛。
⑩ 《旧满洲档》，第 5232—5236 页；《满文老档》（汉译）下册，第 1664—1667 页；达力扎布：《清初内扎萨克旗的建立问题》；达力扎布：《明代漠南蒙古历史研究》，第 343—344 页。

　　蒙古文史书中也有茂明安部附牧于别部，并受其管辖的信息。如梅日更葛根《黄金史》在记述茂明安部统治者世系之后，以极为不满的口气说："平常传说：此部被夹在各个牧地之间，属于某某旗，此乃无奈之事，为听者之耻，不说了！"①

　　《金轮千辐》在记述茂明安世系时说："……长子鄂尔图鼐布延图，占据塔本和茂明安，其子栋会诺颜，其子噶儿图阿剌克汗，其子土谢图锡喇汗，其子多尔济布颜图汗和固木贝勒俩……他们在内齐诺颜处。"②

　　内齐诺颜就是扎鲁特右翼旗首任扎萨克。《金轮千辐》的作者答里麻·固什是扎鲁特右旗人，所以他清楚附牧于本旗的茂明安部的情况。茂明安部附牧于别旗之后，畜产经常被其旗主强夺。如"扎鲁特部落内齐，所辖绰博辉（绰博郭）与塞楞，相斗滋乱，内齐知而不加劝止，以反令出使，取其牲畜。遂议解扎萨克任，罚马五十匹。国舅阿希达尔汉、塞棱、尼堪奏闻，上恤免其罪。"③ 这说明茂明安部因附牧于别旗，在一定程度上受制于所附牧旗。天聪十年（1636 年）四月，在漠南蒙古十六部四十九王公上皇太极"博格达彻辰汗"大典上车根随扎鲁特部的内齐参加。④ 虽然名列四十九王公，其部落则不在十六部之内。

　　当时，扎鲁特部牧地约在今内蒙古突泉县以及吉林洮南、白城、大安一带；四子部牧地则在科左中旗直至突泉县一带。由此，我们可以推测附牧于这两部的茂明安牧地的大体方位。

　　对于与茂明安同时归附爱新国的乌喇特的最初牧地，文献没有明确记载。天聪八年（1634 年），爱新国派阿什达尔汉、塔不囊达雅齐到硕翁科尔地方分划牧地时乌喇特部也参加。但是，没有指出乌喇特牧地四至。但在记录各部户口之数时却说"四子部落土门达尔汉二千户，塔赖达尔汉、车根、塞冷三千户。"⑤ 此处的土门达尔汉和塞冷是乌喇特部的土门达尔汉和塞冷。由此我们推测，当时的乌喇特很有可能附牧于达赖达尔汉即阿鲁科尔沁旗。

---

①　梅日更葛根：《黄金史》，第 77 页。
②　《金轮千辐》，第 248 页。
③　《清初内国史院满文档案译编》上册，第 266 页。
④　《清太宗实录》，天聪十年四月己卯条。
⑤　《清太宗实录》，天聪八年十一月壬戌条。

又据《清太宗实录》记载，崇德元年，为征讨明国清朝派艾松古往科尔沁部调兵，派罗毕往敖汉、奈曼、扎鲁特、乌喇特部调兵。① 可见乌喇特部的牧地与扎鲁特部邻近。

顺治初，为切断阿鲁喀尔喀右翼与明朝贸易关系，清朝将四子、乌喇特、茂明安等部陆续向西迁移，牧地逐渐稳定在阴山北麓地区，形成乌兰察布盟各部的主体。

第二节　哈赤温后裔属部及其牧地

成吉思汗三弟哈赤温后裔统治下的部众在 15 世纪初以察罕部或察罕万户之名出现。《黄金史》记载了阿台汗率东蒙古征伐瓦剌的一次战争：当两军对阵时，最初东蒙古方面要让往流之察罕万户（Ongniɣud-un Čaɣan Tümen）的额色库（Eseküi）充当先锋。阿台汗下令"小马虽快，不如老马耐远"。于是改由年长的科尔沁部主小失的王（Šigüšitai Ong）出战。结果小失的王杀死了瓦剌大将鬼邻赤（Goyilinči），蒙古大胜②。"往流之察罕万户"必是往流诸部中的一个万户。

《明太宗实录》载，永乐年间蒙古有位蒙古大首领，名察罕达鲁花。永乐三年（1405 年）五月"察罕达鲁花遣人归附、贡马"，并传报蒙古大汗鬼力赤的消息。明廷为此遥授察罕达鲁花都督官衔③。永乐四年，察罕达鲁花放还百户赵贤等人。赵贤等回明朝后报告了鬼力赤部下"也孙台被杀，马儿哈咱往归瓦剌，阿鲁台往居海剌儿河之地"等重要消息。《明实录》记此事时将察罕达鲁花部与兀良哈连称为"兀良哈察罕达鲁花处"④。次年，明朝得报，"鞑靼察罕部下哈儿答歹至兀良哈言：完者秃王（即本雅失里）将率众合别什八里之众南掠，而先掠其东北诸部落，兀良哈人闻之惊惧"⑤。据此推测，察罕达鲁花是个大部落集团首领，居地近兀良哈三卫，明朝称其

---

① 《清太宗实录》，崇德元年七月己未条。
② 沙斯契娜：《大黄史》，第63—64页。
③ 《明太宗实录》，永乐三年五月庚戌、戊辰、丁卯条。
④ 《明太宗实录》，永乐四年十月乙卯条。
⑤ 《明太宗实录》，永乐五年十月壬辰条。

所领为"察罕部"。

《明英宗实录》正统七年（1442 年）十月甲辰条载："福余卫都指挥安出、朵颜卫都指挥完者帖木儿遣指挥卜台等贡马，赐彩币。卜台言：与察罕贡使忽南不花等偕至关，以无印信文字，为守者所止。彼云久不朝贡，不知禁例。今尚留关外，以俟进止。上敕总兵官王等曰：察罕远在千里之外，非近边诸部之比。其使臣忽南不花等如尚在关，即审实发遣赴京。今后凡朝贡人使，系卫所属而无印信文字者照例止之。其远方初至及往来希阔者不在此限，不可概行阻遏，以失远人归向之心。"① 此察罕当即永乐年间的察罕达鲁花。由此可知，"察罕万户"之称来源于生活在永乐至正统（1403—1449年）年间哈赤温后裔察罕达鲁花之名。

明成化（1465—1487 年）初年，统治察罕万户的是朵豁朗台吉，即癞太子。《大黄史》和《蒙古源流》都记载了哈赤温后裔、多罗土蛮部部主朵豁郎台吉（意为"癞太子"）杀死蒙古大汗马儿古儿吉思一事。② 此人就是《明宪宗实录》中的卜剌罕卫头目郑王脱脱罕（Toɣtuɣan），也即《明实录》、《皇明北房考》中的癞太子、癞王子。"癞太子"应是个绰号，脱脱罕应是其本名。③《蒙古源流》说满都鲁汗"为乌珂克图汗复仇，兴兵杀哈赤斤之后裔朵豁朗台吉，收抚多罗土蛮。"④ 多罗土蛮是依附于哈赤温家族首领癞太子之下的部众，他们是蒙古化的兀者人部落集团，被明朝称作卜剌罕卫。多罗土蛮部当时的首领为脱罗干。大约在成化十二年（1476 年），即位不久的蒙古大汗满都鲁杀死癞太子，通过与脱罗干联姻，控制了多罗土蛮部。从此多罗土蛮部便以满官嗔—土默特（Mongɣoljin Tümed，"土默特"即"土蛮"）万户之名出现，成为蒙古大汗直属部众。⑤

罗桑丹津《黄金史》载，成吉思汗弟哈赤温之子按赤歹（Alčitai），脱罗干（Tölögen）那颜的另一圈（百姓）和两个翁牛特（Qoyar Ongniɣud）、

① 《明英宗实录》，正统七年十月甲辰条。
② 沙斯契娜：《大黄史》，第 68 页；乌兰：《〈蒙古源流〉研究》，第 279 页。
③ 参见宝音德力根：《满官嗔—土默特部的变迁》，《蒙古史研究》第 5 辑。
④ 乌兰：《〈蒙古源流〉研究》，第 281 页。
⑤ 参见宝音德力根：《满官嗔—土默特部的变迁》。

喀喇车里克（Qara Čerig）部的王那颜都是他的后代。① 脱罗干那颜的另一圈百姓指的是满官嗔—土默特部的前身多罗土蛮（Doloγan Tümed）部。两个翁牛特和喀喇车里克部指的是清初的翁牛特两旗和附属于翁牛特的喀喇车里克。② 我们知道，在蒙元时期，斡赤斤领地位于哈赤温封地之东。满官嗔是蒙古化的兀者人，而兀者人多数是成吉思汗幼弟斡赤斤后裔之属民。这部分蒙古化的兀者人最初也可能是斡赤斤后裔即泰宁卫属民，后来由于哈赤温后裔势力强大，被其吞并。

达延汗时代统治察罕万户的是脱脱孛罗（Toγtuγabolud），他的名字见于《明孝宗实录》弘治元年九月乙丑赏赐名单中，排在小王子达延汗和合撒儿后裔阿儿脱歹王之后，作"晋王脱脱孛罗"。这里的"晋王"是"济南王"的误译。③

达延汗之孙蒙古大汗不地时期统治察罕万户的是满惠王（Mangqui Ong）。据郑晓《皇明北虏考》记载"众立卜赤（即不地），称亦克罕（意为"大汗"）。亦克罕大营五……卜赤居中屯牧，五营环卫之。又东有冈留、喀尔喀、尔填三部。冈留部营三，其酋满会王。喀尔喀部营三，其酋猛可不郎。尔填部营一，其酋可都留。三部可六万人，居沙漠东偏，与朵颜为邻。"④ 满惠王所领冈留三部指的是翁牛特、喀喇车里克和伊苏特部。⑤

岷峨山人的《译语》说："蒙古一部落最朴野，无书契，无文饰，无诞妄（自注：如云不攻某堡，信然）。近亦狡诈甚矣。闻小王子集把都儿台吉、纳林台吉、成台吉、血刺台吉（自注：部下着黄皮袄为号）、莽晦、俺答、已宁诸酋首兵，抢西北兀良哈，杀伤殆尽，乃以结亲给其余，至则悉分于各部。唉以酒肉，醉饱后皆掩杀之。此其一事也。"⑥ 莽晦即满惠王。讲的是满惠王随不地等达延汗后裔发动的征讨兀良哈万户的战争。

佚名《黄金史》说："当太宗可汗（指脱脱不花）与阿噶巴尔济济农被

①　罗桑丹津：《黄金史》，第173b页。
②　参见宝音德力根：《十五世纪前后蒙古政局部落诸问题研究》，第90页。
③　参见宝音德力根：《往流和往流四万户》。
④　郑晓：《吾学编·皇明北虏考》。
⑤　参见宝音德力根：《往流和往流四万户》。
⑥　岷峨山人：《译语》，纪录汇编本。

卫拉特和沙不丹夺去国政之际，异母所生之弟名满都鲁者，因驻牧于 Isüd-ün Jo 而幸免于难。"① Isüd-ün Jo 意为伊苏特之高地。② 说明，脱脱不花被杀后满都鲁曾逃到哈赤温的封地，投靠瘸太子而脱离了危险。后来他杀死昔日的恩人，将其统治下的多罗土蛮吞并。又佚名《黄金史》记载"满都鲁可汗猪儿年逝世：说者云，满都鲁可汗的遗体埋葬在了卯温都儿"。③ 高·阿日华认为，满都鲁葬地卯温都儿（Maγu Öndür）是今西乌珠穆沁旗境同名地，也是不地汗和达来孙等蒙古大汗的葬地。④ 如果是这样，满都鲁是因与哈赤温兀鲁思的特殊关系被葬在那里的。

关于翁牛特等部统治者世系，《王公表传》载"元太祖弟鄂楚因，称乌真诺颜……其裔蒙克察罕诺颜，有子二：长巴延岱洪果尔诺颜，号所部曰翁牛特，次巴泰车臣诺颜，别号喀喇齐哩克部，皆称阿噜蒙古。巴延岱洪果尔诺颜再传至图兰，号杜棱汗。子七：长逊杜棱，次阿巴噶图珲台吉，次栋岱青，次班第卫征，次达拉海诺木齐，次萨扬墨尔根，次本巴楚琥尔。巴泰车臣诺颜三传至努绥，子二：长噶尔玛，次诺密泰岱青"。⑤ 这里将翁牛特等部统治者误以为是斡赤斤后裔。16 世纪末 17 世纪初，统治翁牛特等部的是图兰杜棱汗和其子逊杜棱。据蒙古文文献，图兰杜棱汗父为额森博罗德。⑥ 由于翁牛特部统治者是哈赤温后裔的嫡系，他们在阿鲁诸部拥有很高的地位。孙杜棱之父图兰有"杜棱汗"之号，是其家族的汗王。逊杜棱有"济农"之号。

翁牛特等部与爱新国的交往较早。大约在天聪三年（1629 年），阿鲁部绰克图太后就与爱新国联络。⑦ 又据《旧满洲档》的记载推测，这位绰克图太后就是逊杜棱之母，⑧ 因是逊杜棱父"图兰杜棱汗"的皇后，才称太后。

---

① 佚名：《黄金史》，第 158、159 页。
② 参见宝音德力根：《往流和往流四万户》。
③ 佚名：《黄金史》，第 159 页。
④ 高·阿日华：《对满都里可汗陵墓的探究》，《内蒙古社会科学》（蒙古文）1995 年第 2 期；高·阿日华：《博迪阿喇克罕斡耳朵方位考证》，《内蒙古社会科学》（蒙古文）1998 年第 1 期。
⑤ 《王公表传》卷 31 《翁牛特部总传》。
⑥ 《金轮千辐》，第 283 页；《水晶珠》，第 930 页。
⑦ 《十七世纪蒙古文文书档案》第 42 份文书。
⑧ 《旧满洲档》，第 3441—3442 页。

天聪四年三月一日，翁牛特部使臣同阿鲁科尔沁、四子等部使臣在辽河岸拜见皇太极。① 三月二十日，皇太极率诸贝勒同翁牛特、喀喇车里克等阿鲁四部使臣进行盟誓，结成反察哈尔联盟。这一事很快被林丹汗发觉。同年八月，林丹汗出征阿鲁诸部。翁牛特、喀喇车里克、伊苏特等部从旧牧地今东乌珠穆沁旗一带南迁到西拉木伦河流域。这年十一月十七日，伊苏特台吉也来到盛京："阿禄伊苏特部落贝勒为察哈尔兵所败，闻上善养人民，随我国使臣察汉喇嘛来归，留所部于西拉木伦河，先来朝见，上命诸贝勒至五里外迎之。"② 次日"阿禄班首寨桑达尔汉、噶尔马伊尔登、摆沁伊尔登三贝勒率小台吉五十六人"拜见皇太极。③ 寨桑达尔汉为伊苏特部首领，噶尔马伊尔登为喀喇车里克部首领。可见此次来投爱新国的除伊苏特部之外还有喀喇车里克部。

天聪五年（1631年）四月初六日，伊苏特、喀喇车里克等部的宗长、翁牛特首领逊杜棱以及四子部的兄弟部落阿鲁科尔沁首领达赖楚呼尔随嫩科尔沁各部首领一同拜见天聪汗。④ 次日，皇太极同土谢图额驸奥巴、逊杜棱、达赖楚呼尔、僧格和硕齐等盟天地。⑤ 翁牛特等部正式归附爱新国。

几天后，在四月十二日，皇太极又同土谢图汗奥巴、逊杜棱、达赖楚呼尔、僧格和硕齐等诸台吉商议，制定了更为具体的法律条文。通过这些法律条文，皇太极成功地掌握了对翁牛特等部的支配权和制裁权。

崇德元年（1636年），逊杜棱被封为多罗杜棱郡王，掌管翁牛特右翼旗。逊杜棱之弟栋岱青被封为多罗达尔汉岱青，掌管翁牛特左翼旗。⑥ 康熙元年（1662年）栋岱青又被追封为多罗贝勒。⑦ 所以人们通常称翁牛特右旗为郡王旗，翁牛特左旗为贝勒旗。

归附爱新国之前，喀喇车里克和伊苏特一直是独立的部落，并不附属于翁牛特。南下大兴安岭后，伊苏特、喀喇车里克的牧地虽然仍与之邻近，但

---

① 中国第一历史档案馆、中国社会科学院历史所译：《满文老档》下册，第1004页。
② 《清太宗实录》，天聪四年十一月壬寅条。
③ 《清太宗实录》，天聪四年十一月癸卯条。
④ 中国第一历史档案馆、中国社会科学院历史所译：《满文老档》下册，第1110—1111页。
⑤ 《旧满洲档》，第3417、3418页。
⑥ 《王公表传》卷31《翁牛特部总传》。
⑦ 《清内秘书院蒙古文档案》，抄件。

爱新国仍视其为独立的实体。因此，遇有大事时，都分别遣使：如，天聪五年（1631 年）十二月"遣使者往蒙古，遣拜里往逊杜棱、班迪卫征、达拉海寨桑、萨扬墨尔根、巴木布楚呼尔、栋岱青等处，关堆往达赖楚呼尔、达喇额克、海色巴图鲁、四子部落等处，孙达里往巴林、伊苏特、喀喇车里克、喀喇沁、土默特部诸台吉塔布囊等处，鄂斋图往敖汉、奈曼及扎鲁特部右翼、左翼等处"要"管旗诸台吉等，携所有交换之罪人，即于正月初六日，集于四子部落处"议罪断事。① 即遣往翁牛特与喀喇车里克、伊苏特的使者不同。这说明，伊苏特、喀喇车里克与翁牛特没有隶属关系，还说明伊苏特和喀喇车里克的牧地在翁牛特东、巴林南，再往南便是喀喇沁、土默特。

崇德元年（1636 年），爱新国在漠南蒙古诸部编制牛录，喀喇车里克正式被编入逊杜棱旗，成为翁牛特右翼旗属民。据《满文老档》，逊杜棱直属部众和长弟阿巴噶图珲台吉诸子所属部众有十六牛录，喀喇车里克则有九牛录②，二者加起来正好有二十五牛录，与蒙古文档案的记载完全吻合③。逊杜棱其他诸弟达尔汉岱青（栋岱青）、班迪、达拉海、沙扬、巴木布所属部众形成翁牛特左翼旗。

第三节　别里古台后裔属部及其牧地

成吉思汗二弟别里古台的属民在 15 世纪以也可万户（Yeke Tümen）之名出现。《满文老档》保存了清太宗于崇德元年（1636 年）七月册封国君福晋、东大福晋、西大福晋等后妃的册文。其中册封西大福晋的册文称："我所遇福晋，系蒙古阿鲁大土门部博尔济吉特氏，特赐尔册文，命为西宫麟趾宫大福晋贵妃。"④ 册封东侧福晋的册文谓："我所遇福晋，系蒙古阿鲁大土门部塔不囊阿巴盖博第赛楚虎尔之女，特赐尔册文，命为东宫衍庆宫侧

---

① 《旧满洲档》，第 3467、3468 页。
② 中国第一历史档案馆、中国社会科学院历史所译：《满文老档》下册，第 1669—1670 页。
③ 《清内秘书院蒙古文档案汇编》第 1 册，第 209 页。
④ 中国第一历史档案馆、中国社会科学院历史所译：《满文老档》下册，第 1513—1532 页。

福晋淑妃。"① 看来，皇太极的西大福晋和东侧福晋均来自蒙古"阿鲁"部。西大福晋是黄金家族成员，东侧福晋是一位塔不囊之女。那么她们到底来自阿鲁蒙古之哪一部呢？据《王公表传》记载，皇太极西宫福晋是阿巴噶贵族多尔济之女。多尔济是别里古台后裔，阿巴噶部始祖塔尔尼库同的曾孙，为清代阿巴噶左旗的第一任统治者。多尔济所属阿巴噶部又被称作"阿鲁大土门部"。其中"阿鲁"即阿鲁蒙古，是往流诸部中驻牧于兴安岭以北部分的统称。而"大土门"即也可万户，当是阿巴噶部的别称。由此可知，别里古台后裔部众又被称作也可土门。

也可土门或也可万户，《黄金史》中作也可兀鲁思。该书载，脱脱不花可汗被其岳父沙不丹杀死，其子摩伦却因是沙不丹外孙而幸免于难。后来，克穆齐克（Kemčigüd）部之塔哈迪儿（Taqadir）、郭尔罗斯部之胡必齐儿摩兰泰（Qubičir Molantai）二人将摩伦从沙不丹处带到了毛里孩王的也可兀鲁思边境，交给了一个人。这个人将摩伦送交毛里孩王。马儿古儿吉思可汗被杀后，往流（翁牛特）的大臣们对毛里孩王说："也可兀鲁思的时运来了，请你即可汗之位吧。"毛里孩王拒绝道："我的汗主（指成吉思汗）不是没有后裔，（可汗之位）对我及我的子孙皆非所宜。"最后毛里孩拥立了马儿古儿吉思异母兄摩伦汗②。这里出现的"也可兀鲁思"是指别里古台后裔毛里孩王的部众，当是也可土门的别称。

"也可"意为"大"，表示该部在15世纪中叶的强大地位，与其首领毛里孩的统治密切相关。

毛里孩是别里古台十三世孙。③ 毛里孩之名最早出现在《明英宗实录》景泰六年（1455年）的纪事中，在汉籍中又作"卯里孩"、"木里王"等。蒙古文史书《大黄史》作 Mooliqai，佚名《黄金史》作 Muγuliqai，罗桑丹津《黄金史》、《阿萨拉克齐史》作 Maγuliqai。④

与毛里孩同时，在蒙古历史舞台上活跃着另一个重要人物——孛来。孛

---

① 中国第一历史档案馆、中国社会科学院历史所译：《满文老档》下册，第1532页。
② 宝力高校注：《黄金史》，第154、155页。
③ 沙斯契娜：《大黄史》，第103页。
④ 沙斯契娜：《大黄史》，第103页；佚名：《黄金史》，第155—157、160—161页；罗桑丹津：《黄金史》，第153（b）—154（a）、156（b）页；《阿萨剌格齐史》，第88—89页。

来，在蒙古文史书中作 Bolai tayiši（孛来太师）。控制着阿鲁台老班底阿速部和喀喇沁部的孛来击溃阿剌之后获得了太师称号①，成为蒙古历史上举足轻重的人物，开始把持朝政。他降服三卫，用武力逼迫明朝通贡，完全控制了东蒙古朝政。对明朝使臣称自己是"鞑靼国之为首者"。孛来的专权引起了马儿古儿吉思和毛里孩的不满。孛来与明朝通贡，毛里孩未曾参予，仍旧扰乱明边，并领着孛来部下一些人马一同犯边。② 天顺五年（1461 年）九月明朝曾得到消息"脱脱不花王子领兵万余将往石头城袭杀孛来"。③ 这里出现的脱脱不花王子是指马儿古儿吉思。孛来势力的增强，势必与毛里孩和马儿古儿吉思可汗发生冲突。最后，孛来同哈赤温后裔癞太子脱脱罕一起于成化元年（1465 年）杀死了马儿古儿吉思。同年，毛里孩率兵杀掉孛来，立脱脱不花汗长子、马儿古儿吉思可汗的异母兄摩伦（Molan，又名脱古思）为可汗④，在与孛来的长期抗衡中取得了最后胜利。

毛里孩杀死孛来之后轻而易举地控制了其势力范围之内的兀良哈三卫。如《实录》成化二年（1466 年）九月的记载中为"建州右卫女直指挥捏察等来报：木里王遣使至三卫头目苦特，令拥众六千，分掠开原、抚顺、沈阳、辽阳等处。"⑤ 又成化十年（1474 年）正月的记载中说"重给朵颜卫印从本卫署印，知院脱火赤言，其印为毛里孩所掠故也。"⑥ 这样毛里孩夺取了三卫朝贡的勘合印信，垄断了朝贡的利益。

因新立的摩伦汗不听毛里孩摆布，转而依靠原孛来部下斡罗出，于是毛里孩在成化二年（1466 年）九月杀死摩伦汗，驱逐了斡罗出。⑦ 此后，出现了自成吉思汗以来蒙古没有大汗的局面，东蒙古朝政由毛里孩一人把持。成化三年（1467 年）毛里孩向明朝声称："孛来太师近杀死马儿苦儿吉思可

① 自阿鲁台、也先以来，"太师"成为头等"握兵大酋"的专衔。

② 《明英宗实录》，天顺六年二月癸酉条。

③ 《明英宗实录》，天顺五年九月乙巳条。"石头城"又作"石城"，在甘肃边外；和田清：《明代蒙古史论集》，297—298 页。

④ 宝力高校注，佚名：《黄金史》，第 154—155 页。

⑤ 《明宪宗实录》，成化二年九月丁酉条。

⑥ 《明宪宗实录》，成化十年正月辛亥条。

⑦ 《明宪宗实录》，成化二年九月丙辰条；宝音德力根：《十五世纪前后蒙古政局部落诸问题研究》，第 43 页。

汗，毛里孩又杀死孛来，后又新立一可汗，有斡罗出少师者与毛里孩相仇杀，毛里孩又杀死新立可汗逐斡罗出，今国中无事，欲求通好"。①

成化四年（1468 年）九月，甘肃总兵官奏："虏酋毛里孩，控弦数万，远与兀良哈朵颜等处诸种夷人诱结，势既增大，其心可知。"② 可以看出，这一时期毛里孩势力已达到了鼎盛。但是他的专权越来越受到了众人的反对。明朝在这一年十月听到的消息 "……朵颜卫千户奄可帖木儿传说十月间欲与毛里孩仇杀。"③ 据佚名《黄金史》载，别里古台的后裔毛里孩杀摩伦可汗，科尔沁的兀捏孛罗王说："也速该把阿秃儿乃吾父，我母诃额仑额克诞育了帖木真、合撒儿、哈赤温、斡赤斤，我等系一母同胞，另由苏齐克勒皇后怀中降生了别克帖儿、别里古台二人。以圣主为首，率领我们的祖先合撒儿害死了别克帖儿。以此嫌隙，这才杀了摩伦可汗。吾汗虽无子嗣，但作为合撒儿后裔的我，终须干预。"④ 于是兴兵杀了毛里孩子弟七人，毛里孩兵败遁逃，"困渴而死"。这里把孛罗乃的事迹误记到了他的弟弟兀捏孛罗王身上，实际上是指成化四年（1468 年）底或五年初毛里孩被其昔日的盟友合撒儿的后裔孛罗乃杀害一事。

佚名《黄金史》还记载了毛里孩被杀的细节："于是［兀捏孛罗］从兀鲁回［河］之野追来，杀死毛里孩王随从及子七人，夺回摩伦可汗被弑时抢走的镀金钢盔，因砍掉了以蒙古札鲁忽赤为首的七人的头颅，遂名其地为'多罗特之拖罗该'（七人之头）。毛里孩王骑着他的干草黄马，穿着脱毛的旱獭皮衣，在空归、札布罕（今蒙古国西南部空归、札布罕河流域）用锦棘儿搭了帐蓬，吃生湿之食物，困渴而死。"⑤

综上所述，1454—1468 年间，毛里孩一直是东蒙古举足轻重的人物，长期把持东蒙古朝政，势力非常强大。从此毛里孩所部就有了"也可土蛮"或"也可兀鲁思"即"大万户"、"大兀鲁思"的部名。它说明在当时的东蒙古各万户中毛里孩所属万户势力最大。

---

① 《明宪宗实录》，成化三年正月丙子条。

② 《明宪宗实录》，成化四年九月辛酉条。

③ 《明宪宗实录》，成化四年十月癸巳条。

④ 佚名：《黄金史》，第 160、161 页。

⑤ 佚名：《黄金史》，第 161 页。

毛里孩被杀后，也可兀鲁思势力并未遭受太大的削弱。不久，毛里孩之子斡赤来（又译阿扯来、阿出来、失赤儿等）成为也可万户的统治者。《大黄史》中把斡赤来记为"Očarqui Jasaɣ-tu"，《金轮千辐》中为"Wačarai jasaɣtu"，罗桑丹津《黄金史》中为"Jasaɣtu Qaɣan"。[①]　"jasaɣtu 扎萨克图"意为"执政"，是大的万户首领才能拥有的尊号（如土蛮汗时期的五大执政），说明"也可万户"在斡赤来的统治之下也很强大。

孛罗乃杀死毛里孩后无力控制朝政，其部落分散，出现了混乱局面，"孛罗部落自相仇杀分而为三，孛罗人马往骡驹河，哈答卜花往西北，故毛里孩子火赤儿往西路，又小石并脱火赤驻迄儿海西"。[②]　"火赤儿"即"斡赤来"，显然斡赤来与仇人孛罗乃相仇杀，因而跑到西边去了，但所处之具体位置不详。

《皇明经世文编》所载余子俊《处置边务等事》中说"虏酋孛忽始则与阿罗出等，同入河套，侵扰边方。次则阿罗出勾引乩加思兰，聚众为患。后，阿罗出被乩加思兰杀散遁去，今孛忽又引毛里孩男阿扯来党众抢掠。前后四年，虽累被官军追杀，终不退去。"[③]　可见一度跑到西边的斡赤来这时与孛罗忽一起侵扰明边，牧地当在河套附近。

成化十三年（1477 年），斡赤来卷入乩加思兰和满都鲁的斗争。《皇明北房考》记载："当是时，房中相猜。乩加思兰女妻满鲁都，欲代满鲁都为可汗，恐众不己服，又欲杀满鲁都，而立斡赤来为可汗。满鲁都知之，索斡赤来，乩加思兰匿不与，遂相仇杀。十五年（1479 年），满鲁都杀乩加思兰，并其众。"[④]　乩加思兰之所以想拥立斡赤来是因为当时除满都鲁、孛罗忽之外黄金家族成员中没有比斡赤来更有势力的人。

《明实录》成化二十年（1484 年）九月记载："小王子并阿出来等议，欲近边抄掠"。[⑤]　这时斡赤来的也可土门已协助达延汗完成统一事业，开始

---

① 沙斯契娜：《大黄史》，第 103 页；《金轮千辐》，内蒙古人民出版社 2000 年版，第 281 页；罗桑丹津：《黄金史》，第 173（b）页。

② 《明宪宗实录》，成化五年十一月乙未条。

③ 《皇明经世文编》卷 58，中华书局影印本。

④ 郑晓：《吾学编·皇明北房考》。

⑤ 《明宪宗实录》，成化二十年九月壬子条。

与达延汗一同侵扰明边境了。

16 世纪末 17 世纪初"也可土蛮"已经发展成阿巴噶、阿巴哈纳尔二部。"阿巴噶 Abaγa"意为叔父，"阿巴哈纳尔 Abaqanar"是"阿巴噶"的复数形式，意为叔父们。成吉思汗四个弟弟后裔部众统称的"阿巴噶"一名，作为别里古台后裔统治下的一个部落的名称被保留（另一个统称"往流—翁牛特"则作为哈赤温后裔部众的名称被保留）。[①]

继斡赤来统治别里古台后裔部众的是他的长孙巴雅思瑚布尔古特。巴雅思瑚布尔古特有二子，长子诺密特默克图，称所部为阿巴哈纳尔，次子塔尔尼库同称所部为阿巴噶。[②]

阿巴哈纳尔部　达延汗最初分封时，庶幼子格埒森扎牧地只限于哈拉哈河两岸地区。16 世纪上半叶，达延汗子孙瓜分肯特山一带的兀良哈万户，使喀尔喀万户右翼占据了原兀良哈万户的大量人口和牧地，为他们不断向西扩张创造了条件。到 1548 年格埒森扎去世时，喀尔喀牧地已经延伸到克鲁伦河地区。[③] 随着喀尔喀的强大，特别是在喀尔喀汗国建立后，牧地位于斡难、克鲁伦河流域的毛里孩后裔所属部被卷入喀尔喀势力范围之内。不久阿巴噶、阿巴哈纳尔也走上了不同的发展道路。《清内阁蒙古堂档》中的喀尔喀车臣汗之翁牛特。[④] 额尔克木古英台吉奏折[⑤]为我们提供了这方面的新信息。据该档：阿巴哈纳尔部始祖诺密特默克图汗的哈屯是土默特部首领俺答汗之女，格埒森扎之养女。[⑥] 1582 年，当时阿巴哈纳尔部首领诺密特默克图汗可能已经死去，其小哈屯（即俺答汗之女）便带领自己的儿子和属民同阿巴噶部的图扪台扎萨克、布和诺颜一起迁徙到其婿、喀尔喀右翼扎萨克图

① 参见宝音德力根：《往流·阿巴噶·阿鲁蒙古》；宝音德力根：《十五世纪前后蒙古政局部落诸问题研究》，第 113—119 页。

② 沙斯契娜：《大黄史》，第 103 页；王鸣鹤：《登坛必究》，《胡名·北虏各枝宗派》，清刻本。胡日查、长命：《科尔沁蒙古史略》，民族出版社 2001 年版，143 页。

③ 冈田英弘：《乌巴森札洪台吉传》。

④ 翁牛特是成吉思汗四个弟弟所属部的统称。这里指的是别里古台后裔属部阿巴哈纳尔部。因阿巴哈纳尔在车臣汗部的管辖之内，所以称为"喀尔喀车臣汗之翁牛特"。

⑤ 中国第一历史档案馆、内蒙古大学蒙古学学院：《清内阁蒙古堂档》第 6 卷，内蒙古人民出版社 2006 年版，第 49—53 页。

⑥ 据沙斯契娜：《大黄史》，诺密特默克图汗有两个哈屯，长满都失（Manduši），生五子。沙斯契娜：《大黄史》，第 103 页。幼即这位阿玉什阿巴海，生巴克图（Baγtu）、乞塔特（Kitad）二子。

汗部斡特克亦勒都齐等人的牧地附近。1588 年阿巴噶部返回自己的旧牧地，而阿巴哈纳尔部的这一支却留在了喀尔喀右翼。后来这部分阿巴哈纳尔被扎萨克图汗素班第（1596—1650 年在位）吞并。文书的主人额尔克木古英台吉应是诺密特默克图汗小哈屯所生子之后代。① 一直驻牧于斡难河一带故土的阿巴哈纳尔部的另一支，即诺密特默克图汗大哈屯所生诸子及其属民也丧失了独立性，成为喀尔喀车臣汗的附庸。② 由于阿巴噶返回斡难河一带旧牧地而保持了其独立性，并形成分别附属于察哈尔、喀尔喀的两大集团。

《大黄史》中的记载也清楚地说明了阿巴哈纳尔与喀尔喀关系。诺密特默克图汗两个哈屯所生的七子是阿巴海、巴巴海、塔尔尼、达赉逊、布里雅台、巴克图、乞塔特。阿巴海之子中有的从属于扎萨克图汗部，有的从属于土谢图汗部；巴巴海之子有两个从属于后来成为赛因诺颜部统治者祖先的诺门额真丹津喇嘛；布里雅台之五子全部从属于土谢图汗部。③ 总之，从 17 世纪中叶情况看，阿巴哈纳尔贵族大部分附属于喀尔喀车臣汗，还有一部分从属于土谢图汗和扎萨克图汗部，原有的对立的政治地位已经不存在了。

同时《大黄史》中还记载着阿巴噶、阿巴哈纳尔部王公和喀尔喀土谢图汗部、扎萨克图汗部、车臣汗部统治者之间的婚姻关系。除格埒森扎的养女嫁给诺密特默克图④以外：格埒森扎第三子诺诺和卫征之女儿分别嫁给了阿巴哈纳尔部诺密之子巴克图和布里雅台、阿巴噶部塔尔尼库同之子布和。格埒森扎第四子阿敏之女也嫁给了布和。格埒森扎第五子塔尔尼之妻是巴雅思瑚布尔古特之女。格埒森扎长子阿什海之第三子斡特克伊勒都齐之妻是诺密之女。格埒森扎次子诺颜泰之子土伯特哈坦巴图鲁之妻是阿巴噶塔尔尼之子素僧克之女。诺诺和卫征次子阿布瑚墨尔根诺颜之女嫁给了诺密之孙土伯特。另一女儿嫁给了诺密之孙布库别。诺诺和之第三子乞塔特伊勒登（Kitad Yeldeng）之女嫁给了诺密特默克图之孙敦多。诺诺和之第六子博迪

---

① 据沙斯契娜：《大黄史》（第 103—104 页）有关记载，乞塔特后代多拥有"古英"称号，因此，额尔克木古英更有可能是乞塔特后代。

② 《清内秘书院蒙古文档案汇编》第 2 辑，第 140—142 页。

③ 沙斯契娜：《大黄史》，第 103—104 页。

④ 沙斯契娜：《大黄史》，第 103 页；宝音德力根：《从阿巴岱与俺答汗的关系看早期喀尔喀历史的几个问题》。

松鄂特欢之女分别嫁给了诺密之孙索诺木和翁牛特的沙格达尔（世系不详），诺密之孙土伯特之子策凌额尔合额尔德尼宰桑。博迪松鄂特欢之妻是诺密之子布里雅台之女。诺诺和之第五子巴喀来和硕齐之妻是翁牛特伯尔克（世系不详）之女。格埒森扎第七子萨木贝玛之子钟图岱青巴图鲁之妻是诺密之弟布延图之女。[①] 可知，喀尔喀左、右翼与别里古台后裔阿巴哈纳尔部贵族之间保持着长期稳定的联姻关系，这种政治联姻也是阿巴哈纳尔已失去其独立性成为喀尔喀之附庸的重要标志。16 世纪末和 17 世纪阿巴哈纳尔与喀尔喀的关系与当时的朵颜卫兀良哈与喀喇沁本部的关系非常相似。

正因为阿巴哈纳尔已经成为喀尔喀的附庸，《清实录》在记载阿巴哈纳尔部诺密特默克图从孙"都西希雅布"（栋伊思喇布）和"色冷墨尔根"（色棱默尔根）时前面都冠有"喀尔喀台吉"之称。[②]

康熙六年（1667 年）阿巴哈纳尔部贵族色棱默尔根领一千三百余众归附清朝，康熙七年（1668 年）被编为一旗，称作阿巴哈纳尔右旗，色棱默尔根授封扎萨克多罗贝勒。康熙四年（1665 年），色棱默尔根弟栋伊思喇布偕众二千余归附。[③] 其属被编为一旗，即后来的阿巴哈纳尔左旗。栋伊思喇布受封扎萨克固山贝子。色棱默尔根、栋伊思喇布兄弟正是车臣汗所属阿巴哈纳尔台吉，他们的世系是：诺密特默克图汗之子乞塔特，乞塔特三子多尔济伊勒登（Dorji yeldeng），多尔济伊勒登长子即色棱默尔根，次子即栋伊思喇布。

归附清朝的阿巴哈纳尔人只是少数，更多的阿巴哈纳尔人则留在了喀尔喀。

阿巴噶部　阿巴噶始祖塔尔尼库同的长孙图扪台扎萨克图，本名"额尔德尼图扪，号扎萨克图诺颜"。[④] "扎萨克图"源于"扎萨克"，是掌握万户——兀鲁思行政、司法大权者的称号。犹如土蛮汗所设五大扎萨克（执

---

① 沙斯契娜：《大黄史》，第 111—118 页。

② 《清圣祖实录》，康熙四年十月癸丑和康熙六年正月乙巳条。

③ 《清圣祖实录》，康熙四年十月癸丑条和康熙六年正月乙巳条；《王公表传》卷 38《阿巴哈纳尔部总传》。

④ 《王公表传》卷 37《阿巴噶部总传》，沙斯契娜：《大黄史》，第 104 页。

政）。图扪台扎萨克图长子本名布达什哩，号扎萨克图车臣济农①，继承其祖先扎萨克图称号的同时，还拥有了只有黄金家族后裔才能够获得的济农称号。布达什哩长子都思噶尔，号巴图尔车臣济农②，蒙古文文书和清代汉文文献称他为"Jasaγtu jinong"（扎萨克图济农），"Abaγ-ayin Jinong"（阿巴噶济农）。足见其在整个阿鲁部中的地位。

天聪四年夏，林丹汗征讨阿鲁诸部，阿巴噶被林丹汗打败后转投喀尔喀车臣汗。当时车臣汗硕垒还没有汗号，只有济农称号，称达赖济农。阿巴噶及一同来投靠的察哈尔右翼乌珠穆沁等部贵族共同推举硕垒为"车臣汗"。③从此阿巴噶与同族阿巴哈纳尔一样，成为喀尔喀属部，丧失了原来的独立地位。

但是，在次年，投靠喀尔喀的阿巴噶济农可能一度动摇，仍想南下归附爱新国。但是，由于林丹汗的堵截，或者说由于林丹汗在西拉木伦河以北地区的活动，这个想法没有能够实现。④

在别里古台后代中乃至整个阿鲁蒙古各部贵族中最早与爱新国发生联系的就是阿巴噶部之济农都思噶尔。天聪三年（1629 年），都思噶尔遣使爱新国献驼马。⑤ 1632 年，都思噶尔之属奇塔特楚琥尔台吉偕众 500 内附。⑥ 这是阿巴噶部归附爱新国的开端。

阿巴噶贵族与爱新国皇帝有联姻关系。皇太极的西麟趾宫大福晋是阿巴噶部人⑦。她本是察哈尔林丹汗之正宫囊囊太后，林丹汗次子阿布奈生母。林丹汗败亡后囊囊太后领着 1 500 百余众投靠爱新国，天聪九年（1635 年）他被爱新国天聪汗所娶。⑧ 囊囊太后的父亲为阿巴噶部多尔济额齐格诺颜，崇德四年（1639 年）同苏尼特部之腾机思一起偕众归附。此外，阿巴噶部

---

① 沙斯契娜：《大黄史》，第 105 页。《王公表传》卷 37 《扎萨克图多罗君王都思噶尔列传》说："布达什哩，号车臣扎萨克图"。有意删除了蒙古黄金家族拥有的高级尊号——济农。

② 沙斯契娜：《大黄史》，第 103 页；《王公表传》卷 37，《扎萨克图多罗君王都思噶尔列传》。

③ 参见宝音德力根：《从阿巴岱与俺答汗的关系看早期喀尔喀历史的几个问题》。

④ 《旧满洲档》，第 3442—3443、3909—3910 页。

⑤ 《清太宗实录》，天聪三年十月丙戌条。

⑥ 《清太宗实录》，天聪六年十一月辛亥条。

⑦ 中国第一历史档案馆、中国社会科学院历史所译：《满文老档》下册，第 1531、1532 页。

⑧ 《清太宗实录》，天聪九年十月癸未条，天聪十年六月己卯条。

贵族另有一位多尔济，是塔尔尼库同次子扬古岱卓哩克图（Yangyudai Joriytu）之子。为了与这个多尔济区别，也因囊囊太后的父亲是林丹汗和皇太极的岳父，所以被称之为多尔济额齐格诺颜（多尔济岳父诺颜）。① 崇德六年（1641 年），清朝将多尔济额齐格诺颜之属编为一旗。顺治八年（1651年）都思噶尔所属被编为另一个阿巴噶旗。此后，多尔济额齐格诺颜旗被称为阿巴噶右翼旗，额齐格诺颜受封为扎萨克多罗卓哩克图郡王，世系罔替。都思噶尔旗则被称为阿巴噶左翼旗，都思噶尔受封为扎萨克多罗郡王。

第四节　斡赤斤后裔属部的演变及其牧地

一、斡赤斤后裔与山阳万户

在元代，辽阳行省是斡赤斤后王辽王和世袭国王爵位的木华黎后裔封地。后来他们成为北元初期辽东地区的两大势力。

辽王阿札失里部居住于辽阳行省北部，即兴安岭以东、洮儿河、绰儿河、嫩江流域地方。木华黎后王部则分布于辽阳行省南部开元以北、农安、伊通河方面。

1387 年（明洪武二十年），明军迫降北元辽阳行省左丞相纳哈出。纳哈出的投降，使盘踞在他北面的阿札失里失去了南线屏障而直接面临明军威胁，脱古思帖木儿被杀后，阿札失里势力更显孤单，于是洪武二十一年，他向明朝请求内附。次年，明朝在辽王封地设泰宁、福余、朵颜等三卫，任命阿札失里为泰宁卫指挥使，塔宾帖木儿为指挥同知；海撒男塔奚为福余卫指挥同知；脱鲁忽察儿为朵颜卫指挥同知。② 其中泰宁卫牧地在元泰宁路（今吉林省洮南附近）一带；朵颜卫在朵颜山（今内蒙古扎赉特旗北）一带；福余卫在福余河（今嫩江左岸支流黑龙江省齐齐哈尔市附近）一带。③ 泰宁、朵颜、福余三卫是辽王阿札失里统治下的三部。泰宁卫人自称罔留，朵

---

① 宝音德力根：《往流·阿巴噶·阿鲁蒙古》。
② 《明太祖实录》，洪武二十二年五月辛卯、癸巳条。
③ 和田清：《明代蒙古史论集》，第90—91 页。

颜卫人自称五两案（兀良哈），福余人自称我着（兀者），蒙古文史籍中称他们为"山阳六千兀者人 ölge-yin jiryuyan mingyan üjiyed kümün"、"兀者兀鲁思 üjiyed ulus"或"山阳万户 ölge tümen"。

　　一年后，泰宁等三卫在其首领阿札失里的带领下又投归北元新汗阿里不哥后裔也速迭儿。洪武二十四年（1391 年）三月，明将傅友德、郭英等率兵征讨阿札失里，在洮儿河、朵颜山一带大败阿札失里之众。① 洪武二十九年（1396 年），燕王朱棣率兵至兀良哈牧地，败其首领哈喇兀歹之军（此人于永乐元年（1403 年）受明朝朵颜卫都指挥同知、掌卫事）。② 明永乐二十年（1422 年），明成祖北征阿鲁台返回时，在屈裂儿河（今洮儿河支流归流河）一带袭击了山阳万户牧地。③

　　从 1388 年以后至嘉靖末年，即蒙古大汗本部察哈尔、喀尔喀万户、科尔沁万户的一部分南下之前，只有辽王阿札失里所属泰宁等三卫游牧于大兴安岭以南地区。明宣德年间开始山阳万户南下，正统初年已驻牧于明蓟辽边外的潢河、老哈河一带，并活跃于整个漠南地区。④ 即明宣德、正统年间山阳万户牧地以西拉木伦河、老哈河、滦河流域为中心，活动于兴安岭、阴山山脉以南的今内蒙古广大地区。据《明实录》宣德二年（1427 年）七月，奉命押运粮饷至开平卫的明朝大将薛禄，在开平附近抓获"虏寇"，询问得知，"虏众在朵儿班你儿兀之地，去东南三百里。"于是薛禄率兵进击，俘镇抚、百户等官在内几十人，马牛羊数千。从被俘酋长拥有镇抚、百户等明朝低级官衔可知，他们是泰宁等三卫首领，而非拥有明朝高级官衔的阿鲁台部众。"朵儿班·你儿兀"意为四道岭，这个地名又出现在《明实录》正统二年（1437 年）记事中。当时明独石守备杨洪等奏："兀良哈往年寇大同、延安等处，今在四岭山。"四岭山即"朵儿班·你儿兀"的汉译，今地应为赤峰市翁牛特旗西北境的四道帐房，位于西拉木伦河南岸。这里由南向北横亘着四道山梁，是从西拉木伦南下必经要道，因此成为泰宁等三卫南下游牧

---

① 和田清：《明代蒙古史论集》，第 36 页。
② 《明太祖实录》，洪武二十九年三月甲子条。
③ 《明太宗实录》，永乐二十年七月庚午条。
④ 达力扎布：《明代漠南蒙古历史研究》，第 12—22 页。

的常驻地。前引《明实录》宣德二年七月记事中称此地"去［开平］东南三百里"似有误，"东南"应作"东"或"东北"。

明正统元年（1436 年），兀良哈三卫为征讨阿台汗而进入河套地区，之后很长一段时间里兀良哈三卫活动于河套地区。

期间，明永乐元年（1403 年），辽王阿札失里再次得到明朝封赏，从此与明朝建立了长期的通贡互市关系。但是这些并没有改变山阳万户社会的性质，它始终是蒙古的一个万户，与元朝以后形成的东道诸王各万户——兀鲁思没有任何不同。①

到达延汗统治时代以前斡赤斤后裔一直是山阳万户的最高统治者。大约在永乐末，阿札失里去世后其子脱火赤继承辽王位，统领山阳万户，明朝授予他泰宁卫都督衔。② 1433 年，脱火赤被阿鲁台杀死，其弟拙赤一度为山阳万户首领，因此明朝授予他都督佥事衔。③ 正统（1436—1449 年）初，脱火赤子革干帖木儿继为辽王。又天顺（1457—1464 年）初，明朝授予他左都督衔，其弟兀捏帖木儿同时被授予右都督。④ 不久，革干帖木儿死，其弟兀捏帖木儿"欲代总其众"，但是，"三卫头目不服，朵颜卫都督朵罗干遣使奏保脱脱孛罗代父职，管理三卫。"于是，明朝试图干预山阳万户内部事务，命革干帖木儿子脱脱孛罗为都督佥事，"仍旧管束三卫。"⑤ 但是，明朝的干预不起作用，兀捏帖木儿最终控制了整个三卫，成为蒙古大汗马儿古儿吉思的部下。⑥ 因此，在成化元年（1465 年）明朝遣使"泰宁卫大头目兀嗬帖木儿"，他对明使称"三卫是我一人把总"，并以辽王身份遣使明朝。⑦ 但是，到了达延汗时代，朵颜卫首领、脱鲁忽察儿四世孙花当与达延汗联姻，势力不断壮大，逐渐取代辽王家族在山阳万户的地位，成为整个三卫的首领。朵颜卫一跃而成为首位，而泰宁卫失去其统领三卫的地位。

① 乌云毕力格：《关于朵颜兀良哈人的若干问题》，《蒙古史研究》第 7 辑。
② 《明宣宗实录》，宣德二年十月己卯条，六年八月乙未条、甲寅条，七年正月戊辰等条。
③ 《明宣宗实录》，宣德八年五月壬戌条。
④ 《明英宗实录》，天顺三年七月己丑条。
⑤ 《明英宗实录》，天顺四年五月己亥条。
⑥ 《明英宗实录》，天顺七年六月丁亥条。
⑦ 《明宪宗实录》，成化元年十一月辛未条，《实录》中将"辽王"误译成"刘王"。

16 世纪上半叶，左翼蒙古各部纷纷从兴安岭北南下进入山阳万户牧地，基本控制了泰宁、福余二卫。随后土默特俺答汗向东方扩展势力，和左翼蒙古诸部瓜分了朵颜卫。后来，泰宁、福余二卫以及朵颜卫的一部分被南下的部分喀尔喀人和科尔沁人征服，成为其属民，朵颜卫的另一部分则成为喀喇沁和土默特的属民，加入了喀喇沁万户。① 山阳万户被瓜分后，作为东道诸王属部之一的相对独立的斡赤斤兀鲁思不复存在了。

二、朵颜兀良哈的归属与分布

据 1551 年明朝边臣奏报："朵颜在山海关以西，古北口以东，蓟州边外驻牧；泰宁在广宁境外；福余在开原境外辽河左右驻牧。"② 在山阳万户南迁后不久，亦即 16 世纪 40 年代中期以后，左翼蒙古各部纷纷南下。察哈尔的达来孙汗、喀尔喀的虎喇哈赤及科尔沁的魁猛可等部进入三卫地区，基本控制了泰宁、福余二卫。由于察哈尔汗侵入山阳万户，土默特部俺答汗及其右翼同盟者势力也匆忙向东方渗透朵颜蒙古，最终和左翼蒙古诸部瓜分了朵颜卫。后来，察哈尔留居西拉木伦河以北地区，大汗的一些属部南迁到今内蒙古敖汉、奈曼、库伦等旗以及辽宁省境内的大凌河中下游一带。南下的部分喀尔喀人，征服了山阳万户的一部分，形成了喀尔喀五部，游牧在辽河河套地区。南下的科尔沁人，则游牧在嫩江流域，形成了嫩科尔沁部③。泰宁、福余二卫以及朵颜卫的一部分成为这些部的属民。同时，朵颜卫的一部分，成为喀喇沁和土默特的属民，加入了喀喇沁万户。泰宁、福余二卫被吞并以后，完全融入察哈尔和科尔沁，而朵颜兀良哈在喀喇沁万户中的地位较为特殊，一直保留塔不囊部的独立性，正因为如此，入清以后出现了喀喇沁和东土默特两部分以兀良哈塔不囊为扎萨克的外藩旗。

朵颜卫始祖脱罗叉儿（脱鲁火绰儿），其子有完者帖木儿与朵罗干兄弟。完者帖木儿继承了朵颜卫都督一职。1457 年，明廷任命完者帖木儿之孙阿儿乞蛮为都督，朵罗干升迁为右都督。这是朵颜卫二都督的开始。根据

---

① 乌云毕力格：《喀喇沁万户研究》，内蒙古人民出版社 2005 年版，第 38 页。
② 《明世宗实录》，嘉靖三十年二月甲戌条。
③ 有关左翼蒙古南下，详见达力扎布：《明代漠南蒙古历史研究》，第 77—148 页。

《明实录》记载，右都督朵罗干于 1467 年初和阿儿乞蛮一同派人到明朝①。此后，不仅朵罗干本人，而且右都督一系，在成化、弘治、正德三朝（1465—1521 年）从《明实录》中销声匿迹，迟至 1532 年才又重见记载②，前后历时整整 66 年。

阿儿乞蛮在景泰、天顺、成化、弘治四朝活跃了四十余年，在 1497 年后不再见诸史乘。1507 年，其子花当继承了阿儿乞蛮的官职③。花当（1507—1527 年任都督④）的势力不仅完全控制了朵颜卫，而且还控制了其他二卫。魏焕的《九边考》记载，"朵颜卫左都督花当，今袭者为革兰台；右都督朵儿干〔干〕，今袭者曰拾林孛罗。泰宁都督二，今止一人，曰把班。福宁〔余〕都督二，今无，止都指挥一，曰打都。二〔三〕卫惟朵颜日众，朵颜惟花当日众。把班、打都、拾林孛罗，皆为制驭。今考，革兰台子孙为都指挥者二，曰脱力，曰哈哈赤，为正千户者四，曰革孛来，曰干帷，曰把儿都，曰伯革；为舍人者曰打哈等，最多。每岁朝贡二次，共六百人"⑤。可见，花当势力之强盛。失林孛罗在向明廷提出要承袭右都督时说："我今见与都督花当一般行事"，如不授予右都督，"只得领着人马投迤北达子，在外做反"云云，那不过是抬举自己，威胁明廷的把戏而已，不足为凭。据《卢龙塞略》载，花当子孙部落共有一万三千余丁⑥。失林孛罗子孙所有人口情况虽然尚不清楚，但其四个儿子中的两个绝后，承袭祖职的长子把班的后人也只不过是"随长昂（花当玄孙。——引者）驻牧"而已。因此，朵颜右都督系统为花当及其后人所"制驭"是毋庸置疑的。

16 世纪 40 年代中期以后，左翼蒙古诸部南迁，瓜分了山阳万户，导致了该万户的瓦解。察哈尔人首先控制了北部朵颜兀良哈，使其成为自己的附庸。据《明孝宗实录》载，1504 年，"有自虏中逃回者。……于是引自虏中回者审之。皆能汉语。一人云：闻有议者，欲内犯。三人云：朵颜卫头目阿

①　《明宪宗实录》，成化三年正月乙酉条。
②　《明世宗实录》，嘉靖十一年七月癸丑条，失林孛罗子把班乞升袭。
③　《明武宗实录》，正德二年三月辛巳条。
④　花当卒年，从特木勒。见特木勒：《朵颜卫研究——以十六世纪为中心》，南京大学 2001 博士学位论文，第 10 页。
⑤　魏焕：《皇名九边考》，国立北平图书馆善本丛书第一集。
⑥　魏焕：《皇名九边考》，国立北平图书馆善本丛书第一集。

儿乞蛮领三百人往北虏通和，小王子与一小女寄养，似有诱引入寇之迹。"①
7月，"礼部因奏，近闻迤北小王子与三卫有交通之迹，请令同兵部及京营
提督官召在馆夷人，令通事谕以大义，归语虏酋，感恩悔过。"② 结果，次
年正月，阿儿乞蛮遣使明廷，"且言，迤北小王子欲妻以女，不从。数被仇
杀，终不改图。"③ 总之，当时曾有阿儿乞蛮与达延汗有往来的记录，经明
廷警告后，阿儿乞蛮称他拒绝了达延汗的联姻提议。阿儿乞蛮与达延汗的联
姻真实情况至今并不清楚，但是有一点非常明显，这就是大汗部与朵颜卫已
经开始接近。

十年以后，即1514年，蓟州镇巡报告，朵颜三卫"与小王子缔姻，且
乘宣大入寇之势，为边患"。三卫气势嚣张，向明廷提出了将原来300人的
入贡人数扩大到600人，"且云：若限以旧数，则不复贡矣"。这反映了达
延汗意欲同三卫结亲，目的是为了拉拢三卫首领，通过三卫与明朝进行贸
易。次年夏日，花当之子把儿孙率一千人马攻入明边，在马兰谷杀死了参将
陈乾④。朵颜卫的这种变化，充分说明了他们和蒙古大汗部关系已经相当密
切，达到有恃无恐的地步。

据《明实录》载，16世纪40年代，朵颜与察哈尔汗部的关系更趋密
切。1541年，蓟州边臣奏报："朵颜三卫夷情叵测。革兰台骁勇绝伦，今虽
通贡，乃私与北虏和亲，广招达子数万，沿边抄略。"⑤ 1546年，兵科官员
奏称："小王子结好朵颜，而辽东不可高枕矣。"⑥ 1550年，蓟州军务说：
"朵颜三卫部落日蕃，累肆侵唑。花当协求添贡，把儿孙深入掳掠，动挟北
虏以恐吓中国久矣。"⑦ 可见，在察哈尔部南下以后，朵颜卫归附察哈尔部，
做他们的向导，屡屡侵犯明边，以保证自身安全和经济利益。

刘效祖《四镇三关志》记载："东虏部落三支：……一支曰土蛮，系打
来孙之子，与安摊一枝叶，嘉靖二十五年移住黄河北，收纳朵颜卫夷人蟒

① 《明孝宗实录》，弘治十七年六月辛巳条。
② 《明孝宗实录》，弘治十七年七月庚子条。
③ 《明孝宗实录》，弘治十八年正月庚子条。
④ 《明武宗实录》，正德九年九月戊子条，十一月己巳条，十年六月己巳条。
⑤ 《明世宗实录》，嘉靖二十年九月甲辰条。
⑥ 《明世宗实录》，嘉靖二十五年六辛丑条。
⑦ 《明世宗实录》，嘉靖二十九年九月丁未条。

惠、伯户、鹅毛兔、壮兔等，共兵五六万，甚精强。离宁前、锦、义、广宁一带为近。"① 刘效祖所指蟒惠、伯户、鹅毛兔、壮兔等人是花当第三子打哈的儿子和侄儿，即：打哈四子阿儿扎的长子莽灰（蟒惠）、打哈九子哥鲁哥歹的次子伯忽（伯户）、打哈六子斡抹秃（鹅毛兔）。壮兔待考。这些人都是察哈尔部的阿勒巴图。叔侄几个人作为一个部落集团，都被察哈尔征服。按郭造卿的记载，莽灰的牧地在迭儿孛只鹰，距直冷口 700 余里，西南至喜峰口 800 余里；伯忽的牧地在绍素，离边里程同上。可见两地相互甚近。又据《四镇三关志》和《蓟镇边防》记载，斡堆、莽灰、伯忽俱住在（蓟镇）正北厂房、老河一带，去（蓟镇）边 600 余里②。斡堆是莽灰（蟒惠）、伯忽（伯户）的堂叔。老河即老哈河。《蒙古游牧记》载，翁牛特右翼旗"东北至卓索河源。六十里接左翼界。卓索河源出旗北海他罕山，东流会獐河，入老河。旗东北二十里有方山，蒙古名都尔伯勒津"。所谓的迭儿孛只鹰，应是这个都尔伯勒津（＊Dörbeljin，意即四方形）的音译。绍素，可能也就在其附近。据此，打来孙汗征服的朵颜部的根据地，应该在今赤峰市市区北部至老哈河一带。

对于察哈尔的侵入，朵颜兀良哈人也曾进行过反抗。1547 年初，把儿孙长子伯革擒获南下左翼蒙古的一个叫做猛哥秃的人，并将其交给了明朝③。此人可能是一个察哈尔小头目。《蓟门考》记载，"都指挥故夷伯华[革]、孛来并见在乌德、恶登四人，乃花当次男把都儿（孙）之子也。部落千余骑，驻牧于辽东边外。此夷昔常辽镇为患，因离蓟镇边远隔绝，无穷犯之迹。先季与北虏抵抗数次，坚不服降。后孛来被虏所杀，因势弱不能拒，随亦归东虏矣"④。据郭造卿记载，伯革的牧地在勺速，孛来的牧地在留兔，另外一个弟弟失林看的牧地在火朗兀。特木勒指出，火朗兀在今赤峰市元宝山建昌营一带，勺速与绍素可能是同一个地名的不同译字。这样，伯

① 刘效祖：《四镇三关志》，《四库禁焚书丛刊》，北京出版社 2000 年版。
② 明代诸史书，对蓟镇边外蒙古首领牧地的记载，互相有所出入。这是因为他们不同季节有不同营地所致。正如戚继光谈蓟镇边外蒙古情况时所说，"各夷住巢，冬夏不一。或趁草住牧，大抵相离不远"。因此，只要考证出其中的一个地方，就能了解其他地方的大体分布。
③ 《明世宗实录》，嘉靖二十六年正月辛巳条。
④ 米万春：《蓟门考》，《四库禁焚书丛刊》，北京出版社 2000 年版，第 506 页。

革兄弟的牧地西连蟒惠、伯户、鹅毛兔叔侄几个人的游牧，是在他们的东边和东南部，经老哈河，东边可能到从建平县北部至敖汉旗西部的老哈河左岸一部分地区。

此外，根据《卢龙塞略》记载，察哈尔还控制了朵颜兀良哈人其他一些部落。他们是：花当三子打哈的长子及其儿子们，在埃伯兔，今地不详。打哈二子的其他几个儿子，即倘孛来（在舍剌哈）、影克（在北留儿）、马答哈（在青州木）。舍剌哈（＊Sirqa），按其离边里数和方位，应该指锡尔哈（Sirq-a），即锡尔哈河。该河"源出围场内，会诸小水，北流出纳林锡尔哈栅，入平泉州（即八沟厅）西北喀喇沁右翼境，东北流经赤峰县（即乌兰哈达厅），属翁牛特右翼境，又东北英金河。"① 北留儿和青州木不详，但据《四镇三关志》载，影克和马答哈等人的牧地在"火朗兀、哈喇兀素、舍哈喇，去边一千里。"② 舍哈喇是舍剌哈之倒误。可见，他们的牧地当在今赤峰市松山区南部和元宝山区一带。花当四子的长子，在舍剌母林，即西拉木伦河，是最北边的地方。次子在迭儿孛只鹰，即赤峰松山区北部。花当五子及其诸子，在罕赤保哈。郭造卿称，该地在大宁城东北，即老哈河流域。花当八子，在以马兔。这个以马兔，据说离喜峰口700余里，可能指《热河志》记载的伊玛图山③，也在赤峰松山区北境。花当十子，在罕赤保哈。花当十一子及其子孙，在纳林，可能指纳林昆都伦河。

这样，察哈尔控制了朵颜兀良哈人的几乎一半，是朵颜兀良哈人的北方诸部。地域包括今天赤峰市市区全境、建平县北部、敖汉旗西部一带。需指出的是，兀良哈首领们在察哈尔部没有获得集体的特殊地位，没有形成塔不囊阶层。察哈尔万户中，没有形成类似在喀喇沁万户中的"诺颜—塔不囊"体系。花当之孙马答哈与土蛮汗的亲妹妹结婚④，算是大塔不囊。然而，后来，他在的察哈尔部历史上一直默默无闻。

当察哈尔万户侵入兀良哈北部时，右翼的俺答汗和巴雅斯哈勒汗也开始

①　和珅等：《钦定热河志》，沈云龙主编：《中国边疆丛书》卷29，台湾文海行印社1966年影印本，第2471页。

②　刘效祖：《四镇三关志》，第526页。

③　"伊玛图山，汉名羊山。在赤峰县属翁牛特右翼东北30里"。《钦定热河志》，第2369页。

④　郭造卿：《卢龙塞略》卷15，台湾学生书局1987年版。

经营兀良哈。蒙古文《俺答汗传》在 1543—1544 年间的叙事中说，乌济业特兀鲁思的以恩克丞相为首的诸首领，携带成吉思汗母亲月伦哈屯之宫帐归降俺答汗，"山阳万户"从此成为他的属民。俺答汗将恩克丞相赐予其弟喀喇沁的昆都伦汗，恩克的弟兄们则分别成为土默特贵族的属民①。正如学者们指出的那样，这位恩克就是兀良哈首领花当的重孙，大名鼎鼎的影克。恩克率领南部兀良哈人，自动归附了当时不可一世的俺答汗，目的是为了遏制察哈尔势力。

俺答汗将影克之部赐给喀喇沁部的巴雅斯哈勒汗，将其余众人分给了土默特部贵族。从郭造卿的记述来看，在影克率领下分到喀喇沁台吉属下的兀良哈部人有：花当的长孙革兰台九个儿子中的五个、三孙脱力的十二个儿子以及花当结义兄弟十六人，是朵颜兀良哈人的主力。

据《卢龙塞略》的记载，革兰台之子影克与哈赤来的牧地在大宁北境；董忽力的牧地在土国根；兀鲁思罕的牧地在敖母林；长秃的牧地在省集境界。据 1576 年成书的《四镇三关志》载，影克之子长昂的牧地在大宁城（去边 700 里）；董忽力的牧地在哈落兀素与孛郎打罢（去边 500 里）；兀鲁思罕的牧地在儿女亲（去边 400 里）；长秃的牧地在毛埃兔（去边 400 里）②。与《四镇三关志》几乎同时成书的《蓟镇边防》载，长昂牧地在东北大宁（去边 430 里）；董忽力的牧地在哈剌兀素（去边 360 里）；兀鲁思罕的牧地在儿女亲（去边 380 里）；长秃的牧地在大碱场（去边 380 里）③。影克父子的牧地一直在大宁城附近。大宁城的蒙古名为可苛河套（即 Köke qota），就是今内蒙古赤峰市宁城县大明城。所谓大宁城北境，应该是指今天的宁城县中部、北部和喀喇沁旗东部。董忽力的牧地在土国根、哈落兀素与孛郎打罢一带。《蓟镇边防》载，哈剌兀素"在大宁东南，即董忽力巢穴"④。哈剌兀素是敖母林的支流，敖母林即敖木林，是大凌河上游。哈剌兀素在今辽宁省建昌县境内。图国根、孛郎打罢地望虽尚不明，可按所说里

---

① 珠荣嘎译注：《俺答汗传》，内蒙古人民出版社 1991 年版，第 46—47 页。
② 刘效祖：《四镇三关志》，史 10—525、526，《四库禁毁书丛刊》，北京出版社 2000 年版。
③ 戚继光：《蓟镇边防》，《四库禁焚书丛刊》，北京出版社 2000 年版，第 510 页。
④ 《蓟镇边防》，第 510 页。

程，应当离哈剌兀素不远。兀鲁思罕的牧地在敖母林、儿女亲一带，应该是敖木林流域，即大凌河上游。长秃的牧地在大碱场、毛埃兔、省集一带。大碱场在大宁城东南二日程，蒙古名以克马喇①。大碱场东南过一个小山岭，即到毛埃兔。《蒙古游牧记》所记喀喇沁左旗南部的摩该图河与摩该图山，就是这个毛埃兔（＊Moyayitu）。据《钦定热河志》载，摩该图河"源出（建昌）县属喀喇沁左翼南三十八里之摩该图山，在县治东南境，东南流经沙帽山，入搜集河"②。所以，其牧地应在今辽宁喀喇沁左旗、建昌县北境。省集，根据所提供的地理位置和地名读音推断③，应该是指森儿（Senji）河，属于大凌河上游，即今辽宁省喀喇沁左旗西南境。如此看来，以上兀良哈诸首领的牧地分布在今内蒙古喀喇沁旗东部、宁城县北部，跨老哈河，东边到辽宁喀左旗和建昌县北境一带地方。

花当结义兄弟十六人，据说都附牧影克父子。那么，他们的牧地也应该在大宁北境。

关于脱力诸子的牧地。据《卢龙塞略》载，兀可儿的牧地在兀忽马儿境界，至董家口300余里，西南至贡关200余里。兀捏孛罗的牧地在接卜个境界，至董家口280余里，西至贡关140余里，可见在兀可儿牧地南。《蓟镇边防》载，兀可儿、兀捏孛罗、伯彦孛来父子三夷驻牧在东北虎叉、忽骂儿一带，去边360里④。据《四镇三关志》载，伯彦孛来、兀可儿驻牧在虎叉、兀忽马儿，去边300里。兀捏孛罗的牧地在会州，去边400里⑤。《蓟门考》称，兀可儿、兀捏孛罗、哈孩兄弟在大宁城以西海沿马喇⑥。其中，会州，前文已有考证，地在今河北省平泉县南。虎叉，疑即呼察（＊Quca，种绵羊之谓）。据《热河志》，在平泉州属喀喇沁右翼南140里有呼

---

① 疑"马"字为"乌"字之误。"以克乌喇"（＊Yeke aγula），"大山"之意。
② 和珅等：《钦定热河志》卷2，沈云龙编：《中国边疆丛书》卷29，台湾文海行印社1966年影印本。
③ 省，读作＊sen。最简单的例子有：俺答汗长子僧格（Sengge）的名字，在明代又作省革（Senge）。
④ 《蓟镇边防》，史15—511、512。
⑤ 刘效祖：《四镇三关志》，史10—526。
⑥ 米万春：《蓟门考》，史15—506。

察察罕陀罗海山，呼察河源于此①。所谓接卜个，应该就是济伯格（＊jöbüg，意为铧子），即济伯格河。《热河志》载，济伯格河，汉名铧子河，源出平泉州西境，东南流经州治西，汇豹河②。他们的牧地应该在今平泉县境中部、南部，承德县东南部一带。

至于脱力其他儿子的牧地，《卢龙塞略》记载，哈孩牧地在哈剌兀速，可可牧地在撒因毛，脱罗罕牧地在大兴州，伯牙儿牧地在舍巴兔，伯彦打赖等人牧地在卜灯。其地方都在喜峰口东北。《四关三镇志》称，哈孩等在省祭，伯牙儿、可可等住在大兴州。《蓟镇边防》的记载与《四关三镇志》同③。据《蓟门考》记载，可可、脱罗罕等驻牧的大兴州和伯牙儿牧地舍巴兔，相互连接。左翼蒙古西犯，从大兴州舍八兔川口南下。他们过以逊，到大兴州，大兴州蒙古名也叫做喀剌河套（＊Qar-a qota），从此到古北口仅二日程④。据《热河志》，滦平县即喀喇河屯（与喀剌河套同）厅，从西北锡喇塔拉川流入县境。锡喇塔拉川，又名兴州河，以古宜兴州得名，源出丰宁县，属正白旗境⑤。按此，大兴州应该就是锡喇塔拉川流域，即今兴州河流域。以逊，即今伊逊河。这个方位一经确定，"撒因毛"就容易寻找了。原来，"撒因毛"是"撒因"、"毛"两个地方，就是武烈河上游的赛因河和茅沟河。"撒因"与"赛因"，都是蒙古语 Sayin 的音译；"毛"与"茅"，也都是蒙古语 Maɣu/Muu 的音译，而茅沟是该河蒙古名 Maɣu ɣool 的音译。可见，他们的牧地在今隆化县东部、承德县西北部。哈孩的牧地哈剌兀速，恐怕是《蓟门考》所说洪山口边外，滦河附近的哈剌兀素，即《热河志》载喀喇乌苏。"喀喇乌苏，汉名黑水池，在（丰宁）县属察哈尔正白旗西北140里。"⑥ 也就是说，他们的牧地在今河北省丰宁满族自治县东南部、滦平县北部到隆化县东部一带。

从史料中看得出，喀喇沁塔不囊属部的占地非常开阔。大致在以今天内

---

① 和珅等：《钦定热河志》，第 2363 页。
② 和珅等：《钦定热河志》，第 2458—2459 页。
③ 刘效祖：《四镇三关志》，史 10—526；戚继光：《蓟镇边防》，史 15—512。
④ 米万春：《蓟门考》，史 15—502。
⑤ 和珅等：《钦定热河志》，第 2451 页。
⑥ 和珅等：《钦定热河志》，第 2502 页。

蒙古喀喇沁旗、宁城县北部为中心，东边到辽宁省喀左旗和建昌县北境一带；西边经过河北省隆化县东部，到丰宁县东部、滦平县北部；南边经平泉县境，到承德县东南部一带。如前所述，在他们的西北方就是喀喇沁部的牧地。

喀喇沁属部兀良哈人的牧地，在察哈尔所属兀良哈人的南部和西南部。有理由认为，恩克（影克）归降俺答汗，阻止了察哈尔部势力的进一步南下。受封恩克所领兀良哈部落后，喀喇沁台吉们的力量空前壮大，喀喇沁万户成为继俺答汗土默特部后首屈一指的右翼蒙古大部落集团。

巴雅斯哈勒汗及其子孙同兀良哈属部的关系，似乎相处得比较和善。他们通过联姻，加强了相互关系。联姻的具体情况，与东土默特一样，大致是兀良哈首领向有势力的黄金家族成员"事以子女"，男儿称"塔布囊"、女子称"璧只"。"其种最贵者为之婿，房酋岁至而祭天以往来其部落。而次则奉女为璧只，璧只者，妾之称也，有小大，各分部人马，其父兄反为所摄而因亲以居矣。"① 另一个方面，台吉们也把姐妹或女儿嫁予兀良哈，称为"阿巴亥"（台吉女儿）或"衮济"（公主）。

游牧部落的联合和游牧国家的成立，往往以武力征服（征服不等于占领）或以联姻为重要途径，而联姻的开始，也往往由于武力征服威胁。朵颜兀良哈首领的女子作台吉们的璧只很可能出于"其父兄反为所摄"。但随着姻亲关系的确立和亲属关系的扩大，喀喇沁、土默特台吉和兀良哈塔布囊之间的联合，也日趋紧密。

喀喇沁与朵颜兀良哈之间的联姻，早在巴雅斯哈勒汗时期就已开始。《蓟门考》也载，兀可儿等十人"皆系故夷脱力之子，亦影克之堂兄弟也。部落约有二百骑。伊妹是把都儿之妾。"② 《万历武功录》猛可真列传云："猛可真，把都儿妾也。"③ 这个把都儿，就是老把都，即巴雅斯哈勒汗。他娶的猛可真，是花当长子的第三个儿子脱力之女。根据郭造卿的记载，脱力子孙有 1600 余丁，他们是很有实力的大家族。巴雅斯哈勒汗死后，其次子

① 郭造卿：《卢龙塞略》卷 15，台湾学生书局 1987 年版。

② 米万春：《蓟门考》，史 15—506。

③ 瞿九思：《万历武功录》，中华书局 1962 年影印本，第 1179 页。

青把都成为喀喇沁的实际上的执政者。当时，在喀喇沁属朵颜兀良哈部落中，影克的长子长昂的势力最为强大。青把都把女儿东桂嫁给了长昂。《万历武功录》长昂列传载，"长昂，又名专难，影可长子也。少失母，养于姨母土阿、姑母那干，皆以子畜之。稍长，室西虏青把都女东桂，由此昂益习于兵。"① 长昂的强盛和与喀喇沁本部的密切关系，可见一斑。

朵颜兀良哈的一部分曾经在俺答汗的直接控制下。俺答汗死后，其长子僧格兀良哈氏夫人苏布亥所生噶尔图兄弟四人被封到所属兀良哈鄂托克，并占有之。这样，噶尔图兄弟及其子孙的兀鲁思形成为东土默特部本部，他们与属部的兀良哈诸首领一起被称作"土默特的执政塔布囊"②，变成了喀喇沁万户的一部分。

僧格之妾苏卜亥的兄长伯彦打赖为确保获取明廷的赏物，经常向明朝密报土默特部的活动，因此也与僧格发生了冲突。1567 年，苏卜亥死，伯彦打赖欲投靠明朝，但遭拒绝，后完全被僧格控制。1615 年，伯彦打赖死，噶尔图杀死其表兄长男，兼并了伯彦打赖部落③。史料记载显示，噶尔图还控制了继母大嬖只的部众。据《蓟镇边防》载："大比只巢住在无碍，去边三百五十里（乃辛爱妾）"。可《武备志》载："东夷兀爱是营名，与下北路龙门所相对，离独石边一百余里。……酋首安兔，故"。该书还援引《职方考》云："蓟镇系朵颜三卫属夷。东北系擦恼儿（察汉儿之误）。西北系青把都儿、大嬖只、赶兔等部落驻牧。"大比只，即大嬖只。无碍，就是兀爱。安兔即噶尔图。不难发现，在苏卜亥死后，噶尔图与其继母一起游牧，大嬖只的原驻牧地兀爱随之变成了噶尔图的领地。此外，笔者在《东土默特本部旧牧地考》一文中没有提及 17 世纪初期有名的兀良哈塔布囊善巴、赓格尔等都是东土默特的塔布囊。善巴的祖父是俺答汗的属民猛古歹。对俺答汗与猛古歹的联姻关系、后来东土默特人的"满官嗔"之名的由来等，特木勒作了令人信服的考证④。这位猛古歹，是花当的后裔，归附土默特俺

---

① 瞿九思：《万历武功录》，中华书局 1962 年影印本，第 1163 页。
② 《十七世纪蒙古文文书档案》，第 43 页。
③ 特木勒：《朵颜卫研究——以十六世纪为中心》，南京大学 2001 博士学位论文，第 33—35 页。
④ 特木勒：《朵颜卫研究——以十六世纪为中心》，南京大学 2001 博士学位论文，第 36—38 页。

答汗的恩克（影克）的兄弟。据《卢龙塞略》载："猛古歹，妻伯彦主喇。子曰罕麻忽，曰那彦伯来，曰那秃，曰那木赛"。"伯彦主喇其男亦为安滩婿。"① 安滩即指俺答汗。又据《王公表传》载："善巴，土默特部人，姓乌梁罕，元臣济拉玛十三世孙。祖莽古岱由喀喇沁徙居土默特，有子三：长哈穆瑚；次诺穆图卫征，子即善巴；次鄂穆什固英。"② 做俺答汗女婿的莽古岱之子，就是善巴的父亲诺穆图（那秃）。赓格尔是善巴的近族。据此可推知，土默特其他贵族属部的塔布囊们，至少是俺答汗的一些塔布囊们，加入了后来的东土默特部。应该说，东土默特部的塔布囊部落不仅包括僧格的属民，而且还包括原来俺答汗等人的一些属部。

根据《卢龙塞略》，归附东土默特贵族的兀良哈人，包括以下几支：

首先是花当长子革兰台的几个儿子。《卢龙塞略》载，猛可的牧地在汤兔；猛古歹在会州、讨军兔；抹可赤在母鹿；斡抹秃在青城境界。《蓟镇边防》云，鹅毛兔（斡抹秃）、伯彦主喇（猛古歹妻）等夏营地在青城，春冬营地在会州、讨军兔一带。这里所说的会州，蒙古名插汗河套（＊Čayan qota），在今河北省平泉县境内。《热河志》称，会州城在平泉州治南 50 里，属于平泉州南境③，即今平泉县南。据《蓟镇边防》记载，逃军兔有两处，一处在会州以西，当时改称讨军兔；一处在都山之后。位于会州以西的讨军兔即清代的托津图。《热河志》说，"托津图河，即豹河之上流。在平泉州（即八沟厅）东北境西南流，会诸小水为豹河。"④ 豹河，又称瀑河，其主流在今河北省宽城县境内。按今图，豹河上游在平泉县西境。因此，讨军兔无疑是在平泉县西部。青城，蒙古名哈喇河套，即明初所建大宁新城，在今宁城县大明城西南 50 里，距会州 120 里⑤。汤兔，离冷口边较近，可能就是汤图河一带。"汤图河源出建平县（即塔子沟厅）西南境，东南流经迁安县边外，至石柱子会青龙河。"⑥ 母鹿这一地名，尚未见于明代其他汉籍。

①　郭造卿：《卢龙塞略》卷 15，台湾学生书局 1987 年版。
②　《王公表传》卷 25。
③　和珅等：《钦定热河志》。
④　和珅等：《钦定热河志》。
⑤　张穆：《蒙古游牧记》，李毓澍主编：《中国边疆丛书》卷 8，台湾文海行印社 1965 年影印本。
⑥　和珅等：《钦定热河志》。

据此可知，土默特所属革兰台几个儿子的牧地分布在今河北平泉县西部到东面的辽宁凌源县、建昌县一带。

其次，是花当第二子革孛来及其子孙。据《卢龙塞略》，革孛来及其子孙的牧地分布在里屈老、以孙、哈剌塔剌等地。《四关三镇志》与《蓟门考》记载，伯彦帖忽思、伯斯哈儿、伯彦孛罗和把秃孛罗俱在古北口境外以逊、以马兔一带驻牧①。以逊、以马兔，《蓟门考》又作一逊、一马兔，称二地均属无碍之地，就是现在河北省围场县、隆化县境内的伊逊河、蚁蚂吐河。可知，革孛来子孙的牧地当在这两条河流域。

最后，是花当四子的第三个儿子板卜子孙。板卜之子伯彦打来名气很大，是僧格的妻兄、噶尔图四兄弟的舅父。《卢龙塞略》说他的牧地在毛哈气水、鸣急音境内。《蓟门考》称，他"在石塘岭境外地方满套儿等处驻牧"。《四关三镇志》载，该部在"石塘岭、慕田、四海冶境外满套儿住牧。"② 据《蓟门考》，满套儿是蒙古"犯石塘岭、古北口、曹家寨三路之总括"，地在潮河上游。满套儿即现在河北省丰宁满族自治县南潮河流域一带。毛哈气水，指汤河上游。《蓟门考》说，毛哈气儿即汤河上稍③。据《明档》记载，宣府总兵董继舒等报告，崇祯四年（1631年）三月十七日，明军到白塔儿、天克力沟等地，次日，到汤河、满套儿等地，搜查敖目部蒙古（敖目即鄂木布）④。可见，汤河距满套儿很近。因此，伯彦打来的牧地毫无疑问就在潮河上游、汤河流域一带，即今丰宁县南部和西南部。

在"宣府东塞"的噶尔图兄弟的封地，《宣大山西三镇图说》记载得非常清楚。该书第一卷的《宣府巡道下辖北路总图说》载，下北路"迤东百五十里外即安、朝二酋巢穴，而白草、瓦房尤为群虏往来之冲"。接着，在《各城堡图说》中，对噶尔图、朝克图的驻牧地，指出了以下地方：龙门所边外白塔儿、滚水塘；牧马堡边外七峰嵯；长伸地堡外乱泉寺一带；宁远堡边外一克哈气儿；滴水崖堡外大石墙、庆阳口等处。《宣府怀隆道辖东路总

---

① 刘效祖：《四镇三关志》，史10—525；米万春：《蓟门考》，史15—505。
② 米万春：《蓟门考》，史15—505；《四关三镇志》，史10—525。
③ 米万春：《蓟门考》，史15—503。
④ 《明档》，太子太保兵部尚书梁崇祯四年三月二十八日题行稿，宣府巡抚沈塘报。

图说》载，该路"东北即安、朝二酋驻牧之处，而宝山寺、黑牛山、大安山、天屹力等处，层崖叠嶂，深林丛棘，虏尤易于潜逞"。另外又在各城堡图说下指出赶兔兄弟的牧地：四海冶堡边外芍药湾、宝山寺；周四沟堡边外的乱泉寺、孤山、碱场、虎喇岭等处；黑汉岭堡边外的白塔儿、牛心山等处；靖胡堡边外的黑牛山、乱泉寺、许家冲等处；刘斌堡边外的天克力（离边约一百五十里）①。上述诸多城堡分布在今北京市延庆县中部从东南向西北延伸，至河北省赤城县中部从南向北延伸的一条 L 型线路上，即延庆县的四海镇、黑汉岭、周四沟、刘斌堡和赤城县的后城、龙门所、牧马堡。在这条线外边凡有关赶兔兄弟牧地的地名大部分都很清楚。乱泉寺是赤城县东南部的万泉寺；宝山寺是怀柔县中部的宝山寺；天克力是宝山寺以北的天河附近。孤山、碱场、虎喇岭等处，均在周四沟边外。据明朝兵部档案，这些地方与白塔儿、宝山寺的距离不很远。大致在今延庆县东、怀柔县北一带。

据此可知，噶尔图兄弟的牧地在今天的北京怀柔县北、延庆县东，河北省赤城县东部黑河以东，丰宁县汤河流域等地区。

总之，今天的北京市怀柔县北、延庆县东，河北省赤城县东部黑河以东以及丰宁满族自治县西南部，是当时东土默特诸诺颜的根据地。河北省丰宁满族自治县西部和南部，围场满族蒙古族自治县、隆化县境内的伊逊河、蚁蚂吐河一带，以及从平泉县西部到辽宁凌源县、建昌县一带，是当时东土默特诸塔布囊的牧地所在。

---

① 《宣大山西三镇图说》卷1。

第 十 二 章

北元时期蒙古社会政治制度

第一节　北元时期的政治制度

北元政治史从其政治形势的发展情况来划分，可分为三个时期，即相对统一时期（1368 — 1388 年）、东西部分裂时期（1389 —约 1478 年）和东部蒙古局部统一时期（约 1479 — 1635 年）。但是，从北元政治体制的变化来划分，可以从达延汗取消元朝官制为界，分为前后两个阶段，即北元前期和后期。

北元前期政治制度　自元廷北徙至达延汗废除元朝官制之前，元朝的政治制度一直延续下来，处于逐渐衰退的状况。在惠宗、昭宗和脱古思帖木儿汗三朝，元朝的政治制度基本得到保留。脱古思帖木儿汗败亡后，北元失去辽阳行省北部的农耕地区，元朝原来适应中原地区的中央集权制度失去了其最后一点根基，再加蒙古诸王的篡位，使北元政治制度迅速衰落。此后，元朝的官僚制度虽然保留了一段时间，其实际内容已经发生了变化，职官称号逐渐成为尊贵者享有的一种名号。蒙古旧制随之占据主导地位，成为北元游牧政权的主要制度，达延汗最终全部取消了元朝官制。明代汉文史籍的有关记载反映了这种逐渐蜕变和演化的过程。

元惠宗至正二十八年（1368 年），明军攻克大都，元廷北徙上都。除留守大都者外，元廷主要官吏都跟随元惠宗来到上都。第二年六月，北元中枢机构官员仍见于《北巡私记》① 记载的人有：

中书省：右丞相 也速、扩廓帖木儿

左丞相 失列门、也先不花②

平章政事 臧家奴、定住、李百家奴、撒里蛮

右丞 脱火赤

左丞 张守礼

参知政事 哈海、魏伯颜、兀鲁不花

右司郎中 黄卓

兵部尚书 李钟时

枢密院：知院 哈剌章、王宏远、三宝奴③、江文清

佥事 张益、观音奴

副使 阿剌罕

御史台：御史大夫 阿剌不沙、朵朵

中丞 黑的

侍御史 任忠敏

监察御史 徐敬熙、刘佶

以上统计虽然很不完全，但是反映出元朝廷的主要官吏基本都北徙上都。洪武二年（北元至正二十九年，1369 年）六月，元廷再迁应昌，上述官员中李百家奴病死，脱火赤、撒里蛮和定住（鼎住）死于上都之役，知院江文清率领部属投降明朝，其余大臣都随惠宗迁居应昌。

洪武三年（1370 年）五月，皇太子爱猷识里达腊自应昌北逃之后，汉文史籍中有关北元内部情况的记载很少，而《高丽史》中留下了零星记载。洪武九年（北元宣光六年，1376 年），北元派遣兵部尚书字哥帖木儿赴高丽，给高丽自立的国王辛禑带去了都总兵、河南王、中书右丞相扩廓帖木儿的书信，劝其重新归附北元。④ 第二年，高丽国王遣使表示归附北元，"始

---

① 刘佶：《北巡私记》，载罗振玉辑：《云窗丛刻》第四册。
② 失列门出大都不久卒，命也先不花为左丞相。见《北巡私记》。
③ 三宝奴后任御史大夫，见《北巡私记》。
④ 郑麟趾：《高丽史》卷113《辛禑世家》，第688 页。

行'宣光'年号，中外决狱，一遵《至正条格》"。① 北元封辛禑为高丽国王，给予册命。高丽国王遣使谢北元册命，在其礼单中提到的北元官员有："中书省太师阔阔帖木儿、太保哈剌章、太尉蛮子，平章、参政、台大夫，下于内官、小臣……"② 这反映了当时北元朝廷内部的一些情况。

明洪武二十年（1387 年）、二十一年（1388 年），明军连续出击北元，随着明军的胜利，汉文史籍中再次大量出现有关北元官制、人员等方面的记载。洪武二十年（北元天元九年，1387 年），明军迫降北元辽阳行省左丞相纳哈出，明征虏大将军冯胜"以故元降将纳哈出所部官属将校三千三百余人，马二百九余匹，金银铜印一百颗、金银虎符及牌面一百二十五事，王九，国公、郡王四，太尉、国公五；行省丞相一、司徒平章十三，右丞、左丞三十一，参政知院三十二，各院使、同知、副枢八十一，金院、院判二百二十八，院副使五，宣慰使、副使、佥事一百八十九，万户、千户、路、府、州总管、同知等官九百二十七；尚书参议二，承旨学士十，文学司马七，大卿、司卿、少卿十八，卫帅府佥事三，郎中员外十五，王府官员六，蒙古宗人卫副使一，客省大使二十六，廉访司使副、盐运司使副六，卫帅府使一，治书、安抚、司农各一，太、少监、理问、断事、部郎中、主事、兵马指挥、府卫镇抚、崇福司使、副经历、都事、太医院官及州县等官二百二十二；将校一千四百余人送至京师。"③ 这些官吏显然不都是辽阳行省的官员，大部分是随元廷北徙后寓居于辽阳行省的元朝中央各机构及各地方的官员。

第二年，明军袭击北元汗廷于捕鱼儿海，杀北元太尉蛮子，击败太保哈剌章，知院捏怯来和丞相失列门等人逃走。明军追获"吴王朵儿只、代王达里麻，平章八兰等二千九百九十四人。军士男女七万七千三十七口，得宝玺、图书、牌面一百四十九，宣敕、照会三千三百九十道，金印一、银印三……"④ 此役之后，"纳哈出故部属，行省平章朱高、枢密院同知来兴、陕西行省右丞阿里沙、岭北行省参政字罗、辽阳行省左丞末方、河南行省左

---

① 郑麟趾：《高丽史》卷 113《辛禑世家》，第 690 页。
② 郑麟趾：《高丽史》卷 113《辛禑世家》，第 690 页。
③ 《明太祖实录》，洪武二十年八月丁丑条。
④ 《明太祖实录》，洪武二十一年四月乙卯条。

丞必剌秃、甘肃行省右丞哈剌、中政院使脱因、宣政院使脱邻、太使院使拜住、省都镇抚完者秃、太常礼仪院使台思帖木儿、翰林学士哈剌巴都儿、行枢密院知院纽怜、将作院使梁三宝奴、通政院使扯里帖木儿、太府监卿怯都古、都护府都护速哥干、宣徽院同金灰里赤、行宣政院同知怯古里不花、千户朵儿秃、秃甲、爱马忽鲁答、司农司丞使孛罗不花、兴和路府判哈剌帖里温、海西宣慰司同知剌八蒸、太仆寺少监末里赤、内政司丞蛮歹、大宁路同知张德林、中瑞司卿李不颜、内史金院哈剌曲赤、山东宣慰司同知也提、河东宣慰司同知帖木儿不花、大都督府总管失列门、太医院同知忻都、长秋司丞失兰歹、御史帖木儿等一千余人自辽东来降"。① 这些人是明军前一年袭击纳哈出时逃走的北元寓居辽阳行省的官吏，由于元廷被明军袭击后无法自存，此时从辽阳行省境内来降，故明人称他们为"纳哈出故部属"。这些人的官职有的是元代故职，还有一些是北元新封的官职，近年发现六方北元官印。② 这些官印上面都刻有官印的制作年月，还刻有"中书礼部"或"礼部"字样。其印文及制作年月如下：

印　文	制作者	制作年代	资料出处
大尉之印	中书礼部	宣光元年十一月　　日	《北元官印考》
中书右司都事听印	礼部	宣光二年五月　　日	《北元"中书右司都事厅"印考略》
陕西、四川蒙古军都万户府印		宣光二年五月　　日	《吉林近年发现的元代五颗官印》
太尉之印		宣光五年十二月　　日	《北元官印考》
永昌等处行枢密院断事官印	礼部	天元元年二月　　日	《内蒙古黑城考古发掘纪要》
甘肃省左右司之印	中书礼部	天元五年六月　　日	《北元官印考》

北元惠宗和昭宗都有庙号，昭宗和脱古思帖木儿汗都有汉文年号。据《高丽史》记载，《至正条格》仍是北元及其属国的主要法律，北元脱古思

---

① 《明太祖实录》，洪武二十一年八月癸亥条。
② 罗福颐：《北元官印考》，《故宫博物院院刊》1979 年第 1 期；《内蒙古黑城考古发掘纪要》，《文物》1987 年第 7 期；陈炳应：《北元"中书右司都事厅印"考略》，《西北史地》1985 年第 2 期；张中澍：《吉林近年发现的五颗元代的官印》，《东北考古与史》1982 年第 1 期。

帖木儿汗时还进行郊祀和颁赦，可知元代的法律和礼仪制度仍存不废。这些文献记载和官印物证都说明北元初期基本保留着元朝的政治制度。元朝制度之所以能保存得比较完整，除元廷北徙不久之外，主要是在北元朝廷内有一定数量的儒臣，境内仍有大量的汉官汉民。明初几次北征，虽然扫荡了大漠南北地区，但是对辽阳行省北部没有形成多大威胁。元辽阳行省平章刘益以辽东半岛投降明朝之后，明军坚守辽河以东、浑河以南的辽东半岛地区，由于兵力单薄，粮饷全靠海运，无力对北元发动大规模进攻，因此元辽阳行省北部一带成为较为安全的地区，在那里聚居了大量的北元军民。纳哈出依仗其军事上的优势，多次率军攻击明辽东都司所属地方，还逼迫高丽国王重奉北元正朔，引起了明廷的重视。明朝组织大规模海运，屯兵积粮，加强辽东军事实力。辽东明军还多次主动出击，争夺处于北元和高丽之间的女真地区，至洪武十七年（1384 年），东北女真部落大量归附后，最终切断了北元与高丽之间贡使往来的交通线，孤立了纳哈出统辖的辽阳行省北部地区。

洪武二十年（1387 年）和二十一年（1388 年），明军连续出征纳哈出和北元汗廷，不仅俘获大量人畜，还直接导致北元大汗易位及北元境内的大部分汉人南归，沉重地打击了北元政权。元朝中央集权统治是以中原农耕地区为基础建立的，元廷北徙后就失去了根基，但是由于传统的力量及北元境内仍有大量汉官、汉民，使元朝中央集权的统治模式仍存。后来由于汉官汉民大部分南归，再加上受汉文化影响较少的诸王也速迭儿篡位，使北元的政治制度受到很大影响。此后，除也先汗外，在蒙、汉文史籍中再也没有出现北元大汗的汉文年号和庙号。阿里不哥后王也速迭儿篡位又使北元政权发生内讧，成吉思汗后裔宗王争夺汗位，先后被权臣推上大汗宝座，甚至出现了两汗并立的局面，北元开始分裂为东、西两个部分，中央集权的统治体制完全瓦解。

也速迭儿篡位称汗之后，北元历史进入了分裂割据时期，蒙古东、西部贵族为争夺北元的最高统治权，各自拥立大汗，篡弑频繁，这时期共有十四位大汗。北元职官多见于汉文史籍。如永乐元年（1403 年）明成祖朱棣书谕北元大汗鬼力赤，并谕："虏太师右丞相马儿哈咱、太傅左丞相也孙台、太保枢密院知院阿鲁台等以遣使往来之意"。[①] 永乐七年六月、七月，先后

---

① 《明太宗实录》，永乐元年二月己未条。

来降的北元官吏都有国公、大司徒、丞相、平章、知院、尚书、同知、同金等职衔。① 永乐十二年（1414 年）四月，明成祖敕谕北元："开府仪同三司，特进金紫光禄大夫、太师、中书右丞相、枢密院为头知院和宁王阿鲁台"。② 其中除"特进金紫光禄大夫、太师、和宁王"③ 是明方所授之外，其余就是阿鲁台在北元的官称。明宣德年间脱欢杀阿鲁台后，阿台汗逃至甘肃边外，正统元年（1436 年），甘肃明军出击，获枢密院官印一颗。正统三年（1438 年）四月，明朝将领蒋贵率明军"执其伪左丞脱罗及部属百人，斩首三百有奇。逐杀八十余里，获金银牌六面，玺印二颗，……阿台、朵儿只伯以数骑遁。是日（任）礼兵至梧桐林，执伪枢密同知、院判、金院等官十五人。明日至亦集乃地，执伪万户二人。……伪平章阿的干招其余党来降，右副总兵都督赵安等出昌宁至刁力沟，执伪右丞、都达鲁花赤等三十人……"④ 这是北元阿台汗政权内职官方面的一些情况。正统三年（1438年），瓦剌贵族扶持的脱脱不花击杀阿台汗，统一了北元全境。脱脱不花汗时期北元与明朝往来频繁，因此汉文史籍中记载了许多北元当时的官职称号。如明正统四年正月，明朝遣使赏赐北元脱脱不花汗及其妃，并"赐丞相把把的（只）、右丞相脱欢、左丞相昂克，知院孛的打力麻、海答孙，大夫阿都剌、忽秃不花，平章撒都剌、伯颜帖木儿、卯失剌，阿剌别力的王、奄不剌王、亦勤帖木儿王、小失的王、脱谷思太子、淮王也先，太尉帖木儿、撒哈台，头目猛哥帖木儿王，阿鲁秃同知，其余院判、院使、金院、左丞、右丞、断事官、打剌罕都事官、打剌罕都事、国公、参议、千户、掌判人等俱赏赐有差"。⑤ 正统八年正月，英宗给脱脱不花汗的信中提到赐可汗及其妃，"又赐丞相把把只……其余平章伯颜帖木儿、小失的王、丞相也里不花、王子也先猛哥、同知把答木儿、金院哈儿蛮、阿秃儿打剌罕、尚书鬼林帖木儿、金院喃剌儿、尚书八里等皆赏彩缎有差"。⑥ 正统十年（1445

---

① 《明太宗实录》，永乐七年七月丁亥条，八月庚申条。
② 王世贞：《弇山堂别集》卷 88，中华书局点校本 1985 年，第 1693—1694 页。
③ 《明太宗实录》，永乐十一年七月戊寅条。
④ 《明英宗实录》，正统三年四月乙卯条。
⑤ 《明英宗实录》，正统四年正月癸卯条。
⑥ 《明英宗实录》，正统八年正月壬午条。

年）正月，明廷遣使赏赐的北元官员有："可汗所属王子也先、丞相把把只、平章伯颜帖木儿、小失的王、别里哥秃王、知院孛的打里麻、忽都不花、兀答帖木儿、忽秃不花、右丞脱忽脱、院判把秃儿、太尉弩儿答、参政那哈出；也先所属为头知院阿剌、大夫撒都剌、平章那哈台、太尉帖木思哈、知院沙的海答孙等。"① 景泰元年（1450 年）十一月，明代宗信中称也先为："都总兵、答剌罕、太师、淮王、大头目（即也可诺颜）、中书右丞相"。② 景泰三年十一月，"瓦剌太师也先、知院伯颜帖木儿、头目阿剌帖古迭儿、宁王撒因孛罗、大同王阿巴乞儿、副枢虎秃不丁塔剌罕等求装成白纸簿，并黄紫大红织金九龙缎匹，黄红绿缎衣服……"③ 景泰四年十月，也先遣使贡，"其书首称大元田盛可汗，田盛犹言天圣也，末称添元元年，中略言：往者元受天命，今已得其位，尽有其国土人民传国玉宝，宜顺天道，遣使臣和好，庶两家共享太平，且致殷勤意于太上皇帝，帝命赐使臣及赐彩币表里有差。"④ 明廷认为"脱脱不花称汗乃其世传所称名，犹为近正，也先弑主自称可汗，名实不正"⑤，廷议后决定回书称其为瓦剌可汗。综合以上记载，至明景泰年间，北元还保留着元代三大中枢机构的下列职官：

中书省：右丞相、左丞相、平章政事，右丞、左丞、参知政事、参议中书省事、尚书、断事官。

枢密院：知院、院使、同知、副枢、佥院、院判、打剌罕都事官、打剌罕都事、断事官。

御史台：御史大夫。

北元还仿效元朝设立行省，遣人授沙州、罕东、赤斤蒙古三卫都督喃哥为平章等官，置甘肃行省名号。明英宗因此敕谕喃哥等："近闻今年七月间脱脱不花王并也先差人来尔处，著喃哥做平章、锁南奔做王、撒力做三平章、别立哥做右参政、锁可帖木儿做大使等情……"⑥ 锁南奔是沙州卫都督

①　《明英宗实录》，正统十年正月己亥条。
②　《明英宗实录》，景泰元年十一月甲寅条。
③　《明英宗实录》，景泰三年十一月辛酉条。
④　《明英宗实录》，景泰四年十月戊戌条。
⑤　《明英宗实录》，景泰四年十二月癸巳条。
⑥　《明英宗实录》，正统九年十二月癸亥条。

喃哥弟，封为祁王。① 平章政事、参知政事、客省大使等都是元朝行中书省的官职。

明天顺至弘治初年，汉文史籍中对北元官号仍有许多记载：如天顺八年（1464 年）正月，"迤北马可古儿吉思王子及其太师孛来遣知院满都、平章朵罗秃等来朝，凡千人，贡马三千有奇。满都等七十九人乞授官职，兵部言：使臣名称有三等，其称知院者如朝廷指挥使，右丞如指挥佥事，余系具名议拟以闻……"② 明廷给北元使臣授以明朝官职，以便按官职高低给予不等的赏赐。北元使臣为多获赏赐也屡求官职或求升迁。弘治元年（1488 年），小王子率部驻牧大同近边，遣使上书求贡，自称大元大可汗，其使臣桶哈为北元知院。兀良哈三卫头目此时也有北元官号。

北元初期，至脱古思帖木儿汗时见于汉文史籍的元代诸王封号还有幽王③、梁王④、营王、云安王⑤、吴王、代王⑥、辽王、会宁王⑦等。至北元中期，明成化时有齐王、黄苓王（广宁王）号，⑧ 泰宁卫头目兀喃帖木儿还有刘王（即辽王）的称号。⑨ 异姓王则更多，景泰年间还有宁王、大同王，也先称"淮王"⑩，他还封沙州卫都督喃哥弟锁南奔为"祁王"等等。达延汗以后不再有汉文王号，一律称洪台吉、台吉等。

达延汗改革之前北元虽已转化为蒙古游牧政权，但是仍保留着部分元朝制度。元朝政治制度在元代行之百年，在蒙古社会文化中产生了深刻的影响，无论现行的政治、法律制度，还是长期在人们头脑中形成的观念都不会立即消失。事实上，凡欲统治整个蒙古的成吉思汗后裔子孙，都想利用元朝的政治制度达到自己的目的；对权臣们来讲，元朝制度也是维持其原有权势的有力工具。所以，尽管元朝政治制度中不适合草原游牧生活条件的那一部

① 《明英宗实录》，正统十一年九月壬午条。
② 《明英宗实录》，天顺八年正月丁丑条。
③ 《明太祖实录》，洪武十三年五月壬寅条。
④ 《明太祖实录》，洪武十四年十二月壬申条。
⑤ 《明太祖实录》，洪武二十年七月丁酉条。
⑥ 《明太祖实录》，洪武二十一年四月乙卯条。
⑦ 《明太祖实录》，洪武二十一年十一月辛卯条。
⑧ 《明宪宗实录》，成化三年三月己丑条。
⑨ 《明宪宗实录》，成化元年十二月庚寅条。
⑩ 《明英宗实录》，景泰元年十一月甲寅条。

分早已被废弃，其余部分仍然发挥作用，权臣们仍以此为依托，继续操纵北元政柄。首先，权臣利用元朝官僚制度来保证自己的权力和地位。如阿鲁台、也先、孛来等都自称"都总兵、太师、右丞相"来总揽大权，把大汗当作其手中的傀儡，使成吉思汗后裔宗王所属部落，以及成吉思汗诸弟所属的部落都被迫从属于他们。其次，权臣手中都掌握一定数量的军队和人口作为后盾。在北元初期，除大汗外，一些北徙官员也率领所属军队、家属组成游牧集团，以屯田放牧为生。如扩廓帖木儿、哈剌章、失列门等大小官员所率军队、家属形成的游牧集团。据史载哈剌章有众约一万五千余户、捏怯来有众五千余人。此后尽管政治形势多变，权臣们始终掌握着这一部分军队和属民，成为其参与北元政治的资本。这种游牧集团本来就不是什么部落，所以，其名称多来自其居住地名、机构名或构成该集团主要成员的族别。如后来的喀尔喀部，就是以居地内的喀尔喀河而得名；永谢布部落是元代云需府属下人众形成的故名；阿速部、喀喇沁部名来自为皇室牧放畜群的阿速、康里（哈剌赤）人的名称；斡耳朵思（鄂尔多斯）部名来自元代成吉思汗大斡耳朵思，大斡耳朵思所属人口形成了该部。这也是为什么在北元时期以地缘关系——鄂托克来称呼某一大爱马的重要原因。正是由于北元初、中期还保留着元朝的政治制度，使拥兵自重的权臣们得以参与和操纵北元政治，而分散的诸王无法与他们抗衡。

北元中期虽然保留了一些元代官职，但是，这些官职无论其职能和性质都已非原貌，而且越往后相去越远，至达延汗时期可能已近于一种称号。当然这个称号并不是完全无关紧要的一个名称，在一定程度上反映了当时北元奉行的政治制度以及封建统治阶级的内部关系。自元廷北徙之后，由于游牧生活居地分散，大汗和臣僚不能在一个地方游牧。所以在议政时需要临时召集诸王、大臣来商讨重大事务，如选立大汗、决定征伐、协调各部之间关系和制定有关法规等。所以蒙元时期称作"忽里勒台"的大聚会方式成为北元蒙古游牧政权运作的主要方式，明代蒙古文史籍中称作"楚固兰"，亦汉译为盟会。在北元中期，由于内部分裂，权臣擅权，盟会成为蒙古贵族、权臣（赛特）们争权夺利、互相残杀，进行政治角逐的场所，"那颜死在盟会上，狗儿死在猎围中"，正是这种状况的生动写照。

北元后期政治制度 北元后期从达延汗至林丹汗，共有七位大汗在位。

这时期，瓦剌已西迁，东蒙古地区相对统一，黄金家族在蒙古建立了绝对统治地位。达延汗初期，元代官制仍存，如明宣大总督翁万达于嘉靖二十六年（1547 年）曾说："至于弘治年间，迤北小王子节投番书求贡，考其来文，犹踵袭残元旧号，及平章、知院官衔，意义可解，言语足凭。"① 但是，在汉文史籍中逐渐见不到元代官称。明人郑晓说："弘治初，把秃猛可死，阿歹立其弟伯颜猛可为王，虏中太师官最尊，诸酋以王幼，恐太师专权，不复设太师。"② 郑晓认为北元在明弘治初为防止太师专权，取消了太师一职。他的这种看法主要是根据《明实录》记载中再也见不到这个称号推测来的，实际上取消的不止太师一职，而是整个残存的元朝官制。在明后期的汉籍中从此再也见不到元代官职。在蒙古文史籍中，记达延汗及其以前之事，还有太师、知院等官称，而达延汗之后再也见不到元代职官名称了，亦卜剌是最后一位有太师称号的人，可见元代官称确实是在达延汗以后消失的。达延汗时期取消元代官制可能主要有两方面原因，一是经过百余年漫长岁月，元朝政治制度和汉文化影响逐渐衰退。二是达延汗巩固黄金家族统治的需要，即北元政治形势发展的结果。在北元中期，那些拥兵自重的大臣如阿鲁台、也先等凭借元朝制度来巩固其权势，操纵北元政治，甚至凌驾于黄金家族之上。因此，达延汗在统一蒙古过程中，逐渐剥夺权臣（赛特）们的政治权力，将他们连同其属民分封给诸子，其原来借以与诸王抗衡的元朝官号也随之取消。这样就使一切蒙古人都隶属黄金家族出身的汗、台吉们，一切政令也出自这些台吉们。而异姓大臣们只能作为哈剌出（庶民、平民），成为汗、台吉的阿拉巴图（纳贡赋者），蒙古文史籍中通称这些大臣为"赛特"（臣僚、大臣）。这是达延汗大规模推行分封制度，蒙古诸王势力发展和强盛的结果。至此，原来高居于诸王封国之上的中央集权政权消失，蒙古国旧制取代了元朝政治体制，黄金家族在蒙古取得了绝对统治地位。蒙古内部实现了统一，结束了无休止的内讧。但是，完全按蒙古旧制实行分封，也带来

① 　翁万达：《北虏屡次求贡疏》，翁万达著，朱仲玉、吴奎信点校：《翁万达集》卷 10，上海古籍出版社 1992 年版，第 319 页。

② 　郑晓撰，李致忠校：《今言》卷 2，中华书局 1984 年版，第 64 页。蒙古文史籍中都记伯颜猛克为巴秃猛可（达延汗）之父，蒙古汉文记载不同。

新的问题。随着大汗与台吉承袭世次的增加，分封进一步扩大，封地越封越小，封民越封越少，出现了封国林立的局面。如明人记鄂尔多斯部："套虏号称十万，分为四十二支，每支多者不过二三千骑，少则一二千骑而已。"①翁万达描述弘治以后的这种变化说："缘彼时小王子威力犹能钤诸宗人，号令尚能行之部落，事有归一，他无掣肘故耳。近年以来支分类繁，日益盛强。画地驻牧，各相雄长，空名仅相联属，事权殊为携贰"。② 诸王台吉分封之后各自为政，北元大汗的权威日益下降，最后仅剩下名义上的宗主权，对各部的内部事务无力施加影响。国与家成为一体，汗权也成为黄金家族内的宗主权力，完全回到了元朝以前的蒙古游牧国家状态。

达延汗死后，右翼济农巴尔斯博罗特即汗位，称赛那剌汗，旋死。不地阿拉克汗时赛那剌汗的二子吉囊、俺答势力强盛，但是仍承认大汗的宗主权。从《俺答汗传》的记载看，他们仍与大汗会盟，配合大汗征伐兀良哈部落，并从大汗获得称号。不过大汗的约束力已经很有限了，如吉囊、俺答征亦卜剌、向明朝求贡的行动，几乎都是自己独自进行的。《蒙古源流》记载，土蛮汗："聚集起六万户人众，制定了大法规，指令左翼万户中察哈尔[万户]的那木大·黄台吉，喀尔喀[万户]的威征·速不亥、右翼万户中的鄂尔多斯[万户]的忽图黑台切尽黄台吉、阿速[部]的那木答喇合落赤那颜、土蛮[万户]的纳木歹扯力克黄台吉这几个人执掌法规，以扎撒黑图合罕之名扬名四面八方，使广大国家政局太平，从女真、捏流、答吉兀儿三种部族处收取贡赋，以莫大幸福满足国民"。③ 和田清先生已考证过以上五个扎萨克，分别是察哈尔脑毛大洪台吉、喀尔喀苏巴亥台吉、鄂尔多斯库图克台彻辰洪台吉（切尽黄台吉）、阿速特部哑速火落赤把都儿、土默特部扯力克洪台吉五人。在土蛮汗时似乎通过封任五部的扎萨克来行使着大汗的权力。这时期大汗与各部贵族之间的关系史籍缺乏详细的记载。但是，俺答自打来孙汗获"索多汗"之号后就有了汗号，不久其弟喀喇沁部老把都也自称"昆都伦汗"，喀尔喀左翼阿巴岱也从达赖喇嘛获得"斡齐赖赛因

① 涂宗睿：《夷酋示罚请开市赏疏》，《明经世文编》卷77。
② 翁万达：《北虏屡次求贡疏》，翁万达：《翁万达集·文集》卷10，第319—320页。
③ 乌兰：《〈蒙古源流〉研究》，第360页。

汗"之号，此后随着藏传佛教的传播，各部贵族从西藏喇嘛获得汗号，纷
纷称汗，察哈尔汗逐渐成为汗中之汗了。明人记载，林丹汗每云："南朝止
一大明皇帝，北边止我一人，何得处处称王"。①　但他已无力改变这种局面。
1635 年，据俄国使臣向喀尔喀右翼的和托辉特部阿勒坦汗部人打听到，在
林丹汗以前，蒙古各部都要向大汗缴纳实物贡，以尽臣子义务。巴德利
《俄国·蒙古·中国》一书中音译喀尔喀人对林丹汗的称呼为"杜沁汗"，
意为全蒙古四十万户之汗。②　明人称虎墩兔罕（即林丹汗）"自祖父以来为
诸部长，诸部尽皆纳贡"。③　但是，大汗是否与诸部定期会盟，未见于史籍
记载。总之，北元大汗在林丹汗之前仍有一定的权威，至少左翼诸部还听其
调遣，据《万历武功录》等书记载，布延汗（卜言台周）还能组织左翼诸
部兵马在明广宁镇一带挟赏。林丹汗即位时年幼，不能控驭部属，使蒙古各
部更加涣散，各行其是。

　　达延汗时期，黄金家族成员都享有汗、济农、洪台吉（皇太子）、台吉
（太子）等称号。明末清初，在东西蒙古各部落中都有济农之号。在汗、台
吉以下的执事官员都有异姓封建主担任。自达延汗取消元代官制后，恢复了
蒙古游牧政权的管理体制，官少政简，所谓的官吏就是主人的家臣。在蒙古
大汗和台吉爱马（部落）都有一些执事官员，各台吉之下也有属官，这些
执事官员的名称散见于蒙、汉文史籍。明万历年间成书的《三云筹俎考》
比较集中地记载了当时蒙古部落内各种人的身份并解释如下：

台吉	是王子家子孙。
比妓	是各台吉之妻，与宗室妃同。
倘不浪	是王子家女婿，即仪宾。
哑不害	是王子并各台吉之女，与宗女同。
首领	是各台吉门下主本部落大小事情，断事好人。
恰	与首领同。
台实	是台吉下得用家人。（似为太师之异译）

①　《崇祯长编》卷 11，崇祯元年七月己巳，台湾影印《明实录》本。
②　［英］约·弗·巴德利：《俄国·蒙古·中国》下卷第 1 册，吴持哲、吴有刚译，第 1091 页。
③　《崇祯长编》卷 11，崇祯元年七月己巳。

榜实	是写番文书手。（即清代的巴克什）
笔写气	是汉字书手。
蛇进	是倘不浪儿男。
明安兔	是管一千人头目。
召兔	是管一百人头目。
打儿汉	凡部落夷因本营台吉阵前失马扶救得生，或将台吉阵中救者加升此名，如救台吉自身阵亡，所遗亲子孙酬升此名。亦有各色匠役手艺精，能造作奇异器具升为此名。
宰牙乞	是主外国大事及本部落夷甲之事好人。
耳六	是各台吉乳母之夫。
哈甲儿气	是熟知地名、道路之人，与向导、夜不收同。①

在《开原图说》中，记载喀尔喀翁吉剌特、巴约特、扎鲁特等三部各枝领兵用事官员为贾儿古赤，即扎鲁忽赤。此职是从蒙元时期一直沿用下来的蒙古官职，汉译为断事官。上文中所说首领、断事好人，即指此官。那么结合明末清初各种记载，在各兀鲁思（部落，亦称作万户）都有执政台吉，即扎萨克。各枝台吉下则有执事的赛特如下：

扎鲁忽赤	在台吉下主本部落大、小事情，断事好人。
扎萨固齐（扎萨古尔）	大体与扎鲁忽赤同。
舒冷格	收税官。
达鲁噶	小首领，十家长。
恰	也是台吉下主事之人。
明安兔	管一千人头目。
召兔	管百人头目。
宰牙气	主外国大事及本部落夷甲之事。
榜实	蒙古文教师及文书。
笔写气	汉文文书。
台实	台吉下得用家人。

这是北元后期由异姓封建主担任的主要官职，这些赛特往往就是台吉

---

① 王士崎：《三云筹俎考》卷2《封贡考·夷语解说》。

的女婿倘不浪（tabunong，清代译为塔不囊）或打儿汗，倘不浪与台吉一
般世为婚姻，成为亲家，这大概与元代孛儿只斤氏与翁吉剌氏之间世为婚
姻的情况相同。自达延汗废除元朝官制后，汉文化在蒙古的影响消失
殆尽。

盟会还是北元后期蒙古游牧政权的主要运作方式，如选举大汗、商议征
伐、解各部间纠纷等重大事情时召集各部贵族会盟，在盟会上对重大事情作
出决定，或对一些纠纷进行调解。盟会也是大汗颁布政令的重要场所。兀鲁
思（土绵）之间或兀鲁思内部一般都采用盟会的形式商议和解决重要事情。
现存的所谓《俺答汗律令》、《1640 年喀尔喀和卫拉特律》、《喀尔喀七旗律
令》、《喀尔喀法规》等都是在盟会上商定的。这些法规中多数是重申蒙古
习惯法的有关规定，而有一部分是针对当时面临的问题作出的新规定。兀鲁
思组织盟会的盟主一般由各鄂托克首领中的长者或有势力者来担任，如苏巴
亥、炒花先后成为内喀尔喀五鄂托克的盟主，科尔沁右翼的翁阿岱及其子奥
巴先后担任嫩科尔沁诸鄂托克的盟主。吉囊、俺答先后担任右翼三个兀鲁思
的盟主。

北元后期的盟会与中期不同的是主盟者是汗、台吉等黄金家族的成员，
参加者也主要是黄金家族，异姓封建主只能作为家臣参加，处于次要的角
色。异姓封建主虽然可以成为汗、台吉的亲家——倘不浪，在各封地内担任
一定职务，管理具体事务，但是完全从属于黄金家族成员。只有不在大汗管
辖范围内西部卫拉特部贵族例外。

和硕特部首领是成吉思汗弟合撒儿的后裔，他们自称台吉。北元后期，
甚至四卫拉特的绰罗斯等部贵族也自称台吉，后来甚至称汗。他们称汗、台
吉显然不是因为他们是黄金家族后裔，而是效仿黄金家族所为，以示其家族
在自己的封国（部落）内具有同黄金家族一样的绝对统治地位。在这种意
义上，西部蒙古的洪台吉（皇太子）、台吉（太子）、济农（晋王）等称号
代表的是各部统治者的特权，不是黄金家族专有的名号。卫拉特贵族还称其
部内异姓臣属为"宰桑"，与漠南蒙古常说的"赛特"同义。其他主要执事
官员与东部蒙古的基本相同，卫拉特的政治制度基本仿效北元后期东部蒙古
的政治制度。

第二节　北元时期的社会制度

一、爱马、鄂托克、和硕与土绵

爱马　明代蒙古社会的基本细胞是个体家庭——阿寅勒，在阿寅勒之上有爱马。元代汉文史籍中，一般把蒙古语"ayimaγ"（现译爱马克）音译为"爱马"，或意译为"投下"、"部落"。爱马就是指蒙古诸王、那颜等封建主所属的军民集团。蒙元时期草原分封千户，本身就是封授给某一诸王或功臣的封地、封民，从这个角度也可以称作一个爱马。所谓五户丝投下，是元朝政府为维护中央集权制度，保护汉地不被诸王骚扰，由中央政权干预而形成的特殊投下形式。而由工匠等私属户（怯怜口）形成的投下，也属诸王爱马的一部分，但是他们的人身地位低于草原千户属民。

蒙元时期的爱马由血缘关系不同、分属不同社会阶层的人组成，并不是血缘组织，而从爱马的统治家族内部来讲，相互都有血缘关系，都源自同一祖先。12—13 世纪，蒙古的斡孛黑——氏族，已经是一个复杂的整体了。斡孛黑包含了若干个社会阶层：即主人们——兀鲁黑，阿勒巴图以及奴隶。斡孛黑的核心是主人们，即氏族首领及与他有血亲关系的同族成员，下层人也都能记忆他们自己的族系（骨）和氏族，但是，他们是遵从主人氏族的命令进行游牧，屯营用主人氏族的名字①，这就是所谓爱马（氏族）的内幕。成吉思汗建立的千户作为封地、封民，其内部情况应与所谓氏族大体相同。元代诸王受封千户后形成了自己的爱马，爱马中的属民，世代受其主人家族的统治，生活在同一封地内。其属民中又分为若干阶层，诸王属下的千户长、百户长等在爱马中是管事的异姓头目，其中一些异姓贵族虽然隶属于诸王，但有自己的属民，其中一些人与主子通婚，成为主人的世代亲家②。主人奴仆中的一些人，由于随主人征战有功，成为显贵者，被称作斡脱古·

---

①　符拉基米尔佐夫：《蒙古社会制度史》，刘荣焌译，中国社会科学出版社 1980 年版，第 111—112 页。

②　符拉基米尔佐夫：《蒙古社会制度史》，第 104 页。

孛斡勒（老奴婢），汉译作"元勋世臣"。① 因此在爱马中，统治家族的台吉及其子孙们是爱马的领主，他们相互有血缘关系，构成了亲族集团，他们还与本爱马中非直系血亲关系的属下赛特们（异姓显贵）通婚，这样与属民又多了一层亲族关系。凡是同一爱马之人对外都以主人爱马的名称来自称，表示属于同一个社会集团。

明代蒙古的爱马克组织，在汉文史籍中仍音译为爱马。如《明太祖实录》记载纳哈出属下的各"爱马"来降②，明成祖在永乐八年（1410 年）五月的一篇诏文中，"敕谕国公米剌、王脱火赤、国公乞塔、哈列陈各爱马头目人等……"③ 也先发动"土木堡之变"前，因为明朝扣留了瓦剌使臣，他也把明朝使臣扣留，安置于各"爱马"中养活④，明英宗也被安排在伯颜帖木儿特知院的"爱马"中。爱马在更多的情况下被意译为部落。明代的爱马在性质上似与元代无异，例如明代朵颜卫花当子孙被"北虏"役属之后，仍各统所部为各自的主子效劳，清初编旗后仍冠以主人部落喀喇沁或土默特的名称，而不是本氏族的兀良哈之称。

按蒙古习惯，每个家庭在子女成年后都要分给一部分家产，使其独立生活。爱马克的统治家族也不例外，子女成年后分给家产，包括属民、牲畜和财物，形成新的阿寅勒或阿寅勒集团。通常与其父兄一起组成一个游牧集团，形成一个由近亲家族统治的爱马。而几个有这样血缘关系的爱马构成的大游牧集团，其游牧地范围较大而且比较固定，也可以从其具有的共同游牧地称之为鄂托克。有时，爱马的规模可能与鄂托克没有什么差别，鄂托克是从其游牧地而言，爱马是从其内在亲族关系而言，这种亲族关系主要是指领主家族内部关系。如内喀尔喀部虎喇哈赤五子分封，形成了五个鄂托克，各有其名称。五个鄂托克内再分封，又形成了若干个爱马，明人称其为营。鄂托克通常指由一个或若干个爱马组成的较大的游牧集团，但是在性质上没有多大区别。以内喀尔喀部虎喇哈赤长子乌巴什卫征所属的扎鲁特鄂托克为

① 亦邻真：《关于十一十二世纪的孛斡勒》，《亦邻真蒙古学文集》，内蒙古人民出版社 2001 年版，第 708 页。

② 《明太祖实录》，洪武二十年六月丁未条。

③ 王世贞：《弇山堂别集》卷 88《诏令杂考》第四册，第 1684—1685 页。

④ 杨铭：《正统临戎录》，纪录汇编本。

例，乌巴什卫征子孙形成了各自的爱马，有些爱马还有自己的名称，如扎鲁特左翼舍剌巴拜的爱马之名为阿尔巴特，济农卫征（桩南）的爱马名为扎哈沁，昂阿达尔罕巴图尔（昂革台州）的爱马名为喀喇古特，呼毕勒图都楞（果丙兔）的爱马名为察嘎特。整个内喀尔喀五部的统治家族都是虎喇哈赤子孙，相互有密切的血缘关系。扎鲁特鄂托克内各支（营）统治家族都出之乌巴什卫征一系，相互间也都是近亲，所谓的营（Küriy-e），也可以说是一个小爱马（小封地、小部落），其内部是由一个家族统治下的若干个血缘关系不同、社会地位不同的阿寅勒集团组成的。父子兄弟各自统领若干个小爱马形成一个游牧集团，就是一个名副其实的爱马。经几代后形成较大的集团，并有了自己固定的名称，这种大爱马就可以称之为鄂托克。再扩大些就是兀鲁思。在一个土绵或鄂托克内还有一些异姓小封建主的爱马（封民、封地），他们管领属民，形成一个单独的组织，也可以称其为爱马，但是，他们通常附属于某一台吉，对外用主人的爱马或鄂托克的名称。

鄂托克　有些人认为鄂托克（Otoγ）是一个地缘组织，代替了元代的千户。其实早在十二三世纪蒙古的氏族制度已经瓦解，千户本身就不是氏族组织，而是一个封建领地，也可以称之为爱马。千户从最初建立就不是一个整齐划一的社会组织，大小不一致。我们从元代史籍中看到千户人口不断发展繁衍的同时，作为封民，又被其主人不断分割，分配给其子孙，又衍生出新的千户或爱马。

在北元初期，蒙古大汗和权臣各率所属军民形成一个游牧集团，与黄金家族台吉一样拥有属民，有较大的固定游牧地。这种部落没有地方行政名称，也不同于诸王爱马，因此多以其元代所属政府机构名称或居地名来称呼。符拉基米尔佐夫认为蒙古文鄂托克 Otoγ 源自粟特语 Otak（国家、疆域之义）。[①] 此词与蒙古语奴秃意思相近，元代汉译牧地为"农土"[②]，掌管牧地之官称作"奴秃赤"[③]。北元中期中亚一带突厥化蒙古部落进入北元，如

---

① 符拉基米尔佐夫：《蒙古社会制度史》，刘荣焌译，中国社会科学出版社 1980 年版，第 207 页。日译本的中译，记 Otaγ 有"国土、地域之意"。见田山茂：《清代蒙古社会制度》，商务印书馆 1987 年版，第 32 页。

② 《元史》卷 118《特薛禅传》，第 2919 页。

③ 《元史》卷 100《兵志三·马政》，第 2556 页；《百官志六·经正监》卷 90，第 2295 页。

野乜克力部人，蒙古文史籍中称作畏兀特。该部首领乩加思兰、亦思马因都曾担任北元太师，还有从撒马尔罕来的本雅失里汗也是受突厥文化影响的人。Otoγ 一词可能是这些中亚突厥化的蒙古人使用的社会组织称谓，后来由他们带入北元。鄂托克之称不见于元代蒙、汉文史籍，在明末成书的蒙古文史籍中表示较大的爱马或爱马集团。达延汗分封诸子后，由源于同一家族的台吉率领的爱马集团，世代游牧于相对稳定的牧地，因此也以其居地或主要成员的族属来称呼它为某鄂托克。鄂托克与元代的千户没有直接的联系。《蒙古源流》中记作鄂托克（Otoγ）或库伦（Küriy-e）。鄂托克在性质上与爱马没有什么区别，这两个名词被交替使用。它们之间的区别仅仅是鄂托克通常指的是较大的爱马集团，并从其地缘关系来称呼而已。无论爱马还是鄂托克都不是血缘组织，也不是纯地缘组织，而是在蒙古封建领主制度下以人身隶属关系为基础形成的一种社会组织。在鄂托克（或大爱马）内部，组成该鄂托克的各爱马统治家族之间都有血缘关系。再扩大一点，像鄂尔多斯、土默特等兀鲁思中，各鄂托克和爱马的首领都是源于同一祖先的台吉们。实际上在蒙古内部从来没有整齐划一的行政组织，封建领地——爱马是其基本的社会组织，每个台吉的属民，少者几户，多者几百户，组成一个小爱马，由某个贵族家庭中若干台吉及其属民构成的游牧集团就构成了一个较大的爱马，而由一个家族统治下的属民组成的游牧集团就成为更大的爱马，其游牧地也相当可观，所以也可以把这样较大的爱马以其地缘关系称之为鄂托克。

和硕　在蒙古文史籍中鄂托克、和硕两个名词往往互相混用。如喀尔喀七鄂托克或喀尔喀七和硕。有人认为蒙古文史籍中的"和硕齐"是和硕（鄂托克）的首长、和硕的军事领主——首领。① 但是根据不足。"和硕齐"似乎只是一种荣誉称号，并非官职。北方游牧民族和蒙古社会组织通常是军事与行政合一，一般不会分为行政首领和军事首领。在蒙古文史籍中叙述漠南蒙古和卫拉特社会组织时未使用过"和硕"这个名称，提及喀尔喀部时混用"和硕"一词。现存清入关前漠南蒙古首领与爱新国皇太极往来信件中，蒙古人也使用和硕一词，其内容与爱马和鄂托克之意相近，也许是爱马的一种别称，而不是鄂托克军事组织的专称。蒙古语的"和硕"一词有旗

---

① 符拉基米尔佐夫：《蒙古社会制度史》，刘荣焌译，中国社会科学出版社 1980 年版，第 218 页。

帜之义，与满语的"固山（Gūsa，旗）"相对应。满文"固山"的原始语义已难以搞清楚。但是旗帜是区分满洲八旗的主要标志，清代取蒙古语中的同义词"和硕（旗）"来对译相应的组织"固山"，又取"苏木（箭）"对译满文的"牛录（箭）"。也说明"和硕"并非是军事组织的专称，是行政和军事合一的组织，相当于较大的鄂托克或爱马。清初编设外藩旗时，"和硕"相当于满洲的旗，鄂托克相当于牛录，在清崇德年间的蒙古文档案里把牛录仍称作鄂托克。牛录以下的满文称作"Mukūn"，似相当于爱马。①清代内外蒙古喇嘛旗及喇嘛库伦的属民——沙毕那尔，其社会组织仍使用鄂托克的名称，相当于满洲的牛录。如外蒙古哲卜尊丹巴库伦的沙毕纳尔的组织。据明代汉文史籍记载，蒙古有明安兔（千长）、召兔（百长）之类的官称，这应当是鄂托克和爱马克出征时组建的某种军事组织名称。

土绵　绵（Tümen，即万户），亦称兀鲁思，是北元后期对蒙古大部落集团的称呼。土绵是一个同姓贵族家族及其属民构成的大集团，包括这个家族各台吉的鄂托克、爱马，以及附牧于该部的其他源于不同祖先的台吉或大臣的爱马等。在政治上形成一个松散的联盟，盟主通常由其中某一鄂托克强有力的首领兼任，有些是世袭的。明代蒙古六万户是达延汗分封诸子后逐渐形成的，除兀良哈万户之外，其余五个万户都是由达延汗子孙直接管领。蒙古文史籍中通常以"四十万户蒙古"与"四万户卫拉特"来表示全体蒙古人，亦以蒙古"六万户"与卫拉特四万户来表示全体蒙古人。实际上，所谓六万户只是指达延汗及其子孙直接管辖的蒙古部落，没有包括成吉思汗兄弟的子孙部落，因此不是对东部全体蒙古人的准确称谓，在东部蒙古中称得上万户的还有成吉思汗诸弟后裔封地形成的各部落，如科尔沁、翁牛特、阿巴噶等部落。由于这些部落都服从北元政权，后来也以"六万户"泛称全体东部蒙古人。

二、分封制的普遍推行

分封制是古代蒙古社会的一项重要制度，成吉思汗建立大蒙古国之后分

---

① 达力扎布：《清初"外藩蒙古十三旗"杂考》，达力扎布：《明清蒙古史论稿》，民族出版社2003年版，第273—277页。

封兄弟子侄，后来一直实行这项制度。忽必烈采用汉法建立中央集权统治制度之后，在朝廷中培植起了一部分异姓权贵，他们仰仗大汗和中央政府的权威，高居诸王封地之上，操控元朝的政治、经济大权。蒙古贵族的各封国屈从于中央政府。元亡之后，元朝的中央集权制度被削弱，但是，退处漠北的异姓封建主仍拥有元朝的各种官职，统有自己的军队，势力仍比原漠北蒙古诸王部落更强大。他们利用中央集权制度巩固自己的权势，使元末的政治弊端得以延续，权臣擅自废立大汗，操纵北元政权。在异姓权臣废立大汗的血腥杀戮中成吉思汗子孙几乎断绝，异姓封建主势力严重威胁着成吉思汗家族的统治地位。达延汗即位之后，采取提高成吉思汗家族台吉们的政治地位、削弱异姓权臣权力的措施来巩固黄金家族的统治。他采取了废除元代遗留下来的官职，恢复蒙古旧制的措施，彻底铲除了元代中央集权制度的残余；他分封诸子直接管理部众，确立了黄金家族在东部蒙古的绝对统治地位，使分封制成为蒙古游牧政权的主要行政体制。

达延汗分封诸子后，其子孙在封地继续实行分封制。明后期，蒙古社会通过分封形成了大汗之下以宗法关系约束的各土绵、鄂托克、爱马集团。他们具有相对独立性，各自为政，归属关系上是依其宗法关系层层相属，大汗不能直接管理在台吉名下的属民和领地，台吉只在名义上尊大汗为宗主。由于各鄂托克、爱马内层层分封，随着分封世代的增加，出现了爱马越分越多，各爱马属民越封越少的情况。使整个社会更加涣散，内讧增加，大汗权威下降。蒙古分封体制替代元朝的中央集权体制之后，北元政权的涣散及分裂也就不可避免了。

第 十 三 章

北元时期内蒙古地区的藏传佛教

第一节　藏传佛教在漠南蒙古的传播

在北元前期，自窝阔台汗时期开始的蒙古与西藏的联系基本中断。但是，藏传佛教在蒙古地方的传播并没有因此完全停止。蒙古地区所发现的文献证明，到了 1431 年的时候，在北京还出版了畏吾儿体蒙古文等四种文字合璧的陀罗尼经。这部经是属于藏传佛教密宗的。又据汉文资料，北元国师朵儿只怯烈失思巴藏卜，于北元宣光五年（1375 年）曾南来归服明廷，以及明英宗年间（1436—1449 年）西部蒙古瓦剌部中仍有西藏佛僧活动和他们的首领崇信佛教的记载。除此而外，我们在资料上就很难看到东部蒙古（明代汉籍所称的"鞑靼"）地区佛教僧侣如何活动的记载。资料显示，在这一时期由宗喀巴创建的格鲁派似乎没有传入蒙古。

众所周知，使藏传佛教再度传入蒙古社会的是格鲁派僧人。藏传佛教在蒙古地区再度兴起的历史与漠南蒙古土献特部首领俺答（1507—1582 年）汗的西征藏土有密切关系。

16 世纪中叶，土默特部首领俺答的势力从河套一带扩张到甘、青地区。1566 年，俺答汗的侄孙库图克台彻辰洪台吉（1540—1586 年）进军西藏地区。战争胜利后，他将一些西藏喇嘛带回蒙古。据哲里木盟库伦旗发现的《锡埒图库伦喇嘛传汇典》记载，青海阿木多地方的阿兴喇嘛秉承达赖喇嘛的旨意，先到五台山朝佛，于 1571 年转到长城以北的蒙古土默特部，会见了俺答汗。阿兴喇嘛向俺答汗解说佛教宗旨，缕述历代达赖喇嘛的学识与贤明以及生平等等，并劝说俺答汗邀请格鲁派领袖索南嘉措。另外，1576 年，鄂尔多斯部的库图克台彻辰洪台吉向他的叔父俺答汗建议，迎请西藏达赖喇嘛，接受新教，以效忽必烈汗尊崇八思巴喇嘛之例，确立政教管理体制。俺答汗毫不犹豫地采纳了这一建议。经过阿兴喇嘛的传法以及库图克台彻辰洪台吉的建议，俺答汗有了皈依佛教的心愿。这两件事是俺答汗迎佛的前奏，也是在这一段历史上起决定性作用的关键因素。

蒙古和西藏方面的资料记载，1578 年 5 月 15 日，俺答汗与西藏格鲁派领袖索南嘉措（1543—1588 年），在位于青海湖东南岸由俺答汗为迎请他而修建的察布恰勒庙（仰华寺），进行了具有历史意义的会见。俺答汗在仰华寺举行了隆重的欢迎仪式。据说，从远道前来参加欢迎大会的蒙、藏、汉、维吾尔等族僧众和军民达 10 万余人，真可谓盛况空前。我们从思想和宗教观点来看，在这次欢迎会上尤为重要的是由鄂尔多斯部库图克台彻辰洪台吉所发表的一篇言辞生动的“讲演”和所宣布制定的《十善福法规》。“讲演”对俺答汗接受佛教予以高度评价，认为这一举动是巩固汗权、建立和平、安宁的重要手段。“讲演”追述了宗王阔端、萨迦班智达以及忽必烈、八思巴等人兴教隆法的历史及元顺帝妥懽帖睦尔以后蒙古社会的混乱情形。从这篇“讲演”里，我们可以看出当时蒙古人是如何厌战和热望和平的情形。这种热切盼望和平的心理，正是佛教得以顺利地在蒙古弘法的基本要素。“讲演”对蒙古佛教史的主要阶段有十分明确的看法，认为第一阶段为忽必烈汗时期，第二阶段始于俺答汗时期，即宗教和国家在蒙古的复兴阶段。这篇“讲演”，对于了解蒙古佛教史及其主要历史观点的形成具有重要意义。在这次欢迎会上，库图克台彻辰洪台吉还代表蒙古政界宣读了《十善福法规》，其主要宗旨为将佛教定为正式国教，巩固其地位，并为此采取一些具体规定：如提出废除杀生祭祀和废除供奉“翁衮”之神（翁衮，即萨满偶像），还废除古时在有人逝世时，其亲人、随从都要殉葬的习俗等等。其主要目的是根除蒙古固有的萨满教。从而这部《十善福法规》便成为佛教再度传入蒙古后在蒙古确立和巩固的重要规则了。随着《十善福法规》的宣布，蒙古正式接受了藏传佛教格鲁派的教义，同时也使中断了 200余年的蒙藏关系重新开始恢复。

库图克台彻辰洪台吉的"讲演",最初见于蒙古文史料《蒙古源流》（清代蒙古人萨囊彻辰著）诸抄本中。关于《十善福法规》，流传至今的权威性本子有如下几部：最早的当属五世达赖喇嘛所著《三世达赖喇嘛传》（1646 年），其后是《蒙古源流》（1662 年），还有在清人纳塔所著《金鬘》（今有乔吉校注本）中的抄件。其中《蒙古源流》所载《十善福法规》是萨囊彻辰摘引的，不完全，甚至还有一些地方不准确。《金鬘》所载虽然晚于前一部书，但其记载来自《三世达赖喇嘛传》，比起《蒙古源流》内容更为全面。看来，过去有人仅据《蒙古源流》的记载评论《十善福法规》，显然是不足的。若要全面评论该法规，必须要看藏文资料的记载和纳塔在《金鬘》中所记的蒙古文内容。

有必要指出，利用宗教达到某一政治目的，是一切权势者丝毫不能忽略，也不能动摇的举措。西藏佛教领袖应邀来蒙古地区传法，而蒙古的政治领袖皈依西藏佛教，都包含着借助对方的权势，欲图达到一定政治目的之意。在这次会晤中，西藏佛教领袖将俺答汗称作忽必烈的化身，赠给他"转千金法轮咱克喇瓦尔迪彻辰汗"的称号。对于俺答汗来说，借助西藏宗教领袖的神力护持，加强了他在蒙古诸部中的号召力。俺答汗将索南嘉措称作忽必烈的帝师八思巴的代身，赠给他"圣识一切瓦齐尔达喇达赖喇嘛"的称号（后来索南嘉措被称为三世达赖喇嘛）。这对于索南嘉措来说，由他领导的宗派，在蒙古大檀越（大施主）俺答汗的实力支持下，加强了他在西藏诸宗派中的领导地位。

俺答汗的皈依，使藏传佛教的一支格鲁派在很短的时间内，在当时土默特部的首府呼和浩特（明人所称之"归化城"）得到了蓬勃发展。俺答汗和索南嘉措的会见结束后，达赖喇嘛自青海返回西藏之时，就指派了栋科尔满珠什里呼图克图代表自己驻锡于呼和浩特，弘扬佛法。这样西藏宗教领袖的代表人物在呼和浩特主持了宗教事务。俺答汗从青海返回呼和浩特后，即建造供奉释迦牟尼佛像的大召（即弘慈寺），成为在内蒙古地区建立的第一座藏传佛教寺庙。此后数十年间，在俺答汗的儿子、孙子及其亲信们的资助下，在呼和浩特及附近，寺庙建筑相继而起，成为召庙林立、金碧辉煌的美丽城市，甚至到了明末清初，连"呼和浩特"这个地名也往往被"召城"一名所代替。云游僧侣、隐修士及其弟子、信徒不断集中到呼和浩特及附近一些山区。蒙古诸部的领袖人物也亲至呼和浩特拜佛，行皈依之礼。这样，在数十年间，呼和浩特就变成了蒙古佛教的大本营了。

俺答汗逝世后，西藏三世达赖喇嘛于 1588 年又亲自来到蒙古右翼三万户之地传法，并于蒙古地方圆寂。他的"转世"又生于蒙古俺答汗的家族里。

到了 16 世纪末和 17 世纪初，内蒙古诸部贵族完全向藏传佛教开放了。此时由西藏前来内蒙古地区弘法的大师们的布道活动，对佛教在蒙古地区深入发展，起了不可忽视的关键性作用。其中，阿兴喇嘛可以说是在俺答汗时期从西藏来的第一位传法大师。阿兴喇嘛事迹见其传略。此外，随同俺答汗从青海来呼和浩特的栋科尔满珠锡里呼图克图（1557—1587 年），是一位极重要的人物。这位活佛，不仅作为呼和浩特俺答汗的喇嘛而闻名，而且更为重要的是，当藏传佛教在土默特地区产生危机时，他化解了这一危机，从而使佛教在整个蒙古地区迅速发展。据《蒙古源流》记载，当俺答汗的生命垂危之时，土默特部的领袖们对佛教的信仰产生了动摇，甚至提出"此经教之益安在哉？既无益于合罕之金命，岂能利后世之他人乎？此等喇嘛乃欺诳者也。今当弃绝此辈僧徒"的想法。满珠锡里呼图克图闻之，立即到现场用佛法生死轮回之道说服和扭转了土默特部的领袖们。看来，这一关键时刻，满珠锡里呼图克图做了扭转乾坤的大事。

当时从西藏前来弘扬佛法的诸大师中，锡埒图固什绰尔济的活动，对蒙古人接受佛教思想具有很大影响。据蒙古方面的资料记载来看，他的传教活动，从俺答汗时期开始，到那木岱汗略后的年代中，均依稀可见。他不仅是三世达赖之高徒，尤其令人瞩目的是，他是这一时期最有名气的佛经翻译家和佛学家。他除了参加那木岱时期所进行的《甘珠尔》经的翻译及领导工作而外，还把许多其他极为重要的佛教经典译成蒙古文。他作为一名传法者，在其众多佛经的"译后记"和有关著作里，向广大佛教徒系统地介绍了教徒必须了解的佛教教义、伦理道德和佛教历史。锡埒图固什绰尔济的传法活动，对于佛教的基本思想观念统治蒙古社会产生了重要的影响。他的代表作《本义必用经》在蒙古社会中颇有影响的原因大概即在于此。

除了上述几位重要的传法者外，还有几位传法者的活动也被记载在蒙古人的佛教文献中。如：参加俺答汗时期所建大召开光活动的济陇呼图克图拉汪曲结坚赞（1537—1604 年）；依四世达赖喇嘛的派遣而前来呼和浩特统掌佛法的迈达哩呼图克图（1592—？年）；出自西蒙古贵族家庭，受西藏格鲁派领袖的派遣而来呼和浩特，后来又到内蒙古东部地区进行传教活动的内齐托因（1557—1653 年）；在蒙古末代汗——林丹汗的宫帐里当宗教顾问的沙尔巴呼图克图；在内蒙古东部科尔沁草原上传教，后来得到满洲皇室优礼的斡禄达尔罕囊索（？—1621 年）等等。此外，除了西藏的大师们来蒙古地区弘法外，在呼和浩特地区已有了蒙古出身的大师也在进行传法活动，如呼和浩特的博格达察罕喇嘛（？—1627 年）在呼和浩特一带传法，而且他的活动很有影响。

16 世纪末，藏传佛教除了以呼和浩特地区为中心传播外，还继续向内蒙古东部地区传播。当土默特部的俺答汗邀请西藏格鲁派的领袖索南嘉措之际，图们扎萨克图汗（1558—1592 年）也于 1557 年邀请当时西藏的噶玛派的法主，并以弟子和门徒的身份朝拜他，进而皈依该宗，并在自己的属民中进行传播。根据《蒙古源流》等蒙古文文献的记载，西藏佛教的格鲁派与噶玛派在当时都得到过蒙古贵族们的支持。从当时的情况来看，图们扎萨克图汗虽与噶玛派取得了联系，但又考虑到当时格鲁派的势力和影响很大，所以他必然要考虑到与格鲁派的领袖三世达赖喇嘛建立联系的重要性。于是俺答汗逝世后，他曾两次派遣使臣邀请过三世达赖喇嘛到他的领地。三世达赖喇嘛虽然第二次接受了邀请，并准备东行，但是 1588 年圆寂而未能实现。看起来，图们扎萨克图汗虽然是由噶玛派的法主引导而入法门，但并不因此而完全变成噶玛派的支持者。他还是对于正在兴隆的格鲁派有着极大的敬仰。

西藏佛教真正在内蒙古东部地区大范围传播是在图们扎萨克图汗的孙子、蒙古末代汗林丹（1592—1634 年）汗时期。林丹汗是一个热心支持佛教的人。他即位的那年（1604 年），从四世达赖喇嘛派来蒙古地方掌管教法的迈达里呼图克图承受格鲁派的法戒。后于 1617 年西藏萨迦派的沙尔巴呼图克图便出现在林丹汗的宫廷，林丹汗从沙尔巴呼图克图接受了密乘的灌顶。这位沙尔巴呼图克图，大概从 1617 年起一直在林丹汗身边，但文献没有记载具体细节。我们仅据 1626 年所立的刻有蒙藏两种文字的石碑中，可以了解到沙尔巴呼图克图被林丹林汗所尊奉的事迹。

　　大多数蒙古文文献记载了林丹汗弘扬佛法，建立寺庙，铸造佛像，翻译《甘珠尔》经等对佛教的发展所作的贡献。还有一些蒙古文文献记载，《甘珠尔》经的蒙译，是依据林丹汗的命令，在 1628—1629 年间，由公嘎敖斯尔领导的一个由 35 名翻译人员组成的班子完成的。实际上，《甘珠尔》经的蒙古文翻译始于林丹汗之前很长时间，而最终完成于林丹汗在位期间。现存的蒙古文佛经文献和历史文献证明，《甘珠尔》经的某些章节早在元代就已译成，并于前述那木岱彻辰洪台吉时将大部分译成蒙古文。后来到林丹汗时期，由林丹汗所组织的翻译班子，对元代和 16 世纪以来所译的经文，以及 17 世纪初那木岱彻辰洪台吉的倡议下由锡埒图固什绰尔济等"右翼三万户的翻译家"们所译的《甘珠尔》（不是全文）经等，重新作了校勘整理，将所缺的内容进行补译，结果仅用一年的时间（1628—1629 年）就实现了蒙古人最大的一项佛教文化成就，即将《甘珠尔》经共编纂为 113 部，而用"金银粉写在绿石般青纸上"，这就是蒙古人常说的"林丹汗的金字《甘珠尔》"的来历。林丹汗的这项成就，不仅对佛教的传播有极大的贡献，而且对于整个蒙古人的文化的发展，也有极为重要的影响。

　　在林丹汗治世和明、清交替之际，对于内蒙古地区的贵族和平民来说，宗教生活中的一个崭新时代开始了，也就是佛教信仰深入民间。在此以前，在内蒙古东部地区，尤其是科尔沁诸部所居住地域里，蒙古人固有的萨满信仰似乎仍占统治地位。蒙古文《内齐托因一世传》中所反映的事实，足以证明这一点。1630 年左右，内齐托因离开呼和浩特前往东部；尤其到了科尔沁部以后，他深入民间，以简明生动的语言向民众说法，让他们禁止杀生，废除"翁衮"（萨满的偶像），恭敬"三宝"（佛家以佛、法、僧为三宝）。同时他说服科尔沁部的贵族，并在他们的帮助下，采取果断措施，烧毁"翁衮"，镇压了萨满教，迫使萨满们自我掩饰起来或被迫作了转变。这样，这位格鲁派的传法者内齐托因及其弟子们在 1630—1653 年间在内蒙古东部的布教活动，使生活在该地区的蒙古人废除了萨满信仰，皈依了佛教。看来，内齐托因在内蒙古东部的布教活动十分成功。在这个地区，新兴的佛教寺庙相继出现，佛教经典传抄本流行。在内齐托因倡议下建造的寺庙中，最著名的是科尔沁右翼中旗境内的巴颜和硕庙。据说内齐托因死后，将他的舍利安放在该寺里。内齐托因的布教活动促使佛教最终地向内蒙古东部胜利进军。当然，也得益于当时在蒙古东部所诞生的新的和强大的爱新国政权对蒙古佛教的支持和关注。

第二节　呼和浩特地区的佛教寺庙

藏传佛教传入蒙古地区以后，首先在俺答汗的领地上出现了多数佛教寺庙，接着在蒙古其他地方陆续兴建了许多寺庙。除了呼和浩特地区的寺庙外，我们对当时漠南蒙古各地寺庙情况因相关史料匮乏，尚缺乏了解，这里仅介绍呼和浩特地区的佛教寺院。

一、呼和浩特地区的寺庙

1. 大召

大召，蒙古语俗称"伊克召"。"召"为藏语，其原意为指"佛陀像"，故民间称佛寺为"召"或"召庙"，这是俗称。大召，意即"大庙"，汉名原为"弘慈寺"，后改为"无量寺"，今通称"大召"，位于呼和浩特市旧城。大召是呼和浩特最早兴建的寺院。

1578 年，蒙古土默特部俺答汗迎接西藏藏传佛教格鲁派领袖索南嘉措于青海，许愿在呼和浩特将建造供奉释迦牟尼佛的寺庙，从这时候起便开始兴建大召。

1579 年大召建成，明万历皇帝赐名为"弘慈寺"，因寺中供银制释迦牟尼像，所以当时也以"银佛寺"而出名。

1586 年，应俺答汗之子僧格杜棱汗的邀请，三世达赖喇嘛索南嘉措来到呼和浩特，亲临大召，主持了银佛"开光法会"。从此大召在蒙古地区成为有名的寺院。除了当时的蒙古右翼诸部本身之外，左翼察哈尔部、漠北喀尔喀部以及天山以北卫拉特部纷纷派人到呼和浩特顶礼膜拜，请僧取经。1586 年，在漠北喀尔喀蒙古鄂尔坤河中游右岸建立的额尔德尼召，就是采用呼和浩特大召的样式的。

1632 年，爱新国汗皇太极追击蒙古察哈尔部林丹汗到达呼和浩特。当时，由于爱新国统治者了解到大召对蒙古群众影响大，皇太极到呼和浩特后，亲驻大召，并宣布："归化城格根汗庙（即大召）理宜虔奉，毋许拆毁，如有擅敢拆毁，并擅取器物者，我兵既已经此，岂有不再至之理？察出，决不轻贷。"① 皇太极借此扩大政策影响，安定蒙古人心。这样，呼和浩特大召受到了保护，但大召从土默特部统治者手中转入到爱新国统治者手中。

1640 年，土默特都统古禄格楚库尔接受皇太极的命令，从土默特左右两翼分别派出佐领喇巴台和补音图等对大召进行重修和扩建。后由皇太极亲见赐给满、蒙、汉三种文字的寺额，改原来的汉名"弘慈寺"为"无量寺"。这便是今天大召汉名"无量寺"的起源。1652 年，西藏五世达赖喇嘛赴京时曾路过呼和浩特，驻锡在大召，因此在大召内至今还供有五世达赖喇嘛的铜像，这无疑在宗教上又提高了大召寺的身价。

大召是北元时期内蒙古地区最著名的寺院。据蒙古文文献记载，早在1602—1607 年间，蒙古右翼诸部的佛经翻译家们将佛教名著《甘珠尔》经最先在大召译成蒙古文。1623 年，土默特部鄂木布洪台吉许愿铸造的一对铁狮子和祭器，至今仍安放在大召佛殿门前。还有佛殿内不少佛像和祭器是俺答汗建庙初期用金银铸造而成。大召正殿内耸立着高大的如来等三位佛祖铸像，后面是四世达赖喇嘛云丹嘉措和五世达赖喇嘛塑像，左右还有许多佛像和各种法器。

2. 锡埒图召

锡埒图召，位于呼和浩特市旧城玉泉区小南街东侧。蒙古语称"锡埒图"，即为"法坐"、"首席"之意。召名汉译没有固定的字，也写作舍力图、席力图、西埒图等，是以该召第一世活佛锡埒图固什绰尔济之名命名。清康熙年间赐予汉名"延寿寺"。

锡埒图召原是一座小寺，最初就是今锡埒图召西侧的古佛殿。这座古佛殿是1585 年西藏三世达赖喇嘛来呼和浩特时，俺答汗之子僧格杜棱汗建造的。三世达赖喇嘛前来蒙古地方时，从西藏方面派希迪图噶布楚陪同。此人在 17 世纪的蒙古文文献中以锡埒图固什绰尔济著称，后来称为锡埒图召的一世活佛。由于他熟悉佛教经典并精通蒙、藏文字，曾受到俺答汗的推崇，从而后来他驻锡的古佛殿香火日盛，蒙古右翼三万户的佛经译师们聚集在他

---

① 《清太宗实录》，天聪六年六月辛未条。

的门下。1588 年，三世达赖喇嘛在内蒙古圆寂时，留下了遗言，特意委托锡埒图固什绰尔济代表三世达赖喇嘛坐他的法座，并处理其舍利（遗骨）之一切事宜，及从东方寻找其转世呼毕勒罕等。根据三世达赖喇嘛遗言，由锡埒图固什绰尔济代表三世达赖喇嘛在呼和浩特古佛殿坐了床，并主持蒙古右翼三万户的佛教事宜。第二年，锡埒图固什绰尔济和蒙古右翼之万户首领们决定将俺答汗之孙松布尔彻辰楚库尔台吉之子为三世达赖喇嘛的转世"灵童"。这便是四世达赖喇嘛云丹嘉措。

锡埒图固什绰尔济是四世达赖喇嘛的经师，并且在举行四世达赖喇嘛坐床典礼时，由他抱坐在三世达赖喇嘛的法座上，从此被称为"锡埒图"（法座），他的寺院遂被称为锡埒图召。

1602 年，锡埒图固什绰尔济护送四世达赖喇嘛入藏，回到呼和浩特以后，扩建了锡埒图召，成为汉藏混合式的建筑。锡埒图召粗具规模。

1638 年，自青海迎来锡埒图二世纳文罗桑嘉措，在呼和浩特锡埒图召坐床。

1644 年，清世祖顺治在盛京（今沈阳市）举行即位典礼，锡埒图二世亲往祝贺。在清朝未入关以前，锡埒图召与盛京的清政府已建立了联系。锡埒图召从清初起陆续扩大殿宇，始具现在规模。1694 年开始，锡埒图四世主持扩建，时达两年之久才基本完成。1696 年十月，康熙帝西征，途经呼和浩特时，为扩建的锡埒图召赐名为"延寿寺"。

锡埒图召是呼和浩特市内最大的寺庙。锡埒图召的整个大殿，以其光彩夺目的彩绘艺术与瑰丽缤纷的建筑艺术交相辉映，使得大殿雄伟富丽，气势磅礴。综观整个寺庙中的彩绘艺术，它不仅标志着蒙、藏、汉各族人民的文化艺术交流发展，而且为我们留下了极其珍贵和丰富的艺术资料。殿前两侧树立的四体文字纪功碑，无疑是当时历史的见证。大殿东南隅所建的白塔，庄严宏丽，整个塔身镂金错彩，雕刻精致，在整个召庙喇嘛塔的建筑中独呈风韵，是迄今内蒙古地区保存最完整的寺庙建筑艺术珍品之一。

锡埒图召的属庙有大青山后的永安寺、普会寺（即希日穆仁召），呼和浩特旧城五十家街的巧尔气召和广寿寺（即东乌素图村老园子西）等。

3. 小召

小召，位于呼和浩特市旧城小召街，蒙古语称"巴噶召"，意为"小庙"。汉名"崇福寺"。

小召建于俺答汗之孙俄木布洪台吉时期，大致在明天启年间（1621—1627 年）或在此之前。① 据蒙古文《内齐托因呼图克图一世传》记载，内齐托因一世从科尔沁地区抵达呼和浩特后，"在小召前建宅。当时土默特部楚库尔前来膜拜叙谈。当喇嘛（指内齐托因）问及此寺系何人所建，楚库尔都统答道，此寺乃是俺答汗之孙俄木布洪台吉所建。"俄木布洪台吉是俺答汗第七子不他失里之子，汉文文献写作温布，又名素囊。② 他是 17 世纪初内蒙古的著名佛教宣扬者之一。据汉文文献记载，他于明天启四年（1624 年）二月前不久死去。由此可见，小召始建于俄木布洪台吉时期，蒙古人把俄木布洪台吉所建的佛寺称为小召，以区别俺答汗所建大召。

1653 年，内齐托因一世再度从科尔沁地区返回呼和浩特。这时的小召已陈旧破损。内齐托因一世劝土默特都统古禄格修葺小召，旋赴科尔沁。是年十月，内齐托因一世在东蒙古圆寂。内齐托因一世是在内蒙古佛教史上很有影响的一位高僧。后来小召寺的历代呼毕勒罕均为内齐托因的转世，共转世 7 代。直到 1889 年（清光绪十五年），内齐托因七世圆寂后，再没有寻认其呼毕勒罕。

因为内齐托因一世修葺小召有功，后来他死后将他生前的许多用具存入小召。1671 年（康熙十年），内齐托因二世在科尔沁明安部首领鄂齐尔台吉家中出生。这时内齐托因一世圆寂已达十八年之久。1679 年（康熙十八年）夏，从科尔沁请来内齐托因二世在小召坐床。这一年秋，仅仅八岁的内齐托因二世到北京朝见康熙皇帝。同时因为他是科尔沁部人，又被引朝见了来自科尔沁部的孝庄文皇后和孝惠章皇后。从此内齐托因二世与清廷的关系更为密切，其政治地位日渐提高。

小召的属庙有三处：即今呼和浩特的五塔寺，凉城县的荟安寺（即蒙古人所称"岱海寺"），还有善缘寺。其中"荟安寺"是由内齐托因四世于

---

① 关于小召初建时间，汉文史料有不同记载。《土默特旗简志》第六卷中记为"兴建于康熙丁卯年（康熙二十六年，1687 年）"，《归化厅简志》第九卷中记为"康熙三十六年（1697 年）纳依齐（内齐）托因呼图克图募缘兴建"。

② 《武备志》卷 206 所引《兵略》。

1773 年（乾隆三十八年），依赖私产，在察哈尔正镶兰旗岱海西部所建，第二年呈请寺名，被钦赐满、蒙、汉、藏四体文字的"荟安寺"寺名。此寺在"文革"中遭到彻底破坏。关于善缘寺，《绥远厅简志》第九卷记载，"善缘寺，在城（呼和浩特）东南登奴素山，建置年月、人名，无考。"

4. 乌素图召

乌素图召，位于呼和浩特西郊外西北 10 公里大青山麓的乌素图村。它是庆缘、长寿、法禧、广寿、罗汉等五寺的总称。

统称乌素图召的五座寺院，都相距不远。人们不知道它们各有寺名，就以村名作为召名。庆缘寺在乌素图村西山之阳，面临乌素图沟，是乌素图召的主寺，法禧寺在庆缘寺东北，长寿寺在庆缘寺东，罗汉寺在庆缘寺北；广寿寺又在罗汉寺北。五寺依山傍水，占地高爽，登楼远望，能把土默特平原的全部形胜历历收在眼底。其中，庆缘寺是乌素图召的主寺，俗称察哈尔喇嘛召，创建于 1606 年。创建人是察哈尔佃齐呼图克图。他原是察哈尔部人，后来到呼和浩特，于城西北洞坐禅修行，年深月久，以"察哈尔佃齐"（察哈尔部的禅师）著称。到 1606 年，由察哈尔佃齐组织了蒙古匠人希古尔、拜拉二人进行设计，在西乌素图村的那尔苏台山（松山）下建立了一座庙宇。当时修建的规模相当宏伟，有正殿一座和左右偏殿两座，还有一处四大天王庙。殿内塑释迦牟尼等五大佛像、八大菩萨、二渡母以及达赖喇嘛和班禅额尔德尼像。庙宇已建，察哈尔佃齐便成了乌素图召的第一代活佛。

爱新国时，察哈尔佃齐到盛京（今沈阳）向皇太极献了各种贵重礼物，以此表示倾心归附。察哈尔佃齐于 1671 年圆寂，享年九十三岁。察哈尔佃齐的呼毕勒罕共转世八代。1696 年察哈尔佃齐三世还幼小时，康熙皇帝因征讨噶尔丹事，来到内蒙古西部，回京时途经呼和浩特，别人把察哈尔佃齐三世抱在怀里朝见了康熙。康熙帝遂敕赐"呼图克图"封号。乌素图召的"呼图克图"由此开始。

据蒙古文文献记载，到了 1782 年时，庆缘寺因年久失修，破损不堪。于是这一年将整个佛寺修饰一新，并添修殿堂。第二年清廷赐名"庆缘寺"，赏满、蒙、汉、藏四体寺额。其后也几次整修，但基本上仍保持了现在的规模。

5. 美岱召

美岱召是蒙古人所说"迈达哩召"的音译。原名灵觉寺，后改为寿灵寺，位于内蒙古土默特右旗。1602 年云丹嘉措从土默特地区赴藏坐达赖喇嘛法床，西藏僧界特派迈达哩呼图克图来呼和浩特主持宗教事务。1604 年，迈达哩呼图克图抵达呼和浩特，坐达赖喇嘛在蒙古地方所设法床，称为达赖喇嘛在蒙古地方的代表。

1606 年，俺答汗孙媳五兰比吉在呼和浩特西噶鲁迪沟西岸大青山南九峰岭下建起一座召庙，并在召庙里用金银宝石铸造一尊弥勒佛（蒙古人称之为迈达哩）像。建庙竣工后，请从西藏来的迈达哩呼图克图主持开光典礼。由此蒙古人称该庙为迈达哩召，汉人称之为美岱召，就是迈达哩召的音变。

现在美岱召遗存的唯一文字实物是一块石匾，其上记载了五兰比吉于1606 年起建造该寺的史实。据此，美岱召是该寺俗称，其正式名称为灵觉寺。

美岱召是一座城墙和寺庙结合为一体的堡寨式的建筑。城寺周围有土筑石包镶的城墙，平面略呈长方形，周长 681 米，总面积约 4 万平方米。城墙四角建有角楼，南墙中部开设城门，上部建有城楼。院内有大雄宝殿、三佛殿、乃琼殿、八角庙、太后庙、活佛府、公爷府等。其中太后庙为供奉俺答汗之妻三娘子骨灰的灵堂。公爷府是俺答汗后裔居住之地。美岱召与俺答汗家族有密切关联，又是藏传佛教再度传入蒙古地区的重要弘法中心。

6. 广化寺

广化寺俗称"喇嘛洞"，位于内蒙古土默特左旗毕克齐镇北七公里处。

广化寺的第一代呼图克图叫博格多察罕喇嘛，法名拉西扎木素，出生于漠南蒙古土默特部一大臣家族。此人最初是一位俗人，后因梦萌生出家之念，遂到呼和浩特北山隐修。他在那里的山洞里苦行坐禅，招收弟子，到1627 年去世。继他之后，其弟子赤列扎木素在明崇祯年间（1628—1644 年）建立了一座寺庙，追认察罕喇嘛为第一世呼图克图，他自己被奉为二世。该庙坐落在乌素图河源额尔德尼巴德拉格齐山的一处叫做德力格尔阿桂的地方。这就是广化寺。①

---

① 乔吉：《内蒙古寺庙》，内蒙古人民出版社 1994 年版，第57—58 页。

二、寺庙中的主要神佛

蒙古人从元朝开始才注意到佛像的制作，可惜文献资料对于此类记载甚少。据汉文史料记载来看，"至元十二年（1275 年）始置梵像（即佛）局。延祐三年（1316 年）升提举司，设今官。"① 这是在元朝中央行政机关中，专司制作佛像的常设衙署。看来，元代的佛像制作，是由梵像提举司这一机构负责完成的。

16 世纪后半叶藏传佛教再度传入内蒙古地区后，相应地建造佛像一事从俺答汗时代就开始了。据汉文文献记载，俺答汗四子丙兔，于明万历二年（1574 年）在青海附近建的仰华寺②，大概是蒙古人所建的第一座寺庙。但文献资料没有告诉我们寺中佛像制作的具体情况。其后俺答汗在仰华寺会见三世达赖喇嘛后，回呼和浩特修建了大召寺，然后在寺中"依遵识一切达赖喇嘛之旨，为建造妙释迦牟尼之身像，备齐各种珍宝，交与巴勒布③匠人。建成身像后，可汗、合敦为首举国大众，进献各种珍宝、大量金银，鞴有鞍嚼的阿尔固克马，托马察克马④等乘骑，多不可数、遍川盈野之牲畜，大行福事奉献之多，不可数计。"⑤ 这是俺答汗时期在呼和浩特制作的第一尊佛像。从这一记载可以看出，当时蒙古贵族是以何等巨大的物力及隆重的礼仪来庆贺佛像落成典礼的。

内蒙古的佛教是藏传佛教格鲁派，传入后被蒙古社会接受并逐渐成为适应当地社会历史条件的、民族性的、地域性的宗教。在佛像制作方面，也同样接受了藏传佛教的佛画规则和艺术手法，并吸收汉族的佛画艺术营养，逐渐形成蒙古寺庙具有的独特的宗教艺术。下面根据今内蒙古地区最大的寺庙——五当召所见到的佛像，和锡林敦勒盟贝子庙二世班智达格根所著《法轮大殿崇善寺史》一书中所记制作佛像情况，以及其他有关资料，叙述

① 《元史》卷85《百官志一》。
② 仰华寺，蒙名察布齐雅勒庙，明万历四年（1576 年）四月明帝赐名"仰华寺"，万历十九年（1591 年）被明军统帅郑洛所毁。
③ 巴勒布，今尼泊尔的藏语称谓。
④ 均指从西域来的名马。
⑤ 珠荣嘎译注：《俺答汗传》，第 136 页。

内蒙古寺庙中所供奉的主要神佛像的大致情况。虽然召庙里所供奉的神佛，无论就其种类还是数量而言，都相当可观，但由于资料的限制，这里只不过介绍大概情况。在内蒙古地区的寺庙中供奉的诸神佛像，按其内容，大致可分为显宗佛像、密宗佛像、护法神祇像和传承师祖像等几类。

1. 显宗佛像

佛教分大乘、小乘两大体系。大乘佛教中又分显宗和密宗。藏传佛教属大乘佛教。它的特点之一，是显密兼修，崇尚密宗。所谓显宗是密宗对佛教其他派别教义的称呼。其所以被称为显宗（或显教），因认为是应身佛释迦牟尼公开宣说（"显"）之教。显宗的特点是提倡三世十方有无数佛，要求皈依"三宝"（佛、法、僧）。藏传佛教与汉地佛教不同之点在于，前者除显宗而外包括密宗，而后者只包括显宗而无密宗。

显宗佛像的形态一般为慈悲和善之姿。内蒙古地区的显宗佛像，则是与内地寺庙常见到的佛像无多大区别。

释迦牟尼：蒙古人称 Shagjamuni 佛，内蒙古各大寺庙中的苏古沁殿，是供奉释迦牟尼——佛教的缔造者的大殿。寺庙中常见的释迦牟尼塑像，基本有两种姿势：

一种是"成道相"，其塑像姿势为结跏趺坐[①]，左手横放在左脚上，名为"定印"，表示禅定的意思，右手直伸下垂，名为"触地印"，表示释迦牟尼佛在成道以前，为了众生而牺牲自己，这一切唯有大地能够证明，因为这些都是在大地上做的事。这种姿势的塑像，在内蒙古寺庙中极为普遍。包头地区美岱召正殿北壁正中所绘的释迦牟尼佛巨像，就是这种"成道相"。[②]

另一种是"说法相"，其塑像姿势极为独特，与上述"成道相"一样，也结跏趺坐，左手横放在左脚上，但其右手姿势却为特殊，其右手向上屈指作环形，名为"说法印"[③]。今内蒙古诸寺庙中，唯有五当召所供奉的释迦牟尼佛像是这种姿势的"说法相"铜像。这两种姿势的佛祖释迦牟尼像，

---

① 佛教名词。佛教中修禅时的坐法，即双足交叠在左右股上，称全跏趺坐。此处指佛双足交叠在左右股之上的坐像。

② 《佛教与中国文化》，中华书局 1988 年版，第 389 页。

③ 《佛教与中国文化》，第 389 页。

神态安详，稳坐莲花台，周围用莲花和光环相衬，给人以安然、稳健、崇敬之感。

弥勒：蒙古人称 Mayidari 佛，是梵文音译。各寺庙中除释迦牟尼佛外，主要供奉的佛像是来世佛陀至尊弥勒佛像。内蒙古各寺庙中供奉的弥勒像与汉地寺庙中所供奉的弥勒像不同。据佛教传说，弥勒在释迦牟尼生前转生兜率天①，过五六亿万年以后下降人间，在龙华树下成佛，普度众生。因此佛教称其为"未来佛"。在弥勒信仰的传播过程中，由于受中国传统文化和民间习俗的影响，在内地一些寺庙里供奉的笑口常开大肚弥勒像，则为五代时名为契此（？—916 年）的和尚。据传，这位和尚云游四方，常以杖荷一布袋四处化缘，风雨无阻，并将募化的钱财全部捐献给寺庙，人称"布袋和尚"，相传是弥勒化身。他死后，人们在寺庙中塑造其像，作为弥勒来供奉。在内地一些寺庙天王殿中央须弥座②上所供奉的大肚弥勒就是他的造像。其造型憨厚可爱，肥头丰颊，满面堆笑，给人以慈善、亲切的感觉。这种可爱可亲的造像，不仅在寺院，而且在民间普遍存在，已成为象征吉祥福寿、未来和光明的艺术摆设。

在内蒙古地区寺庙中供奉的弥勒佛像，与内地寺庙中的弥勒佛像迥然不同。前者供奉的是天冠③弥勒，而后者所供奉的是弥勒化身。在五当召却伊喇殿正中供奉一尊弥勒铜像，高达 10 米，全部为黄铜分铸焊接制成。其塑像为头戴宝冠（即天冠），肩饰莲花，上身袒露，额上有一颗珍珠，手作说法印，表现弥勒佛从兜率天宫即将下世前的生动形态。另外，这尊塑像从一般寺庙中的坐姿转换成站立的姿态，给人以救苦救难的佛陀即将来临人间之感。内蒙古寺庙中的大部分弥勒佛像，基本上是具备了这一特征的造型。

据《法轮大殿崇善寺史》记载，锡林郭勒盟贝子庙（崇善寺）曾供奉一尊高大的弥勒佛镀金铜像，是内蒙古地区最大的弥勒佛铜像，所用耗资达10200 两白银。哲里木盟库伦旗象教寺（今无存）正殿内的主供佛是弥勒，

---

① 佛教"六欲天"之一。佛经说，此天有内外两院，外院是欲界天之一部分，内院是弥勒寄居于欲界的"净土"，若皈依弥勒并称念其名号者，死后往生此天。

② 指寺庙中佛、菩萨雕像下面的基座。须弥即须弥山，译为"妙高山"，是佛居住的圣地。

③ 指殊妙之宝冠，非人中所有，故云天冠。佛经说"顶上昆楞伽摩尼宝，以为天冠"。

据传铜像有一人之高。

文殊菩萨：蒙古人称 Manjushiri，是梵文音译。蒙古人认为文殊菩萨是佛门智慧的化身，所有寺庙都供奉其塑像。他的典型法像是顶结五髻，右手高举智慧宝剑，左手微举经典莲花，腰身略屈，塑像多骑狮子，表示智慧威猛。相传其显灵说法的道场在今山西省五台山。蒙古人巡礼朝拜五台山的主要原因在于此。内蒙古各大寺庙中，其塑像位置一般是中为三世佛，两侧是文殊和普贤。文殊是释迦牟尼佛的左胁侍，专司"智慧"，故其塑像位置总在左侧。

三世佛：蒙古人称 Gurban Čaγun bur-qan。从佛教宇宙观来说，这里的"世"，指因果轮回①迁流不断的个体一生中存在的时间。三世，即过去（前世，前生）、现在（现世、现生）、未来（来世、来生）三世。一般寺庙的正殿内，正中为释迦牟尼，东首为弥勒，西首为燃灯佛。又称为过去、现在、未来三世佛。内蒙古包头地区美岱召正殿后方有一座三层歇山顶的楼阁，是专门供奉三世佛的大殿，俗称"三佛殿"。据说在这里原塑有巨大的三世佛泥塑像，造型精制而优美，可惜在"文革"中被拆毁。

阿弥陀佛：蒙古人称 Abida。亦称无量寿佛、无量光佛等。佛经说，他是另外一个世界即"极乐世界"的教主。内蒙古寺院里常与释迦牟尼、药师佛（蒙古人称 Utači burqan）一起供奉。今五当召阿会殿供奉一尊铜铸阿弥陀佛，面庞清丽，手捧宝瓶趺坐，体态优美。

2. 密宗佛像

藏传佛教包括显宗和密宗，并注重密宗。发展密宗是藏传佛教的重要特点之一。13 世纪初佛教在印度泯灭后，唯有藏传佛教保留了密宗四部②修习的完整形态。密宗据称是受自法身佛③大日如来深奥秘密教旨传授。以密法奥秘，不经阿阇梨（导师）灌顶、传授，则不能任意传习及显示别人，因此称为密宗。藏传佛教密宗有自己的传承，在所重经典、修习次第、仪轨、

---

① 也作"生死轮回"、"轮回转生"等。意为如车轮回旋不停，众生在"三界"、"六道"的生死世界循环不已。

② 密宗四部：一事部，二行部，三瑜伽部，四无上瑜伽部。

③ 密宗视大日如来佛为理智不二的法身佛，并把他作为尊奉的主要对象。

制度方面也独具特点。密宗原为印度佛教和婆罗门教相结合而兴起的教派。8 世纪由印度僧人莲花生大师将密宗传入西藏，并将西藏原始本教的神祇、仪轨纳入密宗，形成了藏传佛教密宗。从 11 世纪以后，西藏佛教陆续出现了二三十种教派及支系，其中主要的有宁玛派、萨迦派、噶举派等。但这些教派都把密宗列为重点。

蒙古人最早接触藏传佛教密宗，是在元世祖忽必烈时期。约 1253 年，忽必烈从萨迦派僧人八思巴上师承萨迦派的喜金刚灌顶。蒙古文《胜教宝灯》说，八思巴"为以忽必烈为首的二十五名具缘之士三次传授喜金刚灌顶，这是在蒙古地方首次传授密宗金刚乘的教法"。与元朝皇室有密切联系的萨迦派，在密宗方面，以喜金刚的种种修法为主，还有其他一些密教修法，如道果教修法等。

15 世纪初，宗喀巴大师进行宗教改革，创立了藏传佛教格鲁派。格鲁派教义提倡兼修显宗和密宗，先显后密。从其修习制度上看，考取格西①学位的人，说明他已完成显宗的学习，具备了进修密宗以求深造的资格。

密宗还有一个重要特点是尊奉多神。这些神、佛多是从印度婆罗门教传来的，传入西藏后，又掺杂了一些原始本教的神，其数量之多，比原来佛教的神不知多了多少倍，而且千奇百怪，简直不可名状。随着藏传佛教格鲁派传入内蒙古地区，密宗所供奉的这些神像、佛像也进入了内蒙古地区的寺庙中。这些密宗神佛像，主要分成密宗佛像和护法神祇像两部分。

密宗佛像大都显得威严、愤怒，这些佛像有的千手千眼，有的三面六臂，有的手持各种兵器和法器，有的浑身系着人头的装饰，有的手持骷髅碗。如观音菩萨，在内蒙古寺庙中供奉的有千手千眼观音、四臂观音、红观音和白观音等，此外还有观音菩萨的化身，救苦救难的善良女神二十一度母佛，种类多达数十种，用各种颜色来表示。此外还有各种类型的密宗佛像，种类之多，一时恐怕也无法数清。在内蒙古地区寺庙中最常见的和一般所供奉的，有下列几种：

毗卢遮那：蒙古人称 Vairosana，是梵文音译。汉地佛教称大日如来佛。

---

① "格西"为藏语"格威喜联"的简译，为"善知识"之义。按格鲁派的学制，要循序修完五大论典之后，始可取得"格西"学位。

据佛教传说，所谓密宗就是这位毗卢遮那佛对自己眷属所说的奥秘大法，都是秘密传授。故密宗尊奉的最高神叫毗卢遮那佛。按佛教说法，毗卢遮那与释迦牟尼同为一佛，毗卢遮那为法身，释迦牟尼为应身①。密宗讲，"密宗行者仅靠念咒，建曼陀罗②不能达到'即身成佛'的境界，还必须具有五禅那佛（大日如来、阿者、宝生、阿弥陀佛、不空成就）的五种智慧（法界体性智、大圆镜智、平等性智、妙观察智、成就所智）。如果有了这五种智慧，虽食肉、饮酒、作男女事也能达到'菩提'（觉或智）。但这五种智慧必须由师父直接传授指导才能得到。所以西藏佛教讲'四皈依'，还要皈依喇嘛。"③ 所以密宗视毗卢遮那为理智不二的法身佛，尊奉的主佛。内蒙古地区大部分寺庙供奉毗卢遮那佛的塑像或画像，如锡林郭勒盟善因寺的正殿内曾供奉其立身像及其都会（都门、普门）曼陀罗。

观音菩萨：蒙古人称 Ariyabalu，梵文音译。佛教将观音菩萨奉为普度众生的、大慈大悲的吉祥善神。据佛经讲，观音可化身三十三种形象，即所谓三十三观音。内蒙古地区寺庙中所供奉的观音像，大都是藏传佛教密宗所供奉的观音像，有十一面观音、千手千眼观音、四臂观音、马头观音、红观音和白观音等。在包头地区五当召却伊喇殿内供奉一尊千手千眼观音像，是一躯铜铸鎏金站立像，高有一米许，立姿自然，眉目清秀，表情含蓄而生动，比例匀称，造型生动优美，为内蒙古地区佛教工艺美术品的精华。

度母：蒙古人称 Dhara eke。这是在内蒙古地区寺庙中普遍供奉的藏传佛教密宗女佛，亦称"救度母"。传说为观音菩萨的化身，是救苦救难的善良女神，以颜色区分，现为二十一相，以白度母、绿度母为常见。度母佛常见的造型为头戴宝冠，凝神垂目，左手当胸向外持一条蛇，右手展掌垂于右膝之上，左腿紧弯盘坐，右腿微伸向外"吉祥坐"。度母佛的这种造型，表示压倒愤怒、实现慈悲，能与众生安乐。④ 今五当召所供奉的白度母、绿度母塑像及帛画，均为这种造型。

---

① 法身已见前注。"应身"亦称"应身佛"。指佛为度脱世间众生，随三界六道之不同状况和需要而现之身。
② 梵文音译，现译为"坛"或"道场"，这是藏传佛教密宗修炼、观摩、传授密法的地方。
③ 李冀诚：《西藏佛教密宗概述》，《西藏研究》1989 年第 1 期。
④ 《内蒙古民族文物》，人民美术出版社 1987 年版，第 132 页之图像。

胜乐金刚：蒙古人称 Demcheg dorji，是藏文音译。藏传佛教密宗本尊之一，即所谓修行者观修的本尊佛。此本尊造型狰狞可怖，显得愤怒、凶残，使人观后甚感恐惧。塑像有四脸，在每个脸的上方，有五头骨作冠，头顶上是双金刚。其全身用人头和人骨念珠为装饰。有八只手臂，第一双手拥抱其明妃①，右手持金刚，左手持铃，其余各手持斧、人头骨、人骨棒等各种武器。他右腿伸着，足下踏着一趴伏的男人，左腿弯着，足下踏着一仰面躺着的女人。②

胜乐金刚拥抱的明妃是金刚亥母，蒙古人称 Dorjiphagmo，是藏文音译，也是藏传佛教密宗一本尊神。

此外还有三头六臂的密聚金刚（蒙古人称 Sangdui，藏文音译）以及多头多手的时轮金刚（蒙古人称 Doyingkor，藏文音译）等等，也都属藏传佛教密宗之本尊之类。今在五当召金刚殿里可以看到这些本尊的各种形态的塑像。

3. 护法神祇像

藏传佛教护法神祇像多为狰狞、威严、凶悍可怖。有的是牛头，有的是马头，有的是青脸红发而巨齿獠牙，大部分都是足下踏着各种妖魔，给人一种护法神力大无穷、气势不凡之感。护法神种类很多，在内蒙古地区寺庙中极常见的有下列几种：

玛哈噶剌：此系蒙古人的称谓，来自梵文 Mahakala，汉地寺庙称它为"大黑天"。据传有七十余种不同形象的造型，有黑色的、白色的、蓝色的，也有四臂、六臂的，还有各种名号的，如"寿主玛哈噶剌"、"持杖玛哈噶剌"等等。一般常见的为三面六臂玛哈噶剌，其前左右手高举剑和叉，中间左右手执人头和牝羊，后左右手执象皮，张于背后，以骷髅为璎珞。据云，玛哈噶剌是无畏战神，礼祀此神，可增威德，举世能生。蒙古人最早接触此神为元世祖忽必烈时期。玛哈噶剌原是藏传佛教萨迦派的护法神，由八思巴上师送入元朝，成为元世祖以下历代皇帝崇奉之神。元亡后到了林丹汗

---

① 亦称佛母、空行母。密宗各部部主均有称作"部母"、"明妃"的"女尊"为配偶。据密宗解释，"明是大慧光明义"，"妃"是三昧义，所谓大悲胎藏三昧也。

② 参见《内蒙古民族文物》，第 133 页之图像。

时期，由西藏萨迦派高僧沙尔巴（其事迹见本书第一章），将玛哈噶剌神像从五台山移至蒙古察哈尔部供奉，成为蒙古的护法神，深得蒙古人的崇奉。1634 年，皇太极追击林丹汗，征服察哈尔部，林丹汗的两位夫人及其子额哲等人，将该部珍藏的玛哈噶剌金像送到盛京献给皇太极。从此蒙古人的护法神玛哈噶剌成为清军出征时的护法神。内蒙古各寺庙仍供奉该护法神。

调解母：蒙古人称 Okin tngri（天母），亦称 Baldanlhamu，是藏文音译。这是一位骑红色骡子的女护法神。她的基本造型为蓝面赤发，头戴五头骨冠，向上立的赤发上端有半月，据说半月指明她的方法是无上的。面有三睛，左手托着充满血的碗，据说这是象征着幸福，右手持一短棒，上端为金刚，象征能摧毁一切。脖子上挂着用人头骨串成的项链，据说是用 50 个人头骨串成的，代表其降伏的 50 个罗刹。[①]

据西藏佛教传说，调解母原是藏地一神，本性很残忍，但被护法王降伏之后，就归顺了佛教。她原是藏地四个女妖之一，作铁狮子形状。当莲花生大师于赤松德赞执政期间（755—797 年）第一次到达西藏时，西藏还是黑暗时期，到处是男妖和女妖。听说莲花生大师要到西藏时，这四面铁狮子前去尼泊尔境内与大师交战。大师深入静功，即用心致志的功夫，使铁狮子变成了女形，这是她们的本性。她们恳求宽恕。大师被她们的可怜相所感动，施以一百零八直接成就法的戒。大师施法三个月后，在西藏玛帕姆尤措湖上为调解母建立了神龛。[②]

据《法轮大殿崇善寺史》记载，锡林郭勒盟贝子庙于藏历火虎年（1806 年），在其正殿北壁正中绘制了一幅调解母及其两个侍从的巨大画像，成为该殿主供神像。还有美岱召正殿，五当召阿会殿壁画内，都可以看到造型诡异的调解母像。

阎曼德迦：此系蒙古人的称呼，来自梵文 Vamantaka，亦称 Dorjijigjid，是藏文音译。汉文称大威德怖畏金刚。该尊是一个以牛头为主并有许多头和手足的、形象十分恐怖的护法神。其具体造型是，正面为牛头，共有九头三

---

① 印度神话中的恶魔，数目很多。据传食人肉，或飞空或地行，捷疾可畏。
② 李安宅：《藏族宗教史之实地研究》，北京 1989 年。

十四臂，十六条腿。九头分为三层，第一层正面头为戴牛角的牛头，其左右边各有三头；第二层为一头，愤怒的面相，以上各面均有三眼；最上一层为慈祥而安静的面相。其左右各十七臂，共三十四臂，第二双手拥抱明妃，其余双手分别持有各种武器，如弯刀、短矛、人骨棒、人头骨等等。其左右各八条腿，共十六条腿，各踏着降伏的恶魔。

阎曼德迦是藏传佛教中护法金刚之一，专司镇压邪魔，因此在造型上突出表现他狰狞可畏，睚眦怒目的凶狠。蒙古佛教徒认为，该尊是众护法之王，是惩治教敌最严厉的法主，故特推崇此神。今五当召金刚殿中所供奉的阎曼德迦铸像，是在内蒙古地区至今保留的护法神中极罕见的一尊。其造型通过动与静、刚与柔、善与恶的强烈对照，以及牛头人身、多手多足形象的衔接，来表现出蒙古佛教艺术家们的更富有的创造性。

哈雅克日瓦：此系蒙古人的称呼，来自梵文 Hayagriva，亦称 Damrin，是藏文音译。汉文称马头金刚。该尊有几种形象，大体有三种：八头的、六头的和有翅膀的。在内蒙古地区寺庙中常见的为前两种。据有关资料，六头哈雅克日瓦，有三人头，同样也有三马头。人头在下，马头在上。有六只手，其中两只手拥抱着明妃，其余各手持着各种武器。他有八条腿，右边的四条腿屈着，左边的四条腿伸着，每足站在蛇身上。整个背景是燃烧的火，哈雅克日瓦是红色的，明妃是黑色的。

毗沙门天王：蒙古人称 Bisman Tngri，俗称 Namsrai，是藏文音译。汉文意义为"北方多闻天"，是来自梵文 Vaisravana，但作为财神，则叫库贝拉（kubera）。该尊是北方的保护神，也是一切财富的守护者，故民间亦称它为"财神"。毗沙门天王的常见造型，为身着将士服，黄脸，戴耳环。右手拿一把伞，据说伞一转动，即产生珠宝，左手执一银鼠，它口吐财物。作为护法神，此天王骑在狮子上。因为天王是护法神，所以在造型上突出表现其怒目可畏的凶狠，但他的嘴永远闭着。据传，此神一旦张开嘴，即从嘴里喷出毒气来，使人致死。[1] 据有关资料，锡林郭勒盟贝子庙正殿里，曾供奉过巨大的毗沙门天王画像。

---

　　① 据《内蒙古民族文物》，第 137 页图；N. 楚勒特木：《蒙古艺术史》，莫斯科 1986 年版，第 54 图。

4. 传承师祖像

所谓传承师祖像，即藏传佛教历代师徒们的肖像。这些肖像中，不仅有印度和西藏高僧大德们的塑像和画像，而且也有蒙古高僧们的画像。在一个寺庙里所供奉的蒙古高僧，主要以本寺的历世活佛们的画像为主。如五当召、贝子庙等大都这样。在内蒙古各寺庙中所供奉的印度和西藏的高僧大德，主要有如下几位尊者：

莲花生：此大师是 8 世纪印度人，出生于乌仗那（今巴基斯坦境内），为印度佛教密宗大师。应吐蕃赤松德赞赞普（742—797 年）之请入藏传播密法。据蒙古文佛经《班马卡唐》（Padma bkha'tang）记载，莲花生在入藏途中，曾利用密宗法术"降伏鬼魔"，许多鬼怪都被他用密咒调伏了。他的"密宗咒法"对西藏佛教中宁玛派的形成有重要影响。故后世藏传佛教宁玛派尊他为"祖师"。

莲花生大师曾因以咒术降伏藏区的原始神祇，而被西藏佛教奉为护法神，所以在西藏和内蒙古地区的寺庙中供奉其肖像。今巴彦淖尔盟的阿贵庙（宗乘寺）所供奉的主神为莲花生大师。相传此庙为内蒙古地区唯一的宁玛派（亦称红教）寺庙，故其正殿内供奉宁玛派祖师莲花生大师的巨大肖像。此外，今美岱召的壁画中，也可以看到此大师的画像。

阿底峡：阿底峡尊者（982—1054 年）是古印度僧人和学者，出生于东印度帕哈喀拉（今孟加拉）地方。此尊为印度掣霍尔国王格哇贝的儿子，到二十岁时，父亲希望他继承王位，但他坚决不允。他二十九岁时，在印度金刚座的玛哈菩提寺出家，从此深入研习了声明学的八大经典，内外两教的因明学、医方学、星象学，佛教的法相学和显、密经典等，获得了"班智达"学位。尊者不仅是印度著名的学者，而且品德高尚，因此西藏阿里地区的一位王子邀请他到西藏去传法。尊者于五十九岁的铁龙年（1040 年）经尼泊尔到达阿里地区。他来到阿里后，在阿里王的劝请下，写了《菩提道炬论》这一名著。尊者在西藏期间，传播佛法和医学，翻译和讲授许多佛经，并接受了许多贤惠弟子。后来他的弟子种敦（1005—1064 年）及其著名弟子博多哇（1031—1105 年）等人弘传其学说，创立了西藏佛教的噶当派，阿底峡尊者成为该派的"祖师"。

宗喀巴大师所创立的格鲁派教义，是据尊者阿底峡的名著《菩提道炬论》为宗，衍释为《菩提道次第广论》，作为中心教法。格鲁派教义也源于噶当派。到了15世纪格鲁派兴起后，噶当派的寺院先后都改宗格鲁派，这说明格鲁派实际上是继承了噶当派在社会上的一切功能。从此噶当派也就融入格鲁派而不再单独存在了。因此后来宗喀巴大师创立的格鲁派也尊奉阿底峡尊者，并与宗喀巴并列。如锡林郭勒盟贝子庙大经堂中就有过阿底峡尊者和宗喀巴大师并列的两尊大壁像，其比例与显宗佛像基本相同。

宗喀巴：宗喀巴（1357—1419年），本名罗桑札巴，出生于今青海西宁塔尔寺所在地。西宁一带，西藏人称为"宗喀"（tsong-kha），故称其为宗喀巴。宗喀巴大师出身于元末官宦人家，他父亲是元末的一位达鲁花赤。宗喀巴大师是藏传佛教格鲁派的创始人。格鲁派从16世纪后半期开始传入蒙古地区，继而普及蒙古地区全境，历4个世纪之久而未衰。在格鲁派寺院中，宗喀巴大师的地位极为崇高。他的像，不仅普遍于西藏，而且遍于内蒙古地区各个角落，受人供养。宗喀巴大师入灭的农历十二月二十五日，就成了西藏、蒙古地区广大佛教徒的一大节日，直至今日都如此。

今内蒙古西部地区五当召日木伦殿正中供奉着宗喀巴大师的一尊巨型铜像，高有9米。大师身着格鲁派僧装，头戴黄色的"班霞"帽子（尖顶，下有二长带垂于两肩，原为印度之有班智达称号者所习用的帽式。"班霞"意即班智达帽子），面部丰满，慈眉善目，宽颐大耳，手作法印，肩生莲花，结跏趺坐于大莲花座上。其整个表情庄严肃穆，造型凝重洗练。据说这尊铜像是内蒙古地区宗喀巴大师铜像中最大的一尊。当时为了容纳大师的这一高大塑像，殿内结构设计采用了减柱和在塑像四周建二层回廊的形式，在回廊上可以清楚地看到胸部以上的细部，从而避免了从底层仰视而造成的强烈的透视变形的缺陷，塑造出了大师之完美无缺的光辉形象。

在五当召，除了宗喀巴大师的这尊巨像而外，其东西两侧，沿墙排列着木制的千佛龛，龛内供奉一千尊宗喀巴大师小型塑像。这些塑像均为模制涂金，高约30厘米，象征着宗喀巴大师化身的千佛。

在美岱召正殿东壁上所绘制的宗喀巴大师成道故事画，生动地反映了宗喀巴大师学足以服众、行足以范师的光辉一生。

宗喀巴大师圆寂以后，自己虽没有转世，但是后来为了维持法统的方便，格鲁派建立了宗喀巴大师的两大弟子转世的制度，成为藏传佛教格鲁派两大活佛转世系统。这两位就是达赖和班禅。在西藏和全蒙古地区历辈达赖和班禅也被奉为最受尊敬的佛的化身。据说达赖喇嘛为观世音菩萨的化身，班禅喇嘛为阿弥陀佛的化身。西藏和蒙古地区的寺庙里，同样都供奉历辈达赖、班禅两位大师的画像。

第三节　内蒙古佛教发展的特点

一、在与萨满教的斗争中发展壮大

16 世纪末，藏传佛教的一支格鲁派传入蒙古地区，蒙古人广泛信仰了佛教。这次蒙古贵族再度接受外来宗教时，情况与元代迥然不同。蒙古人固有的萨满教遭到了一次严重打击，而这次打击竟成了它致命伤。佛教在这次斗争中的胜利，一方面是因为格鲁派本身教义的优越性，另一方面是因为格鲁派的领袖人物和蒙古贵族们采取的法制措施。从格鲁派教义本身来看，它是重宗教哲学和僧侣修持，严持戒律，不容有异端和外道在他们当中存在，对其信徒们要求极为严格。所以当蒙古人接受佛教之初，就严格要求扬弃或者是镇压异端和外道。在格鲁派看来，蒙古人固有的萨满信仰就是异端和外道。从宗教领袖和蒙古贵族方面来看，使这一宗教很快推行的主要途径，便是在法律上给予承认，并以法制手段保障其发展。这一点在 1578 年仰华寺大会上由鄂尔多斯部呼图克台彻辰代表蒙古政界宣读的《十善福法规》中得到证实。据蒙古文文献《金鬘》（Altan Erike）的几种抄本，《十善福法规》的基本内容如下：

从今日起向察哈尔蒙古制定《十善福法规》如下：从前蒙古人死亡时，据其身份之贵贱之别，将自己的妻子、奴仆、马、牛作为牺牲品而供奉死者，从今后应该制止此类随心所欲地、用大量的马匹，牛等作为牺牲对象之行为，以慈悲之心将这些献给僧侣和喇嘛，向他们祝福和祈祷，绝对禁止拿出牺牲品祭祀死者之类的事。若有人仍然像往昔那样杀人（作为牺牲品的贡献），那么按照法律夺取杀人者之生命；若有人杀马牛，则按照法律没收他的一切牲畜；若有殴打尊重喇嘛僧侣这种习惯的人，则拆散其所有财产，以前称作"翁衮"，则是指一切死者之像而言，并以每月的满日、初八和十五那天以屠宰牲畜的血来供奉"翁衮"的像，此外还为每年每季的供奉而按照身份高低不同而屠宰无数牲畜者，从今后必须自行烧毁那些"翁衮"像，消除每年每月为供奉而提供牺牲品之事，若有人隐瞒事实破戒，杀掉马和其他家畜，则应以高出十倍之数惩罚，若不烧掉"翁衮"者，没收其房屋，用放置智慧六手佛来代替"翁衮"，可用"三白"（指凝乳、牛乳，奶酪等。——引者）供奉，绝对不准用血肉供奉，所有人都要修福德，在满日、初八、十五这三日行斋戒；汉、藏、蒙古人等要消除不必要的掠夺和征服，一切按藏地戒律执行。①

这是目前所发现的《十善福法规》中最完整的一部。这部法规的宗旨就是绝对禁止强迫性的或任意的殉死，放弃萨满信仰的偶像"翁衮"，强迫禁止以杀牲献祭及一切萨满式的礼仪，而代之以佛教的仪轨祷祝祈福。《十善福法规》为佛教的巩固和发展给予了前所未有的保障。《十善福法规》公布之后效果如何呢？从当时人所写的《俺答汗传》中可以十分清楚地看到结果。《俺答汗传》写道："于是可汗、合敦为首举国大众，聆听达赖喇嘛宣讲戒律之功德……妙俺答汗为首皆起崇信之心，焚毁外道谬误之翁衮、察里格②，使愚昧之孛额、乌达干③衰落消亡，使有功无上经教之制固如绫结④般。"⑤ 看来，当时蒙古右翼三万户所居之地（今内蒙古西部地区）中镇压萨满教运动很快收到显著效果。然而从整个漠南蒙古地区而言，今内蒙古东部地区对萨满教的镇压运动，比起西部较晚才进行。东部地区的这一工作是由内齐托因一世（1557—1653 年）完成的。蒙古文《内齐托因一世传》为我们提供了有关这一过程的许多生动画面。当然，内齐托因一世的传法活动及镇压萨满教的活动，也得到了当地（如科尔沁部）王公贵族的有力支持，否则也许有很多障碍。根据《内齐托因一世传》记载，约在 1636 年，内齐托因一世在土谢图汗（奥巴及其子巴达礼时代）的支持下。将民间存放的"翁衮"汇拢，然后把这些"翁衮"及偶像堆积在一起，堆得蒙古包

① 原文见乔吉校注：《金鬘》，内蒙古人民出版社 1991 年版，第 118—120 页。
② 翁衮、察里克，均为萨满教之神像。
③ 孛额，这里指萨满教男巫，乌达干，亦作"伊都干"，指萨满教女巫。
④ 指金刚结。
⑤ 珠荣嘎译注：《俺答汗传》，第 117 页。

一般大，在内齐托因一世的住宅前纵火焚烧。为此《内齐托因一世传》写道："他们就这样结束了异端外道信仰，使佛陀教理变得纯洁无瑕了。"

我们在分析和叙述内蒙古佛教发展特点时，将上述这一阶段列为以佛教与萨满教争斗为特色的时期。

二、佛教吸收了蒙古民间信仰

佛教在内蒙古地区的发展过程中与蒙古固有的宗教即萨满教的争斗结束后，一个令人特别注意的现象是，佛教吸收了蒙古社会中早已形成的民间宗教及信仰礼仪传统。这使得内蒙古地区的佛教在其发展过程中形成为适应当地社会历史条件的、民族性的、地域性的宗教。

蒙古人除其固有的萨满信仰外，"还存在有许多民间宗教的表现形式，如祈祷长生天、祈祷火、尊成吉思汗为出身于王公家族的先祖。乞灵于以披甲的骑士之面目而出现的神，如苏勒得腾格里神，腾格里战神和格萨尔汗，祈祷白老翁，大熊星座的群星和对高地的祈祷。……说明了非常古老雏形的原始存在。"① 我们就蒙古人在狩猎过程中猎人们要遵从和完成的一些非常特殊的习俗和仪式，以及为此而口诵的经文等来看，它是在蒙古民间中保存下来的很古老而独立存在的一种民间宗教信仰。它的存在与萨满信仰几乎没有关系。蒙古民间的这类宗教信仰和"萨满教信仰"不是一回事。

崇拜火、祭火，这是世界上许多民族的古老的宗教仪式。蒙古人的民间口头流传及中世纪的文字资料证明，蒙古人的拜火、祭火由来已久。蒙古人的《火经》中将火称作"斡惕"的记载很多。"斡惕"（ot）原是突厥语，意为火。这使我们推测，当蒙古语族的部落和突厥人毗邻而居并有许多共同风俗习惯时，他们已经崇拜火了。蒙古人的《火经》中常常出现的对火的称呼"斡惕汗·嘎里汗·额克"（火的主宰母亲），也着重指明拜火仪式的产生有悠久历史。这里的"额克"（母亲）指的是以女性形象作化身的火。看起来，以古老形式出现的火神是女性，所以在蒙古人经文中也用简化形式的"火母"取而代之。蒙古人把火作为女性和母亲的化身，被认为是财富的源泉，生育能力和生命力的源泉。蒙古人向火神祈求确保丰年，保护财富

---

① 图齐、海西希著，耿昇汉译：《西藏和蒙古的宗教》，天津古籍出版社 1989 年版，第 401 页。

和畜群，赐给儿女等各式各样的拜火仪式，都能说明把一切希望寄托在火神身上，使火成为神圣不可侵犯和应该受到崇拜，这是在蒙古人中最为古老的宗教信仰观念之一。

随着藏传佛教的传入，蒙古人对火的崇拜被佛教同化了。自从佛教再度传入内蒙古地区后，凡是信奉佛教的场所，拜火也就成了蒙古佛教的礼仪制度，成了喇嘛们日常生活中普遍的仪式之一。随着拜火被列入佛教实践活动，产生了对宗教仪式和条文的文字记载，即具有新内容的《火经》产生了。据有关文字资料记载，一般认为在内蒙古地区祈祷火的书面文字是 17 世纪出现的，但是它的渊源，我们可以追溯到中世纪，甚至比它还早些。佛教传入内蒙古地区后，为了使佛教和蒙古古代信仰仪礼接近，以免互相矛盾，喇嘛们在古代火的颂歌基础上创作了自己的作品。我们现在所看到的大部分的《火经》刊本和抄本均属这一时期的作品。这些作品认为，火神（腾格里）来自 8 世纪印度密宗大师莲花生所创造的圣字"喇姆"（梵文字"火"的第一音节），它具有纯洁的光，能熔化坚硬的东西和照亮黑暗的地方，被称为"火王米兰札"[1]。我们不妨将古代传下来的蒙古人的火的祷词与佛教传入后的《火经》对比一下。

古代火的祷词中说："母亲，火的主宰，向您祈祷，为的是益寿延年，幸福繁荣，牛羊遍野，子孙满堂……"[2]

佛教传入后的《火经》中写道，"啊，我的火王米兰札，你由莲花生大师所创，由强大的佛陀释迦牟尼以火镰而产生……"[3]

很明显，后者用佛祖和密宗大师莲花生二人来代替了古代蒙古人所信奉的火的创造者。

"鄂博"崇拜是蒙古民间古老的习俗。所谓"鄂博"，是在固定地点堆起的圆形石头堆，一般都位于高地、山口、交叉路口等处。鄂博作为当地的守护神和土地神的神祠，享受到特别的崇拜。据有关资料，这种利用石头堆来标志特定高地的习惯，除了蒙古人以外，其他中亚和阿尔泰地区诸民族中

---

①　米，梵文"火"字，"兰札"梵文，意为"王"或"主宰者"。

②　《祭火经》，内蒙古科学院图书馆手抄本。

③　B. 林钦：《研究蒙古萨满教的资料》第 1 辑，德国威斯巴登市 1961 年，第 27 页。

也存在，但在蒙古人中以祭祀神灵而被崇拜可成为最原始的雏形。然而佛教传入蒙古以后，"鄂博"也按佛教的宇宙观加以改造了。我们根据蒙古风俗研究家们的记述得知，蒙古人的"鄂博"原本是只有一个石堆。① 自从佛教传入以后，蒙古人的"鄂博"从一个石堆变成了几堆，甚至变成了13个石堆。据喇嘛们解释，这13个鄂博的中间，最高的一堆石头，象征着佛教大千世界中心须弥山，其余四个中型和八个小型的石堆，代表着围绕着须弥山的12个有人烟居住的陆地。除此之外，喇嘛们还创造了祭祀鄂博的一套完善的制度，敬供和念经的仪式，还创造了用佛教绘画风格绘成的新的"沙布达克"② 画像等。这些画像平时保存在寺庙里，只在举行祭鄂博时拿出来挂在鄂博上。

在蒙古人的民间信仰中有一位叫"查干额布干"（白发翁）的神灵。据蒙古人的传说故事，"查干额布干"的形象很崇高，蒙古人称其为土地和水神，是古老原始时代的一位保畜群和丰收的神。佛教传入以后，用民间想象风格绘成的"查干额布干"的圣像进了寺庙，并成为"察姆"（跳神舞蹈）的一个主要人物。慈祥而滑稽的老人，身穿白色服装，手持拐杖，走到围观"察姆"的人们跟前，用拐杖碰碰人们，以消除日后可能要降临的不幸。③ 这是蒙古人的"查干额布干"在藏传佛教"察姆"中的形象。

自从佛教传入蒙古地区以后，佛教对待成吉思汗崇拜的态度是较为特殊的。首先，成吉思汗成为蒙古佛教的守护神。在佛教徒们的笔下产生的成吉思汗的画像是各式各样的，有安详的，也有威严的。我们从已经刊布的一些佛教徒们画的画像中可以看到，这些画像都是依据佛教中这类神仙的典型形象。如伦敦皇家博物馆的17世纪的一幅成吉思汗画像，是典型的家神般的威严形象。其次，成吉思汗在蒙古喇嘛高僧们的著作中被奉为印度教的创造之神大梵天，或奉为金刚菩萨转世。漠南蒙古佛教领袖一世章嘉呼图克图阿旺罗桑却丹（1642—1714年），在1690年左右编写的祭祀祈祷文中，将成吉思汗说成是"大梵天王的化身"，并试图将成吉思汗与佛教产生后被吸收

① 罗桑却丹：《蒙古风俗鉴》，内蒙古社会科学院图书馆抄本。
② 藏语，意为鄂博之神灵。
③ N. 楚勒特木：《蒙古艺术史》，莫斯科1986年，第38图。

为护法神而成为释迦牟尼右胁侍的、印度婆罗门教的创造之神"大梵天"考证成一体。这一思想在后来的蒙古高僧们写的佛教史及蒙古编年史中均被采纳，并在蒙古人中广为流传，甚至世俗的蒙古史著作也是根据佛教传统将成吉思汗谱系说成是起源于神话中的印度王摩诃萨摩迪。

藏传佛教传入蒙古地区时，对萨满信仰展开了无情的打击。因此，这个虽有久远历史而无统一哲理和无健全组织的固有信仰，陷入了被镇压而一蹶不振的末路。但它并非就此完全绝迹，而是部分渗透到蒙古地区的佛教里，披上了佛教的外衣，变成了寺庙法事的一种。如查定吉日、问卜、禳灾、祈福以及民间一些祭祀活动。其余不能被纳入佛教范畴的，如用巫术治病、诅咒等部分，只能转入地下而不敢公开活动了。

随着藏传佛教在内蒙古地区的传播，古代蒙古人的宗教信仰和民间信仰仪礼等被佛教同化而成为蒙古佛教崇拜体系中的一部分，然而，其实质和宗旨没有变。这就是佛教能够迅速成为蒙古人精神文化的不可分割的部分而长期存在，并适应于蒙古民族文化的重要原因。

第 十 四 章

北元时期蒙古宗教、历史与法律文献

第一节　北元时期蒙古宗教与历史文献

一、宗教典籍

1. 《白史》

《白史》，全称是 Erten-ü boγda sayid-un baiγuluγsan dörben yeke törü-yin arban buyantu nom-un čaγan teüke neretü sudur，意为《古昔圣贤所建四大朝政之十善法门正典之书》。这里的 nom 不是通常理解的"经"，而是"法门"；这里的 Čaγan，也不是通常所说的"白"，而是"正"；teüke 则包含"典"之意，而不是通常理解的"史"。《十善福经白史册》的译法是错误的，但已成为习惯。

《白史》流传很广，诸抄本达 8 种之多。《白史》的抄本首次为札姆察朗诺发现于鄂尔多斯，时在 1910 年。现内蒙古社会科学院图书馆存有《白史》的 8 种抄本。留金锁将其中伊克昭盟削竹墨笔抄本当作底本，以其他 7 种抄本相校，并加注释，于 1981 年以《十善福经白史册》为书名出版。这是目前国内外唯一的蒙古文校注本。1985 年鲍音在《昭乌达蒙族师专学报》上首发《十善福经白史》的汉文译注文本。在国外，巴拉登札波夫曾有过《〈察干图克〉的几种传抄本》为题的论文，介绍了诸抄本间的差异。1976 年德国的萨加斯特的德译文本和研究公之于世。

《白史》是鄂尔多斯的库图克台彻辰洪台吉为辅佐俺答汗引进藏传佛教格鲁派教义，实行"政教并行"政策，为抬高俺答汗的声望，打着继承忽必烈传统的旗号，撰写的"伪托之书"。书中的1330年"编著"之说，明显是假托。

根据彻辰洪台吉在安多地区（西藏以外四川、甘肃、青海的藏族聚居地区为"安多"）的军事、宗教、政治活动以及迎请达赖三世及在仰华寺法会上的演说等史事，可以认定，其撰写《白史》的时间，是1566年至1571年间；1578年仰华寺法会前后有所修订而后又有了多种抄本。

彻辰洪台吉是精通佛教理论的宗教活动家。他沿用了吐蕃"伏藏"作品的写作模式撰写了《白史》。1566年来自安多地区的瓦齐尔托迈是他的得力助手。吐蕃在朗达玛灭佛后，卫藏地区藏传佛教几乎绝迹，仅有逃避于康多（西康和安多）之少数僧侣保持着佛教余绪；从12世纪初藏传佛教的余烬开始在青海海东地区复燃，到11至12世纪中期藏传佛教复兴并得到发展，称为后弘期。吐蕃佛教史中的从"灭佛"到"复兴"这一历史状况，正与彻辰洪台吉在仰华寺法会上的讲演所分析的蒙古宗教形势相似。他以为，元朝佛教到妥懽帖睦尔"北徙"后开始"灭绝"，到北元俺答汗右翼政权时期蒙古佛教正到了"复兴"时期。基于这种蒙藏佛教发展史相类似的历史状况，使彻辰洪台吉萌发了运用吐蕃复兴佛教的"手段"，仿效吐蕃的一些做法。吐蕃复兴佛教借助了印度佛教大师阿底峡的力量，蒙古复兴佛教，彻辰洪台吉从安多地区请来了佛教理论家瓦齐尔托迈。阿底峡宣传"复兴"佛教利用了"伏藏"作品，彻辰洪台吉复兴蒙古地区的佛教利用了依"伏藏"作品模式撰写了《白史》。

所谓"伏藏"，是指某前人的遗作被后人发掘出来并传世的作品。"伏藏"作品较多，诸如《莲花生遗教》、《五部遗教》、《柱下遗教》等。印度阿底峡大师（982—1054年）公布了《柱下遗教》这部"伏藏"作品。据该书开头记载，该书是7世纪吐蕃创业之主松赞干布所讲的遗训和预言，由大臣记录下来，埋在拉萨大昭寺内的瓶状柱下。后来，阿底峡当时受一"拉萨疯女"的指点，从柱下取出。书中说"疯女"是绿度母的化身、智慧仙女、文成公主的转世。从书中可以看到松赞干布对朗达玛（841—846年在位）灭法，及11世纪前后藏传佛教及僧徒的混乱、不纯不轨现象的叙述；

但这时松赞干布已不在人世。也可以看到后世"复兴"佛教时的重要活动家益希卧、降曲卧、仁钦桑布和阿底峡在书中的活动记录。由此可知此书乃十一、十二世纪或以后才撰写的。所谓"松赞干布所讲"云云，无非是后人的伪托而已。《柱下遗教》出现于吐蕃佛教"复兴"时期（后弘期）。《白史》也是开头记载忽必烈编著并"宣谕"。《柱下遗教》由阿底峡在"疯女"指点下从"柱下"掘出；《白史》由彻辰洪台吉"预知其真意"从松州发掘出来。这些相似点启示我们，彻辰洪台吉是在仿效阿底峡借古人之名以图为当时宣传佛教服务，达"复兴"佛教之目的，就打出了"忽必烈编著"的旗号，借古人威望粉饰俺答汗，达到实施"政教并行"政策，有效辅佐俺答汗政权的目的。其意图是显而易见的。《柱下遗教》等"伏藏"作品亦称作"预言性文献"。松赞干布预言朗达玛将"灭佛"，彻辰洪台吉"预知其真意"将《白史》发掘出来。《白史》中也有释迦牟尼预言，说佛教徒日后必将"作乱"，必须以法规来训教。所谓预言性文献都是有其政治目的而出笼的。《白史》的预言性与"伏藏"作品的"预言性"是一致的。

在写作模式上，《柱下遗教》始述宇宙形成，乃至印度阿阇黎王传播佛教及吐蕃三大转轮王兴佛史；《白史》数说三大世界神权国历史及蒙古成吉思汗及忽必烈等三大转轮王，只因忽必烈时代俺答汗不曾出世，而作品开头已冠忽必烈所著之名，就以暗指方法述说俺答汗是第三转轮王。《柱下遗教》主要记述松赞干布提倡、推行佛教的事迹和与此相关的历史，抬高松赞干布推行佛教的历史地位，却相对贬低了松赞干布在政治、经济、文化等方面的历史功绩与作用。《白史》假借忽必烈实施以"十善法规"为核心的"政教并行"政策，宣传以佛教治国的历史地位，其实已经歪曲了一些历史事实，更贬低了忽必烈以汉法治国的历史功绩及历史地位和作用。这完全是作者出自"为我所用"的目的杜撰了此书，企图以佛教发展史代替元代社会发展史。这方面两者是相似的。其实彻辰洪台吉假托忽必烈之名论述蒙古实施"政教并行"政策的时候，由于他不曾深入研究忽必烈治理元朝的有关方面的状况，又没有注意当时蒙古地区的"宗教状况"，使人读起来就感到这部书既不符合元朝实情，也不与元朝时期的蒙古地区实情相符。当我们剖析出它的一些"假的东西"的时候，便可以得出"与元代无征"的结论。

《白史》的抄本有两个系统，一个是所谓忽必烈编著用伏藏作品模式写就的《白史》；另一系统抄本是说明彻辰洪台吉编著的，掺杂了祭祀成吉思汗"法规"内容的《白史》。这后一种抄本把"八白帐祭祀"法规说成是忽必烈的规定。应该说两种系统抄本都出自彻辰洪台吉之手。

《白史》是吐蕃宗教文化的产物。《白史》论述佛教理论、教义、法规，鼓吹成吉思汗是瓦齐尔巴尼的化身，忽必烈是满珠锡里·普提斯特的化身。"化身论"形成于北元时期，其理论系统化的典籍则是后来的《蒙古源流》，"印藏蒙同源论"也始自《白史》。"化身论"将"祭坛和王位"神化起来，从此俺答汗成了普提斯特种属，说所谓"神权国"是"神"统治的国家。这种佛教的说教在北元时期成为"意识形态"的主流，起到了愚化民众的作用。俺答汗便成了高于北元察哈尔正统可汗的"格根"（活佛）可汗。这正是"神权理论"神化可汗的具体体现。它的形成使俺答汗的权威立刻上升到至高不可侵犯的神圣地位而超出了北元正统大汗。祭坛和王位即教权与汗权的联盟正式宣告形成，并以法律形式保障了这种政教之结合。《白史》打出忽必烈编著、颁行旗号，正是维护和保证这一政治目的的实现而使用的"手段"。这就是《白史》以"伏藏"作品模式出笼的真正意图所在。

《白史》的内容主要包括以下部分。其"序言"是彻辰洪台吉伪托忽必烈编著，并说明"预知其真意"从松州得其原本，正是利用"伏藏"作品模式成书的自我写照。第一部分，历数实施政教两道之诸国诸王，言及政教两道创建实施史。包括印度、西藏及成吉思汗实施政教两道政策所获成果，及忽必烈与八思巴结盟，以突出其继承性。第二部分的第一段是忽必烈关于"帝国诸民及附庸民"必须遵守"政教两道"的诏令，包括以政教两道实施"宗教管理"和"世俗管理"之实质解释；宗教人士划分等级的标准；历数为宗教人士设立的职位、分类。从此段起以第一人称行文。第二部分的第二段，历数国家公职人员的组织系统，公职人员如大臣、官吏们的等级、官职的确定、公职人员的公责；由十户长以上所属长官管理的地方上的公职；详释遵守政教两道法规的原因；历数诏令所及之诸国诸附庸区域民族。续第一段教政问题，此段叙及政权问题，恰适政教两道相辅并行之论。第二部分之第三段，叙及关于按四季举行四大佛教善事节日及蒙古民族四大筵宴节日的条款；历数主持国主公仓通赏四季善事节日及四大筵宴节日大臣的官职及等级，公私排宴祭祀之规定。第二部分的第四段，详述宗教、世俗人等应遵行的教言和道德原则，从理论和实质方面加以分析和阐述，以达贯彻实施政教两道训教民众之目的；叙及关于惩罚犯罪僧人的条款；突出违背誓约者，以亵渎礼仪之罪而被逐出；说谎者，割其舌；盗窃者，挖其眼；闹事者，夺其命等等；叙及表彰功绩之条款，突出建树武功及举贤任能者。第三部分总结《白史》内容。《白史》的文笔精要、练达，可谓蒙古典籍之精品。它有三多特征，有关权力的法规法度内容多；宗教性质的训谕说教多；表现文学性的生动形象的比喻多。表明彻辰洪台吉不愧为宗教活动家，也是一位文采出众的宗教文人。

《白史》在北元历史上堪称开拓性的史书，也是法律著作中的佛教法规典籍。他创造性地运用了吐蕃"伏藏"作品模式，为蒙古历史和文学宝库增添了绚烂夺目的遗产。《白史》的"印藏蒙同源论"为其后的史家作为治史的理论而利用；《白史》作为俺答汗的施政纲领，在北元右翼政权中贯彻实施，使佛教在北元地区广为传播，在实施"政教并行"政策方面它起到了指导作用；《白史》的问世在蒙古历史上具有划时代的深远意义。可以说这是彻辰洪台吉的功绩之一。

2.《本义必用经》

《本义必用经》是锡埒图固什的作品，是一部佛教典籍，包括器世界、情世界，以及佛教国家印度、吐蕃、蒙古，佛教基本概念即必用之义的简明扼要的、具有教科书性质的佛教典籍。

《本义必用经》的撰写年代，有1587—1607年间以及1597—1620年间的两种说法。

《本义必用经》的内容可分为三个部分①。第一部包括：佛陀生平、佛教史的起源、佛法的弘扬、佛陀学说史的基础、佛教学说的各派别并简释了佛教学说的共同结构。《本义必用经》的第二部分是本书的主要部分。锡埒图固什依据《阿毗达摩俱舍论》，确认宇宙最初的元素是土、火、水、气四大元素，并认为元素的演变成为宇宙起源的基础。作者认为，宇宙有成劫、住劫、坏劫、空劫等四大劫，每劫由所谓20个较小的间劫组成，这四个主

---

① 关于《本义必用经》内容，参考了沙·比拉：《蒙古史学史》，陈弘法译，内蒙古教育出版社1988年版。

要劫合成一个大劫，每大劫包含 80 个间劫；认为佛教宇宙观通过"劫"来反映宇宙从生到灭的整个过程，宇宙循环往复，破坏多少次，复兴多少次，破坏和复兴无限轮回，无始无终，是不可知的。这是佛教宇宙观的基本理论所反映的朴素辩证法。宇宙的无限变化制约着人类的历史，人类历史则是宇宙史的一部分。锡埒图固什在《本义必用经》中阐述的这种宇宙演变观在其后蒙古文人的史籍中成为"引言"部分，诸如《蒙古源流》等史籍的作者就把这个内容全部吸收进了他们的著作中。锡埒图固什在阐述人类史时说，宇宙最初是虚空的，虚空中产生了厚达百万的"伯勒"，宽无可计的气体称为"气坛"，气坛流动成为云，即所谓"金心"。云落而成为海，海与空气混合，水面形成金色宇宙，其状如奶油，气体为宇宙基础，水土为四方基础。他说宇宙史分上界抽象世界，中间为中间世界，下界为人类世界。这第三界即下界不仅有肉眼可见的生灵，还有地上的水中的天上的灵魂，而人是联结上界与下界生灵这一长链中的最后一环。从而将人的灵魂与轮回转生联系起来说，当灵魂升入上界即抽象世界时，肉体附着在物质的下界，每个人尽管不断受到各种诱惑，而行动却是自由的，恶行需受到惩处，但有可能走上复活之路，或者成为上等生灵，或者成为下等生灵，这些都取决于"劫"之规。说业果命运是每个人不可逃避的审判。人受命运的安排成为富人或贫民，成为智者或愚人，或幸福或痛苦，由"劫"之规普遍支配，人类历史这样，每个人都这样由劫之规来确定业果命运。锡埒图固什根据佛教传说认为天神转生于色界十七国，无色界四部，情欲界二十部形成三界六类生灵，他们起初不用双腿行走，只靠奇异神力在空中移动，身体能发出亮光；而后由于品尝了精蜜，失去亮光坠入了黑暗，幸赖众生灵的业果才出现了天上的日月，才照亮了四大部洲，有了食品；但由于愚人私藏剩余的食品，才致使最后一种野生黍类也消失了；农耕时代随之而来，但人类因种子分配不均而发生内讧和争吵，从而出现了"共戴之汗"。关于诸王的历史，锡埒图固什将所有印度传说的诸王之源一直追溯到释迦牟尼之父净饭王那里，即"同源说"了。以上就是锡埒图固什在《本义必用经》中关于佛教学说中人类起源的论述。他沿袭了以往的三个佛教神权国的传统模式，也论述了西藏和蒙古的佛教史和国家史。沙·比拉在《蒙古史学史》中将锡埒图固什列入蒙古史学史的奠基人之一，就是依据他的《本义必用经》的内容对他作出的评价。锡埒图固什认为蒙古史是佛教世界史的一部分。他在《本义必用经》中把成吉思汗出世的那一年当做蒙古史的开端，他认为成吉思汗出生于佛陀涅槃 3253 年后，并把蒙古佛教流传史的开端与成吉思汗联系在一起，把成吉思汗说成是查克拉瓦尔迪可汗；并把蒙古政权实施政教并行政策说成是始于窝阔台时代；这样就把忽必烈时代说成是佛教继续传播的时代；把妥懽帖睦尔失政之后的时代，说成是佛教的衰败时代。他把蒙古佛教史一直写到他生活的年代。这样，本书的第三部分就成了佛教学说"必用"部分的缩译。他详述了佛教徒必须了解的佛教伦理道德标准的种种细节。

《本义必用经》从结构和内容上，与西藏罗卜桑占布巴勒的《本义必用》非常相似，但不曾利用罗卜桑占布巴勒的原著。他的宇宙论取材于《阿毗达摩俱舍论》。该书的史学观不仅受到佛教历史宇宙起源论的影响，还受到《玛尼干布》、《木莲救母传》、《米拉日巴传》的影响，当是他在翻译这些圣徒传记时深受其影响而撰成是书的。《本义必用经》的第三部分的资料来源是《玛尼干布》。《玛尼干布》的最后一节即松赞干布训诫，是从各种佛经中收集在一起的佛教徒伦理道德规范的常见原理，而《本义必用经》的第三部分内容正与其相合，如关于"蕴"的两种形式，关于佛的四种存在形体，关于五无量恶等等，两书所记相同。《本义必用经》是北元时期仅次于《白史》的一部重要著作。

二、史书

北元时期是蒙古史学发展的重要阶段，北元末期蒙古史学获得了前所未有的发展，产生了一批有较大影响的史学著作，以佚名《俺答汗传》、佚名《黄金史》、佚名《大黄史》等三部史书为代表。这些蒙古史典籍对研究 14 至 17 世纪蒙古史具有重要意义。

该时期的蒙古文史书体裁既有编年史，又有个人传记。如佚名《黄金史》与《大黄史》属于编年史，而《俺答汗传》是传记著作。这些史书内容丰富，首尾完整。两部编年史的蒙古史部分均从传说中的蒙古人祖先孛儿帖赤那写到蒙古末代大汗林丹呼图克图汗时期，可以视为蒙古通史性质的著作。《俺答汗传》则对俺答汗的父祖、俺答汗本人的业绩及其子孙的事迹记载十分详尽。两部编年史继承了以《元朝秘史》为代表的蒙古史书的传统形式，但又以蒙古汗统史为主线，伴以佛教传播史，形成了与早期史书不同的另一种风格和模式。《俺答汗传》采用了韵文体，文字优美。

（一）北元后期的三部史书

1. 佚名《俺答汗传》

《俺答汗传》的原书名为 Erdeni tunumal neretü sudur orusiba，汉译为《名为宝汇集之书》，通称《俺答汗传》，或以清代译写法称《阿勒坦汗传》。

《俺答汗传》的成书年代和作者均无明确记载。关于其成书年代，中国学者留金锁认为在 16 世纪末 17 世纪初，珠荣嘎认为在 1607 年春，贺希格陶格陶主张在 1607 年前后；德国学者海西希认为在 1607 年后，日本学者森川哲雄认为在 1607 年至 1611 年前半年之间，吉田顺一赞成珠荣嘎的观点。①根据《俺答汗传》的内容，该书写于 1607 年基本无误。

关于《俺答汗传》的作者学术界有不同见解。留金锁认为，作者与传主为同时代人，是一位虔诚的佛教徒，可能是俺答汗使者的通事或笔帖式。海西希对此持反对态度，认为作者绝非俺答汗同时代的人。森川哲雄认为，该书的作者即使不是俺答汗孙子索囊黄台吉（温布鸿台吉）写的，其编纂也是与他有很大的关系。②

《俺答汗传》是蒙古右翼三万户之一土默特万户首领俺答汗（Altan qaγan）的传记。全书采用韵文，以押头韵的四行诗为基本形式。该书共分八个部分：第一部分是引言和成吉思汗以来佛教传播情况；第二部分为达延汗父祖以及达延汗诸子简介；第三部分为俺答汗的世俗活动，包括俺答汗北征兀良哈万户，西征畏吾特与卫拉特，南征明朝与庚戌之变、隆庆议和、呼和浩特城的兴建等；第四部分为俺答汗的宗教活动，包括阿兴喇嘛对俺答汗的传经说法、遣使迎请达赖喇嘛、达赖喇嘛与俺答汗的仰华寺会晤、东科尔呼图克图的传教活动等。第五部分为俺答汗长子僧格再次迎请达赖喇嘛以及达赖喇嘛在蒙古的传教活动。第六部分为俺答汗之孙那穆岱彻辰汗统治时期（1597—1607 年）的史事。第七部分为后记。第八部分为附录（后人作为），

---

① ［日］吉田顺一等：《〈俺答汗传〉译注》，风间书房 1998 年版。
② ［日］吉田顺一等：《〈俺答汗传〉译注》。

是西乌珠穆沁旗王公世系。

《俺答汗传》是现存 17 世纪蒙古文史书中最早的一部。其记事特点与其他蒙古文编年体史书不同，没有大肆渲染佛教传说故事，而是十分准确、具体和详细地记录了俺答汗一生的业绩，是一部具有很高史料价值的史书。

至今发现的《俺答汗传》只有一部抄本，1958 年于内蒙古西乌珠穆沁旗王府发现，现存于内蒙古社会科学院图书信息中心。全书 54 叶，两面用竹笔书写，计 107 面。叶长 34.6 厘米，宽 10.7 厘米，每面约 24 行。①

《俺答汗传》是 1958 年由当时内蒙古蒙古语文历史研究所的墨尔根巴特尔在西乌珠穆沁旗发现后，收藏在内蒙古社会科学院图书馆。1979 年出版的《全国蒙古文古旧图书资料联合目录》初次报道了该书收藏情况②，同年留金锁著《十三世纪到十七世纪蒙古历史编纂学》一书问世，其中专门探讨了该《俺答汗传》。③ 1984 年，珠荣嘎刊行该书蒙古文原文，并附该书影印件。④ 1981—1982 年，德国学者海西希在内蒙古社会科学院图书馆两次查访该书原件，1984 年撰写了《土默特俺答汗传》一文⑤，对该书作者、成书时间、史料价值等进行探讨。1987 年，日本学者森川哲雄根据珠荣嘎所公布的影印本进行研究，1987 年发表了原文拉丁文转写、日译和注释的研究成果。1990 年珠荣嘎汉译注释本问世。⑥ 1998 年，日本学者吉田顺一、中国学者贺希格陶格陶等译注的《阿勒坦汗传译注》出版。⑦

2. 佚名《黄金史》

佚名《黄金史》的蒙古文全名为 Qad-un Ündüsün-ü Quriyangγui Altan Tobči，汉译为《诸汗源流黄金史》，一般简称《黄金史》，著者不详。故又称佚名《黄金史》。

佚名《黄金史》的成书年代无明确记载，学界有 1604 年说、1625 年

---

① 见珠荣嘎译注：《俺答汗传》，内蒙古人民出版社 1990 年版。
② 《全国蒙古文古旧图书资料联合目录》，内蒙古人民出版社 1979 年版，第 310—311 页。
③ 留金锁：《十三世纪到十七世纪蒙古历史编纂学》，内蒙古人民出版社 1979 年版，第 127—169 页。
④ 珠荣嘎校注：《俺答汗传》，民族出版社 1984 年版。
⑤ ［德］海西希：《土默特俺答汗传》，《乌拉尔—阿尔泰年鉴》1984 年第 4 期。
⑥ 珠荣嘎译注：《俺答汗传》，内蒙古人民出版社 1990 年版。
⑦ ［日］吉田顺一等：《阿勒坦汗传译注》，风间书房 1998 年版。

说、1604—1627 年说、1630 年说、1604—1634 年说和 1675—1725 年说等。①依据其内容写到蒙古末代大汗林丹汗时期（1604—1634 年），且只记其即位年，因此认为其成书时间大概在 17 世纪初。

佚名《黄金史》记事的起止年代大约为蒙古人古老传说中的始祖孛儿帖·赤那至蒙古末代大汗林丹汗。全书由三个部分组成，第一部分为印度、西藏王统史，第二部分为孛儿帖赤那至元惠宗乌哈笃汗妥懽帖睦尔的蒙古史，第三部分为元惠宗乌哈笃汗妥懽帖睦尔退回蒙古本土草原建立北元汗廷到蒙古末代大汗林丹汗即位的蒙古史。

佚名《黄金史》现存多种版本，但可以归纳为三个系统五种版本：

第一是贡布耶夫本系统。1858 年，俄国的布里雅特蒙古学者贡布耶夫在圣彼得堡出版了一部《黄金史》（即 G26 号写本），该本刊于俄国考古学会《东方丛书》第六辑。英国学者鲍登 1955 年拉丁音写及英译文即以该本为底本。关于贡布耶夫本《黄金史》的版本的缺点，著名蒙古学家符拉基米尔佐夫早已指出。②这个版本在《黄金史》的众多版本中是比较差的一种版本。

第二是北京蒙古文书社 1925 年本系统。1925 年，北京蒙古文书社以《成吉思汗传》为名，出版了一部《黄金史》，一般称为北京第一版《黄金史》。其来历至今不清。

第三巴彦毕勒格图本系统。1915 年，内蒙古卓索图盟喀喇沁右旗人卜彦毕勒格图（汉语名叫汪国钧）从原旗协理什哩萨克喇（Širisaγra）家找到一部名为《圣成吉思汗史传》（Boγda Činggis Qaγan-u Sudur）的蒙古文史书。他把此书与《元朝秘史》、萨冈彻辰《蒙古源流》等多种有关的书籍参

---

① 如匈牙利学者李盖提和苏联学者普齐科夫斯基就认为《黄金史》的成书年代不早于 17 世纪 20 年代。蒙古国学者丕凌烈认为当在 1604 年；我国学者内蒙古的留金锁认为当在 1625 年；苏联学者沙斯提娜认为当在 1604 年至 1627 年间；日本学者小林高四郎认为当在 1630 年；英国学者鲍登认为其正文写作时间当在 1604 年至 1634 年间；我国学者巴雅尔认为在 1675 年至 1725 年之间，成书晚于罗氏《黄金史》。参见巴雅尔：《〈黄金史〉成书的时间》，《内蒙古师范大学学报》（哲学社会科学蒙古文版）1985 年第 1 期。除此之外，还有其他学者的一些不同说法。

② ［苏］符拉基米尔佐夫：《蒙古社会制度史》（汉译本），注 983，刘荣焌译，中国社会科学出版社 1980 年版，第 28—29 页。

阅，于当年十二月整理而成。① 学术界称此本为喀喇沁本。1927 年北京蒙古文书社根据卜彦毕勒格图本出版了《圣成吉思汗传》，一般称为北京第二版《黄金史》。1985 年出版的朱风、贾敬颜的汉译本即以北京第二版《黄金史》为底本。1940 年德王（德穆楚克东鲁布）旧蒙疆政府在张家口出版了一部《黄金史》，称为张家口版《黄金史》。实际上，它是以北京第二版《黄金史》为底本出版的。留金锁先生以张家口版《黄金史》为底本加以注释后，于 1980 年交付内蒙古人民出版社出版此书，书名为《黄金史校注》。

另外，蒙古国学者沙·确玛从戈壁—阿尔泰省的一位叫做巴图满都的人手中获得了《黄金史》的又一种写本，此本与前面所提到的几部《黄金史》写本有不少差异。详细情况请参阅沙·确玛近年所撰写的论文《新发现的〈黄金史〉中有关卜端察儿的内容与其他历史文献的比较》。②

3. 佚名《大黄史》

《大黄史》的蒙古文全称为 Erten-ü Mongɣol-un Qad-un Ündüsün-ü Yeke Šira Tuɣuji Orošiba，意即《古昔蒙古诸汗源流之大黄史》，根据每个原文题目的简称亦音译为《沙剌图济》。关于其作者，目前学术界有不同看法：俄国布里雅特蒙古学者扎姆察拉诺认为是喀尔喀台吉图巴；蒙古国学者丕凌烈认为书中提到的伊勒登都固尔格其（Ildeng dügüregči）的幼子善巴达拉绰克图阿海（Šambadara čoɣtu aqai）当是该书的作者③，蒙古国的另一位学者沙·比拉则否定此说；内蒙古的乌力吉图认为此书的作者不是喀尔喀台吉图巴，而是鄂尔多斯部图巴吉农④，但这一说法没有得到蒙古史学界的认可。基于这种情况，我们目前尚不能确定《大黄史》的作者。

关于《大黄史》的成书年代，苏联学者普齐科夫斯基在《东方学研究

---

① 乌兰：《〈汪国钧本蒙古源流〉评介》，《内蒙古大学学报》1995 年第 1 期。据该文，所谓《汪国钧本蒙古源流》是指巴彦毕勒格图（即汪国钧）在 1918 年将施密特本《蒙古源流》与 1915 年所得《圣成吉思汗史传》的手抄本（实为《黄金史》的一种早期版本）配接而成的蒙汉合璧手抄本。《汪国钧本蒙古源流》仅由《蒙古源流》的前一部分和《圣成吉思汗史传》的后一部分内容配接而成。汪氏对这两部分的汉译可以说是 17 世纪蒙古文史书的较早的汉译，因此至今仍有一定的参考价值。

② ［蒙古］沙·确玛：《新发现的〈黄金史〉中有关卜端察儿的内容与其他历史文献的比较》，《内蒙古大学学报》（哲学社会科学蒙古文版）1999 年第 1 期。此文由德·青格勒图将基里尔蒙古文（新蒙古文）转写成胡都木蒙古文。

③ ［蒙古］《历史研究》杂志，基里尔蒙古文（新蒙古文）1970 年第 8 期，第 139—140 页。

④ 乌力吉图校勘本《大黄史》，民族出版社 1983 年版，第 34 页。

所藏蒙古文手抄本与刊本集》一书中认为，此书正文是 17 世纪前半期写的，补充部分是 17 世纪末和 18 世纪初写的。沙斯提娜在《沙剌图济：十七世纪蒙古编年史》中认为，大概是 17 世纪中叶至 17 世纪后半叶写成的。德国学者海西希认为，正文当写于 1651—1662 年，补充部分当写于 17 世纪末和 18 世纪初。内蒙古的留金锁认为当写于 17 世纪中叶；乌力吉图认为当写于 1643—1662 年。笔者认为，佚名《大黄史》的正文大概在林丹汗时期写成，其成书年代当在 17 世纪 30 年代左右。

《大黄史》先叙述佛教的宇宙观、人类的起源及印度、西藏王统史，然后记述成吉思汗祖先至成吉思汗及其继承者元朝诸帝、北元蒙古诸汗、达延汗十一子及其后裔尤其是他第十一子格埒森札后裔，再记成吉思汗之子尤赤、察合台后裔兀鲁思及成吉思汗诸弟哈撒儿、别里古台及其后裔兀鲁思等等。另外，还记述了达延汗时期蒙古六万户及四卫拉特的有关情况等。难能可贵的是，该书详细记载了格埒森札及其后裔诸女情况和格埒森札子孙的联姻关系，为全面研究喀尔喀史提供了绝无仅有的资料。

《大黄史》目前有四种版本流传：最早的为俄国著名学者、突厥学家拉德洛夫于 1891 年从喀尔喀蒙古北部发现的无标题的本子，学界一般称为《拉德洛夫史》。第一页有俄文题词："B. B. 拉德洛夫院士于 1891 年从鄂尔浑河调查团带来的蒙古史"。现藏俄罗斯科学院东方学研究所东方抄本部，书号为 Mong. Mns. B173。书前题写内容显示抄本主人为喀尔喀图巴台吉。其后俄国的蒙古学家波兹德涅夫又发现了两个本子，一个无标题，共 26 页，书号为 F264，亦为俄罗斯科学院东方学研究所东方抄本部藏本。[①]另一部封面题写全名《古代蒙古汗统大黄史》，其内容与《拉德洛夫史》相同，从该抄本人们才得知该书的正式名称。现藏于俄罗斯列宁格勒大学东方学系图书馆，书号 Mung. G. 33，XyI. 80，共 43 页。[②]此外，蒙古国国立图书馆收藏扎米扬公所获一部抄本，被认为是最古老的抄本（北京图书馆

---

① ［苏］普齐科夫斯基：《苏联科学院东方学研究所藏〈大黄史〉抄本二种》，《蒙古史研究参考资料》第 24 辑，1965 年 12 月，白音译，余大钧校，内蒙古大学历史系蒙古史研究室编。

② ［苏］H. H. 沙斯提娜：《〈大黄史〉——十七世纪的蒙古编年史》（俄文），汉译文《蒙古史研究参考资料》第 24 辑，1965 年 12 月，白音译，余大钧校，内蒙古大学历史系蒙古史研究室编。

藏有其影印件）。1959 年联邦德国学者海西希刊布该抄本的影印件，其封面上的标题为《成吉思汗史：达赖喇嘛所撰青年之宴》（Činggis-ün Teüke, Dalai blama-yin nomlaγsan Ĵalaγus-un qurim）。① 1983 年乌力吉图以拉德洛夫本为底本，对上述四种抄本进行校勘，在北京出版。②

（二）新的史学观点——印藏蒙同源论的提出

北元时期蒙古史书的最显著的特点，就是用佛教的基本观点和方法来观察并解释蒙古历史，所以这个时期是蒙古史学史上的一个转折点。佛教历史观在北元史学中较典型的表现有如下四个方面：一是用佛教历史观解释蒙古史，编造印、藏、蒙同源论，《黄金史》是开创这一新说的最早的蒙古文史书。二是极力神化蒙古汗王，抛出了所谓"转轮王"的概念。三是提出所谓政教两种法规的原则，突出和抬高佛教的地位。四是用佛教历史观改写蒙元时期蒙古历史。其中，"印、藏、蒙同源论"具有深远的影响。

关于蒙古汗统的起源，在 17 世纪蒙古编年史中出现了与《元朝秘史》、《史集》等早期史书记载③截然不同的一种说法，即印、藏、蒙同源论。《黄金史》云：吐蕃王的先世出自印度王室。蒙古汗系的始祖孛儿帖赤那本是吐蕃王的后裔。吐蕃王"达赉苏宾阿尔滩三搭里图王有三子，长子博罗出，次子锡巴罟持，幼子孛儿帖赤那。由于内部失和，孛儿帖赤那北渡腾吉思海，至浙忒地方，娶了一个唤作豁埃马阑勒的处女为妻，在浙忒（应写作札惕。——引者）地方定居下来，是为蒙古部落。"④《大黄史》则记载，孛儿帖赤那与妻子豁埃马阑勒一同渡过腾吉思海子逃到不儿罕·合勒敦山下，被蒙古人尊为首领。

① ［德］海西希：《蒙古的家族与宗教史学》（德文）第 1 卷，威斯巴登，1959 年。

② 乌力吉图校勘本《大黄史》，民族出版社 1983 年版，第 71 页。

③ 《元朝秘史》第 1 节载："当初元朝的人祖，是天生一个苍色的狼，与一个惨白色的鹿相配了。同渡过腾吉思名字的水来，到于斡难名字的河源头，不儿罕名字的山前住着，……"拉施特《史集》说古代称为蒙古的部落被另一些部落打败，遭到屠杀，仅剩下两男两女两家人，他们逃到群山和森林环绕、人迹罕至的额儿古涅—昆，在那里生息繁衍，逐渐发展出很多分支，后来那些人熔铁化山，走出山林，全体迁徙到草原上。所有的蒙古部落都是从逃到额儿古涅—昆的那两个人的氏族产生的，那两个人的后代中有一个名叫孛儿帖—赤那的异密（即 amir，突厥语，意为长官。阿拉伯语 Āmīr 即来自于此，音译作"艾米尔"，意为"领袖"、"王子"、"领导者"、"官员"。——引者），其长妻名叫豁埃—马阑勒。

④ 《汉译蒙古黄金史纲》，第 3 页。

按 17 世纪蒙古文史书的说法，西藏王统来自古印度摩诃三摩谛王（Maq-a sambadi qaɣan，汉译作众敬王或众恭王），而蒙古汗统又来自西藏王统。这样发源于古印度的王统，就如"恒河之水"般历经西藏王统的传承和发展一直延续到蒙古。

首先，蒙古王统来自印度、西藏之说纯属无稽之谈。不过，应该看到这是一种新的史学模式，它恰恰反映了到 16—17 世纪，在藏传佛教影响下蒙古史学思想发生的重大变化。

那么，蒙古史家们是怎样编造印、藏、蒙古同源说的呢？乌兰指出："依照藏文史籍中篡改吐蕃王统，将其攀挂到印度王统的先例，选取止贡赞普家族的历史，结合《元朝秘史》有关蒙古汗统起源的记载，捏合出了蒙古汗系始祖来自吐蕃王统的故事。"① 蒙古史家所选取的传说无非是这两种：西藏方面为藏王塞赤赞普之子止贡赞普的三子，因其父被杀而逃走的故事。蒙古方面则有《元朝秘史》所载关于孛儿帖赤那的古老传说。

蒙古编年史有关印、藏同源的说法，无疑来自藏籍。藏籍早就有了吐蕃王的先世出自印度王室的传说，从有关藏籍中可以找到这类记载。② 成书于 11 世纪的藏文《柱下遗教》（又名《国王遗教》）一书是目前所知较早用佛教史观来说明西藏早期历史的著作之一。该书首先将西藏王统与印度释迦王族联系起来，并说西藏王统来自印度。此书云："（印度）甘蔗族为王族（刹帝利），其族众多。义成王时，知名之王有频毗娑罗王（影坚王），桥萨罗有波斯泥王（胜光王），莲花国有大莲花王，莲花地有光明王，光明王之子伏陀夷，伏陀夷之子战胜，其子被驱至羊八井（毗舍厘——广严城），从雪山下逃至降多神山……是为聂赤赞普，吐蕃最早的赞普。"③ 成书较早的布敦仁钦所著《布顿佛教史》内容最具有代表性："还有一部分人说，西藏诸魔同十二夜叉小王共同造作灾害的时候，白萨罗王名'能现'生有一子，

---

① 乌兰：《17 世纪蒙古文史书中的若干地名考》，《中国边疆史地研究》1998 年第 4 期。

② 比如，14 世纪成书的藏文著作《布顿佛教史》，又名《佛教史大宝藏论》（1322 年）、《红史》（1363 年）、《青史》（1358 年？）《西藏王统记》（又译作《吐蕃王朝世系明鉴》）（1388 年）。另外，15 世纪成书的《汉藏史集》（1434 年），17 世纪成书的《西藏王臣记》（1643 年）等等。

③ 这里转引自张云：《佛教史观与西藏古史的再塑造》，王尧主编：《贤者新宴》，藏学研究丛刊 2，河北教育出版社 2000 年版。

睫毛盖着眼睛，手指间有蹼（薄膜）联着。该王十分惊恐，将小孩装入大铜盒中，抛入恒河中，被一农夫拾得，将他养了起来，直到他年事渐长，听旁人讲他是拾来的，便心生悲苦，逃到大雪山，渐次越过'拉日'山口，来到了'赞塘阁西'地方。被当时的苯教徒们看见，说他是由天索和天梯下来的。因此说他是一位神人，问他是谁？他回答说是'赞普'。问他从那里来？他以手指天。彼此不通语言。于是将他安置在木座上，四人用肩抬着，向众人说，这是我们的救主。尊称为'聂赤赞普'（意为肩舆王），这即是藏地最初的王。"① 成书时间比《布敦佛教史》稍晚的《红史》、《青史》及《西藏王统记》等书，也均引录了《布敦佛教史》的这段记载。②

实际上，藏籍关于印、藏同源说是在佛教传入后才产生的。在佛教尚未传入吐蕃之前，其早期传说中的最初藏王是天神降世。③ 著名的民族学家马长寿先生曾指出："佛教徒为了战胜西藏原有的苯教徒，不能不依靠吐蕃王朝的实力，而吐蕃王朝为了抬高地位、巩固政权并征取赋役，也不得不依靠

---

① 布顿大师：《佛教史大宝藏论》（即《布顿佛教史》）汉译本，郭和卿译，民族出版社1986年版，第167—168页。

② 蔡巴·贡噶多吉著《红史》载："《霞鲁教法史》中说，印度国王白沙拉恰切的儿子为聂赤赞普。本波教徒们则认为天神之王是由十三层天的上面沿着天神的绳梯下降的，从雅隆的若波神山顶上沿天梯下降到赞塘郭细地方，看见的人说：从天上降下一位赞普，应请他当我们众人之主。于是在脖颈上设置座位将其抬回，奉为国王，称为赤赞普，这是吐蕃最早的国王。"汉译本第30页，陈庆英、周润年译，西藏人民出版社1988年版。廓诺·迅鲁伯《青史》说："……西藏的王朝世袭：往昔虽传说有十二位零散的小王等，但毕竟是一些小王，而且彼等的传承和他们对于佛教作为有何种事业的史语，也是没有的。所以显见西藏的诸智者都是从栗赤赞波（肩舆王）起而撰述西藏王朝世袭……至于栗赤赞波虽与大释迦、惹遮巴大释迦、毗耶离释迦三种族姓中，任何一种都有所不同。然而在《文殊根本序》中，从松赞王至朗达玛以上，都有极明显的记载（预言），其示（藏王）阶段中《文殊根本序》中说：是'毗耶离种中所出'。以此正应说是'毗耶离'种姓。"汉译本第24—25页，郭和卿译，西藏人民出版社1985年版。索南坚赞著《西藏王统记》（即《吐蕃王朝世系明鉴》）云："《西藏档案史》谓彼初降于拉日若波山巅，纵目四望，见耶拉香布雪山之高峻，亚隆地土之美胜，遂止于赞塘贡玛山，为诸牧人所见，趋至其前，问所从来。王以手指天。众相谓云：'必是自天谪降之神子，我辈宜奉为主。'遂以肩为座，迎之以归，故号为聂赤赞普。是为藏地最初之王。"汉译本第33页，刘立千译，西藏人民出版社1985年版。

③ 在《红史》等16世纪以前的藏文史籍中，在西藏王统的起源的问题上已经可以看到后期史书对早期史书的篡改。早期的说法是天神自天降世成为吐蕃之王（《敦煌吐蕃文书》等），而后期的说法（后来成为普遍的说法）是印度某代国王的一个儿子遭难后翻过雪山来到吐蕃，被误认为天降之神而奉为吐蕃第一代王。见乌兰：《17世纪蒙古文史书中的若干地名考》，《中国边疆史地研究》1998年第4期。

佛教以麻醉人民。这种佛教和王朝的现世依存关系想在历史上加以证实，于是就产生了吐蕃王朝系出古代印度佛国的神话。"① 据乌兰研究，这是吐蕃原始宗教苯教（又写作钵教）的观点。佛教势力与本教的抗衡中为了更加名正言顺地在吐蕃传播其教法而不惜篡改历史，编造出吐蕃王统与印度王统同源的谎话来收买吐蕃人心。《布敦佛教史》所述印、藏王统同源的故事，是巧妙地抓住印度放弓仗塔之类的传说故事中印度某异相王子被丢弃恒河后获救的内容和吐蕃本土天神降世成为人主的传说，把二者加工改造，衔接、糅合而成的。②

据此，印、藏同源说是藏籍早已有的传说，而藏、蒙同源说则是深受黄教影响的蒙古史家们的独创。

在藏籍有关蒙古王统的记述中，确实有过神化成吉思汗祖先的先例。如诸藏籍说豁里察儿篾儿干（Qoličar Mergen）是莲花生大师的化身。札奇斯钦就此指出："按于元末之际，由西藏史家贡嘎多尔吉写成的《红册》（即《红史》。——引者），曾于其记述蒙古可汗们的先世时，称其第四世祖先 Byji mer khan，即《元朝秘史》之豁里察儿蔑儿干，为西藏佛教之最初导入者……莲花生 Padms sambha-va（此梵文名应作 Padmasambhava。——引者）大师的转世。证明在元初蒙古接受佛教之时，西藏佛僧已经把他们的大德和蒙古可汗的先世连在一起，以谋传教上的方便。"③ 这只是元代吐蕃高僧神化蒙古祖先的例子，但它与藏、蒙同源说没有什么关系。

根据现有的史料似可断言，没有哪一部藏籍记载所谓藏王后裔成为蒙古王统先世之说。14 至 17 世纪的诸藏籍，如《布敦佛教史》、《红史》、《西藏王统记》、《汉藏史集》、《西藏王臣记》等，记述蒙古王统时，对蒙古传说的原貌没有任何更动，都称孛儿帖·赤那为上天之子。据此可以排除藏人附会藏、蒙同源论的可能性。

藏籍已有的关于印、藏同源的故事，给蒙古史家一些启发和灵感。古印

---

① 马长寿：《辟所谓"西藏种族论"并驳斥经史内所流传的藏族起源于印度的谬论》，周伟洲编：《马长寿民族学论集》，人民出版社 2003 年版，第 344 页。

② 乌兰：《印藏蒙一统传说故事的由来》，《蒙古史研究》第 6 辑，中国蒙古史学会编 2000 年版。

③ 参见［美］札奇斯钦：《蒙古与西藏历史关系之研究》，台湾政治大学丛书，台湾正中书局 1979 年版，第 421 页。

度王子后来成为第一代藏王，即肩座王的传说，为他们提供了很好的蓝本可以模仿。熟悉藏籍典故的蒙古史家先选取藏文史籍中的止贡赞普被弑，诸子出逃异地的内容①，再选取《元朝秘史》中孛儿帖赤那携妻迁往斡难河源头的内容，然后将二者适当加工，连接成一个完整的故事。藏王之子涅赤与蒙古人的远祖孛儿帖赤那，他们两个人属不同民族，姓氏不同，证明编造故事时在这里使用了偷梁换柱的方法。

由此可见，印、藏、蒙同源论是蒙古史家为使佛教名正言顺地在蒙古地区传播而编造出来的一种新的史学观点。这种观点是当时蒙古人佛教历史观的反映，也是用这一宗教历史观改写蒙古历史的滥觞。

库图克台彻辰洪台吉为"印藏蒙同源说"奠定了理论基础。

库图克台彻辰洪台吉是《蒙古源流》的作者萨冈彻辰黄台吉的曾祖父，其家族属达延汗第三子巴儿速孛罗吉囊的长子衮必里克麦力艮吉囊一系。忽图黑台切尽黄台吉与俺答汗的关系非常密切，在引进黄教的整个过程中他起了关键作用。② 据瞿九思《万历武功录》载，他"为人明敏，而娴于文辞，尤博通内典"。③ 这里的内典是指佛经。有的学者说："也许他还能读汉文经卷"。④ 很显然，忽图黑台切尽黄台吉是一位精通蒙、汉、藏三种文字，具有较高文化修养，极力推崇并引进佛法的蒙古上层贵族。因此，他最有条件在佛教世界观和历史观的指导下，用他所具备的渊博学识，为印、藏、蒙同源论的出台奠定了基础。

库图克台彻辰洪台吉在元代同名著作的基础上编纂而成的《十善福法门白史》一书，最先提出三个神权国家的模式：印度、西藏、蒙古。关于

---

① 成书于 14 世纪的《西藏王统记》（汉译本）第 34 页云："塞赤赞普之子至共赞普。至共有霞赤、聂赤、嘉赤三子。至共赞普为魔蛊惑，忽对其臣洛昂达孜曰：'汝可作余格斗敌手'。洛昂答言：'大王何为？我乃臣下，曷敢下主敌对'。强之……尔时大臣洛昂对王额上明镜放出一箭，王遂中箭身亡。王之三子逃往工布、娘布、波布三地。"此类记载，也见于《红史》（汉译本）第 30 页；《汉藏史集》（汉译本），第 82—83 页；五世达赖：《西藏王臣记》（汉译本）第 13 页。

② 据《蒙古源流》记载，俺答汗最初信奉佛教不久，听取了忽图黑台切尽黄台吉的建议才决定派人迎请西藏高僧索南嘉措喇嘛的（乌兰：《〈蒙古源流〉研究》，第 370 页）。据《俺答汗传》载，俺答汗作出迎请索南嘉措的决策时主要与切尽黄台吉等人商量的。参见珠荣嘎校注本：《俺答汗传》，第 102页。

③ 瞿九思：《万历武功录》卷 14，《切尽黄台吉传》，中华书局影印本 1962 年版。

④ 周清澍、额尔德尼巴雅尔：《〈蒙古源流〉初探》。

《白史》的作者、成书年代，国内外学术界至今仍然有分歧。此书先写印度众恭王摩诃三摩谛合罕，然后再写吐蕃有福的观世音菩萨之化身松赞干布和蒙古瓦其尔巴尼（Wčirbani，即金刚手菩萨）之化身成吉思汗铁木真（帖木真）。留金锁先生说："《白史》是古代蒙古意识形态发生根本变化的标志"，"17世纪以后的历史编纂学，都是依《白史》作为理论基础和思想体系的。"① 沙·比拉亦指出："尽管他（指库图克台彻辰洪台吉。——引者）增补的内容很简短，但是我们仍能从中清晰地看出成为此后所有蒙古史学家共同基础的历史过程模式。"②

尽管《白史》只提出三个神权国家，并没有说同一王统，但忽图黑台切尽黄台吉是首次把整个蒙古汗统加以神化的贵族史学家。

藏籍为传播佛教而神化西藏王统，切尽黄台吉作为黄教的热心倡导者，也同样出于传播佛教的目的而神化蒙古汗统。这就只欠一个环节，即在印、藏王统与蒙古汗统这两个"神圣"王统之间牵线搭桥的一环。条件一旦成熟，呼之欲出的这一模式就会在日后的蒙古史学家的笔下完成其最终形式。

17世纪蒙古史家用佛教历史观编造的印、藏、蒙同源论这一新的史学观点，在蒙古历史编纂学和蒙古史学史上都产生了极其广泛而深远的影响。可以说，17世纪以后的几乎所有的蒙古编年史或蒙古佛教史的著作，基本上或多或少受到这一史学模式的影响，凡是追溯到蒙古汗统的起源，必然将其同印度、西藏王统联系起来，这一点似乎成为编纂蒙古历史著作时必须遵循的传统。我们几乎很难找到完全跳出类似窠臼的一部蒙古历史的著作。

这样，导致了蒙古人在撰写本民族历史时，竟然一成不变地沿用这一观点长达三百年之久。18世纪的蒙古编年史，如衮布扎布《恒河之流》（1725年）、罗密《蒙古博尔济吉忒氏族谱》③（1735年）、答哩麻固什《金轮千

---

① 留金锁：《蒙古历史编纂学初探》。

② ［蒙古］沙·比拉前揭：《蒙古史学史（十三世纪——十七世纪）》（汉译本），第162页。

③ 罗密：《蒙古博尔济吉忒氏族谱》，纳古单夫、阿尔达扎布校注本，内蒙古人民出版社1989年版，第29页。

辑》（1739 年）①　和拉西彭楚克《水晶珠》（1774—1775 年）②　等几部史书无一例外，乃至到晚近时期，如 19 世纪的某些编年史，譬如，喀尔喀蒙古人戈拉登著《宝贝念珠》（1840 年）③　和蒙古佛教史的著作，又如固什噶居巴·洛桑泽培用藏文写成的《蒙古佛教史》（1819 年）④　也都因袭了这个观点。17 世纪蒙古史家用佛教历史观编造的印、藏、蒙同源论这一史学观点，用佛教历史观解释并篡改、歪曲蒙古历史，炮制出了以宗教作为核心纽带的不同国度的世俗统治者血统同源的理论。蒙古史家通过编造这种新的史学观点，给蒙古汗统赋予一层神秘的面纱和浓厚的宗教色彩，借助佛教来神化蒙古诸汗，强调其神圣不可侵犯的权力和至高无上的地位，其目的就是为满足当时宣扬黄教的现实需要，制造舆论并寻找历史根据。

第二节　《俺答汗律令》

俺答汗制定律令之时，他已称霸蒙古右翼，控制了青海、卫拉特、土默特等广大地区；与明朝休战，接受赐封，双方建立了稳定的互市贸易关系；开发土默特，修建库库和屯，使农业、牧业、手工业有了较大的发展。但在这种较为安定的政治形势下，以俺答汗为首的蒙古贵族的统治依然存在着各种矛盾和问题，归纳起来，有以下两个方面：一是，俺答汗与其属下各封建主的矛盾与斗争。最大的矛盾，是尊崇佛教和取消萨满教的斗争。俺答汗在其晚年皈依佛教，取消萨满教，取消杀生殉葬制度是蒙古社会文化史上的重

---

① 答里麻：《金轮千辑》，乔吉校注本，内蒙古人民出版社 1987 年版，第 17 页。

② 拉西彭楚克：《水晶珠》，呼和温都尔校勘本，内蒙古人民出版社 1985 年版，第 11—12 页。

③ 戈拉登：《宝贝念珠》，阿尔达扎布注释本，内蒙古人民出版社 1999 年版，第 130 页。

④ 固什噶居巴·洛桑泽培著，陈庆英、乌力吉译注：《蒙古佛教史》，第 2—4 页。张璐如等主编：《北方民族丛书》，天津古籍出版社 1990 年版。固什噶居巴·洛桑泽培：《蒙古佛教史——显明佛教之明灯》（大霍尔地区正法如何兴起情况讲说阐明佛教之明灯），蒙古文手抄本，内蒙古科学院图书馆藏。这两本书实际上是一部，内蒙古卓索图盟蒙古喇嘛固什噶居巴·洛桑泽培最初用藏文写成这部《蒙古佛教史》，而蒙古文《蒙古佛教史——显明佛教之明灯》一书是藏文《蒙古佛教史》的译文，但具体蒙古文翻译者究竟是何许人目前不太清楚。这里需要说明的是固什噶居巴·洛桑泽培《蒙古佛教史》此书，胡特 1894 年德文翻译本，桥本光宝 1940 年日文翻译本（由生活社刊行，日本外务省调查部组织翻译），都把作者误认为晋美南喀，另外 1942 年由佛教公论社刊行桥本光宝日译本时，又把作者误认为济美日必多吉。德译本和两次刊行的日译本书名均作《蒙古喇嘛教史》。

大改革，因而在执行中是有阻力的。在俺答汗"身患重病，外则形体消瘦，内则气尚未绝之际"，在其宫廷内发生了"此教之益安在？"大家准备"弃绝此辈僧徒"的政治危机。① 这件事说明，当时蒙古社会中萨满势力的强大。保护藏传佛教势力，消灭萨满势力，加强自己的统治，是俺答汗制定《俺答汗律令》的原因之一。二是，蒙古贵族与广大阿勒巴图牧民的矛盾。俺答汗时期，其所辖地区的封建秩序虽然较为安定，畜牧业、手工业和农业有了一定的发展，但由于16世纪初开始的长达40年征伐，使广大的阿勒巴图和哈剌出牧民承担了巨大的牺牲和各种税赋及徭役。就此，俺答汗本人也不否认。他在隆庆封贡间向明朝诉苦说："各部下穷夷，原无牛马可市，止依打猎习抢度生……日无一食，岁无二衣，实在难过。"② 因此，社会上偷盗、抢劫、逃亡、斗殴等事经常发生，阶级矛盾十分尖锐。为缓和矛盾，1571年俺答汗与明朝停止战事，达成互市协议，使蒙古社会出现了安定的社会局面，为发展经济创造了有利条件。此后迎请三世达赖喇嘛，尊崇佛教，以佛教作为统一社会的精神纽带，使广大阿勒巴图和哈喇出皈依佛门，行十善事，俯首听命于俺答汗。与此同时，在政令上进行强化管理，颁行律令，用以调整统治阶级内部矛盾，惩治牧民的不法行为，保障蒙古贵族的特权。因此，《俺答汗律令》是推行俺答汗政教并行政策的主要措施之一。

《俺答汗律令》的主要内容：

《俺答汗律令》原文是藏文手抄本，由德国学者 R．O．梅塞泽尔在英国利物浦市博物馆发现，刊于波恩大学中亚研究所《中亚研究集刊》1973年第4期。此后，1975年原蒙古人民共和国学者沙·比拉先生译成蒙古文，发表在《科学院通讯》1975年第3期上。1983年内蒙古社会科学院奇格由蒙古文译成汉文（书名称《俺答汗法典》），刊于《内蒙古地方志通讯》1983年第4期。1996年内蒙古农业大学苏鲁克自藏文译成汉文（书名仍称《俺答汗法典》），发表在《蒙古学信息》1996年第1、2期。下面介绍这部法典的主要内容：

---

① 珠荣嘎校注：《俺答汗传》（蒙古文），民族出版社1984年版，第62—63页；乌兰：《〈蒙古源流〉研究》，第397页。

② 王崇古：《酌许房王乞请四事疏》，《明经世文编》卷318。

1.《俺答汗律令》的第一项内容是序言部分。《律令》一开头就以佛学语言叙述俺答汗施行政教并行政策是为了"引导众生坚信利乐，趋向善道"，使众百姓"永享安康"。他要求蒙古各部首领及一切大小鄂托克官员和民众，要把政教两法令"铭记于心"，"倘不铭记或排斥、藐视之，则必将按照阎罗王之指令，以政教二法规严厉制裁"。

2.《律令》的第二个内容，是有关杀死人命案件的处罚规定，一共14条或14自然段。律令规定：杀人者，除鞭杖外，要"罚头等牲畜一九，执为首者一人。或罚头等牲畜一五，执为首者一人。二人同案，执为首者一人。"这里所说的"一九"，是九畜之意，其中"马二匹、牛二头、羊五只"。所谓"一五"是"马牛合二、羊三只"。在人命案中，对误伤人命、奴仆杀人、疯子杀人、巫师占卜致死人命等都作了详细的处罚规定。其中特别阻止第三者相助杀人和施放草原荒火致死人命，"无故加入两个人的斗殴，致对方死亡者，其罪行和处罚与杀人者相同。""失火致人死亡者，罚牲畜三九，并以一人或一驼顶替。"此外，还有具草原游牧特点的牲畜杀人案件的处理规定，如："狗、疯狗、公驼、种马、种绵羊、公山羊等致人死亡者，与精神错乱者［杀人之处罚］同"。这里所说的"精神错乱者"是疯子，"疯子杀人，赔偿九畜和骆驼一峰。"

3.《律令》的第三项内容，是有关人身伤害事件，共23条或23自然段。其中严禁人们打架斗殴，如因斗殴"致人眼瞎者，杖一，罚牲畜九九，［给受害者］赔一人或一驼"。"致人手足残废者，罚牲畜九九，执一人"。"因斗殴中之伤害致失去性功能者，杖一，罚牲畜九九。""致妇女流产者，［按怀胎］月数，每月罚九畜。"条文中，为防止人身伤害，严禁以刃尺之物及鞭、拳、脚、石、木等物打人。这些条文的特点，继承了成吉思汗《大札撒》的传统，严禁致人手足残废、断齿，致使人失去性功能而不能生育，因此科罚最重。另外，特别保护孕妇胎儿。

4.《律令》的第四项内容，是关于男女婚姻家庭事，共8条。其中严禁乱两性关系，禁止拐骗未婚女，禁止利用不正当手段把女儿或养女强嫁给男人，禁止调戏妇女。

5.《律令》的第五项内容是使者、官差事，共9条。为保证经教、政令的通达，规定不得拒绝给使者提供驿马，不得殴打使者，不得谎称使者，不得乘其驿马等等。

6.《律令》的第六项内容是关于救护人、畜事，共 20 条。凡从风、雪、雨灾、狼害、沼泽、河流中救出驼马牛羊者都要给予奖励，对于救出家奴、儿童者要奖励马羊。此外，另有 2 条是保护牲畜印记和保护种公畜的条款："毁改（牲畜）印记者，罚三九"。"经询问后阉割雄畜生殖器者，不予处罚。未询问者，罚五畜。给种马、公驼、雄黄牛、种绵羊和公山羊去势者，罚牲畜三九"。

7.《律令》的第七项内容是有关死者及人们日常生活禁忌事，共 14 条。为了不发生疫病，规定为死人送葬返回时，不许进他人家宅；患有传染病者不许至他人毡帐；人们不许触动死人之尸骨；不许盗窃随葬物或祭祀之马匹等等。

8.《律令》的第八项内容是关于保护野生动物事，共 7 条。《律令》规定：只准许捕杀小或中等的鱼、鸢、乌鸦、喜鹊等，不准偷猎野驴、野马、黄羊、狍子、雄鹿、野猪、岩羊、狸、貉、獾、旱獭等动物。

9.《律令》的第九项内容是关于偷盗事，共 33 条。几乎把游牧社会家庭生产、生活中的所有财产，小至服装小装饰、碗勺、夹子以及梳子、毛笔等物，无一漏地列名指出，规定了偷盗这些物品的处罚办法。

10.《律令》的第十项内容是关于逃亡事，共 3 条。其中最主要的是"长官叛逃，其部属中之任何人都可以召集人追赶"。

上述《律令》的十项主要内容，旨在稳定蒙古社会秩序，求取稳定和发展。其主要特点表现在以下几个方面：

第一，对各种案件的处罚包括杀人案，都没有死刑，只罚牲畜。如导致牧户生产生活困难，无法维系，要用人或骆驼去顶替。所谓"顶替"，就是杀人者或使人致残不能维系生活者要向被害人家庭用人或骆驼去顶立门户，使之得以维系生活。

第二，《律令》保护野生动物，只准许捕杀小动物如鱼鸢、乌鸦等。

第三，保护孕妇和胎儿，防止人身伤害，尤其防止在斗殴中伤人使之失去性功能而不能生育。这一规定，在中国北方游牧民族的法律条文中据所见史料是独一无二的。

第四，《律令》中的生活禁忌条文，是为了防止各种传染病的流行，如不准触动死人尸骨，病者不许到他人家宅，不准吃狼咬死之畜肉等等，在蒙古社会缺医少药环境下，无疑是积极的预防措施。

第五，《律令》奖励救助人、畜，特别是救助儿童。

第六，《律令》严禁乱两性关系，禁止拐骗未婚女，不准调戏妇女等，是保护妇女不受伤害。

第七，《律令》严禁偷盗所列条文最多，是为了保证蒙古社会的安定秩序。

第 十 五 章

北元时期蒙古文学

　　文学总是随着时代的脚步而繁荣发展。纵观蒙古文学，尤其是北元时期的文学发展脉络，更能证明这一点。北元伊始，妥懽帖睦尔帝由于悲愤，即兴创作出催人泪下的《妥懽帖睦尔帝懊悔诗》。从那时算起至林丹汗病死为界，历 275 年间的内蒙古文学创作，成绩斐然。主要作品有：长篇训喻诗《明照心志论》、蒙译《甘珠尔经》及佛经跋诗、仪轨文《毗沙门斡布桑》、叙事诗《摩诃萨陲传》、《乌善达拉传》、诗作《绿度母传》、宫廷歌曲《蒙古筘吹乐章》和《蒙古合奏乐章》、《成吉思汗的两匹骏马》、《具足王子传》、《红史》等非常之多。在此将简要介绍。

第一节　《妥懽帖睦尔帝懊悔诗》

　　元朝末年，政局腐败，战乱不休；天灾人祸，民不聊生。元顺帝妥懽帖睦尔帝（1320—1370 年）系元朝末代皇帝，为明宗和世㻋长子，在位 35 年（1333—1368 年）失国，退居上都。由于明军追击，再退至应昌。翌年病卒，庙号惠宗。他是著名的科学家皇帝。在位期间，由于天灾人祸，社会矛盾尖锐升级；一生经过许多坎坷，因而内心世界较为复杂。《妥懽帖睦尔帝懊悔诗》应为其作，但有不少人认为，非妥懽帖睦尔帝亲作，乃是后人伪托其名创作的抒发元朝亡国之痛的诗歌。①

　　《妥懽帖睦尔帝懊悔诗》未注明作者，亦无标题，原辑入罗藏丹津《黄金史》等多部史书中。为研究方便，学者们普遍默认其现有标题。根据学者们的最新研究，《妥懽帖睦尔帝懊悔诗》共有 78 行，可归纳为三段或者三个层次，描写了三个方面的内容。

　　第一段内容：在第 1—34 诗行中，首先回忆了昔日大都和上都城池的美景和欢愉的日子，继而叙述了由于自己贪图享乐，没有采纳忠言，致使丢弃祖宗基业，无家可归，宛如弃于营地的幼驼一般。诗歌流露出无限惋惜和悔恨之情。请看下面的诗句：

　　　　以百宝建成之大都，我庄丽之大都呵；
　　　　前代诸汗安居之夏宫，我上都金莲川呵；
　　　　我（夏令）凉爽而秀丽之上都开平呵，
　　　　我（冬令）温暖而美丽之大都（燕京）呵！（1—6 行）

　　　　乌哈图汗者朕便是，大臣拉哈与伊巴古；
　　　　预知未来陈忠言，坐失良机未纳谏；可惜了的大都呵！
　　　　众臣胸中无智谋，不顾国计和民生；
　　　　我似弃营之幼驼，独自哭泣无人怜。（11—18 行）

　　第二段内容：在第 35—58 诗行中，主要叙述了妥懽帖睦尔帝失国于朱氏，不免遭到千古骂名，因而深感耻辱。这里以复沓的形式将同一内容反复申诉了三五遍，以泄胸怀之不平。请看下面的诗句：

　　　　圣人建造翠竹亭，曾是薛禅皇帝夏令营，上都开平呵；

　　①　关于《妥懽帖睦尔帝懊悔诗》可参考策·贺希格陶克陶：《蒙古古典文学研究新论》，内蒙古人民出版社 1998 年版，第 123—136 页；策·贺希格陶克陶编：《蒙古古典诗歌选注》，内蒙古人民出版社 1985 年版，第 282—294 页；荣苏和、赵永铣等主编：《蒙古族文学史》第 2 卷，内蒙古人民出版社 2000 年版，第 626—631 页。

统被汉人所攫走，亡国之君恶名声，留于乌哈图汗者朕之身。
（35—42行）

第三段内容：在第59—78诗行中，主要吟咏抒发了比较复杂的内心世界。由于天命使然，虽然弃城失国，幸而传国玉玺依旧在握，突围战乱后龙体健在；日后再图国政教柄，宝教胜利，成吉思汗的黄金家族再兴尚有希望。作者处于极度痛苦和懊悔之中，仍没有失去信心，希冀东山再起，这是该诗义之所归。诗词中提到的不花丞相原文作不花帖木儿丞相，据《元史·宰相年表》，我们认为他可能是至正二十五年到至正二十六年（1365—1366年）任平章政事的那位不花帖木儿。请看下面的诗句：

大汗争来的诺大江山，世祖所建神往的大都；
举国之社稷珍宝巨城，统被汉人所攫走，可惜了的大都呵！

（59—62行）

将上天之子圣主之贵胄，将诸佛化身世祖之殿堂，
菩萨化身孤家乌哈图汗，天命无奈使我丢弃了大都！

（63—66行）

皇帝传国玉玺已携带出，敌阵之中杀出一条血路，
不花丞相趁混乱之际，皇帝圣旨于万万世，帝位永固于黄金族。

（67—74）

江山社稷大意失，出巡匆忙教法遗，其时；
明慧菩萨获胜利，后世；天下复定于圣主之后裔。

（75—78行）

《妥懽帖睦尔帝懊悔诗》的诗歌韵律与元代的格律基本上无甚差别，注重联首音和压尾韵，尚保存古风；多用排比式诗句、主谓宾结构的倒装句等增强诗词的铿锵韵律；语言古朴自然，感情真实而强烈，没有文人矫揉造作

之嫌，属于即兴创作，直抒胸怀，堪称千古绝唱。当然，作为封建帝王能够自责认错，作为封建文人能够实行人道主义，是蒙古社会及其分子的与众不同的一大特点。妥懽帖睦尔帝在当时不可能深刻地分析社会历史替代的本质并进而对其进行辩证的、科学的思考，这也就是本诗作的时代局限性。

第二节　长篇训喻诗《明照心志论》

《明照心志论》（oyin-i sayitur geyigülügči neretüsastir）是一部北元时期蒙古高僧吟咏的、为便于传道而设的诗作，计114页，224首。作者佚名。该诗作在蒙古文学史上尚未得到充分研究。该篇曾与其他一些早期经文一同珍藏于章嘉活佛的图书室，后献给孝庄皇后，藏于清朝宫廷。德国学者海西希首次公布后，由印度学者维拉、赞达拉等辑于《百藏丛书》。在蒙受历次浩劫后幸存的蒙古文献中，《明照心志论》的发现实属幸事。然而对如此重要而珍贵的资料学界研究甚少，多年来几乎无人问津，至今未见从文献学角度对该文献进行系统论述的力作。

一、该诗的版本及其外在特点

虽说《明照心志论》现存版本唯一，为清初仿元代版本而重新排版，但从理论上来讲，应有早期版本或写本。现存该文献设计精美，典雅大方。每页都有文武线框，每页双面，每单面书有九行字，一般可组成为一首诗。字形似为脱胎于元代回鹘式蒙古文书法，苍劲而优美。诗歌与书法交相辉映，神韵别致，给人以美的享受。

二、关于该诗的主题内容

在历经大元和北元两代佛教文化的熏陶后，佛教早已渗透到蒙古人的社会生活的各个方面，蒙古地区到处可见"晨钟夕梵，交二音于鹫峰；慧日法流，转双轮于鹿苑"的景象。在这种文化背景下，高僧辈出，文化事业迅猛发展。在整个元代，自13世纪中叶至17世纪中叶的四百余年间，名师大德辈出，写下了不少浅显易懂、富有哲理的政教诗歌和不朽的诗篇。《明照心志论》可谓是这种"诗以言志"文化潮流中的集大成之作。若论古诗的才思，鲜有与其比肩者；诗篇运用绝妙的比喻手法，将艰涩的大乘与小乘说教，阐明得十分透彻；激励人们珍惜此生，勿要浪费虚度；以正法为生活准则，若可度世人则度之，不可度则据静处修行之。提出"如若不能行利他，即使成佛不稀罕；如若能够行利他，不能成佛亦何憾"。韵体诗文，一气呵成。词语之间，古风盎然。综观全篇，不仅有很高的思想性，同时具有较高的艺术性，能够启迪人们的智慧，犹如行云之舒卷，流水之荡漾；有道是："桂生高岭，零露方得泫其花；莲出绿波，飞尘不能汙其叶。"诗品的神韵，引人入胜。另外，对该文献的审美价值的研究，有助于我们对蒙古高僧个体作品的独特的艺术风格进行较深入的比较研究和系统的探讨，向世人展示蒙古文化丰富多彩的形式和广博精深的内涵。

三、该诗的学术价值和文献特征

《明照心志论》的文献学术价值非常之高，而且是多方面的。在此，我们主要以蒙古文学的角度论之。其一，《明照心志论》的流传，使人迫切感到对以往过低评价蒙元时期的佛教，"在蒙古民众中佛教未曾普及"等现行的若干观点或结论进行重新审视的必要。其二，诗作《明照心志论》对研究中世纪蒙古文诗歌特点和艺术形式来说，无疑是非常重要的。其三，《明照心志论》中蕴含着相当丰富的蒙古社会历史、宗教文化的闪光点，使该篇弥足珍贵。

长篇训喻诗《明照心志论》作者在诗作中两次提到文殊师利法王所著《智慧之树》（Manjusri čorjiwa-yin jokiyaγsan〈Madi brigsa neretü sasdir〉），除此之外还曾引用哲尊扎巴坚赞所著《宝鬘》（Rjebcun gragspa rgyalmcan：erdini-yin erike neretü sasdir 81a）、萨迦大班智达法王（Saskya yeke pandita čorjewa）的论点。其中，萨迦大班智达法王可能系指萨迦格言《嘉言宝藏》的作者，萨迦四祖萨班·贡嘎坚赞（1182—1251 年）或者系指萨迦五祖、大元帝师八思巴；而哲尊扎巴坚赞何许人也？萨迦三祖名为扎巴坚赞（1147—1226 年），他是否是《宝鬘》的作者不得而知。另外，元末担任萨迦本钦中也有名为扎巴坚赞的人；而明初永乐年间亦曾有禅化王扎巴坚赞者，他有可能是《宝鬘》的作者。文殊师利法王是何许人也？佚名诗作的作者的许多观点采自于《智慧之树》等著作。而文殊师利法王可能是指绛漾却杰（1379—1449年）。绛漾却杰为山南桑耶地方（今西藏扎囊县境内）人。幼年于泽当寺出家，至桑浦、典玛、觉木隆等地学习佛法，后赴甘丹寺拜宗喀巴为师，修习显密经论，并从宗喀巴师徒手比丘戒。1416年，在内邬宗宗本南喀桑波的资助下，于拉萨西郊创建哲蚌寺，广收徒众，弘扬佛法。由此可推论：长篇训喻诗《明照心志论》的作者大约生活在绛漾却杰同一时代，而且是非常崇拜他的心仪徒孙，即生活在15世纪中叶之稍前一些的年代，相当于绛漾却杰晚年。

作者在诗作的结尾处曾非常谦虚地写道：

一双丰满羽翼力，鸟王凤凰冲上天，学飞小鸟力不支，扇动翅膀低徘徊；（216）

空性佛法之虚空，觉悟二谛之飞禽，欲学杰出之尊者，跟随其后展翅飞；（217）

学者智慧比天高，略集日光之明论，只因智窄如小屋，吾做此诗如灯昏。（218）

《明照心志论》全篇主旨在于：以格言劝诫形式，宣传因果业报思想，讲述佛教教义，劝诫人们信仰佛教，皈依三宝，宣讲人们应当遵循的道德规范。人间娶妻生子，为了生存奔波劳苦，最终一场空；生命无常，因果轮回；因无明之故，作孽多端；六道轮回、报应不爽，最后生于无间地狱，受劫火之煎熬；论及菩萨学处、道果教授以及法身、报身、化身三身；四种智慧，思维八苦，生解脱想；分辨二乘，菩提二行；作法朵玛，课诵经文，表达了大乘佛教的人生观和哲学观。

（一）比如：谈天人阿修罗畜牲饿鬼地狱，六道轮回，不厌其烦，一一道来。

1. 请看恶鬼道：

因持吝啬铁石心，自己只恋自己身，
丝毫不曾施舍故，生于六道之饿鬼；（074）
冬冷夏热饥与渴，除此之外惧与疲，

五千万年之久时，承受不尽之苦楚。（075）
饥饿交加实难耐，远见净水欲饮用，
奔至近前再细看，已然成为臭脓血。（076）
欲吃之而不入口，如若嘴里进些许，
马上变成烈火焰，反而备受罪与苦。（077）
即便是天雨滋润，惜人花好果实满，
累累压弯树枝丫，绿色葱茏园林在。（078）
业障饿鬼之眼里，如烧红之铁一块，
熊熊燃起之烈火，使人窒息气不透；（079）
虚空顿时乌云翻，密布雨云聚八方，
求天雨而雨不降，反却降下陨石砾；（080）
酷暑难耐求凉风，风似火热如蒸笼，
冻成冰棍求热火，火变寒气越僵冻。（081）
各甞果报为饿鬼，善好诸妙相反见，
饥累交加奄奄息，苦得只剩皮包骨。（082）
仅仅数日不进食，腹中饥饿而难耐，
丁点饮食难寻觅，此种孽业谁肯做？（083）

2. 接着请看畜牲道：

知识技艺都无分，只知吃喝以度日，
合衾共枕贪享乐，流于痴愚畜牲道。（084）
漫漫咸水其味苦，漩涡激流波涛涌，
茫茫大海浪花中，降生之时细嫩肉。（085）
没有舍墙之遮拦，东躲西藏无休时，
相互进攻为俎肉，受尽各色苦与难。（086）

（二）《明照心志论》中还发现假托圣祖成吉思汗箴言诗的《金钥匙》所述相同的片断。这些片断或诗行不仅脍炙人口而且有非常深刻的内涵。

1. 比如：论修身养性：

众人之中生活时，时常固守口中言，

独自一人居住时，经常细思内心田。（184）

宣扬他人之善德，勿要寻其短不足，

韬晦己光勿张扬，有过知改忏悔咎。（185）

（三）佛教艰涩难懂的道理通俗易懂地予以解释。

1. 比如：谈及三身之化身，比喻为一轮明月：

离诸一切执著事，随缘众生之心念，

显现色身能见故，称为三身之化身。（192）

譬如青天无纤尘，一轮明月挂虚空，

除却含识众生暗，分别照见器皿中。（193）

2. 比如，批判明心见性、顿悟成佛的廉价理论道：

只缘明心与见性，如获正觉之果位，

先前善逝如来佛，何必宣说二资粮。（205）

譬如渡海须用舟，兹事与彼无二致，

未渡之前将船弃，甚觉此理太不宜。（206）

3. 批判顿悟成佛的廉价理论，宣扬大乘佛教的利他主义道：

解脱一己只以空，成佛须要行方便，

法华经说究竟义，天人导师如来宣。（209）

明白宣说福资粮，般若略集颂等经，

无上福资未满时，彼岸真智不能生。（210）

如若不能行利他，即使成佛不稀罕；

如若能够行利他，不能成佛亦何憾。（211）

应该指出，此段中可窥见蒙古人在证菩提果，成佛问题上的独到见解和朴素情感之一斑，以及大无畏的英雄主义气概之何等雄壮！

蒙古高僧们以坚忍不拔的毅力，致力于大量佛教文献的翻译，毕生为蒙古佛教文化事业的发展而奋斗，功绩卓著。如果说在翻译作品中他们倾注了自己的心血，那么译书活动又激发了他们业余创作的热情，因而他们尽管只有少量的"戏论"，然而恰恰在其中蕴藏和渗透着他们的浓厚的民族情感和改造社会历史的强烈的责任感。《明照心志论》便是其又一不可多得的例证。通过比较研究，从《明照心志论》中亦可窥探蒙古、印度、西藏文化的同源异流，以及更准确地把握蒙、印、藏三个不同民族的文化联系具有重要意义。

总之，长篇训喻诗《明照心志论》的作者是一位精通佛学的饱学之士。从其诗作看出他具有诗人的天才，蒙古语水平也相当之高，语言古朴流畅；他堪称为承前启后的一代诗宗，诗作说理透彻，具有较强的感染力；说《明照心志论》为蒙古训喻诗的划时代的作品，亦不为过。

第三节　蒙译《甘珠尔经》及佛经跋诗

蒙古文《甘珠尔经》为蒙译两大佛经丛书之一。"甘珠尔"一词，藏语义为佛语部，包括三藏经典中的经、律二部。论部另辑于《丹珠尔经》中。该丛书的翻译曾参考梵文、回鹘文、西夏文、汉文、藏文佛典，历经元、明、清三代才得以告成。全书共108函，一般在篇、卷之末附有蒙译者题记或跋诗。收入《甘珠尔经》丛书中的某些佛经篇、卷早在13世纪以前就以单行本形式流传于世。当时，西域的粟特贤哲们在回鹘和蒙古地区传教，与操蒙古语诸部人士一道用回鹘式蒙古文翻译佛教典籍，形成了一套佛经蒙译规范原则，这为后来大量翻译佛经奠定了基础。在元代，约自13世纪中叶至14世纪中叶的百余年间，搠思吉斡节儿、安藏扎牙答思、迦鲁纳答思、必剌忒纳识理、希绕僧哥等一代名师大德迭出，致力于佛教显密教典的蒙译工作。并在大都（今北京）白塔寺印经厂雕版印刷所译经文，将全部《甘珠尔》经文的多半译出，同时将《丹珠尔经》中的部分经、卷译出。北元时期，由蒙古土默特部首领俺答汗及其孙俄木布洪台吉等提议，于1592—1600年间由锡埒图固什绰尔济蒙译《大般若经》12函。继之以锡埒图固什绰尔济和阿尤什固什等为首的右翼三部蒙古译师们于 1602—1607 年间完成了《甘珠尔经》的蒙译工作，108 部蒙古文《甘珠尔经》写本从此诞生。厥后，于十一饶迥土龙年（1628 年）冬，蒙古林丹汗降旨，召集蒙古右翼三万户 33 位译师，由贡噶斡节尔班智达和达尔罕喇嘛萨木丹僧格二人主持，集前贤之大成，只用半年多时间完成了蒙古文《金字甘珠尔经》113 函，列为镇国之宝。在此期间，还有厄鲁特蒙古高僧乃济托音（1557—1653 年）带领众弟子也曾主持抄写《甘珠尔经》108 部，分赐予各蒙古旗王公贵族僧俗人等，传经布道于蒙古地区。另外还有，札雅班智达南海嘉措（1599—1662 年）师徒以托忒蒙古文译写了以《甘珠尔经》、《丹珠尔经》所收作品为主的 100 余篇佛典。

清康熙五十六年至五十九年（1717—1720 年），奉圣祖皇帝（玄烨）旨意，由多伦诺尔扎萨克首席喇嘛席勒图诺颜绰尔济、达喇嘛甘珠尔巴罗卜桑础力齐木噶布楚等将原来林丹汗时期蒙译《甘珠尔经》写本与藏文《甘珠尔经》校勘，都喇、乾清门侍卫拉锡等负责雕版、校对，直接参与此项工程的社会各界人士共 200 余人，完全以民间募捐集资形式筹款，遂完成北京木刻版蒙古文《甘珠尔》（简称红花水版或者朱砂版）。

到目前为止，蒙古文《甘珠尔经》版本保存完好的有：北京木刻版（红花水版）和墨书抄本《甘珠尔经》（简称墨抄）数种。《金字甘珠尔经》虽已残不足 15 卷，但却非常珍贵。需要指出的是，以上所提及的各种版本所附跋诗详略不同。从整体上说来，蒙古文《甘珠尔经》在北元时期即已完成，故《甘珠尔经》跋诗基本上都是北元高僧们的作品。这些作品不仅是蒙古文化史的珍贵资料，而且是蒙古古典文学和佛教文学的珍品。

《甘珠尔》跋诗计 30 余篇，其中长者达数十首，短则只有一二首不等。[①] 本文中选介锡埒图固什、释迦端如布、贡噶斡节尔、萨木丹僧格、固什囊素等人所写的跋诗，进行初步探讨。[②]

---

① ［匈］李盖提：《蒙文〈甘珠尔〉目录》，布达佩斯，1942—1944。

② 关于甘珠尔经翻译史可参见双福：《北元时期蒙译〈甘珠尔〉及佛经跋诗浅析》，《蒙古学信息》1995 年第 2 期，第 22—33 页；策·贺希格陶克陶：《〈甘珠尔〉蒙译史略》，《内蒙古社会科学》1991 年第 4 期。

一、锡埒图固什的跋诗

著名大译师锡埒图固什（约 1550—1620 年）号称文殊师利·锡埒图·固什·绰尔济·班智达。始初称锡迪图噶布楚。在藏文史料中称之为贡桑赤巴，为呼和浩特席勒图召一世活佛。他于 1592—1601 年蒙译了广、中、略《般若经》，后曾为认定云丹嘉措为三世达赖转世灵童而出使拉萨三大寺（甘丹、哲蚌、包拉）。1602—1607 年，由他和阿尤什阿难陀固什主持蒙译《甘珠尔经》108 部。除此之外，他还蒙译了《佛说贤愚经》、《米拉日巴传》、《米拉日巴道歌》、《嘛呢堪布》（亦称《嘛呢噶本》）、《目连救母经》、《本义必用经》、《般若波罗蜜陀金刚经》等有关经文，并分别附写了跋诗。

锡埒图固什的诗，音律工整而以叙事见长。他还有两位高徒，叫萨迦端如布和赤德可本，追随其左右，亦善译善诗。《甘珠尔》总第 26 函《大般若经》（第一卷）卷末有锡埒图固什及其弟子赤德可本各附一篇跋诗。

锡埒图固什写的《大般若经》（第一卷）跋诗，计 17 首。第 1—6 首为述说佛教传播蒙古的情形和历代汗王扶持佛教的情形。其中在第 1 首中总叙佛法自印度而西藏转而至蒙古的情形；第 2—3 首歌颂了成吉思汗，说他是帝释天的化身；在第 4 首中提及元代薛禅、曲律等有为之君主弘扬佛法，尔后诸汗皆无建树；在第 5 首中歌颂了俺答汗与三世达赖兴黄教之事；在第 6—8 首中交待提请译经人：布延图大元彻辰汗时代察哈尔万户诺门达赖·岱青那木岱宾图洪台吉诺颜和兀兰彻辰皇后二人；在第 9—10 首中交待了译经人即：蒙译《大般若经》一至十二卷的本人和助译者多尔济扎克、德力格尔班第、莫尔根岱青台吉等人的名字；第 11—17 首为祈愿内容的韵文；最末，以散文形式交待了译写时间和地点，写道："于庚丑（应为辛丑）年六月十七日始，安居在以大地之装饰而著称的狮子山之眉、宝藏之源、无比寺城，于同年十一月十七日好生译造完毕。"

原文中纪年以"庚"摄"辛"，庚辛皆为金，其色为白。在蒙古历法中，曾一度不分天干之阴阳，但以奇位替偶位而不致乱。卷末另附有第二篇跋诗，为其弟子赤德可本补译乃师译作时所作，译写时间将年代改为庚申年外，其余只字未动。此"庚申"年无疑是 1620 年。而锡埒图固什交待提请人时明确提到"布延图大元彻辰汗时代"。即指布延彻辰汗时期。布延彻辰汗在位十一年，癸巳至癸卯（1593—1603 年）之间只遇一次"牛年"，即1601 年的辛丑年。

在跋诗中锡埒图固什以极大的热情赞颂了蒙古历史上最伟大的人物成吉思汗为帝释天的化身。如：

> 妙高须弥山之巅，苏达舍那善见城，
> 忉利天主帝释天，转世名为成吉思。（2）
> 北方此域宽且广，暴戾群徒非寻常，
> 平乱慑服归一统，圣洁教法得弘扬。（3）

北元末期，黄教初兴，人们大多以轮回转世的观点来看待社会历史。锡埒图固什本人相信因果学说，同时大造舆论，为振兴民族服务。在他所赞颂的汗王等历史人物时亦贯穿着这一思想，这是当时历史的局限性所致。从某种意义上我们也可以将它看作是一种比喻，即将神话传说中的人物与真实的历史人物的同类性抽象化加以联系，作为比喻的基础。在这一跋诗中，将成吉思汗看作是帝释天转世之外，也提到俺答汗为转轮王化身。而在另一篇跋诗《甘珠尔》（总第45 卷跋诗）中，更明确地说俺答汗是元世祖忽必烈转世，而将三世达赖说成是大元帝师八思巴转世（此说在当时较为普遍）。此外，还将那木岱彻辰汗的哈屯说成是绿度母化身。

该跋诗祈愿内容的写照也很有特色，从各个不同的角度提到译此佛母，功德无量，法苑大昌，贤时永驻。善于利用比喻，将愚钝众生比作黑暗，佛法喻为太阳；以渡海达宝洲获珍宝来比喻通过修炼证得佛果；以江河不息汇归大海来比喻不达佛地，誓不罢休的决心。如：

> 众生赖此功德力，渡过轮回苦海岸，
> 速达无上群宝洲，得获三身如意宝。（11）
> 诚心作此功德力，王臣平民享太平，
> 佛陀教法之太阳，愿在此方永高升。（12）
> 腹行水流不断行，汇归大海才休停，
> 以此不尽之功德，达彼光明佛土境。（13）

昌圣教日自天庭，十方照射千光明，
照亮众生痴与暗，法苑昌兴缘者宁。（14）
生生世世降何处，法鼓宏声传遐迩，
芸芸众生皆能闻，我宣法音无滞碍。（15）
诚为益法倡议者，达贵主仆众旋主，
不患病疾常欢乐，稳如山岳享清福。（16）
诸佛生自此经母，若能何处诵且书，
天不降灾庄稼熟，贤时永驻大昌富。（17）

　　锡埒图固什应俺答汗之孙俄木布洪台吉提请蒙译了藏族名著《米拉日巴道歌》，译后所附跋诗计 18 首，通篇压首尾韵，一气呵成。可谓诗笔唤神，独具匠心。

　　圣米拉日巴（1040—1123 年），是玛尔巴译师之弟子，为噶举派第二代祖师，是西藏历史上著名的高僧。据说他苦修妙法，即身成佛。在跋诗中锡埒图固什用四种排比，歌颂其无与伦比的超群形象。如：

　　　　四洲之中如须弥，群兽之中如狮王，
　　　　星宿之中如夜主，贤哲之中如髻冠。（2）

　　锡埒图固什是于 1618 年应布延图诚太后与却图洪台吉母子二人从遥远的青海，特派遣昆都伦火落赤丞相等三名使者至呼和浩特提请而译《米拉日巴传》的。《米拉日巴传》所附跋诗计 30 首，亦通篇压首尾韵，一气呵成。现介绍几首如下：

　　　　向善志诚有缘者，若能耳闻此圣哲，
　　　　传记而生大信仰，都说能证得佛果。（26）
　　　　无量功德难尽述，十方佛陀共佑护，
　　　　妖魔远遁不欺身，可达宝洲无畏惧。（27）
　　　　施主伴当共生息，吉祥永驻皆欢喜，
　　　　轮回苦海渡彼岸，获得无价之三体。（28）

《米拉日巴传》是蒙古各地传播非常广泛的传记小说。据载，1640 年在科尔沁部曾会诵《米拉日巴传》，而且各地较大规模的法会上，往往讲《米拉日巴传》。可见这是多么令人喜闻乐见的文学作品。正如在上引跋诗中所说，闻听圣米拉日巴的传记亦是功德无量，能证佛果。

锡埒图固什蒙译《嘛呢堪布》所附跋诗计 56 首，洋洋洒洒，堪称佛教源流叙事诗。跋诗中提及本经是由博硕克图济农和钟锦台噶勒哈屯提请，译于 1607—1608 年间由蒙译《莲花生大师广传》而著称的释迦端如布固什助译的。这篇跋诗的第 1—4 首顶礼诗中分别赞颂释迦牟尼、嘛呢巴达理、达赖喇嘛和观世音菩萨；第 5—16 首，叙述观世音菩萨之来历；第 17—26 首为吐蕃种姓源自猕猴的传说；第 27—38 首为特书吐蕃大王松赞干布的丰功伟业；第 39—56 首中简述佛教传入蒙古地区及祈愿祝福。

这里首先应该提及的是锡埒图固什在顶礼诗中所顶礼赞颂的达赖喇嘛，正是俺答汗之孙四世达赖喇嘛云丹嘉措（1589—1616 年）。还应注意的是，他在跋诗中所用历法是北元历法，即自妥懽帖睦尔失国后的甲子年即 1384 年起计时的。这与"昭宗以后，史称北元"的说法完全吻合。如：

> 绿色甲子第四轮，四十四序丁未年，
> 普遍十二月起始，直至戊申岁正月。（55）

按第一甲子 1384 年算起，第四甲子应为 1564 年，加 44 减 1，则恰是 1607 年的丁未年。这一历法，表现了北元主权政治思想。

描述吐蕃法王松赞干布出生时呈现的祥瑞景象时，用史诗的笔调写道：

> 先自右眼放光明，普照班布王地域，
> 又从左眼放光明，普照乞歹皇地域。（30）
> 神王年方一十六，远地乞歹和班布，
> 请二度母做王妃，大小昭寺神工筑。（35）

这是吐蕃著名的传说——圣观世音放光明。松赞干布王出世的演变。"却说观音菩萨觉知教化雪域有情的时机已到，射出四道光明。一道光明自右眼射出，照遍班布（即尼泊尔）全境，然后光芒收聚，射入德瓦拉王的王妃胎中，生下赤尊公主，日后嫁给松赞干布；一道光明自左眼射出，照遍乞夕（汉地）全境，然后光芒收聚，射入唐太宗的皇后胎中，生下文成公主，日后嫁给松赞干布。一道光明由观音菩萨脸上射出，化为亚尔昌地方的六字真音；一道光明自观音菩萨心脏射出，照遍藏土，然后光芒收聚，射入朗日伦赞的王妃巴里萨脱噶的胎中，生下松赞干布云云。"①

将博硕克图济农说成是松赞干布转世，钟锦台噶勒哈屯说成是救度母化身，加以歌颂。如：

> 心诚志坚信不渝，敬仰大地之装饰，
> 如意宝珠供所愿，三宝教法唯真实。（45）
> 犹如白莲离污秽，菩萨族生具智慧，
> 松赞干布王化身，转轮法王博硕图。（46）
> 将以三宝圣教法，举作顶饰而供养，
> 度母化身信心足，钟锦哈屯台噶勒。（47）

锡埒图固什在诗中抒发了衷心热爱自己所从事的事业和为民族兴旺而鞠躬尽瘁的心志。从他的诗中可以看出锡埒图固什是一位诗才横溢的古风诗人。他的诗承前代之精华并发扬光大，堪称北元时期诗文的典范，在整个蒙古诗苑中是一束永不凋谢的奇葩。

二、释迦端如布的跋诗

释迦端如布生平不详，根据他与锡埒图固什共同的作品，他与锡埒图固什是同时代的人。1607—1608 年，释迦端如布曾和锡埒图固什合译《嘛呢噶本》外，还独立蒙译了《莲花生大师广传》。他是应鄂尔多斯的额尔德尼莽固斯火落赤巴特尔台吉之提请而译《莲花生大师广传》的。其时正值三世达赖圆寂，四世达赖云丹嘉措出生。三世达赖于明万历十六年（1588 年）

---

① 萨迦·索南坚赞：《王统世系明鉴》，陈庆英、仁庆扎西译，辽宁民族出版社 1985 年版，第50—51 页记有此内容。

圆寂，而四世达赖则于万历十七年（1589 年）诞生。三岁时在蒙古地区被认定为达赖喇嘛的转世灵童，于 1602 年被三大寺主持高僧迎往拉萨，于 1616 年圆寂。据《蒙古源流》记载："额尔德尼火落赤"这一封号乃迈达哩呼图克图于 1614 年授予莽固斯火落赤的。因此，可以肯定此经蒙译时间为 1614—1616 年之间。曾有人误认为《嘛呢噶本》第二篇跋诗也是锡埒图固什所作，此说不合情理。《嘛呢噶本》所附第二篇跋诗计 19 首，应是与锡埒图固什台译者——释迦端如布的作品。释迦端如布善于学习、借鉴古人优秀诗作。他在自己所作跋诗中吸收了元代大译师希绕僧格《圣五主尊大乘经》跋诗，并加以发挥，终于成为出色的大诗人。可以说，他的诗比起乃师锡埒图固什的诗并不逊色。

　　《嘛呢噶本》第二篇跋诗第 1—9 首，基本上模仿了元代大译师希绕僧格的《圣五主尊大乘经》跋诗。其第 1 首为顶礼诗，第 2 首为总序，第 3—8 首为描述贤劫诸佛出世，普度众生。如：

> 此器世界何时定，珍宝大海无止境，
> 千叶金莲中央开，天王见此奇妙景。（3）
> 金莲花蕊何故开，天神相觑共道来，
> 千佛出生此贤劫，拯救众生于苦海。（4）
> 自从彼时始为计，人寿将至八万岁，
> 世间出现金轮王，十善途上引人类。（5）
> 人寿渐损减又减，直达百岁光景前，
> 拘留孙佛与金仙，迦叶如来前后连。（6）
> 三佛相继问世后，超度芸芸众生灵，
> 第四导师释迦佛，人寿百岁时诞生。（7）
> 应化有情视根器，二乘分作三品示，
> 普度众生向菩提，如来金身已圆寂。（8）

　　在这段诗中描述的是有关如来出世的神话传说。这段诗是仿制品，然而精工细雕、惟妙惟肖，简直达到以假乱真的程度，可见释迦端如布艺术天赋之一斑。

第9—12首为观世音菩萨为度化吐蕃国人。化身为松赞干布弘扬佛法，为了救度有情宣示《嘛呢噶本》经；第13—15为总括佛教传入蒙古的历史和现状，即在第13首中述说元世祖忽必烈和帝师八思巴弘扬佛法的情形；在第14首中承上启下，讲后来诸汗继续传播教法，又渐渐衰落下去；在第15首中特书俺答汗和博硕克图济农时期，邀请达赖喇嘛弘扬佛法的情形；第16—19首，祝愿教法大昌而跋诗告终。如：

> 往日我为众生灵，坚修苦行施太平，
> 愿此功德能圆满，教法永昌勿凋零。（16）
> 往日我为众病者，布施己食而受饿，
> 愿此功德能圆满，教法永昌勿泯没。（17）
> 往日我为证菩提，不惜妻室与钱财，
> 愿此功德能圆满，教法永昌不衰败。（18）
> 往日我曾敬佛祖，独觉声闻仙师父，
> 愿此功德能圆满，教法永昌且永驻。（19）

从这段质朴的祈愿诗中可以看出这位虔诚的佛教徒，肯为教法之昌兴而舍弃自己的一切乃至生命的高尚情怀。这不能仅仅看作是某个个体的写照，它恰恰反映了当时蒙古社会普遍对宗教的狂热信仰和信心之坚定程度。

《莲花生大师广传》计27首，第1—5首为顶礼诗；第6—7首与《嘛呢噶本》第二篇1—2首相似，亦基本模仿了希绕僧哥《圣五主尊大乘经》跋诗的第1首和第16首的。如：

> 洁净悲悯心云布，化度众生降法雨，
> 扑灭轮回酷火者，双手合十我敬礼。（6）

其实，这首诗亦应算作顶礼诗。自第7—21首中综述佛教自印度传至吐蕃，赤松德赞邀莲花生大师镇罗刹，兴教法；接着讲教法传至蒙古：自忽必烈以降十余朝帝王皆兴佛法，至妥懽帖睦尔失国后佛教衰败，乃至俺答汗时代才敦请达赖喇嘛，恢复了政教并行的传统。以下几首中便交待译经缘由，最末两首为祈愿祝福。如：

> 尔后出生一皇帝，其名妥懽帖睦尔，
> 举国尊行二教际，失国可憎囊家斯。（18）
> 孛儿赤斤贵胄系，巴图孟克汗嫡孙，
> 福大汗王俺答生，邀请八思巴达赖。（20）
> 宝教佛法兴为思，和战约盟囊家斯，
> 恢复昔日政教统，有德达赖作顶饰。（21）

所谓"八思巴达赖"指的就是三世达赖。"八思巴"一词意为"圣者"用以修饰"达赖"的。历史上以"八思巴"而著名的有元帝师八思巴，名为罗追坚赞。歌颂达赖喇嘛为圣者，同时将达赖指为八思巴的化身，两种意思兼而有之。这里描写了昔日元朝百年基业葬送在妥懽帖睦尔之手时的亡国之痛和现在（当时）俺答汗恢复政教传统、祖先基业时的兴邦之欢；采用对比的手法，烘托出俺答汗的丰功伟绩，为其绍续蒙古大汗王统制造舆论。

三、贡噶斡节尔的跋诗

关于贡噶斡节尔生平不详。我们只知道他是在林丹汗在位时，于1628—1629年与萨木丹僧格二人一起主持《金字甘珠尔》的蒙译工作，在当时被誉为莫尔根文殊师利班智达固什大乘法王。在《甘珠尔》木刻版第53卷《圣隐光品大乘经》跋文写道："此经乃吐蕃的贡噶斡节尔莫尔根译师文殊师利蒙译者。"这显然是个笔误。我们带着疑问查核了早期墨抄本《甘珠尔》经的同一篇跋文，跋文写道："此经乃自吐蕃文由贡噶斡节尔莫尔根译师文殊师利蒙译者。"此足以更正学术界根据误笔而误认为贡噶斡节尔的族属是藏族的错误说法。贡噶斡节尔曾蒙译《甘珠尔》经第一、二十一、二十四、五十三、九十二卷外还蒙译了第八、十五、九十八卷中的若干篇。

第一卷跋诗，计10首。第1—7首，简述佛法东渐于蒙古之事，但主要歌颂了北元大汗林丹呼图克图和沙尔巴呼图克图二位政教"日月"般的人物弘扬佛法，下旨译经事宜，亦将他们施主和福田比作元世祖忽必烈和帝师八思巴；第8—9首交待自己所译何经，最后即第10首以祈愿结束。如：

心持慈悯育天下，身怀霸力御不化，
信仰专一弘教法，但凡所愿皆自达。（3）
天主化身具霸气，法度犹如转轮王，
雄韬大智人主出，大元薛禅林丹汗。（4）
传承未昧金刚持，法术未昧大瑜伽，
宗族未昧萨迦巴，相遇如日沙尔巴。（5）

他在另一篇跋诗（第92卷跋诗第8首）中赞颂林丹汗智如文殊，力大似大露形神：

如文殊师利具大智，如摩诃纳尼具大力，
如麻达地王具大福，号大明薛禅成吉思。（8）

在蒙古文文献中曾详载林丹汗封号云："林丹呼图克图成吉思大明薛禅所向无敌气力转轮王唐太宗天中天天下帝释转金轮诺门汗。"从这一长串封号中，我们可窥见当时林丹汗势力强大之一斑。这里贡噶斡节尔费尽浓墨重彩描绘林丹汗如何具大智、大力、大福，比喻独到，笔法不俗。

在铺叙之际随带穿插赞颂沙尔巴呼图克图的一笔更是贴切自然，韵律讲究，读起来铿锵有声，非常简洁的两笔竟把一代宗师沙尔巴呼图克图的传承、法术、宗族、德行描绘殆尽，使得沙尔巴呼图克图肉体生辉，非诗坛泰斗何能如此？

第92卷跋诗是贡噶斡节尔写于"红眼之岁媚丽女，而今庄严顶月冠"之时，即甲子年（1624年）中秋时节。此跋诗计10首，其中第1—3首为顶礼三宝诗，即对佛法僧的一种变相赞美诗；第4—10首为所译何经、译经缘由、译经时间的交待。如：

昔日善志和金胎，化作月冠与百施，
环宇生灵所敬信，怙主佛陀我敬礼。（1）

这里是讲述释迦牟尼在前世行菩提之道，积三阿僧企劫福资，而今生证得佛果，其实是对佛宝的赞颂顶礼。

　　　　王种释迦以梵音，以锄烦恼下灵药，
　　　　清雅梵语所开示，善教妙法我敬礼。（2）

　　这里是讲述释迦牟尼今生为净饭王之子，出家证无上菩提而三转法轮，开示真谛，示涅槃相。后经数次结集法旨，视为法宝，因而对其赞颂顶礼。

　　　　开示以绽教法莲，辩驳以摧外道势，
　　　　阐释以足有情望，日宝高僧我敬礼。（3）

　　佛陀涅槃后，大迦叶等罗汉集会，对佛法进行大结集，奠定了法宝的基石。但如果没有上师喇嘛讲法，则无法知晓佛法真谛，修身养性也需要有高师指点。因此教法中最敬重于僧宝，将喇嘛列为三宝之一，名之为僧宝，对其进行赞颂顶礼。

　　贡噶斡节尔的这一三宝顶礼诗非常著名。将佛教史知识浓缩进几首顶礼诗中并非易事。难度更大的是，这一顶礼诗自然优雅，毫无造作之嫌，如泉水叮咚，清风吹掠，白云出岫，给人以清新、舒适、畅怀的感觉。

四、萨木丹僧格的跋诗

　　目前，关于萨木丹僧格的生平不详。只知他于1628—1629年曾与贡噶斡节尔一起主持译造蒙古文《金字甘珠尔》工作，当时被誉为如来掷思吉斡节儿达尔罕喇嘛灌顶国师。他曾蒙译《甘珠尔》第9卷、22卷、101卷外，还参加了第15卷、17卷、24卷、61卷、66卷、76卷、77卷、82卷、88卷、98卷的蒙译工作，同时指导和编审其他译师的译文。其中第88卷的《佛出现经》是他主持译造《金字甘珠尔》前应脱克脱彻辰绰呼尔和诺木齐岱青二位台吉之提请，于鸡儿年至猪儿年间（1621—1623年）译的，他在交待翻译时间时使用了佛历和成吉思汗历。需要指出的是，这一段记载中有谬误之处。他在散文式跋文中写道：
　　自导师佛陀涅槃3253年内，前世历辈积聚福资之力，值岁次壬午，上天授命于铁木真成吉思汗出生，又经443年之鸡儿年，应圣明君主（指成吉思汗）金族之苗裔中出生的、以上辈吉祥和法宝之诸饰庄严的脱克脱彻辰和诺木齐岱青二位台吉之提请，于岁次壬亥（癸亥）萨木丹僧格自吐蕃语蒙译编造此《佛出现经》者。

这里所用佛历，以早期在蒙古和西藏较有影响的萨迦班智达之说为依据，将佛灭年代以丁亥年为基础（即公元前2074年，此说不妥），将成吉思汗出生日期按《红史》、《青史》之说定在壬寅之岁（1182年），这样按佛历3254年时成吉思汗诞生。以往学者们都说佛灭3250余年。萨木丹僧格改为3253年，疑将"余"字误写为"三"，或将佛灭之年的余数和成吉思汗诞生之年的余数折算成一年。成吉思汗生于壬寅之说被否定，代之而兴的是壬午之说。人们并未理会壬寅至壬午之间的整整20年时差，直接将壬寅年改成壬午年。据萨木丹僧格的简历，我认为以上提及的"鸡儿年"应为辛酉年（1621年），而"壬亥"者实指癸亥年（1623年）。这是因为五色纪年，壬癸属水，其色为玄，以壬摄癸之故，并非笔误。

在散文式跋文后，附祈愿内容的韵文计4首，颇有元代遗风。如押首尾韵，而且分别以不常见的"basu–besu"，"ni"，"bar–ber"押尾韵的。如（原文音标从略，只录汉译替之）：

> 译文若有诸谬误，思过以谢诸贤哲，
> 译后若有诸功德，祝福以邀诸佛国。（1）
> 教法珍宝由此始，长久驻世至终极，
> 福慧二资趁时积，莫管昼夜普天吉。（2）
> 昔日所发大誓愿，译写此经具功德，
> 父母为首诸生灵，同证无上菩提果。（3）

有生即有死，有兴则有衰，这是千古不易之论，佛教也不例外。佛陀教法驻世长短有各种不同说法，其中2500年或5000年的说法较为可信。如上所述，按萨木丹僧格的算法，当时教法已驻世约3700年，只剩1300年光景了。此时果三期、修三期早过，连教三期也已过多半，作为虔诚的佛教徒、蒙古地区享有"如来"盛誉的高僧——萨木丹僧格怎么能无动于衷呢？他深忧灭法末世近在咫尺，为警醒世人而疾呼：趁此佛法驻世之良机，赶紧修积福慧二资粮。据说由福能作增上果，以慧除尽烦恼障，从福慧二资粮中可获佛色身与法身二正果。①

萨木丹僧格为人谦和，深谙佛理；他的诗朴实无华，韵律奇特，在古典时期蒙古文诗坛上应占一席之地。

五、固什囊素的跋诗

固什囊素，又称额尔德尼大固什囊素。在林丹汗时期曾蒙译《甘珠尔经》中的若干篇，主要负责以金汁书写经文的主工程。《金字甘珠尔经》第一卷后附第二篇跋诗可以认为是他的代表作。但在 1717—1720 年间的北京版《甘珠尔》中删去了他的跋诗，诚可惜也！这篇跋诗在蒙古文化史上应占重要地位，其中不仅保留鲜为人知的有关译造《金字甘珠尔经》的资料，而且诗句优美，艺术性很高。这篇跋诗计 17 首，第一首为传统的顶礼诗；第 2—6 首，概述佛教史，而重点歌颂了林丹汗；第 7—15 首，简述《金字甘珠尔经》工程的始末，交待了负责总工程的人：默格莲公主和多乃国王；负责主工程的人即十万户书记员领班：固什囊素、罗理大固什、别希玛浑津；负责具体事务的人：额尔德尼沙克沙巴惕、阿忽达、宾图、卓理孩、聂玛赛、僧格台吉等；营造地点：胜三有寺；最末两首为祈愿诗。

本跋诗中最有特点的是歌颂了林丹汗的同胞姊妹与默格莲公主和夫君多乃国王。如：

> 于金花蕾同休憩，政教国中得人身，
> 慈悲柔心与生具，绿度母名默格莲。（7）
> 昔时善缘今世报，厚遇国王被赐恩，
> 具足大力不忘记，手持纲纪多乃臣。（8）
> 报恩父母未敢忘，今生来世博名声，
> 公主国王以合力，主持结集大藏经。（9）
> 世聚福蕴大气力，心思犹如宝如意，

---

① 布顿大师：《佛教史大宝藏论》，郭和卿译，民族出版社 1986 年版，第 58 页。

志坚兼具方便智，流自本性倡议此。(10)

《金字甘珠尔经》的问世，花费了难以数计的人力和财力，的确是十万户蒙古大众的智慧和心血所筑成的巨大工程。鉴赏自己的劳动果实，如千秋伟业，功德圆满，无限喜悦之情跃然纸上：

白纸空明如原野，马王脚力笔神速，
一览晴空嵌繁星，无论谁见心花怒。(11)

《金字甘珠尔经》神速完成，仅用半年时间，可谓笔舞如飞，势如天马腾空；《金字甘珠尔经》的绚丽夺目，恰如繁星闪烁。诗中以天马喻竹笔，以星斗喻金字，形象生动，突出地表现了游牧民族审美倾向，这首诗的美就在于此。

以下几首诗里报告了《金字甘珠尔经》制作过程始末。称颂并交待了制作总责任者实乃林丹汗同胞姊妹默格莲公主和其夫君多乃国王二人，写经书记总责任者固什囊索、罗理大固什、别希玛浑津三人，总务总责任者额尔德尼沙克沙巴惕、阿忽达、宾图、卓里海、聂么赛、僧格台吉等；另外注明了营造《金字甘珠尔经》的地点：胜三有寺。如：

顶遵君旨金藏竣，囊索罗理大固什，
别希玛氏三总理，十万书记何其速。(12)
供如意宝心愿足，诚信施舍诸财物，
功德佛经延此域，深根埋于蒙古语。(13)
结集三藏担当者，宝戒阿忽达宾图，
卓里海与聂么赛，圣僧僧格台吉等。(14)
释迦能仁我佛祖，给孤独苑内按住，
演述三藏事如故，胜三有寺书经处。(15)

据史书记载，林丹呼图克图汗，时授自迈达理法王卓尼绰尔济秘乘灌顶而辅教，及遇萨迦班禅沙尔巴呼图克图再授自于他秘乘灌顶，建造了金刚白城大宫殿，其中塑供释迦牟尼身像，在一夏时造毕好多寺庙，还将佛陀法身《甘珠尔经》宝译为蒙古文，功德无量。现述其详情：呼图克图汗为众生之利乐，欲在蒙地传播佛陀法宝，并提议译成蒙古文。诸贤哲译师结集成113函，在如同蓝宝石般的纸面上，绘制了像日月般的金银字，照耀了有情众生之黑暗，真奇妙也！贤哲译师为：呼图克图班智达文殊师利法王贡噶斡节尔、如来法光萨木丹僧格达尔汗喇嘛灌顶国师，以此二人为首的众译师参加了翻译工作。其时为第十一绕迥之第二、龙年十一月二十一日始，至明年仲夏月圆满日终。译处为第二召宝寺锡埒图诺颜绰尔济最胜三有普乐园。其底本法宝乃宾图彻辰温布供养之《甘珠尔经》云。①

　　林丹汗作为北元最末一位大汗，亦想励精图治。可惜当时风云变幻，动荡不安；明、清两国，逐鹿中原；蒙藏关系，错综复杂。蒙古各大部首领各自为政，不听大汗法令，却大有取而代之的野心，对藏地宗教势力竭力进行拉拢；在吐蕃，教派之争不休，欲利用蒙古的势力削弱打击对手。为了巩固自己的统治，结束纷争扰攘的局势，林丹汗作出了果断的决定，采取了强硬的措施，便更加得罪了蒙古封建诸侯。由于他不久病故，壮志未酬，人散国亡。有些史书中曾谴责林丹汗妖魔附体，同室操戈，自取灭亡云云②，实为偏见，不敢苟同。

　　北元末期，佛教发展到鼎盛时期，佛教已渗透到蒙古人民的日常生活之中，整个蒙古文化都趋向佛教化，寺庙成为传播知识的摇篮。高僧辈出，佛教文学随之兴起，犹如五彩缤纷的画卷，铺展在塞外草原上。蒙译《甘珠尔经》及佛经跋诗亦为之增添了光彩夺目的一页。

第四节　仪轨文《毗沙门斡布桑》

　　在蒙古传统文化领域里，佛教文学作品中不乏气势磅礴、场面宏大，佛学义理深奥、艺术造诣精湛充满神秘色彩的上乘之作。而仪轨文的大量涌现和经久流传，表明佛教文化已与蒙古传统文化融会一体，在此基础上，宣

---

① 纳塔著、乔吉校注：《金鬘》，内蒙古人民出版社1991年版，第109—110页。
② 答理麻著、乔吉校注：《金轮千辐》，内蒙古人民出版社1987年版，第149—150页。

扬、传导佛教主旨意识的媒体——佛教法事活动及记述佛教法事活动的载体——仪轨文也得到了迅速发展，形成了一种自成体系的具有宗教内涵和文学特色的综合性的仪轨文化。但是，无论是从文化观念还是从文学角度，蒙古佛教仪轨文均未得到应有的重视和深入的研究。也就是说，在蒙古佛教仪轨文化宝库里还有许多奇文珍品有待研究者去发现，去研究。阿尤喜固什的《毗沙门斡布桑》① 就是迄今为止学术界尚未发现的一篇极为珍贵的韵文体仪轨文。

《毗沙门斡布桑》手抄本现收藏于内蒙古社会科学院图书馆，馆藏号：49·720/21：1，竹笔墨书，共计 5 张（双面），第一页正中书有："毗沙门斡布桑"（bisman-u obsang orosiba）字样。以单面计正文 9 页，每页 34 行。纸张规格：9×50（厘米），边框规格：7×44（厘米）。笔者在这里就阿尤喜固什的《毗沙门斡布桑》及蒙古佛教仪轨文的主要方面作一简要介绍和初步探讨，以求抛砖引玉。

阿尤喜固什系北元末期高僧。他于丁亥年十二月（公元 1588 年元月），遵照三世达赖喇嘛索南嘉措之法旨，由达尔罕诺颜文殊师利额尔德尼班第达、图吉台吉的提议，创制了阿礼噶礼字母，译写了佛经《圣五主尊陀罗尼经》②。1602—1607 年，阿尤喜固什与锡埒图固什共同主持 108 部《甘珠尔经》的蒙译工作，并翻译了《佛说消除口舌灾难大乘经》等经文。另外，在乃济托音传《如意宝珠》中曾谈及乃济托音之坐骑黑驴朝东大叫，使得傲慢的阿尤喜固什顿生信仰，师事乃济托音之事。又据记载：阿尤喜固什遵照吉祥上师（大概指乃济托音）之法旨，创作了韵文体仪轨文《毗沙门斡布桑》③。

"斡布桑"一词来源于藏文的"psang"，意为燔柴供施，焚香祭祀。"毗沙门"又名外师喇瓦尼，即主宰北方的多闻天，是诸天之一。诸天，是佛教中诸位天尊之简称，是管领一方的天神。他们各有生平，都是佛法的护

---

① 相关论文见娜琳阿盖、隼鹊尔：《新发现的阿尤喜固什的仪轨文〈毗沙门斡布桑〉初探》，《蒙古学信息》1997 年第 4 期，第 21—25 页。

② 蒙古文《甘珠尔》14 卷《大密咒随持经》，第 211—212 页。

③ 内蒙古社会科学院图书馆馆藏《毗沙门斡布桑》手抄本，竹笔墨书，馆藏序号 49. 720/21：1。

持者，大多出自于南亚次大陆的古老神话传说中，佛教传播后，把他们都纳入了门下①。在蒙古佛教法事活动及仪轨文中，对北方多闻天"毗沙门"多有祭祀者。所谓仪轨文，顾名思义，即僧侣及佛教信徒们经常唪经、作法事，而作法事时自然要有一套规范的程序和祭祀的内容，记载这种佛事程序和具体内容的成文便是人们所说的仪轨文。佛教仪轨文既有呆板枯燥的非韵文形式，也有韵律整齐、优美流畅的韵文形式。即使是非韵文形式的仪轨文也间或穿插一些祝赞词。而且无论哪一种形式的仪轨文，对于祭祀场面的记述，对于祭祀对象的招请和描述，以及对于自身愿望、感情的渴求和抒发，时常运用描写、排比、比喻、复沓等典型的文学修辞手法。所以说，蒙古佛教仪轨文具有宗教、文学二者互为表里的综合性的文化特点。

佛教法事仪轨井然，场面肃穆庄严。在佛乐伴奏下，由高僧主持作法，喇嘛奇装异服，口诵咒语，并分别不同情况念藏经若干篇，向护法神灵抛洒酒食，间或诵读富有文学特点的诗篇。如祝词、赞词等。蒙古佛教仪轨文具有雷同的模式和固定的框架。就一般而言，较完善的蒙古佛教仪轨文由两部分组成。其一是陈述有关神灵的由来。神灵的由来往往都荒诞不经，构成了佛教神话、传说的类别。但大多数仪轨文皆省略交待有关神灵的由来，只是在赞词中点到为止。其二是陈述具体祭祀的内容和步骤，这无疑是佛教仪轨文的主干部分。比较规范和全面的祭祀过程可分为三项。第一项为祭祀前的准备工作，分为两步：置办供品、布置道场。第二项为具体念诵次第，分为六步：一、邀神降临；二、赞颂神祇；三、祭献供品；四、忏悔罪孽；五、提醒驱使；六、祷告所愿。第三项是处理善后工作，一般分为三步：一、偿还所许之愿，令勿敌对；二、指其归路，送回洞府；三、陈情求佑，祝愿吉祥。

阿尤喜固什的《毗沙门斡布桑》即是一篇祭祀北方多闻天"毗沙门"（佛教里北方的保护神，也是掌管世界上一切财富的财神），希求赐福禄、赐财物的韵文体仪轨文。也可以说是一篇韵律整齐，优美流畅的仪轨诗。《毗沙门斡布桑》由三部分组成。每一部分均以祝福语"唵苏瓦斯迪西担"为起始标志，然而第一部分则省略了此标志。第一部分，现存45首，从行

① 李鼎霞编：《佛经造像手印》，北京燕山出版社1991年版，第151页。

文可以看出原文第33首后缺一首，根据第17首补讫。而加一首往后数第37首的第2行缺，根据第20首的第2行补讫。第37首后面可能遗漏了"依前"字样。依第20首之例补之。而在第44首后面的"依前"字样之前，可能省略了祭献供品时的、同于第15—20首的重复段的6首诗。如果是这样，第一部分仪轨诗完整的应为52首。这样，我们就可以把原文第44—45首，改标为第51—52首。

第一部分的52首诗，自1—20首、21—37首、38—50首包含了三段式的融会邀神降临、赞颂神祇、祭献供品等项内容。其中15—20首、32—37首、45—50首作为重复段，分别作为一献、二献、三献时吟咏的。而在第51—52首中，则包含提醒驱使、祷告所愿等项内容。如：

> 群山之首须弥山之北方，建有一官殿名为阿迪噶完迪；
> 升座于其无畏狮子宝座上，乃吉祥多闻子著名天王。（1）
> 身饰以庄严的金铠甲，手持以宝幢与吐宝鼠；
> 赐与我等瑜伽师以悉地，以故向摩诃喇扎大王敬礼。（2）
> 龙王之母大宝珠顶，光芒闪烁具有红色；
> 持以如意宝珠与宝瓶，以故向龙王之母顶礼。（3）
> 手持以宝饰与吐宝鼠，尔即财主占巴拉；
> 如今施供慰君誓愿，请赐与我等以各种悉地。（4）
> 手持以宝瓶与吐宝鼠，尔即财主布尔纳巴达拉；
> 如今施供慰君誓愿，可赐与我等如雨悉地。（5）
> 手持以如意宝珠与吐宝鼠，尔即财主摩尼巴达拉；
> 如今施供慰君誓愿，可赐与我等以诸种悉地。（6）
> 手持以环刀与吐宝鼠，尔即财主古毗拉；
> 如今施供慰君誓愿，请常赐与我等以各种悉地。（7）
> 手持金刀与吐宝鼠，尔即财主散巴喇扎；
> 献此净供慰君誓愿，请赐与我等瑜伽师以各种悉地。（8）
> 手持枪戟与吐宝鼠，尔即财主古哈达纳；
> 献此净供慰君誓愿，请赐与我等瑜伽师以诸种悉地。（9）
> 手持阁寺与吐宝鼠，尔即财主班济噶；

献此净供慰君誓愿，请常赐与我以各种悉地。（10）

手持剃刀与吐宝鼠，尔即财主济毗昆达里；

献此净供慰君誓愿，请赐与我等以善利悉地。（11）

在上述第一部分里的1—11首，主要是招请毗沙门多闻天王及其属下各方神尊，并向其顶礼和陈述祭祀者的希求和愿望。

举行毗沙门祭供仪轨，除诵读必要的其他咒语，还要设立庄严的坛城。一般坛城主要有圆形和方形两种，但也有三角形和半圆形的坛城。毗沙门坛城为方形，以内、中、外三层围成坛城，总共设有四个大门和四个入口。内有九座楼阁。中央楼阁中居住毗沙门，分布在周围的其他八座楼阁中分别居住着毗沙门的八位属下神祇：

东方居者为黄占巴拉，其右手持宝贝；

南方居者为黄布尔纳巴达喇，其右手持宝瓶；

西方居者为白摩呢巴达喇，其右手持如意珠；

北方居者为黑古毗喇，其右手持大刀。

东南方居者为黄散巴扎纳，其右手持金刀；

西南方居者为黑古夏达纳，其右手持宝戟；

西北方居者为淡黄班济噶，其右手持楼阁；

东北方居者为白济毗昆达里，其右手持盾牌。

毗沙门之下属诸神，其右手所持各异（如上述），左手皆持吐宝鼠，其坐骑均为马，毛色则与各自的主人颜色一致。以上诸神皆饰以各种庄严，相貌威武畏怖。毗沙门坛城共分为内、中、外三层圈围，上述为内圈围的阵势；中圈围则围以俱胝（十万）夜叉之群；外圈围则围以天魔八部之群，亦都呈现愤怒之相，右手皆持兵器，左手皆持吐宝鼠。其中居要职者皆顶有白色"唵"字，喉有红色"阿"字，心有蓝色"吽"字。

以上情况，正是展现了佛教法事仪轨整体、宏观的强大阵势。而这种强大威严的气势、壮观肃穆的场面造成了一种宇宙茫茫，时空浩瀚，神秘莫测，法力无边的气氛。令人产生一种亲临其境，荡涤凡思俗念之感觉。

以下 15—20 首为祭献神祇的诵词。先是陈述祭献诸神的美味佳肴、琼浆玉液等供品，如：米面油茶，以及丁香、檀香、黄金果、天庭树等等应有尽有。继而祈求神祇赐与所求之物，这里既希望能得到家畜、食物、良甲坚铠、财宝等实物，也希望得到神威与精神力量的赐与，如"请赐以英名与威力之悉地"，"请赐以无量寿命与神采之悉地"。每次祭献时均重复以下六首，以示虔诚，以飨神祇，以求愿望的实现。如：

> 紫丁香和红白檀香木，香叶柏和洁白的稻米，
> 圣洁的荷花与香甜的乳汁，六种良药与各种美味果实；（15）
> 常青的雪松带翠叶，淡白的达子香连繁枝，
> 灰白色的野艾与黄金果，无量竹苇与天庭树；（16）
> 炒面酥油与烧饼，酒肉茶叶与味美浆，
> 燔以旺火成焦烟，熏以香味洁净而忏拜；（17）
> 以如此专祭加持力，请赐与我等瑜伽师部众，
> 以七种谷米之悉地，并七宝财物之悉地；（18）
> 请赐与致富四足家畜之悉地，请赐与增勇良甲坚铠之悉地，
> 请赐与兴旺二足人丁之悉地，请赐与不竭百味食品之悉地；（19）
> 请赐与英名与威力之悉地，请赐与无量寿命与神采之悉地，
> 请赐与南赡部洲一切财宝之悉地，请随时赐与无上与普通之悉地。
> （20）

第二部分为招福内容，共计 39 行，未署作者姓名，这里介绍第 22—39 行。这些招福祭词，是借助诸神之威力"呼来"福禄，所招之福禄既有帝王神佛之福禄，也有四方大国、名山大川之福禄；既有父母子嗣人伦之福禄，也有生计所需财物之福禄。总而言之，囊括了人间天上、世间万物之一切福禄。如：

> 招具有四洲之须弥山之福禄，呼来，呼来，呼来！（22 行）
> 招四方大国之主转轮王之福禄，呼来，呼来，呼来！
> 招黄金大地上香乳海之福禄，呼来，呼来，呼来！

招西方一切法藏之福禄，呼来，呼来，呼来！（25 行）

招南方达赖大邦皇帝之福禄，呼来，呼来，呼来！

招直隶万国而降临的七佛之福禄，呼来，呼来，呼来！

招吐蕃之域诸山岳之福禄，呼来，呼来，呼来！

招乞歹之境五台山之福禄，呼来，呼来，呼来！

招蒙古之疆诸山岳之福禄，呼来，呼来，呼来！（30 行）

招哈屯河之福禄，呼来，呼来，呼来！

招汗山之福禄，呼来，呼来，呼来！

招上一辈父母之福禄，呼来，呼来，呼来！

招下一辈兄弟之福禄，呼来，呼来，呼来！

招自身之福禄，呼来，呼来，呼来！（35 行）

招自身所生子嗣之福禄，呼来，呼来，呼来！

招胯下所骑马驼之福禄，呼来，呼来，呼来！

招嘴中所食牛羊之福禄，呼来，呼来，呼来！

招梯己牲畜和门下所使唤的奴婢之福禄，呼来，呼来，呼来！（39 行）

第三部分为祈愿内容，共计 14 行（非韵文体），外加两首（韵文）吉祥词。这最后一部分以赞祝之词悦慰诸神、众佛，祝愿上苍所赐之福禄能够永驻人间，祈求一切灾难尽消，一切美好的愿望都能实现。如：

愿三宝之福禄永驻，永驻！

愿执金刚上师之福禄永驻，永驻！

愿三世佛陀之福禄永驻，永驻！

愿转轮王、阎罗和四续之福禄永驻，永驻！

愿护法神、法护之福禄永驻，永驻！

愿梵天、帝释之福禄永驻，永驻！

愿四大天王之福禄永驻，永驻！

愿天女之福禄永驻，永驻！

愿计都与九天之福禄永驻，永驻！

愿罗谯和六十一巨星之福禄永驻，永驻！

最末两首吉祥祝词（第 15 行至 23 行）最能说明仪轨文之旨。如：

斡布桑之锁已开启，愿祭祀之本永固，
愿应供佛菩萨保佑，愿一切疾病悉消除；
愿田禾丰登举国太平。（15—19 行）
愿土地龙王欢悦，愿咳嗽风寒消失，
愿瘆病与暴雪平息，愿万事如意。（20—23 行）

以上所介绍的阿尤喜固什的《毗沙门斡布桑》是一篇内容丰富、结构完整、形式别致、韵律整齐，具有一定代表性的韵文体仪轨文。也可以说蒙古佛教仪轨文的形式、内容、特征、风格，可从对该文的介绍中窥见一斑。

最后要谈及的是，蒙古佛教仪轨文除受印度婆罗门教、藏族苯教影响外，也受到了波斯火祆教的文化影响，但主要是在传统的蒙古萨满教文化影响的基础之上形成的。佛教文化融会和发扬了蒙古传统文化，千百年来居于意识形态的核心地位，成为蒙古民族的精神支柱。而作为蒙古佛教文化具体表现形式之一的蒙古佛教仪轨文，一方面在发挥着其特定的宗教文化作用，一方面也形成了一种综合性的独特的文艺风格。也就是说，蒙古佛教仪轨文在某种程度上不仅吸收和发展了萨满教祭词、神歌的宗教功能、文学形式和审美意识，也承袭了蒙古世俗文学祝赞词的某些特点。因此，从文学和文化学两方面对蒙古佛教仪轨文进行专题研究是非常必要的。

第五节　佛教叙事诗《摩诃萨埵传》

自从佛祖释迦牟尼开创以演讲故事等文学形式布道以来，历代高僧大德不仅效而仿之，而且将其发扬光大，并以此作为衣钵相传。在《甘珠尔》的《佛说贤愚经》和《丹珠尔》的《纠结圆生树》等佛教经典中佛本生类和因缘杂记类的"阇陀伽"故事约有 500 多则①，这些故事大多加工、改编自古代印度民间故事，并附会以佛教教义，通过演说正面人物（多为佛祖本身）前世曾作鹿作马，为贾为王时，如何慈悲为怀，舍己救人；同时反面人物前世如何作恶多端，今生还报等等，宣传佛教的因果轮回学说，催人弃暗投明，一心向善。蒙古高僧在翻译和复述这些佛经故事的过程中，逐渐融入了本民族的文化基因、个人的融会理解和再创作，产生了很多佛经故事的蒙古文变体。一些蒙古高僧作家则进一步以佛经故事母体为创作题材，在篇章结构、内容构思、体裁韵律等方面进行了文学加工，丰富和修饰了原故事中的人物形象，在较大程度上改变了原故事中的一些情节、面貌。这样的作品不但已打上了本民族的文化印记，表现出了某些新的思想倾向，并且已具有了新的艺术生命和较高的审美价值，应该说已成为蒙古高僧作家的再创作。由于历史的原因，历代蒙古高僧作家的这类作品流传下来的并不多见。仅从后来搜集到的部分资料看，其题材、体裁已相当丰富，思想艺术性也达到了很高的水平，而且不乏风格独特、内容技巧俱佳的上乘之作。这里介绍的就是别具一格的佛教叙事诗——乌斯丹巴达尔杰的《摩诃萨陲传》②。

乌斯丹巴达尔杰究竟是谁？生活在哪一年代、哪一地区？都是个谜。策·达木丁苏荣只是推定他生活在元末，不可信。据我们研究，北元时期应该有一位乌斯丹巴达尔杰，而清代也有一个丹巴达尔杰，他们同名而非同一人。《丹珠尔经》契经解第 93 函总第 181 函《纠结圆生树》即调音师俋离耶埵它啰所著《称述菩萨证道纠结圆生树》的蒙译者是苏尼特右旗固什迪延齐丹巴达尔杰比丘。但它不太可能是在这里我们所讨论的乌斯丹巴达尔杰。北元乌斯丹巴达尔杰曾从汉文翻译了叙事诗《目连救母因缘》，并将《圣微妙金光明极胜王大乘经》（二十九章本）缩写改编成《金光明经简本》。乌斯丹巴达尔杰不仅是著名的大译师，而且是个才华横溢的诗人。他的叙事诗情深而不诡，文丽而不淫；虽取材于佛经，然而构思新奇，格调清

---

① ［蒙古］策·达木丁苏荣、达·呈都：《蒙古文学概要》，内蒙古人民出版社 1982 年版，第 766 页。

② 相关论文参见娜琳阿盖：《蒙古族佛教叙事诗——〈摩诃萨陲传〉初探》，《蒙古学信息》1996 年第 4 期。

雅，韵律讲究，在蒙古佛教文学作品中占举足轻重之地位。

《摩诃萨埵传》描写的是摩诃萨埵王子舍身饲虎的故事，是一个很著名的佛本生故事，在《甘珠尔》和《丹珠尔》中都有辑入。乌斯丹巴达尔杰的这篇叙事诗收在他所改编的《金光明经简本》第二十六章。原文由策·达木丁苏荣发表①，其故事梗概如下：

昔时有位国王，名摩诃罗陀梯（大车），生有三位王子，小王子名叫摩诃萨埵。一日，三位王子出宫游玩，不意走入森林，遇见一只母虎和刚出生不久的数只仔虎，已七日未得猎物填腹，性命垂危。小王子摩诃萨埵决意舍身饲虎，以积功德，便借口有事，令二兄先行，刺项出血，以己血肉之躯饲虎。二兄许久不见小弟，返途寻来，见枝上衣带，虎口舐血，惊骇万分，扑倒于地，号啕大哭。此时，国王与王后于宫中坐立不安，忽闻噩耗，顿时昏倒；拣儿尸骨，立塔安葬。

这篇优美的叙事诗，计 36 首②。格律精巧，首尾押韵，用倒叙手法前后呼应。叙事诗是这样开头的：

如来佛祖以千比丘前呼后拥，驾幸巴克查勒邦（薄查国），但见一处，绿草成茵，鲜花盛开。佛祖在此歇脚，手触大地，大地突然摇动，现一宝塔。佛祖命阿难陀开塔，塔内出一金匣，里面裹着一堆白骨。佛祖不由施礼，阿难陀问其何故，如来佛祖便讲述了摩诃萨埵舍身饲虎的故事：

> 却说世尊如来佛，在彼无始苍生中，
> 一千比丘作拥护，化缘行至薄查国。（1）
> 柔密棱草色青青，乍望大地似碧波，
> 簇簇鲜花味芬芳，见一去处如锦绣。（2）
> 众生利乐为己任，佛向阿难急开言：
> 忽觉此地意甚恋，尔等速营驻锡所；（3）
> 此应尔等听道场，未几回禀备办齐，

---

① ［蒙古］策·达木丁苏荣编：《蒙古文学精华百篇》，内蒙古人民出版社 1979 年版，第 579—583 页。

② 本文引用叙事诗原文为双福所译。

　　　　佛祖升座宣法旨，会众诸子乐闻道。（4）

　　叙事诗开头几节，看似开门见山，实是悬念暗伏。写景寓情，倒叙诱人，且诗句优美，意味深长。诗文虽然描写的是一个美丽幽静的去处，字里行间却蕴含一种肃穆、庄严、缅怀、追忆的意境和悲壮的气氛，使人读后不禁会产生一种崇敬、悼念、黯然伤感之情。这一段开场白不仅把人们的思绪带进了一个超凡脱俗的境地，又能激起人们丝丝缕缕的情感涟漪，这一点正是呆板、枯燥的说教所难以起到的文学作用，也是这篇叙事诗所具有的独特的艺术魅力。

　　接下来，诗文转入对发现宝塔，阿难陀开塔取匣，佛祖捧骨礼拜，众比丘皆惊讶诧异逐一进行了叙写：

　　　　佛足轮图有千辐，欠身手触脚下地，
　　　　忽觉大地在震荡，现一高塔七宝饰。（5）
　　　　世尊启言开宝塔，阿难开塔获金匣，
　　　　匣裹七重解尽处，内出白骨似雪莲。（6）
　　　　手捧白骨佛鞠躬，比丘齐拜阿难问：
　　　　众生礼佛是定例，佛敬此物为何故？（7）

　　这几节转叙自然，且悬念再现。用阿难陀的疑问，引出如来佛祖一席语重心长的回答，使诗文一下切入本生故事正题。继而用步步深入的记叙把故事情节展开。随着故事跌宕起伏的发展，悬念渐得释解。

　　　　佛说古有大车王，力实乘众呈富强。
　　　　转轮王有三子名，大音大天大士者。（8）
　　　　彼时大车三王子，观赏花苑兴未尽，
　　　　一起走入十二林，大音内心生恐惧。（9）

　　三位王子走进森林，发现七日未食而奄奄一息的母虎和仔虎。面对此情此景，三位王子皆有感触，议论纷纷，各抒己见：

孟兄大音开口道：母虎生仔已七日，
可怜饿极必食仔，或为野兽所吞噬。（15）
仲兄大天见此景，相继启齿如是言：
兽类所欲鲜血肉，谁肯舍命而救生？（16）
大士闻言述己见：我等小器舍身难，
圣人雄夫实易事，为此捐躯最高尚。（17）

　　这几节运用了对比、烘托的写作手法，诗句简洁质朴，看似平铺直叙，实是匠心独具的构思。用二兄凡夫俗子之浅见，烘托出摩诃萨埵王子超凡脱俗的见地，使其大慈大悲，救众生于倒悬的博大胸怀跃然纸上。

让兄先行大士留，虎前躺倒施身躯，
老虎无力不能动，慈悯之心将落空。（18）
圣雄折断古树枝，刺己颈项虎前倒，
母虎欠身迅速起，与子同餐饥腹饱。（19）
大地震动六种类，天神从空降花雨，
见此征兆山神赞，速证佛果尔圣雄。（20）

　　以上三节，叙写萨埵王子舍身饲虎，感天地、泣鬼神的壮举，种下了证佛果之因。活人舍身饲虎，这在常人看来乃是一种不可思议、无法理解的举动。然而从佛学观念来看，这是一种躬行苦行，大慈大悲，救苦救难的至高境界。至此，故事情节达到了高潮，佛教宣传"施度"之主题业已点破。
　　摩诃萨埵舍身饲虎时，其母后梦见乳房被割，牙齿被拔；还梦见三只小鹁鸽，其中一只最小的被黄鹰叼去。梦醒之际，传来小儿被虎所噬的不幸消息，国王、王后当即昏倒，许久才苏醒过来；捶首陈哀，伤心痛哭。按古人解梦之说，王后所梦乃亲丁遇害之大凶兆，当然这是一种封建迷信的说法。但从当时蒙古民族传统文学艺术表现手法来看，可理解为母子连心，情感相通之写照。

父王母后闻言悲，气绝扑地事不醒，

> 侍女扶起久方苏，披头揪发捶胸啼。（28）
> 似上陆之鱼翻而翻，思念儿长赞而赞，
> 举国恻怆哭而哭，王后奔走号而号。（29）
> 似失犊之牛哞而哞，身披敝衣跃而跃，
> 忽高忽低腾而腾，大士大士呼而呼。（30）
> 似失羔之驼吼而吼，辛酸泪涕垂而垂，
> 口喊儿名叫而叫，国王百般颂而哭。（31）

这几节将国王与王后痛心疾首的伤心哭状，也就是将人的真情实感描绘得淋漓尽致。诗文结构紧凑，语言贴切形象。复沓、比喻、夸张、渲染等修辞手法的运用以及高超的措辞技巧，都增强了这段诗文的艺术感染力。让人读来，心灵会感受到一种不可言喻的悲哀、一种强烈的震撼。故事是这样结尾的：

> 王子尸骨国王拾，筑立宝塔镶珍奇。
> 安放因缘佛示毕，会众皆泣生菩提。（32）

故事结尾言简意赅，然而却内含两层意思：一是国王筑建宝塔纪念儿子，与诗文开头发现宝塔，开塔取匣遥相呼应；二是如来佛祖示毕前世施度因缘，众比丘皆心生菩提，也就是说众信徒在佛祖前世舍身饲虎之壮举的感召之下，思想精神境界得到了升华。由此，本生故事宣传施度，弘扬"树以前因，报以后果，生死轮回，善恶有报"的佛教主旨昭然若揭。

诗文之尾声五节，从表面上看，似乎与本生故事情节联系不大，只是交待了如来即为前世的摩诃萨埵；大音即为弥勒（佛）；大天即为文殊（菩萨）；母虎即为司繁殖的创造主波阁波提；五只仔虎即为最初追随如来的阿若憍陈如等五比丘；父王、母后即如来现世的生身父母。实际上是点破了"业行交替，生死轮回，因果报应"之因缘玄机，旨在促人猛醒、向善、悟出真谛。至此，诗文前面所伏悬念尽释。

从文学角度而言，这篇叙事诗是蒙古文学作品中最典范的一种四行诗。首尾押韵，格律工整，语言优美；加之其感人的故事情节，独特的艺术构思，恰如其分的修辞手法，高超的写作技巧，珠联璧合，使这篇叙事诗具有了很强的艺术感染力和较高的审美价值。可以说这篇叙事诗精深的文学造诣，富有民族气息的写作风格，基本上代表了独立创作阶段蒙古高僧作家的创作风貌。这一阶段的蒙古佛教文学作品，已基本脱出印藏佛教文学的模式，即将佛教真谛、印藏佛教文学的表现形式同蒙古自身的宗教、文学传统有机融合，出神入化，在蒙古佛教文学的新基础上产生的创作，作品具有民族特色和较高的审美价值①。

佛教作为古代东方学术思潮，作为一种文化现象，包含着极其深刻的哲理和伟大的思想。这些思想一定程度上也反映到佛教文学内容中去。蒙古佛教文学也不例外。就这首叙事诗的思想性而言，它并未越出佛教宣传说教的藩篱。虽然这首叙事诗宣扬的是佛教的"树以前因，报以后果，业行交替，生死轮回"的因果报应学说，赞颂的是佛教的"躬行苦行，舍身施度"的思想，然而其"救众生于倒悬"的仁爱胸怀和利他精神具有进步意义，体现了人道的真善美精神。从蒙古佛教文学中我们应该看到其主张和平的倾向和唤起人民生存的勇气，对美好天国的向往以及追求真理、弃恶扬善的一面。但同时我们也不应忽视佛教的忍辱求安、消沉厌世、期待来生的消极作用。在鉴赏、分析、研究、继承佛教文化的同时，应该摈弃其糟粕，弘扬其精华，对佛教思想及其文学作品作出公正、客观、正确的评价。

第六节　《乌善达拉传》

长期以来，蒙古知识阶层的有志之士善于学习和借鉴、模仿或改编佛经故事，以探索本民族的佛教文学发展的捷径。关于这一点伊·色里布叶科夫形象地指出："蒙古人善于对其他民族人民中产生的故事穿上自己的民族服装。"② 尽管如此，蒙古佛教故事中也不乏上乘之作。乌斯丹巴达尔杰固什

---

① 荣苏赫、赵永铣、贺希格、陶克涛编：《蒙古文学史》（一），辽宁民族出版社1994年版，第560页。
② 策·达木丁苏荣、达·成德：《蒙古文学概要》（下），内蒙古人民出版社1982年版，第1006—1296页。

改编的佛经故事《乌善达拉传》就是一个例证。

《乌善达拉传》原名为《维什完达里王本生阁陀伽》，是宣扬佛教"施度"的著名佛经故事，其各种变体分别辑入《甘珠尔经·律师戒行经第三卷》（总第 95 函 No. 1127-14b-8m＝25b-15m）以及《丹珠尔经》契经解第91 函《三十四本生鬘》（第九章）、第 92 函、第 93 函《纠结圆生树》（第24 章），此外尚有多种蒙译和不同变体流传。以《诞化世传》命名的蒙古文《三十四本生鬘》有 A、B、C 三种不同版本。据研究，A 版本为元译文，B版本为北元译文，C 版本为清译文；北元译文乃噶尔玛苏瓦纳完成。如上所述，《本生鬘》第九章即是《乌善达拉传》；其中乌斯丹巴达尔杰改编的《乌善达拉传》比较成功，具有较高的艺术性思想性。在他改编的基础上又产生了《乌善达里王传化暴喜者业冰之日光热能》和《伊希曼达里大王之子乌香达里王的故事》等变体。而后者较之乌斯丹巴达尔杰的《乌善达拉传》的故事情节有很大的差异，完全变成了纯蒙古化的另一个故事。蒙古民间有句俗语道："欲哭则读乌善达拉，欲笑则读伊拉丹迪。"足见《乌善达拉传》家喻户晓，流传甚广。乌斯丹巴达尔杰的《乌善达拉传》是以散韵结合的文体写就。蒙古国策·达木丁苏荣在其《蒙古文学精华百篇》中对《乌善达拉传》进行了初步研究①。但是，这个神秘的乌斯丹巴达尔杰（暂定假名）究竟是生活在哪一个朝代的呢？根据一些蛛丝马迹，他应该是生活在北元时期。《丹珠尔经》契经解第 93 函总第 181 函《纠结圆生树》即调音师佲离耶埵它啰所著《称述菩萨证道纠结圆生树》的蒙译者是苏尼特右旗固什迪延齐丹巴达尔杰比丘。他们两位是否是同一个人呢？不得而知。然而巧合的是，他们二位同名者都与《乌善达拉传》有缘。

首先让我们介绍《乌善达拉传》的故事梗概。昔时，印度有位大王，名萨曼达拉，属下诸侯两万九千，百姓无以数计，国强民富；膝下有位王子，名乌善达拉，长大后智慧超群，喜爱布施，娶曼陀罗为妃。曼陀罗王妃秀丽贤惠，生育二子，长子查拉瓦尼，幼女格里桑札。远方的婆罗门闻王子善能布施，前来化缘，乞求象宝。王子先犹豫后应允，将国宝白象作为布施，因之群情激奋，全城骚动。总管乌善迪将此事禀告国王，王子不得已被

---

① 　策·达木丁苏荣编：《蒙古文学精华百篇》第 3 册，内蒙古人民出版社 1979 年版，第 1278 页。

流放，去深山修禅密。临行前给全城乞丐、儿童布施以许多衣物，遂带妻孥、行李，驭驷马驱车出行。途中将驷马与车乘亦先后布施与他人，自己背负行装，携妻孥前行。因两个孩子双脚起泡，已走不动，稍事休息，王子暗自惆怅。为寻觅食物王子前往一去处，远望似黑地，近看成火焰。王子穿过火焰，正遇骑枣红马的阎王。阎王开言道：由你主此地方，言讫而去。王子未找到食物，便割下股肉，趋东西，寻火种。时遇骑银合马的帝释。帝释给王子火种后便无踪影。王子在一磐石上将股肉烤熟送来，小孩不知食之，妻子泣而啖之。继续前行，刀河阻路。曼陀罗王妃正忧虑间，帝释来点化。渡河前行时，王子股伤化脓，仆倒于地。王妃不忍亦昏倒，二子悲泣，不知所措。帝释见情，刮一阵风，王子、王妃苏醒，目睹二子，惆怅不已。起身行走，王子股伤愈合。行数日至花果林中，便搭草庵，筑一高塔，于此处修禅多年。

　　一夜，曼陀罗郭娃（即王妃）得一梦，梦中一阵狂风袭来，卷走两个孩儿，正哀痛间，父王抢回孩儿，喜庆盈门。翌日哭诉梦境，王子思忖：福祸之无端，万法之无常。安慰了一阵妻子。自己反而萌生些许惆怅。

　　一日，曼陀罗郭娃上山摘野果去了。家里来了一个丑陋的婆罗门，说道："我上有一老母，老态龙钟，无人拾柴烧饭。乞求你将两个孩儿给我老母当奴。"王子先犹豫而后应允，两个孩儿挥泪而别。曼陀罗郭娃回庵，哭成泪人，昏倒在地。经王子哭劝，终于节哀。

　　两个孩儿沦为婆罗门之奴，过着牛马不如的生活。一日上山打柴，因下大雨迷路而哭泣，正遇乌善迪总管，总管认出二位王孙，用许多金银珍宝换下王孙，接进宫内。萨曼达拉王又派人接回王子和王妃，骨肉团聚，五谷丰登。王子继位，天下太平。

　　乌斯丹巴达尔杰改编的《乌善达拉传》与阿阇黎巴窝著《佛陀前世三十四本生故事》[①] 加以比较，其人物、故事情节和表述方式等诸方面都有明显的不同。

　　第一，巴窝著《佛陀前世三十四本生故事》中出现的人物有：

　　（1）国王维斯敏达里；

---

　　① 蒙古文《丹珠尔经·契经解》第91卷，固什毕力衮达赉蒙译本及早期译本。

（2）王子维什完达里；

（3）异国国王；

（4）乞求白象的异国婆罗门；

（5）尸毗国众官员；

（6）御遣大使（苏勒卡瓦）；

（7）王妃麻陀里；

（8）众乞丐和穷人；

（9）乞求驾车马匹的婆罗门；

（10）乞求车乘的婆罗门；

（11）维什完达里王子的两个孩子：长男查里（查拉洹）和次女克里什纳（克里散扎）；

（12）乞求维什完达里王子的两个孩子的婆罗门；

（13）化装成婆罗门乞求王妃以试探王子诚意的天帝释。

在乌斯丹巴达尔杰改编的《乌善达拉传》中国王、王子、王妃及两个孩子的名字稍异外，没有出现异国国王、御遣大使（苏勒卡瓦）和化装成婆罗门乞求王妃以试探王子的天帝释，尸毗国众官员则代之以乌善迪诺颜为首的众大臣，乞求马匹和乘车的婆罗门都略称某人，一带而过。新增的人物则有王后摩诃麻尼、骑枣红马的阎王和骑银合马的帝释等。

第二，比较故事情节，在巴窝原著中御前大使（苏勒卡瓦）通知王子与国王决定逐出王子的一节、王子施舍了驾车的四匹马后四个夜叉变作红色角兽自行驾车一节和帝释化成一位婆罗门，乞求王妃以试探王子是否心诚的一节在乌斯丹巴达尔杰的改编中均不见。而新增了巴窝原著中没有的情节，如王子在前往苦行林的途中遇见阎王和帝释，烧股肉食于妻儿充饥，及刀河阻路，股伤化脓的情节，曼陀罗郭娃做梦的情节，王子的两个孩子沦为婆罗门的奴隶后上山砍柴、迷路、遭受非人待遇的情节。

第三，表述方式不同。在巴窝的原著中注意突出王子一心追求修行，而充满矛盾、斗争的社会现实被忽略；王子施舍白象和妻儿时并无难色，也未犹豫。相反，因修持施度圆满而心情愉快；王子去苦行林途中丝毫未受苦难而用重笔描摹秀丽的景色；在国王、王子、王妃和众乞丐的言行中都含有较浓的传教布道倾向；而丑陋的婆罗门的言行反映了古印度陈旧的思想意识，侮辱妇女，不讲信义，将施政帝王比作毒蛇等。而在乌斯丹巴达尔杰的改编中，故事头尾照应，重点并没有放在刻意追求苦行。相反，将王子内心忧愁和痛苦、惆怅表现得淋漓尽致；将王妃和两个孩子间的母子深情描写得顺乎情理，自然朴实。并无半点矫揉造作，同情了弱者，抨击了无道。

乌斯丹巴达尔杰改编的这部故事，人情味较浓，可谓谈怡乐则情抱畅悦，叙哀戚则洒泣含酸。作者基于蒙古传统伦理道德，将人际关系处理得当，父慈子孝，家庭和谐，夫妻恩爱，感情真挚。这表现在以下几点：

一、乌善达拉王子因布施白象于婆罗门，招致国民和朝臣的非议，大臣奏请国王逐出王子。王子含冤离家时，父王于心不忍，吩咐王子：可居一年半载，而后速回宫中。

二、贤妻曼陀罗郭娃领着两个孩儿，哭诉有生之年不欲骨肉分离，与王子一同离宫，前往苦行林。

三、见王子穿入火焰，曼陀罗郭娃仆地啃土。两个孩儿用舌头舔净了母亲口中泥土。

四、王子寻食未得，割己股肉烤熟给妻孥，曼陀罗心明未吃，王子以为妻子娇气挑食而责备于她时，曼陀罗郭娃说道："请菩萨王子明鉴：妾身曼陀罗我并非嫌恶难咽，我本想在有生之年，不见亲人流血，不啖爱人身肉，因而未吃。"说着便泣而啖之。

五、婆罗门乞求两个孩儿，拿去当奴使，王子心如中箭。说道："我此两儿，十岁未满，乳臭未干，不会做奴，故勿求之，莫如使我。"婆罗门拉走两个孩儿，王子口吐鲜血而昏倒。

六、两个孩儿挥泪别父，哀吟《巴巴之歌》，鬼神为之感动。

七、曼陀罗郭娃从山上摘野果回来，不见两个孩儿心急如焚；得知王子布施与婆罗门，曼陀罗悲泣，哀吟《额贝之歌》。

八、乌善迪诺颜途遇两个迷路哭泣的柴童，经询问得知乃是两位王孙，现沦为奴隶，拥抱王孙而痛哭，并上禀国王。

《巴巴之歌》是查拉瓦尼、格里桑扎两个孩儿哭诉韵文的命名。"巴巴"系娘亲之昵谓。如：

饶益众生你将俺，捉与黑色婆罗门，

菩萨父王心何忍？十月怀胎苦命娘，
摘来果实为谁吃？若见父王独自居，
背负果实满地洒，似身被擒于狱主。巴巴！
如彼利箭射入岩，稳坐不动是何缘？
菩萨父王心何狠，将俺捉献婆罗门。巴巴！
荒山无烟形影孤，宫帏亭台养育俺。巴巴！
密林无人形影独，养育孩儿累身心。巴巴！
临别未曾睹一面，巴巴！祈求神佛生育俺，巴巴！
突然诀别两孩儿，莫非失犊之牛般，
发出阵阵惨叫声。巴巴！菩萨父王修苦行，
将俺布施婆罗门，娘亲得知恐轻生。巴巴！
莫非失羔之驼般，发出阵阵哀号声。巴巴！
祈祷诸佛生育俺，巴巴！爱子一对似雏鸟，
若被黄鹰所叼走，莫不吐血而命殒。巴巴！
享尽荣华在印度，巴巴！抛弃绝域谁人知。巴巴！
何时兄妹俺二人，重见慈母之尊颜？

与《巴巴之歌》相呼应的另一悲剧高峰便是《额贝之歌》。《额贝之歌》是曼陀罗郭娃哭诉韵文的命名。"额贝"乃孩儿之昵谓。如：

王子初来修苦行，妻儿三人相跟随，
而今妾身曼陀罗，独自被抛无人域。
领自故乡两孩儿，额贝！离母而去是为何？
隐居果林两孩儿，额贝！为奴梵志是为何？
指望儿为众民王，如何卧于梵志门？额贝！
未死如何见此苦，塔下土堆或戏藏？额贝！
溺于湖水或命丧？额贝！梵志鞭笞或已亡。额贝！
诸佛不佑是为何？怀抱嫩体入梦乡，
谁知沦为梵志奴？如心似肝两孩儿。额贝！
貌如丹青看不够，如何拾柴侍梵志。额贝！

　　故事通过《巴巴之歌》表达了孩子对母亲的眷恋之情，通过《额贝之歌》表达了母亲对孩子的思念之情，成功地塑造了伟大的母亲形象，歌颂了无私的母爱和人间的真善美。需要指出的是，蒙古民族传统价值观念决不以悲剧作为结局。不幸是暂时的，挫折是难免的。从哲学角度考虑，福祸相倚，苦乐相随。蒙古人民总是热衷于绘制喜——悲——喜的大团圆作为自然的终结。从社会发展观点看，即使正义暂时受到压制，但最终正义必然会压倒邪恶，人民对此坚信不疑。因而悲剧最终以喜剧结束，完全符合人民的愿望，表达了人民对生活的热爱，对真善美的追求。《乌善达拉传》为了渲染大团圆的喜庆气氛，让乌善达拉王子给父王和母后请安时，格里桑札兄妹给父母请安时都采用了优美的赞颂诗形式，表达了久别重逢时的喜悦；并以萨曼达拉国王将王位传于乌善达拉王子为点缀，把喜庆气氛推向高潮。

　　《乌善达拉传》歌颂真善美的同时，鞭笞了假恶丑，揭露了社会的黑暗，同情了人民的苦难，具有一定的进步倾向。如：

　　　　曼陀罗郭娃上山摘果实而去后，两个孩儿爬塔脊上眺望母亲是否返回时，见到一人朝这边走来，还以为是自己的母亲。但走近一看，不是娘亲，而是一个婆罗门：
　　　　背负口袋如饿鬼，眉毛下垂遮颜面，
　　　　喉咙纤细似草棍，怪异状貌煞吓人。
　　　　见此婆罗门如见鬼怪，两个孩儿吓得跑回草庵，钻入父亲的怀里。

　　这个婆罗门不仅面目可憎，连心肠也是黑的。自从婆罗门骗走了两个孩儿，两个孩儿便过上了牛马不如的生活，饱尝了婆罗门的体罚折磨。如："那个婆罗门将两个孩儿领回家来，便让他们睡在驴粪坑里，穿上驴鞍鞯片衣，当作门奴。两个孩儿不得进屋，整日上山拾柴，若拾得柴不好，则那婆罗门用刺棍抽打，赶出去再三地去拾。"

　　佛教标榜虚无出世，忍辱求安的消极思想来企图缓和不可调和的社会矛盾，在作品中这种思想倾向无疑占主导地位，但也能够明显地感到批判不合理的现实的潜在成分。上述对婆罗门的血泪控诉的那段文字，其实就是人民对腐朽制度的不满和黑暗社会的控诉。这是小说《乌善达拉传》进步倾向和思想意义所在。

第七节　佛教诗作《绿度母传》

蒙古英雄主义是由远古时代一直延续到北元时期。而史诗的兴衰又是与英雄主义相伴始终的，这是一个普遍规律。北元时期，佛教再度兴起。尤其是黄教已渗透到整个蒙古民族意识领域和日常生活之中。在蒙古地区，文学创作历来作为有效的传教手段，在传教活动中发挥其重要作用。就蒙古而言，起初只在史诗和文学作品的表面被涂上一层佛教色彩。如史诗《江格尔》便是其最明显的例证；这一情况不久则发生了实质性的发展和变化，将传统文化和佛教题材有机地结合起来，在佛教文学体裁中注入了具有文化心理沉淀的史诗风格，大胆地进行创作尝试，如在本文中我们讨论的具有史诗风格的作品《绿度母传》便是一个例子。①

《绿度母传》作者佚名。根据种种迹象，似可认为作者是蒙古土默特部人氏。创作时间估计大约在 16 世纪下半叶至 17 世纪上半叶。《绿度母传》中绿度母其人显然是或者可能是影射四世达赖云丹嘉措的生母毕格楚克别吉，当时蒙古人都尊她为"度母"②。

蒙古文化的重要特色之一，就是对妇女地位的肯定，即便是在封建社会。妇女有较高的政治、经济地位，在蒙古社会中发挥着不可替代的重要作用。表现在文学作品中则是塑造了许多母亲的崇高形象，以及对母爱的热情歌颂。《绿度母传》具有显著的民族特色和浓郁的史诗风格，蒙古人民特别喜闻乐见，因而在流传过程中产生了多种变体。《绿度母传》具有较高的艺术性，是蒙古佛教文学作品中的上乘之作。它的诞生在蒙古佛教文学史上具有重要意义。蒙古国策·达木丁苏荣发表了《绿度母传》的重要的一种原

---

① 双福：《佛教诗作〈绿度母传〉浅析》，《内蒙古社会科学》1996 年第 3 期。

② 云丹嘉措生母毕格楚克别吉，又名巴罕珠拉，这与《绿度母传》的托式文变体《巴哈摩耶哈屯图记》相吻合，恐怕不是偶然的巧合。参见珠荣嘎译注：《阿勒坦汗传》，内蒙古人民出版社 1991 年版，第 161 页。

文，并进行了初步介绍和研究①；在此基础上，德·策仁索德南曾进行较深刻的分析②。首先让我们介绍《绿度母传》的故事梗概吧。

昔时有位六道众生之母，性情温顺、超度迅速而著称的绿度母。她自十岁始至七十七岁，在仰新庙敦津噶尔布寺苦修禅密。修成后飞至贤劫千佛处，绕礼三匝，发愿求子。千佛赐六粒灵丹。绿度母服后，在九十九岁时生下一个漂亮的男婴。取名乌优，视如宝贝，方养三日，婴孩突然不见，绿度母痛不欲生。

此时如来佛驾临，将她扶起，开导三度，而后飞去。绿度母化作金翅银尾黄鹰，寻儿飞至千佛处，上诉缘由，并说道："我思若小儿命好，或投胎于千佛处为弟子，因来相寻，不知见否？"千佛回答未见。绿度母到处散发寻儿启示道："心头上有颗大黑痣，肩膀间有颗珍珠般红痣，便是我儿。"回到南赡部洲，思忖："是否投胎于地狱？"便去地狱寻儿，地狱众生灵均答未见。绿度母消除地狱众生灵的灾难，返回南赡部洲，思忖："或投胎于人和畜生也未可知。"问所遇生灵也均答未见。绿度母消除了南赡部洲人和畜生的苦难，寻儿奔走呼号。又思忖："莫非淹死于外海？"搜遍外海，历三月而未果。继续前行，遇一寒鸦，寒鸦心肠虽坏，但说不知，后又说道："隐居金山之顶峰，七代炼真性，九十九年修禅密，通九国语的虚空神算白仙，或许他能知道。"

绿度母祝福寒鸦，赐与慧眼。诣金山顶白仙处，绕礼三匝，说明来意。白仙用白、绿、蓝三色石卦。其第一色石课曰："你儿在贤劫千佛处。"其第二色石课曰："你儿乃是一位菩萨。"其第三色石课曰："因六道生灵灾难深重，释迦牟尼佛、金刚手佛和虚空万僧将你儿藏金塔内金瓯中。"绿度母分别以乳汁、四肢及身语意作施，以谢白仙三课，并祝福白仙道："终成正果，来世名为太白老翁者。"

绿度母化作黄鹰，呼号直奔千佛界，在路口遇见一位老姬。绿度母用自己的金银首饰换了老姬的破衣旧袋，装扮成叫花子，给一人家当伙计，度过

<hr />

① ［蒙古］策·达木丁苏荣编：《蒙古文学精华百篇》第 2 册，内蒙古人民出版社 1979 年版，第 758 页。

② ［蒙古］德·策仁索德南：《蒙古文学》，民族出版社 1989 年版，第 581—588 页。

三月。时正值二月十五，千佛将拥乌优菩萨上座，闻其讲法。绿度母乍见，未及出声，如来佛已看穿了绿度母的真实面目，叫人立即调了包。绿度母细观，座上非己爱子，当场晕死过去。如来佛救活绿度母，并三度开示无常真谛。

绿度母哀号不止，其儿乌优菩萨闻母哭声，一脚踢碎金瓯走出金塔。母子二人拥抱痛哭，泪水成海。云："饮此海水，盲者目明，聋者耳聪，无病不治。"金刚手佛大显神通，方将母子拆开，旋复拥抱在一起。乌优菩萨拔掉牙齿，化为三岁小孩，吮吸母奶，如此，三月，母乳半竭，子腹亦饱，母子才松手。绿度母母子哭声，使如来佛宝座震荡，金刚手佛停会三日。为此绿度母母子祈祷罪过，众菩萨亦还礼，并解释道："让你母子二人蒙难，实为让尔等目睹灾难深重的生灵。"

绿度母母子二人前往十八层地狱，遇见一老僧倒在路口，奄奄一息。绿度母喂己乳汁救活，母子二人轮流背负前行，背得母子均肩骨外露。未几，老僧已示无常，葬于沿途一大寺旁。及至地狱，在地狱旁筑一镏金檀香塔，母子二人在塔内修禅密。超度地狱众生时，空中飞来一匹金鞍金辔的青叶驹为超度众生乘用。地狱守卒，慌忙告白阎王。阎王下令擒住。将青叶驹投入八热地狱，而八热地狱长出金枝银叶的各种果树，流出叮咚泉水，鸟语花香，地狱中生灵皆往千佛处投胎为弟子；复将青叶驹投入八寒地狱，亦如前。阎王下令，重重锁住青叶驹，关进三层铁室。青叶驹踢碎铁室，跑到绿度母跟前，说道："原来倒在路口的老僧即是我。你背负我肩骨外露，今将图报大恩。再让我将噶尔丹天主的独生女精通五明的傥苏克旃檀天女嫁给乌优菩萨为妃，以报哺乳大恩。"说毕飞去。

地狱守卒得知青叶驹不见，仓皇告知阎王，阎王笑而说道："此青叶驹非马，实乃如来佛祖。"并遣狱吏请绿度母母子，延至上座，礼毕启问："绿度母法力如何？"绿度母答道："我亦不详，只闻如来佛曾道来：'诵《绿度母传》者永不堕三恶趣。'"阎王发愿。"如是，今千劫未满时，我仍判明善恶。后千劫已满时，我当为你弟子。"

后来，傥苏克旃檀天女，按佛旨意，毅然决定离开天界，骑乘青叶驹，降临南赡部洲，嫁给绿度母之子乌优菩萨。乌优菩萨登帝王之位，在布达拉山麓筑金宫，建银塔，永享太平，众生长乐。

　　无名氏的这篇具有史诗风格的作品《绿度母传》是蒙古佛教文学中最璀璨的一颗明珠。作者别出心裁，采用蒙古英雄史诗的传统笔法，以极大的热情刻画了慈母形象——绿度母，歌颂了纯洁的母爱；独树一帜，别具一格。这是全世界佛教文化中从来没有过的创举，值得我们作深入的探讨并予以恰当评价。

　　《绿度母传》，以反复的描述来加深印象的史诗传统的笔法，处处突出了绿度母母子的形象（而不是突出如来佛的形象），表现出作者的进步思想和审美倾向。如：

　　美化绿度母刚生下的婴儿时写道：

　　　　传承源自金刚手，颜色宛如旭日升；
　　　　身高恰似众明主，樱桃一般嘴唇红。
　　　　牙齿整洁如玉砌，体态端庄五官清；
　　　　形象与佛无分别，乌优菩萨是儿名。

　　虚空神算白仙用第二色石卜卦后，盛赞绿度母之子乌优的相貌，说道：

　　　　绿度母啊听我言，你儿乌优真伟大；
　　　　法身圣洁十一面，阿弥陀佛冠头顶。
　　　　庄严具全有千手，千手掌心都有眼；
　　　　悲天悯人面慈善，浑身散发檀香味。
　　　　首饰宝石衣绫罗，法旨朗声如观音；
　　　　清鸣妙音似鸾凤，六字真言具神通。
　　　　智慧心扉观三世，如意宝藏遂心愿；
　　　　色如白螺力无穷，千道光芒本菩萨。

　　描述丢失婴儿的绿度母难以言状的痛苦时写道：

　　　　那绿度母昔日的、丰满的腹膜向上抽缩，
　　　　亮堂的胸膛变得黑暗，宽厚的心怀摇荡不定，

　　　　隆起的乳房奶水干涸，月轮般的脸庞失去光彩，
　　　　檀香般的双腿弯曲跪下，金口啃土摔倒地上，
　　　　直哭得苍天震撼，直哭得大地摇动，
　　　　泪如泉涌枯木开花，泪如泉涌洼地成湖。

　　描写绿度母苏醒后又奔走呼号，到处寻找儿子的情景：
　　六道众生之母，性情温顺、超度迅速而著称的绿度母化作金翅银尾的灰花黄鹰，前往上界贤劫千佛处，发出笛箫般的呼号声：

　　　　在那黑山顶上、曾经奔走咆哮的、我的黑花虎呦，
　　　　你在哪里？如此不停地哀声呼号。
　　　　在那紫山顶上、曾经奔走咆哮的、我的紫花虎呦，
　　　　你在哪里？如此不停地哀声呼号。

　　走到一个交叉路口上，遇见一位身披青色斗篷，背负粪篓的妇女。绿度母把自己的全部首饰解下来给了她，自己却换了她的粪篓负在背上，右手提一条花布袋，左手拄一根朽木拐杖，扮作一个叫花子老婆，在人家做佣人三个月。
　　这是《绿度母传》这个具有史诗风格的文学作品中的求子、寒鸦、卜卦、乞丐、团聚、骏马、娶亲等七项主要母体中的重要一环。这里不难看出作者高度赞扬了绿度母崇高的母爱和斗争精神，同时也隐约听见"天国"旁边尚有呻吟在水深火热中的众多贫民百姓。
　　马是蒙古人忠实的伙伴。蒙古史诗中马不仅通人性，而且马常常帮助其主人转危为安，取得胜利。《绿度母传》中也有好几处着意描写了骏马报恩之事，尤其是精通三明的郭娃斯琴天女套马举止和精通五明的倪苏克旃檀天女跃马飞奔的情景，将马背民族的独特的审美意识表现得淋漓尽致。
　　描写精通三明的郭娃斯琴天女遵照噶尔丹天主的独生女精通五明的倪苏克旃檀天女的命令，套捉青叶驹的情景时写道：

　　　　那青叶驹、蹄不沾草尖，影不沾山巅，

> 逆风颠步疾，身具八种德。
> 那精通三明的、郭娃斯琴天女，
> 将金套马杆伸出，用银套马索擒住了青叶驹。

这是以英雄主义审美观对驰骋草原的马背民族娴熟的劳动技艺和珍视骏马的真实写照。

噶尔丹天主的独生女精通五明的偡苏克旃檀天女为天下众生利益着想，毅然抛弃了亲人和天庭的优裕生活，骑上青叶驹下凡：

> 那精通五明的、偡苏克旃檀天女，
> 骑上了身具八德的、青叶驹的背上，
> 以舒适的奔步，越过了五由旬远；
> 以慢悠悠的奔步，越过了十由旬远；
> 穿过妙高山之谷，绕过香乳海之边，
> 没来得及叫声快，已来到了人世间；
> 没来得及叫声疾，已来到了南赡部洲。

《绿度母传》基于佛教宇宙观，展现了宏伟的故事帷幕：佛教对宇宙和世界的认识，其空前的假设或推理具有一定的合理性不言自明。佛教认为宇宙是无限的，是由无数的三千大千世界所构成的。其一便是我们所生存的释迦牟尼教化范围内的婆娑世界。这个婆娑世界是以须弥山（妙高山）为中心的。须弥山周围是七香海（香乳海）和七金山。该诗中噶尔丹天主的独生女精通五明的偡苏克旃檀天女骑青叶驹下凡时即"穿过妙高山之谷，绕过香乳海之边"；而七代炼真性，九十九年修禅密，通九国语的虚空神算白仙即隐居于金山之顶。七金山外有铁围山所围绕的咸海（外海）。六道众生之母，性情温顺、超度迅速而著称的绿度母在为寻儿搜遍外海三个月的"外海"即是。外海中有四大洲，其一即是南赡部洲。南赡部洲是以印度摩噶答城为中心的辽阔的欧亚大陆。作者将南赡部洲的中心移到布达拉宫，其用心在于向世人炫示：四世达赖云丹嘉措为释迦牟尼再世。须弥山第四节以上依次为欲界、色界、无色界诸天。其中欲界第四天名兜率天，藏语译为

"噶尔丹"，噶尔丹天主即等于说兜率天王帝释。另外，大乘佛教所谓因果报应，六道轮回的六道（六趣）包括：天、非天、人、畜生、地狱、饿鬼。绿度母为寻儿曾遍访天、人、畜生、地狱四道众生，并和其儿乌优菩萨一起在地狱旁筑造了镏金檀香塔来超度地狱生灵。

《绿度母传》，篇幅虽短小，然而作者却像牧人在广阔的草原上自由驰骋一样，随着长了翅膀的思维遨游于无极的宇宙空间，没有任何条条框框，在佛教文学作品中第一次也是最后一次大胆地使用了草原文学的最高形式史诗形式、史诗手法、史诗风格、史诗母体，助以洗练而风趣的套语、荒诞而离奇的构思、风流倜傥的韵调、不可思议的神变熔汇于一炉，成功地塑造了绿度母的形象。本来性情温顺的绿度母在极度悲痛之下，一变往日的温情心态，成了一位百折不回、性格倔犟的老妪。她凄恻的哭声，使如来佛祖宝座震荡，诸多菩萨被悲哀的气氛所笼罩，金刚手佛螺声中断，停会三日。当厄运降临时，绿度母并没有逆来顺受，相反，进行了顽强的斗争。斗争的结果，绿度母终于达到了目的，母子团聚。绿度母最终成了胜利者，悲剧又演变成了大团圆结局。

《绿度母传》特为绿度母这个主人公来个特写：

"绿度母奏道：我寻找乌优菩萨儿之际，曾见众多生灵。享福的生灵不少，受苦的生灵也不少，二者相比，似受苦的生灵为多。我想超度那些受苦的生灵于苦难中，不知我这想法对否？那些佛陀、菩萨共说道：'老母这想法完全正确，您心眼真好！我等虽为正等觉佛，尚不能悲悯众生，让我等随喜吧！'诸菩萨便把绿度母母子请至上座，坐在十八支足坐席上，绕七匝，礼三遍，告谕道：因众生灾难深重之故，让你蒙难受累，意欲你目睹众生倒悬之苦。言讫，回献丝绸哈达，履行了施度波罗密陀。"

在绿度母面前，连佛陀和菩萨都黯然失色。这位佚名作家在艺术原野上自由驰骋，将母爱抬高到至高无上的位置，《绿度母传》的成功之处正在这里。然而，作者过于大胆的虚构，在当时肯定会招致佛教界权威人士的非议和禁止，这类作品的传世稀少的原因，可能也就在这里。

一般来讲，蒙古英雄史诗从求子、生儿开始，儿子成长为勇士，从外地娶亲回家结束。求子至娶亲是一个完整的模式。在《绿度母传》中让乌优娶亲并登上世俗皇位，虽有点儿荒唐，但从蒙古文化心理角度看却并非荒唐之举。实际上蒙古人在统一政教权柄的思想指导下将"乌优菩萨"式的"理想"付诸实践。这一点完全可以用清末民初哲布尊丹巴呼图克图事迹为之作注脚。其实，这无非是想学佛教史上宣扬的吐蕃王松赞干布的榜样。

《绿度母传》将一位普通的、纯朴的世俗妇女奉为度母，并假借如来佛的法旨说："诵此《绿度母传》者，永不堕三恶趣"，以此标榜这篇佛教文学作品的极其重要，为其广泛流传作宣传。的确奏效，《绿度母传》果真在蒙古地区广泛流传、说唱，产生了一定的影响，是与作者的极力宣传和推荐分不开的。

由于时代的局限性，《绿度母传》中并非都是精华，需要我们甄别和批判，但瑕不掩瑜，它在思想性、艺术性方面所取得的成就，在蒙古文学史上应当占有特殊的位置。

第八节　宫廷歌曲

蒙古民歌历史悠久，源远流长。蒙古民歌是蒙古人民生活斗争的反映和智慧的结晶，正如罗卜桑却丹所述，"世人欲察夷族风俗人情，率先细究其歌曲唱词，便可知其人其性。"① 歌词虽微，其意颇远，故有详加探讨之必要。

先后登上蒙古高原这一历史舞台的匈奴、鲜卑、柔然、突厥、回纥、契丹等许多游牧部族中都盛行歌舞。蒙古先辈与这些游牧部族很早以前就有来往，互为统属，有的与蒙古共出一源，有的被蒙古所融化②。因此无疑会影响到蒙古文化艺术、歌舞等方面。世界民族之林中无论哪一个民族，其历史文化都在上古时期就已基本形成。但由于社会、历史的诸种原因，有些民族早期文化遗产为人所知甚少。要准确阐述蒙古早期文化、曲艺全貌，尚缺乏必要的第一手资料。尤其是当时蒙古人民演唱的具有地方特色的传统礼乐极为珍贵，难以找到③。蒙古歌曲是由歌词与歌谱组成的统一体。经漫长历史

---

① 罗卜桑却丹：《蒙古风俗鉴》，内蒙古人民出版社 1981 年蒙古文版，第 191—202 页。
② 贺希格陶克陶胡：《蒙古族古典诗歌选注》，内蒙古少年儿童出版社 1985 年蒙古文版，第 4 页。
③ 托力沁：《蒙古帝王朝歌》，《金钥匙》1986 年第 6 期，蒙古文版。

岁月，歌谱的变化比起歌词要小些。某些歌曲较完整地保留歌谱原状的情形下，其歌词失去古貌的现象时而有之。相反，歌词保留古貌的情形下，歌谱原状有所改变则不可能。因此，我们可以以歌词的语法特征作为审定歌曲时间的重要依据。根据这一原理，我们可以得知罗卜桑却丹所述，"现今确实不见太好的礼乐雅音，风靡一时的无非是一些儿女情而已。"① 切合实际。但其所谓成吉思汗时期的阿尤葳儿干之歌、忽必烈皇帝时期的蒙古军将领孛可孛罗之歌等不可轻信②。早期蒙古民歌有所谓《金帐桦皮书》命名之黄莺儿与额勒卜儿母的二人唱词，诃额伦太后歌、元惠帝悔怨歌、所谓《朝克图太吉摩崖石文》命名之朝克图太吉思念歌等。此外，在《蒙古秘史》及其后蒙古文史书中载蒙古民歌也不少。

据我等所知，有关民歌歌词形式与普通诗作区别特征方面，目前尚无可循的现成公式。虽难以言传，但亦可意会。譬如，众妖女似风吹柳枝般翩翩起舞，伴曲唱曰：

> 春天好时至兮，万木花尽开；
> 俺与妙相子兮，合乐而前来。
> 脸似一轮月兮，眼似水中莲；
> 众天见我貌兮，肠心早被牵。③
> ……

阅读欣赏这一首民间气息浓郁的天竺佛国之歌词，仿佛听到纯正蒙古野乐之音。诚然，民歌具有民族性，但这并不排斥同时具有自身的本质特征。纵观汉族、藏族、维吾尔族、印度民歌，都能够证明这一点。

在多数情况下，好诗不一定是好歌，而好歌也不一定是好诗。对诗与歌的特征方面学者们意见尚未统一。在此我们不揣冒昧，提出尚不成熟的一己之见如下：

---

① 罗卜桑却丹：《蒙古风俗鉴》，内蒙古人民出版社 1981 年蒙古文版，第 191—202 页。
② 罗卜桑却丹：《蒙古风俗鉴》，第 191—202 页。
③ 搁思吉斡节尔著、希绕僧格蒙译：《如来十二事业》第 2 册，第 61 页。

歌词须渲染外境以烘托内意。前头诗句取譬引类，广采比兴手法，导引出发自内心的后头诗句（也有相反情形）；尚词句形式到语法结构的重叠，章句并列，内容近似，或重复，或升级；朴实雅致，自然流畅，言简意赅。

相对而言，从文学角度对蒙古民歌进行研讨还算可观，但从乐理角度对其进行研讨却很不够。在前面提及的蒙古歌曲，只有歌词，未见歌谱。词与谱双双流传至今的极少。有幸的是，近些年来这方面的资料或有可能复原的资料有所发现，可以说是蒙古曲艺史上一大快事。蒙古国立图书馆藏《道情歌集》一册，辑录18至19世纪的70余首歌曲并附筝弹乐谱[1]；内蒙古的托力沁先生近年介绍了北京故宫博物院馆藏满蒙汉合璧《笳吹乐章》和《番部合奏乐章》（三）。据说内蒙古社会科学院文学研究所曾约们都巴雅尔同志将《笳吹乐章》和《番部合奏乐章》的工尺谱改写为简谱和五线谱，拟出版。[2]

满蒙汉合璧《笳吹乐章》和《番部合奏乐章》是曾在清朝宫廷演唱的蒙古歌曲，因而称为满汉合译《蒙古笳吹乐章》和《蒙古合奏乐章》为宜。《笳吹乐章》和《番部合奏乐章》原以金粉书写，视若珍宝，并于乾隆十一年（1749年）辑存于御制《律吕正义后编》卷四十七、卷四十八。据有关文献资料，清太宗皇帝平定察哈尔部，尽获其《笳吹乐章》，列为宴飨乐[3]，将其中有声无字之乐章亦仰遵圣训，具以字谱写之载入简。

乾隆七年（1742年）定《笳吹乐章》中有曲牌为：1. 牧马歌、2. 古歌、3. 如意宝、4. 佳兆、5. 诚感词、6. 吉庆篇、7. 肖者吟、8. 君马黄、9. 懿德吟、10. 善哉行、11. 乐土谣、12. 踏摇娘、13. 颂祷词、14. 慢歌、15. 唐公主、16. 丹诚曲、17. 明光曲、18. 吉庆师、19. 圣明时、20. 微言、21. 际嘉平、22. 善政歌、23. 长命词、24. 窈窕娘、25. 湛露、26. 四贤吟、27. 贺圣朝、28. 英流行、29. 坚固子、30. 月圆、31. 缓歌、32. 至纯辞、33. 美封君、34. 少年行、35. 四天王吟、36. 宛转词、37. 铁骊、38. 木榫

① 原蒙古人民和国科学院历史研究所：《蒙古人民共和国历史》（二）上册，内蒙古人民出版社1986年版，第1482页。

② 那仁格日乐：《源远流长旋律优美的蒙古筝》，《内蒙古社会科学》1986年第5期，蒙古文版。

③ 《御制律吕正义后编》序文。

珠、39. 好合曲、40. 童阜、4l. 天马吟、42. 大龙马吟、43. 始调理、44.
追风赭马、45. 回波词、46. 长豫、47. 平调、48. 游子吟、49. 平调曲、50.
高士吟、51. 哉生明、52. 高哉行、53. 三章、54. 圆音、55. 栏杆、56. 思
哉行、57. 法座引、58. 接引词、59. 化导词、60. 七宝鞍、6l. 短歌、62.
夕照、63. 归国谣、64. 僧宝吟、65. 婆罗门引、66. 三部落、67. 五部落等
大宴筚吹乐六十七章。筚吹乐器为：胡笳、胡琴、口琴、六弦筝各一。①

乾隆七年定《番部合奏乐章》共三十一章，唯 1. 大合曲、2. 染丝曲、
3. 公莫、4. 雅政词、5. 凤凰鸣、6. 乘驿使六章有词，无词者有宫谱。曲牌
为 7. 兔置、8. 西鰈曲、9. 政治词、10. 千秋词、11. 鸿鹄词、12. 庆君侯、
13. 庆夫人、14. 羡江南、15. 救度词、16. 大番曲、17. 小番词、18. 游逸
词、19. 兴盛词、20. 艳冶曲、21. 庆圣师、22. 白鹿词、23. 合欢曲、24.
白驼歌、25. 流莺曲、26. 君侯词、27. 夫人词、28. 贤士词、29. 舞词、30.
鼗鼓曲、31. 调和曲等②。番部合奏乐器为：云锣、箫、笛、管、笙、筝、
胡琴、琵琶、三弦、二弦、月琴、提琴、轧筝、火不思、拍板各一。③

这些歌曲根据内容可归纳为佛、儒二教的宣传与平民百姓的呼声两类，
根据用语可归纳为民间口头文艺传统与文人学士个人创作两类，其中不乏较
高艺术成就的歌曲。但必须指出，《筚吹乐章》也罢，《番部合奏乐章》也
罢，其中并没有情歌和劳动歌之类。就这一点，我们不能苟同托力沁先生的
看法④。蒙古雅歌（礼仪歌）属于庄重型的歌曲，据情理而论，似不应包括
情歌与劳动歌，尤其在当时尚处于兴旺时期的满清宫廷中演唱经营畜牧业的
蒙古的劳动歌，那是不可思议的。

《筚吹乐章》歌曲，虽曾一度在清宫演唱，但总起来看属于蒙古民歌是
不成问题的。而作为后期民歌的源泉，与流传至今的民歌尚有关联。譬如，
内蒙古科尔沁、巴林地区流传的民歌《博格达山》中有一段歌词曰：

---

① 万依、黄海涛：《清代宫廷音乐》，故宫博物院紫禁城出版社、中华书局香港分局 1985 年联合
出版，第 19 页。
② 《二十五史·清史稿》上册，上海古籍出版社 1986 年版，第 391—392 页。
③ 万依、黄海涛：《清代宫廷音乐》，故宫博物院紫禁城出版社、中华书局香港分局 1985 年联合
出版，第 19 页。
④ 托力沁：《蒙古帝王朝歌》，《金钥匙》1986 年第 6 期，蒙古文版。

酪老将无味，父老将不识；
酪老将难吃，母老将不识。①

蒙古科布多爱麻克流传的民歌《水源头骊驹》中有一段歌词曰：

背坍已成崖，父老已成祖，俺生来高贵之嘎拉丹巴；
丘坍已成沙，母老已成妪，俺生来高贵之嘎拉丹巴。②

以上提及的民歌片段是对《笳吹乐章》第 65 章《婆罗门引》歌词的变态传承。《婆罗门引》歌词：

酪必成酺，父将成祖；
沙必成丘，母将成妪。——《婆罗门引》

科尔沁、巴林地区民歌《洛阳小姐》中有一段歌词曰：

走上北山之巅眺望啊，仿佛望见故乡白城呦；
中心想念父母双亲啊，制止不住两眼流泪呦。
走上高山之巅眺望啊，仿佛望见故乡白城呦；
中心想念双亲父母啊…身不由己双眼落泪呦。③

又在科尔沁、巴林地区民歌《兴安岭》中有一段歌词曰：

走上高岗之巅呦，仿佛望见故乡呦；
母亲父亲双亲呦，哪怕一人来瞄呦。④

---

① 乌·那仁巴图、达·仁沁：《蒙古民歌五百首》，第 995—997、977—978、1000 页。
② 沙·嘎丹巴、达·策仁苏德那木：《蒙古民间文学精华集》上册，内蒙古人民出版社 1984 年版，第 318—322 页。
③ 乌·那仁巴图、达·仁沁：《蒙古民歌五百首》，第 995—997、977—978、1000 页。
④ 乌·那仁巴图、达·仁沁：《蒙古民歌五百首》，第 995—997、977—978、1000 页。

以上提及的民歌片段与《笳吹乐章》第48章《游子吟》歌词大意相同。《游子吟》歌词：

升彼高阜兮，思我故乡；
有怀二人兮，莫出户堂。
陟彼崔嵬兮，思我故乡；
有怀二人兮，莫出垣墙。——《游子吟》

据托力沁先生之言，《笳吹乐章》第14章《慢歌》、第12章《踏摇娘》二首歌与至今仍在青海、内蒙古西部地区所唱的民歌相同云云。① 遗憾的是托先生不仅没有提出任何证据，还改动了原章的某些字词。故在此重录如下：

日将出兮，明星煌煌。
寿斯征兮，秀眉其庞。
三十维壮，五十迟暮。
莫亲祖母，莫尊祖父。——《踏摇娘》。

十五欢娱八十衰，壮容华茂迟暮悲，祖妣最亲祖尊哉！——《慢歌》

此外尚有一些无论内容、形式都与《笳吹乐章》第17与18、29、30与31章颇为相似的民歌，恕不再列举。然而，我想基于蒙古民间传统韵文，堪称艺术之花的有二十来章歌曲中特介绍几章。欲与大家一同欣赏。这几章，托力沁先生在《蒙古帝王朝歌》一文中都未引用过的。

日之升，天为经。
民之行。君为程。

---

① 托力沁：《蒙古帝王朝歌》，《金钥匙》1986年第6期，蒙古文版。

水之流，随坎盈。
牝之游，驹之情。——《高士吟》

瞻彼堤岸，水则不溢。
有君牧民，当无畔散。
飞鸟虽疲，宁甘坠地。
君子固穷，至死不二。——《七宝鞍》

千金宝马，不如先人之畀遗。
尝尽诸果，不如母乳之甘兮。——《思哉行》

时乎时乎，时外无时。
时其逝矣，奚与乐为。
黄离既昃，定少温暾。
天光既暮，嘡嘡其阴。——《夕照》

嗟余生之欢乐兮，似黄离之昃盈。
感韵光之荏苒兮，似叶上之青色。
及芳华之当齿兮，且喜乐以永日。——《短歌》。

留意考究《箫吹乐章》歌词，可以发现一些歌词被修改，一些古词形态被改写的痕迹。比如第 21 章《际嘉平》与第 53 章《三章》歌词为：

诸恶莫作，菩提萨多。
暝曚妄行，用坠三途。——《际嘉平》

敬遵佛敕，如滋甘雨。
莫行邪恶，种兹罪苦。——《三章》

此二章原来似具中世纪蒙古语时期诗歌作品主要形式即押首韵（每行

首节音韵相同或相近）同时押脚韵的。在此，将第 21 章第一行最末一词蒙古语"脱列"这一古形被修改为符合晚期正字法的形式"脱罗"。这样一来，原来以剌、列（均读为转舌音）押脚韵的形式被破坏了。

不仅如此，将原歌词四行一首割裂为两行一首的二章。而且章与章①相隔过远，据今之新颜难以辨出其旧貌来。还有，第 32 章《至纯词》第 2 行首词应为"兀儿坤"而被修改为"额儿坤"。"兀儿坤"、"额儿坤"两种形式在中古蒙古语中交替使用，从"额儿坤"一词的形式符合晚期正字法来看，基本上可以肯定"兀儿坤"这一形式相对古于"额儿坤"。显然此章以斡、兀（阴性词）押韵的形式也被破坏了。第 33 章词牌为《美封君》，蒙古文为"阿阿失答儿罕"。回鹘式蒙古文阳性"吉"音节很像"失"音节，因而将"阿阿吉"之"吉"音节，讹为"失"音节。"阿阿吉"一词，今仍在卫拉特方言中广泛使用着，其口语形式为"阿阿黑"。托力沁先生以为维吾尔语的"牙黑失"（词义：好）②。看来错了。

1925 年，在北平曾经以《成吉思汗传》为书名出版《黄金史纲》。在该书的末尾附了《成吉思汗训言》和《蚂蚁传》等不少早期蒙古诗歌。我们将《成吉思汗传·附录》有关章节与《笳吹乐章》一些章节相比较，发现它们之间不仅有直接关联之处，而且还可以互补不足。譬如，《成吉思汗传·附录》第 155 页文："成吉思汗降旨来……兆民之乐，恃君之良；妻室之乐，恃夫之良……"这与《笳吹乐章》第 1 章《牧马歌》歌词相对应。《牧马歌》歌词：

> 人君之乐，恃此纪纲。
> 兆民之乐，恃我君王。
> 室家孔宜，夫君之力。
> 朋友有成，和辑之德。——《牧马歌》

《成吉思汗传·附录》第 190—191 页文："火中无清凉，苦途无安乐……飞鸟不免死……众生终难驻。"

---

① 本文中音译蒙古语词均采用类似《蒙古秘史》的注音方法。
② 托力沁：《蒙古帝王朝歌》，《金钥匙》1986 年第 6 期，蒙文版。

这与《笳吹乐章》第 58 章《接引词》歌词相对应。《接引词》歌词：

> 火宅无清凉，苦途无安乐。
> 鸟路谁能携，阎浮难驻脚。——《接引词》

《成吉思汗传·附录》第 191 页文："经本于礼云，罪本于嗔云，众本于母云，成本于和云。"这与《笳吹乐章》第 22 章《善政歌》歌词相对应。《善政歌》歌词：

> 经何本，本于宗。
> 身何本，媪与翁。
> 罪何本，嗔虫虫。
> 福何本，和雍雍。——《善政歌》

以上对比的两种汉译因直译与意译之差而措辞有异，其实蒙古文相同或极为相似（以下同，不再注明），并且据此可订正《笳吹乐章》第 2 行与第 3 行交错窜行之讹。

《成吉思汗传·附录》与上同页文："日月华，挂虚空，非永驻；帝后贵，临万民，非永固。"这与《笳吹乐章》第 17 章《明光曲》、18 章《吉祥师》歌词部分对应。如：

> 瞻彼日月，虚空发光。
> 圣君圣母，煜耀万邦。——《明光曲》

> 日月之明兮，容光必照。
> 圣君之明兮，蒸黎咸造。——《吉祥师》

从蒙古文歌词的行末填补小词可以明显地看出后者将前者稍加变动，后者为迎合宫廷需要删去前者认为不合时宜的成分而已。

13 世纪初，西藏学者萨迦班智达写下了著名的《萨迦格言》。《笳吹乐章》中有关训喻内容之歌词与印度、西藏格言诗有密切联系，甚至不少篇章直接引自萨班的《萨迦格言》。《萨迦格言》的蒙译有好几种版本，其中属于 13 世纪末、14 世纪初密咒大师索南迦罗（或似应为硕诺尔居罗？）的蒙译与《笳吹乐章》引自《萨迦格言》部分相符，这便是《笳吹乐章》涉及元代的重要依据。据某些学者研究，《萨迦格言》的形式与四行一首组成的藏族民歌非常相似①，因而有了充作蒙古雅歌来演唱的可能，并自然推导出在元代就已开始演唱，是顺理成章的事情。

《笳吹乐章》第 4 章《佳兆》歌词曰：

> 一人首出，万国尊亲。
> 湛恩汪岁，普被生民。
> 百花敷荣，一日悦目。
> 灌顶宝光，万众所伏。——《佳兆》

这与《萨迦格言》第二品论上流人、页二之四、总第 43 首相对应。然而歌词第二行显然改动过。

《笳吹乐章》第 8 章《君马黄》歌词曰：

> 大海之水不可量，天府宝藏奚渠央，
> 良朋和睦益无方，圣有谟训垂无疆。——《君马黄》

这与《萨迦格言》第一品论学者、页一之十、总第 29 首相对应。

《笳吹乐章》第 10 章《善哉行》和 11 章《乐土谣》歌词曰：

> 惟安惟和，心意所欲。
> 无二元虞，朋友式毂。——《善哉行》

---

① 哈斯础鲁：《论〈萨迦格言〉艺术特征》，《金钥匙》1983 年第 2 期；耿予方：《萨迦格言简析》，《西藏研究》1984 年第 1 期。

分人以财，惠莫大焉。

施人以慧，宁不踰斨。——《乐上谣》

这与《萨迦格言》第六品论本性、页六之十六，总第 252 首相对应。但《箛吹乐章》此二章将《萨迦格言》该首第 1、2、3、4 行原顺序打乱，依次按第 3、1、4、2 行排列之。

《箛吹乐章》第 39 章《好合曲》歌词曰：

维勤斯哲，安不可怀。

溺兹小乐，至乐难期。——《好合曲》

这与《萨迦格言》第一品论学者、页一之九、总第 24 首相对应。

《箛吹乐章》第 55 章《栏杆》歌词曰：

贤者斯贤贤，不贤不贤贤，

蜜蜂见花驻，蜻蜓去翩翩。——《栏杆》

这与《萨迦格言》第四品论察人识物、页四之五、总第 115 首相对应。

《箛吹乐章》第 41 章《天马吟》歌词曰：

骐骥不群蹇驴，鸿鹄不偕斥鹦，

驺虞不迩狐狸，圣哲不昵愚贱。——《天马吟》

这《天马吟》歌词内容虽与阿阇黎龙树著《智树论》第 152 首、婆罗门却生（胜欲）著《百伽陀论》第 81 首、诗人邓约恰（不空现）著《遮罗迦世法轮》第 8 品总第 246 首相同[1]，但未见与之相对应的蒙译。

1867 年（十五胜生火兔年），高僧古尔丹巴著《纸鹦鹉》中写道："难得人身，难遇佛法。难会善师，难祷三律，难学经咒，难生菩提，难证佛

---

① 《方技区参》，蒙古文丹珠尔第 123 函，第 229—246、260—267、270—287 页。

果……难越有界，难渡轮回。"① 这与《笳吹乐章》第 43 章《始调理》和
59 章《化导词》歌词内容近似。如：

> 福慧天亶，诚哉难觏。
> 通人达士，岂奚易近。——《始调理》

> 阎浮提界，如彼高山，
> 越之维艰。尽却今时，
> 大海漫漫，欲渡良难。——《化导词》

以下对《番部合奏乐章》简单说两句。看来《番部合奏乐章》述及有
词六章，无论在艺术性或民主性方面都不及《笳吹乐章》，整个来说都是为
佛僧三宝、帝王将相歌功颂德的赞歌。现举一例，见其一斑。如：

> 承乾体元，惟我圣君。
> 光开草昧，惟我圣君。
> 纲纪庶政，惟我圣君。
> 父母万国，惟我圣君。
> 惟我圣君兮，覆帱如天，
> 惟我圣君兮，自新新民。
> 惟我圣君兮，中外大安。
> 惟我圣君兮，群慝消沦。
> 拜首稽首兮，颂溢兆民。——《凤凰鸣》

应当指出，托力沁先生所下"明清统治者将蒙古贵族最重要的在祭祖
大典上演唱的《大番曲》、《小番词》这两首蒙古大朝歌曲之词不留痕迹地
全部抹掉了"这一结论纯属臆测。我们的依据是，在《成吉思汗祭典》② 和

---

① 内蒙古社会科学院图书馆 2832 号手抄本。
② 赛音吉日嘎拉、沙日勒代：《成吉思汗祭典》，民族出版社 1983 年版，第 166—168 页。

《蒙古萨满教研究资料》① 中都辑录了《大番曲》和《小番词》两首歌词的音标，但记音稍有差异。这两首唱词的音标语义现在尚未有人释读。另外在《成吉思汗祭典》中所记《大歌》与《蒙古萨满教研究资料》中所载《大蒙古之歌》都有歌词。《大歌》或《大蒙古之歌》究竟哪一说法更为确切，尚待继续探讨。

---

① 李·仁亲：《蒙古萨满教研究资料》第 1 集，维斯巴登 1959 年版，第 108—109 页。

第四编

人　物

爱猷识理达腊

爱猷识理达腊（1338—1378年），孛儿只斤氏，元顺帝妥懽帖睦尔之子。北元可汗，蒙古语尊号为必里克图可汗。爱猷识理达腊生母为皇后高丽人奇氏。

妥懽帖睦尔统治时期，元统治集团日益腐败，内部矛盾和斗争加剧。至正十四年（1354年），中书平章哈麻等乘脱脱出兵高邮，劾他劳师无功，妥懽帖睦尔听信谗言，贬脱脱。于是国家大权尽归哈麻、雪雪兄弟，妥懽帖睦尔更怠于政事，荒于游宴。至正十六年（1356年），哈麻、雪雪谋废妥懽帖睦尔，立皇太子爱猷识理达腊，事败被杀。其后，皇太子及其生母奇氏仍谋废立。宫廷内分为两派，一派拥护皇帝，一派支持太子，各自分别和统军将领孛罗帖木儿或扩廓帖木儿相勾结。自至正二十四年（1364年）起，两派矛盾尖锐化，北方陷于军阀混战的局面，元军将领为了争夺地盘，互相攻伐，妥懽帖睦尔的号令已失去作用。至正二十七年十月，农民军领袖朱元璋开始北伐。明洪武元年（1368年）七月，明兵逼近大都。七月二十八日，妥懽帖睦尔率后妃、太子奔上都。八月初二，徐达率明兵入大都，元亡。洪武二年六月，明将常遇春、李文忠攻上都，妥懽帖睦尔奔应昌。次年四月，因痢疾死于应昌。庙号惠宗，蒙古语尊号为乌哈笃汗，明太祖加号顺帝。

爱猷识理达腊于至正十三年（1353年），立为皇太子。至正十九年（1359年），与生母奇氏皇后共同图谋迫使顺帝内禅，但未成功。至正二十四年（1364年），命扩廓帖木儿讨伐孛罗帖木儿。孛罗帖木儿兴兵入都，亡走太原。次年（1365年），由扩廓帖木儿卫送返都。至正二十七年（1367年），受命总领天下军马，无奈元朝大势已去，于1368年随父亲一同北走应昌。

明洪武三年（1370年），应昌被明军攻破，爱猷识理达腊与数十骑北走和林，称帝，沿用大元国号。同年，明太祖朱元璋遣使诏谕元宗室部落臣民，诏书曰："今又遣官寻访爱猷识理达腊，若能敬顺天道，审度朕心，来抚妻子，朕当效古帝王之礼，俾作宾我朝；其旧从元君仓促逃避者，审识天命，倾心来归，不分等类，念才委任；直北宗王驸马部落臣民，能率职来朝，朕当换给印信，还其旧职，仍居所部之地，民复旧业，羊马孳畜，从便牧养。"① 必里克图可汗爱猷识理达腊对此不予理睬。

　　次年（1371 年），必里克图可汗改年号宣光，以示中兴大元王朝的决心。他在位期间励精图治，企图中兴大元王朝。必里克图可汗在扩廓帖木儿兵败沈儿峪逃回哈剌和林之后，重新任扩廓帖木儿以国事。同时还重用了元朝旧贵族太保哈剌章、太尉蛮子、纳哈出等，整顿吏治。必里克图可汗爱猷识理达腊还积极与云南的梁王把匝拉瓦尔密进行联络，"会元太子自立于沙漠，遣使脱脱自西番征粮云南"②，谋联兵拒明，又遣使朝鲜出兵，"顷因兵乱，播迁于北，今以扩廓帖木儿为相，内于中兴。王亦世祖之孙也，宜助力，复正天下"③。

　　必里克图可汗与此同时也不断对明朝主动出击。1372 年（洪武五年），必里克图可汗在故都哈剌和林实施诱敌深入，聚而歼之的作战方针，击败了明朝三路大军的主力大将军徐达率领的中路军五万骑兵，保卫了首都哈剌和林。是年，明朝以徐达为征虏大将军，遣兵十五万，分三路北征。大将军徐达率领明军主力由雁门关出边，扬言出征和林而缓进，引诱扩廓帖木儿所率北元军主力来近边决战；左副将军李文忠率领东路军出居庸关趋应昌，乘其不备袭击北元朝廷；征西将军冯胜率领西路军进兵甘肃行省，以迷惑和牵制西北蒙古诸王军队，配合中路军作战。二月，明朝中路军由山西出境，明军先锋蓝玉率军出雁门关后，进至野马川（今蒙古国乌兰巴托市以南），击败了与其遭遇的北元少量军队。三月，蓝玉率兵至土剌河与扩廓帖木儿军相遇，双方交战后北元军主动撤走。明军以常胜之师，迅速深入。北元军没有立即来迎敌，而是引诱明军深入。五月，大将军徐达率领明军主力深入至岭北行省境内，明军战败撤兵。李文忠率领东路军出居庸关，经口温（今内蒙古苏尼特旗境内的口温脑儿），至哈剌莽来（清代达里岗牧场境内的哈剌莽来哈必儿干），击败途遇的少量北元军，直抵克鲁伦河上游，没有发现北元汗廷的踪迹。东路军继续西进，在鄂尔浑河与北元军激战，又进至称海

①　《明太祖实录》，洪武三年六月丁丑条。
②　谷应泰：《明史纪事本末》卷 12《太祖平滇》，中华书局标点本。
③　《高丽史》，恭愍王世家二十二年二月乙亥。

（此地在鄂尔浑河西，可能不是在今蒙古国科布多之东的元称海宣尉司）。由于中路军早已退回，东路军成为孤军。明军设疑兵夜行军，摆脱了北元军的追击，途中迷失道路，使许多士兵饥渴而死。李文忠带回了出征俘获的"故元官属子孙、军士家属"一千八百多人。① 东路军在交战中丧失了宣宁侯曹良臣及周显、常荣、张耀等数员将领，损失很大。西路军由兰州出境，以傅友德为先锋，帅五千骑直趋西凉。至永昌（今甘肃永昌县），进至亦集乃（今内蒙古额济纳旗黑城），西至瓜州、沙州，扫荡了甘肃行省全境，俘获了一些居民牲畜而还。② 明军深入漠北的两路军都失败，只有牵制西北诸王的偏师有所斩获，未能达到消灭北元政权，"永清沙漠"的战略目的。

明军撤回后，北元军立即尾随南来，迫临明朝北边。第二年，北元军队多次出击明朝北部边境，东面于今河北省境内进攻明朝永平（今卢龙），深入迁安（今迁安）、抚宁（今抚宁）及瑞州（今辽宁绥中西南）等地；向正南接连进攻明朝在今山西省境内的武州（今神池东北）、朔州（今朔县）、岢岚、雁门（今代县西北）、忻州（今忻县），今河北省境内的蔚州（今蔚县）、弘州（今阳原），今北京市境内的怀柔等地；西面进攻明朝在今甘肃省境内的庆阳（今庆阳）、会宁（今会宁）、河州（今临夏）、兰州（今兰州），以及在今陕西省境内的保安（今志丹）等地，重新占据兴和（今河北张北县）、亦集乃（今内蒙古阿拉善盟额济纳旗境内）和甘肃省的西北部地区。③ 明朝原在北边以北元降众所设的诸卫所或反叛，或迁入内地。明朝派遣徐达、李文忠、冯胜等将领分别前往北平、山西等处练兵备边，在沿边要隘修筑堡塞，将边民迁入内地。

岭北之役的胜利，是北元初期的一个重要转折点，使北元转危为安，此役迫使明太祖暂时停止了统一北方草原的军事行动。洪武五年十二月，明太祖遣使赍书爱猷识理达腊，劝其知顺天命，与明朝和平共处，并劝其遣人取回在应昌弃下的儿子买的里八剌。另给北元儒臣刘仲德、朱彦德等人去信，

①　《明太祖实录》，洪武五年六月甲辰条。

②　《明太祖实录》，洪武五年六月戊寅条。

③　参见《明太祖实录》，洪武六年二月壬辰、壬寅条；洪武六年五月庚申；洪武六年六月壬辰、七月乙卯；洪武六年八月丙子；洪武六年十月丙子；洪武六年十一月壬子、闰十一月壬辰；洪武七年二月癸亥；洪武七年四月己亥；洪武七年四月甲寅、戊午；洪武七年四月甲辰。

让他们规劝昭宗遣使取回皇子。① 尽管明太祖做出了和平姿态，北元军继续侵犯明境。洪武七年九月，明太祖主动遣使送还买的里八剌，并致书爱猷识理达腊，劝其承认天命，打消中兴之念，与明朝和平共处，同时承认了昭宗对漠北地区的统治。② 这时期明太祖多次遣使招抚北元大臣驴儿、秃鲁、纳哈出等人，争取他们投降的同时缓和局势。由于双方暂时都无力大举征伐，南北对峙的局面开始稳定。

1378 年，必里克图可汗爱猷识理达腊去世。庙号昭宗。明朝遣使祭吊昭宗，欲在新君初立时与北元和解，奉劝其承认明朝的正统地位，北元没有回应。

（乌云毕力格　撰稿）

脱古思帖木儿

脱古思帖木儿（1342—1388 年），孛儿只斤氏，元顺帝妥懽帖睦尔之嫡孙，爱猷识理达腊之子。北元可汗，蒙古语尊号为兀思哈勒可汗。

脱古思帖木儿于 1378 年（明洪武十一年）或次年即汗位，年号天元。脱古思帖木儿即位后，明太祖朱元璋致书劝降，不从。兀思哈勒可汗脱古思帖木儿在位期间已经失去了其父爱猷识理达腊昔日中兴北元的壮志，在政治上无所作为。在他在位期间，明朝方面多次采取了打击和削弱蒙古的一系列行动，向南击败了梁王把匝拉瓦尔密，进而攻取了云南地区，紧接着攻略辽东，盘踞在辽东的北元大将纳哈出被迫投降。1380 年（洪武十三年），蒙古被明将沐英击败于哈剌和林（今蒙古国乌兰巴托西南）。1381 年又遭到明朝将领徐达的突然袭击，损失惨重。

北元政权此时已岌岌可危。由于北元汗廷与西部诸王矛盾尖锐，脱古思帖木儿汗没有西走避明兵，继续在克鲁伦河中下游一带游牧。洪武二十一年（1388 年）三月，明将蓝玉受命率军十五万发动了对北元汗斡耳朵的突然袭击。明军自大宁进至庆州，获悉北元汗斡耳朵在捕鱼儿海子（今内蒙古呼

---

① 《明太祖实录》，洪武五年十二月壬寅条。
② 《明太祖实录》，洪武七年九月丁丑条。

伦贝尔市贝尔湖）一带，兼程急袭。四月，明军至捕鱼儿海子南，侦察到脱古思帖木儿汗斡耳朵在捕鱼儿海子东北八十余里，蓝玉以部将王弼为先锋，直取其斡耳朵。北元君臣毫无防备，当日恰逢大风扬沙，狂风呼啸，遮掩了明军数万骑兵急行军时的巨大马蹄声及扬起的漫天尘土。脱古思帖木儿汗整顿车马正要北迁时，明军突然袭来。北元方面猝不及防，太尉蛮子率兵相拒，被击败，蛮子及其军士数十人被杀，余众投降。脱古思帖木儿汗与其太子天保奴、知院捏怯来、丞相失烈门等数十人乘机逃去，蓝玉率精骑追千余里，不及而还。明军俘获脱古思帖木儿汗妻子及次子地保奴等 64 人，另必里克图汗妻并公主等 59 人。明军又追获北元吴王朵儿只、代王达里麻、平章八阑等 2 994 人，军士男女 77 037 口。得宝玺、图书、牌面 149，宣敕、照会 3 390 道，金印一，银印三。马 47 000 匹，驼 4 804 头，牛羊 102 452 头，车 3 000 余辆。① 随后明军攻击了在哈剌哈河（今哈拉哈河）一带的哈剌章营，"获其部下军士 15 803 户，马驼 48 150 余匹"②。明军扫荡了北元在克鲁伦河中下游一带的游牧根据地。

脱古思帖木儿汗逃出后，向西迁往驻扎在哈剌和林一带的丞相咬住处，行至土剌河一带，遭到阿里不哥后裔也速迭儿王的袭击，与知院捏怯来等数人逃出，途中遇丞相咬住和太尉马儿哈咱领 3 000 人来迎，以阔阔帖木儿人马众多，欲前往依靠，适逢大雪未立即出发，也速迭儿派大王火儿忽答孙、王府官孛罗追来，杀死了脱古思帖木儿及其子天保奴。脱古思帖木儿死，庙号益宗。杀害脱古思帖木儿后，也速迭儿在瓦剌贵族支持下称汗，北元汗位从忽必烈家族一时转入其弟阿里不哥家族。随着也速迭儿篡位和瓦剌的兴起，北元的历史进入长期分裂割据阶段，权臣擅权专政，争权夺利，大汗汗权旁落，沦为权臣手中的傀儡。

（乌云毕力格　撰稿）

---

① 《明太祖实录》，洪武二十一年四月乙卯条。
② 《明太祖实录》，洪武二十一年四月癸酉条。

阿鲁台

阿鲁台，又作"阿鲁克台"、"阿禄台"，阿速氏。15 世纪前期蒙古汗廷的太师、权臣。阿鲁台即明代汉籍中著名的鞑靼首领"阿鲁台"。《蒙古源流》的作者说此人本名为 Ögedelekü，因为瓦剌的脱欢太师让他背筐拾畜粪，故得名为阿鲁台（Aruɣtai，背筐人）。这本是民间对阿鲁台一名的俗语解释。在《华夷译语》"鸟兽门"有"獐：阿剌黑台"（ * Araqtai）的记载，阿鲁台实际上就是这个词。①

阿鲁台原是元末名相脱脱长子哈剌章部下，出身于阿速部，当是元代阿速卫首领的后裔。自元末以来，侍卫军中的阿速、钦察诸卫均由太师右丞相伯颜、脱脱提调②。可知阿速贵族与脱脱家族关系不一般。元惠宗北撤时曾带走大批官僚、怯薛丹和侍卫亲军。后来的蒙古大汗本部就是以这些人加上上都、察罕脑儿（云需府）等地皇室私属人口为核心组成的。在大汗本部中骁勇善战的阿速、钦察等卫演变成的阿速、哈剌陈等部就成了北元政权的武力支柱。阿速部的阿鲁台一度控制东蒙古政权，依靠的就是这支力量。1403 年后蒙古分裂为两大集团，其一是以北元大汗脱古思帖木儿庶民为核心形成的部落集团，称野克莽官儿（Yeke mongɣul），汉译"大虏"、"大鞑子"。这一集团的政治代表是历届北元大汗。另一个是以阿里不哥属民为核心形成的部落集团，他们被称为"Oyirad"，汉译"瓦剌"，蒙古分裂后这一集团被绰罗斯家族统治。自蒙古与瓦剌分裂的那一天起，两大政治集团间就开始了厮杀。自 1403 年至 1438 年期间，以阿鲁台为首的东蒙古与马哈木、脱欢为首的瓦剌抗衡，为争夺蒙古高原霸权进行斗争。阿鲁台是这一时期东蒙古最具势力的首领，在其执政的三十多年间，西与瓦剌抗衡，南与明朝时战时和，最后被瓦剌脱欢所杀。

当时的东蒙古是由两股势力联合而成。一支是以鬼力赤、也孙台为代表，另一支以阿鲁台、马儿哈咱为代表。明代汉籍中，阿鲁台之名最早出现

---

① 乌云毕力格：《喀喇沁万户研究》，内蒙古人民出版社 2005 年版，第 22 页。
② 《元史》卷 138《伯颜传》、《脱脱传》，中华书局点校本。

在 1403 年，当时他是大汗鬼力赤的部下，称为"太保枢密知院"。《明太宗实录》记载，明永乐元年（1403 年）二月，明成祖诏谕鬼力赤并其部下大臣"太师右丞相马儿哈咱、太傅左丞相也孙台、太保枢密知院阿鲁台等"①，可知当时拥立鬼力赤为大汗的主要是马儿哈咱、也孙台、阿鲁台三人。其中也孙台是鬼力赤心腹；太师马儿哈咱就是在 1388 年从和林东行迎接脱古思帖木儿的"太尉马儿哈咱"②，此时已升为太师；第三号人物阿鲁台是脱古思帖木儿的直属部下。

明永乐元年（1403 年）十月，明朝得到消息，"鬼力赤、阿鲁台率众与瓦剌马哈木战，马哈木大败之，尽掠其人马，居兀鲁班答迷之地。"③ 此战应当发生在这年的夏天，是蒙古分裂后，两大集团间的第一次大规模战争，结果是东蒙古失败。

明永乐二年（1404 年）七月，明朝甘肃边臣报告："今春瓦剌亦败"，"鬼力赤部落比移北行"④。同年八月，出使哈密的明朝使臣报告："鬼力赤率众与瓦剌战罢，即旋兵南来。"看来得胜的蒙古乘胜出击，但战争的最后结果还是蒙古失败。1405 年，永乐皇帝赐谕赵王曰："西北屡有火，或鬼力赤与瓦剌战，从而南来。"⑤ 可以推断，1404 年、1405 年之交，鬼力赤与阿鲁台部众被瓦剌打败，南下明边。

军事上的失败导致鬼力赤、阿鲁台部众的分化。1406 年鬼力赤心腹也孙台被杀，马儿哈咱逃亡瓦剌，阿鲁台与鬼力赤则迁到北元大汗昔日根据地海剌儿河⑥。回到蒙古高原东部似乎是阿鲁台的主动行动，也是阿鲁台同鬼力赤势力斗争取胜的结果。失去心腹的鬼力赤从此不得不听从阿鲁台的摆布。但是如果从当时蒙古与瓦剌间的战争来看，东迁海剌儿河显然是阿鲁台、鬼力赤被瓦剌打败的结果。

---

① 《明太宗实录》，永乐元年二月乙未条。
② 《明太祖实录》，洪武二十一年十月丙午条。
③ 《明太宗实录》，永乐元年十月戊午条。
④ 《明太宗实录》，永乐二年七月辛酉条。
⑤ 《明太宗实录》，永乐二年八月丙申条；永乐三年七月丙申条；宝音德力根博士学位论文：《十五世纪前后蒙古政局部落诸问题研究》，第 23 页。
⑥ 《明太宗实录》，永乐四年十月乙卯条。

　　回到蒙古高原东部后，阿鲁台、鬼力赤继续与瓦剌争战。据《明太宗实录》，明永乐五年（1407 年）三月"鬼力赤欲西向与瓦剌战。"① 由于鬼力赤部下大臣"各怀异见"而导致分裂，最后阿鲁台废去鬼力赤，迎立元裔本雅失里为汗。阿鲁台迎立本雅失里，本意是借他特殊身份，能在与瓦剌的斗争中取得政治上的优势。然而，本雅失里回到蒙古，导致前任大汗鬼力赤被杀，鬼力赤部众纷纷降明或投靠瓦剌，大大削弱了东蒙古势力。1406 年至 1410 年间，明朝甘肃、宁夏边外有大批蒙古部众来降，人数不下 5 万人。这正是明方所说的"鬼力赤为众所戕，北虏迎立本雅失里，有不相符而奔溃者。"②

　　1409 年，阿鲁台、本雅失里率众征瓦剌，结果被瓦剌马哈木打败③。

　　1409 年，阿鲁台打败北征的丘福所率明军，取得不小的胜利。但好景不长，次年，明成祖北征，大敌当前的关键时刻，本雅失里与阿鲁台离心，向西投奔瓦剌，结果死于其妹夫马哈木之手。本雅失里被杀后，阿鲁台又拥立鬼力赤子阿台为汗，由此拉拢住了部分鬼力赤部众，如也先土干、朵儿只伯等人。而瓦剌马哈木抓住东蒙古被明军打败的机会，1411 年拥立答里巴为大汗，开始主动进攻阿鲁台。

　　1413 年，马哈木兵至饮马河（今克鲁伦河）、哈剌莽来，袭击阿鲁台。④ 阿鲁台不敌，向明朝求援。当时瓦剌已攻到阿鲁台根据地。

　　1414 年，明成祖亲征瓦剌，在忽兰忽失温大败瓦剌。瓦剌势力受挫，阿鲁台得利。蒙古在与瓦剌的争战中取得的最大战果莫过于永乐十三年底（1415 年、1416 年之交）的胜利。这年，瓦剌主动进攻蒙古。十月，瓦剌军队由斡难河南下，兵至阿忽马吉（今内蒙古西乌珠穆沁旗一带），阿鲁台率 3 万卫兵，迎击瓦剌军队，蒙古大胜，瓦剌马哈木、答里巴被杀⑤。关于这次战争，蒙古文文献称，阿台汗与阿鲁台太师为报前仇，出兵征瓦剌，杀死巴图剌（即马哈木），俘其子脱欢，马哈木之妻被阿台汗所娶。经这次战

① 《明太宗实录》，永乐五年三月甲戌条。
② 《明太宗实录》，永乐六年十二月癸巳条。
③ 《明太宗实录》，永乐七年六月辛亥、乙酉、丙寅条。
④ 《明太宗实录》，永乐十一年十一月壬午、甲申条。
⑤ 《明太宗实录》，永乐十三年十月癸巳条、十二月戊辰条，十四年三月壬寅条、六月丁卯条。

败，瓦剌中衰，失去了在与蒙古争霸斗争中的优势地位。

1415 年马哈木、答里巴被杀后，瓦剌实权被贤义王太平控制。贤义王太平对蒙古的政策仍未变。1417 年，瓦剌再次兵至蒙古高原东部，在兀古者河（今乌勒札河）败阿鲁台。① 但在 1419 年，阿鲁台主动进攻瓦剌，贤义王战败，其部众流散，有不少人到明边潜住。②

以阿鲁台为首的东蒙古强盛、瓦剌处于劣势的局面由于 1422 年、1423 年明军北征而发生变化。1422 年，明军北征，阿鲁台虽未与明军正面交锋，但听命于阿鲁台的朵颜等三卫却遭明军重创。1423 年，明军再次出边，阿鲁台不敢南向。瓦剌脱欢趁机打劫，于这年夏在克鲁伦河大败阿鲁台，"掠其人口马驼牛羊殆尽。"阿鲁台"部落溃散无所属"，其中一支也先土干于永乐二十一年（1423 年）十月降明。③ 次年，为避明军攻击，阿鲁台部众北撤，冬天又遭大雪。④ 经历这些打击，阿鲁台势力逐渐衰弱，而瓦剌脱欢在取得 1423 年胜利后力量蒸蒸日上。

1430 年、1431 年之交，脱欢率兵再次攻击阿鲁台，阿鲁台部众"狼狈离散，不相统属"，其部下犯明朝边境，"阿鲁台亦不能制。"⑤ 旧日根据地克鲁伦河、呼伦贝尔一带被瓦剌占据，漠北地区已无立足之地，因此他只好率部南下明边，以避瓦剌兵锋。

1431 年（宣德六年），阿鲁台遭瓦剌致命一击后，失去对部众的驾驭能力。在阿鲁台败亡之际，自永乐初以来一直听命于北元政权的兀良哈三卫开始背叛阿鲁台，纷纷投靠明朝，由此便引起了阿鲁台对兀良哈三卫的征讨。1432—1433 年间，阿鲁台征伐兀良哈三卫，并及女真地区。《明宣宗实录》记载："边报，阿鲁台部众东行攻兀良哈。"⑥ 宣德九年（1434 年）二月，阿鲁台不循明朝规定的入贡路线，直接从辽东派使向明朝入贡，这是因为此时他在岭东征讨三卫的缘故。而明朝误为"窥觇作过"，故明宣宗特谕辽东

---

① 《明太宗实录》，永乐十五年十月丁未条。
② 《明太宗实录》，永乐十七年十一月己酉条，十九年三月丁亥条。
③ 《明太宗实录》，永乐二十一年九月癸巳条，十月甲寅条。
④ 《明太宗实录》，永乐二十二年四月庚午条。
⑤ 《明宣宗实录》，宣德六年十月甲午条，八年十二月庚午条。
⑥ 《明宣宗实录》，宣德七年十一月辛巳条。

总兵官都督巫凯"宜谨备之"。①《皇明北虏考》、《明史·鞑靼传》根据上述记载，认定阿鲁台杀败兀良哈，遂驻牧辽塞②。事实上，阿鲁台并非在三卫久留。征伐三卫，反而加速了三卫倒向明朝的步伐。1433 年，三卫部众投降、归顺明朝这边明显增加。朵颜、泰宁卫首领脱儿火察、脱火赤均死于这一年。三卫叛离是加速阿鲁台灭亡的原因之一。阿鲁台对三卫的征伐、屠杀，无疑又是自剪其翼之举，未达到预期效果。在这种情况下，阿鲁台不可能在三卫站稳脚跟，倒是在这一时期，明朝方面不断加强大同一带防务。这举动也从一个侧面说明，阿鲁台在宣德八年（1433 年）二月从辽东入贡后不久即回到了岭西③。

1434 年初，瓦剌脱欢所立脱脱不花可汗率兵南下，袭击阿鲁台。阿鲁台与失捏干率 13 000 人徙居母纳山、察罕恼剌。④ 失捏干是阿鲁台部下部落首领，永乐年间一直活动在明朝大同边外。宣德九年（1434 年）七月，脱欢大败阿鲁台、失捏干，两人被杀。

阿鲁台部下朵儿只耷卜于永乐七年一度降明，后又叛逃，归附了阿鲁台。在阿鲁台败亡之际，耷卜再度出现在甘肃边外。宣德八年九月，耷卜犯明边，因明军早有提防，耷卜父子被杀⑤，部众溃散。

阿鲁台部下另一支首领孛的打李麻共有一千余骑。宣德九年（1434 年）十月，孛的打李麻与其部下犯明宁夏边外，被明军击退⑥。此后，他经常入侵明边。正统四年（1439 年）正月，孛的打李麻作为脱脱不花属下的第一知院，出现在明朝赏赐名单中，可知他在阿台汗、朵儿只伯部众被打败后投降了瓦剌。

阿鲁台残部中还有猛哥不花和阿坦赤两支人马。猛哥不花是也先土干之弟，永乐末年移居甘肃边外。正统初迁驻哈密北之把思阔（今巴里坤），此后长期以哈密为根据地，与瓦剌、哈密斗争。阿鲁台败亡后，阿坦赤出现在

①《明宣宗实录》，宣德八年二月庚寅条。
②《皇明北虏考》、《明史·鞑靼传》，中华书局点校本，第 8469 页。
③ 宝音德力根：《十五世纪前后蒙古政局部落诸问题研究》，第 31—32 页。
④《明宣宗实录》，宣德九年十月乙卯条。
⑤《明宣宗实录》，宣德八年九月己亥条。
⑥《明宣宗实录》，宣德九年正月辛丑条，十月丙寅条。

"镇夷之北亦集乃路"。正统三年（1438 年）后，明朝仍得到"阿坦赤等欲来犯边"的消息①。

与阿鲁台一同西迁的阿台汗、朵儿只伯回到甘肃边外，在瓦剌与明军的夹击下坚持了 4 年，到 1438 年秋被脱脱不花汗杀死。至此，阿鲁台部众大部分被瓦剌征服，蒙古进入短暂的统一局面。

（乌云毕力格　撰稿）

脱脱不花

脱脱不花（1433—1452 年），孛儿只斤氏。北元可汗，蒙古语尊号为太松可汗，又译作岱宗可汗。明代汉籍作脱脱不花王、不花王或普化可汗。脱脱不花是成吉思汗后裔台吉，据《蒙古源流》记载，额勒别克汗弟哈尔固楚克有遗腹子阿赛台吉，阿赛台吉有三子，长子脱脱不花，次子阿噶巴尔津、幼子满都鲁。②

15 世纪初以来，可汗成为东蒙古和瓦剌贵族手中的傀儡，变成了他们争权夺利的工具。瓦剌首领脱欢崛起，欲登大汗位，但因蒙古人传统的黄金家族观念而不得登位。《明史》记载，脱欢"内杀其贤义、安乐两王，尽有其众，欲自称可汗。众不可，乃共立脱脱不花，以先所并阿鲁台众归之。"③据研究，瓦剌的顺宁王马哈木早已想要迎立脱脱不花王为可汗。1409 年时，脱脱不花率所部降明，居住在甘肃边外。1431 年，马哈木之子脱欢粉碎东蒙古阿鲁台势力后，次年，脱脱不花离开明边，到脱欢那里，1433 年被拥戴为可汗。④ 1434 年（明宣德九年），脱脱不花与脱欢大败东蒙古太师阿鲁台。据记载，明宣德九年（1434 年）二月，"瓦剌脱脱不花王子率众至哈还

---

① 《明英宗实录》，宣德十年三月庚辰条；《明英宗实录》，正统三年十一月戊辰条。
② 乌兰：《〈蒙古源流〉研究》，第 265、267、272 页。《蒙古源流》记额勒别克可汗是兀思哈勒可汗（脱古思帖木儿）的儿子，同前第 265 页，我们没有其他史料可以明确其为忽必烈后裔还是阿里不哥后裔，但是成吉思汗后裔无疑。日本学者和田清最早指出汉籍的脱脱不花王就是蒙古文史书的太松汗（和田清：《明代蒙古史论集》，第 216 页）。
③ 《明史》卷 328《瓦剌》，中华书局标点本。
④ 和田清：《明代蒙古史论集》，第 218 页。

兀良之地，袭杀阿鲁台妻子部属，及掠其孳畜。阿鲁台与失捏干，止余人马万三千，徙居母纳山、察罕恼剌等处。七月，脱欢复率众，袭杀阿鲁台、失捏干，其部属溃散。阿鲁台所立阿台王子止余百人，遁往阿察秃之地。"①和田清指出，母纳山就是黄河、包头方面的母纳山；察罕恼剌是乌拉特境内的察汉泉。1438 年（明正统三年），攻杀阿鲁台所拥立的阿台可汗，领有阿鲁台部众，驻牧于蒙古东部地区。

脱脱不花尽得阿鲁台部众，兀良哈三卫自然成为可汗属部。脱脱不花通过他管辖的兀良哈三卫，积极经营女真各部。1451 年（明景泰二年），脱脱不花率军东向，大举侵入女真地区。据明朝派到女真的使臣高能报道，"脱脱领人马，自松花江起，直抵恼温江，将兀者卫一带寨子，都传箭与他，着他投降。中间投顺了的，找车辆装去，不肯投降的杀了。亦有奏了的寨子，俱放火烧讫。有考郎（兀）卫都指挥加哈、成讨温卫指挥娄得的女儿，都与了脱脱儿子做媳妇。脱脱到白马儿大泊子去处，将都督剌塔、伯勒格、都指挥三角兀及野人头目约有三四百人，尽数都杀了。脱脱身上得了浮肿病症，又害脚气，乘马不得。只坐车回还。留下五千人马，在木里火落等处喂马。要去收捕建州等卫都督李满住、董山等。"②正如和田清所说，被脱脱不花杀死的剌塔、伯勒格是兀者卫都督剌塔和肥河卫都督别里格。三角兀是双城卫都指挥。投降、成婚的成讨温卫指挥娄得是兀者卫都督剌塔的弟弟。考郎兀卫是今松花江、黑龙江两河汇合处的大卫。据此，脱脱不花征服了全部海西女真。③脱脱不花因患病西还蒙古草原，但仍留大军准备进而经营建州女真。

脱脱不花经营女真的过程中，1442 年曾以朵颜卫蒙古人笃吐兀王和海西女真波伊叱间等为使，诏谕朝鲜国王，自称元朝皇帝，书中称，他即位已十年。朝鲜国王为之震惊。

脱欢死，其子也先继承太师淮王欲控制蒙古各部。脱脱不花与也先

---

①　《明仁宗实录》，宣德九年冬十月乙卯条。
②　《少保于公奏议》卷 8《兵部为关隘事》，景泰二年五月十二日。
③　和田清：《明代蒙古史论集》，第 270—273 页。

"君臣鼎足而立，外亲内忌。"① 15 世纪 40 年代，因为也先忙于经营西部蒙古和中亚地区，脱脱不花游牧在蒙古东部，双方矛盾还没有充分暴露。但随着也先对中亚、明朝的接二连三的胜利，也先野心膨胀，终以太子拥立问题为导火线，可汗与也先太师开始仇杀。

脱脱不花正室为也先姐，也先欲立其外甥为太子，脱脱不花不从。明人记载："也先姐为其（脱脱不花）正室，有子不立为太子，而欲以别妻之子立之。也先言之不从。乃起兵来攻也先。"② 君臣反目后，也先下人阿哈剌忽知院与喀喇沁部头目等不满于也先专权而投奔了可汗③，脱脱不花势力强盛，在 1451 年底起兵攻也先，也先败走。到了次年年初，也先反攻，可汗大败，率数人逃脱，"也先尽收其妻妾太子人民。"④ 脱脱不花不久被他前岳父沙不丹所杀。

据《蒙古源流》的记载，也先是利用脱脱不花与其弟阿噶巴尔津的矛盾，反败为胜的。关于也先利用阿噶巴尔津打败脱脱不花的事，在蒙古文文献中均有记载。据《蒙古源流》，事情的大体经过是这样的：

脱脱不花可汗封其弟阿噶巴尔津为济农，带着弟弟满都鲁，兄弟三人征瓦剌。瓦剌军迎战于亦连的哈喇之地。按当时的对阵规则，为了争夺大阵的圆心，要先派出两个勇士比武。可汗方面派出了兀鲁氏把都儿小失的，瓦剌方面派出了不里牙惕氏把都儿归邻赤。两人在太平岁月里曾经是安答，相互了解对方的武艺：归邻赤善射，小失的善于用刀。这一天，小失的穿两层铠甲迎战，归邻赤未能射死他，而被砍死。那天夜里，对方对峙宿营。瓦剌人很恐惧，甚至萌生了投降的念头。此时，瓦剌的阿卜都剌扯臣来到蒙古营地，秘密拜访阿噶巴尔津济农，对他说："也先太师派我捎话来：'如果济农你一个人收降的话，我们就投降；如果你和可汗两个人分收的话，我们怎么能投降你们呢？与其被你们瓜分，还不如双方拼个你死我活。'我们听说你可汗哥哥欺负你。兄长坐着吃，却不给自己的弟弟。"当天夜里，济农在自己内部商议，说到："阿卜都剌的那番话说得对，而且切实。我的可汗哥

① 刘定三：《否泰录》，纪录汇编本。
② 《明英宗实录》，景泰三年二月壬午条。
③ 于谦：《少保于公奏议》卷 2《兵部为被虏走回人口事》。
④ 《明英宗实录》，景泰三年二月壬午条。

哥从前封我为济农，派我到右翼万户去的时候，只给我骑了一只瞎眼的黑公驼，送我走。在这次远征中又抢走了我的仆从阿剌黑出人察罕。我怎么能称他为哥哥，与他作伴呢？我现在就要和四瓦剌合为一处，把他赶走。"阿噶巴尔津济农不听其儿子哈尔固楚克台吉的劝阻，与瓦剌联合，打败了脱脱不花。①

两《黄金史》的记载与此稍有不同：太松汗即位后与其弟阿噶巴尔津济农等与瓦剌太师也先等人盟会于明安哈剌之地，太松汗不听敖汉部的桑得格沁彻辰所提出的先歼灭来议和的瓦剌诸太师，再派大军征讨的建议，由于太松汗与阿噶巴尔津济农二人素来不和以致发生争夺属民的纠纷，导致阿噶巴尔津济农倒戈遂伙同瓦剌，太松汗最终兵败身死。太松汗之子哈尔固楚克台吉则赞同桑得格沁彻辰的建议。但是哈尔固楚克台吉的意见同样未被采纳。

总之，瓦剌军在阿噶巴尔津济农的协助下打败了脱脱不花。脱脱不花兵败后感叹："把都儿小失的越发显示了奇才，然而转眼之间天运掉转了方向，阿噶巴尔津济农上了阿卜都剌扯臣的当，可惜我的名声很遭败坏和玷辱。"② 脱脱不花渡过克鲁伦河逃往肯特山③，到其休回娘家的妻子阿勒塔合勒真哈屯处，死于其前岳父火鲁剌思人沙不丹之手。这与《明英宗实录》所载脱脱不花可汗与也先战，最后被其"姻家兀良哈头目"沙不丹杀死大体上一致。④

脱脱不花死后，瓦剌人设下计谋，佯装请阿噶巴尔津济农做蒙古和瓦剌共同的可汗，也先做他的济农。阿噶巴尔津济农的儿子哈尔固楚克台吉说："上天有太阳月亮二物，下土可汗济农二主，皇后家的后裔有太师和丞相二职，自己的称号怎么可以送给别人！"济农不听，哈尔固楚克台吉愤然出

---

① 乌兰：《〈蒙古源流〉研究》，第274—275页。
② 乌兰：《〈蒙古源流〉研究》，第275页。
③ 佚名：《黄金史》说逃往克鲁伦河，沙斯契娜：《大黄史》说奔肯特山而去，《蒙古源流》则说渡克鲁伦河，奔肯特山而去。
④ 《明英宗实录》，景泰四年八月甲午条。

走，逃至托克马克。① 瓦剌人设"鸿门宴"，阿噶巴尔津济农上当，席间他本人及其随从全被杀死。

（乌云毕力格　撰稿）

也　先

也先，清译额森，瓦剌人，绰罗斯氏，北元可汗。

也先祖父为马哈木，父亲是脱欢太师。马哈木在蒙古文史书中又被称作巴秃剌丞相。明初，马哈木、太平、把秃孛罗分领瓦剌诸部，屡与东蒙古作战。1409 年（明永乐七年），马哈木受明朝册封为"顺宁王"，同年袭破蒙古可汗本雅失里及阿鲁太师，占领哈剌和林一带。1412 年（永乐十年），杀死了本雅失里可汗，立答里巴为可汗。1414 年，明成祖以朝贡不至率兵亲征。他迎战于忽兰忽失温（今蒙古国乌兰巴托东南），败走土拉河。次年遣使修好朝贡关系。据《明太宗实录》载，永乐十三年，蒙古阿鲁台击败了瓦剌，杀死了答里巴。②《明太宗实录》永乐十三年三月壬寅条载："阿鲁台战败瓦剌之众，遣使舍驴等奏献所俘获人马。"1416 年为东蒙古阿鲁台所败，次年卒。

据佚名《黄金史》载，阿台可汗打败瓦剌，杀死巴秃剌丞相、俘获其子脱欢。阿台可汗、阿鲁台率兵出征瓦剌，阿台可汗手下大将科尔沁部小失的王阵斩瓦剌大将鬼邻赤，蒙古遂大胜，最终杀死忽兀海太尉③之子巴秃剌丞相，阿台可汗娶巴秃剌之妻并俘获其子脱欢，将他赐与阿鲁台太师牧羊。《蒙古源流》载，因阿台汗和阿鲁台太师等把俘获的巴秃剌之子关进锅底下，故称其为"脱欢"（脱欢，蒙古语，意为锅）。实际上，脱欢是突厥语的 Toqan，译言食肉猛禽。④

脱欢于 1418 年袭顺宁王爵。大约于 15 世纪 20 年代中期，他兼并瓦剌

---

① 托克马克（Toɣmaɣ—Toɣmoɣ），当即古碎叶城所在地的 Tokmak，今属吉尔吉斯斯坦，汉译"托克玛克"。乌兰：《17 世纪蒙古文史书中的若干地名》，《中国边疆史地研究》1998 年第 4 期。

② 《明太宗实录》，永乐十三年十月癸巳条。

③ 《蒙古源流》说忽兀海太尉为瓦剌的扎哈明安氏。

④ 参见希都日古：《17 世纪蒙古编年史与蒙古文档案文书研究》，辽宁民族出版社 2006 年版。

另两位首领贤义王太平、安乐王把秃孛罗之部众，统一瓦剌诸部。1433 年，袭杀东蒙古太师阿鲁台，悉收其部，并拥立元裔脱脱不花为可汗，自称太师，把持朝政。1438 年，打败东蒙古阿鲁台并杀死了其所立阿台可汗，暂时统一全蒙古，为其子也先后来的霸业奠定了基础。

据蒙古文史书记载，脱欢曾一度即可汗位。《黄金史》记载了一则故事：脱欢统一蒙古，野心膨胀，便到成吉思汗八白帐前叩拜，并即了大位。脱欢饮酒而醉，口出狂言，对成吉思汗宫帐喊话道："你是有福荫的成吉思汗，而我是有福荫的成吉思汗女儿的后裔！"并攻击宫帐。这时，成吉思汗箭筒里的一支箭射中了脱欢，脱欢鼻子和嘴里冒出鲜血而毙命。① 明代汉籍里不见脱欢即汗位的记载。

1439 年，脱欢死，其子也先继任为太师，控制脱脱不花汗，成为蒙古实际上最高的统治者。也先在其父脱欢统一瓦剌、兼并蒙古各部的基础上继续发展，以武力威胁、政治联姻等手段向外扩张，在西部征服哈密、沙州三卫，东破兀良哈三卫，势力直抵达女真。然后南下，于 1449 年（明正统十四年）大举侵明，在土木之役中俘获明英宗。1452 年杀死脱脱不花汗，即蒙古大汗之位，1454 年死于内讧。

也先与哈密忠顺王很早就有联系。1439 年（正统四年），明朝封卜答失里之子倒瓦答失里为忠顺王，他是也先姐姐弩温答失里之子。1442 年（正统七年），倒瓦答失里向明朝奏："欲与也先太师缔婚……"②，可知这时也先对哈密的控制主要是采取联姻方式。但是从 1443 年始，也先对哈密的政策转向武力征服。1443 年，"也先遣其徒那那舍利等率众三千攻围哈密。"明朝对缘边诸将谕："瓦剌虽岁遣入贡，然虏情不常，讵可忘备！曩闻也先遣人纠合兀良哈，近复攻劫哈密，擒其王母，又与沙州等卫结婚，其情皆未可测。"③ 也先就这样武力侵入哈密，将忠顺王母及妻作为人质带回瓦剌，开始了与明朝围绕哈密控制权的争夺。

哈密被攻破后，忠顺王多次遣使向明朝告难。明朝一面派使告诫也先，

① 罗藏丹津：《黄金史》，第 585 页。
② 《明英宗实录》，正统七年七月戊寅条。
③ 《明英宗实录》，正统八年九月乙卯条，十月庚子条。

要他"敬顺天道，勿听谗构祸"。一面谕缘边诸将："严督训练，以防警急"。① 因为当时明朝担心自己的防务，无力顾及哈密安危，明朝并没有采取有力措施干预也先控制哈密。

1444 年，也先把忠顺王母、妻送还哈密。但次年也先又一次取忠顺王母、妻及弟，掠往瓦剌。《明实录》载："近日也先令头目塔剌赤等至哈密，取尔母妻弟。适有撒马儿罕兀鲁伯曲烈干遣使臣满剌麻等一百余人进贡方物，路经哈密，被塔剌赤等逼诱，同往瓦剌。又将沙州逃来人家亦强逼带去"。② 自也先攻破哈密后，也先与忠顺王、也先与脱脱不花、忠顺王的朝贡使臣结伴来明，可知此时哈密实际上已在蒙古控制下。明朝对此默许，不仅接受所派使臣，还告诫赤斤、沙州大小头目，差人护送使臣，钤束部属，不得邀取使臣财务③。1449 年，忠顺王联合瓦剌人抢杀近边沙州寓居罕东卫都指挥佥事班麻思结人畜④，说明瓦剌与哈密关系已非一般。

明正统中，明朝日趋腐朽衰弱，而此时的蒙古处于短暂统一局势。虽说脱脱不花与也先各自为政，暗地相斗，但往日东西蒙古间进行的军事斗争暂时平息了。这为也先外侵提供了有利条件。1446 年，也先进攻兀良哈三卫。1449 年南下进攻明朝，原因是明朝减少贡使。据《明实录》记载："初，遣使不满百人，十三年增至三千余人。"⑤ 也先连年增加使臣人数，明朝不但要赏赐，且招待贡使的费用也成为沉重负担。正统十年（1446 年），大同左参将石亨奏："比年瓦剌朝贡使臣，动二千，往来解送及延住弥月，供牛羊三千余只，酒三千余坛，米麦一百余担，鸡鹅花果诸物，莫计其数。取给官粮不敷，每卫助银完办。"⑥ 1448 年，所报使臣达 3 598 人，其中虚报了一千余人，明朝方面"验口给赏，其虚报者皆不与。⑦"于是，也先大怒，举兵进攻明边。《明英实录》记载："也先寇大同，至猫儿庄。脱脱不花寇辽

① 《明英宗实录》，正统八年十月己亥条，十月庚子条。
② 《明英宗实录》，正统十一年五月庚辰条。
③ 《明英宗实录》，正统九年四月庚寅条。
④ 《明英宗实录》，正统十四年四月乙丑条。
⑤ 《明英宗实录》，正统十三年十二月庚申条。
⑥ 《明英宗实录》，正统十年十二月丙寅条。
⑦ 《明英宗实录》，正统十四年七月己卯条。

东，阿剌知院寇宣府，围赤诚，又别遣人寇甘州。"① 也先在大同边外猫儿庄杀明将吴浩。几天后，与大同守将总督军务宋瑛、总兵官朱冕、左参将石亨交战，宋瑛、朱冕二人战死，石亨逃回大同。

明正统十四年（1449 年）边境告急，宦官王振挟持明英宗，于七月十六日从北京出发，亲征也先，八月一日抵达大同。第二天闻先前所派各路军队战败的报告，决定退兵。八月三日开始东撤，也先追击。十四日，明军撤至土木堡，瓦剌军队追至，将明军包围起来。十五日，瓦剌军队攻入，明英宗被俘，王振等从臣一百多人皆死。这就是所谓的"土木之变"。据蒙古文史书记载，蒙古人送给英宗一个名叫莫鲁扎克图的妇人，并给他起了"莫忽儿小厮"（秃头小厮）的绰号。英宗和莫鲁生了一个儿子，其后人在阿苏特部云云。②

明英宗被俘后，明蒙之间开始交涉。《北征事迹》载："正统十四年八月十六日，明英宗让袁彬写书，差千户梁贵回京，奉圣旨讨珍珠六托，九龙缎子、蟒龙、金二百两赏也先。"此后，也先便携带明英宗回到蒙古草原。九月初六日，明朝新立皇帝。九月二十四日，也先召集各大头目会议，决定"调军马再去相杀，令彼南迁，与我大都。"③

十月也先率兵进攻北京。明朝 20 万大军在于谦等人的指挥下迎战，也先战败。因脱脱不花、阿剌两军逗留不进，也先只好撤离北京。十月二十日，脱脱不花遣使往明朝。景泰元年（1450 年）正月，阿剌正式向明朝提出和议。经双方妥协，一年后的景泰元年（1450 年）八月初二，也先送还明英宗，持续一年的明朝与瓦剌战争至此结束。

这时，脱脱不花与也先的矛盾加剧。在原阿鲁台部下孛的打里麻、伯颜帖木儿、孛来等东蒙古贵族的支持下，脱脱不花开始与强大的瓦剌也先势力斗争。脱脱不花与也先最后决裂是因为立太子之事。对此，《明英宗实录》记载："瓦剌也先遣使赍奏来言：其故父夺治阿鲁台部落，以可汗虚伪，乃扶脱脱不花王立之。也先姊为其正室，有子，不立为太子，而欲以别妻之子

---

① 《明英宗实录》，正统十四年秋七月己丑条。
② 罗藏丹津：《黄金史》，第 590—591 页。
③ 《明英宗实录》，正统十四年十月庚戌条。

为之。也先言之，不从。乃起兵来攻也先。"① 关于此事，《李朝实录》等史书的记载与上述有所出入。但是可以确信的是，脱脱不花与也先矛盾的焦点确实是立太子问题。也先想立其外甥为太子，目的是以国舅身份继续把持朝政，而脱脱不花则执意要立东蒙古出身的妻子所生之子，夺回失去的权力。

蒙文史书记载了脱脱不花与也先交战前的一些事情。其中提到东蒙古与瓦剌的一次会盟，说脱脱不花与也先要在 Mingyan iqar 之地会盟。瓦剌也先太师、阿剌知院、太傅阿都剌、平章撒都剌等人先率千余人到达。脱脱不花可汗的谋士建议，此乃天赐良机，应杀死这些瓦剌太师，之后以大军攻瓦剌。② 这一建议未被脱脱不花采纳。这段富有传说色彩的记载反映了脱脱不花与也先分营而治的情况，为我们提供了当时瓦剌头面人物的名单。双方会盟地 Mingyan iqar 可能就是哈剌忙来（Qara manglai，汉译为断头山）或是在其附近的某处，此地是脱脱不花的营地或营地附近。③ 脱脱不花与也先反目就是在此次会盟之后。

当也先得知脱脱不花有敌意，便逃亡荒忽儿孩。脱脱不花与也先在荒忽儿孩进行了决战。结果是脱脱不花被打败，逃亡兀良哈，在那里被其前岳父沙不丹所杀。据《明实录》记载，二人决战的准确日期为景泰二年十二月二十八日④。

脱脱不花可汗死后，也先便为篡夺蒙古大汗之位做准备。也先要想成为蒙古大汗，首先必须得到整个蒙古异姓封建主、特别是东蒙古封建贵族的支持；其次，必须镇压残存的元裔。

脱脱不花死后，也先马上派人与东蒙古讲和，极力拉拢脱脱不花旧部贵族，对他们表现得十分宽容。阿鲁台子伯颜帖木儿、哈剌陈部首领孛来都聚拢到也先的麾下。对站在脱脱不花一边与自己作过战的其他大头目，如阿哈剌忽知院、孛的打里麻等人，也先也极力拉拢。另一方面，也先对黄金家族成员进行残酷的镇压。脱脱不花弟阿噶巴尔津济农父子投靠也先后被杀死。事见脱脱不花传。经也先屠杀，元裔黄金家族后裔已寥寥无几。明人所说也

① 《明英宗实录》，景泰三年二月壬午条。
② 朱风、贾敬颜：《汉译蒙古黄金史纲》，第173—174、59—69 页。
③ 宝音德力根：《十五世纪前后蒙古政局部落诸问题研究》，第37 页。
④ 《明英宗实录》，景泰三年九月庚子条。

先"杀元裔几尽"，毫不夸张。

1453 年夏，也先正式登极，取国号为"大元"，年号"天圣"，当上了蒙古大汗。但是，刚刚过了一年，也先便死于非命，称汗之举闹剧似的结束了。

也先是被他部下阿剌知院打败后死于其仇人索儿孙之子手里。阿剌知院是瓦剌四万户中的巴图特万户首领，当时瓦剌的第二号人物，兵力与部众仅次于也先。自脱欢灭贤义王太平、安乐王把秃孛罗之后，阿剌就成了瓦剌最具势力的贵族之一。据说，阿剌与也先反目，是因为求太师之位不得。蒙汉文史书对此记载一致，当属信史。据郑晓记载，也先有平章哈剌（即阿剌），欲继也先为太师。也先不许，而以其弟弟（儿子之误）平章阿失帖木儿为太师。哈剌大怒，欲杀也先。也先先下毒手，杀死了哈剌之子。哈剌先装出被也先威慑之状，伺机袭击也先。也先率数十骑逃出，途中饥渴难忍，到一妇女家中求酪喝。妇女认出了也先，她丈夫回来后追杀了也先。两《黄金史》的记载与此记载相吻合：也先被阿剌打败后只身逃出，因为饥渴，来到一妇人家求酸马奶喝。不料，这正是自己处死过的索儿孙寡妻家。索儿孙家人认出了也先，索儿孙之子孛浑杀死了也先，并将其尸体挂在树上。①

据乌兰考证，也先在推河、塔出河之间的晃忽儿淮地面受到攻击，仓皇逃出后溯推河向北而逃，至河源地库该山被杀。②

脱欢父子的败亡说明，蒙古人不承认非黄金家族的最高统治权。脱欢被成吉思汗灵帐中的神箭所射死的故事充分反映了这一点。攻杀也先的阿剌知院虽是瓦剌贵族出身，但他也是传统势力的代表。在杀也先之前，阿剌派人诉说也先三条罪状，其中最为重要的一条就是"脱脱不花可汗的血在汝身上。"③

（乌云毕力格　撰稿）

----

① 关于这段史实，见乌兰：《〈蒙古源流〉研究》，第 331—332 页。
② 乌兰：《〈蒙古源流〉研究》，第 332 页。
③ 《明英宗实录》，景泰五年十月甲午条。

毛里孩

毛里孩，又作卯里孩、木里王、摩里海等，蒙古语写作 Mooliqai，或 Maɣuliqai。孛儿只斤氏，成吉思汗异母弟别力古台后裔。《大黄史》称他为别力古台后裔毛里孩巴图鲁王（Mooliqai baɣatur ong）[1]，而明人又呼作"黄苓王毛里孩"[2]。别力古台后裔王号为"广宁王"，黄苓王即广宁王之音变。蒙汉文史料一致证明，毛里孩为别力古台后裔。

也先汗死后，1455 年（景泰六年）喀喇沁部首领孛来（又作孛罗）率兵击杀瓦剌阿剌知院，俘其母妻，夺得玉玺，并扶立脱脱不花汗幼子为可汗。脱脱不花死后，留有二子，一为小哈屯撒木儿太后所生幼子马儿苦儿吉思，一为沙不丹女阿勒塔哈勒真哈屯所生莫兰台吉（清代译为摩伦台吉）。[3] 孛来立马儿苦儿吉思为可汗，自称淮王、太师、右丞相，操纵朝政。马儿苦儿吉思汗（1455—1465 年）因幼年即位，明人称其为"小王子"。此后明人把北元可汗通称"小王子"。关于拥立马儿苦儿吉思为可汗的人，蒙古文史料没有提及，明代汉文史料则有两种说法，即：一说孛来太师，一说毛里孩王。景泰六年（1455 年）明人得报，"虏酋卯里孩立脱脱不花王幼子为王，卯里孩升为太师。"[4] 因此有人认为，马儿苦儿吉思是被毛里孩王推上汗位的，所以毛里孩自然被升为太师了。[5] 实际上，这是明人的误传，"太师"一职虽显赫，但只有异姓贵族才担任该职，而毛里孩为广宁王，绝无任太师之理。可见，马儿苦儿吉思是由孛来拥戴为王的。

但是，虽然马儿苦儿吉思由孛来拥立，毛里孩王一直还辅佐着年幼的大汗。马儿苦儿吉思可汗即位的当年，毛里孩、孛来等领兵四万，与马儿苦儿

---

① 沙斯契娜：《大黄史》，第 103 页。
② 《明宪宗实录》，成化三年三月己丑条。
③ 乌兰：《〈蒙古源流〉研究》，第 279 页。
④ 《明景帝实录》，景泰六年八月己酉条。
⑤ 义都和希格主编：《蒙古民族通史》第 3 卷（曹永年执笔），内蒙古大学出版社 1991 年版，第 144 页。

吉思可汗一同攻打瓦剌。① 《蒙古源流》这样记载这次战争：太松可汗脱脱不花的小哈屯撒木儿太后，"将年仅七岁的马儿苦儿吉思放在驮箱里，他母亲撒木儿太后亲自挎刀，率领骑马的、役牛的、步行的军队出征，在空归、札卜罕地方（指今蒙古国西部空归河与札卜罕河之间的地方——引者）向四瓦剌发起进攻，缴获了大量的战利品，回营驻下。随后扶七岁的儿子马儿苦儿吉思即位，人称'兀客克图可汗'（意即'驮箱里的可汗'——引者）。"②

《明史》记载，"鞑靼部长孛来复攻破阿剌（瓦剌阿剌知院——引者），求脱脱不花子麻儿可儿（即马儿苦儿吉思——引者）立之，号小王子。阿剌死，而孛来与其属毛里孩等，皆雄视部中。"③ 这段话比较真实地反映了马儿苦儿吉思即位初毛里孩与孛来相处的情况。这时，毛里孩、孛来等共同遣使与明朝通贡贸易，并南下到黄河河套，往来驻牧，并与斡罗出部联合，寇掠明朝西北边境。但时隔不久，控制幼主的权臣们发生了矛盾。

1461 年秋，明朝方面得报："脱脱不花王子（指马儿苦儿吉思——引者）领兵万余，将往石头城袭杀孛来。"④ 可见，可汗与孛来的关系此时已经破裂。但从事实结果看，马儿苦儿吉思未能震慑孛来。是年冬天和次年夏、冬孛来遣使明朝，单独与明廷贸易。接着，天顺六年（1462 年）至成化元年（1465 年）春，孛来和马儿苦儿吉思可汗多次联名来明廷"进贡"，孛来对马儿苦儿吉思的控制似乎加强了。⑤ 但不久，君臣矛盾再度激化，孛来袭杀了马儿苦儿吉思可汗。这事在明朝官书和私人著述中均有反映。据《蒙古源流》记载，马儿苦儿吉思可汗被多罗土蛮部的朵豁郎台吉杀死。据研究，这位朵豁郎台吉是汉籍里面的"瘸太子"，即哈赤温后裔脱脱罕，他是受孛来的指使杀死可汗的。《皇明北虏考》的记载支持了这一说。⑥

1465 年，孛来太师杀死马儿苦儿吉思可汗后，毛里孩起兵杀死了孛来

① 《明景帝实录》，景泰六年十月乙卯条。

② 乌兰：《〈蒙古源流〉研究》，第 279 页。

③ 《明史》卷 328，"鞑靼"。

④ 《明英宗实录》，天顺五年九月乙巳条。

⑤ 参考义都和希格主编：《蒙古民族通史》第 3 卷（曹永年执笔），第 149 页。

⑥ 乌兰：《〈蒙古源流〉研究》，第 336 页。

太师。《明宪宗实录》载，"孛来太师近杀死马儿苦儿吉思可汗，毛里孩又杀死孛来。后又新立一可汗。有斡罗出少师者，与毛里孩相仇杀。毛里孩又杀死新立可汗，逐出斡罗出。"①

关于毛里孩另立新可汗之事，蒙古文史料多有记述。据佚名《黄金史》记载：当年，沙不丹杀死脱脱不花时，因为其子莫兰台吉系自己的外甥而未加杀害。后来，有人把莫兰台吉送到毛里孩王处，并对他说："也可兀鲁思（指成吉思汗异母弟别里古台后裔兀鲁思——引者）基业既已稳定，你登可汗之位吧！"毛里孩王说："我的汗主非无子孙，于我自身及后嗣而言，皆非所宜。"毛里孩王将其坐骑给莫兰台吉乘骑，将自己的金刚顶给他戴上，使他即了可汗大位。② 原来，毛里孩王所立新可汗正是脱脱不花可汗之阿勒塔哈勒真哈屯（沙不丹之女）所生莫兰台吉。

《明宪宗实录》记载莫兰可汗不久被毛里孩王所杀，是事实。上引《黄金史》生动地记载了事件的经过：莫兰可汗即位后，鄂尔多斯的孟克、哈丹布哈二人进谗言："毛里孩王与萨玛台哈屯设下毒计，准备害你。"可汗信以为真，决定先发制人，出动了兵马。二人又到毛里孩王处挑拨，王不信，及至见到大兵尘烟才相信。于是毛里孩王召集军队，对天禀告："上苍长生天你昭鉴吧！福荫圣主你昭鉴吧！我尊崇你的子孙，而你的子孙反而对我起了歹意。"毛里孩王领兵迎战，捉了可汗，并杀死了他。③ 这事发生在1466年。

据上引《明宪宗实录》的记载，毛里孩王杀死莫兰可汗之后，继续与斡罗出混战，终将后者从河套逐出。成化二年（1466年）十月明人得报，"今年九月谍报贼首阿老出（斡罗出）等拥众入边抢掠，毛里孩率众袭其老营，尽掠其人口孳畜。阿老出同其子及头目十余人俱遁去。"④ 毛里孩王不仅加强了对河套地区的控制，此后还进一步控制了原在孛来掌控之下的兀良哈三卫。《明宪宗实录》成化二年（1466年）九月的记载中为"建州右卫

①　《明宪宗实录》，成化三年正月丙子条。
②　参考朱风、贾敬颜：《汉译蒙古黄金史纲》，第72—73页。
③　参考朱风、贾敬颜：《汉译蒙古黄金史纲》，第73—74页。
④　《明宪宗实录》，成化二年十月丙辰条。

女直指挥捏察等来报：木里王遣使至三卫头目苦特，令拥众六千，分掠开原、抚顺、沈阳、辽阳等处。"① 又成化十年（1474 年）正月的记载中说："重给朵颜卫印从本卫署印，知院脱火赤言，其印为毛里孩所掠故也。"② 毛里孩夺取了三卫朝贡的勘合印信，垄断了朝贡的利益。1468 年时有情报指出："虏酋毛里孩控弦数万，远与兀良哈朵颜卫等处诸种夷人诱结，势既增大，其心可知。"③

毛里孩王死于科尔沁万户贵族之手。据《明宪宗实录》载，1467 年春，"齐王孛鲁乃、黄苓王毛里孩"等一起遣使明廷。④ 这位齐王孛鲁乃就是合撒儿后裔王。可见，毛里孩曾经与齐王家族有密切联系。据佚名《黄金史》记载，兀捏孛罗（孛鲁乃弟）听说毛里孩杀死可汗的消息后说道："也速该把阿秃儿乃吾父，我母诃额仑额克诞育了帖木真、合撒儿、哈赤温、斡赤斤，我等系一母同胞，另由苏齐克勒皇后怀中降生了别克帖儿、别里古台二人。以圣主为首，率领我们的祖先合撒儿害死了别克帖儿。以此嫌隙，这才杀了莫兰可汗。吾汗虽无子嗣，但作为合撒儿后裔的我，终须干预。"⑤ 为了报莫兰可汗之仇，兀捏孛罗兴兵征讨毛里孩。毛里孩发觉后逃走。兀捏孛罗追上毛里孩子弟七人，尽数杀死。毛里孩王骑着甘草黄马，穿着脱毛旱獭皮衣，在空归河与札卜罕河之间（在今蒙古国西境）用锦棘儿搭帐篷，吃生湿之物度日，终因饥饿死亡。有学者认为，这里把孛罗乃的事迹误记到了他的弟弟兀捏孛罗王身上，实际上是指 1468 年（成化四年）底或 1469 年初毛里孩被其昔日的盟友孛罗乃杀害一事。

（乌云毕力格　撰稿）

乩加思兰太师

乩加思兰太师（？—1479 年），15 世纪蒙古汗廷的异姓权臣。文献对

---

①　《明宪宗实录》，成化二年九月丁酉条。

②　《明宪宗实录》，成化十年正月辛亥条。

③　《明宪宗实录》，成化四年九月辛酉条。

④　《明宪宗实录》，成化三年三月己丑条。

⑤　佚名：《黄金史》，第 160、161 页。

乩加思兰的出身有不同记载。佚名《黄金史》说他是瓦剌人（Oyirad）；罗藏丹津《黄金史》说是畏兀特（Uyiɣud）人。萨冈彻辰《蒙古源流》一说瓦剌人，又说畏兀特人；《明宪宗实录》指他为麦克零，而郑晓《皇明北虏考》则称他为哈密北山的乜克力，麦克零大概就是乜克力。据此，学界对此人的出身亦有不同的看法。和田清认为乩加思兰是住地在哈密北山一带的野乜克力人。珠荣嘎认是畏亦忽惕（委兀惕）人。[①] 宝音德力根认为，蒙古、汉文史籍把乜克力人记为畏兀特（Uyiɣud）、委兀慎（Uiɣurjin）是因为当时的蒙古人视乜克力人为畏兀儿化的蒙古人。[②]

蒙古史学界早就认定明代汉籍中的乩加思兰即诸蒙古文史书所称之 Begirsen Tayisi。据伯希和研究，乩加思兰可能是突厥语名称 Bäg-Arslan（伯克·阿儿思兰）[③]。

据《明宪宗实录》载，"乩加思兰，虏酋之桀黠者。有智术，喜用兵。其初，部下三四百人，时住迄西吐鲁番地面，往来抢掠，西域贡使多苦之。天顺间，遣使赍书，赏赐招抚，乃移其哈密城外巴尔思渴地方驻扎。自是渐犯边。"[④] 据和田清考证，乩加思兰所住巴尔思渴就是巴里坤。他在明天顺年间（1457—1463 年）离开西域逐渐东迁，并开始寇明边。

明成化间，乩加思兰始入黄河河套。明朝兵部官员指出："乩加思兰旧居吐鲁番迄西，成化六年（1470 年）始入黄河套，与阿罗出各相雄长。"[⑤] 他来到河套，与当时活跃在那里的满都鲁、孛罗忽、猛可、斡罗出（阿罗出）等会合，成为明榆林边外的强敌。这里的满都鲁和孛罗忽就是后来的蒙古汗和济农，而猛可是他们的属下，斡罗出则是哈剌嗔（喀喇沁）部头目。根据明朝方面的一些记载，乩加思兰很快与孛罗忽结为盟友，在 1471 年时把斡罗出赶出河套，控制了河套地区。此后，乩加思兰与孛罗忽等联手，大举进攻明边。比如，明成化八年（1472 年）六月，在平凉、临洮等

---

① 参见珠荣嘎：《"野乜克力"释——兼与和田清博士的"乜克力"即 Mekrin 说商榷》，卢明辉、余大钧、高文德编：《蒙古史研究论集》，中国社会科学出版社 1984 年版。

② 宝音德力根：《十五世纪前后蒙古政局部落诸问题研究》，第 74 页。

③ 此处转引自乌兰：《〈蒙古源流〉研究》，第 341 页。

④ 《明宪宗实录》，成化十五年五月庚午条。

⑤ 《明宪宗实录》，成化十三年九月庚午条。

地抢劫四千余户，杀虏人畜 164 000 多；1474 年又进攻秦州等州县，杀掠 3 300 多人，抢掠马牛 16 万有奇。①

　　乩加思兰势力强盛后，欲以太师之职左右蒙古政治。于是"乩加思兰与众商议，欲立孛鲁（罗）忽太子为可汗，而以己女妻之。因立己为太师。孛鲁忽不敢当，让其叔（实为叔祖父——引者）满都鲁。乩加思兰乃以女妻满都鲁，而立为可汗，己为太师。有众数万。由是调度进止，惟其所命。"② 据此，乩加思兰最初欲立孛罗忽为可汗，只因他谦让，最终拥立满都鲁为可汗。据《蒙古源流》，满都鲁有两位夫人，大夫人号也可哈巴尔图中根，是乩加思兰的女儿。可见，《明宪宗实录》记载符合事实。

　　乩加思兰独揽大权，甚至欲杀害满都鲁汗。《皇明北虏考》记载："当是时，虏中相猜。乩加思兰以女妻满都鲁，欲代为汗，恐众不服己，又欲杀满都鲁，而立斡赤来为可汗。满都鲁知之，索斡赤来，乩加思兰匿不与，遂相仇杀。十五年满都鲁杀乩加思兰，并其众。"③ 这里的斡赤来，又被称作阿扯来、阿出来等。据考证，他是别力古台后人毛里孩之子火赤儿④，即《大黄史》中的 Očarqu jasaɣtu，罗桑丹津《黄金史》中的 Jasaɣtu Qaɣan。⑤ 据此，乩加思兰欲杀死满都鲁可汗，另立毛里孩之子斡赤来为汗，就这样引火烧身了。《明宪宗实录》载：乩加思兰专权后，"居数年，满都鲁部下大头目脱罗干等不分（忿），与亦思马因谋杀之，遂立亦思马因为太师。亦思马因者，其父毛那孩曾为太师，故众心归之也。"⑥ 成化十五年（1479 年）满都鲁汗在其手下亦思马因和脱罗干的帮助下，终于杀死了乩加思兰。

　　据两《黄金史》记载，达延汗率察哈尔、土默特两部兵击败乩加思兰时，满官嗔部的土不申之子赛音脱罗干与奇塔忒之子乌努固齐、牙惠胡尔噶齐二人一同追杀乩加思兰太师。⑦ 这个记载反映了 1479 年脱罗干（赛音脱

① 《明宪宗实录》，成化八年十一月己酉条，十年六月辛巳条。
② 《明宪宗实录》，成化十五年五月庚午条。
③ 郑晓：《皇明北虏考》。
④ 和田清：《明代蒙古史论集》，第 329 页。
⑤ 宝音德力根：《十五世纪前后蒙古政局部落诸问题研究》，第 126 页。
⑥ 《明宪宗实录》，成化十五年五月庚午条。
⑦ 朱风、贾敬颜译：《汉译蒙古黄金史纲》，第 91—92 页；罗藏丹津：《黄金史》记载同，原件影印本，第 162b—163b 页。

罗干）袭杀歹加思兰太师的史事。

（乌云毕力格　撰稿）

达延汗

　　把秃猛可（1473—1516 年），孛儿只斤氏，伯颜猛克孛罗忽济农（吉囊）之子。北元可汗，蒙古语尊号达延汗，又译写歹颜哈、达延汗、答言汗等，"歹颜"、"达延"、"答言"等均为汉语"大元"的蒙古化发音。达延汗生于 1473 年，卒于 1516 年。1479—1516 年间在位。

　　脱脱不花可汗长弟阿噶巴尔津济农，幼弟满都鲁。也先诱杀阿噶巴尔津济农时，济农的儿子哈尔固楚克台吉出逃托克马克，逃跑途中被人杀害。哈尔固楚克台吉的妻子薛扯克妃子是也先的女儿，在其丈夫死后三个月生下遗腹子伯颜猛克，后来被送至兀良哈斡罗出（阿罗出）少师处，斡罗出少师将女儿失吉儿嫁给伯颜猛克，并把伯颜猛克夫妻送至其叔祖父满都鲁处。此时，满都鲁为蒙古可汗①。满都鲁可汗见伯颜猛克很高兴，立刻降旨说："愿他成为孛儿只斤皇家的种嗣！"封伯颜猛克为"孛罗忽济农"，② 命其以济农身份统领鄂尔多斯万户。

　　但是，后来在孛罗忽济农与满都鲁汗之间发生了不可调和的矛盾。1476年，大汗满都鲁、应邵不（永谢布）万户首领太师歹加思兰杀害了孛罗忽济农。1479 年，满都鲁在杀死专权跋扈的太师歹加思兰后病故。因满都鲁无男嗣，新太师亦思马因、第一知院脱罗干等与满都鲁遗孀满都海商议，立孛罗忽济农之子把秃猛可为蒙古可汗。

　　把秃猛可是孛罗忽济农和他的夫人失吉儿的独生子。他四岁的时候，权臣歹加思兰族弟亦思马因太师强娶了他的母亲失吉儿太后。因此把秃猛可被巴勒哈嗔人巴海抚养。因为巴海抚养不够精心，把秃猛可染上了痞疾。于是应邵不万户当喇儿罕鄂托克的名叫帖木儿哈大黑的人将他抢到家里照料，其

---

　　① 满都鲁可汗的名字，佚名《黄金史》和罗藏丹津《黄金史》作 Manduɣuli，沙斯契娜：《大黄史》作 Manduɣul，《蒙古源流》作 Manduɣulun，明代汉籍记为满都鲁。
　　② 乌兰：《〈蒙古源流〉研究》，第 277—281 页。

妻子治愈了把秃猛可的病。

满都鲁可汗娶了两位夫人。大夫人为也客合巴儿图中根（绰号，意为"大鼻子中宫"），为乩加思兰太师之女。① 小夫人为满都海彻辰哈屯，是汪古部人绰啰黑拜帖木儿丞相之女。满都鲁可汗死后，在决定汗位继承人问题上满都海夫人起了重要作用。

据蒙古文史料记载，满都鲁可汗死后，好儿趁（科尔沁）万户的兀捏孛罗王向满都海彻辰夫人求婚，意在继承汗统。但是，兀捏孛罗为成吉思汗弟合撒儿后裔王，所以，满都海说："如果主上的后裔确实绝尽了，这位王爷也算是主上的亲族，改嫁他也属乎情理。听说万众之主的嫡孙、一个名叫把秃猛可的孩子，还在这边帖木儿哈大黑的家里。除非他使人断念绝望，不然我是不会嫁给（兀捏孛罗）的。"于是，满都海夫人把七岁的把秃猛可领回家，举行庄重仪式，向被尊称"也失哈屯"的元世祖忽必烈生母唆鲁禾帖尼的灵帐如此祷告：

> "我在分不清黑白的地方嫁来作媳。
> （欺侮）皇族孛儿只斤子嗣虽幼小，
> 合撒儿的后裔兀捏孛罗王要娶我，
> （所以）我来到母后你的斡耳朵跟前。
> 我在分不清花马（毛色）的时候嫁来作媳。
> 当叔王合撒儿的后裔嫌你嫡孙幼小，
> 肆意专横跋扈的时候，
> 我不顾生命危险来到这里。
> 如果我把你坚强硕大的门户看轻了，
> 把你高贵宏大的门槛看低了，
> 只因异系的兀捏孛罗王虽强大，便去改嫁，
> 请母后也失哈屯，看着你的奴婢媳妇！
> 如果我做到向母后你祈奏的这番真诚的话，

---

① 《明宪宗实录》，成化十五年五月庚午条载："乩加思兰乃以己女妻满都鲁而立为可汗，己为太师"。郑晓：《皇明北虏考》也说："乩加思兰以女妻满都鲁"。此女应指此客合巴儿图中根。

　　守着您年幼的后裔把秃猛可，作他的妻子，

　　请您在我内襟中赐给我七个男孩子，外襟中赐给一个女孩子。

　　倘若我祈奏的话果真实现，就起名叫七个孛罗，来延续您的香烟。"①

　　这样，33岁的满都海夫人嫁给了7岁的把秃猛可。在也失哈屯的灵帐前使把秃猛可即可汗位，上尊号"达延汗"。

　　达延汗即位之初，满都海夫人携幼年的达延汗出征瓦剌。《大黄史》、《蒙古源流》等书形象地记载，"聪明过人的满都海彻辰夫人把垂散的头发梳上来，做成发髻，把国主达延汗放在座箱里，领着他出征，去讨伐四瓦剌。"② 可汗军队在流入乌布萨湖（今蒙古国乌布苏淖尔湖）的特斯河与博尔河之间的地方打败瓦剌，获得大量战利品。据说，满都海夫人还给瓦剌颁布律令，称："自今往后，把你们的帐房不得称斡耳朵，称斡儿哥！留你们的帽缨不得过二指长！不得盘腿而坐，要跪着！吃肉不得用刀，要啃着吃！马奶酒不得称爱喇克，要叫扯格！"因瓦剌人恳求，最后准许它们吃肉用刀，但其他照旧不变。③

　　取得对瓦剌胜利后，满都海夫人和达延汗鉴于百年来异姓权臣专权、黄金家族萎靡不振的情况，决心结束混乱割据的局面。达延汗首先攻杀太师亦思马因。亦思马因太师的名字，蒙古文作 Isman Taisi, Ismal 或 Smal。这是一个伊斯兰教名字，原形为 Ismail，即阿拉伯语 Ismāīl。明代汉籍中称亦思马因太师。他是哈密北山野乜克力人。亦思马因之父是毛那孩平章，后来曾为蒙古太师。亦思马因于1476年参与了满都鲁、乩加思兰等人驱逐伯颜猛可孛罗忽济农的行动，孛罗忽济农死后他还娶了他的妻子、达延汗的生母失吉儿太后。因此，亦思马因是达延汗的继父。1479年他与满官嗔—土蛮（土默特）的首领脱罗干一起杀死了乩加思兰，成为应绍不首领并继任太师。明人记载，"满鲁都（"满都鲁"之倒误）死，太师马亦思因（"亦思马因"

①　乌兰：《〈蒙古源流〉研究》，第283—285页。

②　沙斯契娜：《大黄史》，第72页；乌兰：《〈蒙古源流〉研究》，第285页。

③　沙斯契娜：《大黄史》，第72页。

之倒误）立把秃猛可为可汗，亦曰小王子。"可见，达延汗的即位得到了这位权臣的支持。但是，达延汗不愿意长期受制于亦思马因，很快向亦思马因开战。1483 年（成化十九年），亦思马因为达延汗败走①，西逃至"甘肃以北亦集乃等处"。据蒙古文史书记载，1486 年，达延汗派山阳万朵颜卫首领脱火赤为首的多名战将率兵出征亦思马因，并杀死亦思马因，将其妻亦即达延汗生母失吉儿太后和她与亦思马因所生两个儿子卜儿孩、巴不歹被脱火赤带回达延汗处。达延汗消灭太师亦思马因后，取消了作为北元政权最高行政、司法、军事长官的太师官衔。明人说："虏中太师官最尊。诸酋以王幼，恐太师专权，不复设太师。"

1487 年，达延汗携皇后满都海出征瓦剌亦不剌、亦剌思及其控制下的原亦思马因部众。因遭瓦剌突袭而败北，退兵途中满都海坠马，达延汗双生子因此而早产。但是，达延汗并没有因暂时的挫折而气馁，当时达延汗率七万之众，长期"潜住贺兰山后"，对亦不剌、亦剌思部众进行了不懈的征讨。1495 年达延汗大兵压境，亦不剌、亦剌思等被迫投降。

打败亦思马因、取消太师一职后，达延汗派自己的儿子兀鲁思孛罗到右翼阿儿秃斯部担任济农，同时派三子巴儿速孛罗到满官嗔—土默特部。这是达延汗分封诸子的最初尝试。阿儿秃斯部本是达延汗之父孛罗忽济农及其祖先的部众。孛罗忽被满都鲁、乩加思兰等人杀死，其部众被吞并，从此阿儿秃斯部统治权就落入异姓贵族之手并成了乩加思兰、亦思马因等统治下的应绍不万户的附庸。达延汗时代该部首领为勒古失阿哈剌忽，与亦不剌、火筛同为右翼三万户首领。

据蒙古文编年史书《黄金史》记载，应绍不万户新首领亦不剌部下曾偷窃兀良哈万户把颜脱脱的马群，未曾治罪。后来亦不剌部下又将前来争夺马群的把颜脱脱杀死，犯下大罪。因为涉及左右翼两大万户的诉讼，达延汗派自己的长子兀鲁思孛罗等前去断案。恰巧，兀鲁思孛罗的一个近侍欠亦不剌族人一匹马，因索要马匹，二人发生争执。兀鲁思孛罗偏袒自己的近侍，杀死了亦不剌的族人。亦不剌、勒古失（又作满都赉阿哈剌忽）、火筛等不满，杀死了达延汗子兀鲁思孛罗及其随从。此时，达延汗第三子巴儿速孛罗

---

① 《明宪宗实录》，成化十九年五月壬寅条。

在满官嗔—土默特部首领火筛家入赘为婿，因惧怕其岳丈加害，将幼小的次子俺答弃于火筛家，带着自己的长子衮必里克及其侍从逃回达延汗处。

达延汗闻讯，于1508年（明正德三年）率部征讨右翼，结果在土儿根河（今呼和浩特附近的大黑河）被火筛打败，火筛率部追击达延汗至哈海额列速（今西乌珠穆沁旗境的噶海额列苏），大掠察罕儿克什旦、克木齐兀（谦州）二鄂托克而还。1509年，达延汗重整旗鼓，在达兰特哩衮（今鄂托克旗东北达楞图如湖）与右翼三万户之军决战。

关于达兰特哩衮战役，《蒙古源流》这样记载：达延汗"向天帝申告，洒马奶子祭奠，行叩拜大礼，随后率领左翼三万户和叔王好儿趁部出征。右翼三万户听到可汗出征，便在达兰特哩衮地方迎战。开战的时候，达延汗降旨道：'阿儿秃斯（鄂尔多斯）是保存圣主八白帐的命大缘深的人众；同样，兀良哈也是护守圣主金匮的命大缘深的人众，就让叔王好儿趁（科尔沁）部与它对阵！十二鄂托克罕哈（喀尔喀）与十二土蛮（土默特）对阵！八鄂托克察罕儿（察哈尔）与庞大的应绍卜（永谢布）对阵！'交战中，好儿趁人兀儿图忽海那颜的儿子卜儿海把都儿台吉、兀良哈人把都儿巴牙海、札忽人赛因彻吉彻、五鄂托克罕哈人把阿孙拓不能、克失坦人把都儿兀噜木五个人率先冲锋陷阵。当罕哈追击土蛮、察罕儿追击应绍卜的时候，阿儿秃斯—哈儿哈坦人伯出忽儿打儿汉、奎惕人答儿麻打儿汉、哈流嗔人兀塔阿赤昆迭连、土蛮—康邻人阿勒出来阿哈剌忽、弘吉剌人把都儿古哩孙、应绍卜—不里牙惕人锁黑塔兀不儿杭忽、哈剌趁人忙忽勒歹合收赤七个人聚合在一起，呼叫着姓名赶上前来，领头冲阵，从兀良哈中间掠过，追赶劈杀。这时，巴儿速孛罗赛那剌率领着四十个勇士冲上前来，从土蛮中间冲过去，再由阿儿秃斯的后面包抄过来砍杀，阿儿秃斯的猛可儿纛赤认出赛那剌，说道：'圣主可汗的黑色大纛归到可汗的后裔手中了！'于是带着大纛前来投降。赛那剌命令他手持大纛站在原地。追击兀良哈的阿儿秃斯军兵从远处看见大纛，误以为是自己的阵地，赶上前来，结果大部分都战死了。右翼三万户的一半逃跑了，一半归降了。"[①]

1510年，火筛带着达延汗孙俺答来降，亦不剌、满都赉（勒古失）以

---

①　乌兰：《〈蒙古源流〉研究》，第356—357页。

及亦思马因子卜儿孩（达延汗同母异父弟）等人则逃往青海。后来，满都赉在青海境内被杀，亦不剌在哈密被害。达兰特哩衮之战的胜利，为达延汗直接统治中央六万户蒙古，分封诸子，取消各部异姓贵族世袭统治权打下了基础。

达兰特哩衮之战后，达延汗在成吉思汗八白帐前重新宣布了可汗的名号，降旨令长孙不地为皇储，命三子巴尔速孛罗为济农。

达延汗共有三个后妃，生有十一男一女。其中正宫皇后满都海生七子一女，分别是长子图鲁孛罗、次子兀鲁思孛罗、三子巴儿速孛罗、四子阿儿速孛罗、五子阿赤赖孛罗、六子安出孛罗、七子那力不剌以及独女图列土公主。此外两个妃子瓦剌巴儿虎氏阿剌知院的孙女生八子克列兔和十子五八山只称台吉；五投下兀鲁氏斡罗出之孙女生九子革儿孛罗和十一子格埒森扎。在达延汗十一子中长子图鲁孛罗和八子克列兔夭折，因此长大成人的有九个儿子。

次子兀鲁思孛罗是达延汗真正的长子，因此是蒙古可汗的继承人。可是早在1508年兀鲁思孛罗就被亦不剌等杀害，因此所遗孤儿不地就成为达延汗的继承人，按照蒙古大汗直接统治察哈尔万户的传统，不地和他的弟弟也密力一同统治察哈尔万户。此外被封到察哈尔万户的还有达延汗五子阿赤赖，他和他的子孙世代统治察哈尔克什旦鄂托克。

达延汗三子巴儿速孛罗被分封到阿儿秃斯万户，同时担任济农，管理成吉思汗诸斡耳朵。

达延汗四子阿儿速孛罗被分封到满官嗔—土默特万户。

达延汗六子安出孛罗和十一子格埒森扎平分了罕哈万户，前者统治左翼，形成后来的山阳喀尔喀五鄂托克，后者统治下的右翼形成后来的外喀尔喀七鄂托克。

达延汗第七子那力不剌是达延汗与满都海所生幼子，是真正意义上的达延汗幼子。他分得了人口众多应绍卜万户的大多数。同时被分封到应绍卜万户的还有达延汗十子五八山只，他分得应绍不万户巴儿虎鄂托克。

达延汗第九子革儿孛罗及其子孙世代领有兀鲁鄂托克。

1516年，达延汗去世后，诸子的领地属民发生了一系列变化。但是，达延汗最终还是在北元可汗直属部众中确立了自己家族的世袭统治。达延汗分封诸子改变了自成吉思汗以来异姓勋戚功臣世代领有其千户、爱马属民的历史，确立了黄金家族对北元可汗直属各部的绝对统治权。

（乌云毕力格　撰稿）

虎喇哈赤

虎喇哈赤，孛儿只斤氏，达延汗第六子安出孛罗之子，山阳喀尔喀五部之祖。

达延汗分封诸子时，将喀尔喀万户左翼分给六子安出孛罗，右翼分给幼子格埒森扎。《九边考》载："罕哈（喀尔喀）部下为营者三，大酋猛可不郎领之"。此"罕哈三营"当指达延汗分封给安出孛罗的喀尔喀左翼，是后来的山阳喀尔喀五部的前身。"猛可不郎"应该是安出孛罗别名。从蒙古文史书相关线索考察，"罕哈三营"应该指扎鲁特、巴林及巴约特三部。《蒙古源流》称达延汗时代喀尔喀首领巴噶逊为"扎鲁特的巴噶逊塔不囊"，而《金轮千辐》称虎喇哈赤为"扎鲁特虎喇哈赤"。[①] 可见，扎鲁特是安出孛罗所领左翼喀尔喀的核心鄂托克。《黄金史纲》记载了达延汗与满官嗔部作战时所乘巴林的战骑陷于泥潭一事。"巴林"当指巴林鄂托克。[②]

喀尔喀万户的牧地最初在哈拉哈河（喀尔喀即哈拉哈之旧译）一带。16 世纪中，安出孛罗之子虎喇哈赤率领部与蒙古大汗打来孙、科尔沁部首领魁猛可等越过兴安岭，到山阳驻牧。

《北虏纪略》载嘉靖（1522—1566 年）中期辽东事，"东则泰宁、福余地，直辽左矣。虏之特起新酋，曰虎喇哈赤者，众不满千"[③]。16 世纪中叶，虎喇哈赤已成为辽左的一支新势力，但所说"众不满千"是误传。早在其父亲安出孛罗时代，喀尔喀与往流、科尔沁三部已有六万人。

1546—1548 年（嘉靖二十五至二十七年）间，虎喇哈赤与打来孙、魁

---

① 乌兰：《〈蒙古源流〉研究》，第 358 页；答里麻著，乔吉校注：《金轮千辐》，内蒙古人民出版社 1987 年版，第 217 页。

② 朱风、贾敬颜：《汉译蒙古黄金史纲》，第 192、88 页；宝音德力根：《十五世纪前后蒙古政局部落诸问题研究》，第 111 页。

③ 《北虏纪略》，纪录汇编本。

猛可及右翼三万户的安答、把都儿等人瓜分兀良哈三卫。《开原图说》记载："辽镇之有虏患，自嘉靖二十五年（1546 年），元小王子苗裔打来孙者，收复三卫属夷，举部东移，驻黄水之北，西南犯蓟门，东北犯辽左，而辽左始有虏患。……当时打来孙部落有虎喇哈赤者，骁勇善战，所部兵甚精，为太（泰）宁、福余夷勾引，入辽河套游牧，遂为广宁、辽（阳）、沈（阳）、开（原）、铁（岭）大患。"① 可见，虎喇哈赤于嘉靖中期后已在辽河河套驻牧。

虎喇哈赤有子五人，长子乌巴什卫征（明代汉籍称兀把赛、委正等）、次子速巴亥达尔汉（明代汉籍称速巴亥）、三子兀班贝穆多克新（明代汉籍称兀班）、四子索宁歹青（明代汉籍称歹青、伯要儿等）和五子舒哈卓哩克图（明代汉籍称炒花、秒花、爪儿兔等）。② 虎喇哈赤将其部众分为五部，分授其五个儿子。于是，在 16 世纪后半期，原来的喀尔喀三营就变成了五营，即五鄂托克。《金轮千辐》载，这五部分别是乌巴什卫征所领扎鲁特部，速巴亥达尔汉所领巴林部，兀班贝穆多克新所领弘吉剌部，索宁戴青所领巴约特部以及少罕卓里克图所领乌济叶特部。③

据《辽夷略》、《开原图说》等明代汉籍记载，虎喇哈赤五个儿子所属五部的游牧地，从西向东大致为巴林、乌济叶特、巴约特、弘吉剌、扎鲁特。五部在西辽河迤南都有游牧地，其南界至明边墙。其中巴林、乌济叶特、巴约特的游牧地在辽河河套内更大一些，西面的巴林、乌济叶特等部位置比较偏南，东部各部的位置则比较偏北，大部分牧地在西辽河以北。④

（乌云毕力格　撰稿）

俺答汗

俺答汗（1508—1582 年），孛儿只斤氏，蒙古满官嗔—土默特万户小

① 冯瑷：《开原图说》，玄览堂丛书本。
② 答里麻：《金轮千辐》，内蒙古人民出版社 1987 年蒙古文版，第 216—217 页。
③ 答里麻：《金轮千辐》，第 216—217 页。
④ 达力扎布：《明代漠南蒙古历史研究》，第 14—142 页。

汗。俺答汗名又译作阿勒坦汗（Altan qaγan）。

俺答汗祖父为达延汗，父为达延汗三子巴儿速孛罗（清译巴尔斯博罗特），1517—1519 年间当了可汗，拥有赛那浪罕、赛那剌（Sayin alaγ qaγan，清译赛阿喇克可汗）名号。

巴儿速孛罗生子六人①，分别为库莫里哈喇济农（又作麦力艮、衮必里克墨尔根济农）、赛音格根汗（即俺答汗）、拉布克台吉、拜萨哈勒昆都楞汗、巴颜达喇纳林台吉、博弟达喇斡托汉台吉。② 俺答汗生于丁卯年（明正德二年，1507 年），③ 其母博同哈屯。俺答，蒙古语黄金之意，其汗号是蒙古大汗博迪汗（1519—1547 年在位）于 1538 年所封。当年，漠南蒙古左右二翼联合大举征讨兀良哈万户。由于俺答在此次战斗中英勇善战，极大地削弱了敌人，又能同兄长和睦相处，协同作战，被博迪汗授予"索多汗"（意为聪慧英明）④，开创了蒙古族历史上除蒙古大汗以外的万户首领拥有汗号之先例。1543 年，博迪汗为报答勇敢真诚的俺答汗，又赐封俺答为"土谢图彻辰汗"。⑤

达延汗镇压蒙古右翼异姓贵族叛乱后不久，派三子巴儿速孛罗到鄂尔多斯万户任济农，统率右翼三万户。鄂尔多斯万户由济农长子一系世代统领，掌管成吉思汗的"八白帐"；⑥ 次子俺答则领十二土默特。1519 年（明正德十四年），巴儿速孛罗卒，衮必里克墨尔根继位，次子俺答辅助其兄。此时，蒙古内部又经历了一次整合，时"小王子久住河东，济农、俺答盘居河套"。尽管"小王子最富强，控弦十余万，多畜黄金犀毗"⑦，俺答兄弟二

---

① 蒙古文《俺答汗传》称，巴儿速孛罗生子七人，分别为库莫里哈喇济农、赛音格根汗、拉布克台吉、拜萨哈勒昆都楞汗、巴颜达喇纳林台吉、塔喇海台吉、博弟达喇斡托汉台吉。见珠荣嘎译注：《俺答汗传》，第 18 页。

② 沙斯契娜：《大黄史》，第 113—114 页；善巴：《阿萨喇克其史》蒙古文 Byamba-yin Asaračγi neretü [-yin] teüke，沙格德尔苏隆整理并影印出版，乌兰巴托 2002 年，第 40 页。

③ 珠荣嘎译注：《俺答汗传》，第 20—22 页；杨绍猷：《俺答汗评传》记为："正德三年正月初一，公元 1508 年 2 月 1 日"。见杨绍猷：《俺答汗评传》，中国社会科学出版社 1992 年版，第 1 页。

④ 珠荣嘎译注：《俺答汗传》，第 40 页。

⑤ 珠荣嘎译注：《俺答汗传》，第 45—46 页。

⑥ 达力扎布：《有关明代兀良哈三卫的几个问题》，《明清蒙古史论稿》，民族出版社 2003 年版。

⑦ 《明武宗实录》，正德十六年七月庚辰条，郑晓：《皇明北虏考》。

人已"占据尊贵的右翼三万户而居"①，频繁经略临近的部族，使右翼势力空前强大。1542 年，衮必里克墨尔根济农患病去世，俺答"对内扶助诸弟族亲，对外与敌角逐斗争，统领大国为之掌舵，始将为益善业实行"②，成为右翼三万户名副其实的首领，可谓 16 世纪的蒙古族历史上举足轻重的人物，其政治、经济、军事等诸方面的活动，充分显示其超群的才智和胆识。

自 1524 年开始，蒙古各万户多次征讨并瓦解了兀良哈万户。俺答汗率众参加了全部战役。15 世纪至 16 世纪初，兀良哈万户驻牧在今蒙古国肯特山和克鲁伦河、鄂嫩河上游地区。③ 1524 年（嘉靖三年），因兀良哈万户的图类诺颜和格埒巴拉特丞相与外喀尔喀发生冲突，俺答汗会同图古凯诺颜和博迪乌尔鲁克，首次率兵出征兀良哈。尽管取得了此战胜利，但未能给予兀良哈沉重的打击，于 1531 年再征兀良哈。此次出征是由右翼俺答和其兄济农共同来完成的。他们再次击溃了兀良哈万户，使其北撤，解除了对鄂尔多斯和土默特等右翼诸部的威胁。但仍然未能彻底消除兀良哈之势力，于第二年（1532 年）俺答兄弟二人三征兀良哈，获得大量战利品凯旋。为了彻底消除兀良哈的威胁，于 1538 年，左右二翼联合大举征讨兀良哈。最终肢解了兀良哈万户，"将其并入五万户之内"。④ 但仍有部分兀良哈人未遭大难。于是俺答单独出征兀良哈，时间是 1541 年。结果，收服了以"翁古察为首的部分百姓"。⑤ 1544 年，俺答汗六征兀良哈万户，"收服莽吉尔丞相、莽海锡格津、波尔赫布克等"，⑥ 命莽海锡格津守护成吉思汗的白帐，于次年返回土默特本部。强大的兀良哈万户从此溃灭，其领地统由格埒森扎后裔占据。经过对兀良哈万户的征讨，俺答汗大大提高了威望和影响。

15 世纪中期，瓦剌首领也先统一蒙古，占据了漠北地区。达延汗统一东蒙古后，卫拉特逐渐西迁，和林已归于兀良哈万户。16 世纪前期，卫拉特继续向西迁徙，但仍占有和林以西，即东起杭爱山西麓，西接额尔齐斯

---

① 珠荣嘎译注：《俺答汗传》，第 28—29 页。
② 珠荣嘎译注：《俺答汗传》，第 29 页。
③ 宝音德力根：《兀良哈万户牧地考》，《内蒙古大学学报》（哲社版）2000 年第 5 期。
④ 乌兰：《〈蒙古源流〉研究》，第 358 页。
⑤ 珠荣嘎译注：《俺答汗传》，第 42 页。
⑥ 珠荣嘎译注：《俺答汗传》，第 47—48 页。

河，北到唐努山至叶尼塞河上游地区。1558 年（嘉靖三十七年），俺答汗第一次远征卫拉特。俺答汗越过控奎罕山（今蒙古国乌布苏诺尔省境，山南有控奎河），袭掠卫拉特属部厄鲁特、巴阿图特，掳获大量财富。俺答汗又遣使与八千辉特部女领主折肯阿噶（Jigeken aq-a）缔结姻亲关系，将自己的女儿嫁给折肯阿噶之子，并娶其女为妻。1568 年，俺答汗又一次远征卫拉特，直趋阿尔泰山。由于已经结成姻亲，折肯阿噶等率其诸子部众来归。俺答汗又将自己的两个女儿分别嫁给折肯阿噶的两个儿子，同时将新附的部分卫拉特百姓赐予了乌纳楚钟根哈屯所生子不他失里。[1] 俺答汗等漠南军队的多次征讨，迫使卫拉特人西迁，使喀尔喀蒙古占据了卫拉特故地杭爱山地区，同时大大增加了自己势力的影响力。

在征讨兀良哈万户和卫拉特的同时，俺答汗会同其兄衮必里克墨尔根济农出征青海，对避居青海的右翼畏兀特诸部和其他部族给予沉重的打击。1532 年（嘉靖十一年），俺答同济农首次出征青海，大败亦不剌和卜儿孩，使亦不剌走死哈密，极大削弱了青海畏兀特部的势力。1534 年，衮必里克墨尔根济农和俺答再次远征青海，击败畏兀特部众。衮必里克墨尔根济农逝世后，于 1543 年，俺答汗率右翼征青海，降服了卜儿海，征服撒里畏兀儿诸部，更增强了俺答汗的威望和影响。为了扩大战果，于 1558 年，俺答汗又一次率右翼西征，再次征服畏兀特残部和撒里畏兀儿诸部，掳获大量财物。并留儿子丙兔据青海，留从孙宾兔守松山（今甘肃天祝藏族自治县东松山）。

自达延汗统一蒙古后，蒙古部落日益繁盛，牧业经济发展，蒙古出现了中兴气象，与明朝的通贡互市要求越来越强烈。从 1541 年（嘉靖二十年）起，俺答"无岁不求贡市"，词意亦甚恳切。

嘉靖二十年（1541 年）七月，俺答派遣石天爵和肯切来到明大同阳和塞，请求通贡贸易。明世宗却说："虏情叵测，务选将练兵，出边追剿，数其侵犯大罪，绝彼通贡"，并下令能擒拿俺答者升官职。[2] 明边将扣留肯切等人，放石天爵回报消息。次年（1542 年）闰五月，俺答再遣使石天爵、

---

①　珠荣嘎译注：《俺答汗传》，第 42、47—48 页。
②　《明世宗实录》，嘉靖二十年七月丁酉条。

肯切子满受秃、满客汉自大同求贡，进一步阐述了蒙古首领们的意愿。明大同巡抚龙大有却擅自擒石天爵，杀满受秃等，"斫天爵及肯切于市，传首九边枭示。"① 明廷拒贡杀使，使双方关系进一步恶化。1546 年，俺答遣使堡儿塞等三人至大同左卫塞求贡，使臣又被总兵黄宝杀害。② 但俺答求贡如初，表现了很大的耐心。嘉靖二十五年（1546 年）七月，又遣使递"有印番文一纸"，表示"欲自到边款"，约束部落，不断遣使求贡。结果明廷以"今次番文似是诈伪"为由，要总督翁万达再加审诘，限十日内来闻。不久，俺答"又遣夷使李天爵持番文至，谓吉能欲犯河西，渠差人往谕，谓且入贡南朝，止令勿抢。"明廷斩杀来使，并严令边将"相机出塞剿杀"，给蒙古以很大的伤害，如翁万达所言"大失夷心"。③ 第二年四月，俺答又派李天爵等四人持"番文"求贡，表达其通贡互市的诚意。④ 次年三月，俺答再使人求贡，照旧遭到拒绝。⑤

俺答求贡是心诚情切，而明朝方面，嘉靖皇帝以藩王入继大统，主要精力放在巩固自己的皇位上，对蒙古事务缺乏用心，并一而再，再而三地拒贡杀使，灰了俺答的心，也激起了蒙古诸部的愤怒。不得已，俺答于 1550 年（嘉靖二十九年）大举侵犯，率众直抵北京城下胁贡，史称"庚戌之变"。双方订立城下之盟，俺答汗"取得极多田赋之后而回还"。⑥ "庚戌之变"谈判的直接结果是嘉靖三十年的大同马市。因马市实为仓促应付之举，准备很不充分，因没能满足蒙古的贸易要求，发生了零骑犯边的事。明廷以此为借口，匆匆关闭了马市，也关闭了明蒙通使交流的大门。1550 年，马市关闭之后，蒙古和明朝又是延绵不断的战争。

隆庆四年（1570 年）十月，俺答孙把汉那吉因所聘女子被夺，愤而"率其属阿力哥等十人"归降明朝。明宣大督抚王崇古、方逢时等认为这是一个与蒙古沟通的极好契机，便善待那吉，遣使与俺答联系。双方协商多

① 《明世宗实录》，嘉靖二十一年闰五月戊辰条。
② 《明世宗实录》，嘉靖二十五年五月戊辰条。
③ 《明世宗实录》，嘉靖二十五年七月戊寅条。
④ 《明世宗实录》，嘉靖二十六年四月己酉条。
⑤ 《明世宗实录》，嘉靖二十八年四月丁巳条。
⑥ 珠荣嘎译注：《俺答汗传》，第 51 页。

次，约定以板升汉人头目十人交换把汉那吉。把汉那吉北归的第二天，俺答即派使臣入谢，同时正式提出封贡互市的要求。总督王崇古等奏上《确议封贡事宜疏》，全面阐述准予封贡的理由，并条上封号官职、贡额、贡期、贡道、互市、抚赏、归降、审经权、戒狡饰等八项具体处置办法，得到了朝廷的批准。① 明蒙关系史上划时代意义的"俺答封贡"终成定局。隆庆五年（1571 年）三月，封俺答为顺义王。隆庆和议之后，明朝与蒙古右翼保持六十余年的和平相处局面，得益于俺答等人的远见卓识和超人才智。

据《明世宗实录》记载，嘉靖十一年（1532 年）之前，俺答率部西迁，进入了宣府、大同塞外，进而以丰州滩为根据地②，利用土默特地区的地理环境，发展了政治和经济实力。为了开发漠南地区，俺答汗采取了适当的政策措施：一是，收留了成千上万的汉族兵民。到了 16 世纪末，仅移居呼和浩特地区的汉族人口就达数万之多。俺答汗收留了他们，并给予牛羊、帐幕、耕地和农具。这些人大多是贫困的农民和工匠，他们带来了中原地区的农业生产技术和各种工艺。二是，采取奖励农耕的政策。对来投的汉族兵民，给予土地，让他们从事农业。还制定了保护农业的法令。这些奖惩措施，使农业得到了迅速发展。从而基本上解决了土默特地区的粮食问题，并储藏了大量的粮食。三是广泛吸收其他民族的文化，包括政治制度、生产技术、军事技术、科学、建筑、医药、思想和文化知识等。加快了漠南地区经济社会的发展。

为了满足蒙古社会特别是大部分封建领主自己的需要，俺答汗在今呼和浩特地区，重建板升，引进农业技术，开垦田地，耕种黍、糜、谷等农业作物。丰州川的第一个土堡，即所谓"板升"，为白莲教头目丘富所建。由于板升的出现，土默特地区的人烟稠密起来，农田开辟，手工业发展，农牧产品交换日益增加。从 1572 年开始，俺答汗又大兴土木，在大青山脚下、黄河之滨，另建城郭，到 1575 年竣工，明朝赐名"归化城"。

1578 年，俺答汗接受藏传佛教格鲁派后，兴修大寺庙，1580 年竣工，称"伊克昭"（大昭寺），明廷命名为"弘慈寺"，蒙古民间又称"格根汗

---

① 《明穆宗实录》，隆庆五年二月庚子条。
② 《明世宗实录》，嘉靖十一年六月戊戌条。

庙"。同时，俺答汗扩建归化城，到 1581 年建成了方圆 20 里的宏大的城市，称"库库河屯"（Köke Qota，意为"青色的城"），是今日内蒙古自治区首府呼和浩特的旧城，也是呼和浩特之称的由来。从 16 世纪中叶起，俺答汗凭借其强大的政治和军事实力，促进漠南地区经济的发展，把土默特地区建设成为巩固的基地，把库库河屯城建设成为蒙古地区的政治、经济和文化中心。

16 世纪后半期，随着俺答汗的侵入青海和藏族地区，黄教由西藏经青海传入蒙古。1558 年，俺答汗出征撒里畏兀儿途中遇到藏族商人和喇嘛。但真正接触到喇嘛教是 1571 年，俺答汗邀请黄教高僧索南嘉措前来蒙古传教。为了迎请索南嘉措，俺答汗征得明朝同意，在青海建寺，由明朝万历帝命名为"仰华寺"。1578 年，俺答汗和索南嘉措在仰华寺会面，召开法会，举行了隆重的入教仪式，蒙古受戒者多达千人，仅土默特就有 108 人出家为僧。在法会上，索南嘉措被俺答汗等尊之为"圣识一切瓦只剌答喇达赖喇嘛"（后称第三世达赖喇嘛），达赖喇嘛的称号就是由此而来。索南嘉措也给俺答汗上了"转千金法轮咱克喇瓦尔第彻辰汗"的称号。此后黄寺院纷纷建立，仅归化城一带，就修筑了大召（弘慈寺）、席力图召（延寿寺）、美岱召（寿灵寺）等。

俺答汗逝世后，他的后裔邀请蒙古各部汗王以及第三世达赖喇嘛为俺答汗会葬。索南嘉措应邀前往，于 1585 年到达归化城，按照佛教的礼仪，为俺答汗举行葬礼。

万历九年（1581 年）十二月，俺答汗去世，享年 75 岁。俺答死后，所遗部属多半归入其宠妾三娘子手中。俺答子要继承父职，就必须遵照蒙古的习俗，先和三娘子结婚，合并她的属部。1583 年其长子僧格都楞（汉籍作辛爱黄台吉、乞庆哈）与三娘子完婚，袭封顺义王，1585 年去世。1587 年僧格都楞之子扯力克袭封顺义王。1607 年，扯力克去世。1613 年其嫡孙博硕克图（卜失兔）袭封顺义王，1628 年林丹汗西迁，博硕克图走死河套。

（乌云毕力格　撰稿）

三娘子

三娘子（1550—1612 年），卫拉特蒙古出身，奇喇古特氏，土默特俺答汗夫人，号钟金哈屯（意为中宫夫人）、也儿克兔（或写作克兔）哈屯（意为有权势的夫人）。在明朝以"三娘子"著称。

明人著书好瞽说，因而在明代汉文文献中关于三娘子的身世有多种说法：一为俺答汗外孙女说，一为俺答汗孙媳妇说，一为宣大妓女说，皆不可信。根据蒙古文《俺答汗传》的记载，1558 年以后，俺答汗率军征讨瓦剌，到达哈密北山后，遣人到奇喇古特部，欲与该部和亲。奇喇古特部主哲恒阿哈答应俺答汗的要求，将亲女钟金（此女本名不见记载，钟金应该是嫁给俺答汗以后的封号）送来，嫁给了俺答汗。1568 年，俺答汗携带钟金夫人又一次往征瓦剌，在阿尔泰山地区遇到了亲家奇喇古特部人。此役未回，在巴克地方停留时，钟金夫人生一子。俺答汗大喜，举行了隆重的喜宴，给儿子起名为不他失礼。据明代诸汉籍记载，俺答汗子不他失礼的生母就是三娘子，因此三娘子即钟金夫人无疑。①

明代汉籍记载，三娘子"幼颖异，善书番文，通达诸物。"② 据说，三娘子曲眉秀目，面有一黑子，颇得俺答汗宠爱。1578 年，俺答汗迎接索南嘉措，携三娘子到青海。她参加了仰华寺会晤。

明隆庆初，俺答汗与明朝议和，俺答封贡，被封为顺义王，右翼蒙古与明朝之间长年累月的战争终于结束。据记载："始封事成，实出三娘子意。"③ 三娘子在封贡时的贡献可见一斑。隆庆五年，明廷在宣府、大同、宁夏、甘肃等地开设马市十一处，允许蒙汉人等进行贸易。"三娘子佐俺答主贡事，诸部皆受其约束。"④ 开拓了蒙汉人民半个多世纪的和平局面。

1582 年初，俺答汗病逝，长子辛爱黄台吉袭顺义王。明朝希望三娘子

---

① 珠荣嘎：《关于三娘子的名字与母家》，《内蒙古社会科学》1981 年第 2 期。

② 吴震元：《奇女子传》卷 4，薄音湖、王雄编辑点校：《明代蒙古汉籍史料汇编》第 2 辑，内蒙古大学出版社 2000 年版，第 209 页。

③ 瞿九思：《万历武功录》，中华书局 1962 年版，第 200 页。

④ 参见张廷玉：《明史》，中华书局 1974 年版。

和黄台吉联合主政，认为"若三娘子别属，我封此黄台吉何用！"所以劝三娘子说："汝归王，天朝以夫人封汝，不归，一妇耳。"① 1583 年，三娘子与黄台吉成婚。三娘子严格遵守与明朝的互市盟约，对属下严加管束。1584年，土默特五兰比妓下人抢掠明人马匹，三娘子属下犯边，1585 年威兀慎比妓部人盗边，三娘子一一治罪，既罚如法，保证了明蒙双边关系的正常发展。

1585 年辛爱黄台吉死，其长子扯力克与三娘子不睦，土默特部面临分裂的危险。明朝宣大总督郑洛告诉扯力克："夫人三世归顺，汝能与之匹，则王，不能，封别有属也。"于是，1586 年，三娘子复与扯力克成婚。次年，扯力克被封为顺义王，三娘子也被封为忠顺夫人。

1589 年，扯力克护送三世达赖喇嘛骨灰回藏，借道长城边内西行。第二年，扯力克联合鄂尔多斯和青海蒙古首领，向明朝的甘州、凉州、洮州、岷州和西宁等甘肃、青海边地进犯。郑洛受命平息战乱。郑洛首先与三娘子取得联系，让她出面劝扯力克回土默特。明朝威胁扯力克发动进攻，如不速回，将立三娘子之子不他失礼为顺义王。扯力克被迫回故土，明军很快平定青海。②

1607 年扯力克去世。扯力克嫡孙卜失兔（清译博硕克图）、三娘子之子不他失礼、大成比妓子素囊角逐顺义王位。三娘子出于本部大局，1611 年与卜失兔合婚，呈请明廷册封卜失兔，妥善解决了危机，使土默特免遭内讧战乱。

1612 年，三娘子去世。因为三娘子的不懈努力，蒙汉关系多年维持了和平。有明人说："三娘子一酋妇耳，而九边将士赖以安寝燕食者四十年。"③

（乌云毕力格　撰稿）

---

①　谷应泰：《明史纪事本末》，中华书局 1977 年版，第 931 页。
②　李美玲：《三娘子对明末蒙汉和平友好关系的贡献》，《阴山学刊》2005 年第 6 期。
③　吴震元：《奇女子传》卷 4，薄音湖、王雄编辑点校：《明代蒙古汉籍史料汇编》第 2 辑，第212 页。

索南嘉措

索南嘉措（又译作锁南坚措，1543—1588 年），藏人，第三世达赖喇嘛，1543 年（藏历第九绕迥水兔年）正月十五日生于拉萨附近的推拢地方，父名南结札巴，母名北宗布赤。

索南嘉措 1546 年在 4 岁时哲蚌寺僧众迎至本寺供养，1549 年拜当时哲蚌寺池巴索南札巴为师，受了沙弥戒。1553 年，哲蚌寺池巴索南札巴卸任，该寺僧众公推索南嘉措出任哲蚌寺第十二任法台。1564 年，索南嘉措复拜格勒巴桑为师，受了比丘戒。此后，索南嘉措赴扎什伦布寺讲经，以后又云游山南等地弘扬佛法，然后又回到拉萨，应色拉寺僧众之请，担任了色拉寺第十三池巴。①

索南嘉措一生对蒙古的最大影响，是他把藏传佛教格鲁派教义传播到内蒙古地区，使蒙古人全部皈依格鲁派。这是他与蒙古右翼汗王俺答汗共同完成的。

1559 年，俺答汗进入青海，在那里接触到了格鲁派。1576 年，俺答汗派人到拉萨，邀请索南嘉措来青海会见。为了迎请索南嘉措，蒙古方面由丙兔主持建造了察卜齐雅勒庙（即仰华寺）。《蒙古源流》记载，俺答汗曾三次派出使团迎请索南嘉措。1576 年第二次派出使团邀请后，1577 年索南嘉措从拉萨动身，于 1578 年夏天来到仰华寺。俺答汗率蒙古贵戚亲自迎接。"俺答可汗身穿白衣，骑上白马，与那颜出中根哈屯为首，率领一万人再次前去迎接圣识一切，将他接到恰卜恰勒寺住下。举行欢庆盛宴当中，俺答可汗献上了具有皈依之缘的见面礼，其中包括：以五百两白银所制造的宝银坛城、以十两黄金制作的镶嵌着七珍八宝的三十两重的盛满宝石的金碗、前所未见的上好绸缎各十匹、五色绸缎一百匹、备有镶嵌宝石之金鞍的白马十匹等等，共币帛五千件，牲畜五千头，总计万件。"法会上，索南嘉措赐俺答汗以"转千金轮斫迦罗伐剌底扯臣可汗"之号，封博什克图济农为"斫迦罗伐剌底扯臣济农哈失罕"之号，其余贵族依次封号。俺答汗尊封索南嘉

---

① 见牙含章：《达赖喇嘛传》，人民出版社 1984 年版，第 20 页。

措为"瓦只剌答剌达赖喇嘛"。[①] 这便是"达赖喇嘛"称号之由来。此后其前世根顿珠和根顿嘉措被追认为一世和二世达赖喇嘛，索南嘉措被称为第三世达赖喇嘛。

俺答汗与索南嘉措会晤之前，已与明廷建立了和平相处的关系，有了顺义王的称号。三世达赖喇嘛通过俺答汗之关系又和明廷建立了联系。明朝命甘肃巡抚侯东莱差人到青海与索南嘉措会面，邀请他到甘肃。俺答汗劝达赖喇嘛接受明朝的邀请。这样，三世达赖喇嘛于是年冬天到了甘肃，受到隆重接待。索南嘉措从这里给明朝宰相张居正写了一封信。信中说："释迦牟尼比丘索南坚措贤吉祥，合掌顶礼明廷，钦封于大国事阁下张：知道你的名，显如日月，天下皆知有你，身体甚好？我保佑皇上，昼夜念经。有甘州二堂地方上，我到城中，为地方事，先于朝廷进本，马匹物件到了，我和阐化王执事赏赐，乞照以前好例与我。我与皇上和大臣昼夜念经，祝赞天下太平，是我的好心。压书礼物：四臂观世音一尊，氆氇二段，金刚结子一方。有阁下吩咐顺义王早早回家，我就吩咐他回去。虎年（1578年）十二月初头写。"[②] 后来，索南嘉措根据明廷的要求，劝说俺答汗从青海返回土默特，替明廷办了他们办不到的事情。索南嘉措直接向明廷进贡，实际上得到了明廷对他崇高宗教地位的承认。

1579年，俺答汗率众返回蒙古。索南嘉措派东科尔呼图克图云丹嘉措作为代表，跟随俺答汗在蒙古讲经说法。他自己离开青海前往西康理塘地方讲经。1580年为理塘大寺举行了开光仪式。然后又到芒康、昌都地方弘法。

1582年初俺答汗病故，其子僧格都楞汗即位，遵遗命遣使至昌都邀三世达赖。据《三世达赖喇嘛传》、《俺答汗传》和《蒙古源流》等蒙藏文史料记载，三世达赖喇嘛应蒙古土默特部辛爱都龙汗之请，于木鸡年（乙酉，1585年）从藏地启程，火狗年（丙戌，1586年）来到库库克屯（今呼和浩特），在土默特、喀喇沁等万户境内广做佛事，并将俺答汗的遗骨火化。[③] 在此期间，漠北喀尔喀万户首领阿巴泰于火狗年（丙戌，1586年）夏六月

---

①　乌兰：《〈蒙古源流〉研究》，第428—430页。
②　《张文忠公全集》，转引牙含章：《达赖喇嘛传》，人民出版社1984年版，第22页。
③　详见乌兰：《〈蒙古源流〉研究》，第454—459页。

十五日前来拜谒达赖喇嘛。① 根据《阿萨喇克其史》记载，铁蛇年（辛巳，1581年），阿巴泰在二十八岁时，从满官嗔—土默特地方来的商人那里听到佛法在土默特地区流传，于是派人敦请喇嘛，皈依佛教。木鸡年（乙酉，1585年），建造寺庙，火猪年（丁亥，1587年）前往，是年夏六月十五日谒见达赖喇嘛索南嘉措，奉献一千匹骟马为首的许多金银细软。当时，三世达赖喇嘛让他从满屋子的佛像中选取一件，阿巴泰选了变旧了的伯木古鲁巴像。因此达赖喇嘛说阿巴泰是"瓦齐尔巴尼"（意即金刚手）的转世，并赐给了"佛法大瓦齐赉汗"号。② 关于阿巴泰的汗号，《蒙古源流》有两种说法，其中一种说法与前引《阿萨喇克其史》的记载相同，但另一种说法非常耐人寻味。据这种说法，阿巴泰谒见三世达赖以后，达赖喇嘛请他选取一幅佛像，阿巴泰选取了金刚手的画像，在告别时向达赖喇嘛请求："请赐给我冠有 vačir 之名的汗号吧！"达赖喇嘛回答说："只是担心对你们蒙古的政统有妨害。"尽管这样说了，但是当阿巴泰再次恳求时，赐给了他"瓦齐赉汗"的称号。③ 据诸书的记载，"瓦齐赉汗"的称号来源于瓦齐尔巴尼（vacirbani/vajrapāni）。阿巴泰选取的伯木古鲁巴，全称作伯木古鲁巴·朵儿只杰波（译言伯木古鲁巴·朵儿只王），是藏传佛教帕竹噶举派的创始人（生活在1110—1170年间），为塔波噶举派的嫡系。有趣的是，据《蒙古源流》记载，三世达赖喇嘛其实并不愿意授予阿巴泰"瓦齐赉汗"号，甚至可能未曾认定阿巴泰为金刚手的转世。据《蒙古源流》专家乌兰的研究，《蒙古源流》各版本系统中，在一部分版本中保留了三世达赖起初不肯授予阿巴泰"瓦齐赉汗"号的说法，而一些版本中没有保留。值得特别注意的是，没保留此说的版本正是源于喀尔喀人抄制的 a 本。④ 这说明，阿巴泰为金刚手的转世一说，是喀尔喀人有意编造的。所有这些在暗示，喀尔喀阿巴泰汗谒见达赖喇嘛以前，就已经皈依了藏传佛教噶举派，见到达赖喇嘛后，特意迎请了伯木古鲁巴·朵儿只王（又译作帕木竹巴·朵儿只王）的佛像，并请求三世达赖喇嘛授予他含有"金刚手汗"之义的汗号。三世达赖喇嘛

① 善巴：《阿萨喇克其史》，第48页下。
② 善巴：《阿萨喇克其史》，第53页上。
③ 乌兰：《〈蒙古源流〉研究》，第437页。
④ 乌兰：《〈蒙古源流〉研究》，第457页。

游历蒙古地方的首要目的，是传播藏传佛教格鲁派教义，所以曾以"担心对你们蒙古的政统有妨害"为由予以拒绝。总之，阿巴泰从达赖喇嘛处得到了"瓦齐赉汗"号。

这期间，蒙古大汗图门汗也遣纳木岱洪台吉（脑毛大）邀请三世达赖喇嘛到察哈尔传教，又遣克什克腾图迈台吉带领千骑邀达赖喇嘛去察哈尔。1588年，顺义王扯力克向明廷写信，请求赐给索南嘉措以"朵儿只唱"的封号。"朵儿只唱"是藏语，意即"金刚持"，与俺答汗赐给三世达赖的梵文名号意思相同。明神宗接受扯力克的要求，派人到蒙古，邀请三世达赖喇嘛去北京讲经说法。索南嘉措接受了邀请，向北京出发，但在途中于三月二十六日在札噶苏台地方圆寂。时年四十六岁。

（鲍音　撰稿）

云丹嘉措

云丹嘉措（1589—1617年），蒙古人，孛儿只斤氏，四世达赖喇嘛。1589年生于蒙古土默特部俺答汗家族，其父为俺答汗长子僧格都楞汗之子松布尔彻臣楚古库尔台吉，其母为毕格楚克璧吉。出生地在今商都县察汗淖附近。① 迄今为止，云丹嘉措是唯一的蒙古人出身的达赖喇嘛。

据五世达赖喇嘛讲，达赖喇嘛在蒙古的转世是根据索南嘉措的遗嘱认定的。他写道："作为使佛法在蒙古地方传播开来的缘起，又因誓愿之力，使达赖喇嘛转生于成吉思汗的王族中，掌握政教结合的权力，成为引导有缘众生走上大乘善道的吉祥怙主，这正是达赖喇嘛的不可改易的金刚遗言。"② 云丹嘉措首先是由当地人认定为三世达赖喇嘛的转世。当时，三世达赖喇嘛的管家楚臣嘉措也认为松布尔台吉的儿子就是三世达赖喇嘛的转世。于是，他专门派人到西藏，报告了该灵童的惊异征兆和当地人的议论，并请求西藏方面派人到蒙古查访。拉萨方面接到土默特部的来信后，于1592年派出一个代表团到蒙古，查访云丹嘉措的身份。据说，该代表团回到西藏后，又经

---

① 珠荣嘎译注：《俺答汗传》，第160页。
② 《四世达赖喇嘛传》，《中国边疆史地资料丛刊》（西藏卷），第222页。

过慎重的讨论，才决定承认云丹嘉措的转世灵童地位。①

　　1602 年，西藏三大寺派出正式代表团前往蒙古，承认云丹嘉措为达赖喇嘛灵童，迎请入藏。1603 年，在藏北热振寺举行了坐床典礼，然后接到哲蚌寺学经，拜当时甘丹寺主持根敦坚赞为师，受了沙弥戒。1607 年，云丹嘉措赴扎什伦布寺，向扎什伦布寺法台罗桑却吉坚赞求法。此人就是后来的四世班禅额尔德尼。由班禅大师给达赖喇嘛讲经，这是第一例，而其后班禅活佛转世系统走进了西藏历史的舞台，便出现了另一个格鲁派系统中的活佛系统。班禅与达赖的师徒关系从此开始。1614 年，四世达赖喇嘛请班禅前往哲蚌寺，拜他为师，受了比丘戒。这是两个活佛系统之间互为授戒的第一次，其后互相授戒的情况也多次发生，成为达赖、班禅之间关系的一项重要内容。

　　1614 年，云丹嘉措继任哲蚌寺第十三任法台，又应色拉寺僧众之请，兼任了色拉寺第十五任法台。据一些资料记载，1616 年，明朝万历皇帝派专人进藏，赠赐四世达赖喇嘛为"普持金刚佛"的封号和印信。明朝使臣索南罗追和汉族代表们在哲蚌寺向四世达赖喇嘛宣谕万历皇帝的封赐诏书，献了僧官制服及许多礼物，并转达了万历皇帝迎请他去北京的旨意。四世达赖也接受了邀请。索南罗追曾在汉地建立了一座寺院，四世达赖站在哲蚌寺的殿顶上遥祝其寺庙兴旺，祈祷佛事永昌，并向空中撒了青稞。

　　但正在此时，1617 年春，云丹嘉措在哲蚌寺突然圆寂。

　　四世达赖喇嘛的去世，一般都认为是后藏政权首脑藏巴汗——敦迥旺布所害。敦迥旺布的父亲彭措南杰于 1612 年统一后藏，敦迥旺布于 1618 年建立了噶玛政权。此前，彭措南杰曾身患重病，当时盛传是因为四世达赖喇嘛诅咒所致。云丹嘉措圆寂后，藏巴汗下令禁止寻找达赖喇嘛的转世灵童。1617 年、1621 年蒙古方面两次派遣军队与藏巴汗交战，彭措南杰于 1620 年去世，五世达赖喇嘛因此才得以转世。

　　四世达赖喇嘛为了扩大势力，参观了许多寺院，为赢得僧俗民众的拥戴，做过一些法事，但毕竟因为还比较年轻，阅历不算非常深广。

（鲍音　撰稿）

---

①　牙含章：《达赖喇嘛传》，人民出版社 1984 年版，第 24—25 页。

阿兴喇嘛

阿兴喇嘛（？—1636 年），本名西尔巴，出生在青海安多地方的萨木鲁家族。少年时出家，前往哲蚌寺等著名寺院学习，成为一名博学的喇嘛。他与三世达赖喇嘛的母亲是同族近支，被尊为"阿兴曼殊室利"，简称"阿兴喇嘛"（舅父上师）。阿兴喇嘛学成之后，到五台山，后到蒙古土默特部，结识俺答汗。①

阿兴喇嘛的主要功绩，是劝说俺答汗皈依佛教。根据蒙古文《俺答汗传》，阿兴喇嘛于 1571 年来到土默特地区，拜见俺答汗，并向土默特蒙古贵族传教。该传生动地记载了阿兴喇嘛的传教活动，这里引用一段："（他）如此启奏于俺答彻辰汗：啊，因大汗汝世世修行福聚，始降生为人君尊汗，若于今生今世，净修佛教弘传佛经，确立博尔桑琥瓦喇克（僧侣）之界，修行福慧之聚时，汝将如圣转轮王般遍地扬名。一俟此生终了之时，汝将彻悟佛陀之道，怜悯导引一切众生。（阿兴喇嘛）如是详奏说经。于是俺答汗问阿兴喇嘛曰：以上所言我领悟在心，然而所云三宝者何耶？彼喇嘛曰：三宝者待我譬喻说明：（三宝）即佛、法、僧三者，信佛者不拜其他诸天，信圣法者不杀人害命。信僧者不信异教旁门。（阿兴喇嘛）如此宣法启奏讲解，将济世观音菩萨之六字，示于格根汗、钟根哈敦为首众人曰：应持诵无量唵嘛呢叭咪吽。使手持念珠一颗颗拨珠念诵，曰：因一切众生无不为无始父母者，若以爱护慈悲之心禅思持诵，即得悟入识一切观音菩萨之门。若谓此六字之法性时，尊唵字使解脱天道之生死轮回，自在嘛字使解脱阿修罗之争斗，此呢字使解脱人间之四苦，叭又咪字使解脱饿鬼饥渴之苦，乐吽字使解脱地狱寒热之苦，六字之法性无边无比无数。诸佛精微要略之咒语，无上佛法要略种子之字，清楚一切众生愚暗之阳光，妙微六字之法性不胜枚举。连绵而降之雨雪可以数清，尔诵一遍六字之功德却不能数尽，小僧我约略启奏说解，请可汗、哈敦精修八关斋戒。当问然而何谓八关斋戒时，彼连绵答（可汗）曰：首先晨朝即起顶礼尊三宝，禅思精修平等四无量之道。应念众

---

① 齐格齐：《阿兴喇嘛族系事迹简介》，《内蒙古社会科学》（蒙古文）1983 年第 3 期。

生皆为父母持守斋戒。若谓何谓八关之一切（内容），即不杀生，不取不与之物，不行不净之事，不出妄语，不误食非时之食，不饰花涂香，不和声作乐，不坐高床等是也。如是说法启奏之时，格根汗、哈敦举国大众咸皆信服。"① 在阿兴喇嘛和彻辰洪台吉的建议和劝说下，俺答汗决定接受藏传佛教，延请格鲁派首领索南嘉措。

1574 年，阿兴喇嘛赴藏邀请索南嘉措。因为阿兴喇嘛劝俺答汗敬奉三宝，皈依佛门，功劳显著，在 1578 年仰华寺法会上，俺答汗赐他以"额齐格喇嘛"之称号。"额齐格喇嘛"，意为"父亲上师"。俺答汗之孙素囊黄台吉曾刻一方用藏文音写蒙古语的金印献给阿兴喇嘛，印文为"素囊黄台吉献给额齐格绰尔济的贵重金印"。此印今藏在北京故宫博物院。②

俺答汗、三世达赖喇嘛相继去世后，阿兴喇嘛在 17 世纪初离开土默特地区，东游至巴林、喀喇沁等地，继续传教。1629 年，应爱新国天聪汗之邀，入居盛京。后回蒙古地方，居于盛京西之巴克山，始称"巴克山曼殊室利呼图克图"。后居今内蒙古库伦旗境内，其地始有"曼殊室利库伦"之称。

在中国第一历史档案馆藏 17 世纪 20—30 年代蒙古文文书中，有一份蒙古文文书出自"额齐格喇嘛"之手。该文书是一份向天聪汗问安的书信，内容极其简略，简单通报了额齐格喇嘛一行安全到达目的地，并说明因为缺少马匹未能派遣使者和与明朝没有进行贸易情况，最后建议派遣名为察罕喇嘛的人出使曼殊室利。寄信人自称"额齐格喇嘛"，书信背面用旧满文书写"喀喇沁之额齐格喇嘛"。③ 这封信应该是阿兴喇嘛在喀喇沁传教时写给皇太极的。这说明，阿兴喇嘛经常活动在爱新国和蒙古各部之间，并与明朝进行贸易。

阿兴喇嘛于 1636 年阴历八月十五日圆寂。④

（鲍音　撰稿）

① 珠荣嘎译注：《俺答汗传》，第 54—56 页。

② 乌兰：《〈蒙古源流〉研究》，第 419 页。

③ 《十七世纪蒙古文文书档案》，第 104—105 页。

④ 齐格齐：《阿兴喇嘛族系事迹简介》，《内蒙古社会科学》（蒙古文）1983 年第 3 期。

东科尔呼图克图永丹嘉措

　　东科尔呼图克图永丹嘉措（1557—1587 年），蒙古文文献尊称"曼殊室利呼图克图"。

　　塔尔寺上部有一座西宁东科尔寺（zi-ling stong-vkhor-dgon，今青海湟源县）。这个寺的历代住持即东科尔活佛。永丹嘉措是该寺的第二世活佛。他于藏历第九胜生的火蛇年（1557 年）出生于中部康区，8 岁出家，然后从哲蚌寺的大堪布等很多高僧那里学经，并云游青海、四川、康区等许多名刹讲授佛法，还撰写了一部佛教著作。《安多政教史》讲述了他 23 岁以后的引人注目的经历。23 岁（1579 年）时，为了在青海湖边拜见三世达赖喇嘛索南嘉措，前往恰布恰的大乘林寺（theg-chen gling），在那里请求了比丘戒，听取了许多佛法。为俺答汗的供养喇嘛数年。据说，在恰卜恰庙会晤期间，俺答汗赠索南嘉措以"达赖喇嘛"称号的同时，赠给永丹嘉措以"曼殊室利呼图克图"之尊号，认为他是文殊菩萨——曼殊室利的化身。这位呼图克图既能代表达赖喇嘛，又与达赖喇嘛同时获得尊号，说明他是一位非同一般的重要人物。其间，他遵循达赖喇嘛之命前往察哈尔，以其神通消除了祭祀翁衮的传统。"大明皇帝也非常赞赏。迩时土默特等地来了邀请，未成行。于水马年（1582 年）赴前藏。……向色拉寺、哲蚌寺、甘丹寺……等许多大小寺院奉献了布施。……并任色拉寺堪布者数年……火猪年（1587 年）31 岁圆寂，遗骸供在西康东科寺。"①

　　关于东科尔呼图克图跟随俺答汗前来蒙古地方的原因，在《三世达赖喇嘛传》中有清楚的记载。当俺答汗从恰布恰庙离开返回土默特时，"福田与施主商议决定，为了发展汉藏金桥关系，将火落赤巴图尔及其部众留居青海驻牧，并把东科尔法王永丹嘉措派往蒙古地方，暂时作为达赖喇嘛的代表。"② 达赖喇嘛和俺答汗二人的这一"商议决定"是具有远见卓识的决定，此后达赖喇嘛在青海和蒙古地区的传教活动的成功，甚至格鲁派不断得到青

---

　　① 《安多政教史》（汉文版），第 178 页。
　　② 《三世达赖喇嘛传》（汉文版），第 180 页。

海蒙古军队的强有力的支持和保护，都是与此决定有密切关系的结果。他们二人的这项决定，对 17 世纪乃至后来的蒙藏政治和宗教关系都起到了十分重要的作用。

据蒙古文献的记载，东科尔呼图克图来到土默特做了一件重要事情。1582 年，当俺答汗的生命垂危之时，土默特部的诸首领们对佛教的信仰产生了动摇，甚至提出"此经教之益安在哉？"的想法。曼殊室利呼图克图立即到现场，用佛法生死轮回之道说服了土默特部领主们在取舍佛教的歧途上的彷徨。看来，这一关键时刻，曼殊室利呼图克图作了扭转乾坤的大事。①

蒙古文《阿萨喇克其史》记载：1581 年，阿巴泰汗听到东科尔曼殊室利呼图克图在土默特的消息，派使者迎请了他。不久曼殊室利呼图克图来到喀尔喀，阿巴泰汗遂入斋受戒，对这位喇嘛特别敬重。1585 年，阿巴泰汗在大蒙古国时哈刺和林古城遗址上筑寺，建成了额尔德尼召，并曼殊室利呼图克图为该寺开光。

据《安多政教史》说，曼殊室利呼图克图于 1587 年圆寂后，在喀尔喀、鄂尔多斯和康区各找到一名他的转世灵童，最后康区的嘉瓦嘉措被确认为这位东科尔呼图克图永丹嘉措的转世三世东科尔活佛。②

（乔吉　撰稿）

阿尤喜固什

阿尤喜，原名巴颜，号阿南答满珠锡里固什，简称阿尤喜固什，蒙古应绍卜万户喀喇沁鄂托克佛教高僧。

藏传佛教传入蒙古地区后，迫切需要翻译佛教经典的人才。翻译佛教经典的人才必备梵文、藏文和蒙古文修养。阿尤喜固什是当时这方面不可多得的优秀人才。他何时何地掌握了梵、藏、蒙古文，目前还找不到相关的记载。在俺答汗时代，阿尤喜固什就翻译了大量的佛经，得到了俺答汗的器

---

① 详见乌兰：《〈蒙古源流〉研究》，第 432—433 页。
② 据藏文文献，1582 年东科尔呼图克图赴西藏，并于 1587 年在康区去世，遗骸放在西康东科尔寺。据蒙古文史料记载，此说有误。

重。蒙古文《俺答汗传》记载，在 1578 年仰华寺大会上达赖喇嘛因为巴颜巴格什"兼通印藏蒙三种语言，翻译喜悦佛经担任通事（有功），赐巴格什阿尤喜以阿南答满珠锡里固什之号使为诸师之首。"① 当达赖喇嘛返回藏地时，俺答汗下令察哈尔万户和应绍卜万户部分显贵和"学识渊博的阿尤喜固什、额尔德尼玛尼、萨丁等"高僧陪同他到青海，并把达赖喇嘛的代表曼殊室利呼图克图请到土默特。② 又据本蒙古文《俺答汗传》，在俺答汗死后，其孙扯力克、钟金哈屯和鄂木布洪台吉等聚集锡呼图固什绰尔济、阿尤喜固什等右翼三万户的译者贤能，在黑虎年（壬寅，1602 年）至红羊年（丁未，1607 年）间，将全部经卷译出并装订成册。③ 这里所说全部经卷即指《甘珠尔经》。

在此之前，于 1587 年，阿尤喜固什为了准确音写梵藏文外来语，创制了《阿里嘎礼字》。"阿里嘎礼"是藏文音译，"阿里"意为元音，"嘎礼"意为辅音。《阿里嘎礼字》实际上就是音写梵藏文借词的音标。《阿里嘎礼字》是在原回鹘体蒙古文字母基础上创制的，包括书写蒙古文的 30 个字母、音写藏文的 90 个字母和转写梵文的 50 个字母。该音标系统能够原原本本地音写梵文和藏文的任何字母，这就克服了原来仅适用于书写蒙古语的蒙古文字母的弊端，为蒙古文字的发展做出了贡献。当然，"阿里嘎礼字"也有它的局限性，那就是它实际上是一种表现借词原文字书写形式的记号，而不是表达其读音的写音字母，所以不懂梵藏文的人很难知道该字的准确发音。

阿尤喜固什创制新字母的同时，创办了培养翻译人才的学校，使蒙古右翼三万户的译师们边学梵藏诸语，边掌握《阿里嘎礼字》。《甘珠尔经》的翻译，与阿尤喜固什的努力分不开。1628 年手抄金字本《甘珠尔经》中的梵藏文借词就是用阿里嘎礼字转写的。

（鲍音　撰稿）

---

① 珠荣嘎译注：《俺答汗传》，第 121 页。
② 珠荣嘎译注：《俺答汗传》，第 133 页。
③ 珠荣嘎译注：《俺答汗传》，第 178—179 页。

迈达里呼图克图

迈达里呼图克图（1592—1635 年），藏文文献称强巴活佛（byams-pa sprul-sku），是蒙古文 mayidari（来自梵文 maitreya，汉文音译为弥勒）的藏语称呼，意为"慈悲"，因此蒙古文文献把他的名字翻译成 yekede asraɣci mayidari（大慈悲迈达里）或 asaraqui mayidari（慈悲迈达里）。

据蒙古文文献记载，他的藏名叫 dgev-bdun Dpal-bzang Rgya-mtsho Dpal-bzang-po，于甲辰年（1604 年）13 岁时，依照四世达赖喇嘛的指令，由专人护送从西藏到达土默特部后立即被扯力克、钟金哈屯（三娘子）、温布洪台吉等人迎入呼和浩特大召寺，扶坐于三世达赖喇嘛的法坐上，主持蒙古地方的佛教事务。[①]

蒙古文《蒙古源流》（库伦本）对迈达里呼图克图在蒙古地区的传教活动有如下记载：丙午年（1606 年）应俺答汗的孙子大成矮吉的妻子五兰姚吉之邀请，迈达里呼图克图前往迈达里召（今美岱召），为这座寺庙里新造的弥勒佛像举行开光仪式。其后，辛亥年（1611 年）应兀鲁部的答来兀巴失那颜的邀请为他所修的寺庙开光。

甲寅年（1614 年），鄂尔多斯部的博硕克图济农（汉籍称卜失兔，1565—1624 年）用珍宝金银铸造了释迦牟尼佛 12 岁身高的塑像和修造各种法事器皿等完工后，迈达里呼图克图应邀前往，为佛像等进行开光散花。为此，博硕克图济农为迈达里呼图克图上"大慈法王"尊号。

博硕克图济农去世后，其第三子土巴台吉为其父亲作福事，于甲子年（1624 年）前往西藏，次年作为施主参加了为四世达赖灵塔举行的开光典礼，并在返回途中，遵照先父的发愿，请到了用银字缮写的《丹珠尔》经一部。土巴台吉于丙寅年（1626 年）回来后，其母亲召集鄂尔多斯部的所有那颜，请来迈达里呼图克图为这部珍贵的《丹珠尔》抄本散花开光。丁卯年（1627 年）当博硕克图济农的次子额林臣即济农位时，《蒙古源流》的作者萨冈彻辰黄台吉也随同济农共同聆听了迈达里呼图克图所讲解的

---

① 　珠荣嘎译注：《俺答汗传》，第 176 页。

"吉祥金刚萨都灌顶（vajrasatva abhiseka）"。

在蒙古末代汗林丹呼图克图（1592—1634 年）治世时代，他所供奉的喇嘛中也有这位迈达里呼图克图。据蒙古文《大黄史》，林丹汗 13 岁即位（1604 年）后从迈达里诺们汗（法王）、卓尼绰尔济等受精深秘乘灌顶，扶植教法。① 据此，这位迈达里呼图克图在蒙古地区的地位极为重要，因为他来到蒙古地区的身份是达赖喇嘛的全权代表，总持蒙古地区的宗教事务。纵观当时西藏佛教的教派之间的斗争，达赖喇嘛在西藏的神权地位尚未完全建立，所以迈达里呼图克图所代表的只能是主持格鲁派一宗的事务而已。后来到清代，曾有如此重要地位的迈达里呼图克图却没有成为全蒙古的宗教领袖，而他的转世只不过是土默特一部的"呼必勒罕"②。

（乔吉　撰稿）

卓尼曲吉金巴达吉

卓尼曲吉金巴达吉（1574—1641 年），是今甘肃省甘南藏族自治州中部洮河上游的卓尼大寺的高僧。相传卓尼大寺的始建与大元帝师八思巴有关，起初是萨迦派一座小寺院，到明代天顺年间（1457—1464 年），卓尼第二代土司时代改为格鲁派寺院。他 13 岁出家，后来到卫地色拉寺学经，获得色拉寺麦巴扎仓（僧院）的噶久③名号。然后在上密院学习的时候，他和上文所叙东科尔呼图克图、迈达里呼图克图三人被选任为达赖喇嘛（四世）的代表，派往蒙古地区。

金巴达吉究竟何年来到蒙古地方尚不清楚。据记载，1621 年，青海火洛赤诺颜之子小拉尊洛桑丹增嘉措、古鲁洪台吉率领两千蒙古兵到西藏与拉藏汗作战时，金巴达吉以古鲁洪台吉的代表身份站在格鲁派一方，为格鲁派的利益以及将五世达赖喇嘛迎至哲蚌寺的谈判中起到了重要的作用。五世达

---

① N. P. Shastina, Shra tudji. Moskva-Leningrad, 1957, text, p. 75.
② 参见《大清会典》，《理藩院事例·典属清吏司条》。
③ 原为后藏扎什伦布寺中对已粗通格鲁派必修的五论本注者，称之为噶久。看来色拉寺麦巴扎仓亦有此号。

赖喇嘛在哲蚌寺坐床以后的 1622 年，金巴达吉又前往蒙古地方弘法。这次
前来蒙古地区后先后被蒙古左翼万户的察哈尔、喀尔喀以及右翼万户的土默
特和西蒙古的厄鲁特等部的首领们尊为上师，广弘《金刚鬘》等教法，受
蒙古人的尊重。据《五世达赖喇嘛传》，他去厄鲁特蒙古后被他们尊为金刚
持，他的转世被称"瓦齐尔达喇呼图克图"①。

　　蒙古文《大黄史》记载，卓尼绰尔济与迈达里呼图克图一起被察哈尔
林丹汗奉为供养喇嘛，并为林丹汗传授精深秘乘灌顶。这位卓尼绰尔济就是
卓尼曲吉金巴达吉。卓尼曲吉金巴达吉何时从蒙古地方返回西藏，文献没有
确切记载。但《安多政教史》在其传略中提到，他回到卓尼大寺后于 1630
年到 1636 年间，先后担任卓尼大寺的堪布②7 年。1637 年，和硕特部顾实
汗（1582—1654 年）在青海湖畔消灭喀尔喀绰克图汗，恳请金巴达吉前去。
于是他与顾实汗一同前往卫地，向达赖、班禅奉献供养，向各寺院奉献大量
布施，并一度担任五世达赖喇嘛的侍从。后来根据达赖喇嘛的派遣又回到青
海。1640 年又与顾实汗的军队一同前赴卫地。1641 年圆寂于色拉寺。

（乔吉　撰稿）

博格达察罕喇嘛

　　博格达察罕喇嘛，蒙古人，出生于土默特部大臣家族。③ 他是呼和浩特
广化寺（喇嘛洞）的缔造者。关于他出家为僧有这样一段传说：他最初是
一个俗人，但并不居住在村里，而是经常漂泊在呼和浩特一带诸山谷中。有
一次，他在梦中得到一位白衣人的开导遂即觉悟，萌生了出家的意念。于是
丢下坐骑和武器，连家也不回，就到了一位喇嘛跟前，并在那里与修行的两

---

① 阿旺洛桑嘉措：《五世达赖喇嘛传》（汉文版），第 949 页。

② 藏文 mkhan-po，原为西藏佛教中主持授戒者的称号即规范师，后指大寺院中的扎仓的主持人及
小寺院的主持人，相当于"僧统"、"僧正"之类。

③ 关于博格达察罕喇嘛，参见 W. Heissig：Erdeni-yin erike. Mongolische chronik der Lamaistischen
klosterbauten der Mongolei von Isibaldan（1835 年），UbersiCht lamaisCher temple，Koke khota，13—14r，ko-
penhagen，1961 年。若松宽教授发表了《博格达察罕喇嘛与呼和浩特的喇嘛教》，《清代蒙古的历史与宗
教》，黑龙江教育出版社 1994 年版。

位瑜伽师共同修行，请求"那若六法"的深奥修习方法。这样，他在远离呼和浩特的北方山中的一座岩洞中隐居下来，在深山峡谷中独居，靠布施的食物生息。这位博格德察罕喇嘛的修行道场基本在今呼和浩特地区"托浩齐村北后的山顶。"这个"托浩齐村"应该是今土默特左旗兵州亥乡的"讨合气村"。该村西北有一座高山，这座高山很可能是博格达察罕喇嘛的道场"村北后的山顶。"不知什么时候，他曾经云游到五台山、雪域西藏等殊胜圣地。他在晚年定居在固定的地方，招收弟子，苦行坐禅。

据史籍记载："瑜伽自行者（指博格达察罕喇嘛）晚年，常住于今寺院所在地之石窟中修行，如经咒中所云，修行处四周多姿多态，故隐居此处深为便适。前方之山峦如恭听传法之众有德者；西南方之山形如百兽之王的狮子，其右边像是一股常流不息的甘露；北后的山峰如汇集在一起的众僧，东北方之山像一位顶盔甲的勇士，东南方之朝克图山像一座盛满甘露的白坛，地形尽善。"①

据此记载，虽然文中如此生动地描述了其周围自然环境的独特美妙，但没有指出修行道场的具体地点，然而我们根据今喇嘛洞所在地形特点来看，博格达察罕喇嘛之晚年修行地点大概在广化寺（喇嘛洞）山洞中的可能性最大。据《土默特志》："广化寺在归化城西百里毕齐克齐正北大青山内，前明中叶有宝圪都察汉喇嘛在此山洞，长斋诵经，传教僧徒，至于顺治十二年涅槃。"② 文中所言"宝圪都察汉喇嘛"，毫无疑问是"博格达察罕喇嘛"。《土默特志》所述"顺治十二年（1655年）涅槃"是指继博格达察罕喇嘛之后，坐上其法座的大弟子道宝迪彦齐（禅师）赤列扎木素喇嘛圆寂的时间，而不是博格达察罕喇嘛圆寂的时间。

博格达察罕喇嘛于"第十一胜生之初的丁卯年涅槃"③，即公元1627年。

20世纪80年代从土默特左旗台阁牧乡达尔扎村发现了"博格达察罕

---

① 若松宽教授发表了《博格达察罕喇嘛与呼和浩特的喇嘛教》，《清代蒙古的历史与宗教》，黑龙江教育出版社1994年版，第300—301页。

② 《土默特志》，清光绪年间刊本影印，台湾成文出版社1968年版，第105—106页。

③ 若松宽教授发表了《博格达察罕喇嘛与呼和浩特的喇嘛教》，《清代蒙古的历史与宗教》，黑龙江教育出版社1994年版，第301页；藏文《传承史》，第541页。

喇嘛石碑"。据此碑文，博格达察罕喇嘛的"心传大弟子"为道宝迪彦齐（禅师）赤列扎木素，另外还有一个弟子叫"台吉恩克"的俗人弟子，他们二人用诗文形式在石碑上刻记了向博格达察罕喇嘛为弘扬佛教、苦练修行的功德顶礼膜拜的十五行华丽言词。石碑今存于内蒙古大学蒙古学研究院。

（乔吉　撰稿）

锡埒图固什绰尔济

锡埒图固什绰尔济（1564—1625 年），是跟随第三世达赖喇嘛于 1578 年参加青海湖畔的恰布恰会谈的主要人物之一。他的传教活动相当于从俺答汗开始到那木岱扯力克洪台吉（亦称那木岱扯辰汗，1586—607 年在位）略后的年代。他是三世达赖喇嘛的高徒，1578 年会见俺答汗后，得到俺答汗的敬重，并跟随他前来蒙古地方传教。[①]

我们根据蒙古文《俺答汗传》[②] 和喀尔喀《额尔德尼召历史》[③] 以及相关档案资料记载，锡埒图固什绰尔济的活动不仅限于呼和浩特地区，而且也涉及漠北喀尔喀地区。据三世达赖喇嘛的说法，他来到呼和浩特后不久，依着"这位锡地图噶卜楚（指锡埒图固什绰尔济）与吾人无何区别，尔土谢图汗请去供养之！"[④] 的旨意，曾于 1585 年到过喀尔喀部阿巴岱汗处进行传教。1588 年三世达赖喇嘛圆寂后，临时代替三世达赖喇嘛，坐床主持蒙古地方经教，因此遂有"锡埒图固什绰尔济"之赫赫名号。大概是 1600—1602 年间，他受那木岱彻辰汗和钟金哈屯的派遣前往西藏进献大量布施，并报告三世达赖喇嘛的化身在蒙古地方转世的消息，赢得西藏高僧们的信赖。四世达赖前往西藏以前，他负责培养四世达赖喇嘛，并

---

① 乔吉：《锡埒图·固什·绰尔济生平叙补》，《蒙古史研究》第 1 辑，第 154—156 页。

② 《俺答汗传》（蒙古文），49a。

③ АД Цендина，История Эрдэни-дзу（erdeni juu-yin teüke）．《Восточная литература》РАН，MockBa，1999．с．44-46，текст,．12v。

④ 内蒙古图书馆、内蒙古社会科学院图书馆馆藏档册：《kökeqota-yin γajar orun-u jaq-a kijaγar ba siregetü gegen-ü tobci namdar》（呼和浩特地域界限及锡埒图活佛传略），写本，r-1v。

担任了四世达赖喇嘛的经师。在他一生的宗教活动中，除了曾主持经教，培养四世达赖喇嘛外主要是用蒙古文译经，译经地点大都在呼和浩特。因此，在蒙古人中间他以"呼和浩特的锡埒图固什绰尔济"名号闻名。在译经方面他的最卓越的成就是于 1602 年到 1607 年间，领导右翼三万户译经师将《甘珠尔》全部翻译成蒙古文这一事实。这是令人吃惊的，因为到上个世纪 80 年代以前人们几乎不甚知晓这一事实。在此前于 1592—1600 年间他已经翻译了十二卷本《般若波罗蜜多经》。根据前人研究和蒙古文佛教经典相关目录，可以指出他所翻译的蒙古文经典的名目：

1. Bilig-ün činadu kijaɣar kürügsen jaɣun naiman silüg-ün udq-endegürel ügei quriyagsan silüg（般若波罗蜜多十万颂精义）

2. Arban naiman mingɣatu nögöge ɣutaɣar gelmeli kemegdekü sudur（般若波罗蜜多一万八千颂，第三卷）

3. Qutuɣtu tümen silüg-tü dötüger gelmeli kemegdeku sudur（般若波罗蜜多一万颂，第四卷）

4. Čoɣtu včir ayuɣuluɣči yamandaga-yin coɣ jibqulangtan egüskekü-yin jerge（吉祥金刚怖畏雅曼达嘎［威德金刚］生成威德起始道次第）

5. Yeke čoɣtu ayuɣulüɣči-yin egüskekü-yin jerge（大吉祥怖畏起始道次第）

6. Čoɣtu belge bilig-ün idam jirɣuvan ɣar-tu nom-un qaɣan nöküd selte-yin ilerkei onul qangɣal utuɣul-uɣ-a selte（吉祥智能本尊六臂法王）

7. Qutuɣ-tu molun toyin eke-dür-iyen ači qariɣuluɣsan kemekü sudur（牧犍连报母恩记）

8. Čaɣan linqu-a neretü nom-un kölgen sudur（正法白莲花大乘经）

9. Siluɣun onul-tu-yin tuɣuji（佛说贤愚经）

10. Čindamuni erike kemegdekü orusiba（如意鬘）

11. Getülgegci Milarasba-yin tuɣuji, egesiglegsen mgur-bum（米拉日巴传道歌广集）

12. Yogazaris-un erketü degedügetülgegči Milarasba-yin rnamtar nirvan kiged qamuɣ-i ayiladuɣči-yin mör üjegülügsen kemegdeku orusiba（瑜伽上师米拉日巴

及其示涅槃，说一切道之传记）

13．Qutuɣtu bilig-ün činadu kijagar-a kurügsen včir-iyar ebdegči neretü yeke kölgen sudur（圣般若波罗蜜多能断金刚大乘经）

14．Bodičid-un mör-ün jerge-yin ködelbüri（菩提道次第广论）

15．Ma-ni bkav-vbum，mani gambum（玛尼宝训）

16．kkir ügei qotala tegüsügsen qan köbegün-ü tuɣuji（无垢普成王子传）①

17．Demčeg（bde-mChog）-ün ündüsün-ü nomlal（tegün-ü bisilɣaqu ündüsün-ü nomlal）（胜乐金刚修持仪轨）——手抄本，内蒙古社会科学院图书馆馆藏。

18．Čiqula keregleküi tegüs udq-a neretü šastir（著作，本义必用经）

在上列锡埒图固什绰尔济的蒙古文译经的"译后记"和有关著作里，详细地介绍了佛教徒必须了解的佛教教义、伦理和佛教历史。他的译经和著述活动，对于以佛教的基本思想观念统治蒙古社会，产生了重要的影响。他的代表作《本义必用经》在蒙古社会中颇有影响的原因，大概也在于此。

（乔吉　撰稿）

萨迦端都布

萨迦端都布，西藏人，萨迦寺喇嘛，后来不知何时来到蒙古右翼三万户的鄂尔多斯万户。他与鄂尔多斯赫赫有名的博硕克图济农（1565—1624 年）是同时代人，并且与博硕克图济农一家关系很密切。据我们目前所掌握有限的文献资料来看，他对蒙古地区弘法活动的主要贡献在于翻译了两部重要的西藏宗教历史著作。一部是《西藏王统记》，另一部是《莲花生大师本生传》，这两部著作从那个时代开始迄今在蒙古地区广为传播，对蒙古社会的

---

① 锡埒图·固什·绰尔济所译成蒙古文经典的名目，目前我们所知道的以上 16 篇作品的梵、藏经名可参阅 W. Heissig, *Die Pekinger lamaistischen Blockdrucke in mongolischer Sprache. GAF 2, wiesbaden,* 1954; *Zur geistigen Leistung der neubekehrten Monglen des spraten* 16. *und fruhen* 17. *Jhdts. UAJ* 26; *Catalogue of Mongol Books*, *Manuscripts and Xylographs.* Copenhagen, 1971; 又参见 Johan Elverskog, The Jewel Translucent Sutra Brill Leiden/Boston, 2003, pp. 203—204（52）等研究成果。

政治、文化影响极深。

《西藏王统记》（亦称《西藏王统世系明鉴》①），蒙古文有几种译本，一般习称该书为 gegen toli，意为《明鉴》。这是公元 14 世纪时才出现的西藏学者自己撰写的西藏前代的历史。该书以系统、全面叙述吐蕃时期历史为其特点，问世以来一直受到极大重视。作者是西藏萨迦派喇嘛丹巴·索南坚赞（bla-ma-dam-pa-bsod-nams-rgyal-mtshan，1312—1375 年），出身于萨迦世系之家，是萨迦寺四大喇章（bla brang）之一的仁钦（rin-chen-sgang）喇章的继承人，曾兼任萨迦大寺的座主，政治、宗教方面的地位很高。② 他从布敦大师学法，又做过宗喀巴大师的上师，因此在西藏宗教界名声很高。国内外有众多学者对《明鉴》进行了研究，但是关于它的成书年代至今尚有不同说法，我国一些学者主张 1388 年说。

萨迦端都布来到蒙古地区后着手翻译西藏《明鉴》不是偶然的。他在《明鉴》蒙古文译本"跋语"中写道：

……此诸法王简略史，乃循拉尊宝吉祥（lha btsun rin chen dpal）之劝请为缘起，为使众信仰者生欢喜之故，岁次戊辰年，由考辨诸疑难之持金刚索南坚赞（福幢），撰写于吉祥无边法轮寺桑耶大伽蓝。愿现今和一切时处悉呈吉祥。……依仗弘福之加持力，成为众民之君主可汗转轮法王博硕克图彻辰济农和菩提萨埵化身钟金哈屯二位，为使佛教兴盛蒙古国，令斯篇译成蒙古文。吾人萨迦端都布，在父母之恩育下获得今生，跟随明慧贤哲学了几种语言。然本身出生在雪域吐蕃，因前生之因缘在蒙古成长之故使之蒙译讫。本人虽未能习诵梵文，然学会了蒙藏两种文字之故，遵循可汗和哈敦指令，信赖众贤明学者而译之也。

----

① 该书藏文有几种名称，一般称其为 rgyal rabs gsal bavi me long，蒙古文最早译本为萨迦端都布译本，译名为 Enedkeg TObed-Un bodisung qad-un ači-yi delgerenggüi-e UgUlegsen adiɣ-un tuɣuji（据中国国家图书馆馆藏削竹写本），蒙古人一般称其为 gegen toli（明鉴）或用藏文简称 me-long（明鉴）。关于这部著作的最早汉文译者是刘立千先生，于 1945—1946 年刊行在《康导月刊》上，书名为《西藏政教史鉴》；后王沂暖先生于 1949 年翻译刊行以来先后刊行过三版，1957 年第四次在上海商务印书馆重印，书名为《西藏王统记》；后陈庆英、仁庆扎西二位于 1985 年在沈阳出版译注本；刘立千先生将 1940 年的译文重新修改后于 1985 年由西藏人民出版社出版。

② 阿旺贡噶索南：《萨迦世系史》（Sa-skya-gdung-rabs），西藏人民出版社 2002 年第 2 版，第 177—179 页有喇嘛丹巴·索南坚赞传记。

通过萨迦端都布的《明鉴》"跋语"可知，几乎与西藏佛教格鲁派传入蒙古的同时，《明鉴》就得到了蒙古人的重视，并且于格鲁派在蒙古地区最早传入并得到迅速发展的鄂尔多斯地区被人翻译成了蒙古文，这是格鲁派传入蒙古时代译经方面的重要举措。萨迦端都布译成这部名著的具体年代不详。可是，在译文"跋语"中他提到了在蒙古右翼三万户大名鼎鼎的博硕克图济农和他的夫人的劝请下进行翻译的事实。众所周知，博硕克图济农是达延汗之子、鄂尔多斯万户首任济农巴尔斯博罗特的直系后裔。博硕克图的家族世系为：巴尔斯博罗特→衮必力克墨尔根（汉籍亦写麦力艮）济农→诺延达喇（汉籍，那言大儿）→布延巴都儿（汉籍，巴都儿黄台吉）→博硕克图（汉籍，卜失兔）。

博硕克图于 1576 年在库图克台彻辰洪台吉的扶植下被推举到"济农"之位。1578 年在恰布恰庙会见中，他被达赖喇嘛封为"斫迦罗伐剌底扯辰济农哈失汗"。1585 年，三世达赖喇嘛第二次来蒙古地方，途经鄂尔多斯时，博硕克图济农"亲自来迎接，将达赖喇嘛请到其牧地，奉献了宝碗、缎子百匹、白银千两等大批礼品。达赖喇嘛将济农王及其臣下安置于世尊吉祥呼金刚的坛城中，为他们传授灌顶，并为新建的佛殿和寺庙举行盛大的开光典礼。"这座喇嘛庙是鄂尔多斯人所称呼的 yeke jou（伊克昭，伊克昭盟源于此庙之名）。1607 年起，博硕克图济农"用珍宝金银等铸造了释迦牟尼佛的十二岁身高的塑像，全部无遗地修造了各种法事器皿饰物"，到 1613 年时全部完工。1614 年，博硕克图济农迎请迈达里呼图克图为佛像开光散花，同时为迈达里呼图克图上尊号为"大慈法王"。迈达里呼图克图也给博硕克图济农赐予"转金轮斫迦罗伐剌底彻辰济农汗"称号。博硕克图济农的夫人台和勒钟根哈敦就在这 1614 年也同样获得了迈达里呼图克图所赐"答喇菩提萨埵那木赤达赖彻辰钟根哈敦"之称号。据此，萨迦端都布译《明鉴》的时间应在 1614 年到博硕克图济农于 1624 年去世为止的十年间成书的。

萨迦端都布的另一部译著是《莲花生大师本生传》（亦称《巴达玛嘎唐》、《莲花生广传》等）。这部著作是在藏族历史上最早的典籍之一，对研究藏族历史，特别是西藏早期佛教史，无疑是十分珍贵的文献资料。随着西藏佛教再度传入蒙古地区，这部文献也在蒙古地区广为传播，就我们现在所提及萨迦端都布蒙古文译本的传抄本和刊本也有八九种，其他译经师们翻译的版本也有五六种，蒙古的喇嘛们将这些蒙古文译本均依照西藏喇嘛们的习惯，也称其为《padma Gathang》（《巴达玛嘎唐》）这一简称了。

据萨迦端都布翻译《巴达玛嘎唐》后所写的"跋语"，我们不难确定该经典的蒙古文翻译时间及其提议者等问题。萨迦端都布的"跋语"写道："……其后在孛儿只斤家族中，把秃猛克达延汗之孙，无比福缘的俺答汗诞生。其时迎来圣八思巴的化身达赖喇嘛，萌生佛念弘扬宝教，连年搏战异敌囊家人，最后带来议和，重新恢复了已失去的政教，尊圣福德之达赖喇嘛为顶饰。识一切之达赖喇嘛前来后，以佛光普照黑暗愚昧之蒙古地区，不久在这里将自行显示无常状于众生。当其化身转生于蒙古皇族之中时，吾人遇见了其化身。此后因古时缘分之福力，由额尔叠尼莽古思合落赤巴都儿台吉以真诚之心提议，使我将这部《莲花生大师本生传》译成美妙的蒙古语。在父母恩育下获得今生之我，跟随明慧贤哲学了几种语言。模仿先辈译经诸大师，将其全文无漏无遗对勘后，由我萨迦端都布用蒙古文译讫而存置。……"①

据《蒙古源流》等蒙古文文献，甲寅年（1614 年），鄂尔多斯部的博硕克图济农曾经邀请从西藏前来的迈达里呼图克图（Mayidari，1592—1635 年），为自己建造的寺庙和佛像开光的同时，对博硕克图济农等鄂尔多斯左翼和右翼的那颜、拓不能、官吏等按其尊卑，依次赐予名号时，对右翼的莽古思合落赤赐予"额尔叠尼莽古思合落赤黄台吉"的称号。这里所提及翻译该蒙古文《莲花生大师本生传》的提议者，"额尔叠尼莽古思合落赤巴都儿台吉"便是鄂尔多斯万户右翼的"额尔叠尼莽古思合落赤黄台吉"无疑。这位额尔叠尼莽古思合落赤巴都儿台吉是俺答汗家族的后裔，他的家族世系为：衮必力克墨尔根济农（俺答汗之兄）→其第四子诺木塔儿尼花台吉（汉籍写为花台吉）→其次子不颜答喇合落赤把都儿（汉籍写为合罗赤台吉）→其独生子莽古思额儿叠尼合落赤（汉籍亦写火落赤把都

　　① 内蒙古社会科学院馆藏北京木刻本第 290rv；《中国蒙古文古籍总目》（上），第 864—865 页，04674 号；另见 W. Heissig, *Die Familien-und Kirchengeschichtsschreibung der Mongolen*. Wiesbaden 1959, Tafel, 1。

儿台吉）。

　　萨迦端都布的"跋语"明确记载了该传记的蒙古文翻译的提议者所用的封号，这个封号是迈达里呼图克图于 1614 年赐给他的。同时，萨迦端都布还提到了四世达赖喇嘛在蒙古黄金家族中转世的情况，而却未提及他的圆寂时间（1616 年）。据此两点，萨迦端都布翻译《莲花生大师本生传》（《巴达玛嘎唐》）的时间当在 1614 年至 1616 年间。①

　　萨迦端都布翻译《巴达玛嘎唐》后所写的"跋语"的内容不仅限于此。译者还介绍了《巴达玛嘎唐》原文的大致内容，并叙述了他本人对佛教及其传入蒙古地区的基本历史观等问题。萨迦端都布认为，佛教不仅是人类古老的宗教，而且释迦牟尼佛及其佛教教义是拯救现今人类一切磨难的观点。他认为，释迦牟尼佛圆寂后，继承他的佛教事业、弘扬其教义的人，就是印度乌仗那地方的莲花生大师。在萨迦端都布的笔下，莲花生的地位几乎与释迦牟尼本人一样重要。他所讲述的这些理论和观点，对当时正在再度皈依佛教，尤其刚刚皈依革新教——格鲁派的蒙古上层和普通民众来说，是难能可贵的新观念，并且具有强烈的甚有魅力的号召。萨迦端都布翻译《莲花生大师本生传》的目的也就在于此。

　　萨迦端都布还讲述了佛教传入蒙古的历史。他认为，蒙古忽必烈皇帝迎来西藏的八思巴喇嘛之后，以佛教的三乘教义引导教化众生弘扬佛教。佛教开始传入蒙古的时间是从忽必烈开始。接着他较系统地叙述了从元武宗以后十余代蒙古可汗们如何信仰佛教教义以及佛教在蒙古盛行的状况。萨迦端都布认为，自元代最末皇帝妥懽帖睦尔初期，在普国之内执行政教并行之规，佛教仍然盛行。但后来由于时去运转，失大政于汉人手中，其后直至数代可汗时代，佛教衰微不振，君民迷途善恶不分，过着罪恶的生活。其后在孛儿只斤家族中，巴秃猛克达延汗之孙，无比福缘的俺答汗诞生。其时迎来圣八思巴的化身达赖喇嘛，萌生佛念弘扬宝教，连年搏战异敌囊家人，最后带来

---

　　①　关于这一点，可参阅 Sh. Bira, Mongolian Historical Writing from 1200 to 1700.（second edition, translated from the original Russian by John R. Krueger），Washington University, 2002, pp. 54—155.（SH. 毕拉：《自 1200 年到 1700 年的蒙古历史著作》，第二版，由 J. R. 克鲁格尔译自俄文，华盛顿大学，2002 年，第 154—155 页）。

议和，重新恢复了已失去的政教，以尊圣福德之达赖喇嘛为顶饰。识一切之达赖喇嘛前来后，以佛光普照黑暗愚昧之蒙古地区，不久在这里将自行显示无常状于众生，其化身转生于蒙古皇族之中。"跋语"的最后一段，萨迦端都布以优美动听的诗句，愿所有后代以及施主和一切众生，依仗这部经典的福力，按照宝教经典的教义行事，从而最后得到佛陀的大圆满，五谷丰登，风调雨顺，普国太平，民众安乐，吉祥如意。

　　萨迦端都布的两部译著，对刚刚皈依格鲁派的蒙古上层和普通民众，在宣传和普及西藏历史和宗教方面起到了重要作用。《明鉴》的蒙古译文，无疑有助于蒙古人对西藏历史及其佛教知识的了解。《莲花生大师本生传》的蒙古译文，无论其内容的神奇，还是文字的优美，对开始信仰佛教的蒙古民众来说都有极大的吸引力。因为书中不仅有莲花生在印度、西藏传教的充满奇迹的大量传说，而且还有很多君主、法王、高僧们为传播佛教和治国安民而操劳的半传说、半历史的生动故事和历史事件。这些对治理蒙古地区的政教领袖人物们来说，也是求之不得而颇有感召力的内容了。这两部著作自17 世纪初期以来在蒙古地区广为传播的原因之一，也许就在于此。

（乔吉　撰稿）

库图克台彻辰洪台吉（切尽黄台吉）

　　库图克台彻辰洪台吉，孛儿只斤氏，生于 1540 年，卒于 1586 年。鄂尔多斯万户首领衮必里克墨尔根济农之孙，俺答汗兄之子。[①] 明代汉籍作"切尽黄台吉"。

　　库图克台彻辰洪台吉协助俺答汗征瓦剌和中亚，向西北地区扩张，战功赫赫。

　　1562 年，库图克台彻辰洪台吉率鄂尔多斯部兵马出征瓦剌，行至额尔

---

① 库图克台彻辰洪台吉（切尽黄台吉）的事迹，见蒙古文《蒙古源流》、汉文《万历武功录》（第 14 卷）和内蒙古社会科学院图书馆馆藏清末鄂尔多斯文人 Sumati darm-a qardi（S. Sumatidharmakirti）撰写的库图克台彻辰洪台吉（切尽黄台吉）传记《明鉴》（Gegen toli）。研究专著有日本井上治所著：《库图克台彻辰洪台吉研究》。

齐斯河征服锡木毕斯、土尔扈特二部后撤兵。1572 年，库图克台彻辰洪台吉之弟布延达喇古拉齐巴图尔、赛音达喇青巴图尔、长子鄂勒哲伊勒都齐等率鄂尔多斯兵马远征哈萨克部的阿克萨尔汗，在实喇摩楞（锡尔河或楚河）打败哈萨克，但在撤兵途中，遭到阿克萨尔汗追击大败，损失惨重，死者千余人，而且布延达喇古拉齐巴图尔、赛音达喇青巴图尔二人均亡于战阵。第二年，库图克台彻辰洪台吉亲自率兵再次远征哈萨克，为其二弟报仇。1574 年，库图克台彻辰洪台吉远征托克马克（当时古碎叶城所在地的 Tokmak，在吉尔吉斯斯坦境内），击败哈萨克的阿克萨尔汗，凯旋途中获知从兄布延巴图尔洪台吉（把都儿黄台吉）兄弟出征瓦剌，遂留辎重于巴里坤湖，领兵助战。布延巴图尔洪台吉兄弟于哈儿盖山（杭爱山）之阳尽降额色勒贝侍卫为首的八千辉特部人。库图克台彻辰洪台吉则在扎拉满罕山阴收服喀木苏、都哩图为首的巴图特部，他的儿子鄂勒哲伊勒都齐紧追三月，在图巴罕山（今唐努兀梁海地区的都播山）之阴收服以绰罗斯的必齐呼锡格沁为首的四鄂托克而回。但由于布延巴图尔洪台吉没有听从库图克台彻辰洪台吉的忠告，过分宠信额色勒贝侍卫。结果在归途中，被额色勒贝侍卫所率领的武士杀死于克尔齐逊河，鄂尔多斯士兵也大量被杀伤，鄂尔多斯的士兵经惨败之后被迫撤退了。1577 年，库图克台彻辰洪台吉为了复仇，约请俺答汗西掠瓦剌。由于明朝兵部尚书王崇古、宣大总督吴兑等出卖了俺答汗等，"阴泄其谋于瓦剌"，致使俺答汗、库图克台彻辰洪台吉战败而归。

库图克台彻辰洪台吉联合族祖俺答汗几次远征瓦剌和中亚的结果，迫使瓦剌西迁，夺取了包括蒙古故都哈剌和林在内的漠北地区，为北喀尔喀七鄂托克领地的向西推进创造了条件。

库图克台彻辰洪台吉不仅是重要的军事领袖，也是 16 世纪著名的文人和弘扬佛法者。16 世纪中叶，最早与西藏佛教格鲁派接触的人物就是这位库图克台彻辰洪台吉。他对鄂尔多斯的历史乃至当时整个蒙古宗教史产生过重要影响，又是《蒙古源流》的作者萨冈彻辰的曾祖父，因此《蒙古源流》对他的记载较多。据其中的记载，库图克台彻辰于二十七岁（1566 年）时向西藏东北部远征，在失里木只（锡里木济，Silimji）三河汇流之处扎营，并派自己的使臣向当地有势力的几位宗教首领们说："如果你们归降我们，我们愿意奉行佛法；如果不归降，我们就进攻你们！”① 彻辰洪台吉迫使当地宗教首领，收聚起三河地区的吐蕃部落，给予安置后，遂将卜拉尔根喇嘛、阿斯朵黑赛汗班第、阿斯朵黑瓦只剌土麦桑哈斯巴等三人带回蒙古。后来将名叫兀罕出沁丹的女人配给阿斯朵黑瓦只剌土麦桑哈斯巴，并给予“国王欢津”（掌礼仪之官），“封他为众臣之首”。研究家们认为，从此以后，在这些西藏僧人的引导和指导下，库图克台彻辰洪台吉精通了藏文佛经，成了西藏佛教的热心信奉者。

到了明隆庆年间以后，明廷了解到，库图克台彻辰洪台吉不仅皈依了佛教，而且对佛学很有造诣。隆庆五年（1571 年），明朝封俺答汗为顺义王，俺答汗欲书写表文答谢明廷。据《万历武功录》记载，当时在俺答汗部落中“独河西吉能及其侄切尽黄台吉（彻辰洪台吉），兼统番汉佛经，乃迎为表文……表文移参以佛语”。同书还记载，“切尽为人明敏而娴于文辞，尤博通内典”②。

库图克台彻辰洪台吉是当时蒙古地区最有权势的人物，很受俺答汗的宠爱。他在蒙古地区传播西藏佛教过程中起了很大作用。据《蒙古源流》记载，1576 年，他前去拜见了其叔父俺答汗，并建议说：“有益于今世和来世的，［唯］有佛法经教。听说如今西方雪域有识者大自在大慈悲观世音菩萨以真形现世。如果迎请他前来，依照从前圣明的忽必烈薛禅皇帝、贤明的八思巴喇嘛二人的旧制，建立政、教［二道］，岂不是美事吗？”俺答汗极为赞许，随即与右翼三万户协议，就在那丙子年（1576 年）派出俺答汗［方面］的阿都萨打儿汉、昂客打儿汉二人，以及彻辰洪台吉［方面］的晃豁歹达延经师等人，［前去］邀请圣识一切锁南坚错圣人。③

库图克台彻辰洪台吉建议俺答汗迎请西藏三世达赖喇嘛一事，在明代汉籍中也有反映。《明实录》万历五年（1577 年）闰八月丙午条载：“兵部尚书王崇古言，今岁春初，俺答以书送边寄臣，谓其侄孙套首切尽荒台吉请赴西海迎奉活佛。”另《万历武功录·俺答列传（下）》也记载了同年同月俺

①　乌兰：《〈蒙古源流〉研究》，第 365 页。
②　《万历武功录》卷 14，1229r—1230r。
③　乌兰：《〈蒙古源流〉研究》，第 370 页。

答汗"使大首领何恰上书，言欲迎生佛，饮长生水。"据以上记载的年代来看，可能是俺答汗到恰布恰庙后所派的包括彻辰洪台吉在内的迎接三世达赖喇嘛的第三批迎接使团。①

在1578年俺答汗与三世达赖喇嘛在恰布恰庙会见中，库图克台彻辰洪台吉做了著名的"讲演"。

三世达赖喇嘛第二次前来蒙古地方的途中，于1584年年末抵达鄂尔多斯，在库图克台彻辰洪台吉住地讲经传教，停留了三个多月②，然后又继续在鄂尔多斯地区进行传教，其间彻辰洪台吉与博硕克图济农、扯辰岱青（衮必力克墨尔根济农之孙，蒙古文文献亦称不儿赛哈坦把都儿）等一起"率领全部鄂尔多斯万户归依宗教之门"。

库图克台彻辰洪台吉在北元时期对蒙古政治和宗教文化方面的最重要的贡献之一就是编纂了《十善福法门白史》一书③。库图克台彻辰洪台吉根据元代八思巴国师所著《彰所知论》所述印度、西藏、蒙古三个神权国家的修史模式，在蒙古第一次写出按此模式的著作，先写印度众恭王摩诃三摩谛合罕，然后再写吐蕃有福的观世音菩萨之化身松赞干布和蒙古瓦其尔巴尼（金刚手菩萨）之化身成吉思汗铁木真。《白史》作者在蒙古史籍中第一次摆出三个神权国家，为日后"印度、西藏、蒙古同源说"的产生打下了基础。库图克台彻辰洪台吉在书中重点叙述了蒙古"政教并行"的理论和实

① 据《三世达赖喇嘛传》，第二批迎接使团是以彻辰洪台吉为首的三千人，而蒙古文《俺答汗传》和《蒙古源流》等蒙古文史籍说是第三批迎接使团，为首人也是库图克台彻辰洪台吉。

② 据蒙古文库图克台·彻辰·洪台吉传记《Gegen toli》（明鉴），内蒙古社科院图书馆抄本，第42页。

③ 此书蒙文原名为 Arban Buyantu Nom-un Čaγan Teüke。沙·比拉认为《白史》在忽必烈执政年代产生，后由库图克台彻辰洪台吉在此基础上进行编辑而成（《蒙古史学史（十三世纪——十七世纪）》，汉译本，第82页）。德国学者萨迦斯特认为，《白史》是元代著作（《白史——一部关于两种体制学说的蒙古历史文献，西藏和蒙古的宗教和国家》，威斯巴登，1976年）。周清澍、额尔德尼巴雅尔等学者主张《白史》的作者就是库图克台彻辰洪台吉（《〈蒙古源流〉初探》，载《元蒙史札》，内蒙古人民出版社2001年版）。鲍音认为《白史》是伪托之书，其真正作者是库图克台彻辰洪台吉（《论〈十善福法典〉是部伪托之书》，载《内蒙古师范大学学报》1994年第4期）。乌兰认为，尽管就《白史》最初的作者和内容，学术界尚有争议，但对它的最后成书与库图克台彻辰洪台吉有关这一点似无疑议（乌兰：《〈蒙古源流〉研究》导论）。希都日古认为，此书是切尽黄台吉在元代同名著作的基础上编纂而成的（《17世纪蒙古编年史与蒙古文文书档案研究》，辽宁民族出版社2006年版，第81页）。

践，它是古代蒙古意识形态发生根本变化的标志，反映了 16 世纪末以后蒙古政治理论的基础和思想体系。

（鲍音　撰稿）

那木岱扯力克洪台吉

蒙古土默特部首领，孛儿只斤氏。俺答汗长孙，僧格都楞汗（汉籍作辛爱，黄台吉）之长子。明代汉籍作扯力克、彻力克、扯力哈等。

据蒙古文《俺答汗传》记载："此后那木岱彻辰鸿台吉，因自己的祖父尊圣转轮王俺答汗，所建平等的政教难于无主，于火狗年即尊大位为可汗。"[①]火狗年即 1586 年（丙戌年，明万历十四年）。这一年，那木岱扯力克洪台吉继承父汗位，袭号彻辰汗。据汉文文献记载，他是年同钟金哈屯成婚，次年三月被明廷封为"顺义王"，钟根哈敦被封为三娘子"忠顺夫人"[②]。

那木岱彻辰汗即位时，三世达赖喇嘛正在蒙古进行传教活动。当他即位后，在蒙古的三世达赖喇嘛亲自向那木岱彻辰汗及其钟金哈屯为首的十二土默特的大小诺延们降旨谕示。其主要内容有三条：1. 重申俺答汗是梵天大力转轮王，因他平等执掌佛教与世俗政治的结果为蒙古地区带来了有益善事；2. 俺答汗是为了蒙古人的利益而转世降生的；3. 俺答汗不是普通的一般汗王，而是昔日四洲之转轮王般的大圣，因此将他的遗骸火化之后建舍利塔，举行塔葬。那木岱彻辰汗遵照三世达赖喇嘛的降旨，依照格鲁派的教义，对俺答汗的遗体举行火化仪式，更加提高了俺答汗在世时执掌佛教与世俗政治的地位。那木岱彻辰汗的这一举措果然得到广大蒙古人的布施和皈依，表现出那木岱汗对格鲁派的忠诚和崇敬。

此后，那木岱彻辰汗为了弘扬佛教做了一系列工作。1588 年，三世达赖喇嘛在蒙古地方入寂。那木岱彻辰汗和钟金哈屯 妥善安排了他的后事，为他制造了舍利塔。次年，那木岱汗、钟金哈屯、不他失礼等亲自将三世达赖喇嘛的遗骸护送到青海后，又派专门使者将其送到西藏。1590 年，那木

---

① 珠荣嘎译注：《俺答汗传》，第 154 页。
② 《万历武功录》卷 8《彻力克列传》。

岱彻辰汗、钟金哈屯二人在青海期间又亲往恰卜恰庙请来妙思达陇绰尔济喇嘛，大献各种珍宝布施，聆听了显密诸经。从青海回来后，那木岱彻辰汗立即率众叩拜新转世的四世达赖喇嘛，也大献布施。其中一项重要的活动是，那木岱彻辰汗当四世达赖喇嘛年四岁时将其迎请到呼和浩特大召寺，次年举行祈祷法会，使全体蒙古人"齐萌信仰之心"，"大献所集布施敬奉供养"，"将呼毕勒罕达赖喇嘛之声名与宗教传扬十方"①，极大地提高了四世达赖喇嘛在蒙古人心目中的地位。四世达赖喇嘛在蒙古期间，由于那木岱彻辰汗的支持，不仅在土默特地区佛事活动甚多，布施供养巨大，而且还派使臣向西藏大昭寺及各大寺院进献布施。对此《俺答汗传》说道，将"各种珍宝财务等送往西土孟克地方（西藏）"，并且"连续不断进献布施"②。

那木岱彻辰汗组织进行了大量的佛教经典翻译工作。据蒙古文《俺答汗传》记载："自黑龙年起至白鼠年之间，译一切之母《般若波罗蜜多经》使成册卷。可汗、哈敦为首众皆赞成⋯⋯⋯⋯"③ 这是指自1592年到1600年间在土默特地区进行的首次大规模的译经活动。这个活动在那木岱彻辰汗和钟金哈屯的提议和具体赞助下进行，并将全部《般若波罗蜜多经》译成了蒙古文。具体译者是锡埒图固什绰尔济。译完《般若波罗蜜多经》后不久，那木岱彻辰汗、钟金哈屯和温布洪台吉三人倡议并出资赞助，在1602年至1607年间将一百零八部《甘珠尔》经全部译成了蒙古文。

（乔吉 撰稿）

摆要把都儿台吉

蒙古土默特部人，孛儿只斤氏，俺答汗次子不彦台吉独生子。

不彦台吉，汉文文献又称摆要台吉、摆要阿不害④。"摆要"是部落名，即摆要兀惕，不彦台吉领有该部，故名摆要把都儿台吉。不彦台吉及其部众

---

① 《俺答汗传》，原文47v—48v。
② 《俺答汗传》，原文49r—49v。
③ 《俺答汗传》，原文48v。
④ 《三云筹俎考》卷2《封贡考》记俺答汗次子"不彦台吉即摆要台吉"；《北虏风俗·世系表》同上；《万历武功录》卷8记俺答次子"摆要阿不害"，卷9写作"摆要阿不孩"。

驻牧"在大同阳和（今阳高）边外，西北一克菊力革住牧，离边三百余里，阳和守口堡互市"①。

据蒙古文《俺答汗传》，1578 年，"天子雄威格根俺答汗，闻无比福海喇嘛（指三世达赖喇嘛）之来，充满敬仰崇拜之情喜悦非常，疾速派出迎接的诸延与官员。派鄂尔多斯万户之彻辰洪台吉、扯辰岱青、威正钟图贲、精英万户之那木岱彻辰鸿台吉、达云诺延、巴雅兀惕诺延、岱青纳寨，另有永谢布喀喇沁之巴尔虎彻辰岱青台吉等为首，相继叠出（将达赖喇嘛）欢迎"②。这里提到的巴雅兀惕（即摆要兀惕）就是不彦台吉。他们抵达今青海兴海县的大河坝一带一个名叫黄艾的地方，向达赖喇嘛敬献了金银绸缎和配备全副鞍鞯的马匹和各色礼物。③ 后来，不彦台吉提议并让自己供奉的禅师喇嘛楚臣嘉措、善巴嘉措、希绕嘉措为首的僧徒等，将《牛首山授记经》译成为蒙古文。④

摆要把都儿台吉对藏传佛教再度传入蒙古地区过程中做出了很大的贡献。

首先，兴建了华严寺。摆要把都儿台吉在戊寅年（1578 年）到庚辰年（1580 年）间创建了一座寺庙，据其碑文，该寺名为华严寺。⑤ 现存一方石

---

① 《三云筹俎考》卷 2《封贡考》。

② 《俺答汗传》，原文第 26r—26v。

③ 据《三世达赖喇嘛传》（汉文版）第 172 页记载，当三世达赖喇嘛一行抵达黄艾（据蒲文成说，位于今兴海县的大河坝一带）地方的一座寺院作法事时，"俺答汗派出的第二批迎请者来到此地，这支三千多人的迎接队伍由鄂尔多斯的彻辰洪台吉、土默特王族的达云诺延率领，携带金银绸缎和配备全副鞍鞯的马匹前来迎接。"看来，这里虽然没有像《俺答汗传》那样详细写率领者的名单，但所提到的彻辰洪台吉和达云诺延，与《俺答汗传》中和巴雅兀惕诺延一起前往的两个人名相同。

④ 据该经文的译后跋语载："此大乘经《牛首山授记经》，是由胜福德权势者摆要部不尼雅什礼达云洪台吉为众生之利乐，思量使（众生）视之闻之，信受奉行之心情：在家供奉禅师喇嘛，后由萨屯嘉措、托蚌库蛇进、完者棍捷等榜什书写刻板，为众人散发传播。依仗如此传播之福德，愿一切虔诚信仰者，供奉妙牛首山之果，最终得到佛陀之福。己巳年三月十五日讫。"这里的"不尼雅什礼达云洪台吉"即指不彦台吉。译经工作到不彦台吉去世后 1605 年完成。

⑤ 1981 年夏，金峰先生从离呼和浩特东六十余里的榆林公社（乡）苏木沁村获一方石碑，高 5 厘米，宽 72 厘米，碑之正面刻有蒙汉两种文字，内容有所不同。蒙古文有"Altan qaγan-u ači bayaγud baγatur tayiji-in süm-e mön boyu. ……čaγan lu jil dörben sarayin arban tabun-a köke bečin edür bečin čaγ-tur bičibei."（俺答汗孙子摆要把都儿台吉之庙。……庚寅年四月十五甲辰日辰时书），蒙古文没有具体指出该寺的名字，只说它是"摆要把都儿台吉之庙"，而汉文特写寺名为"敕封华严寺"而外，还有"摆要台吉因时起造"，"万历捌年四月十五日"等字样。蒙汉文都说，寺庙是由摆要台吉建造，所记时

碑，用蒙古文刻有"俺答汗孙摆要把都儿台吉之庙"字样。这是在蒙古地区所建寺庙中属于早期的一座寺庙。

其次，摆要把都儿台吉率先使自己的儿子出家为僧，弘扬格鲁派教义。为了使格鲁派教义扎根于蒙古民众的心里，在三世达赖喇嘛的宣传和鼓励下，由黄金家族出身的摆要台吉带头使自己的儿子出家当喇嘛。据《俺答汗传》记载，"使本黄金家族巴雅兀惕台吉（摆要台吉）之子为首，带领十二土默特之一百零八人成为出家僧人，以真挚虔诚之心坚定皈依宗教"②。据可靠史书记载，摆要台吉有六子，第五子叫"喇嘛台吉，为僧"③。这位喇嘛台吉名叫却嘉措（chos- rgya -mtsho）。在当时之情况下，黄金家族的子孙出家当喇嘛，对弘扬格鲁派教义有积极意义。

再次，摆要把都儿台吉在译经、刻经方面有贡献。在摆要把都儿台吉的指令和提议下，翻译了两部重要佛教经典，一部是《圣妙吉祥真实名义经》④，另一部是《金光明经》。

《圣妙吉祥真实名义经》是 16 世纪末出现的一部由梵、藏、汉、蒙古文四体合璧的罕见的木刻版，其原版珍藏在乌兰巴托国立图书馆，为天下孤本。我们现在看到的是 1959 年由印度新德里出版的影印版，共 169 叶。该经文的形成过程，在其"跋语"⑤ 里有如下记载："俺答汗之孙儿，胜福德

间也相同，都记 1580 年。该碑今收藏在内蒙古大学蒙古学院。另外，《绥远县志》（台湾，成文出版社1968 年影印本，第 450—452 页）给我们留下了与摆要台吉建寺庙有关的三方碑记：一是，万历四年的一方阳面为蒙古文，阴面为汉文；另外两方是阳面和阴面分别用蒙古文和藏文刻字碑记，蒙古文未译，只译了藏文。在"译藏文碑之二"上记曰："此庙创修于戊寅年（1578 年）。次年己卯（1579 年），摆要台吉闻达赖喇嘛赴蒙古念经，当即前往途中迎迓叩头，并请来纳木经三宗，计二十一部。庚辰年（1580 年），请本地喇嘛念经三日，招请达赖入庙，村人咸赞台吉功德，立碑纪念。"据几方碑记，该寺于 1578 年始建，1580 年竣工并立碑纪念大概是实事。据金峰先生说，该寺在"文革"中遭到彻底破坏，寺中的所有经卷被烧毁，珍贵文物被抢劫而光（《呼和浩特蒙古文文献资料》（第 6 辑，第 3—4 页））。

②　《俺答汗传》原文，第 29r。

③　《北房风俗·世系表》，《三云筹俎考》卷 2《封贡考》。

④　该经汉文版有四种不同名称的异译本：宋代译本有两种，一为《文殊所说最胜名义经》；另一为《佛说最胜妙吉祥根本智最上秘密一切名义三摩地分》；元代译本有两种，一为《圣妙吉祥真实名经》；另一为《佛说文殊菩萨最胜真实名义经》，一般称为《圣妙吉祥真实名义经》或亦称《文殊所说最胜名义经》。

⑤　《Śata piwaka series》，Indo-Asian Literatures，New Delhi，Vol. 18，pp. 143—226。该"跋语"在第 230 页。

威力者摆要把都儿岱（大）黄台吉发指令，依仗古时之善机缘，使自己的亲生子托因（喇嘛）却嘉措撰写，岁次白兔年十一月聚集众刻版艺人使之雕版刊行。”据此，该经是根据摆要把都儿台吉之命，其子却嘉措译师在1591年（这里的“白兔年”，是辛卯年即公元1591年）翻译的。

却嘉措译师创造的这一成果，对研究蒙古文佛教经典的语言、历史以及佛教名词术语的统一，都具有重要的理论意义和实践意义。该经典的蒙古文译本最早出现在元代，而且是赫赫有名的大译师朔思节斡节儿之译作，然而从未见其刊行本。到了清代康熙年间以后，才出现了蒙古文和蒙藏合璧的刊本。目前我们所知道的诸种版本中，这部由摆要巴都儿台吉刊行的本子，不仅在蒙古佛教史上，而且在佛教产生之地印度以及整个东方佛教史上都具有很高的学术意义。因为该经典的刊行不只在蒙古文佛教经典编纂史上，而且在众多佛教国家的佛经翻译史上都是最早用梵、藏、汉、蒙等多种文字合璧形成的极罕见的木刻版佛经之一。该经典的刊行，在东方佛教国家的佛教经典的翻译和刊行史上具有开创性意义。

摆要巴都儿台吉刊行的另外一部经为《金光明经》。早在14世纪时，蒙古译师希绕曾格对照藏文和回鹘文译本将其译成蒙古文。但在佛教再度传入蒙古地区的16世纪末，也就是俺答汗时代，很可能看不到这部早期的译文，因此俺答汗再三发指令将这部经典刻版刊行。俺答汗时代刊行的这部佛典，迄今只发现了一部，今藏在丹麦哥本哈根皇家图书馆。① 这部《金光明经》的“跋语”中写道：

> “为成吉思汗二十五代世孙
> 于世名扬之转轮王化身俺答汗，
> 以慧德装饰而思念天下众生之利乐
> 对梵天般无可修正之圣法真言
> 深明其理而产生无比敬仰
> 于是请来菩萨达赖喇嘛

---

① W. Heissig and Ch. Bawden. *Catalogue of Mongol books*, *manuscripts and xylographs*（蒙古文书籍、手抄本与木刻版目录），Copenhagen，1971，pp. 204—206。

立护教僧伽团使佛教在蒙古之地弘扬。

为众生之利乐福德

降旨：将《金光明最胜王经大乘经》刊印云云。

于是俺答汗之孙儿

胜福德威力之摆要部的巴都儿

由阿齐赉国师、吉莞丹桑布主持等为首

带领众人开始刊行散发。

（中略）

在那雪域吐蕃之正东方

有一座吉祥圆满的兜率陀庙宫

这里百鸟飞翔果树茂盛

有满足诸欲望的田野和森林。

法王俺答汗驻锡其中时

以无比清静无垢之心降旨：

为一切众生之利乐

将《金光明经》刻版刊行。

如此这般对其孙儿再三下旨

身为孙儿的胜福德威力之摆要部的巴都儿黄台吉

铭记在心，无忘无距而百般顺从

为父母之恩惠及众生利益

怀着无比虔诚的心愿

把十章齐全而名为《金光明经》的经典

在犹如檀香木般清洁善源

美味飘香的梨树版上精心雕刻

向十方之众散发弘扬。

愿布施散发此经之如是鸿福

使可汗、哈敦及摆要巴都儿台吉全体黄金家族

寿命长久，延年百岁，恒常百秋。

愿瞻部洲诸国各域

将利乐无量众生之雨

绵绵不断洒遍所需之地

使田禾园圃获得丰收。

愿达赖喇嘛及其父母乃至众生

享受殊胜成就般的欢庆

最终得到佛陀之善果。

愿一切众生之心里

升起菩提无上智能。

愿善业者在生生世世中

获得具足二资粮之诸佛

消除烦恼痛苦之圣法

掌教之大德高僧等三宝处皈依。

妙圣佛之真实名言

对一切众生利益无限

乃是这部《金光明经》。

为使这部经典感应众生

据楚墨蔑尔根台吉之提议

依仗不辞辛劳之勤奋和努力

于戊未年孟秋月二十四日结束。

（有省略）"

在"跋语"里，"戊未年"是癸未年之误，应指 1583 年。据此，根据俺答汗之命，其孙摆要巴都儿台吉于 1583 年令阿齐赉国师、吉莞丹桑布等译师主持，将藏文的《金光明经》译成蒙古文，并刻成木版刊行。佛教界认为，《金光明经》与《法华经》、《仁王护国般若经》同为镇护国家之三部经，谓若抄写或诵读此经，国家皆可得四天王之守护。据"跋语"，俺答汗对《金光明经》产生特殊兴趣，并且"对其孙儿再三下旨"，"为一切众生之利乐将《金光明经》刻版刊行"之举措决非偶然。当俺答汗提议翻译刊行此经时，他已经正式皈依格鲁派，格鲁派首领三世达赖喇嘛封他为"梵天大力转轮法王"，他对佛法已有"深明其理而产生无比景仰"的思想，因此他对《金光明经》所讲述的佛教关于王权、转轮法王、十善福法规、积善惩恶等学说内容，不仅有所了解，而且也认识到，《金光明经》是佛陀本人专门给像俺答汗这样的法王们的遗训，所以佛界又叫其为《王书》的缘由。佛教关于王权（即汗权）思想在蒙古上层中从元代开始形成，从忽必烈开始直至佛教再度传入蒙古地区时，俺答汗亦成为忽必烈的化身而又成为"转轮法王"，尤其在蒙古右翼三万户诸部皈依西藏佛教情况下，在新的政治环境中，"转轮法王"思想对俺答汗起过重要作用。因此，翻译刊行《金光明经》对当时的政治宗教都具有重要意义。

（乔吉 撰稿）

鄂木布

鄂木布，号楚琥尔、额尔德尼杜棱洪巴图鲁台吉等，明代汉文文献又作敖目、温布、完布等。孛儿只斤氏，土默特部人，俺答汗孙。

俺答汗长子僧格共有十四子，第九子名噶尔图（明人又作赶兔或安兔），其母为兀良哈贵族伯颜打赖之妹苏布亥。[1] 噶尔图胞弟有朝克图（朝兔）台吉、土拉噶图台吉、土里巴图台吉等三人。噶尔图兄弟四人受封其舅家所领的兀良哈鄂托克。后来，噶尔图兄弟及其子孙以及所辖兀良哈部诸首领分离土默特本部，另为一部，被称做"东土默特"，成为喀喇沁万户的一部分。在明代文献中，东土默特部又被称为"兀爱营"。噶尔图兄弟的牧地在今北京怀柔县北、延庆县东，河北省赤城县东部黑河以东，丰宁县西南部地区[2]。噶尔图死后，其子鄂木布称洪台吉，继他之后成为东土默特部首领。

噶尔图有子三人，分别为长子圪他汗（又作圪炭亥或圪他海，号七庆），次子鄂木布（又作敖目、温布、完布等，号楚琥尔），季子巴赖（或称毛乞炭，号莫尔根代青）。

1590 年，噶尔图收服了明朝边境上的所谓的"史车二部"。"史车二

---

① ［日］和田清：《东亚史研究（蒙古篇）》（日文），东洋文库 1959 年版，第 601 页。

② 《十七世纪蒙古文文书档案》，第 43 页；乌云毕力格：《喀喇沁万户研究》，内蒙古人民出版社 2005 年版，第 59—60 页。

部"是一帮山贼，"诸夷、华人逋逃者"，或盗窃蒙古牛马，或抢劫明朝村落。他们盘踞在渤海所、黄花镇边外，即今北京怀柔县境内的长城边外地区。

《明神宗实录》记载，噶尔图死后，他的遗孀满旦改嫁于称做阿晕的人，与噶尔图长子圪炭亥相仇杀，但母子矛盾似乎没有演变成为整个土默特部落的内讧。此后，满旦与鄂木布母子势力逐渐强大，兄弟之间很快"复与相合"，"雄心复起"，"踵赶兔之故智"①。《明史纪事本末》称，1618年，"满旦母子益恣，以万骑攻白马关及高家堡"，满旦"以一妇踯躅曹、石间，意不可制"②。据《明档》载，1624年，钦差总督宣大山西等处地方军务王国桢就明朝边防和北边形势指出："今自东事以来，我以示弱，虏气遂骄，重之挑选半空，目复无我。故永邵卜挟数万之众相持数月，毛乞炭亦肆跳梁，白言拆墙拉人，以更否测"③。"东事"指女真——满洲人对明的战争；"白言"指喀喇沁的布颜洪台吉。"毛乞炭"就是鄂木布的胞弟毛乞炭。据崇祯元年九月初七日题本，"敖目、七庆与已故弟毛乞炭鼎足而立，各拥强兵，列帐山后林丛中，阴不能进，攻不能入，而时窥内地，每岁蹂躏于永宁之东，号称劲敌"④。又据九月二十九日李冲养题本记载，"敖、庆兄弟三人止兵三千，不意毛酋殒后，纠结诸夷，合并六七千，大非昔日比矣"⑤。宣大巡按叶成章题本也写道：（九月）"二十九日报，七庆死了，满营齐哭。举问今日哭怎么缘故。敖酋下夷人颇颇会恰说，七庆官儿、宰生恰台吉俱被你南朝上阵打死了。七庆箭炮眼发死了，宰生恰台吉阵上回来即死。还有许多带伤夷人不教外人看见。颇颇说称，你们不要与人说，敖目官儿厉害，不教你们南朝知道。……臣看得，敖、庆兄弟虏中之最黠者也。迩来无岁不犯，至今岁则犯而至再至三矣。天厌其恶，殛此元凶。九月初四日大举入犯

　　① 《明神宗实录》，万历四十三年六月乙未条。
　　② 《明史纪事本末》卷20。
　　③ 《明档》，天启四年八月十二日兵科抄出钦差总督宣大山西等处地方军务兼理粮饷右部右侍郎兼督察院右检都御史王国桢题本。
　　④ 《明档》，兵科抄出钦差巡抚宣府等处地方赞理军务兵部右侍郎兼督察院有监督御史李养冲崇祯元年九月七日题。
　　⑤ 《明档》，兵科抄出钦差巡抚宣府等处地方赞理军务兵部右侍郎兼督察院有监督御史李养冲题，崇祯元年九月二十九日奉旨。

永宁，我军炮打箭射，七庆带伤回巢，于九月二十九日死矣。"① "七庆死，而其众尽归敖目，桀骜之性，叛附靡常。"② 可知，至 1628 年 10 月底，鄂木布的两个弟弟都已死去，他们的兀鲁思归鄂木布（敖目）管辖，鄂木布的势力迅速壮大。入清后，在东土默特，唯鄂木布及其后人一枝独秀，其原因就在于此。

《口北三厅志》转引《宣府图志》及《明朝兵部题行档》记载："敖目（鄂木布）各夷住牧巢穴"应分布在乱泉寺、白塔儿、宝山寺、天克力（牟虎儿天克利，一克天克利，把汉天克利，均属于天克力岭和天河流域地区）、毛哈乞儿（毛哈儿气、毛哈圪儿，均为毛哈乞儿的倒误或误写，毛哈乞儿即汤河上游）、孤山、碱场、虎喇岭、黑河等处，以及卯镇沟、满套儿一带。除满套儿外，其余地方与鄂木布的父亲和叔父噶尔图、朝克图的牧地基本一致，分布在今北京市怀柔县北、延庆县东，河北省赤城县东部的黑河以东，以及丰宁县西南部一带③。他们按照蒙古传统的分份子原则，在土默特牧地上形成了大大小小的兀鲁思。

如上所说，鄂木布牧地东边延伸到了满套儿一带。满套儿在潮河上游，属明朝蓟镇巡逻范围，在今丰宁满族自治县境内。米万春编《蓟门考》载："此满套儿乃犯石塘岭、古北口、曹家寨三路支总括也"。"满套儿系属夷伯彦打赖等住牧之地。"④ 伯彦打赖即噶尔图舅父，其儿子们很早以前被他们的表兄弟噶尔图吞并。可见，鄂木布兄弟时期，东土默特台吉们已经迁入了满套儿一带，夺取了伯彦打赖后裔兀鲁思牧地。

1627 年林丹汗开始西征。此次出征，林丹汗的军队没有立即攻打东土默特，原因是他们的牧地位于喀喇沁南部，不在察哈尔西进途中。但鄂木布等诸诺颜，作为喀喇沁万户的一员和"山阳诸诺颜与塔布囊"集团的一部分，有义务跟随喀喇沁汗共同抵抗察哈尔，因为他们的命运是息息相关的。1628 年 1 月初至 2 月初间，喀喇沁汗、洪台吉的军队与林丹汗军队

---

① 《明清史料》甲编第八册，第 707 页。

② 《明档》，兵部题，宣大巡按叶成章崇祯二年二月初九日题本。

③ 《明档》，太子太保兵部尚书梁崇祯四年三月二十八日题行稿，宣府巡抚沈塘报；《口北三厅志》，第 118—119 页；乌云毕力格：《喀喇沁万户研究》，第 106 页。

④ 米万春：《蓟门考》。

在呼和浩特对阵，这就是所谓的"昭城之战"，其中鄂木布是喀喇沁阵营里的一个重要人物。据参加这次战事的当事人报道，参加昭城之战的是布颜阿海、汗阿海和鄂木布的主营①，即喀喇沁汗拉斯喀布、喀喇沁洪台吉布颜阿海以及鄂木布三人的部众参加了这次战争。此处的鄂木布，正是东土默特部首领鄂木布（敖目）。由于喀喇沁—东土默特联军在昭城的失败，1628年初，喀喇沁汗东奔到卫征等塔布囊处，东土默特则避到白马关边外。据叶成章题本称："敖、庆（鄂木布与弟七庆）等酋连年虽称狡诈，屡犯鼠窃，不过挟赏。自插酋（林丹汗）西来，逼彼潜藏白马关等处边外驻牧，纠结东奴（与满洲人同盟），西合白言部夷（喀喇沁），借势狂逞，于七月内聚兵二三千，犯靖胡，被我官军割夷级，夺夷器、马匹，怀恨不散。……"②鄂木布当时尚未"纠结东奴"，但是已经被迫向白马关边外迁移。1628年秋，爱新国征察哈尔，林丹汗西撤。于是，鄂木布部众又回到了龙门所边外地方。

崇祯元年（1628年）九月，鄂木布大犯明朝永宁（今北京市延庆县永宁镇）。九月初三日夜间，土默特入犯明朝，边哨放炮传烽。永宁参将杜维栋因天色昏黑，不便出城。至四更时分，因闻蒙古人已过阎家堡（今延庆县阎家庄），遂统领兵马及宣府防兵出城迎敌。天将拂晓时，南山参将王干元也领兵马前来支援。在永宁至香营（今延庆县香营）的途中，杜、王合兵扎营，与土默特人对阵相持。双方交锋，杜、王之步兵损伤很多。在永宁之战中宣府兵死了106名，南山兵约400名，永宁兵约300名③，共计800余人。这是明末明蒙之间发生的一次较大战役，明军蒙受了巨大损失。九月二十九日，明军向东土默特进行了报复。在战争中，明军打死了东土默特重要首领之一、鄂木布之兄七庆，但是自身损失也相当大，叶成章说，"此役也，我兵固多损伤，而歼其巨魁"④。

正在此时，林丹汗在埃不哈战役中打败了阿速特、永邵卜和西土默特部

①　《十七世纪蒙古文文书档案》，第145页。
②　《明档》，兵科抄出巡按直隶监察御史叶成章崇祯元年九月间题本（残）。
③　《明档》，兵科抄出钦差巡按直隶监察御史王会图题本，崇祯元年十月二十三日奉旨。
④　《明档》，兵部题，宣大巡按叶成章崇祯二年二月初九日题本。关于七庆之死，参见《明清史料》甲编第八册，第707页。

联军。此后又乘胜西上，讨伐西窜的西土默特部长卜失兔汗，并进军河套的鄂尔多斯部，所向披靡。所以，他在第二年（1629年）又挥戈东进，讨伐东土默特部。

据《明档》记载，林丹汗攻打东土默特部的导火线是，鄂木布不久前收留了来投奔的宾兔台吉①。宾兔台吉原为西土默特首领卜失兔汗的属下。西土默特被察哈尔打败后，宾兔台吉投降林丹汗。大约到了1629年初，宾兔台吉又叛离察哈尔，投奔了鄂木布。宾兔台吉率众归附，曾经一度加强了鄂木布的势力。明人说："本酋（指鄂木布）近得此夷，志骄气盈，随尔放肆，要挟业经，发兵边口，正在进袭间。今幸天厌其恶，令插酋杀掠部落，抢去头畜，以致本酋自顾不遑，匆匆东去。"②

林丹汗军队在崇祯二年（1629年）闰四月二十日左右攻入龙门所边外瓦房沟一带，劫掠七庆台吉的部落，抢去七庆台吉之子（鄂木布侄儿）和牲畜。鄂木布一边派哨兵侦探察哈尔，并砍树堵住山路，一边向明朝索要月米，率众渐向白马关边外的曹家路、喜峰口以北的边外地方撤退。曹家路，在今天河北省遵化市北部的曹家堡一带。所以，曹家路边外，当在今河北省兴隆县南部临近曹家堡的地方。喜峰口在今河北省迁西县正北，喜峰口边外则是宽城满族自治县地方。鄂木布从现在北京市西北地区迁到了北京市东北，到了当时明朝蓟镇边防范围之内。③

鄂木布一边抵抗察哈尔的进攻，一边和满洲爱新国进行积极联络。在此之前，1628年秋，喀喇沁与满洲结盟。大概就在与喀喇沁结盟的过程中，满洲人了解到了喀喇沁万户的整体情况，了解到了东土默特与喀喇沁的特殊关系，所以在1629年初，满洲人开始与东土默特交往。满洲天聪汗致东土默特执政塔布囊第一份书，今珍藏在中国第一历史档案馆。其内容如下："遗书于土默特诸执政塔布囊。山阳诸塔布囊与我们议和，统一法度，和我们往来。因为你们的鄂托克［离我们］远，我们的使者未曾到你们那里。你们的使者［也］没有来到过［我们这里］。若欲统一法度，就派来使者。

① 《明档》，兵部尚书王崇祯二年五月初三日题，宣府巡抚郭塘报。
② 《明档》，兵部尚书王崇祯二年五月初三日题，宣府巡抚郭塘报。
③ 《明档》，兵部题行，宣大总督魏云中崇祯三年六月二十五日塘报。

我们将和你们的那些使者一道派去使者，建立往来关系。因为山阳诸塔布囊联合起来成为察哈尔的敌人，所以我们才说这个话。假如你们和察哈尔是友好的，我们不会说这个话，不会写给这个书。天聪汗二年冬末月初九。"①天聪汗二年冬末月初九，即公元 1629 年 1 月 2 日。同时，天聪汗还向东土默特台吉们遣使致书。该书于 1629 年夏到达土默特。鄂木布收到爱新国的来信后，很快回信，一方面表达对爱新国的好感，准备不得已的时候去投靠天聪汗，一方面又不愿意立马投奔满洲，因为当时他和察哈尔的战争刚刚开始。鄂木布的书信是这样写的："愿吉祥！致天聪殿下。额尔德尼杜棱洪巴图鲁台吉以书上奏。天聪汗的谕旨，于蛇年闰四月初十日到达我们这里。恶毒的汗的鄂托克在去年取栋奎时曾经溃散撤回。［但是］现在又回到了原牧地。［他们］朝暮向我们发来精兵。我们跟他们在作战。如果［天聪汗您］慈爱众生，请起驾光临，把我们的仇敌压服在我脚下。我们从那个恶毒的汗的地方听到了一个消息。听到的消息是这样的：察哈尔的逃人说，两个宰桑为首，一直在追赶我们的汗。据我们西土默特的逃人说，不是一直在追，而是叛附了西土默特。所谓两个宰桑为首进行反叛，是龙年初月的事。从那时候到现在的五月份，已经过了九个月了，［但是］至今没有一点消息。这个恶毒的汗的鄂托克往这边过来的原因是，因为听说以博硕克图车臣汗为首的土默特，以济农为首的鄂尔多斯，永邵卜万户，喀尔喀万户，乌珠穆沁，浩奇特，厄鲁特万户，他们全部聚集在一处，听取那两个反叛宰桑的话，［向林丹汗］打来。所以慌张，向这边奔逃而来。据说，［林丹汗］把从右翼万户抢到的人，遗弃贫穷，择取富庶，［后又］杀死了富人，吞并了［他们的］牲畜和兀鲁思。［因此］对其军队无所裨益。那个恶毒的汗从左翼万户所取得的军队人数，天聪汗已经知道了吧。这些话，外面的逃人和内地的汉人说的都一样。无论如何，请你趁早传来［你的］命令和［我们要缴纳的］贡赋。他们本来从那边害怕而逃来，［但］还扬言：我们已经拿下了右翼万户，现在将出征女真人。他们说我们山阳万户无论何时都无处可去。在这个恶毒的汗的战乱中，我们喀喇沁、土默特的诸台吉没有一个不受损失的。我凭仗地势险要，率领右翼亲族，安然逃脱。其他亲戚没能够赶上，备受苦

---

① 《十七世纪蒙古文文书档案》，第 43 页。

难。［所以］与我反目，在诬陷我。担心［这些人］见到天聪汗殿下以后要诽谤我。如果［你］听到这样的话，应该对证证实。"① 鄂木布此书于1629年8月16日到达盛京。

鄂木布因为据有地理优势，所以面对强大的察哈尔军队，不至于迅速战败。但是，到了1629年秋末，鄂木布已经逐渐失去了抵抗能力，最终不得不向天聪汗表示归附的意愿。鄂木布表示归附天聪汗的文书，语多谦卑，意且诚恳。"愿吉祥！致天聪汗殿下。额尔德尼杜棱洪巴图鲁台吉以书上奏。因为察哈尔的罪孽的汗对六大兀鲁思（即六万户），对政教，对汗和平民，对所有的一切犯有大罪，［所以］我前次通过使者和书信奏闻了自己的想法。我们的那些使者到这里来说，天聪汗的谕旨在屯泰莫尔根恰那里。我听说我们那些使者的话以后，就很希望，听取屯泰［捎来的］话，通过屯泰向天聪汗回复并奏闻我的想法。但是，如今屯泰莫尔根恰没有到这里来。或许要送他来的布尔噶图台吉没送过来？或者屯泰莫尔根恰自行决定迟缓而没来？怎能因为他没有来，我停止派遣使者？所以和天聪汗派往阿玉石台吉、博罗台吉二台吉的使者一道，派去了扎赛音济恰和二马夫。这次派使者的缘由是，因为跟随天聪汗，［向他］纳贡的心是真切的，所以如此不断地派遣使者。我虽想亲自向你纳贡，但是我的兄弟被察哈尔杀的杀，四处逃散的逃散。就是我自身也每月在和罪孽的察哈尔交锋。如果我去了，［察哈尔］将乘虚而入，兀鲁思［也］没有了管治。因此未能成行。若想向［你］那里迁徙，可是没有车马，所以还不能迁徙。从各处去到你那里的诺颜、塔布囊和平民们，很多接受了你的法令。他们都是比我次的诺颜，他们的兀鲁思比我的弱小。［但］还同样是先前圣人的后裔，［先前圣人］所收养的阿勒巴图（有纳贡义务的属民）。他们虽然从四面八方聚集在一起，不都是听到你的好名誉而聚集的嘛。有话说，高瞻远瞩，则能容纳众人主宰未来，暴躁性急，则连一个人也抓不住。因为这个罪孽的察哈尔汗性情暴躁，所以即便是他的亲族，也直到死亡，直到穷困潦倒，都不到他那里去。因为你高瞻远瞩，［人们］像雨滴一般从四面八方聚集在你那里。志同道合的人，相隔遥远也是有帮助；心志相异的人，虽在身旁也是有害。虽然左右翼的亲戚

---

① 《十七世纪蒙古文文书档案》，第91—92页。

［有可能］去四面八方，但是只有我跟在天聪汗后面，向你纳贡。此心至诚。虽然听从你的法令的诺颜、塔布囊们可能有向里面投奔汉人，向外面投奔察哈尔的念头，我心里却绝没有叛变的念头。以奏闻真诚不二的心。"该书于蛇年九月十八日由卓尔毕泰洪台吉送至爱新国朝廷。① 这实际上是鄂木布的归附表文。

鄂木布投靠天聪汗后，并没有直奔爱新国，而是率部东迁，到了明朝蓟镇边外游牧。辛未年（1631 年）正月，他第一次到盛京拜见天聪汗，祝贺正旦。此次前去的东土默特人，还有善巴、席兰图、赓格尔等大塔布囊②。此后，东土默特诸塔布囊不断被天聪汗征调，参加对察哈尔和对明战争。

天聪六年夏四月初一日，满蒙联军第二次远征察哈尔。

《旧满洲档》和《清太宗实录》里都没有提到喀喇沁万户诸台吉参加过这次远征。关于东土默特首领鄂木布没有参与征战一事，《旧满洲档》留下了一段很有意味的记载：天聪六年二月二日，鄂木布叩见天聪汗③，天聪汗还回送了礼物。但是，三月二十七日，天聪汗突然降旨，谴责鄂木布说："……［你］去年曾经说要回去探望你的孩子和兀鲁思，［我］以为是，就给了盔甲和马儿。叫你回去的时候你不回去，自己作罢，［如今］临近出征时，却提出要回去，这是什么话。如果没有了乘骑的马，这次远征时你就坐在家里。等远征结束后，［才］回去探望你的孩子和兀鲁思。"④ 这是大军出征察哈尔前四天的事情。如上所说，来参加这次远征的土默特首领，只有席兰图、赓格尔和善巴三塔布囊，却不见鄂木布和其他台吉的身影。大凌河战役后，鄂木布等东土默特台吉在史籍记载中基本销声匿迹，没有多少战功。

从 1634 年起，为了更有效地统辖归降的蒙古各部，爱新国统治者开始在东南蒙古各部划定地界，清查人口。1635 年 3 月 24 日，爱新国对喀喇沁、土默特人进行清查，查出早期内附的"在内喀喇沁"和仍在蒙古诺颜、塔布囊统治下尚未并入爱新国的"在外喀喇沁"蒙古壮丁共 1 6 932 名。天聪

---

① 《十七世纪蒙古文文书档案》，第 60—61 页。
② 《旧满洲档》，第 3377—3378 页。
③ 《旧满洲档》，第 3918 页；乌云毕力格：《喀喇沁万户研究》，第 133—134 页。
④ 《旧满洲档》，第 3925—3926 页。

汗在这部分人中设立了三个特殊固山和八个一般固山（即清代八旗蒙古的雏形）。三个特殊固山中，第二和第三固山是由东土默特诺颜与塔布囊及其领民组建的。第二固山的固山额真（最高统治者）为鄂木布，第三固山的固山额真为善巴和庚格尔。[①] 入清后，在喀喇沁万户废墟上设立的三个特别固山，逐渐演变成了外藩蒙古扎萨克旗。鄂木布旗成为土默特右旗，善巴旗成为土默特左旗，俗称"蒙古镇旗"。

（乌云毕力格　撰稿）

林丹汗

林丹（1592—1634 年），孛儿只斤氏，蒙古最后一代大汗（1604—1634 年在位）。林丹汗祖父为布延彻辰汗（1593—1603 年在位）。布延彻辰汗长子莽骨速台吉，在他父亲在位时去世。莽骨速台吉有子二，长即林丹。1603 年布延彻辰汗去世，次年，林丹汗即大位，年仅 12 岁。林丹汗即位后，自称"林丹呼图克图、英明成吉思、大明聪睿、所向无敌察克瓦喇迪、大太宗天之天、全世界之兜率天、转金轮教法之汗"[②]，立志强化汗权。但是，当时受林丹汗控制的仅仅是大汗所在的察哈尔万户，故时人又习称林丹汗为"察哈尔汗"。

17 世纪初，察哈尔万户有"八大部二十四哨"，分左右二翼，左翼包为阿喇克绰特、兀鲁特、敖汉、奈曼四鄂托克，右翼包括浩奇特、苏尼特、乌珠穆沁和克什克腾四鄂托克，主要分布在西拉木伦河以北地区，在西拉木伦河以南和大兴安岭以北，也有一些分支。林丹汗的都城鄂齐尔察罕浩特位于西拉木伦河以北的阿巴噶哈喇山南麓（今赤峰市阿鲁科尔沁旗罕苏木苏木境内）。

1615 年阴历闰八月，林丹汗率领大军号称十万，连续三次抄掠明朝边境，自广宁至锦州长达数百里战线上频繁出击，改变了留在明人心目中的"穷饿之虏"、"柔懦无为"的形象，被明人称为"虏中名王"。为此，明朝

---

① 《旧满洲档》，第 4143—4144 页。
② 沙斯契娜：《大黄史》，第 75 页。

决定恢复林丹汗的"市赏"。到天启末年，林丹汗的市赏已经增加到白银十二万两。林丹汗和明朝在广宁互市，并得到了征收广宁地区贡赋之权。

当时，蒙古外部的形势也发生了重大变化。东北的女真人在图门扎萨克图汗时代是蒙古的附庸，但此时一变而为蒙古强大的政治对手。在努尔哈赤的经营下，女真实力迅速壮大，1616 年建立爱新国（1616—1635 年），并不断向明朝辽东地区进攻。1619 年，爱新国攻占明朝铁岭，并击溃了前来设伏的以宰赛为首的五喀尔喀联军，俘获了弘吉剌部首领宰赛二子。努尔哈赤对蒙古诸部的经营和向明辽边的渗透，直接威胁到林丹汗的切身利益。

乙未年（1619 年，天命四年）十月，林丹汗遣康喀儿拜虎为使给努尔哈赤带去了国书。其书曰："统四十万蒙古国主巴图鲁成吉思汗，问水滨三万人满洲国主英明皇帝安宁无恙耶。明与吾二国仇雠也。闻自午年来，汝数苦明国。今年夏，我已亲往明之广宁，招抚其城，收其贡赋。倘汝兵往广宁，吾将牵制汝。吾二人非素有衅端也，但以吾已服之城为汝所得，吾名安在。若不从吾言，则吾二人是非天必鉴之。先时，二国使者常相往来，因汝使臣谓吾不以礼相遇，构吾两人，遂不复聘问。如以吾言为是，汝其令前使来，复至我国。"[1] 林丹汗自称"统四十万蒙古国主巴图鲁成吉思汗"，蔑视努尔哈赤为"水滨三万人满洲国主"，并威胁说，女真—满洲人若占领林丹汗的领赏贸易市口广宁，将进行军事报复。努尔哈赤与诸贝勒震怒，扣留了林丹汗的使者。

第二年正月，努尔哈赤遣硕色吴巴什为使，致书林丹汗。努尔哈赤说："阅察哈尔汗来书，称四十万蒙古国主巴图鲁成吉思汗致书水滨三万满洲国主神武英明皇帝云云。尔奈何以四十万蒙古之众骄吾国耶。我闻明洪武时取尔大都，尔蒙古以四十万众败亡殆尽，逃窜得脱者仅六万人。且此六万众，又不尽属于尔，属鄂尔多斯者万人，属十二土默特者万人，属阿索忒、雍谢布、喀喇沁者万人，此右三万之众，固各有所主人，与尔何与哉。即左三万之众，亦岂尽为尔有。以不足三万人之国，乃远引陈言，骄语四十万而轻吾国为三万人，天地岂不知之。吾固不若尔四十万之众也，不若尔之勇也，因吾国之少且弱也，遂仰蒙天地眷佑，以哈达、辉发、乌喇、叶赫、暨明之抚

---

① 《清太祖实录》，天命四年十月辛未条。

顺、清河、开原、铁岭等八处、悉授予焉。"努尔哈赤称林丹汗为"察哈尔汗"，指出他对蒙古诸部并无约束之力，指责他"远引陈言"，虚张声势。在围绕广宁市口的明蒙、满明和满蒙关系问题上，努尔哈赤和林丹汗针锋相对。其书云："来书以广宁系尔贡赋之地，俾我勿征，若征，将牵制我。夫使我二人有隙，宜尔为此言也。今我二人、毫无怨尤，乃以异姓之明广宁一城之故，慢天地眷佑之主，为此轻薄之言，岂不抗天意，倒行而逆施耶。吾惟开诚布公，仰格苍昊，锡我神武，绥我福禄，尔岂未之闻乎，尔焉能不利于我哉。且尔之往广宁也，所获锱铢之利，岂尔能兴师转战，多克坚城，彼畏而与尔耶，抑姻娅和好，爱而与耶。如爱而与，锱铢之利，受之何为。且尔果能复尔大都暨三十四万蒙古之众，则尔之出此言也宜矣。昔吾之未征明之先，尔曾与明构兵，尽失其铠胄驼马器械，仅得脱去。其后再构兵，格根戴青贝勒之从臣十余人被杀，毫无所获而回。尔侵明者二，有何虏获，克何名城，败何劲旅乎。夫明岂真以此赏厚汝耶。以我征伐之故，兵威所震，男子亡于锋镝，妇女守其孤嫠，以明畏我，姑以利诱汝耳。且明与朝鲜言语虽殊，服制相类，二国尚结为同心。尔与我，言语虽殊，服制亦类，尔果有知识，来书宜云，明，吾深仇也，皇兄征之，天地眷佑。卑堕其城，破其众，愿与天地眷佑之主合谋，以伐深仇之明。如是立言，岂不甚善与。乃不思祈福于天，全令名，立大业，惟利是嗜，以有限金帛，而与我素无嫌怨之国甘心构怨。皇天后土，宁不鉴之。"[1] 林丹汗得此书非常恼怒，同样扣留了对方的使者。不久，爱新国方面风闻硕色吴巴什已被林丹汗杀害。为了弄清虚实，努尔哈赤令察哈尔来人持书返回，约定时间，提议以康喀儿拜虎交换硕色吴巴什。这时，五喀尔喀人乘机兴风作浪，传言林丹汗已将硕色吴巴什斩首祭旗。努尔哈赤遂下令处死了康喀儿拜虎，但不久硕色吴巴什安然回到了爱新国。经此周折，林丹汗和努尔哈赤的关系急剧恶化。

努尔哈赤与林丹汗反目的同时，加快了争取摇摆于察哈尔和爱新国之间的蒙古内喀尔喀、科尔沁的步伐。天命七年（1622 年）二月，察哈尔左翼鄂托克之一的兀鲁特部首领明安率领兀尔宰图、锁诺木、绰乙喇札尔、达赖、密赛、拜音代、噶尔马、昂坤、多尔济、顾禄、绰尔齐、奇笔他尔、布

---

[1] 《清太祖实录》，天命五年正月丙申条。

彦代、伊林齐、特灵、石里胡那克等十六台吉及其所属军民三千余户，投靠了努尔哈赤①。

天命十年（1625 年）十月，林丹汗派绰尔济喇嘛前往科尔沁，向奥巴提出"我两国若和则议合，若决裂则败议"。② 结果，谈判破裂，林丹汗决定出兵科尔沁，约束诸鄂托克于十一月十一日会合，十五日出征。消息传开，喀尔喀首领炒花匆忙向奥巴通风报信。奥巴惊惶失措，连忙向爱新国求助。林丹汗军队包围奥巴所住格勒珠尔根城，数日而不克。不久，莽古尔泰贝勒率领的爱新国援军抵达农安塔，林丹汗遂解围而返。

天命十一年（1626 年）四月，爱新国部队在西拉木伦河大败乌济叶特、巴林二部。炒花走投无路，投奔林丹汗。林丹汗历数炒花的独断专行，讥讽他"不是汉子"，只不过是"诓骗南朝赏物"的骗子。③ 林丹汗乘机兼并了炒花残众，派异姓大臣到炒花部作达鲁花赤，居喀尔喀诸诺颜之上。④ 1626年冬，爱新国破扎鲁特和巴林二部。次年正月，林丹汗乘人之危出兵攻略新败的内喀尔喀二部，"服从者收之，拒敌者被杀"⑤。二部残众投奔到科尔沁。

内喀尔喀五部败亡后，察哈尔本部在西拉木伦河以南的两大鄂托克——敖汉、奈曼二部直接面临爱新国的威胁。为此，敖汉部长索诺木都棱和奈曼部长衮楚克巴图鲁在察罕儿与爱新国之间斡旋，试图使林丹汗和天聪汗握手言和。但是，这一举动遭到天聪汗的严词拒绝，也没有得到林丹汗的信任。因此，敖汉、奈曼最终倒向爱新国。两部于天聪元年（1627 年）六月离开自己的牧地，归附爱新国。七月六日，敖汉、奈曼诸台吉和天聪汗订立了反察哈尔联盟，成为爱新国的附庸。这样，察哈尔左翼三个鄂托克归附天聪汗，科尔沁、内五喀尔喀等左翼蒙古部落——倒向爱新国。至此，林丹汗开始计划经营右翼蒙古，以右翼为根据地，与爱新国周旋，伺机反扑。十月，林丹汗率部西征。

①　《清太祖实录》，天命七年二月壬午条。
②　汉译《满文老档》（上册），第 638、647 页。
③　《三朝辽事实录》卷 16。
④　《清太宗实录》，天聪元年二月己亥条。
⑤　《皇清开国方略》卷 11。

林丹汗在西征途中首先打败了喀喇沁万户。喀喇沁部牧地分布在今河北省北部和内蒙古锡林郭勒盟南部。喀喇沁万户被林丹汗击散后，喀喇沁汗刺思乞卜和洪台吉布延阿海西奔土默特部，苏不地等大塔布囊避入明朝境内。十一月，林丹汗攻入土默特部领地，其主顺义王卜失兔汗（清译博硕克图汗）逃到河套地区，呼和浩特（汉名归化城）被林丹汗所占。与卜失兔汗素有矛盾的鄂木布①之子西令向林丹汗投降，林丹汗与之结盟。不久，林丹汗征伐土默特万户东哨各部，即驻牧在大同边外的兀慎、摆腰、明暗等部。因为喀喇沁汗和洪台吉率领兀鲁思主部向西往大同边外地方迁徙，所以当林丹汗从归化城再讨伐土默特东哨时，又一次遇到了喀喇沁本部主力。于是，发生了历史上有名的"昭城之战"。开始时，林丹汗军队曾包围了喀喇沁汗和洪台吉。喀喇沁汗等以八百人的兵力奋战突围，往西向呼和浩特（因该城寺庙林立，又称昭城②）进发。当时，鄂木布之子西令台吉在守卫呼和浩特。在呼和浩特，喀喇沁军队同西令台吉交战，西令台吉失利。喀喇沁人以二千军队留守呼和浩特，但不久无数察哈尔军队前来进攻，并从喀喇沁人手里夺回了呼和浩特。喀喇沁汗、洪台吉等大败，一些诺颜和塔布囊被杀死。③喀喇沁汗和洪台吉率领诸塔布囊于天聪二年（1628年）八月和爱新国正式结盟。

同年八月，顺义王卜失兔和永邵卜之众在埃不哈河（今内蒙古达尔罕茂明安联合旗境内的艾不盖河）备兵，九月在埃不哈河与林丹汗决战。根据明朝兵部档案，林丹汗在埃不哈战役中打败了"哈、卜"二部，即哈喇慎（喀喇沁）的两个分支阿速特、永邵卜和卜失兔（顺义王）部众。林丹汗以呼和浩特、土默川为据点，打败了喀喇沁分支诸部与土默特的十几万众，进而讨伐西窜的卜失兔汗和河套的鄂尔多斯部，所向披靡，"犹如拉朽"。到了年底，基本征服了右翼蒙古。

崇祯二年（1629年），林丹汗攻打明朝龙门所边外的东土默特部。闰四

---

① 俺答汗与三娘子生不他失礼，不他失礼与巴汉比姬生鄂木布。鄂木布，又名索囊。不他失礼父子，为了争夺顺义王位，一直与俺答汗嫡长子一系不和。

② "昭"，同"召"，蒙古语汉字音译，意即寺庙。

③ 乌云毕力格：《喀喇沁万户研究》，内蒙古人民出版社 2005 年版，第 68—74 页。

月，察哈尔军攻入龙门所边外瓦房沟一带，劫掠东土默特首领鄂木布（明人称敖目）属部。六月，察哈尔军队两千余人经满套儿攻打东土默特部的腹地。鄂木布"自顾不遑，匆匆东去"，向白马关边外一带撤退。鄂木布一边抵抗察哈尔的进攻，一边和爱新国进行积极联络。鄂木布终因不敌察哈尔兵力，最后在1629年底派遣使臣抵盛京，正式表示投附天聪汗。1629年末1630年初，鄂木布率部东迁。①

天聪三年（1629年）初，察哈尔在明朝近边一带，劫掠明朝守口夷人，并零星侵犯明边。但是，在察哈尔的压力下，明朝和林丹汗的关系有所改善。明朝和林丹汗制定开市日期，并进行祭天仪式。七月七日，林丹汗亲自到张家口边外。明方派人送去迎风宴。"迎风宴"是林丹汗到明朝近边时，明朝方面要提供的宴会饮食，同时也给与"迎风赏"。双方遵照旧规进行贸易。②

随着嫩科尔沁、内喀尔喀五部、敖汉、奈曼等左翼蒙古先后投附爱新国以及林丹汗率众西迁，爱新国开始加强同成吉思汗诸弟所属阿鲁诸部间的关系。天聪三年（1629年）爱新国首次派使臣前往阿鲁诸部。天聪四年（1630年）三月初一日阿鲁四部使者前来辽河岸觐见爱新国天聪汗。是月二十日，天聪汗与阿鲁四部建立了政治联盟。是年八月，林丹汗率大军讨伐阿鲁诸部。林丹汗率领其精锐六和硕士兵，将剩余六和硕士兵留在黄河彼岸，准备等到腊月河冻时才让他们渡河前来③。这次战争的规模较大。遭到林丹汗讨伐的阿鲁诸部有翁牛特、喀喇车力克、伊苏特、阿鲁科尔沁、四子部、乌喇特以及喀尔喀左翼所属阿巴哈纳尔等部。在林丹汗的强大攻势面前，是年十一月，阿鲁科尔沁、四子部及翁牛特纷纷南下投靠了嫩科尔沁及爱新国。

林丹汗出征阿鲁诸部，与外喀尔喀左翼阿巴纳哈尔部进行的战争，通过喀尔喀右翼传到了遥远的俄罗斯。据俄文史料，1633年喀尔喀右翼阿勒坦汗额木布（乌巴什洪台吉之子）遣使到俄罗斯托木斯克城，表示愿意向沙

---

① 乌云毕力格：《喀喇沁万户研究》，第122页。

② 乌云毕力格：《明档中关于察哈尔和林丹汗的资料》。

③ 《十七世纪蒙古文文书档案》，第60份文书。

皇纳贡，成为其附属，为的是得到沙皇的保护，免遭林丹汗的进攻。1635年俄罗斯遣使到额木布处，希望他归附沙皇。但此时额木布态度大有转变，他拒绝向沙皇宣誓效忠，并明确告诉他们林丹汗已死，他们没有危险了。① 因为这些传闻，人们曾经认为林丹汗攻打过外喀尔喀右翼，但这不是事实。

辛未年（1631年）春天，从科尔沁逃来一千余人，投靠了林丹汗。四月，林丹汗南下，到宣府边境一带驻牧的其夫人那里。当时，有说林丹汗去龙门看病，有说等待迎接来投靠的科尔沁人。但是，林丹汗派使者到明边，说明其来意仅仅是为了"进贡"。林丹汗在宣府边外只停留了十余日。他的这一行目的是"挟赏"，是为了东征科尔沁筹措费用。据十月初的消息，林丹汗这次无功而返。

次年春二月，察哈尔军犯明朝大小白阳堡。不久，林丹汗于二十一日亲自到张家口边外新修库房，离明边只有十余里。所谓新修库房，是在1630、1631年间，林丹汗向明朝索取不少泥匠、瓦匠等手艺人，在张家口边外修建的庙宇和库房。当时，林丹汗打算长期驻牧在张家口边外。只是因为爱新国军队的大举西进，才退到归化城以西。当林丹汗南来时，明朝边臣仍然按照常例，派人送去"迎风宴"。二十六日，林丹汗突然得知，科尔沁和阿鲁蒙古将与爱新国联合，征战察哈尔。林丹汗"恐各家会合势众"，在二十三、二十四日，将所得赏物分给部下，连忙离开明边，准备迎战联军。

天聪六年（1632年），爱新国率满蒙大军西征林丹汗。林丹汗退到甘肃境内。七月，追击林丹汗的东蒙古卜罗科尔沁和阿鲁蒙古军队在扯汉孛脱郝地方找到察哈尔主力，夺取了察哈尔的阿纥合少（大和硕）与哈纳两营人马。林丹汗退往克列垠呆地方，该地方离独石口边城一个月路程。

据清朝方面的记载，林丹汗于1632年西走甘肃边外之后，似乎直到死再也没有东返。但是明朝兵部档案史料证明，其实崇祯六年（1633年）三月林丹汗又回到了宣府边外。林丹汗先在归化城稍住几天，然后游牧到大青山后面。这个大青山无疑是靠近明朝边境的内蒙古兴和、商都二县交界一带

---

① ［俄］巴德利著：《俄国·蒙古·中国》，吴持哲、吴有刚译，商务出版社1981年版，第1079、1085、1092页。

的大青山。林丹汗回到宣府边外之后，一面打听爱新国的消息，一面仍然差人往黄河河套练船，准备一旦遭到女真人的大举进攻，又要西走黄河躲避。到了次年五月下旬，林丹汗又一次亲自到离开明朝边境只有十余里的地方。这证明，林丹汗在陕甘边外与宣大边外之间，与爱新国军队曾经多次迂回。这则史料还可以证明，汉文史书所载林丹汗死于崇祯七年（1634 年）四月的说法①，是完全站不住脚的。

根据有些史料记载，1634 年时，林丹汗决定离开蒙古地区，进入青海。据说，他当时已经改信藏传佛教红教，与青海的绰克图台吉、康区的白利土司和后藏的藏巴汗结成了反格鲁派联盟。林丹汗是否改变了信仰，四人联盟是否存在过，还没有确切史料可以说明。但是，林丹汗准备转到青海是事实。甲戌年（1634 年）八月，林丹汗在前往青海的途中，于甘肃大草滩染天花病而去世。是月，察哈尔的宰桑等率领三万多人投靠了爱新国。根据各种消息，当时林丹汗之子额哲孔果儿还领有二三万人马。他似乎离开了甘肃边外地，向东来到归化城以西地方。有史料指出，额哲时在木纳地方（今包头市和乌拉特旗边境一带的阴山）。1635 年夏，天聪汗遣多尔衮等四贝勒收服了额哲孔果儿，带到盛京，尚公主，让他继续管理自己直辖部众，称他们为"察哈尔国"，领地在以今天的库伦旗为中心的地方。

大多数蒙古文文献记载了林丹汗建立寺庙，铸造佛像，翻译《甘珠尔》经等等弘扬佛法之事。《甘珠尔》经的蒙古文翻译始于林丹汗之前很长时间，而最终完成于林丹汗在位期间。现存的蒙古文佛经文献和历史文献证明，《甘珠尔》经的某些章节早在元代就已译成，并于土默特部那木岱彻辰洪台吉时将大部分译成了蒙古文。后来到林丹汗时期，由林丹汗所组织的翻译班子，对元代和 16 世纪以来所译的经文，以及 17 世纪初那木岱彻辰洪台吉的倡议下由锡埒图固什绰尔济等"右翼三万户的翻译家"们所译的《甘珠尔》（不是全文）经等，重新做了核对和校勘整理，将所缺的内容进行补译，结果仅用一年的时间（即 1628—1629 年）就实现了蒙古人中最大的一项文化成就，即将《甘珠尔》经共编纂为 113 部，而用"金银粉写在绿石

---

① 《国榷》，崇祯七年四月辛酉。

般青纸上"，这就是蒙古人常说的"林丹汗的金字《甘珠尔》"的来历。①

林丹汗有八大后妃，历史上分别被称为大太后囊囊太后、二太后高尔图门太后、三太后苏泰太后、四太后窦图门太后、苏巴海太后、伯奇太后、俄尔哲依图太后和不知名的掌管阿喇克绰特部的太后。爱新国征服察哈尔后，天聪汗娶了窦图门太后，将囊囊太后指给大贝勒代善。但代善以"此人虽名为大福晋，但无财帛牲畜，吾何能养之"，不娶。天聪汗因"此人乃察哈尔汗多罗大福晋"，纳为侧妃。天聪汗堂兄济尔哈朗娶了苏泰太后，天聪汗弟阿巴泰娶了俄尔哲依图太后，天聪汗长子豪格娶了伯奇太后。高尔图门福晋被赐予察哈尔大宰桑祁他特车尔贝为妻。

林丹汗有子二人：长子为额哲，号额尔克孔果儿，1635 年与母亲一起被多尔衮军俘获。清太宗将其女儿马喀塔公主嫁给额哲，封其为亲王，令其管辖他的直属部众，称"察哈尔国"。额哲无子嗣。林丹汗次子阿布鼐，有子二，长布尔尼，次罗布藏，康熙十四年（1675 年）叛清，战死。

（乌云毕力格　撰稿）

苏不地

苏不地，又写作苏布地、束卜的等，号杜棱，兀良哈氏。蒙古山阳万户贵族，喀喇沁万户大塔布囊。苏不地远祖为成吉思汗功臣者勒蔑。

1388 年，明朝打败蒙古大汗，在成吉思汗季弟斡赤斤后裔统治下的蒙古山阳万户之地设立"兀良哈等三卫"，下属"兀良哈"（或称"朵颜"）、"泰宁"和"福余"三卫。三卫中的"兀良哈"就是成吉思汗时期的兀良哈部的一支，其统治者是成吉思汗功臣者勒蔑后人。根据《明实录》，1404 年，永乐帝命脱儿忽察为朵颜卫左军都督府都督金事②。脱儿忽察是成吉思汗功臣者勒蔑后裔。1429 年升脱儿忽察之子完者帖木儿为都指挥同知。③ 完者帖木儿死于 1444 年至 1446 年之间。完者帖木儿死后，明廷命故都指挥使

① 乔吉：《内蒙古寺庙》，内蒙古人民出版社 1994 年版，第 25 页。
② 《明太宗实录》，永乐二年四月乙丑条。
③ 《明宣宗实录》，宣德四年三月戊申条。

完者帖木儿孙阿儿乞蛮（又写作阿古蛮，实为阿吉蛮之误）袭职。① 到了天顺年间，1457 年明朝任命阿儿乞蛮为都督，命其兄弟朵罗干升迁为右都督。阿儿乞蛮在景泰、天顺、成化、弘治四朝活跃了 40 余年，在 1497 年后不再见诸史乘。1507 年，其子花档继承了阿儿乞蛮的官职。②

花当（1507—1527 任都督③）的势力不仅完全控制了朵颜卫，而且还控制了其他二卫。魏焕的《九边考》记载，"朵颜卫左都督花当，今袭者为革兰台；右都督朵儿干〔干〕，今袭者曰拾林孛罗。泰宁都督二，今止一人，曰把班。福宁〔余〕都督二，今无，止都指挥一，曰打都。二〔三〕卫惟朵颜日众，朵颜惟花当日众。把班、打都、拾林孛罗，皆为制驭。今考，革兰台子孙为都指挥者二，曰脱力，曰哈哈赤，为正千户者四，曰革孛来，曰干帷，曰把儿都，曰伯革；为舍人者曰打哈等，最多。每岁朝贡二次，共六百人"④。可见花当势力之强盛。据《卢龙塞略》载，花当子孙部落共有 13000 余丁⑤。都督花当有子十一人，其中长子革儿孛罗，革儿孛罗长子革兰台，革兰台长子影克，影克长子长昂，长昂长孙即苏不地。

据蒙古文《俺答汗传》记载，在 1543—1544 年间，以恩克丞相为首的山阳万户诸首领，携带成吉思汗母亲月伦哈屯之宫帐归降俺答汗，"山阳万户"从此成为他的属民。俺答汗将恩克丞相赐予其弟喀喇沁的昆都伦汗，他们成为喀喇沁万户的属民。⑥ 这个恩克就是兀良哈首领花当的重孙影克。影克等兀良哈贵族们成为喀喇沁黄金家族的女婿，被称做"塔布囊"，与台吉们一起成为喀喇沁万户的统治者，时人称他们为"山阳万户诸台吉与塔布囊"。

1627 年底，林丹汗西征，首先破喀喇沁万户。喀喇沁汗拉斯喀布与洪台吉白言西奔归化城，影克重孙苏不地等大塔布囊率兀良哈部避入明朝境

---

①　《明英宗实录》，正统三年十二月甲辰条，完者帖木儿最后一次来朝。《明英宗实录》，正统十一年十一月壬申条，阿古蛮袭完者帖木儿职。关于脱儿忽察、完者帖木儿、阿吉蛮的关系，参见乌云毕力格：《喀喇沁万户研究》，内蒙古人民出版社 2005 年版，第 39—41 页。

②　《明武宗实录》，正德二年三月辛巳条。

③　特木勒：《朵颜卫研究——以十六世纪为中心》，南京大学博士学位论文，2001 年，第 10 页。

④　《九边考》，第 434 页。

⑤　《卢龙塞略》称"某某有部落多少"，当指其男丁，而不是全部落成员人数。

⑥　珠荣嘎译注：《俺答汗传》，内蒙古人民出版社 1991 年版，第 46—47 页。

内。《明朝兵部题行档》中有一份督师尚书袁崇焕写于1629年的塘报。"塘报为夷情事。二月二十四日，据山海平辽镇总兵官赵率教塘报，据中后所参将窦承功禀，据高台堡备御叶天赋报称，有束卜的差来夷使那莫赛、张吉太恰等四十名到关，赖授束酋夷禀一纸。内称：束卜的都领都督、握约什、古路什等跪禀大太师袁台座，叩首禀安。原额我俩家一家。至今，我因与长汉儿结下仇。有长汉儿相犬一样，好歹不知。他与天下达子为下大仇。我与他真假不便。我搬在里边关上住牧，日里料山，夜里听静，保守边疆。有我来里边住牧，牲畜不伏水草，今种地在耳。有我搬在岭外边旧住处暖太那木城住。报知太师。我恐有小人讨好说，我往外搬，我要有二心。离我本地方，肯住二年。有东夷与我会议，不为别事。我恨恼长汉儿不过，我与东夷于旧岁九月内剿杀长汉儿报仇。我夷官实意，为天朝报效。有我祖父，我如今，得过皇爷恩典无数，又多蒙太师恩典，又发买卖市口通行。我买吃二年。望乞太师天恩，我往外搬，差人乞讨送行礼物，又讨盘缠、各样的种。常有里头外头话语，各自规矩一样。我达子家，两家住在一处，搬住场，会议吃筵席。我有心与太师会议。今我不得便见太师金面，有太师不凭信，我把五城头、千把总出来看我住场，修理房舍，跟我住一两个月才知道，我实心。东夷事情差人禀知。有里边太师洪福，也大把宁前二卫，并五城头都填实人烟。又锦义二卫，又填实人烟，又往前填实广宁。有我将长汉儿赶散了，相太师里边一样，我旧地方住去。有前旧岁十月内，差通事好人盟，心有金言，替我上本讨新旧额赏。原当不过二月。如今，我们比不的先时，又无吃的，又无庄稼。望乞天恩，新旧赏速速发给。相里边朝廷大事，袁太师张主，我外边大事我主张，别相的小官张主大事。今差通事投赴太师，宽恩上裁。为此理合跪禀。"[①] 塘报中的"束卜的"或"束卜的都领都督"，就是大名鼎鼎的喀喇沁塔布囊苏不地，号都领，即杜棱，明朝所封朵颜卫左都督。兀良哈首领们在蒙古是喀喇沁塔布囊，在明朝是"属夷"。尤其是在有求于明朝时候，他们就拿出明朝所封官衔以"夷官"自居。和苏不地一起呈上禀报的"握约什、古路什"二人中，古路什肯定是苏不地儿子固噜斯奇布。握约什，疑为阿玉石。"长汉儿"，指察哈尔。"东夷"，当指满洲人。

---

① 兵部尚书王等题本，崇祯二年三月初二日。

根据苏不地等人的"夷禀"可知：一，苏不地等被察哈尔打败以后，搬入明朝边墙内驻牧，"日里料山，夜里听静，保守边疆"。看来，他们是利用同明朝的传统关系，又当起了"守口夷人"的角色。二，到了1629年春，苏不地等离开他们的"本地方"已二年。明朝在高台堡地方开设"买卖市口"，允许他们通行，也有了二年时光。从这条史料中可以清楚地看出，苏不地等在1627年被察哈尔打败后，马上逃到了明朝境内避难。三，苏不地等承认，曾经在"旧岁（指崇祯元年，1628年）九月内"与"东夷"（指爱新国）联手"剿杀"察哈尔，并明示其目的就是为了向察哈尔"报仇"。这是指1628年秋天的天聪汗的第一次察哈尔远征。四，在塔布囊等避入口内以后，牲畜不服水草，牧人只能以种地为业。结果，他们没有了吃食和庄稼，所以苏不地等决意搬出边外，回到原驻地。他一面向明朝边臣解释这次搬迁的目的，一面又向明朝乞讨赏银、盘缠等。这说明，1627年，林丹汗一举打败"山阳诸诺颜与塔布囊"后，喀喇沁汗与洪台吉率众西奔，苏不地南逃明边。

天聪二年（1628年）八月三日，爱新国与喀喇沁向天地刑白马乌牛，焚烧誓词，正式结盟。结盟仪式上，喀喇沁汗与洪台吉的代表兀巴礼散津和天聪汗的代表费扬果、阿什达尔汉等人，各代表其兀鲁思，向天地宣誓结盟。其誓词说："满洲，喀喇沁，我们二国，为了和睦相处，为天刑白马，为地刑乌牛，一碗盛酒，一碗盛肉，一碗盛血，一碗盛白骨，各说信言，告誓天地。喀喇沁若不践盟言，不与满洲和善，除了原有的赏和大都贸易外，与汉人秘密结盟，中察哈尔汗之计而背叛，则天地鉴遣喀喇沁，执政的拉斯喀布、布颜、莽苏尔、苏不地、赓格尔为首的大小诸塔布囊，殃及罪孽，生命变短，像此血出血而死，被埋于土下，像此骨变为白骨。如遵行向天地告誓的誓言，天地垂佑，寿命延长，愿我们子孙千古享受太平"。[①]

"执政的拉斯喀布、布颜、莽苏尔、苏不地、赓格尔为首的大小诸塔布囊"，指拉斯喀布汗、布颜（白言）洪台吉及莽苏尔、苏不地、赓格尔三塔布囊，是当时喀喇沁部五大执政诺颜、塔布囊。

---

① 《十七世纪蒙古文文书档案》，第33—34页。

　　1627 年，林丹汗给喀喇沁汗与洪台吉势力以毁灭性的打击。在此战役后，由于喀喇沁黄金家族势力的急剧衰变，黄金家族台吉势力与兀良哈塔布囊势力对比，发生了很大变化。于是，兀良哈贵族不愿再依附于他们。喀喇沁塔布囊们虽然名义上仍属于喀喇沁万户，但是台吉和塔布囊之间的矛盾斗争越演越烈，不时相互攻掠。1628 年的一份蒙古文书记载①，有一位名叫绰思熙的塔布囊，1627 年林丹汗攻打喀喇沁时被俘，次年逃出察哈尔部，经内地回到喀喇沁。他在战争中保护了洪台吉布颜的夫人，因此得到了洪台吉的嘉奖。但是，布颜死后，其子弼喇什洪台吉率兵掠夺小塔布囊绰思熙的兀鲁思和牲畜，并因他投靠了苏不地杜棱，对他进行迫害。绰思熙的兀鲁思因不堪忍受弼喇什洪台吉的迫害，一时躲避到明朝境内。还有一份文书是喀喇沁汗和洪台吉致天聪汗的书。汗和洪台吉在书中写道："这个苏不地杜棱多次仗势凌辱我们孛儿只斤人。［他］杀死了渥里济台吉，掠夺并霸占了［他的］兀鲁思。当［他］攻掠和霸占鄂齐尔台吉的毡房及牲畜的时候，因为诺颜说了话，［苏不地］拔刀对诺颜，蛮横示强。后来，以箭射汗，夺去了汗的兀鲁思。焚毁了宾图楚库尔诸子的毡房，攻掠并霸占了他们的兀鲁思。把洪台吉［所属］的一个塔布囊连同他的兀鲁思迁往己处。我们奏闻这些，是因为我们投靠了天聪汗，［认为］汗能决定远方的政事和近邻的和睦。［苏不地］使我们流离失散，凡事仗势而行。汗明鉴。"落款为喀喇沁汗，弼喇什洪台吉。② 文中提到的渥里济台吉和鄂齐尔台吉，身份尚不明。宾图楚库尔，明代汉籍称丙兔朝库儿，名我不根，是喀喇沁汗白洪大的幼弟，弼喇什洪台吉的祖父。他的诸子，就是弼喇什洪台吉的诸叔父。根据这份文书可知，苏不地杜棱仗势而行，对喀喇沁汗本人和洪台吉家族进行肆无忌惮的进攻，向他们拔刀示威，掠夺他们的兀鲁思和牲畜。他甚至杀害小台吉。这说明，在林丹汗西迁后，喀喇沁黄金家族的势力受到了严重打击，苏不地等大塔布囊已不再把汗放在眼里。当时塔布囊们也分成了两个阵营。以万丹卫征、马济塔布囊、赓格尔恰为首的大小塔布囊一直跟随着喀喇沁汗拉思奇卜、洪台吉弼喇什，而苏不地则另立阵营，与喀喇沁汗抗礼。当自己属下的

---

① 《十七世纪蒙古文文书档案》，第 51—52 页。
② 《十七世纪蒙古文文书档案》，第 106—107 页。

绰思熙塔布囊背叛弼喇什洪台吉，投靠苏不地杜棱时，洪台吉对绰思熙塔布囊也给予了惩罚。

1628 年喀喇沁和爱新国结盟以后，苏不地经常劫掠归附爱新国的明朝汉人。天聪四年正月初八日，爱新国军队得报，喀喇沁塔不囊苏不地到明朝边墙附近，劫掠归降满洲的汉民。当时留守永平的满洲大臣济尔哈郎和萨哈廉向喀喇沁部遣书指责。《清太宗实录》载："镇守永平济尔哈郎、萨哈廉两贝勒奏言，据建昌人来报，建昌近处有喀喇沁苏不地马步兵共四千余，掠我归顺人民，我哨卒擒获喀喇沁万旦步卒二人，解至。臣等缚一人留之，令一人持书往彼诘问，并使我军六十人送之去。"① 据《旧满洲档》记载，二贝勒责问苏不地的书内容如下："二贝勒之书。致苏不地。为什么杀掠我们所征服的民人？你们就这样无事生非，做错事。你们过去做过坏事的地方，我们不会白让给你们。把你们所俘获的妇女儿童，要全部放回原来的城市。你们回家去。如果不听从我们的话，我们不会放过你们。立即回去。"② 继之，天聪四年二月初一日，济尔哈郎和萨哈廉二贝勒听到喀喇沁人在抢掠迁安，又遣书严厉谴责。书云："二贝勒之书。致喀喇沁诸台吉、塔布囊。如果是奉汗的谕旨来的，汗现在遵化，［你们］到那里拜见汗。汗下什么样的谕旨，就照那样去做。如果不是奉汗的谕旨来的，就立即回去。如果不回去住在这里的话，归降我们的民人会害怕你们，而耽误农事。就是我们也不会允许你们住在这里。要出兵［把你们］赶到长城外。如果［你们］是意欲来见我们的人，就减少人数来见我们，然后回去。不要把我们的这个话当耳边风。立刻返回！"③

与喀喇沁万户结盟后，爱新国虽然不能完全控制喀喇沁人，但试图对其内部事务进行干预，意欲对其内政逐渐渗透。天聪五年四月二十日，天聪汗给苏不地遣使遗书。其书为蒙古文："汗的谕旨。遗于苏不地杜棱。固穆岱所抓到的三户人家，杜棱在回自己的地方时，判给了固穆岱。［但是］那三户人家不是固穆岱俘获的，而是达尔玛岱来的时候带来的。［所以］要还给

① 《清太宗实录》，天聪四年春正月己丑。
② 《旧满洲档》，第 3070 页。
③ 《旧满洲档》，第 3098—3099 页。

达尔玛岱。"① 天聪汗还插手干涉喀喇沁诸诺颜和塔布囊向他们的属下阿勒巴图索取贡赋之数。他"向喀喇沁诸贝勒、塔布囊派遣了使者。给他们的书称：'汗说：山阳诸塔布囊，你们索取你们原来通常的贡赋为好。如今你们非法索取北方诸贝子已经取了的贡赋，是错误的。古代有话说：君子不损害百姓，以礼取贡赋。桫椤树靠的是香味，流水过多树木干枯。若取困苦穷人的仅有的牛吃了，那么这个人拿什么种地？没有了庄稼，你的兀鲁思将变穷，打牲和拔草，在各种道路上流散完了以后，你们没有了兀鲁思，将怎样生活。爱护在吃的兀鲁思（意即提供贡物的兀鲁思），使他们用功耕作，等他们翻身成人以后再吃也不妨嘛。说你们的奸计呀'。（原注：山阳是兀鲁思名，塔布囊是汗、贝勒的女婿。该兀鲁思遗弃蒙古地方，来找天聪汗。那些塔布囊们向跟他们一道来的小民索取过多贡赋，故有此言。）"②

1628 年，满洲与喀喇沁结盟后，立即组织了第一次察哈尔远征。《清太宗实录》载，天聪二年"九月庚申，以征蒙古察哈尔国，遣人谕西北降附外藩蒙古科尔沁国诸贝勒、喀喇沁部落塔布囊等、敖汉、奈曼部落诸贝勒及喀尔喀部落诸贝勒，令各率所部兵于所约地会师。"③《旧满洲档》记载，九月十三日，遣往喀喇沁的使者回报："喀喇沁汗自己、布颜阿海之子弼喇什洪台吉及三十六塔布囊率兵，已出发。"④ 不久，喀喇沁汗洪台吉的军队和苏不地军队分前后到达：九月十七日，"喀喇沁汗拉斯喀布、布颜阿海之子弼喇什洪台吉、万丹卫征、马济塔布囊、赓格尔恰贝勒及众小台吉、塔布囊各率其兵，来叩见汗"⑤。十八日，"喀喇沁的为首大臣苏不地杜棱率众塔布囊领兵而来，叩见汗"⑥。九月二十日，满蒙联军在西拉木伦河流域的席尔哈、席伯图、英、汤兔等地袭击察哈尔边民。次日，先头部队到达兴安岭，即今克什克腾旗境内。但是因为科尔沁部没到，草草班师。

苏不地自其先世以来，向明朝称臣，作明朝的"属部"，被称为"属

① 《旧满洲档》，第 3427 页。
② 《旧满洲档》，第 3918—3919 页。
③ 《清太宗实录》，天聪二年九月庚申条。
④ 《旧满洲档》，第 2840 页。
⑤ 《旧满洲档》，第 2840 页。
⑥ 《旧满洲档》，第 2841 页。

夷”或“守口夷人”。苏不地等人累世作“朵颜卫都督都指挥”，与明朝保持稳定的贸易关系，接受明廷的抚赏。据《清太宗实录》记载，爱新国为了与明朝媾和，利用了苏不地曾有的名份。“上欲息兵安民，与明修好，以婉辞致书，令喀喇沁苏不地作为己书奏之明主，遣喀喇沁人持往。书曰：朵颜三卫都督都指挥苏不地等奏。臣等累世以来，为皇上固守边圉，受恩实多。今满洲以强兵来侵，臣等不暇为备，以致被困，手足无措。切思满洲汗之意，或驻汉境，或返本土，势不使臣等出其掌握。臣等受皇上厚恩，不胜眷恋，是以驰奏。臣等闻满洲汗云，我屡遗书修好，明国君不允，我将秣马厉兵以试一战，安知天意之终佑我也。其言如此。皇上若悯小民之苦，解边臣之怨，交好满洲，以罢师旅，则朝廷赤子获享太平而臣等边防属国亦得蒙恩矣。不然臣等愁困，小民怨苦，何时可已。朝廷之民不得耕耨，臣等不蒙恩泽，恐失皇上爱养斯民、优恤属国之道。伏乞皇上推仁，急允和议罢兵，庶小民得事耕耘，臣等亦得安堵。惟愿皇上熟筹，速议修好焉。”[1]

天聪四年（1630年）九月，苏不地与喀喇沁、土默特贵族前往盛京朝见天聪汗，俱叩头抱膝而见。天聪汗设大宴招待了苏不地等。此后，苏不地不再见诸清朝史书记载。到天聪六年（1632年）九月，天聪汗得知科尔沁部首领额驸奥巴去世后，曾把奥巴与苏不地相提并论，给予他们很高评价：“凡人无益于国家，而徒取憎于人者，虽属姻戚，朕未尝痛惜。若喀喇沁苏不地与土谢图额驸皆最优之才也。如此良臣，何可再得。”[2] 苏不地大致在1630年至1632年间去世。

（乌云毕力格　撰稿）

奥　巴

奥巴（？—1632年），孛儿只斤氏，成吉思汗长弟合撒儿十八世孙，翁果岱巴图鲁洪台吉长子，嫩科尔沁部首领。

合撒儿后裔孛罗乃，其长子阿儿脱歹王，是科尔沁万户右翼首领，次子

---

① 《清太宗实录》，天聪四年正月丙午条。
② 《清太宗实录》，天聪六年九月庚子条。

图美只雅哈齐为左翼首领。图美只雅哈齐长子魁猛磕，16世纪30年代率领大部分左翼部众南下大兴安岭，驻牧于嫩江流域，被称为"嫩科尔沁"。到了16世纪末17世纪初，在魁猛磕两个儿子博第达喇和诺扪达喇（又作纳木达喇）统治下，嫩科尔沁万户发展成为十大鄂托克或和硕，并分为左右两翼。右翼以博第达喇大妃所生长子齐齐克（又作扯赤揩）独子翁果岱（又作恍惚大）和次子纳穆赛的三个儿子莽古斯、明安、孔果尔以及魁猛磕次子诺扪达喇孙图美统治的五个鄂托克组成。左翼以博第达喇大妃所生幼子乌巴什两个儿子布颜图、莽果所属两个郭尔罗斯鄂托克和博第达喇西妃所生额勒济格卓里克图七子所属七台吉鄂托克以及博第达喇东妃所生两个儿子爱纳噶、阿敏所属杜尔伯特、扎赉特等五个鄂托克组成。整个嫩科尔沁的最高首领为其长支齐齐克、翁果岱父子。翁果岱有洪台吉号，称巴图鲁洪台吉。奥巴，即翁果岱之子，袭其父洪台吉号。

16世纪30年代，魁猛磕率领的科尔沁人迁居嫩江流域后，统治了达斡尔、讷里古特、锡伯、卦尔察等部，并控制松花江、黑龙江一带的女真人。16世纪末，努尔哈赤统一建州女真，开始攻打东海三部及扈伦四部，危害了嫩科尔沁的切身利益。[1]

万历二十一年（1593年）九月，以叶赫部首领布寨和蒙古嫩科尔沁部首领翁果岱为首的叶赫、哈达、乌喇、辉发、锡伯、卦尔察、朱舍里卫、讷殷卫、科尔沁等九部结成联军[2]，主动向以努尔哈赤为首的建州女真部发起攻击。当时，联军三万人，分三路进军，企图以众击寡、以强压弱，彻底消灭努尔哈赤。但临时联合起来的九部联军内部指挥不统一，行动不果断，战斗力不能充分发挥。努尔哈赤抓住九部联军的弱点，集中优势兵力突击联军的薄弱环节。结果，古埒山一战，努尔哈赤打败九部联军。此役，联军方面的嫩科尔沁部奥巴父翁果岱等诸首领，率一军来会战，战败逃归。

1608年（万历三十六年），努尔哈赤长子阿尔哈图图门贝勒褚英、侄阿

---

① 参见达力扎布：《明代漠南蒙古历史研究》，第265、266页。

② 《清太祖武皇帝弩儿哈奇实录》卷1，故宫博物院1932年版，铅印本。九部：夜黑（叶赫）、哈达、兀喇（乌喇）、辉发、实伯（锡伯）、刮儿恰（卦尔察）、朱舍里卫、内阴卫（讷殷卫）、廓儿沁部（科尔沁部）。

敏贝勒率 5 000 兵 ，征乌喇部，围攻宜罕阿林城，时乌喇部贝勒布占泰与嫩科尔沁部首领翁果岱、奥巴父子合兵出战，因见爱新国的兵势强盛而撤退。

努尔哈赤军事威慑嫩科尔沁的同时，尽量利用蒙古与女真地理毗邻、风俗文化相近等特点，以和亲手段拉拢嫩科尔沁诸台吉。他首先向嫩科尔沁提出聘女为妃，结为姻戚。1612 年（万历四十年），嫩科尔沁部明安将女儿嫁给努尔哈赤为妻；① 1614 年（万历四十二年），努尔哈赤第四子皇太极娶嫩科尔沁部莽古思之女为妻。② 随后，1615 年（万历四十三年），蒙古嫩科尔沁部孔果尔送女与努尔哈赤为妻。③ 与此同时，努尔哈赤以女真贵族之女妻蒙古各部首领，努尔哈赤把笼络娶嫁的重点放在嫩科尔沁等邻近的蒙古部落上。这样，嫩科尔沁与女真的关系逐渐得到改善。

在这时期林丹汗却采取了武装统一蒙古诸部的政策，使科尔沁部推向满洲人一边。本来，林丹汗实力强大，在嫩科尔沁、内喀尔喀五部等东方诸部中有较高的声望。林丹汗即位后不久，于 1612 年（明万历四十年）首次亲率 3 万人马抄掠明边，到了 1615 年（明万历四十三年）仅在闰八月一月之内连续三次攻入明边，惊动了明朝，打出了名声。④ 同时，向蒙古各部示以兵威，突出自己的"共主"地位，提高了自己在蒙古诸部中的号召力。根据史料记载，嫩科尔沁奥巴洪台吉有一匹叫"杭盖"的良驹，努尔哈赤曾想以精制的十副甲交换而不得，奥巴却将这匹良马献给了林丹汗；⑤ 还有奥巴之从子吴克善有一只猎鹰，林丹汗派人索取，吴克善爱不释手，奥巴劝说"应尊重共主"，吴克善便将猎鹰献给了林丹汗。⑥ 嫩科尔沁部认可林丹汗的共主地位，服从其命令，向他称臣纳贡，而对努尔哈赤的要求则采取置之不理的态度。

天命四年（1619 年）七月，努尔哈赤亲率大军攻占明铁岭城。弘吉喇、扎鲁特、科尔沁等部受林丹汗之命，宰赛为首的蒙古联军一万人迎去交战。

---

① 《旧满洲档》，第 35 页。
② 《旧满洲档》，第 88 页。
③ 《旧满洲档》，第 89 页。
④ 《明神宗实录》，万历四十五年五月辛未条。
⑤ 《旧满洲档》，第 4965 页。
⑥ 《旧满洲档》，第 4965 页。

结果，蒙古联军惨败，宰赛等众多人被爱新国俘虏。不久努尔哈赤扣留宰赛为人质，放回其余诸台吉，提出一万牲畜赎回宰赛的条件。此时，林丹汗曾投书努尔哈赤，以广宁（今辽宁省北镇）收取贡赋之权已归己有为由，警告努尔哈赤不要进攻广宁①，以此抗议努尔哈赤不断进攻，但努尔哈赤对此不予理睬。林丹汗不再追究，意在尽量避免和爱新国发生正面冲突。然而林丹汗的胆怯行为大大降低了他在蒙古诸部中的声望。结果，1619 年（天命四年）内喀尔喀五部与爱新国在噶克察漠干塞忒勒黑会盟，建立了政治性、军事性的攻守联盟。于是，林丹汗向内喀尔喀诸部诉诸武力，结果扎鲁特部的色本等人逃往嫩科尔沁部避难。接着，林丹汗又向嫩科尔沁问罪。

　　爱新国和东部蒙古诸部的交往，对林丹汗构成了直接的威胁。癸亥天命八年（1623 年）正月，林丹汗走上了用兵科尔沁部的道路。此时，科尔沁部被夹在两大强敌之间，处于自身难保的境地。如何对付察哈尔林丹汗的讨伐，是科尔沁部首领奥巴面临的最大问题。他不得已向爱新国遣使求购弓箭。努尔哈赤借此机会极力挑拨嫩科尔沁与察哈尔之间的关系。五月三十日，努尔哈赤致书奥巴及嫩科尔沁之诸台吉，劝说"可推举一人为汗"②。

　　奥巴接到努尔哈赤称汗的建议后，便自称"巴图鲁汗"。③ 同年，努尔哈赤派使者去科尔沁部，提出了建立反察哈尔联盟的建议。天命九年（1624 年）二月，努尔哈赤派遣榜式希福、库尔缠二人到科尔沁，与奥巴、阿都齐达尔汉台吉、戴青蒙夸台吉④等会盟，双方刑白马乌牛，向天地发誓结成反察哈尔、喀尔喀联盟。但是，直到次年初，察哈尔并没有对科尔沁采取军事行动，因此，奥巴对爱新国的态度随之冷淡起来。⑤ 次年三月初八日，嫩科尔沁首领奥巴和嫩科尔沁之杜尔伯特部首领达尔汉台吉阿都齐向努尔哈赤派遣四名使节，欲同努尔哈赤约定相会地点。努尔哈赤向奥巴表示，爱新国与嫩科尔沁联盟，其目的不仅仅是为了抢掠，而是结盟以对抗共同的敌人察哈尔。同时，努尔哈赤挑拨嫩科尔沁部与察哈尔的关系，说察哈尔汗

①　《满文老档》，太祖十三，天命四年十月二十二日条。
②　《旧满洲档》，第 1588—1590 页。
③　中国第一历史档案馆所藏档案，抄件由内蒙古大学蒙古史研究所宝音德力根研究员提供。
④　扎赉特首领，是在该部首领中较早与爱新国交往的人。
⑤　参见巴根那：《科尔沁部与爱新国联盟的原始记载及其在〈清实录〉中的流传》。

以天子自居，欺凌压迫嫩科尔沁和女真，以至愤怒不已。他建议共同谋求计策，以获对察哈尔斗争的胜利。接着到了六月十九日，努尔哈赤以为奥巴到了所约相会地点，率领爱新国众贝子出沈阳城前往所约之地。但是，二十四日，当他到达相会地点开原时，奥巴的使者赶来，告诉努尔哈赤，他与察哈尔的亲戚结了亲，因此不能前来，借故推掉与努尔哈赤的会盟①。

奥巴与爱新国建立政治军事联盟的行为引起了林丹汗的强烈不满。此时恰有林丹汗叔祖莽古尔泰歹青（布延车辰汗之弟）因与林丹汗不和率六子扎儿布、色冷、功革、石答答、刚里马、兀里占"叛归"奥巴。嫩科尔沁收留他们并于天命十年八月派遣扎儿布于爱新国。奥巴收留莽古尔泰歹青一事，直接导致林丹汗用兵嫩科尔沁。乙丑年（1625 年）八月，亲近科尔沁的内喀尔喀乌济叶特部首领洪巴图鲁炒花遣温吉哲依扎尔固齐向奥巴泄露了下月十五日察哈尔要用兵科尔沁的秘密。科尔沁内部人心惶惶，囊苏喇嘛带徒众归附爱新国，阿都齐达尔汉台吉等头目率部仓皇东避，奥巴急忙向爱新国求援，求援兵及"炮手千名"。而努尔哈赤只派八名汉人炮手，并遣使致书奥巴，称"……（军队的）多寡不是原因，（而是）天的原因"②。十月份，奥巴遣书努尔哈赤称，察哈尔绰尔济喇嘛来奥巴处，"欲使科尔沁与察哈尔和好"，因科尔沁与爱新国有盟誓在先，未与答应。今复有兵报云云。③察哈尔与科尔沁之间曾经进行过一次秘密谈判。也许因林丹汗没有放弃吞并科尔沁的政策，奥巴难以接受，不得不联合爱新国对付察哈尔。④ 十一月，林丹汗果然亲率大军攻打嫩科尔沁，围奥巴所居城格勒珠儿根城。响应林丹汗的有内喀尔喀首领宰赛和巴噶达尔汉（即暖兔）等台吉。初五日，奥巴遣使努尔哈赤说："察哈尔兵前来是真，能看见其影状。"次日，努尔哈赤令每八旗出二十个人，让孟格图带领，遣往科尔沁。⑤ 十一日，努尔哈赤亲率众贝子、大臣从盛京出发，至开原镇北堡，努尔哈赤返回，命莽古尔泰贝

① 《旧满洲档》，第 1873、1891、1892 页。

② 《旧满洲档》，第 1909—1911、1913、1914 页。

③ 《旧满洲档》，第 1941—1942 页。

④ 参见巴根那：《天命十年八月至天聪三年二月科尔沁部与爱新国联盟》，载《明清档案与蒙古史研究》第一辑，内蒙古人民出版社 2000 年版。

⑤ 《旧满洲档》，第 1944—1945 页。

勒、皇太极、阿巴泰台吉等人率精兵 5 000 前往。并对出征诸王说"阿拉盖、喀拉珠处虽有放炮声，不得前往。至农安塔处，探听彼处情报，若能前往彼处，则先滞留于农安塔处，遣还彼处蒙古使者。对他们的使者说：'来时一昼夜，去时一昼夜，仅仅如此。时多我军不等。'若不能得到彼处可靠消息，待我方去彼处之哨探兵士来后即返回。"① 即爱新国只是作了个出援的姿态。奥巴无奈将扎儿布台吉等人执送察哈尔部，林丹汗随之撤兵。

　　努尔哈赤以援救嫩科尔沁为契机，加紧巩固与奥巴的政治军事联盟。天命十一年（1626 年）五月，奥巴亲自前往爱新国谢恩，努尔哈赤厚赐奥巴等人。六月六日，在爱新国都城的南河岸上，奥巴同努尔哈赤一道，刑白马乌牛，向天地发誓，宣读双方永世反察哈尔反喀尔喀的誓言，随后将誓书当众焚毁，以视让苍天作证。爱新国与嫩科尔沁最高首领之间的这次盟誓，标志着双方于天命九年达成的反察哈尔联盟的正式生效。次日，努尔哈赤改赐奥巴以"土谢图汗"名号，以舒尔哈赤之子图伦台吉女肫姐（敦哲）嫁奥巴。并授奥巴从叔图美以"代达尔汉"号；奥巴弟布达齐以"扎萨克图杜棱"号，还赐赉赖特部阿敏之子贺尔禾代以"青卓礼克图"号。

　　天命十一年（1626 年）六月，奥巴自爱新国返回嫩科尔沁。八月，努尔哈赤死，皇太极即位，称天聪汗。天聪初年，奥巴与爱新国关系又经过了一段曲折。

　　1625 年（天命十年）底，林丹汗东征嫩科尔沁无功而归，暂时放弃了对东部蒙古的经营。1627 年（天聪元年）底，林丹汗率部西迁，不再成为嫩科尔沁等左翼蒙古诸部的威胁。于是，奥巴立即疏远爱新国，甚至与天聪汗争夺对南喀尔喀的支配权，拒绝和天聪汗一道远征察哈尔。

　　1626 年（天命十一年）八月努尔哈赤死，奥巴不但不亲去吊唁，甚至连子侄大人都不遣一个，只遣一个小班第，敷衍爱新国的国丧。

　　天聪元年正月，南喀尔喀遭到林丹汗的洗劫，多数被收并，逃脱的扎鲁特部众奔赴嫩科尔沁。其中有位名叫桑图的台吉，父母投奔了爱新国，故皇太极以此为由向嫩科尔沁索取桑图，要求嫩科尔沁台吉们发誓让步。但奥巴始终没有答应放走桑图，与皇太极争夺扎鲁特的部众。还有色棱、阿玉石等

---

① 《旧满洲档》，第 1946—1949 页。

巴林贵族们也率部投靠嫩科尔沁。天聪二年（1628年）四月，色棱等因与嫩科尔沁台吉发生矛盾，旋即投奔了爱新国。奥巴致信皇太极，敖汉、奈曼归附了爱新国，而扎鲁特、巴林投靠了他。如今要么让敖汉、奈曼和扎鲁特、巴林一起离开爱新国和嫩科尔沁，使之独立生活；要么维持原来的状况。要求皇太极归还巴林部人众。奥巴与天聪汗分庭抗礼，争权夺利，寸步不让。

天聪二年（1628年）九月，皇太极决定亲率爱新国军队，和蒙古各部军队出征察哈尔。九月初六日，皇太极率大军出发，自八日起先后与蒙古敖汉、奈曼、内喀尔喀、喀喇沁等部军队会师。十七日，差往嫩科尔沁的希福返回，报称，奥巴已率兵出发，声言自为一路往征察哈尔，不与爱新国会师。皇太极大怒，复遣使于奥巴，要他务必来会师。二十一日，嫩科尔沁部台吉满朱习礼和巴敦来会，告知奥巴早已出发。皇太极无奈，便于次日班师。事后，奥巴致书皇太极说，爱新国使臣希福未按期赴约，也不知爱新国军队的音信，又因爱新国未求奥巴以兵相助，故未赴会师之地。总之，由于奥巴没来会师，使这次进军察哈尔的远征半途而废。

爱新国送奥巴之妻敦哲公主到科尔沁的送亲使者克里在科尔沁被杀，奥巴原本答应查出凶手，后将此事置之不理。奥巴还不善待敦哲公主，以娶自内喀尔喀的察哈尔近亲"大人"之女为嫡夫人，令敦哲公主"寝室居后"，居于蒙古夫人之次。更有甚者，奥巴在不通知爱新国的情况下，与明朝两次秘密进行贸易，这在天聪汗看来几乎和通敌一样。奥巴的种种行为使爱新国忍无可忍。天聪二年（1628年）十二月，天聪汗遣近侍索尼、阿朱户两人以向肫姐公主（奥巴妻）送礼为名，到奥巴处，实际上是去问奥巴的罪。天聪汗在书中罗列了奥巴的种种"罪状"，其书云：

"天聪汗书。致土谢图汗。昔尔父子祖护叶赫，谋分我地，兴兵来侵。尔等若取胜，我等岂有今日乎？此其一；其后，我兵往征乌喇宜罕山，尔父子又兵助乌喇，此二也；其后，又助叶赫杀我布扬古侍卫，此三也。此等三端之罪，非能赎也！只有以牙还牙，才能了结。然汗父高瞻远瞩，以大局为重。遣使议和，誓告天地，和好相处。其后，尔欲亲来议和，约定会所，汗父亲赴所约之地，而尔未至，尔欺诳尊贵之人，此一也；其后，察哈尔汗欲杀尔，兴兵来侵，我等闻之，不惜身受劳苦，马匹倒毙，即发兵抵达农安，察哈尔闻讯，遂弃将克之城而退。我等若未出兵，尔岂有今日乎？尔若勇强，何故执送扎尔布、恰台吉二人？察哈尔退兵之后，来此拜见，爱怜与你，以女妻汝，倍加优礼，送之以珍珠、金、貂皮、猞俐皮、财帛、甲胄、银五千两等是人所用之物，尔曾以何名畜还报？听闻与尔爱怜优礼之汗父升遐，尔何不遣亲信大臣子弟？孔果尔贝勒闻之，即遣使大臣。而尔却经二月之后，方遣一下等班第，牵一劣等老马以来，此乃尔之不孝，此二也；不念尔之罪过，惟念政名仍以女归尔。既归之后，尔只送患有鼻疽之马八匹，尔只知取之于人，而不知与人，尔之贪婪，此三也；尔恕不交出杀死送女之克里之人，夺去克西克图妻之罪，至今尚未议结，轻慢我等，此四也；尔曰：请将额古放回，赎比之牲畜吾为尔索取。应索之牲畜千，念尔故旧，减免五百。尔承诺若不送牲畜五百，则送还额古自身等语何在？尔今因何仍不送还额古，乃欺诈我等，此五也；尔令尔有罪之妻之居室置于前，令我女之居室置于后，言有罪之妻为尊贵之人之女，其女是何汗遣嫁与尔，其娘家又有何大人，今非俱为人之编氓乎？此非因尔之叔父被杀，又恐杀及尔身，故称大人之女耶！其亲族察哈尔欲杀尔，何以其为大福晋？我等时常爱怜与尔，为何我等之女为次，乃侮辱我等，此六也；将我小人之女还我，往大人之女处可也。我等议和之时，曾约凡于敌国，和则同和，伐则同伐，尔竟负盟，与我之仇敌明朝，两度遣使通商，尔行之无信，此七也；尔欲征察哈尔，三番五次遣使致书约我，果真往征，尔竟不赴所约。令我等面临敌境，而尔先返，得享百岁乎？行不践言，乃尔之奸计，此八也；据称，达尔汉洪巴图鲁往征时，遣使询尔会师之地，尔以不论何地当赴汗所定之地为辞，不以实相告。尔之意，不愿与我会师之故，恐与众兄弟同行，不便私返。不如独行，以便不会师而私行退回，且可托词曾掠察哈尔一边界，乃尔之阴谋，此九也；曾以孔果尔为悖乱，以尔为贤，以女妻尔，结为姻亲。及汗宾天，孔果尔先遣大臣；会师之地，遣其子赴约。以尔为贤，优爱与你，现在何如？尔负祭天地之盟誓，不相告与我，与我仇敌明朝，两度遣使，我等知晓尔等所议之言，今何以相信尔等。"

奥巴见书，大为惊慌，再三挽留使臣。天聪三年（1629年）正月，天聪汗又令巴克什库尔缠、希福与国舅阿什达尔汉等再次到奥巴处所，重申前书中语。迫于爱新国的压力，奥巴表示"服罪"，说："额古事，俟遣使往，即取牲畜以进。克西克图事与杀克里事，亦俟遣使议结。其未行请命私与明国交市之罪，愿以十驼百马为谢。征察哈尔违约遽归之罪，亦以十驼百马谢。"① 不久，奥巴带病亲赴爱新国向皇太极"认罪"。从此，奥巴与以皇太极为首的满洲贵族结成了休戚与共，忧乐相同的"臂指"关系，以奥巴为首的科尔沁部成为爱新国的一支重要力量。

嫩科尔沁投附爱新国之后，其牧地也逐渐向南迁移。1630 年 8 月林丹汗用兵大兴安岭北，征讨阿鲁蒙古，于是邻近阿鲁诸部的嫩科尔沁向爱新国紧急求援。但是爱新国为进一步控制嫩科尔沁及阿鲁部，未派兵去攻打察哈尔，而要求嫩科尔沁部的主体从嫩江流域南迁到洮儿河和西拉木伦河流域。② 这里本是内喀尔喀五部的牧地，1626 年，内喀尔喀五部先后遭爱新国、林丹汗攻击而崩溃，这里成了无主牧地。奥巴在爱新国与察哈尔对立的局势下，采取了灵活多变的策略，保住了科尔沁部的势力。在嫩科尔沁十旗中，南迁的只有奥巴、乌克善（莽古斯之孙）、喇嘛什希（土美之子）、木寨（洪果尔之子）、栋果尔（明安之子）五旗，而扎赉特、杜尔伯特、两郭尔罗斯、七台吉五旗并没有马上南迁。爱新国怕这五旗成为敌对力量，天聪五年十一月，皇太极致书嫩科尔沁土谢图汗奥巴，要求奥巴把他们的牧地向自己方向靠拢。这样就便于控制这些部，更方便遣其壮丁随爱新国征战。

天聪三年（1629 年）十月，皇太极亲率大军进攻明朝，奥巴再也不敢怠慢，立即率图美、孔果尔、达尔汉台吉、石讷明安戴青、伊尔都齐、吴克善、卓礼克图台吉、哈谈巴图鲁、多尔济、大桑噶尔寨、小桑噶尔寨、琐诺木、喇巴什希、木歹、巴达礼、绰诺和、布达席理、达尔汉巴图鲁、塞冷、拜思噶尔、额参达尔汉卓礼克图、达尔汉台吉之子等二十三台吉，以兵来会。天聪汗也对科尔沁台吉们的到来表示极大的重视，率两大贝勒及诸贝勒，迎至三里外，下马，拜天，行三跪九叩头礼。回府后，设大宴隆重招待了科尔沁诸台吉。十一月，奥巴与济尔哈朗等贝勒一起攻入明朝边境，克遵化州，打败明宁远巡抚袁崇焕、锦州总兵祖大寿的援兵。冲锋陷阵，战功卓著。

---

① 《十七世纪蒙古文文书档案》，第 13 份文书。
② 《十七世纪蒙古文文书档案》，第 61 份文书。

天聪五年（1631年）三月，天聪汗以征察哈尔国，调蒙古诸部落贝勒，各率所部兵，会于三洼地方。天聪汗亲率大军，到三洼等候蒙古各部兵马的到来。四月，奥巴率兵来会，劝阻天聪汗："蒙古马匹皆不堪用，且所发兵甚少，此行不如中止。"天聪汗接纳奥巴的建议，再次中止了征讨察哈尔的行动。

天聪六年（1632年）四月，天聪汗又一次亲率大军西发征察哈尔。奥巴率众多兵马来会于扎滚乌达地方。五月，大军在木鲁哈喇克沁地方分兵两翼，左翼命贝勒阿济格为帅，率巴克什吴讷格、科尔沁土谢图额驸奥巴及巴林、扎鲁特、喀喇沁、土默特、阿鲁等部兵万人，往掠大同、宣府边外一带的察哈尔部民，右翼命贝勒济尔哈朗、岳讬、德格类、萨哈廉、多尔衮、多铎、豪格等率兵二万人，往掠归化城、黄河一带部民。这是奥巴参加的唯一一次对察哈尔的战事。

同年九月，奥巴病卒。皇太极得悉奥巴去世，伤心流泪，说道："伤哉！往者临阵，土谢图额驸每独当一面，长于谋议政事，多所裨益，倚毗方殷胡遽溘逝也。""凡人无益于国家而徒取憎于人者，虽属姻戚，朕未尝痛惜。若喀喇沁苏不地与土谢图额驸，皆最优之才也。如此良臣，何可再得！"[1]遂遣宗室篇古、额驸扬古利等致祭。不久，封奥巴子巴达礼为土谢图济农。

（乌云毕力格　撰稿）

努尔哈赤

努尔哈赤（1559—1626年），建州女真出身，爱新觉罗氏，爱新国（Aisin gurun，意即金国，满语称爱新国）开国君主。入清后，初谥武皇帝，后改谥高皇帝，庙号太祖。努尔哈赤在世时，与漠南蒙古东部各部联姻和建立联盟，孤立蒙古可汗林丹汗，为清朝最终征服内蒙古地区奠定了基础。

努尔哈赤出生在女真部落显赫家族、明朝建州左卫指挥使世家。自六世祖猛哥帖木儿起至父塔克世，其先祖许多人受明朝册封，担任建州三卫指挥

---

① 《清太宗实录》，天聪六年九月庚子条。

使、都指挥、都督金事、都督等官职。但到其出生时，已家道中衰。他早年丧母，自立为生。后因生活所迫，离家从戎，投到明辽东总兵李成梁部下，屡立战功。他还勤奋好学，粗通汉文，受汉文化的影响很深。①

1583 年（万历十一年），建州左卫苏克素护（苏克苏浒、苏克素浒）部图伦城主尼堪外兰引导明军镇压建州枭雄阿台，努尔哈赤祖父觉昌安（建州左卫都指挥）、父塔克世（建州左卫指挥）也随军同往，入古勒（埒）城劝说阿台归降未遂，被困在城中。待尼堪外兰招抚古勒城后，明军屠城时误杀了觉昌安和塔克世。明廷为了报偿其祖、父的冤死，令努尔哈赤袭父职，任建州左卫指挥。②

离开李成梁部回到建州后，他打起为祖、父报仇的旗号，以"遗甲十三副"起兵，开始了统一女真各部的事业。虽初起时仅是一支兵少将寡的弱小势力，但经多次征战，很快成为女真诸部中最强大的力量。用了三十多年的时间，南征北战，东伐西讨，最终统一了建州女真和海西女真的全部，以及"野人"女真的大部，从而结束了自元明以来女真社会长期分裂和动乱不安的局面。

随着女真各部走向统一，人口增多，地域扩大，努尔哈赤根据需要，在政治、经济、军事与文化等方面，采取许多改革措施。

1599 年，努尔哈赤命额尔德尼和噶盖二人创制满文。女真人在金代参照汉字创制了女真文，分女真大字和女真小字两种。③ 到 15 世纪中叶，女真文字已基本失传。努尔哈赤兴起后，建州与明朝和朝鲜的公文，由汉人龚正陆用汉文书写，④ 同蒙古各部的公文和女真部落内部颁发的公文和政令用蒙古文书写。⑤ 为适应女真诸部社会发展的需要，努尔哈赤命巴克什额尔德尼、扎尔固齐噶盖仿照蒙古文字母，根据满语的特点，创制满文。⑥ 由于蒙古语和满语的语音稍有差别，额尔德尼等又缺乏经验，初创的满文，存在着

---

①　参见阎崇年：《努尔哈赤传》第 2 版，北京出版社 2006 年版，第 3—23 页。

②　《满洲实录》第一卷。

③　《金史·完颜希尹传》。

④　《李朝宣祖实录》，三十三年七月戊午。

⑤　《满洲实录》第 3 卷，第 2 页。

⑥　《清太祖实录》，明万历二十七年辛亥朔条。

字母数量不够,清浊辅音不分,上下字无别,字形不统一,语法不规范,结构不严谨等一些亟待改进的问题。后人为了与天聪六年(1632年)达海增添圈点,改进完善的满文区别,将此满文称之为无圈点满文或老满文。

1601年,努尔哈赤对军队进行整编,编三百人为一牛录,每牛录设一牛录额真,五牛录设一甲喇额真,五甲喇设一固山额真,每固山额真左右设两梅勒额真,共设四固山,以黄、红、蓝、白四色旗为标记。四十三年,又曾编四固山,以镶黄、镶红、镶蓝、镶白四色旗为标记。将全体部众分隶八个固山统辖之下,成为兵民合一的社会组织形式。由于八固山分别以八种颜色旗作为标记,所以汉语译固山为旗。至此,八旗制度初成。接着又置理政听讼大臣五人,扎尔固齐十人,与八旗旗主共同佐理政务。凡事先由扎尔固齐审理,然后经理政听讼大臣审议,再交众贝勒议定,由努尔哈赤最后裁决。从而加强了社会组织和行政管理。

1616年,努尔哈赤在赫图阿拉称汗,建立"爱新国"(aisin gurun),建元天命,自此公开与明抗衡。

天命三年(1618年)四月,努尔哈赤以"七大恨"誓师,[1] 统兵攻陷明抚顺、清河等地[2],从此改变了辽东的形势,努尔哈赤开始走上和明王朝争夺全国统治权的道路。四年二月,明军四路出兵,大举征剿爱新国。努尔哈赤乘明军合围之前,集中优势兵力,在萨尔浒地方逐路击破,歼灭明军四万五千余人。萨尔浒之战成了爱新国和明朝兴衰史上的转折点,明朝由进攻转为防御,爱新国由防御转为进攻。[3] 六年二月,努尔哈赤率领大军相继攻占沈阳、辽阳等七十余城,辽东以东尽为爱新国所有。为了加强对新占领区的统治,由萨尔浒城迁都到辽阳,[4] 后又迁至沈阳。天命十一年正月,努尔哈赤乘明辽东经略高第放弃关外、退守关内之机,统率大军进攻宁远(今辽宁兴城),被宁远守将袁崇焕击败,损失惨重。这是努尔哈赤对明战争以来第一次遭受挫败,他满怀愤恨返回沈阳。[5] 七月身患毒疽,八月

---

[1] 《清太祖实录》天命三年四月壬寅条。

[2] 王在晋:《三朝辽事实录》第1卷,第1、4页。

[3] 详见阎崇年:《努尔哈赤传》第2版,北京出版社2006年版,第183—205页"萨尔浒之战"。

[4] 《清太祖实录》,天命六年三月癸亥条。

[5] 详见阎崇年:《努尔哈赤传》第2版,第272—281页"宁远之败"。

十一日病死。①

努尔哈赤在其执政期间利用近邻漠南蒙古诸部的分裂和内讧，采取联姻、结盟以及武力征讨等策略，积极拉拢和征抚并用，为其顺利统一女真各部和进攻明朝解除了后顾之忧。

自蒙元时期直至明初，女真一直是蒙古的附庸，努尔哈赤六世祖猛哥帖木儿也曾世袭祖辈所领斡多里万户，统领所属女真军，为元朝镇抚边塞，后归附明朝。女真诸部西南北三面毗邻蒙古各部之地，与蒙古有着久远的历史关系，尤其哈达、辉发、乌喇部的祖先，与蒙古有血缘亲属关系。

努尔哈赤统一女真诸部的行动，引起了游牧于嫩江流域的嫩科尔沁首领们的强烈不满。蒙古诸部与建州女真的武力冲突开始于努尔哈赤征伐海西女真诸部之战。明万历二十年（1593年）九月，海西女真叶赫部首领布寨与女真扈伦四部、蒙古科尔沁等诸部结成九部联军，向努尔哈赤为首的建州女真部发起攻击。联军三万人，分三路进军。努尔哈赤英勇果断，亲督大军，迎敌于浑河岸古埒山，打败九部联军，建立了对女真诸部的霸权。此役，科尔沁部首领翁果岱、明安、莽古思等率部一万兵来会战，战败逃归。翌年，蒙古科尔沁部明安及内喀尔喀巴约特部老萨始遣使与努尔哈赤通好。此后，"蒙古各部长遣使往来不绝"②。万历三十六年（1608年）三月，建州兵往攻乌喇部宜罕阿麟城，科尔沁蒙古与乌喇合兵，科尔沁军遥望建州兵强马壮，自知力不能敌，便撤兵。

为了借助成吉思汗黄金家族的血统提高在女真各部的威望，亦为建立女真与蒙古的亲善关系，在击败蒙古科尔沁部攻击的同时，努尔哈赤充分利用蒙古与女真地理毗邻、风俗文化相近等特点，以联姻等手段拉拢科尔沁与内喀尔喀诸台吉。他首先向科尔沁部提出聘女为妃，结为姻戚。1612年，科尔沁部明安将女儿嫁给努尔哈赤为妻；1614年，努尔哈赤的代善、莽古尔泰、皇太极、德格类等四个儿子分别娶扎鲁特、科尔沁等部首领之女为妻。1615年，努尔哈赤又娶科尔沁部孔果尔女为妻。与此同时，努尔哈赤还以女真贵族之女妻蒙古各部首领，如以其弟舒尔哈齐女妻内喀尔喀巴约特部首

---

① 《清太祖实录》，天命十一年八月庚戌条。
② 《满洲实录》第2卷，第15页。

领恩格德尔。他把嫁娶联姻的重点放在科尔沁、内喀尔喀五部等邻近的蒙古部落。

努尔哈赤还以召见、赏赉、赐宴等形式，抚绥科尔沁等部贵族。

天命八年（1623年）正月，科尔沁部首领奥巴得到蒙古大汗林丹以科尔沁部与女真交往密切为由，将于年底出兵讨伐的消息，向努尔哈赤请求出兵援助。努尔哈赤借此机会派使者去科尔沁部，提出建立反察哈尔联盟的建议，奥巴被迫接受。翌年二月，努尔哈赤派榜式希福、库尔缠二人到科尔沁部，与科尔沁部奥巴、阿都齐达尔汉台吉、戴青蒙果台吉等会盟。双方刑乌牛白马，向天地发誓结盟。① 天命十年（1625年）三月，努尔哈赤和奥巴约定，六月在开原相会面，正式盟誓。但因察哈尔林丹汗始终没有出兵科尔沁，奥巴暂时不再需要女真的保护。当努尔哈赤率领诸贝勒赴约时，奥巴却单方面终止了会盟。对爱新国来说，拉拢和争取科尔沁，极大限度地孤立林丹汗，各个击破蒙古各部，乃是既定政策。所以，努尔哈赤委曲求全，一直耐心对待奥巴等科尔沁贵族。同年八月，奥巴得到林丹汗将出兵攻打的确切消息，请求爱新国出兵救援。努尔哈赤遣莽古尔泰、皇太极率精兵五千开赴科尔沁。林丹汗围攻奥巴所驻隔了珠尔根城不克，又听到爱新国援军已到，随即撤回，科尔沁部转危为安。② 努尔哈赤利用这次机会，巩固了同奥巴的联盟。天命十一年（1626年）六月六日，在爱新国都城的南河岸上，努尔哈赤和奥巴一道刑乌牛白马，向天地发誓，双方永结反察哈尔反喀尔喀联盟。次日，努尔哈赤授奥巴以"土谢图汗"名号，并以养女（原为其弟舒尔哈赤女）为奥巴妻。③ 双方此次联盟虽以反察哈尔为前提，互相没有隶属关系，却为努尔哈赤日后合并科尔沁打下了坚实的基础。

漠南蒙古内喀尔喀五部中，巴林和乌济叶特二部为右翼，牧地靠近西边的察哈尔左翼，与明朝同在广宁镇互市。扎鲁特、弘吉剌和巴约特三部为左翼，牧地在东边，与女真各部往来频繁。1605年，巴约特部首领恩格德尔和建州女真建立贸易关系，次年又引喀尔喀五部使臣去建州贸易，还给努尔

---

① 《清太祖实录》，天命十年二月乙酉朔条。
② 《清太祖实录》，天命十年十一月庚戌条。
③ 《清太祖实录》，天命十一年六月丁丑、戊寅条。

哈赤上"昆都伦汗"号。①

天命四年（1619 年），努尔哈赤攻占明朝的开原后，又攻占了铁铃，喀尔喀左翼三部失去了与明朝互市的关口。七月，左翼盟主弘吉剌部首领宰赛联合扎鲁特部和科尔沁明安台吉等部袭击铁岭，被爱新国军队击溃，宰赛及其二子、扎鲁特部落台吉巴克、色本及明安之子等被俘。深知宰赛地位轻重的努尔哈赤将他软禁，作为人质，迫使喀尔喀诸部就范。是年十月，喀尔喀最高首领炒花等答应和爱新国结盟，共同伐明。十一月，双方在噶克察漠都冈干塞忒勒黑地方举行会盟，订立了政治性、军事性攻守同盟。攻守同盟的原则限于双边与明的关系，没有涉及对察哈尔的态度。② 直至天命六年（1621 年）八月，在收取弘吉剌部 1 万头牲畜，留宰赛 2 子 1 女为人质的苛刻条件下，努尔哈赤才把宰赛放回。③ 是年，爱新国攻占沈阳、辽阳等地，次年又夺取广宁，直接威胁喀尔喀五部。五部所属各台吉纷纷投降爱新国。因为来归人口较多，爱新国以巴约特部降人为基础，将喀尔喀部众编立为一个"固山"，以其军事行政组织约束他们。天命八年（1623 年），恩格德尔兄弟放弃原牧地，举部归附爱新国，巴约特部被编入八旗。是年四月，努尔哈赤借口喀尔喀台吉背盟通明，举兵攻打乌济叶特和巴林部，使两部遭受重创。爱新国军以代善为前锋，努尔哈赤率众贝勒为中军，兵分八路并进。激战中，炒花侄孙、巴林部贝勒囊努克被追杀。接着，努尔哈赤挥师再进，征乌济叶特部于西拉木伦河。乌济叶特部首领炒花以 1 万军队大战努尔哈赤，结果惨败。炒花投奔林丹汗，林丹汗乘机兼并了乌济叶特部。炒花之子卫征巴拜和其他一部分乌济叶特部众归附爱新国，后来被编入满洲八旗。

蒙古末代大汗林丹曾以"四十万蒙古国主、巴图鲁成吉思汗"自居，诬蔑努尔哈赤为"水滨三万满洲国主"。天命五年（1620 年）正月，努尔哈赤遣使赍书林丹汗，拉拢林丹汗倒向爱新国一边，共同对抗明朝。但林丹汗始终对爱新国采取敌对政策，对内采取高压政策，不断武力讨伐与女真关

---

① 《清太祖实录》，明万历三十四年十二月乙未朔条。
② 《清太祖实录》，天命四年十一月庚辰朔条。
③ 《清太祖实录》，天命六年八月戊寅条。

系密切的科尔沁、内喀尔喀五部等，终使它们倒向努尔哈赤。由于林丹汗的高压政策和爱新国的不断拉拢和渗透，林丹汗直属察哈尔本部也出现裂痕。天命六年（1621 年）七月，兀鲁特部达尔汉巴图鲁台吉率所属来归附爱新国。次年，该部明安等十名台吉因对林丹汗的统治不满，率领所属一千男丁投奔努尔哈赤。

天命七年（1622 年）始林丹汗所属敖汉、奈曼部数次派使者到爱新国，与努尔哈赤暗中勾通。十一年（1626 年），敖汉部长索诺木杜棱和奈曼部长衮楚克巴图鲁在察哈尔与爱新国之间斡旋，试图使林丹汗和天聪汗握手言和，但遭到努尔哈赤的严辞拒绝，也没有得到林丹汗的信任。因此，敖汉、奈曼最终倒向爱新国。

（乌云毕力格　撰稿）

皇太极

皇太极（1592—1643 年），建州女真出身，爱新觉罗氏，清太祖努尔哈赤第八子，爱新国第二代君主，大清帝国创建者。皇太极统治时期，漠南蒙古悉数投附满洲，阿鲁蒙古大部分南下到兴安岭阳，今天内蒙古地区蒙古各部格局雏形初定。

皇太极于天命十一年（1626 年）在沈阳继爱新国汗位。次年改元天聪。天聪十年四月改元崇德，改国号爱新国为"大清"，改族名女真为"满洲"。崇德八年八月初九，在宫中猝然病死，葬沈阳昭陵。庙号太宗，谥号文皇帝。

皇太极继位之初，爱新国面临的形势十分严峻。外部受到明朝、蒙古、朝鲜的包围，处境孤立。内部由于贵族分权势力的矛盾，冲突日益严重。他虽继承了汗位，但实际上是同代善、阿敏、莽古尔泰三大贝勒"按月分值"政务。权力分散，事事掣肘。为了加强中央集权，推进封建化的改革，皇太极采取各个击破的手段，打击、削弱分权势力，提高汗权。天聪六年，皇太极终于废除了与三大贝勒共理政务的旧制，取得了汗的独尊地位。另外皇太极仿照明制，逐步建立和完善国家统治机构，以取代八旗制度所行使的国家权力。三年，建立了由满汉知识分子组成的"文馆"，执掌"翻译汉字书籍"，"记注本朝政事"，为皇太极推行汉化运筹帷幄。① 五年，设立六部，分掌国家行政事务。② 十年，又将"文馆"扩充为内国史院、内秘书院、内弘文院，统称"内三院"，负责撰拟诏令、编纂史书、掌管和起草对外文书与敕谕、讲经注史、颁布制度等。③ 稍后，改蒙古衙门为理藩院。此外，天聪六年，皇太极明巴克什达海改进缺漏颇多的老满文，谕曰："可酌加圈点，以分析之，则音义明晓，于字学更有裨益矣。"④ 达海奉命对老满文进行了编制"十二字头"、字旁加圈点、固定字形、确定音义、创制特定字母等改进和增补。

皇太极在大力实行改革时，并没有放弃努尔哈赤对外进行扩张的政策，他认为战胜明朝，首先要征服蒙古和朝鲜，这既可以解除后顾之忧，又可以利用他们的力量，共同对付明朝。对朝鲜，经过十年的进攻，崇德元年（1636 年），朝鲜国王李倧被迫投降，称臣纳贡，允诺与明朝断绝往来，并将王子送沈阳为人质。⑤

对蒙古，皇太极则采取"慑之以兵，怀之以德"的政策，使深受察哈尔林丹汗欺凌的科尔沁、内喀尔喀以及喀喇沁、阿鲁蒙古等部先后归附。

科尔沁部早在努尔哈赤时期就已与女真建立反察哈尔反喀尔喀联盟。但爱新国和科尔沁部关系并非从此就一帆风顺，科尔沁部首领奥巴对爱新国始终没有诚心。丙寅年（1626 年）八月，努尔哈赤死，奥巴只遣一个小班第，牵一匹老马，敷衍爱新国的国丧。此后，皇太极送奥巴所娶舒尔哈赤之女到科尔沁，奥巴仅以八匹有鼻疽之马作回礼。⑥ 1627 年，林丹汗率部西迁，不再成为科尔沁等左翼蒙古诸部的威胁。于是，奥巴更加疏远爱新国，甚至与皇太极争夺对内喀尔喀逃民的支配权。奥巴还拒绝与皇太极一道远征察哈尔。⑦ 戊辰年（1628 年）九月，皇太极亲率爱新国军队远征察哈尔。奥巴

① 《东华录》，天聪三年四月。

② 《东华录》，天聪五年七月。

③ 《东华录》，天聪十年三月。

④ 《清太宗文皇帝实录》，天聪六年三月戊戌朔条。

⑤ 《东华录》，崇德二年正月。

⑥ 《十七世纪蒙古文文书档案》（1600—1650），第 38 页。

⑦ 《旧满洲档》，第 2840—2841 页。

声言自为一路往征察哈尔，不与爱新国会师。① 由于奥巴所属科尔沁的缺阵，皇太极感觉势单力孤，已进军到兴安岭的这次军事行动只好半途而废。恼羞成怒的皇太极于 1628 年底遣使至科尔沁，谴责奥巴对爱新国的种种"背信弃义"行为，罗列十条"罪状"。② 当时，由于察哈尔西迁和内喀尔喀的溃散，爱新国再也没有必要姑息和牵就奥巴，奥巴深感来自爱新国的强大压力。乙巳年（1629 年）正月，没有退路的奥巴只好亲至爱新国"认罪"，修复双边关系。③ 同年十月奥巴不敢违背皇太极指令，率部首次参加爱新国对明朝战争，开始负担反察哈尔联盟以外的义务。④ 从此，科尔沁部不再是爱新国的平等盟友，而是其臣民。1630 年，皇太极下令科尔沁部从嫩江流域南迁，就牧洮儿河、西拉木伦河。

努尔哈赤时期，内喀尔喀五部中巴约特部完全归附爱新国，乌济叶特部也给爱新国和察哈尔部瓜分殆尽。1626 年底，林丹汗攻掠弘吉剌等部，引起混乱，各部相互掠夺人畜。弘吉剌部主要部分被察哈尔兼并，其首领宰赛辎重俱被抢掠，宰赛夫妇仅以身免，后下落不明。该部的一部分，先投奔科尔沁，旋即被皇太极索回。1626 年，巴林部和扎鲁特部遭到爱新国的攻击，接着又受到察哈尔的袭击，部落分散，只好投靠了嫩江流域的科尔沁部。1628 年，因不堪科尔沁部的欺压，巴林部和扎鲁特部转而归附爱新国。皇太极为了安定扎鲁特和巴林二部，采取了保留牧地，保持完整的政策。

1628 年初，喀喇沁台吉和塔布囊的使臣抵达沈阳，向皇太极谎称喀喇沁和右翼蒙古联军在呼和浩特消灭了察哈尔四万军队，约爱新国天聪汗与他们一起乘胜出兵，攻打察哈尔林丹汗。⑤ 皇太极得到喀喇沁方面具有诱惑力的战报后，得出了"察哈尔汗之根本已动摇"的结论，决定在这年夏末同嫩科尔沁、喀喇沁一起出兵察哈尔部。由于驻牧在敖木林（大凌河）一带的察哈尔左翼鄂托克阻碍了爱新国和喀喇沁的交通，皇太极在戊辰年

① 《旧满洲档》，第 2842 页。
② 《清太宗实录》，天聪二年十二月丁亥朔条。
③ 《清太宗实录》，天聪三年正月丁巳朔条。
④ 《清太宗实录》，天聪三年十月丙寅条。
⑤ 《十七世纪蒙古文文书档案》，第 145 页。

（1628 年）二月和五月两次用兵敖木林。① 第二次敖木林战役刚一结束，爱新国立即派使者带"誓词"（即盟约条款）到喀喇沁。喀喇沁方面修改了"誓词"的某些内容，在保留他们领受明朝市赏权利的基础上，与爱新国联盟。② 七月中旬喀喇沁 500 人的庞大使团抵沈阳，受到皇太极的隆重欢迎和盛情款待。八月三日，双方进行庄重的盟誓，正式建立了联盟。根据盟约，喀喇沁不得私通察哈尔，不得私通明朝，不得和满洲反目；爱新国不得和喀喇沁反目，不得迫害喀喇沁。双方结成反察哈尔、反明朝的政治和军事联盟。联盟成立后，喀喇沁部实际上失去了独立自主的地位，成为爱新国的附庸。从 1628 年秋天起，喀喇沁军队听从天聪汗皇太极的号令，和爱新国军队一道东征西战，多次参加对察哈尔和对明朝的远征。最后到 1635 年，喀喇沁黄金家族及其部众编入八旗蒙古，其所属塔布囊另编立为内扎萨克旗。

庚午年（1630 年）三月末，以皇太极为首的爱新国最高统治阶层和阿鲁蒙古翁牛特部首领逊杜棱、阿鲁科尔沁部首领达赖等诸诺颜盟誓，约定不为察哈尔计谋和财物所动，永世友好相处。双方建立了平等的同盟关系。此后，在这些部落和爱新国之间使臣往来不绝。各部首领也经常来到爱新国拜见天聪汗。辛未年（1631 年）五月，爱新国以天聪汗为首的最高统治者又一次与阿鲁蒙古四部首脑以及嫩科尔沁土谢图汗进行盟誓。这次盟誓，以保证阿鲁蒙古的人畜安全，不致被侵夺为条件，要求阿鲁部落在爱新国指定的牧地范围内游牧，不得擅自离开。会盟上还制定了阿鲁蒙古游牧地界。从此，以上四部牧地南移，到爱新国近邻。时隔几日，天聪汗还针对诸部首领制定了法规，详细规定了征讨察哈尔和明朝时各部的军事义务和违规违约时的惩罚办法。从此，阿鲁四部与爱新国确立了"一国一法"的关系。九月，阿鲁军队奉命参加了爱新国对明朝的大凌河攻城战。接着，多次参加了对察哈尔和明朝的战争。癸酉年（1633 年）正月，乌喇特首领首次来爱新国贺元旦，进方物。二月，茂明安首领车根汗尽携其众来归爱新国。一直游牧在斡难河流域的阿巴噶部与爱新国建交较早，天聪汗皇太极西宫贵大福晋就是阿巴噶部贵族多尔济的女儿，故皇太极称多尔济为额齐格诺颜（额齐格意

---

① 《旧满洲档》，第 2803—2805、2817—2820 页。
② 《十七世纪蒙古文文书档案》，第 45—46 页。

为父亲)。1639 年，部分阿巴噶内迁爱新国境内归附。

皇太极彻底征服蒙古大汗直属部落察哈尔的征程相当漫长而艰难。在努尔哈赤时期，林丹汗直属察哈尔本部已出现裂痕，兀鲁特部归附爱新国，敖汉、奈曼部也倒向爱新国。两部于丁卯年（1627 年）六月离开自己的牧地，归附爱新国。七月六日，敖汉、奈曼诸台吉和皇太极订立了反察哈尔联盟，成为爱新国的附庸。1628 年，皇太极利用察哈尔西迁后出现的东方局势，消灭了在大凌河流域驻牧的阿喇克绰特部。是年九月，皇太极第一次组织察哈尔远征，但因嫩科尔沁部奥巴洪台吉违约，远征半途而废。辛未年（1631 年）四月，天聪汗又一度准备与林丹汗决战，最后在嫩科尔沁部首领奥巴洪台吉的建议下再一次推迟。十一月，察哈尔东下，攻掠归附爱新国的阿鲁科尔沁部。壬申年（1632 年）三月，天聪汗终于如愿地发动了对察哈尔的远征。女真军队和蒙古喀喇沁、土默特、扎鲁特、敖汉、奈曼、科尔沁及阿鲁蒙古各部军队组成联军，从西拉木伦河向西北挺进。① 林丹汗得报后，仓促撤退，渡黄河而西逃。爱新国军队一路尾追，但除俘获零星溃散部众外，一无所获。于是爱新国军队回师攻克呼和浩特城，收取察哈尔余众。② 不久察哈尔属部克什克腾投归爱新国。甲戌年（1634 年），林丹汗病死于甘肃大草滩后，其属下察哈尔及刚征服的蒙古各部人心离散。同年七月，天聪汗亲自率兵至明大同、宣府边外，察哈尔余部纷纷来投靠爱新国。林丹汗的大喇嘛萨迦派高僧沙尔巴胡图克图带着蒙古大汗的护法神嘛哈噶喇佛像，也来投靠了爱新国。忠于林丹汗的部分蒙古贵族携其幼子额哲（号额尔克孔果尔）东返黄河河套驻牧，不肯向爱新国投降。爱新国也迅速出兵搜寻额哲。二月，爱新国派遣多尔衮等四贝勒率领精兵 1 万人寻找林丹汗子额哲，得知林丹汗妻苏泰太后（女真叶赫部人）与其子额哲在黄河河套内驻牧。③ 四月末，爱新国军队渡过黄河，突然抵达其驻地托里（今鄂尔多斯市乌审旗境内），额哲及其母苏泰太后被迫率部投降。此间，土默特部和鄂尔多斯部都相继摆脱察哈尔的束缚，率部东返，爱新国命他们收集部众驻

---

① 《满文老档》（下册），第 1257—1289 页。

② 《满文老档》（下册），第 1286 页。

③ 《清初内国史院满文档案译编》（上），光明日报出版社 1989 年版，第 103 页。

牧于原牧地。至此，察哈尔部和右翼蒙古各部全部降附爱新国。

丙子年（1636年）四月，天聪汗在盛京（今沈阳）召开大会，漠南蒙古贵族同女真和汉人臣僚一道，为天聪汗共上尊号。蒙古十六部的四十九名贵族参加盛典，为天聪汗皇太极上"博格达彻辰汗"尊号，承认他是蒙古最高统治者。皇太极改"爱新国"国号为"大清国"，改元为"崇德"。

皇太极在征服蒙古诸部的过程中将早期陆续投归的大量的蒙古部众，编入满洲八旗，有的还集中编设了蒙古牛录，由蒙古人充任总兵官。从1634年起，皇太极命阿什达尔汉、达雅齐等对归附的漠南各部进行划定地界，指定牧地，分配和编组户口，编制牛录，设旗等事宜。在推行编旗制度的同时，皇太极为了进一步加强对蒙古各部的统一管理，于至迟在1635年以前已经设立了专门处理蒙古事务的中央机构——蒙古衙门。蒙古衙门地位与六部平行，列于其后。戊寅年（1638年）六月，蒙古衙门更名理藩院，同年铸造了理藩院印信。其内部组织也更加完备。另外，将1635年设立的十一固山中的八个蒙古固山则完全纳入爱新国八旗组织序列，与八旗满洲并列，称八旗蒙古，俗称蒙古八旗。政治地位低于满洲而高于汉军。

（乌云毕力格　撰稿）

多尔衮

多尔衮（1615—1653年），建州女真出身，爱新觉罗氏，清太祖努尔哈赤第十四子，爵至和硕睿亲王。爱新国征服漠南蒙古，多尔衮屡建大功。

天聪二年（1628年）二月，爱新国天聪汗皇太极征察哈尔所属多罗特部于敖木伦（大凌河），大败多罗特部色令青巴图尔之众，俘虏了11200人，以多尔衮从征有功，赐号"墨尔根岱青"。[①] 1629年从天聪汗攻入明边，攻北京，败宁远巡抚袁崇焕、锦州总兵祖大寿援兵于广渠门外。

天聪五年（1631年）七月，爱新国初设六部，多尔衮掌吏部事。次年五月，天聪汗征察哈尔，多尔衮从征，与贝勒济尔哈朗俘其部众千余。天聪八年（1634年）五月，从天聪汗征明朝，从龙门口入境，败明兵，克保安

---

① 《旧满洲档》，第2803—2805页。

州，略朔州，至五台山而还。

天聪九年（1635 年）二月，天聪汗命多尔衮同贝勒岳讬、萨哈璘、豪格统精兵万人，招抚察哈尔部。在此之前，爱新国军征察哈尔，林丹汗西渡黄河，进入甘肃境内，后欲进军青海，到大草滩病故。林丹汗之子额尔克孔果尔额哲率千余户留托里图地方（今内蒙古鄂尔多斯市乌审旗境内）。至此，多尔衮等受命来招抚额哲。四月，多尔衮大军至锡喇珠尔格地方，降林丹汗之囊囊太后与台吉索诺木及所属 1500 户，进逼托里图。多尔衮等四贝勒率兵前进，于四月二十日渡黄河，二十八日抵额尔克孔果尔额哲所驻托里图地方。当时，下雾，天色昏黑，额哲国中无备。多尔衮等恐额哲惊觉，按兵不动，遣女真叶赫部金台石贝勒之孙南楮及其族叔祖阿什达尔汉等到察哈尔大营。按照多尔衮的部署，南楮等先到苏泰太后营，令人传话说，苏泰太后亲弟南楮已到，可否进帐与福晋说话。原来，额哲生母苏泰太后为叶赫部贝勒金台石孙女，爱新国大臣南楚为其亲弟，而阿什达尔汉为其祖叔。苏泰太后听说其弟弟到，大惊，遂令其随从旧叶赫人出帐核实。于是，苏泰太后恸哭而出，与其弟抱见。很快，苏泰太后令其子额哲率众寨桑出迎爱新国诸贝勒。多尔衮下令列旗纛，鸣画角，鼓吹以进，率额哲拜天，然后四贝勒依次与额哲交拜抱见，遂到苏泰太后营帐。苏泰太后迎入相见，设宴招待。为了使额尔克孔果尔及其臣下不生疑，多尔衮等誓告天地，说道："我等待额尔克孔果尔若有异念，天地降谴，我等推诚敦信，如此盟誓，若伊等不从，包藏异心，伊等当被天地谴责。"第二天，额哲部下群臣额齐格顾实、多木藏顾实、额齐格喇嘛、达尔汉喇嘛、阿木出忒喇嘛、卓礼克图格龙等大喇嘛以及俄克绰特巴俄木布、朱成格达尔汉诺颜、额布格寨桑、布兑杜稜诺颜、巴牙思户达尔汉塔布囊、达赖浑津、布泰阿噶喇户等诸大头目，率其部民 1000 户归降。① 这样，多尔衮等以和平手段收服了林丹汗之子及其直属部众。

在多尔衮军未到之前，"鄂尔多斯部济农诱额哲往附"②，意在将蒙古汗廷迁至鄂尔多斯部。多尔衮等"察其有异志"，扣留了他，并威胁说，"凡

---

① 《清太宗实录》，天聪九年五月丙子条。
② 《清史列传》卷 2《宗室王公传二·多尔衮本传》，中华书局 1987 年版，第 23 页。

察哈尔有遗物在尔国者，当悉送来，不然我兵即前进矣。"又对察哈尔诸臣说，"鄂尔多斯处凡有尔国遗物，可具数报来。"结果，爱新国从鄂尔多斯部俘获了察哈尔额尔克楚虎尔妻及其部下人，达云绰尔济、宜特格尔图、额尔克多克辛、托诺达尔汉塔布囊、托克脱和都喇尔寨桑等多名官员并其部民千余户，以及其他诸物。①

是年八月，和硕墨尔根岱青贝勒多尔衮等上奏已获历代传国玉玺。《清实录》记载：相传传国玉玺原本藏于元朝大内，至元朝末帝妥懽帖睦尔为明太祖所败，遂弃都城，携玺逃至蒙古，后崩于应昌府。此后玺遂遗失越二百余年。有一天，牧羊人发现，有一只山羊三日不啮草，但以蹄掘地，牧羊人去看，发现羊刨出玉玺。此后玉玺归了元后裔博硕克图汗（俺答汗后裔）。后博硕克图为察哈尔林丹汗所侵，国破，玉玺复归于林丹汗。多尔衮等闻玉玺在苏泰太后所，索而得之。玉玺之文为汉篆"制诰之宝"四字，璠玙为质，交龙为纽，光气焕烂。多尔衮等大喜，遂将玉玺送至爱新国朝廷。② 至是，满洲众贝勒大臣以蒙古悉臣服，且得前代玺，表上尊号。该玉玺实非元朝遗物，但是多尔衮等大肆渲染此印为元朝传国玉玺，为爱新国征服蒙古各部做了政治宣传，其效应巨大。

丙子年（1636 年）四月，多尔衮晋封和硕睿亲王。后多次参加征明战争，屡次立功。顺治元年（1644 年），福临幼年即位，是为清世祖。多尔衮与郑亲王济尔哈朗辅政，顺治元年称"皇叔摄政王"。后至顺治五年又改称"皇父摄政王"（Doro-be aliha han-i ama wang）。据传，多尔衮之"皇父"之称与他收继清太宗皇太极之孝庄皇后，即清世祖福临生母有关。

多尔衮在摄政期间，统众入关，镇压农民军，平定中原，一切创制规模，皆所经画。但是，多尔衮集军政大权于一身，威福自专，引起朝臣嫉恨。

顺治三年（1646 年）五月，内附清朝的蒙古苏尼特部叛清，离开内蒙古境，北入喀尔喀。多尔衮率诸王大臣出安定门，送豫亲王多铎征苏尼特部。八月，豫亲王击败喀尔喀部土谢图汗、硕垒汗凯旋。多尔衮到乌阑诺尔

---

① 《清太宗实录》，天聪九年五月丙子条。
② 《清太宗实录》，天聪九年八月庚辰条。

迎接，宴赏出征王、贝勒及外藩台吉等。

顺治六年十月，喀尔喀蒙古二楚虎尔犯边。多尔衮亲统清军讨伐，征集敖汉、扎鲁特、察哈尔、乌喇特、土默特、四子部落兵，至喀屯布拉克，不见敌军，乃班师。

顺治十年（1653年）十一月因病卒于边外喀喇河屯，终年三十九岁。多尔衮死后，苏克萨哈、詹岱等首告多尔衮生前诸多恶行，于是郑亲王济尔哈朗等议奏，"应追治其罪，削爵，黜宗室，籍财产入官"。得旨，如议行。① 乾隆年间，追复多尔衮旧封，其睿亲王爵世袭罔替。

（乌云毕力格　撰稿）

岳　託

岳託（1598—1638年），建州女真出身，爱新觉罗氏，清太祖努尔哈赤孙，礼烈亲王代善长子。归化城土默特旗在清代的建制和性质，与岳託直接有关。

天命八年四月，岳託同台吉阿巴泰出兵内喀尔喀扎鲁特部。初，扎鲁特部台吉昂安把爱新国使者执送女真叶赫部，叶赫将其杀死。后来又多次劫夺爱新国使者，并夺其畜产。努尔哈赤命阿巴泰、德格类、寨桑古、岳託等统兵3000，往征昂安。昂安得旨女真兵至，携妻儿及二十余人引牛车而遁。岳託等追及，斩昂安父子并从者，尽获其妻孥、军民、畜产，又执扎鲁特台吉钟嫩子桑土之妻及子而还。②

天命十一年被封为贝勒。

天聪初年，同二贝勒阿敏、贝勒济尔哈朗等征朝鲜，又从天聪汗征明。天聪六年征察哈尔，五月，岳託同济尔哈朗等略察哈尔部于归化城，俘获以千计。天聪九年二月，同贝勒多尔衮、萨哈璘、豪格收降察哈尔林丹汗子额哲，事见多尔衮传。六月，多尔衮等诸贝勒掠明山西。岳託因病率兵1000留驻呼和浩特（归化城）。正在此时，有土默特部人密报岳託，归化城土默

---

① 《清史列传》卷2《宗室王公传2·多尔衮本传》，中华书局1987年版，第36—37页。

② 《清太祖实录》，天命八年四月癸酉条。

特之主"博硕克图汗子俄木布遣人偕阿鲁喀尔喀及明使者至，将谋我（满洲）"①。据满文档案记载，岳託得密报后，立刻派阿尔津、吴巴海、喀木齐哈、尼堪四人去堵截。果然，4 名明朝使臣和 100 名喀尔喀人，随俄木布使臣一同前来。从他们所携带之物，如驼、马、貂皮等物来看，这些喀尔喀人，实际上是喀尔喀商队。他们得到俄木布乳母之父毛罕②的密报而返回。阿尔津等追击，捕获毛罕所遣 10 人和明使 4 人，又擒乌珠穆沁部 46 人。乌珠穆沁部当时由喀尔喀车臣汗硕垒统治，所以该商队是车臣汗派来的贸易商队。据称，毛罕封鄂木布为"Situwan han"，自称吴尔鲁克额齐克达尔汉贝勒（满文原文写作 urlug ecike darhan beile），称其妻为大福晋。毛罕又与明朝沙河堡参将合谋，称明朝为一路，喀尔喀为一路，土默特为一路，并与喀尔喀往来密切。岳託据此怀疑鄂木布有反叛企图，借故斩杀毛罕及其全部同伙。在派土默特人去征剿藏匿喀尔喀马驼之阿鲁部人之际，将土默特壮丁 3370 名，分成 10 队，每队派两名官员掌管，制订条约。③ 同时，借此机会剥夺了鄂木布的统辖权，归化城土默特被削夺自治权降为直辖旗，是后来编设内属蒙古旗之前奏。④

崇德元年（1636 年）四月，岳託晋封和硕成亲王。八月，岳託以"徇庇莽古尔泰、硕託，且有离间郑亲王济尔哈朗及肃亲王豪格事"，论死。皇太极下特旨宽免，降为多罗贝勒，罢兵部任。至是年十一月，又命重新摄兵部事。⑤ 崇德二年八月，皇帝命满洲两翼较射，岳託奏不能执弓。清太宗说："尔徐引射之，不射如他王贝勒等何！"经几次下谕，岳託才拿弓，但弓掉地五次，最后扔掉了弓。诸王论岳託骄慢，当死，清太宗下旨宽免，降为固山贝子，罢部任，罚锾。崇德三年（1638 年）正月，又封多罗贝勒，管旗务。二月，清太宗闻喀尔喀右翼扎萨克图汗素班第来到呼和浩特，率军远征，岳託从征，至博硕堆地方，侦知扎萨克图汗北撤而还。八月，岳託被

　　① 《清史列传》卷 3《宗室王公传 3·岳託本传》，中华书局 1987 年版，第 99 页。
　　② 《内国史院档·天聪七年》，[日] 财团法人东洋文库，平成十五年，天聪九年八月二十六日，满文原文写作"Bošūgtūijui be ujihe huhun-i ama mohan，意为博硕克图汗子乳母之父毛罕"；《清太宗实录》，天聪九年八月戊寅朔，"博硕克图之子乳母之夫毛罕"。
　　③ 《清初满文内国史院档案译编》上册，天聪九年八月二十六日。
　　④ 乌云毕力格、白拉都格其主编：《蒙古史纲要》，内蒙古人民出版社 2006 年版，第 156—157 页。
　　⑤ 《清史列传》卷 2《宗室王公传 2·岳託本传》，中华书局 1987 年版，第 99 页。

任命为扬威大将军，与杜度统右翼兵，和左翼奉命大将军睿亲王多尔衮分道伐明。

不久，岳託因病卒于军中，年四十一。清太宗诏封岳託为多罗克勤郡王，赐驼二、马五、银万两，葬盛京城南五里万柳塘。①

（乌云毕力格　撰稿）

阿什达尔汉

阿什达尔汉（1580—1642年），女真叶赫部出身，姓纳喇氏，叶赫贝勒金台石同族兄弟之子，清太宗舅。阿什达尔汉曾负责爱新国在漠南蒙古的律令发布、户口稽查、牧地划定等多项事务，清初负责实施扎萨克旗的初设工作。

努尔哈赤灭叶赫部，阿什达尔汉率属来归，被授予佐领，隶满洲正白旗。天命六年（1621年）二月，从努尔哈赤征明，表现勇敢。三月，攻辽阳城，先登城墙。班师后论功，授阿什达尔汉一等甲喇章京，敕赐免死一次。

天聪年间，阿什达尔汉受命管理外藩蒙古事，掌奉使朝鲜，并敕谕归附诸蒙古部落。天聪三年三月，阿什达尔汉同尼堪等赍敕往谕归顺蒙古诸部，申定军令。敕曰："尔等既皆归顺，凡遇出师期约，宜各踊跃争赴，协力同心，共申敌忾，毋有后期。我兵若征察哈尔，凡管旗事务诸贝勒，年七十以下，十三以上，俱从征，违者罚马百、驼十。迟三日不至约会之地者，罚马十。我军入敌境，以至出境，有不至者罚马百、驼十。若往征明国，每旗大贝勒各一员、台吉各二员，以精兵百人从征，违者罚马千、驼百。迟三日不至约会之地者，罚马十。我军入敌境，以至出境，有不至者，罚马千、驼百。于相约之地辄行掳掠者，罚马百、驼十。"②

天聪六年（1632年），明朝遣使议和，天聪汗命阿什达尔汉与文臣白格、龙什等到明朝会盟。第二年六月，随贝勒济尔哈朗、萨哈璘断蒙古各部

---

① 《清史列传》卷2《宗室王公传2·岳託本传》，中华书局1987年版，第99页。
② 《清太宗实录》，天聪三年三月戊午条。

案件，途中丢失了所带敕谕二十道中的九道，因此被罚处。十一月，宣布钦定律令于诸蒙古部落。

八年（1634 年）九月，奉命征兵科尔沁，会大兵于宣府、左卫。天聪汗亲征察哈尔，林丹汗西走，卒于大草滩，所部溃散，其属额尔德尼囊苏等率众来降。天聪汗命阿什达尔汉与前锋统领武拜等及额尔德尼囊苏往侦察哈尔汗子额哲。不久，阿什达尔汉奉命至春科尔地方，大会蒙古诸部，分划牧地，使各守封疆，并与诸贝勒讯狱断罪。九年（1635 年）二月，随贝勒多尔衮等兵万人，往收林丹汗子额哲。四月，爱新国军到达托里图，多尔衮遣阿什达尔汉携带其族孙南楮先到额哲母营。额哲母苏泰太后为阿什达尔汉族孙女。苏泰太后携儿子归降，事见多尔衮传。

崇德元年（1636 年）六月，授阿什达尔汉以都察院承政。十月，与内弘文院大学士希福、蒙古衙门承政尼堪、蒙古衙门承政塔布囊达雅齐往察哈尔、喀尔喀、科尔沁国查户口、编牛录、会外藩、审罪犯、颁法律、禁奸盗。① 这是在内蒙古地区编佐设旗的开端。

崇德三年（1638 年）五月，阿什达尔汉因在科尔沁察审诸事时，徇庇失实，且滥收诸蒙古贵族财贿，解都察院承政任，追夺财物入官。七月，复任都察院承政。②

1642 年，论松山失律诸臣罪，阿什达尔汉因罪罢承政任。不久病故，年六十三。

（乌云毕力格　撰稿）

---

① 《清太宗实录》，崇德元年十月丁亥条。
② 《清史列传》卷 4，大臣画一传档正编一，阿什达尔汉本传，第 194—195 页。

主要参考文献

1．《元史》，中华书局标点本 1983 年版。

2．《明实录》，中央研究院历史语言研究所校印本 1962 年版。

3．吴含辑：《朝鲜李朝实录中的中国史料》，中华书局 1980 年版。

4．中国第一历史档案馆藏明朝兵部档案（简称《明档》）。

5．辽宁省档案馆、辽宁社会科学院历史所编：《明代辽东档案汇编》，辽沈书社 1985 年版。

6．郑麟趾：《高丽史》，1957—1958 年朝鲜铅印本，参见吴含辑：《朝鲜李朝实录中的中国史料》，中华书局 1980 年版。

7．《华夷译语》，涵芬楼秘笈本。

8．权衡：《庚申外史》，中州古籍出版社 1991 年版。

9．于谦：《少保于公奏议》，钱塘丁氏重刻杭州府本。

10．许进：《平番始末》，金声玉振集。

11．叶向高：《四夷考》，宝颜堂秘笈本。

12．杨时宁：《宣大山西三镇图说》，玄览堂丛书本。

13．《明史》，中华书局点校本 1974 年版。

14．陈建：《皇明资治通纪》，明刊本。

15．王世贞：《弇州史料前集》卷 18《北虏始末志》。

16．天顺：《大明一统志》，天顺五年经厂本。

17．杨铭：《正统临戎录》，纪录汇编本。

18. 马文升：《抚安东夷记》，纪录汇编本。

19. 《辽东志》，《辽海丛书》，辽沈书社1985年版。

20. 缪荃孙：《艺风堂文集》，辛丑（1901）刊本。

21. 冯时可：《俺答前志》、《俺答后志》，载《明经世文编》。

22. 胡宗宪：《题为陈愚见以裨边务疏》，载《明经世文编》。

23. 谷应泰：《明史纪事本末》，中华书局1977年版。

24. 徐日久：《五边典则》，明万历年间刻本。

25. 沈一贯：《请许套虏求款揭帖》，载《明经世文编》。

26. 王士琦：《三云筹俎考》，国立北平图书馆善本丛书第一集。

27. 王崇古：《确议封贡事宜疏》，载《明经世文编》。

28. 俺答汗：《北狄顺义王俺答等臣贡表文》，玄览堂丛书本。

29. 瞿九思：《万历武功录》，中华书局影印本1962年版。

30. 郭造卿：《卢龙塞略》，台湾广文书店影印明万历三十八年刻本1975年版。

31. 张鼐：《辽夷略》，玄览堂丛书本。

32. 王鸣鹤：《登坛必究》，明万历二十七年刻本。

33. 方孔炤：《全边略记》，国立北平图书馆印行本。

34. 萧大亨：《夷俗记》，宝颜堂秘笈续集本。

35. 冯瑗：《开原图说》，玄览堂丛书本。

36. 王在晋：《三朝辽事实录》，江苏省国学图书馆影印明崇祯十二年刊本。

37. 魏焕：《九边考》，北平图书馆古籍珍本丛刊（8），书目文献出版社2000年版。

38. 郑晓：《北虏考》，《吾学编》本。

39. 佚名：《北虏考》，北平图书馆古籍珍本丛刊（8），书目文献出版社。

40. 萧大亨：《夷俗记·北虏世系》，北平图书馆古籍珍本丛刊（11），书目文献出版社2000年版。

41. 袁彬：《北征事迹》。

42. 李实：《北使录》。

43．翁万达著，朱仲玉、吴奎信校点：《翁万达集》，上海古籍出版社1992年版。

44．刘佶：《北巡私记》，载罗振玉辑：《云窗丛刻》第四册。

45．刘效祖：《四镇三关志》，《四库禁焚书丛刊》，北京出版社2000年版。

46．米万春：《蓟门考》，《四库禁焚书丛刊》，北京出版社2000年版。

47．米万春：《蓟门考》，载陈仁锡：《皇明世法录》卷57，台湾商务印书馆影印1965年版。

48．戚继光：《蓟镇边防》，《四库禁焚书丛刊》，北京出版社2000年版。

49．谈迁：《国榷》，古籍出版社1958年版。

50．王在晋：《三朝辽事实录》，全国图书馆文献缩微复制中心2002年版。

51．《绥远县志》，成文出版社1968年影印本。

52．《土默特志》，清光绪间刊本影印，台湾成文出版社1968年版。

53．牙含章：《达赖喇嘛传》，人民出版社1984年版。

54．薄音湖、王雄编辑点校：《明代蒙古汉籍史料汇编》第一、二辑，内蒙古大学出版社1994、2000年版。

55．李保文整理：《十七世纪蒙古文文书档案》（1600—1650），内蒙古少年儿童出版社1997年版。

56．中国第一历史档案馆：《清初内国史院满文档案译编》（上、中、下），光明日报出版社1989年版。

57．内蒙古图书馆、内蒙古社会科学院图书馆藏档册：《kökeqota-yin ɣajar orun-u jaq-a kijagar ba siregetü gegen-ü tobči namdar》（呼和浩特地域界限及锡埒图活佛传略），写本。

58．珠荣嘎译注：《俺答汗传》，内蒙古人民出版社1991年版。

59．吉田顺一等译注：《俺答汗传》附原文影印件，风间书屋1998年版。

60．宝力高校注：《黄金史纲》，内蒙古教育出版社1989年版。

61．朱凤、贾敬颜译注：《汉译蒙古黄金史纲》，内蒙古人民出版社

1985 年版。

62. 罗藏丹津：《黄金史》，乌兰巴托影印本 1990 年版。

63. 萨冈彻辰：《蒙古源流》，内蒙古人民出版社 1981 年版。

64. 拉喜彭斯克：《水晶念珠》，内蒙古人民出版社 1985 年版。

65. 罗密：《蒙古博尔济吉忒氏族谱》，纳古单夫、阿尔达扎布校注本，内蒙古人民出版社 1989 年版。

66. 善巴：《阿萨喇克其史》（Byamba-yin Asaraɣči neretü［-yin］teüke），沙格德尔苏隆整理并影印出版，乌兰巴托 2002 年版。

67. 罗桑却丹：《蒙古风俗鉴》，内蒙古社会科学院图书馆抄本。

68. 《旧满洲档》，台湾故宫博物院 1979 年影印本。

69. 《满文老档》（汉译本），中国社会科学院历史所译注，中华书局 1990 年版。

70. 《清实录》，中华书局影印本 1985 年版。

71. 《清史列传》，王钟翰校注，中华书局点校本 1987 年版。

72. 《清太祖武皇帝弩儿哈奇实录》，故宫博物院 1932 年版，铅印本。

73. 《东华录》，中华书局点校本 1980 年版。

74. 《蒙古回部王公表传》，武英殿刊本。

75. 《八旗满洲氏族通谱》，辽沈书社影印本 1989 年版。

76. 《八旗通志初集》，东北师范大学出版社点校本 1985 年版。

77. 第五世达赖阿旺罗桑嘉著：《达赖喇嘛三世、四世传》，陈庆英、马连龙译，全国图书馆文献缩微复制中心 1992 年版。

78. 阿旺洛桑嘉措：《五世达赖喇嘛传·云裳》，陈庆英、马连龙、马林译，中国社会科学院中国边疆史地研究中心主编，中国藏学出版社 1997 年版。

79. 阿旺贡噶索南：《萨迦世系史》（Sa-skya-gdung-rabs），西藏人民出版社 2002 年版。

80. 固什噶居巴·洛桑泽培著，陈庆英、乌力吉译注：《蒙古佛教史》，《北方民族丛书》，张璇如等主编，天津古籍出版社 1990 年版。

81. ［英国］约·弗·巴德利：《俄国、蒙古、中国》，吴持哲、吴有刚译，商务印书馆 1981 年版。

82. 《蒙古人民共和国部族学》（一），内蒙古人民出版社 1990 年版。

83. 余元庵：《内蒙古历史概要》，上海人民出版社 1961 年版。

84. 亦邻真：《亦邻真蒙古学文集》，内蒙古人民出版社 2001 年版。

85. 周清澍、额尔德尼巴雅尔：《〈蒙古源流〉初探》，《元蒙史札》，内蒙古人民出版社 2001 年版。

86. 周清澍主编：《内蒙古历史地理》，内蒙古大学出版社 1994 年版。

87. 谭骐骧主编：《中国历史地图集》第 7 册，地图出版社 1975 年版。

88. 胡钟达：《呼和浩特旧城（归化）建成年代初探》，《蒙古史论文选集》，呼和浩特 1983 年版。

89. 方龄贵：《北元宣光年号考证》，《元史论集》，人民出版社 1984 年版。

90. 奥登：《喀尔喀五部考述》，《蒙古史研究》第 2 辑，内蒙古人民出版社 1986 年版。

91. 达力扎布：《明代漠南蒙古历史研究》，内蒙古文化出版社 1997 年版。

92. 达力扎布：《明清蒙古史论稿》，民族出版社 2003 年版。

93. 乌兰：《〈蒙古源流〉研究》，辽宁民族出版社 2000 年版。

94. 乌兰：《17 世纪蒙古文史书中的若干地名》，《中国边疆史地研究》1998 年第 4 期。

95. 乌兰：《印藏蒙一统传说故事的由来》，中国蒙古史学会编，《蒙古史研究》第 6 辑，2000 年版。

96. 乌兰：《〈汪国钧本蒙古源流〉评介》，《内蒙古大学学报》1995 年第 1 期。

97. 宝音德力根：《十五世纪前后蒙古政局部落诸问题研究》，内蒙古大学博士学位论文（打印本）1997 年版。

98. 宝音德力根：《兀良哈万户牧地考》，《内蒙古大学学报》2000 年第 5 期。

99. 宝音德力根：《15 世纪中叶前的北元可汗世系及政局》，《蒙古史研究》第 6 辑，内蒙古大学出版社 2000 年版。

100. 宝音德力根：《往流和往流四万户》，《蒙古史研究》第 5 辑，内蒙古大学出版社 1997 年版。

101．宝音德力根：《好趁察罕儿、五鄂托克察罕儿和察哈尔八大营》，《内蒙古大学学报》蒙古文版 1998 年第 3 期。

102．宝音德力根：《15—16 世纪鄂尔多斯历史的几个问题》，《内蒙古大学学报》（蒙古文版）1998 年第 1 期。

103．宝音德力根：《满官嗔—土默特部的变迁》，载《蒙古史研究》第 5 辑，内蒙古大学出版社 1997 年版。

104．宝音德力根：《从阿巴岱与俺答汗的关系看早期喀尔喀历史的几个问题》，《内蒙古大学学报》（蒙古文版）1999 年第 1 期。

105．乌云毕力格：《明朝兵部档案中有关林丹汗与察哈尔的史料》，Researching Archival Documents on Mongolian History：Observations on the Present and Plans for the Future，东京外国语大学 2004 年版。

106．乌云毕力格：《喀喇沁万户研究》，内蒙古人民出版社 2005 年版。

107．乌云毕力格：《明朝兵部档案中有关林丹汗与察哈尔的史料》，《蒙古史档案研究》，东京外国语大学 2004 年版。

108．乌云毕力格、白拉都格其主编：《蒙古史纲要》，内蒙古人民出版社 2006 年版。

109．玉芝：《蒙元东道诸王及其后裔所属部众历史研究》，内蒙古大学 2006 年博士学位论文。

110．胡日查、长命：《科尔沁蒙古史略》（蒙古文），民族出版社 2001 年版。

111．薄音湖：《从板升到库库河屯的建立》，《中国民族史研究》，中国社会科学出版社 1987 年版。

112．薄音湖：《呼和浩特（归化）建城年代考》，《内蒙古大学学报》1985 年第 2 期。

113．薄音湖：《关于察哈尔的若干问题》，《蒙古史研究》第 5 辑，内蒙古大学出版社 1997 年版。

114．薄音湖：《俺答汗征兀良哈史实》，《内蒙古大学纪念校庆二十五周年学术论文集》1982 年版。

115．杜家骥：《清朝满蒙联姻研究》，人民出版社 2003 年版。

116．杨绍猷：《俺答汗评传》，中国社会科学出版社1992年版。

117．齐木德道尔吉：《四子部落迁徙考》，《蒙古史研究》第7辑。

118．乔吉：《锡埒图·固什·绰尔济生平叙补》，《蒙古史研究》第1辑，内蒙古人民出版社。

119．乔吉：《内蒙古寺庙》，内蒙古人民出版社1994年版。

120．奇格：《图们汗法典初探》，《内蒙古社会科学》1985年第1期。

121．希都日古：《17世纪蒙古编年史与蒙古文文书档案研究》，辽宁民族出版社2006年版。

122．巴根那：《天命十年八月至天聪三年二月科尔沁部与爱新国联盟》，《明清档案与蒙古史研究》第1辑，内蒙古人民出版社2000年版。

123．鲍音：《论〈十善福法典〉是部伪托之书》，《内蒙古师范大学学报》1994年第4期。

124．鲍音：《〈十善福经白史〉浅译注析》，《昭乌达蒙族师专学报》1985年。

125．义都和希格主编：《蒙古民族通史》第3卷（曹永年执笔），内蒙古大学出版社2002年版。

126．旺济勒：《三乌拉特来到阴山的准确年代》，《内蒙古社会科学》（蒙古文版）1989年第6期。

127．邢洁晨：《论黄教传入蒙古地区的原因》，《内蒙古师范大学学报》1985年第1期。

128．罗福颐：《北元官印考》，载《故宫博物院院刊》1979年第1期。

129．陈炳应：《北元"中书右司都事厅印"考略》，《西北史地》1985年第2期。

130．苏鲁格译注：《俺答汗法典》，《蒙古学信息》1996年第1期。

131．双福：《北元时期蒙译〈甘珠尔〉及佛经跋诗浅析》，《蒙古学信息》1995年第2期。

132．阎崇年：《努尔哈赤传》（第2版），北京出版社2006年版。

133．党宝海：《扩廓帖木儿的族源、本名与汉姓》，《西北史地》1997年第1期。

134．策·贺希格陶克陶：《蒙古古典文学研究新论》，内蒙古人民出版社 1998 年版。

135．策·贺希格陶克陶编：《蒙古古典诗歌选注》，内蒙古人民出版社 1985 年版。

136．策·贺希格陶克陶：《〈甘珠尔〉蒙译史略》，《内蒙古社会科学》 1991 年第 4 期。

137．荣苏和、赵永铣等主编：《蒙古族文学史》（第 2 卷），内蒙古人 民出版社 2000 年版，第 626—631 页。

138．齐格齐：《阿兴喇嘛族系事迹简介》，《内蒙古社会科学》（蒙古 文）1983 年第 3 期。

139．黄奋生：《藏族史略》，民族出版社 1994 年版。

140．沙·比拉：《蒙古史学史（十三世纪——十七世纪）》，汉译本。

141．沙·确玛：《新发现的〈黄金史〉中有关卜端察儿的内容与其他 历史文献的比较》，《内蒙古大学学报》（蒙古文版）1999 年第 1 期。

142．［德国］萨迦斯特：《白史———一部关于两种体制学说的蒙古历史 文献，西藏和蒙古的宗教和国家》，威斯巴登 1976 年版。

143．图齐、海西希著，耿昇汉译：《西藏和蒙古的宗教》，天津古籍出 版社 1989 年版。

144．W. Heissig：Erdeni-yin erike. Mongolische chronik der Lamaistischen klosterbauten der Mongolei von Isibaldan（1835），UbersiCht lamaisCher temple，Koke khota，13～14r，Kopenhagen，1961.

145．海西希：《蒙古的家族与宗教史学》（德文）第 1 卷，威斯巴登 1959 年版。

146．符拉基米尔佐夫：《蒙古社会制度史》，刘荣焌译本，中国社会科 学出版社 1980 年版。

147．茹科夫斯卡娅：《蒙古历法研究》，《蒙古学资料与情报》1990 年 第 2 期。

148．若松宽：《清代蒙古的历史与宗教》，黑龙江教育出版社 1994 年版。

149．和田清：《明代蒙古史论集》，潘世宪译，商务印书馆 1984 年版。

150．田山茂：《清代蒙古社会制度》，潘世宪译，商务印书馆 1987

年版。

151．本田实信：《早期北元汗系》，载《乌拉尔—阿尔泰年鉴》1958 年第 30 期；薄音湖译，载《蒙古学情报与资料》1986 年第 2 期。

152．间野英二：《十五世纪初的蒙兀斯坦》，《东洋史研究》第 23 卷 1 号，1959 年。

153．冈田英弘：《达延汗六万户的起源》，《榎博士还历纪念东洋史论丛》，1975 年。

154．森川哲雄：《鄂尔多斯十二鄂托克考》，载《东洋史研究》第 32 卷 3 号，1973 年。

155．森川哲雄：《土默特十二鄂托克考》，载《江上波夫教授古稀纪念论集》（历史篇），1977 年。

156．森川哲雄：《中期蒙古的土绵》，《史学杂志》81—1。

157．森川哲雄：《察哈尔八鄂托克及其分封》，载《东洋学报》第 58 卷第 1—2 期，1976 年。

158．楠木贤道：《天聪年间爱新国对蒙古诸部的法律支配进程》，原文载日本社会文化史学会 1999 年 10 月编《社会文化史学》第 40 号。